SANCTI

THOMAE AQUINATIS

OPERA OMNIA

TOMUS XVIII.

SANCTI

THOMAE

AQUINATIS

DOCTORIS ANGELICI

ORDINIS PRAEDICATORUM

OPERA OMNIA

SECUNDUM IMPRESSIONEM PETRI FIACCADORI
PARMAE 1852 — 1873
PHOTOLITHOGRAPHICE REIMPRESSA

CUM NOVA INTRODUCTIONE GENERALI
ANGLICE SCRIPTA A
VERNON J. BOURKE
PHILOSOPHIAE PROFESSORE IN UNIVERSITATE SANCTI LUDOVICI

TOMUS XVIII

NEW YORK
MUSURGIA PUBLISHERS
1949

REPRINTED FROM THE ORIGINAL
WITH ECCLESIASTICAL APPROBATION

Printed in the United States of America

THE MURRAY PRINTING COMPANY
WAKEFIELD, MASSACHUSETTS

SANCTI

THOMAE

AQUINATIS

DOCTORIS ANGELICI

ORDINIS PRAEDICATORUM

OPERA OMNIA

AD FIDEM OPTIMARUM EDITIONUM

ACCURATE RECOGNITA

TOMUS XVIII.

PARMAE

TYPIS PETRI FIACCADORI

MDCCCLXV

SANCTI

THOMAE AQUINATIS

DOCTORIS ANGELICI

ORDINIS PRAEDICATORUM

IN ARISTOTELIS STAGIRITAE

NONNULLOS LIBROS

COMMENTARIA

ADJECTIS BREVIBUS ADNOTATIONIBUS

VOLUMEN PRIMUM

COMPLECTENS

EXPOSITIONEM IN II. LIB. PERIHERMENIAS, IN II. LIB. POSTERIORUM ANALYTICORUM ET IN VIII. PHYSICORUM

PARMAE

TYPIS PETRI FIACCADORI

GVLIELMO · EMMANVELI · DE · KETTELER

CHRISTIANA · VIRTVTE · EIDEMQ · DOCTRINA

INTER · MAGONTIACOS · ANTISTITES

CLARISSIMO

PETRVS · FIACCADORI · LIBRARIVS

POSTREMA · SCHOLASTICOR · OPERVM · VOLVMINA

THOMAE · S · AQVINATIS

INSCRIBIT · DEDICAT

NE · GRATAE · VOLVNTATIS · SVAE · MONVMENTVM · DESIT

VIRO · TANTO

QVI

EGREGIIS · EDITIS · LIBRIS

VERAM · PATRVM · NOSTROR · RELIGIONEM

AB · OPPVGNATORVM · SECTIS · ACERRIME · TVTATVS

SIBI · CATHOLICIS · QVE · FRATRIBVS

NOMEN · COMPARAVIT · ET · GLORIAM

———

iiI · KALEND · NOVEMBRIS · A · MDCCCLXV ·

———

AD AMICUM LECTOREM TYPOGRAPHUS

Aetati suae morem gerens Doctor Aquinas, nonnullos Philosophi Stagiritae libros lectionibus niti-
dissimis explanavit. Usitatum ordinem secuti, a Logicis
nimirum exorsi, hoc volumine posuimus Commentaria
in libros *Perihermenias,* seu *de Interpretatione:* dein
in primum atque secundum librum *Posteriorum,* cum
supplementis Thomae Cardinalis De Vio Cajetani.
Accesserunt scholia in libros octo *de Physico auditu,*
sive *de naturali auscultatione.* Duplici textus Ari-
stotelei translatione usi sumus; antiqua, et recenti
quam nuperrimus editor Ambrosius Firmin Didot
Instituti Franciae Typographus adornavit in accu-
ratissima operum omnium Aristotelis collectione
paucis abhinc annis cum eruditorum totius orbis
plausu Parisiis instituta. Hanc operae pretium duximus

illi substituere quam ex Argyropulo praecedentes editiones exhibebant. Nisi quod explicationes illas omisimus textui parisiensi subinde insertas, alioque charactere expressas, ad obscuriora loca illustranda appositas, cum ea negotium minime facessant Thomae Commentaria lecturis. Ex editione Veneta Hieronymi Scoti summas librorum aeque ac singularum lectionum apposuimus, Roberto Lincolniensi tributas, iis dumtaxat exceptis ad libros de Interpretatione ac Posteriora Analytica: quas, cum deessent, ex alia Veneta Aristotelis editione, Bindoniana nempe MDLXXVI. supplere curavimus. Hisce commemoratis in diligentiae testimonium, tibi, amice Lector, fausta omnia adprecamur, de tua vicissim constanti benevolentia confisi. Vale, nosque D. O. M. ex corde commenda.

Parmae III. Kal. Novembris MDCCCLXV.

S. THOMAE AQUINATIS

IN

ARISTOTELIS STAGIRITAE

NONNULLOS LIBROS COMMENTARIA

—◆—

PERIHERMENIAS SEU DE INTERPRETATIONE

—◦◦◦◦◦◦—

LIBER PRIMUS

SUMMA LIBRI. DE NOTIS. DE ORATIONIS PRINCIPIIS. DE IPSA ORATIONE. DE ENUNCIATIONE AC IPSIUS SPECIEBUS. DE ENUNCIATIONUM OPPOSITIONIBUS, AC CIRCA IPSARUM VERITATEM ET FALSITATEM REGULIS, IN QUOCUMQUE TEMPORE.

LECTIO I.

De hujus partis ad alios Logicae libros ordine, ac necessitate:
quae etiam determinanda sint proponuntur.

<table>
<tr><td align="center">ANTIQUA TRANSLATIO.</td><td align="center">RECENS TRANSLATIO.</td></tr>
<tr><td>Primum oportet constituere quid sit nomen et quid sit verbum; postea quid negatio, affirmatio et enuntiatio et oratio.</td><td>Primum oportet ponere, quid sit Nomen et quid Verbum; deinde, quid sit Negatio et Affirmatio, et Enuntiatio et Oratio.</td></tr>
</table>

Sicut dicit Philosophus in tertio de Anima, duplex est operatio intellectus: una quidem quae dicitur indivisibilium intelligentia, per quam scilicet apprehendit essentiam uniuscujusque rei in seipsa: alia est operatio intellectus, scilicet componentis et dividentis. Additur autem et tertia operatio, scilicet ratiocinandi; secundum quod ratio procedit a notis ad inquisitionem ignotorum. Harum autem operationum prima ordinatur ad secundam; quia non potest esse compositio et divisio, nisi simplicium apprehensorum. Secunda vero ordinatur ad tertiam; quia videlicet oportet quod ex aliquo vero cognito, cui intellectus assentiat, procedat ad certitudinem accipiendam de aliquibus ignotis. Cum autem Logica dicatur rationalis scientia, necesse est quod ejus consideratio versetur circa ea quae pertinent ad tres praedictas operationes rationis. De his igitur quae pertinent ad primam operationem intellectus, idest de his quae simplici intellectu concipiuntur, determinavit Aristoteles in libro Praedicamentorum. De his vero quae pertinent ad secundam operationem, scilicet de enunciatione affirmativa et negativa, determinavit Philosophus in libro Perihermenias. De his vero quae pertinent ad tertiam operationem, determinavit in libro Priorum et in consequentibus, in quibus agitur de syllogismo simpliciter, et de diversis syllogismorum et argumentationum speciebus, quibus ratio de uno procedit ad aliud. Et ideo secundum praedictum ordinem trium operationum, liber Praedicamentorum ordinatur ad librum Perihermenias, qui ordinatur ad librum Priorum et sequentes. Dicitur ergo liber iste qui prae manibus habetur, Perihermenias quasi, de interpretatione. Dicitur autem interpretatio, secundum Boetium, vox significativa, quae per se aliquid significat, sive sit complexa, sive incomplexa. Unde conjunctiones et praepositiones et alia hujusmodi non dicuntur interpretationes, quia non per se aliquid significant: similiter etiam voces significantes naturaliter, non ex proposito aut cum imaginatione (1) aliquid significandi, sicut voces brutorum animalium, interpretationes dici non

(1) *Forte* cum intentione.

possunt. Qui enim interpretatur, aliquid exponere intendit. Et ideo sola nomina et verba et orationes dicuntur interpretationes, de quibus in hoc libro determinatur. Sed tamen nomen et verbum magis interpretationis principia esse videntur, quam interpretationes: ille enim interpretari videtur, qui exponit aliquid esse verum vel falsum. Et ideo oratio enunciativa, in qua verum vel falsum invenitur, interpretatio vocatur. Ceterae vero orationes, ut optativa et imperativa, magis ordinantur ad exprimendum affectum, quam ad interpretandum id quod in intellectu habetur. Intitulatur ergo liber iste de Interpretatione, ac si diceretur de enunciativa oratione, in qua verum vel falsum invenitur. Non autem hic agit de nomine et verbo nisi inquantum sunt partes enunciationis. Est enim proprium uniuscujusque scientiae partes subjecti tradere, sicut et passiones. Patet igitur ad quam partem Philosophiae pertineat liber iste, et quae sit necessitas istius, et quem ordinem retineat inter Logicae libros. Praemittit autem huic operi Philosophus prooemium, in quo sigillatim exponit ea quae in hoc libro sunt tractanda. Et quia omnis scientia praemittit ea quae de principiis sunt; partes autem compositorum sunt eorum principia; ideo oportet intendenti tractare de enunciatione, praemittere de partibus ejus. Unde dicit « primum oportet constituere, » idest definire « quid sit nomen et quid verbum. » In graeco habetur « Primum oportet poni »: et idem significat. Quia enim demonstrationes definitiones praesupponunt, ex quibus concludunt, merito dicuntur positiones. Et ideo praemittuntur hic solae definitiones eorum de quibus agendum est: quia ex definitionibus alia capimus consequenter.

Si quis autem quaerat, cum in libro Praedicamentorum de simplicibus dictum sit, quae sit necessitas ut hic rursum de nomine et verbo determinaretur: ad hoc dicendum, quod simplicium dictionum triplex potest esse consideratio. Una quidem secundum quod absolute significant simplices intellectus; et sic earum consideratio pertinet ad librum Praedicamentorum. Alio modo secundum rationem, prout sunt partes enunciationis; et sic determinatur de eis in hoc. Et ideo traduntur sub ratione nominis et verbi, de quorum ratione est quod significent aliquid cum tempore vel sine tempore, et alia hujusmodi, quae pertinent ad rationem dictionum, secundum quod constituunt enunciationem. Tertio considerantur secundum quod ex eis constituitur ordo syllogisticus; et sic determinatur de eis sub ratione terminorum in libro Priorum. Potest iterum dubitari quare praetermissis aliis orationis partibus, de solo nomine et verbo determinat. Ad quod dicendum est, quod quia de simplici oratione determinare intendit, sufficit ut solas partes enunciationis pertractet, ex quibus ex necessitate simplex oratio constat. Potest autem ex solo nomine et verbo simplex enunciatio fieri, non autem ex aliis orationis partibus sine his; et ideo sufficiens ei fuit de his duabus determinare.

Vel potest dici, quod sola nomina et verba sunt principales orationis partes. Sub nominibus enim comprehenduntur pronomina: quae etsi non nominant naturam, personam tamen determinant: et ideo loco nominum ponuntur: sub verbo vero participium, quod consignificat tempus; quamvis et cum nomine convenientiam habeat. Alia vero, quae secundum grammaticos dicuntur partes, sunt magis colligationes partium (1) orationis significantes habitudinem unius ad aliam, quam orationis partes; sicut clavi, et alia hujusmodi non sunt partes navis, sed partium navis conjunctiones. His igitur praemissis, quasi principiis, subjungit de his quae pertinent ad principalem intentionem, dicens: « Postea quid « negatio et quid affirmatio, » quae sunt enunciationis partes, non quidem integrales, sicut nomen et verbum (alioquin oporteret omnem enunciationem ex affirmatione et negatione compositam nomen esse vel verbum) sed partes subjectivas (2); idest species. Quod quidem nunc supponatur, posterius autem manifestabitur. Sed potest dubitari, cum enunciatio dividatur in categoricam et hypotheticam, quare de his non facit mentionem, sicut de affirmatione et negatione. Et potest dici quod hypothetica enunciatio ex pluribus categoricis componitur. Unde non differunt nisi secundum differentiam unius et multi. Vel potest dici, et melius, quod hypothetica enunciatio non continet absolutam veritatem, cujus cognitio requiritur in demonstratione, ad quam liber iste principaliter ordinatur; sed significat aliquid verum esse ex suppositione: quod non sufficit in scientiis demonstrativis, nisi confirmetur per absolutam veritatem simplicis enunciationis. Et ideo Aristoteles praetermisit tractatum de hypotheticis enunciationibus et syllogismis. Subdit autem « et « enunciatio » quae est genus affirmationis et negationis, « et oratio, » quae est genus enunciationis. Si quis ulterius quaerat, quare non facit ulterius mentionem de voce: dicendum, quod vox est quoddam naturale; unde pertinet ad considerationem Naturalis Philosophiae, ut patet in secundo de Anima, et in ultimo de Generatione animalium. Unde etiam non est proprie orationis genus, sed assumitur ad constitutionem orationis sicut res naturales ad constitutionem artificialium. Videtur autem ordo enunciationis esse praeposterus; nam affirmatio naturaliter est prior negatione, et iis prior est enunciatio, sicut genus, et per consequens oratio enunciatione. Sed dicendum, quod quia a partibus inceperat enumerare; procedit a partibus ad totum. Negationem autem, quae divisionem continet, eadem ratione praeponit affirmationi, quae consistit in compositione; quia divisio magis accedit ad partes; compositio vero magis accedit ad totum. Vel potest dici, secundum quosdam, quod praemittitur negatio, quia in iis quae possunt esse et non esse, in plus est non esse, quod significat negatio, quam esse, quod significat affirmatio. Sed tamen, quia sunt species ex aequo dividentes genus, sunt simul natura: unde non refert, quod eorum praeponatur.

(1) *Edit. Rom.* 1570: Alia vero sunt magis colligationes partium etc., *intermediis omissis.*

(2) *Lege* subjectivae.

LECTIO II.

De vocis ac scripturae ad animae affectum comparatione: qualis nam sit vocis impositio,
an ex natura, an ex hominum arte.

Sunt ergo ea quae sunt in voce, earum quae sunt in anima passionum notae; et ea quae scribuntur, eorum quae sunt in voce.

Et quemadmodum nec litterae eaedem omnibus, sic nec eaedem voces.

Quarum autem primorum hae primo notae sunt, eaedem omnibus passiones animae sunt; et quarum hae similitudines, res jam eaedem.

De his itaque dictum est in his quae dicta sunt de Anima. Alterius est enim negotii.

Sunt vero voces emissa passionum animae signa, et scripta, eorum quae voce emittuntur.

Et quemadmodum nec literae omnibus eaedem sunt, [ita] nec voces omnibus eaedem: quorum tamen haec signa primo sunt, ea omnibus sunt eaedem passiones animae; et quorum haec imagines sunt, ea quoque [omnibus] sunt res eaedem. De his quidem dictum est in libris de Anima: sunt enim alienae tractationis.

Praemisso prooemio, Philosophus accedit ad propositum exequendum. Et quia ea de quibus promiserat se dicturum, sunt voces significativae, complexae vel incomplexae, ideo praemittit tractatum de significatione vocum: et deinde de vocibus significativis determinat, de quibus in prooemio se dicturum promiserat. Et hoc ibi, « Nomen ergo « est vox significativa, etc. » Circa primum duo facit. Primo determinat qualis sit significatio vocum. Secundo ostendit differentiam significationum vocum complexarum et incomplexarum, ibi, « Est autem « quemadmodum etc. » Circa primum duo facit. Primo quidem praemittit ordinem significationis vocum. Secundo ostendit, qualis sit vocum significatio; utrum sit ex natura, vel ex impositione, ibi « Et quemadmodum nec literae, etc. » Est ergo considerandum, quod circa primum tria praeponit, ex quorum uno intelligitur quartum. Praeponit enim scripturam, voces et animae passiones, ex quibus intelliguntur res. Nam passio est ex impressione alicujus agentis; et sic passiones animae originem habent ab ipsis rebus. Et si quidem homo esset naturaliter animal solitarium, sufficerent sibi animae passiones, quibus ipsis rebus conformaretur, ut earum notitiam in se haberet; sed quia homo est animal naturaliter politicum et sociale, necesse fuit quod conceptiones unius hominis innotescerent aliis, quod fit per vocem; et ideo necesse fuit esse voces significativas ad hoc quod homines invicem convenirent. Unde illi qui sunt diversarum linguarum, non possunt bene convenire ad invicem. Rursum, si homo uteretur sola cognitione sensitiva, quae respicit hic et nunc, sufficeret sibi ad convivendum aliis vox significativa, sicut et ceteris animalibus, quae per quasdam voces suas conceptiones invicem sibi manifestant. Sed quia homo utitur etiam intellectuali cognitione, quae abstrahit ab hic et nunc; consequitur ipsum sollicitudo non solum de praesentibus secundum locum et tempus, sed etiam de his quae distant loco, et futura sunt tempore. Unde ut homo conceptiones suas etiam his qui distant secundum locum, et his qui venturi sunt in futuro tempore manifestet, necessarius fuit usus scripturae. Sed quia Logica ordinatur ad cognitionem de rebus sumendam; significatio vocum, quae est immediata ipsis conce-

ptionibus intellectus, pertinet ad principalem considerationem ipsius; significatio autem literarum, tamquam magis remota, non pertinet ad ejus considerationem; sed magis ad considerationem grammatici. Et ideo exponens ordinem significationum non incipit a litteris, sed a vocibus: quarum primo significationem exponens, dicit: « Sunt ergo ea quae sunt in voce, notae « idest signa » earum passionum « quae sunt in anima. » Dicit autem « ergo » quasi ex praemissis concludens; quia supra dixerat determinandum esse de nomine et verbo et aliis praedictis; haec autem sunt voces significativae; ergo oportet vocum significationem exponere. Utitur autem hoc modo loquendi, ut dicat, ea quae sunt in voce, et non voces; ut quasi continuatim loquatur cum praedictis. Dixerat enim dicendum esse de nomine et verbo, et aliis hujusmodi. Haec autem tripliciter habent esse. Uno quidem modo in conceptione intellectus. Alio modo in prolatione vocis. Tertio modo in conscriptione literarum. Dicit ergo « ea quae sunt « in voce, etc. » ac si dicat, nomina et verba, et alia consequentia, quae tantum sunt in voce, sunt notae. Vel quia non omnes voces sunt significativae, et earum quaedam sunt significativae naturaliter, quae longe sunt a ratione nominis et verbi et aliorum consequentium; ut appropriet suum dictum ad ea de quibus intendit, ideo dicit, ea quae sunt in voce, idest quae continentur sub voce sicut partes sub toto. Vel quia vox est quoddam naturale, nomen autem et verbum significant ex institutione humana, quae advenit rei naturali, sicut materiae, ut forma lecti ligno; ideo ad designandum nomina et verba et alia consequentia, dicit, ea quae sunt in voce. Ac si de lecto diceretur, ea quae sunt in ligno. Circa id autem, quod dicit « earum quae sunt in « anima passionum, » considerandum est, quod passiones animae communiter dici solent appetitus sensibilis affectiones, sicut ira, gaudium et alia hujusmodi, ut dicitur in secundo Ethicorum. Et verum est quod hujusmodi passiones significant naturaliter et quaedam voces hominum, ut gemitus infirmorum, et aliorum animalium, ut dicitur in primo Politicae. Sed nunc sermo est de vocibus significativis ex institutione humana; et ideo oportet passiones animae hic intelligere intellectus conceptiones, quas nomina et verba et orationes significant immediate secundum sententiam Aristotelis. Non e-nim potest esse quod significent immediate ipsas res, ut ex ipso modo significandi apparet: significat enim hoc nomen « homo » naturam humanam in abstractione a singularibus. Unde non potest esse quod significet hominem immediate singularem, ut Platonici posuerunt, quod significaret ipsam ideam hominis separatam. Sed quia hoc secundum suam abstractionem non subsistit realiter secundum sententiam Aristotelis, sed est in solo intellectu; ideo necesse fuit Aristoteli dicere quod voces significant intellectus conceptiones immediate, et eis mediantibus res. Sed quia non est consuetum quod conceptiones intellectus Aristoteles nominet passiones; ideo Andronicus posuit hunc librum non esse Aristotelis. Sed manifeste invenitur in primo de Anima, quod passiones animae vocat omnes animae operationes. Unde et ipsa conceptio intellectus passio dici potest. Vel quia intelligere nostrum non est sine phantasmate, quod non est sine corporali passione. Unde et imaginativam Philosophus tertio de Anima vocat passivum intellectum. Vel quia extenso nomine passionis ad omnem receptionem, etiam ipsum intelligere intellectus possibilis, quoddam pati est, ut dicitur in tertio de Anima. Utitur autem potius nomine passionum, quam intellectuum; tum quia ex aliqua animae passione provenit, puta quod ex amore vel odio, ut homo interiorem conceptum per vocem alteri significari velit; tum etiam, quia significatio vocum refertur ad conceptionem intellectus, secundum quod oritur a rebus per modum cujusdam impressionis vel passionis. Secundo cum dicit « Et ea quae scri- « buntur » agit de significatione scripturae; et secundum Alexandrum, hoc inducit ad manifestandum praecedentem sententiam per modum similitudinis; ut sit sensus: Ita ea quae sunt in voce, sunt signa passionis animae, sicut et literae sunt signa vocis. Quod etiam manifestat per sequentia; cum dicit « Et quemadmodum nec literae », inducens hoc quasi signum praecedentis. Quod enim literae significent voces, significatur per hoc, quod sicut sunt diversae voces apud diversos, ita diversae litterae. Et secundum hanc expositionem ideo non dixit, Et literae eorum quae sunt in voce, sed Ea quae scribuntur; quia dicuntur literae etiam in prolatione et scriptura: quamvis magis proprie secundum quod sunt in scriptura, dicantur literae; secundum autem quod sunt in prolatione, dicantur elementa vocis. Sed quia Aristoteles non dicit, Sicut ea quae scribuntur: sed continuam narrationem facit: melius est ut dicatur, sicut Porphyrius exposuit, quod Aristoteles procedit ulterius ad complendum ordinem significationis. Postquam enim dixerat, quod nomina et verba quae sunt in voce, sunt signa earum quae sunt in anima, continuatim subdit, quod nomina et verba quae scribuntur, signa sunt eorum nominum et verborum quae sunt in voce.

Deinde, cum dicit « et quemadmodum »

Ostendit differentiam praemissorum significantium et significatorum, quantum ad hoc, quod est esse secundum naturam vel non esse. Et circa hoc tria facit. Primo enim ponit quoddam signum, quo manifestatur quod nec voces nec litterae naturaliter significant. Ea enim quae naturaliter significant, sunt eadem apud omnes. Significatio autem literarum et vocum, de quibus nunc agimus, non

est eadem apud omnes. Sed hoc quidem apud nullos unquam dubitatum fuit quantum ad literas: quarum non solum ratio significandi est ex impositione, sed etiam ipsarum formatio fit per artem. Voces autem naturaliter formantur: unde et apud quosdam dubitatum fuit utrum naturaliter significent. Sed Aristoteles hic determinat ex similitudine litterarum, quae sicut non sunt eaedem apud omnes, ita nec voces. Unde manifeste relinquitur, quod sicut nec literae, ita nec voces naturaliter significant, sed ex institutione humana: voces autem illae quae naturaliter significant, sicut gemitus infirmorum, et aliae hujusmodi, sunt eaedem apud omnes.

Secundo ibi « quorum autem »

Ostendit passiones animae naturaliter esse sicut res, per hoc, quod eaedem sunt apud omnes. Unde dicit « Quorum autem: » idest, sicut passiones animae sunt eaedem omnibus, quorum primorum, id est quarum passionum primarum hae, scilicet voces, sunt notae, idest signa (comparantur enim passiones animae ad voces, sicut primum ad secundum: voces enim non proferuntur nisi ad exprimendum interiores animae passiones): et res etiam, eaedem scilicet, apud omnes sunt. Quorum, id est, quarum rerum hae, scilicet passiones animae, sunt similitudines. Ubi attendendum est, quod literas dixit esse notas, idest signa, vocum, et voces passionum animae similiter: passiones autem animae dicit esse similitudines rerum: et hoc ideo, quia res non cognoscitur ab anima nisi per aliquam sui similitudinem existentem vel in sensu vel in intellectu. Literae autem ita sunt signa vocum, et voces passionum, quod non attenditur ibi aliqua ratio similitudinis, sed sola ratio institutionis, sicut et in multis aliis signis, ut tuba sit signum belli. In passionibus autem animae oportet attendi rationem similitudinis ad exprimendas res, quia naturaliter eas designant, non ex institutione. Objiciunt autem quidam, ostendere volentes contra hoc quod dicit, passiones animae, quas significant voces, esse in omnibus easdem. Primo quidem; quia diversi diversas sententias habent de rebus: et ita non videntur esse eaedem apud omnes animae passiones. Ad quod respondet Boetius quod Aristoteles hic nominat passiones animae conceptiones intellectus qui nunquam decipitur; et ita oportet ejus conceptiones esse apud omnes easdem; quia si quis a vero discordat, hic non intelligit. Sed quia etiam in intellectu potest esse falsum, secundum quod componit et dividit, non autem secundum quod cognoscit quod quid est, idest essentiam rei, ut dicitur in tertio de Anima; referendum est hoc ad simplices intellectus conceptiones, quas significant voces incomplexae, quae sunt eaedem apud omnes; quia, si quis vere intelligit quid est homo, quodcumque aliud aliquid quam hominem apprehendat, non intelligit hominem. Hujusmodi autem simplices conceptiones intellectus sunt, quas primo voces significant. Unde dicitur in quarto Metaphysic. quod ratio, quam significat nomen, est definitio. Et ideo signanter dicit: « Quorum primorum hae notae « sunt, » ut scilicet referatur ad primas conceptiones vocibus primo significatas. Sed adhuc objiciunt aliqui de nominibus aequivocis, in quibus ejusdem vocis non est eadem passio, quae significatur apud omnes. Et respondet ad hoc Porphyrius, quod unus homo qui vocem profert, ad unam intellectus conceptionem significandam eamdem refert:

et si aliquis alius, cui loquitur, aliquid aliud intelligat: ille qui loquitur, se exponendo faciet, quod referet ad idem. Sed melius dicendum est, quod intentio Aristotelis non est asserere identitatem conceptionis animae per comparationem ad vocem, ut scilicet unius vocis una sit conceptio, quia voces sunt diversae apud diversos: sed intendit asserere identitatem conceptionum animae per comparationes ad res; quas similiter dicit esse easdem.

Tertio ibi « de his »

Excusat se a diligentiori harum consideratione; quia quales sint animae passiones, quomodo sint rerum similitudines, dictum est in libro de Anima. Non enim hoc pertinet ad logicum negotium, sed ad naturale.

LECTIO III.

Vocum quaedam verum vel falsum significare dicuntur, et quaenam sint.

ANTIQUA.

Est autem quemadmodum in anima, aliquoties quidem intellectus sive vero vel falso; aliquoties autem, cui jam necesse est horum alterum inesse: sic etiam in voce.

Circa compositionem enim et divisionem est veritas falsitasque.

Nomina igitur ipsa et verba consimilia sunt sine compositione vel divisione intellectui, ut est homo, vel album, quando non additur aliquid: neque enim adhuc verum aut falsum est.

Signum autem hujus est: etenim hircocervus significat quidem aliquid: sed quod nondum verum vel falsum sit, nisi esse vel non esse addatur, vel simpliciter, vel secundum tempus.

RECENS.

Quemadmodum autem in anima est aliquando notio veri et falsi expers, aliquando vero talis, cui necesse est alterutrum horum inesse: sic et in voce; nam circa conjunctionem et disjunctionem falsum et verum est.

Nomina ergo per se et verba similia sunt notioni absque conjunctione et disjunctione; velut homo, et album, si nihil adjiciatur; neque enim verum neque falsum ullo modo est. Signum autem hujusce rei adest; nam et hircocervus significat quidem aliquid, nequaquam autem verum aut falsum aliquid, nisi Esse, aut Non esse adjiciatur, aut simpliciter aut secundum tempus.

Postquam Philosophus tradidit ordinem significationis vocum, hic agit de diversa vocum significatione; quarum quaedam significant verum vel falsum, quaedam non. Et circa hoc duo facit: primo praemittit differentiam; secundo manifestat eam, ibi, « Circa compositionem enim, etc. » Quia vero conceptiones intellectus praeambulae sunt ordine naturae vocibus, quae ad eas exprimendas proferuntur; ideo ex similitudine differentiae quae est circa intellectum, assignat differentiam quae est circa significationes vocum; ut scilicet haec manifestatio non solum sit ex simili, sed ex causa, quam imitatur effectus. Est ergo considerandum, quod sicut in principio dictum est, duplex est operatio intellectus, ut traditur in tertio de Anima: in quarum una non invenitur verum et falsum; in altera autem invenitur. Et hoc est quod dicit, quod in anima aliquoties est intellectus sine vero et falso, aliquoties autem ex necessitate habet alterum horum. Et quia voces significativae formantur ad exprimendas conceptiones intellectus, ideo ad hoc quod signum conformetur signato, necesse est quod etiam vocum significativarum similiter quaedam significent sine vero et falso, quaedam cum vero et falso.

Deinde cum dicit « circa compositionem »

Manifestat, quod dixerat. Et primo quantum ad id quod dixerat de intellectu; secundo quantum ad id quod dixerat de assimilatione vocum ad intellectum, ibi, « Nomina igitur ipsa et verba, etc. » Ad ostendendum igitur, quod intellectus quandoque est sine vero et falso, quandoque autem cum altero horum, dicit primo, quod veritas et falsitas consistit circa compositionem et divisionem. Ubi oportet intelligere, quod una duarum operationum intellectus est indivisibilium intelligentia, inquantum scilicet intellectus intelligit absolute cujuscumque rei quidditatem sive essentiam per seipsam, puta, quid est homo, vel quid album, vel quid aliud hujusmodi. Alia vero operatio intellectus est, secundum quod hujusmodi simplicia concepta simul componit et dividit. Dicit ergo, quod in hac secunda operatione intellectus, idest componentis et dividentis, invenitur veritas et falsitas: relinquens, quod in prima operatione non invenitur, ut etiam traditur in tertio de Anima.

Sed circa hoc primo videtur esse dubium; quia, cum divisio fiat per resolutionem ad indivisibilia, sive simplicia, videtur quod sicut in simplicibus non est veritas vel falsitas, ita nec in divisione.

Sed dicendum est, quod cum conceptiones intellectus sint similitudines rerum, ea quae circa intellectum sunt, dupliciter considerari et nominari possunt: uno modo secundum se, alio modo secundum rationes rerum, quarum sunt similitudines. Sicut imago Herculis secundum se quidem dicitur et est cuprum; inquantum autem est similitudo Herculis, nominatur homo. Sic etiam, si consideremus ea quae sunt circa intellectum secundum se, semper est compositio ubi est veritas et falsitas; quae nunquam invenitur in intellectu, nisi per hoc quod intelletus comparat unum simplicem conceptum alteri. Sed si referatur ad rem, quandoque dicitur compositio, quandoque dicitur divisio. Compositio quidem quando intellectus comparat unum conceptum alteri, quasi apprehendens conjunctionem aut identitatem rerum quarum sunt conceptiones; divisio autem, quando sic comparat unum conceptum alteri, ut

apprehendat res esse diversas. Et per hunc etiam
modum in vocibus affirmatio dicitur compositio,
inquantum conjunctionem ex parte rei significat;
negatio vero dicitur divisio, inquantum significat
rerum separationem.

Ulterius autem videtur, quod non solum in compositione et divisione veritas consistat. Primo quidem,
quia etiam res dicitur vera vel falsa; sicut dicitur aurum verum vel falsum. Dicitur etiam, quod ens et verum convertuntur. Unde videtur quod etiam simplex
conceptio intellectus, quae est similitudo rei, non careat veritate et falsitate. Praeterea Philosophus dicit in
lib. de Anima, quod sensus propriorum sensibilium
semper est verus. Sensus autem non componit vel
dividit: non ergo in sola compositione et divisione
est veritas. Item in intellectu divino nulla est compositio, ut probatur in 12 Metaphysic., et tamen ibi
est prima et summa veritas: non ergo veritas est
solum circa compositionem et divisionem.

Ad hujusmodi igitur evidentiam considerandum,
quod veritas in aliquo invenitur dupliciter. Uno modo
sicut in eo quod est verum: alio modo sicut in dicente vel cognoscente verum . Invenitur autem
veritas sicut in eo quod est verum, tam in simplicibus quam in compositis: sed sicut in dicente
vel cognoscente verum non invenitur nisi secundum compositionem et divisionem. Quod quidem
sic patet. Verum enim, ut Philosophus dicit in
sexto Ethicorum, est bonum intellectus. Unde de
quocumque dicatur verum, oportet quod hoc sit per
respectum ad intellectum. Comparantur autem ad
intellectum voces quidem sicut signa; res autem
sicut ea quorum intellectus sunt similitudines. Considerandum autem, quod aliqua res comparatur ad
intellectum dupliciter. Uno modo sicut mensura
ad mensuratum. Et sic comparantur res naturales
ad intellectum speculativum humanum. Et ideo
intellectus dicitur verus secundum quod conformatur rei, falsus autem secundum quod discordat
a re. Res autem naturalis non dicitur esse vera
per comparationem ad intellectum nostrum, sicut
posuerunt quidam antiqui naturales, existimantes
rerum veritatem esse solum in hoc quod est videri. Secundum hoc enim sequeretur quod contradictoria essent simul vera, quia contradictoria
cadunt sub diversorum opinionibus. Dicuntur tamen res aliquae verae vel falsae per comparationem ad intellectum nostrum, non essentialiter vel
formaliter, sed effective; inquantum scilicet natae
sunt facere de se veram vel falsam aestimationem:
et secundum hoc dicitur aurum verum vel falsum.
Alio autem modo res comparantur ad intellectum
sicut mensuratum ad mensuram; ut patet in intellectu practico, qui est causa rerum. Unde opus
artificis dicitur esse verum inquantum attingit ad
rationem artis; falsum vero, inquantum deficit a
ratione artis. Et quia omnia etiam naturaliter comparantur ad intellectum divinum sicut artificiata
ad artem, consequens est ut quaelibet res dicatur esse vera, secundum quod habet propriam formam, secundum quam imitatur artem divinam.
Nam falsum aurum est verum aurichalcum: et
hoc modo ens et verum convertuntur: quia quaelibet res naturalis per suam formam arti divinae
comparatur. Unde Philosophus in 1 Phys. formam
nominat quoddam divinum. Et sicut res dicitur
vera per comparationem ad suam mensuram; ita
etiam et sensus vel intellectus, cujus mensura est

res extra animam. Unde sensus dicitur verus,
quando per formam suam conformatur rei extra
animam existenti. Et sic intelligitur, quod sensus proprii sensibilis sit verus. Et hoc etiam modo
intellectus apprehendens quod quid est absque compositione et divisione, semper est verus, ut dicitur
in tertio de Anima. Est autem considerandum,
quod quamvis sensus proprii objecti sit verus,
non tamen cognoscit hoc verum. Non enim potest
cognoscere habitudinem conformitatis suae ad rem,
sed solam rem apprehendit. Intellectus autem potest hujusmodi habitudinem conformitatis cognoscere; et ideo solus intellectus potest cognoscere
veritatem. Unde et Philosophus dicit in 6 Metaphysic.,
quod veritas est solum in mente, scilicet in
cognoscente veritatem. Cognoscere autem praedictam conformitatis habitudinem, nihil est aliud
quam judicare ita esse in re vel non esse, quod
est componere et dividere: et ideo intellectus non
cognoscit veritatem nisi componendo vel dividendo
per suum judicium. Quod quidem judicium, si
consonet rebus, erit verum: puta, cum intellectus
judicat esse quod est, vel non esse quod non
est. Falsum autem quando dissonat a re; puta
cum judicat non esse quod est, vel esse quod non
est. Unde patet quod veritas et falsitas sicut in
cognoscente et dicente non est nisi circa compositionem et divisionem. Et hoc modo Philosophus
loquitur hic. Et quia voces sunt signa intellectuum,
erit vox vera quae significat verum intellectum,
falsa autem quae significat falsum intellectum :
quamvis vox, inquantum est res quaedam, dicatur
vera, sicut et aliae res. Unde haec vox « homo
est asinus » est vere vox, et vere signum : sed
quia est signum falsi, ideo dicitur falsa. Sciendum
est autem, quod Philosophus de veritate hic loquitur, secundum quod pertinet ad intellectum
humanum, qui judicat de conformitate rerum et
intellectus componendo et dividendo. Sed judicium intellectus divini de hoc est absque compositione et divisione; quia sicut etiam intellectus
noster intelligit materialia immaterialiter: ita etiam
intellectus divinus cognoscit compositionem et divisionem simpliciter.

Deinde, cum dicit « nomina igitur »

Manifestat quod dixerat de similitudine vocum
ad intellectum. Et primo manifestat propositum.
Secundo manifestatum probat per signum, ibi,
« Hujus autem signum. » Concludit ergo ex praemissis, quod cum solum circa compositionem et
divisionem sit veritas et falsitas in intellectu, consequens est, quod ipsa nomina et verba divisim
accepta, assimilentur intellectui qui est sine compositione et divisione: sicut cum homo vel album
dicitur, si nihil aliud addatur; non enim verum
adhuc vel falsum est: sed postea, quando additur esse
vel non esse, fit verum vel falsum. Nec est instantia de eo quod per unicum nomen veram responsionem dat ad interrogationem factam; ut cum
quaerenti, quid natat in mari: aliquis respondet,
piscis. Nam intelligitur verbum, quod fuit in interrogatione positum. Et sicut nomen per se positum non significat verum vel falsum; ita nec verbum per se dictum. Nec est instantia de verbo primae et secundae personae, et de verbo exceptae
actionis; quia in his intelligitur certus et determinatus nominativus. Unde est implicita compositio,
licet non explicita.

Deinde, cum dicit « signum autem »

Inducit signum ex nomine composito, scilicet hircocervus, quod componitur ex hirco et cervo: et quod in graeco dicitur tragelaphus. Nam tragos est hircus, et claphos cervus. Hujusmodi enim nomina significant aliquid, scilicet quosdam conceptus simplices, licet rerum compositarum; et ideo non est verum vel falsum, nisi quando additur esse vel non esse, per quae exprimitur judicium intellectus. Potest autem addi esse vel non esse vel secundum praesens tempus, quod est esse vel non esse actu, et ideo hoc dicitur esse simpliciter. Vel secundum tempus praeteritum aut futurum, quod non est esse simpliciter, sed secundum quid; ut cum dicitur aliquid fuisse vel futurum esse. Signanter autem utitur exemplo ex nomine significante quod non est in rerum natura: in quo statim falsitas apparet: et quod sine compositione et divisione non possit verum vel falsum esse.

LECTIO IV.

Ex nominis definitione proposita ac data, quaedam ab ejus ratione sejungit.

ANTIQUA.

Nomen igitur est vox significativa secundum placitum, sine tempore, cujus nulla pars est significativa, separata.

In nomine enim quod est equiferus, ferus per se nihil significat, quemadmodum in oratione, quae est equus ferus.

At vero non, quemadmodum in simplicibus nominibus, sic se habet etiam in compositis. In illis enim nullo modo pars significativa est: in his autem utitur (1) quidem, sed nihil significat separata, ut in eo quod est equiferus, ferus.

Secundum placitum vero; quoniam naturaliter nomen nullum est, sed quando fit nota. Nam designant et illiterati soni, ut ferarum, quorum nullum est nomen.

Non homo vero non est nomen. At vero nec positum est nomen, quo illud oporteat appellari: nam neque oratio neque negatio est: sed sit nomen infinitum: quoniam similiter in quolibet est, et quod est et quod non est.

Catonis autem, vel Catoni, et quaecumque talia sunt, non nomina sed casus nominis sunt.

Ratio autem ejus in aliis quidem eadem est; sed differt quoniam cum est, vel fuit, vel erit, adjunctum neque verum neque falsum est: nomen vero semper: ut Catonis est, vel non est; nondum enim aliquid verum dicti, aut falsum.

RECENS.

Nomen igitur est vox significans ex consensu, sine tempore, cujus [vocis] nulla pars est significans separata.

Nam in [nomine] *Callippos* nihil ipsum *to ippos* per se significat quemadmodum in oratione *colos ippos*. Neque vero quemadmodum in simplicibus nominibus, sic et in compositis sese habet: in illis enim nequaquam pars est significans; in his vult quidem aliquid significare, at nihil significat separatim; ut in *epactroceles* nihil *to celes* per se significat.

Ex consensu autem [nomen esse vocem significantem diximus], quod natura nomen nullum est, sed [tum nomen fit], quando fit symbolum; quum significent etiam aliquid soni illiterati, ut belluarum, quorum nullum est nomen.

To « Non homo » autem non est nomen. At nec nomen positum est, quo id appellari oporteat; nec enim oratio, nec negatio est; sed esto Nomen infinitum, quia similiter cuicumque adest, et illi quod est, et illi quod non est.

To Philonis et Philoni autem, et quaecumque talia, non sunt nomina, sed casus nominis. Definitio autem ejus [casus] est eadem quod reliqua [cum definitione nominis infiniti]: si enim conjungitur [casus] cum Est, aut Erat, aut Erit, nihil veri aut falsi significat; nomen vero semper [verum aut falsum significat]; velut Philonis est, aut non est; nihil unquam hoc veri aut falsi significat.

Postquam Philosophus determinavit de ordine significationis vocum, hic accedit ad determinandum de ipsis vocibus significativis. Et quia principaliter intendit de enunciatione, quae est subjectum hujus libri; in qualibet autem scientia oportet noscere principia subjecti; ideo primo determinat de principiis enunciationis, secundo de ipsa enunciatione, ibi, « Enunciativa vero non omnis. » Circa primum duo facit. Primo enim determinat principia quasi materialia enunciationis, scilicet partes integrales ipsius. Secundo determinat principium formale, scilicet orationem quae est enunciationis genus, ibi, « Oratio autem est vox significativa, etc. » Circa primum duo facit. Primo determinat de nomine, quod significat rei substantiam. Secundo determinat de verbo, quod significat actionem vel passionem procedentem a re, ibi, « Verbum autem « est quod consignificat tempus. » Circa primum tria facit. Primo definit nomen, secundo definitionem exponit, ibi, « In nomine enim quod est equiferus: » tertio excludit quaedam quae perfecte rationem nominis non habent, ibi, « Non homo vero non « est nomen. » Circa primum considerandum est, quod definitio, ideo dicitur terminus, quia includit totaliter rem; ita scilicet quod nihil rei est extra definitionem, cui scilicet definitio non conveniat: nec aliquid aliud est infra definitionem, cui scilicet definitio conveniat. Et ideo quinque ponit in definitione nominis. Primo ponitur « vox » per modum generis, per quod distinguitur nomen ab omnibus sonis qui non sunt voces. Nam vox est sonus ab ore animalis prolatus cum imaginatione quadam, ut dicitur in secundo de Anima. Additur autem prima differentia, scilicet « significativa » ad differentiam quarumcumque vocum non significantium; sive sit vox literata et articulata, sicut biltris: sive non literata et non articulata, sicut sibilus pro nihilo factus. Et quia de significatione vocum in superioribus actum est: ideo ex praemissis concludit, quod nomen est vox significativa. Sed cum vox sit quaedam res naturalis; nomen autem non

(1) *Al.* vult. *Sed fortasse neutrum legendum est; at potius videtur.*

est aliquid naturale, sed ab hominibus institutum; videtur, quod non debuit genus nominis ponere vocem, quae est ex natura: sed magis signum, quod est ex institutione, ut diceretur, nomen est signum vocale; sicut etiam convenientius definitur scutella, si quis diceret quod est vas ligneum, quam siquis diceret, quod est lignum formatum in vas.

Sed dicendum, quod artificialia sunt quidem in genere substantiae ex parte materiae: in genere autem accidentium ex parte formae: nam formae artificialium accidentia sunt. Nomen ergo significat formam accidentalem, ut concretam subjecto. Cum autem in definitione omnium accidentium oporteat póni subjectum, necesse est quod si qua nomina accidentis in abstracto definiantur, quod in eorum definitione ponatur accidens in recto, quasi genus; subjectum autem in obliquo, quasi differentia: ut, cum dicitur, simitas est curvitas nasi. Si qua vero nomina accidens significant in concreto, in eorum definitione ponitur materia vel subjectum, quasi genus; et accidens, quasi differentia; ut cum dicitur, simum est nasus curvus. Si igitur nomina rerum artificialium significant formas accidentales ut concretas subjectis naturalibus; convenientius est ut in eorum definitione ponatur res naturalis quasi genus; ut dicamus, quod scutella est lignum figuratum; et similiter, quod nomen est vox significativa. Secus autem esset, si nomina artificialium acciperentur quasi significantia ipsas formas artificiales in abstracto.

Tertio ponit secundam differentiam, cum dicit « secundum placitum, » idest secundum institutionem humanam a beneplacito hominis procedentem. Et per hoc nomen differt a vocibus significantibus naturaliter, sicut sunt gemitus infirmorum, et voces brutorum animalium. Quarto ponit tertiam differentiam, scilicet « sine tempore »; per quod differt nomen a verbo.

Sed videtur hoc esse falsum; quia hoc nomen, dies, vel annus, significat tempus.

Sed dicendum quod circa tempus tria possunt considerari. Primo quidem ipsum tempus, secundum quod res quaedam; et sic potest significari a nomine, sicut quaelibet alia res. Alio modo potest considerari id quod tempore mensuratur, inquantum hujusmodi; et quia id quod primo et principaliter mensuratur est motus, in quo consistit actio et passio; ideo verbum quod significat actionem et passionem, significat cum tempore. Substantia autem secundum se considerata, prout significatur per nomen et pronomen, non habet, inquantum hujusmodi, ut tempore mensuretur; sed solum secundum quod subjicitur motui, prout per participium significatur. Et ideo verbum et participium significant cum tempore: non autem nomen et pronomen. Tertio modo potest considerari ipsa habitudo temporis mensurantis, quae significatur per adverbia temporis, ut cras, heri et hujusmodi. Quinto ponit quartam differentiam, cum subdit « cujus nulla pars est significativa separata, » scilicet a toto nomine. Comparatur tamen ad significationem nominis, secundum quod est in toto. Quod ideo est, quia significatio est quasi forma nominis; nulla autem pars separata habet formam totius, sicut manus separata ab homine non habet formam humanam. Et per hoc distinguitur nomen ab oratione, cujus pars significat separata, ut cum dicitur, homo justus.

Deinde, cum dicit « in nomine »

Manifestat praemissam definitionem. Et primo quantum ad ultimam particulam. Secundo quantum ad tertiam, ibi, « Secundum vero placitum, etc. » Nam primae duae particulae manifestae sunt ex praemissis. Tertia autem particula, scilicet « sine « tempore » manifestabitur in sequentibus in tractatu de Verbo. Circa primum duo facit. Primo manifestat propositum per nomina composita. Secundo ostendit circa hoc differentiam inter nomina simplicia et composita, ibi, « At vero non quem- « admodum. » Manifestat ergo primo, quod pars nominis separata nihil significat, per nomina composita, in quibus hoc magis videtur. In hoc enim nomine quod est equiferus, haec pars, ferus, per se nihil significat, sicut significat in hac oratione, quae est equus ferus. Cujus ratio est, quod unum nomen ponitur ad significandum unum simplicem intellectum: aliud autem est id a quo imponitur ad significandum, ab eo quod nomen significat: sicut hoc nomen, lapis, imponitur a laesione pedis, quam non significat; quod tamen imponitur ad significandum conceptum cujusdam rei. Et inde est, quod pars nominis compositi, quod imponitur ad significandum conceptum simplicem, non significat partem conceptionis compositae, a qua imponitur ad significandum. Sed oratio significat ipsam conceptionem compositam: unde pars orationis significat partem conceptionis compositae.

Deinde, cum dicit « at vero »

Ostendit, quantum ad hoc, differentiam inter nomina simplicia et composita; et dicit, quod non ita se habet in nominibus simplicibus sicut et in compositis; quia in simplicibus pars nullo modo est significativa, neque secundum veritatem, neque secundum apparentiam; sed in compositis vult quidem, idest apparentiam habet significandi; nihil tamen pars ejus significat, ut dictum est de nomine equiferus. Haec autem ratio differentiae est: quia nomen simplex, sicut imponitur ad significandum conceptum simplicem, ita etiam imponitur ad significandum ab aliquo simplici conceptu. Nomen vero compositum imponitur a composita conceptione, ex qua habet apparentiam quod pars ejus significet.

Deinde, cum dicit « secundum placitum »

Manifestat tertiam partem praedictae definitionis; et dicit, quod ideo dictum est quod nomen significat secundum placitum, quia nullum nomen est naturaliter. Ex hoc enim est nomen, quod significat: non autem significat naturaliter; sed ex institutione. Et hoc est, quod subdit « sed quando fit nota, » id est quando imponitur ad significandum. Id enim quod naturaliter significat, non fit sed naturaliter est signum. Et hoc significat, cum dicit « Illiterati enim « soni, ut ferarum »: quia scilicet literis significari non possunt. Et dicit potius sonos, quam voces: quia quaedam animalia non habent vocem, et quod carent pulmone: sed tamen quibusdam sonis proprias passiones naturaliter significant: nihil autem horum sonorum est nomen. Ex quo manifeste datur intelligi, quod nomen non significat naturaliter.

Sciendum tamen est, quod circa hoc fuit diversa quorumdam opinio. Quidam enim dixerunt, quod nomina nullo modo naturaliter significant, nec differt quae res quo nomine significentur. Alii vero dixerunt, quod nomina omnino naturaliter significant; quasi nomina sint naturales similitudines rerum.

Quidam vero dixerunt, quod nomina non naturaliter significant, quantum ad hoc quod eorum significatio non est a natura; ut Aristoteles hic intendit: quantum vero ad hoc naturaliter significant, quod eorum significatio congruit naturis rerum, ut Plato dixit. Nec obstat, quod una res multis nominibus significatur: quia unius rei possunt esse multae similitudines, et similiter ex diversis proprietatibus possunt uni rei multa diversa nomina imponi. Non est autem intelligendum quod dicit, « quorum nihil est « nomen », quasi soni animalium non habeant nomina: nominantur enim quibusdam nominibus, sicut dicitur rugitus leonis et mugitus bovis; sed quia nullus talis sonus est nomen, ut dictum est.

Deinde, cum dicit « non homo ».

Excludit quaedam a nominis ratione. Et primo nomen infinitum. Secundo casus nominum, ibi « Catonis autem, vel Catoni. » Dicit ergo primo, quod non homo non est nomen. Omne enim nomen significat aliquam naturam determinatam, ut homo; aut personam determinatam, ut pronomen; aut utrumque determinatum, ut Socrates. Sed hoc quod dico, non homo, neque determinatam naturam, neque determinatam personam significat. Imponitur enim a negatione hominis quae aequaliter dicitur de ente et non ente. Unde et non homo potest dici indifferenter et de eo quod non est in rerum natura, ut si dicamus, Chimaera est non homo: et de eo quod est in rerum natura, sicut dicitur, equus est non homo. Si autem imponeretur a privatione, requireret subjectum ad minus existens; sed quia imponitur a negatione, potest dici de ente et de non ente, ut Boetius et Ammonius dicunt. Quia tamen significat per modum nominis quod potest subijci et praedicari, requiritur ad minus suppositum in apprehensione. Non autem erat nomen positum tempore Aristotelis sub quo hujusmodi dictiones concluderentur. Non enim est oratio: quia pars ejus non significat aliquid separata, sicut nec in nominibus compositis. Similiter autem non est negatio, idest oratio negativa; quia hujusmodi oratio superaddit negationem affirmationi, quod non contingit hic. Et ideo nomen imponit hujusmodi dictioni, vocans eam nomen infinitum, propter indeterminationem significationis, ut dictum est.

Deinde cum dicit « Catonis autem »

Excludit casus nominis: et dicit quod Catonis et Catoni et alia hujusmodi, non sunt nomina; sed solus nominativus dicitur principaliter nomen, per quem facta est impositio nominis ad aliquid significandum. Hujusmodi autem obliqui vocantur casus nominis, quia cadunt per quamdam declinationis originem a nominativo, qui dicitur rectus eo quod non cadit. Stoici autem dixerunt etiam nominativos dici casus: quos grammatici sequuntur; eo quod cadunt, id est procedunt ab interiori conceptione mentis. Et dicitur rectus, eo quod nihil prohibet aliquid cadens sic cadere ut rectum stet, sicut stilus, qui cadens ligno infigitur.

Deinde, cum dicit « ratio autem »

Ostendit consequenter quomodo se habeant obliqui casus ad nomen; et dicit, quod ratio, quam significat nomen, est eadem et in aliis, scilicet casibus nominis; sed in hoc est differentia, quod nomen adjunctum cum hoc verbo, est, vel non est, vel fuit, semper significat verum vel falsum: quod non contingit in obliquis. Signanter autem inducit exemplum de verbo substantivo: quia sunt quaedam alia verba, scilicet impersonalia, quae cum obliquis significant verum vel falsum, ut cum dicitur Poenitet Socratem; quia actus verbi intelligitur ferri super obliquum; ac si diceretur, poenitentia habet Socratem.

Sed, si nomen infinitum et casus non sunt nomina, inconvenienter data est praemissa nominis definitio, que istis convenit.

Sed dicendum secundum Ammonium, quod supra communius definit nomen; postmodum vero significationem nominis arctat subtrahendo haec a nomine. Vel dicendum, quod praemissa definitio non simpliciter convenit his: nomen enim infinitum nihil determinatum significat, neque casus nominis significat secundum primum placitum instituentis, ut dictum est.

LECTIO V.

Ex verbi definitione, quaedam ab illius ratione excludit,
nec non verbi ad nomen ipsum convenientiam exponit.

ANTIQUA.

Verbum autem est quod consignificat tempus, cujus pars nihil extra significat, et est semper eorum quae de altero praedicantur, nota.

Dico vero, quoniam consignificat tempus: ut cursus quidem nomen est, currit autem verbum: consignificat enim nunc esse.

Et est semper eorum quae de altero dicuntur, nota, ut eorum quae de subjecto vel in subjecto sunt.

Non currit vero, et non laborat, verbum non dico. Consignificat etenim tempus, et semper de aliquo est. Differentiae autem huic nomen non est positum; sed sit infinitum verbum; quoniam similiter in quolibet est, et quod est et quod non est.

Similiter autem curret, et currebat, verbum non est sed casus verbi. Differt autem a verbo, quod hoc quidem con-

RECENS.

Verbum autem est, quod tempus consignificat; cujus pars nihil significat separatim, et semper signum eorum est quae de alio dicuntur.

Dico autem, quod consignificat tempus; ut Valetudo quidem nomen; at Valet verbum est; consignificat enim, quod nunc adsit.

Et semper eorum quae de alio dicuntur, signum est; ut eorum, quae de subjecto [dicuntur], aut in subjecto sunt.

To Non valet autem, et *to* Non laborat, verbum non dico; nam consignificat quidem tempus, et semper in aliquo est; differentiae vero nomen positum non est; esto igitur Verbum infinitum, quod similiter cuicumque adsit, et illi quod est, et illi quod non est.

Similiter vero et Valuit et Valebit non verbum [dico] sed casus verbi: differunt autem a verbo; quoniam hoc tem-

significat praesens tempus, illa vero, quae circa sunt.
Ipsa itaque secundum se dicta verba, nomina sunt.
Et significant aliquid. Constituit enim, qui dicit, intellectum, et qui audit, quiescit; sed si est vel non est nondum significant: neque enim signum est rei esse vel non esse, Nec si hoc ipsum, est, purum dixeris; ipsum enim nihil est. Consignificat autem quamdam compositionem, quam sine compositis non est intelligere.

pus, quod adest, consignificat, illi tempus circumcirca. Ipsa ergo per se dicta verba, et nomina sunt et significant aliquid; (constituit enim dicens animi conceptionem, et audiens quiescit;) at, num sit aut non sit, nondum significat [dicens]. Neque enim Esse aut Non esse, signum est rei, nec si ipsum Ens nude protuleris. Ipsum enim nihil est, consignificat autem compositionem quampiam, quam nemo possit intelligere sine iis quae componuntur.

Postquam Philosophus determinavit de nomine, hic determinat de verbo. Et circa hoc tria facit. Primo definit verbum; secundo excludit quaedam a ratione verbi, ibi, « Non currit autem, et non laborat, etc. » tertio ostendit convenientiam verbi ad nomen, ibi, « Ipsa vero secundum se dicta verba etc. » Circa primum duo facit. Primo ponit definitionem verbi, secundo exponit, ibi, « Dico autem « quoniam consignificat, etc. » Est autem considerandum quod Aristoteles brevitati studens, non ponit in definitione verbi ea quae sunt nomini et verbo communia, relinquens ea intellectui legentis ex his quae dixerat in definitione nominis. Ponit autem tres particulas in definitione verbi; quarum prima distinguit verbum a nomine, in hoc scilicet quod dicit, quod consignificat tempus. Dictum est enim in definitione nominis, quod nomen significat sine tempore. Secunda vero particula est, per quam distinguitur verbum ab oratione, cum dicitur, cujus pars nihil extra significat. Sed cum hoc etiam positum sit in definitione nominis, videtur hoc debuisse praetermitti, sicut et quod dictum est, vox significativa ad placitum. Ad quod respondet Ammonius, quod in definitione nominis hoc positum est, ut distinguatur nomen ab orationibus quae componuntur ex nominibus, ut cum dicitur, homo est animal. Quia vero sunt etiam quaedam orationes, quae componuntur ex verbis, ut cum dicitur, ambulare est moveri; ut ab his distinguatur verbum, oportuit hoc etiam in definitione verbi iterari. Potest etiam aliter dici: quod quia verbum importat compositionem, in qua perficitur oratio significans verum vel falsum; majorem convenientiam videbatur habere verbum cum oratione quasi quaedam pars formalis ipsius, quam nomen, quod est quaedam pars materialis et subjectiva orationis: et ideo oportuit iterari. Tertia vero particula est, per quam distinguitur verbum non solum a nomine, sed etiam a participio, quod significat cum tempore: et dicit: « et est semper eorum quae de altero praedicantur, « nota, » idest signum: quia scilicet nomina et participia possunt poni ex parte subjecti et praedicati, sed verbum semper est ex parte praedicati. Sed hoc videtur habere instantiam in verbis infinitivi modi, quae interdum ponuntur ex parte subjecti, ut cum dicitur, ambulare est moveri. Sed dicendum est, quod verba infinitivi modi, quando in subjecto ponuntur, habent vim nominis. Unde et in graeco, et in vulgari locutione latina suscipiunt additionem articulorum, sicut et nomina. Cujus ratio est: quia proprium nominis est ut significet rem aliquam, quasi per se existentem: proprium autem verbi est, ut significet actionem vel passionem. Potest autem actio significari tripliciter: uno modo per se in abstracto, velut quaedam res; et sic significatur per nomen, ut cum dicitur actio, passio, ambulatio, cursus; et similia: alio modo per modum actionis, ut scilicet est egrediens a substantia, et inhaerens

ei ut subjecto; et sic significatur per verba aliorum modorum, quae attribuuntur praedicatis. Sed quia etiam ipse processus, vel inhaerentia actionis, potest apprehendi ab intellectu et significari ut res quaedam; inde est quod ipsa verba infinitivi modi, quae significant ipsam inhaerentiam actionis ad subjectum, possunt accipi ut verba ratione concretionis: et ut nomina, prout significant res quasdam. Potest etiam objici de hoc, quod etiam verba aliorum modorum videntur aliquando in subjecto poni; ut cum dicitur, Curro est verbum. Sed dicendum est, quod in tali locutione hoc verbum Curro non sumitur formaliter, secundum quod ejus significatio refertur ad rem; sed secundum quod materialiter significat ipsam vocem, quae accipitur ut res quaedam. Et ideo tam verba quam omnes orationis partes, quando ponuntur materialiter, sumuntur in vi nominum.

Deinde, cum dicit « dico vero »

Exponit definitionem positam. Et primo quantum ad hoc quod dixerat, quod significat tempus. Secundo quantum ad hoc quod dixerat, quod est nota eorum quae de altero praedicantur, cum dicit « et semper est etc. » Secundam autem particulam, scilicet « cujus nulla pars extra significat », non exponit: quia supra exposita est in tractatu nominis. Exponit ergo primum, quod verbum consignificat tempus, per exemplum: quia videlicet cursus, quia significat actionem non per modum actionis, sed modum rei per se existentis, non consignificat tempus, eo quod est nomen. Curro vero, cum sit verbum significans actionem, consignificat tempus: quia proprium est motus tempore mensurari: actiones autem nobis notae sunt in tempore. Dictum est autem supra, quod consignificare tempus est significare aliquid in tempore mensuratum. Unde aliud est significare tempus principaliter ut rem quamdam, quod potest nomini convenire; aliud est significare cum tempore, quod non convenit nomini, sed verbo.

Deinde, cum dicit « et est semper »

Exponit aliam particulam. Ubi notandum est, quod quia subjectum enunciationis significatur ut cui inhaeret aliquid; cum verbum significet actionem per modum actionis, de cujus ratione est ut inhaereat, semper ponitur ex parte praedicati: nunquam autem ex parte subjecti, nisi sumatur in vi nominis, ut dictum est. Dicitur ergo verbum semper esse nota eorum quae dicuntur de altero; tum quia verbum semper significat id quod praedicatur: tum quia in omni praedicatione oportet esse verbum, eo quod verbum importat compositionem, qua praedicatum componitur subjecto.

Sed dubium videtur quod subditur: « ut eorum « quae de subjecto vel in subjecto sunt. » Videtur enim aliquid dici ut de subjecto, quod essentialiter praedicatur: ut, homo est animal: in subjecto autem, sicut accidens de subjecto praedicatur, ut, homo est albus. Si ergo verba significant actionem vel passionem, quae sunt accidentia; consequens est ut semper significent ea quae dicuntur, ut in subjecto. Frustra igitur dicitur, in subjecto, vel de subjecto.

Et ad hoc dicit Boetius, quod utraque ad idem pertinent. Accidens enim et de subjecto praedicatur, et in subjecto est. Sed quia Aristoteles disjunctione utitur, videtur aliud per utraque significare. Et ideo potest dici, quod cum Aristoteles dicit quod verbum semper est nota eorum quae de altero praedicantur, non est sic intelligendum quasi significata verborum sint quae praedicantur: quia cum praedicatio videatur magis proprie ad compositionem pertinere, ipsa verba sunt quae praedicantur magis quam significent praedicata. Est ergo intelligendum, quod verbum semper est signum quod aliqua praedicentur, quia omnis praedicatio fit per verbum ratione compositionis importatae, sive praedicetur aliquid essentialiter, sive accidentaliter.

Deinde, cum dicit « non currit »

Excludit quaedam a ratione verbi. Et primo verbum infinitum. Secundo verba praeteriti temporis, vel futuri: ibi, « Similiter autem, vel curret, vel « currebat. » Dicit ergo primo, quod non currit et non laborat, non proprie dicitur verbum. Est enim proprium verbi significare aliquid per modum actionis vel passionis, quod praedictae dictiones non faciunt: removent enim actionem vel passionem potius, quam aliquam determinatam actionem vel passionem significent. Sed quamvis non proprie possint dici verbum, tamen conveniunt sibi ea quae supra posita sunt in definitione verbi. Quorum primum est, quod consignificat tempus: quia significat agere et pati, quae sicut sunt in tempore, ita privatio horum; unde et quies tempore mensuratur, ut habetur in sexto Physicorum. Secundum est, quod semper ponitur ex parte praedicati, sicut et verbum. Et hoc ideo, quia negatio reducitur ad genus affirmationis. Unde, sicut verbum, quod significat actionem vel passionem, significat aliquid ut in altero existens, ita praedicta significant remotionem actionis vel passionis. Si quis autem objiciat: Si praedictis dictionibus convenit definitio verbi, ergo sunt verba: Dicendum est, quod definitio verbi supra posita datur de verbo communiter sumpto. Hujusmodi autem dictiones negantur esse verba, quia deficiunt a perfecta ratione verbi; nec ante Aristotelem erat nomen positum huic generi dictionum a verbis differentium. Sed quia hujusmodi dictiones in aliquo cum verbis conveniunt, deficiunt tamen a determinata ratione verbi; vocat ea verba infinita Et rationem nominis assignat: quia unumquodque eorum indifferenter potest dici de eo quod est, vel de eo quod non est. Sumitur enim negatio opposita non in vi privationis, sed in vi simplicis negationis. Privatio enim supponit determinatum subjectum. Differunt tamen hujusmodi verba a verbis negativis; quia verba infinita sumuntur in vi unius dictionis; verba vero negativa, in vi duarum dictionum.

Deinde, cum dicit « similiter autem »

Excludit a verbo verba praeteriti et futuri temporis: et dicit, quod sicut verba infinita non sunt simpliciter verba; ita etiam curret, quod est futuri temporis, vel currebat, quod est praeteriti temporis, non est verbum; sed sunt casus verbi. Et differunt in hoc a verbo: quia verbum consignificat praesens tempus; illa vero significant tempus hinc et inde circumdans. Dicit autem signanter, praesens tempus, et non simpliciter, praesens: ne intelligatur praesens indivisibile, quod est instans: quia in instanti non est motus, nec actio aut passio; sed oportet accipere praesens tempus, quod mensurat actionem quae incepit, et nondum est determinata per actum. Recte autem ea quae consignificant tempus praeteritum vel futurum, non sunt verba proprie dicta: cum enim verbum proprie sit quod significat agere vel pati, hoc est proprie verbum quod significat agere vel pati in actu, quod est agere vel pati simpliciter: sed agere vel pati in praeterito vel futuro est secundum quid. Dicuntur etiam verba praeteriti vel futuri temporis rationabiliter casus verbi, quod consignificat praesens tempus: quia praeteritum vel futurum dicitur per respectum ad praesens. Est enim praeteritum, quod fuit praesens; futurum autem quod erit praesens. Cum autem declinatio verbi varietur per modos, tempora, numeros et personas; variatio quae fit per numerum et personam, non constituit casum vel casus verbi: quia talis variatio non est ex parte actionis sed ex parte subjecti: sed variatio quae est per modos et tempora, respicit ipsam actionem: et ideo utraque constituit casus verbi. Nam verba imperativi vel optativi modi casus dicuntur sicut et verba praeteriti vel futuri temporis. Sed verba indicativi modi praesentis temporis non dicuntur casus, cujuscumque sint personae vel numeri.

Deinde cum dicit « ipsa itaque »

Ostendit convenientiam verborum ad nomina. Et circa hoc duo facit. Primo proponit quod intendit; secundo manifestat propositum, ibi, « Et signifi- « cant aliquid etc. » Dicit ergo, quod ipsa verba secundum se dicta sunt nomina. Quod a quibusdam exponitur de verbis quae sumuntur in vi nominis, ut dictum est, sive sint infinitivi modi, ut cum dico Currere est moveri, sive sint alterius modi, ut cum dico Curro est verbum. Sed haec non videtur esse intentio Aristotelis; quia ad hanc intentionem non respondet consequentia. Et ideo aliter dicendum est: quod nomen hic sumitur prout communiter significat quamlibet dictionem impositam ad significandum aliquam rem. Et quia etiam ipsum agere vel pati est quaedam res: inde est, quod et ipsa verba, inquantum nominant, idest significant agere vel pati, sub nominibus comprehenduntur communiter acceptis. Nomen autem, prout a verbo distinguitur, significat rem sub determinato modo, prout scilicet potest intelligi ut per se existens. Unde nomina possunt subjici et praedicari.

Deinde, cum dicit « et significant »

Probat propositum. Primo per hoc, quod verba significant aliquid, sicut et nomina. Secundo quod non significant verum vel falsum, sicut nec nomina, ibi, « Sed si est aut non est etc. » Dicit ergo primo, quod in tantum dictum est quod verba sunt nomina, inquantum significant aliquid. Et hoc probat: quia supra dictum est, quod voces significativae significant intellectus: unde proprium vocis significativae est, quod generet aliquem intellectum in animo audientis. Et ideo ad ostendendum quod verbum sit vox significativa, assumit quod ille qui dicit verbum, constituit intellectum in animo audientis. Et ad hoc manifestandum inducit, quod ille qui audit, quiescit.

Sed hoc videtur esse falsum: quia sola oratio

perfecta facit quiescere intellectum, non autem nomen neque verbum, si per se dicatur. Si enim dicam, homo, suspensus est animus audientis, quid de eo dicere velim: si autem dico, curro, suspensus est ejus animus, de quo dicam.

Sed dicendum est: quod cum duplex sit intellectus operatio, ut supra habitum est; ille qui dicit nomen vel verbum secundum se, constituit intellectum quantum ad primam operationem, quae est simplex conceptio alicujus; et secundum hoc quiescit audiens qui in suspenso erat, antequam nomen vel verbum proferretur, et ejus prolatio terminaretur: non autem constituit intellectum quantum ad secundam operationem, quae est intellectus componentis et dividentis, ipsum verbum vel nomen per se dictum; nec quantum ad hoc facit quiescere audientem. Et ideo statim subdit « sed si est aut non est, nondum « significat, » id est nondum significat aliquid per modum compositionis et divisionis, aut veri vel falsi. Et hoc est secundum, quod probare intendit. Probat autem consequenter per illa verba, quae maxime videntur significare veritatem vel falsitatem, scilicet ipsum verbum, quod est esse, et verbum infinitum, quod est non esse, quorum neutrum per se dictum est significativum veritatis vel falsitatis in re; unde multo minus alia. Vel potest intelligi hoc generaliter dici de omnibus verbis. Quia enim dixerat quod verbum non significat si est res vel non est; hoc consequenter manifestat, quia nullum verbum est significativum rei esse vel non esse, idest, quod res sit vel non sit. Quamvis enim omne verbum finitum implicet esse, quia currere est currentem esse, et omne verbum infinitum implicet non esse, quia non currere est non currentem esse; tamen nullum verbum significat hoc totum, rem esse vel non esse. Et hoc consequenter probat per id de quo magis videtur, cum subdit: « nec si hoc ipsum Est, purum dixeris, ipsum qui- « dem nihil est. » Ubi notandum est, quod in graeco habetur: neque si ens ipsum nudum dixeris, ipsum quidem nihil est. Ad probandum enim quod verba non significant rem esse vel non esse, assumpsit id quod est fons et origo ipsius esse, scilicet ipsum ens, de quo dicit, quod nihil est (ut Alexander exponit) quia ens aequivoce dicitur de decem Praedicamentis. Omne autem aequivocum per se positum nihil significat, nisi aliquid addatur, quod determinet ejus significationem. Unde nec ipsum Est per se dictum significat quod est vel non est. Sed haec expositio non videtur conveniens: tum quia ens non dicitur proprie aequivoce, sed secundum prius et posterius; unde simpliciter dictum intelligitur de eo quod per prius dicitur: tum etiam quia dictio aequivoca non nihil significat; sed multa significat: et quandoque hoc, quandoque illud per ipsam accipitur: tum etiam quia talis expositio non multum facit ad intentionem presentem. Unde Porphyrius aliter exposuit: quod hoc ipsum Ens non significat naturam alicujus rei, sicut hoc nomen homo, vel sapiens; sed solum designat quamdam conjunctionem: unde subdit, quod « consignificat « quamdam compositionem, quam sine compositis « non est intelligere. » Sed neque hoc convenienter videtur dici: quia si non significaret aliquam rem, sed solum conjunctionem, non esset neque no-

men neque verbum , sicut nec compositiones aut conjunctiones. Et ideo aliter exponendum est, sicut Ammonius exponit, quod ipsum ens nihil est, idest non significat verum vel falsum. Et rationem hujusmodi assignat, cum subdit: « Con- « significat autem quamdam compositionem. » Nec accipitur hic, ut ipse dicit, « Consignificat » sicut cum dicebatur quod verbum consignificat tempus; sed consignificat, id est cum aliquo significat, scilicet alii adjunctum compositionem significat, quae non potest intelligi sine extremis compositionis. Sed quia hoc commune est omnibus nominibus et verbis, non videtur haec expositio esse secundum intentionem Aristotelis, qui assumpsit ipsum ens quasi quoddam speciale. Et ideo, ut magis sequamur verba Aristotelis, considerandum est quod ipse dixerat, quod verbum non significat rem esse vel non esse; sed nec ipsum ens significat rem esse vel non esse. Et hoc est quod dicit, nihil est, idest non significat aliquid esse: etenim hoc maxime videbatur de hoc quod dico ens: quia ens nihil est aliud quam, quod est. Et sic videtur et rem significare, per hoc quod dico Quod; et esse, per hoc, quod dico, Est. Et si quidem haec dictio Ens significaret esse principaliter, sicut significat rem quae habet esse, proculdubio significaret aliquid esse. Sed ipsam compositionem, quae importatur in hoc quod dico Est, non principaliter significat; sed consignificat eam, inquantum significat rem habentem esse. Unde talis consignificatio compositionis non sufficit ad veritatem vel falsitatem; quia compositio, in qua consistit veritas et falsitas, non potest intelligi nisi secundum quod innectit extrema compositionis. Si vero dicatur, nec ipsum Est, (1) ut libri nostri habent, planior est sensus. Quod enim nullum verbum significat rem esse vel non esse, probat per hoc verbum Est, quod secundum se dictum non significat aliquid esse, licet significet esse. Et quia hoc ipsum esse videtur compositio quaedam; et ita hoc verbum Est, quod significat esse, potest videri significare compositionem, in qua sit verum vel falsum: Ad hoc excludendum subdit, quod illa compositio quam significat hoc verbum Est non potest intelligi sine componentibus, quia dependet ejus intellectus ab extremis, quae si non apponantur, non est perfectus intellectus compositionis, ut possit in ea esse verum vel falsum. Ideo autem dicit quod hoc verbum Est consignificat compositionem; quia non eam principaliter significat, sed ex consequenti: significat enim illud quod primo cadit in intellectu per modum actualitatis absolute: nam Est simpliciter dictum significat in actu esse; et ideo significat per modum verbi. Quia vero actualitas, quam principaliter significat hoc verbum Est, est communiter actualitas omnis formae vel actus substantialis vel accidentalis: inde est, quod cum volumus significare quamcumque formam vel actum actualiter inesse alicui subjecto, significamus illud per hoc verbum Est simpliciter quidem secundum praesens tempus, secundum quid autem secundum alia tempora. Et ideo ex consequenti hoc verbum Est significat compositionem.

(1) *Edit. Rom.* 1870, nec ipsum esse.

LECTIO VI.

Quidnam sit ipsa oratio declaratur.

Oratio autem est vox significativa, cujus partium aliquid significativum est separatim, ut dictio, non ut affirmatio vel negatio (1).

Dico autem, ut homo: significat enim aliquid; sed non quoniam est aut non est; sed erit affirmatio vel negatio si aliquid addatur.

Sed non una hominis syllaba: neque enim in eo quod est Sorex rex significat; sed vox nunc est sola: in duplicibus vero significat quidem aliquid: sed non secundum se, quemadmodum dictum est.

Est autem oratio omnis quidem significativa, non sicut instrumentum: sed quemadmodum dictum est, secundum placitum.

Oratio autem vox est significans ex consensu, cujus aliqua pars significans est separata; ut Dictio, sed non ut affirmatio aut negatio. Dico autem e. c. homo significat quidem aliquid, sed non, quod sit, aut non sit; verum erit affirmatio aut negatio, si adjectum fuerit aliquid.

Sed non [vocis] *antropou* syllaba una [significat aliquid]; neque enim in [voce] *mus* est *to us* significans, sed vox tantum est; in compositis autem [vocibus] significat quidem [syllaba] aliquid, verum non per se, ut dictum est.

Omnis autem oratio significans est, non ut instrumentum sed (ut dictum est) secundum consensum hominum.

Postquam Philosophus determinavit de nomine et de verbo, quae sunt principia materialia enunciationis, utpote partes ejus existentes; nunc determinat de oratione, quae est principium formale enunciationis, utpote genus ejus existens. Et circa hoc tria facit. Primo enim proponit definitionem orationis. Secundo exponit eam, ibi « Dico autem « ut homo, etc. » Tertio excludit errorem, ibi « Est autem oratio omnis, etc. » Circa primum considerandum, quod Philosophus in definitione orationis ponit illud in quo oratio convenit cum nomine et verbo, cum dicit: « Oratio est vox si- « gnificativa: » quod etiam posuit in definitione nominis, et probavit de verbo, quod aliquid significet. Non autem posuit in ejus definitione; quia supponebat ex eo quod positum erat in definitione nominis studens brevitati; ne idem frequenter iteraret. Iterat tamen hoc in definitione orationis, quia significatio orationis differt a significatione nominis et verbi: quia nomen vel verbum significat simplicem intellectum; oratio vero significat intellectum compositum. Secundo autem ponit id in quo oratio differt a nomine et verbo, cum dicit: « Cujus partium aliquid significativum est « separatim. » Supra enim dictum est, quod pars nominis non significat aliquid per se separata; sed solum quod est conjunctum ex duabus partibus. Signanter autem non dicit, cujus pars est significativa aliquid separata, sed cujus aliquid partium est significativum, propter negationes, et alia syncategoremata, quae secundum se non significant aliquid absolutum, sed solum habitudinem unius ad alterum. Sed quia duplex est significatio vocis: una, quae refertur ad intellectum compositum; alia, quae refertur ad intellectum simplicem: prima significatio competit orationi, secunda non competit orationi, sed parti orationis. Unde subdit: « ut di- « ctio, non ut affirmatio. » Quasi dicat: pars orationis est significativa, sicut dictio significat; puta ut nomen et verbum, non ut affirmatio, quae componitur ex nomine et verbo. Facit autem mentionem solum de affirmatione, et non de negatio-

ne; quia negatio secundum vocem superaddit affirmationi: unde, si pars orationis propter sui simplicitatem non significat aliquid ut affirmatio, multo minus, ut negatio.

Sed contra hanc definitionem Aspasius objicit, quod videtur non omnibus partibus orationis convenire. Sunt enim quaedam orationes, quarum partes significant aliquid ut affirmatio; ut puta: si sol lucet super terram, dies est: et sic de multis.

Et ad hoc respondet Porphyrius, quod in quocumque genere invenitur prius et posterius, debet definiri quod prius est. Sicut cum datur definitio alicujus speciei, puta hominis, intelligitur definitio de eo quod est in actu, non de eo quod est in potentia. Et ideo, quia in genere orationis prius est oratio simplex; inde est, quod Aristoteles prius definivit orationem simplicem. Vel potest dici secundum Alexandrum et Ammonium, quod hic definitur oratio in communi. Unde debet poni in hac definitione id quod est commune orationi simplici et compositae. Habere autem partes significantes aliquid ut affirmatio, hoc solum competit orationi compositae: sed habere partes significantes aliquid per modum dictionis et non per modum affirmationis, est commune orationi simplici et compositae. Et ideo hoc debuit poni in definitione orationis. Et secundum hoc non debet intelligi esse de ratione orationis quod pars ejus non sit affirmatio; sed quia de ratione orationis est quod pars ejus sit aliquid quod significat per modum dictionis, non per modum affirmationis. Et in idem redit solutio Porphyrii, quantum ad sensum, licet quantum ad verba parumper differat. Quia enim Aristoteles frequenter ponit dicere pro affirmare; ne dictio pro affirmatione sumatur, subdit, quod pars orationis significat « ut dictio » et addit « non ut « affirmatio, » quasi diceret secundum sensum Porphyrii, non accipitur nunc dictio secundum quod idem est quod affirmatio. Philosophus autem qui dicitur Joannes grammaticus, voluit, quod haec definitio orationis daretur solum de oratione perfecta; eo quod partes non videntur esse nisi alicujus perfecti; sicut omnes partes domus referuntur ad domum: et ideo secundum ipsum sola oratio perfecta habet partes significativas. Sed tamen hic decipiebatur; quia quamvis omnes partes referantur

---

Nota, in multis codicibus deesse hanc particulam vel negatio: *quapropter S. D. qui uno ex his codicibus utebatur ait infra in textu:* « Facit autem mentionem solum de af- « firmatione, et non de negatione, quia » etc. Vide ibi.

ad totum perfectum, quaedam tamen partes referuntur ad ipsum immediate, sicut paries et tectum ad domum, et membra organica ad animal; quaedam vero mediantibus partibus principalibus, sicut lapides referuntur ad domum mediante pariete; nervi autem et ossa ad animal mediantibus membris organicis, sicut manus et pedes et hujusmodi. Sic ergo omnes partes orationis principaliter referuntur ad orationem perfectam, cujus pars est oratio imperfecta, quae etiam ipsa habet partes significantes. Unde ista definitio convenit tam orationi perfectae quam imperfectae.

Deinde, cum dicit « dico autem »

Exponit propositam definitionem. Et primo manifestat verum esse quod dicitur. Secundo excludit falsum intellectum, ibi, « Sed non una hominis « syllaba. » Exponit ergo quod dixerat, aliquid partium orationis esse significativum: sicut hoc nomen homo, quod est pars orationis, significat aliquid; sed non significat ut affirmatio aut negatio, quia non significat esse vel non esse. Et hoc dico non in actu, sed solum in potentia. Potest enim aliquid addi per cujus additionem fit affirmatio vel negatio, scilicet si addatur ei verbum.

Deinde, cum dicit « sed non una »

Excludit falsum intellectum. Et posset hoc referri ad immediate dictum; ut sit sensus, quod nomen erit affirmatio et negatio, si quid ei addatur; sed non si addatur ei una nominis syllaba. Sed quia huic sensui non conveniunt verba sequentia; oportet quod referatur ad id quod supra dictum est in definitione orationis; scilicet quod aliquid partium ejus sit significativum separatim. Sed quia pars alicujus totius dicitur proprie illud quod immediate venit ad constitutionem totius; non autem pars partis; ideo hoc non intelligendum est de partibus nominis vel verbi quae sunt syllabae vel literae. Et ideo dicitur, quod pars orationis est significativa separata; non tamen talis pars, quae est una nominis syllaba. Et hoc manifestat in syllabis, quae quandoque possunt esse dictiones per se significantes; sicut hoc, quod dico rex, quandoque est una dictio per se significans: inquantum vero accipitur ut una quaedam syllaba hujus nominis sorex soricis, non significat aliquid per se, sed est vox sola. Dictio enim quaedam composita est ex pluribus vocibus; tamen in significando habet simplicitatem, inquantum scilicet significat simplicem intellectum. Et ideo, inquantum est vox composita, potest habere partem quae est rex: inquantum autem est simplex in significando, non potest habere partem significantem. Unde syllabae quidem sunt voces; sed non sunt voces per se significantes. Sciendum tamen, quod in nominibus compositis, quae imponuntur ad significandum rem simplicem ex aliquo intellectu composito, partes secundum apparentiam aliquid significant, licet non secundum veritatem. Et ideo subdit quod in duplicibus, idest in nominibus compositis, syllabae quae possunt esse dictiones, in compositione nominis venientes, significant aliquid, scilicet in ipso composito, et secundum quod sunt dictiones: non autem significant per se prout sunt hujusmodi nominis partes: sed eo modo, sicut supra dictum est.

Deinde, cum dicit « est autem »

Excludit quemdam errorem. Fuerunt enim aliqui dicentes, quod oratio et ejus partes significant naturaliter non ad placitum. Ad probandum autem hoc utebantur tali ratione. Virtutis naturalis oportet esse naturalia instrumenta, quia natura non deficit in necessariis. Potentia autem interpretativa est naturalis: ergo instrumenta ejus sunt naturalia; instrumentum autem ejus est oratio: quia per orationem virtus interpretativa interpretatur mentis conceptum: hoc enim dicimus instrumentum, quo agens operatur: ergo oratio est aliquid naturale, non ex institutione humana significans, sed naturaliter. Huic autem rationi quae dicitur esse Platonis in lib. qui intitulatur Cratylus, Aristoteles obviando dicit, quod oratio est significativa, non sicut instrumentum, virtutis scilicet naturalis; quia instrumenta naturalia virtutis interpretativae sunt guttur et pulmo, quibus formatur vox et lingua, et dentes et labia, quibus literati soni ac articulati distinguuntur; oratio autem et partes ejus sunt sicut effectus virtutis interpretativae per instrumenta praedicta. Sicut enim virtus motiva utitur naturalibus instrumentis, sicut brachiis et manibus, ad faciendum opera artificialia; ita virtus interpretativa utitur guttore et aliis instrumentis naturalibus ad faciendum orationem. Unde oratio et partes ejus non sunt res naturales, sed quidam artificiales effectus. Et ideo subdit quod oratio significat ad placitum, idest secundum institutionem humanae rationis et voluntatis, ut supra dictum est; sicut et omnia artificialia causantur ex humana voluntate et ratione. Sciendum ergo, quod si virtutem interpretativam non attribuamus virtuti motivae, sed rationi; sic non est virtus naturalis, sed supra omnem naturam corpoream: quia intellectus non est actus alicujus corporis, sicut probatur in tertio de Anima: ipsa autem ratio est quae movet virtutem corporalem motivam ad opera artificialia, quibus etiam ut instrumentis utitur ratio: non sunt autem instrumenta alicujus virtutis corporalis. Et hoc modo potest etiam uti oratione et ejus partibus quasi instrumentis, quamvis non naturaliter significent.

LECTIO VII.

Quid sit ipsa enunciatio, quae inter species orationis perfectior,
ac sola logici muneris est, ostenditur ac declaratur.

ANTIQUA.	RECENS.
Enunciativa vero non omnis, sed illa in qua verum vel falsum est. Non autem omnibus inest: ut deprecatio oratio quidem est; sed neque vera neque falsa.	Non omnis vero est Enuntians, sed ea tantum, in qua veritas aut falsitas inest: non omnibus autem inest; ut Precatio oratio quidem est, at nec vera nec falsa.

Ceterae igitur relinquantur; rhetoricae enim vel poeticae convenientior est consideratio. Enunciativa vero praesentis speculationis est.

Aliae tamen orationes mittantur; quarum consideratio magis ad Rhetoricen aut Poeticen pertinet: enuntians autem [oratio] hujus est doctrinae.

Postquam Philosophus determinavit de principiis enunciationis, hic incipit determinare de ipsa enunciatione. Et dividitur pars haec in duas: quia in prima determinat de enunciatione absolute; in secunda de diversitate enunciationum, quae provenit secundum ea quae in simplici enunciatione adduntur: et hoc in secundo libro, ibi, « Quoniam « autem est enunciatio de aliquo affirmatio. » Prima autem pars dividitur in partes tres. In prima definit enunciationem, in secunda dividit eam, ibi, « Est autem una prima oratio. » In tertia agit de oppositione partium ejus adinvicem, ibi, « Quoniam « autem est enunciare etc. » Circa primum tria facit. Primo ponit definitionem enunciationis. Secundo ostendit, quod per hanc definitionem differt enunciatio ab aliis speciebus orationis, ibi, « Non « autem in omnibus, etc. » Tertio ostendit, quod de sola enuntiativa est tractandum, ibi, « Et cete« rae quidem relinquantur. » Circa primum considerandum, quod oratio, quamvis non sit instrumentum alicujus virtutis naturaliter operantis: est tamen instrumentum rationis, ut supra dictum est. Omne autem instrumentum oportet definiri ex suo fine, quod est usus instrumenti; usus autem orationis, sicut et omnis vocis significativae, est significare conceptum intellectus. Duae autem sunt operationes intellectus: in quarum una non invenitur veritas et falsitas: in alia autem invenitur verum et falsum. Et ideo orationem enunciativam definit ex significatione veri et falsi, dicens, quod « non « omnis oratio est enunciativa, sed in qua verum « vel falsum est. » Ubi considerandum est, quod Aristoteles mirabili brevitate usus, et divisionem orationis innuit in hoc quod dicit, non omnis oratio est enunciativa, et definitionem in hoc quod dicit, sed in qua verum vel falsum est; ut intelligatur, quod haec sit definitio enunciationis: enunciatio est oratio in qua verum vel falsum est. Dicitur autem in enunciatione esse verum vel falsum, sicut in signo intellectus veri vel falsi. Sed sicut in subjecto est verum vel falsum in mente, ut dicitur in sexto Metaphysicae. In re autem sicut in causa; quia, ut dicitur in libro Praedicamentorum, ab eo quod res est vel non est, oratio vera vel falsa est.

Deinde, cum dicit « non autem »

Ostendit, quod per hanc definitionem enunciatio differt ab aliis orationibus. Et quidem de orationibus imperfectis manifestum est quod non significant verum vel falsum: quia, cum non faciant perfectum sensum in animo auditoris, manifestum est quod perfecte non exprimunt judicium rationis, in quo consistit verum vel falsum. His igitur praetermissis, sciendum est, quod perfectae orationis, quae complent sententiam, quinque sunt species: videlicet enuntiativa, deprecativa, imperativa, interrogativa et vocativa. Non tamen intelligendum est quod solum nomen vocativi casus sit vocativa oratio: quia oportet aliquid partium orationis significare aliquid separatim, sicut

supra dictum est; sed per vocativum provocatur sive excitatur animus audientis ad attendendum; non autem est vocativa oratio, nisi plura conjungantur; ut cum dico, o bone Petre. Harum orationum sola enunciativa est in qua invenitur verum et falsum; quia ipsa sola absolute significat conceptum intellectus, in quo est verum vel falsum. Sed quia intellectus vel ratio non solum concipit in seipso veritatem, sed etiam ad ejus officium pertinet secundum suum conceptum alia dirigere et ordinare: ideo necesse fuit quod sicut per enunciativam orationem significatur ipse mentis conceptus; ita etiam essent aliquae aliae orationes significantes ordinem rationis, secundum quam alia diriguntur. Dirigitur autem ex ratione unius hominis alius homo ad tria. Primo quidem ad attendendum mente; et ad hoc pertinet vocativa oratio. Secundo ad respondendum voce; et ad hoc pertinet interrogativa. Tertio ad exequendum in opere; et ad hoc pertinet quantum ad inferiores oratio imperativa, quantum autem ad superiores oratio deprecativa, ad quam reducitur oratio optativa: quia respectu superioris homo non habet vim motivam, nisi per expressionem sui desiderii. Quia igitur istae quatuor orationis species non significant ipsum conceptum intellectus in quo est verum vel falsum, sed quemdam ordinem ad hoc consequentem; inde est quod in nulla earum invenitur verum vel falsum; sed solum in enunciativa quae significat id quod de rebus concipitur. Et inde est quod omnes modi orationum in quibus invenitur verum vel falsum, sub enunciatione continentur, quam quidam dicunt indicativam vel suppositivam. Dubitativa autem ad interrogativam reducitur, sicut et optativa ad deprecativam.

Deinde, cum dicit « ceterae igitur »

Ostendit, quod de sola enunciativa est agendum: et dicit quod aliae quatuor orationis species sunt relinquendae, quantum pertinet ad praesentem intentionem; quia earum consideratio convenientior est rhetoricae vel poeticae scientiae. Sed enunciativa oratio praesentis considerationis est. Cujus ratio est: quia consideratio hujus libri directe ordinatur ad scientiam demonstrativam, in qua animus hominis per rationem inducitur ad consentiendum vero ex his quae sunt propria rei; et ideo demonstrator non utitur ad suum finem nisi enunciativis orationibus significantibus res secundum quod earum veritas est in anima. Sed rhetor et poeta ducunt ad assentiendum ei quod intendunt, non solum per ea quae sunt propria rei, sed etiam per dispositiones audientis. Unde rhetores et poetae plerumque movent auditores in unum, provocando eos ad aliquas passiones, ut Philosophus dicit in sua Rhetorica. Et ideo consideratio dictarum specierum orationis, quae pertinet ad ordinationem audientis in aliquid, cadit proprie sub consideratione rhetoricae vel poeticae ratione sui significati; ad considerationem autem grammaticae, prout consideratur in eis congrua vocum constructio.

LECTIO VIII.

Dividitur enunciatio in enunciationem unam et plures vel simpliciter, vel ex conjunctione, et quaenam sint declaratur. Enunciatio item una dividitur in affirmationem et negationem, idest, affirmativam et negativam; quae a nominis ac verbi unitate multipliciter distinguuntur.

ANTIQUA.

Est autem una prima enunciativa oratio affirmatio; deinde negatio: aliae vero omnes conjunctione sunt unae.

Necesse est autem omnem orationem enunciativam ex verbo esse, vel casu verbi: etenim hominis ratio, si non Est aut erit aut fuit aut aliquid hujusmodi addatur, non est oratio enunciativa.

Quare autem unum quoddam est, et non multa, animal gressibile bipes: neque enim in eo quod propinquae dicuntur, unum erit. Est autem alterius hoc tractare negotii.

Est autem una oratio enunciativa vel quae unum significat, vel conjunctione una; plures autem, quae plura et non unum, vel inconjunctae (1).

Nomen ergo et verbum dictio sit sola: quoniam non est dicere, sic aliquid significantem voce enunciare, vel aliquo interrogante, vel non: sed ipso proferente.

Harum autem haec simplex quidem est enunciatio, ut aliquid de aliquo, vel aliquid ab aliquo. Haec autem ex his conjuncta, velut oratio quaedam jam composita.

Est autem simplex enunciatio vox significativa de eo quod est aliquid vel non est, quemadmodum tempora divisa sunt. Affirmatio vero est enunciatio alicujus de aliquo. Negatio vero enunciatio alicujus ab aliquo.

RECENS.

Est autem una prima oratio enuntians affirmatio; deinde negatio; reliquae vero omnes [orationes enuntiantes] conjunctione in unam abeunt.

Verum necesse est omnem orationem enuntiantem ex verbo pendere, aut ex casu verbi; nam hominis definitio, nisi Est, aut Erat, aut Erit, aut ejusmodi quidpiam addatur, nondum oratio est enuntians.

Cur autem unum quoddam est, nec plura, animal pedestre bipes? — neque enim, quia una pronuntiantur [verba], unum [revera] erit: sed de hoc dicere, alius est tractationis.

Est autem Una oratio enuntians vel ea quae unum significat, vel quae conjunctione una est; Multae autem sunt, quae multa nec unum [significant], aut quae non conjunctae sunt.

Nomen igitur aut verbum Dictio tantum esto: quandoquidem dici nequit, ita aliquid voce exprimentem [enuntiare], sive is ab aliquo interrogatus sit, sive non, verum ipse sponte [aliquid] proferat. Enuntiationum vero altera est simplex, ut alicujus [enuntiatio] de aliquo, aut ab aliquo; altera est ex his composita ut oratio quaedam jam conjuncta.

Est igitur simplex enuntiatio vox significans, inesse aliquid, aut non inesse, ut tempora divisa sunt.

Affirmatio autem est enuntiatio alicujus de aliquo.

Negatio autem est enuntiatio alicujus ab aliquo.

Postquam Philosophus definivit enunciationem, hic dividit eam. Et dividitur in duas partes: in prima ponit divisionem, in secunda manifestat eam, ibi, « Necesse est autem ». Circa primum considerandum est, quod Aristoteles sub breviloquio duas divisiones enunciationis ponit. Quarum una est, quod enunciatio quaedam est una simplex, quaedam est conjunctione una. Sicut etiam in rebus quae sunt extra animam, aliquid est unum colligatione aut compositione aut ordine. Quia enim ens et unum convertuntur; necesse est, sicut omnem rem, ita et omnem enunciationem aliqualiter esse unam. Alia vero subdivisio enunciationis est, quod si enunciatio sit una, aut est affirmativa, aut negativa. Enunciatio autem affirmativa, prior est negativa, triplici ratione: secundum tria quae supra posita sunt: ubi dictum est, quod vox est signum intellectus, et intellectus est signum rei. Ex parte igitur vocis affirmativa est prior negativa, quia est simplicior; negativa enim enunciatio addit supra affirmativam particulam negativam. Ex parte autem intellectus etiam affirmativa enunciatio, quae significat compositionem intellectus, est prior negativa quae significat divisionem ejusdem. Divisio enim naturaliter posterior est compositione; nam non est divisio nisi compositorum; sicut non est corruptio nisi generatorum. Ex parte autem rei affirmativa enunciatio, quae significat esse, prior est negativa, quae significat non esse, sicut habitus naturaliter prior est privatione. Dicit ergo quod oratio enunciativa una et prima est affirmatio, id est affirmativa enun-

ciatio. Et contra hoc quod dixerat, prima, subdit « deinde negatio, » idest negativa oratio, quia est posterior affirmativa, ut dictum est. Contra id autem quod dixerat, una simpliciter, subdit « quae-« dam aliae sunt unae non simpliciter, sed con-« junctione unae. »

Ex hoc autem quod hic dicitur, argumentatur Alexander, quod divisio enunciationis in affirmationem et negationem non est divisio generis in species, sed divisio nominis multiplicis in sua significata. Genus enim univoce praedicatur de suis speciebus, non secundum prius et posterius. Unde Aristoteles noluit quod ens esset genus commune omnium: quia per prius praedicatur de substantia, quam de novem generibus accidentium.

Sed dicendum, quod unum dividentium aliquod commune potest esse prius altero dupliciter. Uno modo secundum proprias rationes aut naturas dividentium. Alio modo secundum participationem rationis illius communis quod in ea dividitur. Primum autem non tollit univocationem generis: ut manifestum est in numeris, in quibus binarius secundum rationem propriam prior est ternario; sed tamen aequaliter participant rationem generis sui, scilicet numeri: ita enim est ternarius multitudo mensurata per unum, sicut et binarius. Sed secundum impedit univocationem generis. Et propter hoc, ens non potest esse genus substantiae et accidentis; quod est ens per aliud et in alio. Sic ergo affirmatio prior est negatione secundum propriam rationem; tamen aequaliter participant rationem enunciationis quam supra posuit, videlicet quod enunciatio est oratio in qua verum vel falsum est.

(1) *Non* vel in conjunctione, *ut habet Editio Rom.* 1570.

Deinde, cum dicit « necesse est »

Manifestat propositas divisiones. Et primo manifestat primam: scilicet quod enunciatio vel est una simpliciter, vel conjunctione una. Secundo manifestat secundum, scilicet quod enunciatio simpliciter una vel est affirmativa vel negativa, ibi: « Est autem simplex enunciatio, etc. » Circa primum duo facit. Primo praemittit quaedam, quae sunt necessaria ad propositum manifestandum. Secundo manifestat propositum, ibi, « Est autem una « oratio. » Circa primum duo facit. Primo dicit, quod omnem orationem enunciativam oportet constare ex verbo, quod est praesentis temporis, vel casu verbi, quod est praeteriti vel futuri. Tacet autem de verbo infinito, quia eumdem usum habet sicut et verbum negativum. Manifestat autem quod dixerat per hoc, quod non solum nomen unum sine verbo non facit orationem perfectam enunciativam; sed nec etiam oratio imperfecta. Definitio enim oratio quaedam est: et tamen si ad rationem hominis, idest definitionem, non addatur Est, quod est verbum, vel erat, vel fuit, quae sunt casus verbi, aut aliquid hujusmodi aliud, idest aliquod aliud verbum, seu casus verbi; nondum est oratio enunciativa.

Potest autem esse dubitatio, cum enunciatio constet ex nomine et verbo; quare non facit mentionem de nomine, sicut de verbo.

Ad hoc tripliciter responderi potest. Uno modo: quia nulla oratio enunciativa invenitur sine verbo, vel casu verbi; invenitur autem enunciatio sine nomine, puta cum nos utimur infinitivis verborum loco nominum, ut cum dicitur, currere est moveri. Secundo et melius: quia sicut supradictum est, verbum est nota eorum quae de altero praedicantur. Praedicatum autem est principalior pars enunciationis, eo quod est pars formalis et completiva ipsius. Unde vocatur apud graecos propositio categorica, id est praedicativa. Denominatio autem fit a forma, quae dat speciem rei. Et ideo fecit mentionem de verbo, tamquam de principaliori et formaliori. Cujus signum est: quia enunciatio categorica dicitur affirmativa vel negativa ratione verbi quod affirmatur vel negatur; sicut conditionalis dicitur affirmativa vel negativa eo quod affirmatur vel negatur conjunctio, a qua denominatur. Tertio potest dici adhuc melius, quod non erat intentio Aristotelis ostendere quod nomen vel verbum non sufficit ad enunciationem complendam: hoc enim supra manifestavit tam de nomine quam de verbo. Sed quia dixerat quod quaedam enunciatio est una simpliciter, quaedam autem conjunctione una: posset aliquis dicere, quod illa quae est una simpliciter, careret omni compositione; sed ipse hoc excludit per hoc quod in omni enunciatione oportet esse verbum, quod importat compositionem; quam non est intelligere sine compositis, sicut supra dictum est. Nomen autem non importat compositionem: et ideo non exigit praesens intentio ut de nomine faceret mentionem; sed solum de verbo.

Secundo ibi « quare autem »

Ostendit aliud quod est necessarium ad manifestationem propositi: scilicet quod hoc quod dico animal gressibile bipes, quae est definitio hominis, est unum et non multa. Et eadem ratio est de omnibus definitionibus. Et hujusmodi rationem assignare dicit esse « alterius negotii. » Pertinet enim ad metaphysicum, ut in 7 et in 8 Metaph. ratio hujus assignatur, quia scilicet differentia advenit generi non per accidens sed per se, tamquam determinativa ipsius, per modum quo materia determinatur per formam. Nam a materia sumitur genus, a forma autem differentia. Unde, sicut ex forma et materia fit vere unum et non multa, ita ex genere et differentia. Excludit autem quamdam dubitationem hujus unitatis quam quis posset suspicari, ut scilicet definitio dicatur unum quia partes ejus sunt propinquae, idest sine aliqua interpositione conjunctionis vel morae. Et quidem non interruptio locutionis necessaria est ad unitatem definitionis; quia, si interponeretur conjunctio partibus definitionis, jam secunda non determinaret primam, sed significarent ut actu multae in locutione. Et ideo idem operatur interpositio morae qua utuntur rhetores loco conjunctionis. Unde ad unitatem definitionis requiritur quod partes ejus proferantur sine conjunctione et interpolatione; quia etiam in re naturali, cujus est definitio, nihil cadit medium inter materiam et formam. Sed praedicta non interruptio non sufficit ad unitatem definitionis; quia contingit etiam hanc continuationem prolationis servari in his quae non sunt simpliciter unum, sed per accidens; ut si dicam, homo albus musicus. Sic igitur Aristoteles valde subtiliter manifestavit, quod absoluta unitas enunciationis non interrumpitur nec per compositionem quam importat verbum, neque per multitudinem nominum ex quibus constat definitio. Et est eadem ratio utrobique: nam praedicatum comparatur ad subjectum ut forma ad materiam; et similiter differentia ad genus: ex materia autem et forma fit unum simpliciter.

Deinde, cum dicit « est autem »

Accedit ad manifestandam praedictam divisionem. Et primo manifestat ipsum commune quod dividitur, quod est enunciatio una. Secundo manifestat partes divisionis secundum proprias rationes, ibi, « Harum autem haec simplex, etc. » Circa primum duo facit. Primo manifestat ipsam divisionem. Secundo concludit, quod ab utroque membro divisionis nomen et verbum excluduntur, ibi « Nomen ergo et verbum. » Opponitur autem unitati pluralitas: et ideo enunciationis unitatem manifestat per modum pluralitatis. Dicit ergo primo, quod enunciatio dicitur vel una absolute, scilicet quae unum ex uno significat; vel secundum quid, scilicet quae est conjunctione una. Per oppositum autem est intelligendum, quod enunciationes plures sunt, vel ex eo, quod plura significant et non unum; et haec opponitur primo modo unitatis; vel ex eo quod absque conjunctione proferuntur: et tales opponuntur secundo modo unitatis. Circa quod considerandum est secundum Boetium, quod unitas et pluralitas orationis potest referri ad significatum; simplex autem et compositum attenditur secundum ipsas voces. Et ideo enunciatio quandoque est simplex et una; puta, cum solum ex nomine et verbo componitur in unum significatum, ut cum dico, homo est albus. Est etiam quandoque una oratio sed composita; quae quidem unam rem significat, sed tamen composita est vel ex pluribus terminis, sicut si dicam, animal rationale mortale currit; vel ex pluribus enunciationibus, sicut in conditionalibus quae quidem unum significant et non multa. Similiter autem quandoque in enunciatione est pluralitas cum simplicitate; puta cum in oratione ponitur aliquod nomen multa significans: ut si dicam,

canis latrat, haec oratio plures est quia plura significat, et tamen simplex est. Quandoque vero in
enunciatione est pluralitas et compositio ; puta
cum ponuntur plura in subjecto vel in praedicato,
ex quibus non fit unum, sive interveniat conjunctio, sive non: puta si dicam, homo albus musicus
disputat; et similiter est si conjungantur plures
enunciationes, sive cum conjunctione, sive sine
conjunctione, ut si dicam: Socrates currit, Plato
disputat; et secundum hoc sensus literae est, quod
enunciatio una est illa quae unum de uno significat; non solum si sit simplex, sed etiam si sit
conjunctione una. Et similiter enunciationes plures
dicuntur, quae plura et non unum significant; non
solum quando interponitur aliqua conjunctio vel
inter nomina vel verba vel etiam inter ipsas e-
nunciationes; sed etiam si « vel inconjuncte »
idest absque aliqua interposita conjunctione plura
significat: vel quia est unum nomen aequivocum;
vel quia ponuntur plura nomina absque conjunctione, ex quorum significatis non fit unum; ut si
dicam, homo albus, grammaticus, logicus currit.
Sed haec expositio non videtur esse secundum intentionem Aristotelis. Primo quidem, quia per disjunctionem quam interponit, videtur distinguere
inter orationem unum significantem et orationem
quae est conjunctione una. Secundo, quia supra
dixerat quod « est unum quoddam et non multa
« animal gressibile bipes. » Quod autem est conjunctione unum, non est unum et non (1) multa; sed
est unum ex multis. Et ideo melius videtur dicendum, quod Aristoteles, quia supra dixerat aliquam
enunciationem esse unam, et aliquam conjunctione unam, hic manifestat quae sit una. Et quia
supra dixerat quod multa nomina simul conjuncta sunt unum, sicut animal gressibile bipes, dicit Commentator Algazel, quod enunciatio est judicanda una non ex unitate nominis,
sed ex unitate significati: etiam si sint plura nomina quae unum significent. Vel si aliqua enunciatio
una plura significet, non erit una simpliciter, sed
conjunctione una. Et secundum hoc, animal gressibile bipes est risibile, non est una conjunctione
una, sicut prius dicebatur; sed quia unum significat. Et quia oppositum per oppositum manifestatur;
consequenter ostendit, quae sunt plures enunciationes; et ponit duos modos pluralitatis. Primus est
quod plures dicuntur enunciationes quae plura
significant. Contingit autem aliqua plura significari
in aliquo uno communi; sicut cum dico, animal
gressibile bipes, sub hoc uno communi, quod est
animal, multa continentur; et tamen haec enunciatio est una, et non plures. Et ideo addit « et non
« unum. » Sed melius est ut dicatur hoc esse
additum propter definitionem, quae multa significat,
quae sunt unum; et hic modus pluralitatis opponitur primo modo unitatis. Secundus modus pluralitatis est, quando non solum enunciationes plura
significant, sed etiam illa plura nullatenus conjunguntur: et hic modus pluralitatis opponitur secundo
modo unitatis. Et secundum hoc patet, quod secundus modus unitatis non opponitur primo modo
pluralitatis. Ea autem quae non sunt opposita possunt simul esse. Unde manifestum est enunciationem quae est una conjunctione, esse etiam plures:
plures autem inquantum significat plura et non

unum. Secundum autem hoc possumus accipere
tres modos enunciationis. Nam quaedam est simpliciter una, inquantum unum significat: quaedam
est simpliciter plures inquantum plura significat;
sed est una secundum quid, inquantum est conjunctione una: quaedam sunt simpliciter plures, quae
neque significant unum, neque conjunctione aliqua
uniuntur. Ideo autem Aristoteles quatuor ponit, et
non solum tria: quia quandoque est enunciatio
plures quia plura significat, non tamen conjunctione una: puta, si ponatur ibi nomen multa significans.
    Deinde, cum dicit « nomen ergo »
    Excludit ab unitate orationis nomen et verbum.
Dixerat enim quod enunciatio una est quae unum
significat; posset enim aliquis intelligere, quod sic
significaret sicut nomen et verbum unum significant. Et ideo ad hoc excludendum, subdit. « Nomen
« ergo et verbum dictio sit sola. » Ita dictio sit,
quod non enunciatio. Et videtur ex modo loquendi,
quod ipse imposuerit hoc nomen ad significandum
partes enunciationis. Quod autem nomen et verbum
dictio sit sola, manifestat per hoc, quod non potest
dici quod ille enunciet, qui sic aliquid significat
voce sicut nomen vel verbum significat. Et ad hoc
manifestandum innuit duos modos utendi enunciatione. Quandoque enim utimur ipsa quasi ad interrogata respondentes; puta, si quaeratur, quis sit
in scholis, respondemus, magister. Quandoque autem
utimur ea propria sponte, nullo interrogante; sicut
cum dicimus: Petrus currit. Dicit ergo, quod ille,
qui significat aliquid unum nomine vel verbo, non
enunciat, vel sicut ille qui respondet, aliquo interrogante, vel sicut ille qui profert enunciationem
non aliquo interrogante, sed ipso proferente sponte.
Introduxit autem hoc, quia nomen vel verbum
simplex, quando respondetur ad interrogantem, videtur verum vel falsum significare; quod est proprium enunciationis. Sed non competit nomini vel
verbo, nisi secundum quod intelligitur conjunctum
cum alia parte proposita in interrogatione. Ut si
quaerenti, quis legit in scholis? respondeatur, Magister, intelligitur ibi, legit. Si ergo ille qui enunciat
aliquid nomine vel verbo, non enunciat; manifestum
est, quod enunciatio non sic unum significat, sicut
nomen vel verbum. Hoc autem inducit sicut conclusionem ejus quod supra praemisit, necesse est
omnem orationem enunciativam ex verbo esse, vel
ex casu verbi.
    Deinde, cum dicit « harum autem »
    Manifestat praemissam divisionem secundum
rationes partium. Dixerat enim quod una enunciatio
est quae unum de uno significat; et alia est quae
est conjunctione una. Ratio autem hujus divisionis
est ex eo quod natum est dividi per simplex ex
compositum. Et ideo dicit: « Harum autem », scilicet enunciationum, in quibus dividitur unum, haec
dicitur una, vel quia significat unum simpliciter,
vel quia una est conjunctione. « Haec quidem sim-
« plex enunciatio est »; quae scilicet unum significat.
Sed ne intelligatur quod sic significet unum sicut
nomen vel verbum; ad excludendum hoc subdit,
« ut aliquid de aliquo, » idest per modum compositionis, vel « aliquid ab aliquo, » idest per modum
divisionis. « Haec autem ex his conjuncta » quae
scilicet dicitur conjunctione una; est velut oratio
jam composita: quasi dicat: hoc modo enunciationis
unitas dividitur in duo praemissa, sicut aliquid
unum dividitur in simplex et compositum.

(1) *Al. deest* non.

Deinde, cum dicit « est autem »

Manifestat secundam divisionem enunciationis, secundum videlicet quod enunciatio dividitur in affirmationem et negationem. Haec autem divisio, primo quidem convenit enunciationi simplici; ex consequenti autem convenit compositae enunciationi. Et ideo ad insinuandum rationem praedictae divisionis, dicit, quod simplex enunciatio est vox significativa « de eo, quod est aliquid » quod pertinet ad affirmationem « vel non est aliquid » quod pertinet ad negationem. Et ne intelligatur solum secundum praesens tempus, subdit « quemadmodum « tempora sunt divisa; » idest similiter hoc habet locum in aliis temporibus sicut et in praesenti. Alexander autem existimavit quod Aristoteles hic definiret enunciationem: et quia in definitione enunciationis videtur ponere affirmationem et negationem, volebat hic accipere quod enunciatio non esset genus affirmationis et negationis; quia species nunquam ponitur in definitione generis. Id autem quod non univoce praedicatur de multis, quia scilicet non significat aliquid unum quod sit unum commune multis, non potest notificari nisi per illa multa quae significantur. Et inde est, quod quia unum non dicitur aequivoce de simplici et composito, sed per prius et posterius, Aristoteles in praecedentibus semper ad notificandum unitatem enunciationis usus est utroque. Quia ergo videtur uti affirmatione et negatione ad notificandum enunciationem, volebat Alexander accipere, quod enunciatio non dicitur de affirmatione et negatione univoce, sicut genus de suis speciebus. Sed contrarium apparet ex hoc, quod Philosophus consequenter utitur nomine enunciationis, ut genere, cum in definitione affirmationis et negationis subdit, quod « affirmatio est enunciatio alicujus de aliquo » per modum compositionis, « negatio vero est enuncia- « tio alicujus ab aliquo » per modum divisionis. Nomine autem aequivoco non consuevimus uti ad significandum significata ejus. Et ideo Boetius di-

cit, quod Aristoteles suo modo breviloquo utens, simul usus est et definitione et divisione ejus: ita ut quod dicit « de eo quod est aliquid vel non « est » non referatur ad definitionem enunciationis, sed ad ejus divisionem. Sed quia differentiae divisivae generis non cadunt in ejus definitione: nec hoc solum quod dicitur vox significativa, sufficiens est definitio enunciationis; melius dici potest secundum Porphyrium, quod hoc totum quod dicitur « vox significativa de eo quod est vel de « eo quod non est » est definitio enunciationis. Nec tamen ponitur affirmatio et negatio in definitione enunciationis, sed virtus affirmationis et negationis, scilicet esse vel non esse, quod est naturaliter prius enunciatione. Affirmationem autem et negationem postea definivit, cum dixit « affirmatio- « nem esse alicujus de aliquo, et negationem alicujus « ab aliquo. » Sed sicut in definitione generis non debet poni species, ita nec ea quae sunt propria specierum. Cum igitur significare esse sit proprium affirmationis, et significare non esse sit proprium negationis; melius videtur dicendum secundum Ammonium, quod hic non definitur enunciatio, sed solum dividitur. Supra enim posita est definitio, cum dictum est quod enunciatio est oratio in qua est verum vel falsum. In qua quidem definitione nulla mentio facta est de affirmatione nec de negatione. Est autem considerandum, quod artificiosissime procedit: dividit enim genus non in species, sed in differentias specificas. Non enim dicit quod enunciatio est affirmatio vel negatio, sed « vox si- « gnificativa de eo quod est esse, » quae est differentia specifica affirmationis, vel « de eo quod « non est » in quo tangitur differentia specifica negationis. Et ideo ex differentiis adjunctis generi constituit definitionem speciei, cum subdit, « quod « affirmatio est enunciatio alicujus de aliquo » per quod significatur esse, et « negatio est enunciatio « alicujus ab aliquo » quod significat non esse.

LECTIO IX.

Cuicumque affirmationi oppositam esse negationem ostendit: deinde quidnam sit ea quae secundum affirmationem et negationem est oppositio, declarat.

ANTIQUA.

Quoniam autem est enunciare, et quod est, non esse, et quod non est, esse, et quod est, esse, et quod non est, non esse; et circa ea quae sunt extra praesens tempus, similiter omne contingit quod quis affirmaverit, negare, et quod negaverit affirmare: quare manifestum quoniam omni affirmationi negatio est opposita, et omni negationi affirmatio.

Et sit hoc contradictio affirmatio, et negatio oppositae.

Dico autem opponi ejusdem de eodem, non autem aequivoce, et quaecumque cetera talium determinavimus contra sophisticas importunitates.

RECENS.

Quoniam vero aliquis enuntiare potest id quod est, ac si id quod est, et id quod non est, ac si id sit, et quod est, ac si sit, et quod non est, ac si non sit, et circa tempora extra praesens similiter; omne quidem, quod affirmavit quis, eidem contigerit negare, et, quod negavit, affirmare: quare manifestum fit, omni affirmationi negationem opponi, et omni negationi affirmationem.

Et sit hoc Contradictio: affirmatio et negatio oppositae.

Dico autem opponi eam quae est ejusdem de eodem, non autem aequivoce, et quaecumque alia ejusmodi contra sophisticas importunitates praecipimus.

Proposita divisione enunciationis, hic tangit de oppositione partium enunciationis, scilicet affirmationis et negationis. Et quia enuntiationem esse

dixerat orationem in qua est verum vel falsum, primo ostendit qualiter enunciationes adinvicem opponantur; secundo movet quamdam dubitationem circa praedeterminata, ibi, « In his ergo quae sunt « et quae facta sunt. » Circa primum duo facit. Primo ostendit qualiter una enunciatio opponatur alteri. Secundo ostendit quod tantum una opponitur uni, ibi, « Manifestum est. » Prima adhuc dividitur in duas. Primo determinat de oppositione affirmationis et negationis absolute. Secundo ostendit quomodo hujusmodi oppositio diversificatur ex parte subjecti, ibi, « Quoniam autem sunt. » Circa primum duo facit. Primo ostendit, quod omni affirmationi est negatio opposita, et e converso. Secundo manifestat oppositionem affirmationis et negationis absolute, ibi, « Et sit contradictio. » Circa primum considerandum est, quod ad ostendendum suum propositum Philosophus assumit duplicem diversitatem enunciationis: quarum prima est ex ipsa forma vel modo enunciandi, secundum quod dictum est, quod enunciatio vel est affirmativa, per quam scilicet enunciatur aliquid esse; vel est negativa, per quam significatur aliquid non esse. Secunda diversitas est per comparationem ad rem ex qua dependet veritas et falsitas intellectus et enunciationis. Cum enim enunciatur aliquid esse vel non esse secundum congruentiam rei, est oratio vera; alioquin est oratio falsa. Sic igitur quatuor modis potest variari enunciatio, secundum permixtionem harum duarum divisionum. Uno modo, quia id quod est in re enunciatur ita esse sicut in re est; quod pertinet ad affirmationem veram: puta cum Socrates currit, et dicimus Socratem currere. Alio modo cum enunciatur aliquid non esse quod non est; quod pertinet ad negationem veram; ut cum dicitur, Aethiops albus non est. Tertio modo, cum enunciatur aliquid esse quod in re non est; quod pertinet ad affirmationem falsam, ut cum dicitur, corvus est albus. Quarto modo, cum enunciatur aliquid non esse, quod in re est; quod pertinet ad negationem falsam; ut cum dicitur, nix non est alba. Philosophus autem, ut a minoribus ad potiora procedat, falsas veris praeponit: inter quas negativas praemittit affirmativae, cum dicit quod contingit enunciare quod est in rerum natura non esse. Secundo autem ponit affirmativam falsam cum dicit: « Et quod non est », scilicet in rerum natura « esse ». Tertio autem ponit affirmativam veram, quae opponitur negativae, quam posuit in primo, cum dicit, « Et quod est, » scilicet in rerum natura « esse ». Quarto autem ponit negativam veram, quae opponitur affirmationi falsae, cum dicit: « Et quod non est, » scilicet in rerum natura « non « esse. » Non est autem intelligendum, quod hoc quod dixit, quod est et quod non est, sit referendum ad solam existentiam vel non existentiam subjecti; sed ad hoc quod res significata per praedicatum insit vel non insit rei significatae per subjectum. Nam cum dicitur, corvus est albus, significatur, quod non est, esse, quamvis ipse corvus sit res existens. Et sicut quatuor differentiae enunciationum inveniuntur, in quibus ponitur verbum praesentis temporis; ita etiam invenitur in enunciationibus in quibus ponuntur verba praeteriti vel futuri temporis. Supra enim dixit, quod necesse est enunciationem constare ex verbo, vel ex casu verbi. Et hoc est quod subdit « quod similiter contingit » scilicet variari diversimode enunciationem « circa ea quae sunt « extra praesens tempus, » idest circa praeterita vel futura, quae sunt quodammodo extrinseca respectu praesentis, quia praesens est medium praeteriti et

futuri. Et quia ita est, contingit omne quod quis affirmaverit, negare, et omne quod quis negaverit, affirmare. quod quidem ostensum est in praemissis. Non enim potest affirmari nisi aliquid quod est in rerum natura secundum aliquod trium temporum, vel quod non est; et hoc totum convenit (1) negare. Unde manifestum est, quod omne quod affirmatur potest negari, et e converso. Et quia affirmatio et negatio opposita sunt secundum se, utpote ex opposito contradictorie, consequens est, quod quaelibet affirmatio habeat negationem sibi oppositam, et e converso. Cujus contrarium illo solo modo posset contingere, si aliqua affirmatio affirmaret aliquid quod negatio negare non potest.

Deinde, cum dicit « et sit hoc »
Manifestat quae sit absoluta oppositio affirmationis et negationis. Et primo manifestat eam per nomen. Secundo per definitionem, ibi, « Dico au- « tem. » Dicit ergo primo, quod cum cuilibet affirmationi opponatur negatio, et e converso; oppositioni hujusmodi imponatur nomen hoc, quod dicatur contradictio. Per hoc enim quod dicitur « Et « sit contradictio » datur intelligi, quod ipsum nomen contradictionis ipse imposuerit oppositioni affirmationis et negationis, ut Ammonius dicit.

Deinde, cum dicit « dico autem »
Definit contradictionem. Quia vero, ut dictum est, contradictio est oppositio affirmationis et negationis, illa requiruntur ad contradictionem quae requiruntur ad oppositionem affirmationis et negationis. Oportet autem opposita esse circa idem. Et quia enunciatio constituitur ex subjecto et praedicato, requiritur ad contradictionem primo quidem quod affirmatio et negatio sint ejusdem praedicati. Si dicatur enim, Plato currit et non disputat, non est contradictio. Secundo requiritur quod sint de eodem subjecto. Si enim dicatur, Socrates currit et Plato non currit, non est contradictio. Tertio requiritur quod identitas subjecti et praedicati non sit solum secundum nomen, sed sit simul secundum rem et nomen. Nam si non sit idem nomen, manifestum est quod non sit una et eadem enunciatio. Similiter autem ad hoc quod sit enunciatio una, requiritur identitas rei. Dictum est enim supra, quod enunciatio una est quae unum de uno significat. Et ideo subdit « non autem aequivoce, » idest non sufficit identitas nominis cum diversitate rei, quae facit aequivocationem.

Sunt autem et quaedam alia in contradictione observanda, ad hoc quod omnis diversitas quae est affirmationis et negationis habeatur. Non enim esset contradictio, si non omnino idem negaret negatio, quod affirmatio affirmaret. Haec autem diversitas potest secundum quatuor considerari. Uno quidem modo secundum diversas partes subjecti: non enim est contradictio, si dicatur, Aethiops est albus dente, et non est albus pede. Secundo, si sit diversus modus ex parte praedicati: non enim est contradictio, si dicatur, Socrates currit tarde, et non movetur velociter; vel si dicatur, Ovum est animal in potentia, et non est animal in actu. Tertio, si sit diversitas ex parte mensurae, puta loci vel temporis. Non enim est contradictio, si dicatur: Pluit in Gallia, et non pluit in Italia, aut pluit heri, hodie non pluit. Quarto si sit diversitas ex habitudine ad aliquid extrinsecum; puta si

_____
(1) *Lege* contingit.

dicatur, decem homines esse plures quo ad domum, non autem quod ad forum. Haec omnia designantur, cum subditur: « Et quaecumque cetera talium « determinavimus, » idest determinare consuevimus in disputationibus, contra « sophisticas importuni- « tates, » idest contra importunas et litigiosas oppositiones Sophistarum, de quibus plenius facit mentionem in primo Elenchorum.

LECTIO X.

Ex rerum divisione per universale et singulare, enunciationum divisio proponitur in univer- sales et singulares; et de illarum oppositione contraria agit; hinc universalium enunciationum et indefinitarum comparatione proposita, de illarum diversa formatione agitur.

ANTIQUA.

Quoniam autem sunt haec quidem rerum universalia, illa vero singularia (Dico autem universale, quod de pluribus natum est praedicari, singulare vero quod non: ut homo quidem universale est, Plato vero eorum quae singularia sunt).

Necesse est autem enunciare, quoniam inest aliquid aut non, aliquoties quidem eorum alicui quae universalia sunt, aliquoties autem alicui eorum quae sunt singularia.

Si ergo universaliter enunciat de universali, quoniam est aut non, erunt hae contrariae enuntiationes. Dico autem de universali enuntiationem universalem, ut omnis homo albus est, nullus homo albus est.

Quando autem in universalibus non universaliter, non sunt contrariae. Quae autem significantur, est esse aliquando contraria.

Dico autem non universaliter enunciare de his quae sunt universalia, ut Est albus homo, Non est albus homo. Cum enim universale sit homo, non universaliter utitur enuncia- tione. Omnis namque non universale (1), sed quoniam univer- saliter significat.

In eo vero quod universale praedicatur (2) id quod est, universaliter praedicare, non est verum. Nulla enim affir- matio vera erit, in qua de universali praedicatione (3) uni- versaliter praedicetur, ut Omnis homo est omne animal.

RECENS.

Quoniam vero aliae quidem res sunt universales, aliae autem singulares (dico autem universale quiddam, quod de pluribus praedicari potest; singulare vero, quod non [de pluribus praedicatur], ut homo quidem est universale, Callias autem singulare); necesse est quoque enuntiare, quod aliquid inest, aut non [inest], aliquando quidem universali cuipiam, aliquando singulari.

Si ergo universaliter enuntiet quis de universali, quod sit, aut non sit; erunt hae propositiones contrariae: dico autem de universalibus universaliter enuntiare; velut Omnis homo est albus, Nullus homo est albus.

Si vero de universali quidem, non autem universaliter [aliquid praedicatur]: hae [propositiones] non sunt contrariae, licet ita significata aliquando possint esse contraria: dico autem non universaliter enuntiari de universali; velut Est homo albus, Non est homo albus; nam etsi homo sit univer- sale, tamen non ut universali in enuntiatione usus est [di- cens]; etenim *to* Omnis non significat universale, sed quod [universale] universaliter [sumatur].

De praedicato autem universali praedicare universale, non verum est; nulla enim affirmatio vera erit, in qua de praedicato universali praedicetur universale; velut Omnis homo est omne animal.

Quia Philosophus dixerat oppositionem affirma- tionis et negationis esse contradictionem, quae est ejusdem de eodem; consequenter intendit distin- guere diversas oppositiones affirmationis et nega- tionis; ut cognoscatur quae sit vera contradictio. Et circa hoc duo facit. Primo praemittit quamdam di- visionem enunciationum necessariam ad praedictam differentiam oppositionum assignandam. Secundo manifestat propositum, ibi, « Si ergo universaliter. » Praemittit autem divisionem enuntiationum, quae sumitur ex parte subjecti. Unde circa primum duo facit. Primo dividit subjectum enuntiationum. Se- cundo concludit divisionem enuntiationum, ibi, « Necesse est enunciare. » Subjectum autem enun- ciationis est nomen, vel aliquid loco nominis sum- ptum. Nomen autem est vox significativa ad placitum simplicis intellectus, quod est similitudo rei: et ideo subjectum enunciationis distinguit per divisionem rerum: et dicit, quod rerum quaedam sunt uni- versalia, quaedam sunt singularia. Manifestat autem membra divisionis dupliciter. Primo quidem per definitionem; quia universale est, quod est aptum natum de pluribus praedicari, singulare vero quod

non est aptum natum praedicari de pluribus, sed de uno solo. Secundo manifestat per exemplum, cum sub- dit, quod homo est universale, Plato autem singulare.

Accidit autem dubitatio circa hanc divisionem; quia sicut probat Philosophus in 7 Metaphy- sicae, universale non est aliquid extra res exi- stens. Item in Praedicamentis dicitur, quod secundae substantiae non sunt nisi in primis, quae sunt singulares. Non ergo videtur esse conveniens divisio rerum per universalia et singularia; quia nullae res videntur esse universales, sed omnes sunt singulares.

Dicendum est, quod hic dividuntur res, se- cundum quod significantur per nomina quae sub- jiciuntur enuntiationibus. Dictum est enim supra, quod nomina non significant res nisi mediante intellectu: et ideo oportet quod divisio ista rerum accipiatur secundum quod cadit in intellectu. Ea vero quae sunt conjuncta in rebus intellectus po- test distinguere, quando unum eorum non cadit in ratione alterius. In qualibet autem re singulari est considerare aliquid quod sit illi proprium inquan- tum est haec res; sicut Socrati vel Platoni inquan- tum est hic homo; et aliquid est considerare in eo, in quo convenit cum aliis quibusdam rebus; sicut, quod Socrates est animal, aut homo, aut rationale, aut risibile, aut albus. Quando igitur res denomi- natur ab eo quod convenit illi soli rei inquantum

(1) *Al.* non universale est.
(2) *Al.* repetitur universale.
(3) *Al.* praedicato.

est haec res, hoc dicitur nomen significare aliquid singulare. Quando autem denominatur res ab eo quod est commune sibi et multis aliis, nomen hujusmodi dicitur significare universale: quia significat nomen hujusmodi naturam sive dispositionem aliquam quae est communis multis. Quia igitur hanc divisionem dedit de rebus non absolute, secundum quod sunt extra animam, sed secundum quod referuntur ad intellectum; non definit universale et singulare secundum aliquid quod pertinet ad res; puta si diceret quod universale est extra animam, quod pertinet ad opinionem Platonis; sed per actum animae intellectivae, qui est praedicari de multis vel de uno solo. Est autem considerandum, quod intellectus apprehendit rem intellectam secundum propriam essentiam seu definitionem: unde et in 3 de Anima dicit, quod objectum proprium intellectus est quod quid est. Contingit autem quandoque quod propria ratio alicujus formae intellectae non repugnat ei quod est esse in pluribus; sed hoc impeditur ab aliquo alio; sive sit aliquid accidentaliter adveniens, puta si omnibus hominibus morientibus, unus solus remaneret; sive sit propter conditionem naturae, sicut est unus tantum sol; non quod repugnet rationi solari esse in pluribus secundum conditionem formae ipsius; sed quia non est alia materia susceptiva talis formae. Et ideo non dixit quod universale est quod praedicatur de pluribus, sed « quod aptum natum est praedicari de pluribus. » Cum autem omnis forma quae nata est recipi in materia, quantum est de se, communicabilis sit multis materiis; dupliciter potest contingere quod id quod significatur per nomen non sit aptum natum praedicari de pluribus. Uno modo, quod nomen significat formam secundum quod terminata est ad hanc materiam: sicut hoc nomen Socrates vel Plato, quod significat naturam humanam prout est in hac materia. Alio modo, secundum quod nomen significat formam quae non est nata in materiam recipi, unde oportet quod per se remaneat una et singularis: sicut albedo, si esset forma non existens in materia, esset una sola; unde esset singularis. Et propter hoc Philosophus dicit in 7 Metaphysic., quod si essent species rerum separatae, sicut posuit Plato, essent individua. Potest autem objici, quod hoc nomen Socrates vel Plato est natum de pluribus praedicari; quia nihil prohibet multos esse qui vocentur hoc nomine. Sed ad hoc patet responsio, si attendantur verba Aristotelis. Ipse enim non divisit nomina in universale et particulare, sed res. Et ideo intelligendum est, quod universale non solum dicitur quando nomen potest de pluribus praedicari; sed etiam quando id quod significatur per nomen est natum in pluribus inveniri: hoc autem non contingit in praedictis nominibus: nam hoc nomen Socrates vel Plato significat naturam humanam secundum quod est in hac materia. Si vero hoc nomen imponatur alteri homini, significabit aliud; et propter hoc non esset universale, sed aequivocum.

Deinde cum dicit « necesse est »

Concludit divisionem enuntiationis. Quia enim semper enunciatur aliquid de aliquo; rerum autem quaedam sunt universalia, quaedam singularia: necesse est quod quandoque enuncietur aliquid inesse vel non inesse alicui universalium, quandoque vero alicui singularium. Et est suspensiva constructio usque huc: et est sensus « Quoniam autem sunt

« quidem rerum, etc. necesse est enunciare etc. » Est autem considerandum, quod de universali aliquid enunciatur quatuor modis. Nam universale potest uno modo considerari quasi separatum a singularibus; sive per se subsistens, ut Plato posuit; sive secundum sententiam Aristotelis secundum esse quod habet in intellectu. Et sic potest ei aliquid attribui tripliciter. Quandoque enim attribuitur ei aliquid sic considerato, quod pertinet ad solam operationem intellectus; ut si dicatur quod hoc est praedicabile de multis, sive universale, sive species. Hujusmodi enim intentiones format intellectus attribuens eas naturae intellectae, secundum quod comparat ipsas ad res quae sunt extra animam. Quandoque vero attribuitur universali, sic considerato, quod scilicet apprehenditur ab intellectu ut unum: tamen id quod attribuitur ei, non pertinet ad actum intellectus, sed ad esse quod habet natura apprehensa in rebus quae sunt extra animam: puta, si dicatur quod homo est dignissima creaturarum. Hoc enim convenit naturae humanae, etiam secundum quod est in singularibus. Nam quilibet homo singularis dignior est omnibus creaturis irrationalibus. Sed tamen omnes homines singulares non sunt unus homo extra animam, sed solum acceptione intellectus; et per hunc modum attribuitur ei praedicatum, scilicet ut uni rei. Alio autem modo attribuitur aliquid universali prout est in singularibus; et hoc dupliciter. Quandoque quidem ratione ipsius naturae universalis; puta cum attribuitur ei aliquid quod ad essentiam ejus pertinet, vel quod consequitur principia essentialia; ut cum dicitur, homo est animal, vel homo est risibilis. Quandoque autem attribuitur ei aliquid ratione singularis in quo invenitur; puta cum attribuitur ei aliquid quod pertinet ad actionem individui; ut cum dicitur, homo ambulat. Singulari autem attribuitur aliquid tripliciter. Uno modo secundum quod cadit in apprehensione; ut, cum dicitur: Socrates est singulare, vel praedicabilis de uno solo. Quandoque autem ratione naturae communis: ut cum dicitur, Socrates est animal. Quandoque autem ratione suiipsius; ut cum dicitur: Socrates ambulat. Totidem etiam modis negativae variantur; quia omne quod contingit affirmare, contingit negare, ut supra dictum est. Est autem haec tertia divisio enunciationis, quam ponit Philosophus. Prima namque fuit, quod enunciationum quaedam est una simpliciter, quaedam vero conjunctione una. Quae quidem est divisio analogi in ea de quibus praedicatur secundum prius et posterius; sic enim unum dividitur secundum prius in simplex, et per posterius in compositum. Alia vero divisio fuit in affirmationem et negationem. Quae quidem est divisio generis in species, quia sumitur secundum differentiam praedicati ad quod fertur negatio; praedicatum autem est pars formalis enunciationis. Et ideo hujusmodi divisio dicitur pertinere ad qualitatem enunciationis; qualitatem inquam, essentialem, secundum quod differentia significat quale quid. Tertia autem est hujusmodi divisio, quae sumitur secundum differentiam subjecti, quod praedicatur de pluribus, vel de uno solo. Et ideo dicitur pertinere ad quantitatem enunciationis; nam et quantitas consequitur materiam.

Deinde, cum dicit « si ergo »

Ostendit quomodo enunciationes diversimode opponuntur secundum diversitatem subjecti. Et circa hoc duo facit. Primo distinguit diversos modos oppositio-

num in ipsis enunciationibus. Secundo ostendit, quomodo diversae oppositiones diversimode se habent
ad verum et falsum, ibi, « Quocirca has quidem
« impossibile est. » Circa primum considerandum
est, quod cum universale possit considerari in abstractione a singularibus, vel secundum quod est
in singularibus; secundum hoc diversimode aliquid
ei attribuitur, ut supra dictum est. Ad designandum
autem diversos modos attributionis, inventae sunt
quaedam dictiones, quae possunt dici determinationes, vel signa quibus designatur quod aliquid de
universali hoc aut illo modo praedicetur. Sed quia
non est ab omnibus communiter apprehensum
quod universalia extra singularia subsistant; ideo
communis usus loquendi non habet dictiones ad
designandum illum modum praedicandi , prout
aliquid dicitur in abstractione a singularibus. Sed
Plato, qui posuit universalia extra singularia sub-
sistere, adinvenit aliquas determinationes, quibus
designaretur quo modo aliquid attribuitur universali prout est extra singularia; et vocabat universale
separatum subsistens extra singularia, quantum ad
speciem hominis, per se hominem, et similiter in
aliis universalibus. Sed universale secundum quod
est in singularibus, cadit in apprehensione hominum; et ideo adinventae sunt quaedam dictiones
ad significandum modum attribuendi aliquid universali sic accepto. Sicut autem supradictum est,
quandoque aliquid attribuitur universali ratione
ipsius naturae universalis; et ideo hoc dicitur praedicari de eo universaliter; quia scilicet ei convenit
secundum totam multitudinem in qua invenitur:
et ad hoc designandum in affirmativis praedicationibus adinventa est haec dictio. Omnis, quae designat quod praedicatum attribuitur subjecto universali, quantum ad totum id quod sub subjecto
continetur. In praedicatis autem negativis adinventa
est haec dictio, Nullus, per quam significatur, quod
praedicatum removetur a subjecto universali secundum totum id quod continetur sub eo. Unde nullus dicitur quasi non ullus: et in graeco dicitur
οὖτις, quasi nec unum solum est accipere sub
subjecto universali, a quo praedicatum non removeatur. Quandoque autem attribuitur universali
aliquid vel removetur ab eo ratione particularis;
et ad hoc designandum in affirmativis quidem adinventa est haec dictio, Aliquis, vel Quidam: per
quam designatur, quod aliquid attribuitur subjecto
universali ratione ipsius particularis; unde dicitur
individuum vagum. In negativis autem non est
aliqua dictio posita: sed possumus accipere Non
omnis; ut sicut nullus universaliter removet, eo
quod significat quasi diceretur non ullus, idest
non aliquis; ita etiam Non omnis particulariter removet, inquantum excludit universalem affirmationem. Sic igitur tria sunt genera affirmationum, in
quibus aliquid de universali praedicatur. Una quidem est in qua de universali praedicatur aliquid
universaliter, ut cum dicitur, Omnis homo est animal. Alia, in qua aliquid praedicatur de universali
particulariter, ut cum dicitur, Quidam homo est
albus Tertia vero est, in qua aliquid de universali
praedicatur absque determinatione universalitatis
vel particularitatis; unde hujusmodi enunciatio solet
vocari indefinita. Totidem autem sunt negationes
oppositae. De singulari autem quamvis aliquid diversa ratione praedicetur, ut supra dictum est,
tamen totum refertur ad singularitatem ipsius; quia

etiam natura universalis in ipso singulari indivi-
duatur; et ideo nihil refert, quantum ad naturam
singularitatis, utrum aliquid praedicetur de eo ratione universalis naturae, ut cum dicitur, Socrates
est homo, vel conveniat ei ratione singularitatis.
Si igitur tribus praedictis enunciationibus addatur
singularis, erunt quatuor modi enunciationum ad
quantitatem ipsius pertinentes: scilicet universalis,
singularis, indefinitus et particularis. Sic igitur
secundum has differentias Aristoteles assignat diversas oppositiones adinvicem. Et primo, secundum
differentiam universalium ad indefinitas. Secundo,
secundum differentiam universalium ad particulares,
ibi, « Opponi autem affirmationem. » Circa primum
tria facit. Primo agit de oppositione universalium
adinvicem. Secundo de oppositione indefinitarum,
ibi, « Quando autem universalibus. » Tertio excludit dubitationem, ibi, « In eo vero quod. »
Dicit ergo primo, quod si aliquis enunciet de subjecto universali universaliter, idest secundum continentiam suae universalitatis, quoniam est, idest
affirmative, aut non est, idest negative, erunt contrariae enunciationes: ut si dicatur: Omnis homo
est albus, Nullus homo est albus. Hujus autem
ratio est, quia contraria dicuntur quae maxime a
se distant: non enim dicitur aliquid nigrum ex hoc
solum quod non est album: sed super hoc quod est
non esse album, quod significat communiter remotionem albi, addit nigrum extremam distantiam ab
albo. Sic igitur id quod affirmatur per hanc enunciationem, Omnis homo est albus, removetur per
hanc negationem, Non omnis homo est albus. Oportet ergo, quod negatio removeat modum quo praedicatum dicitur de subjecto, quem designat haec
dictio, Omnis. Sed super hanc remotionem addit
haec enunciatio, Nullus homo est albus, totalem
remotionem, quae est extrema distantia; quod primo
pertinet ad rationem contrarietatis. Et ideo convenienter hanc oppositionem dicit contrarietatem.
    Deinde cum dicit « quando autem »
    Ostendit, qualis sit oppositio affirmationis et
negationis in indefinitis. Et primo proponit, quod
intendit. Secundo manifestat per exemplum, ibi,
« Dico autem non universaliter. » Tertio assignat
differentiam manifestiorem, ibi, « Cum enim uni-
« versale sit homo. » Dicit ergo primo, quod
quando de universalibus subjectis affirmatur aliquid
vel negatur, non tamen universaliter; non sunt
contrariae enunciationes; sed illa quae significantur contingit esse contraria.
    Deinde cum dicit « dico autem »
    Manifestat per exempla. Ubi considerandum est,
quod non dixerat « quando in universalibus particu-
« lariter, » sed « non universaliter. » Non enim intendit
de particularibus enunciationibus, sed de solis indefinitis. Et hoc manifestat per exempla quae
ponuntur; dicens fieri non universalem enunciationem in universalibus subjectis, cum dicitur, Est
albus homo, Non est albus homo. Et rationem
hujus expositionis ostendit: quia homo qui subjicitur est universale; sed tamen praedicatum non
universaliter de eo praedicatur, quia non apponitur
haec dictio, Omnis, quae non significat ipsum universale, sed modum universalitatis; prout scilicet
praedicatum dicitur universaliter de subjecto: et
ideo addita subjecto universali, semper significat quod
aliquid de eo dicatur universaliter. Tota autem
haec expositio refertur ad hoc quod dixerat: « Quan-

« do in universalibus non universaliter enunciatur, « non sunt contrariae. » Sed hoc quod additur, « Quae autem significantur, contingit esse contraria » non est expositum, quamvis obscuritatem contineat. Et ideo a diversis diversimode exponitur. Quidam enim hoc referre voluerunt ad contrarietatem veritatis et falsitatis, quae competit hujusmodi enunciationibus. Contingit enim quandoque has simul esse veras, Homo est albus, et Homo non est albus: et sic non sunt contrariae, quia contraria mutuo se tollunt. Contingit tamen quandoque unam earum esse veram, et alteram esse falsam: ut, cum dicitur: Homo est animal, Homo non est animal: et sic ratione significati videntur habere quamdam contrarietatem. Sed hoc non videtur ad propositam pertinere veritatem: tum quia Philosophus nondum hic loquitur de veritate et falsitate enunciationum; tum etiam, quia hoc ipsum posset de particularibus enunciationibus dici. Alii vero sequentes Porphyrium, referunt ad contrarietatem praedicati. Contingit enim quandoque, quod praedicatum negatur de subjecto propter hoc quod inest ei contrarium (sicut si dicatur, Homo non est albus, quia est niger; et id quod significatur per hoc quod dicitur, non est albus, potest esse contrarium, non tamen semper: removetur enim aliquid a subjecto etiam si contrarium non insit, sed aliquid medium inter contraria: ut cum dicitur, Aliquis non est albus, quia pallidus). Vel quia inest ei privatio actus vel habitus seu potentiae; ut cum dicitur: Aliquis non est videns, quia est carens potentia visiva, aut habet impedimentum ne videatur. Vel etiam, quia non est aptus natus videre; puta si dicatur: Lapis non videt. Sic igitur illa quae significantur, contingit esse contraria; sed ipsae enunciationes non sunt contrariae; quia, ut in fine hujus libri dicetur, non sunt contrariae opiniones quae sunt de contrariis; sicut opinio quod aliquid sit bonum, et illa quae est, quod aliquid non est bonum. Sed nec hoc videtur ad propositum pertinere: quia non agit hic de contrarietate rerum vel opinionum, sed de contrarietate enunciationum. Et ideo magis videtur hic sequenda expositio Alexandri, secundum quam dicendum est, quod in indefinitis enunciationibus non determinatur utrum praedicatum attribuatur subjecto universaliter, quod faceret contrarietatem enunciationum, aut particulariter, quod non faceret contrarietatem enunciationum. Et ideo hujusmodi enunciationes indefinitae dicuntur secundum modum quo proferuntur. Contingit tamen quandoque ratione significati eas habere contrarietatem; puta cum attribuatur ei aliquid universaliter ratione universalis, quamvis non apponatur signum universale; puta, ut cum dicitur: Homo est animal, Homo non est animal: quia hae enunciationes eamdem habent vim ratione significati, ac si diceretur, Omnis homo est animal, Nullus homo est animal.

Deinde cum dicit « in eo vero »

Removet quoddam quod posset esse dubium. Quia enim posuerat quamdam diversitatem in oppositione enunciationum ex hoc quod universale sumitur a parte subjecti universaliter vel non universaliter; posset aliquis credere, quod similis diversitas nasceretur ex parte praedicati, ex hoc scilicet quod universaliter praedicari posset, vel

non universaliter. Et ideo ad excludendum dubitationem dicit, quod in eo quod ponitur aliquod universale praedicari, quod praedicetur universale universaliter, non est verum. Cujus quidem duplex esse potest ratio. Una quidem, quia talis modus praedicandi videtur repugnare praedicato secundum propriam rationem, quam habet in enunciatione. Dictum est enim supra, quod praedicatum est quasi pars formalis enunciationis; subjectum autem est pars materialis ipsius. Cum autem aliquod universale profertur universaliter, ipsum universale sumitur secundum habitudinem quam habet ad singularia, quae sub se continet: sicut et quando universale profertur particulariter, sumitur secundum habitudinem quam habet ad aliquod contentorum sub se; et sic utraque pertinent ad materialem determinationem universalis. Et ideo neque signum universale neque particulare convenienter additur praedicato, sed magis subjecto: convenientius enim dicitur: Nullus homo est asinus, quam Omnis homo est nullus asinus. Et similiter convenientius dicitur: Aliquis homo est albus, quam, Homo est aliquid album. Invenitur autem quandoque a philosophis signum particulare appositum praedicato, ad insinuandum quod praedicatum est in plus quam subjectum: et hoc praecipue, cum habito genere investigant differentias completivas speciei; sicut quando de anima dicitur, quod Anima est actus quidam. Alia vero potest accipi ex parte veritatis enunciationis: quae ratio specialiter habet locum in affirmationibus, quae falsae sunt, si praedicatum universaliter praedicaretur. Et ideo manifestans id quod posuerat, subjungit quod nulla affirmatio est, in qua scilicet vere de universali praedicato universaliter praedicetur, idest in qua universali praedicato utitur ad universaliter praedicandum: ut si diceretur: Omnis homo est omne animal. Oportet enim secundum praedicta, quod hoc praedicatum, animal, secundum singula quae sub ipso continentur, praedicaretur de singulis quae continentur sub homine; et hoc non potest esse verum, neque si praedicatum sit convertibile. Oportet enim, quod quilibet unus homo esset animalia omnia, aut omnia risibilia: quae repugnant rationi singularis, quod accipitur sub universali. Nec est instantia, si dicatur, quod haec est vera, Omnis homo est omnis disciplinae susceptivus. Disciplina enim non praedicatur de homine, sed susceptivum disciplinae. Repugnat autem veritati, si diceretur, Omnis homo est omne susceptivum disciplinae. Signum autem universale negativum, vel particulare affirmativum, etsi convenientius ponantur ex parte subjecti: non tamen repugnat veritati etiam si ponantur ex parte praedicati. Contingit enim hujusmodi enunciationem in aliqua materia esse veram. Haec enim est vera, Omnis homo nullus lapis est. Et similiter haec est vera, Omnis homo aliquod animal est. Sed haec, Omnis homo omne animal est, in quacumque materia proferatur, falsa est. Sunt autem quaedam aliae tales enunciationes semper falsae, sicut ista, Aliquis homo omne animal est; et aliae similes sunt semper falsae; in omnibus enim eadem ratio est. Et ideo per hoc quod Philosophus reprobavit istam, Omnis homo omne animal est, dedit intelligere omnes consimiles esse improbandas.

LECTIO XI.

Quaenam enunciationum in affirmatione et negatione opponantur contradictorie, vel contrarie opponantur, quomodoque contrarias non simul veras esse contingit, subcontrarias vero sic; contradictoriarum autem, si una vera sit, reliquam falsam esse oportere, multipliciter declaratur.

ANTIQUA.

Opponi itaque dico affirmationem negationi contradictorie, quae universaliter significat, ei quae non universaliter; ut, Omnis homo albus est, non omnis homo albus est: Nullus homo albus est, quidam homo albus est.

Contrarie vero universalem affirmationem et universalem negationem; ut, Omnis homo justus est, nullus homo justus est.

Quocirca has quidem impossibile est simul esse veras. His vero oppositas contingit aliquando in eodem; ut, Non omnis homo albus est, et quidam homo albus est.

Quaecumque igitur contradictiones universalium sunt universaliter, necesse est alteram esse veram vel falsam. Et quaecumque in singularibus sunt; ut, Socrates albus est, non est Socrates albus.

Quaecunque autem quidem universalium non universaliter, non haec quidem semper vera est, illa vero falsa. Simul enim verum est dicere, quoniam est homo albus, et non est homo albus; et quoniam est homo pulcher et non est homo pulcher.

Si enim foedus est, non est pulcher; et si fit aliquid, nondum est.

Videbitur autem subito inconveniens esse, idcirco, quoniam videtur significare hoc, Non est homo albus, simul etiam significat, quoniam nemo homo albus. Hoc autem neque idem significat, neque simul necessario.

RECENS.

Opponi igitur affirmationem negationi contradictorie dico eam quae universale significat ei quae significat non universale; velut Omnis homo albus, Non omnis homo albus, Nullus homo albus, Quidam homo albus est. Contrarie vero eam quae est universalis affirmatio, ei quae est universalis negatio; ut Omnis homo albus, Nullus homo albus est; Omnis homo justus est, Nullus homo justus est. Quare hae non possunt simul verae esse. At quae his opponuntur, eas contingit aliquando de eodem simul veras esse; ut Non omnis homo albus, et Est quidam homo albus.

Quaecumque ergo contradictiones universalium sunt universaliter, earum necesse est alteram veram esse aut falsam.

Et quaecumque de singularibus; ut Est Socrates albus, Non est Socrates albus.

Quaecumque autem sunt universalium, non vero universaliter; earum non semper haec quidem vera, haec autem falsa est: simul enim verum est dicere, esse hominem album et non esse hominem album; et Est homo pulcher, et Non est homo pulcher, Quod si enim deformis, utique non pulcher est; et si Fit aliquid, tamen non Est. Videri autem possit primo intuitu absurdum esse [id quod modo dictum est]; propterea quod videatur significare, Non est homo albus simul et hoc, Nullus est homo albus; attamen illud neque idem significat, neque simul, ex necessitate.

Postquam Philosophus determinavit de oppositione enunciationum, comparando universales enunciationes ad indefinitas; hic nunc determinat de oppositione enunciationum comparando universales ad particulares. Circa quod notandum est, quod potest duplex oppositio in his notari. Una quidem universalis ad particularem; et hanc primo tangit. Alia vero universalis ad universalem, et hanc tangit secundo, ibi, « Contrarie vero. » Particularis vero affirmativa et particularis negativa non habent, proprie loquendo, oppositionem; quia popositio attenditur circa idem subjectum: subjectum autem particularis enunciationis est universale particulariter sumptum, non pro aliquo determinato singulari, sed indeterminate pro quocumque: et ideo cum de universali particulariter sumpto aliquid affirmatur vel negatur, ipse modus enunciandi non habet quod affirmatio et negatio sint de eodem; quod requiritur ad oppositionem affirmationis et negationis secundum praemissa. Dicit ergo primo, quod enunciatio quae universale significat, scilicet universaliter, opponitur contradictorie ei quae non significat universaliter, sed particulariter, si una earum sit affirmativa, altera vero sit negativa; sive universalis sit affirmativa et particularis negativa, sive e converso; ut cum dicitur, Omnis homo est albus, non omnis homo est albus: hoc enim quod dico, non omnis, ponitur loco signi particularis negativae: unde aequipollet ei quae est, quidam homo non est albus. Sicut et nullus, quod idem significat ac si diceretur, non ullus; vel non quidam, est signum uni-

versale negativum. Unde hae duae, Quidam homo est albus, quae est particularis affirmativa, Nullus homo est albus, quae est universalis negativa, sunt contradictoriae. Cujus ratio est: quia contradictio consistit in sola remotione affirmationis per negationem. Universalis autem affirmativa removetur per solam negationem particularis; nec aliquid aliud ex necessitate ad hoc exigitur. Particularis autem affirmativa removeri non potest nisi per universalem negativam; quia jam dictum est, quod particularis affirmativa non proprie opponitur particulari negativae: unde relinquitur, quod universali affirmativae contradictorie opponitur particularis negativa, et particulari affirmativae universalis negativa.

Deinde, cum dicit « contrarie vero »

Tangit oppositionem universalium enunciationum; et dicit quod universalis affirmativa et universalis negativa sunt contrariae, sicut, Omnis homo est justus, nullus homo est justus: quia scilicet universalis non solum removet universalem affirmativam, sed etiam designat extremam distantiam, inquantum negat totum quod affirmatio ponit; et hoc pertinet ad rationem contrarietatis; et ideo particularis affirmativa et negativa se habent sicut medium inter contraria.

Deinde, cum dicit « quocirca »

Ostendit, quomodo se habeat affirmatio et negatio oppositae ad verum et falsum. Et primo quantum ad contrarias. Secundo quantum ad contradictorias, ibi, « Quaecumque igitur contradictiones. »

Tertio, quantum ad ea quae videntur contradictoria et non sunt, ibi, « Quaecumque autem in uni- « versalibus. » Dicit ergo primo, quod quia universalis affirmativa et universalis negativa sunt contrariae, impossibile est quod sint simul verae. Contraria enim mutuo se expellunt. Sed particulares quae contradictorie opponuntur universalibus contrariis, possunt simul verificari in eodem; sicut, Non omnis homo est albus, et quidam homo est albus, quae contradictorie opponitur huic: Nullus homo est albus. Et hujusmodi etiam simile invenitur in contrarietate rerum: nam album et nigrum nunquam simul esse possunt in eodem; sed remotiones albi et nigri possunt esse. Potest enim aliquid esse neque album neque nigrum, sicut patet in eo quod est pallidum. Et similiter contrariae enunciationes non possunt simul esse verae; sed earum contradictoriae, a quibus removentur, simul possunt esse verae.

Deinde cum dicit « quaecumque igitur »

Ostendit, qualiter veritas et falsitas se habeant in contradictoriis. Circa quod considerandum ·est, quod sicut dictum est supra, in contradictoriis negatio non plus facit nisi quod removet affirmationem. Quod contingit dupliciter. Uno modo, quando est altera earum universalis, altera particularis, ut supra. Alio modo, quando utraque est singularis; quia tunc negatio ex necessitate refertur ad idem; quod non contingit in particularibus et indefinitis. Et ideo singularis affirmativa semper contradicit singulari negativae, supposita identitate praedicati et subjecti. Et ideo dicit: sive accipiamus contradictionem universalium universaliter, scilicet quantum ad unam earum, sive singularium enunciationum, semper necesse est quod una sit vera et altera falsa. Neque enim contingit esse simul veras aut simul falsas; quia verum nihil aliud est, nisi quando dicitur esse quod est, aut non esse quod non est; falsum autem, quando dicitur esse quod non est, aut non esse quod est, ut patet quarto Metaphysicorum.

Deinde cum dicit « quaecumque autem »

Ostendit, qualiter se habeat veritas et falsitas in his quae videntur esse contradictoria, sed non sunt. Et circa hoc tria facit. Primo proponit quod intendit. Secundo probat propositum, ibi, « Si « enim turpis, non probus. » Tertio excludit id quod facere posset dubitationem, ibi, « Videbi- « tur autem subito inconveniens. » Circa primum considerandum est, quod affirmatio et negatio in indefinitis propositionibus videntur contradictorie opponi, propter hoc quod est unum subjectum non determinatum per signum particulare; et ideo videtur affirmatio et negatio esse de eodem. Sed ad hoc removendum Philosophus dicit, quod quaecumque affirmative et negative dicuntur de universalibus non universaliter sumptis, non semper oportet quod unum sit verum, aliud sit falsum; sed possunt simul esse vera. Simul enim est verum dicere quod homo est albus et homo non est albus, et quod homo est probus et homo non est probus. In quo quidem (ut Ammonius refert) aliqui Aristoteli contradixerunt, ponentes, quod infinita negativa semper sit accipienda pro universali negativa. Et hoc astruebant, primo quidem, tali ratione: quia indefinita, cum sit indeterminata, se habet in ratione materiae: materia autem secundum se considerata magis trahitur ad id quod indignius

est. Dignior autem est universalis affirmativa quam particularis affirmativa; et ideo indefinitam affirmativam dicunt esse sumendam pro particulari affirmativa. Sed negativam universalem quae totum destruit, dicunt esse indigniorem particulari negativa quae destruit partem, sicut universalis corruptio pejor est quam particularis; et ideo dicunt, quod indefinita negativa sumenda est pro universali negativa. Ad quod etiam inducunt, quod philosophi et ipse Aristoteles utitur indefinitis negativis pro universalibus; sicut dicitur in libro Physicorum quod non est motus praeter res; et in libro de Anima, quod non est sensus praeter quinque. Sed istae rationes non concludunt. Quod enim dicitur, quod materia secundum se sumpta, sumitur pro pejori, verum est secundum sententiam Platonis, qui non distinguebat privationem a materia; non autem est verum secundum Aristotelem qui dicit in libro Physicorum quod malum et turpe et alia hujusmodi ad defectum pertinentia, non dicuntur de materia nisi per accidens. Et ideo non oportet quod indefinita semper stet pro pejori. Dato etiam, quod indefinitam necesse sit sumi pro pejori, non oportet quod sumatur pro universali negativa: quia sicut in genere affirmationis universalis affirmativa est potior particulari, utpote particularem affirmativam continens, ita etiam in genere negationum universalis negativa potior est. Oportet autem in unoquoque genere considerare id quod est potius in genere illo, non autem id quod est potius simpliciter. Ulterius etiam, dato quod particularis negativa esset potior omnibus modis, non tamen adhuc ratio sequeretur: non enim ideo indefinita affirmativa sumitur pro particulari affirmativa quia sit indignior, sed quia de universali ponit aliquid affirmari ratione sui ipsius, vel ratione contenti sub eo. Unde sufficit ad veritatem ejus, quod praedicatum uni parti conveniat; quod designatur per signum particulare: et ideo veritas particularis affirmativae sufficit ad veritatem indefinitae affirmativae: et simili ratione veritas particularis negativae sufficit ad veritatem indefinitae negativae; quia similiter ponit aliquid negari de universali, vel ratione suiipsius, vel ratione suae partis. Utuntur autem quandoque philosophi indefinitis negativis pro universalibus in his quae per se removentur ab universalibus; sicut et utuntur indefinitis affirmativis pro universalibus in his quae per se de universalibus praedicantur.

Deinde, cum dicit « si enim »

Probat propositum per id quod est ab omnibus concessum. Omnes enim concedunt, quod indefinita affirmativa verificatur, si particularis affirmativa sit vera. Contingit autem accipi duas affirmativas indefinitas, quarum una includit negationem alterius: puta cum sunt opposita praedicata. Quae quidem oppositio potest contingere dupliciter. Uno modo secundum perfectam contrarietatem: sicut turpis, idest inhonestus, opponitur probo, idest honesto: et foedus, idest deformis secundum corpus, opponitur pulchro. Sed per quam rationem ista affirmativa est vera, Homo est probus, quodam homine existente probo; et per eamdem rationem ista est vera: Homo est turpis, quodam homine existente turpi. Sunt ergo istae duae verae simul: Homo est probus, homo est turpis. Sed ad hanc, Homo est turpis, sequitur, Homo non est probus; ergo istae duae sunt simul verae: Homo est probus, homo non est probus: et eadem ratione istae duae: Homo est pulcher, homo non est pulcher. Alia autem oppositio attenditur secundum perfectum et imperfectum, sicut moveri opponitur ad motum esse, et fieri ad factum esse: unde ad fieri sequitur non esse ejus quod fit, in permanentibus, quorum esse est perfectum: secus autem est in successivis quorum esse est perfectum. Sic ergo haec est vera, Homo est albus, quodam homine existente albo: et pari ratione, quia quidam homo fit albus, haec est vera, Quidam homo fit albus, ad quam sequitur Homo non est albus: ergo istae duae sunt sumul verae. Homo est albus, homo non est albus.

Deinde, cum dicit « videbitur autem »

Excludit id quod faceret dubitationem circa praedicta; et dicit, quod subito, idest primo aspectu videtur hoc esse inconveniens quod dictum est; quia hoc quod dico, homo non est albus, videtur idem significare cum hoc quod est Nullus homo est albus. Sed ipse hoc removet, dicens, quod neque idem significant, neque necessitate sunt vera, sicut ex praedictis manifestum est.

LECTIO XII.

Uni affirmationi unam negationem opponi dicit; hinc proposito eorum quae dicta sunt, epilogo, quaenam una sit affirmatio vel negatio enunciationum docet: non esse item enunciationum unitatem, oppositionem in aequivocis attendendam corollarie infert.

ANTIQUA.

Manifestum est autem, quoniam una negatio unius affirmationis est.

Idem enim oportet negare negationem, quod affirmavit affirmatio, et de eodem, vel de aliquo singularium, vel de aliquo universalium, vel universaliter, vel non universaliter. Dico autem ut, Est Socrates albus, non est Socrates albus. Si autem aliud aliquid de eodem, vel de alio idem, non opposita erit sed ab ea diversa. Huic autem quae est, Omnis homo albus est, contradicit illa quae est, non omnis homo albus est: illi autem quae est, Aliquis homo albus est, illa quae est, nullus homo albus est. Illi autem quae est, Homo albus est, illa quae est, homo albus non est.

Quod igitur una affirmatio uni negationi opponitur contradictorie, et quae sunt hae, dictum est. Et quod sunt aliae contrariae, et quae sunt hae dictum est, et quod non omnis vera vel falsa contradictio, et quare, et quando vera vel falsa.

Una autem affirmatio et negatio est, et quae unum de uno significat, vel cum sit universale universaliter vel non similiter, ut Omnis homo albus est, non omnis homo albus est: Nullus homo albus est, quidam homo albus est: si album unum significat.

Si vero duobus unum nomen positum est, ex quibus non est unum, non est una affirmatio.

Ut si quis ponat hoc nomen, tunica, homini et equo, et dicat tunica est alba, haec non est una affirmatio, nec una negatio.

Nihil enim differt haec, quam dicere Est homo albus, et est equus albus. Si ergo haec multa significant, et sunt plura; manifestum est, quoniam et prima multa vel nihil significant; neque enim aliquis est homo equus.

Quare nec in his necesse est hanc quidem contradictionem veram esse, illam vero falsam.

RECENS.

Manifestum autem est, unam negationem unius affirmationis esse: idem enim oportet negationem negare, quod affirmavit affirmatio, et de eodem, sive de singulari quodam, sive de universali quodam, universaliter, aut non universaliter [sumpto]. Dico autem, velut, Est Socrates albus, Non est Socrates albus. Si vero aliud quid ab eodem, aut ab alio idem [negatione separatum fuerit], non est opposita [negatio affirmationi], sed erit ab ea diversa. Huic vero [affirmationi], Omnis homo est albus, haec [negatio] opponitur: Non omnis homo est albus; huic, Quidam homo est albus, haec, Nullus homo est albus; huic, Est homo albus, haec, Non est homo albus.

Quod ergo una affirmatio uni negationi opponitur contradictorie, et quaenam hae sint, dictum est; et quod contrariae aliae sunt, et quaenam hae sint; et quod non omnis contradictio vera est aut falsa, et cur, et quando vera aut falsa fit.

Una autem est affirmatio et negatio, quae unum de uno indicat, aut de universali et universaliter [sumpto], aut non similiter; velut Omnis homo est albus, Non omnis homo est albus; Est homo albus, Non est homo albus; Nullus homo albus [est], Est quidam homo albus; si album unum quid significat.

Si vero duobus unum nomen positum est, e quibus non exsistit unum, non est una affirmatio, nec una negatio; ut, si quis imponat nomen vestis equo et homini, [dicens], Est vestis alba, haec non est una affirmatio, nec negatio una. Nihil enim hoc differt ab eo, si dicas, Est homo et equus albus. Hoc vero nihil differt ab eo, si dicas, Est homo albus, et Est equus albus. Si igitur hae multa significant, et multae sunt, manifestum est et primam [propositionem] aut multa aut nihil significare; nec enim ullus homo equus est. Quare nec in his necesse est, alteram veram, alteram autem falsam esse contradictionem.

Postquam Philosophus distinxit diversos modos oppositionum in enunciationibus, nunc intendit ostendere quod uni affirmationi una negatio opponitur; et circa hoc duo facit. Primo ostendit, quod uni affirmationi una negatio opponitur. Secundo ostendit quae sit una affirmatio vel negatio, ibi, « Una autem affirmatio. » Circa primum tria facit. Primo proponit quod intendit. Secundo manifestat propositum, ibi, « Hoc enim idem. » Tertio epilogat quae dicta sunt, ibi « manifestum est ergo » Dicit ergo primo, manifestum esse quod unius affirmationis est una negatio sola. Et hoc quidem fuit necessarium hic dicere; quia cum posuerit plura oppositionum genera, videbatur quod uni affirmationi duae negationes opponerentur; sicut huic affirmativae, Omnis homo est albus, videtur secundum praedicta haec negativa opponi, Nullus homo est albus, et haec, Quidam homo non est albus. Sed si quis recte consideret, huic affirmativae, Omnis homo est albus, negativa est sola ista, Quidam homo non est albus: quae solummodo removet ipsam, ut patet ex sua aequipollentia quae est, Non omnis homo est albus. Universalis vero negativa includit quidem in suo intellectu negationem universalis affirmativae, inquantum includit particularem negativam; sed supra hoc aliquid addit; in quantum scilicet importat non solum remotionem universalitatis, sed removet quamlibet partem

ejus. Et sic patet quod sola una est negatio universalis affirmativae; et idem apparet in aliis.

Deinde cum dicit « idem enim »

Manifestat propositum: et primo per rationem,
secundo per exempla, ibi, « Dico autem ut est So-
« crates albus » Ratio autem sumitur ex hoc quod
supra dictum est, quod negatio opponitur affirmationi quae est ejusdem de eodem. In quo hic accipit, quod oportet negationem negare idem praedicatum quod affirmatio affirmavit, et de eodem
subjecto: sive illud subjectum sit aliquid singulare,
sive aliquid universale universaliter vel non universaliter sumptum. Sed hoc non contingit fieri
nisi uno modo: ita scilicet ut negatio neget id quod
affirmatio posuit, et nihil aliud. Ergo uni affirmationi opponitur una sola negatio.

Deinde cum dicit « dico autem »

Manifestat propositum per exempla; et primo in
singularibus: huic enim affirmationi, Socrates est
albus, haec sola opponitur, Socrates non est albus,
tamquam ejus propria negatio. Si vero esset aliud
praedicatum vel aliud subjectum, non esset negatio
opposita, sed omnino diversa: sicut ista, Socrates
non est musicus, non opponitur ei quae est, Socrates est albus: neque etiam illa quae est, Plato
est albus, huic quae est, Socrates non est albus.
Secundo manifestat idem quando subjectum affirmationis est universale universaliter sumptum: sicut huic affirmationi, Omnis homo est albus, opponitur ejus propria negatio, non omnis homo est
albus, quae aequipollet particulari negativae. Tertio
ponit exemplum quando affirmationis subjectum est
universale particulariter sumptum: et dicit quod huic
affirmationi, Aliquis homo est albus, opponitur
tamquam ejus propria negatio, nullus homo est albus.
Nam nullus dicitur non ullus, idest non aliquis. Quarto ponit exemplum quando affirmationis subjectum
est universale indefinite sumptum: et dicit quod isti
affirmationi, Homo est albus, opponitur tanquam propria ejus negatio illa quae est, non homo est albus.

Sed videtur hoc esse contra id quod supra
dictum est, quod negativa indefinita verificatur
simul cum indefinita affirmativa. Negatio autem non
potest verificari simul cum sua opposita affirmatione, quia non contingit de eodem affirmare et negare.

Sed ad hoc dicendum, quod oportet quod
hic dicitur intelligi quando negatio ad idem
refertur quod affirmatio continebat: et hoc potest
esse dupliciter. Uno modo, quando affirmatur aliquid inesse homini ratione sui ipsius, quod est
per se de eodem praedicari; et hoc ipsum negatio
negat. Alio modo, quando aliquid affirmatur de
universali ratione sui singularis, et pro eodem de
eo negatur.

Deinde cum dicit « quod igitur »

Epilogat quae dicta sunt: et concludit manifestum esse ex praedictis quod uni affirmationi opponitur una negatio; et quod oppositarum affirmationum et negationum aliae sunt contrariae, aliae
contradictoriae; et dictum est quae sint. Tacet autem de subcontrariis, quia non sunt recte oppositae, ut supra dictum est. Dictum est etiam quod
non omnis contradictio est vera vel falsa; et sumitur hic large contradictio pro qualicumque oppositione affirmationis et negationis: nam in his quae
sunt vere contradictoriae, semper una est vera, altera
falsa. Quare autem in quibusdam oppositis hoc
non verificetur, dictum est supra; quia scilicet quae-

dam non sunt contradictoriae, sed contrariae, quae
possunt simul esse falsae. Contingit autem affirmationem et negationem non proprie opponi; et ideo
contingit eas esse veras simul. Dictum est autem
quod altera semper est vera, altera autem falsa;
quia scilicet in his quae vere sunt contradictoria.

Deinde cum dicit « una autem »

Ostendit quae sit affirmatio vel negatio una:
quod quidem jam supra dixerat, ubi habitum est,
quod una est enunciatio quae unum significat. Sed
quia enunciatio in qua aliquid praedicatur de aliquo universaliter vel non universaliter, multa sub
se continet; intendit ostendere, quod per hoc non
impeditur unitas enunciationis. Et circa hoc duo
facit. Primo ostendit, quod unitas enunciationis
non impeditur per multitudinem quae continetur
sub universali, cujus ratio una est. Secundo ostendit
quod impeditur unitas enunciationis per multitudinem quae continetur sub sola nominis unitate,
ibi, « Si vero duobus. » Dicit ergo, quod una est
affirmatio vel negatio cum unum significatur de
uno: sive illud unum quod subjicitur sit universale universaliter sumptum, sive non sit aliquid
tale, sed sit universale particulariter sumptum vel
indefinite, aut etiam si subjectum sit singulare. Et
exemplificat de diversis: sicut universalis ista affirmativa est una, Omnis homo est albus. Et similiter
particularis negativa quae est ejus negatio, scilicet
Non omnis homo est albus. Et subdit alia exempla
quae sunt manifesta. In fine autem apponit quamdam conditionem quae requiritur ad hoc quod
quaelibet harum sit una: « si scilicet album, quod
« est praedicatum, significat unum. » Nam sola
multitudo praedicati impediret unitatem enunciationis. Ideo autem universalis propositio una est
quamvis sub se multitudinem singularium compre-
hendat, quia praedicatum non attribuitur multis
singularibus secundum quod sunt in se subdivisa,
sed secundum quod uniuntur sub uno communi.

Deinde cum dicit « si vero »

Ostendit quod sola unitas nominis non sufficit
ad unitatem enunciationis. Et circa hoc quatuor
facit. Primo proponit quod intendit. Secundo exemplificat, ibi, « Ut si quis ponat. » Tertio probat,
ibi, « Nihil enim differt. » Quarto infert corollarium, ibi, « Quare nec in his. » Dicit ergo primo
quod, si unum nomen imponatur duabus rebus ex
quibus non fit unum, non est affirmatio una. Quod
autem dicit « ex quibus non fit unum », potest intelligi dupliciter. Uno modo ad excludendum hoc quod
multa continentur sub universali, sicut homo et
equus sub animali. Hoc enim nomen, animal, significat utrumque non secundum quod sunt multa
differentia ad invicem, sed secundum quod uniuntur
in natura generis. Alio modo, et melius, ad excludendum hoc quod ex multis partibus fit unum;
sive sint partes rationis, sicut sunt genus et differentia, quae sunt partes definitionis: sive sint partes integrales alicujus compositionis, sicut ex lapidibus et lignis fit domus. Si vero sit tale praedicatum quod attribuatur rei, requiritur ad unitatem
enunciationis, quod multa quae significantur currant in unum secundum aliquem dictorum modorum; unde non sufficiet sola unitas vocis. Si vero
sit tale praedicatum quod referatur ad vocem,
sufficiet unitas vocis; ut si dicam, Canis est nomen.

Deinde cum dicit « ut si quis »

Exemplificat quod dictum est: ut si aliquis

hoc nomen, tunica, imponat ad significandum hominem et equum: et sic si dicam, Tunica est alba, non est affirmatio una neque negatio.

Deinde cum dicit « nihil enim »

Probat quod dixerat tali ratione. Si tunica significat hominem et equum, nihil differt si dicatur, tunica est alba, aut si dicatur, homo est albus et equus est albus; sed istae, Homo est albus, et Equus est albus, significant multa et sunt plures enunciationes; ergo etiam ista, Tunica est alba, multa significat. Et hoc si significat hominem et equum ut res diversas. Si vero significat hominem et equum utpote unam rem, nihil significat; quia non est aliqua res quae componatur ex homine et equo. Quod autem dicit quod non differt dicere, tunica est alba et homo est albus et equus est albus, non est intelligendum quantum ad veritatem et falsitatem.

Nam haec copulativa, Homo est albus et equus est albus, non potest esse vera nisi utraque pars sit vera, sed haec, Tunica est alba, praedicta ratione facta potest esse vera etiam altera existente falsa; alioquin non oporteret distinguere multiplices propositiones ad solvendum rationes sophisticas. Sed hoc est intelligendum quantum ad unitatem et multiplicitatem. Nam sicut cum dicitur, homo est albus et equus est albus, non invenitur aliqua una res cui attribuatur praedicatum, ita etiam nec cum dicitur, tunica est alba.

Deinde cum dicit « quare nec »

Concludit ex praemissis quod nec in his affirmationibus et negationibus quae utuntur subjecto aequivoco, semper oportet unam esse veram et aliam falsam; quia scilicet negatio potest aliud negare, quam affirmatio affirmet.

LECTIO XIII.

Veritas et falsitas in oppositis enunciationibus, quomodo dissimiliter se habeant in universalibus universaliter, et singularibus de praesenti et de futuro, respectu tam contingentis quam necessariae materiae.

ANTIQUA.

In his ergo et quae sunt, et quae facta sunt, necesse affirmationem vel negationem veram vel falsam esse. In universalibus quidem universaliter, semper hanc quidem veram, illam vero falsam, et in his quae sunt singularia, quemadmodum dictum est. In his vero quae in universalibus non universaliter dicuntur, non est necesse. Dictum est autem et de his. In singularibus vero et futuris non similiter.

Nam si omnis affirmatio vel negatio vera vel falsa est, et omne necesse est vel esse vel non esse.

Quare si hic quidem dicat futurum aliquid, ille vero non dicat hoc idem ipsum; manifestum est, quoniam necesse est verum dicere alterum ipsorum, si omnis affirmatio vel negatio vera vel falsa est. Utraeque enim non erunt simul in talibus.

Nam si verum est dicere quoniam est album vel non album, necesse est esse album vel non album; et si est album vel non album, verum est affirmare vel negare; et si non est, mentitur; et si mentitur non est. Quare necesse est, aut affirmationem aut negationem veram esse vel falsam. Nihil igitur neque est neque fit neque a casu neque ad utrumlibet, nec erit nec non erit; sed ex necessitate omnia, et non utrumlibet: aut enim qui dicit verus est, aut qui negat: similiter enim vel fieret vel non fieret. Utrumlibet enim nihil magis sic vel non sic se habet aut habebit.

Amplius, si est album nunc, verum erit dicere prius quoniam erit album: quare semper verum fuit dicere quodlibet eorum quae facta sunt, quoniam est vel erit. Quod si semper verum fuit dicere quoniam est vel erit, non potest hoc non esse vel non futurum esse. Quod autem non potest non fieri, impossibile est non fieri; et quod impossibile est non fieri, necesse est fieri. Omnia ergo quae futura sunt, necesse est fieri. Nihil igitur utrumlibet, neque casu erit: nam si casu, non ex necessitate.

At vero nec quoniam neutrum verum est contingit dicere; ut quoniam neque erit neque non erit.

Primum enim cum sit affirmatio falsa, erit negatio non vera; et cum haec sit falsa, contingit affirmationem esse non veram.

Ad haec, si verum est dicere, quoniam album est et magnum, oportet esse utrumque: si vero erit cras, oportet esse cras. Si autem neque erit neque non erit cras, non erit utrumlibet, ut navale bellum; oportebit enim neque fieri navale bellum neque non fieri.

RECENS.

In iis igitur quae sunt et quae facta sunt, necesse est affirmationem aut negationem veram aut falsam esse, et de universalibus quidem ut universaliter [sumptis] semper alteram quidem veram esse, alteram autem falsam; et de singulis, ut dictum est. De universalibus vero non universaliter enuntiatis non est necesse. Dictum vero est etiam de his. De singularibus autem et futuris non item.

Si enim omnis affirmatio aut negatio vera aut falsa est; omne etiam aut esse aut non esse, necesse est; nam si hic dixerit futurum esse aliquid, hic vero dixerit non esse ipsum hoc futurum, apparet, alterum illorum necessario verum dicere, si omnis affirmatio aut negatio vera est aut falsa. Utraque enim non aderunt simul in talibus: si enim verum est dicere quod album sit, aut quod album non sit; necesse est aut esse album, aut non esse album; et album si est aut non est, verum erat affirmare aut negare; et si non adest, falsum dicitur; et falsum si dicitur, non adest. Quare necesse est aut affirmationem aut negationem veram esse aut falsam. Nihil igitur aut est aut fit, nec a fortuna, nec ita ut utrumlibet contingere possit, erit aut non erit, sed ex necessitate omnia, nec utrumlibet acciderit: aut enim affirmans verum dicit, aut negans; similiter enim aut fiebat, aut non fiebat; nam to utrumlibet nihil magis ita aut non ita, se habet aut habebit.

Porro etiam, si nunc est album, verum erat dicere prius, futurum esse album; quare semper verum erat dicere, eorum quae fiunt, quodcumque esse aut fore. Si vero semper verum erat dicere, esse [aliquid] aut fore; fieri non potest ut hoc non sit, aut non futurum sit; quod autem non potest non fieri, id impossibile est non fieri; quod autem impossibile est non fieri, id necessario fit; omnia ergo futura necesse est fieri. Nihil igitur utrolibet modo se habet, aut a fortuna erit; nam si a fortuna, non ex necessitate esset.

Verum nec, quod neutrum verum sit, dicere licet; ut, quod nec futurum quidpiam sit, neque non futurum: primum enim, si sit affirmatio falsa, negatio vera non erit; et si haec falsa sit, accidit affirmationem veram non esse.

Et praeterea, si verum erat dicere quod album simul sit quoque magnum, oportet utrumque adesse; si vero aderit in crastinum, oportebit in crastinum adesse; si vero neque erit neque non erit in crastinum, non fuerit [aliquid contingens] utrumlibet; velut pugna navalis; oportet enim neque fieri pugnam navalem cras, neque non fieri.

Postquam Philosophus determinavit de opposi tione enunciationum, et ostendit quomodo dividunt verum et falsum oppositae enunciationes, hic in quirit de quodam quod poterat esse dubium: utrum scilicet id quod dictum est, similiter invenitur in omnibus enunciationibus vel non. Et circa hoc duo facit: primo proponit dissimilitudinem; secundo probat eam, ibi, « Nam si omnis affirmatio. » Circa primum considerandum est, quod Philosophus in praemissis triplicem divisionem enunciationum assi gnavit. Quarum prima fuit secundum unitatem enun ciationis, prout scilicet enunciatio est una simplici ter, vel conjunctione una. Secunda fuit secundum qua litatem; prout scilicet enunciatio est affirmativa vel ne gativa. Tertia fuit secundum quantitatem; utpote quod enunciatio quaedam est universalis, quaedam particu laris, quaedam indefinita et quaedam singularis. Tan gitur autem hic quarta divisio enunciationum se cundum tempus. Nam quaedam est de praesenti, quaedam de praeterito, quaedam de futuro. Et haec etiam divisio potest accipi ex his quae supra dicta sunt. Dictum est enim supra, quod necesse est om nem enuntiationem esse ex verbo, vel ex casu verbi. Verbum autem est quod consignificat praesens tem pus: casus autem verbi sunt qui consignificant tempus praeteritum vel futurum. Potest autem ac cipi quinta divisio enunciationum secundum mate riam: quae quidem divisio attenditur secundum habitudinem praedicati ad subjectum; nam si prae dicatum per se insit subjecto, dicetur esse enuncia tio in materia necessaria vel naturali: ut cum dici tur: homo est animal, vel, homo est risibile. Si vero praedicatum per se repugnet subjecto, quasi excludens rationem ipsius, dicitur enunciatio esse in materia impossibili sive remota; ut cum dicitur, homo est asinus. Si vero medio modo se habeat praedicatum ad subjectum, ut scilicet nec per se repugnet subjecto, nec per se insit; dicetur enun tiatio esse in materia possibili sive contingenti. His igitur enunciationis differentiis consideratis, non similiter se habet judicium de veritate et falsitate in omnibus. Unde Philosophus dicit, ex praemissis concludens, quod « in his quae sunt, » idest in pro positionibus de praesenti, « et in his quae facta « sunt, » idest in enunciationibus de praeterito, necesse est quod affirmatio vel negatio determinate sit vera vel falsa. Diversificatur tamen hoc secun dum diversam quantitatem enunciationis. Nam in enuntiationibus in quibus de universalibus subje ctis aliquid universaliter praedicatur, necesse est quod semper una sit vera, scilicet affirmativa vel negativa, et altera falsa, quae scilicet ei opponitur. Dictum est enim supra, quod negatio enunciationis universalis, in qua aliquid universaliter praedicatur, est negativa non universalis, sed particularis. Et e converso, universalis negativa non est directe ne gatio universalis affirmativae, sed particularis; et sic oportet, secundum praedicta, quod una earum semper sit vera et altera falsa in quacumque ma teria. Et eadem ratio est in enunciationibus singu laribus, quae etiam contradictorie opponuntur, ut supra habitum est. Sed in enunciationibus in quibus aliquid praedicatur de universali non universaliter, non est necesse quod semper una sit vera et altera sit falsa; quia possunt ambae esse simul verae, ut supra ostensum est. Et hoc quidem ita se habet quantum ad propositiones quae sunt de praeterito vel de praesenti. Sed si accipimus enuntiationes

quae sunt de futuro, etiam similiter se habent quan tum ad oppositiones quae sunt de universalibus vel universaliter vel non universaliter sumptis. Nam in materia necessaria omnes affirmativae determinate sunt verae, ita in futuris sicut in praeteritis et praesentibus; negativae vero falsae. In materia au tem impossibili e contrario. In contingenti vero uni versales sunt falsae, et particulares sunt verae, ita in futuris sicut in praeteritis et praesentibus: in indefinitis autem utraque simul est vera, in futuris sicut in praesentibus vel praeteritis. Sed in singu laribus et futuris est quaedam dissimilitudo. Nam in praeteritis et praesentibus necesse est quod altera oppositarum determinate sit vera et altera falsa in quacumque materia. Sed in singularibus quae sunt de futuro hoc non est necesse, quod una determi nate sit vera et altera falsa. Et hoc quidem dicitur quantum ad materiam contingentem. Nam quantum ad materiam necessariam et impossibilem similis ratio est in futuris singularibus, sicut in praesen tibus et praeteritis. Hic tamen Aristoteles mentionem fecit de materia contingenti, quia illa proprie ad singularia pertinet quae contingenter eveniunt: quae autem per se insunt vel repugnant, attribuuntur singularibus secundum universalium rationes Circa hoc igitur versatur tota praesens intentio: utrum in enuntiationibus singularibus de futuro in materia contingenti necesse sit quod determinate una op positarum sit vera et altera falsa.

Deinde cum dicit « nam si omnis. »

Probat praemissam differentiam. Et circa hoc duo facit. Primo probat propositum ducendo ad inconveniens. Secundo ostendit illa esse impossibi lia quae sequuntur, ibi, « Quae ergo contingunt « inconvenientia. » Circa primum duo facit. Primo ostendit quod in singularibus et futuris non sem per potest determinate attribui veritas alteri oppo sitorum. Secundo ostendit quod non potest esse quod utraque veritate careat, ibi, « At vero neque « quoniam. » Circa primum ponit duas rationes: in quarum prima ponit quamdam consequentiam: scilicet quod si omnis affirmatio vel negatio deter minate est vera vel falsa, ita in singularibus et futuris sicut in aliis, consequens est quod omnia necesse sit vel determinate esse vel non esse.

Deinde cum dicit « quare si » Vel « si itaque « hic quidem », ut habetur in graeco.

Probat consequentiam praedictam. Ponamus enim quod sint duo homines, quorum unus dicat aliquid esse futurum, puta quod Socrates curret, alius vero dicat hoc idem ipsum non esse futurum: supposita praemissa positione, scilicet, quod in singu laribus et futuris contingit alteram esse veram, scilicet affirmativam vel negativam; sequetur quod necesse sit quod alter eorum verum dicat. Non autem uterque: quia non potest esse quod in singularibus propo sitionibus de futuro utraque sit simul vera, scilicet affirmativa et negativa; sed hoc habet locum solum in indefinitis. Ex hoc autem quod necesse est alte rum eorum verum dicere, sequitur, quod necesse sit determinate vel esse vel non esse. Et hoc probat consequenter: quia ista duo convertibiliter conse quuntur, scilicet quod verum sit id quod dicitur, et quod ita sit in re. Et hoc est quod manifestat consequenter dicens:

« Nam si verum est dicere quod album sit, » ex necessitate sequitur quod ita sit in re: et si verum est negare, ex necessitate sequitur quod ita non sit et e converso; quia si ita est in re vel non, ex necessitate sequitur quod sit verum affirmare vel negare. Et eadem etiam convertibilitas apparet in falso: quia si aliquis mentitur falsum dicens, ex necessitate sequitur quod non ita sit in re sicut ipse affirmat vel negat. Et e converso, si non est ita in re sicut ipse affirmat vel negat, sequitur quod affirmans vel negans mentitur. Est ergo processus hujus rationis talis. Si necesse est quod omnis affirmatio vel negatio in singularibus et futuris sit vera vel falsa, necesse est quod omnis affirmans vel negans determinate dicat verum vel falsum; ex hoc autem sequitur quod omne necesse sit esse vel non esse; ergo si omnis affirmatio vel negatio determinate sit vera, necesse est omnia determinate esse vel non esse. Ex hoc concludit ulterius quod omnia sint ex necessitate. Per quod triplex genus contingentium excluditur. Quaedam enim contingunt ut in paucioribus, quae accidunt a casu vel fortuna. Quaedam vero se habent ad utrumlibet, quia scilicet non magis se habent ad unam partem; quam ad aliam, et ista procedunt ex electione. Quaedam vero eveniunt ut in pluribus; sicut hominem canescere in senectute, quod causatur ex natura. Si autem omnia ex necessitate evenirent, nihil horum contingentium esset. Et ideo dicit « nihil est » quantum ad ipsam permanentiam eorum quae permanent contingenter « neque sit » quantum ad productionem eorum quae contingenter causantur « nec casu » quantum ad ea quae in minori parte sive in paucioribus « nec utrumlibet » quantum ad ea quae se habent aequaliter ad utrumque, scilicet esse vel non esse, et ad neutrum horum sunt determinata: quod significat cum subdit: « nec erit, nec non erit. » De eo enim quod est magis determinatum ad unam partem, possumus determinate verum dicere quod hoc erit vel non erit; sicut medicus de convalescente vere dicit, iste sanabitur, licet forte ex aliquo accidente ejus sanitas impediatur. Unde et Philosophus dicit in secundo de Generatione, quod futurus quis incedere non incedet. De eo enim qui habet propositum determinatum ad incedendum, vere potest dici quod ipse incedet, licet per aliquod accidens impediatur ejus incessus. Sed ejus quod est ad utrumlibet proprium est quod, quia non determinatur magis ad unum quam ad alterum, non possit de eo determinate dici neque quod erit neque quod non erit. Quo modo autem sequatur quod nihil sit ad utrumlibet ex praemissa hypothesi, manifestat subdens, quod si omnis affirmatio vel negatio determinate sit vera, oportet quod vel ille qui affirmat vel ille qui negat dicat verum: et sic tollitur id quod est ad utrumlibet: quia si esset aliquid ad utrumlibet, similiter se haberet ad hoc fieri vel non fieri, et non magis ad unum quam ad alterum. Est autem considerandum quod Philosophus non excludit hic expresse contingens quod est ut in pluribus, duplici ratione. Primo quidem, quia tale contingens non excludit quin altera oppositarum enuneiationum determinate sit vera et altera falsa, ut dictum est. Secundo, quia remoto contingenti quod est in paucioribus quod a casu accidit, removetur per consequens contingens quod est ut in pluribus. Nihil enim differt id quod est in pluribus ab eo quod in paucioribus, nisi quod deficit in minori parte.

Deinde cum dicit « amplius, si est »

Ponit secundam rationem ad ostendendum prae-

dictam dissimilitudinem ducendo ad impossibile. Si enim similiter se habet veritas et falsitas in praesentibus et futuris, sequitur ut quicquid verum est de praesenti, etiam fuerit verum de futuro, eo modo quo est verum de praesenti. Sed determinate nunc est verum dicere de aliquo singulari quod est album: ergo primo, idest antequam illud fieret album, erat verum dicere, quoniam hoc erit album. Sed eadem ratio videtur esse in propinquo et in remoto. Ergo, si ante unum diem verum fuit dicere quod hoc erit album, sequitur quod semper fuit dicere verum de quolibet eorum quae facta sunt, quod erit. Si autem semper est verum dicere de praesenti quoniam est, vel de futuro quod erit, non potest hoc non esse, vel non futurum esse. Cujus consequentiae ratio patet: quia ista duo sunt incompossibilia, quod aliquid vere dicatur esse, et quod non sit. Nam hoc includitur in significatione veri, ut sit id quod dicitur. Si ergo ponitur verum esse id quod dicitur de praesenti vel de futuro, non potest esse quin illud sit praesens futurum. Sed quod non potest non fieri, idem significat cum eo quod est, impossibile est non fieri. Et quod impossibile est non fieri, idem significat cum eo quod est necesse fieri, ut in secundo plenius dicetur. Sequitur ergo ex praemissis, quod omnia quae futura sunt, necesse est fieri. Ex quo sequitur ulterius, quod nihil sit neque ad utrumlibet neque a casu; quia illud quod accidit a casu, non est ex necessitate, sed ut in paucioribus: hoc autem relinquit pro inconvenienti, ergo et primum est falsum: scilicet, quod omne quod est, verum fuerit determinate dicere esse futurum. Ad cujus evidentiam considerandum est, quod cum verum hoc significet ut dicatur aliquid esse quod est, hoc modo est aliquid verum quo habet esse. Cum autem aliquid est in praesenti, habet esse in seipso, et ideo vere potest dici de eo quod est. Sed quamdiu aliquid est futurum, nondum est in seipso, est autem aliqualiter in sua causa. Quod quidem contingit tripliciter. Uno modo ut sic sit in sua causa ut ex necessitate ex ea proveniat; et tunc determinate habet esse in sua causa, unde determinate potest dici eo quod erit. Alio modo aliquid est in sua causa, ut quae habet inclinationem ad suum effectum, quae tamen impediri potest: unde et hoc determinatum est in sua causa, sed mutabiliter; et sic de hoc vere dici potest, hoc erit, sed non per omnimodam certitudinem. Tertio aliquid est in sua causa pure in potentia, quae etiam non magis est determinata ad unum quam ad aliud: unde relinquitur quod nullo modo potest de aliquo eorum determinate dici quod sit futurum, neque quod sit vel non sit.

Deinde cum dicit « at vero »

Ostendit, quod veritas non omnino deest in singularibus futuris utrique oppositorum. Et primo proponit quod intendit, dicens, quod non est verum dicere quod in talibus alterum oppositorum non sit verum, ut si dicamus quod neque erit neque non erit.

Secundo ibi « primum enim »

Probat propositum duabus rationibus. Quarum prima talis est: affirmatio et negatio dividunt verum et falsum: quod patet ex definitione veri et falsi. Nam nihil aliud est verum quam esse quod est, vel non esse quod non est; et nihil aliud est falsum quam esse quod non est, vel non esse quod est: et sic oportet, quod si affirmatio sit falsa, quod

negatio sit vera, et e converso. Sed secundum praedictam positionem affirmatio est falsa, qua dicitur
hoc erit; neque tamen negatio est vera: et similiter
negatio erit falsa, affirmatione non existente vera.
Ergo praedicta positio est impossibilis, scilicet quod
veritas desit utrique oppositorum.

Secundam rationem ponit ibi « ad haec »

Quae talis est. Si verum est dicere aliquid, sequitur quod illud sit: puta si verum est dicere
quod aliquid sit magnum et album, sequitur utra-

que esse; et ita de futuro sicut de praesenti. Sequitur enim esse cras, si verum est dicere quod
erit cras. Ergo si vera est praedicta positio dicens,
quod neque cras erit neque non erit, oportebit
neque fieri neque non fieri; quod est contra rationem ejus quod est ad utrumlibet: quia quod
est ad utrumlibet, se habet ad alterutrum, ut navale
bellum. Et ita ex hoc sequitur idem inconveniens
quod in praemissis.

LECTIO XIV.

Non omnia ex necessitate evenire declarat, sed quaedam contingenter: de cujus contingentiae
radice ab expositore multa dicuntur.

Quae ergo contingunt inconvenientia haec sunt, et hujusmodi alia, si omnis affirmationis et negationis, vel in his
quae de universalibus dicuntur universaliter, vel in his quae
sunt singularia, necesse est oppositarum hanc quidem veram
esse, illam vero falsam, nihil autem utrumlibet esse in his
quae fiunt, sed omnia esse et fieri ex necessitate. Quare non
oportebit neque consulere neque negotiari; quoniam si hoc
facimus erit hoc, si vero non, hoc non erit.

Nihil enim prohibet in millesimum annum hunc quidem
dicere hoc futurum esse, illum vero non dicere. Quare ex
necessitate erit quodlibet eorum, quod tunc ab eo verum
erat dicere.

At vero neque hoc differt, si aliquis dixerit contradictionem hoc, vel non dixerit. Manifestum est enim quoniam
sic se habent res, etiamsi non hic quidem affirmaverit, ille
vero negaverit. Non enim propter negare vel affirmare, erit
vel non erit; nec in millesimum annum magis quam in
quantolibet tempore. Quare, si omni tempore sic se habeat
ut unum diceretur vere; necesse erat hoc fieri, et unumquodque eorum quae fiunt, sic semper se habeat, ut ex
necessitate fieret. Quando enim vere dicit quis quoniam erit,
non potest non fieri; et quod factum est, verum erat dicere
semper, quoniam erit.

Quod si haec non sunt possibilia: (Videmus enim esse
principium futurorum, et ab eo quod consultamus atque
agimus aliquid:

Et quoniam est omnino in his quae non semper actu
sunt, possibile esse et non esse similiter: in quibus utrumque contingit esse et non esse, quare fieri et non fieri:

Ac multa nobis manifesta sunt sic se habentia, ut quoniam hanc vestem possibile est incidi, et non incidetur, sed
prius exteretur; similiter autem et non incidi possibile est,
non enim esset eam prius exteri, nisi possibile esset non
incidi): Quare et in aliis fiendis quaecumque secundum potentiam hujusmodi dicuntur, manifestum est quoniam non
omnia ex necessitate vel sunt vel fiunt, sed alia quidem
utrumlibet, et non magis vel affirmatio, vel erit negatio
vera: alia vero magis quidem et in pluribus alterum, sed
contingit fieri et alterum, alterum vero minime.

Accidunt igitur incommoda haec atque ejusmodi alia, si
quidem omnis affirmationis et negationis, sive de universalibus universaliter dictis, sive de singularibus, necesse sit
oppositarum alteram veram, alteram falsam esse, nihil autem
utrumlibet esse in iis quae fiunt, sed omnia esse et fieri ex
necessitate; ut nec deliberare oporteret, nec agere: quoniam
si hocce fecerimus, hocce fuerit; si non hocce, hocce non
fuerit.

Nihil enim impedit, vel ad infinita secula, quominus hic
quidem dicat, aliquid futurum esse, hic autem dicat, non
futurum esse; adeo ut ex necessitate futurum sit, utrumcumque eorum tunc vere dicebatur.

At nec hoc interest, sive quidam contradictionem dixerint
sive non dixerint: manifestum enim est sic res habere, etiamsi hic non affirmaverit aliquid, aut ille negaverit; neque
enim propterea, quia affirmatum aut negatum quidpiam est,
erit aut non erit, neque magis in infinita secula, quam in
quantulocumque tempore. Quare si omni tempore ita se habebat, ut alterum vere diceretur, necessarium erat hoc fieri,
et unumquodque eorum quae fiunt, semper ita se habebat,
ut ex necessitate fieret. Nam quando vere dicebat aliquis,
fore [aliquid], id impossibile erat non fore, et quod factum
est vere semper dici poterat futurum esse.

Si vero haec impossibilia sunt — videmus enim principium quoddam esse eorum quae futura sunt, et a consultatione, et ab actione aliqua; et omnino in iis quae non
semper operantur, inesse facultatem agendi et non agendi
aequaliter; in quibus utrumque contingit et esse et non esse,
atque inde etiam fieri et non fieri; et multa esse talia nobis
nota, quae ita se habeant; velut haecce vestis dissecari potest, et non dissecabitur, verum prius attereretur, similiter
vero et ut non dissecetur fieri potest; nec enim illa prius
atteri potuisset, nisi fieri potuisset ut non dissecaretur; ut
adeo [idem valeat] de aliis generationibus, quaecumque secundum potentiam talem dicuntur — Manifestum ergo est, non
omnia ex necessitate aut esse aut fieri; sed alia quidem ita,
ut utrumlibet accidere possit, et nihil magis affirmatio aut
negatio vera aut falsa sit; alia vero [magis accidant], et
alterum quidem utplurimum; veruntamen ita, ut contingat
etiam alterum fieri, alterum autem non fieri.

Ostenderat superius Philosophus ducendo ad
inconveniens, quod non est similiter verum vel falsum determinate in altero oppositorum in singularibus et futuris, sicut supra de aliis enuntiationibus
dixerat. Nunc autem ostendit inconvenientia ad quae
adduxerat esse impossibilia. Et circa hoc duo facit.
Primo ostendit impossibilia ea quae sequebantur.

Secundo concludit quomodo circa haec se veritas
habeat, ibi, « Igitur esse quod est. » Circa primum
tria facit. Primo ponit inconvenientia quae sequuntur. Secundo ostendit haec inconvenientia ex praedicta positione sequi, ibi « Nihil enim prohibet. »
Tertio ostendit esse impossibilia inconvenientia memorata, ibi, « Quod si haec possibilia non sunt. »

Dicit ergo ex praedictis rationibus concludens, quod haec inconvenientia sequuntur, si ponatur quod necesse sit oppositarum enunciationum alteram determinate esse veram, et alteram esse falsam, similiter in singularibus sicut in universalibus: quod scilicet nihil in his quae fiunt sit ad utrumlibet, sed omnia sint et fiant ex necessitate. Et ex hoc ulterius inducit alia duo inconvenientia: quorum primum est, quod non oportebit de aliquo consiliari. Probatum est enim in tertio Ethicorum, quod consilium non est de his quae sunt ex necessitate, sed solum de contingentibus, quae possunt esse et non esse. Secundum inconveniens est, quod omnes actiones humanae quae sunt propter aliquem finem, puta negociatio, quae est propter divitias acquirendas, erunt superfluae; quia si omnia ex necessitate eveniunt, sive operemur sive non operemur, erit quod intendimus. Sed hoc est contra intentionem hominum; quia ea intentione videntur consiliari et negociari ut, si haec faciant, erit talis finis; si autem faciant aliquid aliud, erit alius finis.

Deinde cum dicit « nihil enim »

Probat quod dicta inconvenientia consequantur ex dicta positione. Et circa hoc duo facit. Primo ostendit praedicta inconvenientia sequi quodam possibili posito. Secundo ostendit, quod eadem inconvenientia sequantur etiam si illud non ponatur, ibi, « At nec hoc differt. » Dicit ergo primo: non esset impossibile quod ante mille annos quando nihil apud homines erat praecogitatum vel praeordinatum de his quae nunc aguntur, unus dixerit quod hoc erit, puta quod civitas talis subverteretur, aliud autem dixerit quod hoc non erit. Sed si omnis affirmatio vel negatio determinate est vera, necesse est quod ambo determinate verum dixerint: ergo necesse fuit quodlibet eorum ex necessitate evenire; et eadem ratio est in omnibus aliis: ergo omnia ex necessitate eveniunt.

Deinde cum dicit « at vero »

Ostendit quod idem sequitur si illud possibile non ponatur. Nihil enim differt quantum ad rerum existentiam vel eventum, si uno affirmante hoc esse futurum, alius negaverit vel non negaverit; ita enim se habebit res si factum fuerit sicut si non factum fuerit. Non enim propter nostrum affirmare vel negare mutatur cursus rerum, ut sit aliquid vel non sit; quia veritas nostrae enunciationis non est causa existentiae rerum, sed potius e converso. Similiter etiam non differt quantum ad eventum ejus quod nunc agitur, utrum fuerit affirmatum vel negatum ante millesimum annum vel ante quodcumque tempus. Sic ergo, si in quocumque tempore praeterito ita se habeat veritas enunciationum, ut necesse esset quod alterum oppositorum vere diceretur; et ad hoc quod necesse est aliquid vere dici, sequitur quod necesse sit illud esse vel fieri; consequens est quod unumquodque eorum quae sunt, sic se habeat ut ex necessitate fiat. Et hujusmodi consequentiae rationem assignat per hoc quod si ponatur aliquem vere dicere quod hoc erit, non potuit non futurum esse. Sicut supposito quod sit homo, non potuit non esse animal rationale mortale. Hoc enim significatur, cum dicitur aliquid vere dici, scilicet quod ita sit ut dicitur. Eadem autem habitudo est eorum quae nunc dicuntur ad ea quae futura sunt, quae erat eorum quae prius dicebantur ad ea quae sunt praesentia vel praeterita: et ita omnia ex necessitate acciderunt et accidunt

et accident; quia quod nunc factum est in praesenti, in praeterito existens semper verum erat dicere quoniam erit futurum.

Deinde cum dicit « quod si »

Ostendit praedicta esse impossibilia. Et primo per rationem. Secundo per exempla sensibilia, ibi, « Et multa nobis manifesta etc. » Circa primum duo facit. Primo ostendit propositum in rebus humanis, Secundo etiam in aliis rebus, ibi, « Et quoniam est omnino etc. » Quantum autem ad res humanas, ostendit esse impossibile quae dicta sunt, per hoc, quod homo manifeste videtur esse principium eorum futurorum quae agit, quasi dominus existens suorum actuum, et in sua potestate habens agere vel non agere. Quod quidem principium si removeatur, tollitur totus ordo conversationis humanae, et omnia principia philosophiae moralis. Hoc enim sublato, non erit aliqua utilitas persuasionis, nec comminationis, nec permutationis, aut remunerationis, quibus homines alliciuntur ad bona, et retrahuntur a malis; et sic evacuatur tota civilis scientia. Hoc ergo Philosophus accipit pro principio manifesto, quod homo sit principium futurorum. Non est autem futurorum principium nisi per hoc quod consiliatur et facit aliquid. Ea enim quae agunt absque consilio, non habent dominium sui actus quasi libere judicantes de his quae sunt agenda; sed quodam naturali instinctu moventur ad agendum ut patet in animalibus brutis. Unde impossibile est quod supra conclusum est, quod non oporteat, nos agere vel consiliari. Et sic etiam impossibile est illud ex quo sequebatur, scilicet quod omnia ex necessitate eveniant.

Deinde cum dicit « et quoniam »

Ostendit idem etiam in aliis rebus. Manifestum est enim etiam in rebus naturalibus esse quaedam, quae non semper actu sunt; ergo in eis convenit (1) esse et non esse; alioquin vel semper essent, vel semper non essent. Id autem quod non est, incipit esse aliquid per hoc quod fit illud: sicut id quod non est album, incipit esse album per hoc quod fit album. Si autem non fiat album, permanet non ens album. Ergo in quibus contingit esse et non esse, contingit etiam fieri et non fieri. Non ergo talia ex necessitate sunt vel fiunt; sed est in eis natura possibilitatis, per quam se habent ad fieri et non fieri, esse et non esse.

Deinde cum dicit « ac multa »

Ostendit propositum per sensibilia exempla. Sit enim puta vestis nova: manifestum est quod eam possibile est incidi; quia nihil obviat incisioni, nec ex parte agentis, nec ex parte patientis. Probat autem quod simul cum hoc quod possibile est eam incidi, possibile est etiam eam non incidi, eodem modo quo supra probavit duas indefinitas oppositas esse simul veras: scilicet per assumptionem contrarii. Sicut enim possibile est istam vestem incidi, ita possibile est eam exteri, id est vetustate corrumpi. Sed si exteretur non incidetur: ergo utrumque possibile est, scilicet eam incidi et non incidi. Et ex hoc universaliter concludit, quod in aliis futuris, quae non sunt in actu semper, sed sunt in potentia, hoc manifestum est, quod non omnia ex necessitate sunt vel fiunt; sed eorum quaedam sunt ad utrumlibet, quae non se habent magis in affirmatione vel negatione: alia vero sunt in quibus alterum eorum

<hr/>

(1) *Lege* contingit.

contingit ut in pluribus; sed tamen contingit etiam ut in paucioribus, quod altera pars sit vera, et non alia, quae scilicet non contingit ut in pluribus sit.

Est autem considerandum, quod sicut Boetius dicit hic in commento, circa possibile et necessarium diversimode aliqui sunt opinati. Quidam enim dixerunt ea secundum eventum, sicut Diodorus, qui dixit illud esse impossibile quod nunquam erit, necessarium vero quod semper erit, possibile vero quod quandoque erit, quandoque non erit. Stoici vero dixerunt hoc secundum exteriora prohibentia. Dicunt enim necessarium esse illud quod non potest prohiberi quin sit verum; impossibile vero quod semper prohibetur a veritate; possibile vero quod potest prohiberi vel non prohiberi. Utraque autem distinctio videtur esse incompetens. Nam prima distinctio est a posteriori: non enim aliquid est necessarium quia semper erit; sed potius ideo semper erit, quia est necessarium; et idem patet in aliis. Secunda autem assignatio est ab exteriori et quasi per accidens; non enim ideo aliquid est necessarium quia non habet impedimentum; sed quia est necessarium, ideo impedimentum habere non potest. Et ideo alii melius ita dixerunt secundum naturam rerum, ut scilicet dicatur illud necessarium, quod in sua natura determinatum est solum ad esse: impossibile autem quod est determinatum solum ad non esse; possibile autem quod ad neutrum est omnino determinatum, sive se habeat magis ad unum quam ad alterum, sive se habeat aequaliter ad utrumque, quod dicitur contingens ad utrumlibet. Et hoc est quod Boetius attribuit Philoni. Sed manifeste haec est sententia Aristotelis in hoc loco. Assignat enim rationem possibilitatis et contingentiae, in his quidem quae sunt a nobis, ex eo quod sumus consiliativi; in aliis autem ex eo quod materia est in potentia ad utrumque oppositorum. Sed videtur haec ratio non esse sufficiens. Sicut enim in corporibus corruptibilibus materia invenitur in potentia se habens ad esse et non esse, ita etiam in corporibus caelestibus invenitur potentia ad diversa ubi; et tamen nihil in eis evenit contingenter, sed solum ex necessitate. Unde dicendum est, quod possibilitas materiae ad utrumque, si communiter loquamur, non est sufficiens ratio contingentiae, nisi etiam addatur ex parte potentiae activae quod non sit omnino determinata ad unum. Alioquin si ita sit determinata ad unum quod impediri non potest, consequens est quod ex necessitate reducat in actum potentiam passivam eodem modo. Hoc igitur quidam attendentes, posuerunt, quod potentia quae est in ipsis rebus naturalibus sortitur necessitatem ex aliqua causa determinata ad unum quam dixerunt fatum. Quorum Stoici posuerunt fatum in quadam serie seu connexione causarum: supponentes quod omne quod in hoc mundo accidit habet causam, causa autem posita necesse est effectum poni. Et si una causa per se non sufficit, multae causae ad hoc concurrentes accipiunt rationem unius causae sufficientis; et ita concludebant quod omnia ex necessitate eveniunt. Sed hanc rationem solvit Aristoteles in 6 Metaphysicae interimens utramque propositionum assumptarum. Dicit enim quod non omne per se habet causam, sed solum illud quod est per se. Sed illud quod est per accidens non habet causam, quia proprie non est ens, sed magis ordinatur cum non ente, ut etiam Plato dixit. Unde esse musicum

habet causam, et similiter esse album; sed hoc quod est, album esse musicum, non habet causam; et idem est in omnibus aliis hujusmodi. Similiter etiam haec est falsa, quod posita causa etiam sufficienti, necesse est effectum poni: non enim omnis causa est talis, etiamsi sufficiens sit, quod ejus effectus impediri non possit: sicut ignis est sufficiens causa combustionis lignorum, sed tamen per effusionem aquae impeditur combustio. Si autem utraque propositionum praedictarum esset vera, infallibiliter sequeretur, omnia ex necessitate contingere. Quia, si quilibet effectus habet causam, esset effectum, qui est futurus post quinque dies aut post quantumcumque tempus, reducere in aliquam causam priorem, et sic quousque esset devenire ad causam quae nunc est in praesenti, vel jam fuit in praeterito. Si autem causa posita, necesse est effectum poni, per ordinem causarum deveniet necessitas usque ad ultimum effectum. Puta, si comedit salsa, sitiet; si sitiet, exibit domo ad bibendum: si exibit, domo, occidetur a latronibus: quia ergo jam comedit salsa, necesse est eum occidi. Et ideo Aristoteles ad hoc excludendum ostendit utramque praedictarum propositionum esse falsam, ut dictum est. Objiciunt autem quidam contra hoc: quod omne per accidens reducitur ad aliquid per se: et ita oportet effectum qui est per accidens reduci in causam per se. Sed non attendunt quod id quod est per accidens reducitur ad per se inquantum accidit ei quod est per se; sicut musicum accidit Socrati et omne accidens alicui subjecto per se existenti. Et similiter omne quod in aliquo effectu est per accidens, consideratur circa aliquem effectum per se: qui quantum ad id quod per se est, habet causam per se; quantum autem ad id quod inest ei per accidens, non habet causam per se, sed causam per accidens. Oportet enim effectus proportionaliter referre ad causam suam, ut in 2 Physicorum et in 5 Metaphysicae dicitur. Quidam vero non attendentes differentiam effectuum per accidens et per se, tentaverunt reducere omnes effectus hic inferius provenientes in aliquam causam per se, quam ponebant virtutem esse caelestium corporum; in qua ponebant fatum, quam vim positionis siderum appellabant. Sed ex hac causa non potest provenire necessitas in omnibus quae hic aguntur. Multa enim hic fiunt ex intellectu et voluntate, quae per se et directe non subduntur virtuti caelestium corporum: cum enim intellectus, sive ratio, et voluntas quae est in ratione, non sint actus organi corporalis, ut probatur in libro de Anima; impossibile est, quod directe subdatur intellectus seu ratio, et voluntas virtuti caelestium corporum: nulla enim vis corporalis potest agere per se nisi in rem corpoream. Vires autem sensitivae, in quantum sunt actus organorum corporalium, per accidens subduntur actioni caelestium corporum. Unde Philosophus in libro de Anima, opinionem ponentium voluntatem hominis subjici motui caeli ascribit his qui non ponebant intellectum differre a sensu. Indirecte tamen vis caelestium corporum redundat ad intellectum et voluntatem, inquantum scilicet intellectus et voluntas utuntur viribus sensitivis. Manifestum autem est quod passiones virium sensitivarum non inferunt necessitatem rationi et voluntati. Nam continens habet pravas concupiscentias, sed non deducitur, ut patet per Philosophum in 7 Ethicorum. Sic igitur ex virtute caelestium corporum non provenit necessitas in his quae per rationem et voluntatem fiunt. Similiter nec in aliis corporalibus effectibus rerum corruptibilium, in quibus multa per accidens eveniunt. Id autem quod est per accidens, non potest reduci ut in causam per se in aliquam virtutem naturalem; quia virtus naturae se habet ad unum: quod autem est per accidens non est unum: unde et supra dictum est, quod haec enunciatio non est una, Socrates albus musicus, quia non significat unum. Et ideo Philosophus dicit in libro de Somno et Vigilia, quod multa, quorum signa praeexistunt in corporibus caelestibus, puta in imbribus et tempestatibus, non eveniunt, quia scilicet impediuntur per accidens. Et quamvis illud etiam impedimentum secundum se consideratum reducatur in aliquam causam caelestem; tamen concursus horum, cum sit per accidens, non potest reduci in aliquam causam naturaliter agentem. Sed considerandum est, quod id quod est per accidens, potest ab intellectu accipi ut unum; sicut album esse musicum; quod quamvis secundum se non sit unum, tamen intellectus ut unum accipit, inquantum scilicet componendo format enunciationem unam. Et secundum hoc contingit id quod secundum se per accidens evenit et casualiter, reduci in aliquam intellectum praeordinantem: sicut concursus duorum servorum ad certum locum est per accidens et casualis quantum ad eos, cum unus eorum ignoret de alio: potest tamen esse per se intentus a domino, qui utrumque mittit ad hoc quod in certo loco sibi occurrant. Et secundum hoc, aliqui posuerunt omnia quaecumque in hoc mundo aguntur, etiam quae videntur fortuita vel casualia, reduci in ordinem providentiae divinae, ex qua dicebant dependere fatum. Et hoc quidem aliqui stulti negaverunt, judicantes de intellectu divino ad modum intellectus nostri qui singularia non cognoscit. Hoc autem est falsum: nam intelligere divinum et velle ejus est ipsum esse ipsius. Unde, sicut esse ejus sua virtute comprehendit omne illud quod quocumque modo est, inquantum scilicet est per participationem ipsius; ita etiam suum intelligere et suum intelligibile comprehendit omnem cognitionem et omne cognoscibile, et suum velle et suum volitum comprehendit omnem appetitum et omne appetibile, quod est bonum, ut scilicet ex hoc ipso quod aliquid est cognoscibile, cadat sub ejus cognitione; et ex hoc ipso quod est bonum, cadat sub ejus voluntate: sicut ex hoc ipso quod est ens, aliquid cadit sub ejus virtute activa, quam ipse perfecte comprehendit, cum sit per intellectum agens.

Sed si providentia divina sit per se causa omnium quae in hoc mundo accidunt, saltem bonorum, videtur quod omnia ex necessitate accidant. Primo quidem ex parte scientiae ejus: non enim potest ejus scientia falli: et ita ea quae ipse scit, videtur quod necesse sit evenire. Secundo ex parte voluntatis. Voluntas enim Dei inefficax esse non potest: videtur ergo, quod omnia quae vult, ex necessitate eveniant.

Procedunt autem hae objectiones ex eo quod cognitio divini intellectus et operatio divinae voluntatis pensantur ad modum eorum quae in nobis sunt, cum tamen multo dissimiliter se habeant. Nam primo quidem ex parte cognitionis vel scientiae, considerandum est, quod ad cognoscendum ea quae secundum ordinem temporis eveniunt, aliter se habet vis cognoscitiva quae sub ordine temporis aliqualiter continetur, aliter illa quae totaliter est extra ordinem temporis. Cujus exemplum conveniens accipi potest ex ordine loci. Nam secundum Philosophum in 4 Physicorum, secundum prius et posterius in magnitudine est prius et posterius in motu, et per consequens in tempore. Si ergo sint multi homines per viam aliquam transeuntes, quilibet eorum qui sub ordine transeuntium continetur, habet cognitionem de praecedentibus et subsequentibus, inquantum sunt praecedentes et subsequentes, quod pertinet ad ordinem loci. Et ideo quilibet eorum videt eos qui juxta se sunt, et aliquos eorum qui eos praecedunt: eos autem qui post se sunt videre non potest. Si autem esset extra totum ordinem transeuntium, utpote in aliqua excelsa turri constitutus, unde posset totam viam videre, videret quidem simul omnes in via existentes, non sub ratione praecedentis et subsequentis, in comparatione scilicet ad ejus intuitum; sed simul omnes videret, et quomodo unus eorum alium praecedit. Quia igitur cognitio nostra cadit sub ordine temporis, vel per se vel per accidens: unde et anima in componendo et dividendo necesse habet adjungere tempus, ut dicitur in 3 de Anima: consequens est quod sub ejus cognitione cadant res sub ratione praesentis, praeteriti et futuri. Et ideo praesentia cognoscit tamquam actu existentia, et sensu aliqualiter perceptibilia; praeterita autem cognoscit ut memorata, futura autem non cognoscit in seipsis, quia nondum sunt, sed cognoscere ea potest in causis suis: per certitudinem quidem, si totaliter in causis suis sint determinata, ut ex quibus de necessitate evenient; per conjecturam autem, si non sint sic determinata quin impediri non possint, sicut quae sunt ut in pluribus. Nullo autem modo, si in suis causis sunt omnino in potentia, non magis determinata ad unum quam ad aliud, sicut quae sunt ad utrumlibet. Non enim est aliquid cognoscibile secundum quod est in potentia, sed solum secundum quod est in actu, ut patet per Philosophum 9 Metaphysicae. Sed Deus est omnino extra ordinem temporis, quasi in arce aeternitatis constitutus, quae est tota simul; cui subjacet totus temporis decursus secundum unum et simplicem ejus intuitum: et ideo uno intuitu videt omnia quae aguntur secundum quod quod est in seipso existens, non quasi sibi futurum quantum ad ejus intuitum prout est in solo ordine suarum causarum, quamvis et ipsum ordinem causarum videat; sed omnino aeternaliter sic videt unumquodque eorum quae sunt in quocumque tempore, sicut oculus humanus videt Socratem sedere in seipso, non in causa sua. Ex hoc autem quod homo videt Socratem sedere, non tollitur contingentia, quae respicit ordinem causae ad effectum: tamen verissime et infallibiliter videt oculus hominis Socratem sedere dum sedet, quia unumquodque prout est in seipso jam determinatum est. Sic igitur relinquitur, quod Deus certissime et infallibiliter cognoscat omnia quae fiunt in tempore; et tamen ea quae in tempore eveniunt, non sunt vel fiunt ex necessitate, sed contingenter. Similiter ex parte voluntatis divinae differentia est attendenda. Nam voluntas divina est intelligenda ut extra ordinem entium existens, velut causa quaedam profundens totum ens et omnes ejus differentias. Sunt autem differentiae entis possibile et necessarium: et ideo ex ipsa voluntate divina originantur necessitas et contingentia in rebus, et distinctio utriusque secundum rationem proximarum causarum: Ad effectus enim quos voluit necessarios esse, disposuit causas necessarias; ad effectus autem quos voluit esse contingentes, ordinavit causas contingenter agentes, id est potentes deficere. Et secundum harum conditionem causarum effectus dicuntur vel necessarii vel contingentes, quamvis omnes dependeant a voluntate divina, sicut a prima causa quae transcendit ordinem necessitatis et contingentiae. Hoc autem non potest dici de voluntate humana, nec de aliqua alia causa; quia omnis alia causa cadit jam sub ordine necessitatis vel contingentiae; et ideo oportet quod vel ipsa causa possit deficere, vel effectus ejus non sit contingens sed necessarius. Voluntas autem divina indeficiens est: tamen non omnes effectus ejus sunt necessarii, sed quidam contingentes.

Similiter autem aliam radicem contingentiae, quam hic Philosophus ponit ex hoc quod sumus consiliativi, aliqui subvertere nituntur, volentes ostendere quod voluntas in eligendo ex necessitate movetur ab appetibili. Cum enim bonum sit objectum voluntatis, non potest (ut videtur) ab hoc divertere quin appetat illud quod sibi videtur bonum; sicut nec ratio ab hoc potest divertere quin assentiat ei quod sibi videtur verum. Et ita videtur quod electio consilium consequens semper ex necessitate proveniat; et sic omnia quorum nos principium sumus per consilium et electionem ex necessitate provenient.

Sed dicendum est, quod similis differentia attendenda est circa bonum, sicut circa verum. Est autem quoddam verum quod est per se notum, sicut prima principia indemonstrabilia, quibus ex necessitate intellectus assentit: sunt autem quaedam vera non per se nota, sed per alia. Horum autem duplex est conditio: quaedam enim ex necessitate consequuntur ex principiis, ita scilicet quod non possunt esse falsa principiis exi-

stentibus veris; sicut sunt omnes conclusiones demonstrationum. Et hujusmodi veris ex necessitate assentit intellectus, postquam perceperit ordinem eorum ad principium, non autem prius. Quaedam autem sunt, quae non ex necessitate consequuntur ex principiis, ita scilicet quod possunt esse falsa principiis existentibus veris; sicut sunt opinabilia, quibus non ex necessitate assentit intellectus, quamvis aliquo motivo magis inclinetur in unam partem quam in aliam. Ita etiam est quoddam bonum quod est propter se appetibile, sicut felicitas, quae habet rationem ultimi finis; et hujusmodi bono ex necessitate inhaeret voluntas; naturali enim quadam necessitate omnes appetunt esse felices. Quaedam vero sunt bona, quae sunt appetibilia propter finem, quae comparantur ad finem sicut conclusiones ad principium, ut patet per Philosophum in secundo Physicorum. Si igitur essent aliqua bona quibus non existentibus non posset aliquis esse felix, haec etiam essent ex necessitate appetibilia, et maxime apud eum qui talem ordinem percipiat; et forte talia sunt esse, vivere et intelligere, et si qua alia similia. Sed particularia bona, in quibus humani actus consistunt, non sunt talia, nec sub ea ratione comprehenduntur, ut sine quibus felicitas esse non possit; puta comedere hunc cibum vel illum, aut abstinere ab eo: habent tamen in se unde moveant appetitum, secundum aliquod bonum consideratum in eis: et ideo voluntas non ex necessitate inducitur ad haec eligenda. Et propter hoc Philosophus signanter radicem contingentiae in his quae fiunt a nobis assignavit ex parte consilii, quod est eorum quae sunt ad finem, et tamen non sunt determinata. In his enim in quibus media sunt determinata non est opus consilio, ut dicitur in 3 Ethicorum. Et haec quidem dicta sunt ad salvandum radices contingentiae quas hic Aristoteles ponit, quamvis videantur logici negotii modum excedere.

LECTIO XV.

Ex modo quo in rebus necessitas, veritas, et falsitas reperitur, quomodo in orationibus similiter inspicienda sit docet.

ANTIQUA.

Igitur esse quod est quando est, et non esse quod non est, quando non est, necesse est. Sed non omne quod est necesse est esse, nec omne quod non est necesse est non esse: non enim idem est omne quod est necessario esse quando est, et simpliciter esse ex necessitate. Similiter autem et in eo quod non est.

Et in contradictione eadem ratio est. Esse quidem vel non esse omne necesse est, et futurum esse vel non; non tamen dividentem dicere alterum necessarium. Dico autem, ut necesse est quidem esse futurum bellum navale cras, vel non futurum esse; sed non, futurum esse cras bellum navale necesse est, vel non futurum esse. Futurum autem vel esse vel non esse necesse est.

Quare quoniam similiter orationes verae sunt quemadmodum et res, manifestum est quoniam quaecumque sic se habent ut utrumlibet sint, et contraria ipsorum contingant, necesse est similiter se habere et contradictionem. Quod

RECENS.

Esse igitur aliquid, quando est, et non esse, quando non est, necessarium est; non autem omne quod est, necesse est esse, nec quod non est, necesse est non esse; non enim idem est, ens omne ex necessitate esse, quando [jam] est, et esse simpliciter ex necessitate. Similiter vero etiam de illo quod non est.

Et contradictionis eadem ratio est: esse quidem omne aut non esse, necesse est; et futurum esse aut non futurum esse; non autem, si quis haec divisim proferat, alterum necesse est. Dico autem, ut necesse est fore pugnam navalem cras aut non fore; non autem necesse est fieri pugnam navalem cras, neque [necesse est] non fieri; at aut fieri aut non fieri necesse est.

Quare quum similiter orationes verae sint ut res, manifestum quod, quaecumque sic se habent, ut utrumlibet accidat, et contraria recipiant, necesse sit similiter sese habere etiam contradictionem. Quod ipsum accidit in his quae

contingit in his quae non semper sunt, et non semper non sunt. Horum enim necesse est alteram partem contradictionis veram esse vel falsam, non tamen hoc vel illud, sed utrumlibet, et magis quidem alteram veram, non tamen jam veram vel falsam.

Quare manifestum est quoniam non est necesse omnis affirmationis et negationis oppositarum, hanc quidem veram illam vero falsam esse. Neque enim quemadmodum in his quae sunt, sic se res habet etiam et in his quae non sunt, possibilibus tamen esse vel non esse; sed quemadmodum dictum est.

non semper sunt, et in illis quae non semper non sunt. In his enim necesse est alteram partem contradictionis veram esse aut falsam, at non [definite] hanc aut illam, sed utramcumque; et magis quidem veram esse alteram, at non statim eamdem veram aut falsam; quare manifestum est quod non est necessarium, omnis affirmationis aut negationis oppositarum alteram veram, alteram falsam esse. Non enim, quemadmodum in iis quae sunt, sic etiam se habet in iis quae non sunt, at esse possunt aut non esse; verum quemadmodum dictum est.

Postquam Philosophus ostendit esse impossibilia ea quae ex praedictis rationibus sequebantur, hic remotis impossibilibus concludit veritatem. Et circa hoc duo facit. Quia enim argumentando ad impossibile processerat ab enunciationibus ad res, et jam removerat inconvenientia quae circa res sequebantur; nunc ordine converso, Primo ostendit qualiter se habeat veritas circa res. Secundo qualiter se habeat veritas circa enunciationes, ibi, « Quare « quoniam orationes verae sunt. » Circa primum duo facit. Primo ostendit qualiter se habeat veritas et necessitas circa res absolute consideratas. Secundo qualiter se habeat circa ea per comparationem ad sua opposita, ibi, « Et in contradictione eadem ratio est. » Dicit ergo primo, quasi ex praemissis concludens, quod si praedicta sunt inconvenientia, ut scilicet omnia ex necessitate eveniant, oportet dicere ita se habere circa res, scilicet quod omne quod est, necesse est esse quando est, et omne quod non est necesse est non esse quando non est. Et haec necessitas fundatur super hoc principium: impossibile est simul esse et non esse. Si enim aliquid est impossibile, dum est, illud simul non esse, ergo necesse est tunc illud esse. Nam impossibile non esse idem significat ei quod est necesse esse, ut in secundo dicetur. Et similiter, si aliquid non est, impossibile est illud simul esse: ergo necesse est non esse, quae etiam idem significant. Et ideo manifeste verum est, quod omne quod est, necesse est esse quando est; et omne quod non est, necesse est non esse pro illo tempore quando non est: et haec est necessitas non absoluta, sed ex suppositione. Unde non potest simpliciter et absolute dici quod omne quod est necesse est esse, et omne quod non est necesse est non esse: quia non idem significant, quod omne ens quando est sit ex necessitate, et quod omne ens simpliciter sit ex necessitate: nam primum significat necessitatem ex suppositione, secundum autem necessitatem absolutam. Et quod dictum est de esse, intelligendum est similiter de non esse: quia aliud est simpliciter ex necessitate non esse, et aliud est ex necessitate non esse quando non est. Et per hoc videtur Aristoteles excludere id quod supra dictum est, quod si in his quae sunt, alterum determinate est verum, quod etiam antequam fieret, alterum determinate esset futurum. Deinde cum dicit « et in contradictione »

Ostendit quomodo se habeat circa res per comparationem ad sua opposita: et dicit, quod eadem ratio est in contradictione, quae est in suppositione. Sicut enim illud quod non est absolute necessarium, fit necessarium in suppositione ejusdem, quia necesse est esse quod est; ita etiam quod non est in se necessarium absolute, fit necessarium per disjunctionem oppositi, quia necesse est de unoquoque quod sit vel non sit, et quod futurum sit aut non sit: et hoc sub disjunctione. Et haec necessitas

fundatur super hoc principium, quod impossibile est contradictoria simul esse vera vel falsa. Unde impossibile est neque esse neque non esse: ergo necesse est vel esse vel non esse. Non tamen si divisim alterum accipiatur, necesse est illud esse absolute. Et hoc manifestat per exemplum: quia necessarium est navale bellum esse futurum cras, vel non esse; sed non est necesse navale bellum futurum esse cras: similiter etiam non est necessarium non esse futurum, quia hoc pertinet ad necessitatem absolutam: sed necesse est quod vel sit futurum vel non sit futurum: et hoc pertinet ad necessitatem quae est sub disjunctione.

Deinde cum dicit « quare quoniam »

Ex eo quod se habet circa res, ostendit qualiter se habeat circa orationes. Et primo ostendit quomodo uniformiter se habet in veritate orationum sicut circa esse et non esse. Secundo finaliter concludit veritatem totius dubitationis, ibi, « Quare manife- « stum. » Dicit ergo primo, quod quia hoc modo se habent orationes enunciativae ad veritatem, sicut et res ad esse vel non esse; quia ex eo quod res est vel non est, oratio est vera vel falsa; consequens est, quod in omnibus rebus quae ita se habent ut sint ad utrumlibet, et quaecumque ita se habent quod contraria eorum qualitercumque contingere possunt, sive aequaliter, sive alterum ut in pluribus; ex necessitate sequitur, quod etiam similiter se habeat contradictio enunciationum. Et exponit consequenter quae sint illae res, quarum contradictoria contingere queant: et dicit hujusmodi esse quae neque semper sunt, sicut necessaria, neque semper non sunt sicut impossibilia sed quandoque sunt et quandoque non sunt Et ulterius manifestat quomodo similiter se habeat in contradictoriis enunciationibus; et dicit, quod harum enunciationum quae sunt de contingentibus necesse est quod sub disjunctione altera pars contradictionis sit vera vel falsa; non tamen haec vel illa determinate; sed se habet ad utrumlibet. Et si contingat quod altera pars contradictionis magis sit vera, sicut accidit in contingentibus quae sunt ut in pluribus; non tamen ex hoc necesse est, quod ex necessitate altera earum determinate sit vera vel falsa.

Deinde cum dicit « quare manifestum »

Concludit principale intentum: et dicit manifestum esse ex praedictis, quod non est necesse in omni genere affirmationum et negationum oppositarum, alteram determinate esse veram et alteram esse falsam; quia non eodem modo se habet veritas et falsitas in his quae sunt jam de praesenti, et in his quae non sunt, sed possunt esse vel non esse. Sed hoc modo se habet in utrisque sicut dictum est; quia scilicet in his quae sunt, necesse est determinate alterum esse verum et alterum falsum; quod non contingit in futuris quae possunt esse et non esse.

LIBER SECUNDUS

SUMMA LIBRI. DE ENUNCIATIONIBUS INFINITIS. DE ENUNCIATIONUM UNITATE AC PLURALITATE. DE PRAEDICATIO-
NIBUS CONJUNCTIS ATQUE DIVISIS. DE ENUNCIATIONIBUS MODALIBUS. ET QUAE ENUNCIATIONES MAGIS INVICEM SINT
CONTRARIAE.

LECTIO I.

*Distinguuntur enunciationes a parte subjecti, quod est nomen finitum
vel infinitum tam universaliter quam non universaliter sumptum.*

ANTIQUA.

Quoniam autem est affirmatio de aliquo significans aliquid, hoc autem oportet esse vel nomen vel innominatum,
unum autem oportet esse et de uno id quod est in affirmatione:

Nomen autem dictum est et innominatum prius. Non
homo enim nomen quidem non dico, sed nomen infinitum.
Unum enim significat quodammodo infinitum nomen. Quemadmodum et non currit, non verbum dico sed infinitum
verbum:

Erit omnis affirmatio et negatio vel ex nomine et verbo,
vel ex infinito nomine et verbo.

Praeter verbum autem nulla affirmatio vel negatio est. Est
enim vel erit, vel fuit, vel fit, vel quaecumque alia hujusmodi
verba, ex his sunt quae sunt posita; consignificant enim tempus.

Quare prima erit affirmatio et negatio, Est homo, non
est homo. Rursus, Est omnis homo, non est omnis homo. Est
omnis non homo, non est omnis non homo. Et in extrinsecis temporibus eadem est ratio.

RECENS.

Quum vero aliquid de aliquo affirmatio significet, id aut
nomen est, aut innominatum; unum autem oportet esse, et
de uno, quod in affirmatione est; (nomen autem, et infinitum nomen, [quid sit], ante dictum est; nam *to* Non homo,
nomen quidem non dico, sed infinitum nomen; unum enim
quid significat etiam infinitum nomen; sicut etiam *to* Non
valet, non verbum, sed infinitum verbum erit;) igitur omnis
affirmatio et negatio aut ex nomine et verbo, aut ex infinito nomine et verbo.

Sine verbo autem nulla est affirmatio aut negatio: nam
Est, aut Erit, aut Erat, aut Fit, aut quotcumque alia talia,
ex iis sunt, quae verba esse definivimus; consignificant enim
tempus.

Quare prima erit affirmatio et negatio, Est homo, Non
est homo. Deinde, Est non homo. Non est non homo. Rursus, Est omnis homo, Non est omnis homo; Est omnis non
homo, Non est omnis non homo. Et temporum extra [prae-
sens] eadem ratio est.

Postquam Philosophus in primo libro determinavit de enunciatione simpliciter considerata, hic
determinat de enunciatione secundum quod diversificatur per aliquid sibi additum. Possunt autem tria
in enunciatione considerari. Primo ipsae dictiones
quae praedicantur vel subjiciuntur in enunciatione,
quas supra distinxit per nomina et verba. Secundo
ipsa compositio, secundum quam est verum vel
falsum in enunciatione affirmativa vel negativa.
Tertio ipsa oppositio unius enunciationis ad aliam.
Dividitur ergo haec pars in tres partes. In prima
ostendit quid accidit enunciationi ex hoc quod aliquid additur ad dictiones in subjecto vel praedicato positas. Secundo quid accidat enunciationi
ex hoc quod aliquid additur ad determinandum
veritatem vel falsitatem compositionis, ibi, « His
« vero determinatis. » Tertio solvit quamdam
dubitationem circa oppositiones enunciationum, provenientem ex eo quod additur aliquid simplici
enunciationi, ibi, « Utrum autem contraria est af-
« firmatio. » Est autem considerandum quod additio facta ad praedicatum vel subjectum quandoque
ollit unitatem enunciationis, quandoque vero non

tollit, sicut additio negationis infinitantis dictionem.
Circa primum ergo duo facit. Primo ostendit quid
accidit enunciationibus ex additione negationis infinitantis dictionem. Secundo ostendit quid accidat
circa enunciationem ex additione tollente unitatem,
ibi, « At vero unum de pluribus. » Circa primum
duo facit. Primo determinat de enunciationibus sim-
plicissimis in quibus nomen finitum vel infinitum
ponitur tantum ex parte subjecti. Secundo determinat de enunciationibus in quibus nomen finitum
vel infinitum ponitur non solum ex parte subjecti,
sed etiam ex parte praedicati, ibi, « Quando au-
« tem est tertium adjacens. » Circa primum duo
facit. Primo proponit rationes distinguendi tales
enunciationes. Secundo ponit earum distinctionem
et ordinem, ibi, « Quare prima est affirmatio. »
Circa primum duo facit. Primo ponit rationes distinguendi enunciationes ex parte nominum. Secundo, quod non potest esse eadem ratio distinguendi ex parte verborum, ibi, « Praeter verbum
« autem. » Circa primum tria facit. Primo proponit
rationes distinguendi enunciationes. Secundo exponit
quod dixerat, ibi, « Nomen autem dictum est. »

Tertio concludit intentum, ibi, « Erit autem omnis « affirmatio. » Resumit ergo illud quod supra dictum est de definitione affirmationis: quod scilicet affirmatio est enunciatio significans aliquid de aliquo; et quia verbum est proprie nota eorum quae de altero praedicantur, consequens est ut illud de quo aliquid dicitur, pertineat ad nomen. Nomen autem est vel finitum vel infinitum; et ideo, quasi concludens, subdit, quod quia affirmatio significat aliquid de aliquo, consequens est ut hoc de quo significatur aliquid de aliquo, scilicet subjectum affirmationis, sit vel nomen, scilicet finitum, quod proprie dicitur nomen, ut in primo dictum est; vel innominatum, idest infinitum nomen: quod dicitur innominatum, quia ipsum non nominat aliquid cum aliqua forma determinata, sed solum removet determinationem formae. Et, ne aliquis diceret quod id quod in affirmatione subjicitur est simul nomen et innominatum, ad hoc excludendum subdit, quod id quod est, scilicet primum in affirmatione, scilicet una, de qua nunc loquimur, oportet esse unum et de uno subjecto: et sic oportet quod subjectum talis affirmationis sit vel nomen, vel nomen infinitum.

Deinde cum dicit « nomen autem »

Exponit quod dixerat; et dicit, quod supra dictum est quid sit nomen, et quid sit innominatum idest infinitum nomen; quia Non homo non est nomen, sed est infinitum nomen; sicut Non currit, non est verbum, sed infinitum verbum. Interponit autem quoddam quod valet ad dubitationis remotionem; videlicet quod nomen infinitum quodammodo significat unum. Non enim significat simpliciter unum sicut nomen finitum, quod significat unam formam generis vel speciei aut etiam individui; sed inquantum significat negationem formae alicujus, in qua negatione multa conveniunt sicut in quodam uno secundum rationem. Unum autem eodem modo dicitur aliquid sicut et ens. Unde sicut ipsum non ens dicitur ens non quidem simpliciter, sed secundum quid, idest secundum rationem, ut patet in 4 Metaphysicae; ita etiam negatio est unum secundum quid, scilicet secundum rationem. Introducit autem hoc, ne aliquis dicat quod affirmatio in qua subjicitur nomen infinitum, non significat unum de uno, quasi nomen infinitum non significet unum.

Deinde cum dicit « erit omnis »

Concludit propositum; scilicet quod duplex est modus affirmationis. Quaedam enim est affirmatio quae constat ex nomine et verbo; quaedam autem est quae constat ex infinito nomine et verbo. Et hoc sequitur ex hoc quod supra dictum est, quod hoc de quo affirmatio aliquid significat, vel est nomen, vel innominatum. Et eadem differentia potest accipi ex parte negationis; quia de quocumque contingit affirmare contingit et negare, ut in primo habitum est.

Deinde cum dicit « praeter verbum »

Ostendit quod differentia enunciationum non potest sumi ex parte verbi. Dictum est enim supra, quod praeter verbum nulla est affirmatio vel negatio. Potest enim praeter nomen esse aliqua affirmatio vel negatio; videlicet si ponatur loco nominis infinitum nomen. Loco autem verbi in enunciatione non potest poni infinitum verbum, duplici ratione. Primo quidem, quia infinitum verbum constituitur per additionem infinitae particulae. Quae quidem addita verbo per se dicto, idest extra enunciationem posito, removet ipsum absolute, sicut addita nomini removet formam nominis absolute. Et ideo extra enunciationem potest accipi verbum infinitum per modum unius dictionis, sicut et nomen infinitum. Sed quando negatio additur verbo in enunciatione posito, negatio illa removet verbum ab aliquo, et sic facit enunciationem negativam. Quod non accidit ex parte nominis. Non enim enunciatio efficitur negativa nisi per hoc quod negatur compositio quae importatur in verbo; et ideo verbum infinitum in enunciatione positum fit verbum negativum. Secundo, quia in nullo variatur veritas enunciationis, sive utamur negativa particula ut infinitante verbum, vel ut faciente negativam enunciationem: et ideo accipitur semper in simpliciore intellectu prout est magis in promptu. Et inde est, quod non diversificavit affirmationem per hoc quod sit ex verbo vel infinito verbo, sicut diversificavit per hoc quod ex nomine vel infinito nomine. Est autem considerandum, quod in nominibus et in verbis praeter differentiam finiti et infiniti est differentia recti et obliqui. Casus enim nominum, etiam verbo addito, non constituunt enunciationem significantem verum vel falsum, ut in primo habitum est; quia in obliquo nomine non includitur ipse rectus; sed in casibus verbi includitur ipsum verbum praesentis temporis. Praeteritum enim et futurum, quae significant casus verbi, dicuntur per respectum ad praesens. Unde si dicatur, hoc erit, idem est ac si diceretur, hoc est futurum; hoc fuit, hoc est praeteritum. Et propter hoc, ex casu verbi et nomine fit enuntiatio. Et ideo subjungit quod sive dicatur Est, sive erit, sive fuit, vel quaecumque alia hujusmodi verba, sunt de numero praedictorum verborum, sine quibus non potest fieri enunciatio, quia omnia consignificant tempus, et alia tempora dicuntur per respectum ad praesens.

Deinde cum dicit « quare prima »

Concludit ex praemissis distinctionem enunciationum in quibus nomen finitum vel infinitum ponitur solum ex parte subjecti: in quibus triplex differentia intelligi potest. Una quidem secundum affirmationem et negationem; alia secundum subjectum finitum et infinitum; tertia secundum subjectum universaliter vel non universaliter positum. Nomen autem finitum est ratione prius infinito, sicut affirmatio prior est negatione: unde primam affirmationem ponit Homo est, et primam negationem Homo non est. Deinde ponit secundam affirmationem, Non homo est, secundam autem negationem, Non homo non est. Ulterius autem ponit illas enunciationes in quibus subjectum universaliter ponitur; quae sunt quatuor, sicut et illae in quibus est subjectum non universaliter positum. Praetermisit autem ponere exemplum de enunciationibus in quibus subjicitur singulare, ut, Socrates est, Socrates non est; quia singularibus hominibus non additur aliquod signum. Unde in hujusmodi enunciationibus non potest omnis differentia inveniri. Similiter etiam intermittit exemplificare de enunciationibus quarum subjecta particulariter ponuntur; quia tale subjectum quodammodo eamdem vim habet cum subjecto universali non universaliter sumpto. Non ponit autem aliquam differentiam ex parte verbi, quae posset sumi secundum casus verbi; quia, sicut ipse dicit, in extrinsecis temporibus, idest in praeterito et in futuro, quae circumstant praesens, est eadem ratio sicut et in praesenti, ut jam dictum est.

LECTIO II.

Quatuor enuntiationum in affirmatione et negatione sequela in figura distinguitur ac declaratur.

ANTIQUA.

Quando autem Est tertium adjacens praedicatur, dupliciter tunc dicuntur oppositiones.

Dico autem ut, est justus homo, Est, tertium adjacere nomen vel verbum in affirmatione.

Quare quatuor erunt istae: quorum duae quidem ad affirmationem et negationem sese habent secundum consequentiam, ut privationes; duae vero minime.

Dico autem quoniam Est, aut justo adjacebit, aut non justo; quare etiam negatio: quatuor igitur erunt.

Intelligimus vero quod dicitur ex his quae subscripta sunt. Est justus homo, hujus negatio est, non est justus homo. Est non justus homo, hujus negatio est, non est non justus homo. Est enim hoc loco, et Non est, justo et non justo adjacet. Haec igitur quemadmodum in resolutoriis dictum est, sic sunt disposita.

RECENS.

Quando autem Est tertium insuper praedicatur, jam dupliciter dicuntur oppositiones. Dico autem, velut [in eo], Est justus homo, to Est tertium appositum esse nomen aut verbum in affirmatione: quamobrem quatuor erunt ista, quorum duo quidem ad affirmationem et negationem se habebunt secundum consequentiam, ut privationes; duo autem non. Dico autem, to Est aut justo apponi, aut non justo; quare etiam negatio. Quatuor ergo erunt. Intelligimus autem id quod dictum est, ex subscriptis: Est justus homo; hujus negatio, Non est justus homo. Est non justus homo; hujus negatio, Non est non justus homo. Nam hic to Est, et to Non est, justo et non justo apponetur. Haec igitur quemadmodum in Analyticis dictum est, ita disposita sunt.

Postquam Philosophus distinxit enunciationes in quibus nomen finitum vel infinitum ponitur solum ex parte subjecti, hic accedit ad distinguendum illas enunciationes, in quibus nomen finitum vel infinitum ponitur ex parte subjecti, et ex parte praedicati. Et circa hoc duo facit. Primo distinguit hujusmodi enunciationes. Secundo manifestat quaedam quae circa eas dubia esse possent, ibi, « Quoniam « vero contraria est » Circa primum duo facit. Primo ait de enunciationibus in quibus nomen praedicatur cum hoc verbo Est. Secundo de enunciationibus in quibus alia verba ponuntur, ibi, « In his vero in quibus. » Distinguit autem hujusmodi enunciationes sicut primas secundum triplicem differentiam ex parte subjecti consideratam. Primo namque agit de enunciationibus in quibus subjicitur nomen finitum non universaliter sumptum. Secundo de illis, in quibus subjicitur nomen finitum universaliter sumptum, ibi, « Simili- « ter autem se habet. » Tertio de illis, in quibus subjicitur nomen infinitum, ibi, « Aliae autem « habent ad id quod est non homo. » Circa primum tria facit. Primo proponit diversitatem oppositionis talium enunciationum. Secundo concludit earum numerum, et ponit earum habitudinem, ibi, « Quare quatuor. » Secundo exemplificat, ibi, « In- « telligimus vero. » Circa primum duo facit. Primo proponit quod intendit, Secundo exponit quoddam quod dixerat, ibi, « Dico autem. » Circa primum duo oportet intelligere. Primo quidem quid est hoc quod dicit, Est tertium adjacens praedicatur. Ad cujus evidentiam considerandum est quod quandoque in enunciatione praedicatur Est secundum (1), sicut cum dicitur, Socrates est; per quod nihil aliud intendimus significare, quam quod Socrates sit in rerum natura. Quandoque vero non praedicatur per se quasi principale praedicatum, sed quasi conjunctum principali praedicato ad connectendum ipsum subjecto; sicut cum dicitur, Socrates est albus, non est intentio loquentis ut asserat Socratem esse in

rerum natura; sed ut attribuat ei albedinem mediante hoc verbo Est; et ideo in talibus, Est praedicatur ut adjacens principali praedicato. Et non dicitur esse tertium, quia sit tertium praedicatum; sed quia est tertia dictio posita in enunciatione, quae simul cum nomine praedicato facit unum praedicatum. Ut sic enunciatio dividatur in duas partes et non in tres. Secundo considerandum est quid est hoc quod dicit, quod quando Est, eo modo quo dictum est, tertium adjacens praedicatur, dupliciter dicuntur oppositiones. Circa quod considerandum est, quod in praemissis enunciationibus in quibus nomen ponebatur solum ex parte subjecti, secundum quodlibet subjectum erat una oppositio: puta si subjectum erat nomen finitum non universaliter sumptum, erat sola una oppositio, scilicet Est homo, non est homo. Sed, quando Est tertium adjacens praedicatur, oportet esse duas oppositiones eodem subjecto existente secundum differentiam nominis praedicati, quod potest esse finitum vel infinitum: sicut haec est una oppositio Homo est justus, homo non est justus: alia vero oppositio est, Homo est non justus, homo non est non justus. Non enim negatio fit nisi per oppositionem negativae particulae ad hoc verbum Est, quod est nota praedicationis.

Deinde cum dicit « dico autem »

Exponit quod dixerat, Est tertium adjacens: et dicit quod cum dicitur Homo est justus, hoc verbum Est, adjacet, scilicet praedicato tanquam tertium nomen vel verbum in affirmatione. Potest enim ipsum Est dici nomen, prout quaelibet dictio nomen dicitur; et sic est tertium nomen, idest tertia dictio. Sed, quia secundum communem usum loquendi dictio significans tempus magis dicitur verbum quam nomen; propter hoc addit « vel ver- « bum; » quasi dicat: ad hoc quod sit tertium, non refert utrum dicatur nomen vel verbum.

Deinde cum dicit « quare quatuor »

Concludit numerum enunciationum. Et primo ponit conclusionem numeri. Secundo ponit earum habitudinem, ibi, « Quarum duae quidem. » Tertio

(1) *Ed. Rom. habet* secundum se.

rationem numeri exemplificat, ibi, « Dico autem « quoniam est. » Dicit ergo primo, quod quia duae sunt oppositiones, quando Est tertium adjacens praedicatur, cum omnis oppositio sit inter duas enunciationes, consequens est quod sint quatuor enunciationes illae in quibus Est tertium adjacens praedicatur, subjecto finito non universaliter sumpto.

Deinde cum dicit: « Quarum duae quidem. » Ostendit habitudinem praedictarum enunciationum adinvicem: et dicit quod duae dictarum enunciationum se habent ad affirmationem et negationem secundum consequentiam, sive secundum correlationem aut analogiam, ut in graeco habetur, sicut privationes, aliae vero duae minime. Quod quia breviter et obscure dictum est, diversimode a diversis expositum est. Ad cujus evidentiam considerandum est, quod tripliciter nomen potest praedicari in hujusmodi enunciationibus. Quandoque enim praedicatur nomen finitum, secundum quod assumuntur duae enunciationes, una affirmativa, et altera negativa, scilicet Homo est justus, et Homo non est justus, quae dicuntur simplices. Quandoque vero praedicatur nomen infinitum secundum quod assumuntur duae enunciationes, una affirmativa, et altera negativa, scilicet Homo est justus, et Homo non est justus, quae dicuntur simplices. Quandoque vero praedicatur nomen infinitum secundum quod etiam assumuntur duae aliae, scilicet Homo est non justus, Homo non est non justus, quae dicuntur infinitae. Quandoque vero praedicatur nomen privativum, secundum quod etiam sumuntur duae aliae, scilicet Homo est injustus, Homo non est injustus, quae dicuntur privativae. Quidam ergo sic exposuerunt, quod duae enunciationes earum quas praemiserat, scilicet illae quae sunt de infinito praedicato, se habent ad affirmationem et negationem quae sunt de praedicato finito secundum consequentiam vel analogiam, sicut privationes, idest sicut illae quae sunt de praedicato privativo. Illae enim duae quae sunt de praedicato infinito, se habent secundum consequentiam ad illas quae sunt definito praedicato secundum transpositionem quamdam: scilicet affirmatio ad negationem, et negatio ad affirmationem. Nam Homo est non justus, quae est affirmatio de infinito praedicato, respondet secundum consequentiam negative de praedicato finito, huic scilicet Homo non est justus. Negativa vero de infinito praedicato, scilicet Homo non est non justus, affirmativae de finito praedicato, huic scilicet Homo est justus. Propter quod Theophrastus vocabat eas quae sunt de infinito praedicato transpositas. Et similiter etiam affirmativa de privativo praedicato respondet secundum consequentiam negativae de finito praedicato, scilicet haec Homo est injustus, ei quae est Homo non est justus. Negativae vero privativae, scilicet Homo non est injustus, ei quae est Homo est justus. Disponatur ergo figura. Et in prima quidem linea ponantur illae quae sunt de finito praedicato, scilicet Homo est justus, Homo non est justus. In secunda autem linea, negativa de infinito praedicato sub affirmativa de finito, et affirmativa sub negativa, ut patet in subscripta figura.

Homo est justus.
Homo non est n n justus.

Homo non est justus.
Homo est non justus.

Sic ergo duae, scilicet quae sunt de infinito praedicato, se habent ad affirmationem et negationem de finito praedicato, sicut privationes, idest sicut illae

quae sunt de privativo praedicato. Sed duae aliae, quae sunt scilicet de infinito subjecto, scilicet, Non homo est justus, Non homo non est justus, manifestum est quod non habent similem consequentiam. Et hoc modo exposuit Hormelius hoc quod dicitur « duae vero minime » referens hoc ad illas quae sunt de infinito subjecto. Sed hoc manifeste est contra literam. Nam, cum praemisisset quatuor enunciationes, duas scilicet de finito praedicato, et duas de infinito, subjungit, quasi illas subdividens: « quarum duae quidem, etc. Duae vero minime. » Ubi datur intelligi quod utraeque duae intelligantur in praemissis. Illae autem quae sunt de infinito subjecto non includuntur in praemissis, sed de his postea dicetur. Unde manifestum est quod de eis nunc non loquitur. Et ideo, ut Ammonius dicit, alii aliter exposuerunt, dicentes, quod praedictarum quatuor propositionum duae, scilicet quae sunt de infinito praedicato, sic se habent ad affirmationem et negationem, idest ad ipsam speciem affirmationis et negationis, ut privationes, idest privativae affirmationes seu negationes. Haec enim affirmatio, Homo est non justus, non est simpliciter affirmatio, sed secundum quid, quasi secundum privationem affirmatio, sicut homo mortuus non est homo simpliciter, sed secundum privationem: et idem dicendum est de affirmativa et de negativa quae sunt de finito praedicato, quod non se habent ad speciem affirmationis et negationis secundum privationem, sed simpliciter. Haec enim Homo est justus, est simpliciter affirmativa; et haec, Homo non est justus, est simpliciter negativa. Sed nec hic sensus convenit verbis Aristotelis. Dicit enim infra « haec igitur quemadmodum in resolu- « toriis dictum est, sic sunt disposita: » ubi nihil invenitur ad hunc sensum pertinens. Et ideo Ammonius ex his quae in fine primi Priorum dicuntur de propositionibus quae sunt de finito vel infinito vel privativo praedicato, alium sensum accipit. Ad cujus evidentiam considerandum est: quod sicut ipse dicit: enunciatio aliqua virtute se habet ad illud, de quo totum id quod in enunciatione significatur vere praedicare potest: sicut haec enunciatio, Homo est justus, se habet ad omnia illa de quorum quolibet vere potest dici quod est homo justus: et similiter haec enunciatio Homo non est justus, se habet ad omnia illa de quorum quolibet vere dici potest quod non est homo justus. Secundum ergo hunc modum loquendi manifestum est, quod simplex negativa in plus est quam affirmativa infinita, quae ei corrispondet. Nam, quod sit homo non justus vere potest dici quod (1) de quolibet homine qui non habet habitum justitiae: sed quod non sit homo justus potest dici non solum de homine non habente habitum justitiae, sed et de eo qui penitus non est homo: haec enim est vera: Lignum non est homo justus: tamen haec est falsa, Lignum est homo non justus. Et ita negativa simplex est in plusquam affirmativa infinita, sicut etiam animal est in plusquam homo, quia de pluribus verificatur. Simili etiam ratione negativa simplex est in plus quam affirmativa privativa; quia de eo quod non est homo, non potest dici quod sit homo injustus. Sed affirmativa infinita est in plus quam affirmativa privativa: potest enim dici de puero, et de quocumque homine nondum habente habitum virtutis aut vitii, quod sit homo non justus, non

(1) Lege solum.

tamen de aliquo eorum vere dici potest quod sit homo injustus. Affirmativa vero simplex in minus est quam negativa infinita: quia quod non sit homo non justus, potest dici non solum de homine justo, sed etiam de eo quod penitus non est homo. Similiter etiam negativa privativa in plus est quam negativa infinita. Nam quod non sit homo injustus potest dici non solum de homine habente habitum justitiae, sed de eo quod penitus non est homo, de quorum quolibet potest dici quod non sit homo non justus; sed ulterius potest dici de omnibus hominibus, qui nec habent habitum justitiae, neque habent habitum injustitiae. His igitur visis, facile est exponere praesentem literam hoc modo. Quarum, scilicet quatuor enunciationum praedictarum, duae quidem, scilicet infinitae, se habebunt ad affirmationem et negationem, idest ad duas simplices, quarum una est affirmativa et altera negativa, secundum consequentiam, id est in modo consequendi ad eas, ut privationes, id est sicut duae privativae: quia scilicet sicut ad simplicem affirmativam sequitur negativa infinita, et non convertitur, eo quod negativa infinita est in plus; ita etiam ad simplicem affirmativam sequitur negativa privativa, quae est in plus et non convertitur. Sed sicut simplex negativa sequitur ad infinitam affirmativam, quae est in minus et non convertitur, ita etiam negativa simplex sequitur ad privativam affirmativam, quae est in minus et non convertitur. Ex quo patet quod eadem est habitudo in consequendo infinitarum ad simplices, quae est etiam privativarum. Sequitur « Duae autem, » scilicet simplices, quae relinquuntur remotis duabus, scilicet infinitis, a quatuor praemissis « minime, » idest non ita se habent ad infinitas in consequendo, sicut privativae se habent ad eas: quia videlicet ex una parte simplex affirmativa est in minus quam negativa infinita: sed negativa privativa est in plus quam negativa infinita. Ex alia vero parte negativa simplex est in plus quam affirmativa infinita, sed affirmativa privativa est in minus quam infinita affirmativa. Sic ergo patet quod simplices non ita se habent ad infinitas in consequendo, sicut privativae se habent ad infinitas. Quamvis autem secundum hoc litera Philosophi subtiliter exponatur, tamen videtur esse aliquantulum expositio extorta. Nam litera Philosophi videtur sonare diversas habitudines non esse attendendas respectu diversorum: sicut in praedicta expositione primo accipitur similitudo habitudinis ad simplices, et postea similitudo habitudinis respectu infinitarum. Et ideo simplicior et magis conveniens literae Aristotelis est expositio Porphyrii quam Boetius ponit, secundum quam expositionem attenditur similitudo et dissimilitudo secundum consequentiam affirmativarum ad negativas. Unde dicit « Quarum, » scilicet quatuor praemissarum, « duae quidem » scilicet affirmativae, quarum una est simplex et alia infinita, se habebunt secundum consequentiam ad affirmationem et negationem, ut scilicet ad unam affirmativam sequatur alterius negativa. Nam ad affirmativam simplicem sequitur negativa infinita; et ad affirmativam infinitam, sequitur negativa simplex. Quae vero, scilicet negativae, minime: idest non ita se habent ad affirma-

tivas, ut scilicet ex negativis sequantur affirmativae, sicut ex affirmativis sequebantur negativae: et quantum ad utrumque similiter se habent privativae sicut infinitae.

Deinde cum dicit « dico autem »

Manifestat quoddam quod supra dixerat: scilicet quod sint quatuor praedictae enunciationes Loquimur enim non de enunciationibus in quibus hoc verbum Est solum praedicatur secundum quod est adjacens alicui nomini finito vel infinito, puta secundum quod adjacet justo, ut cum dicitur, Homo est justus, vel secundum quod adjacet non justo, ut cum dicitur, Homo est non justus. Et quia in neutra harum negatio apponitur ad verbum, consequens est quod utraque sit affirmativa. Omni autem affirmationi opponitur negatio, ut supra in primo ostensum est: relinquitur ergo quod praedictis duabus enunciationibus affirmativis respondeant duae aliae negativae. Et sic consequens est quod sint quatuor simplices enunciationes.

Deinde cum dicit « intelligimus vero »

Homo est justus. — Angulares contrapositae — Homo non est justus.

Angulares subinvicem positae, — Angulares subinvicem positae,

Homo non est non justus. — Angulares contrapositae — Homo est non justus.

Manifestat quod supra dictum est per quamdam figuralem descriptionem. Dicit enim quod id quod in supradictis dictum est, intelligi potest ex sequenti subscriptione. Sit enim quaedam quadrata figura, in cujus uno angulo describatur haec enunciatio, Homo est justus, et ex opposito describatur ei negatio quae est Homo non est justus, sub quibus scribantur duae aliae infinitae, scilicet Homo est non justus, Homo non est non justus. In qua descriptione apparet, quod hoc verbum Est, affirmativum vel negativum adjacet justo et non justo. Et per hoc diversificantur quatuor enunciationes. Ultimo autem concludit quod praedictae enunciationes disponuntur secundum ordinem consequentiae prout dictum est in resolutoriis, idest in primo Priorum. Alia litera habet: Dico autem, quoniam Est aut homini, aut non homini adjacebit: et in figura, est hic (1), loco homini et non homini adjacebit justo et non justo. Quod quidem non est intelligendum, ut homo et non homo accipiatur ex parte subjecti: non enim nunc agitur de enunciationibus quae sunt de infinito subjecto. Unde oportet quod homo et non homo accipiantur ex parte praedicati. Sed, quia Philosophus explicat de enunciatione in quibus ex parte praedicati ponitur justum et non justum, visum est Alexandro quod praedicta litera sit corrupta. Quibusdam aliis videtur quod possit sustineri, et quod signanter Aristoteles nomina in exemplis variaverit, ut ostenderet quod non differt, in quibusnam nominibus ponantur exempla.

(1) *Lege* ut hic.

LECTIO III. [1]

Enunciationes, in quibus nomen finitum universaliter sumptum subjicitur, praecedentibus de nomine infinito similes vel dissimiles esse ex earum multiplicitate, concludit: hinc naturam et numerum propositionum ostendit, quae de tertio sunt adjacente; demum adjectivarum enunciationum conditiones manifestat.

ANTIQUA.

Similiter autem se habent, et si universalis nominis sit affirmatio, ut Omnis est homo justus, negatio, non omnis est homo justus: Omnis est homo non justus, non omnis est homo non justus.

Sed non similiter angulares contingit veras esse: contingit autem aliquando.

Hae igitur duae oppositae sunt.

Aliae autem ad id quod est, non homo, quasi subjectum aliquod additum, ut, Est justus non homo, non est justus non homo, est non justus non homo, non est non justus non homo.

Magis autem plures his non sunt oppositiones.

Hae autem extra illas, ipsae secundum se erunt, ut nomine utentes eo quod est non homo.

In his vero, in quibus Est non convenit, ut in eo quod est currere vel ambulare, idem facit sic positum ac si Est adderetur: ut Currit omnis homo, non currit omnis homo, Currit omnis non homo, non currit omnis non homo.

Non enim dicendum est Non omnis homo; sed Non negationem ad id quod est homo addendum est. Omnis enim non universale significat, sed quoniam universaliter.

Manifestum est autem ex eo quod est, Currit homo, non currit homo, Currit non homo, non currit non homo: haec enim ab illis differunt, eo quod universaliter non sunt. Quare ómnis vel nullus nihil consignificat aliud, nisi quod universaliter denominet (2) vel affirmationem vel negationem.

Ergo et cetera eadem oportet apponi.

RECENS.

Similiter vero etiam se habet, quando universaliter de nomine sit affirmatio: ut, Omnis homo justus est; negatio hujus, Non omnis homo justus est; Omnis homo non justus est, Non omnis homo non justus est. Praeterquam quod non similiter contingit eas [propositiones], quae ex diametro opponuntur, simul veras esse; contingit autem aliquando. Hae ergo duae inter se opponuntur.

Reliquae duae vero ratione *tou* Non homo, ut subjecti cujusdam appositi [opponuntur; velut], Est justus non homo, Non est justus non homo; Est non justus non homo, Non est non justus non homo. Piures vero his non sunt oppositiones. Hae autem ab illis separatae per se eaedem erunt tamquam nomen Non homo assumentes.

Quibus autem *to* Est non convenit, ut in his, Valet, Ambulat, in iis idem efficit ita positum, ac si *to* Est adjunctum esset; ut, Valet omnis homo, Non valet omnis homo, Valet omnis non homo, Non valet omnis non homo.

Non enim est dicendum, Non omnis homo; sed *to* Non, negatio, *tó* homo apponendum est; nam *to* omnis non universale significat, sed quod universaliter [universale nomen sumatur]. Manifestum vero [id est] ex hoc: Valet homo, Non valet homo; Valet non homo, Non valet non homo. Haec enim ab illis differunt eo, quod non universaliter sint. Quare *to* omnis, aut *to* nemo, nihil aliud consignificat, quam universalem nominis aut affirmationem aut negationem. Ac reliqua eadem oportet [dicentem] apponere.

Postquam Philosophus distinxit enunciationes in quibus subjicitur nomen infinitum non universaliter sumptum, hic intendit distinguere enunciationes in quibus subjicitur nomen finitum universaliter sumptum. Et circa hoc tria facit. Primo ponit similitudinem istarum enunciationum ad infinitas supra positas. Secundo ostendit dissimilitudinem earumdem, ibi, « Sed non similiter. » Tertio concludit numerum oppositionum inter dictas enunciationes, ibi, « Hae duae igitur. » Dicit ergo primo quod similes sunt enunciationes in quibus est nominis universaliter sumpti affirmatio. Quo ad primum notandum est, quod in enunciationibus indefinitis supra positis erant duae oppositiones et quatuor enunciationes, et affirmativae inferebant negativas, et non inferebantur ab eis, ut patet tam in expositione Ammonii, quam Porphyrii. Ita in enunciationibus in quibus subjicitur nomen finitum universaliter sumptum inveniuntur duae oppositiones et quatuor enunciationes, et affirmativae inferunt negativas, et non e contra. Unde similiter se habent enunciationes supradictae, si nominis in subjecto sumpti fiat affirmatio universaliter. Fiunt enim tunc quatuor enunciationes: duae de praedicato finito, scilicet Omnis homo est justus, non omnis homo est justus, et duae de praedicato infinito, scilicet Omnis

homo est non justus, et ejus negatio quae est non omnis homo est non justus. Et, quia quaelibet affirmatio cum sua negatione unam integrat oppositionem, duae efficiuntur oppositiones, sicut et de indefinitis dictum est. Nec obstat quod de enunciationibus universalibus loquens particulares inseruit: quoniam sicut supra de indefinitis et suis negationibus sermonem fecit, ita nunc de affirmationibus universalibus sermonem faciens de earum negationibus est coactus loqui. Negatio siquidem universalis affirmativae non est universalis negativa, sed particularis negativa, ut in primo libro habitum est. Quod autem similis sit consequentia in istis et supradictis indefinitis, patet exemplariter: et ne multa loquendo res clara prolixitate obtenebretur, formetur primo figura de indefinitis, quae supra posita est in expositione Porphyrii, scilicet ex una parte ponatur affirmativa finita, et sub ea negativa infinita, et sub ista negativa privativa. Ex altera parte, primo negativa finita, et sub ea affirmativa infinita, et sub ea affirmativa privativa. Deinde sub illa figura formetur alia figura similis illi universaliter; scilicet ex una parte universalis affirmativa de praedicato finito, et sub ea particularis negativa de praedicato infinito, et ad complementum similitudinis sub ista particularis negativa de praedicato privativo. Ex altera vero parte ponatur primo particularis negativa de praedicato finito, et sub ea universalis affirmativa de praedicato finito. Et sub ista universalis affirmativa de praedicato privativo, hoc modo:

(1) *Quae desunt in opere S. Doctoris, commentaria in reliquum libri secundi Perihermenias, damus ex Thoma de Vio Card. Cajetano.*

(2) *Lege* de nomine *ut in alia translatione.*

Figura indefinitarum.

Homo est justus.
Homo non est non justus.
Homo non est injustus.

Homo non est justus.
Homo est non justus.
Homo est injustus.

Figura universalium.

Omnis homo est justus.
Non omnis homo est non justus.
Non omnis homo est injustus.

Non omnis homo est justus.
Omnis homo est non justus.
Omnis homo est injustus.

Quibus ita dispositis, exerceatur consequentia semper in illa proxima figura, sicut supra in indefinitis exercita est, sive sequendo expositionem Ammonii, ut infinitae se habeant ad finitas, sicut privativae se habent ad ipsas finitas, finitae autem non se habeant ad infinitas medias, sicut privativae se habent ad ipsas infinitas; sive sectando expositionem Porphyrii, ut affirmativae inferant negativas, et non e contra. Utrique enim expositioni supra subscriptae deserviunt figurae, ut patet diligenter indaganti. Similiter ergo se habent enunciationes istae universales ad indefinitas in tribus; scilicet in numero propositionum, et numero oppositionum, et modo consequentiae.

Deinde cum dicit « sed non »

Ponit dissimilitudinem inter istas universales et supradictas indefinitas, in hoc quod angulares non similiter contingit veras esse. Quae verba primo exponenda sunt secundum eam quam credimus esse ad mentem Aristotelis expositionem, deinde secundum alios. Angulares enunciationes in utraque figura suprascripta vocat eas quae sunt diametraliter oppositae, scilicet affirmativam finitam ex uno angulo, et affirmativam infinitam sive privativam ex alio angulo. Et similiter negativam finitam ex uno angulo, et negativam infinitam vel privativam ex alio angulo. Enunciationes ergo in qualitate similes, angulares vocatae eo quod angulariter idest diametraliter distant, dissimilis veritatis sunt apud indefinitas et universales: angulares enim indefinitae tam in diametro affirmationum quam in diametro negationum possunt esse simul verae, ut patet in suprascripta figura indefinitarum. Et hoc intellige in materia contingenti. Angulares vero in figura universalium non sic se habent: quoniam angulares secundum diametrum affirmationum impossibile est esse simul veras in quacumque materia: angulares autem secundum diametrum negationum, quandoque possunt esse simul verae, quando scilicet fiunt in materia contingenti: in materia enim necessaria et remota impossibile est esse ambas veras. Haec est Boetii, quam veram credimus expositio. Hermetes, autem Boetio referente, aliter exponit. Licet enim ponat similitudinem inter universales et indefinitas quo ad numerum enunciationum et oppositionum, oppositiones tamen aliter accipit in universalibus, et aliter in indefinitis. Oppositiones siquidem indefinitarum numerat sicut et nos numeravimus, alteram scilicet inter finitas affirmativam et negativam, et alteram inter finitas affirmativam et negativam, quemadmodum nos fecimus. Universalium vero non sic numerat oppositiones: sed alteram sumit inter universalem affirmativam finitam et particularem negativam finitam, scilicet Omnis homo est justus, non omnis homo est justus; et alteram inter eamdem universalem affirmativam finitam et universalem affirmativam infinitam, scilicet Omnis homo est justus, omnis homo est non justus. Inter has enim

est contrarietas, inter alias vero contradictio. Dissimilitudinem etiam universalium ad infinitas aliter ponit: non enim nobiscum fundat dissimilitudinem inter angulares universalium et indefinitarum supra differentiam quae est inter angulares universalium affirmativas et negativas, sed supra differentiam quae est inter ipsas universalium angulares inter se ex utraque parte. Format namque talem figuram, in qua ex una parte sub universali affirmativa finita universalis affirmativa infinita est, ex alia parte sub particulari negativa finita particularis negativa infinita ponitur: sicque angulares sunt disparis qualitatis; et similiter indefinitarum figuram format hoc modo:

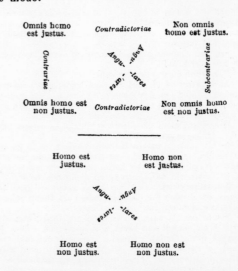

Omnis homo est justus.   Contradictoriae   Non omnis homo est justus.

Contrariae   Angulares   Subcontrariae

Omnis homo est non justus.   Contradictoriae   Non omnis homo est non justus.

Homo est justus.   Homo non est justus.

Angulares

Homo est non justus.   Homo non est non justus.

Quibus ita dispositis, ait in hoc stare dissimilitudinem, quod angulares indefinitarum mutuo se invicem compellunt ad veritatis sequelam, ita quod unius angularis veritas suae angularis veritatem infert, undecumque incipias. Universalium vero angulares non se mutuo compellunt ad veritatem, sed ex altera parte necessitas deficit illationi. Si enim incipias ab aliqua universalium et ad suam angularem procedas, veritas universalis non ita potest esse simul cum veritate angularis, quod compellat eam ad veritatem: quia si universalis est vera, sua universalis contraria erit falsa: non enim possunt esse simul verae: et si ista universalis contraria est falsa, sua contradictoria particularis, quae est angularis primae universalis assumptae, erit necessario vera. Impossibile est enim contradictorias esse simul falsas. Si autem incipias e converso ab aliqua particularium et ad suam angularem procedas, veritas particularis ita potest stare cum veritate suae angularis, quod tamen non necessario infert ejus veritatem: quia licet sequatur — particularis est vera, ergo sua universalis contradictoria est falsa, — non tamen sequitur ultra ista — universalis contradictoria est falsa, ergo sua universalis contraria, quae est angularis particularis assumpti est vera: — possunt enim contrariae esse simul falsae. Sed videtur expositio ista deficere ab Aristotelis mente quo ad modum sumendi oppositiones. Non enim intendit hic loqui de oppositione quae est inter finitas et infinitas, sed de ea quae est inter finitas inter se et infinitas inter se. Si enim de utroque modo oppositionis exponere volumus, jam non duas, sed tres oppositiones inveniemus: primam inter finitas, secundam inter infinitas, tertiam quam ipse Hermenius dixit inter finitam et infinitam. Figura etiam quam formavit, conformis non est ei quam Aristoteles in fine primi Priorum formavit, ad quam nos remisit, cum dixit « Haec igitur quemadmodum in Resolutoriis « dictum est, sic sunt disposita ». In Aristotelis namque figura, angulares sunt affirmativae affirmativis, et negativae negativis.

Deinde cum dicit « hae igitur »

Concludit numerum propositionum. Et potest dupliciter exponi: Primo ut ly hae, demonstret universales: et sic est sensus, quod hae universales finita et infinita habent duas oppositiones, quas supra declaravimus. Secundo potest exponi ut ly hae, demonstret enunciationes finitas et infinitas quo ad praedicatum, sive universales sive indefinitas: et tunc est sensus, quod hae enunciationes supradictae habent duas oppositiones: alteram inter affirmationem finitam et ejus negationem, alteram inter affirmationem infinitam et ejus negationem. Placet autem mihi magis secunda expositio, quoniam brevitas, cui Aristoteles studebat, replicationem non exigebat; sed potius, quia enunciationes finitas et infinitas quo ad praedicatum secundum diversas quantitates enumeraverat, ad duas oppositiones omnes reducere terminando earum tractatum voluit.

Deinde cum dicit « aliae autem »

Intendit declarare diversitatem enunciationum de tertio adjacente, in quibus subjicitur nomen infinitum. Et circa hoc tria facit: primo proponit et distinguit eas, secundo ostendit quod non dantur plures supradictis, ibi, « Magis autem, » tertio ostendit habitudinem istarum ad alias, ibi, « Hae « autem extra. » Ad evidentiam primi advertendum est tres esse species enunciationum de inesse, in quibus explicite ponitur hoc verbum Est. Quaedam sunt, quae subjecto sive finito sive infinito nihil habent additum ultra verbum, ut Homo est, Non homo est. Quaedam vero sunt quae subjecto finito habent praeter verbum aliquid additum, sive finitum sive infinitum, ut Homo est justus, Homo est non justus. Quaedam autem sunt, quae subjecto infinito praeter verbum, habent aliquid additum sive finitum sive infinitum, ut Non homo est justus, Non homo est non justus. Et quia de primis jam determinatum est, ideo de ultimis tractare volens, ait: « Aliae autem sunt, » quae habent aliquid, scilicet praedicatum additum supra verbum Est, ad id quod est Non homo quasi ad subjectum, id est ad subjectum infinitum. Dixit autem « quasi », quia sicut nomen infinitum deficit a ratione nominis,

ita deficit a ratione subjecti. Significatum siquidem nominis infiniti non proprie substernitur compositioni cum praedicato, quam importat Est, tertium adjacens. Enumerat quoque quatuor enunciationes et duas oppositiones in hoc ordine, sicut et in superioribus fecit. Distinguit etiam istas ex finitate vel infinitate praedicata. Unde primo ponit oppositiones inter affirmativam et negativam habentes subjectum infinitum et praedicatum finitum, dicens « ut Non homo est justus, non homo non est « justus. » Secundo ponit oppositionem alteram inter affirmativam et negativam, habentes subjectum infinitum et praedicatum infinitum, dicens « ut Non « homo est non justus, non homo non est non « justus. »

Deinde cum dicit « magis autem »

Ostendit quod non dantur plures oppositiones enuntiationum supradictis. Ubi notandum est quod enunciationes de inesse in quibus explicite ponitur hoc verbum Est, sive secundum sive tertium adjacens, de quibus loquimur, non possunt esse plures quam duodecim suprapositae; et consequenter oppositiones earum secundum affirmationem et negationem non sunt nisi sex. Cum enim in tres ordines sint enunciationes, scilicet in illas de secundo adjacente, in illas de tertio subjecti finiti, et in illas de tertio subjecti infiniti, et in quolibet ordine sint quatuor enunciationes, fiunt omnes enunciationes duodecim et oppositiones sex. Et quoniam subjectum earum in quolibet ordine potest quadrupliciter quantificari, scilicet universalitate, particularitate et singularitate et indefinitione, ideo istae duodecim multiplicantur in quadraginta octo. Quater enim duodecim quadraginta octo faciunt. Nec possibile est plures his imaginari. Et licet Aristoteles non nisi viginti harum expresserit, octo in primo ordine, octo in secundo, et quatuor in tertio, attamen per eas, reliquas voluit intelligi. Sunt autem sic enumerandae et ordinandae, secundum singulos ordines, ut affirmationi negatio prima ex opposito situetur ut oppositionis intentum clarius videatur. Et sic contra universalem affirmativam non est ordinanda universalis negativa, sed particularis negativa, quae est illius negatio, et e converso contra particularem affirmativam, non est ordinanda particularis negativa sed universalis negativa quae est ejus negatio. Ad clarius autem intuendum numerum, coordinandae sunt omnes quae sunt similis quantitatis simul in recta linea, distinctis tamen ordinibus tribus supradictis. Quod ut clarius elucescat, in hac subscripta videatur figura:

Primus ordo.

Socrates est.	Socrates non est.	Non Socrates est.	Non Socrates non est.
Quidam homo est.	Quidam homo non est.	Quidam non homo est.	Quidam non homo non est.
Homo est.	Homo non est.	Non homo est.	Non homo non est.
Omnis homo est.	Omnis homo non est.	Omnis non homo est.	Omnis non homo non est.

Secundus ordo.

Socrates est justus.	Socrates non est justus.	Socrates est non justus.	Socrates non est non justus.
Quidam homo est justus.	Quidam homo non est justus.	Quidam homo est non justus.	Quidam homo non est non justus.
Homo est justus.	Homo non est justus.	Homo est non justus.	Homo non est non justus.
Omnis homo est justus.	Omnis homo non est justus.	Omnis homo est non justus.	Omnis homo non est non justus.

Tertius ordo.

Non Socrates est justus.	Non Socrates non est justus.	Non Socrates est non justus.	Non Socrates non est non justus.
Quidam non homo est justus.	Quidam non homo non est justus.	Quidam non homo est non justus.	Quidam non homo non est non justus.
Non homo est justus.	Non homo non est justus.	Non homo est non justus.	Non homo non est non justus.
Omnis non homo est justus.	Omnis non homo non est justus.	Omnis non homo est non justus.	Omnis non homo non est non justus.

Quod autem plures his non sint, ex eo patet, quod non contingit pluribus modis variari subjectum et praedicatum penes finitum et infinitum, nec pluribus modis variantur finitum et infinitum subjectum. Nulla enim enunciatio de secundo adjacente potest variari penes praedicatum finitum vel infinitum, sed tantum penes subjectum; quod sufficienter factum apparet. Enunciationes autem de tertio adjacente quadrupliciter variari possunt: quia aut sunt subjecti et praedicati finiti, aut utriusque infiniti, aut subjecti finiti et praedicati infiniti, aut subjecti infiniti et praedicati finiti. Quarum nullam praemissam esse superior docet figura.

Deinde cum dicit « hae autem »

Ostendit habitudinem harum, scilicet quas in tres ordine numeravimus, ad illas quae in secundo sitae sunt ordine: et dicit quod istae sunt extra illas, quia non sequuntur ad illas, nec e converso. Et rationem assignans subdit « ut nomine utentes eo quod « est non homo », idest ideo istae sunt extra illas, quia istae utuntur nomine infinito loco nominis, dum omnes habent subjectum infinitum. Notanter autem dixit enunciationes subjecti infiniti uti ut nomine, infinito nomine: quia cum subjici in enunciatione proprium sit nominis, praedicari autem commune nomini et verbo, omne subjectum enunciationis ut nomen subjicitur.

Deinde cum dicit « in his vero »

Determinat de enunciationibus in quibus ponuntur verba adjectiva. Et circa hoc tria facit. Primo distinguit eas. Secundo respondet cuidam tacitae quaestioni, ibi, « Non enim dicendum est. » Tertio concludit earum conditiones, ibi, « Ergo et cetera eadem. » Ad evidentiam primi resumendum est, quod inter enunciationes in quibus ponitur Est secundum adjacens et eas in quibus ponitur Est tertium adjacens, talis est differentia: quod in illis quae sunt de secundo adjacente, simpliciter fiunt oppositiones, scilicet ex parte subjecti tantum variati per finitum et infinitum: in his vero, quae habent Est tertium adjacens dupliciter fiunt oppositiones, scilicet et ex parte praedicati, et ex subjecti, quia utrumque variari potest per finitum et infinitum. Unde unum ordinem tantum enunciationum de secundo adjacente fecimus, habentem quatuor enunciationes diversimode quantificatas, et duas oppositiones. Enunciationes autem de tertio adjacente oportuit partiri in duos ordines, quia sunt in eis quatuor oppositiones, et octo enunciationes, ut supra dictum est. Considerandum quoque est, quod enunciationes in quibus ponuntur verba adjectiva quo ad significatum aequivalent enuncionibus de tertio adjacente, resoluto verbo adjectivo in proprium participium et Est quod semper fieri licet, quia in omni verbo adjectivo clauditur verbum susbantivum. Unde idem significat ista, Omnis homo currit, quod ista, Omnis homo est currens. Propter quod Boetius vocat enunciationes cum verbo adjectivo de secundo adjacente secundum vocem, de tertio autem secundum potestatem, quia potest resolvi in tertium adjacens cui aequivalet. Quo ad numerum autem enunciationum et oppositionum, enunciationes verbi adjectivi formaliter sumptae non aequivalent illis de tertio adjacente, sed acquivalent enunciationibus in quibus ponitur Est secundum adjacens. Non possunt enim fieri oppositiones dupliciter in enunciationibus adjectivis, scilicet ex parte subjecti et praedicati, sicut fiebant

in substantivis de tertio adjacente, quia verbum, quod praedicatur in adjectivis infinitari non potest. Sed oppositiones adjectivarum fiunt simpliciter, scilicet ex parte subjecti tantum variati per infinitum et finitum diversimode quantificati, sicut fieri diximus supra in enunciationibus substantivis de secundo adjacente eadem ducti ratione, quia praeter verbum nulla est affirmatio vel negatio, sicut praeter nomen esse potest. Quia autem in praesenti tractatur non de significationibus, sed de numero, enunciationum et oppositionum sermo intenditur, ideo Aristoteles determinat diversificandas esse enunciationes adjectivas secundum modum quo distinctae sunt enunciationes in quibus ponitur Est secundum adjacens; et ait, quod in his enunciationibus in quibus non contingit poni hoc verbum Est, formaliter, sed aliquod aliud, ut Currit, vel ambulat, idest in enunciationibus adjectivis, idem faciunt quo ad numerum oppositionum et enunciationum sic posita scilicet nomen et verbum, ac si Est secundum adjacens subjecto nomini adderetur Habent enim et istae adjectivae, sicut illae in quibus ponitur Est, duas oppositiones tantum; alteram inter finitas, ut Omnis homo currit, omnis homo non currit; alteram inter infinitas quo ad subjectum, ut Omnis non homo currit, omnis non homo non currit.

Deinde cum dicit, « non enim »

Respondet tacitae quaestioni. Et circa hoc facit duo: primo ponit solutionem quaestionis; deinde probat eam, ibi, « Manifestum est autem. » Est ergo quaestio talis: cur negatio infinitans nunquam addita est supra signo universali aut particulari, ut puta cum vellemus infinitare istam, Omnis homo currit, cur non sic infinitata est, Non omnis homo currit, sed sic, Omnis non homo currit? Huic namque quaestioni respondet dicens: quod quia nomen infinitabile debet significare aliquid universale vel singulare, Omnis autem et similia signa non significant aliquid universale aut singulare, sed quoniam universaliter aut particulariter, ideo non est dicendum, Non omnis homo si infinitare volumus, licet debeat dici, si negare quantitatem enunciationis quaerimus: sed negatio infinitans ad ly homo, quod significat aliquid universale, addenda est, et dicendum, Omnis non homo.

Deinde cum dicit « manifestum est »

Probat quod dictum est, scilicet quod Omnis et similia non significant aliquod universale, sed quoniam universaliter, tali ratione. Illud in quo differunt enunciationes praecise differentes per habere et non habere ly Omnis, est non universale aliquod sed quoniam universaliter. Sed illud in quo differunt enunciationes praecise differentes per habere et non habere ly Omnis, est significatum per ly Omnis, ergo significantum per ly Omnis est non aliquid universale, sed quoniam universaliter. Minor hujus rationis tacita in textu, ex se clara est. Id enim in quo ceteris paribus habentia a non habentibus aliquem terminum differunt, significatum est illius termini. Major vero in littera exemplariter declaratur sic. Illae enunciationes, homo currit, et omnis homo currit, praecise differunt ex hoc, quod in una est ly Omnis, et in altera non: tamen non ita differunt ex hoc, quod una sit universalis, alia non universalis. Utraque enim habet subjectum universale, scilicet ly Homo: sed differunt, quia in ea ubi ponitur Omnis, enunciatur de subjecto universaliter, in altero autem non universaliter. Cum enim dico, homo currit, cursum attribuo homini universali, sive communi, sed non pro tota humana universitate: cum autem dico: omnis homo currit, cursum inesse homini pro omnibus inferioribus significo. Simili modo declarari potest de tribus aliis, quae in textu adducuntur, scilicet, homo non currit, respectu suae universalis, omnis homo non currit, et sic de aliis. Relinquitur ergo, quod Omnis et Nullus et similia signa nullum universale significant, sed tantummodo significant, quoniam universaliter de homine affirmant vel negant. Notato hic duo: primum est, quod non dixit, omnis et nullus significat universaliter, sed quoniam universaliter. Secundum est, quod addit de homine affirmant vel negant. Primi ratio quia signum distributivum non significat modum ipsum universalitatis aut particularitatis absolute, sed applicatum termino distributo. Cum enim dico, omnis homo, ly omnis denotat universitatem applicari illi termino homo: ita quod Aristoteles dicens, quod omnis significat quoniam universaliter, per ly quoniam, insinuavit applicationem universalitatis importatam in ly omnis in actu exercito: sicut et in 1 Posteriorum in definitione scire applicationem causae notavit per illud verbum, quoniam, dicens: « Scire est rem « per causam cognoscere, et quoniam illius est « causa. » Ratio autem secundi insinuat differentiam inter terminos categorematicos et sincategorematicos: illi siquidem ponunt significata supra terminos absolute, isti autem ponunt significata supra terminos in ordine ad praedicata. Cum enim dicitur, homo albus, ly albus denominat hominem in seipso absque respectu ad aliquod sibi addendum: cum vero dicitur, omnis homo, ly omnis, et-

si hominem distribuat, non tamen distributio intellectum firmat, nisi in ordine ad aliquod praedicatum intelligatur. Cujus signum est, quia cum dicimus, Omnis homo currit, non intendimus distribuere hominem pro tota universitate absolute, sed in ordine ad cursum: cum autem dicimus, Albus homo currit, determinavimus hominem seipso esse album et non in ordine ad cursum. Quia ergo Omnis et Nullus, sicut et alia syncategoremata, nil aliud in enunciatione faciunt, nisi quia determinant subjectum in ordine ad praedicatum, et hoc sine affirmatione et negatione fieri nequit; ideo dixit, quod nil aliud significant, nisi quoniam universaliter de homine, id est de subjecto affirmant vel negant, id est affirmationem vel negationem fieri determinant, ac per hoc a categorematicis ea separavit. Potest etiam referri hoc quod dixit, affirmant vel negant, ad ipsa signa, scilicet Omnis et Nullus, quorum alterum positive distribuit, alterum removendo.

Deinde cum dicit « ergo et »

Concludit adjectivarum enunciationum conditiones. Dixerat enim quod adjectivae enunciationes idem faciunt quo ad oppositionum numerum, quod substantivae de secundo adjacente: et hoc declaraverat, oppositionum numero exemplariter subjuncto. Et quia ad hanc convenientiam sequitur convenientia quo ad finitationem praedicatorum, et quo ad diversam subjectorum quantitatem, et earum multiplicationem ex ductu quaternarii in seipsum, et si quae sunt hujusmodi enumerata; ideo concludit, « ergo et caetera », quae in illis servanda erant, « eadem » id est similia istis apponenda sunt.

LECTIO IV.

Nonnullae, circa ea quae dicta sunt, dubitationes moventur ac solvuntur.

Quoniam vero contraria est negatio ei quae est Omne est animal justum, illa quae significat, quoniam nullum est animal justum, hae quidem manifestum est quoniam nunquam erunt neque verae simul neque in eodem ipso. His vero oppositae erunt aliquando, ut Non omne animal justum est, aliquod animal justum est.

Sequuntur vero hae, eam quidem, quae est, nullus est homo justus, illa quae est, omnis est homo non justus. Illam vero, quae est, aliquis homo justus est, opposita, non omnis est homo non justus: necesse est enim aliquem esse.

Manifestum est quoniam etiam in singularibus, si est verum interrogatum negare, quod affirmare verum est. Ut, putas ne Socrates sapiens est? Non. Socrates igitur non sapiens est. In universalibus vero non est vera, quae similiter dicitur. Vera est autem negatio: Ut putas ne omnis homo sapiens est? Non. Omnis igitur homo non sapiens est. Hoc enim est falsum. Sed, Non igitur omnis homo sapiens est, vera est. Haec enim opposita est, illa vero contraria.

Illae vero quae sunt contra facientes secundum infinita nomina et verba, ut in eo quod est, non homo, vel non justus, quasi negationes sine nomine et verbo esse videbuntur, sed non sunt. Semper enim vel veram esse vel falsam necesse est negationem. Qui vero dixit, non homo, non

Quoniam vero contraria negatio est illi, Omne animal justum est, ea quae significat, Nullum animal justum esse; has ipsas quidem manifestum est nunquam fore simul veras, neque de eodem; quae autem his oppositae sunt, erunt aliquando [simul verae]; ut, Non omne animal justum est, et, Est aliquod animal justum. Consequuntur autem etiam hae: ac illam quidem, Omnis homo non est justus, haec, Nullus homo justus est; illam vero, Non omnis homo non justus est, haec opposita, Est quidam homo justus; necesse est enim esse aliquem [justum].

Apparet etiam, de singularibus interrogatum vere aliquid negantem vere etiam affirmare; ut, Estne Socrates sapiens? Non. Socrates ergo est non sapiens. De universalibus autem non est vera [affirmatio], quae ita effertur; vera autem est negatio: ut, Estne omnis homo sapiens? Non. Omnis ergo homo non sapiens: hoc autem falsum est; at *to*, non omnis homo sapiens, verum; nam haec est opposita, illa vero contraria.

Quae vero secundum infinita nomina aut verba oppositae [propositiones] sunt, ut in, Non homo, et, Non justus, velut negationes sine nomine et verbo videri possint. Non sunt autem. Semper enim necesse est veram aut falsam esse negationem. Qui autem dicit, Non homo, nihil magis [dixit], plus dicente, homo, sed etiam minus verus vel falsus fuit, si non aliquid addatur.

Significat autem, Est omnis non homo justus, nulli illarum idem, nec huic opposita ea, quae est, non est omnis non homo justus.

Illa vero, quae est, omnis non justus non homo est, illi quae est, nullus est justus non homo, idem significat.

Transposita vero nomina vel verba idem significant, ut est albus homo, homo albus est.

Nam si hoc non est, ejusdem multae erunt negationes. Sed ostensum est, quia unius est. Ejus enim, quae est, albus homo est, negatio est, non est albus homo. Ejus vero, quae est, est homo albus; si non eadem est ei, quae est, est albus homo, erit negatio, vel ea, quae est, non est non homo albus, vel ea, quae est, non est homo albus. Sed altera quidem est negatio ejus quae est, est non homo albus: altera vero ejus, quae est, est albus homo: quare erunt duae unius. Quoniam igitur transposito nomine et verbo, eadem sit affirmatio et negatio manifestum est.

quam qui dicit, Homo; quinimo etiam minus verum aut falsum dixit, nisi aliquid apponatur.

Significat autem to Est omnis non homo justus, cum nulla illarum [propositionum] idem; nec huic opposita, Non est omnis non homo justus; verum to Omnis non justus non homo est, cum hoc, Nullus justus non homo est, idem significat.

Transposita autem nomina et verba idem significant, ut, Est albus homo, Est homo albus. Nisi enim hoc sit, unius et ejusdem plures erunt negationes: atqui declaratum est, quod una unius [sit negatio]; hujus enim, Est albus homo, negatio haec, Non est albus homo; hujus autem, Est homo albus, si non est eadem cum illa, Est albus homo, erit negatio aut ista, Non est non homo albus; aut ista, Non est homo albus. At altera quidem harum est negatio tou Est non homo albus; altera vero tou Est albus homo: quare erunt duae [negationes] unius [affirmationis]. Quod igitur transposito nomine et verbo eadem fiat affirmatio et negatio manifestum est.

Postquam determinatum est de diversitate enunciationum, hic intendit removere quaedam dubia circa praedicta. Et circa hoc facit sex secundum numerum dubiorum, quae suis patebunt locis. Quia ergo supra dixerat, quod in universalibus non similiter contingit singulares esse simul veras, quia affirmativae angulares non possunt esse simul verae, negativae autem sic; poterat quispiam dubitare, quae est causa hujus diversitatis? Ideo nunc illius dicti causam intendit assignare talem: quia scilicet angulares affirmativae sunt contrariae inter se, contrarias autem in nulla materia contingit esse simul veras. Angulares autem negativae sunt subcontrariae his oppositae, subcontrarias autem contingit esse simul veras. Et circa haec duo facit. Primo declarat conditiones contrariarum et subcontrariarum. Secundo quod angulares affirmativae sint contrariae, et quod angulares negativae sunt subcontrariae, ibi, « Sequitur vero. » Dicit ergo resumendo quod in primo dictum est, quod enunciatio negativa contraria illi affirmativae universali, scilicet Omne animal est justum, est ista, Nullum animal est justum, manifestum est, quod istae non possunt simul, idest in eodem tempore, neque in eodem ipso, idest de eodem subjecto esse verae. His vero oppositae, idest subcontrariae inter se possunt esse simul verae aliquando, scilicet in materia contingenti, ut Quoddam animal est justum, non omne animal est justum.

Deinde cum dicit « sequuntur vero »

Declarat quod angulares affirmativae suppositae sunt contrariae, negativae vero subcontrariae. Et primum quidem ex eo, quod universalis affirmativa infinita et universalis negativa simplex aequipollent, et consequenter utraque earum est contraria universali affirmativae simplici, quae est altera angularis. Unde dicit quod hanc universalem negativam finitam Nullus homo est justus, sequitur aequipollenter illa universalis affirmativa infinita, Omnis homo est non justus. Secundum vero declarat ex eo quod particularis affirmativa finita et particularis negativa infinita aequipollent. Et consequenter utraque earum est subcontraria particulari negativae simplici, quae est altera angularis, ut in figura supraposita inspicere potes. Unde subdit, quod illam particularem affirmativam finitam, Aliquis homo est justus, opposita sequitur aequivalenter (opposita intellige non istius particularis, sed illius universalis affirmativae infinitae), Non omnis homo est non justus. Haec enim est contradictoria ejus. Ut autem clare videatur quomodo supradictae enunciationes

sint aequipollentes, formetur figura quadrata; in cujus uno angulo ponatur universalis negativa finita, et sub eo contradictoria particularis affirmativa finita; ex alia vero parte locetur universalis affirmativa infinita, et sub ea contradictoria particularis negativa infinita: noteturque contradictio inter angulares et collaterales inter se hoc modo:

His si quidem sic dispositis, patet primo ipsarum universalium mutua consequentia in veritate et falsitate: quia si altera earum est vera, sua angularis contradictoria est falsa: et si ista est falsa, sua collateralis contradictoria, quae est altera universalis, erit vera: et similiter procedit quo ad falsitatem particularium. Deinde eodem modo manifestatur mutua sequela. Si enim altera earum est vera, sua angularis contradictoria est falsa: ista autem existente falsa, sua contradictoria collateralis, quae est altera particularis; erit vera. Simili quoque modo procedendum est quo ad falsitatem. Sed est hic unum dubium. In primo enim Priorum in fine Aristoteles ex proposito determinat non esse idem judicium de universali negativa, et universalis affirmativa infinita. Et superius in hoc secundo super illo verbo « quarum duae se habent secundum consequentiam, « duae vero minime, » Ammonius, Porphyrius, Boetius, et sanctus Thomas dixerunt, quod negativa simplex sequitur affirmativam infinitam, sed non e converso. Ad hoc dicendum est secundum Albertum, quod negativam finitam sequitur affirmativa infinita subjecto constante, negativa vero simplex sequitur affirmativa absolute. Unde utrumque dictum verificatur; et quod inter eas est mutua convenientia cum subjecti constantia, et quod inter eas non est mutua consequentia absolute. Potest dici secundum quod supra locuti sumus de infinita enunciatione quo ad suum totale significatum ad formam praedicati reductum, et secundum hoc quia negativa finita est superior affirmativa infinita, ideo non erat mutua consequentia. Haec autem loquimur de ipsa infinita formaliter sumpta. Unde sanctus Thomas nunc adducendo Ammonii expositionem dixit, secundum hunc modum loquendi negativa simplex in plus est quam affirmativa infinita. Textus vero primi Priorum ultra praedicta loquitur de finita et infinita in ordine ad syllogismum. Manifestum est autem quod universalis affirmativa sive finita sive infinita non concluditur nisi in primo primae : universalis autem negativa quaecumque concluditur et in secundo primae, et primo et secundo secundae.

Deinde cum dicit « manifestum est »

Movet secundum dubium de vario situ negationis: an scilicet quo ad veritatem et falsitatem differat praeponere et postponere negationem. Oritur autem haec dubitatio quia dictum est nunc, quod non refert quo ad veritatem si dicatur, Omnis homo est non justus: aut si dicatur, Omnis homo non est justus, et tamen in altera postponitur negatio, in altera praeponitur: licet multum referat quo ad affirmationem et negationem. Hanc, inquam, dubitationem solvere intendens, cum distinctione respondet quod in singularibus enunciationibus ejusdem veritatis sunt singularis negatio et infinita affirmatio ejusdem, in universalibus autem non est. Si enim est vera negatio ipsius universalis, non oportet quod sit vera infinita affirmatio universalis. Negatio enim universalis est particulari contradictoria, qua existente vera, non est necesse suam subalternam, quae est contraria suae contradictoriae, esse veram. Possunt enim duae contrariae esse simul falsae. Unde dicit, quod in singularibus enunciationibus manifestum est, quod, si est verum negare interrogatum, idest si est vera enunciationis singularis, de qua facta est interrogatio, verum etiam est affirmare, idest vera erit affirmatio infinita ejusdem singularis. Verbi gratia, Putasne Socrates est sapiens ? Si vera est ista responsio, Non, Socrates igitur non sapiens. In universalibus vero non est vera, quae similiter dicit: idest ex veritate negationis universalis affirmativae interrogatae, non sequitur vera universalis affirmativa infinita, quae similis est quo ad quantitatem et qualitatem enunciationi quaesitae; vera autem est ejus negatio, idest sed ex veritate responsionis negativae sequitur veram esse ejus, scilicet universalis quaesitae, negationem idest particularem negativam. Verbi gratia, Putasne, omnis homo est sapiens? id est vera est ista responsio, Non. Affirmativa similis interrogatae quam quis ex hac responsione inferre intentaret est illa, Igitur omnis homo est non sapiens. Haec autem non sequitur ex illa negatione. Falsum est enim hoc, scilicet quod sequatur ex illa responsione. Sed inferendum est, igitur non omnis homo sapiens est. Et ratio utriusque est, quia haec particularis ultimo illata est opposita, idest contradictoria illi universali interrogatae quam respondens falsificavit; et ideo oportet quod sit vera. Contradictoriarum enim si una est falsa, reliqua est vera. Illa vero, scilicet universalis affirmativa infinita primo illata, est contraria illi eidem universali interrogatae. Non est autem opus quod, si universalium altera sit falsa, quod reliqua sit vera. In promptu est autem causa hujus diversitatis inter singulares et universales. In singularibus enim varius negationis situs non variat quantitatem

enunciationis; in universalibus autem variat, ut patet: ideo fit, ut non sit eadem veritas negantium universalem in quarum altera praeponitur, in altera autem postponitur negatio, ut de se patet.

Deinde cum dicit « Illae vero »

Solvit tertiam dubitationem, an infinita nomina vel verba sint negationes. Insurgit hoc autem dubium, quia dictum est, quod aequipollent negativa et infinita. Et rursus dictum est nunc, quod non refert in singularibus praeponere et postponere negationem. Si enim infinitum nomen est negatio, tunc enunciatio habens subjectum infinitum vel praedicatum, erit negativa et non affirmativa. Hanc dubitationem solvit per increpationem, probando, quod nec nomina nec verba infinita sint negationes, licet videantur. Unde duo circa hoc facit. Primo proponit solutionem, dicens, « illae vero scilicet « dictiones contra jacentes. » Verbi gratia, Non homo et Homo, Non justus et Justus. Vel sic « illae « vero, » scilicet dictiones secundum infinita, idest secundum infinitorum naturam « jacentes contra » nomina et verba, ut pote quae removentes quidem nomina et verba significant, ut Non homo et Non justus et Non currit, quae opponuntur contra ly homo, ly justus, et ly currit, illae inquam dictiones infinitae videbunt prima facie esse quasi negationes sine nomine et verbo, ex eo quod comparatae nominibus et verbis contra quae jacent, ea removent: sed non sunt secundum veritatem. Dixit « nomine « et verbo », quia nomen infinitum, nominis natura caret, et verbum infinitum, verbi naturam non possidet. Dixit « quasi » quia nec nomen infinitum a nominis ratione, nec verbum infinitum a verbi proprietate omnino semota sunt. Unde, si negationes apparent, videbuntur negationes sine nomine et verbo non omnino, sed quasi. Deinde probat dictiones infinitas non esse negationes tali ratione. Semper est necesse negationem esse veram vel falsam, quia negatio est enunciatio alicujus ab aliquo: nomen autem infinitum non dicit verum vel falsum, igitur dictio infinita non est negatio. Minor declaratur: quia qui dixit Non homo, nihil magis de homine dixit quam qui dixit, Homo: et quo ad significatum quidem clarissimum est: Non homo namque nihil addit supra hominem, imo removet hominem. Quo ad veritatis vero vel falsitatis conceptum, nihil magis profuit qui dixit, Non homo, quam qui dixit, Homo, si aliquid aliud non addatur; immo minus verus vel falsus fuit, idest magis remotus a veritate et falsitate, qui dixit, Non homo quam qui dixit Homo; quia tam veritas quam falsitas in compositione consistit, compositioni autem vicinior est dictio finita quae aliquid ponit, quam dictio infinita, quae nec ponit, nec componit, idest nec positionem nec compositionem importat.

Deinde cum dicit « significat autem »

Respondet quartae dubitationi: quomodo scilicet intelligatur illud verbum supradictum de enunciationibus habentibus subjectum infinitum, « Hae autem extra illas, ipsae secundum se erunt; » et ait quod intelligitur quantum ad significati consequentiam, et non solum quantum ad ipsas enunciationes formaliter. Unde duas habentes subjectum infinitum, universalem affirmativam et universalem negativam adducens, ait quod neutra earum significat idem alicui illarum, scilicet habentium subjectum finitum. Haec enim universalis affirmativa, Omnis non homo est justus, nulli habenti subjectum finitum si-

gnificat idem: non enim significat idem quod ista,
Omnis homo est justus; neque quod ista, Omnis
homo est non justus. Similiter opposita negatio et
universalis negativa habens subjectum infinitum,
quae est contrarie opposita supradictae, scilicet Omnis non homo non est justus, nulli illarum de
subjecto finito significat idem: et hoc clarum est
diversitate subjecti in istis et in illis.

Deinde cum dicit « illa vero »

Respondet quintae quaestioni: an scilicet inter
enunciationes de subjecto infinito sit aliqua consequentia. Oritur autem dubitatio haec ex eo quod
superius est inter eas adinvicem assignata consequentia. Ait ergo, quod etiam inter istas est consequentia. Nam universalis affirmativa de subjecto
et praedicato infinitis, et universalis negativa de
subjecto infinito, praedicato vero finito, aequipollent.
Ista namque, Omnis non homo est non justus, idem
significat illi, Nullus non homo est justus. Idem
autem est judicium de particularibus indefinitis, et
singularibus similibus supradictis. Cujuscumque enim
quantitatis sint, semper affirmativa de utroque extremo infinita, et negativa subjecti quidem infiniti
praedicati autem finiti, aequipollent, ut facile potest
exemplis videri. Unde Aristoteles universales expri-
mens, ceteras ex illis intelligi voluit.

Deinde cum dicit « transposita vero »

Solvit sextam dubitationem: an propter nominum
vel verborum transpositionem varietur enunciationis
significatio. Oritur autem haec quaestio ex eo quod
docuit transpositionem negationis variare enunciationis
significationem. Aliud enim dixit significare, Omnis
homo non est justus, et aliud, Non omnis homo
est justus. Ex hoc, inquam, dubitatur, an similiter
contingat circa nominum transpositionem, quod ipsa
transposita enunciationem varient, sicut negatio
transposita. Et circa hoc duo facit. Primo ponit
solutionem, dicens, quod transposita nomina et verba idem significant. Verbi gratia, idem significat,
Est albus homo, et Est homo albus, ubi est transpositio nominum. Similiter transposita verba idem
significant, ut Est albus homo et Homo albus est.

Deinde cum dicit « nam si »

Probat praedictam solutionem ex numero negationum contradictoriarum, ducendo ad impossibile, tali ratione. Si hoc non est, idest si nomina
transposita diversificant enunciationem, ejusdem
affirmationis erunt duae negationes. Sed ostensum
est in primo libro, quod una tantum est negatio
unius affirmationis : ergo a destructione consequentis ad destructionem antecedentis transposita
nomina non variant enunciationem. Ad probationis
autem consequentiae claritatem formetur figura, ubi
ex uno latere locentur ambae suprapositae affirmationes transpositis nominibus, et ex altero contra-
ponantur duae negativae similes illis quo ad terminos et eorum positiones. Deinde aliquantulo interjecto spatio sub affirmativis ponatur affirmatio
infiniti subjecti, et sub negativis illius negatio, et
notetur contradictio inter primam affirmationem et
duas negationes primas, et inter secundam affirmationem et omnes tres negationes, ita tamen quod inter
ipsam et infinitam negationem notetur contradictio
non vera, sed imaginaria. Notetur quoque contradictio
inter tertiam affirmationem et tertiam negationem
inter se, hoc modo.

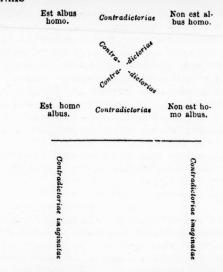

Est albus homo.   Contradictoriae   Non est al-bus homo.

Contra-dictoriae

Contra-dictoriae

Est homo albus.   Contradictoriae   Non est ho-mo albus.

Contradictoriae imaginatae   Contradictoriae imaginatae

Est non homo albus.   Non est non homo albus.

His ita dispositis, probat consequentiam Aristoteles sic. Illius affirmationis, Est albus homo,
negatio est, Non est albus homo. Illius autem secundae affirmationis, quae est, Est homo albus, si
ista affirmatio non est eadem illi supradictae affirmationi scilicet, Est albus homo, propter nominum
transpositionem: negatio erit altera istarum: scilicet
aut Non est non homo albus, aut Non est homo
albus. Sed utraque habet affirmationem oppositam,
aliam ab illa assignatam, scilicet Est homo albus. Nam
altera quidem dictarum negationum, scilicet Non
est homo albus, negatio est illius quae dicit, Est
non homo albus; alia vero, id est Non est homo
albus, negatio est ejus affirmationis, quae dicit, Est
albus homo quae fuit prima affirmatio: ergo quaecumque dictarum negationum asseratur contradictoria illi mediae, sequitur quod sint duae unius,
idest quod unius negationis sint duae affirmationes,
et quod unius affirmationis sint duae negationes,
quod est impossibile. Et hoc, ut dictum est, sequitur
stante hypothesi erronea, quod illae affirmationes
sint propter nominum transpositionem diversae.
Adverte hic primo, quod Aristoteles per illas duas
negationes, Non est non homo albus, et Non est
homo albus, sub disjunctione sumptas ad invenien-
dam negationem illius affirmationis, Est non homo
albus, ceteras intellexit, quasi diceret, Aut negatio
talis affirmationis acceptabitur illa quae est vere
ejus negatio, aut quaecumque extranea negatio
ponetur: et quodlibet dicatur, scilicet prostante hypothesi, sequitur unius affirmationis esse plures negationes: unam vere, quae est contradictoria suae
comparis habentis nomina transposita, et altera
quam tu ut distinctam acceptas, vel falso imagina-
ris; et contra multarum affirmationum esse unicam
negationem, ut patet in apposita figura. Ex quacumque enim illarum quatuor incipias, duas sibi
oppositas aspicis. Unde notanter concludit indeterminate « quare erunt duae unius. » Nota secundo, quod
Aristoteles contempsit probare quod contradictoria
primae affirmationis sit contradictoria secundae, et
similiter quod contradictoria secundae affirmationis
sit contradictoria primae. Hoc enim accepit tamquam per se notum, ex eo quod non possint simul esse verae neque simul falsae, ut manifeste

patet proposito sibi termino singulari. Non stant enim simul aliquo modo istae duae, Socrates est albus homo, Socrates non est homo albus. Nec turberis quod eas non singulares proposuit. Noverat enim supra dictum esse in primo, quae affirmatio et negatio sint contradictoriae, et quae non; et ideo fuit solicitus de exemplorum claritate. Liquet ergo ex eo quod negationes affirmationum de nominibus transpositis non sunt diversae, quod nec ipsae affirmationes sunt diversae: et sic nomina et verba transposita idem significant. Occurrit autem dubium circa hoc, quia non videtur verum, quod nominibus transpositis eadem sit affirmatio. Non enim valet: Omnis homo est animal, ergo omne animal est homo. Similiter transposito verbo non valet, Homo est animal rationale, ergo homo animal rationale est, de secundo adjacente. Licet enim negatio committatur, tamen non sequitur primam. Ad hoc est dicendum quod sicut in rebus naturalibus est duplex transmutatio; scilicet localis, idest de loco ad locum, et formalis de forma ad formam; ita in enunciationibus est duplex transmutatio situalis, scilicet quando terminus praepositus postponitur et e converso; et formalis quando terminus qui erat praedicatum efficitur subjectum, et e converso, vel quomodolibet simpliciter. Et sicut quandoque fit in naturalibus transmutatio pure localis, puta quando res transfertur de loco ad locum, nulla alia variatione facta; quandoque autem fit transmutatio secundum locum, non pura, sed cum variatione formali, sicut quando transit de loco frigido ad locum calidum; ita in enunciationibus quandoque fit transmutatio pure situalis, quando scilicet nomen vel verbum solo situ vocali variatur; quandoque autem fit transmutatio situalis et formalis simul, sicut contingit cum praedicatum fit subjectum, vel cum verbum tertio adjacens fit secundo. Et quoniam hic intendit Aristoteles de transmutatione nominum et verborum pure situali; ut transpositionis vocabulum praesefert, ideo dixit quod transposita nomina et verba idem significant, insinuare volens, quod si nihil aliud praeter transpositionem nominis vel verbi accidat in enunciatione, eadem manet oratio. Unde patet responsio ad instantias. Manifestum est namque quod in utraque non sola transpositio fit, sed transmutatio de subjecto in praedicatum, vel de tertio adjacente in secundum. Et per hoc patet responsio ad similia.

LECTIO V.

Proponit multiplicitatem enunciationum juxta quosdam modos quibus non unam, sed plures esse contingit unam enunciationem.

ANTIQUA.

At vero unum de pluribus, vel plura de uno affirmare vel negare si non est unum ex pluribus, non est affirmatio una, neque negatio. Dico autem unum, non si unum nomen positum sit, non fit autem unum ex illis, ut homo est fortasse et animal et bipes et mansuetum, sed ex his unum fit, ex albo autem, et homine et ambulante non fit unum. Quare nec si unum aliquid de his affirmet aliquis, erit affirmatio una; sed vox quidem una, affirmationes vero multae; nec si de uno ista; sed similiter plures.

Si ergo dialectica interrogatio responsionis est petitio vel propositionis, vel alterius partis contradictionis, propositio vero unius contradictionis pars est, non erit una responsio ad haec: neque enim est una interrogatio, nec si est vera. Dictum est autem de his in Topicis. Simul autem manifestum est, quoniam nec hoc ipsum quid est, dialectica interrogatio est. Oportet enim datum esse ut ex interrogatione eligat utrum velit contradictionis partem enunciare: sed oportet interrogantem determinare, utrum hoc sit homo, an non sit.

RECENS.

Unum autem de multis aut multa de uno affirmare et negare, nisi unum aliquod sit per multa significatum, non est affirmatio una aut negatio. Non dico autem unum, si nomen unum positum sit, nec sit unum quid ex illis [conjunctum]; ut homo est fortasse et animal et bipes et cicur; sed et unum quid fit ex his; ex albo autem, et homine, et *to* ambulare, non [fit] unum; quare nec, si unum quid de his affirmaverit aliquis, una affirmatio erit, sed vox quidem una, affirmationes autem plures; nec si de uno haec ipsa [aliquis affirmaverit, una affirmatio erit], verum plures similiter.

Si ergo interrogatio dialectica responsionis est petitio, aut propositionis, aut alterius partis contradictionis; propositio vero contradictionis unius est particula: non fuerit sane una responsio ad haec; nec enim interrogatio una fuit, ne si vera quidem sit: dictum est autem de his in Topicis. Simul vero manifestum est, nec *to*, Quid est? interrogationem esse dialecticam. Nam oportet datum esse, ut ex interrogatione eligere possit, utrum quis velit contradictionis partem enuntiare. Verum oportet interrogantem insuper distinguere, utrum hocce sit homo, an hocce non sit.

Postquam Aristoteles determinavit diversitatem enunciationis unius provenientem ex additione negationis infinitantis, hic intendit determinare quid accidat enunciationi ex hoc quod additur aliquid subjecto vel praedicato tollens ejus unitatem. Et circa hoc duo facit. Quia primo determinat diversitatem earum. Secundo consequentias earum, ibi, « Quoniam vero haec quidem. » Circa primum duo facit. Primo ponit earum diversitatem. Secundo probat omnes enunciationes tales esse plures, ibi, « Si ergo dialectica. » Dicit ergo quoad primum, resumendo quod in primo dictum fuerat, quod affirmare vel negare unum de pluribus, vel plura de uno, si ex illis pluribus non fit unum, non est enunciatio una affirmativa vel negativa. Et declarando quomodo intelligatur unum debere esse subjectum aut praedicatum, subdit, quod unum dico non si nomen unum impositum sit, idest ex unitate nominis, sed ex unitate significati. Cum enim plura conveniunt in uno nomine, ita quod ex eis non fiat unum illius nominis significatum, tunc solum vocis unitas est. Cum autem unum nomen pluribus impositum est, sive partibus subjectivis, sive integralibus, ut eadem significatione concludat, tunc et vocis et significati unitas est, et enunciationis unitas non impeditur. Secundum quod subjungit, « ut homo est fortasse animal, et mansuetum, et bipes » obscuritate non caret. Potest enim intelligi ut sit exemplum ab opposito, quasi diceret: Unum dico non ex unitate nominis impositi pluribus, ex quibus non sit tale unum; quemadmodum homo est unum quoddam ex animali et mansueto et bipede partibus suae definitionis. Et ne quis crederet quod hae essent verae diffinitionis hominis partes, interposuit « fortasse. » Porphyrius autem, Boetio referente et reprobante, separat has textus particulas, dicens quod Aristoteles hucusque declaravit enunciationem illam esse plures, in qua plura subjicerentur uni, vel de uno praedicarentur plura, ex quibus non fit unum. In istis autem verbis « ut homo est fortasse etc. » intendit declarare enunciationem aliquam esse plures, in qua plura ex quibus fit unum subjiciuntur vel praedicantur; sicut cum dicitur, homo est animal et mansuetum et bipes, copula interjecta, vel morula, ut oratores faciunt. Ideo autem addidisse ajunt « fortasse, » ut insinuaret hoc contingere posse, necessarium autem non esse. Possumus in eamdem Porphyrii, Boetii et Alberti sententiam, incidentes subtilius textum, introducere, ut quatuor hic faciat. Et primo quidem resumit quae sit enunciatio in communi, dicens: « Enunciatio plures est, in qua unum de « pluribus, vel plura de uno enunciantur. Si tamen « ex illis pluribus non fit unum, » ut primo dictum et expositum fuit. Deinde dilucidat illum terminum de uno, sive unum, dicens: « Dico autem unum, » idest unum nomen voco non propter unitatem vocis, sed significationis, ut supra dictum est. Deinde tertio dividendo declarat, et declarando dividit, quot modis contingit unum nomen imponi pluribus ex quibus non fit unum, ut ex hoc diversitatem enunciationis multiplicis insinuet. Et ponit duos modos: quorum prior est, quando unum nomen imponitur pluribus ex quibus fit unum, non tamen inquantum ex eis fit unum. Tunc enim licet materialiter et per accidens loquendo nomen imponatur pluribus ex quibus fit unum, formaliter tamen et per se loquendo nomen unum imponitur pluribus ex quibus non fit unum, quia imponitur eis non inquantum ex eis est unum, ut fortasse est hoc nomen, Homo, impositum ad significandum animal et mansuetum et bipes, idest partes suae definitionis, non inquantum adunantur in unam hominis naturam per modum actus et potentiae, sed ut distinctae sint inter se actualitates. Et insinuavit quod accipit partes definitionis ut distinctas per illam conjunctionem « et » et per illam quoque adversative additam « sed » « sed ex his unum fit » quasi diceret, cum hoc tamen stat quod ex his unum. Addidit autem « for- « tasse, » quia hoc nomen, homo, non est impositum ad significandum partes sui definitivas, ut distinctae sunt. Sed si impositum esset aut imponeretur, esset unum nomen pluribus impositum ex quibus non fit unum. Et quia idem judicium est de tali nomine et illis pluribus, ideo similiter illae plures partes definitivae possunt dupliciter accipi. Uno

modo per modum actualis et possibilis, et sic unum faciunt, et sic formaliter loquendo vocantur plura ex quibus fit unum, et pronunciandae sunt continuata oratione, et faciunt enunciationem unam dicendo, animal rationale mortale currit. Est enim ista una, sicut et ista, homo currit. Alio modo accipiuntur praedictae definitionis partes, ut distinctae sunt inter se actualitates, et sic non faciunt unum. Ex duobus enim actibus ut sic, non fit unum, ut dicitur 7 Metaph.; et sic faciunt enunciationes plures et pronunciandae sunt vel cum pausa, vel conjunctione interposita, dicendo, homo est animal et mansuetum et bipes, sive homo est animal, mansuetum, bipes, rhetorico more. Quaelibet enim istarum est enunciatio multiplex. Et similiter ista, Socrates est homo, si homo est impositum ad illa, ut distinctae actualitates sunt, significandum. Secundus autem modus quo unum nomen impositum est pluribus ex quibus non fit unum, subjungitur, cum dicit, « Ex albo autem et homine et ambulan- « te etc. », idest alio modo hoc fit quando unum imponitur pluribus ex quibus non potest fieri unum, qualia sunt, homo, album, et ambulans. Cum enim ex his nullo modo possit fieri aliqua una natura, sicut poterat fieri ex partibus definitivis, clare liquet quod nomen' aliquod si eis imponeretur esset nomen non unum significans, ut in primo dictum fuit de hoc nomine Tunica imposito homini et equo. Habemus ergo enunciationis pluris, seu multiplicis, duos, quorum quia uterque fit dupliciter, efficiuntur quatuor modi. Primus est, quando subjicitur vel praedicatur unum nomen impositum pluribus ex quibus fit unum, non inquantum sunt unum. Secundus est quando ipsa plura ex quibus fit unum inquantum sunt distinctae actualitates, subjiciuntur vel praedicantur. Tertius est quando ibi est unum nomen impositum pluribus, ex quibus non fit unum. Quartus est quando ista plura ex quibus non fit unum subjiciuntur vel praedicantur. Et notato quod cum enunciatio secundum membra divisionis illius qua divisa est in unam et plures, quadrupliciter variari possit: scilicet cum unum de uno praedicatur, vel unum de pluribus, vel plura de uno, vel plura de pluribus; postremum sub silentio praeterivit, quia vel ejus pluralitas de se clara est, vel quia, ut inquit Albertus, non intendebatur nisi de enunciatione quae aliquo modo una est, tractare. Demum concludit totam sententiam, dicens: « Quare nec si aliquis « affirmet unum de his pluribus, erit affirmatio una « secundum rem: sed vocaliter quidem erit una, « significative autem non una, sed multae fient af- « firmationes. Nec si e converso de uno ista plura « affirmabuntur, fiet affirmatio una. » Ista namque, Homo est albus, ambulans et musicus, importat tres affirmationes; scilicet, homo, est albus, et est ambulans, et est musicus, ut patet ex illius contradictione. Triplex enim negatio illi opponitur correspondens triplici affirmationi positae.

Deinde cum dicit « si ergo »

Probat a posteriori supradictas enunciationes esse plures. Circa hoc duo facit. Primo ponit rationem ipsam ad hoc probandum per modum consequentiae. Deinde probat antecedens dictae consequentiae, ibi, « Dictum est autem de his. » Quo ad primum talem rationem inducit. Si interrogatio dialectica est petitio responsionis, quae sit propositio vel altera pars contradictionis, nulli enunciationum supradictarum interrogative formatae erit responsio una; ergo nec ipsa interrogatio est una sed plures. Hujus rationis primo ponit antecedens: « Si « ergo. » Ad hujus intelligendos terminos, nota quod idem sonant enunciatio, interrogatio et responsio. Cum enim dicitur, caelum est animatum, inquantum enunciat praedicatum de subjecto, enunciatio vocatur; inquantum autem quaerendo proponitur, interrogatio; ut vero quaesito redditur, responsio appellatur. Idem ergo erit probare non esse responsionem unam, et interrogationem non esse unam, et enunciationem non esse unam. Adverte enim interrogationem esse duplicem. Quaedam enim est utram partem contradictionis eligendam proponens: et haec vocatur dialectica, quia dialecticus habet viam ex probabilibus ad utramque contradictionis partem probandam. Altera vero determinatam ad unum responsionem exoptat, et haec est interrogatio demonstrativa, eo quod demonstrator in unum determinate tendit. Considera ulterius, quod interrogationi dialecticae dupliciter responderi potest. Uno modo consentiendo interrogationi, sive affirmativae sive negativae. Ut si quis petat, caelum est animatum? et respondeatur Est, vel Deus non movetur? et respondeatur, Non, talis responsio vocatur propositio. Alio modo potest responderi interimendo, ut si quis petat caelum est animatum? et respondeatur: Non; vel Deus non movetur? et respondeatur, Movetur. Talis responsio vocatur contradictionis altera pars, eo quod affirmationi negatio redditur, et negationi affirmatio. Interrogatio ergo dialectica est petitio annuentis responsionis quae est propositio, vel contradicentis quae est altera pars contradictionis secundum supradictam Boetii expositionem. Deinde subdit probationem consequentiae, cum ait: « Propositio vero unius contradictio- « nis est. » Ubi notandum est quod si responsio dialectica posset esse plures, non sequeretur, quod responsio enunciationis multiplicis non posset esse dialectica. Sed si responsio dialectica non potest esse nisi enunciatio, tunc recte sequitur quod responsio enunciationis pluris, non est responsio dialectica, quae una est. Notandum etiam quod si enunciatio aliqua, plurium contradictionum pars est, una non esse comprobatur. Una enim uni tantum contradicit. Si autem unius solum contradictionis pars est, una est eadem ratione, quia scilicet unius affirmationis unica est negatio et e converso. Probat ergo Aristoteles consequentiam ex eo quod propositio, idest responsio dialectica, unius contradictionis est, idest una enunciatio est affirmativa vel negativa. Ex hoc enim, ut jam dictum est, sequitur quod nullius enunciationis multiplicis sit responsio dialectica, et consequenter nec una responsio sit. Nec praetereas quod cum propositionem, vel alteram partem contradictionis, responsionemque praeposuerit dialecticae interrogationi, de sola propositione subjunxit, quod est una: quod ideo fecit quia illius alterius vocabulum ipsum unitatem preferebat. Cum enim alteram contradictionis partem audis, unam affirmationem vel negationem statim intelligis. Adjunxit autem antecedenti ly ergo, vel insinuans hoc esse alium desumptum, ut postmodum in speciali explicabit, vel permutato situ notam

consequentiae hujus inter antecedens et consequens locandam, antecedenti praeposuit, sicut si diceretur: si ergo Socrates currit, movetur, pro eo quod dici deberet, si Socrates currit, ergo movetur. Sequitur deinde consequens, « non erit una « responsio ad hoc. » Et infert principalem conclusionem, « quod neque una erit interrogatio. » Si enim responsio non potest esse una, nec interrogatio ipsa una erit. Quod autem addidit « nec si sit vera » ejusmodi est. Posset aliquis credere, quod licet interrogationi pluri non possit dari responsio una, quia id de quo quaestio fit non potest de omnibus illis pluribus affirmari vel negari, (ut cum quaeritur, canis est animal? quia non potest vere de omnibus responderi, Est, propter caeleste sidus, nec vere de omnibus responderi, Non est, propter canem latrabilem, nulla possit dari responsio una;) attamen quando id quod sub interrogatione cadit potest vere de omnibus affirmari aut negari, tunc potest dari responsio una; ut si quaeratur, canis est substantia? quia potest vere de omnibus responderi Est, quia esse substantiam omnibus canibus convenit, una responsio dari possit: hanc erroneam existimationem removet dicens « nec si sit vera »: idest, et dato quod responsio data enunciationi multiplici de omnibus verificetur, nihilominus non est una, quia unum non significat, nec unius contradictionis est pars, sed plures responsio illa habet contradictorias, ut de se patet.

Deinde cum dicit « dictum est »

Probat antecedens dupliciter. Primo auctoritate eorum quae dicta sunt in Topicis. Secundo a signo. Et circa hoc duo facit. Primo ponit ipsum signum, dicens: « quod simul » cum auctoritate Topicorum, « manifestum est » scilicet antecedens assumptum, scilicet quod dialectica interrogatio est petitio responsionis affirmativae vel negativae. Quoniam nec ipsum Quid est, idest ex eo quod nec ipsa quaestio Quid est, est interrogatio dialectica. Verbi gratia si quis quaerat, quid est animal? talis non quaerit dialectice. Deinde subjungit probationem assumpti: scilicet quod ipsum quid est, non est quaestio dialectica: et intendit, quod quia interrogatio dialectica optionem respondenti offerre debet, utram velit contradictionis partem, et ipsa quaestio Quid est talem libertatem non proponit, quia cum dicimus, quid est animal? respondentem ad definitionis assignationem coarctamus, quae non solum ad unum determinata est, sed etiam omni parti contradictionis caret, cum nec esse nec non esse dicat: ideo ipsa quaestio, quid est, non est dialectica interrogatio. Unde dicit: « Oportet enim ex data, » idest ex proposita interrogatione dialectica hunc respondentem eligere posse utram velit contradictionis partem; quam contradictionis utramque partem interrogantem oportet determinare, idest determinate proponere, hoc modo, utrum hoc animal sit homo, an non. Ubi evidenter apparet optionem respondenti offerri. Habes ergo pro signo cum quaestio dialectica petat responsionem propositionis vel alterius contradictionis partem, elongationem quaestionis Quid est, a quaestionibus dialecticis.

LECTIO VI.

Cur ad hanc, Homo est animal et bipes, haec, Homo est animal bipes sequitur,
non autem in omnibus consimilibus talis liceat sequela.

Quoniam vero haec quidem praedicantur composita, ut unum sit omne praedicamentum eorum, quae separatim praedicantur, alia vero non, quae differentia est? De homine enim verum est dicere, et animal et bipes, et haec ut unum, et separatim hominem et album, et hae separatim unum, Sed non si citharaedus est et bonus est, et citharaedus bonus.

Si enim quoniam alterutrum dicitur, et utrumque dicetur, multa inconvenientia erunt. De homine enim verum est et hominem et album dicere, quare et omne. Rursus si album et omne, quare erit homo albus albus, et hoc in infinitum. Et rursus musicus albus ambulans, et haec eadem frequenter implicita in infinitum. Amplius Socrates Socrates est, et homo et Socrates Socrates homo. Et si homo et bipes, et homo homo bipes. Quoniam ergo si quis simpliciter dicat complexiones fieri, plurima inconvenientia contingit dicere manifestum est. Quemadmodum autem ponendum sit, nunc dicemus.

Eorum igitur quae praedicantur, et de quibus praedicantur, quaecumque secundum accidens dicuntur, vel de eodem, vel alterum de altero, haec non erunt unum, ut, homo albus est, et musicus. Sed non est idem musicum et album. Accidentia enim utraque eidem. Nec si album musicum verum est dicere, tamen erit album musicum unum aliquid. Secundum accidens enim album musicum dicitur. Quare non erit album musicum unum aliquid.

Quocirca nec citharaedus bonus simpliciter, sed animal bipes. Non enim sunt secundum accidens.

Amplius nec quaecumque insunt in altero. Quare neque album frequenter, neque homo animal homo est vel bipes: sunt enim in homine animal et bipes.

Quoniam vero alia quidem praedicantur conjuncta, ut unum fiat omne praedicatum ex seorsum praedicatis [conjunctum]; alia vero non; quaenam est differentia? de homine enim vere dicitur et seorsum animal, et seorsum bipes, et haec tamquam unum et homo, et albus, et haec tamquam unum. At non, si coriarius est, et bonus, etiam coriarius bonus.

Si enim, quia utrumque verum est, oportet etiam [verum] esse ex utrisque conjunctum, multa eaque absurda erunt. Nam de homine verum est et *to* homo et *to* album; quare etiam totum [ex utroque conjunctum verum est]. Iterum, si album idem, et totum; quare erit homo albus albus; et hoc in infinitum. Et iterum, musicus, albus, ambulans; et haec saepe conjuncta in infinitum. Porro, si Socrates Socrates est et homo, et Socrates Socrates homo erit. Et si homo et bipes; etiam homo homo bipes erit. Igitur, si quis simpliciter dicet conjunctiones fieri; fore ut multa absurda dicantur manifestum est.

Quomodo autem ponere oporteat, nunc dicamus. Praedicatorum nimirum, et eorum, de quibus aliquid praedicari accidit, quaecumque secundum accidens dicuntur aut de eodem, aut alterum de altero, haec non erunt unum; ut homo albus est et musicus; at non unum erit album et musicum; accidentia enim utraque sunt eidem. Neque si album vere musicum diceretur, non tamen musicum album unum quid erit; nam per accidens album musicum est; quare non erit album musicum unum quid. Ideo nec coriarius bonus dicitur simpliciter; sed animal bipes [simpliciter dici potest]; non enim secundum accidens [hoc dicitur].

Porro nec quaecumque in alio sunt [cum eodem non conjungendo sunt]; quare nec album saepius [de eodem praedicari potest], nec homo homo animal est, aut bipes; inest enim in homine esse animal et esse bipedem.

Postquam declaravit diversitatem multiplicis enunciationis, intendit determinare de earum consequentiis. Et circa haec duo facit, secundum duas dubitationes, quas solvit. Secunda incipit, ibi, « Verum autem dicere. » Circa primum tria facit. Primo proponit quaestionem. Secundo ostendit rationabilitatem quaestionis, ibi, « Si enim quoniam. » Tertio solvit eam, ibi, « Eorum igitur. » Est ergo dubitatio prima. Quare ex aliquibus divisim praedicatis de uno sequitur enunciatio in qua illamet unite praedicantur de eodem, et ex aliquibus non? Unde haec diversitas oritur? Verbi gratia. Ex istis, Socrates est animal, et est bipes, sequitur, ergo Socrates est animal bipes: et similiter ex istis, Socrates est homo, et est albus, sequitur, ergo Socrates est homo albus. Ex illis vero, Socrates est bonus, et est citharaedus, non sequitur, ergo est bonus citharaedus. Unde proponens quaestionem inquit: « Quoniam vero haec » scilicet praedicta ita praedicantur composita, idest conjuncta, ut unum sit praedicamentum eorum quae extra praedicantur, idest ut ex eis extra praedicatis unite fiat praedicatio, alia vero praedicata non sunt talia, quae est inter ea differentia? Unde talis innascitur diversitas? Et subdit exempla jam adducta, et ad propositum applicata: quorum primum continet praedicata ex quibus fit unum per se, scilicet animal et bipes, genus et

differentiam; secundo autem praedicata ex quibus fit unum per accidens, scilicet homo albus; tertio vero praedicata ex quibus neque unum per se neque unum per accidens inter se fieri sequitur, ut citharaedus et bonus, ut declarabitur.

Deinde cum dicit « si enim »

Declarat veritatem diversitatis positae, ex qua rationabilis redditur quaestio. Si namque inter praedicata non esset talis diversitas, irrationabilis esset dubitatio. Ostendit autem hoc ratione ducente ad inconveniens, nugationem scilicet: Et quia nugatio duobus modis committitur, scilicet explicite et implicite, ideo primo deducit ad nugationem explicitam, secundo ad implicitam, ibi, « Amplius si Socrates etc. » Ait ergo quod si nulla est inter quaecumque praedicata differentia, sed de quolibet indifferenter censetur, quod quia alterutrum separatum dicitur, quod utrumque conjunctim dicatur, multa inconvenientia sequentur: de aliquo enim homine, puta Socrate, verum est separatim quod homo est, et quod albus est; quare et omne, idest et conjunctim dicetur, Socrates est homo albus. Rursus et de eodem Socrate potest dici separatim quod est homo albus, et quod est albus; quare et omne, idest igitur conjunctim dicetur, Socrates est homo albus albus, ubi manifesta est nugatio. Rursus si de eodem Socrate iterum dicas separatim, quod est homo albus albus, verum et congrue quod est albus; et secundum hoc, si iterum hoc repetes separatim, a veritate simili non discedes; et sic in infinitum sequetur, Socrates est homo albus, albus, in infinitum. Simile quid ostenditur in alio exemplo. Si quis de Socrate dicat quod est musicus albus ambulans, cum possit et separatim dicere, quod est musicus, et quod est albus, et quod est ambulans, sequetur, Socrates est musicus, albus, ambulans, musicus, albus ambulans. Et quia pluries separatim in eodem tamen tempore enunciari potest, procedit nugatio sine fine. Deinde deducit ad implicitam nugationem, dicens: cum de Socrate vere possit dici separatim quod est homo, et quod est bipes; si conjunctim inferre licet, sequetur quod Socrates sit homo bipes. Ubi est implicita nugatio. Bipes enim circumloquens differentiam hominis actu et intellectu clauditur in hominis ratione. Unde ponendo loco hominis suam rationem, quod fieri licet, ut docet Aristoteles secundo Topicorum, apparebit manifeste nugatio. Dicetur enim, Socrate est homo, idest animal bipes, bipes. Quoniam ergo plurima inconvenientia sequuntur si quis ponat complexiones, idest adunationes praedicatorum simpliciter, idest absque diversitate aliqua, manifestum esse ex dictis. Quomodo autem faciendum est, nunc, idest in sequentibus dicemus. Et nota quod iste textus non habetur uniformiter apud omnes quo ad verba; sed quia sententia non discrepat, legat quicumque ut vult.

Deinde cum dicit « eorum igitur »

Solvit propositam quaestionem. Et circa hoc duo facit. Primo respondet instantiis in ipsa propositione quaestionis adductis. Secundo satisfacit instantiis in probatione positis, ibi, « Amplius nec quaecumque. » Circa primum duo facit. Primo namque declarat veritatem. Secundo applicat ad propositas instantias, ibi, « Quo circa etc. » Determinat ergo dubitationem tali distinctione. Praedicatorum sive subjectorum plurium, duo sunt genera: quaedam sunt per accidens, quaedam per se. Si per accidens, hoc dupliciter contingit. Vel quia ambo dicuntur per accidens de uno tertio, vel quia alterum de altero mutuo accidens praedicatur. Quando illa plura divisim praedicata sunt per accidens quovis modo, ex eis non sequitur conjunctum praedicatum. Quando autem sunt per se, tunc ex eis sequitur conjuncte praedicatum. Unde continuando se ad praecedentia ait: « Eorum igitur quae praedicantur, « et de quibus praedicatur », idest subjectorum, « quaecumque dicuntur secundum accidens », et per hoc innuit oppositum membrum scilicet per se, « vel « de eodem », idest accidentaliter concurrunt ad unius denominationem, « vel alterutrum de altero », idest accidentaliter mutuo se denominant: et per hoc ponit membra secundae divisionis « haec, » scilicet plura per accidens « non erunt unum », scilicet non inferent praedicationem conjunctam. Et explanat utrumque horum exemplariter. Et primo primum: quando scilicet illa plura per accidens dicuntur de tertio; dicens: « Ut si homo albus est et musicus divisim. » « Sed non est idem » idest non sequitur adunatim ergo homo est musicus albus. Utraque enim sunt accidentia eidem tertio. Deinde explanat secundo quando solum illa plura per accidens de se mutuo praedicantur, subdens: « Nec si album musicum, verum est dicere » idest et etiam si de se invicem ista praedicantur per accidens ratione subjecti

in quo uniuntur, ut dicatur, Homo est albus, et est musicus, et album est musicus, non tamen sequitur quod album musicum unite praedicetur, dicendo, ergo homo est albus musicus. Et causam assignat: quia album dicitur de musico per accidens, et e converso. Notandum est hic quod cum duo membra per accidens enumerasset, unico tamen exemplo utrumque membrum explanavit, ut insinuaret quod distinctio illa non erat in diversa praedicata per accidens, sed in eadem diversimode comparata. Album enim et musicum comparata ad hominem, sub primo cadunt membro; comparata autem inter se sub secundo. Diversitatem ergo comparationis pluralitate membrorum, identitatem autem praedicatorum unitate exempli astruxit. Advertendum est ulterius ad evidentiam divisionis factae in littera, quod secundum accidens potest dupliciter accipi. Uno modo ut distinguitur contra perseitatem posterioristicam; et sic non sumitur hic; quoniam cum dicitur, plura praedicata secundum accidens, ly secundum accidens determinaret conjunctionem inter se, et sic manifeste esset falsa regula: quoniam inter prima praedicata, animal bipes, seu animal rationale, est praedicatio secundum accidens hoc modo. Differentia enim in nullo modo perseitatis praedicatur de genere: et tamen Aristoteles in textu dicit ea non esse praedicata per accidens, et asserit quod est optima illatio, est animal et bipes, ergo est animal bipes. Aut determinaret conjunctionem illarum ad subjectum, et sic etiam inveniretur falsitas in regula. Bene namque dicitur, Paries est coloratus et est visibilis, et tamen coloratum visibile non per se inest parieti. Alio modo accipitur ly secundum accidens, ut distinguitur contra hoc quod dico ratione sui, seu non propter aliud; et sic idem sonat quod per aliud, et hoc modo accipitur hic. Quaecumque enim sunt talis naturae quod non ratione sui junguntur, sed propter aliud, ab illatione conjuncta deficere necesse est, ex eo quod conjuncta illatio unum alteri substernit, et ratione sui ea adunata denotat ut potentiam et actum. Est ergo sensus divisionis, quod praedicatorum plurium, quaedam sunt per accidens, quaedam per se, idest quaedam adunantur inter se ratione sui, quaedam propter aliud. Ea quae per se uniuntur inferunt conjunctum; ea autem quae propter aliud, nequaquam.

Deinde cum dicit « quo circa »

Applicat declaratam veritatem ad partes quaestionis. Et primo ad secundam partem: quia scilicet non sequitur, est bonus et est citharaedus, ergo est bonus citharaedus, dicens « Quo circa nec citharaedus « bonus etc. » Secundo ad aliam partem quaestionis, quare sequebatur est animal, et est bipes, ergo est animal bipes: et ait: « Sed animal bipes. » Et subjungit hujus ultimi dicti causam, quia animal bipes non sunt praedicata secundum accidens conjuncta inter se aut in tertio, sed per se. Et per hoc explanavit alterum membrum primae divisionis, quod adhuc positum non fuerat explicite. Adverte quod Aristoteles eamdem tenens sententiam de citharaedo et bono, et musico, et albo conclusit, quod album et musicum non inferunt conjunctum praedicatum, ideo nec citharaedus et bonus inferunt citharaedus bonus simpliciter, idest conjuncte. Est autem ratio dicti, quia licet musica et albedo dissimiles sint bonitati et arti citharisticae, in hoc quod bonitas nata est denominare et subjectum tertium, puta hominem, et ipsam artem citharisticam, propter quod falsitas manifeste cernitur, quando dicitur, Est bonus et citharaedus, ergo bonus citharaedus: musica vero et albedo subjectum tertio natae sunt denominare tantum, et non se invicem, propter quod latentior est casus cum proceditur, Est albus et est musicus, ergo est musicus albus: licet, inquam, in hoc sint dissimiles, et propter istam dissimilitudinem processus Aristotelis minus sufficiens videatur; attamen similes sunt in hoc quod si servetur identitas omnimoda praedicatorum quam servari oportet, si illamet divisa debent inferri conjunctim; sicut musica non denominat albedinem neque contra, ita nec bonitas de qua fit sermo, cum dicitur, Homo est bonus, denominat artem citharisticam, neque e converso. Cum enim bonum sit aequivocum, licet a consilio, alia ratione dicitur de perfectione citharaedi, et alia de perfectione hominis. Quando namque dicimus, Socrates est bonus, intelligimus bonitatem moralem, quae est hominis bonitas simpliciter. Analogum siquidem simpliciter positum sumitur pro potiori. Cum autem infertur citharaedus bonus, non bonitatem moris, sed artis praedicat, unde terminorum identitas non salvatur. Sufficienter igitur et subtiliter Aristoteles eamdem de utrisque protulit sententiam, quia eadem est haec et ibi ratio, etc. Nec praetereundum est, quod cum tres consequentias adduxit quaestionem proponendo, scilicet, Est animal et bipes, ergo est animal bipes, et est homo, et albus, ergo est homo albus, et est citharaedus et bonus, ergo est bonus citharaedus; et duas primas posuerat esse bonas, tertiam vero non: hujus diversitatis causam inquirere volens, cur solvendo quaestionem nullo modo meminerit secundae consequentiae, sed tantum primae et tertiae. Indiscussum namque reliquit an illa consequentia sit bona, an mala. Et ad hoc videtur mihi dicendum, quod ex his paucis verbis et illius consequentiae naturam insinuavit: profundioris enim sensus textus capax apparet cum dixit, quod non sunt unum album musicum etc.: ut scilicet non tantum indicet quod expositum est, sed etiam ejus causam, ex qua natura secundae consequentiae elucescit. Causa namque quare album musicum non inferunt conjunctam praedicationem, est, quia in praedicatione conjuncta oportet alteram partem alteri supponi, ut potentiam actui, ad hoc ut ex eis fiat aliquo modo unum, et altera a reliqua denominetur. Hoc enim vis conjunctae praedicationis requirit, ut supra diximus de partibus definitionis. Album autem et musicum secundum se non faciunt unum per se, ut patet, neque unum per accidens. Licet enim ipsa ut adunantur in subjecto uno sint unum subjecto per accidens; tamen ipsamet quae adunantur in uno tertio subjecto, non faciunt inter se unum per accidens. Tum quia neutrum informat alterum, quod requiritur ad unitatem per accidens aliquorum inter se, licet non in tertio: tum quia non considerata subjecti unitate, quae est extra eorum rationes, nulla remanet inter ea unitatis causa. Dicens ergo quod album et musicum non sunt unum, scilicet inter se aliquo modo, causam expressit quare conjunctim non infertur ex eis praedicatum. Et quia oppositorum eadem est disciplina, insinuavit per illamet verba bonitatem illius consequentiae. Ex eo enim quod homo et albus se habent sicut potentia et actus, et ita albedo informet denominet

atque unum faciat cum homine ratione sui, sequitur quod ex divisis potest inferri conjuncta praedicatio, ut dicatur, Est homo et albus, ergo est homo albus; sicut per oppositum dicebatur, quod ideo musicum et album non inferunt conjunctum praedicatum, quia neutrum alterum informabat. Nec obstat quod album faciat unum per accidens cum homine. Non enim dictum est quod unitas per accidens aliquorum impedit ex divisis inferre conjunctum; sed quod unitas per accidens aliquorum ratione tertii tantum est illa quae impedit: talia enim quae non sunt unum per accidens nisi ratione tertii, inter se nullam habent unitatem, et propterea non potest inferri conjunctum, ut dictum est, quod unitatem importat. Illa vero quae sunt unum per accidens ratione sui seu inter se, ut homo albus, cum conjuncta accipiuntur, unitate necessaria non carent, quia inter se unitatem habent. Notanter autem apposui ly tantum; quoniam si aliqua duo sunt unum per accidens ratione tertii, subjecti scilicet, sed non tantum ex hoc habent unitatem, sed etiam ratione sui ex hoc quod alterum reliquum informat, ex istis divisis non prohibetur inferri conjunctum. Verbi gratia, optime dicitur, Est quantum et est coloratum, ergo est quantum coloratum, quia color informat quantitatem. Potes autem credere quod secundo illa consequentia quam non explicite confirmavit Aristoteles respondendo, sit bona et ex eo quod ipse proponendo quaestionem asseruit bonam, et ex eo quod nulla instantia reperitur. Insinuavit autem et Aristoteles quod sola talis unitas impedit illationem conjunctam, quando dixit, quaecumque secundum accidens dicuntur de eodem, vel alterutrum de altero. Quum enim dixit secundum accidens de eodem, unitatem eorum ex sola adunatione in tertio posuit: sola enim haec per accidens praedicantur de eodem, ut dictum est. Cum autem addidit, vel alterutrum de altero, mutuam accidentalitatem ponens, ex nulla parte inter se unitatem reliquit. Utraque ergo per accidens adducta praedicata, in tertio scilicet, vel alterutrum, quae impediant illationem conjuncta, non nisi in tertio unitatem habent.

Deinde, cum dicit « amplius nec »

Satisfacit instantiis in probatione adductis; et in illis in quibus explicita committebatur nugatio, et illis in quibus implicita; et ait quod non solum inferre ex divisis conjunctum non licet quando praedicata illa sunt per accidens, « sed nec etiam « quaecumque insunt in alio, » id est, sed nec hoc licet quando praedicata includunt se, ita quod unum includatur in significato formali alterius intrinsece, sive explicite, ut album in albo, sive implicite, ut animal et bipes in homine. Quare neque album frequenter dictum divisim infert conjunctum, neque homo divisim ab animali vel bipede enunciatum, animal bipes conjunctum cum homine infert, ut dicatur, ergo Socrates est homo bipes, vel animal homo. Insunt enim in hominis ratione, animal et bipes actu et intellectu, licet implicite. Stat ergo solutio quaestionis in hoc, quod unitas plurium per accidens in tertio tantum et nugatio impediunt ex divisis inferri conjunctum; et consequenter, ubi neutrum horum invenitur, ex divisis licebit inferre conjunctum. Et hoc intellige, quando divisae sunt simul verae de eodem, etc.

LECTIO VII.

An ex enunciatione habente plura praedicata conjuncta inferre liceat
eam quae divisim praedicata continet.

ANTIQUA.

Verum est autem dicere de aliquo, et simpliciter, ut quemdam hominem, hominem, aut quemdam album hominem hominem album, non autem semper.

Sed quando in adjecto aliquid quidem oppositorum inest quae consequitur contradictio, non verum, sed falsum est, ut hominem mortuum, hominem dicere. Quando autem non inest, verum est.

Vel etiam, quando inest, falsum semper est. Quando vero non inest, non semper verum est, ut Homerus est aliquid, ut poeta, ergo etiam est. Non.

Secundum accidens enim praedicatur esse de Homero, quoniam est poeta; sed non secundum se praedicatur de Homero, quoniam est.

Quare in quibuscumque praedicatis contrarietas non inest si definitiones pro nominibus dicantur, et secundum se praedicantur, et non secundum accidens, in his aliquid et simpliciter verum erit dicere.

Quod autem non est, quoniam opinabile est, non verum dicere esse aliquid. Opinatio enim ejus est non quoniam est, sed quoniam non est.

RECENS.

Vere autem dici potest de aliquo et simpliciter; ut de aliquo homine, eum hominem esse; et de aliquo homine albo eum hominem album esse; non sem per vero.

Sed quando in adjecto aliquid oppositum inest, ad quod sequitur contradictio, non est verum, sed falsum; ut mortuum hominem hominem dicere: quando autem [contradictio], non inest, verum est.

Aut, quando inest quidem [contradictio], semper non verum est; quando autem non inest, non semper verum est; velut, Homerus est aliquid, e. c. poeta; estne ergo, an non? nam per accidens praedicatur hoc Est de Homero; nam quod poeta sit; non autem per se praedicatur to Est de Homero.

Quare in quibuscumque praedicationibus contrarietas non inest, si definitiones pro nominibus dicantur, nec per se praedicentur, nec per accidens, de his hoc aliquid et simpliciter verum erit dicere. Quod vero non est, propterea quod opinari illud possumus, id non verum erit dicere ens aliquod. Opinio enim ejus est, non quia illud sit, sed quia non sit.

Postquam expedita est prima dubitatio, tractat secundam dubitationem. Et circa hoc tria facit. Primo movet ipsam quaestionem. Secundo solvit eam, ibi, « Sed quando in adjecto. » Tertio ex hoc excludit quemdam errorem, ibi, « Quod autem « non est. » Est ergo quaestio an ex enunciatione habente praedicatum conjunctum, liceat inferre e-nunciationes dividentes illud conjunctum ? Et est quaestio contraria superiori. Ibi enim quaesitum est an ex divisis inferatur conjunctum: hic autem quaeritur an ex conjuncto sequantur divisa. Unde movendo quaestionem dicit: « Verum autem aliquan-« do est dicere de aliquo, et simpliciter, » idest divisim, quod scilicet prius dicebatur conjunctim, ut quemdam hominem album esse hominem, aut quemdam album hominem album esse, idest ut ex ista, So-crates est homo albus, sequitur divisim, ergo So-crates est homo, ergo Socrates est albus etc. « Non « autem semper, » idest aliquando autem ex conjuncto non inferri potest divisim. Non enim sequitur, So-crates est bonus citharaedus, ergo est bonus. Unde haec est differentia, quod quandoque licet, et quan-doque non. Et adverte quod notanter adduxit e-xemplum de homine albo inferendo utramque partem divisim, ut insinuaret quod intentio quaestionis est investigare quando ex conjuncto potest utraque pars divisim inferri, et non quando altera tantum.

Deinde, cum dicit « sed quando »

Solvit quaestionem. Et duo facit. Primo respondet parti negativae quaestionis, quando scilicet non licet. Secundo, ibi, « Quare in quibuscumque etc. » Respondet parti affirmativae, quando scilicet licet. Circa primum considerandum, quod quia dupliciter contingit fieri praedicatum conjunctum, uno modo ex oppositis, alio modo ex non oppositis: Ideo duo facit. Primo ostendit, quod nunquam ex praedicato conjuncto ex oppositis, possunt inferri ejus partes

divisim. Secundo, quod nec hoc licet universaliter in praedicato conjuncto ex non oppositis, ibi, « Vel « etiam quando. » Ait ergo: quando in termino adjecto inest aliquid de numero oppositorum, ad quae sequitur contradictio inter ipsos terminos, non verum est, scilicet inferre divisim, sed falsum. Verbi gratia, cum dicitur, Caesar est homo mortuus, non sequitur, ergo est homo: quia ly mortuus adja-cens homini, oppositionem habet ad hominem, quam sequitur contradictio inter hominem et mortuum. Si enim est homo, non est mortuus, quia non est corpus inanimatum; et si est mortuus, non est homo, quia mortuum est corpus inanimatum. Quando autem non inest, scilicet talis oppositio, verum est, scilicet inferre divisim. Ratio autem quare, quan-do est oppositio in adjecto, non sequitur illatio divisa, est quia alter terminus ex adjecti opposi-tione corrumpitur in ipsa enunciatione conjun-cta. Corruptum autem seipsum absque corruptione non infert, quod illatio divisa sonaret. Dubitatur hic primo circa id quod supponitur, quomodo pos-sit dici, Caesar est homo mortuus, cum enunciatio non possit esse vera, in qua duo contradictoria si-mul de aliquo praedicantur. Hoc enim est primum principium. Homo autem et mortuus, ut in litera dicitur, contradictoriam oppositionem includunt, quia in homine includitur vita, in mortuo non vita. Dubi-tatur secundo circa ipsam consequentiam, quam re-probat Aristoteles. Videtur enim optima. Cum enim ex enunciatione praedicante duo contradictoria pos-sit utrumque inferri, quia aequivalet copulativae; aut neutrum, quia destruit seipsam; et enunciatio supradicta terminos oppositos contradictorie prae-dicet; videtur sequi utraque pars, quia falsum est neutram sequi. Ad hoc simul dicitur, quod aliud est loqui de duobus terminis secundum se, et aliud de eis ut unum stat sub determinatione alterius.

Primo namque modo, homo et mortuus contradictionem inter se habent, et impossibile est quod simul in eodem inveniantur. Secundo autem modo, homo et mortuus non opponuntur, quia homo transmutatus jam per determinationem corruptivam importatam in ly mortuus, non stat pro suo significato secundum se, sed secundum exigentiam termini additi, a quo suum significatum distractum est. Ad utrumque autem insinuandum Aristoteles duo dixit: et quod habent oppositionem quam sequitur contradictio, attendens significata eorum secundum se: et quod etiam ex eis formatur una vera enunciatio, cum dicitur Socrates est homo mortuus, attendens conjunctionem eorum alterius corruptivam. Unde patet quid dicendum sit ad dubitationes. Ad utramque siquidem dicitur quod non enunciantur duo contradictoria simul de eodem, sed terminus ut stat sub distractione, seu transmutatione alterius cui secundum se esset contradictorius. Dubitatur quoque circa id quod ait, « inest aliquid opposito- « rum, quae consequitur contradictio. » Superflue enim videtur addi illa particula « quae consequitur « contradictio. » Omnia enim opposita consequitur contradictio, ut patet discurrendo in singulis. Pater enim est non filius, et album non nigrum, et videns non caecum etc. Et ad hoc dicendum est, quod opposita possunt dupliciter accipi: uno modo formaliter, idest secundum sua significata; alio modo denominative seu subjective. Verbi gratia, pater et filius possunt accipi pro paternitate et filiatione, et possunt accipi pro eo qui denominatur pater vel filius. Rursus, cum omnis distinctio fiat oppositione aliqua, ut dicitur in decimo Metaphysicae, supponatur omnino distincta esse opposita. Dicendum ergo est quod licet ad omnia opposita seu distincta contradictio sequatur inter se formaliter sumpta, non tamen ad omnia opposita sequitur contradictio inter ipsa denominative sumpta. Quamvis enim pater et filius mutuam sui negationem inferant inter se formaliter, quia paternitas est non filiatio, et filiatio est non paternitas, in relatione tamen ad denominatum, contradictionem non necessario inferunt. Non enim sequitur, Socrates est pater, ergo non est filius, nec e converso. Ut persuaderet igitur Aristoteles quod non quaecumque opposita colligata impediunt divisam illationem, quia non illa quae habent contradictionem annexam formaliter tantum, sed illa quae habent contradictionem et formaliter et secundum rem denominatam, addidit « quae consequitur contradictio » in tertio scilicet denominato. Et usus est satis congrue vocabulo, scilicet « consequitur. » Contradictio enim ista in tertio est quodammodo extra ipsa opposita.

Deinde cum dicit « vel etiam »

Declarat, quod ex non oppositis in secundo conjunctis secundum unum praedicatum, non universaliter possunt inferri partes divisim. Et primo hoc proponit quasi emendans, quod immediate dixerat subjungens, « Vel etiam quando est » scilicet oppositio inter terminos conjunctos, « falsum est sem- « per » scilicet inferre divisim: quasi diceret: dixi, quod quando inest oppositio, non verum, vel falsum est inferre divisim. Quando autem non inest talis oppositio, verum est inferre divisim. Vel etiam, ut melius dicatur, quod quando est oppositio, falsum est semper; quando autem non inest talis oppositio, non semper verum est. Et sic modificavit supradicta

addendo ly semper, et non semper. Et subdens exemplum, quod non semper ex non oppositis sequatur divisio, ait: « ut Homerus est aliquid, ut poeta, « ergo etiam est? Non. » Ex hoc conjuncto, Est poeta de Homero enunciato, altera pars, ergo Homerus est, non sequitur: et tamen clarum est, quod istae duae partes colligatae, Est et Poeta non habent oppositionem ad quam sequitur contradictio. Igitur non semper ex non oppositis conjunctis illatio divisa tenet, etc.

Deinde, cum dicit « secundum accidens »

Probat hoc quod modo dictum est, ex eo quod altera pars istius compositi, scilicet Est in antecedente conjuncto praedicatur de Homero secundum accidens, idest ratione alterius, quoniam scilicet poeta praedicatur de Homero, et non praedicatur secundum se ly Est de Homero, quod tamen infertur, cum concluditur, ergo Homerus est. Considerandum est hic, quod ad salvandam illam conclusionem negativam, scilicet, non semper ex non oppositis conjunctis infertur divisim, sufficit unam instantiam suae oppositae universali affirmativae afferre. Et hoc fecit Aristoteles adducendo illud genus enunciationum in quo altera pars conjuncti est aliquid pertinens ad actum animae. Loquitur enim modo de Homero vivente in poematibus suis in mentibus hominum. In his siquidem enunciationibus partes conjunctae non sunt oppositae in tertio, et tamen non licet inferre utramque partem divisim. Committitur enim fallacia, secundum quid ad simpliciter. Non enim valet, Caesar est laudatus, ergo est: et simile est de esse in effectu dependente in conservari. Quomodo autem intelligenda sit ratio ad hoc adducta ab Aristotele, in sequenti particula dicetur.

Deinde cum dicit « quare in »

Respondet parti affirmativae quaestionis: quando scilicet ex conjunctis licet inferre divisim. Et ponit duas conditiones oppositas supradictis debere convenire in unum, ad hoc ut possit fieri talis consequentia, scilicet quod nulla inter partes conjuncti oppositio sit, et quod secundum se praedicentur. Unde dicit inferendo ex dictis « quare in quanti- « scumque praedicamentis, » idest praedicatis ordine quodam adunatis, « neque contrarietas aliqua » in cujus ratione ponitur contradictio in tertio (Contraria enim sunt quae mutuo se ab eodem expellunt,) aut universaliter nulla oppositio inest, ex qua scilicet sequatur contradictio in tertio, si definitiones pro nominibus sumantur. Dixit hoc, quia licet in quibusdam non appareat oppositio solis nominibus positis, sicut homo mortuus, et in quibusdam appareat, ut vivum mortuum; hoc tamen non obstante si positis nominum definitionibus loco nominum oppositio appareat, inter opposita collocamus. Sicut verbi gratia, homo mortuus, licet oppositionem non praeseferat, tamen si loco hominis et mortui eorum definitionibus utamur, videbitur contradictio. Dicemus enim, corpus animatum rationale, corpus inanimatum irrationale. In quantiscumque, inquam, conjunctis nulla est oppositio, et secundum se, et non secundum accidens praedicatur, in his verum erit dicere, et simpliciter, idest divisim, quod fuerat conjunctim enunciatum. Ad evidentiam secundae conditionis hic positae, nota quod ly secundum se, potest dupliciter accipi: Uno modo positive: et sic dicit perseitatem primi, secundi, universaliter quarti modi. Alio modo negative, et sic idem sonat quod non per aliud. Rursus considerandum est, quod cum Aristoteles dixit de praedicato conjuncto, quod secundum se praedicetur, ly secundum se potest ad tria referri: scilicet ad partes conjuncti inter se, ad totum conjunctum respectu subjecti, et ad partes conjuncti respectu subjecti. Si ergo accipiatur ly secundum se positive, licet non falsus, extraneus tamen a mente Aristoteles reperitur sensus ad quodcumque illorum trium referatur. Licet enim valeat, Est homo sensibilis, ergo est homo, et est sensibilis: et Est animal rationale, ergo est animal, et est rationale: tamen his oppositae inferunt similes consequentias. Dicimus enim, Est albus musicus, ergo est musicus et est albus: ubi nulla est perseitas, sed est conjunctio per accidens, tam inter partes inter se quam inter totum et subjectum, quam etiam inter partes et subjectum. Liquet igitur, quod non accipit Aristoteles ly secundum se, positive, ex eo quod vana fuisset talis additio, quae ab oppositis non facit in hoc differentiam. Ad quid enim addidit secundum se, et non secundum accidens, si tam illae quae sunt secundum se modo exposito, quam illae quae sunt secundum accidens ex conjuncto inferunt divisim ? Si vero accipiatur secundum se negative, id est non per aliud, et referatur ad partes conjuncti inter se, falsa invenitur regula. Nam non licet dicere, Est bonus citharaedus, ergo est bonus et citharaedus: et tamen ars citharizandi et bonitas ejus sine medio conjunguntur. Et similiter contingit, si referatur ad totum conjunctum respectu subjecti, ut in eodem exemplo apparet. Totum enim hoc, citharaedus bonus, non propter aliud convenit homini, et tamen non infert (ut dictum est) divisionem. Superest ergo, ut ad partem conjuncti respectu subjecti referatur, et sit sensus: Quando aliqua conjunctim praedicata, secundum se, id est non per aliud praedicantur, id est quod utraque pars praedicatur de subjecto non propter alteram, sed propter seipsam, et subjectum, tunc ex conjuncto infertur divisa praedicatio. Et hoc modo exponunt Averroes et Boetius, et vera invenitur regula, ut inductive facile manifestari possit, et ratio ipsa suadet. Si enim partes alicujus conjuncti praedicati ita inhaerent subjecto, quod neutra propter alteram insit, earum separatio nihil habet quod veritatem impediat divisarum. Est et verbis Aristoteles consonus sensus iste. Quoniam et per hoc distinguit inter enunciationes ex quibus conjunctum infert divisam praedicationem, et eas quibus haec non inest consequentia. Istae siquidem ultra habentes oppositionem in adjecto, sunt habentes praedicatum conjunctum, cujus una partium, alterius est ita determinatio, quod non nisi per illam subjectum respicit; sicut apparet in exemplo ab Aristotele adducto, Homerus est poeta: Est siquidem ibi non respicit Homerum, ratione ipsius Homeri, sed praecise ratione poesis relictae; et ideo non licet inferre, Ergo Homerus est. Et simile est in negativis. Siquis enim dicat, Socrates non est paries, non licet inferre, Ergo Socrates non est, eadem ratione, quia esse non est negatum de Socrate, sed de pariete in Socrate Et per hoc patet qualiter sit intelligenda ratio in textu superiore adducta. Accipitur enim ibi Secundum se, negative, modo hic exposito, et secundum accidens, id est propter aliud. In eadem ergo significatione est usus ly secundum accidens, solvendo hanc et praecedentem

quaestionem. Utrobique enim intellexit secundum accidens, id est propter aliud conjuncta, sed ad diversa retulit. Ibi namque ly secundum accidens determinabat conjunctionem duorum praedicatorum inter se. Hic vero determinat partem conjuncti praedicati in ordine ad subjectum. Unde ibi album et musicum inter ea quae secundum accidens sunt, numerabantur, hic autem non. Sed occurrit circa hanc expositionem dubitatio non parva. Si enim ideo non licet ex conjuncto inferre divisim, quia altera pars conjuncti non respicit subjectum propter se, sed propter alteram partem, ut dixit Aristoteles de ista enunciatione, Homerus est poeta, sequetur quod nunquam a tertio adjacente ad secundum erit bona consequentia; quia in omni enunciatione de tertio adjacente, Est, respicit subjectum propter praedicatum et non propter se etc. Ad hujus difficultatis evidentiam, Nota primo hanc distinctionem. Aliud est tractare regulam, quando ex tertio adjacente infertur secundum et quando non; et aliud quando ex conjuncto fit illatio divisa, et quando non. Illa siquidem est extra propositum, istam autem venamur. Illa compatitur varietatem terminorum, ista non. Si namque unus terminorum qui est altera pars conjuncti secundum significationem seu suppositionem varietur in separatione, non infertur ex conjuncto praedicato illud met divisim, sed aliud. Nota secundo hanc propositionem. Cum ex tertio adjacente infertur secundum, non servatur identitas terminorum. Liquet ista quo ad illum terminum, Est. Dictum siquidem fuit supra a sancto Thoma, quod aliud importat Est secundum adjacens, et aliud Est tertium adjacens. Illud namque importat actum essendi simpliciter; hoc autem habitudinem inhaerentiae vel identitatis praedicati ad subjectum. Fit ergo varietas unius termini cum ex tertio adjacente infertur secundum, et consequenter non fit illatio divisi ex conjuncto. Unde relucet responsio ad objectionem, quod licet ex tertio adjacente quandoque possit inferri secundum, nunquam tamen ex tertio adjacente licet inferri secundum tamquam ex conjuncto divisim; quia inferri non potest divisim cujus altera pars ipsa divisione perit. Negetur ergo consequentia objectionis. Et ad probationem dicatur quod optime concludit, quod talis illatio est illicita infra limites illationum quae ex conjuncto divisionem inducunt, de quibus hic Aristoteles loquitur. Sed contra hoc instatur. Quia etiam tamquam ex conjuncto divisa fit illatio, Socrates est albus, ergo est, per locum a parte in modo, ad suum totum, ubi non fit varietas terminorum. Et ad hoc dicitur quod licet homo albus sit pars in modo hominis, quia nihil minuit de hominis ratione albedo, sed ponit hominem simpliciter, tamen Est album, non est pars in modo ipsius Est; eo quod pars in modo est universale cum conditione non minuente, ponente illud simpliciter. Clarum est autem quod album minuit rationem ipsius Est, et non ponit ipsum simpliciter, contrahit enim ad esse secundum quid; unde apud philosophos cum fit aliquid album, non dicitur generari secundum quid. Sed instatur adhuc; quia secundum hoc, dicendo Est animal, ergo est, fit illatio divisa per eumdem locum. Animal enim non minuit rationem ipsius Est. Ad hoc est dicendum quod ly est si dicat veritatem propositionis, manifeste peccatur a secundum quid ad simpliciter. Si autem dicat actum essendi, illatio est bona, sed non est de tertio sed secundo adjacente. Potest ulterius dubitari circa principale: quia sequitur: Est quantum coloratum, ergo est quantum, et est coloratum; et tamen coloratum respicit subjectum mediante quantitate, ergo non videtur recta expositio supra adducta. Ad hoc et similia dicendum est quod coloratum non ita inest subjecto per quantitatem quod sit ejus determinatio, et ratione talis determinationis subjectum denominet, sicut bonitas artem citharisticam determinat, cum dicitur, est citharaedus bonus: sed potius subjectum ipsum primo coloratum denominatur, quantum vero secundario coloratum dicitur, licet color media quantitate suscipiatur. Unde notanter supra diximus, quod tunc altera pars conjuncti praedicatur per accidens, quando praecise denominat subjectum, quia denominat alteram partem. Quod nec in hac, nec in similibus instantiis invenitur.

Deinde, cum dicit « quod autem »

Excludit quorumdam errorem, qui quod non est esse tali syllogismo concludere satagebant. Quod est opinabile, est; quod non est, est opinabile. Ergo quod non est, est. Hunc siquidem processum elidit Aristoteles destruendo primam propositionem, quae partem conjuncti in subjecto divisim praedicat, ac si diceret: est opinabile, ergo est: unde assumendo subjectum conclusionis illorum ait: Quod autem non est, et addit medium eorum, quoniam opinabile est; et subdit majorem extremitatem, non est verum dicere esse aliquid. Et causam assignat, quia talis opinatio non propterea est, quia illud sit; sed potius quia non est.

LECTIO VIII.

De modalibus dicendum proponitur; an item ipsarum oppositio ex negatione addita verbo vel potius modo inspicienda sit arguitur, et quod non verbo sit negatio apponenda pro illarum contradictione ostenditur.

ANTIQUA.

His vero determinatis, perspiciendum est quemadmodum sese habent affirmationes et negationes ad se invicem, hae scilicet, quae sunt de possibili esse, et non possibili; de contingente, et non contingente; de impossibili, et necessario; habent enim aliquas dubitationes.

Nam si eorum quae complectuntur, illae sibi invicem oppositae sunt contradictiones, quaecumque secundum esse et non esse disponuntur, ut ejus quae est esse hominem, negatio est, non esse hominem, non Esse non hominem; et ejus quae est, esse album hominem, negatio est ea quae est non esse album hominem, sed non, esse non album hominem. Si enim de omnibus aut dictio est aut negatio; lignum erit verum dicere esse non album hominem: quod si haec hoc modo, et quibuscumque esse non additur, idem faciet id, quod pro esse dicitur: ut ejus quae est, Ambulat homo negatio est non ea, quae est, Ambulat non homo, sed ea quae est, Non ambulat homo: nihil enim differt dicere hominem ambulare, vel hominem ambulantem esse. Quare si hoc modo in omnibus; et ejus, quae est, Possibile est esse, negatio est, Possibile est non esse, sed non ea, quae est Non possibile est esse.

Videtur autem idem posse esse et non esse: omne enim quod est possibile dividi vel ambulare, et non ambulare et non dividi possibile est. Ratio est, quoniam omne quod sic possibile est, non semper in actu est. Quare inerit ipsi etiam negatio. Potest igitur et non ambulare quod est ambulabile, et non videri quod est visibile. At vero impossibile est de eodem oppositas esse veras dictiones. Non igitur ejus quae est, Possibile est esse, negatio est, Possibile est non esse.

Contingit enim ex his, aut idem ipsum affirmare et negare simul de eodem, aut non secundum esse vel non esse quae opponuntur, fieri affirmationes vel negationes. Si ergo illud impossibilius est, hoc erit magis eligendum.

RECENS.

His autem declaratis, considerandum est quomodo se habeant affirmationes et negationes inter se, illae quibus aliquid possibile et non possibile, contingens et non contingens dicitur, nec non illae de impossibili et necessario. Habet enim hoc dubitationes aliquas.

Nam si in complexis hae mutuo opponuntur contradictiones, quaecumque secundum Esse et Non esse ponuntur; (ut *tou* Esse hominem negatio est *to* Non esse hominem, non *to* Esse non hominem; et *tou* Esse album hominem, *to* Non esse album hominem, at non *to* Esse non album hominem: si enim de quolibet affirmatio aut negatio [vera est], et lignum vere dicetur esse non album hominem:) quod si autem ita est, etiam in his, quibus *to* Esse non apponitur, idem efficiet verbum loco *tou* Esse adhibitum; (ut *tou* Homo ambulat, non *to* Ambulat non homo, negatio erit, sed *to* Non ambulat homo; nihil enim interest, sive quis dicat, hominem ambulare, sive hominem esse ambulantem); quare, si hoc ita se habet ubique, et illius quod est possibile. negatio erit *to* Possibile esse ut non sit, sed non *to* Non possibile esse ut sit.

Videtur autem idem posse esse et non esse; quidquid enim secari potest aut ambulare, id etiam potest non secari et non ambulare: ratio vero hujus est, quod quidquid ita possibile est, id non semper actu tale est; quare vera erit etiam de illo negatio; potest enim etiam non ambulare id quod ambulare potest, et potest etiam non cerni id quod cerni potest. At vero de eodem oppositae affirmatio [et negatio] verae esse non possunt. Quare non est *tou* Possibile esse negatio, Possibile non esse.

Sequitur enim hinc, aut idem vere simul affirmari et negari de eodem, aut non secundum opposita, quatenus ea sunt et non sunt, fieri affirmationes et negationes. Si ergo illud fieri nequit, hoc eligendum fuerit.

Postquam determinatum est de enunciationibus, quarum partibus aliud additur tam remanente quam variata unitate, hic intendit declarare quid accidat enunciationi, ex eo quod aliquid additur non suis partibus, sed compositioni ejus. Et circa hoc duo facit. Primo determinat de oppositione earum. Secundo de consequentiis, ibi, « Consequen- « tiae vero. » Circa primum duo facit. Primo pro- ponit quod intendit. Secundo exequitur, ibi, « Nam « si eorum etc. » Proponit ergo quod jam perspiciendum est quomodo se habeant affirmationes et negationes enunciationum de possibili et non possibili, etc. Et causam subdit. Habent enim multas dubitationes speciales. Sed antequam ulterius procedatur, quoniam de enuntiationibus quae modales vocantur sermo inchoatur, praelibandum esse quasdam modales enunciationes, et qui et quot sunt modi reddentes propositiones modales, et quid earum sit subjectum, et quid praedicatum, et quid sit ipsa enunciatio modalis, et quis sit ordo earum ad praecedentes, et quae necessitas sit specialem faciendi tractatum de his. Quia ergo possumus dupliciter de rebus loqui: uno modo componendo rem unam cum alia, alio modo compositionem factam declarando qualis sit; insurgunt duo enunciationum genera; quaedam scilicet enunciantes aliquid inesse vel non inesse alteri, et hae vocantur de inesse, de quibus superius habitus est sermo. Quaedam vero enunciantes modum compositionis praedicati cum subjecto: et hae vocantur modales a principaliori parte sua, modo scilicet: cum enim dicitur, Socratem currere est possibile, non enunciatur cursus de Socrate, sed qualis sit compositio cursus cum Socrate, scilicet possibilis. Signanter autem dixi modum compositionis, quoniam modus in enunciatione positus dupliciter est. Quidam enim determinat verbum, vel ratione significati ipsius verbi, ut Socrates currit velociter, vel ratione temporis consignificati, ut Socrates currit hodie. Quidam autem determinat compositionem ipsam praedicati cum subjecto, sicut cum dicitur Socratem currere est possibile. In illis namque determinatur qualis cursus insit Socrati, vel quando. In hoc autem, qualis sit conjunctio cursus cum Socrate. Modi ergo non illi qui rem verbi, sed qui compositionem determinant, modales enunciationes reddunt, eo quod compositio veluti forma totius, totam enunciationem continet. Sunt autem hujusmodi modi quatuor, proprie loquendo; scilicet, possibile et impossibile, necessarium et contingens. Verum namque et falsum, licet supra compositionem cadant, cum dicitur Socratem currere est verum, vel hominem esse quadrupedem est falsum, attamen modificare proprie non videntur compositionem ipsam. Quia modificari proprie dicitur aliquid, quando redditur aliquale, non quando fit secundum suam substantiam. Compositio autem quando dicitur vera non aliqualis proponitur, sed quod est. Nihil enim aliud est dicere Socratem currere est verum, quam quod compositio cursus cum Socrate est. Et similiter quando est falsa, nihil aliud dicitur, quam quod non est. Nam nihil aliud est dicere, Socratem currere est falsum, quam quod compositio cursus cum Socrate non est. Quando vero compositio dicitur possibilis aut contingens, jam non ipsam esse, sed ipsam aliqualem esse dicimus. Cum siquidem dicitur, Socratem currere est possibile, non substantificamus compositionem cursus cum Socrate, sed qualificamus asserentes illam esse possibilem. Unde Aristoteles hic modos proponens, veri et falsi nullo modo meminit, licet infra verum et non verum inserat, propter causam ibi assignandam. Et quia enunciatio modalis duas in se continet compositiones, alteram inter partes dicti, alteram inter dictum et modum; intelligendum est eam compositionem modificari, id est quae est inter partes dicti, non eam quae est inter modum et dictum. Quod sic perpendi potest. Hujus euunciationis modalis, Socratem esse album est possibile, duae sunt partes: altera est Socratem esse album, altera Est possibile. Prima, dictum vocatur, eo quod est id quod dicitur per ejus indicativam, scilicet Socrates est albus. Qui enim profert hanc, Socrates est albus, nihil aliud dicit, nisi Socratem esse album. Secunda vocatur modus, eo quod modi adjectio est. Prima compositionem

quandam in se continet ex Socrate et albo. Secunda pars primae opposita, compositionem aliquam sonat ex dicti compositione et modo. Prima rursus pars, licet omnia habeat propria, subjectum scilicet, praedicatum, copulam et compositionem, tota tamen subjectum est modalis enunciationis. Secunda autem est praedicatum. Dicti ergo compositio subjicitur, et modificatur in enunciatione modali.

Qui enim dicit Socratem esse album est possibile, non significat qualis est conjunctio possibilitatis, cum hoc dicto Socratem esse album; sed insinuat qualis sit compositio partium dicti inter se, scilicet cursus cum Socrate, scilicet quod est compositio possibilis. Non dicit igitur enunciatio modalis aliquid inesse vel non inesse, sed dicti potius modum enunciat. Nec proprie componit secundum significatum, quia compositionis non est compositio, sed rerum compositioni modum apponit. Unde nihil aliud est enunciatio modalis, quam enunciatio dicti modificativa. Nec propterea censenda est enunciatio plures modalis, quia omnia duplicata habeat; quoniam unum modum de unica compositione enunciat, licet illius compositionis plures sint partes. Plura enim illa ad dicti compositionem concurrentia, veluti plura, ex quibus fit unum subjectum, concurrunt, de quibus dictum est supra, quod enunciationis unitatem non impediunt. Sicut nec cum dicitur, Domus est alba, est enunciatio multiplex, licet domus ex multis consurgat partibus. Merito autem est post enunciationes dici inesse de modalibus tractandum, quia partes naturaliter sunt toto priores, et cognitio totius ex partium cognitione dependet. Et specialis sermo de his habendus, quia proprias habet difficultates. Notavit quoque Aristoteles in textu multa. Horum ordinem scilicet, cum dixit « his vero determinatis. » Modos qui et quot sunt, cum eis expressit et inseruit. Variationem ejusdem modi per affirmationem et negationem, cum possibile et non possibile, contingens et contingens. Necessitatem, cum addidit: « Habent enim multas dubitationes proprias. »

Deinde cum dicit « nam si eorum »

Exequitur tractatum de oppositione modalium. Et circa hoc duo facit. Primo movendo quaestionem, arguit ad partes. Secundo determinat veritatem, ibi, « Contingit autem etc. » Est autem dubitatio, an in enunciationibus modalibus fiat contradictio negatione apposita ad verbum dicti, quod dicit rem, an non, sed potius negatione apposita ad modum qui qualificat. Et primo arguit ad partem affirmativam, quod scilicet addenda sit negatio ad verbum. Secundo ad partem negativam, quod non apponenda sit negatio ipsi verbo, ibi, « Videtur autem. » Intendit ergo primo tale argumentum. Si complexorum contradictiones attenduntur penes esse et non esse, ut patet inductione in enunciationibus substantivis de secundo adjacente, et de tertio, et in adjectivis, contradictionem omnium hoc modo sumendae sunt; contradictoria hujus Possibile esse, erit, Possibile non esse, et non illa, Non possibile esse. Et consequenter apponenda est negatio verbo, ad sumendam oppositionem in modalibus. Patet consequentia: quia cum dicitur possibile esse et possibile non esse, negatio cadit supra esse. Unde dicit: « Nam si eorum, quae complectuntur, » id est complexorum illae sibi invicem sunt oppositae contradictiones, quae secundum esse vel non esse disponuntur, id est in quarum una affirmatur esse, et in altera negatur. Et subdit inductionem inchoans a secundo adjacente, ut ejus enunciationis quae est esse hominem, idest Homo est, negatio est, non esse hominem, ubi verbum negatur, id est Homo non est; et non est ejus negatio ea quae est, esse non hominem, id est, Non homo est. Haec enim non est negativa, sed affirmativa de subjecto infinito, quae simul est vera cum illa prima, scilicet Homo est. Deinde prosequitur inductionem in substantivis de tertio adjacente: « et ejus quae est esse « album « hominem », id est et illius enunciationis, Homo est albus, « negatio est, non esse album hominem », ubi verbum negatur, id est Homo non est albus, « et non est negatio illius ea, quae est esse non album « hominem, » id est Homo est non albus. Haec enim non est negativa sed affirmativa de praedicato infinito. Et quia istae duae affirmativae de praedicato finito et infinito non possunt de eodem verificari, propterea quia sunt de praedicatis oppositis, posset aliquis credere, quod sint contradictoriae: et ideo ad hunc errorem tollendum interponit rationem probantem quod hae duae non sunt contradictoriae. Est autem ratio talis. Contradictoriorum talis est natura quod de omnibus aut dictio id est affirmatio, aut negatio verificatur. Inter contradictoria siquidem, nullum potest inveniri medium. Sed hae duae enunciationes, scilicet Est homo albus, et Est homo non albus, sunt contradictoriae per se, ergo sunt talis naturae quod de omnibus altera verificatur. Et sic cum de ligno sit falsum dicere, Est homo albus, erit verum dicere de eo, scilicet ligno, esse non album hominem, idest Lignum est homo non albus, quod est manifeste falsum. Lignum enim neque est homo albus, neque est homo non albus. Restat ergo, ex quo utraque est simul falsa de eodem, quod non sit inter eas contradictio. Sed contradictio fit quando negatio apponitur verbo. Deinde prosequitur inductionem in enunciationibus adjectivis verbi, dicens, quod si hoc modo, scilicet supradicto, accipitur contradictio, et in quantiscumque enunciationibus esse non ponitur explicite, idem faciet quo ad oppositionem sumendam id quod pro esse dicitur, id est verbum adjectivum quod locum ipsius esse tenet, pro quanto propter ejus veritatem in se inclusam, copulae officium facit: ut ejus enunciationis quae est, Homo ambulat, negatio est, non ea quae dicit, Non homo ambulat, haec enim est affirmativa de subjecto infinito, sed negatio illius est, Homo non ambulat: sicut et in illis de verbo substantivo negatio verbo addenda erat. Nihil enim differt dicere verbo adjectivo, Homo ambulat, vel substantivo, Homo est ambulans. Deinde ponit secundam partem inductionis, dicens: « Et si hoc modo in omnibus « sumenda est contradictio, » scilicet apponendo negationem ad esse, concluditur quod et ejus enunciationis, quae dicit possibile esse, negatio est possibile non esse, et non illa quae dicit, non possibile esse. Patet conclusionis sequela: quia in illa Possibile non esse, negatio apponitur verbo, in ista autem non. Dixit autem in principio hujus rationis, « eo- « rum quae complectuntur, » id est complexorum contradictiones fiunt secundum esse et non esse, ad differentiam incomplexorum quorum oppositio non fit negatione dicente non esse, sed ipsi incomplexo apposita, ut homo et non homo, legit et non legit.

Deinde cum dicit « videtur autem »

Arguit ad quaestionis partem negativam, scilicet quod ad sumendam contradictionem in modalibus non addenda sit negatio verbo, tali ratione. Impossibile est duas contradictorias esse simul veras de eodem: sed supradictae, scilicet Possibile esse et possibile non esse simul verificantur de eodem: ergo istae non sunt contradictoriae: igitur contradictio modalium non attenditur penes verbi negationem. Hujus rationis primo ponitur in litera minor, cum sua probatione. Secundo major. Tertio conclusio. Minor quidem cum dicit « Videtur autem idem « possibile esse, et non possibile esse ». Sicut, verbi gratia, omne quod est possibile dividi, est etiam possibile non dividi, et quod est possibile ambulare, est etiam possibile non ambulare. Ratio autem hujus minoris est, quoniam omne quod sic possibile est, sicut scilicet est possibile ambulare et dividi, non semper actu est. Non enim semper actualiter ambulat, qui ambulare potest; nec semper actu dividitur, quod dividi potest. Quare inerit etiam negatio possibilis: id est ergo non solum possibilis est affirmatio sed est negatio ejusdem. Adverte quod quia possibile est multiplex, ut infra dicetur, ideo notanter Aristoteles dividit ly sic, assumens, quod sic possibile est, non semper actu est. Non enim de omni possibili verum est dicere quod non semper actu est, sed de aliquo; eo scilicet quod est sic possibile, quemadmodum ambulare et dividi. Nota ulterius quod quia tale possibile habet duas conditiones, scilicet quod potest actu esse, et quod non semper actu est, sequitur necessario, quod de eo simul est verum dicere possibile esse et non esse. Ex eo enim quod potest actu esse sequitur · quod sit possibile esse. Ex eo vero quod non semper actu est, sequitur quod sit possibile non esse. Quod enim non semper est, potest non esse. Bene ergo intulit Aristoteles ex his duobus « Quare inerit et « negatio possibilis », et non solum affirmatio. Potest igitur et non ambulare, quod est ambulabile, et non videri, quod est visibile. Major vero subjungitur, cum ait: « At vero impossibile est de eodem veras « esse contradictiones. » Infertur quoque ultima conclusio. « Non est igitur ista, scilicet Possibile non esse, « negatio illius quae dicit Possibile esse, » quia sunt simul verae de eodem. Caveto autem ne ex isto textu putes Possibile, ut est modus, debere semper accipi pro possibili ad utrumlibet; quoniam hoc infra declarabitur esse falsum: sed considera, quod satis fuit intendenti declarare, quod in modalibus non sumitur contradictio ex verbi negatione, afferre instantiam in una modali, quae continetur sub modalibus de possibili.

Deinde cum dicit « contingit enim »

Determinat veritatem hujus dubitationis. Et quia duo petebat, scilicet an contradictio modalium ex negatione verbi fiat, an non, et an potius ex negatione modi; ideo primo determinat veritatem primae petitionis, quod scilicet contradictio harum non fit negatione verbi. Secundo determinat veritatem secundae petitionis, quod scilicet fiat modalium contradictio ex negatione modi, ibi, « Est ergo « negatio. » Dicit ergo quod propter supradictas rationes evenit unum ex his duobus quae concludimus determinare: « aut idem ipsum » idest unum et idem « dicere, » idest affirmare « et negare simul de « eodem », idest aut quod duo contradictoria simul verificantur de eodem, ut prima ratio conclusit, aut affirmationes vel negationes modalium quae opponuntur contradictorie fieri non secundum esse vel non esse, idest aut contradictio modalium non fiet ex negatione verbi, ut secunda ratio conclusit. Si ergo illud est impossibile, scilicet quod duo con- tradictoria possint simul esse vera de eodem, hoc scilicet, quod contradictio modalium non fiat se- cundum verbi negationem, erit magis eligendum. Impossibilia enim semper vitanda sunt. Ex ipso autem modo loquendi innuit, quod utrique eorum aliquid obstat. Sed quia primo obstat impossibilitas,

quae acceptari non potest; secundo autem nihil aliud obstat nisi quod negatio supra enunciationis copulam cadere debet, si negativa fieri debet enun- ciatio, et hoc aliter fieri potest quam negando dicti verbum, ut infra declarabitur, ideo hoc secundum, scilicet, quod contradictio modalium non fiat secun- dum negationem verbi, eligendum est. Primum vero est omnino abjiciendum.

LECTIO IX.

Modalium omnium contradictionem negationem non verbo, sed modis additam exigere docetur.

Est igitur negatio ejus quae est Possibile esse, ea quae est Non possibile esse, et non ea quae est Possibile non esse. Eadem quoque ratio est in eo quod est contingens esse. Etenim negatio ejus est, Non contingens esse. Et in aliis quoque simili modo, ut in necessario et impossibili.

Fiunt enim quemadmodum in illis esse et non esse ap- positiones, subjectae vero res, hoc quidem album, illud vero homo, sic hoc loco esse quidem et non esse subjecta fiunt: posse vero et contingere, appositiones determinantes quem- admodum in illis esse et non esse veritatem et falsitatem, sic hic in eo quod est esse possibile et esse non possibile.

Ejus vero, quae est Possibile est non esse, negatio est, non ea quae est, Non possibile est esse, sed ea, quae est, Non possibile est non esse. Et ejus quae est, possibile est esse, non ea quae est, possibile est non esse, sed ea quae est, non possibile est esse. Quare sequi sese invicem videbuntur hae, Possibile est esse, Possibile est non esse. Idem enim possibile est esse et non esse. Non enim contradictiones sunt sibi invicem hujusmodi, possibile esse, et possibile non esse. Sed possibile est esse, et non possibile est esse, nun- quam simul in eodem verae sunt, opponuntur enim. At vero nec possibile est non esse, et non possibile est non esse, nunquam simul verae sunt. Similiter autem, et ejus, quae est Necessarium esse, non ea quae est necessarium non esse negatio est, sed ea, quae est, Non necessarium esse. Ejus vero quae est, necessarium est non esse, ea quae est, non necessarium non esse; et ejus quae est Impossibile esse, non ea quae est, impossibile non esse, sed Non impossibile esse. Ejus vero, quae est Impossibile non esse, ea quae est, Non impossibile est non esse.

Universaliter vero (quemadmodum dictum est) esse qui- dem et non esse oportet ponere quemadmodum subjecta: affirmationem vero et negationem haec facientem, ad esse, et non esse apponere: et has putare oportet esse oppositas dictiones, possibile, non possibile contingens, et non contin- gens, impossibile, non impossibile, necessarium, non neces- sarium, verum, non verum.

Est ergo negatio *tou* Possibile esse, *to* Non possibile esse, [sed non *to* Possibile non esse]. Eadem vero ratio est *tou*, Contingit esse: nam et hujus negatio est *to* Non con- tingit esse; et aliorum vero simili modo, ut Necessarii et Impossibilis.

Sunt enim, quemadmodum in illis *to* Esse et Non esse appositiones [sunt]; subjecta vero res, alterum album, alte- rum homo; ita hic *to* Esse et *to* Non esse velut subjecta sunt; *to* Posse autem et Contingere appositiones discernentes ut in illis *to* Esse et Non esse, verum et falsum, similiter hae [positae] in iis in quae *to* Esse possibile, et *to* Esse non possibile cadunt.

Tou autem Possibile est non esse negatio est non *to* Non possibile est esse, sed *to*, Non possibile est non esse; et *tou* Possibile est esse non [negatio est] *to* Possibile est non esse, sed *to*, Non possibile est esse. Quare etiam consequi viden- tur inter se hae: Possibile est esse, et Possibile est non esse; nam idem potest esse et non esse; non enim sibi invicem contradicentes sunt tales, *to* Possibile est esse, et Possibile est non esse; sed *to* Possibile est esse, et Non possibile est esse, nunquam de eodem simul vera sunt; opposita enim sunt; neque *to* Possibile est non esse, et Non possibile est non esse, unquam simul de eodem vera sunt.

Similiter vero et *tou* Necesse est esse negatio est non *to* Necesse est non esse, sed *to* Non necesse est esse; *tou* Necesse est non esse autem, *to* Non necesse est non esse.

Et *tou* Impossibile esse [negatio est] non *to* Impossibile est non esse, sed *to*, Non impossibile est esse; *tou* Impossi- bile est non esse autem *to* Non impossibile est non esse.

Omnino autem, ut dictum est, *to* Esse, et Non esse, oportet poni ut subjecta; affirmationem vero et negationem quae efficiunt, ea oportet adjungi *tô* Esse et Non esse. Et has oportet haberi oppositas affirmationes et negationes: Possibile est, Non possibile est; Contingens, Non contingens est; Impossibile, Non impossibile; Necessarium, Non neces- sarium, Verum, Non verum.

Determinat ubi ponenda sit negatio ad assu- mendam modalium contradictionem. Et circa hoc quatuor facit. Primo determinat veritatem summa- rie. Secundo assignat determinatae veritatis rationem, quae dicitur rationi ad oppositum inductae, ibi, « Fiunt enim. » Tertio explanat eamdem veritatem in omnibus modalibus, ibi, « Ejus vero. » Quarto universalem regulam concludit, ibi, « Universaliter « vero. » Quia igitur negatio aut verbo aut modo apponenda est, et quod verbo non addenda est, declaratum est per locum a divisione. Concludendo determinat: « est ergo negatio ejus quae est possi- « bile esse, ea quae est non possibile esse », in qua

negatur modus. Et eadem est ratio in enunciatio- nibus de contingenti. Hujus enim, quae est Contin- gens esse, negatio est Non contingens esse. Et in aliis, scilicet de necesse et impossibili idem est judicium.

Deinde, cum dicit « fiunt enim »

Subdit hujus veritatis rationem talem. Ad sumen- dam contradictionem inter aliquas enunciationes opor- tet ponere negationem super appositione, idest con- junctione praedicati cum subjecto. Sed in modalibus appositiones sunt modi, ergo in modalibus negatio apponenda est modo, ut fiat contradictio. Hujus rationis majore subintellecta minor ponitur in litera per se- cundam similitudinem ad illas de inesse; et dicitur quod « quemadmodum in illis » enunciationibus de inesse « appositiones, » idest praedicationes « sunt esse, « et non esse, » idest verba significativa esse, vel non esse (verbum enim semper est nota eorum quae de altero praedicantur), subjectae vero appositionibus res sunt, quibus esse vel non esse apponitur, ut album cum dicitur, Album est, vel homo, cum dicitur Homo est. Eodem modo hoc in loco in modalibus accidit; esse quidem subjectum fit, idest dictum significans esse vel non esse, subjecti locum tenet; contingere vero et posse appositiones idest modi praedicationes sunt. Et quemadmodum in illis de inesse, paenes esse et non esse veritatem vel falsitatem determinavimus, ita in istis modalibus paenes modos. Hoc enim quod subdit « determinan- « tes », scilicet fiunt ipsi modi veritatem, quemadmodum in illis esse et non esse eam determinat. Et sic patet responsio ad argumentum in oppositum primo adductum, concludens, quod negatio verbo apponenda sit sicut illis de inesse. Dicitur enim quod cum modalis enunciet modum de dicto sicut enunciatio de inesse, esse vel esse tale, puta esse album de subjecto; eumdem locum tenet modus hic, quem ibi verbum; et consequenter super idem proportionaliter cadit negatio hic et ibi. Eadem enim, ut dictum est, proportio est modi ad dictum, quae est verbi ad subjectum. Rursus cum veritas et falsitas affirmationem et negationem sequatur, paenes idem attendenda est affirmatio vel negatio enunciationis, et veritas vel falsitas ejusdem. Sicut autem in enunciationibus de inesse veritas vel falsitas esse vel non esse consequitur, ita in modalibus modum. Illa namque modalis est vera, quae sic modificat dictum, sicut dicti compositio patitur; sicut illa de inesse est vera quae sic significat esse sicut est. Est ergo negatio modo hic apponenda, sicut ibi verbo, cum sit eadem utriusque vis quo ad veritatem et falsitatem enunciationis. Adverte quod modos appositiones, idest praedicationes vocavit, sicut esse in illis de inesse, intelligens per modum totum praedicatum enunciationis modalis, puta Est possibile. In cujus signum modos ipsos verbaliter protulit, dicens, « contingere vero et posse « appositiones sunt. » Contingit enim et potest, totum praedicatum modalis continent.

Deinde cum dicit « ejus vero »

Explanat determinatam veritatem in omnibus modalibus, scilicet de possibili et necessario et impossibili. Contingens enim convertitur cum possibili. Et quia quilibet modus facit duas modales affirmativas, alteram habentem dictum affirmatum, et alteram habentem dictum negatum; ideo explanat in singulis modis, quae cujusque affirmationis negatio fit. Et primo in illis de possibili. Et quia primae affirmativae de possibili, quae scilicet habet dictum affirmatum, scilicet Possibile esse, negatio assignata fuit, Non possibile esse, ideo ad reliquam affirmativam de possibili transiens ait, « ejus vero, quae est « Possibile non esse, ubi dictum negatur, negatio est « Non possibile non esse. » Et hoc consequenter probat per hoc quod contradictoria hujus Possibile non esse, aut est Possibile esse, aut illa quam diximus, scilicet Non possibile non esse. Sed illa, scilicet Possibile esse, non est ejus contradictoria. Non enim sunt sibi invicem contradicentes, possibile esse et possibile non esse, quia possunt simul esse verae. Unde et sequi sese invicem putabuntur,

quoniam ut supradictum fuit, idem est possibile esse et non esse: et consequenter sicut ad posse esse, sequitur posse non esse, ita e contra ad posse non esse, sequitur posse esse. Sed contradictoria illius Possibile esse, quae non potest simul esse vera, est Non possibile esse: haec enim, ut dictum est, opponuntur. Remanet ergo quod hujus negatio Possibile non esse, sit illa, Non possibile non esse, hae namque simul nunquam sunt verae vel falsae. Dixit quod possibile esse et non esse sequi se invicem putabuntur; et non dixit quod se invicem consequuntur, quia secundum veritatem universaliter non sequuntur se, sed particulariter tantum, ut infra dicetur: propter quod putabitur, quod simpliciter se invicem sequantur. Deinde declarat hoc idem in illis de necessario. Et primo in affirmativa habente dictum affirmatum, dicens, « similiter ejus « quae est necessarium esse, negatio non est ea quae « dicit necessarium non esse, ubi modus non negatur, « sed ea quae est non necessarium esse. » Deinde subdit de affirmativa de necessario habente dictum negatum: et ait: « ejus vero, quae est, necessarium « non esse, negatio non est ea quae dicit, non necessa- « rium non esse. » Deinde transit ad illas de impossibili, eumdem ordinem servans; et inquit: « et ejus « quae dicit impossibile esse, negatio non est ea « quae dicit impossibile non esse, sed Non impossi- « bile esse », ubi jam modus negatur. Alterius vero affirmativae, quae est Impossibile non esse, negatio est ea quae dicit non impossibile non esse. Et sic semper modo negatio addenda est.

Deinde, cum dicit « universaliter vero »

Concludit regulam universalem, dicens, quod quemadmodum dictum est, dicta importantia esse et non esse, oportet ponere in modalibus ut subjecta, negationem vero et affirmationem, hoc, idest contradictionis oppositionem facientem, oportet apponere tantummodo ad suum eumdem modum, non ad diversos modos. Debet namque illemet modus negari, quod prius affirmabatur si contradictio esse debet. Exemplariter explanans quomodo hoc fiat subdit: « et oportet putare has esse oppositas dictiones, » idest affirmationes et negationes in modalibus possibile, et non possibile, contingens et non contingens. Item cum dixit negationem tantummodo ad modum opponi debere, non exclusit modi copulam, sed dictum. Hoc enim est singulare in modalibus quod eamdem oppositionem facit negatio modo addita, et ejus verbo. Contradictorie enim opponitur huic, Possibile est esse non solum illa, Non possibile est esse, sed ista Possibile non est esse. Meminit autem modi potius, et propter hoc quod nunc diximus; ut scilicet insinuaret, quod negatio verbo modi postposita, modo autem praeposita, idem facit, ac si modali verbo praeponeretur; et quia cum modo nunquam careat modalis enunciatio, semper negatio supra modum poni potest. Non autem sic de ejus verbo: verbo enim modi carere contingit modalem, ut cum dicitur, Socrates currit necessario; et ideo non semper verbo negatio aptari potest. Quod autem in fine addidit verum et non verum, insinuat praeter quatuor praedictos modos alios inveniri, qui etiam compositionem enunciationis determinant, puta verum et non verum, falsum et non falsum: quos tamen inter modos supra non posuit, quia, ut declaratum fuit, non proprie modificant.

LECTIO X.

De modalium consequentiis tum ex aliorum, tum ex propria opinione.

ANTIQUA.

Consequentiae vero secundum ordinem fiunt ita ponentibus. Illi enim quae est, Possibile est esse sequitur illa quae est, Contingens esse, et haec illi convertitur, et Non impossibile esse, et Non necessarium esse. Illi vero, quae est Possibile non esse, et Contingens non esse, ea quae est, Non necessarium non esse, et Non impossibile non esse. Illi vero, quae est, Non possibile esse, et Non contingens esse, ea quae est Necessarium non esse, et Impossibile esse. Illi vero, quae est, Non possibile non esse, et Non contingens non esse, illa quae est Necesse est esse, et Impossibile non esse. Consideretur autem ex subscriptione, quod dicimus:

RECENS.

Et consecutiones quidem secundum rationem fiunt, si ita ponamus. Ad *to* Possibile est esse sequitur *to* Contingit esse, et hoc cum illo reciprocatur, et *to* Non impossibile est esse, et *to* Non necessarium est esse; ad *to* Possibile est non esse vero, et *to* Contingit non esse [sequitur] *to* Non necessarium est non esse, et *to* Non impossibile est non esse; ad *to* Non possibile est esse autem, et *to* Non contingit esse [sequitur] *to* Necessarium est non esse, et *to* Impossibile est esse; ad *to* Non possibile est non esse denique, et *to* Non contingit non esse [sequitur], *to* Necessarium est esse, et *to* Impossibile est non esse. Consideretur vero, quod dictum est, ex tabula subjecta:

[Consequentiae enunciationum modalium secundum quatuor ordines ab antiquis positae et ordinatae.]

[Primus ordo].	[Tertius ordo].
Possibile est esse.	Non possibile est esse.
Contingens est esse.	Non contingens est esse.
Non impossibile est esse.	Impossibile est esse.
Non necesse est esse.	Necesse est non esse.

[Secundus ordo].	[Quartus ordo].
Possibile est non esse.	Non possibile est non esse.
Contingens est non esse.	Non contingens est non esse.
Non impossibile est non esse.	Impossibile est non esse.
Non necessarium est non esse.	Necesse est esse.

[Primus ordo].	[Tertius ordo].
Possibile est esse,	Non possibile est esse.
Contingit esse,	Non contingit esse.
Non impossibile est esse,	Impossibile est esse.
Non necessarium est esse,	Necessarium est non esse.

[Secundus ordo].	[Quartus ordo].
Possibile est non esse,	Non possibile est non esse.
Contingit non esse.	Non contingit non esse.
Non impossibile est non esse,	Impossibile est non esse.
Non necessarium est non esse,	Necessarium est esse.

Ergo impossibile et non impossibile illud quod est contingens et possibile, et non contingens et non possibile sequitur quidem contradictorie, sed conversim. Illud enim quod est possibile esse, negatio sequitur impossibilis esse, negationem vero affirmatio. Ad illud enim quod est non possibile esse sequitur illud quod est impossibile esse. Affirmatio enim est possibile esse, non impossibile vero negatio.

Necessarium vero quemadmodum sit, considerandum est. Manifestum est autem quoniam non eodem modo; sed contrariae sequuntur, contradictoriae autem sunt extra. Non enim est negatio ejus quod est Necesse non esse, Non necesse est esse: contingit enim esse veras utrasque in eodem. Quod enim est necessarium non esse, non est necessarium esse.

Causa autem cur non sequatur similiter ceteris est, quoniam contrarie impossibile necessario redditur idem valens. Nam quod impossibile est esse, necesse est hoc non quidem esse, sed potius non esse. Quod vero impossibile est non esse, hoc necessarium est esse. Quare si illa similiter sequuntur possibile et non possibile, haec e converso. Quoniam non significat idem necessarium et impossibile, sed (quemadmodum dictum est) conversim.

At certe impossibile est sic poni necessarii contradictiones. Nam quod est necessarium esse, possibile est esse. Nam si non, negatio sequitur. Necesse enim est aut affirmare aut negare. Quare si non possibile est esse, impossibile est esse. Igitur impossibile est esse quod necesse est esse, quod sane est inconveniens. At vero illud quod est possibile esse non impossibile esse sequitur; hoc vero illud quod est non necessarium est esse. Quare contingit quod est necessarium esse, non necessarium esse; quod sane est inconveniens.

At vero neque necessarium esse sequitur possibile esse, neque necessarium non esse. Illi enim utraque contingit accidere. Horum autem utrumlibet verum fuerit, nondum erunt illa vera. Simul enim possibile est esse et non esse. Si vero necesse est esse vel non esse, non erit possibile utrumque. Relinquitur ergo non necessarium non esse sequi ad possibile esse.

Hoc enim verum est et de necesse esse. Haec enim sit contradictio ejus, quae sequitur ad non possibile esse. Illud enim hoc impossibile sequitur hoc quod est impossibile esse, et necesse non esse, cujus negatio est, non necesse non esse.

Sequuntur igitur et hae contradictiones secundum praedictum modum, et nihil impossibile contingit sic positis.

To Impossibile igitur, et Non impossibile, ad Contingens et Possibile, et Non contingens et Non possibile, sequuntur quidem contradictorie, reciproce autem. Nam ad *to* Possibile est esse negatio Impossibilis sequitur [*to* Non impossibile est esse]; negationem vero [sequitur] affirmatio. Nam ad *to* Non possibile est esse [sequitur] *to* Impossibile est esse; affirmatio enim est *to* Impossibile est esse; *to* Non impossibile est esse vero negatio est.

Necessarium autem quomodo se habeat, videndum est. Perspicuum nempe est quod non eodem modo se habeat; sed contrariae sequuntur; contradictiones vero seorsum; non enim est negatio *tou* Necessarium non est esse *to* Non necessarium est esse; fieri enim potest ut de eodem utraeque [propositiones] verae sint; nam quod necessarium est non esse, id non necessarium est esse.

Causa vero est, cur non sequatur necessarium similiter ut reliquae [enuntiationes modales], quod Impossibile contrarie cum Necessario collatum idem valet: quod enim impossibile est esse, necesse est, hoc non, esse, sed non esse; quod autem impossibile est non esse, hoc necesse est esse; quare, si illa similiter sequuntur ad *to* Possibile est esse et Non [possibile est esse], haec e contrario [sequuntur]; neque idem significant *to* Necessarium et *to* Impossibile, sed, ut dictum est, reciproce.

An impossibile est sic constitui Necessarii contradictiones? nam quod necessarium est esse, id possibile est esse, (nam sin minus, negatio consequetur; necesse enim est aut affirmare, aut negare; quare si non possibile est esse, impossibile est esse; ergo Impossibile est esse, quod necessarium est esse, quod quidem absurdum est;) verum *tō* Possibile est esse *to* Non impossibile est esse convenit, huic vero *to* Non necessarium esse; itaque fit ut *to* Necessarium esse non Necessarium sit; quod absurdum est.

At certe neque *to* Necessarium est esse sequitur *to* Possibile est esse, neque *to* Necessarium est non esse; nam ad *to* [Possibile est esse] utrumque ut sequatur contingit; horum vero utrumcumque verum fuerit, non amplius erunt illa vera; simul enim aliquid esse potest, et non esse; at si necessarium sit esse aut non esse, non erit possibile utrumque. Reliquum est igitur, *to* Non necessarium est non esse, sequi *to* Possibile est esse. Hoc enim verum est et de *tō* Necessarium est esse. Haec est contradictio ejus [enuntiationis] quae sequitur *to* Non possibile est esse; hoc enim sequitur *to* Impossibile est esse et *to* Necessarium est non esse; cujus contradictio est *to* Non necessarium est non esse. Sequuntur ergo et hae contradictiones secundum modum praedictum; et nihil impossibile accidit, si ita ponantur.

Postquam determinavit de oppositione modalium, hic determinare intendit de consequentiis earum. Et circa hoc duo facit. Primo tradit veritatem. Secundo movet quamdam dubitationem circa determinata, ibi, « Dubitabit autem. » Circa primum duo facit. Primo ponit consequentias earum secundum opinionem aliorum. Secundo examinando et corrigendo dictam opinionem determinat veritatem, ibi, « Ergo impossibile. » Quo ad primum considerandum est, quod cum quilibet modus faciat duas affirmationes, ut dictum fuit, et duabus affirmationibus opponantur duae negationes, ut etiam dictum fuit in primo, secundum quemlibet modum fient quatuor enunciationes; duae scilicet affirmativae, et duae negativae. Cum autem modi sint quatuor efficientur sexdecim modales. Quaternarius enim in seipsum ductus sexdecim constituit. Et quoniam apud omnes quaelibet cujusque modi, undecumque incipias, habet tantum unam cujusque modi, consequentem, ideo ad assignandas consequentias modalium singulas ex singulis modis accipere oportet, et consequenter ordinem inter se adunare. Et hoc modo fecerunt antiqui, de quibus inquit Aristoteles. Consequentiae vero fiunt secundum infrascriptum ordinem antiquis ita ponentibus. Formarerunt enim quatuor ordines modalium, in quorum quolibet omnes quae se consequuntur, collocaverunt. Ut autem confusio vitetur, vocetur cum Averroe de cetero in quolibet modo, affirmativa de dicto et modo affirmativa simplex; affirmativa autem de modo et negativa de dicto, affirmativa declinata; negativa vero de modo et non de dicto, negativa simplex; negativa autem de utroque, negativa declinata: ita quod modi affirmationem vel negationem simplicis, dicti vero declinatio denominet. Dixerunt ergo antiqui, quod affirmationem simplicem de possibili, scilicet possibile est esse, sequitur affirmatio simplex de contingenti, scilicet contingens est esse, (contingens enim convertitur cum possibili,) et negativa simplex de impossibili, scilicet non impossibile esse, et similiter negativa simplex de necessario, scilicet non necesse est esse. Et hic est primus ordo modalium consequentium se. In secundo autem ordine dixerunt, quod affirmativas declinatas de possibili et contingenti, scilicet possibile non esse, et contingens non esse, sequuntur negativae declinatae de necessario et impossibili; scilicet non necessarium non esse, et non impossibile non esse. In tertio vero ordine dixerunt, quod negativas simplices de possibili et contingenti, scilicet non possibile esse, non contingens esse, sequuntur affirmativa declinata de necessario, scilicet necesse non esse, et affirmativa simplex de impossibili, scilicet impossibile esse. In quarto demum ordine dixerunt, quod negativas declinatas de possibili et contingenti, scilicet non possibile non esse et non contingens non esse, sequuntur affirmativa simplex de necessario, scilicet necesse esse, et affirmativa declinata de impossibili, scilicet impossibile non esse. Consideretur autem ex subscriptione supra positae figurae, quemadmodum dicimus, ut clarius elucescat depictum.

Deinde cum dicit « ergo impossibile »

Examinando dictam opinionem determinat veritatem. Et circa hoc duo facit. Quia primo examinat consequentias earum de impossibili. Secundo illarum de necessario, ibi, « Necessarium autem. » Unde ex praemissa opinione concludens et approbans dicit, « Ergo istae, » scilicet impossibile et non impossibile,

« sequuntur illas, » scilicet contingens et possibile non contingens et, non possibile : sequuntur inquam contradictorie, idest ita, ut contradictoriae de impossibili contradictorias de possibili et contingenti consequantur, sed conversim, idest sed non ita quod affirmatio affirmationem, et negatio negationem sequatur, sed conversim, scilicet quod affirmationem negatio, et negationem affirmatio. Et explanans hoc ait. « Illud enim quod est possibile esse, » idest affirmationem possibilis, negatio sequitur impossibilis, idest non impossibile esse; negationem vero possibilis, affirmatio sequitur impossibilis. Illud enim quod est non possibile esse, sequitur ista, impossibile est esse. Haec autem, scilicet impossibile esse, affirmatio est; illa vero, scilicet non possibile esse, negatio est. Hic siquidem modus negatur ibi. Bene igitur dixerunt antiqui in quolibet ordine, quo ad consequentias illarum de impossibili; quia ut in supra scripta figura apparet semper ex affirmatione possibilis negationem impossibilis, et ex negatione possibilis affirmationem impossibilem inferunt.

Deinde, cum dicit « necessarium vero »

Intendit examinando determinare consequentias de necessario. Et circa hoc duo facit. Primo examinat dicta antiquorum. Secundo determinat veritatem intentam, ibi, « At vero neque necessarium. » Circa primum quatuor facit. Primo declarat quid bene, et quid male dictum sit ab antiquis in hac re. Ubi attendendum est quod cum quatuor sint enunciationes de necessario, ut dictum est, differentes inter se secundum quantitatem et qualitatem, adeo ut unam integrent figuram oppositionis juxta morem illarum de inesse, duae earum sunt contrariae inter se, duae autem illis contrariis contradictoriae, u patet in hac figura:

Quia ergo antiqui universales contrarias bene intulerunt ex aliis, contradictorias autem earum scilicet particulares, male intulerunt, ideo dicit, quod considerandum restat de his quae sunt de necessario qualiter se habeant in consequendo illas de possibili et non possibili. Manifestum est autem e dicendis, quod non eodem modo istae de necessario illas de possibili consequuntur, quo easdem sequuntur illae de impossibili. Nam omnes enunciationes de impossibili recte illatae sunt ab antiquis. Enunciationes autem de necessario non omnes recte inferuntur; sed duae earum, quae sunt contrariae scilicet necesse est esse, et necesse est non esse sequuntur, idest recta consequentia deducuntur a antiquis, in tertio scilicet et quarto ordine. Reliqua autem duae de necessario, scilicet non necesse non esse, et non necesse esse, quae sunt contradictoriae supradictis, sunt extra consequentias illarum, in secundo scilicet et primo ordine. Unde antiqui in tertio et quarto ordine omnia recte fecerunt, primo autem et secundo peccaverunt, non quo a omnia, sed quo ad enunciationes de necessario tantum.

Secundo cum dicit « non enim »

Respondet cuidam tacitae objectioni, qua defendi posset consequentia enunciationis de necessario in primo ordine ab antiquis facta. Est autem objectio tacita talis. Non possibile esse et necesse non esse convertibiliter se sequuntur in tertio ordine jam approbato; ergo possibile esse et non necesse esse, invicem se sequi debent in primo ordine. Tenet consequentia; quia duorum convertibiliter se sequentium contradictoria mutuo se sequuntur: sed illae duae tertii ordinis convertibiliter se sequuntur, et istae duae primi ordinis sunt earum contradictoriae; ergo istae primi ordinis scilicet possibile esse et non necesse esse, mutuo se sequuntur. Huic inquam objectioni respondet Aristoteles hic interimendo minorem quo ad hoc quod assumit, quod scilicet necessaria primi ordinis, et necessaria tertii ordinis sunt contradictoriae. Unde dicit: « Non enim est « negatio ejus quod est necesse non esse, » quae erat in tertio ordine, « illa quae dicit non necesse « est esse, » quae sita erat in primo ordine. Et causam subdit, quia contingit utrasque simul esse veras in eodem, quod contradictoriis repugnat. Illud enim idem quod est necessarium non esse, non est necessarium esse. Necessarium siquidem est hominem non esse lignum, et non necessarium est hominem esse lignum. Adverte quod, ut infra patebit, istae duae de necessario quas posuerunt antiqui in primo et tertio ordine sunt subalternae; et ideo sunt simul verae, et deberent esse contradictoriae, et ideo erraverunt antiqui. Boetius autem et Averrois, non reprehensive legunt tam hanc quam praecedentem textus particulam, sed narrative utraque simul jungentes. Narrare enim ajunt Aristotelem qualitatem suprascriptae figurae, quo ad consequentiam illarum de necessario, postquam narravit quomodo se habuerint illae de impossibili, et dicere, quod secundum praescriptam figuram non eodem modo sequuntur illas de possibili, illae de necessario, quo sequuntur illae de impossibili. Nam contradictorias de possibili contradictoriae de impossibili sequuntur, licet conversim. Contradictoriae autem de necessario non dicuntur sequi illas contradictorias de possibili, sed potius eas sequi dicuntur contrariae de necessario, non inter se contrariae, sed hoc modo, quod affirmationem possibilis negatio de necessario sequi dicitur, negationem vero possibilis non affirmatio de necessario sequi ponitur, quae sit contradictoria illi negativae quae ponebatur sequi ad possibilem, sed talis affirmationis de necessario contrario. Et quod hoc ita fiat in illa figura ut dicimus, patet ex primo et tertio ordine quorum capita sunt negatio et affirmatio possibilis, et extrema sunt, non necesse esse, et necesse non esse. Hae siquidem non sunt contradictoriae. Non enim est negatio ejus quod est necesse non esse, non necesse non esse, quia contingit eas simul verificari de eodem; sed illa, scilicet necesse non esse, est contraria contradictoriae hujus, scilicet non necesse esse, quae est necesse est esse. Sed quia sequenti literae magis consona est interpretatio nostra, quae etiam Alberto consentit, et extorte videtur ab aliis exponi ly contrariae, ideo prima judicio meo acceptanda est expositio, et ad antiquorum reprehensionem referendus est textus.

Tertio cum dicit « causa autem »

Manifestat id quod praemiserat, scilicet quod non simili modo ad illas de possibili, sequuntur illae de impossibili et illae de necessario. Antiquorum enim hoc peccatum fuit tam in primo quam in secundo ordine, et simili modo intulerunt illas de impossibili et necessario. In primo siquidem ordine sicut posuerunt negativam simplicem de impossibili, ita posuerunt negativam simplicem de necessario; et similiter, in secundo ordine utramque negativam declinatam locaverunt. Hoc ergo quare peccatum sit, in causa est, quia necessarium non sequitur possibile similiter, idest eodem modo cum caeteris, scilicet de impossibili est, quoniam impossibile redditur idem valens necessario, idest aequivalet necessario contrarie, idest contrario modo sumptum, et non eodem modo. Nam si hoc esse est impossibile, non inferemus, ergo hoc esse est necesse, sed hoc non esse est necesse. Quia ergo impossibile et necesse mutuo se sequuntur, quando dicta eorum contrario modo sumuntur, et non quando dicta eorum simili modo sumuntur, sequitur quod non eodem modo ad possibile se habeat impossibile et necessarium, sed contrario modo. Nam ad id possibile quod sequitur dictum affirmatum de impossibili, sequitur dictum negatum de necessario, et e contrario. Quare autem hoc accidit infra dicetur: Erraverunt igitur antiqui quod similes enunciationes de impossibili necessario in primo et in secundo ordine locaverunt. Hinc apparet quod supra posita nostra expositio conformior est Aristoteli. Cum enim hunc textum induxerit ad manifestandum illa verba: « Manifestum est autem quo- « niam non eodem modo etc. » eo accipienda sunt sensu illa verba, quo hic per causam manifestavunt. Liquet autem quod hic redditur causa dissimilitudinis verae inter necessarias et impossibiles in consequendo possibiles, et non dissimilitudinis falso opinatae ab antiquis, quam ex vera causam non nisi verum concluditur. Ergo reprehendendo antiquos, veram dissimilitudinem inter necessarias et impossibiles in consequendo possibiles quam non servaverunt illi, proposuisse tunc intelligendum est, et nunc eam manifestasse. Quod autem dissimilitudo illa quam antiqui posuerunt inter necessarias et impossibiles, sit falso posita, ex infra dicendis patebit. Ostendetur enim quod contradictorias de possibili contradictoriae de necessario sequuntur conversim. Et quod in hoc non differunt ab his quae sunt de impossibili, sed differunt in hoc quod modo diximus, quod possibilium et impossibilium se consequentium dictum est similiter, possibilium autem et necessariorum se invicem consequentium dictum est contrarium, ut infra clara luce videbitur.

Quarto cum dicit « at certe »

Manifestat aliud quod proposuerat, scilicet quod contradictoriae de necessario male situatae sint secundum consequentiam ab antiquis, qui contradictiones necessarii ita ordinaverunt. In primo ordine posuerunt contradictoriam negationem Necesse esse, idest Non necesse esse, et in secundo contradictoriam negationem Necesse non esse, idest Non necesse non esse. Et probat hunc consequentiae modum esse malum in primo ordine. Cognita enim malitia primi, facile est secundi ordinis agnoscere defectum. Probat autem hoc tali ratione ducente ad impossibile. Ad necessarium esse sequitur possibile esse, aliter sequeretur non possibile esse, quod manifeste implicat. Ad possibile esse, sequitur non impossibile, ut patet. Ad non impossibile esse secundum antiquos sequitur in primo ordine non necessarium esse. Ergo de primo ad ultimum, ad necessarium esse, sequitur non necessarium esse; quod est inconveniens, quia est manifesta implicatio contradictionis. Relinquitur ergo quod male dictum sit quod non necessarium esse, consequatur in primo ordine. Ait ergo: « et certe impossibile est poni sic secundum « consequentiam, ut antiqui posuerunt necessarii con- « tradictiones, » idest illas duas enunciationes de necessario quae sunt negationes contradictoriae aliarum duarum de necessario. Nam ad id quod est necessarium esse, sequitur possibile est esse. Nam si non id est (quoniam si hanc negaveris consequentiam, negatio possibilis sequitur illam, scilicet necesse esse. Necesse est enim de necessario aut dicere, idest affirmare possibile, aut negare possibile. De quolibet enim est affirmatio vel negatio vera.) Quare si dicas quod ad necesse esse non sequitur possibile esse, sed non possibile est esse, cum haec aequivaleat illi quae dicit impossibile est esse; relinquitur quod ad necesse esse sequitur impossibile esse et idem erit necesse esse; et impossibile esse, quod est inconveniens. Bona ergo, erat prima illatio, scilicet necesse esse, ergo possibile est esse. Tunc ultra. Illud quod est possibile esse, sequitur non impossibile esse, ut patet in primo ordine. Ad hoc vero, scilicet non impossibile esse, secundum antiquos eodem primo ordine, sequitur non necesse est esse: quare contingit de primo ad ultimum, quod ad id quod est necessarium esse, sequitur non necessarium esse, quod est inconveniens, immo impossibile. Dubitatur hic quia in primo Priorum dicitur quod ad possibile sequitur non necessarium, hic autem dicitur oppositum. Ad hoc est dicendum quod possibile sumitur dupliciter. Uno modo in communi; et sic est quoddam superius ad necessarium et contingens ad utrumque, sicut animal ad hominem et bovem; et sic ad possibile non sequitur non necessarium, sicut ad animal non sequitur non homo. Alio modo sumitur possibile pro una parte possibilis in communi, idest pro possibili seu contingenti, scilicet ad utrumque, scilicet quod potest esse et non esse; et sic ad possibile sequitur non necessarium. Quod enim potest esse et non esse, non necessarium est esse, et similiter non necessarium est non esse. Loquimur ergo hic de possibili in communi, ibi vero in speciali.

Deinde, cum dicit « at vero »

Determinat veritatem intentam; et circa hoc tria facit. Primo determinat quae enunciatio de necessario sequatur ad possibile. Secundo ordinat consequentias omnium modalium, ibi, « Sequuntur « enim. » Quod ad primum, sicut duabus viis reprehendit antiquos, ita ex illis duobus motivis intentum probat. Et intendit quod ad possibile esse sequitur non necesse non esse. Primum motivum est per locum a divisione. Ad possibile esse non sequitur (ut probatum est) non necesse esse: at vero neque necesse esse, neque necesse non esse. Reliquum est ergo ut sequatur ad eum non necesse non esse. Non enim dantur plures enunciationes de necessario. Hujus communis divisionis, primo proponit reliqua duo membra excludenda, dicens, « At vero neque « necessarium esse, neque necessarium non esse, se- « quitur ad possibile esse. » Secundo probat hoc sic. Nullum formale consequens minuit suum an-

tecedens, tunc oppositum consequentis staret cum antecedente. Sed utrumque horum, scilicet necesse esse, et necesse non esse, minuit possibile esse, ergo etc. Unde tacita majore ponit minoris probationem, dicens: « Illi enim, » scilicet possibile esse « utraque, » scilicet esse et non esse contingit accidere, horum autem, scilicet necesse esse et necesse non esse, utrumlibet verum fuerit, non erunt illa duo, scilicet esse et non esse, vere simul in potentia. Et primum horum explanans, ait, « cum dico possi- « bile esse, simul est possibile esse et non esse. » Quo ad secundum vero subdit. Si vero dicar necesse esse vel necesse non esse, non remanet utrumque, scilicet esse et non esse, possibile. Si enim necesse est esse, possibilitas ad non esse excluditur. Et si necesse est non esse, possibilitas ad esse removetur. Utrumque ergo istorum minuit illud antecedens possibile esse, quoniam ad esse et non esse se extendit, etc. Tertio subdit conclusionem: relinquitur ergo quod non necessarium non esse consequens est ei quae dicit possibile esse, et consequenter haec ponenda erit primo ordine. Occurrit in hac parte dubium circa hoc quod dicit quod ad possibile non sequitur necessarium, cum superius dixerit quod ad ipsum non sequitur non necessarium. Cum enim necessarium et non necessarium sint contradictorie opposita, et de quolibet sit affirmatio vel negatio vera, non videtur posse evadi quin ad possibile sequatur necessarium vel non necessarium. Et cum non sequatur necessarium, sequetur non necessarium, ut dicebant antiqui. Augetur et dubitatio ex eo quod Aristoteles nunc usus est talis argumentationis modo, volens probare quod ad necessarium sequatur possibile. Dixit enim: Nam si non, negatio possibilis consequetur. Necesse est enim aut dicere etc. Pro solutione hujus oportet reminisci habitudinis quae est inter possibile et necessarium: quod scilicet possibile est superius ad necessarium: et attendere quod superius potestate continet suum inferius et ejus oppositum, ita quod neutrum eorum actualiter sibi vendicat, sed utrumque potest sibi contingere; sicut animali potest accidere homo, et non homo: et consequenter inspicere debes, quod eadem est proportio superioris ad habendum affirmationem, negationem unius inferioris, quae est alicujus subjecti ad affirmativam et negativam futuri contingentis. Utrobique enim neutrum habetur, et salvatur potentia ad utrumlibet. Unde sicut in futuris contingentibus nec affirmatio, nec negatio est determinate vera, sed sub disjunctione, altera est necessario vera, ut in fine primi conclusum est; ita nec affirmatio nec negatio inferioris sequitur determinate affirmationem vel negationem superioris, sed sub disjunctione altera sequitur necessario. Unde non valet, est animal, ergo est homo, neque ergo non est homo. Ideo optime determinavit Aristoteles neutram conditionis partem de necessario determinate sequi ad possibile. Non tamen dixit quod sub disjunctione neutra sequatur: hoc enim est contra illud primum principium, de quolibet est affirmatio vera vel falsa. Ad id autem quod additur, ex eadem trahitur radice responsio. Quia enim necessarium inferius est ad possibile, et inferius non in potentia, sed in actu includit suum superius, necesse est ad inferius determinate sequi suum superius, aliter determinate sequetur ejus contradictorium. Unde per dissimilem habitudinem quae est inter necessarium et possibile et non possibile ex una parte et inter possibile et necessarium et non necessarium, ex altera parte, ibi optimus fuit processus ad alteram contradictionis partem determinate, et hic optimus ad neutram determinate. Oritur quoque alia dubitatiuncula. Videtur enim quod Aristoteles difformiter accipiat ly possibile in praecedenti textu et in isto. Ibi enim accipit ipsum in communi, ut sequitur ad necessarium; hic videtur accipere ipsum specialiter pro possibili ad utrumlibet, quia dicit quod possibile est simul potens esse et non esse. Et ad hoc dicendum est quod uniformiter usus est possibili. Nec ejus verba obstant: quoniam et de possibili in communi verum est dicere quod potest sibi utrumque accidere, scilicet esse et non esse: tum quia quicquid verificatur de suo inferiori, verificatur etiam de suo superiori, licet non eodem modo; tum quia possibile in communi neutram conditionis partem sibi determinat, et consequenter utramque sibi advenire compatitur, licet non asserat potentiam ad utramque partem, quemadmodum possibile ad utrumque.

Secundum motivum ad idem correspondens tacitae objectioni antiquorum quam supra excludit addit, cum subdit, « hoc enim verum est. »

Ubi notandum quod Aristoteles sub illa majore adducta pro antiquis, scilicet convertibiliter se consequentium contradictoria se mutuo consequuntur, subsumit minorem. Sed horum convertibiliter se sequentium in tertio ordine, scilicet non possibile esse, et necesse non esse, contradictoria sunt, possibile esse, et non necesse non esse, quoniam modi negatione eis opponuntur: ergo istae duae, scilicet possibile esse, et non necesse non esse, se consequuntur, et in primo locandae sunt ordine. Unde motivum tangens ait: « Hoc enim quod dictum est verum est », idest verum esse ostenditur, « et necesse non esse », idest et ex illius, scilicet non necesse non esse opposita, quae est necesse non esse. Vel, hoc enim, scilicet non necesse non esse verum est, scilicet contradictorium

illius de necesse non esse. Et minorem subdens ait: « Haec enim » scilicet non necesse non esse, « fit contradictio ejus », quae convertibiliter sequitur non possibile esse: et explanans hoc in terminis subdit: « Illud enim non possibile esse, » quod est caput tertii ordinis, « sequitur hoc de impossibili » scilicet impossibile esse, « et haec de necessario, » scilicet necesse non esse, cujus negatio seu contradictoria est, non necesse non esse. Et quia ceteris paribus modus negatur, et illa « est esse » possibile subauditur contradictoria illius, scilicet non possibile: igitur ista duo mutuo se consequuntur, scilicet possibile esse, et non necesse non esse, tamquam contradictoria duorum se mutuo consequentium.

Deinde cum dicit « sequuntur igitur »

Ordinat omnes consequentias modalium secundum opinionem propriam; et ait quod hae contradictiones, scilicet de necessario sequuntur illas de possibili, secundum modum praedictum approbatum illarum de impossibili. Sicut enim contradictorias de possibili contradictoriae de impossibili sequuntur, licet conversim, ita contradictorias de impossibili contradictoriae de necessario sequuntur conversim, licet in hoc, ut dictum est, dissimilitudo sit quod contradictoriarum de possibili et impossibili simile est dictum: contradictoriarum autem de possibili et necessario contrarium est dictum, ut in prima videtur figura. Ubi vides, quod nulla est inter Aristotelem et antiquos differentia, nisi in duobus primis ordinibus quo ad illas de necessario. Praepostero namque situ usi sunt antiqui eam de necessario, quae locanda erat in primo ordine, in secundo ponentes, et eam quae in secundo ponenda erat in primo locantes. Et aspice quoque quod convertibiliter se consequentium semper contradictoria se consequi ordinavit. Singulis enim tertiis ordinis singulae primi ordinis contradictoriae sunt, et similiter singulae quarti ordinis singulis, quae in secundo sunt, contradictoriae. Quod antiqui non observarunt.

L E C T I O   X I.

An ad illud quod est necessarium esse, sequatur id quod est possibile esse.

Dubitabit autem aliquis, si illud quod est necessarium esse possibile esse sequatur. Nam si non sequitur, contradictio sequetur, non possibile esse. Et si quis dicat non hanc esse contradictionem, necesse est ipsum dicere, possibile non esse, sed utraeque falsae sunt de necesse esse.

At vero rursus idem videtur esse possibile incidi et non incidi, et esse et non esse. Quare erit necesse esse, contingens non esse; hoc autem falsum est.

Manifestum est autem quoniam non omne possibile, vel esse, vel ambulare, opposita valet, sed est in quibus non sit verum. Ac primum quidem in his quae non secundum rationem possunt, ut ignis calefactibilis est, et habet vim irrationabilem. Ergo secundum rationem potestates eaedem plurimorum etiam contrariorum sunt. Irrationales vero non omnes; sed quemadmodum dictum est, ignem non esse possibile calefacere et non calefacere, neque quaecumque alia semper agunt. Alia vero possunt, et secundum irrationabiles potestates simul posita suscipere. Sed hoc idcirco dictum est, quoniam non omnis potestas oppositorum est, neque quaecumque secundum eamdem speciem dicuntur.

Dubitaverit autem aliquis; num ad *to* Necesse est esse sequatur *to* Possibile est esse; nam si non sequitur, contradictio sequetur, *to* Non possibile est esse; et si quis dixerit hanc non esse contradictionem, necesse est dicere [contradictionem esse] *to* Possibile est non esse: quae utraeque falsa sunt de *tō* Necessarium est esse. Attamen rursus idem videtur esse possibile secari et non secari, et esse et non esse; adeo ut *to* Necessarium est esse contingat non esse; hoc vero falsum est.

Manifestum igitur, non omne, quod potest aut esse aut ambulare, etiam opposita posse. Sed sunt de quibus [oppositum] non est verum. Primum quidem de iis quae non secundum rationem possibilia sunt; ut ignis potest calefacere et habet vim irrationalem. Quae ergo sunt cum ratione potentiae, illae plurium sunt et contrariorum; irrationales autem non omnes; sed, ut dictum est, ignis non potest calefacere et non calefacere; nec alia quaecumque semper agunt. Quaedam vero [potentiae] etiam ex his, quae ut irrationales agunt, possunt simul opposita recipere. Verum hoc quidem hujus causa dictum est, [ut intelligamus], non omnem potentiam opposita recipere, nec illas, quaecumque secundum eamdem speciem dicuntur.

Postquam Aristoteles declaravit modalium consequentias, hic movet quamdam dubitationem circa unum eorum quae determinata sunt, scilicet quod possibile sequitur ad necesse. Et duo facit: quia primo dubitationem absolvit; secundo ex determinata quaestione alium ordinem earundem consequentiarum modalibus statuit, ibi, « Et est fortasse. » Circa primum duo facit. Primo movet quaestionem. Secundo determinat eam, ibi, « manifestum est. » Movet ergo quaestionem primo dicens: « Dubitabit « autem aliquis si ad id quod est necesse esse se- « quatur possibile esse. » Et secundo arguit ad partem affirmativam, subdens « Nam si non sequitur, contra- « dictoria ejus sequetur, scilicet non possibile esse, » ut supra deductum est, quia de quolibet est affirmatio vel negatio vera. Et si quis dicat hanc, scilicet non possibile esse, non esse contradictoriam illius, scilicet possibile esse, et propterea substerfugiendum velit argumentum, et dicere, quod neutra harum sequitur ad necesse est; talis licet falsum dicat, tamen concedatur sibi, quoniam necesse erit ipsum dicere illius contradictoriam fore, possibile non esse. Oportet namque aut non possibile esse, aut possibile non esse, esse contradictoriam possibile esse: et tunc in eumdem redibit errorem, quoniam utraque, scilicet non possibile esse, et possibile non esse, falsae sunt de eo quod est necesse esse. Et consequenter ad ipsum neutra sequi potest. Nulla enim enunciatio sequitur ad illam, cujus veritatem destruit. Relinquitur ergo quod ad necesse esse, sequitur possibile esse.

Tertio arguit ad partem negativam, cum subdit « at « vero » et intendit talem rationem. Si ad necesse esse sequitur possibile esse, cum ad possibile sequatur possibile non esse, per conversionem in oppositam qualitatem, ut dicitur in primo Priorum, quia idem est possibile esse et non esse, sequetur de primo ad ultimum, quod necesse esse, est possibile non esse, quod est falsum manifeste. Unde oppositionis hypothesim subdit: At vero rursus videtur idem possibile esse et non esse, ut domus, et possibile incidi et non incidi, ut vestis. Quare de primo ad ultimum necesse esse, erit contingens non esse. Hoc autem est falsum: ergo hypothesis illa, scilicet quod possibile sequatur ad necesse, est falsa.

Deinde cum dicit « manifestum est »

Respondet dubitationi. Et primo declarat veritatem simpliciter. Secundo applicat ad propositum, ibi, « Hoc igitur possibile. » Proponit ergo primo ipsam veritatem declarandam, dicens, Manifestum est autem ex dicendis, quod non omne possibile esse vel ambulare, idest operari, idest non omne possibile secundum actum primum vel secundum, ad opposita valet, idest ad opposita viam habet; sed est invenire aliqua possibilia, in quibus non sit verum dicere quod possunt in opposita. Deinde quia possibile a potentia nascitur, manifestat qualiter se habeat potentia ipsa ad opposita. Ex hoc enim clarum erit quomodo possibile se habeat ad opposita. Et circa hoc duo facit. Primo manifestat hoc in potentiis ejusdem rationis. Secundo in his quae aequivoce dicuntur potentiae, ibi, « Quaedam vero. » Circa primum tria facit. Quia primo manifestat qualiter potentia irrationalis se habeat ad opposita: et ait quod potentia irrationalis non potest in opposita. Ubi notandum est quod sicut dicitur 9 Metaph., potentia activa cum nihil aliud sit quam principium quo in aliud agimus, dividitur in po-

tentiam rationalem et irrationalem. Potentia rationalis est, quae cum ratione et electione operatur, sicut ars medicinae, qua medicus cognoscens quid sanando expediat infirmo, et volens applicat remedia. Potentia autem irrationalis vocatur illa, quae non ex ratione et libertate operatur, sed ex naturali sua dispositione, sicut calor ignis potentia irrationalis est, quia calefacit non ut cognoscit et vult, sed ut natura sua exigit. Assignatur autem ibidem duplex differentia proposito deserviens inter istas potentias. Prima est, quod activa potentia irrationalis non potest ad opposita, sed est determinata ad unum oppositorum, sive sumatur oppositum contradictorie sive contrarie. Verbi gratia, calor potest calefacere et non calefacere, quae sunt contradictorie opposita, neque potest calefacere et frigefacere, quae sunt contraria, sed ad calefactionem determinatus est. Et hoc intellige per se, quia per accidens calor frigefacere potest, vel resolvendo materiam caloris humidam, scilicet vel per antiperistasim contrarii. Et similiter potest non calefacere per accidens, scilicet si calefactibile deest. Potentia autem rationalis potest in opposita et contradictorie et contrarie. Arte siquidem medicinae potest medicus adhibere remedia et non adhibere, quae sunt contradictoria, et adhibere remedia sana et nociva, quae sunt contraria. Secunda differentia est, quod potentia activa irrationabilis praesente passo necessario operatur deductis impedimentis. Calor enim calefactibile sibi praesens calefacit necessario si nihil impediat: potentia autem rationalis, passo praesente non necessario operatur. Praesente siquidem infirmo non cogitur medicus remedia adhibere. Dimittantur autem metaphysicis harum differentiarum rationes, et ad textum redeamus, ubi narrat quomodo se habeat potentia irrationalis ad oppositum. « Et pri- « mum quidem, » scilicet non est verum dicere, quod sit potentia ad opposita « in his, quae possunt non « secundum rationem, » idest in his quorum posse est per potentias irrationales, ut ignis calefactivus est, idest est potens calefacere, et habet vim idest potentiam istam irrationalem: ignis siquidem non potest frigefacere, neque in ejus potestate est calefacere et non calefacere. Quod autem dixit « primum » ordinem notat ad secundum genus possibilis infra dicendum, in quo etiam non invenitur potentia ad opposita. Secundo manifestat quomodo potentia rationalis se habeat ad opposita, intendens, quod potentia rationalis potest in opposita: unde subdit: Ergo potestates secundum rationem, idest rationales ipsae eaedem sunt contrariorum, non solum duorum, sed etiam plurimorum; ut arte medicinae medicus plurima juga contrariorum adhibere potest, et a multarum operationum contradictionibus abstinere potest. Praeposuit autem ly ergo, ut hoc consequi ex dictis insinuaret. Cum enim oppositorum oppositae sint proprietates, et potentia irrationalis ex eo quod irrationalis ad opposita non se extendat, oportet potentiam rationalem ad opposita viam habere, eo quod rationalis sit. Quarto explanat id quod dixit de potentiis irrationalibus propter causam infra assignandam ab ipso: et intendit, quod illud quod dixit de potentia irrationali, scilicet quod non potest in opposita, non est verum universaliter, sed particulariter. Ubi nota quod potentia irrationalis dividitur in potentiam activam, quae est principium faciendi, et potentiam passivam, quae est principium patiendi. Verbi gratia, potentia ad calorem dividitur in posse calefacere, et in posse calefieri. In potentiis activis irrationalibus verum est quod non possunt in opposita, ut declaratum est; in potentiis autem passivis non est verum. Illud enim quod potest calefieri, potest etiam frigefieri, quia eadem est materia, seu potentia passiva contrariorum, ut dicitur in secundo de Caelo et Mundo; et potest non calefieri, quia idem est subjectum privationis et formae, ut dicitur in primo Physicorum. Et propter hoc ergo cum explanando ait « Irrationales vero potentiae « non omnes » a posse in opposita, excludi intelligendae sunt, sed illae quae sunt quemadmodum potentia ignis calefactiva; ignem enim non posse non calefacere manifestum est. Et universaliter quaecumque alia sunt talis potentiae, quod semper agunt, idest quantum est ex se non possunt non agere, sed ad semper agendum ex sua forma necessitantur. Hujusmodi autem sunt, ut declaravimus, omnes potentiae activae irrationales. Alia vero sunt talis conditionis, quod etiam secundum irrationabiles potentias, scilicet passivas, simul possunt in quaedam opposita, ut aer potest calefieri et frigefieri. Quod vero ait « simul » cadit supra ly possunt, et non supra ly opposita, et est sensus quod simul aliquid habet potentiam passivam ad utrumque oppositorum, et non quod habeat potentiam passivam ad utrumque oppositorum simul habendum. Opposita namque impossibile est haberi simul. Unde et dici solet, et bene, quod in hujusmodi est simultas potentiae, non potentia simultatis. Irrationalis igitur potentia non secundum totum suum ambitum a posse in opposita excluditur, sed secundum partem ejus, secundum potentias scilicet activas. Quia autem videbatur superflue addidisse differentias inter passivas et activas irrationales, quia sat erat proposito ostendisse, quod non omnis potentia oppositorum est, ideo subdit quod hoc idcirco dictum est, ut notum fiat quoniam nedum non omnis potestas oppositorum est, loquendo de potentia communissime, sed neque quaecumque potentiae dicuntur, secundum eamdem speciem ad opposita possunt. Potentiae siquidem irrationales omnes sub una specie irrationalis potentiae concluduntur, et tamen non omnes in opposita possunt, sed passivae tantum. Non supervacanea ergo fuit differentia inter passivas et activas irrationales, sed necessaria ad declarandum, quod non omnes potentiae ejusdem speciei possunt in opposita. Potest et ly hoc demonstrare utramque differentiam, scilicet inter rationales et irrationales, et inter irrationales activas et passivas inter se: et tunc est sensus, quod hoc ideo fecimus, ut ostenderemus quod non omnis potestas, quae scilicet secundum eamdem rationem potentiae physicae dicitur, quia scilicet potest in aliquid, ut rationalis et irrationalis, neque etiam omnis potestas quae sub eadem specie continetur, ut irrationalis activa et passiva sub specie irrationalis, ad opposita potest.

L E C T I O XII.

Declaratis potentiis, quae aequivoce dicuntur, sumit impossibilis rationem, ut declaret, quod nam ex possibilibus necessarium sequatur.

Quaedam vero potestates aequivoce sunt. Possibile enim esse non similiter dicitur; sed hoc quidem quoniam verum e   ut in actu, ut possibile est ambulare quoniam ambulat, et omnino possibile est esse, quoniam est jam actu quod dicitur possibile; illud vero quoniam forsitan aget, ut possibile est ambulare, quoniam forsitan ambulavit.

Et haec quidem in solis mobilibus est potestas. Illa vero et in immobilibus. In utrisque vero verum est dicere, non impossibile est ambulare, vel esse, et quod ambulat jam, et agit, et ambulabile est.

Sic igitur possibile non est verum de necessario simpliciter dicere, alterum autem verum est. Quare quoniam partem universalem sequitur illud quod ex necessitate est, consequitur posse esse, sed non omnino.

Et est quidem fortasse principium, quod necessarium est et quod non necessarium est, omnium, vel esse, vel non esse, et alia ut horum consequentia considerare oportet.

Manifestum est autem ex his quae dicta sunt, quoniam, quod ex necessitate est, secundum actum est. Quare si priora sunt sempiterna, et quae actu sunt, potestate priora sint.

Et haec, quod sine potestate sunt, actu sunt, ut primae substantiae. Alia vero sunt actu cum possibilitate, quae natura quidem priora sunt, tempore vero posteriora. Alia vero nunquam sunt actu, sed potestate tantum.

Nonnullae autem potentiae aequivocae sunt, nam Possibile non simpliciter dicitur; sed unum quidem, quod verum est, utpote quod actu est; velut, Possibile est ambulare, quod ambulat; et omnino Possibile esse [dicitur], quia jam actu est id, quod dicitur esse possibile; alterum vero, quod operari forte possit, ut posse [aliquem] ambulare, quia ambulaverit aliquando. Et haec quidem in solis mobilibus est potentia; illa vero etiam in immobilibus. Utrumque autem vere dici potest, to Non impossibile esse ut [aliquis] ambulet, aut sit, et to Ambulans jam atque agens, et aptum ad ambulandum. Id quidem, quod ita possibile est, non vere de necessario simpliciter dici potest; alterum autem vere.

Quare si quidem ad particulare sequitur universale; ad id, quod ex necessitate est, sequetur to Posse esse, non tamen omne.

Et est nimirum principium fortasse to Necesse esse et Non necesse esse omnium tou Esse aut Non esse; et reliqua, ut ad haec consequentia, considerari debent.

Manifestum itaque ex dictis est, quod ex necessitate quidquid est, id actu est. Quare si priora sunt aeterna [mutabilibus], et actus potentia prior est. Et alii actus sine potentia sunt, videlicet primae substantiae; alii vero cum potentia, qui natura sunt priores [potentiis], tempore vero posteriores; alii denique nunquam actus sunt, sed potentiae tantum.

Intendit declarare, quomodo illae, quae aequivocae dicuntur potentiae, se habeant ad opposita:

Et circa hoc duo facit. Primo declarat naturam talis potentiae. Secundo ponit differentiam et conve-

nientiam inter ipsam et supradictas, ibi, « Et haec
« quidem. » Ad evidentiam primi advertendum est,
quod quinto et nono Metaphysicae Aristoteles dividit potentiam in potentias quae eadem ratione
potentiae dicuntur, et in potentias quae non ea
ratione qua praedictae potentiae nomen habent, sed
alia. Et has appellat aequivoce potentias. Sub primo
membro comprehenduntur omnes potentiae activae
et passivae, et rationales et irrationales: quaecumque enim posse dicuntur per potentiam activam
vel passivam quam habeant, eadem ratione potentiae
sunt, quia scilicet est in eis vis principiata alicujus
activae, vel passivae. Sub secundo autem membro
comprehenduntur potentiae mathematicales et logicales. Mathematica potentia est, qua lineam posse
dicimus in quadratum, ex eo quod in semetipsam
ducta, quadratum constituit. Logica potentia est,
qua duo termini conjungi absque contradictione in
enunciatione possunt. Sub logica quoque potentia
continetur, quae ea ratione potentia dicitur quia
est. Hae vero merito aequivocae, a primis potentiae
dicuntur, eo quod istae nullam virtutem activam
vel passivam praedicant: et quod possibile istis modis dicitur, non ea ratione possibile appellatur, quia
aliquis habeat virtutem ad hoc agendum vel patiendum sicut in primis. Unde cum potentiae habentes se ad opposita sint activae vel passivae,
istae quae aequivoce potestates dicuntur ad opposita non se habent. De his ergo loquens ait: Quaedam vero potestates aequivocae sunt, et ideo ad
opposita non se habent. Deinde declarans qualis sit
ista potestas aequivoce dicta, subdit divisionem
usitatam possibilis per quam hoc scitur, dicens,
« Possibile enim non uno modo dicitur, sed duobus. »
Et uno quidem modo dicitur possibile eo quod verum est ut in actu, idest ut actualiter est, ut possibile est ambulare quando ambulat jam, et omnino, idest universaliter possibile est esse, quoniam
est actu jam quod possibile dicitur. Secundo modo
autem possibile dicitur aliquid non ea ratione quia
est actualiter, sed quia forsitan aget, idest quia
potest agere; ut possibile est ambulare, quoniam
ambulavit. Ubi advertendum est, quod ex divisione
bimembri possibilis, divisionem suprapositam potentiae declaravit a posteriori. Possibile enim a potentia dicitur. Sub primo siquidem membro possibilis innuit potentias aequivoce. Sub secundo autem
potentias univoce, activas scilicet et passivas. Intendebat ergo quod quia possibile dupliciter dicitur,
quod etiam potestas duplex est. Declaravit autem
potestates aequivocas ex uno earum membro tantum, scilicet ex his quae dicuntur possibilia quia
sunt, quia hoc sat erat suo proposito.

Deinde, cum dicit « et haec »
Assignat differentiam inter utramque potentiam;
et ait, quod potentia haec ultimo dicta physica est
in solis illis rebus, quae sunt mobiles; illa autem
est et in rebus mobilibus et immobilibus. Possibile siquidem a potentia dictum eo quod 'possit
agere non tamen agit, inveniri non potest absque
mutabilitate ejus quod sic posse dicitur. Si enim
nunc potest agere et non agit, si agere debet,
oportet quod mutetur de otio ad operationem. Id
autem quod possibile dicitur eo quod est, nullam
mutabilitatem exigit in eo quod sic possibile dicitur:
esse namque in actu, quod talem possibilitatem
fundat, invenitur et in rebus necessariis et in
immutabilibus, et in rebus mobilibus. Possibile ergo

hoc quod logicum vocatur communius est illo quod
physicum appellari solet. Deinde subdit convenientiam inter utramque possibile, dicens, quod in u-
trisque potestatibus et possibilibus verum est non
possibile esse, scilicet ipsum ambulare quod jam
actu ambulat seu agit, et quod jam ambulabile est:
idest in hoc conveniunt, quod sive dicatur possibile
ex eo quod actu est, sive ex eo quod potest esse,
de utroque verificatur non impossibile; et consequenter necessario verificatur possibile, quoniam
ad non impossibile sequitur possibile. Hoc est secundum genus possibilis respectu cujus Aristoteles
supra dixit, « et primum quidem » in quo non invenitur via ad utrumque oppositorum, hoc inquam est
possibile, quod jam actu est. Quod enim tali ratione possibile dicitur, jam determinatum est, ex eo
quod actu esse suppositum est. Non ergo possibile
omne, ad utrumque possibile est, sive loquamur
de possibili physice, sice logice.

Deinde, cum dicit « sic igitur »
Applicat determinatam veritatem ad propositum.
Et primo concludendo ex dictis declarat habitudinem utriusque possibilis ad necessarium, dicens,
quod hoc ergo possibile, scilicet physicum quod est
in solis mobilibus, non est verum dicere et praedicare de necessario simpliciter; quia quod simpliciter necessarium est, non potest aliter esse. Possibile autem physicum, potest sic et aliter esse, ut
dictum est. Addit autem ly simpliciter, quoniam
necessarium est multiplex. Quoddam enim est ad
bene esse, quoddam ex suppositione. De quibus
non est nostrum tractare, sed solummodo id insinuare, quod ut praeservaret se ab illis modis necessariis, qui non perfecte et omnino habent necessarii rationem, apposuit ly simpliciter. De tali
enim necessario possibile physicum non verificatur.
Alterum autem possibile logicum, quod in rebus
immobilibus invenitur, verum est de illo enunciare,
quoniam nihil necessitatis adimit. Et per hoc solvitur ratio inducta ad partem negativam quaestionis.
Peccabat siquidem in hoc, et ex necessario infere-
bat possibile ad utrumque quod convertitur in oppositam qualitatem. Deinde respondet quaestioni
formaliter intendens quod affirmativa pars quaesti-
nis tenenda sit, quod scilicet ad necessarium sequitur possibile. Et assignat causam. Quia ad partem subjectivam sequitur constructive suum totum
universale. Sed necessarium est pars subjectiva
possibilis, quia possibile dividitur in logicum et
physicum, et sub logico comprehenditur necessarium: ergo ad necessarium sequitur possibile.
Unde dicit: Quare quoniam partem, scilicet subjectivam, suum totum universale sequitur, illud quod
ex necessitate est, idest necessarium tamquam partem subjectivam, consequitur posse esse, idest possibile tamquam totum universale. Sed non omnino,
idest sed non ita quod omnis species possibilis sequatur: sicut ad hominem sequitur animal, sed non
omnino, idest non secundum omnes suas partes
subjectivas sequitur ad hominem. Non enim valet,
Est homo, ergo est animal irrationale. Et per hoc
confirmata ratione adducta ad partem affirmativam,
expressius solvit rationem adductam ad partem negativam, quae peccabat secundum fallaciam consequentis inferens ex necessario possibile descendendo ad unam possibilis speciem, ut de se patet.

Deinde, cum dicit « et est quidem »
Ordinat easdem modalium consequentias alio sed

praeponendo necessarium omnibus aliis modis. Et circa hoc duo facit. Primo proponit quod intendit. Secundo assignat causam dicti ordinis, ibi, « Mani- « festum est autem. » Dicit ergo: « Et est fortasse « principium omnium enunciationum modalium, « vel esse, vel non esse, » idest affirmativarum vel negativarum, necessarium et non necessarium. Et oportet considerare alia, scilicet possibile, continge- re, et impossibile esse, sicut horum, scilicet necessarii et non necessarii consequentia, hoc modo:

[Consequentiae enunciationum modalium secundum quatuor ordines alio convenienti situ ab Aristotele positae et ordinatae].

[Primus ordo].
Necesse est esse.
Non possibile est non esse.
Non contingens est non esse.
Impossibile est non esse.

[Secundus ordo].
Necesse est non esse.
Non possibile est esse.
Non contingens est esse.
Impossibile est esse.

[Tertius ordo].
Non necesse est esse.
Possibile est non esse.
Contingens est non esse.
Non impossibile est non esse.

[Quartus ordo].
Non necesse est non esse.
Possibile est esse.
Contingens est esse.
Non impossibile est esse.

Vides autem hic nihil immutatum, nisi quod necessariae, quae ultimum locum tenebant, primum sortitae sunt. Quod vero dixit « fortasse » non dubi- tantis, sed absque determinata ratione rem propo- nentis est.

Deinde, cum dicit « manifestum est »

Intendit assignare causam dicti ordinis. Et primo assignat causam, quare praeposuerit necessarium possibili, tali ratione. Sempiternum est prius tem- porali: sed necessarium dicit sempiternitatem, quia dicit esse in actu, excludendo omnem mutabilitatem, et consequenter temporalitatem quae sine motu non est imaginabilis: possibile autem dicit temporalitatem, quia non excludit quin possit esse et non esse; ergo necesse merito prius ponitur quam possibile. Unde dicit proponendo minorem: « Manifestum est autem « ex his quae dicta sunt » tractando de necessa- rio, quoniam id quod ex necessitate est, secundum actum, est totaliter, scilicet quia omnem excludit mutabilitatem, et potentiam ad oppositum. Si e- nim mutari posset in oppositum aliquo modo, jam non esset necessarium. Deinde subdit majo- rem per modum antecedentis conditionalis: « Qua- « re si priora sunt sempiterna temporalibus. » Ultimo ponit conclusionem: « et quae actu sunt om- « nino, » scilicet necessaria, priora sunt potestate, scilicet possibilibus quae omnino actu esse non possunt, licet compatiantur.

Deinde cum dicit « et haec »

Assignat causam totius ordinis a se inter moda- les statuti, tali ratione. Universi triplex est gradus. Quaedam sunt actu sine potestate, idest sine admixta potentia, ut primae substantiae; non illae quas in praesenti diximus primas, eo quod principaliter et maxime subsistant, sed illae quae sunt primae, quia omnium rerum sunt causae, intelligentiae scilicet. Alia sunt actu cum possibilitate, ut omnia mobilia, quae secundum id quod habent de actu, sunt priora natura seipsis secundum id quod habent de poten- tia, licet e contra sit, aspiciendo ordinem temporis. Sunt enim secundum id quod habent de potentia priora tempore, seipsis secundum id quod habent de actu. Verbi gratia, Socrates, prius secundum tempus poterat esse Philosophus, deinde fuit actua- liter Philosophus. Potentia ergo praecedit actum

secundum ordinem temporis in Socrate, ordine autem naturae, perfectionis et dignitatis e converso contingit. Prior enim secundum dignitatem, idest dignior et perfectior habebatur Socrates cum philo- sophus actualiter erat quam cum philosophus esse po- terat. Praeposterus est igitur ordo potentiae et actus in unomet, utroque ordine, scilicet naturae et temporis, attento. Alia vero nunquam sunt actu, sed potestate tantum, ut motus, tempus, infinita divisio magnitudinis et infinita augmentatio numeri. Haec enim, ut 9 Metaphysicae dicitur, nunquam exeunt in actum quoniam eorum rationi repugnant. Nunquam enim aliquid horum ita est quin aliquid ejus expe- ctetur; et consequenter nunquam esse potest nisi in potentia. Sed de his alio tractandum est loco. Nunc haec ideo dicta sint, ut inspecto ordine universi appareat, quod illum imitati sumus in no- stro ordine. Posuimus siquidem primo necessarium, quod sonat actu esse sine potestate seu mutabilitate, imitando primum gradum universi. Locavimus se- cundo loco possibile et contingens, quorum utrum- que sonat actum cum possibilitate; et sic situatur con- formitas ad secundum gradum universi. Praeposui- mus autem possibile et non contingens, quia possibile respicit actum, contingens autem, secundum, vim nominis, respicit defectum causae, qui ad potentiam pertinet. Defectus enim potentiam sequitur; et ex hoc conforme est secundae parti universi, in qua actus est prior potentia secundum naturam, licet non secundum tempus. Ultimum autem locum im- possibili reservavimus, eo quod sonat nunquam fore, sicut et ultima universi pars dicta est illa, quae nunquam actu est. Pulcherrimus igitur ordo statutus est, quando divinus est observatus. Quia autem suppositae modalium consequentiae nihil a- liud sunt quam aequipollentiae earum quae ob va- rium negationis situm, qualitatem vel quantitatem vel utraque mutant, ideo ad completam notitiam conse- quentium se modalium, de earum qualitate et quantita- te pauca admodum necessaria dicenda sunt. Quoniam natura totius ex partium naturis consurgit, sciendum est quod subjectum enunciationis modalis, et dici esse vel non esse, et est dictum unicum et continet in se subjectum dicti: praedicatum autem modalis enunciationis, modus scilicet, et totale praedicatum est, quia explicite vel implicite verbum continet, quod est semper nota eorum quae de altero prae- dicantur, propter quod Aristotele dixit quod modus est ipsa appositio, et continet in se vim distribu- tivam secundum partes temporis. Necessarium enim et impossibile distribuunt in omne tempus vel simpliciter vel tale; possibile autem et contingens pro aliquo tempore in communi. Nascitur autem ex his quinque conditionibus, duplex in qualibet modali qualitas et triplex quantitas. Ex eo enim quod tam subjectum quam praedicatum modalis verbum in se habet, duplex qualitas fit; quarum altera vocatur qualitas dicti, altera qualitas modi. Unde et supra dictum est aliquam esse affirmativam de modo et non de dicto, et e converso. Ex eo vero quod subjectum modalis continet in se subje- ctum dicti, una quantitas consurgit, quae vocatur quantitas subjecti dicti: et haec distinguitur in universalem, particularem et singularem, sicut et quantitas illarum de inesse. Possumus enim dicere Socratem, quemdam hominem, vel omnem homi- nem, vel nullum hominem, possibile est currere. Ex eo autem quod subjectum unius modalis dictum unum est, consurgit alia quantitas vocata quantitas dicti, et haec unica est, singularitas scilicet. Omne enim dictum cujusque modalis singulare est, istius universalis scilicet dictum. Quod ex eo liquet quod cum dicimus, Hominem esse album est possibile, exponitur sic: Hoc dictum hominem esse album est possibile: hoc dictum autem singulare est, sicut et hic homo. Propterea dicitur quod omnis modalis est singularis quoad dictum, licet quo ad subjectum dicti sit universalis vel particularis. Ex eo autem quod praedicatum modalis, modus scilicet, vim distributivam habet, alia quantitas consurgit vocata quantitas modi seu modalis; et haec distinguitur in universalem et particularem. Ubi diligenter duo attendenda sunt. Primum est, quod hoc est singulare in modalibus, quod praedicatum simpliciter quantificat propositionem modalem, sicut et simpliciter qualificat. Sicut enim illa est simpliciter affirmativa in qua modus affirmatur, et illa negativa in qua modus negatur; ita illa est simpliciter universalis cujus modus est universalis, et illa particularis cujus modus est particularis. Et hoc quia modalis modi naturam sequitur. Secundum attendendum, quod est causa istius primi, est quod praedicatum modalis, scilicet modus, non habet solam habitudinem praedicati respectu sui subjecti, scilicet esse et non esse; sed habitudinem syncategorematis distributivi, sed non secundum quantitatem partium subjectivarum ipsius subjecti, sed secundum quantitatem partium temporis ejusdem. Et merito. Sicut enim quia subjecti enunciationis de inesse propria quantitas est penes divisionem vel indivisionem ipsius subjecti, quia est nomen quod significat per modum substantiae, cujus quantitas est per divisionem continui, ideo signum quantificans in illis distribuit secundum partes subjectivas; ita quia subjecti enunciationis modalis propria quantitas est tempus, quia est verbum quod significat per modum motus, cujus propria quantitas est tempus, ideo modus quantificans distribuit ipsum suum subjectum, scilicet esse vel non esse, secundum partes temporis. Unde subtiliter inspicienti apparebit quod quantitas ista modalis, proprii subjecti modalis enunciationis quantitas est, scilicet ipsius esse vel non esse. Ita quod illa modalis est simpliciter universalis, cujus proprium subjectum distribuitur pro omni tempore, vel simpliciter, ut Hominem esse animal est necessarium, vel impossibile, vel accepto, ut Hominem

currere hodie, vel dum currit, est necessarium, vel impossibile. Illa vero est particularis, in qua non pro omni sed aliquo tempore distributio fit in communi tantum, ut hominem esse animal est possibile vel contingens. Est ergo et ista modalis quantitas subjecti sui passio, sicut et universaliter quantitas se tenet ex parte materiae; sed derivatur a modo, non inquantum praedicatum est, quod ut sic tenetur formaliter, sed inquantum syncategorematis officio fungitur, quod habet ex eo quod proprie modalium est. Sunt igitur modalium, de propria earum quantitate loquendo, aliae universales affirmativae ut illa de necessario, quia distribuit ad semper esse; aliae universales negativae, ut illa de impossibili, quia distribuit ad nunquam esse: aliae particulares affirmativae, ut illae de possibili et contingenti, quia distribuunt utrumque ad aliquando esse; aliae particulares negativae ut illae de non necesse et non impossibili, quia distribuunt ad aliquando non esse; sicut in illis de inesse, omnis, nullus, quidam, non omnis, nonnullus, similem faciunt diversitatem. Et quia, ut dictum est, haec quantitas modalium est inquantum modales sunt, et de his inquantum hujusmodi praesens tractatus fit ab Aristotele, idcirco aequipollentiae, seu consequentiae earum ordinatae sunt negationis vario situ, quemadmodum aequipollentiae illarum de inesse, et scilicet negatio praeposita modo faciat aequipollere suae contradictoriae, negatio autem modo postposita, praeposita autem dicti verbo, suae aequipollere contrariae facit, praeposita vero et postposita, suae subalternae, ut videre potes in consequentiarum figura ultimo ab Aristotele formata in qua tali praeformata oppositionum figura clare videbis omnes se mutuo consequentes, secundum alteram trium regularum aequipollere, et consequenter totum primum ordinem secundo contrarium, tertio contradictorium, quarto vero subalternum.

LECTIO XIII.

Ut eam absolvat dubitationem, quae est, quaenam enunciationes contrariae magis subinvicem esse dicantur, quomodo animi sententiae contrariae dicuntur esse ostendit.

ANTIQUA.

    Utrum autem contraria est affirmatio negationi an affirmatio affirmationi, et oratio orationi, ut quae dicit quoniam omnis homo justus est, ei quae est, nullus homo justus est, an Omnis homo justus est, ei quae est, omnis homo injustus est. Callias justus est, Callias justus non est, Callias injustus est, quaenam harum contraria est.

RECENS.

    Utrum vero contraria sit affirmatio negationi, aut affirmatio affirmationi, et oratio orationi, quae dicit omnem hominem justum esse, dicenti nullum hominem esse justum aut quae dicit, Omnis homo est justus, dicenti, Omnis homo est injustus; velut, Est Callias justus, Non est Callias justus, Callias injustus est, utra harum sit contraria, [dispiciendum est].

Nam si ea quae sunt in voce sequuntur ea quae sunt in anima, illuc autem contraria est opinio contrarii, ut omnis homo justus est, ei quae est, omnis homo injustus est, etiam in his quae sunt in voce affirmationibus, necesse est similiter se habere. Quod si neque illic contrarii opinatio contraria est, nec affirmatio affirmationi contraria erit, sed ea quae dicta est, negatio. Quare considerandum est quae opinio falsa opinioni verae contraria sit; utrum negationi, an certe ea, quae contraria esse opinatur. Dico autem hoc modo. Est quaedam opinatio vera boni quoniam bonum est, alia vero falsa quoniam bonum non est, alia quoniam malum est. Quaenam harum contraria est verae? Et si est una, secundum quam contraria?

Nam arbitrari contrarias opiniones definiri in eo quod contrariorum sunt, falsum est. Boni enim quoniam bonum est, et mali quoniam malum est, eadem fortasse opinio est, et vera, sive plures, sive una sit. Sunt autem ista contraria sed non in eo quod contrariorum sunt contrariae, sed magis in eo quod contrariae.

Si ergo boni, quoniam bonum est, opinatio est, alia vero quod non est bonum. Est vero et alia quoniam aliud aliquid est, quod non est neque potest esse, aliarum quidem nulla ponenda est, neque quaecumque esse, quod non est, opinantur, neque quaecumque non esse quod est: infinitae enim utraeque sunt; et quae esse opinantur quod non est, et quae non esse quod est.

Si enim, quae in voce sunt, consequuntur ea quae sunt in animo; illic autem ea est contraria opinio, quae contrarii est, velut, quod omnis homo justus est, ei, quod omnis homo injustus est; etiam in affirmationibus voce expressis necesse est similiter rem se habere. Si vero illic contrarii opinio non est contraria, nec affirmatio affirmationi erit contraria, sed quae dicta est negatio.

Quare considerandum est, quaenam opinio vera contraria videatur falsae; utrum quae est negationis, an quae contrarium esse opinatur.

Dico autem hoc modo. Est quaedam opinio vera boni, quod sit bonum; alia vero, quod non sit bonum, falsa; alia vero, quod sit malum. Utra ergo harum contraria verae; et si una est, secundum utram est contraria?

Si quis arbitretur eo contrarias opiniones definiri, quod contrariorum sint, is falsum arbitrabitur; nam de bono, quod bonum sit, et de malo, quod malum sit, eadem fortasse [opinio] et vera est, sive plures sint, sive una sit. Contraria vero haec sunt. At non eo quod contrariorum sint, contraria dicuntur; sed potius, quod contrario modo [se habeant].

Si quidem de bono, quod bonum sit, opinio est; alia vero, quod non bonum sit; est vero aliud quid, quod nec inest [bono], nec inesse potest: e reliquis nulla ponenda est nec quae inesse quod non inest, opinantur, nec quae [opinantur] non inesse quod inest; infinitae enim utraeque sunt, et quae inesse opinantur quod non inest, et quae [opinantur] non inesse quod inest.

Postquam determinatum est de enunciatione secundum quod diversificatur tam ex additione facta ad terminos, quam ad compositionem ejus, hic secundum divisionem a sancto Thoma in principio hujus secundi factam intendit Aristoteles tractare quamdam quaestionem circa oppositiones enunciationum provenientem ex eo quod additur aliquid simplici enunciationi. Et circa hoc quatuor facit: Primo movet quaestionem. Secundo declarat quod haec quaestio dependet ab una alia quaestione praetractanda, ibi, « Nam si ea, quae sunt in voce. » Tertio determinat illam aliam quaestionem, ibi, « Nam arbitrari. » Quarto redit ad respondendum quaestioni primo motae, ibi, « Quarto si in opinio- ne, etc. » Quaestio quam movere intendit est, Utrum affirmativae enunciationi contraria sit negatio ejusdem praedicato contrario seu privativo? Unde dicit « utrum contraria est affirmatio negationi » contradictoriae scilicet « et universaliter oratio affirma- « tiva orationi negativae, » ut affirmativa oratio quae dicit, omnis homo est justus, aut illi contraria sit orationi negativae Nullus homo est justus, aut illi Omnis homo est injustus: quae est affirmativa de praedicato privativo? Et similiter ista affirmatio Callias est justus, est ne contraria illi contradicto- riae negationi, Callias non est justus, aut illi, Callias est injustus quae est affirmativa de praedicato pri- vativo? Ad evidentiam tituli hujus quaestionis, quia hactenus indiscusse ab aliis est relictus, considerare oportet quod cum in enunciatione sint duo, scilicet ipsa enunciatio seu significatio, et modus enunciandi seu significandi; duplex inter enunciationes fieri potest oppositio; una ratione ipsius enunciationis, altera ratione modi enunciandi. Si modos enunciandi attendimus, duas species oppositionis in latitudine enunciationum inveniemus; contrarietatem scilicet et contradictionem. Divisae enim superius sunt enun- ciationes oppositae in contrarias et contradictorias. Contradictio inter enunciationes ratione modi enun- ciandi est quando idem praedicatur de eodem su- bjecto contradictorio modo enunciandi; ut sicut unum contradictorium nil ponit, sed alterum tantum destruit, ita una enunciatio nil asserit, sed id tan- tum quod altera enunciabat destruit. Hujusmodi autem sunt omnes quae contradictoriae vocantur, scilicet Omnis homo est justus, Non omnis homo est justus, Socrates est justus, Socrates non est justus, ut de se patet. Et ex hoc provenit quod non possunt simul verae aut falsae esse, sicut nec duo contradictoria. Contrarietas vero inter enun- ciationes ratione modi enunciandi est quando idem praedicatur de eodem subjecto contrario modo enun- ciandi; ut sicut unum contrariorum ponit materiam sibi et reliquo communem in extrema distantia sub illo genere, ut patet de albo et nigro, ita una enuncia- tio ponit subjectum commune sibi et suae oppositae in extrema distantia sub illo praedicato. Hujusmodi quoque sunt omnes illae quae contrariae in figura appellantur, scilicet Omnis homo est justus, Omnis homo non est justus. Hae enim faciunt subjectum, scilicet hominem, maxime distare sub justitia, dum illa enunciat justitiam inesse homini, non quocum- que modo, sed universaliter; ista autem enunciat justitiam abesse homini non qualitercumque, sed universaliter. Major enim distantia esse non potest quam ea, quae est inter totam universalitatem habere aliquid et nullum de universalitate habere illud. Et ex hoc provenit quod non possunt esse simul verae, sicut nec contraria possunt eidem simul inesse; et quod possunt esse simul falsae, sicut et contraria simul non inesse eidem possunt. Si vero ipsam enunciationem sive ejus significationem attendamus secundum unam tantum oppositionis speciem, in tota latitudine enunciationum reperiemus contrarie- tatem, scilicet secundum veritatem et falsitatem; quia duarum enunciationum significationes entia positiva sunt, ac per hoc neque contradictorie neque privative opponi possunt, quia utriusque oppositionis alterum extremum est formaliter non ens. Et cum nec relative opponantur, ut clarum est, restat ut non nisi contrarie opponi possint. Consistit autem ista contrarietas in hoc, quod duarum enunciatio- num altera alteram non compatitur vel in veritate vel in falsitate: praesupposita semper conditionibus contrariorum, scilicet quod fiant circa idem, et in eodem tempore. Patere quoque potest talem oppo-

sitionem esse contrariam ex natura conceptionum
animae componentis et dividentis, quarum singulae
sunt enunciationes. Conceptiones siquidem animae
adaequatae nullo alio modo opponuntur conceptio-
nibus inadaequatis nisi contrarie; et ipsae concep-
ptiones inadaequatae si se mutuo expellunt, contrariae
quoque dicuntur. Unde verum et falsum, contrarie
opponi probatur a sancto Thoma in prima parte
quaest. 17. Sicut ergo hic, ita et in enunciationibus
ipsae significationes adaequatae contrarie opponuntur
inadaequatis, idest verae falsis; et ipsae inadaequatae,
scilicet falsae, contrarie quoque opponuntur inter
se, si contingat quod se non compatiantur, salvis
semper contrariorum conditionibus. Est igitur in
enunciationibus duplex contrarietas, una ratione
modi, altera ratione significationis; et unica contradictio, scilicet ratione modi. Et ut confusio vitetur,
prima contrarietas vocetur contrarietas modalis, secunda contrarietas formalis: contradictio autem
non ad confusionis vitationem, quia unica est,
sed ad proprietatis expressionem contradictio modalis vocari potest. Invenitur autem contrarietas
formalis enunciationum inter omnes contradictorias,
quia contradictoriarum altera alteram semper excludit, et inter omnes contrarias modaliter quo ad
veritatem, quia non possunt esse simul verae, licet
non inveniatur inter omnes quo ad falsitatem, quia
possunt esse simul falsae. Quia igitur Aristoteles in
hac quaestione loquitur de contrarietate enunciationum quae extenditur ad contrarias modales, et contradictorias, ut patet in principio et in fine quaestionis: in principio quidem, quia proponit utriusque
contradictorias dicens: « Affirmatio negationi; » et
contrarias modaliter dicens: « Et oratio orationi, »
unde et exempla utrarumque statim subdit, ut
patet in litera: in fine vero, quia ibi expresse, quam
conclusit esse contrariam affirmativae universali, vere
dividit in contrariam modaliter, universalem negativam
scilicet et contradictoriam: quae divisio falsitate non
careret nisi conclusisset contrariam formaliter, ut
de se patet; quia inquam sic accipit contrarietatem,
ideo de contrarietate formali enunciationum quaestio intelligenda est. Et est quaestio valde subtilis
necessaria, et adhuc nullo modo superius tacta. Est
igitur titulus quaestionis: Utrum affirmativae verae
contraria formaliter sit negativa falsa ejusdem praedicati, aut affirmativa falsa de praedicato privativo,
vel contrario? Et sic patet quis sit sensus tituli, et
quare non movet quaestionem de quacumque alia
oppositione enunciationum, quia scilicet nulla alia
in eis formaliter invenitur; et quod accepit contra
rietatem proprie et strictissime, licet talis contrarietas inveniatur inter contradictorias modaliter et
contrarias modaliter. Dictum vero fuit a sancto
Thoma provenire hanc dubitationem ex eo quod
additur aliquid simplici enunciationi; quia si tantum
simplices, idest de secundo adjacente enunciationes
attendantur, non habet quaestio radicem. Quia autem simplici enunciationi, idest subjecto et verbo
substantivo, additur aliquid, scilicet praedicatur, nascitur dubitatio circa oppositionem, an illud additum
in contrariis debeat esse illudmet praedicatum, negatione opposita verbo, an debeat esse praedicatum
contrarium seu privativum absque negatione praeposita verbo.

Deinde cum dicit « nam si ea »

Declarat unde sumenda sit decisio hujus quaestionis. Et duo facit: quia primo declarat quod haec

quaestio dependet ex una alia quaestione, ex illa
scilicet, utrum opinio, idest conceptio animae in
secunda operatione intellectus, vere contraria sit
opinioni falsae negativae ejusdem praedicati, an
falsae affirmativae contrarii sive privativi. Et assignat
causam, quare illa quaestio dependet ex ista: quia
scilicet enunciationes vocales sequuntur mentales,
ut effectus adaequati causas proprias, et ut significata signa adaequata; et consequenter similis est
in hoc utraque natura. Unde inchoans ab hac
causa ait: « Nam si ea quae sunt in voce sequuntur ea
« quae sunt in anima, » ut dictum est in principio
primi libri, « et illic » idest in anima, « opinio contrarii
« praedicati circa idem subjectum est contraria illi al-
« teri quae » affirmat reliquum contrarium de eodem,
cujusmodi sunt istae mentales enunciationes, Omnis
homo est justus, Omnis homo est injustus; si ita
inquam est; etiam et in his affirmationibus quae
sunt in voce, idest vocaliter sumptis, necesse est
similiter se habere, ut scilicet sint contrariae duae
affirmativae de eodem subjecto et praedicatis contrariis. Quod si neque illic, idest in anima, opinatio
contrarii praedicati contrarietatem inter mentales
enunciationes constituit; nec affirmatio vocalis affirmationi vocali contraria erit de contrario praedicato,
sed magis affimationi contraria erit negatio ejusdem
praedicati. Dependet ergo mota quaestio ex ista
alia sicut effectus ex causa. Propterea et concludendo
addit secundum, quod scilicet de hac quaestione primo tractandum est, ut ex causa cognita effectus innotescat, dicens « Quare considerandum est, opinio vera
« cui opinioni falsae contraria est. » Utrum negationi
falsae, an certe ei affirmationi falsae quae contrarium
esse opinatur. Et ut exemplariter proponatur, dico
hoc modo: Sunt tres opiniones de bono, puta vita.
Quaedam enim est ipsius boni opinio vera, quoniam
bonum est, puta quod vita sit bona; alia vero falsa
negativa scilicet quoniam bonum non est, puta
quod vita non sit bona; alia item falsa, affirmativa
contrarii, scilicet quoniam malum est, puta quod
vita sit mala. Quaeritur ergo cui harum falsarum
contraria est vera? Quod autem subdit: « Et si est
« una, secundum quam contraria est, » tripliciter
legi potest. Primo dubitative, ut sit pars quaestionis:
et tunc est sensus: Quaeritur quae harum falsarum
contraria est verae; et simul quaeritur, si est tantum una harum falsarum secundum quam fiat contraria ipsi verae quia cum unum uni sit contrarium
ut dicitur 10 Metaph., quaerendo quae harum sit
contraria, quaerimus etiam an una earum sit contraria. Alio modo potest legi adversative, ut sit
sensus: Quaeritur quae harum sit contraria, quamquam sciamus quod non utraque, sed una earum
est secundum quam fit contrarietas. Tertio modo
potest legi dividendo hanc particulam: « Et si est
« una, » ab illa sequenti: « secundum quam con-
« traria est; » et tunc prima pars expressive, secunda vero dubitative legitur; et est sensus: Quaeritur
quae harum falsarum contraria est verae; non
solum si istae duae falsae inter se differunt in
consequendo, sed etiam si utraque est una, idest
alteri indivisibiliter unita, quaeritur secundum quam
fit contrarietas. Et hoc modo exponit Boetius, dicens
quod Aristoteles apposuit haec verba propter contraria immediate, in quibus non differt contrarium
a privativo. Inter contraria enim mediata et immediata haec est differentia, quod in immediatis, a
privativo contrarium non infertur. Non enim valet

Corpus colorabile est non album, ergo est nigrum; potest enim esse rubrum. In immediatis autem valet: verbi gratia, Animal est non sanum, ergo infirmum. Numerus est non par, ergo impar. Voluit ergo Aristoteles exprimere quod nunc cum quaerimus quae harum falsarum, scilicet negativae et affirmativae contrarii, sit contraria affirmativae verae, quaerimus universaliter, sivae illae duae falsae indivisibiliter se sequantur, sive non.

Deinde cum dicit « nam arbitrari »

Prosequitur hanc secundam quaestionem. Et circa hoc quatuor facit. Primo declarat quod contrarietas opinionum non attenditur penes contrarietatem materiae circa quam versantur, sed potius penes oppositionem veri vel falsi. Secundo declarat quod non penes quaecumque opposita secundum veritatem et falsitatem est contrarietas opinionum, ibi, « Si « ergo boni. » Tertio determinat quod contrarietas opinionum attenditur penes per se primo opposita secundum veritatem et falsitatem, tribus rationibus, ibi, « Sed in quibus primo fallacia est. » Quarto declarat hac determinationem inveniri in omnibus veram, ibi, « Manifestum est igitur. » Dicit ergo proponens intentam conclusionem, quod falsum est arbitrari opiniones definiri seu determinari debere contrarias ex eo quod contrariorum objectorum sunt. Et adducit ad hoc duplicem rationem. Prima est: opiniones contrariae non sunt eadem opinio; sed contrariorum eadem est fortasse opinio, ergo opiniones non sunt contrariae ex hoc quod contrariorum sunt. Secunda est: opiniones contrariae non sunt simul verae; sed opiniones contrariorum, sive plures sive una, sunt simul verae quandoque, ergo opiniones non sunt contrariae ex hoc quod contrariorum sunt. Ilarum rationum suppositis majoribus, ponit utriusque minoris declarationem simul, dicens « Boni enim « quoniam bonum est et mali quoniam malum est « eadem fortasse opinio est, » quo ad primam. Et subdit « vera, et sive plures sive una sit » quod ad secundam. Utitur autem dubitativo et adverbio et disjunctione, quia non est determinandi locus an contrariorum eadem sit opinio, et quia aliquo modo est eadem et aliquo modo non. Si enim loquamur de habituali opinione, sic eadem est; si autem de actuali, sic non eadem est. Alia siquidem mentalis compositio actualiter fit, concipiendo bonum esse bonum, et alia concipiendo malum esse malum, licet eodem habitu utrumque cognoscamus, illud per se primo, et secundario, ut dicitur 9 Metaph. Deinde subdit quod ista quae ad declarationem minorem sumpta sunt, scilicet bonum et malum, contraria sunt, etiam contrarietate sumpta stricte in moralibus; ac per hoc congrua usi sumus declaratione. Ultimo inducit conclusionem « Sed non in eo quod contrariorum « opiniones sunt, contrariae sunt, sed magis in « eo quod contrariae, » idest sed potius censendae

sunt opiniones contrariae ex eo quod contrarie adverbialiter, idest contrario modo, idest vere et false enunciant. Et sic patet primum.

Deinde cum dicit « si ergo boni »

Quia dixerat quod contrarietas opinionum accipitur secundum oppositionem veritatis et falsitatis earum, Declarat modo quod non quaecumque secundum veritatem et falsitatem oppositae opiniones sunt contrariae, tali ratione. De bono, puta de justitia, quatuor possunt opiniones haberi; scilicet quod justitia est bona, et quod non est bona, et quod est fugibilis, et quod est non appetibilis. Quarum prima est vera, reliquae sunt falsae. Inter quas haec est diversitas: quod prima negat idem praedicatum quod vera affirmabat, secunda affirmat aliquid aliud quod bono non inest, tertia negat id quod bono inest, non tamen illud quod vera affirmabat. Tunc sic. Si omnes opiniones secundum veritatem et falsitatem sunt contrariae, tunc uni, scilicet verae opinioni, non solum multa sunt contraria, sed etiam infinita: quod est impossibile; quia unum uni est contrarium. Tenet consequentia, quia possunt infinitae imaginari opiniones falsae, de una re, similes ultimis falsis opinionibus adductis, affirmantes scilicet ea quae non insunt illi, et negantes ea quae illi quocumque modo conjuncta sunt. Utraque namque indeterminata esse et absque numero constat. Possum enim opinari quod justitia est quantitas, quod est relatio, quod est hoc et illud, et similiter opinari quod justitia non sit qualitas, nec sit appetibilis, nec sit habitus. Unde ex supradictis in propositione quaestionis inferens pluralitatem falsarum contra unam veram ait « Si ergo est opinatio vera boni, » puta justitiae, quoniam est bonum: et si est etiam falsa opinatio negans idem, scilicet quoniam non est quid bonum, est vero et tertia opinatio falsa quoque affirmans aliquid aliud inesse illi, quod non inest nec inesse potest, puta quod justitia sit fugibilis, quod sit illicita, et hinc intelligitur quarta falsa quoque; quae scilicet negat aliquod aliud ab eo quod vera opinio affirmat inesse justitiae quod tamen inest, ut puta quod non sit qualitas, quod non sit virtus, si ita, inquam, est, nulla aliarum falsarum ponenda est contraria opinioni verae. Et exponens, quid demonstret per ly aliarum, subdit « Neque quae- « cumque opinio opinatur esse quod non est, » ut tertii ordinis opiniones faciunt, neque quacumque opinio opinatur non esse quod est, ut quarti ordinis opiniones significant: et causam subdit. Infinita enim utraque sunt: et quae esse opinantur quod non est, et quae non esse quod est, ut supra declaratum fuit. Non ergo quaecumque opiniones oppositae secundum veritatem et falsitatem contrariae sunt. Et sic patet secundum.

LECTIO XIV.

Quaenam hominum opiniones dicantur esse contrariae ostenditur; hinc proportionabiliter, quomodo enunciationum contrarietas sumenda sit, docetur.

Sed in quibus primo fallacia est. Hae autem sunt quibus sunt generationes. Ex oppositis vero generationes sunt. Quare etiam fallacia.

Si ergo quod bonum est, et bonum et non malum est, et hoc quidem secundum se, illud vero secundum accidens, accidit enim ei malum non esse; magis autem in unoquoque vera est quae secundum se, et etiam falsa, siquidem et vera: ergo ea quae est, quoniam non est bonum quod bonum est, secundum se falsa est; illa vero quae est, quoniam malum est, ejus quae est secundum accidens. Quare magis erit falsa de bono ea quae, est negationis opinio, quam ea quae est contrarii. Falsus autem est maxime circa singula qui habet contrariam opinionem; Contraria enim sunt eorum quae plurimum circa idem differunt. Quod si harum contraria quidem est altera, magis vero contraria contradictio est, manifestum est quoniam haec erit contraria. Illa vero quae est quoniam malum est quod bonum est, implicita est. Etenim quoniam non bonum est, necesse est forte idem ipsum opinari.

Amplius si etiam in aliis similiter se oportet habere, et hoc videtur bene esse dictum. Aut enim ubique ea quae est contradictio, aut nusquam. Quibus vero non est contrarium, de his quidem est falsa ea quae est verae opposita: ut qui hominem non putat hominem falsus. Ergo si hae contrariae sunt, et aliae quae sunt contradictiones.

Amplius similiter se habet boni quoniam bonum est, et non boni quoniam non bonum est; et ad has, boni quoniam non bonum est, et non boni quoniam bonum est. Illi ergo quae est non boni, quoniam non bonum est, verae opinationi quaenam est contraria? Non enim ea quae dicit quoniam malum est. Simul enim aliquando erunt verae, nunquam autem vera verae est contraria: est etenim quiddam non bonum malum. Quare contingit simul esse veras. At vero nec illa quae est quoniam non malum; vera enim et haec. Relinquitur ergo, ei quae est non bonum quoniam non bonum, est contraria ea quae est, non boni, quoniam bonum est; falsa enim haec. Quare et ei quae est boni quoniam bonum est, ea quae est boni quoniam non bonum est.

Manifestum est autem quoniam nihil interest nec si universaliter ponamus affirmationem. Huic enim universalis negatio erit contraria, ut opinioni quae opinatur quoniam omne quod est bonum, bonum est, ea quae est quoniam nihil bonum, quae bona sunt, bonum est. Nam ejus, quae est boni quoniam bonum est, si universaliter sit bonum, eadem est ei quae opinatur id quod bonum est, quoniam bonum est: hoc autem nihil differt ab eo quod est quoniam omne quod est bonum, bonum est. Similiter autem - et in non bono.

Quare si in opinione sic se habet; sunt autem hae quae in voce affirmationes et negationes notae eorum quae sunt in anima; manifestum est quoniam affirmationi contraria quidem negatio est circa idem universalis, ut ei, quae est quoniam omne bonum bonum est, vel quoniam omnis homo bonus est, ea, quae est quoniam nullum vel nullus. Contradictorie autem, quoniam non omne, aut non omnis.

Manifestum est autem, quoniam et veram verae non contingit esse contrariam, nec opinionem, nec contradictionem. Contrariae enim sunt quae circa opposita sunt. Circa eadem autem contingit verum dicere eumdem; simul autem non contingit eidem inesse contraria.

Sed [ponendae sunt], in quibus est deceptio; hae vero sunt, e quibus generationes [rerum sunt]; ex oppositis autem generationes [fiunt]; quare etiam deceptiones.

Si ergo bonum et bonum et non malum est; et illud quidem per se [erit], hoc vero per accidens [erit]; (accidit enim illi, ut non sit malum;) magis de unoquoque [opinio] vera est, quae per se [vera est] et [magis] falsa [est de unoquoque opinio], si alias est quoque vera [per se]. Haec ergo [opinio], quod non bonum bonum sit, secundum id quod est per se, falsa est; haec vero, quod [bonum] malum sit, est secundum accidens [falsa]. Igitur magis falsa fuerit [opinio] negationis boni, quam contrarii opinio. Falsus autem maxime est circa unumquodque, qui contrariam fovet opinionem; nam contraria sunt quae circa idem maxime distant. Si ergo ex his [opinionibus] contraria est altera, magis contraria autem opinio negationis: manifestum est, hanc ipsam vere contrariam esse. Opinio vero, malum esse bonum, complicita est. Nam et eumdem, [bonum] non bonum esse, fortasse necesse est existimare.

Praeterea, si etiam in aliis similiter oportet rem se habere, et ab hac parte forte videatur recte dictum esse; aut enim ubique oppositio negationis [locum habebit], aut nusquam. Quibus autem non sunt contraria, de his etiam [opinio] falsa est verae opposita; ut, qui hominem arbitratur non esse hominem fallitur. Si ergo hae contrariae sunt, etiam aliae, quae negationis sunt [contrariae erunt].

Porro, similiter se habet opinio de bono, quod bonum sit, et de non bono, quod non bonum sit; et super his de bono, quod non bonum, et de non bono, quod bonum sit. Opinioni ergo de non bono, quod non bonum sit, utpote opinioni verae, quaenam fuerit contraria? certe non illa, quae dicit, [non bonum] malum esse; fuerit enim aliquando simul vera; nunquam autem vera [opinio] verae contraria est. Est enim aliquid non bonum malum. Quare contingit [has opiniones] simul veras esse. Neque illa rursus [contraria est, non bonum] non malum esse. Vera enim et haec; simul enim et haec fuerint. Relinquitur itaque, opinioni de non bono, quod non bonum sit, opinionem de non bono, quod bonum sit, contrariam esse; nam haec falsa est. Quare etiam opinio de bono, quod non bonum sit, [contraria fuerit] opinioni de bono, quod bonum sit.

Manifestum igitur est quod nihil referet, etsi universaliter affirmationem constituamus; universalis enim negatio contraria erit, ut, opinioni, quae opinatur omne, quod quidem bonum sit, bonum esse, opinanti nullum bonorum bonum esse. Opinio enim de bono, quod bonum sit, si universaliter sumatur bonum, eadem est cum illa, quae, quidquid bonum sit, id opinatur bonum esse; hoc vero nihil differt ab eo, quod omne, quidquid sit bonum, bonum sit. Similiter etiam [judicandum est] de non bono.

Igitur si quidem in opinione res ita se habet, affirmationes autem et negationes voce expressae notae eorum sunt quae in animo sunt: manifestum est, affirmationi contrariam esse negationem de eodem universaliter sumpto: ut [affirmationi], omne bonum bonum esse, aut omnem hominem bonum esse [negationem], nihil bonum, neminem hominem esse; contradictorie vero, aut, quod non omne [bonum bonum sit], aut non omnis [homo bonus].

Manifestum vero est quod veram verae non contingit contrariam esse nec opinionem nec negationem. Contrariae enim sunt, quae circa opposita sunt; de iisdem vero eumdem contingit vera dicere; simul autem contraria inesse non contingit.

Quia subtili indagatione ostendit, quod nec materiae contrarietas, nec veri falsique qualiscumque oppositio contrarietatem opinionum constituit, sed

quod aliqua veri falsique oppositio id facit; ideo nunc determinare intendit qualis sit illa veri falsique oppositio, quae opinionum contrarietatem constituit. Ex hoc enim directae quaestioni satis fit. Et intendit quod sola oppositio opinionum secundum affirmationem et negationem ejusdem de eodem etc. constituit contrarietatem earum. Unde intendit probare istam conclusionem per quam ad quaesitum respondet: opiniones oppositae secundum affirmationem et negationem ejusdem de eodem sunt contrariae, et consequenter illae quae sunt oppositae secundum affirmationem contrariorum praedicatorum de eodem non sunt contrariae, quia sic affirmativa vera haberet duas contrarias, quod est impossibile. Unum enim uni est contrarium. Probat autem conclusionem tribus rationibus. Prima est. Opiniones in quibus primo est fallacia sunt contrariae: opiniones oppositae secundum affirmationem et negationem ejusdem de eodem sunt in quibus primo est fallacia, ergo opiniones oppositae secundum affirmationem et negationem ejusdem de eodem sunt contrariae. Sensus majoris est. Opiniones quae primo ordine naturae sunt termini fallaciae, idest deceptionis seu erroris, sunt contrariae. Sunt enim cum quis fallitur seu errat, duo termini, scilicet a quo declinat, et ad quem labitur. Hujus rationis in litera primo ponitur major cum dicitur: « Sed in quibus primo « fallacia est. » Adversative enim continuans sermonem supradictis, insinuavit non tot enumeratas opiniones esse contrarias, sed eas in quibus primo fallacia est modo exposito. Deinde subdit probationem minoris talem Eadem proportionaliter sunt ex quibus sunt generationes et ex quibus sunt fallaciae. Sed generationes sunt ex oppositis secundum affirmationem et negationem; ergo et fallaciae sunt ex oppositis secundum affirmationem et negationem, quod erat assumptum in minore. Unde ponens majorem hujus pro syllogismi ait: « Hae autem, » scilicet fallacia « est ex his, » scilicet terminis proportionaliter tamen « ex quibus sunt et generationes. » Et subsumit minorem. « Ex oppositis vero, » scilicet secundum affirmationem et negationem et generationes fiunt. Et demum concludit: « Quare etiam « fallacia, » scilicet ex oppositis secundum affirmationem et negationem ejusdem de eodem. Ad evidentiam hujus probationis scito quod idem faciunt in processu intellectus cognitio et fallacia, seu error, quod in processu naturae generatio et corruptio. Sicut namque perfectiones naturales generationibus acquiruntur, corruptionibus desinunt, ita cognitione perfectiones intellectuales acquiruntur, erroribus autem seu deceptionibus amittuntur. Et ideo sicut tam generatio quam corruptio est inter affirmationem et negationem ut proprios terminos, ut dicitur quinto Physicorum; ita tam cognoscere aliquid quam falli circa illud, est inter affirmationem et negationem, ut proprios terminos; ita quod, id ad quod primo attingit cognoscens aliquid in secunda operatione intellectus est veritatis affirmatio, et quod per se primo abjicitur est illius negatio. Et similiter quod per se primo perdit qui fallitur, est veritatis affirmatio; et quod primo incurrit est veritatis negatio. Recte ergo dixit quod idem sunt termini inter quos primo est generatio, et illi inter quos est primo fallacia, quia utrobique termini sunt affirmatio et negatio.

Deinde, cum dicit « si ergo »

Intendit probare majorem principalis rationis. Et quia jam declaravit quod ea in quibus primo est fallacia, sunt affirmatio et negatio, ideo utitur loco majoris probandae, hujus scilicet, opiniones

in quibus primo est fallacia sunt contrariae, sua conclusione, scilicet, opiniones oppositae secundum affirmationem et negationem ejusdem sunt contrariae. Aequivalere enim jam declaratum est. Fecit autem hoc consuetae brevitati studens: quoniam sic procedendo et probat majorem et respondet directe quaestioni; et applicat ad propositum simul. Probat ergo loco majoris conclusionem principaliter intentam quaestionis; hanc scilicet, opiniones oppositae secundum affirmationem et negationem ejusdem sunt contrariae, et non illae quae sunt oppositae secundum contrariorum affirmationem de eodem. Et intendit talem rationem. Opinio vera, et ejus magis falsa, sunt contrariae opiniones: oppositae secundum affirmationem et negationem sunt vera et ejus magis falsa, ergo opiniones oppositae secundum affirmationem et negationem sunt contrariae. Major probatur ex eo quod quae plurimum distant circa idem sunt contraria: vera autem et ejus magis falsa plurimum distant circa idem, ut patet. Minor vero probatur ex eo quod opposita secundum negationem ejusdem de eodem est per se falsa, respectu suae affirmationis verae. Opinio autem per se falsa magis falsa est quacumque alia. Unumquodque enim quod est per se tale, magis tale est quolibet quod est per aliud tale. Unde ad suprapositas opiniones in propositione quaestionis rediens ut ex illis exemplariter clarius intentum ostendat, a probatione minoris inchoat tali modo. Sint quatuor opiniones: duae verae, scilicet bonum est bonum, bonum non est malum; et duae falsae, scilicet bonum non est bonum, et bonum est malum. Clarum est autem quod prima vera est ratione sui, secunda autem est vera secundum accidens, idest ratione alterius, quia scilicet non esse malum est conjunctum ipsi bono. Ideo enim ista est vera, bonum non est malum, quia bonum est bonum, et non e contra; ergo prima quae est secundum se vera, est magis vera quam secunda, quia in unoquoque genere, quae secundum se est vera, est magis vera: illae autem duae falsae eodem modo censendae sunt, quod scilicet magis falsa est, quae secundum se est falsa. Unde quia prima earum, scilicet bonum non est bonum, quae est negativa, per se, non ratione alterius falsa, relata ad illam affirmativam, bonum est bonum, et secunda, scilicet bonum est malum, quae affirmativa contrarii ad eamdem relata est falsa per accidens, idest ratione alterius, (ista enim, scilicet bonum est malum, non immediate falsificatur ab illa vera, scilicet bonum est bonum, sed mediante illa alia falsa, scilicet bonum non est bonum,) idcirco magis falsa, idest respectu affirmationis verae est negatio ejusdem quam affirmatio contrarii; quod erat assumptum in minore. Unde rediens ad suppositas (ut dictum est) opiniones, infert primas duas veras opiniones, dicens, « Si ergo quod bonum est, et bonum est, et non est « malum, » et hoc quidem, scilicet quod dicit prima opinio, est verum secundum se, idest ratione sui; illud vero, scilicet quod dicit secunda opinio, est verum secundum accidens, quia accidit, idest conjunctum est ei, scilicet bono malum non esse, in unoquoque autem ordine magis vera est illa quae secundum se est vera; etiam igitur falsa magis est quae secundum se falsa est. Siquidem et vera hujus est naturae, ut declaratum est, quod scilicet magis vera est quae secundum se est vera. Ergo illarum duarum opinionum falsarum in quaestione propositarum, scilicet, bonum non est bonum, et bonum est malum, ea quae est dicens quoniam non est bonum quod bonum est, idest negativa, scilicet bonum non est bonum, est consistens falsa secundum se, idest ratione sui continet in seipsa falsitatem; illa vero reliqua falsa opinio, quae est dicens, quoniam malum est affirmativa contraria, scilicet bonum est malum ejus, quae est, idest illius affirmationis, dicentis, bonum est bonum secundum accidens, idest ratione alterius, falsa est. Deinde subdit ipsam minorem. Quare erit magis falsa de bono, opinio negationis, quam contrarii. Deinde ponit majorem, dicens quod « semper magis falsus circa singula « est ille qui habet contrariam opinionem: » ac si dixisset: verae opinioni magis falsa est contraria, quod assumptum erat in majore. Et ejus probationem subdit, quia « contrarium » est de numero eorum quae circa idem plurimum differunt. Nihil enim plus differt a vera opinione quam magis falsa circa idem. Ultimo directe applicat ad quaestionem dicens: « Quod si » pro quia harum falsarum, scilicet negationis ejusdem et affirmationis contrarii, altera est contraria verae affirmationi, opinio vero contradictionis, idest negationis ejusdem de eodem magis est Contraria secundum falsitatem, idest magis est falsa, manifestum est quoniam hic, scilicet opinio falsa negationis erit affirmationi verae, et e contra. Illa vero opinio quae est dicens quoniam malum est quod bonum est, idest affirmatio contrarii non contraria, sed implicita est, idest, sed implicans in se vere contrariam, scilicet bonum non est bonum. Etenim necesse est ipsum opinantem affirmationem contrarii opinari, quoniam idem de quo affirmat contrarium non est bonum. Oportet siquidem si quis opinatur quod vita est mala, quod opinetur quod vita non sit bona. Hoc enim necessario sequitur ad illud, et non e converso. Et ideo affirmatio contrarii implicita dicitur. Negatio autem ejusdem de eodem implicita non est, et sic finitur prima ratio. Notandum est hic primo quod ista regula generalis tradita hic ab Aristotele de contrarietate opinionum, quod scilicet contrariae opiniones sunt quae opponuntur secundum affirmationem et negationem ejusdem de eodem, et in se et in assumptis ad ejus probationem propositionis scrupulosa est. Unde multa hic insurgunt dubia. Primum est quia cum oppositio secundum affirmationem et negationem non constituat contrarietatem sed contradictionem apud omnes philosophos, quomodo Aristoteles opiniones oppositas secundum affirmationem et negationem ex hoc contrarias ponat. Augetur et dubitatio quia dixit quod ea in quibus primo est falsa, sunt contraria: et tamen subdit quod sunt oppositae sicut termini generationis quos constat contradictorie opponi. Nec dubitatione caret quomodo sit verum id quod supra diximus ex intentione sancti Thomae, quod nullae duae opiniones opponantur contradictorie, cum hic expresse dicatur aliquas opponi secundum affirmationem et negationem. Dubium secundo insurgit circa id quod assumpsit, quod contraria cujusque verae est per se falsa. Hoc enim non videtur verum. Nam contraria istius verae, Socrates est albus, est ista, Socrates non est albus, secundum determinata: et tamen non est per se falsa. Sicut namque sua opposita affirmatio est per accidens vera, ita ista est per accidens falsa. Accidit enim isti enunciationi falsitas. Potest enim mutari in veram, quia est in

materia contingenti. Dubium est tertio circa id quod dixit, magis vero contradictionis est contraria. Et hoc enim videtur esse quod utraque, scilicet opinio negationis et contrarii, sit contraria verae affirmationi: et consequenter vel uni duo ponit contraria, vel non loquitur de contrarietate proprie sumpta cujus oppositum supra ostendimus. Ad evidentiam omnium, quae primo loco adducuntur, sciendum quod opiniones seu conceptiones intellectuales, in secunda operatione de quibus loquimur, possunt tripliciter accipi. Uno modo secundum id quod sunt absolute. Alio modo secundum ea quae repraesentant. Tertio secundum ea quae repraesentant ut sunt in ipsis opinionibus. Primo membro omisso, quia non est praesentis speculationis, scito quod si accipiantur secundo modo secundum repraesentata, sic invenitur inter eas et contradictionis, et privationis, et contrarietatis oppositio. Ista mentalis enunciatio, Socrates est videns, secundum id quod repraesentat, opponitur illi, Socrates non est videns, contradictorie; privative, autem illi, Socrates est caecus; contrarie autem illi, Socrates est luscus, si accipiantur secundum repraesentata. Ut enim dicitur in Post praedicamentis, Non solum caecitas est privatio visus, sed etiam caecum esse est privatio hujus quod est esse videntem, et sic de aliis. Si vero accipiantur opiniones tertio modo, scilicet prout repraesentata per eas sunt in ipsis, sic nulla oppositio inter eas invenitur nisi contrarietas; quoniam sive opposita contradictorie sive privative sive contrarie repraesententur, ut sunt in opinionibus, illius tamen oppositionis capaces sunt, quae inter duo entia realia inveniri potest. Opiniones namque realia entia sunt. Regulare enim est quod quicquid convenit alicui secundum esse quod habet in alio, secundum modum et naturam illius in quo est sibi convenit, et non secundum quod exigeret natura propria. Inter entia autem realia contrarietas formaliter reperitur. Taceo nunc de oppositione relativa. Opiniones ergo hoc modo sumptae, si oppositae sunt contrarietatem sapiunt; sed non omnes proprie contrariae sunt, sed illae quae plurimum differunt circa idem veritate et falsitate. Has autem probavit Aristoteles esse opiniones affirmationis et negationis ejusdem de eodem. Istae igitur vere contrariae sunt. Reliquae vero per reductionem ad has contrariae dicuntur. Ex his patet quid ad objecta dicendum sit. Fatemur enim quod affirmatio et negatio in seipsis contradictionem constituunt. In opinionibus vero existentes contrarietatem inter illas causant propter extremam distantiam quam ponunt inter entia realia, opinionem scilicet veram et opinionem falsam circa idem. Stantque illa duo simul, quod ea in quibus primo est fallacia, sint opposita ut termini generationis, et tamen sint contraria, utendo supradicta distinctione. Sunt enim opposita contradictorie ut termini generationis secundum repraesentata; sunt autem contraria secundum quod habent in seipsis illa contradictoria. Unde plurimum differunt. Liquet quoque ex hoc quod nulla est dissensio inter dicta Aristotelis et sancti Thomae; quia opiniones aliquas opponi secundum affirmationem et negationem verum esse confitemur, si ad repraesentata nos convertimus ut hic dicitur. Tu autem qui perspicacioris ac provectioris ingenii es compos, hinc habeto quod inter ipsas opiniones oppositas, quidam tantum motus est, eo quod de affirmato in affirmatum mutatio fit. Inter ipsas vero secundum repraesentata, similitudo quaedam generationis et corruptionis invenitur, dum inter affirmationem et negationem mutatio clauditur. Unde et fallacia sive error quandoque et motus et mutationis rationem habet diversa respiciendo, quando scilicet ex vera in per se falsam vel e converso quis mutat opinionem. Quandoque autem solam mutationem imitatur, quando scilicet absque praeopinata veritate ipsam falsam ostendit quis opinionem. Quandoque vero motus undique rationem possidet, quando scilicet ex vera affirmatione in falsam circa idem contrarii affirmationem transit. Quia tamen prima ut quis fallatur radix est oppositio affirmationis et negationis, merito ea in quibus primo est fallacia sicut negationis terminos opponi dixit. Ad dubium secundo loco adductum dico quod peccatur ibi secundum aequivocationem illius termini Per se falsa seu Per se vera. Opinio enim, et similiter enunciatio, potest dici dupliciter per se vera seu falsa. Uno modo in seipsa, sicut sunt omnes verae secundum illos modos perseitatis qui enumerantur primo Posteriorum; et similiter falsae secundum illosmet modos ut Homo non est animal. Et hoc modo non accipitur in hac regula de contrarietate opinionum et enunciationum opinio per se vera aut falsa, ut efficaciter objectio adducta concludit. Si enim ad contrarietatem opinionum hoc exigeretur, non possent esse opiniones contrariae in materia contingenti; quod est falsissimum. Alio modo potest dici opinio sive enunciatio per se vera aut falsa respectu suae oppositae. Per se vera quidem respectu suae falsae, et per se falsa respectu suae verae. Et tunc nihil aliud est dicere, Est per se vera respectu illius, nisi quod ratione sui et non alterius verificatur ex falsitate illius. Et similiter cum dicitur Est per se falsa respectu illius, intenditur quod ratione sui et non alterius falsificatur ex illius veritate. Verbi gratia, istius verae, Socrates currit, non est per se falsa, Socrates sedet, quia falsitas ejus non immediate sequitur ex illa, sed mediante ista falsa, Socrates non currit quae est per se illius falsa, quia ratione sui et non per aliquid medium ex illius veritate falsificatur, ut patet. Et similiter istius falsae, Socrates est quadrupes, non est per se vera ista, Socrates est bipes, quia non per seipsam veritas istius per illam falsificatur, sed mediante ista, Socrates non est quadrupes, quae est per se vera respectu illius. Propter seipsam enim falsitate istius verificatur, ut de se patet. Et hoc secundo modo utimur istis terminis tradentes regulam de contrarietate opinionum et enunciationum. Invenitur siquidem sic universaliter vera in omni materia regula dicens, quod vera et ejus per se falsa, et falsa et ejus per se vera, sunt contrariae. Unde patet responsio ad objectionem, quia procedit accipiendo ly per se vera et per se falsa primo modo. Ad ultimum dubium dicitur quod quia inter opiniones ad se invicem pertinentes nulla alia est oppositio nisi contrarietas, coactus fuit Aristoteles volens terminis specialibus uti, dicere quod una est magis contraria quam altera, insinuans quidem quod utramque contrarietatis oppositionem habet respectu illius verae. Determinat tamen immediate quod tantum una earum, scilicet negationis opinio, contraria est affirmationi verae, Subdit enim: Manifestum est quoniam haec contraria erit. Duo ergo dixit: et quod utramque, tam scilicet negatio ejusdem quam affirmatio contrarii contrariatur affirmationi verae; et quod

una tantum earum, negatio scilicet, est contraria. Et utramque est verum. Illud quidem, quia, ut dictum est, ambae contrarietates oppositionem contra affirmationem moliuntur, sed difformiter: quia opinio negationis primo et per se contrariatur, affirmationis vero contrarii opinio secundario et per accidens, idest per aliud, ratione scilicet negativae opinionis, ut declaratum est; sicut etiam in naturalibus albo contrariatur et nigrum et rubrum; sed illud primo, hoc reductive, ut reducitur scilicet ad nigrum, illud inducendo, ut dicitur quinto Physicorum. Secundum autem dictum simpliciter verum est, quoniam simpliciter contraria non sunt nisi extrema unius latitudinis quae maxime distant; extrema autem unius distantiae non sunt nisi duo. Et ideo cum inter pertinentes ad se invicem opiniones unum extremum teneat affirmatio vera, reliquum uni tantum falsae dandum est, illi scilicet quae maxime a vera distat. Hanc autem negativam opinionem esse probatum est. Haec igitur una tantum contraria est illi, simpliciter loquendo. Ceterae enim oppositae ratione istius contrariantur, ut de mediis dictum est. Non ergo uni plura contraria posuit, nec de contrarietate large locutus est, ut objiciendo dicebatur.

Deinde cum dicit « amplius si »

Probat idem, scilicet quod affirmationi contraria est negatio ejusdem, et non affirmatio contrarii, secunda ratione, dicens: Si in aliis materiis oportet opiniones se habere similiter eodem modo, ita quod contrariae in aliis materiis sunt affirmatio et negatio ejusdem, et hoc, scilicet quod diximus de boni et mali opinionibus, et videtur esse bene dictum, quod scilicet contraria affirmationi boni non est affirmatio mali, sed negatio boni. Et probat hanc consequentiam subdens: Aut enim ubique, idest in omni materia, ea quae est contradictionis altera pars censenda est contraria suae affirmationi, aut nusquam, idest aut in nulla materia. Si enim est una ars generalis accipiendi contrariam opinionem, oportet quod ubique et in omni materia uno et eodem modo accipiatur contraria opinio. Et consequenter si in aliqua materia negatio ejusdem etc. affirmationi est contraria, in omni materia negatio ejusdem de eodem etc. contraria erit affirmationi. Deinde intendens concludere a positione antecedentis affirmat antecedens ex sua causa, dicens, quod illae materiae quibus non inest contrarium, ut substantia et quantitas, quibus, ut in Praedicamentis dicitur, nihil est contrarium, de his quidem est per se falsa ea quae est opinioni verae opposita contradictorie, ut qui putat hominem, puta Socratem, non esse hominem, est per se falsus respectu putantis Socratem esse hominem. Deinde affirmando ipsum antecedens formaliter directe concludit intentam a positione antecedentis ad positionem consequentis, dicens: Si ergo hae, scilicet affirmatio et negatio in materia carente contrario, sunt contrariae, et omnes aliae contradictiones contrariae censendae sunt.

Deinde cum dicit « amplius similiter »

Probat idem tertia ratione, quae talis est. Sic se habent istae duae opiniones de bono, scilicet bonum est bonum et bonum non est bonum, sicut se habent istae duae de non bono, scilicet non bonum non est bonum, et non bonum est bonum: utrobique enim salvatur oppositio contradictionis. Et primae utriusque combinationis sunt verae, secundae autem falsae.

Unde proponens hanc majorem quo ad primas veras utriusque combinationis, ait: Similiter se habet opinio boni quoniam bonum est, et non boni quoniam non est bonum. Et subdit quo ad secundas utriusque falsas. Et super has opinio boni quoniam non est bonum, et non boni quoniam est bonum. Haec est major. Sed illi verae opinioni de non bono, scilicet Non bonum non est bonum, contraria non est, Non bonum est malum, nec Bonum non est malum, quae sunt de praedicato contrario; sed illa Non bonum est bonum, quae est ejus contradictoria: ergo et illi verae opinioni de bono, scilicet Bonum est bonum, contraria erit sua contradictoria: scilicet Bonum non est bonum, et non affirmatio contrarii, scilicet Bonum est malum. Unde subdit minorem supradictam, dicens: illi ergo verae opinioni non boni quae est dicens quoniam, scilicet non bonum, non est bonum, quae est contraria? Non enim est sibi contraria ea opinio, quae dicit affirmativae praedicatum contrarium, scilicet quod non bonum est malum; quia istae duae aliquando erunt simul verae. Nunquam autem vera opinio verae contraria est. Quod autem istae duae aliquando simul sint verae, patet ex hoc, quod quoddam non bonum malum est. Injustitia enim quoddam non bonum est et malum. Quare contingeret contrarias esse simul veras, quod est impossibile. At vero nec supradictae verae opinioni contraria est illa opinio, quae est dicens praedicatum contrarium negative, scilicet non bonum non est malum, eadem ratione, quia simul et hae erunt verae. Chimaera enim est quoddam non bonum; de qua verum est simul dicere, et quod non est bona, et quod non est mala. Relinquitur ergo tertia pars minoris, quod ei opinioni verae, quae est dicens quoniam non bonum non est bonum contraria est ea opinio non boni, quae est dicens, quod est bonum, quae est contradictoria illius. Deinde subdit conclusionem intentam. Quare et ei opinioni boni, quae dicit Bonum est bonum, contraria est ea boni opinio, quae dicit quod bonum non est bonum, idest sua contradictoria. Contradictiones ergo contrariae in omni materia censendae sunt.

Deinde cum dicit « manifestum est »

Declarat determinatam veritatem extendi ad cujusque quantitatis opiniones. Et quia de indefinitis et particularibus et singularibus, jam dictum est, eo quod idem evidenter apparet de his in hac re judicium. Indefinitae enim et particulares nisi pro eisdem supponant sicut singulares, per modum affirmationis et negationis, non opponuntur, quia simul verae sunt. Ideo ad eas quae universalis quantitatis sunt se transfert, dicens manifestum esse quod nihil interest quo ad propositam quaestionem, si universaliter ponamus affirmationes. Huic enim, scilicet universali affirmationi contraria est universalis negatio, et non universalis affirmatio de contrario: ut opinioni quae opinatur, quoniam omne bonum est bonum, contraria est, nihil horum quae bona sunt, idest nullum bonum est bonum. Et declarat hoc ex quid nominis universalis affirmativae, dicens: Nam ejus quae est boni quoniam bonum, si universaliter sit bonum, idest istius opinionis universalis, omne bonum est bonum, eadem est, idest aequivalens illa quae opinatur quicquid est bonum est bonum, et consequenter negatio contraria est illa, quam dixi, nihil horum quae bona sunt bonum est. idest nullum bonum est bonum. Similiter autem se habet in non bono,

quia affirmationi universali de non bono reddenda est negatio universalis ejusdem, sicut de bono dictum est.

Deinde cum dicit « quare si »

Revertitur ad respondendum quaestioni primo motae, terminata jam secunda ex qua illa dependet. Et circa hoc duo facit. Quia primo respondet quaestioni. Secundo declarat quoddam dictum in praecedenti solutione, ibi, « Manifestum est autem quo- « niam. » Circa primum duo facit. Primo directe respondet quaestioni, dicens: Quare si in opinione sic se habet contrarietas ut dictum est, et affirmationes et negationes quae sunt in voce, notae sunt eorum, idest affirmationum et negationum quae sunt in anima, manifestum est quoniam affirmationi, idest enunciationi affirmativae, contraria erit negatio circa idem, idest enunciatio negativa ejusdem de eadem etc. et non enunciatio affirmativa contrarii. Et sic patet responsio ad primam quaestionem qua quaerebatur, an enunciationi affirmativae contraria sit sua negativa, an affirmativa contrarii, responsum est enim quod negativa est contraria. Secundo dividit negationem contrariam affirmationi, idest negationem universalem et contradictoriam, dicens, « universalis scilicet negatio « affirmationi contraria est » ut exemplariter dicatur, ei enunciationi universali affirmativae quae est omnes bonum est bonum, vel omnis homo est bonus, contraria est universalis negativa ea, scilicet nullum bonum est bonum, vel nullus homo est bonus, singula singulis referendo. Contradictoria autem negatio contraria illi universali affirmationi est, aut Non omnis homo est bonus aut Non omne bonum est bonum, singulis singula similiter referendo. Et sic posuit utrumque divisionis membrum et declaravit. Sed est hic dubitatio non dissimulanda Si enim affirmationi universali contraria est duplex negatio, universalis scilicet, et contradictoria, vel un duo sunt contraria, vel contrarietate large utitur Aristoteles: cujus oppositum supra declaravimus. Augetur et dubitatio, quia in praecedenti textu dixit Aristoteles quod nihil interest, si universalem negationem facimus ita contrariam universali affirmatio sicut singularem singulari: et ita declinari non potest, quin affirmationi universali duae sint negationes contrariae eo modo quo hic loquitur de contrarietate. Aristoteles. Ad hujus evidentiam notandum est quod aliud est loqui de contrarietate quae est inter negationem alicujus universalis affirmativa in ordine ad affirmationem contrarii de eodem etc et aliud est loqui de illamet universali negativa in ordine ad negationem ejusdem affirmativae contradictoriam. Verbi gratia, sint quatuor enunciationes quarum nunc meminimus: scilicet universalis affirmativa, contradictoria, universalis, et universalis affirmatio contrarii, sic dispositae in eadem linea recta. Omnis homo est justus, non omnis homo est justus; Omnis homo non est justus, omnis homo est injustus: et intuere quod licet primae omne reliquae aliquo modo contrarientur, magna tamen differentia est inter primam, et cujusque earum contrarietatem. Ultima enim, scilicet affirmatio contrarii, primae contrariatur ratione universalis negationis quae ante ipsam sita est, quia non per se sed ratione illius falsa est, ut probavit Aristoteles quia implicita est. Tertia autem, idest universali negatio, non per se, sed ratione secundae, scilicet negationis contradictoriae, contrariatur primae eaden ratione, quia scilicet non est per se falsa illius affirmationis veritate, sed implicita. Continet enim negationem contradictoriam, scilicet Non omnis homo est justus, mediante qua falsificatur ab affirmationis veritate, quia simpliciter et priore est falsitas negationis contradictoriae falsitate negationis universalis. Totum namque compositius et posterius est partibus. Est ergo inter has tres falsas ordo, ita quod affirmationi verae contradictoria negatio simpliciter sola est contraria, quia est simpliciter respectu illius per se falsa. Affirmativa autem contrarii est per accidens contraria, quia est per accidens falsa. Universalis vero negatio tamquam medium sapiens utriusque extremi naturam, relata ad contrarii affirmationem est per se contraria, et per se falsa: relata autem ad negationem contradictoriam est per accidens falsa et contraria. Sicut rubrum ad nigrum est album, et ad album est nigrum, ut dicitur in quinto Physicorum. Aliud igitur est loqui de negatione universali in ordine ad affirmationem contrarii, et aliud in ordine ad negationem contradictoriam. Si enim primo modo loquamur, sic negatio universalis per se contraria, et per se falsa est. Si autem secundo modo, non est per se falsa nec contraria affirmationi. Quia ergo agitur ab Aristotele nunc quaestio inter affirmationem contrarii, et negationem, quae earum contraria sit affirmationi verae, et non agitur quaestio ipsarum negationum inter se, quae scilicet earum contraria sit illi affirmationi, ut patet in toto processu quaestionis, ideo Aristoteles indistincte dixit quod utraque negatio est contraria affirmationi verae, et non affirmatio contrarii. Intendens per

hoc declarare diversitatem quae est inter affirmationem contrarii et negationem in hoc quod verae affirmationi contrariantur, et non intendens dicere quod utraque negatio est simpliciter contraria. Hoc enim in dubitatione non est quaesitum, sed illud tantum. Et similiter dixit quod nihil interest si quis ponat negationem universalem: nihil enim interest quo ad hoc quod affirmatio contrarii ostendatur non contraria affirmationi verae quod inquirimus. Plurimum autem interest, si negationes ipsas inter se discutere vellemus, quae earum esset affirmationi contraria. Sic ergo patet quod subtilissime Aristoteles locutus de vera contrarietate enunciationum unam uni contrariam posuit in omni materia et quantitate, dum simpliciter contrarias contradictiones asseruit.

Deinde cum dicit « manifestum est »

Resumit quoddam dictum ut probet illud, dicens: « Manifestum est autem » ex dicendis quod « non « contingit veram verae contrariam esse, nec in o- « pinione mentali, nec in contradictione, » idest vocali enunciatione. Et causam subdit, quia contraria sunt quae circa idem opposita sunt et consequenter enunciationes et opiniones verae circa diversa contrariae esse non possunt. Circa idem autem contingit simul omnes veras enunciationes et opiniones verificari, sicut et significata vel repraesentata earum simul illi insunt; aliter verae tunc non sunt. Et consequenter omnes verae enunciationes et opiniones circa idem contrariae non sunt, quia contraria non contingit eidem simul inesse. Nullum ergo verum, sive sit circa idem, sive sit circa aliud, est alteri vero contrarium.

POSTERIORUM ANALYTICORUM

LIBER PRIMUS

LECTIO I.

De Logicae necessitate, librorum divisione et ordine, et hujus libri subjecto agit,
Hinc omnem cognitionem ex aliqua praeexistenti notitia fieri oportere docet.

ANTIQUA.

Omnis doctrina et omnis disciplina intellectiva ex praeexistente fit cognitione. Manifestum est autem hoc speculantibus in omnes.

Mathematicae enim scientiarum per hunc modum fiunt, et aliarum unaquaeque artium.

Similiter autem et circa orationes, quae per syllogismos, et quae per inductionem; utraeque enim per prius nota, faciunt doctrinam: hae quidem accipientes tamquam a notis, illae vero demonstrantes universale per id quod manifestum est singulare.

Similiter autem et rhetoricae persuadent. Aut enim per exempla, quae est inductio, aut per enthymema, quod vere est syllogismus.

RECENS.

Omnis doctrina et omnis disciplina ratione percipienda ex praecedente fit cognitione.

Manifestum vero hoc erit quamvis [doctrinam et disciplinam] considerantibus. Nam mathematicae scientiae hunc ad modum conficiuntur, et unaquaeque reliquarum artium.

Similiter vero etiam [res se habet] et in orationibus, quae aut per syllogismum, aut per inductionem [aliquid probant]; utraeque enim per ante cognita docent; modo sumentes quasi [ea] jam intelligant [alii]; modo demonstrantes universale ex eo, quod notum sit singulare. Sic et Rhetorici [alius] persuadent, aut enim per exempla, instar inductionis; aut per enthymemata, instar syllogismi.

Sicut dicit Philosophus in primo Metaphysicae, hominum genus arte et rationibus vivit. In quo videtur Philosophus tangere quoddam hominis proprium in quo a ceteris animalibus differt. Alia enim animalia quodam naturali instinctu ad suos actus aguntur, homo autem rationis judicio in suis operibus dirigitur. Et inde est quod ad actus humanos faciliter et ordinate perficiendos, diversae artes deserviunt. Nihil enim aliud ars esse videtur, quam certa ordinatio rationis qua per determinata media ad debitum finem actus humani perveniunt. Ratio autem non solum dirigere potest inferiorum partium actus, sed etiam actus sui directiva est. Hoc enim est proprium intellectivae partis, ut in seipsa reflectatur. Nam intellectus intelligit seipsum, et similiter ratio de suo actu ratiocinari potest. Sicut igitur ex hoc quod ratio de actu manus ratiocinatur adinventa est ars aedificatoria vel fabrilis, per quas homo faciliter et ordinate hujus (1) actus exercere potest; eadem ratione ars quaedam necessaria est, quae sit directiva ipsius actus rationis; per quam scilicet homo in ipso actu rationis ordinate et faciliter et sine errore procedat. Et haec est ars logica, idest rationalis scientia. Quae non solum rationalis est ex hoc quod est secundum rationem, quod est omnibus artibus commune; sed etiam

ex hoc quod est circa ipsum actum rationis sicut circa propriam materiam. Et ideo videtur esse ars artium; quia in actu rationis nos dirigit, a quo omnes artes procedunt. Oportet igitur Logicae partes accipere secundum diversitatem actuum rationis. Sunt autem rationis tres actus: quorum primi duo sunt rationis secundum quod est intellectus quidam. Una enim actio intellectus est intelligentia indivisibilium, sive incomplexorum, secundum quam concipit quid est res. Et haec operatio a quibusdam dicitur informatio intellectus, sive imaginatio per intellectum. Et ad hanc operationem rationis ordinatur doctrina quam tradit Aristoteles in libro Praedicamentorum. Secunda vero operatio intellectus est compositio vel divisio intellectus, in qua est jam verum vel falsum. Et huic rationis actui deservit doctrina quam tradit Aristoteles in libro Perihermenias. Tertius vero actus rationis est secundum id quod est proprium rationis, scilicet discurrere ab uno in aliud; ut per id quod est notum deveniat in cognitionem ignoti. Et huic actui deserviunt reliqui libri Logicae. Attendendum est autem, quod actus rationis sunt similes quantum ad aliquid actibus naturae; unde et ars imitatur naturam inquantum potest. In actibus autem naturae invenitur triplex diversitas. In quibusdam enim natura de necessitate agit, ita quod non potest

(1) *Forte* hujusmodi.

deficere. In quibusdam vero natura ut frequentius operatur, licet quandoque possit deficere a proprio actu. Unde in his necesse est esse duplicem actum: unum qui sit ut in pluribus, sicut cum ex semine generatur animal perfectum; alium quando natura deficit ab eo quod est sibi conveniens, sicut cum ex semine generatur aliquod monstrum propter corruptionem alicujus principii. Et haec etiam tria inveniuntur in actibus rationis. Est enim aliquis rationis processus necessitatem inducens, in quo non est possibile esse veritatis defectum, et per hujus rationis processum scientiae certitudo acquiritur. Est autem alius rationis processus, in quo ut in pluribus verum concluditur, nec tamen necessitatem habens. Tertius vero rationis processus est in quo ratio a vero deficit propter alicujus principii defectum quod in ratiocinando erat observandum. Pars autem Logicae quae primo deservit, pars judicativa dicitur, eo quod judicium est cum certitudine scientiae. Et quia judicium certum de effectibus haberi non potest nisi resolvendo in prima principia, ideo pars haec analytica vocatur, id est resolutoria. Certitudo autem judicii quae per resolutionem habetur est, vel ex ipsa forma syllogismi tantum, et ad hoc ordinatur liber Priorum Analyticorum qui est de syllogismo simpliciter: vel etiam cum hoc ex materia, quia sumuntur propositiones per se et necessariae: et ad hoc ordinatur liber Posteriorum analyticorum qui est de syllogismo demonstrativo. Secundo autem rationis processui deservit alia pars Logicae, quae dicitur inventiva. Nam inventio non semper est cum certitudine. Unde de his quae inventa sunt judicium requiritur ad hoc quod certitudo habeatur. Sicut autem in rebus naturalibus in his quae ut in pluribus agunt, gradus quidam attenditur « quia quanto virtus naturae est fortior, « tanto rarius deficit a suo effectu, » ita et in processu rationis qui non est cum omnimoda certitudine, gradus aliquis invenitur, secundum quod magis et minus ad perfectam certitudinem acceditur. Per hujusmodi enim processum quandoque quidem etsi non fiat scientia, fit tamen fides vel opinio, vel probabilitas, propter probabilitatem propositionum ex quibus proceditur; quia ratio totaliter declinat in unam partem contradictionis, licet cum formidine alterius; et ad hoc ordinatur Topica sive dialectica. Nam syllogismus dialecticus ex probabilibus est, de quo agit Aristoteles in libro Topicorum. Quandoque vero non fit complete fides vel opinio, sed suspitio quaedam, quia non totaliter declinatur ad unam partem contradictionis, licet magis declinetur in hanc quam in aliam. Et ad hoc ordinatur Rhetorica. Quandoque vero sola existimatio declinat in aliquam partem contradictionis propter aliquam repraesentationem, ad modum quo fit homini abominatio alicujus cibi si repraesentetur ei sub similitudine alicujus abominabilis. Et ad hoc ordinatur Poetica. Nam poetae est inducere ad aliquod virtuosum, per aliquam praecedentem repraesentationem. Omnia autem haec ad rationalem philosophiam pertinent. Inducere enim ex uno in aliud, rationis est. Tertio autem processui rationis deservit pars Logicae, quae dicitur sophistica, de qua agit Aristoteles in lib. Elenchorum. Aliis igitur partibus Logicae praetermissis, ad praesens attendendum est circa partem judicativam prout traditur in lib. Posteriorum analyticorum: qui dividitur in duas partes. In prima ostendit necessitatem demonstrativi

syllogismi, de qua est iste liber. In secunda parte de ipso syllogismo determinat, ibi, « scire autem opi- « natur. » Necessitas autem cujuslibet rei ordinatae ad finem, ex suo fine sumitur. Finis autem demonstrativi syllogismi est scientiae acquisitio. Unde si scientia non posset acquiri per syllogismum vel argumentum, nulla esset necessitas demonstrativi syllogismi. Posuit autem Plato quod scientia non causatur in nobis ex syllogismo, sed ex impressione formarum idealium in animas nostras, ex quibus etiam effluere dicebat formas naturales in rebus naturalibus, quas ponebat esse participationes quasdam formarum a materia separatarum. Ex quo sequebatur quod agentia naturalia non causabant formas in rebus inferioribus, sed solum materiam praeparabant ad participandum formas separatas. Et similiter ponebat quod per studium et exercitium non causabatur in nobis scientia, sed tantum removebantur impedimenta, et reducitur homo quasi in memoriam eorum quae naturaliter scit ex impressione formarum separatarum. Sententia autem Aristotelis est contraria quantum ad utrumque. Ponit enim quod formae naturales reducuntur in actum a formis quae sunt in materia, scilicet a formis naturalium agentium. Et similiter ponit quod scientia fit in nobis actu, per aliquam scientiam in nobis praeexistentem. Et hoc est fieri in nobis scientiam per syllogismum, aut argumentum quodcumque. Nam ex uno in aliud argumentando procedimus.

Ad ostendendum igitur necessitatem demonstrativi syllogismi, praemittit Aristoteles quod cognitio in nobis acquiritur ex aliqua cognitione praeexistenti. Duo igitur facit. Primo ostendit propositum. Secundo docet modum praecognitionis, ibi, « Du- « pliciter autem. » Circa primum duo facit. Primo inducit universalem propositionem propositum continentem, scilicet quod acceptio cognitionis in nobis fit ex aliqua praeexistenti cognitione. Et ideo dicit: « Omnis doctrina et omnis disciplina, » non autem omnis cognitio, quia non omnis cognitio ex priori cognitione dependet. Esset enim in infinitum ire. Omnis autem disciplinae acceptio ex praeexistente cognitione fit. Nomen autem doctrinae et disciplinae ad cognitionis acquisitionem pertinet. Nam doctrina est actio ejus qui aliquid cognoscere facit. Disciplina autem est receptio cognitionis ab alio. Nec accipitur hic doctrina et disciplina secundum quod se habent ad acquisitionem scientiae tantum, sed ad acquisitionem cognitionis cujuscumque. Quod patet, quia manifestat hanc propositionem etiam in disputativis et rhetoricis disputationibus, per quas non acquiritur scientia. Propter quod etiam non dicit, ex praeexistenti scientia vel intellectu, sed universaliter cognitione. Addit autem intellectiva, ad excludendum acceptionem cognitionis sensitivae vel imaginativae. Nam procedere ex uno in aliud, rationis est solum.

Deinde cum dicit « mathematicae enim »

Manifestat propositionem praemissam per inductionem. Et primo in demonstrativis in quibus acquiritur scientia. In his autem principaliores sunt mathematicae scientiae, propter certissimum modum demonstrationis. Consequenter autem sunt et aliae artes, quia in omnibus est aliquis modus demonstrationis, aliter non essent scientiae.

Deinde cum dicit « similiter autem »

Manifestat idem in orationibus disputativis, sive dialecticis; quia utuntur syllogismo et inductione, in

quorum utroque proceditur ex aliquo praecognito.
Nam in syllogismo accipitur cognitio alicujus universalis conclusi, ab aliis universalibus notis; in
inductione autem concluditur universale ex singularibus, quae sunt manifesta.

Deinde cum dicit « similiter autem »

Manifestat idem in rhetoricis, in quibus persua-
sio fit per enthymema aut exemplum, non per syllogismum aut inductionem completam, propter incertitudinem materiae circa quam versatur, scilicet
circa actus singulares hominum in quibus universales propositiones non possunt vere assumi. Et

ideo loco syllogismi in quo necesse est esse aliquam
universalem, utitur aliquo enthymemate, in quo non
necesse est esse aliquam universalem. Et similiter
loco inductionis, in qua concluditur universale, u-
titur aliquo exemplo in quo proceditur a singulari,
non ad universale, sed ad singulare. Unde patet
quod sicut enthymema est quidam syllogismus de-
truncatus, ita exemplum est quaedam inductio imperfecta. Si ergo in syllogismo et inductione proceditur ex aliquo praecognito, oportet idem intelligi
in enthymemate et exemplo.

LECTIO II.

Eorum ex quibus ipsa integratur demonstratio, duplicem esse praecognitionem docet:
quomodo item et quo ordine ante ipsam conclusionem praecognita sint ostendit.

ANTIQUA.

Dupliciter autem necessarium est praecognoscere: alia
namque quia sunt prius opinari necesse; alia vero quid est
quod dicitur intelligere oportet, quaedam autem utraque.
Ut quoniam omne quidem, aut affirmare aut negare verum
est, quia est; triangulum autem, quoniam hoc quidem significat; sed unitatem utraque; et quid significat, et quia est.
Non enim similiter horum unumquodque manifestum nobis est.

Est autem cognoscere alia quidem prius cognoscentem;
quorumdam autem simul accipere notitiam, ut quaecumque
contingunt esse sub universalibus quorum habet cognitionem. Quod enim omnis triangulus habet tres angulos duobus
rectis aequales praescivit; quod vero hoc quod est in semicirculo, triangulus sit, simul inducens cognovit. Quorumdam
enim hoc modo disciplina est, et non per medium ultimum
cognoscitur, ut quaecumque jam singularium contingunt esse,
et non de subjecto aliquo.

RECENS.

Duplici autem modo necesse est praecognoscere; alia enim
quod [ea] sint, prius sumere necesse est; alia autem, quaenam [ea] significentur voce, intelligere oportet; alia denique
utroque modo. Ut quod vere de quolibet affirmetur aut
negetur [aliquid], quod sit [illud, oportet prius notum esse];
at in triangulo [oportet notum esse], quod tale quid significet: in unitate vero [oportet notum esse] utrumque, et
quid [ea] significet, et quod sit; neque enim eodem modo
unumquodque illorum nobis notum est.

Licet autem cognoscere, ut alia quidem prius [aliquis]
cognoscat, aliorum vero simul cognitionem accipiat, ut [eorum]
quaecumque sunt sub universali, quorum habet cognitionem:
nam quod omnis triangulus habeat [tres angulos] aequales
duobus rectis, prius cognovit; quod autem hocce in semicirculo
[descriptum] sit triangulus, simul inducens cognovit. Nonnulla enim hoc modo discimus, nec per medium cognoscitur
extremum [eorum], quaecumque singularia sunt nec de aliquo
subjecto [dicuntur].

Postquam ostendit Philosophus quod omnis disciplina ex praeexistenti fit cognitione, nunc ostendit
quid sit modus praecognitionis. Et circa hoc duo
facit. Primo determinat modum praecognitionis
quantum ad illa quae oportet cognoscere, ut habeatur conclusionis cognitio cujus scientia quaeritur.
Secundo determinat modum praecognitionis ipsius
conclusionis, cujus scientia per demonstrationem
quaeritur, ibi, « Antequam sit inducere. » In praecognitione autem duo includuntur; scilicet cognitio,
et cognitionis ordo. Primo ergo determinat modum
praecognitionis quantum ad ipsam cognitionem.
Secundo quantum ad cognitionis ordinem, ibi,
« Est praecognoscere. » Circa primum sciendum
est quod id cujus scientia per demonstrationem
quaeritur, est conclusio aliqua in qua propria passio de aliquo subjecto praedicatur: quae quidem
conclusio infertur ex aliquibus principiis. Et quia
cognitio simplicium praecedit cognitionem compositorum, necesse est quod antequam habeatur cognitio conclusionis, cognoscatur aliquo modo subjectum et passio. Et similiter oportet quod con-
gnoscatur principium ex quo conclusio infertur,
cum ex cognitione principii conclusio innotescat.
Horum autem trium, scilicet principii, subjecti et

passionis, est duplex modus praecognitionis; scilicet
quia est, et quid est. Ostensum autem est in septimo Metaphysicae quod complexa non definiuntur.
Hominis enim albi non est aliqua definitio, et multo minus enunciationis alicujus. Unde cum principium sit enunciatio quaedam, non potest praecognosci de ipso quid est, sed solum quia verum est.
De passione autem potest quidem sciri quid est,
quia ut in eodem libro ostenditur, accidentia quodammodo definitionem habent. Passionis autem esse
et cujuslibet accidentis est inesse subjecto, quod
quidem in demonstratione concluditur. Non ergo
de passione praecognoscitur quia est, sed solum
quid est. Subjectum autem definitionem habet,
ejus esse a passione non dependet, sed suum esse
proprium praeintelligitur ipsi esse passionis in eo.
Et ideo de subjecto oportet cognoscere et quid est
et quia est; praesertim cum ex definitione subjecti
et passionis sumatur medium demonstrationis, Propter hoc ergo dicit Philosophus, quod dupliciter
necessarium est praecognoscere; quia duo sunt quae
praecognoscuntur de his quorum praecognitionem
habemus; scilicet quia est et quid est. Et alia sunt
de quibus necesse est primo cognoscere quia sunt,
sicut principia de quibus postea exemplificat ponens

in exemplo primum omnium principiorum, scilicet quod de unoquoque est affirmatio vel negatio vera. Alia vero sunt de quibus oportet praeintelligere quid est quod dicitur, idest, quid significatur per nomen, scilicet de passionibus. Et non dicit quid est simpliciter, sed quid est quod dicitur: quia antequam sciatur de aliquo an sit, non potest sciri proprie de eo quid est. Non entium enim non sunt definitiones. Unde quaestio, an est, praecedit quaestionem quid est. Sed non potest ostendi de aliquo an sit, nisi prius intelligatur quid significatur per nomen. Propter quod etiam Philosophus in quarto Metaphysicae in disputatione contra negantes principia docet incipere a significatione nominum. Exemplificat autem de triangulo, de quo oportet praescire quoniam nomen ejus hoc significat, quod scilicet in sua definitione continetur. Cum autem accidentia quodam ordine ad subjecta referantur, non est inconveniens, id quod est accidens in respectu ad aliquid, esse etiam subjectum respectu alterius. Sicut superficies est accidens respectu substantiae corporalis, quae tamen superficies est primum subjectum coloris. Id autem quod est subjectum ita quod nullius est accidens, substantia est. Unde in illis scientiis quarum subjectum est aliqua substantia, id quod est subjectum nullo modo potest esse passio, sicut est in philosophia prima, et in scientia naturali, quae est de subjecto mobili. In his autem scientiis quae sunt de aliquibus accidentibus, nihil prohibet id quod accipitur ut subjectum respectu alicujus passionis, accipi etiam ut passio respectu anterioris subjecti. Hoc tamen non in infinitum procedit. Est enim devenire ad aliquod primum in scientia illa, quod ita accipitur ut subjectum, quod nullo modo ut passio: sicut patet in Mathematicis scientiis, quae sunt de quantitate continua vel discreta. Supponuntur enim in his scientiis ea quae sunt prima in genere quantitatis, sicut unitas et linea et superficies et alia hujusmodi. Quibus suppositis, per demonstrationem quaeruntur quaedam alia, sicut triangulus aequilaterus, quadratum in geometriis, et alia hujusmodi.

Quae quidem demonstrationes quasi operativae dicuntur, ut est illud, super rectam lineam datam, triangulum aequilaterum constituere. Quo adinvento, rursus de eo aliquae passiones probantur; sicut quod ejus anguli sunt aequales, aut aliquid hujusmodi. Patet ergo quod triangulus primo modo demonstrationis se habet ut passio, in secundo se habet ut subjectum. Unde Philosophus hic exemplificat de triangulo, ut passio est, non ut est subjectum, cum dicit: « De triangulo oportet praescire, quoniam « hoc significat. » Dicit etiam quod quaedam sunt de quibus oportet praescire utrumque; quid est, et quia est. Et exemplificat de unitate quae est principium in omni genere quantitatis. Etsi enim aliquo modo sit accidens respectu substantiae, tamen in scientiis mathematicis, quae sunt de quantitate, non potest accipi ut passio, sed ut subjectum tantum, cum in hoc genere non habeat prius. Rationem hujusmodi diversitatis ostendit. Quia non est similis modus manifestationis praedictorum, scilicet principii, passionis et subjecti. Non enim est eadem ratio cognitionis in ipsis. Nam principia cognoscuntur per actum componentis et dividentis. Subjectum autem et passio per actum apprehendentis quod quid est. Quod quidem non similiter competit subjecto et passioni, cum subjectum definiatur absolute, quia

in definitione ejus non ponitur aliquid quod sit extra essentiam ipsius. Passio autem definitur cum dependentia ad subjectum, quod in ejus definitione ponitur. Unde ex quo non eodem modo cognoscuntur, non est mirum si eorum diversa praecognitio sit.

Deinde cum dicit « est autem »

Determinat modum praecognitionis ex parte ipsius ordinis, quem quidem praecognitio importat. Est enim aliquid prius altero et secundum tempus, et secundum naturam. Et hic duplex ordo in praecognitione considerandus est. Aliquid enim praecognoscitur prius, sicut prius notum tempore. Et de his dicit quod alia contingit cognoscere aliquem cognoscentem ea prius tempore, quam illa quibus praecognosci dicuntur. Quaedam vero cognoscuntur simul tempore, sed sunt prius natura. Et de his dicit quod quorumdam praecognitorum simul tempore est accipere notitiam, et illorum quibus praecognoscuntur. Quae autem sunt ista, manifestat subdens, quod hujusmodi sunt quaecumque continentur sub aliquibus universalibus, quorum habent cognitionem, idest de quibus notum est ea sub talibus universalibus contineri. Et hoc ulterius manifestat per exemplum. Cum enim ad conclusionem inferendam duae propositiones requirantur, scilicet major et minor; scita propositione majori, nondum habetur conclusionis cognitio. Major ergo propositio praecognoscitur conclusioni, non solum natura, sed tempore. Rursus autem si in minori propositione inducatur sive assumatur aliquod contentum sub universali propositione, quae est major, de quo manifestum non sit quod sub hoc universali contineatur, nondum habetur conclusionis cognitio, quia nondum erat certa veritas minoris propositionis. Si autem in minori propositione assumatur terminus de quo manifestum sit quod contineatur sub universali in majori propositione, patet veritas minoris propositionis; quia id quod accipitur sub universali, habet ejus cognitionem, et sic statim habetur conclusionis cognitio. Ut si sic demonstraret aliquis: Omnis triangulus habet tres angulos aequales duobus rectis, ista cognita, nondum habetur conclusionis cognitio; sed cum postea accipitur, haec figura in semicirculo descripta est triangulus, statim scit quod habet tres angulos aequales duobus rectis. Si autem non esset manifestum quod haec figura in semicirculo descripta esset triangulus, nondum statim inducta assumptione sciretur conclusio: sed oporteret (1) ulterius aliquod medium quaerere, per quod demonstraretur hanc figuram esse triangulum. Exemplificans autem Philosophus de his quae cognoscuntur ante conclusionem prius tempore, dicit quod aliquis per demonstrationem conclusionis cognitionem accipiens hanc propositionem praescivit etiam secundum tempus, scilicet quod omnis triangulus habet tres angulos duobus rectis aequales. Sed inducens hanc assumptionem, scilicet quod hoc quod est in semicirculo sit triangulus, supple tempore, simul cognovit conclusionem, quia hoc inductum habet notitiam universalis sub quo continetur, ut non oporteat ulterius medium quaerere. Et ideo subdit quod quorumdam est hoc modo disciplinari, eorum accipitur cognitio per se, et non oportet ea cognoscere per aliquod aliud medium, quod sit ultimum in resolutione, qua mediata ad immediata reducuntur.

(1) Ed. Rom. oportet.

Vel potest legi sic. Quod « ultimum » idest extremum, quod accipitur sub universali medio, non cognoscitur esse sub illo universali, per aliquod aliud medium. Et quae sunt ista, quae habent cognitionem sui universalis, manifestat subdens, quod hujusmodi sunt singularia, quae non dicuntur de aliquo subjecto, cum inter singularia et speciem nullum medium possit inveniri.

LECTIO III.

Conclusionem demonstrationis ante ipsam demonstrationem aliquo modo esse praecognitam, alio vero modo non, ex dubitationis Platonicae solutione manifestat.

Antequam sit inducere, aut accipere syllogismum, quodammodo fortasse dicendum est scire, modo autem alio non. Quod enim nescivit si est simpliciter, hic quodammodo scivit. Et quod duos rectos habet, hoc nescivit simpliciter: sed manifestum est quod sic quidem scit, simpliciter autem non scit.

Si vero non, Mennonis ambiguitas contingit. Aut enim nihil discent, aut quae noverunt.

Non enim, sicut quidam argumentantur solvere, dicendum est. Numquid scivisti omnem dualitatem, quoniam par est, aut non? Dicente autem sic, attulerant quamdam dualitatem, quam non opinatus est esse. Solvunt enim dicentes, non cognoscere omnem dualitatem parem esse, sed quam sciunt quod dualitas sit.

Et etiam sciunt cujus vere demonstrationem habent et cujus acceperunt. Acceperunt autem non de omni cujus utique sciunt quod triangulus aut numerus sit, sed simpliciter de omni numero et triangulo. Neque enim una propositio accipitur hujusmodi, quod quem tu nosti numerum, aut quam nosti rectam lineam, sed de omni.

Sed nihil (ut opinor) prohibet, quoniam est quod addiscit, sic scire, est autem sic ignorare. Inconveniens enim non est si scit quodammodo quod addiscit, sed si hoc modo, ut inquantum addiscit, et scit.

Antequam vero inferatur et accipiatur syllogismus, quodammodo fortasse dici potest, [aliquem] scire; alio tamen respectu non [Potest dici]. Quod enim [aliquis] nescit num [illud] omnino sit, quomodo [hoc] sciat, quod [illud] omnino habeat [tres angulos] aequales duobus rectis? Sed manifestum est quod hac quidem ratione scit, quia universale scit; simpliciter autem non scit.

Si vero non, dubitatio illa in [Platonis] Menone accidet; aut enim nihil discet [aliquis], aut, quae [jam] scivit.

Neque enim, quemadmodum nonnulli [dubitationem] solvere tentant, dicendum est: Scisne omnem numerum binarium esse parem, an non? Quum autem affirmaret [alter], protulit quidam [interrogans] binarium quemdam numerum, quem non arbitrabatur [esse], quare neque parem; solvunt enim, non dicentes, [omnem] binarium se scire parem esse, sed, quem sciunt quod binarius sit. Et sane sciunt quidem [illum esse binarium], cujus demonstrationem habent, et cujus [demonstrationem] acceperunt; acceperunt autem [demonstrationem] non de omni [triangulo aut numero], quem sciunt triangulum aut numerum esse; sed simpliciter de omni numero et triangulo. Nam nulla propositio eo modo sumitur, ut [de eo], quem tu scias, numero; aut [de ea], quam tu scias, rectilinea [figura], sed de omni [rectilineo aut numero].

Verum nihil (puto) interest, quod quis discit, ut [id] quodam respectu sciat, alio respectu ignoret. Absurdum enim est, non si quodammodo [aliquis] novit, quod discit; sed, si hocce modo [novit], quatenus discit, et quomodo.

Postquam ostendit Philosophus quomodo oportet praecognoscere quaedam alia, antequam de conclusione cognitio sumatur, nunc vult ostendere quomodo ipsam conclusionem contingit praecognoscere, antequam cognitio sumatur de ea per syllogismum vel inductionem. Et circa hoc duo facit. Primo nanque determinat veritatem, dicens quod antequam inducatur inductio vel syllogismus ad faciendum cognitionem de aliqua conclusione, illa conclusio quodammodo scitur, et quodammodo non: simpliciter enim nescitur, sed solum secundum quid. Sicut si debeat probari ista conclusio, triangulus habet tres angulos aequales duobus rectis, antequam demonstraretur, ille qui per demonstrationem accipit scientiam ejus, nescivit simpliciter, sed scit secundum quid. Unde quodammodo praescivit, simpliciter autem non. Cujus quidem ratio est, quia sicut jam ostensum est, oportet principia conclusionis praecognoscere. Principia autem se habent ad conclusiones in demonstrativis, sicut causae activae in naturalibus ad suos effectus: unde in secundo Physicorum propositiones syllogismi ponuntur in genere causae efficientis. Effectus autem antequam producatur in actu, praeexistit quidem in causis activis virtute, non autem actu, quod est simpliciter esse. Et similiter antequam ex principiis demonstrativis deducatur conclusio, in ipsis principiis quidem praecognitis praecognoscitur conclusio virtute, non tamen actu. Sic enim in eis praeexistit. Et sic patet quod non praecognoscitur simpliciter, sed secundum quid est.

Secundo ibi « si vero »

Excludit ex veritate determinata quamdam dubitationem, quam Plato ponit in libro Mennonis, sic intitulato ex nomine sui discipuli. Est autem dubitatio talis. Inducit enim quemdam omnino imperitum artis geometricae interrogatum ordinate de principiis per se notis, ex quibus geometrica conclusio concluditur, incipiendo ex principiis per se notis, ad quae omnia illa ignarus geometriae id quod verum est respondit, et sic deducendo quaestiones usque ad conclusionem, per singula verum respondit. Ex hoc igitur vult habere, quod et illi qui videntur imperiti aliquarum artium, antequam de eis instruantur, earum notitiam habent. Et sic sequitur quod vel homo nihil addiscat, vel addiscat ea, quae prius novit. Circa hoc ergo quatuor facit. Primo enim proponit quod praedicta dubitatio vitari non potest, nisi supposita praedeterminata veritate, scilicet quod conclusio quam quis addiscit per demonstrationem vel inductionem, nota erat non simpliciter, sed secundum quod est virtute in suis principiis, de quibus aliquis ignarus scientiae interrogatus veritatem respondere potest. Secundum vero Platonis sententiam conclusio erat praecognita simpliciter. Unde non addiscebatur de novo, sed potius per deductionem aliquam rationis, in memoriam reducebatur. Sicut etiam de formis naturalibus Anaxagoras ponit quod ante generationem praeexistebant in materia simpliciter: Aristoteles vero ponit quod praeexistunt in potentia, et non simpliciter.

Secundo cum dicit « non enim »

Ostendit falsam quorumdam obviationem ad dubitationem Platonis, qui scilicet dicebant quod conclusio antequam demonstraretur, vel quocunque modo addisceretur, nullo modo erat cognita. Poterat enim ei objici secundum Platonis dubitationem hoc modo. Si quis interrogaretur ab aliquo imperito, Numquid tu scis quod omnis dualitas par est, et dicente eo, idest concedente se scire, afferret quandam dualitatem, quam ille interrogatus non opinaretur esse, puta illam dualitatem quae est tertia pars senarii, concluderetur quod sciret tertiam partem senarii esse numerum parem, quod erat ei incognitum, sed per demonstrationem inductam addiscit. Et sic videtur sequi quod vel non hoc addiscat, vel addidicerit quod prius scivit. Ut igitur hanc dubitationem evitarent, solvebant dicentes quod ille interrogatus, qui respondet se scire quod omnis dualitas sit numerus par, non dixit cognoscere omnem dualitatem simpliciter, sed illam quam scivit esse dualitatem. Unde cum ista dualitas, quae est illata, fuerit ab eo penitus incognita, sive ignota, nullo modo scivit quod haec dualitas esset numerus par. Et sic sequitur quod apud cognoscentem principia nullo modo conclusio sit praecognita, neque simpliciter, neque secundum quid.

Tertio ibi « et etiam »

Improbat hanc solutionem hoc modo. Illud scitur, de quo demonstratio habetur, vel de quo de novo accipitur demonstratio. Et hoc dicitur propter addiscentem qui incipit scire. Addiscentes autem non accipiunt demonstrationem de omni dualitate de qua sciunt, sed de omni simpliciter; et similiter de omni numero, aut de omni triangulo. Non ergo verum est quod sciat de omni numero quem scit esse numerum, aut de omni dualitate quam scit esse dualitatem, sed de omni simpliciter. Quod autem non sciat de omni numero quem scit esse numerum, sed de omni simpliciter, probat, ibi, « Neque enim una propositio etc. » Conclusio cum praemissis convenit in terminis. Nam subjectum et praedicatum conclusionis sunt major et minor extremitas in praemissis. Sed in praemissis non accipitur aliqua propositio de numero aut de recta linea, cum hac additione, quam tu nosti, sed simpliciter de omni. Neque ergo conclusio demonstrationis est cum additione praedicta, sed simpliciter de omni.

Quarto ibi « sed nihil »

Ponit veram solutionem dubitationis praedictae secundum praedeterminatam veritatem, dicens, quod illud quod quis addiscit, nihil prohibet primo quodammodo scire et quodammodo ignorare. Non enim est inconveniens, si aliquis quodammodo praesciat id quod addiscit: sed esset inconveniens, si hoc modo praecognosceret, secundum quod addiscit. Addiscere enim proprie est scientiam in aliquo generari. Quod autem generatur, ante generationem non fuit omnino ens, sed quodammodo ens, et quodammodo non ens. Ens quidem in potentia, non ens vero actu. Et hoc est generari, reduci de potentia in actum. Unde nec id quod quis addiscit, erat omnino prius notum, ut Plato posuit, nec omnino ignotum, ut secundum solutionem supra improbatam ponebatur. Sed erat notum potentia, sive virtute in principiis praecognitis universalibus, ignotum autem actu secundum propriam cognitionem. Et hoc est addiscere reduci de cognitione potentiali seu virtuali, aut universali in cognitionem propriam et actualem.

LECTIO IV.

Ex definitione scire simpliciter, duplicem demonstrationis definitionem ponit; hinc demonstrationem omnem ex veris primis ac necessariis constare ostendit.

ANTIQUA.

Scire autem opinamur unumquodque simpliciter, sed non sophistico modo, quod est secundum accidens.

Cum causam arbitramur cognoscere propter quam res est, et quoniam illius causa est, et non est contingere hoc aliter se habere.

Manifestum est igitur quod hujusmodi aliquid scire sit. Et namque non scientes et scientes hi quidem opinantur ipsi sic se habere; scientes autem, et eam habent.

Quare cujus simpliciter est scientia, hoc impossibile est aliter se habere.

Siquidem igitur et alius est sciendi modus, posterius dicetur.

Dicimus autem, quia scire per demonstrationem est intelligere.

Demonstrationem autem dico syllogismum apodicticon, id est facientem scire.

Sed scientialem syllogismum dico secundum quem in habendo ipsum scimus.

RECENS.

Scire autem arbitramur unumquodque simpliciter, sed non sophistico modo secundum accidens, quando arbitramur nos cognoscere et causam, per quam res est, quod ea hujus causa sit; nec contingere, ut hoc aliter sese habeat.

Manifestum ergo est, tale quid esse *to* scire. Nam et qui [rem] non sciunt, et qui sciunt, illi quidem arbitrantur ita se habere; hi vero qui sciunt, etiam ita se habent; quare, cujus simpliciter est scientia, id impossibile est aliter se habere.

Si vero alius quoque est *tou* scire modus, postea dicemus; dicimus autem etiam per demonstrationem [rem] scire.

Demonstrationem vero dico syllogismum qui scire facit. Dico autem [syllogismum] qui scire facit, secundum quem, quia ipsum habemus, rem scimus.

Si igitur est scire ut posuimus, necesse est, et demonstrativam scientiam ex veris esse, et primis, et immediatis et notioribus, et prioribus, et causis conclusionis.

Sic enim erunt et principia propria ejus quod demonstratur.

Syllogismus quidem erit et sine his, demonstratio autem non erit. Non enim faciet scientiam.

Verum quidem igitur oportet esse, quoniam non est scire quod non est, ut quod diametros sit symetros.

Ex primis autem indemonstrabilibus est, quia non sciet non habens demonstrationem ipsorum. Scire enim est habere demonstrationem, quorum demonstratio est, non secundum accidens.

Causas quoque notiores oportet esse, et primas causas, quoniam tunc scimus, cum causas cognoscimus. Et priores, si verae sunt causae; et notiores, non solum altero modo intelligendo, sed in sciendo. quoniam sunt. Priora autem et notiora dupliciter sunt. Non enim idem est natura, et ad nos prius, neque notius natura, et nobis notius. Dico autem priora ad nos, et notiora, proxima sensui; simpliciter autem priora et notiora quae longius sunt. Sunt autem quidem longiora universalia, maxime autem propinquiora sensui singularia. Et opponuntur haec adinvicem. Ex primis autem est, quod ex propriis principiis est. Jam enim dico idem primum et principium.

Si igitur et *to* scire, quale quid illud esse posuimus; necesse est, scientiam quoque demonstrativam esse et ex veris, et primis, et immediatis, et notioribus, et prioribus, et causis conclusionis. Sic enim erunt etiam principia propria ejus quod demonstratur.

Nam syllogismus quidem erit etiam absque talibus; at demonstratio non erit; neque enim pariet scientiam.

Vera ergo oportet esse, quoniam non ens scire non possumus; ut, diametrum esse [costae] commensurabilem.

Ex primis autem non ultra demonstrandis, quod [aliquis ea] non sciet, nisi habeat demonstrationem ipsorum. Nam *to* scire est eorum quorum est demonstratio, non secundum accidens, demonstrationem habere.

Causas vero etiam esse oportet, et notiora et priora. Causas quidem, quod tunc [unumquodque] scimus, quum [illius] causam cognoscimus: et priora, si quidem causas [esse oportet], et prius cognita, non tantum alio illo modo, [quid significetur] intelligendo, sed etiam illo, quod [res] sit, sciendo.

Priora autem et notiora dupliciter [dicuntur] Non enim idem est natura prius, et respectu ad nos prius; neque, notius [simpliciter], et nobis notius. Dico autem respectu ad nos quidem priora et notiora, quae sensui propiora sunt; simpliciter autem priora et notiora, quae [a sensu absunt] longius. Sunt autem [a sensu] remotissima universalia maxime; proxima autem [sensui] singularia; et sunt haec mutuo opposita.

Ex primis vero est, quod [est] ex propriis principiis. Idem enim dico primum et principium.

Postquam ostendit Philosophus necessitatem syllogismi demonstrativi, hic jam incipit de ipso syllogismo demonstrativo determinare. Et dividitur in duas partes. In prima determinat de syllogismo demonstrativo. In secunda de medio, ex quo syllogismus demonstrativus procedit. Et hoc in secundo libro, ibi, « Quaestiones sunt aequales numero. » Prima dividitur in duas. In prima determinat de syllogismo demonstrativo absolute. In secunda comparando demonstrationem universalem ad demonstrationem particularem, ibi, « Cum autem demon-« stratio sit alia quidem universalis. » Prima in duas dividitur. In prima determinat de syllogismo demonstrativo. In secunda ostendit quod non sit in demonstrationibus, in infinitum procedere, ibi, « Est autem omnis syllogismus per tres terminos. » Prima dividitur in duas. In prima determinat de syllogismo demonstrativo per quem acquirimus scientiam. In secunda ostendit quomodo etiam in nobis per syllogismum acquiritur ignorantia, ibi, « Igno-« rantia autem secundum negationem. » Circa primum tria facit. Primo determinat de syllogismo demonstrativo ostendendo quid sit. Secundo determinat de materia syllogismi demonstrativi ostendendo quae et qualia sint ex quibus est, ibi, « Quo-« niam autem impossibile est. » Tertio determinat de forma ipius, ostendendo in qua figura praecipue fiat, ibi, « Figuratum autem magis faciens scire. » Circa primum tria facit. Primo ostendit de demonstrativo syllogismo, quid est. Secundo notificat quaedam quae in definitione syllogismi demonstrativi ponuntur, ibi, « Est autem principium demonstra-« tionis. » Tertio excludit quosdam errores qui ex praemissis circa demonstrationem oriri possunt, ibi, « Quibusdam quidem igitur. » Circa primum sciendum est quod in omnibus quae sunt propter finem, definitio quae est per causam finalem, est ratio definitionis quae est per causam materialem, et medium probans ipsam: propter hoc enim oportet ut domus fiat ex lapidibus et lignis, quia est operimentum protegens nos a frigore et aestu. Sic igitur de demonstratione dat hic duas definitiones: quarum una sumitur a fine demonstrationis quod

est scire. Et ex hac concluditur altera, quae sumitur a materia demonstrationis. Unde circa hoc tria facit. Primo definit ipsum scire. Secundo definit demonstrationem per finem ejus, qui est ipsum scire, ibi, « Dicimus autem scire. » Tertio ex utraque definitione concludit definitionem demonstrationis quae sumitur per comparationem materiae demonstrationis, ibi, « Si igitur est scire ut posui-« mus. » Circa primum quinque facit. Primo enim determinat cujusmodi scire sit, quod definire intendit. Circa quod sciendum est quod aliquid dicimur scire simpliciter, quando scimus id in seipso: dicimur scire aliquid secundum quid, quando scimus illud in alio, in quo est, vel sicut pars in toto, sicut scientes domum, dicimur scire parietem, vel sicut accidens in subjecto, sicut scientes Coriscum, diceremur scire venientem. Vel sicut effectus in causa, sicut dictum est supra quod conclusionem percipimus in principiis. Vel quocumque simili modo. Et hoc est scire per accidens; quia scito aliquo per se, dicimur scire id quod accidit ei quocumque modo. Intendit igitur Philosophus definire scire simpliciter, non autem scire secundum accidens. Hic enim modus sciendi est sophisticus. Utuntur enim sophistae tali modo arguendi. Cognosco Corisum, Coriscus est veniens, ergo cognosco venientem.

Deinde cum dicit « cum causam »

Ponit definitionem ipsius scire simpliciter. Circa quod considerandum est quod scire aliquid est perfecte cognoscere ipsum; hoc autem est perfecte apprehendere ipsius veritatem. Eadem enim sunt principia esse, rei et veritatis ipsius, ut patet ex 2 Metaphisicae. Oportet ergo scientem, si est perfecte cognoscens, quod cognoscat causam rei scitae. Et propter hoc dicit: « Cum causam arbitramur. » Si autem cognosceret causam tantum, nondum cognosceret effectum in actu, quod non est scire simpliciter, sed virtute tantum, quod est scire secundum quid et quasi per accidens. Et ideo oportet scientem simpliciter, cognoscere etiam applicationem causae ad effectum. Et propter hoc dicit: « Et quo-« niam illius causa est. » Quia vero scientia est etiam certa cognitio rei, quod autem contingit aliter se habere non potest aliquis per certitudinem cognoscere, ideo ulterius oportet quod id quod scitur non possit aliter se habere. Quia igitur scientia est perfecta cognitio, ideo dicit: « Cum causam arbitramur cognoscere. » Quia vero est actualis cognitio, per quam scimus simpliciter, addit: « Et quoniam illius est causa. » Quia vero est certa cognitio, subdit: « Et non est contingere aliter se habere. »

Tertio ibi « manifestum est »

Manifestat positam definitionem propter hoc, quod tam scientes quam non scientes, aestimantes tamen se scire, hoc modo accipiunt scire sicut dictum est. Non scientes enim qui aestimant se scire, opinantur sic se habere in cognoscendo, sicut dictum est. Scientes autem vere, sic se habent. Est autem haec recta manifestatio definitionis. Definitio enim est ratio quam significat nomen, ut dicitur in 3 Metaph. Significatio autem nominis accipienda est ab eo quod intendunt communiter loquentes per id nomen significare. Unde in 2 Topic. dicitur, quod nominibus utendum est ut plures utuntur. Si quis etiam recte consideret, per hanc notificationem magis ostenditur quid significat nomen, quam directe aliquid significetur. Non enim notificat scientiam, de qua proprie posset definitio assignari, cum sit species alicujus generis, sed notificat ipsum scire. Unde et a principio dixit: « Scire autem opinamur etc. » et non dixit, Scire est aliquid tale.

Quarto ibi « quare cujus »

Concludit corollarium quoddam ex definitione: scilicet quod illud de quo simpliciter est scientia, oportet esse necessarium.

Quarto ibi « siquidem igitur »

Respondet tacitae quaestioni: utrum scilicet sit aliquis alius modus sciendi a praedicto. Quod promittit se dicturum in sequentibus. Est enim scire per effectum, ut infra patebit. Dicimur etiam aliquo modo scire ipsa principia indemonstrabilia, quorum non est accipere causam. Sed proprius et perfectus sciendi modus est qui praedictus est.

Deinde cum dicit « dicimus autem »

Definit syllogismum demonstrativum per operationem (1) ad finem suum, qui est scire. Circa quod tria facit. Primo ponit quod scire est finis syllogismi demonstrativi, sive effectus ejus; cum scire nihil aliud esse videatur, quam intelligere veritatem alicujus conclusionis per demonstrationem.

Secundo ibi « demonstrationem autem »

Definit syllogismum demonstrativum per hujusmodi finem, dicens, quod demonstratio est syllogismus scientialis, idest faciens scire. Tertio exponit hoc quod dixerat scientialem, ibi, « sed scientialem »

Dicens quod scientialis syllogismus dicitur, secundum quem scimus, inquantum ipsum habemus; ne forte aliquis syllogismum scientialem intelligeret quo aliqua scientia uteretur.

Deinde cum dicit « si igitur »

Concludit ex praedictis definitionem syllogismi demonstrativi ex materia sumptam. Et circa hoc duo facit. Primo concludit. Secundo manifestat, ibi, « Verum quidem igitur oportet scire. » Circa primum tria facit. Primo proponit consequentiam qua demonstrationis materialis definitio concluditur ex praemissis, dicens, quod si scire hoc significat quod diximus, causam rei cognoscere etc., necesse est quod demonstrativa scientia, idest quae per demonstratio-

(1) *Lege* per comparationem.

nem acquiritur, ex procedat propositionibus veris, primis et immediatis, idest quae non per aliquod medium demonstrantur, sed per seipsas sint manifestae. Quae quidem immediatae dicuntur, inquantum carent medio demonstrante; primae autem in ordine ad alias propositiones, quae per eas probantur. Et iterum ex notioribus et prioribus, et causis conclusionis.

Secundo ibi « sic enim »

Excusat se ab additione alterius particulae quae videbatur apponenda, quod scilicet demonstratio ex propriis principiis procederet. Sed ipse dicit, quod hoc intelligitur per ea quae dicta sunt. Nam quia propositiones demonstrationis sunt causae conclusionis, necesse est quod sint propria principia ejus. Oportet enim esse causas proportionatas effectibus.

Tertio ibi « syllogismus quidem »

Manifestat praemissae consequentiae necessitatem, dicens, quod licet syllogismus non requirat praemissas conditiones in propositionibus ex quibus procedit, requirit tamen eas demonstratio. Aliter enim non faceret scientiam.

Deinde cum dicit « verum quidem »

Manifestat positam definitionem, manifestans etiam quod immediate dixerat, scilicet quod nisi praemissae conditiones demonstrationi adessent, scientiam facere non possent. Primo ergo ostendit quod semper procedit ex veris, ad hoc quod scientiam faciat; quia quod non est, non contingit scire, sicut diametrum esse symetrum, idest commensurabilem lateri quadrati. Dicuntur enim quantitates incommensurabiles, quarum non potest accipi aliqua mensura communis; et hujusmodi quantitates sunt, quarum non est proportio adinvicem, sicut numeri ad numerum: quod quidem contingit de diametro quadrati et ejus latere, ut patet ex 16 Euclidis. Quod autem non est verum, non est. Nam esse et esse verum convertuntur. Oportet ergo, id quod scitur, esse verum. Et sic conclusionem demonstrationis quae facit scire, oportet esse veram, et per consequens ejus propositiones. Non enim contingit verum sciri ex falsis, etsi (1) concludi possit ex eis, ut infra ostendet.

Secundo ibi « ex primis »

Ostendit quod demonstratio sit ex primis et immediatis, sive indemonstrabilibus. Non enim contingit aliquem habere scientiam, nisi habeat demonstrationem eorum quorum potest esse demonstratio; et hoc dico per se, et non per accidens. Et hoc ideo dicit, quia possibile esset scire aliquam conclusionem non habens demonstrationem praemissarum, etiam si essent demonstrabilia, quia sciret eam per alia principia, et hoc esset secundum accidens. Detur ergo quod aliquis demonstrator syllogizet ex demonstrabilibus, sive mediatis. Aut ergo habet illorum demonstrationem, aut non habet. Si non habet, ergo non scit praemissas, et ita nec conclusionem propter praemissas. Si autem habet, cum in demonstrationibus non sit procedere in infinitum, ut infra ostendet, tandem erit devenire ad aliqua immediata et indemonstrabilia. Et sic demonstratio oportet quod procedat ex immediatis, vel statim, vel per aliqua media. Unde et in primo libro Topicorum dicitur, quod demonstratio est ex propriis et veris, aut his quae per ea fidem sumpserunt.

Tertio ibi « causas quoque »

Probat quod demonstrationis propositiones sunt causae conclusionis; quia tunc scimus, cum causas cognoscimus. Et ex hoc ostendit ulterius quod sunt

(1) *Edit. Rom.* et sic.

priores et notiores, quia omnis causa est naturaliter prior et notior suo effectu. Oportet autem
quod causa conclusionis demonstrativae sit notior
non solum quantum ad cognitionem quid est, sed
etiam quantum ad cognitionem quia est. Non enim
ad demonstrandum quod eclipsis solis est, sufficit
scire quod est lunae interpositio; sed oportet etiam
scire quod luna interponitur inter solem et terram.
Et quia prius et notius dicitur dupliciter: scilicet
quo ad nos, et secundum naturam; dicit consequenter quod ea ex quibus procedit demonstratio, sunt
priora et notiora simpliciter et secundum naturam,
et non quo ad nos. Et ad hujusmodi expositionem
dicit quod priora et notiora simpliciter sunt illa quae
sunt remota a sensu, ut universalia. Priora et notiora
quo ad nos sunt proxima sensui, scilicet singularia
quae opponuntur universalibus, sive oppositione prioris et posterioris, sive oppositione propinqui et remoti.

Videtur autem contrarium hujus haberi in primo Physicorum, ubi dicitur, quod universalia
sunt priora quoad nos, posteriora secundum naturam. Sed dicendum est quod hic loquitur de
ordine singularis ad universale simpliciter, quorum ordinem oportet accipere secundum ordinem
cognitionis sensitivae et intellectivae in nobis.
Cognitio autem sensitiva est in nobis prior intellectiva, quia intellectualis cognitio ex sensu procedit
in nobis. Unde et singulare est prius et notius quo
ad nos, quam universale. In primo autem Physic.
non ponitur ordo universalis ad singulare simpliciter, sed magis universalis ad minus universale,
ut puta animalis ad hominem; et sic oportet quod
quo ad nos universalius sit prius et magis notum.
In omni enim generatione, quod est in potentia,
est prius tempore et posterius natura. Quod autem
est completum in actu est prius natura et posterius
tempore. Cognitio autem generis est quasi poten-
tialis in comparatione ad cognitionem speciei, in
qua actu sciuntur omnia essentialia rei. Unde
et in generatione scientiae nostrae prius est cognoscere magis commune quam minus commune.

Item in libro Physicorum dicitur, quod innata est
nobis via ex nobis notioribus. Non ergo demonstratio
fit ex his quae sunt priora simpliciter sed quoad
nos. Sed dicendum quod hic loquitur secundum
quod id quod est in sensu, est notius quoad nos
eo quod est in intellectu. Ibi autem secundum
quod id quod est notius quo ad nos, est etiam in
intellectu. Ex singularibus autem quae sunt in
sensu non sunt demonstrationes, sed ex universalibus tantum, quae sunt in intellectu. Vel dicendum
quod in omni demonstratione oportet quod procedatur ex his quae sunt notiora quo ad nos, non
tamen singularibus sed universalibus. Non enim
aliquid potest fieri nobis notum, nisi per id quod
est magis notum nobis. Quandoque autem id quod
est magis notum quo ad nos, est etiam magis notum simpliciter et secundum naturam; sicut accidit
in mathematicis, in quibus propter abstractionem
a materia, non fiunt demonstrationes nisi ex principiis formalibus. Et in talibus fiunt demonstrationes
ex his quae sunt notiora simpliciter. Item quandoque
id quod est notius quo ad nos non est notius
simpliciter, sicut accidit in naturalibus, in quibus
essentiae et virtutes rerum propter hoc quod in
materia sunt, sunt occultae, sed innotescunt nobis
per ea quae exterius de ipsis apparent. Unde in
talibus fiunt demonstrationes ut plurimum per effectus, qui sunt notiores quo ad nos, et non simpliciter. Nunc autem non loquitur de hoc modo
demonstrationum, sed de primo. Quia vero in hac
manifestatione hoc etiam omiserat manifestare, quod
demonstratio esset ex propriis principiis, consequenter subdit quod habetur etiam ex praemissis.
Per hoc enim quod dicitur quod demonstratio est
ex primis, habetur quod ex propriis principiis, sicut
et superius dictum est. Idem enim videtur esse
primum et principium. Nam primum in unoquoque
genere et maximum, est causa omnium eorum
quae sunt post, ut dicitur in secundo Metaphys.

LECTIO V.

Quidnam sit Immediata propositio, et quae sint immediata demonstrationis principia manifestat.

ANTIQUA.

Est autem principium demonstrationis propositio immediata. Immediata autem est, qua non est altera prior.
Propositio autem est enunciationis altera pars, unum
de uno.
Dialectica similiter est accipiens quamlibet. Demonstrativa alterum determinate, quoniam verum est.
Enunciatio autem contradictionis quamlibet partem. Contradictio autem est oppositio, cujus non est medium secundum se invenire. Pars autem contradictionis, quae quidem
aliquid de aliquo, affirmatio est; quae vero aliquid ab aliquo,
negatio est.
Immediati autem principii syllogistici, positionem quidem
dico, quam non est demonstrare, neque est necesse habere
docendum quemlibet. Quam vero necesse est habere docendum quemlibet, dignitatem vel maximam propositionem.
Sunt enim quaedam hujusmodi. Hoc enim maxime in hujuscemodi nomen consuevimus dicere.

RECENS.

Principium autem est demonstrationis propositio immediata. Immediata vero est, qua non est alia prior. Propositio autem est altera pars enuntiationis, unum de uno [seu
affirmans seu negans]; dialectica quidem [propositio est],
quae aequaliter sumit utramcumque [contradictionis partem];
demonstrativa autem, quae definite alterum [sumit], quod
[illud] verum sit. Enuntiatio vero est contradictionis utracumque pars. Contradictio autem est oppositio, cujus non
est medium secundum ipsam. Pars vero contradictionis illa,
quae aliquid de aliquo [enuntiat], est affirmatio; quae autem
aliquid ab aliquo [removet], negatio.
Immediati vero principii syllogistici Thesin quidem dico,
quae demonstrari non potest, et quam non necesse est habere eum qui aliquid [per demonstrationem] est cogniturus.
Quam autem necesse est habere eum qui quodcumque [per
demonstrationem] sit cogniturus, Axioma [dico]. Nam sunt
quaedam talia, et hoc nomen maxime in talibus solemus
usurpare.

Positionis autem quae est quamlibet partem enunciationis accipiens, ut dico aliquid esse, aut non esse, suppositio quidem est. Quae vero sine hoc, definitio est. Definitio enim quaedam est positio. Ponit enim arithmeticus unitatem indivisibilem esse secundum quantitatem. Suppositio autem non est. Id enim quod quid est unitas, et esse unitatem non idem est.

Thesis autem illa, quae utramcumque partem enuntiationis sumit, (ut dico, Esse aliquid, aut, Non esse aliquid,) Hypothesis [vocatur]; quae autem sine eo [sumitur], Definitio [appellatur]. Definitio enim thesis quidem est; ponit enim arithmeticus unitatem esse individuum quid secundum quantitatem; hypothesis vero non est; non enim, quid sit unitas, et esse unitatem, idem est.

Quia superius Philosophus dixerat quod demonstratio est ex primis et immediatis, et haec ab ipso nondum manifestata erant, ideo intendit ista manifestare. Et dividitur in tres partes. In prima parte ostendit quid sit propositio immediata. In secunda ostendit quod oportet hujusmodi propositiones esse notiores conclusione, ibi, « Quoniam autem oportet « credere et scire. » In tertia excludit quosdam errores qui ex praedictis occasionem habebant, ibi, « Quibusdam quidem igitur. » Circa primum duo facit. Primo ostendit quid sit propositio immediata. Secundo dividit eam, ibi, « Immediati autem prin-« cipii. » Circa primum hoc modo procedit. Primo namque resumit quod supra dictum est, scilicet quod principium demonstrationis sit propositio immediata. Nam etiam supra dixerat quod demonstratio est ex primis et immediatis. Secundo ibi, « Im-« mediata autem. » Definit immediatam propositionem, et dicit quod immediata propositio est, qua non est altera prior. Cujus quidem notificationis ratio ex praedictis patet. Dictum est enim supra quod demonstratio ex prioribus est. Quandocumque igitur aliqua propositio est mediata, id est habens medium, per quod demonstretur praedicatum de subjecto, oportet quod priores eae sint propositiones, ex quibus demonstretur. Nam praedicatum conclusionis per prius inest medio quam subjecto, cui etiam per prius inest medium quam praedicatum. Relinquitur ergo quod illa propositio, qua non est altera prior, sit immediata.

Tertio ibi « propositio autem »

Ostendit quid sit propositio, quae ponitur in definitione immediatae propositionis. Et circa hoc tria facit. Primo namque definit propositionem simpliciter, quod propositio est altera pars enunciationis, in qua praedicatur unum de uno. Habet enim enunciatio duas partes, affirmationem et negationem. Oportet enim quod omnis syllogizans alteram earum proponat, non autem utramque. Hoc enim est proprium ejus qui a principio quaestionem movet. Unde per hoc separatur propositio a problemate. Sicut enim in uno syllogismo non concluditur nisi unum, ita oportet quod propositio, quae est syllogismi principium, sit una. Una autem est in qua est unum de uno. Unde per hoc quod Philosophus dicit unum de uno, separatur propositio ab enunciatione quae dicitur plures, in qua plura de uno, vel unum de pluribus dicitur.

Secundo ibi, « dialectica similiter. »

Ponit differentiam inter dialecticam propositionem et demonstrativam, dicens, quod cum propositio accipiat alteram partem enunciationis, dialectica autem indifferenter accipit quamcumque earum. Habet enim viam ad utramque partem contradictionis, eo quod ex probabilibus procedit. Unde etiam et in proponendo accipit utramque partem contradictionis, et quaerendo utramque ponit. Demonstrativa autem propositio accipit alteram partem determinate, quia nunquam habet demonstratio viam nisi ad verum demonstrandum. Unde etiam semper proponendo ac-

cipit veram partem contradictionis. Propter hoc etiam non interrogat, sed sumit quod demonstrat, quasi notum.

Tertio ibi, « enunciatio autem »

Definit enunciationem quae ponitur in definitione propositionis, dicens, quod enunciatio complectitur utramque partem contradictionis, ut ex dictis patet. Quid autem sit contradictio, consequenter ostendit, dicens, quod contradictio est oppositio, cujus non est medium secundum se. Quamvis enim in privatione et in habitu et in contrariis immediatis non sit medium circa determinatum subjectum, tamen est medium simpliciter: nam lapis neque caecus neque videns, et album neque par neque impar est. Hoc etiam quod habent de immediatione circa determinatum subjectum, habent inquantum aliquid participant contradictionis. Nam privatio est negatio in subjecto determinato. Et alterum etiam contrariorum immediatorum est habens aliquid contradictionis. Sed contradictio simpliciter in omnibus caret medio. Et hoc non habet ab alio, sed ex seipsa. Et propter hoc dicit quod ejus non est medium secundum se. Exponit etiam consequenter quid sit pars contradictionis. Est enim contradictio oppositio affirmationis et negationis. Unde altera pars ejus est affirmatio, quae praedicat aliquid de aliquo; altera vero negatio, quae removet aliquid ab aliquo.

Deinde cum dicit « immediati autem »

Dividit immediatum principium. Et circa hoc duo facit. Primo dividit. Secundo subdividit, ibi, « Positiones autem quaedam. » Dicit ergo primo, quod immediatum principium syllogismi est duplex. Unum quidem quod dicitur positio, quam non contingit demonstrare, et ex hoc immediatum dicitur; neque tamen aliquem docendum, idest qui doceri debet in demonstrativa scientia, necesse est habere, idest mente conspicere, sive ei assentire. Aliud vero est quod dicitur dignitas, vel maxima propositio, quam necesse est habere in mente, et ei assentire, quemlibet qui doceri debet. Et manifestum est quod quaedam principia talia sunt, ut probatur quarto Metaph., de hoc principio, quod affirmatio et negatio non sunt simul vera; quorum contrarium nullus credere mente potest, etsi ore proferat. Et in talibus utimur nomine praedicto, scilicet dignitatis, vel maximae propositionis, propter hujusmodi principiorum certitudinem ad manifestandum alia. Ad hujus autem divisionis manifestationem sciendum est, quod quaelibet propositio cujus praedicatum est in ratione subjecti, est immediata, et per se nota, quantum est de se. Sed quarumdam propositionum termini sunt tales, quod sunt in notitia omnium, sicut ens, et unum, et alia, quae sunt entis inquantum ens. Nam ens est prima conceptio intellectus. Unde oportet quod tales propositiones non solum in se, sed etiam quo ad nos, quasi per se notae habeantur. Sicut quod non contingit idem esse et non esse, et quod totum sit majus sua parte, et similia. Unde et hujus (1) principia omnes scientiae

(1) *Lege* hujusmodi.

accipiunt a Metaphysica, cujus est considerare ens simpliciter, et ea quae sunt entis. Quaedam vero propositiones sunt immediatae quarum termini non sunt apud omnes noti. Unde licet praedicatum sit de ratione subjecti, tamen quia definitio subjecti non est omnibus nota, non est necessarium quod tales propositiones ab omnibus concedantur. Sicut haec propositio, Omnes recti anguli sunt aequales, quantum est in se, est per se nota, sive immediata, quia aequalitas cadit in definitione anguli recti. Angulus enim rectus est quem facit linea recta super aliam lineam rectam cadens, ita quod ex utraque parte anguli reddantur aequales. Et ideo cum quadam positione recipiuntur hujusmodi principia. Est et alius modus quo aliquae propositiones dicuntur suppositiones. Sunt enim quaedam propositiones, quae non possunt probari nisi per principium alterius scientiae, et ideo oportet quod in illa scientia supponantur, licet probentur per principia alterius scientiae. Sicut a puncto ad punctum est rectam lineam ducere, supponit geometra, et probat naturalis, ostendens, quod inter quaelibet duo puncta sit linea recta media.

Deinde cum dicit « positionis autem »

Subdividit alterum membrum primae divisionis, scilicet positionem, dicens quod quaedam positio

est, quae accipit aliquam partem enunciationis, scilicet affirmationem vel negationem: quod significat, cum dicit: « Ut dico esse aliquid, aut non esse. » Et haec positio suppositio dicitur, quia tamquam veritatem habens supponitur. Alia autem est positio quae non significat esse vel non esse, sicut definitio, quae positio dicitur. Ponitur enim ab arithmetico definitio unitatis tamquam quoddam principium, scilicet, quod unitas est indivisibilis secundum quantitatem. Sed tamen definitio non ponitur suppositio. Illud enim proprie supponitur, quod verum vel falsum significat. Et ideo subdit quod « non « idem est, quod quid est unitas, » quod neque verum neque falsum significat, « et esse unitatem, » quod significat verum vel falsum. Sed potest quaeri, cum definitio non sit propositio significans esse vel non esse, quomodo ponatur in subdivisione immediatae propositionis. Sed dicendum quod in subdivisione non sumit immediatam propositionem ad subdividendum, sed immediatum principium. Principium autem syllogismi dici potest non solum propositio, sed etiam definitio. Vel potest dici, quod licet definitio in se non sit propositio in actu, est tamen in virtute, quia cognita definitione apparet definitionem de subjecto vere praedicari.

LECTIO VI.

Principia ipsa notiora esse ipsa conclusione, neque quid illis certius esse ostenditur, quam quod principiis opposita falsa sint.

ANTIQUA.

Quoniam autem oportet credere et scire rem in hujusmodi habendo syllogismum, quem vocamus demonstrationem; est autem hoc quidem scire ea ex quibus est syllogismus; necesse est non solum praecognoscere prima aut omnia aut quaedam, sed etiam magis.

Semper enim propter quod unumquodque, et illud magis est; ut propter quod amamus, illud amicum magis est. Quare siquidem scimus per prima et credimus, illa scimus et credimus magis, quoniam propter illa et posteriora.

Non potest autem credere magis quae scit, quae non contingunt, neque sciens, neque melius dispositus quam sciens si contingit. Accidit autem hoc nisi aliquis praecognoverit per demonstrationem credentium.

Magis enim necesse est credere omnibus principiis, aut quibusdam, quam conclusioni, debentem habere scientiam per demonstrationem.

Non solum oportet principia magis cognoscere et magis ipsis credere quam ei quod demonstratur, sed neque aliud ipso credibilius est, neque notius oppositis principiis, ex quibus erit syllogismus contrariae deceptionis. Si quidem oportet scientem simpliciter non incredibilem esse.

RECENS.

Quoniam autem oportet et credere et scire rem, quod talem habeamus syllogismum, quem vocamus Demonstrationem (est autem hic [talis] eo quod talia sint, ex quibus syllogismus [constat]); necesse est, non tantum prius cognoscere prima aut omnia, aut nonnulla, sed etiam magis [ea cognoscere]. Nam semper, per quod unumquodque est, illud magis est; ut [id] propter quod amamus, illud magis amatum est. Quare, si quidem scimus [conclusionem] per prima; et [propter illa esse veram] credimus, illa [ipsa] etiam magis scimus et credimus, quoniam per ea quoque posteriora [scimus et credimus].

Fieri autem non potest, ut magis quam [illis] quae scit, credat [aliquis] illis quae nec scit, nec quorum ratione melius est [quoad scientiam] dispositus, quam [idem] his [credit] si certo [illa] scit.

Accidet autem hoc, nisi quis habuerit prius nota illa quae per demonstrationem fidem faciunt; magis enim necesse est credere principiis, aut omnibus, aut nonnullis, quam conclusioni [credere].

Eum vero, qui velit habere scientiam per demonstrationem, non solum oportet principia magis cognoscere, et majorem illis fidem habere, quam illi quod demonstratur; sed neque debet aliud quid apud ipsum plus habere fidei, neque notius esse quidpiam eorum quae principiis opposita sunt, e quibus erit syllogismus contrariae deceptionis; siquidem oportet scientem a levitate opinionum esse alienum.

Postquam ostendit Philosophus quae sunt immediata principia, hic de eorum cognitione determinat. Et circa hoc duo facit. Primo ostendit quod immediata principia sunt magis nota conclusione. Secundo

ostendit quod et falsitas contrariorum debet esse notissima, ibi, « Non solum autem etc. » Circa primum tria facit. Primo proponit intentionem, dicens quod quia omnia nos credimus alicui rei conclusae, et scimus eam per hoc quod habemus syllogismum demonstrativum, et hoc quidem est inquantum scimus syllogismum demonstrativum, necesse est non solum praecognoscere prima principia conclusionis, sed etiam ea magis cognoscere quam conclusionem. Addidit autem « aut omnia, aut « quaedam, » quia quaedam principia probatione indigent ad hoc quod sint nota, et antequam probentur non sunt magis nota conclusione. Sicut quod angulus exterior trianguli valeat duos aequales intrinsecos sibi oppositos, antequam probetur ita ignotum est, sicut quod triangulus habet tres angulos aequales duobus rectis. Quaedam vero principia sunt quae statim posita, sunt magis nota conclusione. Vel aliter: quaedam conclusiones sunt, quae sunt notissimae, utputa per sensum sumptae, sive acceptae, sicut quod sol eclipsetur. Unde principium per quod probatur non est notum magis simpliciter, scilicet quod luna interponatur inter solem et terram, licet sit magis notum in via rationis procedentis ex causa in effectum. Vel aliter, hoc ideo dicit quia etiam dixerat supra, quod quaedam principia tempore prius cognoscuntur quam conclusio, quaedam vero simul tempore nota sunt cum conclusione.

Secundo ibi « semper enim »

Probat propositum dupliciter. Primo ratione ostensiva sic: « Propter quod unumquodque et illud « magis: » sicut si amamus aliquem propter alterum ut si magistrum propter discipulum, discipulum amamus magis. Sed conclusiones scimus et eis credimus propter principia. Ergo multo magis scimus principia, et magis eis credimus, quam conclusioni. Attendendum est autem circa hanc rationem, quod causa semper est potior effectu suo. Quando ergo causa et effectus conveniunt in nomine, tunc illud nomen magis praedicatur de causa quam de effectu: sicut ignis est magis calidus quam ea quae per ignem calefiunt. Quandoque vero causa et effectus non conveniunt in nomine: et tunc licet nomen effectus non conveniat causae, tamen convenit ei aliquid dignius: sicut etsi in sole non sit calor, est tamen virtus in eo quaedam quae est principium caloris.

Deinde cum dicit « non potest »

Probat idem per rationem ducentem ad impossibile, quae talis est. Principia praecognoscuntur conclusione, ut supra habitum est: et sic quando principia cognoscuntur, nondum conclusio est cognita. Si igitur principia non essent magis cognita quam conclusio, sequeretur quod homo vel plus vel aequaliter cognosceret ea quae non novit quam ea quae novit. Hoc autem impossibile est: ergo impossibile est quod principia non sint magis nota conclusione. Litera sic exponitur: « Neque sciens, « neque alius melius dispositus in cognoscendo « quam sciens, si contingeret aliquem esse talem: » quod dicit propter intelligentem principia, de quo adhuc non est manifestum « non potest magis cre- « dere quae non contingunt sciri ab eo, his quae « jam scit. Accidet autem hoc, nisi aliquis de nu- « mero credentium conclusionem per demonstratio- « nem praecognoverit, » id est magis noverit principia. In graeco planius habetur sic, Non est autem possibile credere magis his quae novit qui non existit nec sciens, neque melius dispositus quam si contigerit, sciens.

Tertio ibi « magis enim »

Exponit quod dixerat, dicens quod hoc quod dictum est, quod magis necesse est credere principiis, aut omnibus aut quibusdam, quam conclusioni, intelligendum est de illo, qui debet accipere disciplinam per demonstrationem. Si enim aliunde conclusio esset nota, sicut per sensum, nihil prohiberet principia non esse magis nota conclusione in via illa.

Deinde cum dicit « non solum »

Ostendit quod « non solum magis oportet co- « gnoscere principia » quam conclusionem demonstrativam, sed etiam nihil debet esse certius, quam quod opposita principiis sint falsa. Et hoc ideo, quia « oportet scientem non esse incredibilem » principiis, sed firmissime eis assentire. Quicumque autem dubitat de falsitate unius oppositorum, non potest firmiter inhaerere opposito, quia semper formidat de veritate alterius oppositi.

LECTIO VII.

Duo diluuntur errores: alter illorum qui nullius esse scientiam opinati sunt; alter eorum qui omnia per demonstrationem sciri posse existimaverunt.

ANTIQUA.

Quibusdam igitur propter id quod oportet prima scire, non videtur scientia esse. Quibusdam autem omnium videtur esse demonstrationes. Quorum neutrum, neque verum, neque necessarium est.

Supponentes quidem enim non esse omnino scire, hi ad infinitum volunt reduci, tamquam non sint utique scientes posteriora propter priora, quorum non esse prima recte dicentes. Impossibile enim est infinita transire. Et si stent, et si sint principia, haec ignota esse, cum demonstratio ipsorum non sit, quod vere dicunt esse scire solum. Si vero non est prima scire, neque quae sunt ex ipsis est simpliciter

RECENS.

Nonnullis quidem, quod oportet [demonstrantem] prima scire, non videtur [omnino] esse scientia; aliis vero [videtur] quidem esse [scientia], at omnium esse demonstrationes [iidem arbitrantur]. Quorum neutrum verum est aut necessarium.

Nam qui supponunt non esse omnino scientiam, hi in infinitum putant [demonstrationem] deduci, ac si non possemus cognoscere posteriora per priora, quibus non sint alia priora; recte dicentes: impossibile enim est infinita [ratione] transire. Si vero consistendum sit, et sint principia, [dicunt], haec ignota esse, quum nulla eorum sit demonstratio; quod quidem solum aiunt esse Scire; si vero non licet prima scire,

neque proprie, sed ex conditione si illa sint.

Quidam autem quod ipsum quidem scire sit conftentur per demonstrationem solum esse, sed omnium esse demonstrationem nihil prohibet. Contingit enim circulariter fieri demonstrationem, et hoc ex his quae sunt adinvicem.

Nos autem dicimus neque omnem scientiam demonstrativam esse; sed scientiam immediatorum indemonstrabilem. Et hoc quod necessarium sit manifestum est. Si enim necesse est quidem scire priora ex quibus est demonstratio, stant autem quandoque immediata, haec quidem priora indemonstrabilia necesse est esse. Et hoc igitur sic dicimus, et non solum scientiam, sed et principium scientiae esse quoddam dicimus. Ipsa enim cognoscimus, inquantum terminos cognoscimus.

nec, quae per illa [concluduntur], scire quemquam posse, neque simpliciter, neque proprie, sed ex suppositione, si quidem illa sint [principia vera].

Alii vero circa to scire quidem, [quod illud locum habeat], consentiunt; per demonstrationem enim illud esse solum: verum omnium esse demonstrationem, nibil [arbitrantur] impedire; nam contingere ut circulo fiat demonstratio, et alterum ex altero [colligatur].

Nos autem dicimus, neque omnem scientiam esse demonstrativam, sed illam quae est immediatorum, esse indemonstrabilem; et quod hoc necessarium sit, manifestum est. Si enim necesse quidem est scire priora, et [ea] e quibus est demonstratio, subsistit autem aliquando [demonstratio] in immediatis; haec indemonstrabilia esse necesse est. Haec ergo ita statuimus; nec modo scientiam, verum etiam principium scientiae esse aliquod dicimus, quo definitiones cognoscimus.

Postquam determinavit Philosophus de cognitione principiorum demonstrationis, hic excludit errores ex praedeterminata veritate exortos. Et circa hoc tria facit. Primo ponit errores. Secundo rationes errantium, ibi, « Supponentes quidem igitur. » Tertio excludit rationum radices, ibi, « Nos autem « dicimus. » Dicit ergo primo quod ex una veritate superius determinata, duo errores contrarii sunt exorti. Determinatum est enim supra quod oportet principia demonstrationis praecognoscere, immo quod oportet etiam magis scire. Sed primum horum sufficit ad propositum. Propter hoc autem videtur quibusdam quod nullius rei sit scientia. Quibusdam autem videtur quod sit scientia, et quod omnium possit haberi scientia per demonstrationem. Neutrum autem istorum est verum, nec necessario sequitur ex rationibus eorum.

Deinde cum dicit « supponentes quidem »

Ponit rationes quibus in praedictos errores inciderunt. Et primo ponit rationem dicentium quod non est scientia: quae talis est. Principia demonstrationis, aut procedunt in infinitum, aut est status in eis. Si proceditur in infinitum, non est in eis accipere principia, quia infinita non est transire, ut ad prima veniatur. Et ita non est primum cognoscere. Et in hoc recte argumentantur. Nam posteriora non possunt cognosci, non cognitis primis. Si autem stetur in principiis, oportet quod principia nesciantur, si scire solum est per demonstrationem. Non enim principia habent aliqua priora, per quae demonstrantur. Si autem principia ignorentur, oportet iterum posteriora non scire simpliciter, nec proprie, sed solum sub hac conditione si principia sint. Non enim potest aliquid per aliquod ignotum cognosci, nisi sub hac conditione, si illud principium quod est ignotum sit. Sic ergo sequitur utroque modo, sive principia stent, sive procedatur in eis in infinitum, quod nullius rei est scientia.

Secundo cum dicit « quidam autem »

Ponit rationem dicentium omnium esse scientiam per demonstrationem, quia praemissae radici, scilicet quod non esset scire nisi per demonstrationem, addebant aliam, scilicet quod posset circulariter demonstrari. Sic enim sequebatur, quod etiamsi in principiis demonstrationis esset status, prima tamen principia erant scita per demonstrationem, quia

illa principia dicebant demonstrari ex posterioribus. Nam circulariter demonstrare est demonstrare ex invicem, idest quod primo fuit principium, postmodum sit conclusio, et e converso.

Deinde cum dicit « nos autem »

Excludit falsas radices praedictarum rationum. Et primo hoc quod supponebant, scilicet quod non est scire per demonstrationem. Secundo hoc quod dicebant, scilicet quod contingeret circulariter demonstrari, ibi, « Circulo quoque. » Dicit ergo primo quod non omnis scientia est demonstrativa, id est per demonstrationem accepta, sed immediatorum principiorum est scientia indemonstrabilis, id est non per demonstrationem accepta. Sciendum tamen quod hic Aristoteles large accipit Scientiam pro qualibet certitudinali cognitione, et non secundum quod scientia dividitur contra intellectum, prout dicitur, Scientia est conclusionum, et intellectus principiorum. Quod autem necessarium sit ut certa cognitio aliquorum habeatur sine demonstratione, sic probat. Necesse est scire priora, ex quibus est demonstratio: sed haec aliquando contingit reducere in aliqua immediata, alias oporteret dicere quod inter duo extrema scilicet subjectum et praedicatum, essent infinita media in actu. Et plus, quod non esset aliqua duo accipere, inter quae non essent infinita media. Qualitercumque autem media assumantur, est accipere aliquid alteri immediatum. Immediata autem cum sint priora, oportet esse indemonstrabilia. Et ita patet quod necesse est haberi aliquorum scientiam sine demonstratione. Si ergo quaeratur quomodo immediatorum scientia habeatur? respondendum quod non solum immediatorum est scientia, immo etiam cognitio eorum est principium totius scientiae. Nam ex cognitione principiorum demonstratur cognitio conclusionum, quarum proprie est scientia. Ipsa autem principia immediata non per aliquod medium extrinsecum cognoscuntur, sed per cognitionem propriorum terminorum. Scito enim quid totum, et quid pars, cognoscitur quod omne totum est majus sua parte; quia in talibus propositionibus, ut supradictum est, praedicatum est in ratione subjecti. Et ideo rationabiliter cognitio horum principiorum est causa cognitionis conclusionum, quia semper id quod est per se, est causa ejus, quod est per aliud.

LECTIO VIII.

Quod non contingat circulariter demonstrari tribus rationibus ostenditur.

Circulo quoque quod impossibile sit demonstrare simpliciter manifestum est, si vere ex prioribus oportet demonstrationem et notioribus. Impossibile est enim eadem sibi ipsis simul priora et posteriora esse nisi altero modo, ut haec quidem ad nos, illa autem simpliciter, quo certe modo facit inductio notum. Si autem sic est, non erit scire utique simpliciter bene determinatum, sed dupliciter, aut non simpliciter altera demonstratio fit ex notioribus.

Accidit autem dicentibus circulo demonstrationem esse, non solum quod nunc dictum est, sed nihil aliud dicere quam quoniam hoc est si hoc est. Sic autem facile est demonstrare omnia. Manifestum autem est quod hoc accidit tribus terminis positis. Per multos quidem aut per paucos reflectere, nihil differt. Per paucos autem, aut per duos.

Cum enim sit A ex necessitate sit B. Hoc autem cum sit, erit C: Cum igitur A sit, ex necessitate erit C.

Si igitur cum sit A necesse est B esse, hoc autem cum sit erit A. Hoc autem erat circulo. Ponant enim A in quo est C: igitur cum sit A esse dicere, est ipsum C dicere. Hoc autem est, quoniam cum sit A est C. Sed C cum A idem est. Quare accidit dicere circulo dicentes esse demonstrationem, nihil alterum, nisi cum sit A est A: sic autem omnia demonstrare leve.

At vero nec hoc possibile est nisi in his, quaecumque alternatim se sequuntur, sicut sunt propria. Uno quidem posito ostensum est quod nequaquam est aliquid esse alterum. Dico autem uno, quod neque termino uno, neque propositione una proposita. Ex duabus autem propositionibus primis et minimis, contingit sic quidem syllogizare. Si quod igitur et A ipsi B et C inhaereat, et haec adinvicem, et ipsi A: sic quidem contingit ex alterutris monstrare omnia quaesita in prima figura. Sicut ostensum est in his, quae de syllogismo sunt. Ostensum autem est quod in aliis figuris, aut non fit syllogismus, aut non de acceptis. Non autem aequaliter praedicantia nequaquam est monstrare circulo. Quare quoniam pauca hujusmodi demonstrationibus sunt, manifestum est quod vanum quidem est et impossibile sic dicere ex his quae sunt adinvicem esse demonstrationem, et propter hoc omnium non contingit demonstrationem esse.

Quod autem fieri non possit, ut circulo simpliciter demonstretur, manifestum est, si quidem ex prioribus et notioribus oportet demonstrationem esse; nam impossibile est, eadem iisdem simul et priora et posteriora esse, nisi altero modo; ut, [si] haec quoad nos, illa autem simpliciter [prima sint], quem quidem modum inductio notum facit. Si vero hoc modo [prius dicatur principium conclusione], non bene definitum fuerit id, quod simpliciter scire [dicimus], sed duplex [illud fuerit], aut non fuerit illa altera demonstratio simpliciter [demonstratio], quae fit ex notioribus nobis.

Accidit autem dicentibus, circulo esse demonstrationem, non modo id quod nunc dictum est, sed etiam, nihil aliud [eos, qui demonstrationem constituere velint] dicere, nisi, quod hoc sit, si hoc sit; hoc modo autem omnia facile est demonstrare. Manifestum vero est, hoc accidere, tribus terminis positis. Nam, quod per plures [quam tres terminos], aut per pauciores recurrat [demonstratio] asserere, nihil interest; per pauciores [intelligendum est] ac per duos. Quando enim, quum *to* A sit, ex necessitate sit *to* B; hoc vero [quum sit, ex necessitate sit *to* C; ergo], quum A sit, erit C. Si ergo, posito A, necesse est *to* B esse, hoc vero posito, [etiam] A; (hoc enim erat [demonstrare] circulo;) ponatur A, loco C. Dicere igitur, quum B sit, A esse, est C esse dicere. Hoc vero est, quia A sit, C esse: at C cum A unum idemque est. Quare accidit, dicentes circulo esse demonstrationem, nihil aliud dicere, nisi quod, quum A sit, A est. Hoc vero modo omnia facile est demonstrare.

At neque hoc omnino fieri potest, nisi in his quae mutuo sese consequuntur, ut propria. Uno ergo posito, demonstratum est quod nequaquam necesse sit, aliud quidquam esse. Dico autem, Uno posito, quod nec definitione una, nec positione una posita [quidpiam sequatur]. Ex duabus autem thesibus primis et minimis fieri potest, [ut demonstratio conficiatur], si quidem et syllogismus [per tot propositiones] constitui [potest]. Si ergo *to* A ad B et C, et haec mutuo et ad A consequantur, ita quidem omnia, quae postulantur, demonstrare mutuo possunt in prima figura, ut demonstratum est in libris de Syllogismo. Demonstratum vero etiam est, quod in aliis figuris aut non fit syllogismus [circulo], aut non de sumptis. Quae autem secundum praedicationem mutuam non reciprocantur, ea nequaquam possunt circulo demonstrari. Quare, quoniam pauca talia in demonstrationibus sunt, manifestum est quod vanum et absurdum dicere demonstrationem esse ex iis quae mutuam [demonstrationem habeant], et propterea contingere, ut omnium sit demonstratio.

Postquam Philosophus exclusit unam falsam radicem, ostendens quod non omnis scientia est per demonstrationem, hic excludit aliam, ostendens quod non contingit circulariter demonstrare. Ad cujus evidentiam sciendum est, quod circularis syllogismus dicitur quando ex conclusione et altera praemissarum conversa concluditur reliqua: sicut si fiat talis syllogismus: Omne animal rationale mortale est risibile: omnis homo est animal rationale mortale. Ergo omnis homo est risibilis. Assumatur ergo conclusio tamquam principium et adjungatur ei minor conversa hoc modo. Omnis homo est risibilis: omne animal rationale est homo, ergo omne animal rationale mortale est risibile, quae erat major primi syllogismi. Ostendit autem per tres rationes quod non contingit circulariter demonstrari. Quarum prima talis est. In circulari syllogismo idem fit conclusio et principium. Principium autem

demonstrationis est prius et notius conclusione, ut supra ostensum est. Sequitur ergo quod idem sit prius et posterius respectu unius et ejusdem, et notius et minus notum. Hoc autem est impossibile. Ergo est impossibile circulariter demonstrari. Sed potest aliquis dicere quod idem potest esse prius et posterius alio et alio modo, scilicet ut hoc sit prius quoad nos, et illud sit posterius simpliciter. Sicut singularia sunt priora quo ad nos, et posteriora simpliciter. Universalia vero e converso. Hoc autem modo inductio facit notum, sed altero modo a demonstratione. Nam demonstratio procedit ex prioribus simpliciter, inductio autem ex prioribus quo ad nos. Sed si sic fieret demonstratio circularis, ut scilicet primo concluderetur ex prioribus simpliciter, postea vero ex prioribus quoad nos, sequeretur quod non esset bene determinatum superius, quid est scire. Dictum est enim quod scire est causam

rei cognoscere. Et ideo ostensum est, quod oportet
demonstrationem quae facit scire, ex prioribus
simpliciter procedere. Si autem demonstratio nunc
ex prioribus simpliciter, nunc ex prioribus quo ad
nos procederet, oporteret quod scire etiam non
solum esset causam rei cognoscere, sed diceretur
quod esset etiam quoddam scire per posteriora.
Aut ergo oportebit sic dicere, aut oportebit dicere
quod altera demonstratio quae fit ex nobis notioribus, non sit simpliciter demonstratio. Ex his ergo
apparet quare dialecticus syllogismus potest esse
circularis. Procedit enim ex probabilibus. Probabilia
autem dicuntur quae sunt magis nota, vel sapientibus, vel pluribus. Et sic dialecticus syllogismus
procedit ex his quae sunt magis nota nobis. Contingit autem idem esse magis et minus notum quo
ad diversos; et ideo nihil prohibet syllogismum
dialecticum fieri circularem. Sed demonstratio fit
ex notioribus simpliciter; et ideo ut dictum est,
non potest fieri circularis demonstratio.

Secundam rationem ponit ibi « accidit autem »
Ratio talis est. Si sit demonstratio circularis,
sequitur quod in demonstratione probetur idem per
idem, ut si dicamus, si est hoc, est hoc. Sic autem
facile est demonstrare omnia. Hoc enim facere quilibet poterit, tam sciens quam ignorans. Et sic per
demonstrationem non acquiritur scientia, quod est
contra definitionem demonstrationis. Non ergo potest esse demonstratio circularis. Veritatem autem
primae consequentiae sic ostendit. Primo enim dicit
quod manifestum est quod accidit circulari demonstratione facta, hoc quod prius dictum est, scilicet quod
idem probetur per idem, scilicet si quis (1) sumat tres
terminos. Reflexionem autem fieri per multos aut per
paucos, nihil differt. Nominat autem hic reflexionem
processum qui fit in demonstratione circulari a
principio ad conclusionem, et iterum a conclusione
ad principium. Hujusmodi autem reflexio quantum
ad vim argumentandi, sive fiat per multa, sive per
pauca, non differt. Nec differt de paucis, aut de
duobus. Eadem enim virtus arguendi est, si quis
procedat sic: si est A est B, et si est B est C, et
si est C est D, et iterum reflectatur dicens, si
est D est C, et si est C est B, et si est B est A;
sicut si statim a principio reflectitur dicens, si est
A est B, et si est B est A. Dicit autem per duos
terminos, et supra dixit tribus terminis positis,
quia in deductione quam faciet utetur tertio termino,
qui sit idem cum primo.

Deinde cum dicit « cum enim »
Proponit formam arguendi in tribus terminis
hoc modo. Si sit A est B, et si est B est C, ergo
si est A, ex necessitate est C.

Deinde cum dicit « si igitur »
Per formam arguendi praemissam ostendit, quod
in circulari demonstratione concluditur idem per
idem sumptis duobus terminis tantum. Est enim
dicere: Si est A est B, et reflectando si est B est
A quod est circulariter demonstrare. Ex quibus duobus sequitur secundum praemissam formam arguendi,
si est A est A. Quod sic patet. Sicut enim in prima
deductione, quae fiebat per tres terminos ad B sequebatur C, ita in deductione reflexa duorum terminorum ad B sequitur A. Ponatur ergo quod idem
significat A, in secunda deductione reflexa, quod
significabat in prima directa, quae est per tres

terminos. Igitur dicere in secunda deductione, si est
B, est A, est hoc ipsum quod erat dicere in prima
deductione, si est B est C. Sed cum dicebatur in
prima deductione, si est B est E, sequebatur, si
A est C, ergo in deductione circulari sequitur, si
A est A cum A, idem ponatur quod A. Et ita leve erit
demonstrare omnia, ut dictum est.

Tertiam rationem ponit ibi « at vero »
Haec ratio est talis. Ponentes omnia posse sciri
per demonstrationem quia demonstratio est circularis, necesse habent dicere quod omnia possunt
demonstrari demonstratione circulari, et ita necesse habent dicere quod in demonstratione circulari ex conclusione possit concludi utraque praemissarum. Hoc autem non fieri potest nisi in his
quae ad se invicem convertuntur, idest convertibilia sunt, sicut propria. Sed non omnia sunt
hujusmodi: ergo vanum est dicere quod omnia
possunt demonstrari, propter hoc quod circularis
est demonstratio. Quod autem oportet in demonstratione circulari omnia esse convertibilia secundum positionem istorum patet; quia ostensum est
in libro Priorum, quod uno posito non sequitur
ex necessitate aliud; nec uno posito termino, nec
posita una propositione tantum. Nam omnis syllogismus est ex tribus terminis et duabus propositionibus ad minus. Oportet ergo accipere tres
terminos convertibiles in demonstratione circulari,
scilicet A B C, ita quod A insit omni B et omni
C; et haec, scilicet B et C inhaereant sibi invicem,
ita quod omne B sit C, et omne C sit B, et iterum haec insint ipsi A, ita quod omne A sit B,
et omne A sit C. Et ita se habentibus terminis,
contingit monstrare in prima figura ex alterutris,
idest circulariter, omnia quaesita, idest conclusionem
ex duabus praemissis, et utramlibet praemissarum
ex conclusione et altera praemissarum conversa,
sicut ostensum est in his quae sunt de syllogismo
in libro Priorum, in quo agitur de syllogismo
simpliciter. Quod sic patet. Sumantur tres termini
convertibiles: scilicet risibile, animal rationale mortale, et homo: et syllogizetur sic. Omne animal
rationale mortale est risibile, Omnis homo est
animal rationale mortale, ergo omnis homo est
risibilis. Et ex conclusione potest iterum concludi
tam major quam minor. Major sic. Omnis homo
est risibilis, omne animal rationale mortale est
homo, ergo omne animal rationale mortale est
risibile. Minor sic. Omne risibile est animal rationale mortale, omnis homo est risibilis, ergo omnis
homo est animal rationale mortale. Ostensum est
autem in libro Priorum, quod in aliis figuris a
prima, scilicet in secunda et tertia, aut non fit circularis syllogismus, scilicet per quem ex conclusione
possit syllogizari utraque praemissarum; aut si fiat,
non erit ex acceptis, sed ex aliis propositionibus
quae non sunt in primo syllogismo. Quod sic patet.
In secunda figura non est conclusio nisi negativa.
Unde oportet alteram praemissarum esse negativam
et alteram affirmativam. Non enim ex duabus negativis potest aliquid concludi, nec ex duabus affirmativis potest concludi negativa. Non est ergo
possibile quod ex conclusione et praemissa negativa
concludatur affirmativa. Si ergo affirmativa debet
probari, oportet quod per alias propositiones probetur, quae non sunt sumptae. Similiter in tertia
figura non est conclusio nisi particularis. Oportet
autem alteram praemissarum ad minus esse univer-

---

(1) Al. per idem. Siquis enim.

salem. Si autem in praemissis sit aliqua particularis, non potest concludi universalis. Unde non potest esse quod in tertia figura ex conclusione syllogizetur utralibet praemissarum. Et eadem ratione apparet, quod nec in prima figura talis circularis syllogismus potest fieri, per quem utraque praemissarum concludatur, nisi in primo modo, in quo solo concluditur universalis affirmativa. Nec etiam in hoc modo potest fieri talis syllogismus circularis, per quem utraque praemissarum concludatur, nisi sumantur tres termini aequales, id est convertibiles. Quod patet ex hoc. Oportet enim ex conclusione et altera praemissarum conversa concludere reliquam, sicut dictum est. Non potest autem utraque praemissarum converti, cum utraque sit universalis affirmativa, nisi in terminis convertibilibus.

LECTIO IX.

Demonstrationem esse ex necessariis ostendit, et quid de omni sit declarat.

ANTIQUA.

Quoniam autem impossibile est aliter se habere illud cujus est scientia simpliciter, necessarium utique erit id scibile, quod est secundum demonstrativam scientiam. Demonstrativa autem est, quam habemus in habendo demonstrationem. Ex necessariis itaque syllogismus est demonstratio. Accipiendum igitur ex quibus et qualibus demonstrationes fiunt.

Primum autem determinabimus quid dicimus de omni, et quid per se, et quid universale.

De omni quidem hoc dico quod utique est non in quodam quidem sic, in quodam autem non, neque aliquando quidem sic, aliquando vero non; ut de omni homine animal. Si enim verum est dicere hominem, verum est dicere animal, et si alterum, et alterum. Et si in omni linea punctum, similiter inest.

Signum autem est, namque instantias sic proferimus, sicut de omni interroganti aut si in quodam non, aut si aliquando non.

RECENS.

Quoniam autem impossibile est, [id] aliter se habere, cujus est scientia simpliciter; necessarium utique fuerit id quod scimus secundum scientiam demonstrativam; demonstrativa autem est [scientia] quam ideo habemus, quia demonstrationem habemus; demonstratio est ergo syllogismus ex necessariis.

Sumendum igitur est, ex quibus et qualibus sint demonstrationes. Prius vero definiamus, quid dicamus *to* DE OMNI, et quid *to* PER SE, et quid UNIVERSALE.

Et de omni quidem dico hoc, quod sit, non in aliquo, in aliquo autem non: neque quod aliquando quidem sit, aliquando vero non sit. Ut, si de omni homine [dicatur] animal; si verum est huncce dicere hominem, verum [erit] quoque [dicere eumdem] animal; et, si nunc alterum [vere dicitur], etiam alterum [vere dicetur]; et, si in omni linea [est] punctum, similiter [etiam in hac, et hac, erit punctum]. Signum autem est, [quod hoc dicatur de omni]; nam instantias quoque ita inferimus, ut de omni interrogantes, sive, si de aliquo non [aliquid sit], sive, si aliquando non [aliquid sit]?

Postquam Philosophus ostendit quid sit syllogismus demonstrativus, in parte ista incipit ostendere ex quibus et qualibus fit. Et circa hoc tria facit. Primo continuat se ad praecedentia; secundo determinat quaedam quae sunt necessaria ad praecognoscendum, ibi, « Primo autem determinabimus; » tertio determinat propositum, scilicet ex quibus fit syllogismus demonstrativus, ibi, « Si igitur est demonstrativa. » Dicit ergo primo quod quia dictum est supra, quod impossibile est aliter se habere in definitione ejus quod est scire, necessarium erit id quod scitur secundum demonstrationem esse necessarium. Quid autem sit quod est secundum demonstrationem scire exponit; et dicit quod demonstrativa scientia est quam habemus in habendo per demonstrationem, idest quam acquirimus ex demonstratione. Et sic habetur quod demonstrationis conclusio sit necessaria. Quamvis autem necessarium possit syllogizari ex contingentibus, non tamen de necessario potest haberi scientia per medium contingens, ut infra probabitur. Et quia conclusio demonstrationis non solum est necessaria, sed etiam per demonstrationem scita, ut dictum est, sequitur quod syllogismus demonstrativus sit ex necessariis. Et ideo accipiendum est ex quibus necessariis et qualibus sint demonstrationes.

Deinde cum dicit « primum autem »

Interponit ea quae sunt praeintelligenda ad praecognoscendum de quibus tractaturus est. Et circa hoc duo facit. Primo dicit de quo est intentio: et dicit quod antequam determinetur in speciali ex quibus et qualibus est demonstratio, primo determinandum est quid intelligimus cum dicimus de omni, et per se, et universale. Cognoscere enim ista est necessarium ad sciendum ex quibus est demonstratio. Hoc namque oportet observari in demonstrationibus. Oportet enim in propositionibus demonstrationis aliquid universaliter praedicari; quod significat dici de omni; et per se, et primo, quod significat universale. Haec autem tria ex additione se habent ad invicem. Nam omne quod per se praedicatur, praedicatur universaliter, et non e converso. Similiter quod primo praedicatur, praedicatur per se, sed non convertitur. Unde etiam apparet ratio ordinis istorum. Differentia etiam et numerus istorum trium apparet ex hoc, quod aliquid praedicari dicitur de omni sive universaliter per comparationem ad ea quae continentur sub subjecto. Tunc enim dicitur aliquid de omni, ut habetur in libro Priorum, quando nihil est sumere sed subjecto, de quo praedicatum non dicatur. Per se autem dicitur aliquid praedicari per comparationem ad ipsum subjectum, quia ponitur in ejus definitione, vel e converso, ut infra patebit. Primo vero dicitur aliquid praedicari de altero per comparationem ad ea, quae sunt priora subjecto continentia ipsum. Nam habere tres angulos non praedicatur primo de isochele, quia prius praedicatur de priore, scilicet de triangulo.

Secundo ibi « de omni »

Determinat propositum. Et dividitur in tres. Primo ostendit quid sit dici de omni, secundo quid sit dici per se, ibi, « Per se autem, » tertio quid sit universale, ibi, « Universale autem dico. » Circa primum duo facit. Primo dicit quid sit dici de omni. Ad hoc sciendum est, quod dici de omni, prout hic sumitur, addit supra dici de omni, prout sumitur in libro Priorum. Nam in libro Priorum sumitur dici de omni communiter, prout utitur eo dialecticus et demonstrator. Et ideo non plus ponitur in definitione ejus, quam quod praedicatum insit cuilibet eorum, quae continentur sub subjecto. Hoc autem contingit, vel ut nunc, et sic utitur quandoque dici de omni dialecticus; vel simpliciter et secundum omne tempus, et sic solum utitur eo demonstrator. Et ideo in definitione dici de omni duo ponuntur, quorum unum est, ut nihil sit sumere sub subjecto cui praedicatum non insit. Et hoc significat cum dicit: « Non in quodam quidem sic, in « quodam autem non. » Aliud est, quod non sit

accipere aliquod tempus, in quo praedicatum non conveniat. Et hoc designat cum dicit: « Non ali- « quando sic, aliquando non. » Et ponit exemplum. Sicut de omni homine praedicatur animal, et de quocumque verum est dicere quod sit homo, verum est dicere quod sit animal. et quandocumque est homo, est animal. Et similiter se habet de linea et de puncto. Nam punctum est in linea qualibet et semper.

Secundo ibi « signum autem »

Manifestat positam definitionem per signum ab instantiis sumptum. Non enim infertur instantia circa universalem propositionem, nisi quia deficit aliquid eorum quod per eam significatur. Cum autem interrogamur an aliquid praedicetur de omni demonstratione, tunc dupliciter ferimus (1) instantias, vel quia in quodam eorum quae continentur sub subjecto non est verum, vel quia aliquando non est verum. Unde manifestum est quod dici de omni unumquodque eorum significat.

(1) Al. inferimus.

LECTIO X.

Quatuor modi ipsius per se exponuntur.

ANTIQUA.

Per se autem sunt, quaecumque sunt in eo quod quid est, ut triangulo inest linea et in linea punctum, substantia enim ipsorum ex his est; et quae insunt in ratione dicente quid est.

Et quibuscumque eorum quae insunt ipsis, ipsa in ratione insunt quid est demonstrante; ut rectum inest lineae, et circulare, et impar et par numero, et primum compositum et isopleuros, quod est aequilaterum, et scalenon, idest altera parte longius, quae in omnibus his insunt in ratione quid est dicente huic quidem linea, huic vero numerus. Similiter et in aliis hujusmodi unicuique per se esse dico. Quaecumque vero neutraliter insunt, accidentia sunt, ut musicum, aut album animal.

Amplius quod non de subjecto dicitur alio quodam, ut ambulans, cum alterum quoddam sit ambulans, et album. Subjecta autem, et quaecumque hoc aliquid significant, non alterum aliquid sunt, quod vere sunt. Quae quidem igitur non de subjecto sunt, per se dico; quae vero de subjecto, accidentia.

Item alio modo, quod quidem propter ipsum inest unicuique per se, quod vero non propter ipsum, accidens est. Ut si ambulante coruscavit, accidens est. Non enim propter id quod ambulat coruscavit, sed quod accidens est, dicimus hoc. Si vero propter ipsum, per se est; ut si aliquid interfectum interierit secundum interfectionem, quoniam propter id quod interfectum est, sed non quod accidat interfectum interire.

Quae ergo dicuntur in simpliciter scibilibus per se, sic sunt sicut inesse praedicantibus aut inesse propter ipsa, quae sunt ex necessitate. Non enim contingunt non inesse aut simpliciter, aut opposita, ut lineae aut rectum aut obliquum, et numero par, aut impar. Est enim contrarium, aut privatio, aut contradictio in eodem genere; ut par vel impar in numeris secundum quod sequitur. Quare si necesse sit affirmare aut negare, necesse est et quae sunt per se inesse.

De omni quidem igitur, et per se, determinatum sit hoc modo.

RECENS.

Per se autem dicuntur, quaecumque insunt in definitione rei, ut in triangulo linea. et in linea punctum (nam substantia illorum ex his est, et in definitione explicante, quid [res], sit, ea insunt): [et Per se dicuntur], quibuscumque [eorum], quae illis [ipsis rebus] insunt, ipsae insunt in definitione, quid sit [res], explicante. Ut, rectum inest [per se] lineae et circulare; et impar ac par numero, et primum et compositum, et aequilaterum et altera parte longius; et omnibus his insunt [res definitae] in definitione, quid [res] sit, explicante, hic quidem linea, illic autem numerus. Similiter vero etiam in ceteris talia unicuique per se inesse dico. Quaecumque autem neutro istorum modorum insunt, [dico] ACCIDENTIA; ut, musicum aut album [inesse] animali.

Praeterea [per se dicitur], quod non de subjecto quopiam alio dicitur. Ut, *to* ambulans quum aliud quiddam sit ambulans et album; substantia vero, et quaecumque hocce quid significant, non alia quaedam sunt, [sed] quae quidem sunt. Quae igitur non de subjecto [dicuntur], Per se dico: quae autem de subjecto [dicuntur], Accidentia.

Praeterea vero alium ad modum, quod quidem a re ipsa profectum inest unicuique [rei, id] Per se dico; quod autem non ab ipsa est profectum, [id] accidens [dico]. Ut, si ambulante quopiam fulguraverit, [id] accidens [dico]; neque enim propterea, quod hic ambulavit, fulmen desuper missum est, sed Accidit, dicimus, hoc. Si vero aliquid ab ipsa profectum [rei inest, id] Per se [dico]. Ut, si quis jugulatus mortuus est, et per jugulationem; [per se jugulatio mortis causa dicitur], quoniam propter jugulationem periit, verum non accidit, eum jugulatum mortuum esse.

Quae ergo dicuntur in iis quae simpliciter scimus per se, sic inesse praedicatis, aut ipsis [alia hoc modo] inesse, illa per se sunt, et ex necessitate. Neque enim contingit, non inesse [ea] aut simpliciter, aut [inesse] opposita; ut, lineae rectum aut obliquum, et numero impar aut par. Est enim contrarium aut privatio, aut contradictio in eodem genere; ut, par [est], quod non [est] impar, in numeris, quatenus [ad eos] consequitur. Quare, si necesse est affirmare aut negare, necesse est ea quoque quae per se praedicantur, inesse.

Quid igitur sit De omni, et Per se, hoc modo definitum sit.

Postquam determinavit Philosophus de dici de omni, hic determinat de per se. Et circa hoc tria facit. Primo ostendit quot modis dicitur aliquid per se. Secundo ostendit qualiter his modis demonstrator utatur, ibi, « Quae ergo dicuntur. » Circa primum sciendum quod haec praepositio Per, designat habitudinem causae. Designat etiam interdum et situm, sicut dicitur esse aliquis per se quando est solitarius. Causae autem habitudinem designat, aliquando quidem formalis, sicut dicitur quod corpus vivit per animam. Quandoque autem habitudinem causae materialis, sicut dicitur, quod corpus est coloratum per superficiem, quia scilicet subjectum coloris est superficies. Designat etiam habitudinem causae extrinsecae, et praecipue efficientis, sicut cum dicitur, quod aqua calescit per ignem. Sicut autem haec praepositio Per, designat habitudinem causae, quando aliquid extrinsecum est causa ejus, quod attribuitur subjecto; ita quando subjectum vel aliquid ejus est causa ejus quod attribuitur ei; et hoc significat per se. Primus ergo modus dicendi per se, est quando id quod attribuitur alicui pertinet ad formam ejus. Et quia definitio significat formam et essentiam rei, primus modus ejus quod est per se, est quando praedicatur definitio de aliquo definito, vel aliquid in definitione positum. Et hoc est quod dicit, quod per se sunt quaecumque insunt in eo quod quid est, idest in definitione indicante quid est, sive ponatur in recto, sive in obliquo, sicut in definitione trianguli ponitur linea. Unde linea per se inest triangulo. Et similiter in definitione lineae ponitur punctum. Unde punctum per se inest lineae. Rationem autem quare ista ponantur in definitione subjungit dicens: « Substantia autem, » idest essentia, quam significat definitio ipsorum, idest trianguli et lineae, est ex his, scilicet ex linea et punctis. Quod non est intelligendum quod linea ex punctis componatur; sed quod punctum sit de ratione lineae sicut linea de ratione trianguli. Et haec dicit ad excludendum ea quae sunt partes materiae, et non speciei, quae non ponuntur in definitione, sicut semicirculus non ponitur in definitione circuli, nec digitus in definitione hominis, ut dicitur septimo Metaphysicae. Et subjungit quod quaecumque universaliter insunt in ratione dicente quid est, per se attribuuntur alicui. Secundus modus dicendi per se est, quando haec praepositio Per, designat habitudinem causae materialis; prout scilicet id cui aliquid attribuitur, est propria materia, et proprium subjectum ipsius. Oportet autem quod proprium subjectum ponatur in definitione accidentis quandoque quidem in obliquo, sicut quando accidens in abstracto definitur cum dicimus, quod simitas est curvitas nasi: quandoque vero in recto, ut cum accidens definitur in concreto, ut cum dicimus quod simus est nasus curvus. Cujus quidem ratio est, quod cum esse accidentis dependeat a subjecto, oportet etiam quod definitio ejus significans esse ejus contineat in se subjectum. Unde secundus modus dicendi per se est, quando subjectum ponitur in definitione praedicati, quod est proprium accidens ejus. Et hoc est quod dicit « et per se dicuntur quae- « cumque eorum, » idest de numero eorum « quae « insunt ipsis, » idest subjectis accidentium, et ipsa subjecta insunt in ratione demonstrante quid est ipsum accidens, idest in definitione accidentis.

Sicut rectum et circulare insunt lineae per se. Nam linea ponitur in definitione eorum. Et eadem ratione par et impar per se insunt numero, quia numerus in eorum definitione ponitur. Nam par est numerus medium habens. Et similiter primum et compositum per se praedicantur de numero, et numerus in definitione eorum ponitur. Est enim primum in numeris, numerus quod nullo numero alio mensuratur, sed sola unitate, ut binarius. Compositus autem est numerus, quem etiam alius numerus mensurat, sicut novenarius. Et similiter isopleurus, idest aequilaterus, et scalenon, idest trium inaequalium laterum, et altera parte longius, per se insunt triangulo, et triangulus in definitione eorum ponitur. Et ideo subjungit quod omnia subjecta insunt omnibus praemissis accidentibus in ratione dicente quid est, idest in definitione, sicut alicui praedictorum accidentium inest linea, alicui vero numerus; et similiter in aliis; unicuique, inquam, ipsorum subjectorum, per se inesse dico suum accidens. Quae vero praedicata neutraliter insunt, idest neque ita quod ponantur in definitione subjectorum, neque subjecta in definitione eorum, sunt accidentia, idest per accidens praedicantur. Sicut musicum et album praedicantur per accidens de animali.

Deinde cum dicit « amplius quod »

Ponit alium modum ejus quod est per se, prout per se significat aliquid solitarium, sicut dicitur quod per se est aliquod particulare quod est in genere substantiae, quod non praedicatur de aliquo subjecto. Et hujus ratio est, quia cum dico ambulans vel album, non significo album vel ambulans quasi per se aliquid solitarium existens, cum intelligatur aliquid aliud esse quod sit ambulans vel album. Sed in his quae significant hoc aliquid, scilicet in primis substantiis, hoc non contingit. Cum enim dicitur Socrates vel Plato, non intelligitur quod sit aliquid alterum, quam id quod vere ipsa sunt, quod scilicet sit subjectum eorum. Sic igitur hoc modo quae non praedicantur de subjecto sunt per se; quae vero dicuntur de subjecto, sicut in subjecto, accidentia sunt. Nam quae dicuntur de subjecto sicut universalia de inferioribus, non semper accidentia sunt. Sciendum est autem quod iste modus non est modus praedicandi, sed modus existendi. Unde etiam in principio dixit, per se sunt, et non per se dicuntur.

Deinde cum dicit « item alio »

Ponit quartum modum, secundum quem haec praepositio Per, designat habitudinem causae efficientis, vel cujuscumque alterius. Et ideo dicit, quod quicquid inest unicuique per seipsum, per se dicitur de eo; quod vero non per se ipsum inest alicui, per accidens dicitur; sicut cum dico, hoc ambulante coruscat. Non enim propter id quod ambulat coruscavit, sed hoc dicitur secundum accidens. Si vero quod praedicatur insit subjecto per seipsum, per se inest; ut si dicamus quod interfectum interiit. Manifestum est enim quod propter id quod illud interfectum est, interiit, et non est accidens quod interfectus interierit.

Deinde cum dicit « quae ergo »

Ostendit qualiter utatur praedictis modis demonstrator. Ubi notandum est quod, cum scientia sit conclusionum, intellectus autem principiorum, proprie scibilia dicuntur conclusiones demonstrationis, in quibus passiones praedicantur de propriis subjectis. Propria autem subjecto non solum po-

nuntur in definitione accidentium, sed etiam sunt causae eorum. Unde conclusiones demonstrationum includunt duplicem modum dicendi per se, scilicet primum et quartum. Et hoc est quod dicit, quod illa quae praedicantur in simpliciter scibilibus, hoc est in conclusionibus demonstrationum, sic sunt per se sicut inesse praedicantibus, idest sicut quando subjecta insunt in definitione accidentium, quae de eis praedicantur. Aut inesse propter ipsa, idest quando praedicata insunt subjecto propter ipsum subjectum, quod est causa praedicati. Et consequenter ostendit quod hujusmodi scibilia sint necessaria, quia non contingit quin proprium accidens praedicetur de subjecto. Sed hoc est duobus modis. Quandoque quidem simpliciter: sicut cum unum accidens convertitur cum subjecto, ut ha-

bere tres cum triangulo, et risibile cum homine. Quandoque autem duo opposita sub disjunctione accepta ex necessitate subjecto insunt, ut lineae aut rectum aut obliquum, et numero par aut impar. Cujus rationem ostendit, quia contrarium privatio et contradictio sunt in eodem genere. Nam privatio nihil aliud est quam negatio in subjecto determinato. Quandoque etiam contrarium aequiparatur negationi in aliquo genere; sicut in numeris idem est impar quod non par secundum consequentiam. Sicut ergo necesse est affirmare vel negare, ita necesse est alterum eorum quae per se insunt, proprio inesse subjecto.

Deinde epilogat dicens « de omni »
Quod est planum.

LECTIO XI.

Quodnam sit Praedicatum universale, quomodo eo utatur demonstrator aperit.

Universale autem dico, quod cum de omni sit, et per se, et secundum quod ipsum est.

Manifestum igitur est, quaecumque sunt universalia, ex necessitate insunt rebus.

Per se autem, et secundum quod ipsum est, idem est, ut per se lineae inest punctum et rectitudo; et namque secundum quod linea est. Et triangulo secundum quod est triangulus duo recti; etenim per se triangulus duobus rectis aequalis est.

Universaliter autem est tunc cum in quolibet et primo demonstratur.

Ut duos rectos habere, neque cuilibet figurae inest universaliter, et tamen est demonstrare de figura quod duos habet, sed non cujuslibet figurae est, neque utitur qualibet figura demonstrans. Quadrangulus enim figura quidem est, non autem habet duobus rectis aequales. Sed Isocheles habet quidem fortasse duobus rectis aequales, sed non primum, sed triangulus prius. Quod igitur quodlibet primum monstratur duos rectos habere, aut quodcumque aliud, huic primo inest universale.

Et demonstratio per se hujus universaliter est, aliorum autem quodammodo non per se. Neque Isocheles non est universaliter, sed frequentius.

Universale autem dico, quod et de omni valet, et per se et quatenus idem ipsum est.

Manifestum ergo est, quaecumque sint universalia, [ea] ex necessitate inesse rebus.

At *to* Per se, et *to* qua ipsum idem est, eadem [sunt]. Ut, per se lineae inest punctum et rectum; nam et, quatenus linea [est, inest illi punctum et rectum]; et triangulo, quatenus triangulus [est, insunt illi anguli] duo recti; nam et per se triangulus [est] duobus rectis aequalis.

Universale autem tum inest, quando de quocumque et primo demonstretur. Ut, *to* habere duos rectos neque figurae [simpliciter] inest universaliter; verumtamen [de aliqua] figura demonstrari potest, quod illa habeat duos rectos, at non de quacumque figura; at neque utitur demonstrator quacumque figura, [sed certa quadam]. Quadratum enim figura quidem est verum non habet [angulos] duobus rectis aequales. Aequicrure autem habet quidem [velut] fortuito [angulos] duobus rectis aequales, sed non primo; at triangulus prius [eos habere recte dicitur]. Quod ergo forte primum monstratur duos habens rectos, aut quodcumque aliud; huic primo inest universale: et demonstratio per se hujus est universalis; reliquorum vero quodammodo non per se est; neque aequicruri ut universale competit [illud], sed latius [se extendit].

Postquam Philosophus determinavit de omni et per se, hic determinat de universali. Et dividitur in duas partes. In prima ostendit quid sit universale: in secunda quomodo in acceptione universalis contingit errare, ibi, « Oportet autem « non latere. » Circa primum duo facit. Primo ostendit quid sit universale. Secundo ostendit quomodo universali utatur demonstrator, ibi, « De- « monstratio autem per se. » Circa primum duo facit. Primo ostendit quod universale continet in se et dici de omni et per se; secundo ostendit quid supra ea addit, ibi, « universale autem. » Ad evidentiam autem eorum quae hic dicuntur, sciendum est quod universale non hoc modo accipitur, prout omne quod praedicatur de pluribus dicitur universale, secundum quod Porphyrius determinat de quinque universalibus; sed dicitur hic universale secundum quamdam adaptationem vel

adaequationem praedicati ad subjectum, cum scilicet neque praedicatum invenitur extra subjectum, neque subjectum sine praedicato. His autem visis, sciendum est, quod circa primum tria facit. Primo dicit quod universale, scilicet praedicatum, est etiam quod de omni est, idest universaliter praedicatur de subjecto; et etiam per se, scilicet inest ei, convenit subjecto secundum quod ipsum subjectum est. Multa enim de aliquibus praedicantur universaliter, quae non conveniunt ei per se, et secundum quod ipsum est. Sicut omnis lapis coloratus est, non tamen secundum quod lapis, sed secundum quod ipsum est superficiem habens.

Secundo ibi « manifestum igitur »

Infert quoddam corollarium ex dictis, dicens, quod ex quo universale est quod per se inest, quae autem per se insunt ex necessitate insunt, ut supra ostensum est; manifestum est quod universalia praedicata, prout hic sumuntur, de necessitate insunt rebus de quibus praedicantur.

Tertio ibi « per se autem »

Ne aliquis crederet aliud esse quod in definitione universalis dixerat, per se, et secundum quod ipsum est, ostendit quod per se, et secundum quod ipsum est, idem est. Sicut lineae per se inest punctum primo modo, et rectitudo secundo modo. Nam utrumque inest ei secundum quod linea est. Et similiter triangulo secundum quod triangulus est insunt duo recti, idest quod valet duos rectos, quod per se triangulo inest.

Deinde cum dicit « universale autem »

Ostendit quid addat universale supra dici de omni, et per se. Et circa hoc duo facit. Primo ostendit quod tunc est universale praedicatum, cum non solum in quolibet est de quo praedicatur, sed et primo demonstratur inesse ei de quo praedicatur.

Secundo ibi « ut duos »

Manifestat per exemplum, dicens, quod habere tres angulos aequales duobus rectis non inest cuilibet figurae universali, licet hoc de figura demonstretur, quia de triangulo demonstratur qui est figura; sed non cuilibet figurae inest, nec demonstrator in sua demonstratione utitur qualibet figura. Quadrangulus enim figura est, sed non habet tres duobus rectis aequales. Isocheles autem, idest triangulus duorum aequalium laterum, habet quidem universaliter tres angulos aequales duobus rectis, sed non convenit primo isocheli, sed prius triangulo, quia isocheli convenit inquantum est triangulus. Quod igitur primo demonstratur habere duos rectos, aut quodcumque aliud hujusmodi, huic primo inest praedicatum universaliter, sicut triangulo.

Deinde cum dicit « et demonstratio »

Ostendit qualiter demonstrator universali utatur: et dicit quod demonstratio est per se hujus universalis, sed aliorum quodammodo, et non per se. Demonstrator enim demonstrat passionem de proprio subjecto; et si demonstret de aliquo alio, hoc non est nisi inquantum pertinet ad illud subjectum. Sicut passionem trianguli probat de figura et Isochele, inquantum quaedam figura triangulus est, et triangulus quidam Isocheles. Quod autem primo non inest isocheli habere tres, hoc non est quia non universaliter praedicetur de eo; sed quia est frequentius, idest in pluribus quam isocheles est, cum hoc commune sit omni triangulo.

L E C T I O XII.

Modi duo exponuntur quibus contingit errare in universalis acceptione: deinde methodus traditur ad dignoscendum verum universale.

ANTIQUA.

Oportet autem non latere quoniam multotiens contingit peccare, et non esse, quod demonstratur, primum universale secundum quod videtur demonstrari universale primum.

Oberramus autem hac deceptione cum aut nil sit accipere a superiori extra singulare, quam singularia, aut si sit quidem, innominatum sit in differentibus specie rebus, aut contingat esse sicut in parte totum, in quo monstratur. Eis enim quae sunt in parte inest quidem demonstratio, et erit de omni; sed tamen non hujusmodi primi universaliter demonstratio. Dico enim primi secundum quod est demonstratio, cum sit primi universalis.

Si igitur aliquis demonstrabit quod rectae lineae non intercidant, videbitur utique hujusmodi esse demonstratio propter id quod inest rectis. Non autem est, nisi quod quoniam sic aequales sint, fiat hoc, sed aut in quolibet aequales.

Et si triangulus non esset aliud quam Isocheles, secundum quod est Isocheles videretur utique esse.

Et proportionale, quod et commutabiliter est, secundum quod numeri sunt, et secundum quod lineae, et secundum quod firma, et secundum quod tempora sunt quemadmodum et demonstratum est aliquando seorsum contingens esse de omnibus una demonstratione monstrari. Sed propter id quod non est denominatum aliquid in quo omnia haec unum sunt, numeri, longitudines tempora et firma, et specie differentia, seorsum adinvicem accepta sunt. Non autem universale monstratur. Non enim secundum quod lineae sunt, aut secundum quod numeri, inerat, sed secundum quod hoc est quod universale ponunt esse.

Propter hoc neque si aliquis monstret unumquemque triangulum demonstratione, aut una aut altera, quod duos rectos habet unumquodque isopleuros, idest isocheles seorsum et scalenon, idest gradatum, nondum cognovit triangulum,

RECENS.

Oportet autem non latere, quod saepe contingat error, nec insit demonstratum universale primum [ea ratione], qua videtur demonstrari universale primum. Decipimur vero isto errore, quando aut nihil sumi possit superius praeter singulare, quam [ipsa] singularia; aut quando sit quidem [aliquod universale primum], at nomine careat in rebus specie differentibus, [quo diversarum specierum res comprehendantur] aut quando sit, ut in parte, totum, de quo demonstratur; singularibus enim inerit quidem demonstratio, et erit de omni; at nihilo minus non erit illius primi universalis demonstratio. Dico autem illius Primi, quatenus hoc [est]; demonstrationem, quando fuerit primi universalis.

Si quis ergo demonstraverit quod rectae non coincidant, videretur sane hujus esse demonstratio [proprie], quod de omnibus hoc proferatur rectis. Non est autem [illius demonstratio]; quandoquidem non, quia hoc modo [sint] aequales, illud fit, sed, quatenus quocumque modo aequales sint.

Et, si triangulus non esset aliud quam aequicrure, quatenus aequicrure videri poterat inesse [universaliter primo to habere duos rectos].

Et proportio quod sit commutata, quatenus numeri, et quatenus lineae, et quatenus solida, et quatenus tempora [sunt], sicut aliquando separatim demonstrabatur. hoc quidem possit de omnibus una demonstratione probari; verum quoniam non sit nomen aliquod, quo omnia haec [velut] unum comprehendantur, numeri, longitudines, tempora, solida, et [sumuntur] ea specie inter se differentia, separatim sumebantur; nunc autem universaliter [de his] demonstratio [instituitur]: neque enim, ut lineae, aut ut numeri, inerant; sed quatenus tale, quod universaliter supponunt inesse.

Quare, si demonstraverit aliquis de triangulo unoquoque demonstratione aut una aut diversa, quod singuli habent duos rectos, de aequilatero seorsum, et de scaleno, et de aequicrure; nondum scit, triangulum habere [angulos] duobus

quod duos rectos habet, nisi sophistico modo, neque universale trianguli, neque si nullus est praeter hoc triangulus
alter. Non enim secundum quod triangulus est cognovit, neque omnem triangulum, sed secundum numerum. Secundum
speciem autem non omnem, et si nullus est quem non novit.

Quando igitur non novit universaliter, et quando novit
simpliciter? Manifestum est, quod si idem inerat triangulo
esse, et isocheli, aut unicuique aut omnibus. Si vero non
idem, sed alterum, est autem secundum quod est triangulus, non novit.

Utrum autem secundum quod est triangulus aut secundum quod est isocheles sit, et quando secundum hoc est
primum et universale, cujus demonstratio est, manifestum
est, quoniam quando remoto insit primum, ut isocheles, et
aeneo remoto triangulo insunt duo recti. Sed aeneo remoto
et isocheli, sed non figura, aut termino, sed non prius. Cujus
igitur primi? Si itaque trianguli est, et secundum hoc inest
et aliis, et hujusmodi universaliter est demonstratio.

rectis [aequales], nisi sophisticum ad modum; neque [scit]
universaliter de triangulo, neque [scit], si praeterea nullum
aliud sit triangulus; neque enim scit, quatenus triangulus
sit, nec de [omni] triangulo [scit], sed secundum definitum
[triangulorum] numerum [scit], non autem scit secundum
omnem speciem, [nec scit] si non sit aliquis [triangulus],
quem ignoret.

Quando igitur non scit universaliter, et quando scit simpliciter? Nimirum manifestum est, quod [tum sciat simpli-
citer], si eadem sit *tou* Esse ratio triangulo et aequilatero,
aut cuique [trianguli speciei], aut omnibus; si vero non sit
eadem *tou* Esse ratio. sed diversa, insit autem, quatenus
triangulus est; [tum] non scit [simpliciter et universaliter].

Utrum vero quatenus triangulus, aut quatenus aequicrure
[illi] inest? et quando per hoc inest primum? et universaliter
cujusnam est demonstratio? Manifestum est, quod [tum universale primum inerit], quando, ablatis [reliquis], inerit primo.
Ut, aequicruri aeneo triangulo merunt duo recti [anguli];
verum etiam, ablato eo quod est aeneum esse, et quod est
aequicrure, [inerit]. Sed non [inest], ablata figura aut termino. Sed non, [ablatis iis] quae prima sunt. Cujus ergo
primi [erit demonstratio]? Nimirum si trianguli [erit demon-
stratio] secundum hoc inest [idem] etiam ceteris, et [sic]
hujus universaliter est demonstratio.

Postquam notificavit Aristoteles quid sit universale, hic ostendit quomodo in acceptione universalis error contingat. Et circa hoc tria facit.
Primo dicit quod aliquando circa hoc peccare contingit. Secundo assignat quot modis, ibi, « Ober-
« ramus. » Tertio dat documentum, quando possit
cognosci utrum universale acceptum sit universale,
ibi, « Utrum autem secundum quod. » Dicit ergo
primo, quod ad hoc quod non accidat in demonstratione peccatum, oportet non latere, quod multoties videtur demonstrari universale, quod non
demonstratur.

Deinde cum dicit « oberramus autem »

Assignat modos quibus circa hoc errare contingit. Et circa hoc duo facit. Primo enumerat
ipsos modos, dicens quod tripliciter contingit decipi circa acceptionem universalis. Primo quidem
cum nihil aliud sit accipere sub aliquo communi
cui primo competat universale, quam hoc singulare, cui convenienter assignatur. Sicut si sensibile quod primo et per se inest animali, assignaretur ut universale primum homini, nullo alio
animali existente. Unde notandum quod singulare
hic large accipitur pro quolibet inferiori, sicut si
species dicatur esse singulare sub genere contentum. Vel potest dici, quod non est possibile invenire aliquod genus, cujus una tantum sit species.
Genus enim dividitur in species per oppositas
differentias. Oportet autem si unum contrariorum
invenitur in natura, et reliquum inveniri, ut patet
per Philosophum in secundo de Caelo et Mundo.
Et ideo si una species invenitur, invenitur et alia.
Una autem species dividitur in diversa individua
per divisionem materiae. Contingit autem totam
materiam alicui speciei proportionatam sub uno
individuo comprehendi, et tunc non est nisi unum
individuum sub una specie. Unde et signanter de
singulari mentionem facit. Secundus modus est
quando quidem est accipere sub aliquo communi
multa inferiora, sed tamen illud est commune
innominatum, quod invenitur in differentibus
specie. Sicut si animali non esset nomen impositum, et sensibile quod est proprium animalis
assignetur ut universale primum his quae sub
animali continentur, vel divisim, vel conjunctim.
Tertius modus est quando id de quo demonstratur aliquid ut universale primum, se habet ad

quod demonstratur de eo, sicut totum ad partem.
Sicut si posse videre assignaretur animali ut
versale primum. Non enim omne animal potest
videre. Inest autem his quae sunt in parte, idest
quae particulariter et non universaliter alicui subjecto conveniunt, demonstratio, idest quod demonstrari possint; et erit demonstratio de omni, non
tamen respectu ejus quod demonstratur. Posse
enim videre demonstratur quidem de aliquo universaliter, non tamen de animali universaliter,
sicut de eo cui primo insit. Et exponit quid sit
primum secundum quod demonstratio fertur quod
est universale primum.

Secundo ibi « si igitur »

Subjungit exempla ad praedictos modos. Et
primo ad tertium, dicens, quod siquis demonstret
de lineis rectis quod non intercidant, idest non concurrant, videbitur hujusmodi esse demonstratio, scilicet universalis primi, propter hoc quod non concurrere inest aliquibus lineis rectis. Non autem ita
quod hoc fiat nisi lineae rectae sint aequales, idest
aeque distantes. Sed si lineae fuerint aequales, idest
aeque distantes, tunc non concurrere convenit eis in
quolibet, quia universaliter verum est quod lineae rectae aeque distantes, etiam si in infinitum protra-
hantur, in neutram partem concurrent.

Secundo ibi « et si triangulus »

Ponit exemplum ad primum modum, dicens
quod si non esset alius triangulus quam isocheles,
qui vere est triangulus duorum aequalium laterum,
quod est trianguli inquantum hujusmodi, videretur
esse isocheles secundum quod est isocheles, nec
tamen hoc esset verum.

Tertio ibi « et proportionale »

Exemplificat de modo secundo. Et videtur hoc
ultimo ponere, quia circa hoc diuturnius immora-
tur. Et circa hoc tria facit. Primo ponit exemplum.
Secundo inducit quoddam corollarium ex dictis,
ibi, « Propter haec nec sit aliquis. » Tertio assignat rationem dictorum, ibi, « Quando non novit. »
Circa primum sciendum est, quod proportio est
habitudo quantitatis unius ad alteram, sicut sex ad
tria se habent in proportione dupla. Proportionali-
tas est collectio duarum proportionum. Quae si
sint disjunctae, habent quatuor terminos. Ut hic.
Sicut se habent quatuor ad duo, ita sex ad tria.
Si vero sint conjunctae, habent tres terminos. Nam

uno utitur ut duobus. Ut hic, Sicut se habent octo
ad quatuor, ita quatuor ad duo. Patet ergo quod
in proportione duo termini se habent ut antecedentia, duo vero ut consequentia. Unde hic: Sicut
se habent quatuor ad duo, ita se habent sex ad
tria; sex et quatuor sunt antecedentia; duo vero et
tria sunt consequentia. Permutata ergo proportio
est, quando accidentia invicem conferuntur et consequentia similiter. Ut si dicam, Sicut se habent
quatuor ad duo, ita se habent sex ad tria: ergo sicut se
habent quatuor ad sex, ita se habent duo ad tria. Dicit
ergo quod esse proportionale commutabiliter convenit
lineis et numeris et firmis, idest corporibus, et temporibus. Sicut autem de singulis determinatum est
aliquando seorsum, de numeris quidem in arithmetica, de lineis et firmis in geometria, de temporibus
in naturali philosophia vel astrologia, ita contingens est, quod de omnibus praedictis commutatim
proportionari una demonstratione demonstretur. Sed
ideo commutatim proportionari de singulis horum
seorsum demonstratur, quia non est nominatum
illud commune, in quo omnia ista sunt unum. Etsi enim quantitas omnibus his communis est, tamen
sub se et alia praeter haec comprehendit, sicut
orationem, et quaedam quae sunt quantitas per
accidens. Vel melius dicendum, quod commutatim
proportionari quantitati non convenit inquantum
est quantitas, sed inquantum est comparata alteri
quantitati secundum proportionalitatem quamdam.
Et ideo dixerat etiam in principio proportionale esse
quod commutabiliter est. Omnibus autem istis,
inquantum sunt proportionalia, non est nomen
commune positum. Cum autem demonstratur commutatim proportionari de singulis praedictorum divisim, non demonstratur universale. Non enim
commutatim proportionari inest numeris et lineis
secundum quod hujusmodi, sed secundum quoddam
commune. Demonstrantes autem de lineis seorsum,
vel de numeris, ponunt hoc quod est commutabiliter proportionari esse quasi quoddam universale
praedicatum lineae secundum quod linea est, aut
numeri, secundum quod numerus.

Deinde cum dicit « propter hoc »

Inducit quoddam corollarium ex dictis: et dicit
quod eadem ratione qua non demonstratur universale cum de singulis speciebus demonstratur aliquid quod est universale praedicatum communis
innominati, nec etiam demonstratur universale praedicto modo si sit commune nomen positum. Sicut
si aliquis eadem demonstratione ostendat aut demonstret de unaquaque specie trianguli, quod habet
tres angulos aequales duobus rectis, aut diversa
seorsum, adest de isochele, et seorsum de gra-
dato, idest de triangulo trium laterum inaequalium,
non tamen propter hoc cognovit quod triangulus
tres angulos habeat aequales duobus rectis, nisi
sophistico modo, idest per accidens, quia non cognovit de triangulo secundum quod est triangulus, sed
secundum quod est aequalaterus, aut duorum aequa-

lium laterum, aut trium inaequalium; neque etiam
demonstrans cognovit universale, idest habet cognitionem de triangulo in illo universali, etiam si nullus
alius triangulus esset praeter illos de quibus cognovit
secundum numerum quod est triangulus, sed sub
ratione specierum ejus. Unde neque cognovit per
se loquendo omnem triangulum: quia etsi secundum numerum cognovit omnem triangulum, si
nullus est quem non novit; tamen secundum speciem non cognovit omnem. Tunc enim cognoscitur
aliquid universaliter secundum speciem, quando
cognoscitur secundum rationem speciei. Secundum
numerum autem, et non universaliter, quando cognoscitur secundum multitudinem contentorum sub
specie. Nec est differentia quantum ad hoc si comparemus speciem ad individua, vel genera ad species.
Nam triangulus est genus aequilateri et isochelis.

Deinde cum dicit « quando igitur »

Assignat rationem praedictorum, quaerens quando aliquis cognoscit universaliter et simpliciter, ex
quo praedicto modo cognoscens non cognovit universaliter. Et respondet manifestum esse quod si
esset eadem ratio trianguli in communi, et uniuscujusque specierum ejus seorsum acceptae, aut
universaliter simul acceptarum, tunc universaliter
sciret de triangulo et simpliciter, quando sciret
de aliqua specie ejus, vel de omnibus simul. Si
vero non est eadem ratio, tunc non erit idem cognoscere triangulum in communi et singulas species ejus, sed est alterum. Et cognoscendo de
speciebus, non cognoscitur de triangulo secundum
quod est triangulus.

Deinde cum dicit « utrum autem »

Dat documentum quo proprie possit accipi universale: quod est, utrum aliquid sit trianguli secundum quod triangulus, aut isochelis secundum
quod est isocheles, et quando id cujus est demonstratio est primum et universale secundum hoc,
idest aliquod subjectum positum. Manifestum est
enim ex hoc quod dicam. Quandocumque enim
remoto aliquo adhuc remanet illud quod erat assignatum universale, sciendum est quod non est primum universale illius. Sicut remoto isochele vel aeneo
triangulo remanet quod habeat tres angulos, scilicet
duobus rectis aequales: unde patet quod habere
tres angulos aequales duobus rectis non est universale primum, neque isochelis neque aenei trianguli. Remota autem figura non remanet habere
tres, nec etiam remoto termino, qui est superius ad
figuram, cum figura sit quae termino vel terminis
clauditur; sed tamen non primo convenit neque
figurae neque termino, quia non convenit eis universaliter. Cujus ergo erit primo? Manifestum est
quod triangulo, quia secundum triangulum inest
aliis tam superioribus quam inferioribus. Non enim
competit figurae habere tres, nisi quia triangulus
est quaedam figura, et similiter isocheli, quia triangulus est, et de triangulo habere tres demonstratur.
Unde est ei universale primum.

LECTIO XIII.

Demonstrationem esse ex necessariis, conclusionem iterum demonstrationis necessariam etsi ex non necessariis sciri non possit, syllogizari nihilominus posse ostendit.

Si igitur est demonstrativa scientia, ex necessariis est principiis. Quod enim scitur non potest se habere aliter.

Quae autem per se sunt, necessario insunt rebus. Haec quidem sunt in eo, quod quid est: quibusdam autem alia insunt in eo quod quid est praedicantibus de ipsis, quorum alterum oppositorum necesse est inesse. Manifestum est quod ex hujusmodi quibusdam utique sit demonstrativus syllogismus. Omne enim aut sic est, aut secundum accidens. Accidentia autem non necessaria sunt.

Aut igitur sic dicendum: aut principium ponentibus, quod demonstratio circa necessarium sit, et si demonstratum non potest aliter se habere, ex necessariis ergo oportet esse syllogismum. Ex veris quidem est non demonstrantem syllogizare; ex necessariis autem non est, sed quidem demonstrantem. Hoc autem proprium demonstrationis est.

Signum autem est quod demonstratio ex necessariis sit, quoniam instantiam ita ferimus ad opinantes demonstrare, quoniam non sit necesse si opinamur, aut omnino contingere aliter, aut rationis causa.

Manifestum autem ex his est, et quoniam stulti sunt accipere opinati bene principia, si probabilis sit propositio et vera, ut sophistae; quoniam et scire, scientiam est habere. Non enim quod probabile est aut verum omne principium est, sed primum in genere circa quod demonstrant; et verum non omne, sed proprium.

Quod autem ex necessariis esse oportet syllogismum, manifestum ex his est. Si enim non est habens rationem propter quid existente demonstratione, non est sciens. Sit autem utique et quod A de c ex necessitate esse, B autem medium per quod demonstratum est non ex necessitate; non scivit propter quid. Non est enim hoc propter medium. Hoc enim quidem contingit non esse, conclusionem autem necessariam.

Amplius si aliquis nescit rem nunc, habens rationem, et salvatus est, salvare, nec oblitus, neque prius scivit. Corrumpere autem utique medium, nisi sit necessarium. Quare habebit quidem rationem, nescit autem. Neque ergo prius scivit. Si vero non corruptum est, contingit autem corrumpi; quod accidit utique erit possibile et contingens. Sed est impossibile sic se habentem scire.

Cum quidem igitur conclusio ex necessitate est, nihil prohibet medium non necessarium esse propter quod demonstratum est. Est enim necessarium non ex necessariis syllogizare, sicut et verum non ex veris. Cum autem medium ex necessitate est, et conclusio ex necessitate, sicut ex veris verum semper. Sit enim A de B ex necessitate, et hoc de c; necesse ergo est et A de necessitate inesse. Sed cum non necessaria sit conclusio, neque medium necessarium esse possibile est. Sit enim A in c non ex necessitate esse, in B autem c ex necessitate: et hoc igitur in c ex necessitate, et A ergo in c ex necessitate erit. Sed non concessum est.

Quoniam igitur, si scit demonstrative, oportet habere demonstrationem, aut sciet, neque propter quid, neque quia necesse est illud esse, sed opinabitur nesciens, si accipiat tamquam necessarium, non necessarium; aut neque opinabitur similiter, sive quia sciet per media, sive propter quid et per immediata.

Si igitur est scientia demonstrativa ex principiis necessariis (quod enim [aliquis] scit, id non potest aliter se habere), at quae per se insunt, necessario rebus insunt (alia enim ratione ejus, quid est, insunt; praedicatis autem eorum haec ipsa [subjecta] ratione ejus, quid est, insunt, quorum [praedicatorum] oppositorum alterum quidem necesse est inesse): manifestum est, quod ex talibus quibusdam fiat syllogismus demonstrativus. Quodcumque enim aut hoc modo inest, aut secundum accidens; accidentia vero non sunt necessaria.

Aut igitur sic dicendum est, [demonstrationis principia esse necessaria], aut [dicendum est] pro principia ponentibus, demonstrationem [ipsam] esse necessariam; et, si quid demonstratum fuerit, id non posse aliter se habere. Ex necessariis ergo oportet esse syllogismum.

Ex veris enim etiam non demonstrans aliquid syllogismo probare potest; ex necessariis vero hoc non licet, [nisi] quis demonstret: id enim jam demonstrationis est.

Signum autem est quod demonstratio ex necessariis sit, et instantias ita inferimus adversus illos, qui sibi videntur demonstrare « quod non sit necessarium »; si aut omnino contingere [ut res] aliter se habeat opinamur, aut saltem propter adductam rationem.

Manifestum vero etiam est ex his, esse stolidos, qui praeclare putant se principia sumere, si propositio sit probabilis et vera; ut sophistae, quod *to* scire sit scientiam habere. Non enim, quod probabile, aut non [probabile] est, principium est; sed quod primum in illo genere est, circa quod demonstratur; nec omne verum, proprium est [illius generis, circa quod demonstratur].

Quod autem ex necessariis oporteat esse syllogismum [demonstrativum], ex his quoque manifestum est. Si enim is, qui non habet rationem causae, quum sit demonstratio, [rei tamen hujus] non est sciens; sit autem ut A necessario insit *tō* c, at *to* B medium sit, per quod demonstratum fuerit, non ex necessitate [inesse]; non scit causam per quam res sit. Non enim hanc licet per medium [scire]; hoc enim contingit non esse; conclusio autem est necessaria.

Praeterea, si quis [rem] non [scit, nunc] tamen habens conclusionem, et si [ipse] salvus est, salva re, neque [ipse] oblitus est, idem neque ante [scivit]. Interierit autem medium si non [sit] necessarium. Quare habebit quidem conclusionem, [ipse] salvus, salva re; non [scit] tamen: ergo neque ante [scivit]. Si vero non interiit [medium seu causa rei], contingit autem interire; id quod sequitur, possibile fuerit et contingens. Verum fieri non potest, ita affectum [rem] scire.

Quando igitur conclusio necessaria fuerit, nihil impedit, medium non necessarium esse, per quod [conclusio necessaria] demonstrata est; potest enim necessarium etiam ex non necessariis syllogismo probari, quemadmodum et verum ex non veris. Quando autem medium [fuerit] necessarium; etiam conclusio [fuerit] necessaria; sicut ex veris verum semper [colligitur]. Sit enim *to* A [verum] de B ex necessitate, et hoc B de c; necessarium ergo est, etiam *to* A inesse *tō* c. Quodsi vero conclusio necessaria non fuerit; neque medium necessarium esse potest. Ponatur enim, *to* A *tō* c non ex necessitate inesse, verum *tō* A, et hoc B *tō* c ex necessitate; et *to* A ergo ex necessitate inerit *tō* c; verum [in prima propositione] hoc non supponebatur.

Quoniam igitur, si scit [aliquis] per demonstrationem, id ex necessitate oportet inesse, manifestum est quod etiam per medium necessarium oporteat [eum] habere demonstrationem. Aut non sciet, neque cur res sit, nec, quod sit necesse, illud esse. Sed aut opinabitur, quum non sciat, si acceperit ut necessarium id quod non est necessarium; aut neque opinabitur similiter, si quidem, quod res sit, per media sciverit; cur autem talis sit, etiam per immediata.

Postquam determinavit Philosophus de omni, et per se, et universali quibus utimur in demonstratione, hic jam incipit ostendere ex quibus demonstratio procedit. Et dividitur in duas partes. In prima ostendit ex quibus procedit demonstratio propter quid: in secunda ex quibus demonstratio quia, ibi, « Sed quia differt et propter quid. » Prima in duas. In prima ostendit qualia sint ex quibus demonstratio procedit; in secunda docet, quae sunt demonstrationis principia, ibi, « Quid « quidem igitur prima significent. » Prima in tres. In prima ostendit, quod demonstratio est ex necessariis; in secunda quod ex his quae sunt per se, ibi, « Accidentium autem; » tertio quod procedat ex principiis propriis, ibi, « Non ergo est ex alio « genere. » Circa primum duo facit. Primo ostendit quod demonstratio procedat ex necessariis. Secundo probat sic quaedam quae posuerat, ibi, « Quod « autem oporteat ex necessariis. » Circa primum tria facit. Primo continuat se ad praecedentia; secundo probat propositum, ibi, « Quae autem sunt « per se; » tertio infert quamdam conclusionem ex dictis, ibi, « Manifestum autem ex his. » Dicit ergo primo ex praedictis inferens, quod si sit demonstrativa scientia, idest si scientia per demonstrationem acquiritur, oportet quod sit ex principiis necessariis. Cujus illationis necessitas apparet, quia quod scitur, impossibile est aliter se habere, ut habitum est in definitione ejus quod est scire.

Deinde cum dicit « quae autem »

Ostendit quod demonstratio sit ex necessariis. Et primo per rationem. Secundo per signum, ibi, « Signum autem est. » Circa primum ponit duas rationes: quarum prima talis est. Ea quae per se praedicantur, necessario insunt. Et hoc manifestat in duobus modis per se. In primo quidem, quia ea quae praedicantur per se, insunt in eo quod quid est, idest in definitione subjecti. Quod autem ponitur in definitione alicujus, necessario praedicatur de eo. In secundo vero, quia quaedam sunt subjecti, quae ponuntur in quod quid est praedicantibus de ipsis, idest in definitione suorum praedicatorum. Quae quidem si sint opposita, necesse est quod alterum eorum subjecto insit; sicut par vel impar numero, ut superius ostensum est. Sed manifestum est quod ex quibusdam principiis hujusmodi, scilicet per se, fit syllogismus demonstrativus. Quod probat per hoc quod omne quod praedicatur, praedicatur aut per se, aut per accidens; et ea quae praedicantur per accidens non sunt necessaria; ex his autem quae sunt per accidens, non fit demonstratio, sed magis sophisticus syllogismus. Unde relinquitur, quod demonstratio sit ex necessariis. Sciendum autem est quod cum in demonstratione probatur passio de subjecto per medium quod est definitio, oportet quod prima propositio, cujus praedicatum est passio et subjectum est definitio, quae continet principia passionis, sit per se in quarto modo. Secunda autem cujus subjectum est ipsum subjectum, et praedicatum ipsa definitio, in primo modo. Conclusio vero in qua praedicatur passio de subjecto per se, in secundo modo.

Secundam rationem ponit, ibi, « aut igitur »

Quae est talis « Demonstratio circa necessarium « est, et demonstratum, » idest Demonstrationis conclusio non potest aliter se habere. Et hoc accipiendum est tamquam principium ad ostendendum propositum, scilicet quod demonstratio ex necessariis

procedit. Cujus quidem principii veritas apparet, ut jam dictum est. Ex hoc autem principio sic argumentatur. Conclusio necessaria non potest sciri nisi ex principiis necessariis: sed demonstratio facit scire conclusionem necessariam: ergo oportet quod sit ex principiis necessariis. In quo differt demonstratio ab aliis syllogismis. Sufficit enim in aliis syllogismis quod syllogizetur ex veris. Nec est aliquod genus syllogismi, in quo oporteat procedere ex necessitate: sed in demonstratione oportet hoc observare. Et hoc est proprium demonstrationis ex necessariis procedere.

Deinde cum dicit « signum autem »

Probat idem per signum hoc modo. Contra rationem aliquam non infertur instantia, nisi per hoc quod deficit aliquid eorum quae in illa ratione observanda sunt. Sed contra eum qui opinatur sic demonstrare, ferimus instantiam, quod non sit necesse ea ex quibus procedit esse vera, sive opinemur ea contingere aliter se habere, sive talem instantiam ferimus, rationis idest disputationis causa: ergo demonstratio debet procedere ex necessariis.

Deinde cum dicit « manifestum autem »

Infert conclusionem ex dictis, dicens, quod « manifestum est ex his » quod oportet demonstrationem ex necessariis concludere, quod stulti sunt illi, qui opinati sunt bene se principia demonstrationis accipere, si solum propositio accepta sit probabilis vel vera, ut sophistae (faciunt), idest qui apparent scientes, et non sunt, (Nam scire non est nisi per hoc quod scientia habetur) scilicet ex demonstratione. Ex hoc autem quod aliquid est probabile vel improbabile, non habetur quod sit primum vel non primum: sed tamen oportet illud circa quod fit demonstratio esse primum in genere aliquo, et esse verum. Non tamen omne primum accipit demonstrator, sed primum illi generi circa quod demonstrat; sicut arithmeticus non accipit primum quod est circa magnitudinem, sed circa numerum. Attendendum autem est quod sophistae non sumuntur hic sicut in libro Elenchorum, qui procedunt ex his quae videntur probabilia et non sunt; aut videntur syllogizare, non tamen syllogizant. Sicut enim tales sophistae dicuntur, id est apparentes, et non existentes, inquantum deficiunt a dialectica argumentatione; ita dialecticae argumentationes si appareant demonstrative probare et non probant, sophisticae sunt inquantum videntur sua argumentatione scientes, et non sunt.

Deinde cum dicit « quod autem »

Ostendit quod supposuerat. Et circa hoc duo facit. Primo ostendit, quod conclusio necessaria non potest sciri ex principiis non necessariis. Secundo quod, licet non possit sciri necessarium ex non necessariis, tamen syllogizari potest, ibi, « Cum « quidem igitur conclusio. » Primum ostendit duabus rationibus: quarum una talis est. Si quis non habeat rationem propter quia ostendentem, non efficitur sciens, etiam demonstratione habita, quia scire est causam rei cognoscere, ut supradictum est. Sed ratio quae infert conclusionem necessariam ex non necessariis principiis, non ostendit propter quid. Quod exemplificat in terminis communibus. Ponatur enim quod haec conclusio sit necessaria. Omne c est a, et demonstretur per hoc medium B quod non sit necessarium medium, sed contingens: puta quod haec propositio sit contingens, quod omne B est A, vel quod omne c est

B, aut utramque. Constat quod per hoc medium contingens, quod est B, non potest sciri de conclusione necessaria, quae est, omne C est A propter quid. Quod sic probatur. Remota causa propter quam est aliquid, oportet quod removeatur effectus: sed hoc medium cum sit contingens, contingit removeri, conclusionem autem removeri non contingit cum sit necessaria: relinquitur ergo quod non potest sciri conclusio necessaria per medium contingens.

Secundam rationem ponit ibi « amplius si »

Quae talis est. Si quis nunc non scit, cum tamen habeat eamdem rationem quam prius habuit « et salvatus est, » idest non desiit esse « salvare, » idest re scita et non corrupta, iterum ipse « non « est oblitus » manifestum est quod etiam ipse (non prius scivit). In hoc autem Philosophus innuit quatuor modos quibus aliquis amittit scientiam quam prius habuit. Unus modus est quando excidit a mente ejus ratio per quam prius sciebat. Alius modus est per corruptionem ipsius scientis. Alius per corruptionem ipsius rei scitae, sicut si scientia sit, te sedente dum sedes, te non sedente periit. Quartus est per oblivionem. Unde nullo istorum modorum existente, si aliquis nullo modo sciat aliquid, nec prius scivit. Sed ille qui habet conclusionem necessariam per medium contingens, corrupto medio contingenti, nescit medio non existente; et tamen eamdem rationem habet, et salva est res, et non est oblitus; ergo non prius scivit, quando medium non erat corruptum. Quod autem medium quod est contingens, corrumpatur, probat. Quia id quod non est necessarium, oportet quod aliquando corrumpatur: Si dicatur quod medium nondum est corruptum; quia tamen non necessarium, manifestum est quod contingit ipsum corrumpi. Posito autem contingenti, illud quod accidit non est impossibile, sed possibile et contingens. Quod autem sequebatur, erat impossibile: scilicet quod aliquis scientiam haberet alicujus quod postea nesciret manentibus conditionibus supra positis: quod tamen sequitur ex hoc quod est medium contingens esse corruptum; quod etsi non sit verum, est tamen contingens, ut dictum est.

Deinde cum dicit « cum quidem »

Ostendit quod licet per medium contingens non possit sciri conclusio necessaria, concluditur tamen conclusio necessaria ex medio non necessario. Dicit ergo quod nihil prohibet conclusionem necessariam esse per medium non necessarium, per hoc quod ostenditur syllogizatum syllogismo dialectico non demonstrativo, qui facit scire. Contingit enim necessarium syllogizari ex non necessariis, sicut contingit syllogizari verum ex non vero: non tamen contingit e converso. Quia cum medium est necessarium, et conclusio necessaria erit. Sicuti ex veris praemissis semper concluditur verum. Quod autem ex necessariis semper concludatur necessarium, sic probat. « Sit enim A de omni B necessaria, » idest sit haec propositio necessaria, Omne B est A. Et hoc de C, idest sit haec etiam necessaria, Omne C est B. Ex his enim duobus necessariis, sequitur tertium necessarium, scilicet conclusio quod omne C est A. Ostensum est enim in libro Priorum quod ex duabus propositionibus de necessitate, sequitur conclusio ex necessitate: ostendit etiam consequenter quod si conclusio non esset necessaria, nec medium posset esse necessarium. Ponatur enim quod haec conclusio, Omne C est A sit non necessaria, praemissae autem duae sint necessariae: secundum id quod primo positum est, sequitur quod conclusio sit necessaria, cum tamen contrarium sit positum, scilicet quod conclusio non sit necessaria.

Deinde cum dicit « quoniam igitur »

Infert ex praemissis, quod oportet demonstrationem haberi per medium necessarium: alioquin nesciretur quod conclusio sit necessaria, neque propter quid, neque quia, cum necessarium non possit sciri per non necessarium, ut ostensum est. Sed si quis habet rationem per medium non necessarium, dupliciter potest esse dispositus. Aut enim cum ipse sit non sciens, opinabitur tamen se scire si accipiat in opinione sua medium non necessarium tamquam necessarium; aut etiam non opinabitur se scire, si scilicet credat non se habere medium necessarium. Et hoc universaliter intelligendum est tam de scientia qua scitur aliquid per mediata, quam de scientia propter quid, qua scitur aliquid per immediata. Horum autem differentia posterius ostendetur.

LECTIO XIV.

Demonstrationis conclusionem per se, ex his qua per se insunt esse docet: quomodo item contingentium sint interrogationes et scientiae, si conclusio per se sit, monstratur.

ANTIQUA.

Accidentium autem non per se, quomodo determinatum est per se quidem esse, non est scientia demonstrativa. Non enim ex necessitate est demonstrare conclusionem. Accidens enim contingit non esse. De tali enim dico accidente.

Et tamen opponet fortassis aliquis, cujus causa hic oportet interrogare de iis, si non necesse est conclusionem esse. Nihil enim differt si aliquis interrogatus contingentia, postea dicat conclusionem.

RECENS.

Accidentium autem non per se, quemadmodum definita sunt ea, quae per se [dicuntur inesse], non est scientia demonstrativa. Non enim potest ex necessitate demonstrari conclusio; nam accidens contingit non inesse; de tali enim accidenti loquor.

Et sane dubitaverit aliquis forte, cujus gratia oporteat haec interrogare de his, si quidem non [sit] necessarium, conclusionem esse. Nihil enim differt, si quis interrogans ea, quaecumque inciderint, deinde subjungat conclusionem.

Oportet autem interrogare, non tamquam necessarium esse propter interrogata, sed quod dicere necesse est illa dicenti, et vere dicenti, si vera sunt quae sunt.

Quoniam autem ex necessitate sunt circa unumquodque genus quaecumque per se sunt, et secundum quod unumquodque est; manifestum est, quoniam de his quae per se sunt demonstrativae scientiae, et ex talibus sunt. Accidentia enim non necessaria sunt. Quare non est necessarium conclusionem scire propter quid sit, neque si semper sit, non per se autem, ut sunt per signa syllogismi. Hoc enim per se, non per se scit neque propter quid. Propter quid autem scire est per causam scire. Propter ipsum ergo oportet, et medium tertio, et primum medio inesse.

Oportet autem interrogare, non quod [conclusio] necessaria sit propter ea quae interrogata sunt, sed quod dicere [et admittere conclusionem] necesse est eum, qui [illa] dixit [et concessit], et vere dicere [ac ut necessaria concedere], si quidem vere rei, [de qua quaeritur], insit.

Quoniam autem in quocumque genere ex necessitate insunt, quotquot per se insunt, et quatenus unumquodque est; manifestum est quod demonstrationes scire facientes [de] iis, quae per se insunt, et [ex] talibus sint. Nam accidentia non sunt necessaria.

Quare non necesse est, conclusionem scire cur insit, neque si semper insit, non [insit] autem per se, ut qui per signa [colligunt] syllogismi. Quod enim per se inest, non per se sciet, neque cur [sit]. To scire, cur [res] sit, est autem scire per causam. Per se igitur oportet et medium tertio et primum medio inesse.

Postquam ostendit Philosophus quod demonstratio est ex necessariis, consequenter ostendit quod est de his quae sunt per se. Et circa hoc tria facit. Primo ostendit quod demonstratio est de his, quae sunt per se ideo quod demonstratio est de his, quae sunt per se. Secundo movet dubitationem, et solvit, ibi, « Et tamen opponet. » Tertio ostendit, quod demonstratio est ex his, quae insunt per se, ideo quod principia demonstrationis oportet per se esse, ibi, « Quoniam autem ex necessitate. » Dicit igitur primo quod demonstrativa scientia non potest esse accidentium, quae non sunt per se, sicut demonstratum est de per se superius, scilicet quod accidens per se est, in cujus definitione ponitur subjectum, sicut par et impar sunt per se accidens, quia animal non ponitur in definitione ejus. Quod autem de hujusmodi accidentibus quae non sunt per se, non possit esse demonstratio, sic probat. Accidens quod non inest per se, contingit non inesse; de hoc enim accidente loquimur: si ergo demonstratio fieret de accidente quod non est per se, sequeretur quod conclusio demonstrationis non esset necessaria, cujus contrarium est supra ostensum. Quod autem accidens, quod non est per se, non insit necessario, ex hoc potest haberi. Si enim aliquod accidens, ex necessitate et semper insit subjecto, oportet quod causam habeat in subjecto, qua posita non possit accidens non inesse. Quod quidem contingit dupliciter. Uno modo quando ex principiis speciei causatur: et tale accidens dicitur per se passio vel proprium. Alio modo quando accidens causatur ex principiis individui, et hoc est accidens inseparabile. Omne autem accidens quod causatur ex principiis subjecti, si debeat definiri, oportet quod subjectum ponatur in sua definitione. Nam unumquod definitur ex propriis: et sic oportet etiam accidens, quod de necessitate inest subjecto, esse accidens per se. Illa ergo quae non sunt per se, non ex necessitate insunt. Videtur autem quod Aristoteles utatur demonstratione circulari, quam supra improbavit. Ostenderat enim supra, quod demonstratio necessariorum est ex hoc, quod est eorum quae sunt per se: nunc autem e converso ostendit, quod demonstratio est eorum quae sunt per se, quia est necessariorum. Sed dicendum, quod supra ostendit Aristoteles demonstrationem non solum esse necessariorum propter hoc quod est eorum quae sunt per se, sed ex definitione ejus quod est scire; et hic fuit verus demonstrationis modus. Quod autem ostendit demonstrationem necessariam esse propter hoc quod est eorum quae sunt per se, non est vera demonstratio, sed est ostensio ad

hominem apud quem notum est, quod demonstratio sit eorum quae sunt per se.

Deinde cum dicit « et tamen »

Movet dubitationem quamdam. Et circa hoc duo facit. Primo ponit dubitationem: et dicit, quod potest aliquis forte opponere, si conclusio quae sequitur ex contingentibus, vel ex his quae sunt per accidens, non est necessaria, quare de contingentibus fiat interrogatio, sive de his quae sunt per accidens, ut ex datis procedatur ad conclusionem? cum tamen in syllogismo requiratur, quod conclusio ex necessitate accidat. Et quod interrogatio fiat de contingentibus, vel ex his quae sunt per accidens, manifestat per hoc quod subdit: non enim differt si aliquis interrogatus contingentia, postea dicit conclusionem: quasi dicat: Ita potest inferri conclusio ex contingentibus interrogatis et concessis, sicut ex necessariis. Utriusque enim eadem forma syllogizandi est.

Secundo ibi « oportet autem »

Solvit dicens, quod non ita interrogatur de praemissis contingentibus quasi conclusio sit necessaria absolute propter interrogata, idest propter praemissa contingentia; sed quia necesse est dicenti praemissa, conclusionem dicere; et dicere vera in conclusione, si vera sunt quae praemissa sunt: quasi dicat, quod licet ex praemissis contingentibus non sequatur conclusio necessaria necessitate absoluta, sequitur tamen secundum quod est ibi necessitas consequentiae secundum quod conclusio sequitur ex praemissis.

Deinde cum dicit « quoniam autem »

Ostendit quod demonstratio sit ex his quae sunt per se, tali ratione. Demonstratio est ex necessariis, et de necessariis. Et hoc ideo, quia est scientifica, idest faciens scire. Ea autem quae non sunt per se, non sunt necessaria; sunt enim per accidens; et hujusmodi non sunt necessaria, ut dictum est: sed illa sunt ex necessitate circa unumquodque genus, quaecumque sunt per se, et conveniunt unicuique secundum quod unumquodque est. Relinquitur ergo, quod demonstratio non possit esse nisi ex his quae sunt per se, et de talibus. Ulterius autem ostendit, quod etiam si praemissa essent semper et necessaria et vera, et non per se, non tamen sciretur de conclusione propter quid, ut patet de syllogismis, qui fiunt per signa, in quibus conclusionem, quae est per se, non scit aliquis per se, neque propter quid. Sicut si aliquis probaret, quod omne elementum est corruptibile, propter hoc quod videtur ipsum antiquari; esset quidem probatio per signum, non autem per se, neque propter quid; quia propter quid scire, est per causam scire. Oportet ergo medium esse causam ejus quod in demonstratione concluditur. Et hoc manifestum est ex praedictis; quia oportet et medium inesse tertio propter ipsum, idest per se, et similiter primum medio. Primum autem et tertium vocat duas extremitates. Oportet ergo medium causam esse extremorum ejus quod in demonstratione concluditur.

LECTIO XV.

Demonstrationem non esse ex extraneis ostendit.

Non ergo est ex alio genere descendentem demonstrare, ut geometricum in arithmeticam.

Tria enim sunt in demonstrationibus. Unum quidem quod demonstratur conclusio. Hoc autem est quod inest alicui generi per se. Unum autem dignitates. Dignitates autem sunt ex quibus demonstratio est. Tertium autem genus subjectum, cujus passiones et per se accidentia ostendit demonstratio.

Ex quibus igitur demonstratio sit, contingit eadem esse. Quorum autem genus alterum est, sicut arithmetica et geometria, non est arithmeticam demonstrationem convenire in magnitudinibus accidentia, nisi magnitudines numeri sint. Hoc autem quemadmodum contingit in quibusdam, posterius dicetur. Sed arithmetica demonstratio semper habet genus, circa quod fit demonstratio; et alia similiter.

Quare aut simpliciter necesse est genus idem esse, aut sic debet demonstratio descendere. Aliter autem impossibile esse manifestum est.

Ex eodem enim genere necesse est ultima et media esse. Si namque non sunt per se, accidentia erunt.

Propter hoc geometriae non est monstrare quod contrariorum eadem est scientia; sed neque quod duo cubi cubus sit unus, neque scientiae alterius quod alterius est; sed aut quaecumque sic se habent adinvicem quod sit alterum sub altero, ut perspectiva ad geometriam, et ut consonantia ad arithmeticam.

Neque si aliquid inest lineis, non secundum quod lineae sunt, et non inquantum ex principiis propriis sunt; ut si pulcherrima linearum recta est, aut si contrario se habet circulari. Non enim secundum quod proprium genus est ipsorum, sed inquantum commune quoddam est.

Non ergo licet ex alio genere [scientiae in aliud] descendendo demonstrare, ut geometricum [problema] arithmetica [ratione]

Tria enim sunt in demonstrationibus; unum quidem, quod demonstratur conclusio; haec vero est id quod generi cuidam per se inest; alterum vero, axiomata; axiomata autem sunt, e quibus [conficitur demonstratio]; tertium vero est genus subjectum, cujus affectiones et accidentia, quae per se insunt, indicat demonstratio.

E quibus ergo est demonstratio, ea contingit eadem esse. Quorum autem genus diversum est, ut arithmeticae et geometriae, non licet arithmeticam demonstrationem accommodare ad ea, quae magnitudinibus accidunt; si quidem magnitudines non sunt numeri. Hoc vero quomodo in quibusdam contingat, postea dicetur.

Arithmetica autem demonstratio semper habet genus [proprium], ad quod attinet demonstratio. Et reliquae [scientiae] similiter. Quare aut simpliciter necesse est ut idem sit genus [scientiae], aut ut certa ratione [idem sit], si demonstratio vult [in aliud genus] descendere; quod autem [hoc] alio modo fieri non possit, manifestum est. Nam ex eodem genere oportet esse extrema et media. Si enim non per se [insint], erunt accidentia.

Quare geometriae non convenit demonstrare, quod contrariorum una sit scientia, neque quod duo cubi [faciant] cubum; nec alii scientiae [convenit demonstrare, quod est] alterius. Sed aut quae ita se habent ad se invicem, ut alterum sit sub altero; ut optica ad geometriam et harmonica ad arithmeticam, [ea, ut ejusdem generis, convenit scientiae demonstrare].

Nec [geometriae est demonstrare], si quid inest lineis, non quatenus lineae sunt, et quatenus [demonstratur] ex principiis propriis; ut, num linearum praestantissima sit recta, aut, num opponatur [haec] circumferentiae. Non enim, quatenus proprium eorum genus est, insunt [haec lineis], sed, quatenus illis aliquid commune [etiam aliis rebus] tribuitur.

Postquam ostendit Philosophus quod demonstratio est ex his quae sunt per se, hic concludit quod demonstratio est ex principiis propriis non extraneis, neque ex communibus. Et dividitur in duas partes. In prima ostendit, quod demonstratio procedit ex propriis principiis. In secunda determinat quae sunt principia propria, et quae communia, ibi, « Difficile autem. » Prima in duas. In prima ostendit, quod demonstratio non procedit ex principiis extraneis. In secunda ostendit, quod non procedit ex principiis communibus, ibi « Quoniam autem manifestum est. » Prima in duas. In prima enim ex praemissis, ostendit quod demonstratio non est ex principiis extraneis. In secunda etiam ex praemissis ostendit, quod demonstrationes non sunt de rebus corruptibilibus, sed de sempiternis, ibi, « Manifestum autem, et si sint propositiones. » Circa primum tria facit. Primo proponit intentum. Secun-

do probat propositum, ibi, « Tria enim sunt. » Tertio concludit intentum, ibi, « Propter hoc enim geometriae. » Dicit ergo primo, quod ex quo demonstratio est ex his quae sunt per se, manifestum est, quod non contingit demonstrare descendentem vel procedentem ex uno genere in aliud genus, sicut non contingit quod geometria ex propriis principiis demonstret ad aliquid descendens in arithmeticam.

Deinde, cum dicit « tria enim ».

Propositum probat. Et circa hoc tria facit. Primo praemittit quae sunt necessaria ad demonstrationem. Dicit enim quod « Tria sunt necessaria « in demonstrabilibus. Unum est quod demonstratur » scilicet conclusio, quae quidem continet in se id quod inest per se alicui generi. Per demonstrationem enim concluditur propria passio de proprio subjecto. Aliud autem sunt dignitates, ex quibus demonstratio procedit. Tertium autem est genus subjectum, cujus proprias passiones et per se accidentia demonstratio ostendit.

Secundo ibi « ex quibus »

Ostendit quid praedictorum trium possit esse commune diversis scientiis, et quid non; dicens, quod horum trium unum, scilicet dignitates, ex quibus demonstratio procedit, contingit esse idem in diversis demonstrationibus, et etiam in diversis scientiis; sed in illis scientiis quarum est diversum genus subjectum, sicut in arithmetica quae est de numeris, et geometria quae est de magnitudinibus, non contingit, quod demonstratio quae procedit ex principiis unius scientiae, puta arithmeticae, descendat ad subjecta alterius scientiae, sicut ad magnitudines quae sunt geometriae, nisi forte subjectum unius scientiae contineatur sub subjecto alterius, sicut si magnitudines contineantur sub numeris. Quod quidem qualiter contingat, scilicet contineri subjectum unius scientiae sub subjecto alterius, posterius dicetur: magnitudines enim sub numeris non continentur nisi forte secundum quod magnitudines numeratae sunt. Subjecta etiam diversarum demonstrationum sive scientiarum diversa sunt. Arithmetica enim demonstratio semper habet genus proprium circa quod demonstrat, et aliae scientiae similiter.

Tertio ibi « quare aut »

Probat propositum. Et circa hoc duo facit. Primo inducit principale propositum per modum conclusionis, eo quod ex praemissis haberi potest, dicens: Quare manifestum est, quod necesse est aut esse simpliciter idem genus circa quod sumuntur principia et conclusiones, et sic non est descensus, neque transitus de genere in genus: aut si demonstratio debet descendere ab uno genere in aliud, oportet esse unum genus sic, idest quodammodo. Aliter enim impossibile est quod demonstretur aliqua conclusio ex aliquibus principiis, cum non sit idem genus, vel simpliciter, vel secundum quid. Sciendum est autem, quod simpliciter idem genus accipitur, quando ex parte subjecti non sumitur aliqua differentia determinans, quae sit extranea a natura illius generis. Ut si quis per principia verificata de triangulo procedat ad demonstrandum aliquid circa isochelem, vel aliquam subjectam speciem trianguli. Secundum quid autem est unum genus, quando assumitur circa subjectum aliqua differentia extranea a natura illius generis, sicut visuale est extraneum a genere lineae, et sonus a genere numeri. Numerus ergo simpliciter qui est genus subjectum arithmeticae, et numerus sonorus, qui est genus subjectum musicae, non sunt unum genus simpliciter. Similiter autem nec linea simpliciter quam considerat geometra, et linea visualis, quam considerat perspectivus. Unde patet, quod quando ea quae sint lineae simpliciter applicantur ad lineam visualem, fit quodammodo descensus in aliud genus; non autem quando ea quae sunt trianguli, applicantur ad isochelem.

Secundo ibi « ex eodem »

Ostendit propositum hoc modo. Oportet in demonstratione ejusdem generis esse media et extrema. Extrema autem in conclusione continentur. Nam major extremitas in conclusione est praedicatum, minor vero, subjectum. Medium vero in praemissis continetur: oportet igitur principia et conclusionem circa idem genus sumi. Cum autem superius dixe-

rimus, quod diversae scientiae sint circa diversa genera subjecta ex necessitate, sequitur quod ex unius scientiae principiis non concludatur aliquid in alia scientia, quae non sit sub ea posita. Quod autem in demonstratione oporteat media et extrema unius generis esse, sic probat. Detur enim quod medium sit alterius generis ab extremis, sicut si extrema sint triangulus, et habere tres aequales duobus rectis. Manifestum est quod passio conclusa de triangulo, per se inest ei, non autem per se inest aeneo. Et si e contrario passio per se, inest aeneo, puta sonorum esse, vel hujusmodi aliquid, palam est quod per accidens inest triangulo. Unde patet quod oportet omnino ut subjectum conclusionis et medium sint penitus alterius generis, quod passio, vel non per se insit medio, vel non per se insit subjecto; et ita oportet quod alteri eorum insit per accidens. Et si quidem insit medio per accidens, erit per accidens in praemissis: si autem subjecto, erit in conclusione, et hoc ex parte passionis. Sed utroque modo oportebit per accidens esse in praemissis, quantum ad hoc, quod subjectum accipitur sub medio; sicut si triangulus accipiatur sub aeneo, aut e converso. Ostensum est autem quod in demonstrationibus tam conclusio quam praemissae sunt per se, et non per accidens. Oportet ergo et in demonstrationibus medium et extrema ejusdem generis esse.

Deinde cum dicit « propter hoc »

Infert duas conclusiones ex praemissis. Quarum prima est, quod nulla scientia demonstrat aliquid de subjecto alterius scientiae, sive sint scientiae communiores, sive sint scientiae disparatae; sicut geometria non demonstrat quod contrariorum eadem est scientia. Contraria enim pertinent ad scientiam communem, scilicet ad philosophiam primam, vel dialecticam. Et similiter geometria non demonstrat quod duo cubi sunt unus cubus, idest quod ex ductu unius numeri cubi in alium numerum, surgat numerus cubus. Dicitur autem cubus numerus, qui surgit ex ductu unius numeri in seipsum bis, sicut octonarius est numerus cubus, surgit enim ex ductu binarii in seipsum bis. Bis enim duo bis sunt octo. Et eadem ratione viginti septem est numerus cubicus, et radix ejus est tria, quia ter tria ter faciunt viginti septem. Si ergo ducantur octo in viginti septem, consurgit numerus cubicus, idest ducenta et sexdecim, cujus radix est sex, quia sexies sex sexies, sunt 216. Hoc ergo habet probare arithmeticus, non geometra. Et similiter quod est unius scientiae non habet probare alia scientia, nisi forte una scientia sit sub alia, sicut se habet perspectiva ad geometriam, et consonantia, vel harmonica, idest musica ad arithmeticam.

Secunda conclusio ponitur ibi « neque si »

Et est quod scientia de proprio subjecto non probat quodlibet accidens, sed accidens suis generi. Sicut si aliquid inest lineis non secundum quod sunt lineae, neque secundum propria principia linearum, hoc non demonstrat geometra de lineis. Sicut quod recta linea sit pulcherrima omnium linearum, aut si linea recta est contraria circulari, vel non. Haec enim non sunt secundum proprium genus lineae, sed secundum aliquid communius. Pulchrum enim et contrarium, genus lineae transcendunt.

LECTIO XVI.

Demonstrationem non ex corruptibilibus esse, sed sempiternorum;
quod item eorum sit quae frequenter sunt, docet.

Manifestum est autem, et si sint propositiones universales ex quibus est syllogismus, quod necesse est conclusionem esse perpetuam hujusmodi demonstrationis, et simpliciter ut est dicere demonstrationis. Non est ergo demonstratio corruptibilium, nec scientia simpliciter, sed sic, sicut est secundum accidens.

Quod autem universaliter ipsius non est, sed aliquando sic. Cum autem sit, necesse alteram non universalem esse propositionem, et corruptibilem quidem, quare et conclusionem cum sit: non universalem autem, quando hoc quidem erit, hoc autem non erit, ex quibus est. Quare non est universalem syllogizare, sed quoniam nunc est.

Similiter se habet et de definitione: quoniam est quidem aut principium demonstrationis, aut demonstratio positione differens, aut conclusio quaedam demonstrationis.

Eorum autem quae saepe fiunt, demonstrationes sunt et scientiae, ut lunae defectus. Manifestum est quidem quod secundum quod hujusmodi sunt, semper sunt. Inquantum autem non semper, secundum partem sunt. Sicut autem defectus, similiter est in aliis.

Manifestum vero etiam est, si propositiones sint universales, ex quibus syllogismus [constat], quod necesse sit, etiam conclusionem [talis] demonstrationis esse aeternam, et illius quae simpliciter dicitur demonstrationis. Non est ergo demonstratio corruptibilium, neque scientia [eorumdem] simpliciter, sed hoc modo, ut secundum accidens; quod non sit illius [scientia aut demonstratio] universaliter, sed aliquando, et certa ratione. Quando vero talis fuerit [demonstratio], necesse est, alteram non esse universalem propositionem, et corruptibilem [de re corruptibili]. Corruptibilis quidem [erit altera propositio], quod et conclusio [sit de corruptibili], quum sit [altera praemissarum de re corruptibili]; quoniam autem hoc quidem [tempore], erit quod asseritur, hoc vero [tempore] non erit, non universalis est. Quare nec universaliter concludere licet, sed, quod nunc [tale sit].

Similiter vero etiam res se habet circa definitiones; siquidem est definitio aut principium demonstrationis, aut demonstratio dispositione [terminorum] differens, aut conclusio quaedam demonstrationis.

Eorum vero quae frequenter fiunt demonstrationes et scientiae, ut defectus lunae, manifestum est quod, quatenus tales sunt, semper sunt; quatenus vero non [sunt] semper particulares sunt. Quemadmodum vero de lunae defectu, ita etiam de aliis [judicandum est].

Postquam ex superioribus Philosophus concluserat, quod demonstratio non concludit ex extraneis principiis; nunc iterum ex superioribus intendit concludere, quod demonstratio non est ex corruptibilibus. Et circa hoc duo facit. Primo ostendit, quod sempiternorum, et non corruptibilium est demonstratio. Secundo ostendit, qualiter sit eorum quae sunt ut frequenter, ibi, « Eorum autem. » Circa primum duo facit. Primo ostendit, quod demonstratio non sit corruptibilium, sed sempiternorum. Secundo ostendit idem de definitione, ibi, « Similiter se habet. » Circa primum duo facit. Primo proponit conclusionem intentam. Secundo ponit rationem probantem ipsam, ibi, « Quod autem universaliter. » Primo ergo ponit duas conclusiones, quarum una sequitur ex altera. Prima est quod necesse est conclusionem demonstrationis hujus de qua nunc agitur, et quam possumus simpliciter dicere demonstrationem, esse perpetuam: quod quidem sequitur ex hoc quod supra habitum est, scilicet quod propositiones ex quibus fit syllogismus, debent esse universales, quod significavit per dici de omni. Secunda conclusio est quod neque demonstratio neque scientia est corruptibilium, loquendo simpliciter, sed solum secundum accidens.

Deinde cum dicit « quod autem »

Inducit rationem ad probandum propositas conclusiones; quae talis est. Conclusionis corruptibilis et non sempiternae, non est in se continere quod est in universaliter sed aliquando sic. Dictum: est enim supra, quod dici de omni, duo continet: scilicet quod non in quodam sic, et in quodam non; et iterum, quod non aliquando sic, et aliquando non.

In omnibus autem corruptibilibus invenitur aliquando sic, aliquando non. Unde patet quod in corruptibilibus non invenitur dici de omni, sive quod est universaliter. Sed ubi conclusio non est universalis, debet aliqua praemissarum esse non universalis. Conclusio ergo corruptibilis oportet quod sequatur de praemissis, quarum altera non sit universalis. Cum ergo huic conjunxerimus quod demonstratio semper debet esse simpliciter ex universalibus, sequitur, quod demonstratio non possit habere conclusionem corruptibilem, sed sempiternam.

Deinde, cum dicit « similiter se habet »

Ostendit, quod etiam definitio non est corruptibilium, sed sempiternorum, tali ratione. Demonstratio quantum ad principia et conclusiones est sempiternorum, et non corruptibilium: sed definitio, vel est principium, vel conclusio demonstrationis, vel demonstratio positione differens: ergo definitio non est corruptibilium, sed sempiternorum. Ad intelligentiam autem hujus literae, sciendum est, quod contingit dare definitiones diversas ejusdem rei, sumptas ex diversis causis. Causae autem adinvicem ordinem habent. Nam ex una sumitur ratio alterius. Ex forma enim sumitur ratio materiae. Talem enim oportet esse materiam, qualem forma requirit. Efficiens autem est ratio formae: quia enim agens agit simile sibi, oportet quod secundum modum agentis, sit etiam modus formae: quae ex actione consequitur. Ex fine autem sumitur ratio efficientis, nam omne agens agit propter finem: oportet ergo quod definitio, quae sumitur a fine, sit ratio et causa probativa aliarum definitionum, quae sumuntur ex aliis causis. Ponamus ergo duas definitiones domus, quarum una sumitur a causa materiali, quae est talis. Domus est cooperimentum, constitutum ex lapidibus, et caemento, et lignis. Alia sumitur a causa finali, quae talis est. Domus est operimentum prohibens nos a pluviis, frigore et calore. Potest ergo prima definitio demonstrari ex secunda, sic. Omne cooperimentum prohibens nos a pluviis et frigore et calore, oportet quod sit constitutum ex lignis, caemento, et lapidibus: domus est hujusmodi, ergo, etc. Patet ergo quod definitio quae sumitur a fine, est principium demonstrationis. Illa autem quae sumitur a materia, est conclusio demonstrationis. Potest tamen utraque conjungi, ut sit una definitio, hoc modo. Domus est cooperimentum constitutum ex dictis, defendens nos a pluvia, frigore et calore. Talis autem definitio continet totum quod est in demonstratione, scilicet medium et conclusionem. Et ideo talis definitio est demonstratio, positione differens; quia in hoc solo differt a demonstratione, quia non est ordinata in modo et figura. Sciendum est autem, quod quia demonstratio non est corruptibilium, sed sempiternorum, neque definitio, Plato fuit coactus ponere ideas. Cum enim ista sensibilia sint corruptibilia, videbatur quod eorum non possit esse demonstratio, neque definitio. Et ideo videbatur, quod oporteret ponere quasdam substantias incorruptibiles, de quibus demonstrationes et definitiones darentur. Et has sempiternas substantias, vocat species vel ideas. Sed huic opinioni occurrit Aristoteles superius dicens, quod demonstratio non est corruptibilium, nisi per accidens. Etsi enim ista sensibilia corruptibilia sint in particulari, tamen in universali quamdam sempiternitatem habent. Cum ergo demonstratio detur de istis sensibilibus in universali, non in particulari, sequitur quod demonstratio non sit corruptibilium nisi per accidens, sempiternorum autem per se.

Deinde, cum dicit « eorum autem »

Ostendit quomodo eorum quae sunt ut frequenter possit esse demonstratio; dicens, quod « eorum quae semper fiunt, sunt etiam demon- « strationes et scientiae; sicut de defectu lunae, qui « tamen non semper est. » Non enim semper luna deficit, sed aliquando. Haec autem quae sunt frequenter, secundum quod hujusmodi sunt, idest secundum quod de eis demonstrationes dantur, sunt semper; sed secundum quod non sunt semper, sunt particularia. De particularibus autem non potest esse demonstratio, ut ostensum est, sed solum de universalibus. Unde patet quod hujusmodi, secundum quod de eis est demonstratio, sunt semper. Et sicut est de defectu lunae, ita de omnibus aliis similibus. Consideranda tamen est differentia inter ea. Quaedam enim non sunt semper secundum tempus, sunt autem semper per comparationem ad causam; quia nunquam deficit, quin posita tali causa sequatur effectus, sicut de defectu lunae. Nunquam enim deficit, quin semper sit lunae eclypsis, quandocumque terra diametraliter interponitur inter solem et lunam. In quibusdam vero contingit quod non semper sunt, etiam per comparationem ad causam, quia videlicet causae impediri possunt. Non enim semper ex semine hominis generatur homo duas manus habens, sed quandoque fit defectus, ut propter impedimentum causae agentis vel materiae. In utrisque autem ordinandae sunt sic demonstrationes, ut ex universalibus propositionibus inferatur conclusio universalis, removendo illa in quibus potest esse defectus, vel ex parte temporis, vel ex parte causae.

LECTIO XVII.

Demonstrationem non procedere ex communibus docet; qualis item sit illa scientia, quae omnium scientiarum principia speculatur ostendit.

Quoniam autem manifestum est quod unumquodque demonstrare non est, sed aut ex unoquoque principiorum: si id, quod demonstratur sit secundum quod est illud, non est scire hoc quidem, si ex veris et indemonstrabilibus monstretur, et immediatis.

Est enim sic monstrare, sicut Brisso tetragonismum. Secundum commune enim demonstrantur rationes hujusmodi et quod alteri inest; unde et in aliis conveniunt hae rationes, non tantum proximis. Non itaque secundum quod illud esse scit, sed secundum accidens. Non enim convenit demonstrare et in aliud genus. Unumquodque autem secundum accidens est, cum secundum illud non cognoscimus, secundum quod est ex principiis illius, inquantum illud est, ut duobus rectis aequales habere, cui inest per se, quod dictum est, ex principiis ipsius. Quare si per se, et illud inest cui inest, necesse est medium in eadem proximitate esse.

Quoniam autem manifestum est quod unumquodque demonstrari non possit nisi ex suis principiis, si, quod demonstrandum est, insit, quatenus ipsum [est]; non possumus [sine his] id, [quod demonstratur], scire, etiamsi ex veris et indemonstrabilibus et immediatis sit demonstratum. Ita enim contingit demonstrare eo modo, quo Bryso [circuli] quadraturam.

Nam secundum commune demonstrant tales rationes, quod et alii [rei] inerit; quare etiam rationes ad alia quadrant non ejusdem generis. Quare [ex his] non scit [demonstrans], quatenus ipsum [demonstrandum] est, sed [scit] secundum accidens; non enim alias conveniret demonstratio etiam alteri generi.

Unumquodque autem scimus non secundum accidens, quando secundum illud cognoverimus, secundum quod inest, ex principiis illius, [cui inest], quatenus ipsum est; ut, to [triangulum tres angulos] habere duobus rectis aequales, [scimus, utpote] cui [triangulo] dictum inest per se, ex principiis illius [propriis]. Quare, si per se hoc inest [ei], cui inest, necesse est, medium in eodem genere esse.

Si vero non, sed sicut harmonica per arithmeticam, hujusmodi demonstrantur quidem similiter, sed differunt. Ipsum enim quia alterius quidem scientiae est, subjectum enim alterum genus est, sed propter quid superioris est; cujus per se passiones sunt. Quare ex his manifestum est quod non sit demonstrare unumquodque simpliciter, sed secundum quod ex uniuscujusque principiis est. Sed horum principia habent commune.

Si autem hoc, manifestum est quod non est uniuscujusque propria principia monstrare. Erunt enim illa omnium principia, et scientia illorum propria omnibus.

Et namque scivit magis intelligens ex superioribus causis. Ex prioribus enim scivit, cum non ex causalis sciat causas. Quare si magis scivit et maxime, et scientia illa erit et magis et maxime.

Sed demonstratio non convenit in aliud genus, sed aut sicut dictum est geometricae in mechanicas, vel machinativas aut speculativas, et arithmeticae in harmonicas.

Si vero non, at [certe ita erit], ut quemadmodum harmonica per arithmeticam [rationem probantur]; talia autem demonstrantur quidem similiter, differentia tamen quadam. Quod enim [res] sit, alterius [est] scientiae (nam subjectum genus aliud est;) at quare [res] sit, superioris est scientiae, cujus affectiones illae per se sunt. Quare etiam ex his manifestum est quod non possit unumquodque demonstrari simpliciter, nisi ex propriis principiis. At illorum principia commune quid habent aliis [rebus].

Si vero hoc manifestum est, etiam manifestum est quod uniuscujusque rei principia propria demonstrari non possint; erunt enim illa [prima principia] omnium principia; et scientia illorum omnium [aliarum scientiarum] domina. Nam scit magis, qui ex superioribus principiis [rem] scit; ex prioribus etenim scit, quando ex [primis et] non aliunde effectis scit causis. Quare, si magis scit, maxime quoque [scit]; et si scientia illa fuerit, magis quoque et maxime [erit scientia].

Demonstratio autem non quadrat ad aliud genus, nisi, ut dictum est, geometricae [demonstrationes] ad mechanicas [rationes] aut opticas, et arithmeticae [demonstrationes] ad [rationes] harmonicas.

Ostenderat supra Philosophus, quod demonstratio non est ex principiis extraneis; hic autem ostendit, quod non procedit ex communibus. Et circa hoc duo facit. Primo ostendit propositum. Secundo inducit quamdam conclusionem ex dictis, ibi, « Si autem hoc est. » Circa primum duo facit. Primo proponit intentum, dicens, quod quia manifestum est quod non contingit unumquodque per unumquodque demonstrare, sed oportet quod demonstratio fiat ex unoquoque principiorum, hoc modo, quod id quod demonstratur sit secundum quod est illud, idest oportet quod principia demonstrationis insint per se ei quod demonstratur; si inquam ita est, non sufficit ad hoc quod aliquid sciatur, quod demonstretur ex veris et immediatis; sed oportet quod ulterius demonstretur ex principiis propriis.

Secundo ibi « est enim »

Probat propositum; scilicet quod non sufficiat ex veris et immediatis aliquid demonstrare, quia sic contingeret aliquid demonstrare sicut Brisso monstravit tetragonismum idest quadraturam circuli, ostendens aliquod quadratum esse circulo aequale, per aliqua principia communia, hoc modo. In quocumque genere est invenire aliquid majus et minus alicui, in eodem est invenire et illi aequale. In genere autem quadratorum est invenire aliquod quadratum minus circulo, quod scilicet scribatur infra circulum; et aliquod majus circulo, intra quod circulus describitur: ergo est invenire aliquod quadratum circulo aequale. Haec quidem probatio est secundum commune; aequale enim et magis et minus, excedunt genus quadranguli et circuli. Unde patet quod hujusmodi rationes demonstrantur secundum aliquod commune, quia medium alteri inest quam ei quo fit demonstratio. Et ideo hujusmodi rationes conveniunt aliis, et non conveniunt istis de quibus dantur, tamquam proximis. Unde patet quod qui scit per hujusmodi rationes, non scit secundum illud quod est, idest per se, sed per accidens tantum. Si enim esset secundum se, non conveniret demonstratio in aliud genus. Unumquodque enim scimus secundum accidens, cum non cognoscimus illud secundum quod est ex principiis illius, idest secundum quod est ex principiis per se. Sicut habere tres angulos aequales duobus rectis inest triangulo per se, idest secundum quod est ex principiis illius, Quare si per se inesset medium

acceptum conclusioni, necesse esset in eadem proximate esse, idest proximum esse secundum genus conclusioni.

Tertio ibi « si vero »

Excludit quamdam dubitationem. Contingit enim aliquando medium demonstrationis non esse in eodem genere cum demonstratione. Quod qualiter contingat ostendit dicens: Si vero non sit medium in eadem proximate conclusionis, sed hoc modo sicut demonstratur aliquod in harmonica, idest in musica per arithmeticam, verum quidem est, quod hujusmodi etiam similiter demonstratur. Est enim demonstratio in inferiori scientia per principia superioris scientiae, ut ostensum est, sicut et in scientia superiori per principia superioris. Sed in hoc differt: quod alterius scientiae, scilicet inferioris, est tantum scire quia: genus enim subjectum inferioris scientiae est alterum a genere subjecto superioris scientiae, ex qua sumuntur principia. Sed scire propter quid est superioris scientiae, cujus per se sunt illae passiones. Cum enim passio insit subjecto propter medium, illa scientia considerabit propter quid, ad quam pertinet medium cujus per se est passio quae demonstratur. Si vero subjectum sit ad aliam scientiam pertinens, illius scientiae non erit propter quid, sed quia tantum. Nec tali subjecto per se conveniet passio demonstrata de ipso, sed per medium extraneum. Si vero medium et subjectum pertineat ad eamdem scientiam, tunc illius scientiae erit scire propter quid et quia. Remota autem dubitatione, ulterius conclusionem intentam principaliter inducit, dicens, quod ex praedictis patet, quod non est demonstrare unum quodque simpliciter; idest quocumque modo; sed secundum hoc, quod demonstratur ex propriis principiis uniuscujusque. Sed et principia per propria singularum scientiarum habent aliquod commune prius eis.

Deinde cum dicit « si autem »

Inducit quamdam conclusionem sequentem ex dictis. Et circa hoc tria facit. Primo inducit conclusionem, dicens, quod « si hoc verum est, » scilicet quod demonstrationes in singulis scientiis non fiunt ex communibus principiis, et iterum quod principia scientiarum habent aliquid prius se, quod est commune; manifestum est, quod non est uniuscujusque scientiae demonstrare principia sua propria. Illa enim priora principia, per quae possunt probari singularum scientiarum propria principia, unt communia principia omnium; et illa scientia quae consideravit hujusmodi principia communia, est propria omnibus, idest ita se habet ad ea quae sunt communia omnibus, sicut se habent aliae scientiae particulares ad ea quae sunt propria. Sicut sum subjectum arithmeticae sit numerus, ideo arithmetica considerat ea quae sunt propria numeri. Similiter prima Philosophia, quae considerat omnia principia, habet pro subjecto ens, quod est commune ad omnia; et ideo considerat ea quae sunt propria entis, quae sunt omnibus communia tamquam propria sibi.

Secundo cum dicit « et namque »

Ostendit praeeminentiam hujusmodi scientiae, quae considerat principia communia, scilicet primae Philosophiae, ad alias. Semper enim oportet illud per quod aliquid probatur, esse magis scitum vel notum. Qui enim scit aliquid ex superioribus causis, oportet quod sit magis intelligens illas causas, quia scivit ex superioribus simpliciter, cum non sciat ex causatis causas. Quando enim aliquid scit ex causatis causas, tunc non intelligit ex prioribus et ex magis notis simpliciter, sed ex magis notis et prioribus quo ad nos. Cum autem principia inferioris scientiae probantur ex principiis superioribus, non proceditur ex causatis in causas, sed e converso. Unde oportet quod talis processus sit ex prioribus, et ex magis notis simpliciter. Oportet ergo magis esse scitum quod est superioris scientiae, ex quo probatur quod est inferioris; et maxime esse scitum id quo omnia alia probantur, et ipsum non probatur ex aliquo priori. Et per consequens scientia superior erit magis scientia quam inferior: et scientia illa, scilicet Philosophia prima, erit maxime scientia.

Tertio ibi « sed demonstratio »

Redit ad principalem conclusionem; et dicit quod demonstratio non procedit in aliud genus nisi sicut dictum est, quod demonstratio geometriae procedit ad scientias inferiores sicut sunt artes mechanicae, quae utuntur mensuris, aut speculativae, sicut scientiae, quae sunt de visu, ut perspectivae, quae sunt de visuali. Similiter est arithmetica in comparatione ad harmonicam, idest musicam.

LECTIO XVIII.

Tractandum de principiis esse: quomodo item principia a non principiis et ab invicem distinguantur docet; quo pacto etiam communibus et propriis principiis utantur declarat.

ANTIQUA.

Difficile autem noscere est si scivit aut non. Difficile enim noscere est, si ex uniuscujusque principiis scimus, aut non; quod vere est scire. Ordinamur autem si habeamus ex veris aliquibus syllogismum et primis, scire. Sed hoc non est, sed proxima oportet esse primis.

Dico autem principia in unoquoque genere, quae cum sint, non contingit demonstrare.

Quid quidem igitur prima significent, et quae sunt ex his accipiendum est. Quod autem sint principia quidem necesse est accipere, alia vero demonstrare; ut quid unitas, et quid rectum, et quid est triangulus. Est autem unitatem accipere et magnitudinem, altera vero demonstrare.

Sunt autem quibus utimur in demonstrativis scientiis, alia quidem propria uniuscujusque scientiae, alia vero communia. Communia autem secundum analogiam, quoniam utile est in eo quod est sub scientia genere.

Propria principia quidem, ut lineam esse hujusmodi, et rectum; communia autem, ut ab aequalibus aequalia si auferas, aequalia quidem reliqua sunt.

Sufficiens autem est unumquodque istorum quantumcumque in genere est. Idem enim faciet Geometria, et si non ex omnibus accipiat, sed in magnitudinibus solum, Arithmetica item in numeris.

Sunt autem proprie quidem, et quae accipiuntur esse, circa quae scientia speculatur, quae sunt per se, ut Arithmetica unitates, Geometria autem signa et lineas. Hae enim accipiunt esse, et hoc esse. Horum autem passiones per se, quid quidem significet unaquaeque accipiunt, ut Arithmetica quidem quid par aut impar, aut quadrangulus, aut cubus. Geometria vero quid rationale, aut reflecti, aut curvare. Quod autem sint demonstrant per communia, et ex his quae demonstrantur per communia. Et Astrologia similiter. Omnis enim demonstrativa scientia circa tria est, et quaecumque esse ponuntur. Haec sunt autem, genus cujus per se pas-

RECENS.

Difficile vero est cognoscere, num [aliquis] sciat, necne. Difficile enim est cognoscere, num ex uniuscujusque principiis sciamus, an non; quale quid est *to* scire; arbitramur vero, si ex veris quibusdam et primis habemus syllogismum nos scire; hoc vero non est, sed oportet unius generis esse [principia, per quae scimus], primis.

Principia autem dico in unoquoque genere ea, de quibus quod sint, demonstrari nequit.

Quid ergo significent tum prima, tum quae ex primis [oriuntur, id] sumitur. Quod autem sint, principia nempe, [id] necesse est sumere; reliqua vero, demonstrare; ut, quid sit unitas, et quid rectum, et triangulus. Esse autem unitatem et magnitudinem, [id nos oportet] sumere; reliqua vero demonstrare.

Sunt autem [principia], quibus in scientiis demonstrativis utuntur, alia quidem uniuscujusque scientiae propria; alia vero communia; communia autem secundum analogiam; quoniam utile sane est, [accipere communia principia], quantum in eo, quod est sub scientia [aliqua] genere. Propria quidem ut, lineam esse ejusmodi, et [esse] *to* rectum. Communia vero, ut, aequalia ab aequalibus si quis auferat, quod quae remanent, aequalia [sint]. Sufficit autem unumquodque horum, quantum [est] in genere [subjecto]; idem enim efficiet, etiamsi non de omnibus sumpserit [geometria principium, ut de numeris, motu, tempore], sed de magnitudinibus tantum; arithmetico autem [sufficit principium] de numeris [sumptum].

Sunt autem propria quidem etiam, quae [ipsa] esse sumuntur, circa quae scientia considerat [affectiones] per se inhaerentes, ut, unitates arithmetica; at geometria puncta et lineas. Haec enim sumunt *to* esse, et tale quid esse. Horum autem affectiones per se, quid quidem unaquaeque significet, sumunt; ut, arithmetica, quid [sit] impar aut par aut quadratum aut cubus; geometria vero, quid [sit] non proportionale, aut quid *to* frangi, aut concurrere. Quod autem [aliquid] sit, probant et per communia, et per ea quae demonstrata sunt. Et astrologia similiter.

Omnis enim demonstrativa scientia circa tria versatur:

sionum speculativa est et quae communes dignitates dicuntur, ex quibus primis demonstrat, et tertium passiones, quorum quid significet unaquaeque accipit.

Quasdam tamen scientias nihil prohibet quaedam eorum despicere, ut genus non supponere esse, si sit manifestum quoniam est. Non enim similiter manifestum quod numerus sit, et quod calidum et frigidum. Et passiones non est recipere quid significant, si sint manifestae; sicut nec communia non recipit quid significent, quod est aequalia ab aequalibus demese, quoniam notum est. Sed nihilo minus tria haec necessaria sunt: circa quod demonstratur, et quae demonstrantur, et ex quibus.

quae quidem esse ponuntur, haec vero sunt genus [subjectum], cujus affectiones per se inhaerentes considerat; et communia, quae dicimus axiomata, e quibus primis demonstrant; et tertio loco [ipsae] affectiones quarum quid significat unaquaeque, [scientia] sumit.

Nonnullas sane scientias nihil impedit horum quaedam praetermittere; ut, si non ponatur, genus esse, si manifestum sit, quod [illud] sit; (neque enim similiter manifestum est quod numerus sit, et quod calidum sit et frigidum;) et si affectiones non sumatur quid significent, si manifestae fuerint; quemadmodum nec communia principia quid significent sumit [demonstrans, ut, quid sit], aequalia ab aequalibus auferre, quod notum id sit. At nihilo minus natura tria haec sunt, de quo demonstrat, et quae demonstrat, et quibus [demonstrat].

Postquam ostendit, quod demonstratio non procedit ex principiis communibus, sed ex propriis, hic ad evidentiam praemissorum, determinat de principiis propriis et communibus. Et circa hoc duo facit. Primo ostendit necessitatem hujusmodi determinationis, dicens, quod difficile est cognoscere, utrum sciamus ex propriis principiis, quod solum est vere scire, aut non ex propriis. Opinantur enim multi se scire, si habeant syllogismum ex aliquibus veris et primis. Sed hoc non est verum, immo oportet quod ad hoc quod nos sciamus quod principia sint proxima illis quae debent demonstrari, quae hic dicuntur prima, sicut et supra dicebantur extrema. Oportet proxima esse primis principiis indemonstrabilibus.

Secundo ibi « dico autem »

Determinat de principiis propriis et communibus. Et circa hoc duo facit. Primo enim determinat de principiis propriis et communibus. Secundo ostendit qualiter ad hujusmodi principia se habeant hujusmodi demonstrativae scientiae, ibi, « Non contingere autem. » Circa primum duo facit. Primo distinguit principia a non principiis. Secundo principia adinvicem, ibi, « Sunt autem quibus. » Circa primum duo facit. Primo ostendit quae sunt principia; et dicit, quod principia in unoquoque genere sunt illa, quae cum sint vera, tamen non convenit (1) ea demonstrare in illa scientia in qua sunt principia. Dicit autem « cum sint vera, » ad differentiam falsorum, quae non demonstrantur in aliqua scientia.

Secundo ibi « quid quidem »

Ostendit convenientiam et differentiam inter principia et non principia. Conveniunt enim principia cum non principiis in hoc, quod de utrisque oportet accipere, quasi supponendo quid significant, et prima, idest principia, et quae sunt ex his, idest quae ex principiis sumuntur; quia quidquid est, proprie pertinet ad scientiam quae est de substantia, scilicet ad Philosophiam primam, a qua omnes aliae hoc accipiunt. Sed in hoc differunt principia et quae sunt ex principiis, quia de principiis oportet accipere supponendo quod sunt. De aliis autem quae sunt ex principiis, oportet demonstrare quia sunt. Sicut in mathematicis accipitur supponendo, et quid est unitas, quae est principium, et quid est rectum, et quid est triangulus, quae non sunt principia, sed passiones; sed quod unitas sit, aut quod magnitudo sit, accipit mathematicus quasi principia, alia vero demonstrat, scilicet quae sunt ex principiis. Demonstrat enim triangulum aequilaterum, et angulum rectum, et etiam hanc lineam rectam esse.

Deinde, cum dicit « sunt autem »

(1) *Lege* contingit.

Distinguit principia adinvicem. Et primo principia propria a communibus. Secundo communia adinvicem, ibi, « Non est autem suppositio. » Prima dividitur in duas. Primo dividit principia propria et communia. Secundo manifestat quoddam, quod poterat esse dubium, ibi, « Quasdam tamen scientias. » Circa primum tria facit. Primo ponit divisionem, dicens quod « principiorum quibus utimur in demonstrativis scientiis, alia sunt propria uniuscujusque scientiae, alia vero communia. » Et quia posset videri contrarium ei quod supra ostensum est, quia scientiae demonstrativae non procedunt ex communibus: ideo subjungit quod « principia communia » accipiuntur in unaquaque scientia demonstrativa « secundum analogiam, » idest secundum quod sunt proportionata illi scientiae. Et hoc est quod subdit exponens, quod « utile est accipere, » hujusmodi principia in scientiis, inquantum pertinent ad genus subjecti quod continetur sub illa scientia.

Secundo ibi « propria principia »

Exemplificat de utrisque; dicens, quod propria principia sunt ut lineam esse hujusmodi, vel rectum. Tam enim subjecti quam passionis definitio in scientiis pro principio habetur. Communia vero principia sunt, ut si ab aequalibus aequalia demas quae remanent sunt aequalia, et aliae communes animi conceptiones.

Tertio ibi « sufficiens autem »

Ostendit quomodo praemissis principiis scientiae demonstrativae utantur. Et primo quidem de communibus dicit, quod « sufficiens est accipere » unumquodque istorum » communium, quantum pertinet ad genus subjectum de quo est scientia. Idem enim facit geometria, si non accipiat praemissum principium commune in sua communitate, sed solum in magnitudinibus, et arithmetica solum in numeris. Ita enim poterit concludere geometria si dicat, si ab aequalibus magnitudinibus aequales auferas magnitudines, quae remanent sunt aequales, sicut, si diceret, si ab aequalibus aequalia demas, quae remanent sunt aequalia. Et similiter dicendum est de numeris.

Secundo ibi « sunt autem »

Ostendit qualiter demonstrativae scientiae utantur propriis principiis: et dicit quod propria principia sunt quae supponuntur esse in scientiis, scilicet subjecta, circa quae scientia speculatur ea quae per se insunt eis. Sicut arithmetica considerat unitatem et geometra considerat signa, idest puncta et lineas. Praedicta enim supponunt esse, et hae esse; idest supponunt de eis, et quia sunt, et quid sunt. Sed de passionibus supponunt quid significet unaquaeque. Sicut arithmetica supponit quid e par et quid est impar, aut quid est numerus quadratus aut cubus. Et geometra supponit quid est rationale in lineis. Dicitur enim rationalis linea de qua possumus ratiocinari per lineam datam. Hujusmodi autem est omnis linea commensurabilis lineae datae: quae vero est incommensurabilis ei, vocatur irrationalis et surda. Similiter et geometria supponit, quid est reflexum aut curvum. Sed praedictae scientiae demonstrant de omnibus praedictis passionibus, quod sint, per principia communia; et haec ex illis principiis, quae demonstrantur ex principiis communibus. Et quod dictum est de geometria et arithmetica, intelligendum est de astrologia. Omnis enim scientia demonstrativa est circa tria. Quorum unum est genus subjectum, cujus per se passiones scrutantur. Et aliud est communes dignitates ex quibus sicut ex primis demonstrat. Tertium autem passiones, de quibus unaquaeque scientia accipit quid significet.

Deinde cum dicit « quasdam tamen »
Manifestat quoddam, de quo poterat esse du-

bium. Quia enim dicit, quod scientiae supponunt de principiis, quia sunt, de passionibus quid sunt, de subjectis autem utrumque; posset aliquis credere, quod oporteret specialem fieri mentionem de omnibus istis. Unde hoc removet, dicens, quod nihil prohibet quasdam scientias despicere quaedam praedictorum, idest non facere mentionem expressam de praemissis: sicut quando non facit mentionem de hoc quod supponat genus subjectum esse, si sit manifestum quod sit, quia non est similiter manifestum de omnibus, quod sint, sicut quod sit numerus, et quod sit calidum et frigidum, quorum unum est propinquum rationi, alterum sensui. Similiter, et quaedam scientiae de passionibus non supponunt quid significent, expressam mentionem de eis faciendo. Sicut etiam non oportet quod de communibus principiis semper scientiae faciant mentionem, quia nota sunt. Nihilominus tamen tria praedicta naturaliter sunt in scientia qualibet supponenda.

LECTIO XIX.

Quomodo communia principia ab invicem distinguantur, et quomodo definitio a suppositione separatur: quod non item propter demonstrationem necesse sit ideas ponere, demonstrat.

Non est autem suppositio, neque petitio, quod necesse est propter seipsum esse, et videri necesse est. Non enim ad exterius rationem est, sed ad eam quae est in anima, quoniam neque syllogismus. Semper enim est instare ad exterius rationem, sed ad interius rationem non semper.

Quaecumque igitur demonstrabilia accipit esse ipse non demonstrans, haec quidem probabilia si accipiat, discenti supponuntur; et non est simpliciter suppositio, sed ad illum solum: si vero neque unius opinionis, aut contrariae esse idem accipiat, idem petit. Et in hoc differunt suppositio et quaestio. Est enim quaestio in contrarium discentis opinioni. Aut quod si aliquis demonstrabile cum sit, accipiat, et utatur non demonstrans.

Termini igitur non sunt suppositiones, nihil enim esse aut non esse dicunt. Sed in propositionibus sunt suppositiones. Termini autem non, sed solum intelligere oportet. Haec autem non est suppositio, nisi et audire suppositionem aliquis esse dicat. Sed quorumcumque existentium in eo quod illa sunt sit conclusio.

Neque geometra falsa supponit, sicut quidam affirmant dicentes, quod non oportet falso uti geometram, mentiri autem dicentem unius pedis esse non unius pedis, aut rectam scriptam non rectam esse. Sed geometra nihil concludit secundum hanc lineam quam ipse posuit, sed quae per hanc ostenduntur.

Amplius petitio et suppositio omnis, aut sicut totum est, aut sicut in parte; termini autem neutri horum.

Species quidem igitur esse, aut unum aliquid extra multa non necesse est, si demonstratio erit. Esse tamen unum de multis verum dicere necesse est. Non enim erit universale nisi hoc sit. Si vero universale non sit, medium non erit, quare neque demonstratio. Oportet itaque aliquid ad unum et idem de pluribus esse non aequivoce in demonstratione

Non est autem suppositio, neque postulatum, quod necesse sit esse per se, et [quod ita] videri necesse sit. Nec enim ad externam orationem [pertinet] demonstratio, sed ad [internam] in animo [rationem]: quum nec syllogismus [ad externam potius orationem, quam ad internam rationem referatur]. Semper enim adversus orationem externam licet instantiam inferre; at adversus internam rationem non semper.

Quaecumque ergo, quum demonstrari possint, sumit [demonstrator] ipse non demonstrans; haec, si quidem, quae discenti videantur, sumat, supponit; nec est suppositio simpliciter, sed tantum respectu ad eum habito. Si vero, quum aut nulla insit [discenti] opinio, aut quum contraria insit, sumat [demonstrator]; idem illud [concedi] postulatur. Et hoc ipso differunt suppositio et postulatum; est enim postulatum, quidquid subcontrarium est opinioni discentis; aut quod quis, quum demonstrari possit, sumit, et eo utitur non demonstrans.

Definitiones ergo non sunt suppositiones; neque enim esse aut non esse dicuntur. At in propositionibus sunt suppositiones. Definitiones vero nos oportet tantum intelligere. Tale quid vero non est suppositio, nisi quis to audire etiam suppositionem dicat esse. Sed [est suppositio], quum quibuscumque positis, eo quod haec posita sint, sequatur conclusio.

Neque geometra falsa supponit, ut quidam affirmarunt, dicentes quod non oporteat nos falsis uti: geometra autem falsum dicat, quum affirmet, lineam longitudinem pedis aequare, quum non sit hujus longitudinis, aut rectam esse lineam scriptam, quum [ea] recta non sit. At geometra nihil concludit eo quod talis sit linea qualem ipse dixit, sed quod talia sint, quae per illa manifestantur.

Praeterea postulatum et suppositio omnis, aut ut totum, aut ut pars, sese habet; at definitio neutrum horum est.

Species igitur esse, aut unum quid [separatum] praeter singularia, non est necesse, si demonstratio erit. Unum autem ad singularia pertinere, verum est dicere necesse esse; non enim erit universale, nisi hoc sit; nisi vero universale sit, medium non erit; quare neque demonstratio. Oportet ergo unum quid et idem esse, quod de pluribus non aequivoce dicatur.

Postquam divisit Aristoteles principia communia a propriis, hic distinguit communia principia adinvicem. Et dividitur in tres partes. In prima ponit distinctionem principiorum communium adinvicem. In secunda ostendit differentiam definitionis a quodam genere principiorum communium, ibi, « Termini igitur non. » In tertia excludit quamdam errorem ibi, « Species quidem igitur. » Circa primum duo facit. Primo distinguit communes animi conceptiones a petitionibus sive suppositionibus. Secundo petitiones et suppositiones adinvicem, ibi « Quaecumque quidem igitur. » Circa primum considerandum est, quod communes animi conceptiones habent aliquid commune cum aliis principiis demonstrationis, et aliquid proprium. Commune quidem habent, quia necesse est, tam ista quam alia principia per se esse vera. Proprium autem est horum principiorum, quod non solum necesse est ea per se vera esse, sed etiam necesse est videri, quod sint per se vera. Nullus enim potest per se opinari contraria eorum. Dicit ergo quod illud principium, quod necesse est non solum per seipsum esse, sed etiam ulterius necesse est ipsum videri, scilicet communis animi conceptio, vel dignitas, non est neque petitio, neque suppositio. Quod sic probat. Petitio et suppositio exteriori ratione confirmari possunt, idest argumentatione aliqua: sed communis animi conceptio non est ad exterius rationem, quia non potest probari per aliquam argumentationem; sed est ad eam rationem, quae est in anima, quia lumine naturali intellectus statim fit nota. Et quod sit ad exterius rationem patet; quia non fit syllogismus per aliquid exterius ad probandas hujusmodi communes animi conceptiones. Et quod hujusmodi non sunt notae per exteriorem rationem, sed per interiorem, probat per hoc, quod exteriori ratione potest instari, vel vere vel apparenter; interiori autem ratione non est possibile semper instari. Et hoc ideo, quia nihil est adeo verum quin voce possit negari. Nam et hoc principium notissimum, quod non contingat idem esse et non esse, quidam ore negavere. Quaedam vero adeo vera sunt, quod eorum opposita intellectu capi non possunt; et ideo in interiori ratione eis obviari non potest, sed solum exteriori, quae est per vocem. Et hujusmodi sunt communes animi conceptiones.

Deinde cum dicit « quaecumque igitur »

Distinguit suppositiones abinvicem. Sciendum tamen est, quod aliquid commune habent, et etiam in aliquo differunt. Hoc quidem commune est eis, quod cum sint demonstrabilia, tamen demonstrator accipit ea non demonstrans; et praecipue, quia non sunt demonstrabilia per suam scientiam, sed per aliam, ut supra dictum est. Unde et inter immediata principia computantur, quia demonstrator utitur eis absque medio, eo quod medium non habeant in illa scientia. Differunt autem adinvicem: quia siquidem talis propositio sit probabilis addiscenti, cui fit demonstratio, dicitur suppositio. Et sic suppositio non dicitur simpliciter, sed ad aliquem. Si vero ille nec sit ejusdem opinionis, neque contrariae; oportet, quod demonstrator hoc ab

eo petat, et tunc dicitur petitio. Si autem sit contrariae opinionis, tunc erit quaestio, de qua oportet disputari inter eos. Hoc tamen omnibus commune est, quod unoquoque eorum utitur demonstrator, non demonstrans, cum sit demonstrabile.

Deinde cum dicit « termini igitur »

Distinguit definitionem a suppositionibus per duas rationes: quarum secunda incipit ibi, « Amplius « petitio. » Circa primum duo facit. Primo ponit rationem, quae talis est. Omnis petitio vel suppositio dicit aliquid esse vel non esse: termini autem, idest definitiones, non dicunt aliquid esse vel non esse; termini ergo non sunt petitiones neque suppositiones per se sumpti. Sed in propositionibus assumpti, suppositiones sunt; ut cum dicitur, Homo est animal rationale mortale. Sed terminos per se sumptos oportet solum intelligere. Intelligere autem non est supponere, sicut nec audire. Sed illa supponuntur quorumcumque existentium, idest ex quibuscumque existentibus fit conclusio, in eo quod illa sunt, idest propter praemissas.

Secundo ibi « neque geometra »

Excludit quamdam dubitationem. Dicebant enim quidam quod geometra falsa suppositione utebatur, cum diceret lineam esse unius pedis quae non est unius pedis, aut lineam descriptam in pulvere esse rectam, quae non est recta. Sed ipse dicit, quod geometra non supponit falsum propter hoc. Cum enim geometra nihil demonstret de particularibus, sed de universalibus, ut supra dictum est, hae aut lineae sunt quaedam particularia; manifestum est, quod de his lineis non demonstrat aliquid, neque est ex eis; sed utitur eis ut exemplis universalium, quae per exempla intelliguntur, de quibus et ex quibus demonstrat.

Deinde cum dicit « amplius petitio »

Ponit secundam rationem, quae talis est. Omnis suppositio vel petitio est in toto vel in parte, idest est propositio universalis vel particularis: sed definitiones neutrum horum sunt, quia in eis nihil ponitur sive praedicatur neque universaliter neque particulariter: ergo etc.

Deinde cum dicit « species quidem »

Ostendit ex praemissis, quod non est necessarium ponere ideas, ut Plato posuit. Ostensum est enim supra, quod demonstrationes de universalibus sunt, et hoc modo sunt de sempiternis. Non igitur necesse est, ad hoc quod demonstratio sit, species esse, idest ideas, aut quodcumque unum extra multa, sicut ponebant Platonici mathematica separata cum ideis, ut sic demonstrationes possint esse de sempiternis; sed necessarium est esse unum in multis et de multis, si demonstratio debet esse, quia non erit universale, nisi sit unum de multis. Et si non sit universale, non erit medium demonstrationis, ergo nec demonstratio. Et quod oporteat medium demonstrationis esse universale, patet per hoc, quod oportet medium demonstrationis esse unum et idem, de pluribus praedicatum non aequivoce, sed secundum rationem eamdem, quae est ratio universalis. Si autem aequivoce esset, posset accidere vitium in arguendo.

LECTIO XX.

Quomodo primis et communibus et propriis scientiae demonstrativae utantur.

ANTIQUA.

Non contingere autem simul affirmare et negare, neque una recipit demonstratio. Sed si indigeat monstrare conclusionem, sic ostenditur, quod accipientibus primum de melio quod verum sit affirmare, negare autem non verum. Medium autem nihil differt esse et non esse accipere, similiter autem et tertium. Si enim assignetur, de quo homine verum est dicere animal, quamvis non hominem verum, sed si solum hominem animal esse, omne non animal autem non, erit id verum dicere Calliam et non Calliam, non animal autem non. Causa autem est quod, primum non solum de medio dicitur, sed de alio, propter quod de pluribus. Quare si neque medium, et idem et non idem est ad conclusionem nihil differt.

Omne autem affirmare aut negare, quae est ad impossibile demonstratio accipit, et hoc neque semper universale, sed quantum sufficiens est. Sufficiens autem est in genere. Dico autem in genere, ut circa quod genus demonstrationes sunt, sicut dictum est prius.

Communicant autem scientiae omnes secundum communia. Communia autem dico quibus utuntur tamquam ex his demonstrantes, sed non de quibus demonstrant, neque quod demonstrant.

Sed dialectica de omnibus: et si aliqua universaliter tentet monstrare communia, ut quidem omne affirmare aut negare, aut quod est aequalia ab aequalibus, aut talium quaelibet. Sed dialectica non est sic definitorum quorumdam neque generis alicujus unius. Non enim interrogaret. Non est enim interrogare demonstrantem, propter id quod oppositorum esse non demonstrat idem. Ostensum autem est hoc in his quae de syllogismo.

RECENS.

To non contingere autem, ut simul [de eadem re] aliquid affirmetur et negetur, nulla sumit demonstratio, nisi si sit demonstranda etiam illo modo conclusio. Demonstratur autem [ita aliquid]. si sumamus quod primum medio inesse verum sit; si quis autem neget, non esse id verum. Nihil vero interest, medium sive quis sumat esse sive non esse. Similiter etiam tertium. Si enim datum fuerit, de quo verum sit praedicari hominem, etiamsi non [sit] verum, hominem [de eodem praedicari], at si solum hominem animal esse [sumatur], quod autem non sit animal, [id] non esse hominem; erit enim verum dicere, Calliam, etiamsi Callias non sit, nihilominus animal esse, non animal autem non esse. Causa vero est, quod primum non tantum de medio dicitur, sed etiam de alio, quia pluribus commune est. Quare nec, si medium et idem est et non idem, ratione conclusionis, [id] aliquid interest.

De quolibet autem veram esse affirmationem aut negationem, demonstratio ad impossibile sumit.

Et haec non semper universaliter [sumit eadem], sed quatenus [ad praesentem quaestionem] sufficit. Sufficit autem, quantum ad [subjectum] genus. Dico autem ad [subjectum] genus, ut de quo genere demonstrationes affert [demonstrans], ut dictum est antea.

Communicant vero omnes scientiae mutuo secundum communia [principia]. Communia autem dico, quibus utuntur tamquam ex his demonstrantes; at non dico [communia principia ea], de quibus demonstrant, nec [id] quod demonstrant.

Et Dialectica cum omnibus [scientiis communicat].

Et, si quis universaliter tentet demonstrare communia; ut, de quolibet veram esse affirmationem aut negationem, aut quod aequalia ab aequalibus [ablata, ea, quae remanent, relinquant aequalia], aut talium quaedam.

Dialectica vero non est ita definitorum quorumdam, nec unius alicujus generis. Nec enim interrogaret. Nam demonstranti non licet interrogare, quia ex oppositis non probatur idem. Demonstratum vero hoc est in iis quae de syllogismo [dicta sunt].

Postquam determinavit Philosophus de principiis propriis et communibus, hic ostendit qualiter demonstrativae scientiae se habeant ad communia et propria. Et dividitur in duas partes. In prima ostenditur qualiter se habeant demonstrativae scientiae circa communia. In secunda ostendit qualiter se habeant circa propria, ibi, « Si autem idem est « interrogatio. » Circa primum duo facit. Primo ostendit qualiter demonstrativae scientiae circa prima principia inter communia se habeant. Secundo quomodo se habeant communiter circa omnia principia communia, ibi, « Communicant autem omnes scien- « tiae. » Circa primum duo facit. Quia primo ostendit qualiter se habeant demonstrativae scientiae circa hoc principium, quod non contingit idem simul affirmare vel negare. Secundo quomodo se habeant circa istud principium, De quolibet est affirmatio vel negatio vera, ibi, « Omne autem « affirmare. » Haec enim duo principia omnium sunt prima, ut probatur in 4 Metaph. Dicit ergo primo, quod nulla demonstratio accipit hoc principium, quod non contingit simul affirmare et negare. Si enim aliqua demonstratio eo uteretur ad ostendendum aliquam conclusionem, oportet quod sic couteretur, quod acciperet primum, idest majorem

extremitatem, affirmari de medio, et non negari. Quia si acciperet affirmationem et negationem ex parte medii, nihil differt utrum sic vel sic esset: et eadem ratio est de tertio, idest de minori extremitate per comparationem ad medium. Verbi gratia, sit Animal primum, Homo medium, et Callias tertium. Si quis vellet uti praedicto principio in demonstratione, oporteret sic arguere: Omnis homo est animal, et non est non animal: Callias est homo: ergo Callias est animal, et non est non animal. Cum enim dicat, omnis homo est animal, nihil differt, utrum etiam haec sit vera, non homo est animal, vel non sit vera. Et similiter in conclusione, non differt ex quo Callias est animal, utrum non Callias sit animal, vel non animal. Et hujus causa est, quia primum non oportet dici de solo medio; sed potest dici etiam de aliquo quodam, quod est diversum a medio quod significatur per negationem medii, propter hoc quod primum dicitur de pluribus quandoque quam medium, sicut animal de pluribus quam homo. Unde dicitur de equo qui est non homo. Unde si accipiatur medium idem et non idem, idest si accipiatur medium affirmativum et negativum, ut cum dico, homo et non homo est animal, nihil facit ad conclusionem. Cum autem accipitur affirmatio et negatio ex parte majoris extremitatis, differt quidem, quantum ad conclusionem, et etiam quantum ad veritatem praemissarum. Si enim homo esset non animal, non esset verum quod homo est animal; neque sequeretur, quod Callias esset animal. Tamen nihil plus certificatur, cum dicitur, homo est animal, et homo non est non animal, quam cum dicitur solum, homo est animal. Idem enim intelligitur per utrumque. Et sic manifestum est, quod demonstrationes non utuntur hoc principio, scilicet quod affirmatio et negatio non sint simul vera, neque ex parte praedicati, neque ex parte subjecti.

Deinde cum dicit « omne autem »

Ostendit quomodo demonstrativae scientiae utantur hoc principio. De quolibet est affirmatio vel negatio vera. Et dicit quod hoc principium accipit demonstratio, quae est ad impossibile. In hac enim demonstratione probatur aliquid esse verum, per hoc quod ejus oppositum est falsum. Quod nequaquam contingeret si possibile esset quod utrumque oppositorum esset falsum. Non tamen semper utitur praedicta demonstratio hoc principio; quia quandoque illud oppositum quod ostenditur esse falsum, non est negatio, sed contrarium immediatum. Sicut si ostenderetur aliquem numerum esse parem per hoc quod ejus oppositum falsum est, scilicet ipsum esse imparem ducendo ad impossibile. Neque utitur etiam hoc principio universaliter, idest in sua universalitate, sub his terminis Ens et Non ens, sed inquantum est sufficiens in genere aliquo, vel inquantum contrahitur ad genus subjectum. Et dico de illo primo genere, circa quod sunt demonstrationes. Sicut si in geometria accipiatur rectum et non rectum: ut cum ostenditur aliqua linea esse recta, propter hoc quod est falsum eam esse non rectam, deducendo ad impossibile.

Deinde cum dicit « communicant autem »

Ostendit quomodo demonstrativae scientiae se habeant communiter ad alia principia communia. Et circa hoc duo facit. Primo dicit quod omnes scientiae in principiis communibus communicant hoc modo, quod omnes utuntur eis sicut ex quibus demonstrant, quod est uti eis ut principiis. Sed non utuntur eis ut de quibus aliquid demonstrant, ut de subjectis, neque sicut quod demonstrant, idest conclusionibus.

Secundo ibi « sed dialectica »

Ostendit quod quaedam scientiae utuntur principiis communibus alio modo quam dictum est. Dialectica enim est de communibus, et aliqua alia scientia est de communibus sicut Philosophia prima, cujus subjectum est ens, et considerat quae consequuntur ens, ut proprias passiones entis. Sciendum tamen, quod alia ratione est de communibus Logica et Philosophia prima. Philosophia enim prima est de communibus, quia ejus consideratio est circa ipsas res communes, scilicet circa ens et partes ejus. Et quia circa omnia quae sunt habet negotiari ratio, Logica autem est de operationibus rationalis: Logica etiam erit de his, quae ad omnes res se habent. Non autem ita quod ipsa Logica sit de ipsis rebus communibus, sicut de subjectis. Considerat enim Logica sicut subjectum syllogismum et enunciationem et praedicatum, aut aliquid hujusmodi. Pars autem Logicae, quae demonstrativa est, etsi circa omnes intentiones versetur, docendo quomodo fiunt demonstrativae scientiae, non tamen procedendo ex communibus intentionibus ad aliquid ostendendum de rebus, quae sunt subjecta aliarum scientiarum. Sed hoc dialectica facit, quia ex communibus intentionibus probat arguendo ad ea quae sunt aliarum scientiarum, sive sint propria sive sint communia; maxime tamen ad communia. Sicut argumentatur, quod odium est in concupiscibili, in qua est amor, ex hoc quod contraria sunt circa idem. Est ergo dialectica de communibus, non solum quia pertractat intentiones communes rationis, quod toti Logicae est commune, sed etiam quia circa communia rerum argumentatur. Quaecumque autem scientia argumentatur circa communia rerum, oportet quod argumentetur circa principia communia, quia veritas principiorum communium est manifesta ex cognitione terminorum communium, ut entis, et non entis, totius et partis, et similium. Dicit autem signanter, « et si aliqua scientia tentet, » quia Philosophia prima non demonstrat principia communia, sunt enim indemonstrabilia simpliciter, sed aliqui errantes tentaverunt ea demonstrare, ut patet in 5 Metaphysicae. Vel etiam quia etsi non possunt demonstrari simpliciter, tunc philosophus primus tentat monstrare eo modo quo est possibile, scilicet contradicendo negantibus ea, per ea quae oportet ab eis concedi, non per ea quae sunt magis nota. Sciendum est etiam, quod primus philosophus hoc modo non solum demonstrat ea, sed etiam aliquid de eis monstrat, sicut de subjectis; sicut quod impossibile est mente concipere opposita eorum, ut patet in 4 Metaphysicae. Cum ergo disputet circa haec principia et philosophus primus et dialecticus, tamen aliter et aliter. Dialecticus enim non procedit ex aliquibus principiis demonstrativis, neque assumit alteram partem contradictionis tantum, sed se habet ad utramque. Contingit enim utramque vel probabilem esse, vel ex probabilibus ostendi, quae accipit dialecticus, et propter hoc interrogat. Demonstrator autem non interrogat, quia non se habet ad opposita. Et haec est differentia utriusque, quae posita est in his quae de syllogismo sunt, scilicet in libro Priorum in principio. Philosophia ergo prima procedit circa communia per modum demonstrationis, et non per modum dialecticae disputationis.

LECTIO XXI.

In omnibus demonstrativis scientiis proprias interrogationes, responsiones et disputationes esse,
quibus ut propriis principiis utantur, ostendit.

Si autem idem est interrogatio syllogistica et propositio contradictionis, propositiones autem sunt secundum unamquamque scientiam, ex quibus est syllogismus, secundum unamquamque utique erit interrogatio scibilis, ex quibus quidem secundum unamquamque scientiam proprius sit syllogismus. Manifestum itaque quod non omnis interrogatio geometrica utique erit, neque medicinalis. Similiter autem est et in aliis.

Sed ex quibus, aut demonstratur aliquid eorum de quibus Geometria est, aut ex eisdem demonstratur geometrice, sicut in speculativa. Similiter autem et in aliis.

De his quidem rationem ponendam esse geometricis principiis et conclusionibus, sed principiorum rationem non ponendam esse geometrae secundum quod est geometra. Similiter autem et in aliis scientiis.

Neque omnem interrogationem utique est unumquemque scientem interrogare, neque secundum omne interrogatum respondere de unoquoque, sed quae sunt secundum scientiam determinatam. Si autem disputat cum geometra, secundum quod est geometra, sic manifestum est quoniam bene, si ex his aliquid demonstraret. Si vero non, non bene. Manifestum est autem quod non arguit geometram, sed aut secundum accidens. Quare non utique erit in non geometricis de geometria disputandum, latebit enim prave disputantem. Similiter autem in aliis se habet scientiis.

Si vero idem est interrogatio syllogistica, et propositio contradictionis; propositiones autem secundum unamquamque scientiam sunt, e quibus in unaquaque [scientia] syllogismus [constat]: fuerit sane etiam quaestio quaedam ad scientiam pertinens, ut adeo ex his [quaestionibus] proprius circa unamquamque [scientiam] fiat syllogismus.

Manifestum igitur est, quod non omnis interrogatio geometrica sit, aut medica. Similiter vero etiam in ceteris [res se habet]. Verum, e quibusnam aut demonstratur aliquid, circa quae geometria versatur? aut quaenam ex iisdem cum geometria demonstrantur, ut optica? [hoc quaeritur]. Similiter vero etiam in ceteris.

Et ad has quidem respondendum est e geometricis principiis et conclusionibus; de principiis autem disceptatio non subeunda est geometrae, quatenus geometra est. Similiter vero etiam de ceteris scientiis [est judicandum].

Non ergo quamlibet quaestionem proponere cuivis scienti debemus, nec ad omnem quaestionem de quocumque respondendum est; sed ad ea quae secundum scientiam [alicujus] definita sunt.

Si vero quis cum geometra disputaverit, quatenus geometra est; sic et manifestum fit, eum recte [disputare], si quid ex his demonstret; si vero non, non recte [cum geometra disputabit].

Manifestum vero est quod nec redarguat geometram, nisi per accidens.

Quare non potuerit quispiam in rebus ad geometriam non pertinentibus de geometria disputare. Latebit enim male disputans. Similiter vero etiam in ceteris scientiis.

Postquam ostendit Philosophus qualiter scientiae demonstrativae se habeant circa principia communia, hic ostendit qualiter se habeant circa propria. Et dividitur in duas partes. In prima ostendit, quod in qualibet scientia sunt propriae interrogationes, responsiones et disputationes. In secunda ostendit quomodo in qualibet scientia sunt propriae deceptiones, ibi, « Quoniam autem sunt geometricae. » Circa primum duo facit. Primo ostendit quod in qualibet scientia sunt interrogationes propriae. In secunda, quod in qualibet scientia sunt responsiones propriae et disputationes, ibi, « Neque omnem « interrogationem utique. » Circa primum duo facit. Primo ostendit, quod in qualibet scientia sunt interrogationes propriae. Secundo quae sunt istae, ibi, « Sed ex quibus aut demonstratur. » Primum sic ostendit. Idem est secundum substantiam interrogatio syllogistica et propositio. Propositio autem accipit alteram partem contradictionis, licet in modo proferendi differant. Hoc enim quod ad interrogationem respondetur, assumitur ut propositio in syllogismo aliquo. In unaquaque autem scientia sunt propriae propositiones ex quibus fit syllogismus. Ostensum est enim quod quaelibet scientia ex principiis procedit. Ergo in qualibet scientia, sunt propriae interrogationes. Non ergo quaelibet interrogatio est geometrica vel medicinalis, sic de aliis scientiis. Sciendum tamen est quod interrogatio aliter est in scientiis demonstrativis, et aliter est

in dialectica. In dialectica enim non solum interrogatur de conclusione, sed etiam de praemissis, sed sumit quasi per se notas, vel per alia principia probat. Sed interrogat solum de conclusione. Et cum eam demonstraverit, utitur ea, sicut alia propositione, ad demonstrandum aliquam aliam conclusionem.

Deinde cum dicit « sed ex quibus »

Primo ostendit quae interrogationes sunt propriae unicuique scientiae. Et primo inquantum assumuntur ut propositiones, ex quibus demonstrator procedit. Secundo inquantum sumuntur ut conclusiones, ibi, « Et de his quidem. » Dicit ergo primo, quod interrogationes geometricae sunt ex quibus demonstratur aliquid circa illa de quibus est geometria, aut illa quae demonstrantur ex principiis geometriae ejusdem. Sicut illa ex quibus demonstratur aliquid in speculativa scientia, idest perspectiva, quae procedit ex principiis geometriae. Et quod dictum est de geometria, intelligendum est de aliis scientiis; quia scilicet propositio vel interrogatio dicitur proprie alicujus scientiae, ex qua demonstratur in ipsa scientia, vel in scientia subalterna.

Deinde cum dicit « de his quidem »

Notificat geometricam interrogationem, prout est conclusio. Et dicit, quod de interrogationibus geometricis ponenda est ratio, demonstrando scilicet veritatem ipsarum ex principiis geometricis, et conclusionibus quae per ipsa principia demonstrantur.

Non enim cujuslibet demonstrationis geometricae ratio redditur ex primis geometriae principiis, sed interdum ex his quae per prima principia sunt conclusa: interrogationum autem, quae semper sunt conclusiones in demonstrativis scientiis, ratio reddi potest in eisdem; sed principiorum ratio non potest reddi a geometra, secundum quod geometra est. Et similiter in aliis scientiis est. Nulla enim scientia probat sua prima principia, secundum quod ostensum est supra. Et dicit secundum quod geometra est; quia contingit in aliqua scientia probari principia illius scientiae, inquantum scilicet illa scientia assumit principia alterius scientiae, sicut geometra probat sua principia secundum quod assumit formam Philosophi primi, primo Metaphysicae.

Deinde cum dicit « neque omnem »

Ostendit, quod in qualibet scientia sunt propriae responsiones et disputationes. Et primo quod sint propriae responsiones. Secundo quod sint propriae disputationes, ibi, « Si autem disputat. » Dicit ergo, quod ex praedictis patet, quod « non contingit unumquemque scientem de qualibet quae-

« stione interrogare. » Unde etiam patet, quod non contingit de quolibet interrogato respondere, sed solum de his, quae sunt secundum propriam scientiam, eo quod ad eamdem scientiam pertinet interrogatio et responsio. Et quia ex interrogatione et responsione fit disputatio, consequenter ostendit, quod in qualibet scientia est prima disputatio; dicens, quod si disputet geometra cum geometra secundum quod geometra, idest de his quae ad geometriam pertinent, manifestum est, quod bene procedit disputatio: si tamen non solum fiat disputatio de eo quod est geometriae, sed etiam ex principiis geometricis procedatur. Si vero non sic fiat disputatio in geometria, non bene disputatur. Si vero aliquis disputet cum geometra non de geometricis, manifestum est quod non arguit, idest quod non convincit, nisi per accidens; puta si sit disputatio in musica, et contingat geometram per accidens esse musicum. Unde manifestum est, quod non est in non geometricis de geometria disputandum, quia non poterit judicari per principia illius scientiae, utrum bene vel male disputetur: et similiter se habet in aliis scientiis.

LECTIO XXII.

Et in demonstrativis scientiis nonnunquam interrogationes fiunt non propriae et falsae, non propterea aliquis committitur in illis paralogismus.

Quoniam autem sunt geometricae interrogationes, nonne sunt et non geometricae? et secundum unamquamque scientiam, quae secundum ignorantiam quamlibet geometricae sunt. Et utrum secundum ignorantiam syllogismus sit, qui est ex oppositis syllogismus, aut paralogismus.

Secundum Geometriam autem, aut quae ex alia arte, ut musica est interrogatio non geometrica.

De geometria autem parallelas subire opinari geometrica quodammodo est, et non geometrica alio modo. Dupliciter enim hoc est sicut arithmon, idest quod est sine rithmo. Altera quidem non geometrica est in non habendo, sicut arithmon, altera vero prave habendo. Et ignorantia haec quae est ex hujusmodi principiis contraria est.

In doctrinis autem similiter non est paralogismus, eo quod medium sit semper dupliciter, et de hoc enim omni, et hoc iterum de alio dicitur omni. Quod autem praedicatur non dicitur omne. Haec autem sunt ut videre est in intellectu. Sed in rationibus latet, utrum omnis circulus figura sit. Si autem scribatur manifestum est. Quod autem sunt carmina circulus, manifestum quoniam non est.

Non oportet autem instantiam in ipsum ferre, si sit propositio inductiva. Sicut enim neque propositio est, quae non est in pluribus (non enim ita erit in omnibus) ex universalibus autem est syllogismus, manifestum est quod neque instantia est. Eaedem enim sunt propositiones et instantiae. Quam enim fert instantiam, haec fiet utique propositio, aut demonstrativa, aut dialectica.

Contingit autem quosdam non syllogistice dicere propter id, quod accipiunt utrisque inhaerentia, ut et Caeneus facit quod ignis in multiplicata analogia sit. Namque ignis cito generatur, sicut dicit, et hoc analogia.

Quoniam vero quaestiones sunt geometricae, suntne etiam [aliae], quae geometricae non sint? et secundum unamquamque scientiam illae [quaestiones], quae ex ignorantiam fiunt, ex qualinam [ignorantia factae] sunt geometricae, aut non ad geometriam pertinentes? et num qui est ex ignorantia syllogismus, ex oppositis est syllogismus, an vero paralogismus, secundum geometriam autem?

Aut ex alia scientia ? ut quaestio musica, est quaestio non ad geometriam pertinens [de geometria]: at si quis arbitretur, parallelas coincidere, quodammodo geometrica [quaestio] est; et alio respectu non ad geometriam pertinens; duplex enim hoc est, ut dissonum; et alterum quidem alienum a geometria censetur, quia non se habet [geometricum] velut dissonum; alterum vero, quod falsum est; et ignorantia haec quae ex talibus principiis contraria est.

In mathematicis autem non est similiter paralogismus, quoniam medium semper duplex est; nam de hoc quidem [ipso medio] omni [dicitur aliud], et hoc [medium] iterum de omni alio dicitur. Quod autem praedicatur, non dicitur universale. Haec autem [in mathematicis] licet intueri mente. In orationibus vero latet, [velut], an omnis circulus sit figura? Si vero delineaverit [aliquis circulum], manifestum est. Quid vero? anne carmina circulus sunt ? Manifestum est quod non sint.

Non oportet autem nos instantiam adversus id ipsum inferre, si sit propositio inductionis [particularis]. Nam quemadmodum neque propositio est, quae non est de pluribus: (non enim erit de omnibus; ex universalibus autem fit syllogismus); manifestum est quod neque instantia [possit inferri contra propositionem particularem]; nam eaedem sunt propositiones et instantiae; quam enim infert [aliquis] instantiam, haec etiam propositio fieri possit seu demonstrativa, seu dialectica.

Accidit autem, quosdam vitiosa consequentia colligere, quod sumant [loco medii talia], quae ad utrumque sequantur. Velut quod etiam Caeneus facit, [quum probat] ignem esse [quoad reliqua elementa] in multiplici proportione, ignis

Aliquando quidem igitur syllogizare non ccontingit ex acceptis, aliquando vero contingit, sed non videtur.

Si autem esset impossibile ex falso verum monstrare, utique facile esset resolvere. Converterentur enim ex necessitate. Sit enim A esse. Hoc autem cum sit, et ea utique sunt, quae novi, quoniam sunt, ut B, ex his demonstrabo quod illud est.

Convertuntur autem magis, quae sunt in mathematicis quoniam nullum accidens recipiunt, sed definitiones, sed et hoc differunt ab his, quae sunt in dialogis.

Augentur autem non per media, sed in post assumendo ut A de B, hoc autem de C, iterum hoc de D, et hoc in infinitum. Et in latus, ut A, de C, et de E, ut est numerus quantus finitus, aut infinitus. Hoc autem in quo sit A, impar numerus quantus in quo B, numerus impar in quo sit C. Est itaque A, de C, et est par quantus numerus, in quo sit D, par numerus in quo est C. Est ergo A, de E.

enim cito generatur, ut dicit, et haec est proportio illa. Hoc autem modo non fit syllogismus; at si velocissimam proportionem sequatur multiplex [proportio], et ignem celerrima in motu proportio [sequetur]. Aliquando igitur non potest bona consequentia colligi ex iis quae sumpta sunt; aliquando vero potest, sed non apparet [consequentiae veritas].

Si vero erat impossibile ex falsis verum demonstrare, facilis tamen erat resolutio. Convertebantur enim [termini] ex necessitate. Sit enim A ens; hoc vero quum sit, illa sunt quae scio esse, ut to B. Ex his igitur demonstrabo quod illud sit. Convertuntur autem magis ea quae sunt in mathematicis, quia nullum sumunt accidens, (sed et hoc ipso differunt a dialecticis rationibus), verum [sumunt mathematicae scientiae] definitiones.

Augentur autem [demonstrationes] non per media, sed assumendo. Ut si to A dicitur de B, hoc vero de C, iterum hoc de D, et sic in infinitum.

Et ad latus [augentur demonstrationes]; ut, si to A dicitur de C, et de E; velut, est numerus quantus, aut etiam infinitus, id sit loco A; numerus impar quantus, loco B; numerus impar loco C. Est ergo [verum] A de C. Et est etiam par quantus numerus [assumendo ad latus], loco D; numerus par loco E; est ergo verum [per assumptionem ad latus] A de E.

Postquam ostendit Philosophus, quod in qualibet scientia sunt propriae interrogationes, responsiones et disputationes, hic ostendit quod in qualibet scientia sunt propriae deceptiones et ignorantiae. Et dividitur in duas partes. In prima movet quasdam quaestiones. In secunda solvit, ibi, « Secundum geometriam vero. » Ponit ergo primo tres quaestiones, quarum prima est. Cum sint quaedam interrogationes geometricae, ut supra ostensum est, nonne sunt etiam quaedam non geometricae? Et quod de geometria dicitur, potest etiam de qualibet scientia quaeri. Secundam quaestionem ponit, ibi, « Et secundum unamquamque, » quae talis est. Utrum interrogationes quae sunt secundum ignorantiam quae est in unaquaque scientia, possint dici geometricae, et similiter alicui scientiae, aliis propriae? Dicuntur autem interrogationes secundum ignorantiam alicujus scientiae, quando de his interrogatur quae sunt contra veritatem scientiae illius. Tertiam quaestionem ponit, ibi, « Et utrum secundum ignorantiam »: quae talis est. In unaquaque scientia contingit decipi per aliquem syllogismum quem vocat secundum ignorantiam. Contingit autem per aliquem syllogismum deceptionem accidere dupliciter. Uno quidem modo, quando peccat in forma non servando debitam formam syllogismi et modum. Alio modo, quando peccat in materia, procedens ex falsis. Et est differentia inter hos modos duos: quia ille qui peccat in materia, syllogismus est, cum observentur omnia quae ad formam syllogismi pertinent. Ille autem qui peccat in forma, syllogismus quidem non est, sed paralogismus, idest apparens syllogismus. In dialecticis quidem utroque modo contingit fieri deceptionem. Unde in primo Topic. Aristoteles facit mentionem de litigioso, qui est syllogismus, et de peccante in forma qui non est syllogismus, sed apparens. Est ergo quaestio, utrum syllogismus ignorantiae, qui fit in scientiis demonstrativis sit syllogismus ex oppositis, idest ex falsis procedens, aut paralogismus, scilicet peccans in forma, qui non est syllogismus, sed apparens.

Deinde cum dicit « secundum geometriam »

Solvit predictas quaestiones. Et primo solvit primam. Secundo secundam, ibi, « De geometria autem. » Tertio tertiam, ibi, « In doctrinis autem. » Dicit ergo primo, quod interrogatio omnino non

geometrica est illa, quae omnino fit ex alia arte, sicut ex musica. Ut si quaeratur in geometria, utrum tonus possit dividi in duos semitonos aequales, talis interrogatio est omnino non geometrica, quia est ex his quae nullo modo ad geometriam pertinent.

Deinde cum dicit « de geometria »

Solvit secundam quaestionem, dicens, quod « est « interrogatio de geometria, » idest de his quae pertinent ad geometriam, ut cum interrogatur de aliquo aliquis, quod est contra veritatem geometriae. Sicut si fiat quaestio de hoc quod est « parallelas « subire, » idest lineas aeque distantes concurrere, est quodammodo geometrica, et quodammodo non geometrica. Sicut enim arithmon, idest quod est sine rithmo, vel sono dupliciter dicitur: uno quidem modo, quod nullo modo habet sonum, ut lana; alio autem modo quod non habet bene sonum, sicut campana non bene sonans; ita interrogatio non geometrica dicitur dupliciter. Uno modo, quia est omnino non geometrica, quasi nihil habens geometriae, sicut quaestio de musica proposita. Alio modo, quia prave habet id quod est geometriae, quia videlicet habet contrarium geometricae veritati. Ita ergo interrogatio quae est de concursu linearum aeque distantium non est non geometrica primo modo, cum desit rebus geometricis; sed secundo modo, quia prave habet id quod est geometriae. Et ignorantia haec, scilicet quae est in prave utendo principiis geometriae, est contra veritatem geometriae.

Deinde cum dicit « in doctrinis »

Solvit tertiam quaestionem. Et circa hoc duo facit. Primo ostendit, quod in demonstrativis scientiis non sit paralogismus in dictione. Secundo, quod non sit extra dictionem, ibi, « Non oportet autem. » Cum autem secundum sex locos sophisticos fiat paralogismus in dictione, ex his accipit unum paralogismum, qui fit secundum aequivocationem; ostendens quod talis paralogismus in scientiis demonstrativis esse non potest, de quo tamen magis videtur. Dicit ergo, quod « in doctrinis non fit « paralogismus, » scilicet syllogismus peccans in forma, sicut in dialecticis. In demonstrativis enim oportet medium idem semper esse dupliciter, idest ad duo extrema comparari. Quia et de medio major extremitas universaliter praedicatur, et medium universaliter de minori extremitate. Sed quod praedicatur, non dicitur omne, idest signum universale non ponitur ad praedicatum. In fallacia vero aequivocationis est quidem idem medium secundum vocem, non autem secundum rem. Et ideo quando in voce proponitur, latet. Sed si ad sensum demonstratur, non potest esse aliqua deceptio. Sicut hoc nomen circulus aequivoce de figura dicitur, et de poemate. Similiter et in rationibus, idest in argumentationibus latet, idest deceptio potest accidere, ut si dicatur, Omnis circulus est figura, poema Homeri est circulus, ergo poema Homeri est figura. Si vero scribatur ad sensum circulus, nulla potest esse deceptio. Manifestum enim erit, quod carmina non sunt circulus. Sicut autem haec deceptio excluditur per hoc quod medium demonstratur ad sensum, ita et in demonstrativis excluditur per hoc, quod medium demonstratur ad intellectum. Cum enim aliquid definitur, ita se habet ad intellectum, sicut id, quod sensibiliter describitur, se habet ad visum. Et ideo dicit quod haec, scilicet definita in demonstrativis scientiis, sunt, quae videntur in intellectu. In demonstrationibus autem proceditur semper ex definitionibus. Unde non potest ibi esse deceptio aequivocationis, et multominus secundum alias fallacias dictionis.

Deinde cum dicit « non oportet »

Ostendit, quod non potest fieri paralogismus in demonstrativis secundum fallaciam extra dictionem. Et quia hujusmodi paralogismis frequenter obviatur ferendo instantiam per quam ostenditur defectus in forma syllogizandi, ideo primo ostendit, qualiter ferenda est instantia in demonstrativis. Secundo ostendit, quod in eis non potest esse paralogismus secundum fallaciam extra dictionem, ibi, « Contingit « autem quosdam. » Dicit ergo primo quod « non « oportet in demonstrativis ferre instantiam in « ipsum, » idest in aliquem paralogismum, sumendo aliquam propositionem inductivam, idest particularem. Nam inductio ex particularibus procedit, sicut syllogismus ex universalibus. Et hoc ideo est, quia in demonstrativis non sumitur propositio, nisi quae est in pluribus. Nisi enim sit in pluribus, non est in omnibus. Oportet autem syllogismum demonstrativum ex universalibus procedere. Unde manifestum est, quod neque instantia potest esse in demonstrativis, nisi universalis; quia eaedem sunt propositiones et instantiae. Tam enim in dialecticis quam in demonstrativis, illud quod sumitur ut instantia, postea sumitur ut propositio, ad syllogizandum contrarium ejus quod probat.

Deinde cum dicit « contingit autem »

Ostendit, quod in demonstrativis non accidit deceptio per paralogismos extra dictionem. Et sicut ostenderat supra quod non erat paralogismus in dictione in demonstrativis, ostendendo de uno paralogismo, qui fit secundum fallaciam aequivocationis, ita hic ostendit, quod in demonstrativis non est paralogismus extra dictionem, ostendendo de uno qui fit secundum fallaciam consequentis. Patet enim quod secundum alias fallacias extra dictionem non potest fieri paralogismus in demonstrativis. Neque enim secundum accidens, cum demonstrationes procedant ex his quae sunt per se. Neque secundum quid et simpliciter, cum ea quae in demonstrationibus sumuntur sint universaliter et semper, et non secundum quid. Circa ergo hoc duo facit. Primo ostendit, qualiter fiat

paralogismus secundum fallaciam consequentis. Secundo quod ex hoc modo non accidit deceptio in demonstrativis, ibi, « Aliquando quidem. » Dicit ergo primo, quod « quosdam non contingit « syllogistice dicere, » idest non servare formam syllogismi, propter hoc quod accipiunt utramque inhaerentiam, idest quia accipiunt medium affirmative praedicatum de utroque extremorum, quod est syllogizare in secunda figura ex duabus propositionibus affirmativis, quod facit fallaciam consequentis. Sicut fecit quidam Philosophus nomine Ceneus, ad ostendendum quod ignis sit in multiplicata analogia, idest quod in majori quantitate generetur ignis quam fuerit corpus ex quo generatur, eo quod ignis cum sit rarissimum corpus, per rarefactionem ex aliis corporibus generatur. Unde oportet quod materia prioris corporis sub majoribus dimensionibus extendatur, formam ignis assumens. Ad hoc autem probandum utebatur tali syllogismo. Quod generatur ex multiplicata analogia, cito generatur, sed ignis cito generatur, ergo ignis generatur ex multiplicata analogia.

Deinde cum dicit « aliquando quidem »

Ostendit, quod per hunc modum syllogizandi non accidit deceptio in demonstrativis scientiis. Et circa hoc duo facit. Primo manifestat, quod ex hoc modo syllogizandi non semper accidit deceptio, dicens quod aliquando secundum supradictum modum arguendi non contingit syllogizare ex acceptis, quando scilicet termini non sunt convertibiles. Non enim sequitur, si omnis homo est animal, quod quicquid est animal sit homo. Aliquando vero contingit syllogizare, scilicet in terminis convertibilibus. Sicut enim sequitur, Si est homo, est animal rationale mortale, ita etiam sequitur e converso. Si est animal rationale mortale, sequitur quod sit homo. Sed tamen non videtur quod sequatur syllogistice, quando non servatur debita forma syllogismi.

Secundo ibi cum dicit « si autem »

Ostendit, quod in demonstrativis scientiis contingit praedicto modo syllogizari sine deceptione. Et hoc ostendit tripliciter. Primo sic. Secundum praedictum modum syllogizandi accidit deceptio ex eo quod non convertitur consequentia quam putat converti. In qua non accidet deceptio, si quemadmodum conclusio est vera, sic praemissae sunt verae; tunc enim in convertendo non accidet deceptio. Sicut si dicat de Socrate, Socrates est homo, ergo Socrates est animal, nulla deceptio falsitatis sequitur, sicut si e converso arguatur sic, est animal, ergo est homo. Sed si praemissa est falsa, conclusione existente vera, tunc accidit deceptio in convertendo. Sicut si dicam: si asinus est homo, est animal; ergo si est animal, est homo. Si ergo ex falsis esset impossibile ostendere verum, et semper oporteret verum ostendi ex veris, tunc facile esset resolvere conclusionem in principia absque deceptione, quia nulla falsitas esset si ex conclusione inferretur aliqua praemissarum. Tali enim suppositione facta convertetur de necessitate conclusio et praemissa, quantum ad veritatem. Sicut enim praemissa existente vera, conclusio est vera, ita et e converso. Sit enim quod A sit; et hoc posito, sequitur, eadem esse de quibus certum est nihil quod sunt vera sicut B. Unde cum utrumque sit verum, ex hoc etiam, scilicet ex B, potero iterum inferre A. Sic ergo una ratio est, quod deceptio non accidit in demonstrativis scientiis per fallaciam consequentis, quia in demonstrativis scientiis impossibile est syllogizari ex falsis, sicut ostensum est supra.

Secundam rationem ponit ibi « convertuntur « autem »

In terminis enim convertibilibus non accidit deceptio per fallaciam consequentis, eo quod in his consequentia convertitur. Illa vero quae sunt in mathematicis, idest in demonstrativis scientiis, ut plurimum sunt convertibilia, quia non accipiunt pro medio aliquod praedicatum per accidens, sed solum definitiones, quae sunt demonstrationis principia, ut ostensum est. « Et in hoc differunt ab his qui « sunt in dialogis, » idest in dialecticis syllogismis in quibus frequenter recipiuntur accidentia.

Tertiam rationem ponit ibi « augentur autem »

Quae talis est. In demonstrativis scientiis sunt determinata principia, ex quibus proceditur ad conclusiones. Unde ex conclusionibus potest rediri in principia, sicut ex determinatis in determinatum. Quod autem demonstrationes ex determinatis principiis procedant, ex hoc ostendit, quia « demonstra- « tiones non augentur per media, » idest in demonstrationibus non assumuntur plura media ad unam conclusionem demonstrandam. Quod intelligendum est in demonstrationibus propter quid, de quibus loquitur. Unius enim effectus non potest esse

nisi unica causa propria propter quam est. Sed licet non multiplicentur per media demonstrationes, multiplicantur tamen duobus modis. Uno modo in post assumendo, idest in assumendo medium sub medio. Sicut sub a sumitur d, et sub b sumitur c, sub c b, et sic in infinitum. Sicut cum habere tres angulos probatur de triangulo, per hoc, quod est figura habens angulum extrinsecum aequalem duobus intrinsecis sibi oppositis; et de isochele per hoc, quod est triangulus. Alio modo multiplicantur in latus, sicut cum a probatur de c, de e, verbi gratia. Omnis numerus quantus, aut est finitus aut infinitus. Et hoc ponatur in quo sit a, scilicet esse finitum vel infinitum. Sed impar est numerus quantus. Et hic, scilicet numerus quantus, ponatur in quo sit b, sed numerus impar in quo sit c. Sequitur ergo quod a praedicetur de c, idest quod numerus impar sit numerus finitus vel infinitus. Et similiter ponit iterum concludi de numero pari, et per idem medium. Potest autem et haec pars, quae incipit ibi, « Augentur autem » introduci aliter. Ut quia dixerat quod in demonstrativis assumuntur definitiones pro mediis, unius autem rei unica est definitio, ex hoc sequitur, quod demonstrationes non augeantur per media.

LECTIO XXIII.

Duplicem differentiam in eadem scientia demonstrationis quia et propter quid ostendens, quod demonstratio quia per effectum convertibilem et non convertibilem fiat docet.

ANTIQUA.

Sed quia differt et propter quid scire. Primum quidem in eadem scientia, et in hac dupliciter. Uno quidem modo si non per medium fiat syllogismus. Non enim accipitur prima causa. Sed quae est propter quid scientia secundum primam causam. Alio vero modo si non per media quidem, sed non per causam, sed per convertentia, et per notius. Prohibet enim nihil aeque praedicantium notius esse aliquando non causam. Quare per hanc erit demonstratio.

Ut quod prope sunt planetae, per id, quod non scintillant. Sint in quo c, planetae, in quo b, non scintillare, in quo a, prope esse. Verum igitur est b, c, dicere, planetae enim non scintillant. Sed et a de b, non scintillans enim prope est. Hoc autem accipitur per inductionem aut per sensum. Necesse est ergo a ipsi c inesse. Quare monstratum est quod erraticae prope sunt. Hic igitur syllogismus non est propter quid, sed quia. Non enim ex eo quod non scintillant prope sunt, sed propter id quod prope sunt non scintillant.

Contingit autem et per alterum, alterum monstrare, et erit per propter quid demonstrationem. Ut sit c, erraticae; in quo b, prope esse; a, non scintillare. Est igitur et b in c; quare et in c, a, et in b, a, quod est non scintillare. Et erit propter quid syllogismus. Accepta est enim prima causa.

Item sic lunam demonstrant, quia per incrementa circularis sit. Sic quidem igitur ipsius quia factus syllogismus e converso, aut posito medio, ipsius propter quid fit. Non enim propter augmenta circularis est, sed quia circularis est accipit augmenta hujusmodi. Luna in quo c, in quo b, augmentum sit, in quo a circularis.

RECENS.

Scire autem, quod [res] sit, et quamobrem sit, differunt primo quidem in eadem scientia, et in hac duobus modis. Uno quidem modo, quando non per immediata fit syllogismus (non enim sumitur prima causa; scientia vero tou quamobrem [res] sit, ad primam causam spectat); altero autem modo, si per immediata quidem, at non per causam, sed per id quod inter ea quae convertuntur, notius est. Nam nihil impedit, inter ea quae convertuntur, aliquando notius esse id quod causa non sit. Quare erit per hoc demonstratio.

Ut, quod planetae prope [terram sunt], per hoc, quia non scintillant. Sit loco c, planetae; loco b, non scintillare; loco a, prope esse. Verum nimirum est, b de c praedicare, quum planetae non scintillent. Sed a quoque de b [verum est praedicare]: quod enim non scintillat, propinquum est. Id autem sumatur per inductionem, aut per sensum. Necesse igitur est, to a tō c inesse. Quare demonstratum est, planetas prope esse. Hic quidem syllogismus non est tou quamobrem sit, sed tou quod sit; nec enim, quia non scintillant, propinqui sunt [planetae]; sed, quia propinqui sunt, [propterea] non scintillant.

Fit autem etiam, ut alterum per alterum demonstretur, et erit [tum] demonstratio tou quamobrem. Ut, sit to c, planetae; loco b, to propinquum esse, to a, non scintillare. Inest igitur etiam to b tō c, et to a tō b, to non scintillare. Quare etiam inerit a tō c. Et est tou quamobrem syllogismus: sumpta enim est prima causa.

Rursus, quemadmodum lunam demonstrant esse globosam per incrementa luminis. Nam quod ita [lumine] augetur, si globosum est, augetur autem [eo modo] luna; manifestum est, [lunam] globosam esse. Sic igitur tou quod sit syllogismus factus est.

At inversa vice posito medio, [syllogismus erit] tou quamobrem. Neque enim propter incrementa [luminis, talia] globosa est [luna]; sed quia globosa est, talia sumit incrementa. [Sit] luna, loco c; globosa, loco b; incrementum, loco a.

In quibus autem media non convertuntur, sed transcendunt, et est notius quod non est causa; quia demonstratur quidem, sed propter quid non.

In quibus autem media non convertuntur, et notius est id, quod rei causa non est; demonstratio quidem fit, quod [res sit]; at cur [res sit], non [fit].

Postquam Philosophus determinavit de demonstratione propter quid, hic ostendit differentiam inter demonstrationem quia, et demonstrationem propter quid. Et circa hoc duo facit. Primo ponit differentiam utriusque in eadem scientia. Secundo in diversis, ibi, « Alio autem modo. » Circa primum duo facit. Primo ponit duplicem differentiam utriusque demonstrationis in eadem scientia. Secundo manifestat per exempla, ibi, « Ut quod prope « sint planetae. » Dicit ergo primo. Superius dictum est quod demonstratio est syllogismus faciens scire, et quod demonstratio ex causis rei procedit ex primis et immediatis. Quod intelligendum est de demonstratione propter quid. Sed tamen differt scire quia ita est, et propter quid ita est. Et cum demonstratio sit syllogismus faciens scire, ut dictum est; oportet etiam, quod demonstratio quae facit scire quia, differat a demonstratione quae facit scire propter quid. Et haec quidem differentia consideranda est in eadem scientia, postea consideranda est in diversis. In una autem, dicitur dupliciter differre utrumque praedictorum, secundum duo, quae requirebantur ad demonstrationem simpliciter, quae facit scire propter quid, scilicet quod sit ex causis, et sit ex immediatis. Uno igitur modo differt scire quia, ab hoc quod est scire propter quid, quia scire quia est, si non fiat syllogismus demonstrativus per non medium, idest per immediatum, sed fiat per mediata. Sic enim non accipietur prima causa, cum tamen scientia, quae est propter quid sit secundum primam causam. Et ita non erit scientia propter quid. Alio modo differt scire quia est, quando fit syllogismus non quidem per media, idest per mediata, sed per immediata, et non fit per causam sed fit per convertentia, idest per effectus convertibiles et immediatos. Et ista talis demonstratio fit per notius, scilicet nobis, alias non faceret scire. Non enim pervenimus ad cognitionem ignoti nisi per aliquid magis notum. Nihil enim prohibet duorum aeque praedicantium, idest convertibilium, quorum unum sit causa et aliud effectus, notius esse aliquando non causam, sed effectum magis. Nam effectus aliquando est notior causa quo ad nos et secundum sensum, licet causa sit notior simpliciter et secundum naturam: et ita per effectum notiorem causa, potest fieri demonstratio non faciens scire propter quid, sed tantum quia.

Deinde cum dicit « ut quod »

Manifestat praedictam differentiam per exempla. Et dividitur in duas partes. In prima manifestat exemplum de demonstratione quia quae est per effectum. In secunda de demonstratione quia quae est per causam mediatam, ibi, « Amplius in quibus « medium. » Prima in duas. In prima ponit exemplum de syllogismo qui fit per effectum convertibilem. In secunda de syllogismo qui fit per effectum non convertibilem, ibi, « in quibus autem « media. » Prima dividitur in duas partes, secundum duo exempla quae ponit. Secunda pars incipit ibi, « Item sic lunam. » Circa primum duo facit. Primo ponit exemplum de demonstratione quia,

quae est per effectum. Secundo docet quando posset converti in demonstrationem propter quid, ibi, « Contingit autem. » Dicit ergo primo, quod demonstratio quia est per effectum. Ut si quis concludat, quod planetae sunt prope, propter hoc quod non scintillant. Non enim non scintillare est causa quod planetae sint prope, sed e converso. Propter hoc enim non scintillant planetae, quia sunt prope. Stellae enim fixae scintillant, quia visus in comprehensione earum caligatur propter earum distantiam. Formetur ergo syllogismus sic. Omne non scintillans est prope; planetae sunt non scintillantes; ergo sunt prope. Sit in quo c, planetae, idest accipiatur planetae, quasi minor extremitas; in quo autem B, sit non scintillare, idest non scintillare accipiatur medius terminus. In quo autem A sit prope esse, idest prope esse accipiatur ut major extremitas. Vera igitur est haec propositio. Omne c, est B, quia planetae non scintillant. Et iterum verum est, quod B sit A, quia omnis stella non scintillans prope est. Hujusmodi autem propositionis veritas oportet quod accipiatur per inductionem, aut per sensum, quia effectus hic est notior causa. Et sic sequitur conclusio, quod omne c sit A. Et sic demonstratum est, quod planetae non scintillantes sive stellae erraticae sunt prope. Hic igitur syllogismus non est propter quid, sed quia. Non enim propter hoc quod non scintillant planetae, sunt prope, sed propter id quod prope sunt, non scintillant.

Deinde cum dicit « contingit autem »

Docet quomodo demonstratio quia convertatur in demonstrationem propter quid. Et dicit, quod « contingit per alterum demonstrare alterum, » idest propter hoc quod est prope esse demonstrare quod non scintillant, et sic erit demonstratio propter quid. Ut sit c, erraticae, idest accipiatur stella erratica minor extremitas. « In quo B, sit prope, » idest prope esse, accipiatur ut medius terminus quod supra erat major extremitas; A sit non scintillare, idest accipiatur, non scintillare, major extremitas, quod supra erat medius terminus. Est igitur et B in c, quia omnis planeta prope est, et A est in B, quia omnis planeta qui prope est, non scintillat. Quare sequitur quod A sit in c, scilicet quod omnis planeta non scintillet. Et sic est syllogismus propter quid, cum accepta sit prima et immediata causa.

Deinde cum dicit « item sic »

Ponit aliud exemplum, dicens, quod sic, idest demonstratione faciente scire quia, demonstrant, quod luna sit circularis per incrementa, quibus scilicet omni mense augetur et minuitur, sic arguentes. Omne quod sic augetur quasi circulariter, circulare est; augetur autem sic luna, ergo est circularis. Sic igitur factus est syllogismus demonstrans quia. Sed e converso, posito medio ipsius, fit syllogismus propter quid, scilicet si ponatur circulare ut medius terminus, et Augetur major extremitas. Non enim ideo est circularis luna, qua sic augetur; sed quia circularis est, ideo talia augmenta recipit. Sit ergo luna in quo c, idest minor extremitas; augmentum in quo B, idest medius terminus; circulariter autem in quo ᴀ, idest major extremitas. Et hoc intelligendum in syllogismo quia. E converso autem in syllogismo propter quid.

Deinde cum dicit « in quibus »

Ostendit quod fit demonstratio quia, per effectum non convertibilem, dicens, quod illis etiam syllogismis in quibus media non convertuntur cum extremis, et accipitur ut notius quo ad nos, scilicet loco medii, quod non est causa, sed magis effectus, demonstratur quidem quia, sed non propter quid. Et quidem si tale medium convertatur cum majori extremitate, et excedat minorem, manifestum est, quod conveniens fit syllogismus. Sicut si probetur de Venere, quod sit prope, quia non scintillat. Si autem e converso minor terminus esset in plus quam medium, non esset conveniens syllogismus. Non enim potest de stella universaliter concludi quod sit prope, propter hoc quod non scintillat. In comparatione autem ad majorem terminum, est e converso. Nam si medium sit in minus quam major terminus, conveniens fit syllogismus. Sicut si per hoc quod est moveri motu progressivo, probetur de aliquo quod habeat animam sensibilem. Si autem sit in plus, non fit conveniens syllogismus. Nam ab effectu qui a pluribus causis procedere potest, non potest una illarum concludi. Sicut non potest concludi quod aliquis habeat febrem, ex excitatione pulsus.

LECTIO XXIV.

Naturam demonstrationis quia, quae est per causam mediatam exponit.

Amplius in quibus medium extra ponitur; et in his enim ipsius quia, non propter quid demonstratio est. Non enim dicitur causa.

At quare non respirat paries? quia non est animal. Si enim hoc causa est non respirandi, oportet animal causam esse respirandi. Ut si negatio causa est ipsius non esse, affirmatio est esse. Sicut si sine mensura esse calida et frigida non sanandi causa est, et cum mensura esse sanandi causa est. Similiter autem est si affirmatio ipsius esse, et negatio non esse. In his autem sic demonstratis, non contingit quod dictum est. Non enim omne respirat animal.

Syllogismus autem fit hujusmodi causae in media figura. Ut sit ᴀ animal, in quo ʙ respirare, in quo ᴄ paries. In ʙ quidem igitur omni est ᴀ, omne enim respirans animal est; in ᴄ autem nullo. Quare ʙ in ᴄ nullo est. Non igitur respirat paries.

Comparantur hujusmodi causarum secundum excellentiam dictis; hoc autem est plurimum distantem medium dicere, sicut est illud quod Anacharsis in Scythis, quod non sunt sibilatores, neque enim vites.

Secundum quidem igitur eamdem scientiam, et secundum eorumdem positionem, hae differentiae sunt ipsius quia, ad eum qui est propter quid syllogismum.

Porro, in quibus medium extra [terminos conclusionis] ponitur. Nam et in his demonstratio fit, quod [res sit], nec *tou* quamobrem; non enim indicatur causa.

Ut, cur non respirat paries? quia non est animal. Si enim haec esset causa non respirandi, oportet animal esse causam respirandi; ut, si negatio causa est *tou* non esse rem; affirmationem oporteret esse causam *tou* esse [rem]. Quemadmodum, si, quia inter se non habeant proportionem [in corpore animalis] calida et frigida, id causa sit *tou* non valere [animal]; haec inter se proportionem habere, causa erit valetudinis. Similiter vero etiam, si affirmatio *tou* esse [aliquid causa est], negatio *tou* non esse [causa erit]. In iis vero quae sic explicata sunt, non accidit id quod dictum est; non enim omne animal respirat.

Syllogismus autem talis causae concluditur in secunda figura. Ut, sit ᴀ, animal; loco ʙ, respirare; loco ᴄ, paries. Igitur *tō* ʙ quidem omni inest ᴀ (nam omne quod respirat, animal est); nulli autem ᴄ; quare neque ʙ ulli ᴄ [inest]; ergo non respirat paries.

Similes autem sunt tales causae his quae secundum hyperbolen dicuntur. Hoc vero est, plurimum [a re] recedentem medium afferre.

Ut Anacharsidis illud, apud Scythas non esse tibicines, neque enim [esse] vites.

In eadem ergo scientia, et secundum mediorum positionem hae differentiae sunt syllogismi *tou*, quod [res sit], et *tou* quamobrem [sit], demonstrantis.

Postquam manifestavit Philosophus per exempla qualiter demonstratur quia per effectum, hic ostendit, qualiter demonstratur quia per non immediata. Et circa hoc duo facit. Primo manifestat propositum. Secundo ostendit, qualiter in hujusmodi demonstrationibus media se habeant ad conclusiones, ibi, « Comparantur autem hujusmodi etc. » Circa primum tria facit. Primo proponit intentum. Secundo manifestat per exempla, ibi, « Ut quia non respirat. » Tertio ordinat in forma syllogistica, ibi, « Syllogismus « autem. » Dicit ergo primo, quod non solum in his quae probantur per effectum demonstratur quia, et non propter quid; sed etiam in quibus medium extra ponitur. Dicitur autem medium extraponi, quando est diversum a majori termino, ut accidit in syllogismis negativis. Vel medium extraponi dicitur, quando medium est quasi communius, et non convertitur cum majori termino. Quod autem per tale medium non possit demonstrari propter quid, probat ex hoc, quod demonstratio propter quid, est per causam. Tale autem medium non est per causam, proprie loquendo.

Deinde cum dicit « at quare »

Manifestat quod dixerat per exemplum. Et dicit. Ut si quis vellet probare quod non respirat paries, quia non est animal, non demonstrat propter quid, nec accipit causam. Quia si non esse animal, esset causa non respirandi, oporteret, quod esse animal, esset causa respirandi; quod falsum est. Multa enim sunt animalia quae non respirant, sicut pisces. Oportet enim, si negatio est causa negationis, quod affirmatio sit causa affirmationis; sicut non esse

calidum et frigidum in mensura est causa quod
aliquis non sanetur; et esse calidum et frigidum
in mensura est causa quod aliquis sanetur; similiter
autem e converso est, quod si affirmatio est causa
affirmationis, negatio est causa negationis. In praemissis autem hoc non contingit, quia affirmatio non
est causa affirmationis, quia non omne quod est
animal respirat.

Deinde cum dicit « syllogismus autem »

Ordinat praedictum exemplum in forma syllogistica. Et dicit, quod syllogismum praedictum
oportet fieri in media figura. Et hoc ideo est, quia
in prima figura non potest esse conclusio negativa,
ita quod major sit affirmativa, quod oportet in
praedicto exemplo esse. Nam respirare, quod est
major extremitas, oportet quod conjungatur cum
animali, quod est medius terminus secundum affirmationem. Sed paries, quod est minor extremitas,
oportet quod conjungatur cum animali quod est
medium, secundum negationem. Et sic oportet,
quod major sit affirmativa et minor negativa. Quod
quidem nunquam fit in prima figura, sed solum
in secunda. Accipiatur ergo animal a, idest medius
terminus b respirare, idest major extremitas, et
paries c, idest minor extremitas. « Sit ergo a in
« omni b, » quia omne respirans est animal.
« In nullo autem c est a, » quia nullus paries est
animal. Quare sequitur, quod etiam b in nullo c

sit; idest quod nullus paries respiret. Si autem acciperetur medium propinquum, esset demonstratio
propter quid. Ut si ostenderetur, quod paries non
respiret, quia non habet pulmonem. Omne enim
habens pulmones, respirat, et e converso.

Deinde cum dicit « comparantur hujusmodi »

Ostendit quomodo media se habeant ad conclusionem, dicens, quod hujusmodi causae remotae
comparantur dictis secundum excellentiam, quia
excedunt communitatem conclusionis probandae.
Et hujusmodi medium contingit dicere, quod est
multum distans. Ut patet in probatione Anacharsidis, qui probat, quod apud Scythas non sunt sibilatores, propter hoc quod non sunt ibi vites.
Hoc enim est medium valde remotum. Propinquum
enim esset non habere vinum, et adhuc propinquius, non bibere vinum, ex quo sequitur laetitia
cordis quae movet ad cantandum, ut sic sibilatio
pro cantu intelligatur. Vel melius potest dici, quod
sibilus hic accipitur non pro quolibet cantu, sed
pro cantu vindemiantium, quod vocatur celeuma.

Deinde cum dicit « secundum quidem »

Epilogat quod dixerat, dicens quod hae sunt
differentiae syllogismi quia ad syllogismum qui est
propter quid in eadem scientia, « et secundum
« eorumdem positionem » id est eorum qui habent
eumdem ordinem. Quod dicitur ad removendum illud, quod post dicet, quod una scientia est sub altera.

LECTIO XXV.

*Ut ostendat quomodo diversis in scientiis ipsum quia a propter quid sejungitur, quomodo
scientiae diversae sumantur declarat; quo pacto item talibus demonstrationibus utuntur,
exponit.*

ANTIQUA.

Alio autem modo differt propter quid ab ipso quia, quod
est per aliam scientiam utrumque speculari.

Hujusmodi autem sunt quaecumque sic se habent adinvicem, quod alterum sub altero est, ut speculativa ad Geometriam et Machinativa ad Stereometriam, et Harmonica ad
Arithmeticam, et Apparentia ad Astrologiam.

Fere autem univocae sunt harum quaedam scientiarum,
ut astrologia mathematica, quae et navalis est, et harmonica
et mathematica, quae est secundum auditum.

Hoc enim ipsum quia, sensibilium est scire, sed propter
quid mathematicorum. Hi enim habent causarum demonstrationes, et multoties nesciunt ipsum quia. Sicut universale
considerantes multotiens quaedam singularia nesciunt, propter
id quod non intendunt. Sunt autem hae quaecumque alterum
quiddam sunt secundum substantiam, et utuntur speciebus.
Mathematicae enim circa species sunt, non enim de subjecto
aliquo. Si enim et de subjecto aliquo geometricae sunt, sed
non secundum quod de subjecto sunt.

Habet autem se scientia de iride ad perspectivam sicut
haec ad geometriam et alia ad istam, ut est id quod est
de iride. Ipsum quidem quia physici est scire, sed propter
quid perspectivi, aut simpliciter, aut secundum doctrinam.

Multae autem et non sibiinvicem scientiarum, habent sic ut
medicina ad geometriam. Quod enim vulnera circularia tardius sanentur medici est scire quia, propter quid autem
geometrae.

RECENS.

Alio autem modo differt [demonstratio] *tou* quamobrem
et *tou* quod, si quis in diversa scientia utrumque consideret.
Talia vero sunt, quae ita se mutuo habent, ut unum sit
sub altero; ut optica [se habent] ad geometriam, et mecha-
nica ad stereometriam, et harmonica ad arithmeticen, et apparentia caeli ad astrologicen.

Fere autem univocae sunt harum scientiarum quaedam;
ut Astrologia et mathematica et nautica, et Harmonica et
mathematica et quae auditum spectat.

In his enim *to* quod [res sit] sciunt illi, qui sensu metiuntur; *to* quamobrem [sit], mathematici; hi enim habent
causarum demonstrationes, et saepe nesciunt *to* quod [res
sit]; quemadmodum universalia contemplantes saepe particularium quaedam ignorant, quoniam ad illa non respexere.
Sunt autem haec, quaecumque aliud quid quum sint secundum essentiam, speciebus nituntur. Mathemata enim versantur circa species: quum non spectent ad unum quodpiam
subjectum. Etiamsi enim circa aliquod subjectum occupantur
geometricae quaestiones, attamen non [geometricae sunt],
quatenus circa subjectum occupantur.

Habet autem etiam ad opticam se eo modo quo haec
ad geometriam, alia [quaedam] ad ipsam, ut, quae de iride
agit. Nam *to* quod [sit] scire physici est, at *to* quamobrem
sit optici, aut simpliciter, aut ratione scientiae mathematicae.

Multae vero etiam scientiae, quarum non una sub altera
est, ita se habent mutuo; ut ars medica ad geometriam.
Quod enim vulnera rotunda tardius sanantur, scire, medici
est; cur vero [tardius sanentur scire], est geometrae.

Postquam ostendit Philosophus, qualiter demonstratio quia differt a demonstratione propter quid, in eadem scientia, hic ostendit quomodo differt in diversis scientiis. Et circa hoc duo facit. Primo proponit intentum, dicens quod alio modo a praedictis differt propter quid ab ipso quia, propter hoc quod in diversis scientiis considerantur, idest quod ad unam scientiam pertinet propter quid, et ad aliam scientiam quia.

Secundo cum dicit « hujusmodi autem » Manifestat propositum. Et circa hoc duo facit. Primo manifestat propositum in scientiis, quarum una est sub altera. Secundo in scientiis, quarum una non est sub altera, ibi, « Multae autem non « sibi. » Circa primum duo facit. Primo ostendit qualiter se habeant scientiae adinvicem quarum una est sub altera, ad quarum unam pertinet propter quod, ad alteram autem quia. Secundo ostendit, quomodo in praedictis scientiis ad unam earum pertinet quia, et ad aliam propter quid, ibi, « Hoc « enim ipsam etc. » Circa primum duo facit. Primo ostendit, quomodo praedictae scientiae se habeant adinvicem secundum ordinem. Secundo ostendit qualiter se habeant adinvicem secundum convenientiam, ibi, « Fere autem univocae. » Dicit ergo primo quod hujusmodi scientiae sunt, scilicet ad quarum unam pertinet quia, ad aliam autem propter quid, quaecumque sic se habent adinvicem, quod altera est sub altera. Hoc autem contingit dupliciter. Uno quidem modo quando subjectum unius scientiae est species subjecti superioris scientiae, sicut animal est species corporis naturalis, et ideo scientia de animalibus est sub scientia naturali. Alio autem modo quando subjectum inferioris scientiae non est species subjecti superioris scientiae, sed subjectum inferioris scientiae comparatur ad subjectum superioris, sicut materiale ad formale. Et hoc modo accipit hic unam scientiam esse sub altera, sicut speculativa, idest perspectiva, se habet ad geometriam. Geometria enim est de linea et aliis magnitudinibus. Perspectiva autem est circa lineam determinatam ad materiam, idest circa lineam visualem. Linea autem visualis non est species lineae simpliciter, sicut nec triangulus ligneus est species trianguli. Non enim ligneum est differentia trianguli. Et similiter machinativa, idest scientia de faciendis machinis, se habet ad stereometriam, idest ad scientiam quae est de mensurationibus corporum. Et haec scientia dicitur esse sub scientia per applicationem formalis ad materiale. Nam mensurae corporum simpliciter comparantur ad mensuras lignorum et aliarum materiarum quae requiruntur ad machinas per applicationem formalis ad materiale. Et similiter se habet harmonica, idest musica, ad arithmeticam. Nam musica applicat numerum formalem, quem considerat arithmeticus, ad materiam, id est ad sonos. Et similiter se habet apparentia, id est scientia navalis, quae considerat signa apparentia serenitatis vel tempestatis, ad astrologiam quae considerat motus et situs astrorum.

Deinde cum dicit « fere autem » Ostendit, qualiter se habent praedictae scientiae adinvicem secundum convenientiam. Et dicit, quod fere hujusmodi scientiae sunt univocae adinvicem. Dicit autem « fere, » quia communicant in nomine generis, et non in nomine speciei. Dicuntur autem omnes scientiae mathematicae, quaedam quidem quia sunt, de subjecto abstracto a materia, ut geo-

metria et arithmetica, quae simpliciter mathematicae sunt; quaedam autem per applicationem principiorum mathematicorum ad res materiales, sicut astrologia dicitur mathematica et naturalis scientia, et similiter harmonica, idest musica dicitur mathematica, et quae est secundum auditum, idest practica musica, quae cognoscit ex experientia auditus, sonos. Vel potest dici, quod sunt univocae, quia etiam in nomine speciei conveniunt. Nam et navalis dicitur astrologia, et practica musica dicitur musica. Dicit autem « fere » quia hoc non contingit in omnibus, sed in pluribus.

Deinde cum dicit « hoc enim » Manifestat, quomodo in praedictis scientiis ad unam scientiam pertinet quia, et ad aliam propter quid. Et circa hoc duo facit. Primo ostendit, quod scientiae, quae sub se continent alias, habent dicere propter quid. Secundo quomodo scientiae quae sub eis continentur, habent dicere propter quid respectu aliarum scientiarum, ibi, « Habet autem se. ». Sciendum ergo est circa primum, quod in omnibus praenominatis scientiis illae quae continentur sub aliis, applicant principia mathematicae ad sensibilia. Quae autem sub se continent alias, sunt magis mathematicae. Et ideo dicit primo Philosophus, quod scire quia est sensibilium, idest scientiarum inferiorum, quae applicant ad sensibilia; sed scire propter quid, est mathematicorum, scilicet scientiarum, quarum principia non applicantur ad sensibilia. Hujusmodi autem habent demonstrare ea quae sumuntur ut causae in inferioribus scientiis. Et quia posset aliquis dicere, quod qui sciret propter quid, sciret et de necessitate quia; consequenter hoc removet, dicens, quod multotiens illi qui sciunt propter quid, nesciunt quia. Et hoc manifestat per exemplum, scilicet cum considerantes universale, multoties nesciunt quaedam singularia, propter hoc quod hoc non intendunt per considerationem. Sicut qui scit omnem mulam esse sterilem, nescit de ista, quam non considerat. Et similiter mathematicus qui demonstrat propter quid, nescit quandoque quia, quia non applicat principia superioris scientiae ad ea quae demonstrantur in inferiori scientia. Et quia dixerat, quod scire propter quid, est mathematicorum, vult ostendere cujusmodi genus causae a mathematicis sumatur. Unde dicit, quod istae scientiae, quae accipiunt propter quid a mathematicis « sunt alterum quiddam, » id est differunt ab eis secundum substantiam, scilicet inquantum applicant ad materiam. Unde hujusmodi scientiae « utuntur « speciebus, » id est formalibus principiis, quae accipiunt a mathematicis: Mathematicae enim scientiae sunt circa species. Non enim horum consideratio « est de subjecto, » idest de materia; quia quamvis, de quibus geometria considerat, sint in materia, sicut linea, superficies, et hujusmodi, non tamen considerat de eis geometria, secundum quod sunt in materia, sed secundum quod sunt abstracta. Nam geometria, ea quae sunt in materia secundum esse abstrahit a materia secundum considerationem. Scientiae autem subalternatae e converso, accipiunt ea quae sunt considerata in abstractione a geometra, et applicant ad materiam. Unde patet, quod geometra dicit propter quid in istis scientiis secundum causam formalem.

Deinde cum dicit « habet autem » Ostendit etiam, quod scientia subalternata dicit propter quid non respectu subalternantis, sed respectu cujusdam alterius. Perspectiva enim subalternatur geometriae. Et si comparemus perspectivam ad geometriam, perspectiva dicit quia, et geometria propter quid. Sed sicut perspectiva subalternatur geometriae, ita scientia de iride subalternatur perspectivae. Applicat enim principia quae perspectiva tradit simpliciter, ad determinatam materiam. Unde ipsius physici qui tractat de iride, est scire quia, sed perspectivi est scire propter quid. Dicit enim physicus conversionem visus ad nubem aliquo modo dispositam ad solem esse causam iridis. Propter quid autem, sumit a perspectiva.

Deinde cum dicit « multae autem »

Ostendit, quomodo quia et propter quid, in diversis scientiis non subalternatis differunt. Et dicit quod multae scientiarum, quae non sunt adinvicem, sic se habent adinvicem, scilicet quod ad unam pertinet quia, et ad alteram pertinet propter quid. Sicut patet de medicina et geometria. Non enim subjectum medicinae sumitur sub subjecto geometriae sicut subjectum perspectivae. Sed tamen ad aliquam conclusionem in medicina consideratam, applicabilia sunt principia geometriae. Sicut quod vulnera circularia tardius sanentur medici est scire quia, qui hoc experitur; sed propter quid scire est geometrae, ad quem pertinet cognoscere, quod circulus est figura sine angulo. Unde partes circularis vulneris non appropinquant sibi, ut possint de facili conjungi. Sciendum autem est, quod illa differentia quia, et propter quid, quae est secundum diversas scientias continetur sub altero dictorum modorum, scilicet quando fit demonstratio per causam remotam.

LECTIO XXVI.

Figurarum primam magis aptam ad demonstrationem esse probat; quomodo item negativam propositionem mediatam vel immediatam esse contingit, exponit.

Figurarum autem magis faciens scire maxime prima est. Mathematicae enim scientiarum per hanc primam figuram demonstrationes ferunt, Arithmetica, et Geometria et Perspectiva, et fere dicere est quaecumque propter quid faciunt speculationem. Aut enim omnino, aut sicut frequentius, et in pluribus, per hanc figuram, qui est propter quid fit syllogismus. Quare et per hanc erit faciens scire, propter quid speculari.

Postea ipsius quod quid est, scientiam, per solam hanc primam figuram venari possibile est. In media quidem enim figura non fit categoricus syllogismus, sed ipsius quod quid scientia affirmationis est. In ultima autem fit quidem, sed non universaliter: sed quod quid est universalium est. Non enim quodammodo est animal bipes homo.

Amplius haec quidem illis nihil indiget; illae autem per hanc densantur et augmentantur, quousque utique ad immediata veniant. Manifestum igitur est quod maxime proprium scientiae prima figura.

Sicut autem esse A in B contingit individualiter, sic et non esse conceditur. Dico autem individualiter esse aut non esse, cum nihil est eorum medium. Cum igitur aut A quidem, aut B in toto quodam sint, aut ambo, non contingit A in B primo non esse. Sit enim A in toto c: igitur si B non est in toto C, potest enim A esse quidem in quodam toto, sed B non esse in hoc, syllogismus erit quod non sit A in B. Si enim in A quidem omni est c, in B autem nullo est c, in nullo B est A. Similiter autem est et si B, in toto quodam est ut in D, D autem in omni B est, A autem in nullo B erit per syllogismum. Eodem autem modo demonstrabitur, et si utraque in quodam toto sunt.

Quod autem contingit B non esse in quo toto est A, aut iterum A in quo est B, manifestum ex coordinationibus est, quaecumque non commutantur ad invicem. Si enim nihil eorum quae sunt in A C D coordinatione de nullo praedicatur quae sunt in B E F, A autem in toto P sit in coordinatione

E figuris autem prima maxime est ad scientiam apta.

Mathematicae enim scientiae per hanc demonstratione conficiunt, ut arithmetica, et geometria et optica, et ut fere dicere licet, quaecumque causae rei considerationem suscipiunt. Aut enim omnino, aut ut plurimum et in plurimis per hanc figuram [fit] *tou* quamobrem syllogismus.

Quare vel ob hanc causam maxime est ad scientiam apta [prima figura]. Nam maxime proprium est scientiae, causam rei contemplari.

Deinde vero essentiae rei scientiam per hanc solam [figuram] venari possumus. Nam in secunda figura non fit syllogismus affirmativus; scientia autem definitionis est affirmativa. In ultima vero figura fit quidem [syllogismus affirmativus], at non universalis; definitio autem [essentiae] est ex universalibus; non enim aliquatenus tantum animal est bipes homo.

Praeterea, haec quidem reliquis duabus nihil indiget; hae autem per illam constringuntur et dilatantur, donec ad immediata [aliquis] pervenerit.

Manifestum igitur est, primam figuram maxime ad scientiam accommodatam esse.

Quemadmodum vero contingebat, *to* A inesse *tō* B individue, sic etiam contingit ut non insit.

Dico autem individue inesse aut non inesse, si inter illa, [quae insunt et quibus insunt], medium non intercedit. Sic enim non erit secundum aliud [praeter] A *to* inesse aut non inesse.

Si ergo aut *to* A aut *to* B in toto quodam sit, aut etiam utraque [in toto quodam sint]; fieri non potest, ut A *tō* B primo non insit.

Sit enim A in toto c. Ergo, si B non est in toto c, (fit enim, ut *to* A quidem insit in aliquo toto, non sit autem in hoc *to* B,) syllogismus erit *tou* non inesse *to* A *tō* B. Nam si omni quidem A [inest] *to* c, nulli autem B; nulli B [inerit] *to* A.

Similiter vero etiam, si *to* B quidem in toto aliquo est, ut in *tō* D; nam *to* D omni B inest, nulli autem D *to* A. Quare *to* A nulli B inerit per syllogismum.

Eumdem vero ad modum demonstrabitur etiam, si utraque in toto aliquo sint.

Quod autem contingat *to* B non inesse in eo in quo toto est A, aut vice versa *to* A [non esse in eo], in quo est B manifestum ex praedicamentorum ordinibus, quicumque non commutantur invicem. Si enim nihil eorum quae sunt in ordine A ● D, de ullo praedicatur eorum quae sunt in or-

praeexistenti, manifestum est quod в non erit in p. Commutarentur enim coordinationes. Similiter autem est et si в in toto quodam est.

Si vero neutrum sit in aliquo toto a in в, necesse est individualiter non esse. Si enim erit medium, necesse est alterum ipsorum in quodam toto esse. Aut enim in prima figura, aut in media, erit syllogismus. Si quidem igitur in prima figura, в erit in toto quodam: affirmativam enim oportet ad hanc fieri propositionem. Si vero in media, quodcumque contingit. Ad utramque (1) enim posito privativo fit syllogismus. Cum autem utraque negativa sit, non erit syllogismus.

Manifestum igitur est quod contingit et aliud in alio non esse individualiter, et quando contingit et quomodo, diximus.

(1) Al. ad utraque. Item omittitur enim.

dine в e z; at a in toto est T, quod quidem [T] est in eodem [cum] a ordine [praedicamenti ejusdem]: manifestum est quod to в non inerit in tō T: commutarentur enim inter se praedicamentorum ordines. Similiter vero etiam, si to в in aliquo toto inest.

Si vero neutrum in toto ullo fuerit, neque a insit tō в; necesse est, immediate non inesse. Nam si erit aliquod medium, necesse est, alterum illorum in toto aliquo esse. Aut enim in prima figura, aut in secunda erit syllogismus: Si quidem in prima erit, to в erit in toto aliquo (oportet enim ad illud propositionem fieri affirmativam); si vero in secunda [figura erit], utrumcumque acciderit. In utrisque enim [figuris] sumpta negativa, fit syllogismus; utraeque autem negativae quum sint [propositiones], non erit.

Manifestum igitur est quod contingat aliud alii non inesse individue; et quando id contingat, et quomodo, diximus.

Postquam Philosophus determinavit de materia syllogismi, hic determinat de forma ipsius, ostendens in qua figura praecipue fiat syllogismus demonstrativus. Et dividitur in duas partes. In prima ostendit, quod syllogismus demonstrativus maxime fit in prima figura. Et quia in prima figura proceditur etiam ex negativis, et oportet demonstrationem ex immediatis procedere, ostendit in secunda parte, quomodum contingit propositionem negativam esse immediatam, ibi, « Sicut autem esse a in в etc. » Primum ostendit tribus rationibus. Quarum prima talis est. In quacumque figura maxime fit syllogismus propter quid, figura ista maxime est faciens scire; et propter hoc est magis accommoda demonstrationibus, cum demonstratio sit syllogismus faciens scire. Sed in prima figura maxime fit syllogismus propter quid. Quod patet ex hoc quod mathematicae scientiae, ut arithmetica et geometria, et quaecumque aliae propter quid demonstrant, ut plurimum figura prima utuntur. Ergo prima figura est maxime faciens scire, et maxime accommoda demonstrationibus. Causa autem quare demonstratio propter quid maxime fit in prima figura, est haec. Nam in prima figura medius terminus subjicitur majori extremitati, quae est praedicatum conclusionis; et praedicatur de minori termino, qui est subjectum conclusionis. Oportet autem in demonstrationibus propter quid medium esse causam passionis, quae praedicatur in conclusione de subjecto. Et unus modus dicendi per se, est quando subjectum est causa praedicati, ut interfectus interiit, sicut supradictum est; et hoc competit primae figurae, in qua medium subjicitur majori extremitati, ut dictum est.

Secundam rationem ponit ibi « postea ipsius » Quae talis est. Quod quid est, potissimum locum in demonstrativis scientiis habet; quia sicut dictum est, definitio aut est principium demonstrationis, aut conclusio, aut demonstratio positione differens. Ad investigandum autem definitionem sola prima figura convenit. Nam in sola prima figura concluditur universalis affirmativa, quae sola competit ad scientiam quod quid est. Nam quod quid est, per affirmationem cognoscitur. Praedicatur enim definitio de definito affirmative et universaliter. Non enim quidam homo est animal bipes, sed omnis homo. Ergo prima figura maxime est faciens scire, et accommoda demonstrationibus.

Tertiam rationem ponit ibi « amplius haec » Quae talis est. Aliae figurae in demonstrationibus indigent prima; prima autem non indiget aliis;

ergo prima figura efficacius facit scire, quam aliae. Quod autem aliae figurae indigeant prima, ex hoc manifestum est, quod oportet ad perfectam scientiam habendam, quod propositiones mediatae, quae sumuntur in demonstrationibus, ad immediatas reducantur. Quod quidem fit dupliciter; scilicet densando media et augmentando. Densando quidem, quando medium acceptum conjungitur mediate utrique extremorum, vel alteri. Unde quando accipiuntur media alia inter medium primum et extrema, fit quasi quaedam condensatio mediorum. Sicut si acciperetur primo sic. Omne e est c, omne c est a, et deinde inter c et e sumatur medium d, et inter c et a medium b. Augmentando autem, quoniam medium est immediatum minori extremitati, et mediatum majori. Tunc enim oportet accipere plura media alia supra medium primo acceptum. Ut si dicatur, Omne e est d, omne d est a, etiam postea supra d accipiantur alia media. Haec autem condensatio et augmentatio mediorum fit solum per primam figuram; tum quia solum in prima figura concluditur universalis affirmativa, tum quia solum in prima figura medium sumitur inter extrema. In secunda autem medium accipitur extra extrema, quasi praedicatum de eis. In tertia vero figura, infra extrema, quasi subjectum de eis.

Deinde cum dicit « sicut autem »
Docet quomodo propositio negativa possit esse immediata. Et circa hoc duo facit. Primo proponit intentum, dicens, quod sicut « contingit omne a « esse in в individualiter, » idest immediate, « sic « et conceditur non esse, » idest ita potest concedi, quod propositio significans a non esse in в sit immediata. Unde exponit, quid est individualiter esse vel non esse, scilicet quando affirmativa vel negativa non habet medium per quod probetur.

Secundo ibi « cum igitur »
Manifestat propositum. Et circa hoc duo facit. Primo ostendit quando propositio negativa sit mediata. Secundo quando immediata, ibi, « Si vero « neutrum etc. » Circa primum duo facit. Primo manifestat propositum. Secundo ostendit quoddam quod supposuerat, ibi, « Quod autem contingit в « non esse etc. » Dicit ergo primo, quod cum a, idest major terminus, aut в idest minor terminus sunt in quodam toto, sicut species in genere, aut etiam ambo sunt sub aliquo genere diverso, non contingit a non esse in в primo, idest non contingit quod haec propositio, nullum в est a sit immediata. Et primo manifestat hoc quando a scilicet est in quodam toto scilicet in c, в autem in nullo.

Ut puta si A sit homo, c autem substantia, B quantitas, potest syllogismus fieri ad probandum, quod A nulli B insit per hoc quod B omni A inest, B autem nulli C: ut si fiat syllogismus in secunda figura. Omnis homo est substantia, nulla quantitas est substantia, ergo nulla quantitas est homo. Et similiter est, si B, id est terminus minor sit in quodam toto, ut in D, A autem non sit in aliquo toto, syllogizari poterit quod A sit in nullo B. Ut sit A substantia B, linea D, quantitas, et fiat syllogismus in prima figura. Nulla quantitas est substantia, omnis linea est quantitas, ergo nulla linea est substantia. Eodem autem modo poterit demonstrari conclusio negativa, si unumquodque sit in quodam toto; ut si sit A linea, c quantitas, B albedo et D qualitas, potest syllogizari in secunda figura, et in prima. In secunda figura sic, Omnis linea est quantitas, nulla albedo est quantitas, ergo nulla albedo est linea. In prima figura sic, Nulla qualitas est linea, omnis albedo est qualitas, ergo nulla albedo est linea. Est autem intelligendum propositionem negativam esse mediatam, utroque terminorum existente in quodam toto, non quidem in eodem, sed in diversis. Si enim sint in eodem toto, erit propositio immediata sicut, nullum rationale est irrationale, vel nullum bipes est quadrupes.

Deinde cum dicit « quod autem »

Manifestat quod supposuerat, idest quod altero extremorum existente in aliquo toto alterum non sit in eodem, dicens quod manifestum est ex coordinationibus praedicamentorum diversorum, quae non commutatur adinvicem, quia scilicet id quod est in uno praedicamento, non est in altero. Manifestum est quod contingat B esse non in toto in quo est A, aut e converso, quia videlicet contingit unum terminorum accipi in uno praedicamento, in quo non est aliud. Sit enim coordinatio una praedicamenti A C D, puta praedicamentum substantiae, et alia coordinatio sit B E F, puta praedicamentum quantitatis. Si ergo nihil eorum quae sunt in coordinatione A C D de nullo praedicatur eorum quae

sunt in coordinatione B E F, A autem sit in P quasi in quodam generalissimo , quod sit principium totius primae coordinationis, manifestum est quod B non est in P, quia sic coordinationes, id est praedicamenta commutarentur. Similiter autem est si B sit in quodam toto ut puta in E, manifestum est, quod A non est in E.

Deinde cum dicit « Si vero »

Ostendit quomodo propositio negativa sit immediata, dicens, quod « si neutrum sit in toto aliquo, » scilicet neque A neque B, et cum A non sit in B, necesse est, quod haec sit immediata, nullum B est A. Quia si acciperetur aliquod medium ad syllogizandum eam, oporteret quod alterum ipsorum esset in aliquo toto, et sic etiam oporteret fieri syllogismum, aut in prima figura, aut in secunda. In tertia enim figura non potest concludi universalis negativa, qualem oportet esse propositionem immediatam. Si quidem syllogismus fit in prima, oportet quod B sit in quodam toto, quia B est minor extremitas, et in prima figura semper oportet minorem propositionem esse affirmativam. Non enim fit syllogismus in prima figura ex majori affirmativa et minori negativa. Sed si syllogismus erit in media figura, contingit quodcumque vel A vel B esse in toto quodam, quia in media figura potest esse negativa tam prima quam secunda propositio. Nunquam tamen potest esse, neque in prima neque in secunda, utraque propositio negativa. Et ideo oportet quod altera existente affirmativa, alterum extremorum sit in quodam toto. Sic igitur patet, quod propositio negativa immediata est, quando neutrum terminorum est in quoddam toto. Non autem potest dici quod quamvis neutrum sit in quodam toto, potest tamen accipi medium ad ipsum concludendum; scilicet si accipiatur medium convertibile, quia oportet tale medium esse quod sit prius et notius. Et hoc est vel genus vel definitio, quae non est sine genere.

Deinde cum dicit « manifestum igitur »

Concludendo, epilogat quod dictum est. Et litera plana est ex dictis.

LECTIO XXVII.

Distincta duplici ignorantia, quomodo syllogismo ignorantiae contingit syllogizari immediata affirmativa falsa exponit.

ANTIQUA.

Ignorantia autem non secundum negationem sed secundum dispositionem dicta, est quidem per syllogismum facta deceptio. Haec autem in his quae sunt primo, aut non sunt, contingit dupliciter. Aut enim est, cum simpliciter accipiat esse aut non esse, aut cum per syllogismum accipiat opinionem.

Simplicis quidem igitur opinionis simplex deceptio; sed quae est, per syllogismum, plures sunt. Non sit enim A in nullo B, individualiter. Igitur si syllogizet esse A in B medium accipiens C, deceptus erit per syllogismum.

Contingit quidem igitur utrasque propositiones esse falsas, contingit autem alteram tantum. Si enim neque A in nullo C

RECENS.

Ignorantia vero, quae non secundum negationem sed secundum dispositionem dicitur, est deceptio, quae per syllogismum fit.

Haec vero in iis quae primo rei insunt aut non insunt, accidit dupliciter; aut enim, quando simpliciter arbitratur [aliquis] inesse aut non inesse; aut, quando per syllogismum acceperit opinionem.

Simplicis quidem opinionis simplex est deceptio; at illius [quae] per syllogismum [efficitur], multiplex.

Non enim insit *to* A ulli B individue. Ergo, si syllogismo collegerit, inesse *to* A *tō* B, medium sumens *to* C, deceptus erit per syllogismum.

Fit quidem, ut utraeque propositiones falsae sint; fit vero ut altera tantum [falsa sit].

incrit, neque c in nullo b, accepta autem sunt utraque e contrario, utraeque erunt falsae.

Potest autem sic se habere c ad a et ad b, et quod neque sub a sit, neque universaliter c in b: b quidem impossibile est in toto aliquo. Primum enim dictum est in ipso a non esse: b autem non necesse est in omnibus quae sunt inesse universaliter. Quare utraeque falsae sunt.

Sed alteram contingit veram accipere, non tamen quamlibet contingentem, sed quae est a c. Nam b c propositio semper falsa erit, propter id quod c in nullo est b. Sed quae est a c potest, ut si a in c, et in b est individualiter. Cum enim primum praedicetur idem de pluribus, neutrum in neutro est. Differt autem nihil si non individualiter insit.

Ipsius quidem igitur esse deceptio per istam fit, et sic fit solum; non enim erit alia figura ipsius esse syllogismus.

Si enim neque a ulli c inest, neque c ulli b, at contraria ratione utraque sumpta est; utraeque falsae erunt. Fit autem, ut ita sese habeat c ad a et b, ut neque sub a sit, neque universaliter [insit] tō b. Nam fieri non potest, ut b sit in toto aliquo; dicebatur enim ei primo to a non inesse. At a non est necesse omnibus, quae sunt, inesse universaliter; quare utraeque falsae erunt.

Verum contingit etiam, ut altera sumatur vera, [et nihilominus fiat deceptio, unde ignorantia], at non utracumque contingit, sed a c. Nam c b propositio semper erit falsa, quoniam b in nullo est; a c autem contingit [veram sumi, ut falsum concludatur]; ut, si to a et tō c et tō b inest individue. Quando enim idem primo de pluribus praedicatur, neutrum neutrius erit [praedicatum].

Nihil autem interest, etiamsi non individue insit.

Deceptio quidem, qua inesse aliquid arbitramur, per haec et isto modo tantum fit. Neque enim in alia figura [nisi in prima] syllogismus erat, quo inesse [aliquid concluderetur].

Postquam Philosophus determinavit de syllogismo demonstrativo, per quem acquiritur scientia, hic determinat de syllogismo, per quem inducitur in nobis ignorantia sive deceptio. Et circa hoc duo facit. Primo enim ostendit, qualis ignorantia per syllogismum induci possit. Secundo ostendit modum, quo talis syllogismus procedit, ibi, « Simplicis qui- « dem igitur opinionis etc. » Distinguit ergo primo duplicem ignorantiam: quarum una est secundum negationem, et alia secundum dispositionem. Ignorantia quidem secundum negationem est, quando homo omnino nihil scit de re. Et haec est ignorantia in non attingendo, ut Philosophus dicit in 9 Metaphysic. Sicut patet de rustico, qui omnino nihil scit de triangulo an habeat tres angulos aequales duobus rectis. Ignorantia autem secundum dispositionem, est quando aliquis habet quidem aliquam dispositionem in cognoscendo, sed corruptam; dum scilicet existimat aliquem currere, sed falso, vel dum existimat esse quod non est, vel non esse quod est. Et haec ignorantia idem est quod error. Prima ergo ignorantia non fit per syllogismum, sed secunda per syllogismum fieri potest. Et tunc vocatur deceptio. Haec autem ignorantia sive deceptio potest contingere circa duo. Uno quidem modo circa ea quae sunt prima principia et immediata, dum scilicet opinatur quis opposita principiis, quae quidem etsi non possit opinari interius in mente, ut supra dictum est, quia non cadunt sub apprehensione, potest tamen eis contradicere secundum vocem et secundum quamdam falsam imaginationem, ut dicitur de quibusdam negantibus principia in 4 Metaphysic. Alio modo circa conclusiones, quae non sunt prima et immediata. Et prima quidem ignorantia sive deceptio opponitur cognitioni intellectus. Secunda autem cognitioni scientiae. Utraque autem ignorantia dispositionis, sive sit de his quae sunt prima, sive sit de his quae non sunt prima, potest homini provenire dupliciter. Uno modo simpliciter; quando scilicet absolute absque aliquo ductu rationis existimat falsum, sive affirmando, sive negando. Alio modo, quando inducitur ad falsum existimandum, per aliquam rationem syllogisticam; sicut dicit Philosophus in 4 Metaphysicae quod quidam principiis contradicunt, velut rationibus persuasi, alii vero, non quasi ratione persuasi, sed propter incruditionem vel pertinaciam, volentes in omnibus quaerere demonstrationem.

Deinde cum dicit « simplicis quidem »
Ostendit quomodo praedictae ignorantiae causantur. Et primo quomodo causatur ignorantia quae

est per syllogismum. Secundo quomodo proveniat ignorantia homini sine syllogismo, ibi, « Manifestum « est autem, etc. » Circa primum duo facit. Primo proponit quomodo causetur ignorantia per syllogismum in primis et immediatis. Secundo quomodo causatur in his quae non sunt prima immediata, ibi, « In iis autem existentibus. » Circa primum duo facit. Primo proponit quomodo causatur ignorantia qua existimatur esse quod non est. Secundo quomodo causetur ignorantia qua existimatur non esse quod est, ibi, « Quae vero ipsius non esse. » Circa primum tria facit. Primo proponit modum quo praedicta ignorantia communiter causetur. Secundo assignat diversitates, circa hoc contingentes, ibi, « Contingit quidem. » Tertio, respondet tacitae quaestioni, ibi, « Ipsius quidem igitur esse etc. » Dicit ergo primo, quod falsam opinionis quam supra vocavit simplicem, est simplex deceptio, idest uno modo solo ad hoc pervenitur. Non enim causatur ex ratione quae diversificari potest, sed magis ex defectu rationis, qui non diversificatur per diversos modos; sicut nec aliae negationes secundum propriam rationem. Sed quia ratio falsa multipliciter variari potest, inde est, quod hujusmodi ignorantia, quae fit per syllogismum, multipliciter accidere potest, secundum quod multipliciter falsus esse potest syllogismus. Ponit autem communem modum, dicens, « Non sit enim a in nullo b individualiter » idest sit haec propositio vera immediate. Nullum b est a. Praedicantur enim duae negationes, loco unius. Puta si dicamus, Nulla qualitas est substantia, secundum doctrinam supra positam de negativis immediatis. Si quis ergo concludit oppositum hujus, per aliquem syllogismum, ostendens scilicet omne b esse a accipiens pro medio c, erit deceptio per syllogismum.

Deinde cum dicit « contingit quidem »
Ostendit quot modis potest hoc variari. Est autem sciendum, quod falsa conclusio non concluditur nisi falso syllogismo. Syllogismus autem potest esse falsus dupliciter. Uno modo, quia deficit in forma syllogistica. Et hic non est syllogismus, sed apparens. Alio modo quia utitur falsis propositionibus. Et hic quidem est syllogismus propter syllogisticam formam, est autem falsus, propter falsas propositiones assumptas. In disputatione ergo dialectica, quae fit circa probabilia, usus est utriusque falsi syllogismi, quia talis disputatio procedit ex communibus. Et ita in ea error attendi potest, et circa materiam quam sumit quae est communis, et etiam circa formam quae est communis. Sed in disputatione demonstra-

tiva, quae est circa necessaria, non est usus nisi
illius syllogismi qui est falsus propter materiam;
quia, ut dicitur in primo Topicorum, paralogismus
disciplinae procedit ex propriis disciplinae, sed non
ex veris. Unde cum forma syllogistica sit inter
communia computanda, paralogismus disciplinae de
quo nunc agitur, non peccat in forma, sed solum
in materia; et circa propria, et non circa communia.
Et ideo primo dicit, quomodo hujusmodi syllogismus
procedat ex duabus falsis. Secundo, quomodo procedat ex altera falsa, ibi, « Sed altera contingit, etc. »
Primum autem contingit dupliciter: quia falsa propositio, aut est contraria verae, aut contradictoria.
Primo ergo ostendit, quomodo syllogismus hujusmodi procedat ex duabus falsis contrariis veris.
Secundo quo modo accipitur contradictio, ibi, « Po-
« test autem sic se habere. » Dicit autem primo,
quod in praedicto syllogismo deceptionem causante,
contingit quandoque utrasque propositiones esse
falsas, et quandoque alteram tantum. Utrasque autem falsas accipimus contrarias verarum. Habeat enim
se c ad A et ad B quod nullum c sit A, et quod
nullum B sit c. Si autem accipiantur contraria ho
rum, scilicet omne c est A, omne B est c, utraeque
propositiones erunt falsae totaliter. Puta si dicam,
Omnis qualitas est substantia, omnis quantitas est
qualitas, ergo omnis quantitas est substantia.

Deinde cum dicit « potest autem »

Ostendit quomodo possunt esse ambae falsae et
non sunt contrariae veris, sed contradictoriae. Puta
si « sic se habeat c ad A et ad B quod nec con-
« tineatur totaliter sub A, neque universaliter
« insit B. » Puta si accipiamus perfectum vel ens
in actu, et procedamus sic. Omne perfectum est
substantia, omnis quantitas est perfecta, ergo etc.
Manifestum est, quod utraque est falsa, sed non
totaliter. Sunt enim contradictoriae earum verae;
scilicet Quoddam perfectum non est substantia, et
Quaedam quantitas non est perfecta. Contrariae autem falsae; scilicet Nullum perfectum est substantia,
et Nulla quantitas est perfecta. Quod autem c non
universaliter insit B, id est quod ista non sit vera,
Omnis quantitas est perfecta, quae erat minor, ut
Omne B est c, probat per hoc, quod B non potest
contineri sub aliquo toto, quod de eo universaliter
praedicetur. Et hoc ideo, quia haec propositio, nullum B est A, dicebatur esse immediata, quod est A
non inesse B primo. Dictum est autem supra, illas
negativas esse immediatas, quarum neuter terminorum est sub aliquo toto. Sed videtur haec probatio
non esse sufficiens; quia de eo etiam quod non est
sub aliquo toto, sicut species sub genere, potest
aliquid universaliter praedicari. Non enim solum
genus aut differentia universaliter praedicatur, sed
etiam proprium. Sed dicendum est, quod licet
dicta probatio non sit efficax communiter loquendo,
est tamen efficax in proposito. Quia sicut in primo
Topicorum dicitur, paralogismus disciplinae de quo
hic loquitur, procedit ex convenientibus disciplinae.
Unde intendit uti talibus mediis, qualibus utitur
demonstrator. Demonstrationis autem medium est
definitio, ut supra dictum est. Unde et in syllogismo
de quo hic loquitur, intendit uti definitione pro
medio. Definitio autem continet genus et differentiam.
Unde oportet, id quod universaliter praedicatur in

hoc syllogismo, continere id, in quo est subjectum
sicut in toto. Quod autem A non insit universaliter
ipsi c, id est, quod ista non sit universaliter vera,
Omne perfectum est substantia, quae erat major, ut,
omne c est A, probatur per hoc, quod non est
necesse de quocumque universali quod insit universaliter omnibus quae sunt; quia nullum praedicamentum praedicatur de his quae continentur sub
alio praedicamento, neque etiam universaliter praedicatur de his quae communiter consequuntur ens,
quae sunt actus et potentia, perfectum et imperfectum, prius et posterius et alia hujusmodi.

Deinde cum dicit « sed alteram »

Ostendit quomodo praedictus syllogismus procedat ex altera vera et altera falsa. Et dicit, quod
in praedicto syllogismo « contingit accipere alteram
« veram, » scilicet majorem, quae est A c, altera
existente falsa, scilicet minore, quae est B c. Et quod
propositio minor, quae est B c, semper sit falsa,
probat sicut et supra, propter hoc, quod B in nullo
est c sicut in toto: sed quod haec propositio A c
possit esse vera, altera existente falsa, probat
in terminis. Sit enim ita quod A insit B et c individualiter, idest immediate, sicut genus propriis
speciebus, ut color albedini et nigredini. Manifestum
est enim secundum hoc, quod major erit vera, scilicet quod omne c est A, puta, omnis albedo est
color, et minor est falsa, scilicet, omnis albedo est
nigredo: quia quando aliquid praedicatur primo de
pluribus, neutrum istorum plurium de neutro praedicatur. Prima enim praedicatio generis est de oppositis speciebus. Est autem circa hoc dubitatio;
quia his terminis positis, non sequitur conclusio
falsa, sed vera. Erit enim conclusio quod A insit B,
cui suppositum est inesse individualiter. Sed dicendum, quod hoc exemplum ponitur solum ad manifestandum, quo modo possit esse major vera, et
minor falsa. Sed hoc exemplum non habet locum in
proposito, ubi quaeritur conclusio falsa; et ideo
Philosophus subjungit: « Differt autem nihil si non
« individualiter insit. » Possumus autem accipere tales
terminos, quod A non insit B individualiter, neque aliquo modo; immo potius ab eo individualiter removeatur. Nec est etiam necesse quod insit c individualiter,
quia non est necessarium quod demonstrator utatur
solum propositionibus immediatis; sed etiam his,
quae per immediata fidem acceperunt. Accipere ergo
possumus alios terminos ad propositum pertinentes.
Ut si accipiamus pro medio substantiam intellectua-
lem, omnis enim intelligentia est substantia, minor
autem est falsa, omnis quantitas est intelligentia.
Unde sequitur conclusio falsa.

Deinde cum dicit « ipsius quidem »

Respondet tacitae quaestioni. Posset enim aliquis
ab eo requirere, quod ostenderet diversitatem hujus syllogismi in aliis figuris. Sed ipse respondet,
quod deceptio, quae est ipsius esse, id est per quam
aliquis existimat propositionem affirmativam falsam,
potest fieri solum per primam figuram, quia in
alia figura, scilicet in secunda, non potest fieri syllogismus affirmativus. Tertia autem figura non
pertinet ad propositum, quia non potest concludi
universalis, quae principaliter intenditur in demonstratione et in hoc syllogismo.

LECTIO XXVIII.

Quomodo syllogismo ignorantiae syllogizetur immediata negative falsa,
contraria affirmativae immediate, tam in prima, quam in secunda figura.

Quae vero est ipsius non esse, in prima et media figura est. Primum igitur dicamus, quot modis in prima sit, et quomodo se habentibus propositionibus.

Contingit quidem igitur utrisque falsis, ut si A in c et in B sit individualiter. Si enim accipiatur A quidem in c nullo, c autem in omni B, falsae sunt propositiones.

Contingit autem et altera falsa, et hac quacumque contingente. Potest enim quae est A c vera esse, quae vero B c falsa esse. Sed quae A c, quidem vera, quoniam non omnibus quae sunt inest A: sed quae est B c falsa, quoniam impossibile est esse in B c in quo nullo est A. Non enim vera erit quae est A c propositio. Similiter autem et si sint utraeque verae, conclusio erit vera.

Sed et eam quae est c B contingit veram esse, cum altera sit falsa, ut si B et in c et in A erit. Necesse est enim alterum sub altero esse. Quare si accipiatur A in nullo c esse, falsa erit propositio. Manifestum igitur est, quoniam et cum altera falsa sit, et in utrisque erit falsus syllogismus.

Sed in media figura utrasque quidem propositiones totas falsas esse non contingit. Cum enim A in omni B sit, nihil erit accipere quod in altero quidem omni, in altero vero nullo. Oportet autem sic accipere propositiones, et quod in hoc quidem sit, in hoc autem non sit, si vere erit syllogismus. Si igitur sic accipiantur falsae, manifestum est quod contrariae e converso se habebunt. Hoc autem impossibile est. In quodam autem utramque nihil prohibet falsam esse, ut si c in A et in B quodam est. Si enim c quidem in omni accipiatur esse A, in B autem nullo, falsae quidem utraeque propositiones, non tamen totae, sed in quodam. E converso autem posito privativo.

Similiter autem alteram falsam, et quamlibet contingit. Quod enim in A omni, et in B est. Si igitur accipiatur in A toto esse E, in B autem toto non esse, quae quidem c A vera erit, sed quae c B est falsa. Iterum quod in B nullo est, neque in A omni erit. Si enim in A est, et in B. Sed non erat. Si igitur accipiatur c in toto quidem A esse, in B autem nullo: B c propositio, vera est, altera vero falsa.

Similiter autem fit transposito privativo. Quod enim in nullo est A, neque in B ullo erit. Si igitur accipiatur c in toto quidem A non esse, in B autem toto esse, quae quidem est A c propositio vera est, altera autem falsa. Et iterum quod in omni B est, in nullo accipere A non esse, falsum est. Necesse est enim, si in omni B est, et in quodam A esse. Si igitur accipiatur in omni quidem B esse c, in A autem nullo; quae quidem est B c vera erit, quae aut est c A falsa. Manifestum igitur est quod utrisque falsis, et altera tantum, erit syllogismus deceptivus in individuis.

At [deceptio], qua non inesse [quidpiam arbitramur], et in prima, et in secunda figura [concluditur]. Primum ergo dicamus, quot modis in prima figura fiat, et quomodo affectis propositionibus.

Contingit quidem [in prima figura], quando utraeque [propositiones] falsae sunt; ut, si *to* A et *tō* c et *tō* B inest individue; si enim sumatur, *to* A quidem nulli c, *to* c autem omni B [inesse]; falsae [erunt] propositiones.

Fit autem etiam, si altera propositio falsa sit, et haec, utracumque acciderit.

Contingit enim, [propositionem] A c veram esse, B c autem falsam. Et quidem A c veram: quod non omnibus rebus insit *to* A; c B autem falsam: quod fieri nequit ut *tō* B insit *to* c, cui nulli inest *to* A; non enim amplius vera erit propositio A c; simul vero, etiam si utraeque propositiones verae sint, conclusio quoque erit vera.

Verum etiam [propositionem] c B contingit esse veram, quum altera falsa sit; ut, si *to* B et in *tō* c et in *tō* A inest. Nam necesse est, alterum sub altero esse. Quare, si [quis] sumat, *to* A nulli c inesse, falsa erit propositio.

Manifestum igitur est quod, et quum altera [propositio] falsa sit, et quum ambae [falsae sint], falsus futurus sit syllogismus.

In media autem figura totas quidem esse utrasque propositiones falsas, non contingit. Quodsi enim *to* A omni B insit, nihil erit sumendum, quod alteri quidem omni, alteri autem nulli insit. Debemus autem ita sumere propositiones, ut huic quidem insit, illi autem non insit [praedicatum utriusque propositionis], si quidem futurus sit syllogismus. Si igitur ita sumptae [propositiones] falsae fuerint; manifestum est, quod contrariae sese invicem habebunt; hoc vero fieri non potest.

Ex parte autem utramque propositionem esse falsam, nihil impedit. Ut, si *to* c et *tō* A et *tō* B alicui inest. Nam si sumptum fuerit, inesse *tō* A quidem omni, nulli autem B; falsae utraeque erunt propositiones; non quidem totae, sed ex parte.

Et vice versa si ponatur negativa, similiter.

Contingit autem, alteram esse falsam, et utramcumque. Nam quod inest omni A, etiam inerit *tō* B. Si igitur sumptum fuerit, *to* c inesse toti quidem A, toti autem B non inesse; [propositio] quidem c A vera erit; c B autem falsa.

Rursus, quod *tō* B nulli inest, nec omni A inerit. Nam si *tō* A [illud inest], etiam *tō* B [inerit]; at non inesse ponebatur. Si ergo sumptum fuerit, *to* c omni quidem A inesse, nulli autem B; propositio quidem c B vera erit, altera autem falsa.

Similiter vero etiam si negativa transponatur. Quod enim nulli A inest, nec ulli B inerit. Si igitur sumptum fuerit, *to* c omni quidem A non inesse, omni autem B inesse: propositio quidem A c vera erit; altera autem falsa.

Et rursus, quod omni B inest, hoc sumere quod nulli A insit, falsum est; nam necesse est, si omni B inest, etiam alicui A inesse. Si igitur sumptum fuerit, omni quidem B inesse *to* c, nulli autem A; [propositio] c B quidem vera erit; at c A falsa.

Manifestum igitur est, quod et utrisque falsis, et altera tantum falsa, syllogismus futurus sit deceptionis in propositionibus immediatis.

Postquam Philosophus ostendit, quomodo concludatur per syllogismum affirmativa falsa, contraria negativae immediatae, hic ostendit, quomodo per syllogismum concludatur negativa falsa, contraria affirmativae immediatae. Et primo in prima figura. Secundo in secunda, ibi, « Sed in media figura. » Circa primum duo facit. Primo ostendit de quo est intentio. Et dicit, quod cum negativa universalis concludi possit in prima et in secunda figura, primo dicendum est, quot modis syllogismus ignorantiae fit in prima figura, et qualiter se habentibus propositionibus in veritate et falsitate.

Secundo ibi « contingit quidem »

Prosequitur propositum. Et primo ostendit qualiter fiat talis syllogismus in prima figura ex duabus falsis. Secundo, quomodo fiat ex altera vera et altera falsa, ibi, « Contingit autem et altera. » Dicit ergo primo, quod praedictus syllogismus fieri potest ex utrisque falsis. Quod patet si A sit et in c et in B individualiter, idest immediate. Est autem immediate genus in proximis speciebus in quas primo dividitur, sicut color in albedine et nigredine. Genus enim per se praedicatur de specie, quia primo ponitur in ejus definitione; et immediate praedicatur de specie proxima, quia immediate in ejus definitione ponitur. Non autem ex hoc, quod ponatur in definitione alicujus partis definientis, sicut se habet genus remotum ad ultimam speciem. Sint ergo termini, color, albedo, nigredo. Si ergo accipiatur A quidem in nullo c esse, utpote si dicamus, nulla albedo est color, c autem in omni B, ut puta si dicamus, omnis nigredo est albedo, falsae sunt ambae propositiones, et falsa est conclusio, scilicet nulla nigredo est color.

Deinde cum dicit « contingit autem »

Ostendit quomodo possit esse in praedicto syllogismo altera vera et altera falsa. Et primo ostendit, quomodo possit esse major vera et minor falsa. Secundo, quomodo contingit e converso, ibi, « Sed « et eam quae est. » Dicit ergo primo, quod contingit syllogismum ignorantiae negativum fieri in prima figura, existente altera propositionum indifferenter falsa, quaecumque sit illa. Potest enim contingere, quod haec propositio A c, quae est major, sit vera, et propositio quae est B c, sit falsa, quae est minor. Et quod propositio major possit esse vera, probat per hoc, quod iste terminus quicumque sit ille, non est necesse quod insit omnibus, sicut color non praedicatur de omnibus entibus. Quod autem minor sit falsa, probat per hoc, quia non potest accipi aliquis terminus, a quo universaliter negetur A, qui quidem terminus praedicetur de B. Supponimus enim quod haec sit vera et immediata, omne B est A. Si ergo aliquid universaliter praedicetur de B, ita quod hujusmodi sit vera, omne B est c, non potest esse, quod de illo universaliter negetur. Et ita haec propositio, A nullum c est A, non erit vera, quae erat major. Si enim omne B est A, ut supponitur, et omne B est c, ut assumitur, sequitur in tertia figura, quoddam c est A, quae est contradictoria major. Falsa ergo erit ista, nullum c est A. Si ergo haec sit vera, quae est major, necesse est, quod haec sit falsa, quae est minor, Omne B est c. Secundo probat quod ex duabus veris non potest concludi falsa, ut supra probatum est. Detur autem haec esse vera, nullum c est A: si ergo etiam haec sit vera, omne B est c, sequitur quod conclusio sit vera, nullum B est A, quod tamen est inconveniens in syllogismo ignorantiae, qui debet concludere falsam, quae tamen supponitur esse falsa, utpote contraria huic immediatae propositioni, omne B est A.

Deinde cum dicit « sed et eam »

Ostendit quomodo minor sit vera, majori existente falsa. Et dicit quod propositio c B, scilicet minor, potest esse vera, cum major sit falsa. Quia enim haec propositio, omne B est A, cujus contraria

debet concludi, est immediata; necesse est, quod B sit in A sicut pars in toto, sicut albedo in colore. Potest autem accipi aliquid aliud, in quo etiam sit B sicut in toto, non tamen immediate, et illud sit qualitas, quae sit c. Necesse est ergo, secundum praedicta, quod horum duorum, scilicet A et B, alterum sit sub altero, id est color sub qualitate. Si ergo aliquis accipiat A in nullo c esse, ut puta si dicat, nulla qualitas est color, falsa erit propositio. Minor autem erit falsa et immediate contraria, scilicet nulla albedo est color. Sic ergo manifestum est, quod potest fieri syllogismus ignorantiae negativus in prima figura, et altera propositione falsa, et utrisque.

Deinde cum dicit « sed in media »

Ostendit quomodo syllogismus ignorantiae negativus fiat in secunda figura. Et primo, quando utraque est falsa. Secundo quando altera tantum, ibi, « Similiter autem et alteram esse falsam. » Dicit ergo primo, quod non contingit in media figura utrasque propositiones esse totas falsas. Et dicit totas illas falsas, quae sunt contrariae propositionibus veris. Et hoc probat. Quia cum debeamus negativam concludere falsam contrariam affimativae immediatae, necesse est accipere quod haec sit vera et immediata, omne B est A, puta, omnis albedo est color. Sic autem se habentibus terminis, non potest inveniri aliquis medius terminus qui universaliter praedicetur de uno termino, et universaliter removeatur ab altero. Detur enim quod ille terminus universaliter removeatur ab A, et universaliter praedicetur de B: erit ergo haec vera, Nullum A est c: quare et conversa erit vera, nullum c est A. Sed omne B est c, ergo nullum B est A, cujus contrarium fuit suppositum. Similiter etiam non potest esse, quod universaliter removeatur A B et universaliter praedicetur de A: quia si haec est vera, omne A est c, et conversa erit vera, quoddam c est A. Si autem haec est vera, nullum B est c, et conversa erit vera, nullum c est B. Sic ergo ex his duabus propositionibus, quoddam c est A, nullum c est B, sequitur, quoddam B non est A, quae est contradictoria ejus quae supponebatur, omne B est A. Relinquitur ergo, quod impossibile est inveniri aliquod medium, quod praedicto modo se habentibus A et B, de uno praedicetur, et ab alio removeatur. Et tamen oportet, si debeat fieri syllogismus in secunda figura, quod medium de uno extremorum praedicetur, et de alio negetur. Et ideo si ambae sunt falsae totaliter, oportet quod earum contrariae sint verae, quod est impossibile, ut probatum est. Nihil enim prohibet, utramque propositionem esse falsam particulariter. Puta, si accipiamus quoddam medium quod particulariter praedicetur de A et de B, puta masculus, quod particulariter praedicatur de animali et de homine. Si vero accipiatur c esse in omni A, puta si accipiamus omne animal esse masculum, et accipiamus c in nullo B esse, puta si dicamus, nullus homo est masculus, utraque propositio est falsa, non tamen totaliter, sed particulariter. Et eadem ratio est, si e converso major sit negativa et minor affirmativa. Ut si dicamus, nullum animal est masculum, omnis homo est masculus.

Deinde cum dicit « similiter autem »

Ostendit quomodo contingit alteram esse falsam. Et primo in secundo modo secundae figurae. Secundo in primo, ibi, « Similiter autem fit transpo-

« sitio, etc. » Dicit ergo quod contingit in hac figura alteram propositionem esse falsam indifferenter, quaecumque sit illa. Quod patet ex hoc, quod supponatur A per se et immediate praedicari de B, quicquid est in omni A est in omni B, sicut omne quod universaliter praedicatur de animali, praedicatur universaliter de homine. Si ergo accipiatur aliquod medium C quod universaliter praedicetur de A, ut si dicamus, omne animal est vivum, et universaliter removeatur a B, ut si dicamus, nullus homo est vivus, patet quod A C, quae est major propositio, erit vera, sed B C quae est minor, erit falsa. Et similiter probat, quod e converso contingit majorem esse falsam. Non enim potest esse quod aliquid universaliter removeatur a B, et universaliter praedicetur de A, terminis sic se habentibus. Dictum est enim quod si aliquid est in A universaliter, sequitur quod sit in B. Si ergo aliquid removeatur a B, universaliter, non potest esse, quod universaliter praedicetur de A. Sicut quod universaliter removetur ab homine, non potest universaliter praedicari de animali. Si ergo accipiatur aliquid quod universaliter removeatur ab homine, puta irrationale, et dicatur sic, omne animal est irrationale, nullus homo est irrationalis, sequitur quod minor propositio est vera, et major falsa. Sed in his terminis, major propositio non est totaliter falsa. Potest autem accipi terminus in quo sit totaliter falsa; puta si accipiamus inanimatum pro medio.

Deinde cum dicit « similiter autem »

Ostendit idem in primo modo secundae figurae, in quo major est negativa. Manifestum est enim quod praedictis terminis scilicet A et B sic se habentibus, ut dictum est, quod universaliter removetur ab A, non poterit esse in nullo B. Si ergo accipiatur C medium, quod universaliter removetur ab A, et universaliter praedicetur de B, erit major vera et minor falsa. Puta si sint isti termini, inanimatum, animal, homo. Et similiter ostendit, quod potest esse minor vera et major falsa. Manifestum est enim secundum praedicta, quod id quod universaliter praedicatur de B non removetur universaliter ab omni A; quia quod universaliter praedicatur de B, ad minus oportet in quodam A esse. Si ergo accipiatur C medium, quod universaliter praedicetur de B, puta rationale vel vivum, et universaliter negetur de A, minor propositio erit vera, scilicet omnis homo est rationale, vel vivum. Major autem, nullum animal est rationale, est falsa in parte. Nullum animal est vivum, est falsa in toto. Deinde epilogando concludit, quod syllogismus deceptivus potest fieri in immediatis, utrisque propositionibus existentibus falsis, vel altera tantum.

LECTIO XXIX.

Quomodo in syllogismo ignorantiae syllogizetur tam negativa falsa mediata quam affirmativa, tum per medium proprium quam non proprium et extraneum docet.

ANTIQUA.

In his autem quae non individua sunt, cum quidem per proprium medium fiat falsitatis syllogismus, non possibile est utrasque falsas esse propositiones, sed solum quae est ante majus ultimum. Dico autem proprium medium, per quod fit contradictionis syllogismus. Sit enim A in B per medium C. Quoniam igitur necesse est quae est B C affirmativam accipi syllogismo facto, manifestum est quod semper haec est vera; non enim convertitur; sed quae est A C falsa. Hac enim conversa, e contrario fiet syllogismus.

Similiter autem est, et si ex alia ordinatione accipiatur medium, ut D, quamvis in toto A sit, et de B praedicetur omni. Necesse enim est quae quidem B D propositionem manere, alteram autem converti. Quare haec quidem semper vera, illa vero semper falsa. Et fere hujusmodi deceptio eadem est ei quae fit per proprium medium. Si vero non per proprium medium fiat syllogismus, cum quidem sub A sit media, in B autem nullo est, necesse est utrasque falsas esse. Recipiendae enim utique e contrario sunt, quam se habent, propositiones, si debet syllogismus fieri. Sic enim acceptis, utraeque fiunt falsae: ut si A quidem in toto D, D autem in nullo B: conversis enim his, syllogismus quidem erit, et utraeque propositiones falsae. Cum vero non sit sub A medium, ut D, quae quidem est A D vera erit, quae vero est D B, falsa; quia si esset vera, et conclusio esset vera. Sed erat falsa.

Sed per mediam figuram facta deceptione utrasque quidem non contingit falsas esse propositiones totas. Cum enim

RECENS.

In iis vero, quae non immediate insunt, aut non insunt, quando per proprium medium concluditur syllogismo falsum, fieri non potest, ut utraeque propositiones falsae sint; sed tantum major [falsa esse potest].

Dico autem proprium medium, per quod fit syllogismus contradictionis.

Insit enim *to* A *tō* B per medium C. Quoniam igitur necesse est, [propositionem] C B affirmativam sumi facto syllogismo; manifestum est, hanc semper esse veram; non enim convertitur. A C [propositio] autem erit falsa; nam hac conversa, fit contrarius syllogismus.

Similiter vero etiam, si ex alio ordine sumptum fuerit medium, ut, *to* D, etiamsi in toto A sit, et de omni B praedicetur. Nam necesse est, propositionem D B manere, at alteram converti [in oppositam]. Quare illa quidem [erit] semper vera; haec autem semper falsa. Et fere talis deceptio est eadem cum illa, [quae fit] per proprium medium. Si vero non per proprium medium fiat syllogismus; quando sub A fuerit medium, at nulli B insit, necesse est, utrasque esse falsas. Sumendae enim sunt contrariae, aut quemadmodum se habent, propositiones, si futurus sit syllogismus. Ita vero sumptis [propositionibus], utraeque fiunt falsae. Ut, si *to* A quidem omni D inest; *to* D autem nulli B; his enim conversis [utrisque in oppositam qualitatem], erit syllogismus; et propositiones utraeque [erunt] falsae. Si vero medium non fuerit sub A, ut D; [propositio] quidem A D vera erit, D B autem falsa. Nam A D quidem vera est, quoniam *to* D non inerat *tō* A. D B autem [est] falsa, quoniam, si vera esset, etiam conclusio esset vera; at erat falsa.

Si autem per mediam figuram fit deceptio, utrasque propositiones quidem non contingit falsas esse totas. Nam sit в quidem sub ᴀ, nihil contingit, in hoc omni quidem, in illo autem nullo esse sicut dictum est prius. Altera vero falsa potest esse, et quaecumque contingit. Si enim c et in ᴀ et in в est, si accipiatur c in ᴀ quidem esse, in в vero non esse, quae quidem est, ᴀ c vera erit, altera autem falsa. Iterum autem si in в quidem accipiatur c esse, in ᴀ autem nullo, quae quidem est c в vera erit, altera autem falsa. Si quidem igitur sit privativus deceptionis syllogismus, dictum est quando et per quae erit deceptio.

Si vero sit affirmativus, tunc quidem per proprium medium impossibile utrasque esse falsas. Necesse enim est, quae в c manere, siquidem erit syllogismus, sicut dictum est prius. Quare ᴀ c semper erit falsa. Haec enim est conversa. Similiter autem et si ex alia ordinatione accipiatur medium, sicut dictum est et in privativa deceptione. Necesse est enim quae quidem est ᴅ в manere, quae vero est ᴀ ᴅ converti. Et haec deceptio est eadem priori.

Cum vero sit non per proprium, siquidem sit ᴅ sub ᴀ, haec quidem erit vera, altera autem falsa. Potest enim ᴀ in pluribus esse, quae non sunt subinvicem. Si vero non sit ᴅ sub ᴀ, haec quidem semper manifesta est, quoniam erit falsa; affirmativa enim accipitur. Quae vero est ᴅ в, contingit veram et falsam. Nihil enim prohibet ᴀ quidem in ᴅ nullo esse, ᴅ autem in omni в, ut animal, scientia, musica. Non autem iterum neque ᴀ in nullo ᴅ, neque ᴅ in nullo в. Manifestum igitur est quoniam cum non sit medium sub ᴀ, et utraeque possunt falsae esse, et quaecumque contingit. Quot quidem igitur modis, et per quae possunt fieri per syllogismum deceptiones, et in his quae sunt sine medio, et in his quae sunt per demonstrationem, manifestum est.

si fuerit to в sub ᴀ, nihil contingit huic quidem omni, at illi nulli inesse, ut et antea dictum est.

At alteram [propositionem falsam esse, ut fiat deceptionis syllogismus in secunda figura], contingit, et utramcumque acciderit.

Nam si to c et tō ᴀ et tō в inest, si sumatur, tō ᴀ quidem inesse, tō в autem non inesse; [propositio] quidem ᴀ c vera erit; altera autem falsa.

Rursus, si tō в quidem inesse sumptum fuerit to c, nulli autem ᴀ; [propositio] quidem c в vera erit, et altera falsa.

Si igitur negativus fuerit deceptionis syllogismus, dictum est, quando et per quae futura sit deceptio.

Si vero affirmativus [sit syllogismus], quando per proprium medium fuerit, fieri non potest ut utraeque [propositiones] falsae sint; necesse enim est, [propositionem] c в manere, si quidem futurus sit syllogismus, quemadmodum et antea dictum est. Quare [propositio] c ᴀ semper erit falsa. Haec enim est conversa [in oppositam qualitatem].

Similiter vero etiam, si ex alio ordine sumatur medium, quemadmodum etiam dictum est, ubi de syllogismo deceptionis negativo agebatur. Nam necesse est, [propositionem] quidem ᴅ в manere, ᴀ ᴅ autem converti. Et deceptio haec est eadem cum priori.

Quando vero non per proprium [medium syllogismus factus fuerit], si quidem ᴅ fuerit sub ᴀ, haec [propositio] erit vera, at altera falsa. Fit enim ut ᴀ pluribus insit, quorum non sit alterum sub altero.

Si vero non fuerit ᴅ sub ᴀ; haec quidem [propositio] manifestum est quod semper sit falsa; nam affirmativa sumitur; [propositionem] ᴅ в autem contingit et veram esse et falsam. Nihil enim impedit quominus to ᴀ quidem nulli ᴅ insit, to ᴅ autem omni в: ut, animal scientiae, scientia vero musicae. Neque rursus [aliquid impedit quominus] to ᴀ nulli ᴅ, nec to ᴅ nulli в [insit]. Manifestum igitur est quod si medium non sit sub ᴀ, et utrasque contingat falsas esse, et utramcumque acciderit.

Quot ergo modis, et per quae fieri possint deceptiones secundum syllogismum, et in immediatis, et in his quae demonstrari possunt, manifestum est.

Postquam Philosophus ostendit, quando syllogismus ignorantiae fit in propositionibus immediatis, hic ostendit, quomodo fit in propositionibus mediatis. Et primo quomodo concludatur propositio negativa falsa, quae opponitur affirmativae verae. Secundo quomodo concludatur affirmativa falsa, quae opponitur negativae verae, ibi, « Si vero affirmativus. » Circa primum duo facit. Primo ostendit hoc in prima figura. Secundo in secunda, ibi, « Sed per mediam figuram. » Circa primum tria facit. Primo ostendit quomodo fit syllogismus ignorantiae in propositionibus mediatis, per medium proprium. Secundo, quomodo fit per medium quidem non proprium, sed tamen similem habitudinem habens ad terminos sicut medium proprium, ibi, « Similiter autem est, et ex alia ordinatione. » Tertio, ostendit quomodo fit praedictus syllogismus per medium extraneum, ibi, « Si vero non per proprium medium. » Dicit ergo primo, quod quando syllogismus concludens falsum, fit in propositionibus quae non sunt individuae, id est immediatae, si accipiatur proprium medium, unde fit syllogismus, non potest esse utrasque propositiones esse falsas, sed solum majorem. Et exponit quid nominat proprium medium: ex quo enim proposito, cujus contraria syllogizatur, est mediata, oportet, quod praedicatum syllogizetur de subjecto, per aliquod medium. Potest ergo illud idem medium accipi ad concludendum oppositum: puta haec est propositio mediata, omnis triangulus habet tres angulos aequales duobus rectis. Medium autem per quod syllogizatur praedicatum de subjecto, est figura habens triangulum extrinsecum, aequalem duobus intrinsecis sibi oppositis. Si vero volumus probare,

quod nullus triangulus habet tres angulos aequales duobus rectis, per idem medium erit syllogismus falsitatis per proprium medium. Et ideo dicit, quod medium proprium est, per quod fit syllogismus contradictionis, id est ad oppositum, puta in praedicto exemplo. Sit ᴀ triangulus; habere tres в; medium c, sit figura talis. In prima autem figura, necesse est minorem esse affirmativam; et ideo oportet quod illa quae erat minor in syllogismo vero, maneat non conversa nec transmutata in suam oppositam, in syllogismo falsitatis. Unde oportet, quod semper sit vera. Sed major propositio veri syllogismi convertitur in negativam contrariam, et ideo oportet, quod major sit falsa. Puta si dicamus, nulla figura habens etc., habet tres etc., omnis triangulus est figura etc.

Deinde cum dicit « similiter autem »

Ostendit quomodo fit praedictus syllogismus per medium extraneum et non proprium, sed simile proprio. Et dicit quod similiter syllogizabitur, si medium accipiatur ex alia ordinatione. Puta si ᴀ demonstretur de в per ᴇ, et accipiamus in syllogismo falsitatis medium non c sed ᴅ, ita tamen quod ᴅ etiam contineatur sub ᴀ universaliter, et praedicetur universaliter de в: puta si accipiamus pro medio figuram contentam tribus lineis rectis, quia hic etiam necesse est minorem propositionem, scilicet ᴅ в manere, sicut erat in syllogismo concludente verum, quamvis per proprium medium. Majorem autem propositionem, necesse est transmutari in contrariam; et ideo semper minor erit vera, et major semper erit falsa. Et quantum ad modum arguendi, ista deceptio est similis ei quae fit per proprium medium.

Deinde cum dicit « si vero »

Ostendit quomodo fit syllogismus falsitatis per medium extraneum, et dissimile proprio. Potest autem hoc modo medium accipi, ut contineatur universaliter sub A, et de nullo B praedicetur. Et in hoc casu oportebit utrasque propositiones esse falsas; quia oportebit, ad hoc quod fiat syllogismus in prima figura, accipere propositiones e contrario, ut scilicet accipiamus majorem negativam, et dicamus, nullum D est A, et minorem affirmativam, et dicamus, omne B est D: et sic patet utrasque esse falsas. Et haec quidem habitudo terminorum inveniri non potest in convertibilibus, sicut in subjecto et passione, quae per aliquod medium de subjecto concluditur. Manifestum est enim quod non potest accipi aliquid, de quo passio universaliter praedicetur, quod a subjecto universaliter removeatur. Sed haec habitudo potest inveniri, quando propositio est mediata, ex hoc quod superius genus vel passio superioris generis praedicatur de ultima specie. Puta si dicamus, omnis homo est vivus. Vivum enim potest concludi de homine per medium, quod est animal. Si ergo accipiamus aliquid de quo vivum universaliter praedicetur, sicut est oliva, quae vere removetur ab homine universaliter, erit habitudo terminorum quam quaerimus. Haec enim erit falsa, nulla oliva est viva, et minor erit similiter falsa, omnis homo est oliva; et similiter conclusio erit falsa, nullus homo est vivus, quod est contrarium propositioni verae mediatae. Contingit etiam majorem esse veram, et minorem esse falsam. Puta si accipiamus pro medio aliquid quod non contineatur sub A, puta lapidem. Tunc enim major, quae est A B, erit vera, scilicet nullus lapis est vivus, quia lapis non continetur sub vivo, sed minor erit falsa, scilicet, omnis homo est lapis. Si enim esset haec vera prima existente falsa, sequeretur quod conclusio esset vera, cum tamen dictum sit quod sit falsa. Non autem potest esse e converso, quod minor sit vera, si sit medium extraneum; quia medium extraneum non poterit universaliter praedicari de B. Oportet autem semper minorem affirmativam accipere in prima figura.

Deinde cum dicit « sed per medium »

Ostendit quomodo fit syllogismus ignorantiae negativus in secunda figura. Et dicit quod non potest contingere in secunda figura, quod utraque propositio sit falsa totaliter. Si enim debeat concludi haec falsa, nullum B est A, contraria verae, oportet quod A universaliter praedicetur de B. Unde non poterit aliquid inveniri, quod universaliter praedicetur de uno, et universaliter negetur de altero, sicut supra dictum est, cum agebatur de syllogismo ignorantiae in immediatis. Potest tamen altera tantum esse totaliter falsa, quaecumque sit illa. Et manifestat primo, in secundo modo secundae figurae, in quo major est affirmativa, et minor negativa. Sit ergo medium sic se habet ad extrema, ut universaliter praedicetur de utroque, sicut universaliter vivum de animali praedicatur et de homine. Si ergo accipiatur major affirmativa, ut dicamus, omne animal est vivum, et accipiatur major negativa, ut dicatur, nullus homo est vivus; major erit vera, et minor falsa, et conclusio falsa. Similiter etiam si accipiamus in primo modo secundae figurae majorem negativam, ut si dicamus, nullum animal est vivum, et majorem affirmativam, ut dicamus, omnis homo est vivus, erit major falsa, et

minor vera, et conclusio falsa. Et his dictis, epilogando concludit dictum esse, quando, et per quae possit fieri deceptio, si syllogismus deceptivus sit privativus.

Deinde cum dicit « si vero »

Ostendit, quomodo fiat affirmativus syllogismus deceptionis in propositionibus mediatis. Et primo quando fit per proprium medium. Secundo, quando fit per medium simile proprio, ibi, « Similiter autem, et si ex alio etc. » Tertio, quando fit per medium extraneum, ibi, « Cum vero fit per non « proprium. » Dicit ergo primo quod si fiat syllogismus deceptionis affirmativus in propositionibus mediatis, si accipiatur proprium medium ut supra expositum est, impossibile est quod utraque sit falsa. Quia cum talis syllogismus non possit fieri nisi in prima figura, utraque existente affirmativa, necesse est quod minor proposio maneat hoc modo, sicut erat in vero syllogismo. Unde oportebit majorem propositionem esse mutatam, scilicet de negativa in affirmativam, et oportebit quod sit falsa. Puta si velimus concludere, quod omnis homo sit quantitas, quod est contrarium hujus, nullus homo est quantitas, cujus proprium medium est substantia, accipiemus istam falsam, omnis substantia est quantitas; et hanc veram, omnis homo est substantia.

Deinde cum dicit « similiter autem »

Ostendit, quomodo fit syllogismus ignorantiae, quando accipitur medium non proprium, quod non sit ejusdem ordinis, sed ex alia coordinatione. Puta si dicerem, Omne agens est quantitas, omnis homo est agens, ergo omnis homo est quantitas. Oportet enim minorem manere, majorem autem mutari de negativa in affirmativam. Unde et haec deceptio similis est priori deceptioni, sicut dicebatur in syllogismo privativo.

Deinde cum dicit « cum vero »

Ostendit quomodo fiat syllogismus deceptionis affirmativus per medium extraneum; et dicit quod si accipiatur tale medium extraneum, quod contineatur sub majori extremitate, tunc major erit vera, et minor falsa. Potest enim A quae est major extremitas, de pluribus universaliter predicari, quae non sunt subinvicem; puta habitus de grammatica et virtute. Haec enim est mediata, nulla grammatica est virtus. Possumus ergo concludere contrarium hujus, scilicet, omnis grammatica est virtus, per aliquod medium quod contineatur sub virtute; et tunc major erit vera et minor falsa. Puta si dicamus, omnis grammatica est temperantia, ergo omnis grammatica est virtus. Si ergo accipiatur aliquod medium quod non sit sub majori extremo, major semper erit falsa, quia accipitur affirmativa. Sed minorem contingit esse cum hac quandoque quidem falsam, et tunc ambae erunt falsae; puta si dicamus, omnis albedo est virtus, omnis grammatica est albedo, ergo etc. Quandoque autem potest esse vera. Nihil enim prohibet, sic se habentibus terminis, quod A removeatur ab omni D, et D sit in omni B. Sicut est in terminis his, animal, scientia, musica. Animal enim quod est major extremitas removetur universaliter ab omni scientia: unde haec quae sumitur ut major, in syllogismo ignorantiae, omnis scientia est animal, est falsa. Minor vero, scilicet, omnis musica est scientia, est vera, sed conclusio fiet (1) contraria negativae verae mediatae. Contingit etiam quod A sit in nullo D, et D in nullo B, ut dictum est. Sic

(1) *Ed. Rom.* fiat.

igitur patet, quod quando medium non continetur sub majori extremitate, possunt esse utraeque falsae, et altera earum quaecumque contingit, quia major et minor potest esse falsa, major autem non potest esse vera, sic se habentibus terminis, ut supradictum est. Ultimo autem epilogando concludit manifestum esse ex praedictis quot modis, et per quas propositiones veras vel falsas possunt fieri deceptiones per syllogismum, tam in propositionibus immediatis, quam in propositionibus mediatis, quae demonstratione probantur.

LECTIO XXX.

Natura ignorantiae simplicis negationis exponitur.

Manifestum autem est, et si aliquis sensus defecerit, necesse est et scientiam aliquam deficere, quam impossibile est accipere.

Siquidem addiscimus, aut per inductionem, aut per demonstrationem. Est autem demonstratio quidem ex universalibus, inductio autem ex his quae sunt secundum partem. Impossibile est autem universalia speculari, nisi per inductionem; quoniam, et quae ex abstractione dicuntur, est per inductiones nota facere, quia insunt in unoquoque genere quaedam, et si non separabilia sint secundum quod hujusmodi unumquodque est. Inducere autem non habentes sensum impossibile est. Singularium sensus est enim. Non enim contingit accipere ipsorum scientiam. Neque enim ex universalibus est sine inductione, neque per inductionem sine sensu.

Perspicuum etiam est, si quis sensus defecerit, necesse esse, etiam scientiam quamdam defecisse, quam impossibile erat consequi; siquidem discimus aut inductione, aut demonstratione. Est autem demonstratio ex universalibus; inductio vero ex singularibus; impossibile vero est universalia contemplari, nisi per inductionem; (nam illa quoque, quae ex abstractione [percepta] dicuntur, per inductionem nota erunt, si quis velit illa nota facere, quod [illorum] quaedam insit cuique subjecto, etiamsi non possint separari, quatenus unumquodque [sit] tale;) inductione autem doceri sensu destitutos impossibile est. Sensus enim est singularium; nam non contingit horum adipisci scientiam; nec enim [scientiam acquirere licet] ex universalibus sine inductione, nec per inductionem sine sensu.

Postquam Philosophus determinavit de ignorantia dispositionis, quae fit per syllogismum, hic determinat de ignorantia simplicis negationis, quae fit absque syllogismo. Et primo ostendit in quibus habeatur talis ignorantia ex necessitate. Secundo probat propositum, ibi, « Siquidem addiscimus etc. » Dicit ergo primo quod si alicui deficiat aliquis sensus, puta visus, aut auditus, necesse est quod deficiat ei scientia propriorum sensibilium illius sensus. Puta si cui deficit sensus visus, necesse est quod deficiat ei scientia de coloribus. Et sic habebit ignorantiam negationis de coloribus, omnino ignorans colorem. Sed hoc intelligendum est, quando nunquam habuit sensum visus, sicut patet in caeco nato. Si quis enim amittat visum prius habitum, non oportet propter hoc quod careat scientia colorum; quia ex his, quae prius sensit remanet in eo colorum memoria. Contingit autem de aliquibus rebus haberi ignorantiam negationis, quae tamen cognosci possunt per sensum quem habemus; sicut si aliquis habens visum semper fuisset in tenebris, careret quidem scientia colorum, sed non ex necessitate, quia posset accipere sentiendo colores; quod non contingit in eo, qui caret sensu visus. Et ideo addit, quod impossibile est accipere, quia videlicet ille qui caret potentia visiva, non potest etiam percipere cognitionem colorum.

Deinde cum dicit « si quidem »

Probat propositum per hoc quod duplex est modus acquirendi scientiam. Unus quidem per demonstrationem, alius autem per inductionem, quod etiam in principio hujus libri positum est. Differunt autem hi duo modi, quia demonstratio procedit ex universalibus, inductio autem procedit ex particularibus. Si ergo universalia ex quibus procedit demonstratio, cognosci possent absque inductione, sequeretur quod homo posset accipere scientiam eorum quorum non habet sensum. Sed impossibile est, universalia speculari absque inductione. Et hoc quidem in rebus sensibilibus est magis manifestum, quia in eis per experientiam quam habemus circa singularia sensibilia, accipimus notitiam universalem, sicut manifestatur in primo Metaphysicorum. Sed maxime videtur hoc dubium in his quae dicuntur secundum abstractionem, sicut in mathematicis. Cum enim experientia a sensu ortum habeat, ut dicitur in primo Metaphysicorum, videtur quod hoc locum non habeat in his quae sunt abstracta a materia sensibili. Et ideo ad hoc excludendum dicit quod etiam ea quae dicuntur secundum abstractionem, contingit nota facere per inductionem, quia in unoquoque genere abstractorum sunt quaedam particularia quae non sunt separabilia a materia sensibili, secundum quod unumquodque eorum est hoc. Quamvis enim linea secundum abstractionem dicatur linea in communi, tamen haec linea quae est in materia sensibili, inquantum est individuata, abstrahi non potest, quia individuatio ejus est ex hac materia. Non autem manifestantur nobis principia abstractorum, ex quibus demonstrationes in eis procedunt, nisi ex particularibus aliquibus, quae sensu percipimus. Puta ex hoc quod videmus aliquod totum singulare sensibile, inducimur ad cognoscendum quid est totum et pars, et cognoscimus quod omne totum est majus sua parte considerando hoc in pluribus. Sic igitur universalia ex quibus demonstratio procedit, non sunt nobis nota nisi per inductionem. Homines autem carentes sensu aliquo non possunt inductionem facere de singularibus pertinentibus ad sensum illum, quia singularium ex quibus procedit inductio, est solum cognitor sensus. Unde oportet quod omnino sint hujusmodi singularia ignota, quia non contingit quod aliquis carens sensu accipiat talium singularium scientiam; quia neque ex universalibus potest demonstrare sine inductione, per quam universalia cognoscuntur, ut dictum est; neque per inductionem potest aliquid cognosci sine sensu, qui est singularium, ex quibus procedit inductio. Est autem considerandum, quod per verba Philosophi, quae hic inducuntur, excluditur duplex positio. Prima quidem est positio Platonis, qui ponebat quod nos habeamus scientiam de rebus per species participatas ab ideis. Quod si esset verum, universalia fierent nobis nota absque inductione, et ita possemus acquirere scientiam eorum quorum sensum non habemus. Unde et hoc argumento utitur Aristoteles contra Platonem in fine 1 Metaphysicorum. Secunda est positio dicentium quod possumus in hac vita cognoscere substantias separatas, intelligendo quidditates earum, quae tamen per sensibilia quae cognoscimus, quae ab eis omnimode transcenduntur, cognosci non possunt. Unde si ipsae cognoscerentur secundum suas essentias, sequetur quod aliqua cognoscerentur absque inductione et sensu, quod Philosophus hic negat etiam de abstractis.

LECTIO XXXI.

Ex terminis qui assumuntur in demonstratione, majori videlicet, minori extremitatibus, et medio, tam in negativis quam affirmativis processum in infinitum sit, inquirit.

Est autem omnis syllogismus per tres terminos. Et hoc quidem demonstrare possibile est, quoniam est A in C propter id quod est in B et hoc in C. Sed privativus est alteram quidem propositionem habens quoniam est aliud in alio, alteram autem quoniam non est.

Manifestum igitur est quod principia et dictae suppositiones hae sunt. Accipientes enim hoc, si necesse est demonstrare, ut quia A sit in C per B. Iterum autem quia A sit in B per aliud medium, et quod B sit in C similiter.

Secundum quidem igitur opinionem syllogizantibus et solum dialectice, manifestum est quod hic solum intendendum sit, ex quibus contingit verisimilis fiat syllogismus: quare et si est aliquid in veritate eorum quae sunt A B medium, videtur autem non per hoc syllogismus, syllogizatus est dialectice. Ad veritatem autem ex his quae sunt, oportet intendere.

Habet autem se sic. Quoniam autem est quod ipsum quidem de alio praedicatur non secundum accidens. Dico autem secundum accidens, ut album aliquando illud dicimus hominem esse, non similiter dicentes et hominem album. Quod quidem enim cum non alterum aliquid sit, album est: album autem quoniam accidit homini esse album. Sunt igitur quaedam hujusmodi, quae secundum se praedicantur.

Sit igitur C hujusmodi quod ipsum quidem non sit, in alio, in hoc autem B sit primo, et non est aliud medium. Iterum F in E sit similiter, et hoc in B: numquid igitur hic necesse est stare, aut contingit in infinitum ire? Et iterum si de A quidem nihil praedicatur per se, A autem in C est primo, medium autem in nullo priori, et item C sit in I, et hoc in B, numquid et in hoc stare necesse est, aut in hoc contingit in infinitum abire? Differt autem hoc a priori, quoniam hoc quidem est numquid contingit incepturum ab hujusmodi, quod in nullo est altero, sed aliud in illo, in sursum in infinitum abire, alterum autem incepturum ab hujusmodi quod ipsum quidem de alio, de illo autem nihil praedicatur, in deorsum intendere, si contingit in infinitum ire?

Amplius media numquid contingit infinita esse determinatis terminis? Dico autem, ut si A in C sit, medium autem ipsorum sit B, ab ipso autem B ad A alterum, sed horum alia, numquid et hoc in infinitum contingit abire, aut impossibile est?

Est autem hoc intendere idem esse, et si demonstrationes in infinitum veniunt, et si est demonstratio omnis rei, aut

Est autem omnis syllogismus per tres terminos.

Et est quidem, quo demonstrari potest, *to* A inesse *tō* C, quoniam insit *tō* B, et hoc *tō* C; at negativus unam quidem propositionem habens, aliud quid alii inesse, alteram vero, non inesse.

Manifestum igitur est, principia et sic dictas suppositiones eodem redire. Oportet enim sumentem illa hoc modo demonstrare; ut *to* A inesse *tō* C per B; rursus autem, *to* A inesse *tō* B per aliud medium. Et *to* B [inesse] *tō* C, similiter.

Secundum opinionem ergo ratiocinantibus, et tantum dialectice, manifestum est, hoc solum considerandum esse, ut ex quibus contingit maxime probabilibus fiat syllogismus. Quare, etiam si sit ex veritate [terminorum] A B medium, videtur autem non esse, qui per hoc syllogismo probaverit, is dialectice syllogismo probavit; ad veritatem autem ex iis quae rei insunt, oportet nos [rem] contemplari.

Habet hoc autem se sic: quoniam est [aliquid,] quod ipsum quidem de alio praedicatur non secundum accidens; (dico autem *to* Secundum accidens, ut, album illud aliquando dicimus hominem esse, non eadem ratione dicentes quoque, hominem [esse] album. Hic enim, quum non diversum quid sit, album est; album autem est, quoniam accidit homini esse album.) Sunt igitur nonnulla talia, ut per se praedicentur.

Sit nimirum tale *to* C, quod ipsum quidem non amplius inest alii, huic vero (c) primo insit *to* B, nec intercedat aliud quid; et rursus, E [insit] *tō* z similiter; et hoc *tō* B. Num ergo hic consistere necesse est, an licet in infinitum progredi? Et rursus, si de A quidem nihil praedicatur per se, A autem inest *tō* T primo, medio autem nulli prius, et *to* T *tō* H, et hoc *tō* B; num et hic consistere necesse est, an vero et hic in infinitum progredi licet?

Differt autem hoc a priori, eo quod hoc quidem [quaesitum tale] est, num contingat, si quis initium faciat ab eo quod nulli alii inest, sed cui aliud inest, sursum ascendendo in infinitum progredi; alterum vero, [num contingat] initium facientem ab eo quod ipsum quidem de alio [praedicatur,] quum nihil de ipso praedicetur, deorsum descendendo contemplatione in infinitum progredi.

Praeterea, num etiam media contingat esse infinita, ipsis extremis finitis; dico autem, ut, si *to* A inest *tō* C, medium autem illorum est *to* B, at *toū* B et A alia [media sunt,] et horum alia; num et haec contingat in infinitum progredi, an vero id fieri non possit.

Est autem haec consideratio eadem cum illa, num demonstrationes in infinitum progrediantur, et num omnium rerum

adinvicem includantur.

Similiter autem dico, et in privatis syllogismis, et propositionibus; ut si A non inest nulli B primo, aliquid infra, cui priori non inest A ut ipsi I, quod est in omni B. Et iterum hoc etiam in alio priori, ut si C est quod sit in omni I. Et namque in his, aut infinita sunt in quibus non inest prioribus, aut statur.

Sed in convertentibus non similiter se habet. Non enim est in aeque praedicabilibus de quo primo praedicatur, aut ultimo. Omnia enim ad omnia sic similiter se habent, et si sint infinita de ipso praedicantia, utrique sunt praedicta infinita, nisi similiter non contingat converti; sed hoc quidem sicut accidens, illud vero sicut praedicamentum.

sit demonstratio, et num [demonstrationes] se invicem terminent.

Similiter autem dico etiam de negativis syllogismis, et propositionibus. Ut, si to A non inest tō B ulli, an primo, an fuerit aliquid medium, cui primo non insit? ut, si to B, quod tō B omni inest, et rursus etiam alteri, quod illo prius est, ut to T, quod tō B omni inest. Nam et in his aut infinita erunt, quibus prius non insit, aut consistendum est.

In iis autem quae convertuntur, res sese non similiter habet. Non enim est in praedicatis, de quo primo aut ultimo praedicatio fiat; omnia enim ad omnia hac ratione aequaliter se habent, et si sint infinita, quae de eodem praedicantur, et si utraque, de quibus dubitatum fuit, infinita sint, nisi quum non aequaliter converti contingit; sed hoc quidem ut accidens, illud vero ut praedicatio.

Postquam Philosophus determinavit de syllogismo demonstrativo, ostendens ex quibus et qualibus procedat, et in qua figura demonstrationes fieri possunt, hic inquirit, utrum demonstrationes possint in infinitum procedere. Et primo movet questionem. Secundo determinat eam, ibi, « Quod quidem igitur non contingit media etc. » Circa primum duo facit. Primo praemittit quaedam antecedentia, quae sunt necessaria ad intellectum quaestionis. Secundo movet quaestionem, ibi, «Sit igitur c hujusmodi etc. » Circa primum duo facit. Primo praemittit de forma syllogistica, quam oportet in demonstrationibus observare. Secundo resumit qualis debeat esse demonstrationis materia, ibi, « Manifestum igitur est quod « principia. » Circa primum tria tangit. Quorum primum est commune omni syllogismo; scilicet quod omnis syllogismus est per tres terminos, ut manifestum est in libro Priorum. Secundum autem pertinet ad syllogismum affirmativum, cujus forma talis est, quod concludit A esse in C propter id quod A est in B, et B est in C. Et haec est forma syllogistica in prima figura, in qua sola potest concludi affirmativa universalis, quae maxime quaeritur in demonstrationibus. Tertium est quod pertinet ad·syllogismum negativum, qui de necessitate unam propositionem habet affirmativam, aliam autem negativam, differenter tamen in prima figura et in secunda, ut patet per ea quae in libro Priorum sunt ostensa.

Deinde cum dicit « manifestum igitur »
Resumit quae sit materia demostrationum. Et circa hoc tria facit. Primo enim proponit materiam. Secundo ostendit differentiam hujus materiae ad materiam syllogismi dialectici, ibi, « Secundum quidem igitur opinationem. » tertio differentiam positam manifestat, ibi, « Habet autem sic se. » Dicit ergo primo quod cum syllogismus habeat tres terminos, ex quibus formantur duae propositiones concludentes tertiam, manifestum est, quod hae propositiones, ex quibus proceditur in syllogismo demonstrativo secundum formam praedictam, sunt principia et suppositiones, de quibus in praecedentibus dictum est. Qui enim accipit hujusmodi principia, sic demonstrat per ea, sicut expositum est in forma syllogistica; ut scilicet quia A sit in C, probatur per B; et si propositio A B sit iterum mediata, quod A sit in B demonstratur per aliquod medium: et simile est si propositio minor, scilicet B C, sit mediata.

Deinde cum dicit « secundum quidem »
Ostendit quantum ad praedicta differentiam inter syllogismum demonstrativum et syllogismum dialecticum. Quia enim syllogismus dialecticus ad hoc tendit, ut opinationem faciat, hoc solum est de

intentione dialectici, ut procedat ex his quae sunt maxime opinabilia; et haec sunt ea quae videntur, vel pluribus vel maxime sapientibus. Et ideo si dialectico in syllogizando occurrit aliqua propositio quae secundum rei veritatem habeat medium per quod possit probari, sed tamen non videatur habere medium, sed propter sui probabilitatem videtur per se nota, hoc sufficit dialectico, nec inquirit aliud medium, licet propositio sit mediata; et ex illo syllogizans sufficienter perficit dialecticum syllogismum. Sed syllogismus demonstrativus ordinatur ad scientiam veritatis; ideo ad demonstrationem pertinet, ut procedat ex veris, quae sunt secundum rei veritatem immediata. Et si occurrit ei mediata propositio, necesse est quod probet eam per medium proprium, quousque deveniat ad immediata, nec est contentus probabilitate propositionis.

Deinde cum dicit « habet autem »
Manifestat quod dixerat, dicens quod hoc quod dictum est quod demonstrator ad veritatem ex his, quae sunt procedit, sic se habet, ut dicetur. Invenitur enim aliquid quod de alio praedicatur, non secundum accidens. Et exponit per affirmativam, dicens quid praedicetur secundum accidens. Dupliciter enim aliquid praedicatur secundum accidens. Uno modo quando subjectum praedicatur de accidente, puta cum dicimus, album est homo. Alio modo dissimiliter quando accidens praedicatur de subjecto, sicut cum dicitur, homo est albus. Et differt hic modus a primo: quoniam hic, quando accidens praedicatur de subjecto, dicitur, homo est albus, non quia aliquid alterum sit album, sed quia ipse homo est albus: et tamen est propositio per accidens, quia album non convenit homini secundum propriam rationem. Neque enim ponitur in definitione ejus, neque e converso. Sed quando dicitur, album est homo, non dicitur, quia esse hominem insit albo, sed quia esse hominem inest subjecto albi, cui scilicet accidit esse album. Unde hic modus est magis remotus a praedicatione per se, quam primus. Sunt autem quaedam quae neutro istorum modorum per accidens praedicantur; et ista dicuntur per se. Et talia sunt ex quibus demonstrator procedit. Sed hoc dialecticus non requirit: et ideo quaestio quae ita proponitur de hujusmodi quae per se praedicantur, non habet locum in syllogismis dialecticis, sed solum in syllogismo demonstrativo.

Deinde cum dicit « sit igitur »
Movet quaestiones intentas. Et circa hoc duo facit. Primo movet quaestiones in quibus locum habent. Secundo ostendit in quibus locum non habent, ibi, « Sed in convertentibus, etc. » Circa

primum duo facit. Primo movet quaestiones in demonstrationibus affirmativis. Secundo ostendit quod hae quaestiones similiter locum habent in demonstrationibus negativis, ibi, « Similiter autem « dico et in privativis. Circa primum duo facit. Primo enim movet quaestiones. Secundo ostendit ad quid hujusmodi quaestiones pertineant, ibi, » Est « autem hoc intendere. » Circa primum movet tres quaestiones secundum tres terminos syllogismi. Et primo movet quaestionem majoris extremitatis, utrum sit abire in infinitum in ascendendo. Et in hac quaestione supponitur ultimum subjectum quod non praedicatur de alio, et alia praedicantur de ipso. Sit ergo hoc c; et in c primo et immediate sit B, et in B sit E, quasi de eo universaliter praedicatum; et iterum F sit in E, similiter de eo universaliter praedicatum. Est ergo quaestio utrum iste ascensus alicubi stet, ita quod sit devenire ad aliquid quod praedicetur de aliis universaliter, et nihil aliud praedicetur de ipso; aut hoc non sit necesse, sed contingat ascendere in infinitum.

Secundo ibi « et iterum »

Movet quaestionem ex parte minoris termini, utrum scilicet sit ire in infinitum descendendo. Et in hac quaestione supponitur aliquod primum praedicatum universale quod de aliis praedicetur, et nihil sit universalius eo quod praedicetur de eo: sit ergo A tale quod de eo praedicetur, sicut totum universale de parte, A vero de c praedicetur et primo et immediate, et c de I, et I de B. Est ergo quaestio utrum necesse sit hoc in c descendendo stare, aut contingat in infinitum ire? Et ostendit consequenter differentiam harum duarum quaestionum: quia prima quaestione quaerebatur, si aliquis incipiat a particularissimo subjecto, quod nulli inest per modum quo totum universale est in parte, sed alia insunt ei, utrum contingat procedere in infinitum ascendendo. Secunda vero quaestio. est si aliquis incipiat ab universalissimo praedicato, quod praedicetur de aliis, sicut totum universale de parte, et nihil hoc modo praedicetur de illo, utrum contingat descendendo procedere in infinitum.

Tertio ibi « amplius media »

Movet tertiam quaestionem ex parte medii termini. Et in hac quaestione supponuntur duo extrema: scilicet universalissimum praedicatum, et particularissimum subjectum: et quaeritur cum hoc, utrum possint esse infinita media: puta si A sit universalissimum praedicatum et c sit particularissimum subjectum, et inter A et c sit medium B, et inter A et B iterum sit aliquod, et similiter inter B et c, et horum etiam mediorum sunt alia media, inter ipsa scilicet et extrema, tam ascendendo quam descendendo. Est ergo quaestio utrum hoc possit procedere in infinitum, aut impossibile sit hoc.

Deinde cum dicit « est autem »

Ostendit ad quid tendant hujusmodi quaestiones: in quo declaratur quod hujusmodi quaestiones pertinent ad materiam de qua nunc agitur, scilicet ad demonstrationes. Dicit ergo quod intendere acquisitionem veritatis in istis quaestionibus, idem est ac si quaeratur, utrum demonstrationes procedant in infinitum, vel ascendendo vel descen-

dendo? Ascendendo quidem ita quod quaelibet propositio ex qua demonstratio procedit sit demonstrabilis per aliam priorem demonstrationem. Et hoc est quod subjungit. « Et si demonstratio « omnis, » idest cujuslibet propositionis. Quod quidam existimantes, circa principia erraverunt, sicut dicitur in 4 Metaphysicae. Descendendo autem, si ex aliqua propositione demonstrata contingat iterum ad aliam demonstrationem posteriorem procedere. Et hoc est unum membrum dubitationis, si demonstrationes in infinitum procedunt vel descendendo vel ascendendo. Aliud autem membrum dubitationis est si demonstrationes adinvicem terminantur, ita scilicet quod una demonstratio confirmetur per aliam ascendendo, et ex una demonstratione procedat alia descendendo, et hoc usque ad aliquem terminum.

Deinde cum dicit « similiter autem »

Ostendit quod praedictae dubitationes habent locum etiam in demonstrationibus negativis; quia demonstratio negativa oportet quod utatur propositione affirmativa, in qua subjectum conclusionis contineatur sub medio, et a quo praedicatum conclusionis removeatur. Secundum ergo quod est ascensus et descensus in affirmativis, oportet quod sit ascensus et descensus in negativis syllogismis et propositionibus: ut puta si conclusio demonstrativi syllogismi sit, nullum c est A, et accipiatur sicut medium B, a quo A removeatur. Est ergo primo considerandum utrum A removetur a B primo sive immediate, aut sit aliud medium accipere a quo primo removeatur A quam a B: puta si prius removeatur ab I, quod oportet universaliter praedicari de B: et iterum erit considerandum utrum A removeatur ab aliquo per prius quam ab I, scilicet a c, quod praedicatur universaliter de I. Ita ergo et in his, potest procedi in infinitum in removendo, ut semper sit accipere a quo per prius removeatur, vel oportet alicubi stare?

Deinde cum dicit « sed in »

Ostendit in quibus dictae quaestiones locum non habeant: quia in his quae aequaliter de se invicem praedicantur, et convertuntur adinvicem, non est accipere aliquod prius et posterius, secundum illum modum quo prius est a quo non convertitur consequentia essendi, prout universalia sunt priora: quia sive sint infinita praedicata, ita scilicet, quod procedatur in infinitum in praedicando, sive sint infinita ex utraque parte, idest tam ex parte praedicati quam ex parte subjecti, omnia hujusmodi infinita similiter se habebunt ad omnia, quia quodlibet eorum poterit praedicari de quolibet, et subjici cuilibet convertibilium: nisi solum quod potest esse talis differentia, quod unum eorum praedicatur ut accidens, et aliud praedicatur ut praedicamentum, idest sicut formale praedicatum. Et haec est differentia proprii et definitionis: quorum utrumque est convertibile, et tamen definitio est praedicatum essentiale, et propter hoc est prius naturaliter proprio, quod est praedicatum accidentale. Et inde est, quod in demonstrationibus utuntur definitione quasi medio ad demonstrandum propriam passionem de subjecto.

LECTIO XXXII.

Quemadmodum est status in affirmativis demonstrationibus,
ita in negativis esse ostendit respectu tam mediorum quam extremorum.

ANTIQUA.

Quod quidem igitur non contingit media infinita esse, si in sursum et deorsum stent praedicamenta, manifestum est. Dico autem sursum quidem quod in universale magis est, deorsum autem quod in particulare.

Si enim A praedicante de c infinita sunt media, in quibus est B, manifestum est quod contingit utique. Quare ab A in deorsum alterum de altero praedicari contingit in infinitum. Antequam enim in c veniat, infinita sunt media, et a c in sursum infinita, antequam in A veniat. Quare si haec impossibilia sunt, et ipsius A et c impossibile est infinita esse media.

Neque enim si aliquis dicat quod haec quidem quae sunt A B C, habita sunt adinvicem, quare necesse est media haec illa vero non esse, accipere nihil differt. Quod enim utique accipio eorum quae sunt B erit ad A aut ad c aut infinita media, aut non, a quo jam sunt primum infinita, sive statim sive non statim, nil differt. Quae enim sunt post haec infinita sunt.

Manifestum est autem et in privativa demonstratione quoniam statur, siquidem in praedicativa statur in utrisque sic. Ab ultimo enim non contingens est, neque in sursum ab eo in quo stant in infinitum ire. Dico autem in quo stant quod ipsum quidem in alio nullo est, sed in illo aliud ut z. Neque a primo in id, quod statur in ultimum. Dico autem primum quod ipsum quidem de alio, sed de illo nullum aliud. Si igitur hoc erit, et in negationem stabitur.

Tripliciter enim demonstratur non esse. Aut in quo quidem est c, B inest omni, sed in quo B nulli inest A: ipsius quidem igitur c B quod semper alterius spatii, necesse est ire in immediata, praedicativa enim haec est distantia. Sed alterum manifestum est, quod si in alio non est priori, ut in D, hoc indigebit in omni B esse; et si iterum in alio ipso D priore non fuerit, illud indigebit in omni D esse. Quare quoniam deorsum statur, et quae est in sursum stabitur, et erit quoddam principium, in quo non erit.

Iterum si B quidem in omni A, in c autem nullo, A in c nullo erit. Iterum si haec oportet demonstrare, manifestum est quoniam aut per superiorem modum demonstrabitur, aut per hunc, aut per tertium. Primus quidem igitur dictus est. Secundus autem demonstrabitur. Sic autem utique demonstratur, ut D in B omni est, in c autem nullo (si necesse est aliquid esse in B). Iterum si hoc in c non erit, aliud vero in D est, quod in c non est. Igitur quoniam esse semper in sursum stat, stabit et non esse.

Tertius autem est. Si A in B omni insit, c vero in nullo sit, non in omni sit c in quo est A. Iterum autem hoc. aut per superius dicta aut similiter demonstrabitur. Illo autem modo statur. Si vero sic est, iterum accipietur B in E esse, in quo c non in omni E. Et hoc iterum similiter. Quoniam autem concessum est stare et in deorsum, manifestum est quod stabit et in c quod non est.

Manifestum autem est quoniam et si non una via demonstraretur, sed omnibus, aliquando quidem in prima figura, aliquando vero ex secunda aut tertia, quoniam et sic stabitur. Finitae enim sunt viae. Finita autem finite multoties sumpta necesse est finiri omnia. Quod quidem igitur in privatione, siquidem et in esse statur, manifestum est.

RECENS.

Quod ergo media non possint esse infinita, si deorsum et sursum consistunt praedicationes, manifestum est. Dico autem sursum quidem eam quae fit ad universalius; deorsum autem eam quae fit ad particulare, [progressionem.] Si enim, quum A praedicetur de z, infinita essent media, quorum loco B, manifestum est quod tum forte contingeret, ut etiam ab A deorsum alterum de altero praedicetur in infinitum; (antequam enim ad z deveniretur, media oporteret esse infinita;) et a z sursum [ascendendo] infinita media, antequam ad A deveniretur. Quare, si illa fieri non possunt, et inter A et z fieri non potest ut media sint infinita.

Neque enim, si quis dicat quod illa sint mutuo continua et cohaereant cum A B, ut non sint media, haec vero non possint sumi, quicquam interest. Quidquid enim sumpserit [aliquis] eorum quae sunt sub B, pertinebit ad A, aut ad z, sive infinita sint media, sive non [sint infinita.] A quo autem primo infinita sint, sive recta, sive non recta, nihil refert. Quae enim post illa sint, infinita sunt.

Perspicuum vero etiam est in negativa demonstratione, quod tandem consistendum sit, siquidem in affirmativa utrorumque [extremorum] ratione consistendum est. Ponatur enim, fieri non posse, nec ut ad superius ab ultimo quis in infinitum progrediatur, (dico autem Ultimum, quod ipsum quidem alii nulli inest, cui autem aliud inest, ut *to* z,) nec ut a primo ad ultimum [aliquis in infinitum progrediatur;] (dico autem Primum, quod ipsum quidem de alio [praedicatur,] de illo autem nihil aliud;) si ergo haec sunt, [manifestum est quod] etiam in negatione [praedicatorum] consistendum tandem sit.

Tripliciter autem demonstratur, aliquid non inesse. Aut enim, cui quidem *to* c [inest,] eidem omni inest B: cui autem *to* B [inest], eidem nulli [inest] A. In [propositione] B c igitur, et semper in altera propositione, necesse est progredi ad immediata; affirmativa enim est haec propositio. At alterum, manifestum est, quod, si non insit alteri priori, ut *tō* D, illud oportebit *tō* B omni inesse. Et, si rursus alteri priori, quam D, non insit, illud oportebit *tō* D omni inesse. Quare, siquidem, quum deorsum descenditur, consistendum est, etiam sursum ascendentibus consistendum erit, et erit aliquid primum, cui [aliud quid] non insit.

Rursus, si *to* B quidem omni A, nulli autem c [inest;] *to* A nulli c inest. Rursus, si hoc monstrandum sit; manifestum est, aut superiori modo id demonstratum iri, aut per hunc, aut per tertium. Primus quidem modus [quo deveniat aliquid ad immediata], dictus est. Alter autem demonstrabitur. Sic fere demonstrarit [aliquis], ut, *to* D omni quidem B inesse, nulli autem c; si necesse sit, aliquid inesse *tō* B. Et rursus, si hoc *tō* c non inerit, aliud *tō* D inest, quod *tō* c non inest. Itaque, quoniam *to* inesse aliquid priori semper terminatur, terminabitur etiam *to* non inesse.

Tertius autem modus erat: si *to* A quidem omni B inest; *to* c autem non inest; non omni [illi] inest *to* c, cui [inest] *to* A. Hoc vero rursus aut per supra dictos [modos], aut similiter demonstrabitur. Illis ergo modis consistendum est. Si vero hoc modo [monstrandum sit], iterum sumetur *to* B *tō* E inesse, cui non omni *to* c inest. Et hoc rursus similiter. Quoniam vero suppositum est, etiam descendendo consistendum esse, manifestum quod terminabitur etiam *to* c non inesse.

Perspicuum vero, quod etiam, si non una via demonstretur, sed omnibus, quandoque ex prima figura, aliquando autem ex secunda aut tertia, quod et ita sit consistendum. Sunt enim hae viae finitae; quae vero finita sunt definito numero, necesse est omnia finita esse.

Quod ergo in negatione, si quidem etiam in affirmatione ad ultimum quid deveniendum sit, manifestum est.

Postquam Philosophus movit quaestiones, hic incipit eas determinare, et dividitur in duas partes. In prima parte ostendit quod quarumdam dubitationum solutio reducitur ad solutionem aliarum. In secunda solvit dubitationem quantum ad illa in quibus per se et principaliter difficultas consistit, ibi, « Quod autem in illis si logice, etc. » Circa primum duo facit. Primo enim ostendit quod dubitatio quae potest esse circa media reducitur ad dubitationem quae movetur de extremis, et ea soluta solvitur. Secundo ostendit quod dubitatio quae est circa negativas demonstrationes, reducitur ad dubitationem, quae est de affirmativis, ibi, « Mani- « festum est autem in privativis etc. » Circa primum tria facit. Primo proponit quod intendit. Secundo probat propositum, ibi, « Si enim A prae- « dicante etc. » Tertio excludit quamdam obviationem, ibi, « Nec si aliquis dicat. » Dicit ergo primo, quod manifestum est, siquis rationem sequentem consideret, quod non contingit esse media infinita, si praedicationes tam in sursum quam in deorsum, stent in aliquibus terminis, scilicet in summo praedicato, et in infimo subjecto. Et exponit quid sit procedere praedicationes sursum et deorsum: et dicit quod sursum ascenditur, quando proceditur ad magis universale de cujus ratione est quod praedicetur; deorsum proceditur, quando itur ad magis particulare, de cujus ratione est quod subjiciatur.

Deinde cum dicit « si enim »

Ostendit propositum per hunc modum. Sit ita quod A sit summum praedicatum, et c sit infimum subjectum; et sint infinita media quorum quodlibet vocetur B. Quia igitur A erat primum praedicatum, praedicabitur de aliquo medio inferiori: et cum media sint infinita, sequitur quod in infinitum procedit praedicatio in descendendo, quod est contra positum. Ponit enim quod non descendebat praedicatio in infinitum. Similiter si incipiamus a c quod est infinitum subjectum, procedetur ascendendo in infinitum antequam perveniatur ad A, quod etiam est contrarium posito. Si ergo haec sint impossibilia, scilicet quod procedatur praedicando in infinitum sursum et deorsum, sequetur quod impossibile sit media esse infinita. Et ita patet, quod quaestio de infinitate mediorum reducitur ad quaestionem de infinitate extremorum.

Deinde cum dicit « neque enim »

Excludit quamdam obviationem. Posset enim aliquis obviare, dicens quod praedicta probatio procedat, ac si A E C, id est medium et extrema, ita se haberent, quod essent habita adinvicem, ita scilicet quod inter ea non esset aliquod medium: sic enim definitur habitus in quinto Physicorum, quod scilicet consequenter se habet, cum non cadat medium. Hoc enim videbatur in praedicta probatione supponi, scilicet quod A praedicetur de aliquo medio quasi habito, id est immediate sequenti. Sed ille qui ponit media infinita, dicet quod non contingit accipere. Dicit enim quod inter quoscumque terminos acceptos est aliquod medium. Sed hic Philosophus dicit quod nihil differt, sive sic accipiantur infinita media quod sint habita adinvicem, sicut contingit in discretis, puta in civitate, domus domui est habita, et in numeris unitas unitati, sive non possit inveniri in mediis aliquid habitum, sed semper inter duo media sit aliquod medium accipere, sicut accidit in continuis, in quibus inter quaelibet duo signa, sive inter duo puncta, semper

est aliquod medium accipere. Et quod hoc nihil differat ad propositum, sive uno modo, sive alio, sic manifestat subdens, quia supposito quod sint infinita media inter A et C, quorum quodlibet vocatur B, quodcumque horum accipio, necesse est, quod inter illud et A et C sint infinita media, vel non sint infinita respectu alterius eorum: verbi gratia, ponamus quod media sint habita adinvicem, sicut accidit in discretis, et accipiamus aliquod medium quod sit habitum ad ipsum A: necesse erit quod inter illud medium et C sint adhuc infinita media. Et similiter si ponantur quaedam finita media inter A et illud medium acceptum. Et eadem ratio est si ponatur medium acceptum immediate conjungi ipsi C vel per finita media ab eo distare. Ex quo igitur semper a medio accepto oportet accipere infinita media ad alterum extremorum, non differt utrum statim conjungatur alii extremorum, idest sine medio, vel non statim, idest per aliqua media: quia etiam si conjungatur uni extremo sine medio, necesse est quod postea inveniantur infinita media respectu alterius; et ita semper oportebit, si est infinitum in mediis, quod veniatur in infinitum in praedicationibus vel ascendendo vel descendendo, sicut praedicta probatio procedebat.

Deinde cum dicit « manifestum est »

Ostendit, quod quia in affirmativis demonstrationibus non proceditur in infinitum, neque in negativis in infinitum proceditur: et sic quaestio de demonstrationibus negativis reducitur ad quaestionem de affirmativis. Et circa hoc duo facit. Primo proponit quod intendit. Secundo probat propositum, ibi, « Tripliciter enim demonstratur. » Tertio excludit quandam obviationem, ibi, « Mani- « festum est autem. » Dicit ergo primo quod manifestum erit ex sequentibus quod si in praedicativa, idest in affirmatione statur in utrisque, idest in sursum et deorsum, necesse erit quod stetur in negativa demonstratione. Et ad exponendum hoc quod propositum est, dicit: Sit ita quod non contingat ab ultimo, idest ab infimo subjecto, ire in sursum in infinitum versus praedicata universalia. Et exponit quid est ultimum, scilicet illud quod non inest alicui alii tamquam minori particulari, sed aliud sit in illo et sit illud z. Et sit etiam quod in accipiendo a primo versus ultimum non procedatur in infinitum. Et exponit quid sit primum illud, scilicet quod praedicatur de aliis, et nihil aliud praedicatur de eo, quasi eo universalius, ut sic primum intelligatur universalissimum, ultimum autem particularissimum. Si igitur ex utraque parte stetur in demonstrationibus affirmativis, dicit consequens esse quod etiam stetur in demonstrationibus negativis.

Deinde cum dicit « tripliciter enim »

Probat propositum. Et primo in prima figura. Secundo in secunda, ibi, « Iterum sit B quidem. » Tertio in tertia, ibi, « Tertius est. » In tribus enim figuris contingit negativum concludi. Dicit ergo primo quod tripliciter potest demonstrari propositio negativa per quam significatur aliquid non esse. Uno quidem modo in prima figura, et secundum hunc modum, quod B insit C universaliter in minori existenti universali affirmativa, A vero insit nulli B, hoc est majori existenti universali negativa. Quia igitur supponitur quod in affirmativis stetur, et in sursum et in deorsum, necesse est quod ista propositio, quae est B C, quae est affirmativa, si non sit immediata, et quodcumque aliud spatium accipitur existente aliquo medio inter B et C, necesse erit reducere in immediata; quia ista distantia, quae attenditur secundum habitudinem medii ad minorem extremitatem, affirmativa est, in qua supponitur esse status. Si autem accipiamus alterum spatium quod est inter B et A, manifestum est quidem quod si haec propositio, nullum B est A, non est immediata, necesse est quod A removeatur ab aliquo per prius quam a B. et sit illud D. Quod si accipiatur ut medium inter A et B, necesse est quod praedicetur universaliter de B, quia oportet minorem esse affirmativam. Et iterum si haec non sit immediata, nullum D est A, oportet quod A negetur ab aliquo alio per prius quam a D, puta sit illud C: quod eadem ratione oportebit universaliter praedicari de D. Quia ergo ascendendo statur in affirmativis, ut supponitur, sequitur per consequens quod sit devenire ad aliquid, de quo primo et immediate negetur ipsum A. Alioquin adhuc procederetur amplius in affirmativis, sicut ex praedictis patet.

Deinde cum dicit « iterum si »

Probat idem in negativa, quae concluditur in secunda figura. Sit enim ita quod B, quod est medium, praedicetur universaliter de A, et negetur universaliter de C, et ex his concluditur quod nullum C sit A. Si autem iterum negativam demonstrari oporteat propter hoc quod est mediata, necesse est vel quod demonstretur in prima figura, de quo modo demonstrationis jam ostensum est quod habet statum, si in affirmativis sit status; aut oportet quod demonstretur per hunc modum, idest per secundam figuram, aut per tertium, idest per tertiam figuram. Dictum est autem in prima figura, quod habet statum in negativis, si sit status in affirmativis. Sed hoc quidem demonstrabitur nunc quantum ad secundam figuram. Demonstretur ergo haec propositio, Nullum C est B, quod universaliter praedicetur de B majori existente universali affirmativa, et negetur universaliter de C minori existente universali negativa. Si vero haec propositio, nullum C est D, est mediata, necesse erit accipere aliquod aliud medium, quod quidem praedicetur de D universaliter, et universaliter removeatur a C. Et ita, sicut proceditur in negativis demonstrationibus, oportebit procedere in affirmativis, scilicet quod B praedicabitur de A et D de B, et aliquid aliud de D, et sic proceditur in infinitum in affirmativis. Quia ergo supponitur quod in affir-

mativis stetur in sursum, necesse est etiam quod stetur in negativis secundum istum modum, quo negativa demonstratur in secunda figura.

Deinde cum dicit « tertius autem »

Ostendit idem in tertia figura. Sit ergo medium, ut B de quo A universaliter praedicetur, C vero ab eo removeatur: sequitur particularis negativa, scilicet quod A negetur a quodam C. Et quod quidem in praemissa affirmativa, quae est, omne B est A, stetur, habetur ex suppositione. Quod autem necesse sit stare etiam in hac negativa, nullum B est C, quae est minor, patet: quia si hoc debeat demonstrari, necesse est quod demonstretur per superius dicta, idest per primam et secundam figuram; vel demonstrabitur similiter sicut concludebat conclusio; scilicet per tertiam figuram, ita tamen quod haec minor non affirmetur ut universalis, sed ut particularis. « Illo autem modo statur, » scilicet si procedatur in prima et in secunda figura. Si autem procedatur in tertia figura ad concludendum quoddam B non esse C, accipiatur medium E de quo quidem B universaliter affirmetur, C vero ab eo particulariter negetur. Et hoc iterum similiter contingit quod secundum hoc procedetur in demonstratione negativa semper secundum augmentum praedicationis affirmativae in inferius, quia B, quod erat primum medium, praedicabitur de E, et E de quodam alio, et sic in infinitum. Quia igitur supponitur statum esse in affirmativis in deorsum, manifestum est quod stabitur in negativis ex parte ipsius C.

Deinde cum dicit « manifestum autem »

Excludit quamdam obviationem. Posset enim aliquis dicere quod necesse est stare in propositionibus negativis statu existente in affirmativis, si semper syllogizetur secundum eamdem figuram: sed potest in infinitum procedi, si nunc demonstratur per unam figuram, et nunc per aliam. Et dicit, manifestum est quod si non procedatur in demonstrationibus una via, sed omnibus, aliquando quidem ex prima figura, aliquando autem ex secunda vel tertia, sic oportebit statum esse in negativis, statu existente in affirmativis. Hujusmodi enim viae diversae demonstrandi sunt finitae, et quaelibet earum multiplicabitur non in infinitum, sed finite ascendendo vel descendendo, ut ostensum est. Si autem finita finities accipiantur, necesse est totum esse finitum. Unde relinquitur quod omnibus modis necesse sit in demonstrationibus negativis esse statum, si sit status in affirmativis.

LECTIO XXXIII.

Quasdam de praedicatis definitiones sive suppositiones exponit, ex quibus in affirmativis non esse processum in infinitum probare intendit.

ANTIQUA.

Quod autem in illis (si logice quidem speculemur,) hic manifestum sit. In his quidem igitur, quae quod quid est praedicantur patens est. Si enim est definire, aut si notum est quod quid erat esse, infinita autem non est transire, ne-

RECENS.

Quod vero in illis [omnia definita sint], logice considerantibus hinc perspicuum est.

In iis ergo, quae ratione ejus quid est praedicantur manifestum est. Nam si licet definire, aut si investigari definitio rei potest, at infinita intellectu pervestigari nequeunt

cesse est finiri in eo quod quid est praedicantia.

Universaliter autem sic dicimus. Est enim vere dicere album ambulare, et magnum illud lignum esse, et iterum lignum magnum esse, et hominem ambulare. Alterum igitur est sic dicere, aut illo modo. Cum enim quidem album esse dico lignum, tunc dico, quod cui accidit album esse, lignum est, sed non quod subjectum ligno album sit. Et namque neque quod album est, neque quod vere album aliquid factum est lignum. Quare non est hoc secundum se, sed aut secundum accidens. Cum vero hujusmodi lignum album esse dico, non quod alterum aliquod sit album, illi autem accidit lignum esse, ut cum musicum esse album dico: tunc enim quoniam homo est albus, cui accidit musicum esse dico. Sed lignum est subjectum, quod vere factum est album; non quod alterum aliquod sit quam quod vere lignum est, aut lignum aliquod. Si igitur oportet nomina ponere sic dicere praedicari; sed illo modo aut nequaquam est praedicari, aut praedicari quidem non simpliciter, sed secundum accidens praedicari. Est autem tamquam album quidem, quod praedicatur, sed sicut lignum est de quo praedicatur; subjiciatur igitur praedicatio praedicari semper, de quo praedicatur simpliciter, sed non secundum accidens. Sic enim demonstrationes demonstrant.

Quare autem in quod quid est, aut quoniam quale, aut quantum, aut ad aliquid, aut faciens, aut patiens, aut ubi, aut quando, cum unum de uno praedicabitur.

Amplius substantiam quidem significantia, quod vere illud est, aut quod vere illud aliquid est significant, de quo praedicantur. Quaecumque vero non substantiam significant, sed de aliquo subjecto dicuntur, quod neque vere illud est, neque quod vere illud aliquid est, accidentia sunt.

Ut de homine et albo. Non enim est homo, neque quod vere album est, neque quod vere album aliquid est, sed animal forsitan. Quod vere enim animal est, homo est. Quaecumque vero non substantiam significant, oportet de quodam subjecto praedicari, et non esse aliquod album, quod non cum aliquid alterum sit, album est.

Species enim gaudeant, monstra enim sunt. Et si sint, nihil ad rationem sunt, praemonstrationes enim de hujusmodi sunt.

necesse est, definita esse, quae ratione ejus quid est praedicantur.

Universaliter autem ita dicamus. Possumus enim vere dicere, album ambulare, et magnum istud esse lignum; et rursus, lignum magnum esse, et hominem ambulare. Aliud nimirum est hoc, et isto modo dicere. Nam quando [album] esse dico lignum; tum dico id, cui acciderit album esse, lignum esse; at non, ut subjectum est ligno to album. Nec enim id quod album est, nec qualecumque hoc album, factum est lignum; quare [album] non est [lignum], nisi per accidens. Quando vero lignum album esse dico; non, quod aliud quid [separatim] sit album, illi autem [albo] acciderit esse lignum, (ut quando musicum album esse dico, tunc enim, quod homo albus sit, cui acciderit esse musicum,) [hoc] dico; sed lignum est subjectum, quod et extitit, quum nihil aliud sit, nisi quod lignum aut lignum aliquod est.

Jam si oportet [linguae] usum constituere, sit to ita dicere, Praedicare, [ut lignum esse album]; to illo modo autem [dicere, ut, album esse lignum], aut [sit nequaquam praedicare], aut praedicare quidem non simpliciter, verum per accidens praedicare. Est autem ut album quidem, praedicatum; at lignum, id quo praedicatur.

Supponatur ergo, praedicatum praedicari semper, de quo praedicatur, simpliciter, at non secundum accidens; sic enim demonstrationes demonstrant.

Quare aut ratione ejus quid est, aut quod quale, aut quantum, aut relatum, aut agens, aut patiens, aut ubi, aut quando, [praedicabitur aliquid], quando unum de uno praedicatum fuerit.

Praeterea, quaecumque substantiam significant, quod [id], de quo praedicantur, illud [sit], aut illud aliquid significet, [indicant]. Quaecumque autem substantiam non significant, sed de alio subjecto dicuntur, quod non sit nec quod illud, nec quod illud aliquid, accidentia [indicant]; ut de homine album. Non enim est homo, nec quod album est, nec quod album aliquid est. Sed animal forsitan; nam aliquod animal est homo.

Quaecumque autem non substantiam significant, illa oportet de aliquo subjecto praedicari, nec esse aliquod album, quod, quum non diversum sit, album sit. Ideae enim valeant; nam inania sunt figmenta; et si sint, nihil ad rem pertinent. Demonstrationes enim circa talia versantur, [quae primo sub sensum cadunt et hinc ad rem pertinent].

Postquam Philosophus ostendit, quod si sit status in extremis, necesse est esse statum in mediis, et si sit status in affirmativis, necesse est esse statum in negativis, hic intendit ostendere quod sit status in affirmativis in sursum et deorsum. Et dividitur in duas partes. In prima parte ostendit propositum logice, idest per rationes communes omni syllogismo, quae accipiuntur secundum praedicata communiter sumpta. In secunda ostendit idem analytice, idest per rationes proprias demonstrationi, quae accipiuntur secundum praedicata per se, quae sunt demonstrationi propria, ibi, « Analytice autem manifestum. » Prima autem pars dividitur in duas partes. In prima ostendit quod non sit procedere in infinitum in praedicatis quae praedicantur in eo quod quid. In secunda ostendit quod non sit procedere in infinitum in praedicatis affirmativis, ibi, « universaliter autem sic dicimus. » Dicit ergo primo, quod cum ostensum sit quod in privativis non est in infinitum ire, si stetur in affirmativis, hic jam ostendendum erit quomodo aliquis speculatur in illis affirmativis esse statum per logicas rationes. Et dicuntur logicae rationes, quae procedunt ex quibusdam communibus quae pertinent ad considerationem logicae. Haec autem veritas manifesta est in his quae praedicantur in eo quod quid est, idest in praedicatis, ex quibus quod quid est, idest definitio constituitur. Si enim hujusmodi praedicata dentur esse infinita, sequitur quod non contingat definire aliquid. Et si definitur aliquid, ejus definitio non possit esse nota. Et hoc ideo quia infini-

tum non est pertransire. Non autem convenit definiri, neque definitionem cognosci, nisi descendendo perveniatur usque ad ultimum, et ascendendo perveniatur usque ad primum. Si ergo contingat aliquid definire, vel si contingat definitionem alicujus esse notam, ex utroque antecedenti sequetur hoc consequens, quod in praedictis praedicatis non sit procedere in infinitum, sed in eis contingat stare.

Deinde cum dicit « universaliter autem »

Ostendit universaliter quod in praedicatis affirmativis non sit procedere in infinitum. Et circa hoc duo facit. Primo quaedam praemittit, quae sunt necessaria ad propositum ostendendum. Secundo ostendit propositum, ibi, « Amplius si non est. » Circa primum duo facit. Primo distinguit praedicata per accidens a praedicatis per se. Secundo distinguit praedicata per se adinvicem, ibi, « Quare autem in eo quod quid est. » Dicit ergo primo quod cum ostensum sit in quibusdam praedicatis, quod in eis non est procedere in infinitum, scilicet in his quae praedicantur in quod quid est, ostendendum est hoc universaliter in omnibus praedicatis affirmativis. Et incipit suam considerationem a praedicatis per accidens, in quibus est triplex modus verae praedicationis. Unus quidem modus est, quando accidens praedicatur de accidente, puta cum dicimus, album ambulat. Secundus modus est quando subjectum praedicatur de accidente, puta cum dicimus, hoc magnum est lignum. Tertius modus est quando accidens praedicatur de subjecto, puta cum dicimus, lignum est album, vel cum dicimus, homo ambulat. Isti modi praedicandi sunt alteri et diversi adinvicem: quia cum subjectum praedicatur de accidente, puta cum dicitur, album est lignum, hoc significo, quod illud universale praedicatum, quod est lignum, praedicatur de subjecto cui accidit esse lignum, scilicet de hoc particulari ligno, in quo est albedo. Idem enim est sensus cum dico, album est lignum, ac si dicerem, hoc lignum cui accidit esse album, est lignum; non autem est sensus quod album sit subjectum ligni. Et hoc probat, quia subjectum fit hoc quod praedicatur de ipso sicut de subjecto, vel secundum totum, vel secundum partem; sicut homo fit albus; sed neque album, neque aliqua pars albi, quae vere sit album, idest quae sit de substantia ipsius albedinis, fit lignum: non enim accidens est subjectum transmutationis, qua de non ligno fit lignum. Omne autem quod incipit esse hoc, fit hoc: si igitur non fit hoc, hoc non est hoc nisi detur quod hoc semper fuerit; non autem semper fuit verum dicere, album est lignum, quia aliquando non simul fuerunt albedo et lignum. Cum ergo non sit verum dicere quod album fiat lignum, manifestum est quod album non est lignum proprie et per se loquendo. Sed si hoc concedatur, album est lignum, intelligitur per accidens, quia scilicet illud particulare subjectum, cui accidit album, est lignum. Iste ergo est sensus hujusmodi praedicationis, in qua subjectum praedicatur de accidente. Sed cum dico, lignum est album, praedicando accidens de subjecto, non significo sicut in praedicto modo praedicationis quod alterum aliquid sit substantialiter album, cui accidit lignum esse: quod quidem significatur tam in praedicto modo, quo subjectum praedicatur de accidente, quam etiam in alio modo quo accidens praedicatur de accidente, ut cum dico, Musicum est album, praedicando accidens: hic enim nihil aliud significo, nisi quod ille homo particularis, puta Socrates, cui accidit esse musicum, est albus. Sed quando dico, lignum est album, significo quod ipsum lignum vere factum est subjectum albi; non quod aliquid aliud a ligno, vel a parte ligni quae est lignum aliquod, sit factum album. Est ergo differentia in tribus modis praedictis: quia cum praedicatur accidens de subjecto, non praedicatur per aliquod aliud subjectum: cum autem praedicatur subjectum de accidente, vel accidens de accidente, fit praedicatio ratione ejus quod subjicitur termino posito in subjecto, de quo quidem praedicatur aliud accidens accidentaliter, ipsa vero species subjecti essentialiter. Et quia in quolibet praedictorum modorum utimur nomine praedicationis, et sicut possumus nomina ponere, ita possumus ea restringere, imponamus etiam sic nomina in probatione sequenti, ut praedicari solum dicamus illud, quod dicitur hoc modo, scilicet non ratione alterius subjecti. Illud vero quod dicitur illo modo, scilicet ratione alterius subjecti, velut cum subjectum praedicatur de accidente, vel accidens de accidente, non dicitur praedicari; vel si dicitur praedicari, non dicitur praedicari simpliciter, sed secundum accidens. Et accipiamus semper illud quod se habet per modum albi, ex parte praedicati, et id quod se habet per modum ligni, accipiatur ex parte subjecti. Hoc ergo supponamus praedicari semper in probatione sequenti quod praedicatur de eo de quo praedicatur, simpliciter, et non secundum accidens. Et ratio quare debemus sic uti vocabulo praedicationis, haec est, quia loquimur de materia

demonstrativa, demonstrationes autem non utuntur talibus praedicationibus.

Deinde cum dicit « quare autem »

Ostendit differentiam praedicatorum per se adinvicem. Et circa hoc duo facit. Primo distinguit praedicata adinvicem secundum diversa genera. Secundo ostendit differentiam praedicatorum, ibi, « Amplius substantiam quidem, etc. » Dicit ergo primo, quod quia nos praedicari dicimus solum illud, quod praedicatur non secundum aliquod subjectum, hoc autem diversificatur secundum decem praedicamenta; sequitur quod omne quod praedicetur « aut in quod quid est, » idest per modum substantialis praedicati, aut per modum qualis vel quanti vel alicujus alterius praedicamentorum, de quibus actum est in Praedicamentis. Et addit « cum unum « de uno praedicetur, » quia si praedicatum non sit unum sed multa, non poterit praedicatum simpliciter dici quod vel quale, sed forte dicetur simul quale quid, puta si dicam, homo est animal album. Fuit autem necessaria haec additio, quia si multa praedicentur de uno, ita quod accipiantur in ratione uni praedicati, poterunt in infinitum praedicationes multiplicari secundum infinitos modos combinandi praedicata adinvicem. Unde cum quaeritur status in his quae praedicantur, necesse est accipere unum de uno praedicari.

Deinde cum dicit « amplius substantiam »

Ostendit differentiam praedictorum praedicatorum. Et circa hoc tria facit. Primo proponit differentiam. Secundo manifestat per exempla, ibi, « Ut « de homine et albo, etc. » Tertio excludit quamdam obviationem, ibi, « Species enim gaudeant, etc. » Dicit ergo primo quod illa quae substantiam significant, oportet quod significent respectu ejus de quo praedicantur, « quod vere illud est, aut quod « vere illud aliquid: » quod potest dupliciter intelligi: uno modo ut ostendatur distinctio ex parte praedicati quod vel significat totam essentiam subjecti sicut definitio. (Et hoc significat, cum dicit, « Quod vere illud, etc. ») vel significat partem essentiae, sicut genus, vel differentiam. Et hoc significat, cum dicit: « Aut quod vere illud aliquid, » Alio modo, et melius, ut ostendatur distinctio ex parte subjecti, quod quandoque est convertibile cum praedicato essentiali, sicut definitum cum definitione (Et hoc significat cum dicit, « quod vere « illud est. »). Quandoque vero est pars subjectiva praedicati, sicut homo animalis. Et hoc significant cum dicit: « Aut quod vere illud aliquid: » homo enim aliquod animal est. Sed illa quae non significant substantiam, sed dicuntur de aliquo subjecto, quod quidem subjectum nec vere (idest essentialiter) est illud praedicatum, neque aliquid ejus, omnia hujusmodi praedicata sunt accidentalia.

Deinde cum dicit « ut de homine »

Manifestat praemissorum differentiam per exempla; et dicit quod cum dicimus, homo est albus, praedicatum illud est accidentale, quia homo non est quod vere album est, id est esse album non est essentiale hominis, neque quod vere album aliquid, ut supra expositum est. Sed cum dicitur, homo est animal « forsan homo est, quod vere est « animal. » Animal enim significat essentiam hominis, quia illud ipsum quod est homo, est essentialiter animal. Et quamvis illa quae non significant substantiam, sint accidentia, non tamen per accidens praedicantur. Praedicantur enim de quodam subjeeto non propter aliquod aliud subjectum: puta cum dico, homo est albus, praedicatur albus de homine non ea ratione quod aliquod aliud subjectum sit album, ratione cujus homo dicatur albus, sicut supra dictum est in his quae praedicantur per accidens.

Deinde cum dicit « species enim »

Excludit quamdam obviationem. Posset enim aliquis dicere quod praedicata quae significant substantiam non sunt vere et essentialiter id de quo praedicantur, vel aliquid ejus; neque accidentia, quae sunt in individuis sicut in subjectis conveniunt hujusmodi communibus praedicatis essentialibus, quia hujusmodi universalia praedicata significant quasdam essentias semper separatas per se subsistentes, sicut Platonici dicebant. Sed ipse respondet, quia si supponantur species, idest ideae esse, debent gaudere, quia secundum Platonicos habent aliquod nobilius esse quam res nobis notae materiales. Hujusmodi enim res sunt particulares et materiales. Illae autem sunt universales et immateriales. Sunt enim quaedam

praemonstrationes respectu naturalium, idest quaedam exemplaria horum, ut accipiantur hic monstra vel praemonstrationes, sicut supra praemonstratur aliquid ad aliquid probandum. Quia ergo sunt praemonstrationes vel exemplaria rerum naturalium, necesse est quod in istis rebus naturalibus inveniantur aliquae participationes illarum specierum, quae pertinent ad essentiam harum rerum naturalium. Et ideo si sint hujusmodi species separatae, sicut Platonici dixerunt sive posuerunt, nihil pertinent ad rationem praesentem. Nos enim intendimus de hujusmodi rebus, de quibus in nobis scientia per demonstrationem acquiritur. Et hujusmodi sunt res in materia existentes nobis notae, de quibus demonstrationes fiunt. Et ideo si detur quod animal sit quoddam separatum, quasi praemonstratio existens animalium naturalium, tunc cum dico, homo est animal, secundum quod hic propositione utimur in demonstrando, ly animal significat essentiam rei naturalis, de qua sit demonstratio.

LECTIO XXXIV.

In praedicatis quocumque modo neque insursum neque in deorsum esse processum in infinitum dialectice probat.

Amplius si non est hoc hujusmodi qualitas, et illud hujusmodi, neque qualitatis qualitas est.

Impossibile est aeque praedicari adinvicem sic; sed vere quidem contingit dicere, aeque autem praedicari vere non contingit.

Aut enim sicut substantia praedicabitur, ut est aut cum genus sit aut differentia.

Haec autem ostensa sunt quoniam non erunt infinita neque in sursum nec in deorsum, ut homo bipes, hoc animal, hoc autem alterum est: et animal de homine, hic autem de Callia, hic autem de alio in eo quod quid est. Substantiam quidem omnem esse definire hujusmodi, infinita autem non est transire intelligentem. Quare neque in sursum neque in deorsum infinita sunt. Illam enim non est definire, de qua infinita praedicantur.

Siquidem igitur genera adinvicem aequaliter praedicantur, erit enim ipsum quod vere ipsum aliquid est.

Neque tamen de qualitate, aut aliorum nullum, nisi secundum accidens praedicabitur. Omnia haec accidunt, et de subjectis praedicari.

Sed utique neque in sursum infinita erunt. Unumquodque enim quod praedicatur significat, aut quale aliquod, aut quantum aliquod, aut hujusmodi, aut quae sunt in substantia. Haec autem finita sunt. Et genera praedicamentorum finita. Aut enim quale, aut quantum, aut ad aliquid, aut facere, aut pati, aut ubi, aut quando. Concessum autem est unum de uno praedicari. Ipsa autem de ipsis quaecumque non aliquod sunt, non praedicari dicimus. Accidentia enim sunt haec omnia, sed haec quidem secundum se ipsa, illa vero secundum alterum modum. Haec autem de quodam subjecto omnia praedicari dicimus, secundum accidens autem non esse subjectum aliquod. Nihil enim talium ponimus esse subjectum, quod alterum aliquod esse dicatur quod dicitur, sed ipsum in aliis, et alia quaedam de alio.

Neque in sursum ergo unum de uno, neque in deorsum dicere. De quibus quidem inveniuntur accidentia, quaecumque in substantia uniuscujusque sunt. Haec autem non sunt infinita. Sed in sursum, ipsaque, et accidenti, utraque non infinita sunt. Necesse est ergo esse aliquid, de

Porro, si non est hoc hujusce qualitas, et illud hujus, nec qualitatis qualitas; fieri non potest. ut conversim haec de se invicem ita praedicentur. At verum quidem contingit dici, sed vere conversim praedicari non contingit.

Aut enim ut substantia quid praedicabitur, ut, quod genus sit, aut differentia illius, quod praedicetur.

Haec vero, dictum est, quod non sint infinita, neque deorsum, neque sursum, [in ordine categoriarum procedendo]. Ut, homo est bipes; hoc animal; id vero aliud; neque animal de homine [ita praedicatur], hoc vero de Callia, hoc vero de alio ratione ejus quid est. Substantiam enim omnem talem definire licet; infinita autem non potest quis animo pertransire. Quare nec sursum neque deorsum infinita sunt; illam enim [substantiam] non licet definire, de qua infinita praedicantur.

Ut genera ergo [illa quae pertinent ad substantiam rei], mutuo non praedicabuntur conversim; erit enim ipsum [genus] idem, quod ipsum aliquod [est].

Nec qualitas, aut reliquorum quidquam, nisi per accidens praedicetur [in conversa]; omnia enim haec sunt accidentia, et de substantiis praedicantur.

Verum neque ad superius versum infinita erunt. De unoquoque enim praedicatur id quod significat aut quale quid, aut quantum quid, aut quid talium, aut quae sunt in substantia; haec autem finita sunt, et genera categoriarum finita sunt; aut enim quale, aut quantum, aut relatum, aut agens, aut patiens, aut ubi, aut quando [significant].

Suppositum autem est, unum de uno praedicari; eadem autem de se ipsis, quaecumque non [significant] quid sit, non praedicari. Accidentia enim sunt omnia; verum alia quidem per se, alia autem alio modo; haec vero omnia de subjecto aliquo praedicari dicimus, accidens autem non esse subjectum aliquod; nihil enim talium ponimus esse, quod, quum non sit diversum, dicitur [id], quod dicitur; sed ipsum alterius [esse dicitur], et alia quaedam de altero.

Neque ergo sursum unum uni inesse dicitur, neque deorsum. Nam de quibus quidem dicuntur accidentia, quaecumque sunt in substantia uniuscujusque; haec non sunt infinita. Sursum autem tam haec, quam accidentia, utraque non sunt infinita. Necesse est igitur, esse aliquid, de quo primum quo primum praedicetur, et de hoc aliud, et hoc stare, et esse aliquid, quod non amplius, neque de aliquo priori, neque de illo aliud prius praedicetur. Unus quidem igitur modus dicitur demonstrationis hujusmodi.

Adhuc autem alius, si de quibus priora quaedam praedicantur, erit horum demonstratio, quorum demonstratio est, neque potius habere possunt ad ipsa quam scire, neque scire esse sine demonstratione. Si hoc autem per hoc notum est, hoc autem nescimus, neque melius habemus ad ipsa quam scire, neque per hoc notum sciemus. Si igitur est aliquid scire per demonstrationem simpliciter, et non ex aliquibus, neque ex suppositione, manifestum est stare praedicamenta media. Si enim non steterint, sed est semper acceptio in superius, omnium erit demonstratio. Si non contingit percurrere infinita, haec non sciemus per demonstrationem. Si igitur neque melius habemus ad ipsa, quam scire, non erit nil scire per demonstrationem simpliciter, sed ex suppositione, Logice quidem igitur ex his utique aliquis credet de eo quod dictum est.

aliquod praedicetur, et de hoc aliud; et in hoc consistendum esse, et esse aliquid, quod non amplius nec de alio priori, nec de quo ipso aliud prius praedicetur. Unus ergo modus demonstrationis hic dicitur.

Praeterea vero alius est, si horum demonstratio sit, de quibus priora quaedam praedicantur.

Quorum autem demonstratio est, circa haec non contingit melius sese habere, quam ut ilia sciamus, neque scire [contingit] sine demonstratione.

Quodsi vero hoc per illa innotescit, haec autem nescimus; neque melius circa ea affecti sumus, quam si ea sciamus, neque id, quod per illa [media] notum [esse debebat], scibimus.

Si quid ergo per demonstrationem simpliciter scire possumus, nec ex aliis, nec ex suppositione; necesse est, finitas esse categorias, quae mediae sunt. Si enim non sint finitae, sed semper aliquid eo quod sumptum fuerit superius sit; omnium erit demonstratio; quare, si non contingit infinita transire [cogitatione]; ea, quorum est demonstratio, non scibimus per demonstrationem. Si ergo neque melius circa eadem affecti fuerimus, quam si sciamus; nihil possumus scire simpliciter per demonstrationem, sed ex hypothesi.

Logice ergo quidem ex his verum esse arbitrabitur [aliquis], quod dictum est.

Praemissis his quae necessaria sunt ad propositum demonstrandum de distinctione praedicatorum adinvicem, hic accedit ad propositum ostendendum, scilicet quod non procedatur in praedicatis in infinitum. Et dividitur haec pars in partes duas, secundum duos modos quibus ostendit propositum. Secunda pars incipit, ibi, « Adhuc tamen alius, etc. » Circa primum duo facit. Primo ostendit, quod non est procedere in infinitum in praedicatis per modum circulationis. Secundo quod non procedatur in infinitum in eis secundum rectitudinem in sursum, neque in deorsum, ibi, « Sed utique quod neque « in sursum. » Circa primum tria facit. Primo praemissis suppositis, addit quaedam necessaria ad propositum ostendendum. Secundo ex his et aliis praemissis concludit propositum, ibi, « Impossibile « est aeque praedicari. » Tertio probat, ibi, « Aut « enim sicut substantia. » Primo ergo proponit duo: quorum unum est, quia cum praedicatum quod significat accidens, significet aliquod genus accidentis, puta qualitatem, non potest esse quod duo se habeant hoc modo adinvicem quod primum sit qualitas secundi, et secundum sit qualitas primi. Alia est enim ratio qualitatis, et ejus, cui qualitas inest. Secundum est quod universaliter non est possibile quod qualitas habeat quamcumque aliam qualitatem sibi inhaerentem, quia nullum accidens est subjectum alterius accidentis per se loquendo. Soli enim substantiae convenit proprie ratio subjecti.

Deinde cum dicit « impossibile est »

Proponit, quasi ex praemissis concludens, quod intendit probare; et dicit: Si ista sunt vera, quae praemissa sunt, « impossibile est quod fiat neutra « praedicatio adinvicem sic » idest secundum aliquem praedictorum modorum. Non autem hoc dicitur, quin contingat vere praedicari unum de alio, et econverso. Dicimus enim vere quod homo est album, et album est homo. Sed hoc non fit aeque, idest secundum aequalem rationem praedicandi. Et similiter est in praedicatis essentialibus.

Deinde cum dicit « aut enim »

Ostendit propositum. Et primo in praedicatis essentialibus. Secundo in accidentalibus, ibi, « Verum « etiam ipsius qualis. » Circa primum tria facit. Primo ponit quamdam divisionem essentialium praedicatorum. Secundo resumit quoddam quod supra dicatur.

probatum est, ibi, « Haec autem ostensa. » Tertio probat propositum, ibi, « Siquidem igitur genera. » Dicit ergo primo quod ad ostendendum quod non sit adinvicem aeque praedicari, primo oportet hoc considerare in essentialibus praedicatis. Aut enim quod praedicatur aeque praedicabitur sicut substantia, aut alio modo. Et si sicut substantia, aut sicut genus, aut sicut differentia. Haec enim duae sunt partes definitionis, quae significant essentiam.

Deinde cum dicit « haec autem »

Resumit quod supra probaverat in principio praecedentis lectionis, scilicet hujusmodi praedicata non esse infinita: quia si in infinitum procederent, non haberet in eis locum reciprocatio, sive circulatio. Dicit ergo, quod sicut supra de his ostensum est, in hujusmodi non contingit procedere in infinitum neque in sursum neque in deorsum, sicut si praedicatur bipes de homine, et animal de bipede, et de animali aliquid alterum, non est hoc procedere in infinitum in sursum neque in deorsum, ut si animal dicatur de homine in eo quod quid est, et homo de Callia, et hoc de quodam alio, supposito quod ita esset genus continens sub se multas species, quarum una esset Callias, non posset sic procedi in infinitum. Et resumit rationem ad ostendendum quod supra posuit, quia omnem hujusmodi substantiam, quae scilicet habet aliquid universalius, quod de ipsa praedicetur, et quae potest de alio inferiori praedicari, contingit definire: genera vero generalissima, de quibus alia universaliora non praedicantur, et singularia quae non praedicantur de aliquibus inferioribus, non contingit definire. Solum autem substantiam mediam definire contingit. Illam vero substantiam non contingit definire, de qua infinita praedicantur; quia oportet definientem intelligendo pertransire omnia illa quae substantialiter praedicantur de definito, cum omnia cadant in definitione, vel sicut genus, vel sicut differentia. Infinita autem non contingit pertransire. Ergo oportet omnem universalem substantiam, quae non est supremum genus, neque infimum subjectum, non habere infinita, quae de ipsa substantialiter praedicantur. Sic ergo non est procedere in infinitum, neque in sursum neque in deorsum.

Deinde cum dicit « si quidem »

Ostendit quod in substantialibus praedicatis non

possit esse processus in infinitum per modum circulationis. Et dicit, quod si aliqua praedicata substantialia praedicantur de aliquo ut genera, non praedicantur adinvicem aequaliter, idest convertibiliter, idest quod unum genus sit alterius, et e converso. Et ad hoc probandum subdit, « Erit enim ipsum « quod vere aliquid »: quasi diceret: Si aliquid praedicatur de aliquo ut genus, illud de quo praedicatur, est aliquid quod vere est ipsum, id est aliquid particulariter quod substantialiter recipit praedicationem ipsius. Si ergo hoc praedicetur de illo ut genus, sequeretur quod ipsum quod particulariter conveniebat aliqui, e converso particulariter recipiat praedicationem illius, quod est idem respectu ejusdem esse partem et totum, quod est impossibile. Et eadem ratio est de differentiis. Unde et in primo Topicorum dicitur quod problema de differentia reducitur ad problema de genere.

Deinde cum dicit « neque tamen »

Ostendit quod non potest ire in infinitum per modum circulationis in praedicationibus in quibus praedicatur accidens de subjecto: et dicit quod neque etiam ipsius qualis potest esse conversio, cum suo subjecto, aut aliorum nullum potest habere hujusmodi praedicationem, quae accidentaliter praedicantur, nisi fiat praedicatio per accidens, secundum quod dictum est quod accidentia non praedicantur de subjectis nisi per accidens. Qualitas enim et omnia alia hujusmodi accidunt substantiae, unde et praedicantur de subjectis sicut accidens de subjecto.

Deinde cum dicit « sed utique »

Ostendit universaliter quod in nullo genere praedicationis sit procedere in infinitum in sursum aut deorsum. Et dicit quod non solum non est procedere in praedicationibus in infinitum secundum circulationem, sed neque procedendo in sursum infinita erunt praedicata, et similiter nec deorsum. Et ad hoc probandum, primo resumit quaedam supra posita Secundo ex his probat intentum, ibi, « Neque in sursum ergo etc. » Circa primum resumit quod de unoquoque possunt aliqua praedicari quidquid significent, sive sit quale, sive quantum, vel quodcumque aliud genus accidentis, vel etiam quae intrant substantiam rei, quae sunt essentialia praedicata. Secundo resumit quod haec, scilicet praedicata substantialia, sint finita. Tertio resumit quod genera praedicamentorum sunt finita, scilicet quale et quantum, etc. Si enim aliquis dicat quod quantitas praedicetur de substantia, et qualitas de quantitate, et sic in infinitum, hoc excludit per hoc quod genera praedicamentorum sunt finita. Quarto resumit quod sicut supra expositum est, unum de uno praedicatur simplici praedicatione. Et hoc ideo inducit, quia posset aliquis dicere, quod primo praedicabitur unum de uno, puta de homine animal, et ista praedicatio multiplicabitur quousque potest inveniri aliquod unum quod de homine praedicetur, quibus finitis praedicabuntur duo de uno; puta dicetur quod homo est animal album, et sic multo plura praedicata invenirentur secundum diversas combinationes praedicatorum. Rursus praedicabuntur tria de uno, puta dicetur quod homo est animal album magnum, et sic semper addendo ad numerum magis multiplicabuntur praedicata, et erit procedere in infinitum in praedicatis, sicut etiam in additione numerorum. Sed hoc excludit per praedicationem unius de uno. Quinto resumitur ut non dicamus aliqua simpliciter praedicari de ipsis, quae non ali-

quid sunt, idest de accidentibus, quorum nullum est aliquid subsistens. De accidente enim neque subjectum, neque accidens proprie praedicatur, ut supra dictum est. Omnia enim hujusmodi, quae non sunt aliquod substantiale, sunt accidentia, et de his nihil praedicatur, simpliciter loquendo: sed haec praedicantur quidem per se, scilicet de subjectis, vel substantialia praedicata vel accidentia. Illa vero secundum alium modum, idest per accidens, scilicet cum praedicantur de accidentibus aut subjecta, aut accidentia. Haec enim omnia, scilicet accidentia, habent de sui ratione quod dicantur de subjecto; illud autem quod est accidens, non est subjectum aliquod: unde nihil proprie loquendo potest de eo praedicari, quia nihil talium, scilicet accidentium, ponimus esse tale, quod dicatur id quod dicitur, idest quod suscipiat praedicationem ejus quod de eo praedicatur, non quasi aliquid alterum existens, sicut accidit in substantiis. Homo enim non dicitur animal vel album quia aliquid aliud sit animal vel album; sed quia ipsummet quod est homo, est animal vel album: sed album ideo dicitur homo vel musicum, quia aliquid alterum, scilicet subjectum albi, est homo vel musicum. Sed ipsum accidens inest aliis, et alia quae praedicantur de accidente, praedicantur de altero, id est de subjecto accidentis, et propter hoc praedicatur de accidente, ut dictum est. Hoc autem introduxit, quia si accidens praedicatur de subjecto, et e converso, et omnia quae accidunt subjecto, praedicentur de se invicem, sequetur quod praedicatio procedat in infinitum, quia uni infinita accidunt.

Deinde cum dicit « neque in »

Ostendit propositum ex praemissis: scilicet quod in praedicatione qua praedicatur unum de uno, non proceditur in infinitum neque in sursum neque in deorsum, quia omnia accidentia praedicantur de his quae pertinent ad substantiam rei, quod erat quinta suppositio. Substantialia autem praedicata non sunt infinita, quod erat secunda suppositio: et ita ex parte subjectorum non proceditur in infinitum in hujusmodi praedicationibus, quasi in deorsum. In sursum autem neutra sunt infinita, scilicet neque substantialia praedicata, neque accidentalia: quia et genera accidentium sunt finita, et in unoquoque generum non est procedere in infinitum, neque in sursum neque in deorsum, sicut neque in substantialibus praedicatis; quia in quolibet praedicamento genus praedicatur de specie in eo quod quid est. Unde concludi potest universaliter quod necesse est esse aliquod primum subjectum de quo aliquid praedicetur, existente statu praedicationis in deorsum, et de hoc aliquid aliud praedicatum, et hoc habebit statum in sursum, et erit invenire aliquid quod non amplius praedicabitur de alio, neque sicut posterius praedicatur de prior per accidens, neque sicut prius praedicatur de posteriori per se. Hic igitur est unus modus logice demonstrandi propositum, qui sumitur secundum diversos modos praedicationis.

Deinde cum dicit « adhuc autem »

Ponit secundum modum probationis: et dicit quod quando est aliqua talis propositio, in qua praedicatur aliquid de subjecto, si aliqua possunt per prius praedicari de illo subjecto, talis propositio demonstrabilis erit: puta haec propositio, homo est substantia, demonstratur per hanc, animal est substantia; quia de animali per prius praedicatur substantia quam de homine. Si autem aliqua propositio est demonstrabilis, non possumus melius cognoscere, quam sciendo; sicut principia indemonstrabilia melius cognoscimus quam sciendo, quia cognoscimus ea ut per se nota. Et iterum hujusmodi demonstrabilia non possumus scire nisi per demonstrationem, quia demonstratio est syllogismus faciens scire, ut supra dictum est. Item considerandum est quod si aliqua propositio est nota per aliam, si illam per quam nota est nesciemus, neque cognoscimus eam meliori modo quam sciendo, consequens est quod non sciamus illam propositionem quae per eam cognoscitur. His igitur tribus suppositis, procedit sic. Si contingit aliquid simpliciter scire per demonstrationem, et non ex aliquibus, nec ex suppositione, necesse est quod sit status in praedicatis, quae accipiuntur ut media. Dicit autem simpliciter, et non ex aliquibus, ad excludendum demonstrationes ducentes ad impossibile, in quibus proceditur contra positiones aliquas ex aliquibus propositionibus datis. Dicit autem, neque ex suppositione, ad excludendum demonstrationes, quales fiunt in scientiis subalternis, quae supponunt conclusiones

superiorum scientiarum, ut supra habitum est. Est ergo similiter per demonstrationem scire, quando quaelibet propositionum praemissarum, si sit demonstrabilis, scitur per demonstrationem, et si non est demonstrabilis, intelligitur per seipsum. Et hoc supposito necesse est quod sit status in praedicationibus, quia, si non fuerit status, sed semper potest accipi aliquid superius, sequitur quod omnium sit demonstratio, ut primo dicebatur. Si ergo aliqua conclusio demonstratur, oportet quod quaelibet praemissarum sit demonstrabilis. Si ergo ad ejus cognitionem nullo modo possumus melius nos habere, quam sciendo eam per demonstrationem, ergo oportebit eum demonstrare per aliquas alias propositiones, et illas iterum per alias, et sic in infinitum, quia igitur infinita non est transire, non poterimus eam cognoscere per demonstrationem, neque melius eam cognoscere possumus, cum omnia sint demonstrabilia, ergo sequetur quod nihil contingit scire per demonstrationem simpliciter, sed solum ex suppositione. Ultimo autem epilogando concludit principale propositum.

LECTIO XXXV.

In quibuscumque per se praedicatis, quibus demonstrativae scientiae utuntur, non esse processum in infinitum demonstrative probat.

ANTIQUA.

Analytice autem manifestum est per hoc velocius quod neque in sursum neque in deorsum infinita praedicantia contingit esse in demonstrativis scientiis de quibus intentio est.

Demonstratio quidem enim est, quaecumque ipsa insunt secundum scipsa rebus.

Secundum seipsa autem dupliciter. Quaecumque enim illis insunt in eo quod quid est, et in quibus ipsa in eo quodquid est insunt ipsis, ut numero impar, quod inest quidem numero. Est autem ipse numerus in ratione ipsius. Et iterum multitudo aut divisibile in ratione numeri est.

Horum autem neutra contingit esse infinita, nec ut imperfectum numeri. Iterum enim si impari aliud insit, cui inerat existenti, hoc autem si est primum, numerus inerit his quae insunt ipsi. Si igitur non contingit infinita hujusmodi esse in uno, neque in sursum erunt infinita.

At vero necesse est omnia inesse primo, ut numero, et in illis numerum. Quare convertibilia erunt, sed non excedentia.

Si etiam quaecumque sunt in eo quod quid est, nec haec infinita sunt. Nec enim esset definire. Quare si praedicantia quidem per se omnia dicuntur, haec autem non infinita sunt, stabunt utique in sursum. Quare et in deorsum.

Si autem sic est, et quae sunt in medio duorum terminorum semper sunt finita.

Si vero hoc est, manifestum jam est, et demonstrationum quod necesse est principia esse, et non omnium esse demonstrationem, quod vere diximus quosdam dicere juxta principium. Si enim sunt principia, non omnia sunt demonstrabilia, neque in infinitum possunt ire. Esse enim horum quodlibet nihil aliud est, quam esse nullum spatium sine medio, et indivisibile, sed omnia divisibilia. Intus enim immittendo terminum, sed non assumendo demonstratur id quod demonstratur. Quare si hoc in infinitum contingit ire, continget utique duorum terminorum infinita esse interius media.

RECENS.

Analytice vero per haec brevius [ostendetur], quod neque sursum neque deorsum [respiciendo] praedicata infinita esse contingat in scientiis demonstrativis, circa quas consideratio versatur.

Est enim demonstratio illorum, quotquot per se rebus insunt.

Per se autem dupliciter [insunt]; et quaecumque in illis [rebus] insunt ratione ejus quid est, et quibus, quae ratione ejus quid est insunt, illa ipsa insunt. Ut, numero impar, quod inest quidem numero, at et numerus ipse in definitione ipsius inest. Et rursus multitudo aut discretum, in definitione ipsius numeri inest.

Horum vero, [quae ita per se insunt], neutra contingit esse infinita, nec ut impar de numero [praedicatur]; (rursus enim in impari aliud fuerit, cui, quum esset [in impari], inesset [impar]; hoc vero si sit, primo numerus inerit iis, quae ipsi insunt. Quodsi ergo talia non contingit infinita inesse uni, neque sursum respicientibus erunt infinita. Verumtamen necesse est, omnia inesse ipsi primo, ut numero, et ipsis inesse numerum; quare convertentur, non autem talia, quorum alterum altero sit superius;) at neque illa, quae sunt in definitione [rei], sunt infinita, quum, [si infinita essent], nemo posset definire.

Quare, si quidem ea quae praedicantur, per se omnia dicuntur, haec vero infinita non sunt; finiuntur superius spectantia: quare etiam inferius spectantia [finita erunt].

Si vero hoc sit, etiam media, quae inter duos terminos intercedunt, semper finita sunt.

Hoc vero posito, manifestum jam est, quod demonstrationum oportet esse principia, nec omnium esse demonstrationem, quod quosdam asserere initio diximus. Si enim sunt principia; neque omnia poterunt demonstrari, neque in infinitum progressus fieri potest; nam si utrumcumque illorum verum esse ponatur, hoc nihil aliud esset, quam non esse ullam propositionem immediatam et individuam, sed omnia dividi iterum posse: etenim eo, quod intus interjicitur definitio, non autem eo, quod assumitur [extrinsecus definitio], demonstratur id, quod demonstratur. Quare si hoc in infinitum

Sed hoc impossibile est, si praedicamenta steterint superius et inferius. Quod autem stent, demonstratum logice prius, analytice vero nunc.

progredi contingit, contingeret forte intra duos terminos quae interjiciuntur media esse infinita; at hoc fieri non potest si quidem praedicationes et sursum et deorsum finitae sunt. Quod autem finiantur, logice quidem prius, nunc autem analytice demonstratum est.

Postquam Philosophus ostendit logice quod non sit procedere in infinitum in praedicatis sursum aut deorsum, hic ostendit idem analytice. Et dividitur in duas partes. In prima parte ostendit principale propositum. In secunda infert quaedam corollaria ex dictis, ibi, « Monstratis autem his manifestum, etc. » Circa primum duo facit. Primo proponit quod intendit. Secundo probat propositum, ibi, « Demonstratio quidem enim, etc. » Dicit ergo primo quod hoc quod non contingit in demonstrativis scientiis, de quibus intendimus, praedicationes in infinitum procedere, neque in sursum neque in deorsum, brevius et citius poterit manifestari analytice, quam manifestatum sit logice. Ubi considerandum est quod analytica idest demonstrativa scientia, quae resolvendo ad principia per se nota judicativa dicitur, est pars logicae quae etiam dialecticam sub se continet. Ad logicam autem communiter pertinet considerare praedicationem universaliter, secundum quod continet sub se praedicationem quae est per se, et quae non est per se. Sed demonstrativae scientiae propria est praedicatio per se. Et ideo supra logice probavit propositum, quia ostendit universaliter in omni genere praedicationis non esse processum in infinitum. Hic autem intendit ostendere analytice, quia probat solum in his quae praedicantur per se. Et hujusmodi est via expeditior, et ideo sufficit ad propositum; quia in demonstrationibus non utimur nisi tali modo praedicationis.

Deinde cum dicit « demonstratio quidem »

Ostendit propositum. Et circa hoc tria facit. Primo proponit qua praedicatione analytica, id est demonstrativa scientia utatur, quia praedicatione per se. Secundo resumit quot sunt modi talis praedicationis, ibi, « Per seipsa vero etc. » Tertio ostendit quod in nullo modo praedicationis per se possit procedi in infinitum, ibi, « Horum autem neutra contingunt. » Dicit ergo primo quod « demonstratio est solum circa illa quae per se insunt rebus. » Tales enim sunt ejus conclusiones, et ex talibus demonstrat, ut supra habitum est.

Deinde cum dicit « secundum seipsa »

Ponit duos modos praedicandi per se. Nam primo quidem praedicantur per se quaecumque insunt subjectis in eo quod quid est, scilicet cum praedicata ponuntur in definitione subjecti: secundo quando ipsa subjecta insunt praedicatis in eo quod quid est, idest quando subjecta ponuntur in definitione praedicatorum. Et exemplificat de utroque modo. Nam impar praedicatur de numero per se secundo modo, quia numerus ponitur in definitione ipsius imparis. Est enim impar numerus medio carens. Multitudo autem vel divisibile praedicatur de numero, et ponitur in definitione ejus. Unde hujusmodi praedicantur per se de numero primo modo. Alii autem modi, quos supra posuit, reducuntur ad istos.

Deinde cum dicit « horum autem »

Ostendit quod in utroque modo praedicationis per se necesse est esse statum. Et circa hoc tria facit. Primo ostendit quod necessarium est esse statum in utroque modo praedicationis per se, tam in sursum quam in deorsum. Secundo concludit quod non possit esse infinitum esse in mediis, ibi, « Si autem sic est, etc. » Tertio concludit quod non potest procedi in infinitum in demonstrationibus, ibi, « Si vero hoc, etc. » Circa primum duo facit. Primo proponit propositum in secundo modo dicendi per se, scilicet quando subjectum ponitur in definitione praedicati. Secundo in primo modo, quando praedicatum ponitur in definitione subjecti, ibi, « Si etiam quaecumque. » Circa primum ponit duas rationes. Circa quarum primam sic procedit. Primo quidem praemittit propositum, scilicet quod in neutro modo dicendi per se contingit in infinitum procedere. Deinde probat hoc in secundo modo, puta cum impar praedicatur de numero. Si enim procedatur ulterius, quod aliquod aliud praedicetur per se de impari secundum istum modum dicendi per se, sequitur quod impar insit in definitione ejus. Numerus autem ponitur in definitione imparis: unde sequeretur, quod etiam numerus ponatur in definitione illius tertii quod per se inest impari. Sed hic non contingit abire in infinitum, ut scilicet infinita insint in definitione alicujus, sicut supra probatum est. Relinquitur ergo quod in talibus per se praedicationibus non contingit procedere in infinitum in sursum, id est ex parte praedicati.

Secundam rationem ponit ibi « at vero »

Et dicit quod quantumcumque procedatur in hujusmodi per se praedicationibus secundi modi, oportebit quod omnia praedicata per ordinem accepta insint primo subjecto, puta numero, quasi praedicata de eo; quia si impar per se praedicatur de numero, oportebit quod quicquid praedicatur de impari, etiam per se praedicetur de numero. Et iterum oportet quod numerus omnibus illis insit; quia si numerus ponitur in definitione imparis, oportet quod ponatur in definitione omnium eorum quae definiuntur per impar. Et ita sequitur quod mutuo sibi invicem insint. Ergo erunt convertibilia et non se invicem excedentia: sic enim propriae passiones se habent ad subjecta sua. Unde si etiam sint infinita per se praedicata secundum hunc modum, non erit ad propositum, quo aliquis intendit ponere infinita in praedicatis esse in sursum vel in deorsum.

Deinde cum dicit « si etiam »

Probat propositum in primo modo dicendi per se et dicit quod illa: quae praedicantur in eo quod quid est, idest quasi posita in definitione subjecti, non possunt esse infinita, quia non contingit infinita definire, ut supra probatum est. Ex hoc ergo concludit quod si omnia, quae ponuntur in demonstrationibus, per se ponuntur, et in praedicatis per se non est procedere in infinitum in sursum, necesse est quod praedicata in demonstrationibus stent in sursum. Et ex hoc etiam sequitur quod stent in deorsum; quia ex quacumque parte ponatur infinitum tollitur scientia et definitio, ut ex supra dictis patet.

Deinde cum dicit « si autem »

Concludit ex praemissis, quod si est status in

sursum et deorsum, quod media non contingit esse
infinita. Supra enim ostendit quod extremis existentibus determinatis, media non possunt esse infinita.

Deinde cum dicit « si vero »

Concludit ulterius quod in demonstrationibus
non proceditur in infinitum: et dicit quod si praedicta sint vera, necesse est esse aliqua principia
demonstrationum, quae non demonstrantur; et sic
non omnium erit demonstratio secundum quod quidam dicunt, ut in principio hujus libri dictum est.
Et quod hoc sequatur ostendit. Posito enim quod
sint aliqua principia demonstrationum, est necesse
esse quod illa sint indemonstrabilia; quia cum omnis
demonstratio sit ex prioribus, ut supra habitum est;
si principia demonstrantur, sequetur quod aliquid
esset prius principiis, quod est contra rationem
principii. Et ita si non sunt omnia demonstrabilia,
sequeretur quod non procedant demonstrationes in
infinitum. Omnia autem hujusmodi praedicta consequuntur ex hoc quod ostensum est quod non
proceditur in infinitum in mediis: quia nihil est
aliud ponere verum esse quodcumque praedictorum,
scilicet vel quod demonstrationes procedant in in-

finitum, vel quod omnia sunt demonstrabilia, vel
quod nulla sint demonstrationum principia, quam
ponere nullum spatium esse immediatum et indivisibile, idest ponere duos terminos sibi invicem
cohaerere in aliqua propositione affirmativa vel negativa, nisi per medium. Si enim aliqua propositio
sit immediata, sequitur quod sit indemonstrabilis;
quia cum aliquid demonstratur, oportet sumere terminum immittendo, idest quod sit infra praedicatum et
subjectum, de quo scilicet per prius praedicetur praedicatum quam de subjecto, vel a quo prius removeatur. Non autem in demonstrationibus accipitur medium assumendo extrinsecus: hoc enim esset assumere
extraneum medium, et non proprium, quod contingit
in litigiosis et dialecticis syllogismis. Si ergo demonstrationes contingit in infinitum procedere, sequitur quod sint media infinita inter duos terminos. Sed
hoc est impossibile si praedicationes steterint insursum et deorsum, ut supra probatum est. Et quod
stent praedicationes in sursum et deorsum prius ostendimus logice, et postea analytice, ut expositum est.
Per hanc igitur conclusionem ultimo inductam manifestat intentionem totius capituli, et quare quaelibet propositio sit inducta.

LECTIO XXXVI.

*In omnibus quae de uno seu pluribus praedicantur esse aliquod primum ostendit:
quomodo item in omnibus figuris primis propositionibus sit utendum, docet.*

Monstratis autem his, manifestum est, quod si aliquod
idem duobus insit, ut A et in c et in D, non praedicante
altero de altero, aut nullo modo, aut non de omni; non semper secundum commune aliquid inerit.

Ut scalenon et isocheli duobus rectis aequales habere,
secundum commune aliquid inest. Secundum enim quod
figuram quaedam est, et non secundum alterum quod inest.
Hoc autem non semper sic se habet.

Sit autem B secundum quod est A in c D. Manifestum
igitur est B in c D, secundum commune est, et illud secundum alterum. Quare duorum terminorum in mediis infiniti
utique incident termini. Sed hoc est impossibile. Secundum
igitur commune aliquid, esse non necesse est semper idem
in pluribus, quoniam vere erunt immediata spatia.

In eodem quidem genere et ex eisdem atomis necesse
est terminos esse; siquidem his quae per se sunt erit commune. Non enim erit ex alio genere in aliud descendentem
demonstrare.

Manifestum autem est, et cum A in B sit, si quidem est
aliquod medium, est (1) demonstrare quod A in B sit, et elementa
hujusmodi sunt haec, et tot quot media sunt. Immediatae
enim propositiones sunt elementa, aut omnes, aut universales. Si vero non est medium, non amplius erit demonstratio,
sed in principia via haec est.

Similiter autem erit, et si A in B non sit. Siquidem enim
aut erit medium, aut prius, cui non inest, erit demonstratio;
si vero non, non est, sed principium. Et elementa tot sunt
quot termini, et horum propositiones principia demonstrationis sunt. Et sicut quaedam principia sunt indemonstrabilia
quod sit hoc illud, et quod sit hoc in illo, sic et quod non

His autem demonstratis, manifestum est, si quid idem
duobus insit; ut, *to* A *tō* c et *tō* D, quorum alterum de altero
dicatur aut nullo aut non omni; quod [illud, quod utrisque
inest], non semper secundum commune aliquid inerit.

Ut aequicruri, et scaleno, *to* habere duobus rectis aequales
[angulos] secundum commune quid inest; quatenus enim
certa figura illis inest, nec quatenus diversum quid. Id vero
non semper hoc modo se habet.

Sit enim B, secundum quod *to* A inest *tō* c D; manifestum
igitur est, quod et *to* B *tō* c et *tō* D [seorsum] secundum
aliud commune [insit], et illud [commune] secundum aliud
[his insit]. Quare inter duos terminos forte infiniti interci-
derint termini. Verum id fieri non potest. Secundum ergo
quid commune inesse idem semper pluribus non necesse est,
si quidem futurae sint immediatae propositiones.

In uno quidem genere, et ex iisdem individuis esse terminos necesse est, si quidem eorum quae per se insunt,
erit aliquid commune. Non enim ex alio genere in aliud
genus transferri, quae demonstrantur, licebat.

Manifestum vero etiam est, quod, si *to* A insit *tō* B, si
quidem est aliquod medium, demonstrari potest, *to* A jnesse
tō B. Et principia illius sunt haec et tot, quot media sunt.
Immediatae enim propositiones, aut omnes, aut universales,
principia sunt. Si vero non sunt [propositiones immediatae
principia], non amplius est demonstratio, sed est haec ad
principia via solum.

Similiter vero etiam, si *to* A non inest *tō* B, si quidem
[aliquid] sit aut medium, aut prius, cui non inest, demonstratio est; si vero non sit [medium aut prius aliquid], non
est [demonstratio].

Verum principia et primae propositiones tot sunt, quot
termini. Nam definitorum propositiones principia sunt demonstrationis.

Et quemadmodum principia quaedam demonstrari nequeunt
quod hoc est illud, et inest hoc illi; sic etiam, quod non est

(1) *Al. desideratur* est.

erit hoc illud, nec quod sit hoc in illo. Quare haec quidem esse aliquid, alia autem, non esse aliquid, erunt principia.

Cum autem oportet demonstrare aliquid, accipiendum est quod de B primum praedicetur, et sit C, et de hoc similiter A, et sic semper vadens, nequaquam extra propositio cadet. Neque extra esse ipsius A accipiatur ut demonstretur, sed semper medium condenset quousque indivisibilia fiant, et unum. Est autem unum, cum immediatum fiet, et una propositio simplex et immediata.

Et quemadmodum in aliis est principium simplex, hoc autem non idem ubique, sed in grani quidem uncia, in melodia autem tonus, in membris autem divisio, aliud autem in alio; sic est in syllogismo una propositio immediata; in demonstratione autem, et scientia, intellectus.

In demonstrativis quidem igitur syllogismis ejus quod est, nihil cadit extra.

In privativis autem hoc quidem quod (1) oportet esse, nihil extra hoc cadat, ut si A non est in B per C. Si enim in B omni quidem est C, in nullo C autem est A, item si indigeat quod in C A nullo sit, medium accipiendum est ipsius A, et C et sic semper procedet.

Si vero oporteat demonstrare quod D in E non sit, in eo quod est C in D quidem omni, in E autem nullo, aut non in omni, nunquam extra E cadet. Hoc autem est, cui oportet non inesse.

In tertio autem modo, neque a quo oportet, neque quod oportet privari, nequaquam extra ibit.

(1) Al. deest quod.

hoc illud, nec inest hoc illi. Quare haec quidem erunt principia, quae, esse aliquid, haec vero, quae, non esse aliquid, [ostendant].

Quando vero aliquid demonstrandum fuerit, sumendum est [illud], quod de B primo praedicatur. Sit hoc to C; et de hoc similiter [praedicetur] to A. Et ita semper progredienti, nunquam externa propositio neque quod inest tou A sumitur in demonstrando; sed semper medium condensatur donec [illa omnia] immediata fiant et unum. Est autem unum quando immediatum efficietur, et una simpliciter propositio, quae immediata est. Et, quemadmodum in ceteris, principium simplex est. Hoc autem non ubique idem, sed in pondere quidem mina, in concentu autem elementum toni minimum, aliud autem in alio. Sic in syllogismo to unum propositio immediata est; in demonstratione vero et in scientia intellectus. In demonstrativis igitur syllogismis tou inesse nihil extra [medium] cadit.

In negativis autem [syllogismis], ubi quidem [demonstrandum est] quod inesse debet, nihil hujus extra [medium] cadit, [seu, medium non sumitur externum]. Ut, si to A non [inesse tõ B monstrandum sit] per C. Si enim omni quidem B [insit] to C, nulli autem C to A; rursus si demonstrandum sit, nulli C inesse to A, medium sumendum est tou A et C; et sic semper [demonstrans] progredietur.

Si vero oporteat [aliquem] demonstrare, to D non inesse tõ E, eo quod C omni quidem D insit, nulli autem E, aut non omni; nunquam extra E [medium] cadet; hoc vero [E] est, cui non inesse D oporteat [concludi].

Tertio autem modo, neque unquam extra id progredietur [medium], a quo [per negationem separari], neque [extra id] quod negari oportet.

Postquam Philosophus ostendit quod contingit procedere in infinitum in demonstrationibus, hic inducit quaedam corollaria ex praedictis. Et circa hoc duo facit. Primo ostendit quod necesse est accipere aliquas primas propositiones. Secundo quomodo illis primis sit utendum in demonstrationibus, ibi, « Cum autem oportet demonstrare. » Circa primum duo facit. Primo ostendit quod necesse est devenire ad aliquod primum quando unum de pluribus praedicatur. Secundo quando unum praedicatur de uno, « Manifestum autem est. » Circa primum quatuor facit. Primo proponit intentum. Secundo manifestat propositum, ibi, « Ut scalenon. » Tertio probat, ibi, « Sit autem B etc. » Quarto excludit quamdam objectionem, ibi, « In eodem « quidem genere etc. » Dicit ergo primo, quod demonstratis praemissis, scilicet quod non sit procedere in infinitum in praedicationibus et demonstrationibus, manifestum est quod si aliquid praedicatur de duobus, puta de C et D, ita scilicet quod unum eorum non praedicetur de altero, aut nullo modo, sicut animal praedicatur de homine et bove, quorum unum nullo modo de alio praedicatur, aut non de omni, puta animal praedicatur de homine et masculo, quorum neutrum de altero universaliter praedicatur, sic inquam se habentibus terminis, manifestum est quod non oportet quod id praedicatum quod de utroque praedicatur, insit utrique secundum aliquod commune, et hoc in infinitum procedendo.

Deinde cum dicit « ut scalenon »

Manifestat propositum per exemplum. Sunt enim duae species trianguli; quarum una vocatur scalenon, vel triangulus gradatus cujus sunt tria latera inaequalia; alius est isocheles, cujus sunt duo latera aequalia, unum autem horum non praedicatur de altero; utrique autem inest haec passio habere tres angulos aequales duobus rectis. Inest autem hoc eis secundum aliquid commune, scilicet quod uterque horum est figura quaedam, scilicet triangulus. Hoc

autem non sic semper se habet, scilicet secundum quod in infinitum conveniat secundum aliquid aliud, puta quod habere tres conveniat triangulis iterum secundum aliquid aliud, et sic in infinitum.

Deinde cum dicit « sit autem »

Probat propositum; et dicit: Sit ita quod B praedicetur de C et de D secundum hoc commune quod est A: manifestum est ergo quod B erit in C et in D, secundum illud commune quod est A: et si iterum insit A, secundum aliquod commune, et iterum illi communi secundum aliquid, procedetur in infinitum in mediis: sequitur igitur quod inter duo extrema quae sunt C et B cadant infiniti termini medii. Hoc autem est impossibile: ergo non necesse est, si idem insit pluribus, quod semper in infinitum insit eis secundum aliquid commune: quia necesse est quod perveniatur ad aliqua spatia immediata, idest ad aliquas immediatas praedicationes quas appellat spatia, ut supra dictum est. Quantum igitur videtur ex hac probatione Aristotelis, non est suus intellectus, quod hoc non sit verum, quod quando aliquid praedicatur de pluribus quae de se invicem non praedicantur, quod illud non insit illis pluribus secundum aliquid commune. Hoc enim verum est in omni quod praedicatur sicut passio: oportet enim si inest pluribus, quod insit eis secundum aliquid commune, licet forte id sit innominatum, sicut supra dictum est, cum de universali ageretur. Sed in illo communi non proceditur in infinitum, ut haec ratio inducta a Philosopho evidenter probat. Si autem accipiatur aliquid commune quod insit pluribus sicut genus speciebus, non semper oportebit aliquid prius accipere secundum quod insit. Puta si vivum insit homini et asino secundum aliquid prius, scilicet secundum animal, animali autem et plantae non inest secundum aliquid prius, quia haec sunt primae species corporis vivi sive animati.

Deinde cum dicit « in eodem »

Excludit quamdam obviationem. Posset enim aliquis dicere quod semper accipitur secundum aliquid commune, quia potest accipi commune alterius generis; puta si dicamus quod esse seipsum movens inest homini et asino secundum hoc commune quod est animal, et secundum aliud commune quod est habens quantitatem vel habens colorem, aut aliquid aliud hujusmodi, quae possunt accipi in infinitum. Et ad hoc excludendum dicit quod necesse est esse terminos medios qui accipiuntur ex eodem genere « et eisdem atomis, » idest indivisibilibus. Et appellat atomos ipsos terminos extremos, inter quos oportet accipi medium, si id commune quod accipitur ut medius terminus sit de numero eorum quae praedicantur per se. Quare autem oporteat ex eodem genere sumere terminos medios, ostendit per hoc quod, sicut supra habitum est, non contingit demonstrationem transire de uno genere in aliud.

Deinde cum dicit « manifestum autem »

Ostendit quod necesse est devenire ad aliquod unum in praedicabilibus in quibus praedicatur unum de uno. Et primo in affirmativis. Secundo in negativis, ibi, « Similiter autem et si A etc. » Dicit ergo primo manifestum esse quod cum A praedicatur de B, si horum sit aliquod medium, quod illo medio uti possumus ad demonstrandum quod A sit in B; et haec sunt principia hujusmodi conclusionis. Et quaecumque accipiuntur ut media, sunt principia conclusionum mediatarum, quae per ea concluduntur. Nihil enim aliud sunt elementa sive principia demonstrationum quam propositiones immediatae. Et hoc dico « vel omnes, vel universales: » quod quidem potest dupliciter intelligi. Uno modo ut propositio universalis accipiatur secundum quod dividitur contra singularem. Nam species specialissima non praedicatur de singulari per aliquod medium. Unde propositio haec est immediata, Socrates est homo, non tamen est principium demonstrationis, quia demonstrationes non sunt de singularibus, cum eorum non sit scientia: et ita non omnis immediata est demonstrationis principium sed solum universalis. Alio modo potest intelligi secundum quod propositiones universales dicuntur propositiones communes in omnibus propositionibus alicujus scientiae, sicut, omne totum est majus sua parte: unde hujusmodi sunt simpliciter demonstrationum principia, et in omnibus per se nota. Haec autem propositio, homo est animal, vel isocheles est triangulus, non est principium demonstrationis in tota scientia, sed solum aliquarum particularium demonstrationum, neque hujusmodi etiam propositiones sunt omnibus per se notae. Sic igitur si sit aliquod medium propositionis datae, erit demonstrare per aliquod medium, quousque deveniatur ad aliquod immediatum. Si vero non sit aliquod medium propositionis datae, non poterit demonstrari. Sed haec est via ad inveniendum prima principia demonstrationum: ideo est procedere a mediatis ad immediata resolvendo.

Deinde cum dicit « similiter autem »

Ostendit quod sit accipere primum in negativis; et dicit quod si A negetur de B, si sit accipere aliquod medium, a quo scilicet per prius removeatur A quam a B, tunc haec propositio, B non est A, erit demonstrabilis. Si autem non sit aliquod tale medium accipere, non erit haec propositio demonstrabilis, sed principium demonstrationis. Et tot erunt elementa, id est principia demonstrationis, quot erunt termini ad quos scilicet statur, ut ultra non sit invenire medium. Propositiones enim quae fiunt ex

hujusmodi terminis, sunt principia demonstrationis. Puta si C immediate praedicetur de B, et A immediate removeatur a B, aut praedicetur de eo immediate, B est terminus ad quem ultimo pervenitur in mediis sumendis: unde utraque propositio erit immediata, et demonstrationis principium. Et patet ex praemissis quod sicut sunt quaedam principia indemonstrabilia affirmativa, in quibus unum de alio praedicatur, significando quod hoc essentialiter est illud, sicut cum genus praedicatur de proxima specie, vel hoc sit in illo, sicut cum passio praedicatur de proprio et immediato subjecto; ita etiam sunt principia indemonstrabilia in negativis, negando essentiale praedicatum, vel etiam propriam passionem. Ex quo patet quod quaedam sunt principia demonstrationis ad demonstrandum conclusionem affirmativam quam oportet concludere ex omnibus affirmativis, et quaedam sunt principia demonstrationis ad probandum conclusionem negativam, ad cujus illationem oportet assumere aliquam negativam.

Deinde cum dicit « cum autem »

Ostendit quomodo utendum sit primis propositionibus in demonstrando. Et primo in propositionibus affirmativis. Secundo in negativis, ibi, « In « privativis autem etc. » Circa primum tria facit. Primo ostendit qualiter oporteat sumere propositiones immediatas in demonstrationibus. Secundo ostendit, quomodo hujusmodi propositiones se habeant ad demonstrationes, ibi, « Et quemadmodum in aliis. » Tertio epilogat, ibi, « In ostensivis quidem igitur. » Dicit ergo primo quod quando oportet demonstrare aliquam conclusionem affirmativam, puta, omne B est A, necesse est accipere aliquid quod primo praedicetur de B, quam A, de quo A etiam praedicetur, et sit illud C. Et si iterum aliquid sit de quo A per prius praedicetur quam de C, sic semper procedendo, sic nec propositio nec terminus significans aliquid ens, accipietur in demonstrando extra ipsum A, quia oportebit quod A praedicetur de eo per se; et ita quod contineatur sub eo et non sit ab eo extrinsecum; sed oportebit semper condensare media. Et loquitur ad similitudinem hominum qui videntur esse condensati sedentes in aliqua sede, quando inter sedentes nullus potest intercedere medius, ita et media in demonstratione dicuntur densata, quando inter terminos acceptos nihil cadit medium. Et hoc est quod dicit « quod medium densatur quousque, » perveniat ad hoc quod spatia « fiant indivisibilia, » idest distantiae inter duos terminos sunt tales quod non possunt dividi in plures hujusmodi distantias, sed fit unum spatium tantum. Et hoc contingit, quando propositio est immediata. Tunc enim vere est una propositio non solum actu, sed etiam potentia, quando est immediata. Si enim sit mediata, quamvis sit una in actu, quia unum praedicatur de uno, tamen est multa in potentia, quia accepto medio formantur duae propositiones. Sicut etiam linea quae est una in actu inquantum est continua, est multa in potentia inquantum divisibilis per punctum medium. Et ideo dicit quod propositio immediata est una sicut simplex indivisibilis.

Deinde cum dicit « et quemadmodum »

Ostendit quomodo se habeat propositio immediata ad demonstrationem. Ubi considerandum est quod sicut habetur in 10 Metaphysicae, in quolibet genere oportet esse unum primum, quod est simplicissimum in genere illo, et mensura omnium quae sunt illius generis. Et quia mensura est homogenea mensurato, secundum diversitatem generum oportet esse hujusmodi prima indivisibilia diversa. Unde hoc non est idem in omnibus; sed in gravitate ponderum accipitur ut unum indivisibile uncia, idest quoddam minimum pondus, quod tamen non est simplex omnino, quia quodlibet pondus est divisibile in minora pondera, sed accipitur ut simplex per suppositionem. In melodiis autem accipitur ut unum principium tonus qui consistit in sesquioctava proportione, vel diesis quae est differentia toni et semitoni, et in diversis generibus sunt diversa principia indivisibilia. Syllogismi autem principia sunt propositiones: unde oportet, quod propositio simplicissima, quae est immediata, sit unum, quod est mensura syllogismorum. Demonstratio autem addit supra syllogismum quod facit scientiam. Comparatur autem intellectus ad scientiam, sicut indivisibile ad multa. Nam scientia est per decursum a principiis ad conclusiones, intellectus autem est absoluta et simplex acceptio principii per se noti. Unde intellectus respondet immediatae propositioni, scientia autem conclusioni quae est propositio mediata. Sic igitur demonstrationis indivisibilis inquantum est syllogismus, unum indivisibile est propositio immediata. Ex parte autem scientiae quam causat, unum ejus est intellectus.

Deinde cum dicit « in demonstrativis »

Epilogando concludit quod supra ostensum est, scilicet quod in affirmativis syllogismis medium non cadit extra extrema.

Deinde cum dicit « in privativis »

Ostendit quomodo utendum sit propositionibus immediatis in syllogismis negativis. Et primo in prima figura. Secundo in secunda, ibi, « Si vero « oporteat demonstrare. » Tertio in tertia, ibi, « In « tertio autem modo. » Dicit ergo quod in negativis syllogismis nihil mediorum acceptorum procedendo immediate cadet extra genus terminorum

affirmativae propositionis in prima figura. Puta si demonstrandum sit quod nullum B est A, et accipitur medium C tali existente syllogismo, nullum C est A, omne B est C, ergo nullum B est A. Si ergo oporteat iterum probare quod in nullo C sit A, oportet accipere medium ipsius C et A, quod scilicet praedicetur de C, et per consequens de B; et sic perveniet ad genus terminorum affirmativae propositionis, et ita semper procedetur quod media accepta non cadent extra affirmativam propositionem, cadent tamen extra genus praedicati negativi, puta extra genus A.

Deinde cum dicit « si vero »

Ostendit qualiter se habent in secunda figura: et dicit quod si oporteat demonstrare quod nullum E sit D in secunda figura accipiendo medium C, ut fiat syllogismus, omne D est C, nullum E est C, aut quoddam E non (1) est C, ergo nullum vel non omne E est D; nunquam medius terminus acceptus cadet extra E; quia si oportebit iterum demonstrare quod nullum E est C, oportebit iterum accipere aliquod medium inter E et C, quia oportebit in secunda figura probare negativam. Affirmativa enim in hac figura probari non potest. Unde sicut in prima figura media accepta semper accipiuntur ex parte propositionis affirmativae, ita oportet in secunda figura semper media accipi ex parte propositionis negativae.

Deinde cum dicit « in tertio »

Ostendit qualiter hoc se habeat in tertia figura: et dicit quod in tertia figura media accepta non erunt extra praedicatum quod negatur, neque extra subjectum a quo negantur. Et hoc ideo, quia medium subjicitur affirmativae vel negativae utrique: unde si oportet accipere aliquod medium, oportet iterum id medium subjici affirmando vel negando: et sic media accepta nunquam acciperentur neque extra praedicatum negatum, nec extra subjectum de quo negantur.

(1) Al. deest non.

LECTIO XXXVII.

Tres apparentes rationes solvit, quibus demonstrationem particularem universali potiorem esse ostendebatur.

Cum autem sit demonstratio alia quidem particularis, alia vero universalis, et haec quidem categorica, illa vero privativa, dubitatur qualis potior sit. Similiter autem et de ea quae demonstrare dicitur, et de ducenti ad impossibile demonstratione.

Primum quidem igitur intendamus de universali et de particulari. Ostendentes autem hoc, et de ea quae demonstrare dicitur, et quae est ad impossibile dicemus.

Videbitur quidem igitur fortassis utique quibusdam sic intendentibus particularis esse dignior. Si enim secundum quam maxime scimus demonstrationem potior est demonstratio, (haec enim virtus demonstrationis est,) magis autem scimus unum cum ipsum cognoscimus secundum ipsum, quam secundum aliud, ut musicum Coriscum quando Coriscus musicus est, quam cum homo musicus sit, similiter autem et in aliis: sed universalis quoniam aliud, non quoniam ipsum contingit demonstrat, ut quoniam aequilibiarum est, non quia aequitibiarum, sed quoniam triangulus; sed particularis, quoniam ipsum est, si igitur potior quidem est quae est secundum ipsum, hujusmodi

Quum vero demonstratio alia sit universalis, alia vero particularis, et alia affirmativa, alia vero negativa; dubitatur utra melior sit. Similiter etiam de illa, quae dicitur demonstrare, et quae ad impossibile deducit, demonstratione. Primum ergo consideremus universalem et particularem; hoc autem declarato, etiam de illa quae demonstrare [rem] dicitur, et de ea quae ad impossibile deducit, agemus.

Videri ergo possit nonnullis hoc modo rem considerantibus particularis [demonstratio] esse melior. Si enim illa per quam demonstrationem magis [rem] scimus, melior est demonstratio; (nam haec virtus est demonstrationis;) magis autem scimus unumquodque, quando illud per se scimus, quam quando secundum aliud; (ut musicum esse Coriscum, quando, quod Coriscus musicus sit [scimus], quam quando [scimus], quod homo sit musicus; similiter vero etiam in ceteris;) universalis autem, quod aliud [simul talia sint], non, quod ipsum tale sit, demonstrat; (ut quod aequicruris [duos rectos angulos habeat], non quia aequicruris [habeat],

autem est particularis, universali magis et potior utique secundum partem demonstratio erit.

Amplius si universale quidem non est aliquid praeter
singularia, demonstratio autem opinionem conficit esse aliquid
hoc secundum quod demonstrat quamdam naturam esse hanc
in his quae sunt ut trianguli praeter quosdam, et figurae
praeter aliquas, et numeri praeter numeros, potior autem
est quae est de esse quam de non esse, et propter quam
non errabitur, quam propter quam errabitur; est autem u-
niversalis hujusmodi; procedentes enim demonstrat quod est
analogum, quod neque linea, neque numerus, neque solidum,
neque planum est, sed praeter hoc aliquid; si igitur universalis
quidem magis hoc est, de eo autem quod est, minus quam
particularis, et facit opinionem falsam; indignior utique erit
universalis particulari.

Aut primum quidem nihil magis in universali, quam in
particulari ratio est. Si enim quod duobus rectis inest, non
est secundum quod est isocheles, sed secundum quod triangulus est, cognoscens quoniam ipsum, minus cognovit inquantum ipsum est, quam cognoscens quoniam triangulus
est: et omnino si non sit quidem secundum quod est triangulus postea demonstrat, non utique erit demonstratio. Si vero
sit cognoscens unumquodque secundum quod unumquodque
est, magis cognovit. Si igitur triangulus in plus est, et eadem ratio et non secundum aequivocationem, triangulus est
et inest omni triangulo, quod est duobus rectis habens aequales, non utique et triangulus inquantum aequitibiarum,
sed aequitibiarum secundum quod est triangulos, habet hujusmodi angulos. Quare universaliter sciens, magis cognovit
secundum quod est, quam secundum partem. Potior itaque
est universalis, quam particularis.

Amplius siquidem sit quaedam ratio una, et non aequivocatio; universale erit utique nihil minus quibusdam secundum
partem, sed magis est quanto incorruptibilia in illis sunt.
Quae vero secundum partem sunt, corruptibilia sunt magis.

Amplius neque una necessitas est opinari aliquid esse
hoc praeter haec, quoniam unum ostendit nihil magis quam
in aliis, quaecumque non aliquid significant, sed aut quale,
aut ad aliquid, aut facere. Sic ergo non demonstratio est
causa, sed male audiens.

sed, quia triangulus;) at particularis, quod ipsum sit tale:
si ergo melior quidem illa est quae per se est (talis autem
particularis magis est, quam universalis), melior etiam demonstratio particularis fuerit.

Porro, si universale quidem nihil est praeter singularia; at
demonstratio supponit, esse aliquid hoc de quo demonstrat, et
esse aliquam naturam talem eorum quae sunt; (ut trianguli praeter singulos, et figurae praeter singulas, et numeri praeter singulos numeros;) melior autem est [demonstratio] quae est
de eo quod est, quam quae de eo quod non est; et illa per
quam non decipiemur, quam illa per quam [decipi poterimus];
est autem universalis talis; (progredientes enim demonstrant,
quemadmodum de eo, quod est proportionale; ut. quod,
quidquid tale sit, id fuerit proportionale, quod [ipsum] neque
linea sit, neque numerus, neque corpus, neque superficies,
verum praeter haec quidpiam sit;) si ergo universalis magis
haec est, et de eo quod est, minus demonstrat, quam particularis, et opinionem falsam parit; deterior sane fuerit
universalis quam particularis.

Enimvero primum quidem nihil magis contra universale,
quam contra particulare, altera ratio valet. Nam si to habere
duobus rectis [aequales tres angulos] inest, non quatenus
aequicruris, sed quatenus triangulus [est]; qui scit quod
aequicruris [sit], minus scit, quatenus ipsum [tale est, et
habere duos rectos angulos illi insit], quam qui scit quod
triangulus [sit, et quod quatenus talis duos rectos habeat];
et in universum, si non ita sumatur, quatenus triangulus,
et deinde demonstret [aliquis], non fuerit demonstratio. Si
vero [ita demonstretur, quatenus] sit [triangulus], qui scit
ununquodque, quatenus ipsum inest, magis scit. Si ergo
triangulus pluribus convenit, [quam aequicruris], et eadem
ratio esse necaequivoce [convenit] triangulus [aequicruri et
reliquis speciebus], et inest omni triangulo to [habere] duos
[rectos]; non jam triangulus, quatenus aequicruris, sed aequicruris, quatenus triangulus, habet tales angulos. Quare
qui universale scit, magis scit, quatenus [ipsum] inest, quam
qui particulare. Melior igitur est [demonstratio] universalis,
quam particularis.

Praeterea, si qua ratio una sit, nec aequivocatio; nihil
minus fuerit [demonstratio] universalis nonnullis ex particularibus, imo etiam magis, quo magis incorruptibilia sunt
in illis; at particularia corruptibilia magis sunt.

Praeterea nulla est necessitas, ut opinemur illud esse
quid praeter haec quia unum significet, nihil magis, quam
in aliis quae non significant aliquam substantiam, verum
aut quale, aut relatum, aut agens. Si vero [aliquis ita opi-
natur], non est demonstratio [erroris] causa, sed qui audit.

Postquam Philosophus determinavit de syllogismo demonstrativo, hic agit de comparatione demonstrationum adinvicem. Et quia scientia ex demonstratione causatur, ideo dividitur haec pars in
duas partes. In prima agit de comparatione demonstrationis. In secunda de comparatione scientiae,
ibi, « Certior autem scientia est etc. » Circa primum
tria facit. Primo movet dubitationem de comparatione demonstrationum. Secundo dicit quo ordine
sit procedendum, ibi, « Primo quidem igitur. »
Tertio prosequitur dubitationes motas, ibi, « Vide-
« bitur quidem igitur etc. » Dicit ergo primo quod
demonstratio, tripliciter dividitur. Uno enim modo
dividitur in universalem et particularem. Alio autem
modo in categoricam et privativam, id est affirmativam et negativam. Tertio autem modo dividitur
in eam quae demonstrat ostensive, et in eam quae
ducit ad impossibile. Est ergo quaestio in singulis
divisionibus qualis potior sit.

Deinde cum dicit « primum quidem »

Ostendit quo ordine sit agendum: et dicit quod
primo agendum est de comparatione universalis et
particularis demonstrationis. Et cum hoc fuerit o-
stensum, tunc dicemus et de demonstratione quae
demonstrat aliquid affirmative, et de ea quae
demonstrat ad impossibile, utrum scilicet affirma-

tiva sit potior, et utrum ea quae est ad impossibile
sit potior.

Deinde cum dicit « videbitur quidem »

Prosequitur dubitationes propositas. Et primo
de comparatione demonstrationis particularis et u-
niversalis. Secundo de comparatione affirmativae et
negativae, ibi, « Quod autem affirmativa etc. »
Tertio de comparatione ostensivae et ducentis ad
impossibile, ibi, « Quoniam autem categorica etc. »
Circa primum tria facit. Primo proponit rationes
ad ostendendum quod particularis demonstratio sit
potior quod universalis. Secundo solvit eas, ibi,
« Aut primum quidem etc. » Tertio ponit rationes
in contrarium, ibi, « Amplius si demonstratio etc. »
Circa primum ponit tres rationes; dicens, quod quibusdam forte videbitur per has rationes immediate
ponendas, quod particularis demonstratio sit potior
vel dignior quam universalis. Et prima ratio talis
est. Illa demonstratio est potior per quam maxime
scimus. Et hoc sic probat, quia virtus demonstrationis est scire. Dicitur enim virtus uniuscujusque id
quod ultimum potest; sicut hominis qui potest
ferre centum libras, virtus non est quod ferat
decem, sed quod ferat centum, quod est ultimum
suae potentiae, ut dicitur in 1 de Caelo et Mundo.
Hoc autem maximum est quod potest facere demon-

stratio, scilicet quod faciat scire. Unde haec est virtus demonstrationis. Unumquodque autem tanto per- fectius est, quanto magis attingit ad propriam vir- tutem, ut patet in 7 Physicorum. Unde manifeste patet haec propositio, quod quanto magis demonstra- tio facit scire, tanto est potior. Assumit autem quod magis scimus unumquodque cum cognoscimus ipsum secundum se, quam quando cognoscimus ipsum se- cundum aliud; ut puta de Corisco, quod Coriscus est musicus magis hoc scimus, quam si sciamus solum quod homo est musicus. Et ista propositio simpliciter vera est; quia semper id quod est per se, prius est eo quod est per aliud, et causa ejus, ut dicitur in 8 Physicorum. Ex his itaque subin- telligitur conclusio, quod potior est demonstratio quae facit scire aliquid secundum se, quam quae facit scire secundum aliud. Demonstratio autem univer- salis demonstrat aliquid et facit scire non secundum ipsum, sed secundum aliud, scilicet secundum uni- versale; sicut quod triangulus duorum aequalium laterum qui est isocheles, habet tres, non quia est isocheles, sed quia est triangulus. Particularis autem demonstratio demonstrat de aliqua re particulari secundum seipsam. Unde sequitur secundum prae- missa, quod particularis demonstratio sit potior quam universalis.

Secundam et tertiam rationem ponit ibi « am- « plius si »

Quae talis est. Universale non est aliquid praeter singularia, ut probatur in 4 Metaphysicorum. De- monstratio autem universalis facit opinionem ex ipso modo suae demonstrationis, quod sit aliquid et quaedam natura in entibus. Puta cum demonstrat aliquid de triangulo praeter particulares triangulos, et de numero praeter particulares numeros. Nam primae propositioni, quae dicebat quod universale non est aliquid praeter singularia, addit hanc propositio- nem, quod potior est demonstratio quae est de ente, quam quae est de non ente. Secundae autem propositioni, quae dicebat quod demonstratio uni- versalis facit opinionem quod universale aliquid sit in rerum natura, addit aliam propositionem, scilicet quod demonstratio quae non facit errare, est potior ea per quam erratur. Et ostendit quod propter demonstrationem universalem erratur, quia proce- dens secundum demonstrationem universalem, de- monstrat de aliquo universali sicut de quodam communi quod proportionaliter se habet ad multa, quasi sit aliquid commune quod neque est linea, neque numerus, neque solidum, idest corpus, neque planum idest superficies, sed aliquid praeter hoc, idest ipsa quantitas universalis vel aliquid praeter hoc, idest quod necesse est ponere ad hoc quod ista habeant rationem quantitatis. Sic igitur secundum duo media quasi duplici ratione concludit unam conclusionem, dicens, quod si universalis demonstratio ita se habet, quod minus de ente habet quam particularis, et magis facit opinionem falsam quam particularis, sequitur ex his duobus mediis quod universalis sit indignior quod particularis.

Deinde cum dicit « aut primum »

Solvit praedictas rationes per ordinem. Et primo primam; dicens, quod primum quidem, idest secun- dum quod procedebat prima ratio, non habet aliam rationem in universali quam in particulari, quia u- trobique invenitur secundum se et secundum aliud. Et manifestat quod in universali inveniatur secun- dum se. Habere enim tres angulos aequales duobus

rectis, non convenit isocheli secundum se, idest secundum quod isocheles est, sed secundum quod est triangulus; et ideo qui cognoscit quemdam triangulum habere tres, scilicet isochelem, minus habet cognitionem de eo quod est per se quam si cognoscat quod triangulus habeat tres. Et est uni- versaliter dicendum, quod si sit aliquid, quod non insit triangulo secundum quod triangulus, et de- monstretur de eo quod sit illud, non erit vera demonstratio. Si autem insit ei secundum quod est triangulus, cognoscens in universali de triangulo secundum quod hujusmodi, perfectiorem cognitionem habet. Ex his igitur concludit conditionalem in cujus antecedenti ponuntur tria. Quorum unum est quod triangulus praedicetur de isochele. Secundum est quod triangulus praedicetur de isochele et aliis secundum eamdem rationem et non aequivoce. Ter- tium est quod habere tres angulos aequales duobus rectis insit omni triangulo. Et his tribus suppositis, consequens est quod habere tres non conveniat triangulo inquantum est isocheles, sed e con- verso. Apposuit autem prima duo in antecedente, quia si triangulus non esset in plus, vel si aequi- voce praedicaretur de pluribus, non compararetur ad isochelem sicut universale ad particulare. Tertium autem addit, quia si habere tres non conveniret omni triangulo, non conveniret ei inquantum triangulus, sed in quantum aliquis triangulus. Sicut hoc ipsum quod est habere tres, quia non conve- nit omni figurae inquantum est figura, sed inquan- tum est figura quaedam, quae triangulus est. Ex his concludit oppositum ejus quod objectio sup- ponebat, scilicet quod ille qui scit in universali, magis cognoscit rem per se et inquantum hujus- modi, quam ille qui cognoscit in particulari. Et ex hoc concludit principale propositum, scilicet quod potior sit demonstratio universalis quam particularis.

Secundam rationem solvit ibi « amplius si- « quidem »

Et dicit quod si universale praedicatur de plu- ribus secundum unam rationem et non aequivoce, universale quantum ad id quod rationis est, id est quantum ad scientiam et demonstrationem, non erit minus ens quam particulare, sed magis. Quia quod incorruptibile est, magis est quam corruptibile: modo autem universale est incorruptibile, particu- laria autem sunt corruptibilia, quibus accidit cor- ruptio secundum principia individualia, non secun- dum rationem speciei, quae communis est omnibus et conservatur per generationem. Sic igitur quan- tum ad id quod rationis est, universalia magis sunt entia quam particularia. Quantum vero ad naturalem subsistentiam particularia sunt magis entia, quae dicuntur primae et principales substantiae.

Tertiam rationem solvit « amplius neque »

Et dicit, quod quamvis in propositionibus vel demonstrationibus universalibus significetur aliquid unum secundum se, puta triangulus, nulla tamen necessitas est, quod propter hoc aliquis opinetur quod triangulus sit quoddam unum praeter multa, sicut in his quae non significant substantiam, sed aliquod genus accidentis. cum ea absolute signifi- camus, puta dicendo albedinem vel paternitatem, non propter hoc cognoscimus aliquem opinari quod hujusmodi sunt praeter substantiam. Intellectus enim potest intelligere aliquid eorum quae sunt conjuncta secundum rem, sine hoc quod actu intel- ligat aliud: nec tamen intellectus est falsus. Sicut si album sit musicum, possum intelligere album, et aliquid attribuere ei, et demonstrare de ipso, puta quod sit disgregativum visus, nulla consideratione facta de musico. Si tamen aliquis intelligeret album non esse musicum, tunc intellectus esset falsus. Sic igitur cum dicimus aut intelligimus quod albedo est color, nulla mentione facta de subjecto, verum dicimus. Esset autem falsum si diceremus, albedo quae est color, non est in subjecto. Et si-

militer cum dicimus, omnis homo est animal, vere loquimur, non facta mentione de aliquo particulari homine. Esset tamen falsum si diceremus, homo est animal existens separatus a particularibus hominibus. Si autem hoc est, ergo sequitur quod demonstratio non sit causa falsae opinionis, qua quis opinatur universale esse extra singularia, sed audiens, qui male intelligit. Unde ex hoc nihil derogat universali demonstrationi.

LECTIO XXXVIII.

Septem rationibus probat universalem demonstrationem potiorem esse particulari.

ANTIQUA.

Amplius si demonstratio est syllogismus demonstrativus causae, et propter quid, universale autem magis est causa, cui enim per se inest aliquid, hoc idem ipsum causa est, universale autem primo est, cui inest per se; causa ergo universale est. Quare et demonstratio dignior est. Magis enim causa est, et quod propter quid est.

Amplius usque ad hoc quaerimus propter quid, et tunc opinamur scire, cum non sit aliquod aliud, quam hoc, aut quod fiat, aut quod sit. Finis enim et terminus ultimus jam sic est: ut, cujus causa venit? ut accipiat argentum, hoc autem est, quatenus reddat cui debuit: hoc autem est, ut non injuste agat. Et sic procedentes, cum non amplius propter aliud neque alterius causa, propter hoc sicut propter finem dicimus venire et esse et fieri, et tunc cognoscere magis propter quid venit. Si igitur se habet similiter in aliis causis et quae sunt propter quid, in iis autem, quaecumque causae sic sunt, sicut quae est cujus causa, sic scimus maxime; et in aliis igitur tunc maxime scimus, quando non amplius sit hoc quoniam aliud est. Cum igitur cognoscatur quidem quod quatuor, qui sunt extra, aequales sunt, quoniam isocheles, adhuc deest propter quid, quia triangulus, et hoc quia est figura rectilinea. Si autem hoc non amplius propter quid aliud, tunc maxime scimus, et universale autem tunc. Universalis itaque potior est.

Amplius, quantocumque aliquid secundum partes est, in infinita cadit. Universalis autem in simplex et finem est. Secundum quod sunt infinita, non sunt scibilia, sed secundum quod sunt finita, scibilia sunt. Secundum itaque quod universalia sunt, magis sunt scibilia quam quae sunt secundum partem. Demonstrabilia ergo magis sunt universalia. De demonstrabilibus autem magis est demonstratio: similiter enim magis ad aliquid sunt. Dignior ergo universalis est quam particularis, et magis demonstratio est.

Amplius, si magis praeponenda est secundum quam habet hoc et aliud, quam secundum hoc solum cognovit, universale autem habens cognovit et particulare, hoc autem universale non scivit; quare et sic utique magis praeponenda erit.

Amplius autem et sic. Universale enim magis demonstrare est quod est per medium demonstrare cum propinquius sit in principio: proximum autem est immediatum: hoc autem est principium. Si igitur quae ex principio est, ea quae non est ex principio, et quae magis, etiam ex principio, ea quae minus est, certior est demonstratio, est autem hujusmodi universalis magis; dignior utique erit universalis magis. Ut si oporteat demonstrare ᴀ de ᴅ, media sunt in quibus est ʙ ᴄ, magis autem sursum sit ʙ, quare si per ʙ, universale magis est. Sed eorum quae dicta sunt quaedam logica sunt.

Maxime autem manifestum est quod universalis magis propria sit, quoniam propositionum hanc quidem priorem

RECENS.

Praeterea, si demonstratio quidem est syllogismus indicans causam, et cur res sit; universale autem magis causam indicat; nam cui aliquid per se inest, hoc ipsum ipsi rei causa est; universale vero primum est; causa ergo est universale. Quare etiam demonstratio [universalis] melior est; magis enim est causae, et cur res sit.

Praeterea, usque ad universale inquirimus causam, cur res sit; et tum arbitramur nos scire, quando non sit hoc aut factum sit, quoniam aliud sit. Finis enim et terminus [inquisitionis] est, quod ultimum jam eo modo est. Ut cujus gratia venit? ut accipiat pecuniam; id vero, ut det quod debuit; id autem, ne injuriam patiatur; et sic procedentes [inquisitione], quando non amplius propter aliud quid, nec alius gratia, propter hoc ut finem dicimus venire et esse et fieri, et tum maxime scire, cur venerit. Si ergo similiter sese habet in omnibus causis et quaestionibus, cur res sit: in illis autem, quae sic causae sunt, ut cujus gratia [aliquid sit aut fiat], sic [rem] maxime scimus; et in reliquis ergo tum maxime scimus, quum non amplius hoc inest, quia aliud sit. Quando ergo cognoscimus quod quatuor [rectis] externi anguli aequales sint, quia aequicruris [hos habeat]; tum adhuc deest, quare aequicruris [hos habeat]; quia triangulus; et hic, quia figura est rectis constans lineis. Si vero hoc non amplius per aliud [sciamus], tum maxime scimus. Et tum universaliter [scimus]. Universalis ergo [demonstratio] melior est.

Praeterea, quo magis particularis est, [eo magis] in infinita progreditur; at universalis ad simplex et ad terminum [tendit]. Sunt autem res, quatenus infinitae, a scientia alienae; quatenus autem finitae sunt, sciri possunt; quatenus ergo universalia sunt, magis comprehendi scientia possunt, quam quatenus particularia; unde et magis demonstrari possunt universalia. Eorum autem, quae magis demonstrari possunt, magis est demonstratio; simul enim magis [recipiunt] relata; melior ergo est [demonstratio] universalis; quoniam quidem magis est demonstratio.

Praeterea magis est optanda [demonstratio], qua et hoc et aliud, quam qua hoc solum scit [demonstrans]; qui autem universali utitur, is scit etiam particulare; hic vero, [qui particulare tantum scit], universale nescit. Quare etiam hoc modo magis optanda [universalis demonstratio] fuerit.

Insuper etiam sic [demonstrabitur]. Universale aliquis magis demonstrare potest, quia demonstrat per medium, quod principio sit propius. Proximum vero est immediatum. Hoc autem principium est.

Si ergo [demonstratio], quae a principio exit, [melior est illa] quae non a principio [pendet]; ea quae magis exit a principio, illa quae minus, certior est demonstratio. Est autem talis magis universalis. Melior igitur fuerit [demonstratio] universalis. Ut, si demonstrandum sit ᴀ de ᴅ; media autem sint loco ʙ ᴄ; superius autem ʙ. Quare [demonstratio] per hoc ʙ magis erit universalis.

Verum ex dictis quaedam logica sunt.

Maxime autem perspicuum est, universalem esse praestantiorem; quod e propositionibus priorem quum habeamus,

habentes, scimus quodammodo et posteriorem, et habemus potentia. Ut si aliquis cognovit quod omnis triangulus habet angulos tres aequales duobus rectis, scivit quodammodo quod isocheles duobus rectis potentia sit, etsi non cognovit quidem quod triangulus sit. Hanc autem habens propositionem, universale nullo modo cognovit, neque potentia, neque actu.

Et universalis quidem intelligibilis est, sed particularis in sensu perficitur. Quod universalis igitur dignior sit particulari, tot nobis dicta sunt.

scimus quodammodo etiam posteriorem, et eam potestate habemus; ut, si quis sciat, omnem triangulum duobus rectis [aequalem esse], scit idem aliquo modo, etiam aequicrurem duobus rectis [aequalem esse], potentia, etiamsi nesciat, [aequicrurem] esse triangulum; qui autem hanc habet propositionem [aequicrurem esse triangulum], universale nequaquam scit, nec potentia, nec actu.

Et universalis quidem [demonstratio] intellectu percipitur, particularis autem ad sensum redit.

Quod ergo universalis [demonstratio] melior sit particulari, hactenus nobis dicta sit.

Postquam Philosophus solvit rationes quae erant vel stant ad partem falsam, hic inducit rationes ad partem veram, scilicet ad ostendendum quod demonstratio universalis sit potior. Et circa hoc ponit septem rationes, annectens eas praemissis solutionibus, ex quibus etiam propositum concludi potest, ut supra patuit. Prima ergo ratio talis est. Demonstratio est syllogismus ostendens causam et propter quid; sic enim contingit scire sicut habitum est. Sed universale magis est tale quam particulare. Jam enim ostensum est in prima solutione, quod universali magis inest per se aliquid, quam particulari. Illud autem cui inest aliquid per se, est causa ejus. Subjectum enim est causa propriae passionis, quae ei per se inest. Universale autem est primum cui propria passio inest, ut ex supradictis patet. Unde patet quod proprie causa est id quod est universale. Ex quo concludit propositum, scilicet quod demonstratio universalis sit dignior, ut pote magis declarans causam, et propter quid.

Secundam rationem ponit ibi « amplius usque »

Et sumitur haec ratio a causis finalibus. Ubi considerandum est, quod aliquid est finis alterius, et quantum ad fieri et quantum ad esse. Quantum ad fieri quidem, sicut materia est propter formam. Quantum ad esse, sicut domus est propter habitationem. Dicit ergo « usque ad illum terminum, quae- « rimus » propter quid fiat aliquid, quousque non sit aliquid aliud assignare quam hoc ad quod perventum est, propter quod fiat vel sit id de quo quaeritur propter quid. Et quando hoc invenimus, opinamur nos scire propter quid: et hoc ideo, quia illud quod jam sic est ultimum, ut non sit aliquid aliud ulterius quaerendum, est id quod est vere finis et terminus, qui quaeritur, cum quaerimus propter quid. Et ponit exemplum: puta si quaeramus cujus causa aliquis venit, et respondeatur, ut accipiat argentum, hoc autem propter quid? ut reddat debitum, et hoc propter hoc, ut scilicet non injuste agat. Et sic semper procedentes, quando jam non erit amplius aliquod aliud, propter quid, sicut propter finem, puta cum pervenimus ad ultimum finem, quae est beatitudo, dicemus quod propter hoc venit sicut propter finem. Et similiter in omnibus aliis quae sunt vel fiunt propter finem, et quando ad hoc pervenerimus, sciemus propter quid venit. Si igitur ita se habet in aliis causis, sicut in finalibus, quod tunc maxime scimus quando ad ultimum fuerit perventum, ergo tunc in aliis maxime scimus quando pervenimus ad hoc quod hoc inest huic non amplius propter aliquid aliud. Et hoc contingit quando pervenerimus ad universale. Et hoc manifestat in tali exemplo. Si enim quaeramus de isto triangulo particulari, quare anguli ejus extrinseci sunt aequales quatuor rectis? Respondebitur, quod hoc contingit huic triangulo, quia est isocheles. Isocheles autem

est talis, quia est triangulus: triangulus autem est talis, quia est figura rectilinea talis. Si amplius non possit procedi, tunc maxime scimus. Hoc autem est quia pervenitur ad universale. Ergo universalis demonstratio potior est particulari.

Tertiam rationem ponit ibi « amplius quandocumque »

Et dicit, quod quanto magis proceditur versus particularia, tanto magis itur versus infinitum: quia, ut dicitur in tertio Physicorum, infinitum congruit materiae quae est individuationis principium. Sed quanto magis itur versus universale, tanto magis itur ad aliquid simpliciter et in ipsum finem, quia ratio universalis sumitur ex parte formae quae est simplex, et habet rationem finis inquantum terminat infinitatem materiae. Manifestum est autem quod infinita inquantum hujusmodi non sunt scibilia; sed inquantum aliqua sunt finita, intantum sunt scibilia, quia materia non est principium cognoscendi rem, sed magis forma. Manifestum est ergo, quod universalia sunt magis scibilia quam particularia. Ergo etiam sunt magis demonstrabilia, quia demonstratio est syllogismus faciens scire. Sed magis demonstrabilium est potior demonstratio. Simul enim intenduntur ea, quae dicuntur adinvicem. Demonstratio autem ad demonstrabile dicitur. Et sic cum universalia sint magis demonstrabilia, demonstratio universalis erit potior.

Quartam rationem ponit ibi « amplius si »

Quae talis est. Cum demonstrationis finis sit scientia, quanto demonstratio plura facit scire, tanto potior est. Et hoc est quod dicit, quod magis praeferenda est demonstratio secundum quam homo cognoscit hoc et aliud, quam ista secundum quam homo cognoscit unum solum. Sed ille qui habet cognitionem de universali, cognoscit etiam particulare, dummodo sciat quod sub universali contineatur particulare : sicut qui cognoscit omnem mulam esse sterilem, cognoscit hanc esse sterilem: sed ille qui cognoscit particulare, non propter hoc universale cognoscit. Non enim si cognosco hanc mulam esse sterilem, propter hoc cognosco omnem mulam esse sterilem. Relinquitur ergo quod demonstratio universalis, per quam cognoscitur universale, sit potior quam particularis, per quam cognoscitur particulare.

Quintam rationem ponit ibi « amplius autem »

Quae talis est. Quanto medium demonstrationis est propinquius primo principio, tanto demonstratio est potior. Hoc probat, quia si illa demonstratio quae procedit ex principio immediato, est certior ea quae non procedit ex principio immediato, sed ex mediato; necesse est, quod quanto aliqua demonstratio procedit ex medio propinquiori principio immediato, tanto sit potior. Sed universalis procedit ex medio propinquiori principio, quod est propositio immediata. Et hoc manifestat in terminis. Si enim oporteat demonstrare A, quod est universalissimum, de D, quod est particularissimum, puta substantiam de homine, et accipiantur B et C, puta animal et vivum, ita quod B sit superius quam C, sicut vivum quam animal, manifestum est quod B, quod est universalius, erit mediatum ipsi A, et per hoc magis cognoscitur quam per C quod est minus universale. Unde relinquitur quod demonstratio universalis potior sit quam particularis. Addit autem quasdam praedictarum rationum logicas esse, quia scilicet procedunt ex communibus principiis, quae non sunt demonstrationi propria; sicut praecipue tertia et quarta quae accipiunt pro medio id quod est commune omni cognitioni. Aliae vero tres praedictarum rationum, scilicet prima, secunda et quinta, magis videntur esse analyticae, ut pote procedentes ex propriis principiis demonstrationis.

Sextam rationem ponit ibi « maxime autem »

Et dicit, quod maxime evidens est universalem demonstrationem principaliorem esse, ex ipsis propositionibus ex quibus utraque demonstratio procedit. Nam universalis demonstratio procedit ex universalibus propositionibus. Particularis autem demonstratio procedit ex aliqua particulari propositione. Propositionum autem universalis et particularis talis est comparatio, quod ille qui habet cognitionem de priori, scilicet de universali, cognoscit quodammodo posteriorem, scilicet in potentia.

Nam in universali sunt in potentia particularia, sicut in toto sunt potentia partes. Puta, si aliquis cognoscit quod omnis triangulus habet tres angulos aequales duobus rectis, jam in potentia cognoscit hoc de isochele. Sed ille qui cognoscit aliquid de particulari, non propter hoc cognoscit in universali, neque in potentia, neque in actu. Non enim universalis propositio continetur in particulari, neque in actu, neque in potentia. Si igitur demonstratio est potior, quae ex potioribus propositionibus procedit, sequitur quod demonstratio universalis sit potior. Est autem attendendum, quod haec non differt a quarta supraposita, nisi quod ibi fiebat comparatio conclusionum quae cognoscuntur per demonstrationem; hic autem fit comparatio propositionum ex quibus demonstratio procedit.

Septimam rationem ponit ibi « et universalis »

Quae talis est. Universalis demonstratio intelligibilis est, idest in ipso intellectu terminatur, quia finitur ad universale quod solo intellectu cognoscitur. Sed demonstratio particularis in intellectu incipiens terminatur ad sensum, quia concludit particulare, quod directe per sensum cognoscitur, et per quamdam applicationem seu reflexionem, vere non demonstrans, usque ad particulare producitur. Cum igitur intellectus sit potior sensu, sequitur quod demonstratio universalis potior sit quam particularis. Ultimo epilogando concludit hoc esse manifestum per omnia supradicta.

LECTIO XXXIX.

Quinque rationibus ostenditur affirmativam demonstrationem potiorem esse negativa.

Quod autem affirmativa privativa, hinc manifestum sit. Sit enim demonstratio dignior, aliis eisdem existentibus, aut quae ex minoribus quaestionibus, aut suppositionibus, aut propositionibus. Si enim notae sint similiter, velocius cognoscere per haec est. Hoc autem appetibilius est. Ratio autem hujus propositionis, quod melior sit ex minoribus, universalis sic est. Si enim similiter erit cognita esse media, priora autem notiora. Sit igitur per media demonstratio eorum quae sunt B C D, quod A in E sit, altera vero per B C quod A in D sit. Similiter igitur habet hoc quod A in D sit et quod A in E sit. Sed quod A in D sit, prius est, et cognoscibilius, quam quod A in E: secundum enim hoc illud demonstratur. Credibilius autem est illud quod est propter quod aliquid. Et quae utique per minima demonstratio, melior est, aliis eisdem existentibus. Utraeque quidem igitur per tres terminos, et propositiones duas demonstrantur. Sed et haec quidem esse aliquid accipit, illa vero et esse et non esse aliquid. Per plura itaque. Quare indignior est.

Amplius, quoniam ostensum est impossibile esse per utramque privativarum propositionum fieri syllogismum, sed unam quidem oportet hujusmodi esse, alteram vero quoniam est.

Amplius, juxta hoc oportet hoc accipere. Praedicativas quidem augmentata demonstratione necesse est fieri plures, privativas autem impossibile est plures una in omni syllogismo esse. Sit enim in nullo esse A in quibus est B, in C autem omni sit B. Si igitur opus est iterum augere utrasque propositiones, medium inveniendum est. Hujusmodi quidem A B

Quod vero affirmativa melior sit negativa, hinc manifestum [erit].

Sit enim haec demonstratio melior, (ceteris paribus), quae fit ex paucioribus postulatis, aut hypothesibus, aut propositionibus. Si enim aeque notae sint, citius per illa, [quae pauciora sunt], cognoscere continget; id vero magis exoptandum est; ratio autem asserti, quod melior sit [demonstratio] ex paucioribus, universalis tamen, haec est. Nam si similiter sese habeat *to* nota esse media; priora vero notiora, sit quidem demonstratio per media B C D, quod A insit *tō* E; alia vero per Z H, quod A [insit] *tō* D. Similiter autem se habet, quod A [insit] *tō* D, et quod A *tō* E; hoc autem, quod A [insit] *tō* D, prius est et notius, quam, quod A [insit] *tō* E; per hoc enim illud demonstratur; fide autem dignius id est, per quod [aliud demonstratur]: Et quae per pauciora ergo fit, melior est [demonstratio], ceteris eodem modo se habentibus. Utraeque quidem per tres terminos et duas propositiones monstrantur: sed haec quidem, esse aliquid sumit, haec vero, et esse et non esse aliquid; quare [negativa] per plura [colligit], unde deterior.

Porro, quum demonstratum sit, impossibile esse ut ex utrisque negativis propositionibus fiat syllogismus, sed hanc quidem propositionem oportere esse talem, alteram vero, quod insit [aliquid alicui]; insuper praeter illud oportet et hoc assumere; affirmativas enim, aucta demonstratione, necessarium est fieri plures; negativae autem plures una non possunt fieri in quocumque syllogismo. Insit enim *to* A eorum nulli, de quibus B; *tō* C autem omni insit B. Si ergo oporteat iterum augere utrasque propositiones, medium interjiciendum est. Inter A et B [interjectum sit] *to* D; inter B et C autem

sit D, sed B C sit E: E quidem igitur manifestum est praedicativum esse, sed D de B praedicativum quidem, A D autem
tamquam privativum ponitur: D quidem enim de omni B sed
A in nullo oportet D esse. Fit igitur una privativa propositio.
quae est A D. Idem autem modus est in aliis syllogismis.
Semper enim medium quidem praedicativorum terminorum
praedicativum in utraque, sed privativi alterum tantum privativum necesse est esse. Quare haec una fit hujusmodi
propositio, alia vero praedicativa. Si igitur notius est illud
per quod demonstratur et credibilius, demonstratur autem
privativa quidem per praedicativam, praedicativa autem per
illam non demonstratur, prior ergo et notior et credibilior
cum sit, melior utique erit.

Amplius, si principium syllogismi propositio universalis
immedia est, et autem in demonstrativa affirmativa, in privativa autem negativa universalis propositio, affirmativa autem
negativa prior et notior, per affirmativam enim negativa
nota est, et prior affirmativa est, sicut prius est esse quam
non esse: quare potius est principium demonstrativae quam
privativae: dignioribus autem principiis utitur dignior.

Adhuc et principalior est. Sine enim affirmativa non est
privativa.

sit to E. To E quidem, manifestum est, quod affirmativum
[sit]; at D de B quidem affirmative [sumitur], ad ipsum vero
A negative positum est. Etenim D omni B, A autem nulli D
inesse oportet. Fit igitur una negativa propositio, A D. Idem
vero modus est etiam in ceteris syllogismis. Semper enim
medium terminorum affirmativorum affirmative ad utraque
[extrema] se habet; in negativo autem [syllogismo] ad altera
negative sumi necesse est. Quare haec una talis fit propositio; reliquae autem [sunt] affirmativae.

Quodsi vero notius est id per quod demonstratur aliud,
etiam fide dignius est; demonstratur autem negativa quidem
[propositio] per affirmativam; haec vero per illam non demonstratur: ergo ut prior et notior et fide dignior, melior
etiam fuerit.

Porro, si principium syllogismi est propositio universalis
immediata; est vero haec in affirmativa quidem [demonstra-
tione] affirmativa, in negativa autem negativa universalis
propositio; affirmativa autem prior et notior est negativa;
nam per affirmationem negatio nota fit; et prior est affirmatio, quemadmodum et ens ipso non ente; quare melius
principium est affirmativae [demonstrationis], quam negativae;
quae autem melioribus utitur principiis [demonstratio] melior est.

Praeterea et principio propior est [affirmativa demon-
stratio]; ut sine qua negativa non demonstretur.

Postquam Philosophus ostendit quod demonstratio universalis est potior quam particularis, hic
ostendit quod demonstratio affirmativa sit potior
negativa. Et circa hoc ponit quinque rationes. In
quarum prima hoc praesupponit quod caeteris paribus illa est dignior demonstratio, quae procedit
ex paucioribus petitionibus et suppositionibus aut
propositionibus. Quae quidem qualiter differant ex
supra dictis patet. Nam propositiones possunt dici
illae quae sunt per se notae, quae neque suppositiones, neque petitiones sunt, ut supradictum est.
Suppositio autem a petitione differt. Nam suppositio est propositio non per se nota, sed accipitur
sicut a discente opinata. Positio autem est propositio, quae non est opinata a discente, sive habeat
contrarias opiniones, sive non. Quod autem demonstratio sit dignior quae paucioribus utitur, ceteris
paribus, ostendit dupliciter. Primo quidem, quia si
detur quod utraeque propositiones ex quibus proceditur sint aeque notae, sequitur quod velocius esset cognoscere per pauciores propositiones
quam per plures, quia citius determinatur discursus qui est per pauciores propositiones quam
qui est per plures. Hoc enim est eligibilius seu
appetibilius, quod homo citius addiscat. Unde relinquitur quod demonstratio quae ex paucioribus
propositionibus procedit, dummodo sint aeque notae,
sit melior. Secundo probat eamdem propositionem
universaliter absque praedicta suppositione, scilicet
quod omnes propositiones assumptae sint aequaliter notae. Et ad hoc probandum assumit hanc
suppositionem, quod media quae sunt unius ordinis, sint aeque nota; sed media quae sunt priora
sunt notiora. Hoc enim oportet esse universaliter
verum. Hoc igitur supposito, sit una demonstratio
in qua demonstretur quod A sit in E per tria media, quae sunt B C D, quae quidem concludit a
quatuor propositionibus, quae sunt: omne B est A,
omne C est B, omne D est C, omne E est D. Alia
vero demonstratio sit, quae concludat eamdem conclusionem, scilicet A esse in E, per duo media, quae
sunt tres B vel tres propositiones. His itaque
suppositis, manifestum est, ex quo ordo cognitionis
proportionatur ordini mediorum, quia priora sunt
notiora, ut dictum est; necesse est quod aequaliter

sit nota haec propositio, omne D est A, etiam in
demonstratione prima, et omne E est A in secunda,
quia utrobique inveniuntur duo media. Sed manifestum est quod in prima demonstratione haec
propositio, omne D est A, prior et notior est, quam
haec propositio, omne E est A. Et quia haec secunda demonstratur ex priori in prima demonstratione; et ex his quae supra dicta sunt, apparet
quod id per quod demonstratur aliquid, est credibilius et notius eo quod per ipsum demonstratur;
relinquitur quod haec propositio, omne E est A, secundum quod concluditur per secundam demonstrationem, sit notior quam eadem propositio secundum quod concluditur per priorem demonstrationem, quae utebatur pluribus mediis. Relinquitur
igitur, quod demonstratio quae ex paucioribus
procedit, est potior ea quae procedit ex pluribus.
Majore igitur propositione probata, Aristoteles assumit
quod affirmativa demonstratio ex paucioribus procedit
quam negativa; non quidem ex paucioribus terminis
vel ex paucioribus propositionibus secundum materiam, quia utraque demonstratio tam affirmativa
quam negativa demonstrat per tres terminos et
duas propositiones; sed demonstratio dicitur ex
pluribus procedere secundum propositionum qualitatem. Nam demonstratio affirmativa solum accipit
ens, idest procedit ex solis propositionibus affirmativis, demonstratio vero negativa accipit esse et
non esse, idest assumit affirmativam et negativam
simul. Ergo dignior est affirmativa quam negativa.

Secundam rationem ponit ibi « amplius quo-
« niam »

Et inducitur haec secunda ratio ad confirmationem primae quae poterat videri deficiens, ex
hoc quod non assumebatur sub majori propositione
eo modo quo probabatur. Et ideo ut omnis calumnia
excludatur, addit hanc secundam rationem ad confirmationem primae. Ostensum enim est in libro
Priorum, quod ex duabus propositionibus negativis
non potest fieri syllogismus, sed oportet ad minus
unam quidem propositionem esse affirmativam et
alteram negativam: ex quo aperte apparet quod
propositiones affirmativae majorem habent efficaciam
ad syllogizandum, quam negativae. Unde sequitur
quod demonstratio affirmativa, quae procedit ex solis

affirmativis, est potior quam demonstratio negativa, quae procedit ex affirmativa et negativa.

Tertiam rationem ponit ibi « amplius juxta »

Et dicit quod secundum consequentiam praemissarum rationum possumus hoc accipere, quod quando demonstratio augmentatur, scilicet per resolutionem propositionum in sua principia, necesse est esse plures propositiones affirmativas; sed negativas impossibile est esse plures quam unam. Sit enim talis demonstratio negativa. Nullum B est A, omne C est B, ergo nullum C est A. Augeatur ergo demonstratio quantum ad utramque propositionem, si utraque sit mediata, accipiendo medium utriusque. Et medium quidem majoris propositionis, scilicet, nullum B est A, sit D: medium autem minoris propositionis scilicet, omne C est B, sit E. Et quia haec propositio est omne C est B, affirmativa, ad quam concludendam non concurrit aliqua negativa, necesse est, quod ejus medium, quod est E, sit affirmativum ad utramque extremitatem: et sic sumuntur duae propositiones affirmativae, scilicet, omne E est B, omne C est E, ex quibus concluditur, omne C est B. Sed major propositio est negativa, scilicet nullum B est A: negativa autem non concluditur ex duabus negativis, sed in prima figura per quam maxime fit demonstratio secundum praemissa, majorem oportet esse negativam, et minorem affirmativam: unde oportebit quod hoc medium D, sit affirmativum per comparationem ad B, sit autem negativum per comparationem ad A, tali demonstratione facta: Nullum D est A, omne B est D, ergo nullum B est A. Sic igitur augmentata demonstratione negativa per resolutionem propositionum in sua principia, erunt quatuor propositiones, quarum una sola est negativa, scilicet nullum D est A, tres aliae erunt affirmativae, scilicet, omne B est D, omne E est B, omne C est E. Et idem est in omnibus aliis syllogismis; quia semper necesse est medium per quod affirmativae propositiones probantur, esse affirmatum ad ambo extrema. Medium autem per quod probatur negativa propositio necesse est esse

solum negativum ad unam extremitatem; et ita sequetur quod una sola propositio est negativa, aliae omnes affirmativae. Ex quo patet, quod propositio negativa maxime demonstratur per affirmativas. Si ergo illud per quod demonstratur est notius et credibilius eo quod per ipsum demonstratur; cum negativa propositio maxime demonstretur per affirmativas, non autem e converso, sequetur quod affirmativa propositio sit prior et notior et credibilior quam negativa, unde demonstratio affirmativa erit dignior.

Quartam rationem ponit ibi « amplius si »

Et dicit quod principium demonstrativi syllogismi est propositio universalis immediata; ita tamen quod affirmativi syllogismi est principium proprium affirmativa propositio, negativi autem syllogismi proprium principium negativa propositio universalis. Sed nobilioris principii nobilior est effectus. Ergo secundum proportionem propositionis affirmativae ad negativam est proportio demonstrationis affirmativae ad negativam. Sed affirmativa propositio est potior quam negativa. Quod probat dupliciter. Primo quidem, quia affirmativa est prior et notior, cum per affirmativam probetur negativa, et non e converso. Secundo, quia affirmatio praecedit naturaliter negationem, sicut esse prius est quam non esse: quamvis in uno et eodem quod de non esse in esse procedit, non esse sit prius tempore, esse tamen est prius natura, et simpliciter prius etiam tempore, quia non entia non producuntur in esse nisi ab aliquo ente: ergo patet quod affirmativa demonstratio est potior quam negativa.

Quintam rationem ponit ibi « adhuc et »

Quae talis est. Illud ex quo aliud dependet, est principalius. Sed demonstratio negativa dependet ex affirmativa, quia non potest esse negativa demonstratio sine affirmativa propositione, quae non probatur nisi per affirmativam demonstrationem. Ergo demonstratio affirmativa est principalior quam negativa.

LECTIO XL.

Ex natura demonstrationis ostensivae et deducentis ad impossibile, ostensivam potiorem esse ea quae ducit ad impossibile ostendit.

ANTIQUA.

Quoniam autem categorica privativa dignior sit, manifestum est, et ad impossibile ducente.

Oportet autem scire quae differentia sit ipsarum. Si igitur A in nullo B inest, C autem omni B, necesse est in nullo C esse A. Sic igitur acceptis, demonstrativa privativa erit demonstratio, quoniam A in C non erit.

Quae vero est ad impossibile, sic se habet. Si opus est demonstrare, quod A in B non sit, accipiendum est affirmative A esse in B et B in C. Quare accidit A in C esse. Hoc autem sit notum et certum quod impossibile est esse.

Termini quidem similiter ordinantur. Differt autem in

RECENS.

Quoniam vero affirmativa melior est negativa; manifestum est, [eam] etiam [meliorem esse demonstratione] ad impossibile deducente.

Oportet autem nos scire, quaenam sit earum differentia. Insit igitur A nulli B, to B autem C omni; necesse est nimirum, nulli C inesse to A. Sic ergo sumptis [terminis], ostensiva demonstratio fuerit negativa, to A non inesse tō C. At [demonstratio] ad impossibile deducens sic se habet. Si oporteat demonstrare, to A non inesse to B, sumendum est, inesse A tō B, et B tō C. Hinc accidit, to A inesse tō C. Id vero sit notum omnium consensu, quod fieri non possit; ergo fieri non potest, ut A insit tō B. Si ergo conceditur, to B inesse tō C, impossibile est, to A inesse tō B.

Termini quidem similiter ponuntur.

quo et qualis sit notior privativa propositio: utrum igitur quae est ᴀ ʙ non inest, aut ᴀ c non inest. Cum igitur conclusio notior, quoniam non est ᴀ in ʙ ad impossibile fit demonstratio. Cum autem in syllogismo sit, demonstrativa est.

Natura autem prior est, quae est quod ᴀ in ʙ non sit, quam ᴀ non in c. Priora enim et notiora natura conclusione sunt. ex quibus est conclusio. Est autem quae est ᴀ quidem in c non esse, conclusio, ᴀ autem non in ʙ ex quibus est conclusio.

Non enim si contingit removeri aliquid, haec conclusio est, illa autem sunt ex quibus. Sed hoc quidem ex quo syllogismus est, quod utique sic se habet, quoniam aut ut totum ad partem, aut ut pars ad totum se habet. Sed quae sunt ᴀ c et ᴀ ʙ propositiones non sic se habent adinvicem. Si igitur ex notioribus et credibilioribus, dignior est. Sunt autem utraeque ex non esse credibiles. Sed haec quidem ex priori, illa autem ex posteriori, potior simpliciter utique erit ea quae est ad impossibile, privativa demonstratio: quare et cum hac dignior praedicativa, manifestum est quod et ea, quae est ad impossibile, potior est.

Differunt autem eo, ut attendatur, utra propositio inter duas negativas sit notior: num haec, quod *to* ᴀ ʙ non insit an vero illa, quod ᴀ [non] insit *tŏ* c. Quando igitur conclusio ᴀ *tŏ* ʙ [non inesse] notior sit, quod non sit fit demonstratio ad impossibile. Quando vero, quae in syllogismo est, ᴀ [non inesse] *tŏ* c, ostensiva [fit demonstratio].

Natura autem prior est haec, quod ᴀ *tŏ* ʙ [non insit], quam, quod ᴀ *tŏ* c [non insit]. Sunt enim priora conclusione illa, ex quibus est conclusio. Est autem haec [propositio], *to* ᴀ *tŏ* c non inesse, conclusio; haec vero, *to* ᴀ [non inesse] *tŏ* ʙ, [talis], e qua [prior inferatur] conclusio.

Neque enim, si quid contingit negari, id statim conclusio est; reliqua vero [praemissae], ex quibus [illa infertur]. Sed id quidem per quod probetur, syllogismus est, qui ita sese habet, ut aut totum ad partem, aut pars ad totum: propositiones vero ᴀ c et ᴀ ʙ non ita se habent ad se invicem.

Si ergo [demonstratio] e notioribus et prioribus melior est, utraeque vero inde, quod aliquid hoc non sit, fidem accipiunt, verum haec quidem e priori, haec vero a posteriori probat, illa melior simpliciter fuerit, quae recta ostendit, quam quae ad impossibile deducit.

Quodsi vero etiam hac melior est affirmativa, manifestum est, hanc quoque meliorem esse ad impossibile deducente.

Postquam Philosophus ostendit, quod demonstratio universalis dignior est particulari, et affirmativa negativa, hic ostendit tertio quod ostensiva potior est ea quae ducit ad impossibile. Et circa hoc tria facit. Primo proponit quod intendit. Secundo praemittit quaedam necessaria ad propositum ostendendum, ibi, « Oportet autem scire. » Tertio probat propositum, ibi, « natura autem prior etc. » Dicit ergo primo, quod quia ostensum est quod affirmativa demonstratio est potior quam negativa, ex hoc ulterius sequitur, quod affirmativa demonstratio ostensiva est potior ea quae ducit ad impossibile.

Deinde, cum dicit « oportet autem »

Praemittit quaedam quae sunt necessaria ad propositum ostendendum. Et circa hoc tria facit. Primo ostendit quae sit demonstratio negativa. Secundo ostendit quae sit demonstratio quae ducit ad impossibile, ibi, « Quae vero ad impossibile. » Tertio concludit comparationem unius ad alteram, ibi, « Termini igitur. » Dicit ergo primo, quod ad propositum ostendendum, oportet considerare differentiam ipsorum, scilicet demonstrationis negativae, et ducentis ad impossibile. Si ergo accipiatur quod ᴀ in nullo ʙ sit, et ʙ sit in omni c, et concludatur ᴀ esse in nullo c, erit demonstratio negativa.

Deinde cum dicit « quae vero »

Manifestat quae sit demonstratio ducens ad impossibile. Et dicit, quod demonstratio ducens ad impossibile, hoc modo se habet. Sit ita quod oporteat demonstrare quod ᴀ non insit ʙ: accipiamus oppositum ejus quod probare volumus, scilicet, omne ʙ est ᴀ: et accipiamus quod ʙ sit in c per hanc propositionem, omne c est ᴀ, ex quibus sequitur conclusio, omne c est ᴀ: et sit ita quod notum sit et concessum apud omnes quod est impossibile. Et ex hoc concludimus primam esse falsam, scilicet omne ʙ est ᴀ: et ita oportebit, vel quod nullum ʙ sit ᴀ, vel saltem quod quoddam ʙ non sit ᴀ. Sed hoc tamen intelligendum est quod sequitur ᴀ non esse ʙ quando manifestum est ʙ esse in c; quia si manifestum esset hanc esse falsam, omne c est ᴀ, et si non esset manifestum hanc esse veram, omne c est ʙ, non esset per consequens manifestum hanc esse falsam, omne ʙ est ᴀ: quia falsitas conclusionis poterat procedere ex alterutra praemissarum, ut ex supra dictis patet.

Deinde cum dicit « termini quidem »

Concludit comparationem utriusque demonstrationis praemanifestatae. Et primo ostendit in quo conveniunt, quia in simili ordinatione terminorum. Nam sicut in demonstratione negativa accipitur ʙ medium inter ᴀ et c, ita in ea quae ducit ad impossibile. Secundo autem ostendit differentiam, quia differt in utraque demonstratione, quae negativa propositio sit notior: utrum scilicet ista propositio, nullum ʙ est ᴀ, vel ista, nullum c est ᴀ: quia in demonstratione ducente ad impossibile accipitur ista propositio, c non est ᴀ, ut notior; quia ex hoc quod est ᴀ non in c esse, ostenditur ᴀ non esse in ʙ; unde haec, c non est ᴀ, sumitur ut notior. Sed quando illa quae ponitur ut praemissa in syllogismo accipitur ut notior, tunc est demonstrativa, idest ostensiva, demonstratio negativa.

Deinde cum dicit « natura autem »

Ostendit propositum hoc modo. Ista propositio, ʙ non est ᴀ, est naturaliter prior quam ista propositio, c non est ᴀ. Et hoc probat per hoc, quod praemissa, ex quibus infertur conclusio, sunt naturaliter priora conclusione. Sed in ordine syllogismi c non est ᴀ ponitur ut conclusio, sed ʙ non est ᴀ, ponitur ut id ex quo conclusio infertur: ergo ʙ non est ᴀ est naturaliter prior.

Consequenter cum dicit « non enim »

Removet quamdam obviationem. Posset enim aliquis dicere, quod etiam ista negativa, c non est ᴀ, est id ex quo concluditur in demonstratione ad impossibile, quod ʙ non est ᴀ. Sed hoc excludit, dicens, quod per hoc quod conclusio interimitur, et ex ejus interemptione interimitur aliquod praemissorum, non efficitur quod prius erat conclusio sit principium, et e converso, simpliciter et secundum naturam, sed solum quo ad aliquid. Nam ista est habitudo conclusionis et principiorum, quod interempta conclusione interimitur principium. Sed illud quidem est sicut principium ex quo syllogismus procedit, quod se habet ad conclusionem ut totum ad partem, et conclusio se habet ad principium ut pars ad totum. Nam subjectum conclusionis negativae sumitur sub subjecto primae propositionis. Non autem ita se habent ᴀ c et ᴀ ʙ propositiones, quod ᴀ c comparetur ad ᴀ ʙ, ut totum ad partem. Non enim ʙ ᴀ accipit sub c ᴀ, sed potius e converso. Unde relinquitur, quod licet interempto c ᴀ concludatur interemptio ejus quod est в а, natu-raliter tamen c a est conclusio, et в a est principium: et per consequens, в non est a, est naturaliter no-tior, quam c non est a. Et ex hoc sic argumentatur. Illa demonstratio est dignior, quae procedit ex notioribus et prioribus. Sed demonstratio negativa procedit ex notiori et priori quam demonstratio ducens ad impossibile. Utraque enim facit scire per aliquam negativam propositionem: sed demonstratio negativa procedit ad faciendam fidem ex hac pro-positione negativa в non est a, quae est naturaliter prior. Demonstratio autem ducens ad impossibile procedit ad faciendum fidem ex hac propositione negativa c non est a quae est posterior naturaliter. Relinquitur ergo, quod demonstratio negativa sit potior ea quae ducit ad impossibile. Sed affirmativa est potior negativa, ut supra ostensum est: ergo demonstratio affirmativa ostensiva est multo potior ea quae ducit ad impossibile.

LECTIO XLI.

Modos tres exponit quibus comparantur scientiae in certitudine: hinc de unitate et diversitate scientiarum tractat: quod item una conclusio ex pluribus principiis possit probari docet.

Certior autem scientia est et prior quaecumque ipsius quia et propter quid eadem est, sed non est ipsius quia extra eam quae est propter quid. Et quae non est de subjecto, illa quae est de subjecto, ut arithmetica harmonica. Et quae est ex minoribus, ea quae est ex appositione. Dico autem ex minoribus, eam quae non est ex additione, ut unitas substantia est sine positione, punctum autem substantia po-sita. Hoc autem est ex appositione.

Una autem scientia est, quae est unius generis.
Quaecumque ex primis componuntur, et partes, aut pas-siones eorum sunt per se.
Altera autem scientia est ab altera, quorumcumque prin-cipia, neque ex eisdem, neque ex alterutris sunt.

Hujusmodi autem signum est cum indemonstrabilia ve-niant. Oportet enim ipsa in eodem genere esse his quae de-monstrantur. Signum autem hujus est, quando demonstrabilia per ipsa in eodem genere sunt, et congenea.

Plures autem demonstrationes esse ejusdem possibile est; et non solum ex eodem ordine accipienti, sed sumendo non continuum medium, ut eorum quae sunt a в, c et d; sed ex altero: ut sit a transmutari, in quo autem d moveri, sed в laetari, et iterum в quiescere. Verum igitur est et d de в, et a de d, praedicari. Laetans enim movetur, et quod movetur transmutatur. Iterum a de в, et в de в verum est praedicari. Omnis enim laetans quiescit, et quiescens trans-mutatur. Quare per altera media, et non ex eodem ordine syllogismus est. Quare et neutrum de neutro dici contingit mediorum. Necesse est enim eidem alicui utraque inesse. In-tendere autem est per alias figuras, quot modis contingit ejusdem fieri syllogismum.

Exquisitior autem est scientia una altera et prior, quae tum rem esse tum causam rei eadem demonstrat, at non seorsum illa, quae rem esse ostendit [melior est] ea quae cur res sit indicat.
Et illa quae non de subjecto [agit, melior est] ea quae de subjecto [agit], ut arithmetica harmonica.
Et quae ex paucioribus illa quae subjectum habet magis compositum, ut arithmetica [melior est] geometria. Dico autem ex appositione, ut monas, substantia non composita; punctum vero, substantia composita; hanc [dico] ex appo-sitione.
Una vero scientia est, quae est unius generis eorum quotquot ex primis constituuntur, et partes sunt, aut pas-siones illorum per se.
Diversa autem scientia est ab alia, si principia nec ex iisdem, nec altera illorum ex alteris [in hac ipsa scientia] oriantur.
Hujus vero signum est, quando ad immediata [aliquis] pervenerit. Oportet enim illa in eodem genere esse cum his quae demonstrata sunt.
Signum vero et hujus est, si quae per illa demonstrantur in eodem sint genere et cognata.
Fieri autem potest, ut ejusdem rei plures sint demon-strationes, non solum ex eodem ordine sumenti medium non continuum; ut si [sit] *tou* a в [medium] *to* c et *to* d et *to* z; verum etiam ex diverso [ordine]; ut, sit *to* a, mutari; loco autem d, moveri; *to* в, voluptate affici; et rursus *to* в, quiescere. Verum ergo est, si quis et d de в, et a de d praedicet. Qui enim voluptate afficitur, is movetur; et quod movetur, mutatur. Rursus verum est a de в, et в de в prae-dicare; nam quisquis voluptate afficitur, is quiescit, et quie-scens mutatur. Quare ex aliis mediis, nec ejusdem ordinis syllogismus [demonstrat]. Verumtamen non ita, ut neutrum [extremorum] de neutro medio dicatur; necesse enim est, uni alicui utraque inesse. Oportet vero nos et per alias figuras [praeter primam] considerare, quot modis contingat ejusdem rei fieri syllogismum.

Postquam Philosophus comparavit demonstratio-nes adinvicem, hic agit de comparatione scientiae, quae est demonstrationis effectus. Et dividitur in duas partes. In prima parte comparat scientiam ad scientiam. In secunda comparat scientiam ad alios modos cognoscendi, ibi, « Scibile autem et « scientia differunt. » Circa primum duo facit. Primo comparat scientiam ad scientiam secundum certitudinem. Secundo secundum unitatem et plu-ritatem, ibi, « Una scientia autem etc. » Circa pri-mum ponit tres modos, quibus una scientia est certior alia. Primum modum ponit dicens, quod illa scientia est prior et certior quam alia, quae scilicet eadem facit cognoscere et quia et propter quid. Non autem est illa certior, quae est cogno-scitiva solum ipsius quia, separatim ab ea quae cognoscit propter quid. Haec enim est dispositio scientiae subalternantis ad subalternatam, ut supra dictum est. Nam scientia subalternata separatim scit quia, nesciens propter quid. Sicut chirurgicus scit quod vulnera circularia tardius curantur, non autem scit propter quid. Sed hujusmodi cognitio pertinet ad geometram, qui considerat rationem circuli, secundum quam partes ejus non appropinquant sibi per modum anguli, ex qua propinquitate contingit, quod vulnera triangularia citius sanantur. Secundum modum ponit dicens, quod illa scientia quae non est de subjecto, est certior illa quae de subjecto. Et accipitur hic subjectum pro materia sensibili, quia ut Philosophus docet in 2 Physicae, quaedam sunt scientiae pure mathematicae, quae omnino abstrahunt secundum rationem a materia sensibili, ut geometria et arithmetica: quaedam autem scientiae sunt mediae, quae scilicet principia mathematica applicant ad materiam sensibilem, sicut perspectiva applicat principia geometriae ad lineam visualem, et harmonica, idest musica, applicat principia arithmeticae ad sonos sensibiles. Unde hic dicit quod arithmetica est certior quam musica, et prior. Prior quidem, quia musica utitur principiis ejus ad aliud. Certior autem, quia incertitudo causatur per transmutationem materiae sensibilis: unde quanto magis acceditur ad eam, tanto scientia est minus certa. Tertium modum ponit dicens: quae est ex paucioribus, est prior et certior ea, quae est ex appositione, idest quam illa quae se habet ex additione. Et ponit exemplum, sicut geometria est posterior et minus certa quam arithmetica. Habent enim se ea de quibus est geometria, ex additione ad ea de quibus est arithmetica. Et hoc quidem planum est secundum positiones Platonicas, secundum quas hic Aristoteles exponit, utens eis ad propositum ostendendum. Sicut frequenter in libris logicae utitur opinionibus aliorum philosophorum ad propositum manifestandum per modum exempli. Posuit autem Plato, quod unum est substantia cujuslibet rei, quia non distinguebat inter unum quod convertitur cum ente, quod significat substantiam rei, et quod est principium numeri, quod considerat arithmeticus. Hoc ergo unum, secundum quod recipit additionem positionis in continuo, accipit rationem puncti. Unde dicebat, quod unum est substantia non habens positionem. Punctum autem est substantia habens positionem, et sic punctum supra unitatem addit positionem. Et sicut ex uno causantur omnes numeri non habentes positionem, ita ex puncto, secundum Platonicos, causantur omnes quantitates continuae. Nam punctus motus facit lineam, linea mota facit superficiem, superficies mota facit corpus. Et secundum hoc quantitates continuae, de quibus est geometria, se habent ex appositione ad numeros, de quibus est arithmetica. Unde platonici posuerunt numeros esse formas magnitudinum, dicentes formam puncti esse unitatem, formam autem lineae esse binarium, propter duo extrema; formam autem superficiei esse ternarium, propter primam superficiem triangularem, scilicet quae tribus angulis terminatur; formam autem corporis ponebat quaternarium, propter hoc quod prima figura corporea est pyramis triangularis, quae quatuor angulos corporales habet, unum quidem scilicet in conum, et tres in basim. Et secundum hoc patet quod comparatio certitudinis scientiarum accipitur hic secundum duo. Nam primus modus accipitur secundum quod causa est prior et certior suo effectu. Alii autem duo modi accipiuntur, secundum quod forma est certior materia, utpote quia forma est principium cognoscendi materiam. Est autem duplex materia, ut dicitur in 7 Metaphysicae: una quidem

sensibilis, secundum quam accipitur secundus modus. Alia vero intelligibilis, scilicet ipsa continuitas, et secundum hanc accipitur tertius modus. Et quamvis hic tertius modus expositus sit secundum opinionem Platonis, tamen etiam secundum opinionem Aristotelis punctus se habet ex additione ad unitatem. Nam punctum est quoddam unum indivisibile in continuo, abstrahens secundum rationem a materia sensibili. Unum autem abstrahit et a materia sensibili, et ab intelligibili.

Deinde cum dicit « una autem »

Comparat scientias adinvicem secundum unitatem et diversitatem. Et circa hoc duo facit. Primo enim ostendit unitatem et diversitatem esse in scientiis, et secundum subjectum et principium. Secundo prosequitur et de subjectis et de principiis, ibi, « Ejus autem quod est a fortuna. » Circa primum duo facit. Primo ostendit quid faciat ad unitatem et diversitatem scientiae. Secundo ostendit quoddam necessarium, ad cognoscendum quid faciat ad pluralitatem scientiarum, ibi, « Plures autem demonstrationes. » Circa primum duo facit. Primo ostendit quid faciat ad unitatem scientiae. Secundo quid faciat ad scientiarum diversitatem, ibi, « Altera autem scientia. » Circa primum duo facit. Primo enim ponit, quod unitas scientiae consideratur ex unitate generis subjecti. Secundo ostendit quale sit genus, quod ponit esse subjectum scientiae, ibi, « Quaecumque ex primis. » Dicit ergo primo, quod scientia dicitur una ex hoc quod est unius generis subjecti: cujus ratio est, quia processus scientiae cujuslibet est quasi quidam motus rationis. Cujuslibet autem motus unitas ex termino principaliter consideratur, ut patet in 5 Physicae: et ideo oportet quod unitas scientiae consideretur ex fine, sive ex termino scientiae. Est autem cujuslibet scientiae finis sive terminus, genus circa quod est scientia; quia in speculativis scientiis nihil aliud quaeritur quam cognitio generis subjecti. In practicis autem scientiis intenditur quasi finis constructio ipsius subjecti. Sicut in geometria intenditur quasi finis cognitio magnitudinis, quae est subjectum geometriae. In scientia autem aedificativa intenditur quasi finis constructio domus, quae est hujusmodi artis subjectum. Unde relinquitur quod cujuslibet scientiae unitas secundum unitatem subjecti est attendenda. Sed sicut unius generis subjecti unitas est communior quam alterius, utpote entis sive substantiae quam corporis mobilis, ita una scientia est communior quam alia. Sicut Metaphysica quae est de ente sive de substantia, est communior quam Physica, quae est de corpore mobili.

Deinde cum dicit « quaecumque ex »

Ostendit qualia sunt illa genera, de quibus possunt esse scientiae; et ponit duas conditiones sive rationes. Quarum unam ponit dicens « Quaecumque ex primis componuntur. » Ista scilicet sunt quorum unius generis una scientia est. Ad cujus evidentiam considerandum est, quod sicut jam dictum est, progressus scientiae consistit in quodam motu rationis discurrentis ab uno in aliud. Omnis autem motus a principio quodam procedit, et ad aliquid terminatur: unde oportet quod in progressu scientiae ratio procedat ex aliquibus principiis primis. Si qua ergo res est, quae non habeat principia priora, ex quibus ratio procedere possit, horum non potest esse scientia, secundum quod scientia hic accipitur prout est demonstrationis effectus. Unde scientiae specu-

lativae non sunt de ipsis essentiis substantiarum
separatarum. Non enim per scientias demonstrativas
possumus scire quod quid est in eis, quia ipsae
essentiae harum substantiarum sunt intelligibiles per
seipsas ab intellectu ad hoc proportionato. Non autem
congregatur earum notitia, qua cognoscitur quod
quid est ipsarum, per aliqua priora. Sed per
scientias speculativas potest sciri de eis an sint et
quid non sunt, et aliquid secundum similitudinem
in rebus inferioribus inventam. Et tunc utimur
posterioribus ut prioribus ad earum cognitionem;
quia quae sunt posteriora secundum naturam, sunt
priora et notiora quo ad nos. Et sic patet, quod
illa de quibus habetur scientia per ea quae sunt
priora simpliciter, sunt composita secundum se ex
aliquibus prioribus. Quaecumque vero cognoscuntur
per posteriora, quae sunt prima quo ad nos, etsi
in seipsis sint simplicia, secundum tamen quod a
nostra cognitione accipiuntur, componuntur ex aliquibus primis quo ad nos. Secundam conditionem
ponit cum dicit, « Et partes aut passiones eorum
« sunt per se. » Ubi considerandum est, quod subjectum alicujus scientiae duplices partes habere
potest: scilicet partes ex quibus componitur sicut
ex primis, ut dictum est, idest ipsa principia subjecti et partes subjectivas. Et quamvis de utrisque
partibus possit intelligi quod hic dicitur, tamen
magis videtur esse intelligendum de primo genere
partium. In qualibet enim scientia sunt quaedam
principia subjecti, de quibus est prima consideratio,
sicut in scientia naturali de materia et forma, et in
grammatica de literis. Est etiam in qualibet scientia
aliquid ultimum, ad quod terminatur consideratio
scientiae, ut scilicet passiones subjecti manifestentur.
Sed utrumque horum, scilicet et proprietates et
passiones, possunt alicui attribui, et per se et non
per se. Nam ea quae sunt per se principia et passiones trianguli, non sunt per se principia et passiones
isochelis, inquantum isocheles est, sed inquantum
triangulus. Nec etiam sunt per se principia et passiones aeris et albi, quamvis contingat aliquod aes
triangulum esse, vel aliquod album. Unde si qua
scientia esset quae ex principis trianguli manifesta-
ret passiones trianguli, hujusmodi scientiae subjectum non esset isocheles, neque album aut aes, sed
triangulus, cujus etiam per se subjectivae partes
sunt isocheles, aequilaterus et gradatus. Sed pro tanto
dixi de his partibus hic ad praesens non ita convenienter accipi, quia magis accipere possumus documentum qualiter scientia se habeat ad hujusmodi
partes subjectivas ex eo quod se habet aliqualiter
ad totum genus, quam e converso.

Deinde cum dicit « altera autem »

Ostendit rationem diversitatis scientiarum. Et
primo ponit hanc rationem. Secundo manifestat
eam, ibi, « Hujusmodi autem signum. » Est ergo
considerandum circa primum, quod cum rationem
unitatis scientiae acceperit ex unitate generis subjecti, rationem diversitatis scientiarum non accipit
ex diversitate subjecti, sed ex diversitate principiorum. Dicit enim quod una scientia est altera
ab alia, quarum principia sunt diversa, ita quod
nec ambarum scientiarum principia procedant ex
aliquibus principiis prioribus, nec principia unius
scientiae procedant ex principiis alterius; quia sive
procedant ex eisdem principiis, sive alia ex alterius (1),

(1) *Ed. Rom.* alia ex aliis.

non esset diversa scientia. Ad hujusmodi ergo evidentiam sciendum est, quod materialis diversitas
objecti non diversificat habitum, sed solum formalis. Cum ergo scibile sit proprium objectum
scientiae, non diversificabuntur scientiae secundum
diversitatem materialem scibilium, sed secundum
diversitatem eorum formalem. Sicut autem formalis
ratio visibilis sumitur ex lumine, per quod color
videtur, ita formalis ratio scibilis accipitur secundum principia ex quibus aliquid scitur. Et ideo
quantumcumque sint aliqua diversa scibilia per suam
naturam, dummodo per eadem principia sciantur,
pertinent ad unam scientiam, quia non erunt jam
diversa inquantum sunt scibilia. Sunt enim per sua
principia scibilia. Sicut patet quod voces humanae
multum differunt secundum suam naturam a sonis
inanimatorum corporum; sed quia secundum eadem
principia attenditur consonantia in vocibus humanis
et sonis inanimatorum corporum, eadem est scientia
musicae, quae de utrisque considerat. Si vero aliqua
sint eadem secundum naturam, et tamen per diversa
principia considerentur, manifestum est quod ad
diversas scientias pertinent. Sicut corpus mathematicum non est separatum subjecto a corpore naturali:
quia tamen corpus mathematicum cognoscitur per
principia quantitatis, corpus autem naturale per
principia motus, non est eadem scientia geometriae
et naturalis. Patet ergo, quod ad diversificandum
scientias sufficit diversitas generis scibilis. Ad hoc
autem quod sit una scientia simpliciter, utrumque
requiritur: et unitas subjecti, et principiorum. Et
ideo de unitate subjecti supra fecit mentionem, cum
dixit: « Quae est generis unius; » de principiis autem cum dixit: « Quaecumque ex primis, etc. » Sed
ulterius considerandum est, quod secunda principia
virtutem sortiuntur a primis. Unde requiritur diversitas primorum principiorum ad diversitatem
scientiarum. Quod quidem non esset, si vel diversorum principia ex eisdem principiis fluant, sicut
principia trianguli et quadrati derivantur ex principiis
figurae, vel principia unius derivantur ex principiis
alterius, sicut principia isochelis dependent a principiis trianguli. Nec tamen intelligendum est, quod
sufficiat ad unitatem scientiae unitas principiorum
primorum simpliciter, sed unitas principiorum primorum in aliquo genere scibili. Distinguuntur autem genera scibilium secundum diversum modum
cognoscendi. Sicut alio modo cognoscuntur ea quae
definiuntur cum materia, et ea quae sine materia.
Unde aliud genus scibilium est corpus naturale, et
corpus mathematicum. Unde sunt diversa principia
prima utriusque generis, et per consequens diversae scientiae. Et utrumque horum generum distinguuntur in diversas species scibilium secundum
diversos modos et rationes cognoscibilitatis.

Deinde cum dicit « hujusmodi autem »

Manifestat positam rationem. Et dicit, quod signum hujusmodi est, quod scientiae sint alterae
secundum principia, cum perveniatur resolvendo
in principia quae sunt indemonstrabilia, quae o-
portet esse ejusdem generis cum his quae demonstratur: quia, sicut supra ostensum est, non contingit ex alio genere procedentem demonstrare. Ad
hoc autem quod principia indemonstrabilia sint
unius generis accipitur ut signum, cum ea quae
demonstrantur per ipsa, sint in eodem genere et
congenea, idest connaturalia, vel proxima secundum
genus sibi ipsis: hujusmodi enim habent eadem

principia. Et sic patet quod unitas generis scibilis, inquantum est scibile, ex quo accipiebatur unitas scientiae, et unitas principiorum, secundum quae accipiebatur scientiae diversitas, sibi mutuo correspondent.

Deinde cum dicit « plures autem »

Ostendit quomodo una conclusio per plura principia demonstrari potest. Et hoc quidem contingit dupliciter. Uno quidem modo, quando ponuntur plura media in eadem coordinatione, et in una demonstratione accipitur unum illorum mediorum, et in alia demonstratione accipitur aliud ad eamdem conclusionem, et sic oportet quod accipiatur medium non continuum: ut si sunt duo extrema A B, utputa habere tres, ut isocheles, et sint eorum duo media coordinata, scilicet D C, utputa triangulus, et figura talis. Posset ergo demonstrari A de B duabus demonstrationibus, in quarum una accipietur pro medio C et in alia D, et in neutra accipietur medium continuum extremis, quia in una accipietur medium continuum uni extremo et discontinuum ab altero, et in alia vero e converso. Alio modo hoc contingit, quando accipiuntur diversa media ex diversa coordinatione: utputa, si A quod est major extremitas sit transmutari, et B quod est minor extremitas sit delectari, et accipiantur diversa media non existentia subinvicem, scilicet E, quod est quiescere, et D quod est moveri: secundum hoc, eadem conclusio potest concludi per diversa media non unius ordinis, et erit demonstratio una talis. Omne quod quiescit transmutatur, quia ejusdem est transmutari et quiescere, et omne quod delectatur quiescit, qua quies in bono desiderato causat delectationem: ergo omne quod delectatur transmutatur. Alia demonstratio esset. Omne quod movetur transmutatur, omne quod delectatur movetur, quia delectatio est quidam motus appetitivae potentiae, ergo omne quod delectatur transmutatur. Vel quod dicit: « Omne quod delectatur movetur, » est secundum opinionem Platonis, et habet locum in delectationibus sensibilibus quae sunt cum motu. Aliud quod dicit: « Omne quod delectatur quiescit », est verum secundum opinionem Aristotelis, ut patet in septimo et decimo Ethic. Et hoc praecipue verificatur in delectationibus intelligibilibus. Deinde dicit quod sicut hoc ostensum est in prima figura, ita etiam potest in aliis figuris de facili considerari, quod eadem conclusio diversis mediis potest syllogizari. Inducit autem hoc Philosophus ad ostendendum, quod diversum medium demonstrationis quandoque pertinet ad eamdem scientiam: puta cum est ex eadem coordinatione; quandoque autem ad diversas scientias: puta quando est ex alia coordinatione. Sicut terram esse rotundam per aliud medium demonstrat astrologus, scilicet per eclipsim solis et lunae, et per aliud naturalis, scilicet per motum gravium tendentium ad centrum, ut dicitur in secundo Physicorum.

LECTIO XLII.

Eorum quae sunt a fortuna, vel per sensum cognoscuntur, non esse scientiam docet, quam distingui necessario a sensu ostenditur, licet ad ipsam ordinem habeat.

ANTIQUA.

Ejus autem quod est a fortuna, non est scientia per demonstrationem. Neque enim sicut necessarium est, neque sicut frequenter quod est a fortuna, sed quod extra hoc fit. Sed demonstratio alterius horum est. Omnis enim syllogismus, est aut per necessarias aut per eas quae sunt tamquam frequenter propositiones. Et si quidem propositiones necessariae sunt, et conclusio necessaria est. Si vero sint ut frequenter, et conclusio hujusmodi est. Quare si id quod est a fortuna, neque est sicut frequenter, neque sicut necessarium, neque utique ipsius erit demonstratio.

Neque per sensum est scire. Scire enim et est sensus talis quidem hujusmodi, et non hujusmodi alicujus, tamen sentire necesse est hoc aliquid, et ubi et nunc. Universale autem et in omnibus impossibile est sentire. Non enim est hic neque nunc. Non enim utique esset universale: quod enim semper est et ubique est, universale esse dicimus. Quoniam igitur demonstrationes universales sunt, has autem non est sentire, manifestum est quod neque scire per sensum.

Sed manifestum est quoniam, et si esset sentire triangulum duobus rectis aequales habere angulos, quaereremus utique demonstrationem, et non sicut quidam fatentur, sciremus. Sentire quidem enim necesse est singulariter: scientia autem est in cognoscendo universale. Unde et si in luna essemus, et videremus objectam terram, non utique sciremus causam defectus: sentiremus enim quoniam deficeret nunc, sed non propter quid omnino. Non enim esset universalis sensus. Sed ex considerare hoc multoties accidere universale venantes

RECENS.

Illius autem quod est a fortuna, non est scientia per demonstrationem. Neque enim, quod a fortuna est, aut ut necessarium est, aut ut contingens utplurimum, sed tamquam id, quod praeter haec fit; demonstratio vero alterutrius horum est. Nam omnis syllogismus aut exsistit per necessarias propositiones, aut per utplurimum veras. Et si quidem propositiones quidem sint necessariae; etiam conclusio necessaria erit. Si vero [propositiones] utplurimum verae sint, etiam conclusio talis erit. Quare, si, quod a fortuna est, neque utplurimum [contingit aut verum est], neque necessarium est; non fuerit illius demonstratio.

Neque per sensum [aliquid] scire licet. Etiamsi enim est sensus rei talis, nec certae hujus rei; tamen sentire saltem hoc aliquid nos oportet, et certo loco ac certo tempore. Universale vero et [quod] in omnibus sentire non possumus, quum [id] non sit hoc aliquid, neque certo tempore sit; alias enim non universale esset; nam id quod semper et ubique est, universale dicimus.

Quoniam ergo demonstrationes sunt universales, haec vero sensu cognosci non possunt; apparet, nos per sensum [aliquid] scire non posse.

Imo manifestum est quod, etiamsi sentire liceret, triangulum duobus rectis aequales habere angulos; quaereremus tamen demonstrationem, nec, ut nonnulli volunt, sciremus. Sentire enim nos necesse est singulare; scientia autem ex universalis cognitione exsistit.

Propterea quoque, si supra lunam essemus, videremusque terram objectam, non intelligeremus causam [lunae] defectus. Nam sentiremus quidem, quod [luna] nunc deficeret, et causam plane non [intelligeremus]: nam universale sensu

demonstrationem habemus. Ex singularibus enim pluribus universale manifestum est.

Universale autem honorabilius est, quoniam ostendit causam. Quare de hujusmodi universali scientia honorabilior est sensibus, et cognitione quorumcumque causa est. Sed de primis alia ratio est. Manifestum est igitur quod impossibile sit sentiendo scire aliquid demonstratorum, nisi jam aliquis sentire hoc dicat scientiam habere per demonstrationem.

Sunt tamen quaedam reducta ad sensus defectum in propositis. Quaedam enim si videremus non utique quaereremus, non tamquam scientes in videndo, sed tamquam habentes universale ex eo quod videmus. Ut si vitrum perforatum videremus, et lumen pertransiens, manifestum utique erit et propter quid. Et propter id quod videmus quidem seorsum in unoquoque, intelligere autem simul est, quoniam in omnibus sic est.

non cognoscebatur.

Verumtamen ex contemplatione crebra illius quod accidit ipsum universale investigantes, demonstrationem haberemus. Ex pluribus enim singularibus universale fit manifestum.

Universale autem magni habendum est, quoniam aperit causam. Quare de talibus, quorumcumque alia est causa, majore digna honore [cognitio] universalis est, quam vel sensus, vel intelligentia. De primis autem [principiis] alius est sermo.

Manifestum igitur est, fieri non posse, ut quidquam demonstrabilium per sensum sciamus; nisi quis [Sentire] dicat hoc, scientiam habere per demonstrationem.

Sunt tamen quaedam e problematibus quae ad defectum sensus reducuntur. Nonnulla enim si videremus, utique non [amplius] quaereremus, non, quod [ea] sciamus per sensum, sed quod universale videndo comparemus. Ut si vitrum perforatum esse videremus, et lumen transiens [per id]; manifesta quoque esset causa, cur urat, per visum quidem [nota esset causa] seorsum de unoquoque [vitro], at per intellectum simul, quod ita in omnibus sese res haberet.

Postquam Philosophus assignavit rationem unitatis, et diversitatis scientiarum ex parte generis subjecti, et ex parte principiorum, hic de utrisque prosequitur. Et primo de subjectis de quibus est scientia. Secundo de principiis, ibi, « Eadem autem princi- « pia etc. » Circa primum considerandum est, quod supra conditiones posuit generis quod est subjectum scientiae: quarum una est, ut componatur ex primis, alia est ut partes et passiones sint ejus per se. Quarum conditionum una deest in his quae sunt a fortuna, quia non eveniunt per se, sed per accidens et praeter intentionem, ut probatur in secundo Physicorum. Alia vero conditio deest in his quae per sensum cognoscuntur, quae sunt prima in nostra cognitione. Et ideo ostendit, quod scientia non est eorum quae sunt a fortuna. Secundo ostendit quod non est eorum quae cognoscuntur per sensum, ibi, « Neque per sensum est « scire. » Dicit ergo primo, quod demonstrativa scientia non potest esse de eo quod est a fortuna, quod est per accidens eveniens. Et hoc probat sic. Omnis syllogismus demonstrativus, aut procedit ex propositionibus necessariis, aut ex propositionibus quae sunt verae ut frequenter. Ex propositionibus autem necessariis sequitur conclusio necessaria, ut supra probatum est. Et similiter ex propositionibus quae sunt verae sicut frequenter, sequitur conclusio quae est vera ut frequenter, vel forte etiam necessaria, secundum quod ex contingenti potest sequi necessarium, ut ex falso verum. Nunquam autem ex propositionibus quae sunt verae ut frequenter sequetur propositio quae est vera ut in paucioribus: quia sequeretur quod aliquando propositiones essent verae et conclusio falsa, quod est impossibile, ut ostensum est. Necesse est ergo, quod conclusio syllogismi demonstrativi, vel sit necessaria, vel sit vera sicut frequenter. Sed id quod est a fortuna non est necessarium neque quod verum ut frequenter, sed accidit in paucioribus, ut in secundo Physicorum probatur. Ergo demonstrativa scientia non potest esse de eo quod est a fortuna. Est autem considerandum quod de his quidem, quae sunt sicut frequenter contingit esse demonstrationem, inquantum in eis est aliquid necessitatis. Necessarium autem, ut dicitur in secundo Physicorum, aliter est in naturalibus, quae sunt vera ut frequenter et deficiunt in minori parte, et aliter in disciplinis, idest in mathematicis, quae sunt semper vera. Nam in disciplinis est necessitas a priori. In naturalibus

a posteriori, quod tamen est prius secundum naturam; scilicet a fine, et forma. Unde sic docet Aristoteles ostendere propter quid, ut si hoc debeat esse, puta quod oliva generetur, necesse hoc praeexistere, scilicet semen olivae; non autem ex semine olivae generatur ex necessitate oliva, quia potest impediri per aliquam corruptionem generatio. Unde si fiat demonstratio ex eo quod est prius in generatione, non concludit ex necessitate, nisi forte accipiamus hoc ipsum esse necessarium, semen olivae, ut frequenter esse generativum olivae proprie, quia hoc facit secundum proprietatem suae naturae nisi impediatur.

Deinde cum dicit « neque per »

Dicit quod scientia non est eorum quae cognoscuntur secundum sensum. Et circa hoc duo facit. Primo ostendit quod scientia non consistit in sensu. Secundo ostendit quomodo sensus ordinatur ad scientiam, ibi, « Sunt tamen quaedam reducta. » Circa primum duo facit. Primo ostendit scientiam non esse per sensum. Secundo praefert scientiam sensui, ibi, « Universale autem honorabile etc. » Circa primum duo facit. Primo ostendit veritatem. Secundo ostendit errorem quorumdam, ibi, « Sed « manifestum est etc. » Dicit ergo primo, quod sicut scientia non est eorum quae sunt a fortuna, ita etiam scientia non consistit in cognitione quae est per sensum. Et hoc probat sic. Manifestum est enim quod sensus cognoscit aliquid tale, et non hoc. Non enim objectum per se sensus est substantia et quod quid est; sed aliqua sensibilis qualitas, puta calidum, frigidum, album, nigrum et alia hujusmodi. Hujusmodi autem qualitates efficiunt singulares quasdam substantias in determinato loco et tempore existentes: unde necesse est quod hoc quod sentitur, sit hoc aliquid, scilicet singularis substantia, et sit alicubi et nunc, idest in determinato tempore et loco. Ex quo patet quod id quod est universale non potest cadere sub sensu. Non enim quod est universale determinatur ad hic et nunc, quia jam non esset universale. Illud enim universale dicimus, quod est semper et ubique. Quod quidem non est secundum viam (1) affirmationis intelligendum, quod hoc sit de ratione universalis: aut ejus quod est universale, quod sit semper et ubique, puta de ratione hominis aut animalis: quia oporteret quod quodlibet singulare hominis et animalis esset semper

(1) Forte vim.

ut ubique, quia ratio hominis et animalis in quolibet singularium invenitur. Si vero esset de ratione ipsius universalis, sicut de ratione generis est quod contineat sub se species, sequeretur, quod nihil esset universale, quod non esset et semper et ubique inveniretur; et secundum hoc oliva non esset, vel non haberet esse universale, quia non in omni terra potest inveniri. Est ergo hoc intelligendum per modum negationis seu abstractionis, quia scilicet universale abstrahit ab omni determinato·tempore et loco. Unde quantum est de se, sicut invenitur in quolibet uno loco vel tempore, sic natum est in omnibus inveniri. Sic igitur patet, quod universale non cadit sub sensu. Quia igitur demonstrationes sunt universales praecipue, ut ostensum est supra; manifestum est, quod scientia per demonstrationem acquisita, non consistit in cognitione sensus.

Deinde cum dicit « sed manifestum »

Excludit errorem quorumdam, qui credebant in ipsa perceptione sensus consistere scientiam. Et videtur haec ratio pertinere ad illos, qui non ponebant intellectum differre a sensu, et per consequens nullam aliam cognitionem esse nisi sensitivam, ut habetur in tertio de Anima, et in 4 Metaphysicae. Et ad hoc excludendum dicit, quod si etiam per sensum percipere possemus quod triangulus habet tres angulos aequales duobus rectis, adhuc oporteret demonstrationem quaerere ad habendum scientiam; neque per sensuum perceptionem sciremus, quia sensus est singularium, scientia autem consistit in hoc quod universale cognoscimus, ut ostensum est. Et quia posuerat exemplum de his quae sensu percipi non possunt; ad majorem evidentiam ponit exemplum in his quae sensibilia sunt, videlicet in eclipsi lunae, quae contingit ex oppositione terrae, quae interponitur inter solem et lunam, ut claritas solis non possit pertingere ad lunam propter umbram terrae quam dum luna subintrat eclipsatur. Ponamus ergo, quod aliquis esset in ipsa luna, et sensu perciperet interpositionem terrae per umbram ipsius: sensu quidem perciperet, quod luna tunc deficeret ex umbra terrae; sed non propter hoc sciret totaliter causam eclipsis. Illud enim est per se causa eclipsis, quod causat universaliter eclipsim. Universale autem non cognoscitur sensu; sed ex pluribus singularibus visis in quibus multoties consideratis invenitur idem accidere, accipimus universalem cognitionem. Et sic per causam universalem demonstramus aliquid in universali, de quo est scientia.

Deinde cum dicit « universale autem »

Ostendit quod scientia est potior quam sensus. Manifestum est enim quod cognitio quae est per causam, nobilior est, causa autem per se est universalis causa, ut jam dictum est: et ideo cognitio per universalem causam, qualis est scientia, est honorabilis. Et quia hujusmodi universalem causam possibile est apprehendere per sensum, ideo consequens est, quod scientia, quae ostendit causam universalem, non solum sit honorabilior omni sensitiva cognitione, sed etiam omni alia intellectiva cognitione, dummodo sit de rebus quae habent causam; quia scire aliquid per causam universalem, est nobilius quam intelligere qualitercumque id quod habet causam sine cognitione suae causae. Sed de primis quae non habent causam est alia ratio. Illa enim per se intelliguntur, et talis eorum cognitio est certior omni scientia; quia ex tali intelligentia, scientia certitudinem habet. Ultimo autem concludit principale propositum, quod scilicet impossibile sit per sensum cognoscere aliquid demonstrabile, nisi forte aequivoce aliquis utatur nomine sensus, vocans demonstrativam scientiam sensum, propter hoc quod scientia demonstrativa est determinate unius secundum certitudinem, sicut et sensus. Propter quod et certae extimationes scientiae vocantur.

Deinde cum dicit « sunt tamen »

Ostendit quomodo sensus ordinatur ad scientiam. Quaedam enim problematicae dubitationes reducuntur sicut in causam ad defectum sensus. Quaedam etiam sunt de quibus non quaereremus dubitando, si ea videremus; non quidem eo quod scientia consistit in videndo: sed inquantum ex rebus veris per viam experimenti accipitur universale, de quo est scientia. Puta si videremus vitrum perforatum, et quomodo lumen pertransit per foramina vitri, sciremus propter quid vitrum est transparens. Et utitur hoc exemplo secundum opinionem eorum qui ponebant lumen esse corpus, et quaedam corpora esse transparentia propter subtilia quaedam foramina, quae pori dicuntur; quos quia visu discernere non possumus propter parvitatem, dubitamus quare vitrum sit transparens. Et potest simile exemplum poni de quibuscumque rebus quae habent causam sensibilem latentem. Et quia dixerat, quod scientia hujusmodi rei non est in videndo, manifestat hoc esse verum. Nam in videndo cognoscimus seorsum unumquodque singularium: sed in sciendo, oportet omnia intelligere simul in universali, ut scilicet intelligamus ita se habere in omnibus. Videmus enim sigillatim de diversis vitris, sed scientiam accipimus de omni vitro, quod sit tale.

LECTIO XLIII.

Non esse eadem principia omnium syllogismorum tam propriis
quam communibus rationibus ostendit.

Eadem autem principia esse omnium syllogismorum impossibile est, primum quidem logice speculantibus. Hi quidem enim veri sunt syllogismi, alii autem falsi.

Etsi namque sit verum ex falsis syllogizare, sed semel hoc fit: ut si a de c, verum sit, medium autem b, falsum. Neque enim a in b est, neque b in c. Sed si harum media accipiantur propositionum, falsae erunt, ex eo quod omnis conclusio falsa ex falsis est, vera autem ex veris. Alterae autem sunt verae et falsae.

Postea neque falsa ex eisdem sunt. Est enim falsas adinvicem, et contrarias, et impossibile simul esse: uti justitiam et injustitiam, aut timorem, aut hominem equum esse aut bovem, aut aequale majus et minus. Ex positis autem sic est.

Neque etiam verorum eadem principia omnium sunt. Alia enim multorum genere principia sunt, neque conveniunt, ut unitates punctis non conveniunt. Haec quidem enim non habent positionem, illa autem habent. Necesse autem est in media convenire, aut ad sursum, aut ad deorsum, aut hos interius habere, illos autem exterius terminorum.

Sed neque communium principiorum possunt esse aliqua, ex quibus omnia demonstrabuntur. Dico autem communia, ut omne affirmare et negare: genera enim eorum sunt altera. Et alia quidem in quantitatibus, alia vero in qualitatibus sunt solis, cum quibus demonstratur per communia.

Amplius principia non multo minora sunt conclusionibus. Principia quidem enim propositiones sunt, propositiones autem assumpti termini, aut immissi sunt. Adhuc, conclusiones infinitae sunt, termini autem finiti.

Amplius, principia haec quidem ex necessitate, illa vero contingentia. Sic igitur in intentione his habitis, impossibile est eadem esse principia, aut finita, cum infinitae sint conclusiones.

Si vero aliter quodammodo dicat aliquis, quod haec quidem geometriae, alia vero syllogismorum, alia autem medicinae, quid utique erit aliud quod dicitur, nisi quod sunt principia scientiarum? Sed eadem dicere derisio est, quoniam eadem eisdem eadem essent. Omnia enim sic fiunt eadem.

At vero neque quod est ex omnibus demonstrare quodlibet horum est. Nam hoc quaerere omnium eadem esse principia. Multum enim insipiens est. Neque enim in manifestis mathematicis, neque in resolutione possibile est. Immediatae enim propositiones principia sunt. Altera autem conclusio fit, accepta propositione immediata.

Si autem dicat aliquis primas immediatas propositiones esse principia, unum in unoquoque genere est.

Si vero neque ex omnibus, ut opus est demonstrari quodlibet, neque sic ex altera. Quare erunt uniuscujusque scientiae altera. Relinquitur igitur si proxima sunt principia omnium, sed ex iis quidem haec, ex illis autem illa.

Manifestum autem hoc est quoniam non contingit. Monstratum est enim quod altera principia genere, sunt differentium genere: principia enim duplicia sunt, ex quibus, et circa quae. Ex quibus quidem igitur communia sunt; quae autem sunt circa quae, propria sunt, ut numerus, magnitudo.

Eadem autem principia ut sint omnium syllogismorum fieri non posse, primum quidem logice considerantibus [manifestum est]. Sunt enim alii syllogismi veri; alii autem falsi. Nam licet ex falsis quoque verum possit colligi, at semel hoc tantum fit; ut, si a de c verum est; medium autem b falsum; neque enim to a inest to b, neque to b to c. Sed si media harum propositionum sumantur, falsae erunt; quia omnis conclusio falsa ex falsis est; at vera ex veris colliguntur: diversa autem sunt falsa et vera.

Deinde, neque falsa ex iisdem cum iis ipsis [colliguntur]. Sunt enim falsa mutuo etiam contraria, et quae simul esse non possint. Ut, to justitiam esse injustitiam, aut timiditatem; et hominem esse equum, aut bovem; et aequale aut majus esse, aut minus.

Ex iis autem quae posita sunt sic [ostendetur, non esse eadem omnium principia]. Neque enim verorum omnium eadem sunt principia; nam diversa sunt principia eorum quae genere multa [et diversa] sunt, neque [ad propositum] convenientia. Ut, monades non conveniunt cum punctis. Nam illae quidem non habent situm; haec vero habent. Necesse vero est saltem, aut ad media convenire [principia]. aut in superioribus, aut in inferioribus, aut alios quidem terminorum intus habere, alios autem extra [syllogismum].

At neque communium principiorum ulla esse possunt, e quibus omnia demonstrentur: dico autem communia, ut, Omne affirmare, aut negare. Nam genera rerum diversa sunt, et haec quidem quantis, illa autem qualibus insunt solis, quibuscum demonstratur aliquid per communia.

Porro, principia non sunt multo pauciora conclusionibus. Principia enim sunt propositiones; propositiones vero aut assumpto termine [medio constituuntur], aut interjecto [inter extrema].

Insuper, conclusiones infinitae sunt; termini autem finiti.

Deinde principia, alia quidem sunt necessaria; alia vero contingentia.

Hac igitur ratione si consideremus, fieri non potest ut eadem sint principia finita conclusionum, quae infinitae sunt.

Si vero alio modo dicat quis, ut, quod haec quidem [principia] sint geometriae; haec vero numerorum; haec denique medicinae: quidnam fuerit aliud quod dicitur, nisi quod sunt scientiarum principia? eadem vero esse [principia] si quis dicat, id ridiculum fuerit, quod ipsa cum ipsis eadem essent; omnia enim sic fiunt eadem.

At neque, [si quis dicat], ex omnibus [principiis] demonstrare quodlibet, id idem est, ac si quis quaerat, num omnium eadem sint principia. Haec enim valde rudis esset opinio. Nam neque in manifestis disciplinis hoc fit, neque in resolutione fieri potest; immediatae enim propositiones [demonstrationum] principia sunt; alia vero fit conclusio, assumpta [alia] immediata propositione.

Si quis vero dicat, primas propositiones immediatas ipsas esse principia; [respondebimus], unam esse tantum in unoquoque genere.

Si vero neque ex omnibus [principiis], tamquam oporteat monstrari quodcumque potest, neque ita ex alio [principio] ut cujusque scientiae sint alia [principia]; relinquitur, principia omnium esse congenera; attamen ex his quidem [principiis] haecce, ex illis autem illa [demonstrantur]. Manifestum vero etiam est hoc, quod non contingit, [omnium eadem esse principia]; demonstratum enim est, quod principia genere diversa sint eorum, quae genere differunt. Principia enim sunt duplicia: [alia quidem] e quibus: [alia vero] circa quod. Principia quidem, e quibus est [primo demonstratio], communia sunt: illa vero circa quae propria sunt, ut numerus [in arithmetica], magnitudo [in geometria].

Postquam Philosophus prosecutus est de illis quorum est scientia, hic prosequitur de principiis scientiarum, ostendens non esse eadem principia omnium syllogismorum. Primo ostendit hoc logice, idest per rationes communes omnibus syllogismis. Secundo hoc ostendit analytice, scilicet per rationes proprias demonstrationis, ibi, « Si vero aliter etc. » Circa primum tria facit. Primo ostendit propositum per differentiam syllogismorum falsorum a veris. Secundo per differentiam falsorum adinvicem, ibi, « Postea neque falsae etc. » Tertio per differentiam syllogismorum verorum adinvicem, ibi, « Neque « verorum. » Circa primum duo facit. Primo ostendit propositum. Secundo excludit quamdam obviationem, ibi, « Et si namque sit verum. » Dicit ergo primo, quod primo logice speculando manifestum est, quod non possunt esse eadem principia omnium syllogismorum, propter hoc quod quidam syllogismi sunt falsi, idest concludentes falsum, et quidam veri, idest concludentes verum. Syllogismorum autem falsorum et verorum sunt diversa principia. Nam syllogismorum verorum sunt principia vera, syllogismorum autem falsorum sunt principia falsa. Non ergo omnium syllogismorum sunt eadem principia.

Deinde cum dicit « et si namque »

Excludit quamdam obviationem. Posset enim aliquis dicere, quod etiam syllogismorum verorum sunt principia falsa, quia contingit ex falsis syllogizare verum. Sed hoc excludit dicens, quod quamvis contingat syllogizare verum ex falsis, tamen hoc solum contingit in primo syllogismo, quo ex falsis concluditur verum. Sed si oporteat aliquos syllogismos inducere ad probandum praemissas propositiones, necesse esset quod illi syllogismi procedant ex falsis, quia ex veris non concluditur falsum, et ita in sola prima syllogizatione ex falsis concluditur verum. Et hoc manifestat per exemplum. Sit enim haec propositio vera, omne c est a: accipiatur autem ad utramque extremitatem medium falsum, quod est b, ita scilicet quod neque a insit b, neque b insit c. Si accipiantur aliqua media ad probandum praemissas propositiones, omnes propositiones falsorum syllogismorum erunt falsae; quia omnis conclusio falsa concluditur ex falsis, conclusio autem vera potest concludi ex omnibus veris. Unde quando propositiones praemissae sunt verae, ex quibus concluditur verum, non oportebit devenire ad aliquod falsum. Sic ergo, cum aliae sint propositiones verae, aliae falsae, sequitur quod alia sunt principia verorum syllogismorum, et alia falsorum.

Deinde cum dicit « postea neque »

Ostendit quod neque falsorum syllogismorum sunt eadem principia. Contingit enim conclusiones falsas esse contrarias adinvicem, et incompossibiles sibi. Sicut haec conclusio, Justitia est injustitia, est incompossibilis huic conclusioni: Justitia est timor, cum utraeque sit falsae. Timor enim sicut differt genere a justitia, ita etiam ab injustitia. Similiter etiam hae duae conclusiones falsae sunt contrariae et incompossibiles, Homo est equus, et Homo est bos. Et similiter hae duae propositiones sunt incompossibiles, aequale est majus, et aequale est minus. Oportet enim concludere sic esse ex aliquibus quibus positis ista sequentur: unde oportet quod cum ista sint contraria et impossibilia, ita etiam principia ex quibus concluduntur.

Deinde cum dicit « neque etiam »

Ostendit, quod nec syllogismorum verorum sunt eadem principia, quatuor rationibus, quarum una sumitur ex differentia principiorum propriorum. Unde dicit quod « neque etiam verorum syllogis-« morum sunt eadem principia. » Diversorum enim generum diversa principia sunt: sicut patet quod magnitudinum principia sunt puncta, numerorum autem unitates, quia non conveniunt adinvicem, quia unitates non habent positionem, puncta vero habent. Si autem omnia principia syllogismorum convenirent adinvicem, necesse esset quod vel convenirent in medio, vel sursum ascendendo versus majorem extremitatem, vel deorsum versus minorem; quia in syllogismo necesse est quod termini, vel assumantur interius, vel exterius. Interius quidem quando multiplicantur syllogismi ad probandum propositiones inductas. Tunc enim necesse est quod accipiantur media quae sunt inter praedicata propositionum et subjecta: utputa si sit talis syllogismus, omne b est a, omne c est b, ergo omne c est a: si oporteat probari omne b est a, oportet assumere aliquod medium inter b et a, puta d. Et similiter si debeat probari minor, oportet accipere aliquod medium inter c et b, puta e; et sic semper termini assumpti interius habentur. Exterius autem assumuntur, quando vel major extremitas accipitur ut medium ascendendo, vel minor descendendo: puta si a concludatur de c per b, et iterum c concludatur de b per a. Et sic similiter etiam proceditur descendendo si b concludatur de e per c: necesse est ergo in syllogismis communicantibus in principiis, vel quod accipiatur medium unius syllogismi supra propositiones alterius syllogismi, vel accipiantur extrema unius syllogismi supra extrema alterius syllogismi. Sed hoc non potest esse in rebus quarum sunt principia diversa: quia puncta non possunt accipi neque ut media neque ut extrema in syllogismis in quibus concluditur aliquid de numero, neque unitates in syllogismis in quibus concluditur aliquid de magnitudinibus. Relinquitur ergo, quod non possunt esse eadem principia omnium syllogismorum.

Secunda ratio ponitur ibi « sed neque »

Quae sumitur ex principiis communibus: et dicit, quod non possunt esse aliqua principia communia ex quibus solum omnia syllogizantur; sicut hoc principium commune, De quolibet affirmatio vel negatio: quod quidem communiter est verum in omni genere, non tamen est possibile quod ex solis aliquibus taliter communibus possint omnia syllogizari, quia genera entium sunt diversa. Et diversa sunt principia quae sunt solum quantitatum principia, ab his quae solum sunt principia qualitatum, quae oportet coassumere principiis communibus ad concludendum in qualibet materia. Puta, si in quantitatibus oporteat ex dicto principio communi syllogizare, oportet accipere, quod cum haec sit falsa, punctus est linea, oportet hanc esse veram, punctus non est linea: et similiter in qualitatibus oportet coassumere aliquid proprium qualitati. Unde relinquitur, quod impossibile sit esse eadem principia omnium syllogismorum.

Tertiam rationem ponit ibi « amplius principia »

Quae sumitur ex comparatione praemissarum ad conclusiones: et dicit quod principia non sunt multum pauciora conclusionibus. Sunt quidem pauciora: quia quamvis ad unam conclusionem inferendam duo principia, idest duae propositiones requirantur, quia una conclusio non concluditur im-

mediate nisi ex duabus, tamen una propositione
potest quis uti ad inferendum plurimas conclusiones,
secundum quod sub subjecto aut sub praedicato
multa accipi possunt. Non tamen sunt multo plura
principia quam conclusiones: quia plurima eorum
quae principiis coassumuntur ad conclusiones alias
inducendas, sunt etiam conclusiones: principia enim
propositiones hic appellantur, propositiones autem
aut assumpti termini, aut immissi sunt, idest propositiones in syllogismis multiplicantur, aut assumendo terminos extrinsecus, vel supra majorem
extremitatem, et infra minorem, ut supra dictum
est; aut accipiendo terminos qui sunt in medio.
Et ad hoc addendum est, quod conclusiones sunt
infinitae. Potest enim quodlibet concludi de quolibet vel affirmative vel negative. Et ne videretur
hoc esse contrarium ei quod supra ostenderat praedicationes non procedere in infinitum, subjungit
quod termini sunt finiti, et ad hoc pertinet quod
supra ostensum est, esse statum in praedicationibus.
Sed ex finitis possunt infinitae conclusiones fieri
secundum diversas combinationes, ut tamen accipiamus communiter conclusiones tam quae sunt
per se, quam quae sunt per accidens. Loquimur
enim nunc communiter de syllogismis. Si ergo conclusiones sunt infinitae, principia autem non multo
pauciora conclusionibus, sequitur quod etiam principia syllogismorum sunt infinita. Non ergo sunt
eadem principia syllogismorum.

Quartam rationem ponit ibi « amplius principia »
Quae sumitur ex differentia necessarii et contingentis. Et dicit, quod principiorum quibus utimur
in syllogismo, quaedam sunt contingentia, et quaedam necessaria, ut patet in libro Priorum, ubi docuit
syllogizare ex necessariis et contingentibus. Non autem
eadem sunt necessaria et contingentia: ergo non sunt
eadem principia omnium syllogismorum. Et hoc est
quod concludit ex his duabus ultimis rationibus, quod
secundum considerationem praemissorum cum infinitae sint conclusiones, impossibile est esse eadem
principia omnium syllogismorum, aut etiam finita.

Deinde cum dicit « si vero »
Ostendit idem analytice; scilicet per rationes proprias principiis quibus scientiae demonstrant. Et
ponit tres rationes. Circa quarum primam dicit quod,
si aliquis dicat omnium syllogismorum esse eadem
principia, sed aliquo modo dicat aliter, scilicet quod
quaedam sunt principia geometriae, et quaedam
logicae, quae dicuntur principia syllogismorum vel
ratiocinationum, et quaedam sunt principia medicinae, et sic accipiendo principia omnium scientiarum, ista sic accepta eadem sunt principia omnium
demonstrationum; hoc non facit ad propositum,
quo quis vult sustinere eadem esse principia: quia
propter hoc dictum, nihil aliud dicitur, nisi quod
quaelibet scientia habet sua principia, et non sint
principia unius scientiae quae sunt alterius, quod
oporteret si eadem essent principia omnium syllogismorum scientialium. Sed istud est impossibile
et derisibile; quia secundum hoc sequeretur, quod
quae sunt in scientiis essent eadem; et ita omnes
scientiae essent una scientia. Quae enim eisdem sunt
eadem, sibi invicem sunt eadem. Sed principia
cujuslibet scientiae sunt quodammodo eadem conclusionibus, quia sunt unius generis. Non enim est
ex uno in aliud genus demonstrare, ut supra dictum
est. Si ergo principia sunt eadem, sequeretur, quod
omnia quae sunt in scientiis essent eadem.

Secundam rationem ponit ibi « at vero »
Quae talis est. Si aliquis quaerens esse omnium
eadem principia, hoc intendebat dicere, quod quodlibet demonstretur ex quolibet, hoc est stultum dicere: quia hoc neque est possibile in manifestis
mathematicis, nec in resolutione. Et vocat manifesta
mathematica, idest considerationes vel disciplinas,
quando ex aliquibus propositionibus manifestis statim infertur conclusio. Vocat autem resolutionem,
quando propositiones assumptae non sunt manifestae, sed oportet eas resolvere in alias manifestiores. Et quod hoc sit impossibile probat: quia u-
troque modo principia demonstrativorum syllogismorum sunt immediatae propositiones, quae vel
statim assumuntur in manifestis mathematicis sive
doctrinis, vel ad eas devenitur per resolutionem.
Videmus autem quod demonstratur alia conclusio,
coassumpta immediata propositione alia. Et ideo non
potest esse quod ex quolibet demonstretur quodlibet.

Consequenter cum dicit « si autem »
Excludit quamdam obviationem. Posset enim
aliquis dicere, quod duplex est genus immediatarum
propositionum: quaedam enim sunt immediatae
propositiones primae, et quaedam secundae, ita quod
accipiatur ordo immediatarum propositionum secundum ordinem terminorum. Nam illae propositiones quae consistunt in terminis primis et communibus, sicut est ens et non ens, aequale et inae-
quale, totum et pars, sunt primae et immediatae
propositiones, ut. non contingit idem esse et non
esse; et: quae uni et eidem sunt aequalia, sibi invicem sunt aequalia: et similia. Immediatae autem
propositiones, quae sunt circa posteriores terminos
et minus communes, sunt secundae respectu primarum, sicut quod triangulus est figura, vel quod
homo est animal. Potest ergo aliquis dicere, quod
secundae propositiones coassumuntur ad diversas
conclusiones demonstrandas, sed primae propositiones immediatae sunt eaedem in omnibus demonstrationibus. Et ideo ad hoc excludendum dicit quod
si aliquis dicat primas immediatas propositiones has
esse illa principia ex quibus omnia demonstrantur,
considerare oportet, quod nihilominus in unoquoque genere oportet esse unum principium, vel unam
propositionem immediatam, primam in illo genere,
non primam omnino simpliciter. Et quod ex illa
quae est prima simpliciter coassumpto isto principio hujusmodi generis oportebat in hoc genere
demonstrari. Et ita non ex solis communibus principiis possunt omnia demonstrari, sed oportet accipere propria, quae sunt diversorum generum.

Consequenter cum dicit « si vero »
Excluso stulto intellectu propositionis contra
quam disputatur, concludit propositum: et dicit quod
si non dicatur quod quodlibet demonstretur ex
quolibet, sicut opus est dicere propter praemissa,
sequitur quod nec sic ex principio ex quo concluditur haec conclusio, concludatur altera: alioquin
ex quolibet demonstratur quodlibet. Unde necesse
est, quod diversarum scientiarum sint diversa principia. Sed nec oportet quod omnium scientiarum
sint principia unius generis his quae ex his demonstrantur: sed oportebit quod ex his demonstrentur hae conclusiones, et ex illis illae, ex diversis
scilicet principiis, demonstratione facta in diversis
scientiis, quae sunt de diversis generibus.

Tertiam rationem ponit ibi « manifestum autem »
Et dicit quod manifestum est etiam alio modo

quod non contingit hoc, scilicet quod eadem sunt principia omnium scientiarum: quia ostensum est supra, quod diversorum generum diversa sunt principia genere. Unde cum diversae scientiae sint de diversis generibus, sequitur quod diversa principia sint diversarum scientiarum. Sed quia quodammodo eadem principia communia sunt, quibus omnes scientiae utuntur, ideo consequenter distinguit de principiis: et dicit quod duo sunt principia. Quaedam prima, ex quibus demonstratur, sicut primae dignitates, ut quod non sint idem esse et non esse. Et iterum sunt quaedam circa quae sunt scientiae,

scilicet subjecta scientiarum, quia definitionibus subjecti utimur ut principiis in demonstrationibus. Illa ergo prima ex quibus demonstratur, sunt communia omnibus scientiis: sed principia circa quae sunt scientiae sunt propria cujuslibet scientiae: sicut numerus arithmeticae, et magnitudo geometriae: Principia autem communia oportet ad haec propria applicari ad hoc quod demonstretur. Et quia non ex solis communibus principiis demonstratur; non potest dici eadem esse principia omnium syllogismorum demonstrativorum, quod intendit probare.

LECTIO XLIV.

Quomodo scientia ad opinionem ceterosque intellectuales habitus comparetur.

ANTIQUA.

Scibile autem et scientia differunt ab opinabili et opinione.

Quoniam scientia universalis, et per necessaria est. Necessarium autem non contingit aliter se habere.

Sunt autem quaedam vera contingentia aliter se habere. Manifestum igitur est quod circa haec scientia non est: esset enim utique impossibile aliter se habere, possibile aliter se habere. At vero neque intellectus. Dico enim intellectum principium scientiae, neque enim scientia est indemonstrabilis. Haec autem opinio est immediatae propositionis. Verus est enim intellectus, et scientia, et opinio, et quod per hoc dicitur. Quare relinquitur opinionem esse circa verum quidem aut falsum, sed contingens est, et aliter se habere. Haec autem est acceptio immediatae propositionis, et non necessariae.

Et confessum autem est sic apparentibus. Opinio enim incertum est, et natura hujusmodi est.

Adhuc autem nullus opinatur probare, cum opinetur impossibile aliter se habere, sed scire. Sed aliquando quidem esse sic, sed tamen nihil aliter prohibet, tunc probare, tamquam hujusmodi quidem opinionem esse, sed necessarii scientiam.

Qualiter igitur est idem opinari, scire? et quare non erit opinio scientia? et siquis posuerit esse, aut nihil contingere opinari, consequetur quod hoc quidem sciens, ille vero opinans per media quousque ad immediata veniat. Quare siquidem ille scivit, et opinans scivit. Sicut enim et quia est opinari, et propter quid. Hoc autem medium est.

Aut si quidem sic arbitratur non contingentia aliter se habere, sicut habent definitiones per quas sunt demonstrationes, non opinabitur, sed sciet. Si autem vera quidem esse, non tamen hoc ipsis inesse secundum substantiam et speciem, opinabitur, et non sciet vere, et quia et propter quid, siquidem per immediata opinabitur. Si vero non per immediata, solum ipsum quia opinabitur.

Ejusdem autem opinio et scientia non penitus est. Et sicut falsa et vera ejusdem quodammodo est, sic et scientia et opinio ejusdem. Opinionem enim veram et falsam, sicut dicunt quidam, ejusdem esse, inconvenientia accidit appetere alia, et non opinari, quod opinatur falso. Quoniam autem idem multipliciter dicitur, est sicut contingit, est autem sicut non. Commensuratum enim esse diametrum costae vere opinari inconveniens est, sed quod diameter, circa quam sunt opiniones, idem, sic ejusdem est. Sed quod aliquid erat esse unicuique secundum rationem non idem est. Similiter autem et scientia, et opinio ejusdem est. Hoc quidem enim sic animal esse quod non est contingere non esse animal; sed illa quidem quod est contingere. Ut si hoc quidem, quod vere hominis, illa

RECENS.

Id vero quod sub'scientiam cadit, et [ipsa] scientia differunt ab eo quod opinamur, et ab opinione; quod scientia quidem est universalis, et per necessaria [exsistit]; necessarium autem non contingit aliter se habere. Sunt autem nonnulla vera quidem. et quae [in rerum natura] sunt, quae tamen etiam aliter se habere contingit. Manifestum igitur est, quod circa haec non sit occupata scientia: essent enim haec, quae non possunt aliter se habere, eadem cum his, quae aliter sese habere contingit. At neque intelligentia, (dico enim intelligentiam principium scientiae,) neque scientia absque demonstratione est; (illud vero est notitia immediatae propositionis;) vera autem est intelligentia, et scientia et opinio, et quod per haec [cognitum] dicitur. Quare relinquitur, opinionem esse circa verum, aut falsum. quod tamen contingit aliter quoque se habere. Hoc vero est notitia immediatae propositionis, nec necessariae.

Et consentit hoc iis, quae apparent. Nam opinio est [aliquid] inconstans; et natura [ejus] talis est.

Praeter haec nemo arbitratur se opinari, quando arbitratur fieri non posse ut aliter res se habeat, sed [tum putat] se scire. Verum, quando [arbitratur] esse quidem [rem] ita, verum nihilominus quoque esse eam aliter, nihil impedit, [eum] tum opinari; quoniam talis quidem rei sit opinio; necessarii autem scientia.

Quomodo ergo licet idem opinari et scire? et quamobrem opinio non est scientia, si quis ponat, quidquid scit, illud, idem contingere ut opinetur? Consequetur enim hic quidem, sciens, hic vero. opinans, per media, donec ad immediata pervenerit; quare, si ille scit, etiam, qui opinatur, scit. Quemadmodum enim et quod res sit opinari licet, ita etiam causam rei; haec vero [syllogismi] medium est.

Aut, si quidem ita opinabitur ea, quae aliter se habere non contingit, quemadmodum se habent definitiones, per quas demonstrationes [fiunt], non opinabitur, sed sciet; si vero, esse quidem vera, at non inesse haec ipsis [rebus conclusis] secundum essentiam et secundum formam, opinabitur, nec sciet vere, tum quod res sit, tum cur sit, si quidem per immediatas [propositiones] opinetur: si vero non per immediatas, tantum opinabitur quod res sit.

Neque autem omnino ejusdem est scientia et opinio: sed quemadmodum et falsa et vera opinio quodammodo ejusdem est, sic etiam scientia et opinio ejusdem est. Etenim *to* opinionem veram et falsam, ut quidam dicunt, ejusdem esse, absurda consequuntur, tum alia, tum hoc, ut [plane] non [aliquis] opinetur, quod opinatur falso. Quoniam vero idem pluribus modis dicitur, fit ut contingat [vera et falsa eumdem opinari], fit autem ut non [contingat]. Etenim *to* diametrum esse commensurabilem costae quadrati, hoc vere [aliquem] opinari, absurdum est. Sed, quod diameter, circa quam [contrariae] opiniones sunt, unum et idem sit; ita ejusdem [vera et falsa opinio] esse potest. Ipsa vero definitio utrique secundum rationem non est eadem. Similiter vero et scientia

vero hominis est quidem non autem veri hominis. Idem enim est quia homo, hoc autem non sic idem. Manifestum autem ex his est, quod neque opinari simul idem et scire contingit. Simul enim utique haberet opinionem aliter habendi, et non aliter idem esse, quod vere non contingit. In alio enim unumquodque esse contingit ejusdem, sicut dictum est, sed in eodem nihil sic potest esse. Haberet enim opinionem simul, ut quod homo esset quod vere est animal. Hoc enim sic contingere.

Reliqua autem, quomodo oportet distribuere in rationem, et intellectum, et scientiam, et artem, et prudentiam, et sapientiam, haec quidem physicae, illa vero ethicae speculationis magis sunt.

Solertia autem est subtilitas quaedam in non perspecto tempore medii inveniendi: ut si aliquis videns quod splendorem semper habet a sole luna, statim intellexit propter quid hoc sit, quia propter id quod illustratur a sole: aut disputantem cum divite, cognovit quoniam accommodatus est, aut propter id, quod amici sunt, quia inimici ejusdem sunt. Omnes enim causas medias videns cognovit et ultimas. Splendidum esse a sole sit in quo A, lucere a sole B, luna C. Inest autem luna quidem C ipsi B, quod est lucere a sole; ipsi autem B A quod est hoc esse splendidum a quo splendor, quare et ipsi C A per B.

et opinio sunt ejusdem. Illa enim ita est animalis, ut non contingat, non esse animal; haec vero [ita est ejusdem], ut contingat [non esse animal]. Ut, si illa quidem [statuit], genus hominis esse, haec vero, esse quidem [aliquid] hominis at non genus hominis. Unum enim et idem, quod homo sit, cum eo, quomodo [homo sit], non est idem.

Manifestum vero est ex his, quod nec opinari et scire unum et idem simul contingit. Simul enim haberet quis notitiam, quod aliter et non aliter sese habere contingat unum et idem; quod quidem fieri non potest. Nam in diverso quidem contingit utrumque esse [et veram et falsam opinionem] ejusdem, ut dictum est. In eodem vero ita fieri non potest [ut ejusdem sit scientia et opinio]. Habebit enim aliquis] notitiam simul, ut, quod homo sit secundum essentiam animal, (hoc enim erat *to* non contingere esse non animal,) nec esse id, quod animal [secundum essentiam], hoc enim sit contingere [aliquid hoc aut tale esse].

Reliqua autem quomodo distinguenda sint, et in meditatione, et intelligentia, et scientia, et arte, et prudentia, et sapientia; partim quidem ad physicam, partim ad ethicam contemplationem magis pertinet.

Sagacitas autem animi est facultas quaedam feliciter conjiciendi, qua ex tempore medium apprehendimus.

Ut, si quis videat, lunam semper lumen habere ea parte qua soli est obversa, et statim, cur hoc [fiat], intelligat, quia illa nimirum lumen a sole recipiat; aut si colloquentem [aliquem videat] cum divite, [et causam] agnoscat quia mutuo petat pecuniam; aut [statim] agnoscat, cur [hi sint] amici quoniam ejusdem [hominis] inimici [sunt]. Omnes enim causas medias, qui extrema novit, cognoscit.

Sit enim lucere [lunam] ea parte, qua soli illa est obversa, loco A; a sole lumen recipere, B; luna *to* C. Inest ergo lunae quidem, *tō* C, *to* B, lumen recipere a sole; *tō* B autem *to* A, ab ea parte esse illuminatam, qua a sole [illuminetur]. Quare etiam *tō* C [inerit] *to* A per B.

Postquam Philosophus ostendit comparationem scientiarum adinvicem, et secundum certitudinem, et secundum unitatem et diversitatem, hic ostendit comparationem scientiae ad omnia, quae ad cognitionem pertinent. Et dividitur in duas partes. In prima agit de comparatione scientiae ad opinionem, quae est verorum et falsorum. In secunda de comparatione scientiae ad aliquos habitus cognoscitivos, qui sunt semper verorum, ibi, « Reliqua autem « quomodo oportet, etc. » Prima autem pars dividitur in duas partes. In prima determinat veritatem. In secunda excludit dubitationem, ibi, « Qua« liter ergo est idem, etc. » Circa primum tria facit. Primo enim proponit differentiam esse inter scientiam et opinionem. Secundo ostendit quid pertineat ad scientiam, ibi, « Quoniam quidem scientia, etc. » Tertio quid pertineat ad opinionem, ibi, « Sunt « autem quaedam vera, etc. » Dicit ergo primo, quod scientia differt ab opinione; et similiter scibile, quod est objectum scientiae, differt ab opinabili, quod est objectum opinionis.

Deinde cum dicit « quoniam scientia »

Ostendit quid pertineat ad scientiam: et ponit duo ad eam pertinere: quorum unum est quod sit universalis. Non enim est scientia de singularibus et sub sensu cadentibus, et hoc supra manifestat. Et aliud est quod scientia est per necessaria. Et exponit quid sit necessarium: scilicet illud quod non contingit aliter se habere. Et hoc etiam est supra manifestatum quod demonstratio procedat ex necessariis.

Deinde cum dicit « sunt autem »

Ostendit quid pertineat ad opinionem; idest quod sit circa contingentia aliter se habere, sive in universali sive in particulari. Et hoc probat tripliciter. Primo quidem per modum divisionis: quod praeter vera necessaria quae non contingunt aliter se habere, sunt quaedam contingentia vera, quae contin-

gunt aliter se habere. Manifestum est autem hoc ex praedictis, quod circa hujusmodi non est scientia: quia sequeretur quod contingentia non possent aliter se habere. Circa talia enim est scientia, ut jam dictum est. Similiter etiam non potest dici, quod eorum sit intellectus: et accipimus hic intellectum non secundum quod intellectus dicitur quaedam potentia animae, sed secundum quod est principium scientiae, idest secundum quod est habitus quidam primorum principiorum, ex quibus procedit demonstratio ad causandam scientiam. Et ideo ad exponendum quid sit iste intellectus qui est principium, subdit « neque scientia indemonstrabilis est, » scilicet eorum quae contingunt aliter se habere, ac si dicat: quod intellectus nihil aliud sit, quam quaedam scientia indemonstrabilis. Sicut enim scientia importat certitudinem cognitionis per demonstrationem acquisitam, ita intellectus importat certitudinem cognitionis absque demonstratione; non propter defectum demonstrationis, sed quia id de quo certitudo habetur, est indemonstrabile, et per se notum. Et ideo ad hoc exponendum subdit, quod scientia demonstrativa nihil aliud est, quam certa existimatio immediatae propositionis. Quod autem intellectus sit scientia indemonstrabilis, patet ex hoc ipso, quod dicit, quod est principium scientiae. Cum enim scientia sit necessariorum, et necessaria non concludantur nisi ex necessariis, ut supra probatum est; necesse est, quod intellectus qui est principium scientiae, non sit contingentium. Ostenso ergo, quod neque scientia neque intellectus sunt contingentium, ponit quamdam divisionem. Et dicit, quod contingit verum esse, et intellectum, et scientiam, et opinionem, « et quod per hoc dicitur, » idest quod enunciatur voce per intellectum et scientiam, et opinionem veram. Est enim verum et in compositione et divisione intellectus, et in enunciatione exteriori inquantum significant interiorem veritatem opinionis, scientiae vel intellectus. Si ergo cujuslibet veri, vel est intellectus, vel scientia, vel opinio, et sunt quaedam vera contingentia, quorum non est neque scientia neque intellectus, relinquitur quod circa hujusmodi sit opinio, sive sint actu vera, sive sint actu falsa, dummodo possint aliter se habere. Et ad exponendum quid sit opinio, subjungit, quod opinio est acceptio idest existimatio quaedam immediatae propositionis, et non necessariae. Quod potest duobus modis intelligi. Uno modo sic, quia propositio immediata in se quidem sit necessaria, sed ab opinante accipiatur ut non necessaria. Alio modo ut sit in se contingens. Dicitur enim immediata propositio quaecumque per aliquod medium probari non potest, sive sit necessaria, sive non necessaria. Ostensum est enim supra, quod non proceditur in infinitum in praedicationibus, neque quantum ad media, neque quantum ad extrema: et hoc non solum analytice in demonstrationibus, sed etiam logice communiter quantum ad syllogismos. Si ergo sit aliqua propositio contingens mediata, oportet quod reducatur ad aliquas immediatas. Non autem reducitur ad immediatas necessarias, quia necessaria non sunt principia contingentium, neque ex necessariis potest concludi contingens. Unde relinquitur quod sit aliqua propositio immediata contingens, et aliqua mediata. Sicut, Homo non currit, est mediata, potest enim probari per hoc medium, Homo non movetur, quae etiam est contingens, sed immediata. Existimatio ergo talium propositionum contingentium immediatarum est opinio: sed per hoc non excluditur quin etiam acceptio propositionis contingentis mediatae sit opinio. Sic enim se habet circa contingentia, sicut scientia et intellectus, circa necessaria.

Secundo ibi « et confessum »

Probat idem per id quod communiter apparet. Et dicit quod id quod dictum est, scilicet opinionem esse contingentium, est quoddam confessum, idest consentaneum his quae apparent. Opinio enim videtur sonare aliquid debile et incertum, et videtur esse aliqua talis natura, quae habeat in se imbecillitatem et incertitudinem.

Tertio ibi « adhuc autem »

Probat idem per experimentum. Nullus enim quando opinatur quod impossibile sit aliter se habere, reputat se opinari, sed tunc reputat se scire. Quando autem opinatur quod sic est, et quod nihil prohibeat aliter se habere, reputat se opinari, ac si opinio sit talis, idest contingentis, scientia autem necessarii.

Deinde cum dicit « qualiter igitur »

Movet dubitationem circa praemissa. Et primo movet dubitationes. Secundo solvit, ibi, « Aut si « quidem sit, etc. » Circa primum movet duas dubitationes, quarum una est de opinabili et scibili. Si opinio est contingentis, scientia vero necessarii, non est idem necessarium et contingens. Ergo remanet dubium qualiter possit homo aliquid idem opinari et scire. Secunda dubitatio est de scientia et opinione, quare scilicet opinio non sit scientia. Si tamen aliquis ponat quod de omni cognito possit esse opinio. De quolibet enim cognito potest homo opinari quod possit aliter se habere; nisi forte de primis principiis per se notis, quorum contraria non cadunt in existimationem, de quibus tamen non est scientia. Sed circa omnia mediata quorum est de-

monstratio et scientia, potest aliquis existimare, quod possibile sit aliter se habere, et ita potest ea opinari. Non enim opinio est solum de his quae sunt contingentia in sui natura, quia secundum hoc non omne quod quis novit contingeret opinari. Sed opinio est de his quae accipiuntur ut contingentia aliter se habere, sive sint talia sive non. Hoc ergo supposito, videtur quod sit idem scientia et opinio: quia tam sciens quam opinans consequuntur scientiam et opinionem per aliqua media, quousque perveniant ad aliqua immediata, sicut ex dictis patet. Unde si aliquis sit procedens per media ad immediata, habet scientiam. Quod autem opinio per media veniat ad immediata, manifestat per hoc: quia sicut contingit opinari quia ita est, ita contingit opinari propter quid sit ita. Hoc autem quod dico propter quid, significat medium. Unde patet, quod opinio potest procedere per medium ad immediata, sive opinio sit eorum quae in natura sunt contingentia, sive sit eorum quae accipiuntur ut contingentia.

Deinde cum dicit « aut siquidem »

Solvit praedictas dubitationes. Et primo secundam, quae est de identitate scientiae et opinionis. Secundo primam, quae est de identitate sciti et opinati, ibi, « Ejusdem autem, etc. » Dicit ergo primo, quod si aliquis procedat per media ad immediata ita quod illa media non arbitretur ut contingentia aliter se habere, sed arbitretur ea sic habere sicut definitiones, quae sunt per media, per quae demonstrationes procedunt; neque erit opinio, sed scientia. Si autem aliquis procedat usque ad immediata per aliqua media vera quae tamen, vel non insint illis, de quibus dicuntur per se, sicut definitiones, quae praedicantur substantialiter, et significant speciem rei, vel non accipiat ea quae sic insunt; tunc habebit opinionem, et non sciet vere quia et propter quid simul, si tamen procedat usque ad immediata: tunc enim per immediata opinabitur, et non sciet. Si vero non procedat per immediata, sed per mediata, tunc non opinabitur propter quid, sed opinabitur solum quia. Nam et scientia, quia non est propter quid et immediata, non est scientia propter quid, sed quia.

Deinde cum dicit « ejusdem autem »

Solvit primam dubitationem, quae est de identitate sciti et opinati. Ubi considerandum est, quod non est inconveniens, id quod est scitum ab uno, esse opinatum ab alio: quia quod unus accipit ut impossibile aliter se habere quasi scitum, aliter accipit ut contingens aliter se habere, quasi opinatum. Sed quod idem hoc de eodem simul habeat opinionem et scientiam, non est verum omnino, sed aliquo modo. Sicut enim falsa opinio et vera opinio possunt esse de eodem quodammodo, sed non simpliciter, sic etiam est de opinione et scientia. Si quis enim diceret, quod opinio vera et falsa essent penitus de eodem, sicut aliqui dicunt, puta illi qui dicebant quod omne quod alicui videtur est verum, ut dicitur in quarto Metaphysicae; ille qui sic diceret, vellet consequi aliqua inconvenientia, et multa quidem alia quae posita sunt in quarto Metaphysicae: quae consequuntur ex hoc, quod aliquis dicit idem esse verum et falsum: et specialiter hoc inconveniens consequeretur ei, quod nulla opinio esset falsa, et quod ille quod opinatur falsa, non opinaretur. Non ergo potest dici quod vera opinio et falsa sint ejusdem simpliciter. Sed quia idem dicitur multipliciter, contingit quodammodo opinionem veram et falsam esse ejusdem, et quodammodo non. Si enim accipiatur idem subjectum secundum rem, de quo sunt opiniones, sic de eodem potest esse opinio vera et falsa. Si autem accipiatur idem esse ipsum enunciabile opinatum, sic hoc est impossibile. Puta diametrum esse commensurabilem lateri quadrati opinatur aliquis falsa opinione; et inconveniens est dicere, quod hoc enunciabile aliquis opinetur vera opinione. Sed secundum quod accipimus ipsum subjectum enunciabile diametrum; unus vere opinatur quod sit vere incommensurabilis; alius false, quod sit commensurabilis. Et sic manifestum est, quod id de quo est opinio et scientia, etsi sit idem subjecto, non tamen est idem secundum rationem. Est enim idem subjecto diametrum commensurari et diametrum non commensurari, quia subjectum utriusque enunciabilis est idem: tamen manifestum est, quod ratione differt diameter, secundum quod accipitur ut commensurabilis, et secundum quod accipitur incommensurabilis. Et sic opinio vera et falsa possunt esse ejusdem subjecti, non autem ejusdem secundum rationem. Similiter est et de scientia et opinione. Nam scientia quidem est de hoc quod aliquis scit animal, ita tamen quod non contingat id non esse animal: sed opinio est de hoc quod aliquis sciat animal, ita tamen quod contingat illud non esse animal. Puta, si scientia sit quod hoc vere sit id quod est animal, et sic impossibile sit se habere, opinio vero sit de hoc quod hoc non vere sit id quod est animal, et per hoc contingat aliter se habere. Manifestum est enim quod idem est subjectum et scitum et opinatum, quod est homo: sed non est, ut idem ratione. Sic ergo ex dictis manifestum est quod non contingit omnino simul idem scire et opinari: quia simul homo haberet existimationem quod posset aliter se habere, et quod non posset aliter se habere. Sed in alio homine hoc contingit, quod de eodem unus habet scientiam, et alius opinionem, sicut dictum est. In eodem vero homine non contingit, ratione jam dicta.

Deinde cum dicit « reliqua autem »

Comparat scientiam ad aliquos habitus qui se habent ad verum. Et primo ad illos habitus qui sunt de conclusionibus. Secundo ad habitum qui specialiter respicit medium, ibi, « Solertia autem etc. » Dicit ergo primo, quod reliqua ab opinione ad cognitionem pertinentia, quomodo distinguantur in rationem et intellectum et scientiam et artem et prudentiam et sapientiam, quantum ad aliquid pertinent ad considerationem philosophiae primae, vel etiam philosophiae naturalis: quantum autem ad aliquid ad considerationem philosophiae moralis, quae dicitur ethica. Ad cujus evidentiam sciendum est, quod Aristoteles in sexto Ethicorum ponit quinque, quae se habent semper ad verum; scilicet artem, scientiam, sapientiam, prudentiam et intellectum; subjungens duo quae se habent ad verum et falsum, scilicet suspicionem et opinionem. Prima autem quinque se

habent solum ad verum, quia important rectitudinem rationis. Sed tria eorum, scilicet sapientia, scientia et intellectus, important rectitudinem cognitionis circa necessaria. Scientia quidem circa conclusiones, intellectus autem circa principia, sapientia autem circa altissimas causas, quae sunt causae divinae. Alia vero, scilicet ars et prudentia, important rectitudinem rationis circa contingentia. Prudentia quidem circa agibilia, idest circa actus qui sunt in operante, puta amare, odire, eligere et hujusmodi quae pertinent ad actus morales, quorum etiam est directiva prudentia. Ars autem importat rectitudinem rationis circa factibilia, idest circa ea quae aguntur in exteriorem materiam, sicut est secare, et alia hujusmodi opera, in quibus dirigit ars: hic autem addit rationem, quae pertinet ad deductionem principiorum in conclusiones. Determinare quidem de sapientia quid sit, et quomodo se habeat, et de scientia et intellectu et arte, pertinet aliqualiter ad Philosophiam primam. Prudentia vero pertinet ad considerationem moralem; intellectus et ratio, secundum quod significant potentias quasdam, pertinent ad considerationem naturalem, ut patet in libro de Anima.

Deinde cum dicit « solertia autem »

Facit mentionem de habitu, qui specialiter respicit medium. Et dicit, quod solertia est quaedam subtilis et facilis conjecturatio medii, propter quod aliquid evenit; et hoc quando non habet maximum tempus ad perspiciendum vel deliberandum; sicut si aliquis videns quod semper luna quando convertitur opposita ad solem, splendorem habet per totum, statim intellexit propter quid hoc sit, scilicet quia illustratur a sole. Et similiter in actibus humanis. Si aliquis videt aliquem pauperem altercantem cum aliquo divite, cognoscit, quod ille dives accommodavit ei aliquid, et altercatur de redditione. Vel si aliquis videns aliquos qui prius fuerant inimici, eos esse factos amicos, cognovit et propter quid hoc sit, quia scilicet sunt inimici ejusdem. Et quod cognoscere medium sit cognoscere propter quid, manifestat secundo. Primo quidem per rationem: quia talis solers videns omnes causas medias, cognovit et ultimas, in quas fit ultima resolutio, per quas cognoscitur propter quid. Secundo manifestat per exemplum ordinatum in syllogismo. Ut ponamus lunam esse c, idest minorem extremitatem; sed esse splendidum per oppositionem ad solem sit A, major extremitas; sed illuminari A sole sit B, idest medium: c enim est B, idest luna habet lumen a sole, et inest ipsi B, quia quod habet lumen a sole splendet conversum ad solem: et sic probatur quod A insit ipsi C per B. Unde patet quod solertia est quaedam perspicacitas velociter apprehendendi medium, quod contingit ex naturali aptitudine, et etiam ex exercitio. Posuit autem diversa exempla solertiae, ut ostendat quod in omnibus praedictis habitibus, scilicet prudentia et sapientia, etc., possit esse solertia.

LIBER SECUNDUS

SUMMA LIBRI. — DE QUATUOR MEDII QUAESITIS: SI EST, QUID EST, QUOD, VEL QUIA EST, ET PROPTER QUID. QUOMODO QUID EST MONSTRETUR AC AD DEMONSTRATIONEM SE HABEAT. DEFINITIONEM ESSE PER CAUSAM. DE DIVISIONE CAUSARUM, ET QUAE MUTUO CONCURRANT, ET QUAE NON; ET QUOMODO ILLARUM POSSIT ESSE DEMONSTRATIO. DE COMPOSITIONE DEFINITIONIS EX SUIS PARTIBUS, ET QUANDO SUNT IGNOTAE, QUO PACTO VENENTUR. PARITER QUOMODO CAUSAE VENENTUR. POSTREMO, DE COGNITIONE AC DIFFERENTIA PRINCIPIORUM INDEMONSTRABILIUM.

LECTIO I.

Quatuor eorum, quae scimus, quaestiones esse, quae omnes ipsius medii esse ostenduntur.

ANTIQUA.

Quaestiones sunt aequales numero his quaecumque vere scimus. Quaerimus autem quatuor: quia, propter quid, si est, quid est.

Cum quidem enim utrum hoc aut hoc sit quaerimus in numerum ponentes, ut utrum sol deficiat, aut non, ipsum quia quaerimus. Signum est. Invenientes enim quia deficit, pausamus. Et si in principio sciremus quia deficeret, non quaereremus utrum deficeret.

Cum autem scimus ipsum quia, ipsum propter quid quaerimus: ut scientes quia deficit luna, et quia movetur terra, propter quid deficit, et propter quid terra movetur quaerimus. Hoc quidem igitur sic.

Quaedam autem alio modo quaerimus, ut si est aut non est centaurus, aut Deus. Hoc autem si est aut non est, simpliciter dico, sed non si album est, aut non. Cognoscentes autem quia sunt, quid est quaerimus; ut quid est Deus, aut quid est homo. Quae quidem igitur quaerimus, et quae invenientes scimus, haec et tot sunt.

Quaerimus autem, cum quaeramus quia aut si est simpliciter, utrum sit medium ipsius, aut non. Cum autem cognoscentes, aut quia est, aut si est, aut in parte, aut simpliciter, iterum propter quid quaerimus, aut quid est, tunc quaerimus quid sit medium.

Dico autem quia aut si est in parte, aut simpliciter. In parte quidem igitur, utrum deficit luna, aut augetur? Si enim est aliquid aut non est aliquid in hujusmodi inquirimus. Simpliciter autem est, si est aut non est luna, aut nox.

Contingit itaque in omnibus quaestionibus quaerere, aut si est medium, aut quid est medium. Causa quidem enim medium est. In omnibus autem hoc quaeritur, ut utrum luna deficiat, utrum sit aliquod medium aut non. Post hoc scientes quia est, quid igitur hoc sit quaerimus. Causa enim ipsius esse non hoc aut hoc, sed simpliciter secundum substantiam, aut non simpliciter, sed aliquid horum quae sunt per se aut secundum accidens, medium est. Dico autem simpliciter quidem substantiam, ut lunam, aut terram aut triangulum; quid autem est, defectum, aequalitatem, inaequalitatem, si in medio terra sit aut non. In omnibus enim his manifestum est quod idem sit quod quia est, et propter quid est. Amplius quid est defectus? privatio luminis a luna ex terrae objectu. Propter quid est defectus, aut propter quid deficit luna? propter defectum luminis opposita terra. Quid est consonantia? ratio numerorum in acuto et gravi. Propter quid resonat acutum gravi? propter id quod rationem habet numeralem acutum et grave. Utrum sit in numeris ratio ipsorum. Accipientes autem quia est: quid igitur est ratio?

RECENS.

Quaesita tot sunt numero, quod sunt [ea] quae scimus. Quaerimus autem quatuor: quod [res] sit, cur sit, an sit, quid sit.

Quando enim, utrum hoc an illud sit, quaerimus, in numerum referentes, velut, utrum sol deficiat, necne; num [res] sit, quaerimus. Signum autem hujus est: nam ubi invenimus deficere [solem], cessamus [ab inquisitione]; et si ab initio sciamus eum deficere, non quaerimus, utrum [deficiat] ille, necne. Quando vero scimus, quod [res] sit, tum, quare sit, quaerimus. Ut, si sciamus, deficere [solem], et moveri terram, quare [ille] deficiat, aut quare [haec] moveatur, quaerimus. Haec quidem ita se habent.

Nonnulla vero alio modo quaerimus, ut, sitne, an vero non sit Centaurus, aut Deus. At hoc, an sit, necne, simpliciter dico; non autem, sitne albus, an non. Quum autem novimus quod [res] sit, quaerimus quid sit; veluti, quid igitur est Deus? aut, quid est homo?

Quae igitur quaerimus, et quae, ubi investigaverimus, scimus, haec et tot sunt.

Quaerimus autem, quando quaerimus, num sit [res], aut simpliciter an sit, num medium ejus sit, an non sit. Quando vero cognoverimus aut quod sit [res], aut an sit, aut quod sit seu ex parte, seu simpliciter, rursus quaerimus, quare sit, aut quid sit; tunc, quodnam medium sit, quaerimus. (Dico autem *to* quod sit, aut *to* an sit, ex parte, et simpliciter; ex parte quidem, [ut] an luna deficiat, an vero lumine augeatur: in talibus enim, sitne, an vero non sit [aliquid] quaerimus; simpliciter autem, sitne, an vero non sit, luna, aut nox.) Fit ergo ut in omnibus quaestionibus quaeramus, aut, num medium sit, aut, quodnam sit illud medium.

Causa enim medium est; in omnibus autem [quaestionibus] hoc quaeritur: [ut] num deficiat; num sit aliqua causa, an non. Deinceps quum cognoverimus quod sit aliquid, quid tamdem hoc sit, quaerimus. Causa enim, ob quam sit non individuum hocce, aut illud, sed simpliciter [ipsa rei] substantia, aut [ob quam] non sit simpliciter, verum aliquid eorum, quae [ipsi substantiae] insint per se, aut secundum accidens, medium est. Dico autem simpliciter quidem ipsum subjectum, ut lunam, aut terram, aut solem, aut triangulum; [esse] autem aliquid, defectum, aequalitatem, inaequalitatem, num in medio [mundi] sit, an non [sit terra].

In omnibus enim his manifestum est, idem esse *to* quid res sit, et quare [ea] sit. Quid est defectus [lunae]? privatio luminis lunaris propter interjectam umbram a terra. Quare est defectus? aut quare deficit luna? quia lumen deficit per terrae umbram lumine ejus intercepto. Quid est concentus? proportio numerorum in acuto et gravi [tono]. Quare consonat tonus acutus gravi? quod numerorum proportionem

Quod autem medii sit quaestio ostenditur quandocumque medium sensibile est. Quaerimus enim non sentientes, ut defectum, si est. Si vero essemus super lunam, non utique quaereremus, neque si sit, neque propter quid; sed simul manifestum esset utique: ex eo enim quod sentimus, et universale nobis factum est scire. Sensus quidem est ejus quod nunc objicitur, et manifestum enim est quod nunc deficit, ex his autem universale utique factum est. Sicut igitur diximus, quod quid est scire idem est, et propter quid est. Hoc autem aut est simpliciter. et non eorum quae insunt aliquid; aut quae insunt, ut quoniam duo recti sunt, aut quoniam majus, aut quoniam minus est. Quod quidem igitur omnia quae quaeruntur medii quaestio sit, manifestum est.

acutum et grave habeant. Ergone consonant acutum et grave? ergone est in numeris proportio eorum ? Quum vero, quod hoc ita se habeat, sumpserimus, [tum], quaenam est illa proportio? [quaerimus].

Quod vero [omnis] quaestio sit de medio, manifestum faciunt ea, quorum medium sub sensus cadit. Quaerimus enim, quum non senserimus; ut in defectu, num accidat, an non. Quodsi vero essemus supra lunam, non quaereremus, nec hoc, num fiat [defectus], nec ob quam causam [fiat]; sed simul manifestum esset. Nam per sensum tum etiam universale cognosceremus. Sensus enim [doceret], quod nunc [lunae] objiciatur [umbra terrae]. Nam manifestum esset quod [luna] tum deficiat; ex hoc autem universalis cognitio nasceretur.

Quemadmodum ergo dicimus, scire, quid sit, idem est cum tō [scire], cur sit. Hoc vero aut [quum] simpliciter [esse aliquid sciamus], nec quod insit aliquid alicui; aut [quum] de iis quae [aliis] insunt, sciamus, ut, quod duo recti [triangulo insint], aut, quod majus, aut minus [aliquid sit]. Quod ergo omnia quae quaeruntur, ad medii inquisitionem pertineant, manifestum est.

Postquam Philosophus in primo libro determinavit de syllogismo demonstrativo, in hoc libro intendit determinare de principiis ejus. Est autem duplex principium demonstrativi syllogismi: scilicet medium ejus, et primae propositiones indemonstrabiles: dividitur ergo liber iste in duas partes. In prima determinat de cognitione medii in demonstrationibus. In secunda de cognitione primarum propositionum, ibi, « De principiis autem qualiter « fiunt cognita, etc. » Quia enim in primo libro habitum est, quod omnis doctrina et disciplina fit ex praeexistenti cognitione, in demonstrationibus autem cognitio conclusionis accipitur per medium, et per primas propositiones indemonstrabiles, residuum erat investigare qualiter ista cognoscantur. Prima autem pars dividitur in duas partes. In prima investigat quid sit medium in demonstrationibus. In secunda parte inquirit, quomodo illud medium nobis innotescat, ibi, « Quomodo autem quod quid est o- « stenditur. » Quia vero medium in demonstrationibus assumitur ad aliquid innotescendum, de quo poterat esse dubitatio vel quaestio: circa primum duo facit. Primo enim ponit numerum quaestionum. Secundo ex ipsis quaestionibus investigat propositum, ostendens qualiter quaestiones pertineant ad medium demonstrationum, ibi, « Quaerimus autem, « cum quaeramus. » Circa primum tria facit. Primo enumerat quaestiones. Secundo manifestat compositas quaestiones, ibi, « Cum quidem enim utrum « hoc. » Tertio simplices, ibi, « Quaedam autem alio « modo. » Dicit ergo primo, quod aequalis est numerus quaestionum, et eorum quae sciuntur. Cujus ratio est, quia scientia est cognitio per demonstrationem acquisita. Eorum autem oportet per demonstrationem cognitionem acquirere, quae ante fuerint ignota: et de his quaestiones facimus, quia ignoramus. Unde sequitur quod ea quae quaeruntur sint aequalia numero his quae sciuntur. Quatuor autem sunt quae quaeruntur: scilicet quia, propter quid, si est, et quid est: ad quae quatuor reduci potest quicquid est quaeribile vel scibile. Dividit autem in primo Topicorum, quaestiones sive problemata aliter in quatuor, quae omnia comprehenduntur sub una harum quaestionum, quae dicitur quaestio quia. Non enim intendit ibi nisi de quaestionibus ad quas dialectice disputatur.

Deinde cum dicit « cum quidem »

Manifestat propositas quaestiones: et primo com-

positas. Ad cujus evidentiam considerandum est, quod cum scientia non sit nisi veri, verum autem significatur solum per enunciationem, oportet solam enunciationem esse scibilem, et per consequens quaeribilem. Sicut autem in secundo Perihermenias dicitur, enunciatio dupliciter formatur. Uno quidem modo ex nomine et verbo absque aliquo apposito, ut cum dicitur, homo est. Alio modo quando aliquid tertium adjacet, ut cum dicitur, homo est albus. Potest ergo ratio formata referri, vel ad primum modum enunciationis, et sic erit quasi quaestio simplex; vel ad secundum modum, et sic erit quaestio quasi composita, vel in numerum ponens, quia videlicet est quaestio de compositione duorum. Circa hunc ergo modum enunciationis duplex quaestio formari potest. Una quidem, an hoc sit verum quod dicitur. Et hanc quaestionem primo exponit dicens, quod cum de aliqua re quaerimus utrum illa res sit hoc aut illud, sic quodammodo ponimus in numerum, accipiendo scilicet duo, quorum unum est praedicatum, et aliud subjectum. Puta cum quaerimus utrum sol sit deficiens per eclypsim, vel non; et utrum homo sit animal vel non; tunc dicimur quaerere quia, non ita quod hoc quod dico quia, sit nota vel signum interrogationis; sed quia ad hoc quaerimus, ut sciamus quia ita est. Cujus signum est, quia cum invenerimus per demonstrationem, quiescimus a quaerendo; et si in principio hoc scivissemus, non quaereremus utrum ita sit. Inquisitio autem non cessat, nisi habito eo quod quaerebatur. Et ideo, cum quaestio qua quaerimus utrum hoc sit hoc, cesset, habito quod ita est, manifestum est, quid hujusmodi quaestio quaerat.

Deinde cum dicit « cum autem »

Manifestat consequentem quaestionem, quae etiam in numerum ponit: et dicit quod cum scimus quia ita est, quaerimus propter quid ita sit: puta cum scimus quia sol est deficiens per eclypsim, et quod terra est mota in terrae motu, quaerimus propter quid sol deficiat, aut propter quid terra moveatur. Hoc ergo quaerimus, ponentes scilicet in numerum.

Deinde cum dicit « quaedam autem »

Manifestat alias duas quaestiones, quae non ponunt in numero, sed sunt simplices. Et dicit quod quaedam quaerimus alio modo a praedictis quaestionibus, scilicet non ponentes in numerum. Utpote si quaeramus an sit centaurus, vel non, hic simpliciter quaerimus de centauro an sit, non autem

quaeritur an centaurus sit hoc, puta album vel non.
Et sicut scientes quia hoc est illud, quaerebamus
propter quid, ita etiam scientes de aliquo quia est
simpliciter, quaerimus quid sit illud; puta quid est
Deus, aut quid est homo. Haec igitur et tot sunt illa
quae quaerimus, quae cum invenerimus, dicimur scire.

Deinde cum dicit « quaerimus autem »

Ostendit qualiter praedictae quaestiones se habeant ad medium. Et circa hoc tria facit. Primo
proponit quod intendit. Secundo manifestat quod
dixerat, ibi, « Dico autem quia. » Tertio probat
propositum, etc. « Contingit autem itaque in omnibus quaestionibus etc. » Circa primum sciendum
est, quod praedictarum quatuor quaestionum, quarum
duae ponunt in numerum, et duae non ponunt,
primam utrarumque in unam coordinat, scilicet
quaestionem quia, et quaestionem an est. Et dicit
quod cum quaerimus, quia hoc est hoc, aut cum
quaerimus, scilicet de aliquo simpliciter si est, nihil
aliud quaerimus, quam utrum aliquod medium
ipsius quod quaerimus sit invenire, vel non. Quod
non dicitur secundum ipsam formam quaestionis.
Non enim cum quaero an sol eclipsetur vel an homo
sit, ex ipsa forma quaestionis quaero an sit aliquod
medium quo possit demonstrari solem eclipsari vel
hominem esse, sed si sol eclipsatur, vel homo est, consequens est, quod sit aliquod medium invenire ad demonstrandum ista quae quaeruntur. Non enim fit quaestio de immediatis, quae et si vera sunt, non tamen
habent medium, quia hujusmodi cum sint manifesta,
sub quaestione non cadunt. Sic ergo qui quaerit an
hoc sit hoc, vel an hoc sit simplex (1) ex consequenti
quaerit an sit hujusmodi medium. Quaeritur enim in
quaestione si est, vel quia est, an sit id quod est
medium, quia id quod est medium, est ratio ejus
de quo quaeritur an hoc sit hoc, vel an simpliciter,
ut infra dicetur. Non tamen quaeritur sub ratione
medii. Contingit autem, invento quod quaeritur per
duas quaestiones, cognoscere aut quia est aut si
est: quorum alterum est cognoscere esse simpliciter,
alterum esse in parte: sicut cum cognoscimus quod
homo est albus, quia esse album non significat
totaliter esse hominis, sed significat ipsum esse aliquid. Et ideo cum homo sit (2) albus non dicitur esse
simpliciter, sed esse secundum quid. Sed cum dicit (3)
homo est, significatur ipsum esse simpliciter, et
cum homo fit ens, dicitur generari simpliciter. Cum
ergo, cognito quia est, quaerimus propter quid est, aut
cognito si est, quaerimus quid est, tunc quaerimus
quid sit medium. Et hoc similiter est accipiendum
non secundum formam quaestionis sed secundum
concomitantiam. Non enim qui quaerit causam
propter quam sol eclipsatur, quaerit ipsam ut medium demonstrans, sed quaerit id quod est medium,
quia consequens est, ut hoc habito possit demonstrare. Et eadem ratio est de quaestione quid est.

Deinde cum dicit « dico autem »

Manifestat quod dixerat, quod quia est et si est
differunt sicut in parte et simpliciter. Cum enim
quaerimus utrum luna deficit, aut utrum augetur,
est quaestio in parte: in hujusmodi enim quaestione
quaerimus si luna est aliquid, puta si deficiens, aut
aucta, vel non. Sed cum quaerimus an luna sit,
sive an nox sit, est quaestio de esse simpliciter.

Deinde cum dicit « contingit itaque »

(1) *Lege* simpliciter.
(2) *Lege* fit.
(3) *Lege* dicitur.

Probat propositum, scilicet quod praedictae quaestiones pertineant ad medium. Et primo probat per
rationem. Secundo probat per signum, ibi, « Quod
« autem sit medii. » Concludit ergo primo ex praemissa manifestatione, quod in omnibus praedictis
quaestionibus, vel quaeritur an sit medium, scilicet
in quaestione, quia et in quaestione si est, vel quaeritur quid est medium, scilicet in quaestione propter
quid, et in quaestione quid est. Et probat quod quaestio
propter quid, quaerat quid sit medium. Manifestum est
enim quod causa est medium in demonstratione quae facit scire, quia scire est causam rei cognoscere. Causa autem est quod quaeritur in
omnibus praedictis quaestionibus. Quod primo manifestat in quaestione quia. Cum enim quaeritur
utrum luna deficiat, quaeritur secundum modum
supra expositum, utrum aliquid sit causa defectus
lunae, vel non est. Et consequenter manifestat in
quaestione propter quid. Cum enim scimus quia
est aliquid causa defectus lunae, quaeritur quid sit
causa; et hoc est quaerere propter quid. Et eadem
ratio est in aliis duabus quaestionibus: ut per sequentia manifestat. Dicit enim quod sive accipiamus aliquam rem esse non hoc aut hoc, puta
cum dico, homo est albus aut grammaticus, sed
accipiamus ipsam substantiam simpliciter esse: sive
etiam non accipiamus rem aliquam esse et simpliciter, sed rem aliquam esse aliquid ponendo in
numerum, sive id aliquid sit de numero eorum
quae praedicantur per se, sive de numero eorum
quae praedicantur per accidens, sive hoc modo, sive
illo accipiamus rem esse, causa ejus est medium
ad demonstrandum ipsum. Exponit autem consequenter quod dixit, simpliciter substantiam esse, cum
quaerimus de luna, aut de terra, aut de triangulo,
aut de quolibet subjecto an sit, et ad hoc demonstrandum accipitur aliquod medium. Dico autem
rem esse aliquid cum quaerimus eclipsim de luna,
aut aequalitatem de triangulo, aut de terra utrum
sit in medio mundi aut non. Et ostendit quod non
differt quantum ad propositum utrolibet modo accipiatur rem esse; quia in omnibus praedictis idem
est quid est, et propter quid. Et hoc manifestat
primo in defectu lunae. Si enim quaeratur quid
est defectus lunae? respondetur, quod est privatio
luminis a luna propter terram, quae objicitur inter
ipsam et solem. Et hoc idem respondemus si quaeratur propter quid luna deficit. Dicitur enim quod
luna deficit propter defectum luminis ex oppositione
terrae. Et idem manifestat in alio exemplo. Si enim
quaeratur quid est consonantia? respondetur quod
est ratio, idest proportio numerorum secundum acutum et grave. Et rursum, si quaeratur propter quid
acutum consonat gravi? respondetur propter id
quod habent numeralem proportionem acutum et
grave. Sic ergo quaestio quid est et quaestio propter quid redeunt in idem subjecto, quamvis differant ratione. Unde, quia cum quaeritur propter
quid quaeritur quid sit medium, ut ostensum est, relinquitur quod cum quaeritur quid est, similiter quaeratur medium. Et idem ostendit in quaestione quia. Ut
enim dictum est, consonantia est ratio in numeris acuti
et gravis: cum ergo quaeritur utrum acutum et grave
consonent, quaeritur utrum sit aliqua ratio numeralis
acuti et gravis: et hoc est medium ad demonstrandum, quod acutum et grave consonant. Relinquitur
ergo quod in quaestione quia quaeritur an sit
medium. Cum autem acceperimus quia est aliqua

ratio numeralis acuti et gravis, quaeremus quae sit ratio illa. Et hoc est quaerere quid vel propter quid. Videtur hic Aristoteles dicere quod definitio passionis sit medium in demonstratione. Sed considerandum est, quod definitio passionis perfici non potest sine definitione subjecti. Manifestum est enim quod principia, quae continet definitio subjecti sunt principia passionis. Non ergo demonstratio resolvet in primam causam, nisi accipiatur ut medium demonstrationis definitio subjecti. Sic ergo passionem concludere de subjecto per definitionem passionis, et ulterius definitionem passionis concludere de de subjecto per definitionem subjecti. Unde etiam in principio dictum est, quod oportet praecognoscere quid est, non solum de passione, sed etiam de subjecto: quod non oporteret nisi definitio passionis concluderetur de subjecto per definitionem subjecti. Et hoc patet per exemplum. Si velimus de triangulo demonstrare quod habet tres angulos aequales duobus rectis, accipiamus primo pro medio quod est figura habens angulum extrinsecum aequale duobus rectis intrinsecis sibi oppositis, quod est quasi definitio passionis. Quod iterum demonstrare oportet per definitionem subjecti, ut dicamus, Omnis figura tribus rectis lineis contenta habet angulum exteriorem aequalem duobus interioribus sibi oppositis: sed triangulus est hujusmodi, ergo etc. Et idem patet si velimus demonstrare quod vox acuta et gravis consonent, accipiamus definitionem passionis, ut hic dicitur, scilicet quod habent proportionem numeralem: sed rursus ad hoc demonstrandum oportet accipere definitionem gravis et acuti. Nam gravis vox est, quae in multo tempore nata est movere sensum; acuta autem quae in modico tempore: modici autem ad multum est proportio numeralis. Nec refert si aliter definiatur acutum et grave. Oportet enim in eorum definitione ponere aliquid ad quantitatem pertinens; et sic necesse erit concludere in eis proportionem numeralem.

Deinde cum dicit « quod autem »

Ostendit propositum per signum sensibile. Et dicit quod ea in quibus medium est sensibile, manifeste ostendunt quod omnis quaestio sit quaestio medii, quia si bene medium sensibile per sensum innotescat, nullus relinquitur quaestioni locus. Tunc enim quaerimus in rebus sensibilibus secundum aliquam praedictarum quaestionum, quando medium non sentimus; sicut quaerimus an sit defectus lunae, vel si est defectus lunae, vel non, quia non sentimus medium quod est causa faciens deficere lunam. Sed si essemus in loco qui est super lunam, videremus quomodo luna subintrando umbram terrae deficeret; ideo circa hoc nihil quaereremus, nec si est nec propter quid est, sed simul utrumque nobis fieret manifestum. Et quia posset aliquis obviando dicere, quod sensus est singularium, ea vero, quae quaeruntur sunt universalia, sicut ea quae sciuntur; et ita per sensum non videtur quod possit nobis innotescere id de quo est quaestio. Ideo quasi obviationi respondens, subjungit, quod ex hoc ipso quod sentiremus particulare, scilicet quod hoc corpus lunae nunc subintrat hanc umbram terrae, statim accideret nobis quod sciremus universale. Sensus enim noster esset de hoc quod nunc lumen solis obstruitur per oppositionem terrae, et per hoc manifestum esset nobis quod luna nunc deficit. Et quia nos conjiceremus quod semper hoc modo accideret lunae defectus, statim in nostra scientia sensus rei singularis fieret universale. Et ex hoc exemplo concludit quod idem est scire quod quid est, et propter quid. Nam ex hoc quod videmus terram interpositam inter solem et lunam, sciemus et quid est defectus lunae et propter quid luna deficit: quorum unum, scilicet scire quid est, refertur ad scientiam, qua scimus de aliquo quod simpliciter sit, non autem quod aliquid insit alicui; sed propter quid refertur ad cognitionem eorum quae insunt; sicut cum dicimus quod tres anguli sunt aequales duobus rectis aut majores aut minores. Ultimo autem explicando concludit principale propositum, scilicet manifestum est ex praedictis, in omnibus quae quaeruntur esse medii quaestionem.

LECTIO II.

Utrum omnium quorum est demonstratio, sit definitio, et e converso, et utrum alicujus ejusdem sit definitio et demonstratio.

Quomodo autem quod quid est demonstretur, et quis modus introductionis, et quid definitio, et quorum, dicemus opponentes primum de ipsis.

Principium autem sit futurorum, quod vere sit magis proprium habitarum rationum. Dubitabit enim aliquis utrum sit idem et secundum idem definitione scire, et demonstratione, aut impossibile.

Definitio quidem enim quod quid est scire videtur; quod autem quid est omne universale, et praedicativum est. Syllogismi autem sunt alii quidem privativi, aut non universales. Sicut in secunda quidem figura privativi omnes sunt, in tertia vero non universales.

Postea neque eorum quae sunt in prima figura, omnium est definitio: ut quod omnis triangulus duobus rectis aequales

Quomodo autem [quaestio], quid sit, monstretur, et quis sit modus demonstrationis, et quid sit definitio, et quorum sit, dicamus, disquirentes primum de ipsis.

Initium autem eorum quae subjicientur, erit illud, quod quidem propositis disquisitionibus sit maxime accommodatum. Nam dubitaverit forte aliquis, an liceat idem et de eodem per definitionem scire, et per demonstrationem.

An impossibile [hoc] sit. Definitio enim *tou* quid sit [res] esse videtur; *to* quid sit autem omne est universale et affirmativum; syllogismi vero sunt alii quidem negativi, alii autem non universales: ut, qui in secunda figura [concludunt], omnes sunt negativi; qui autem in tertia, non sunt universales.

Deinde, nec eorum qui in prima figura sunt, affirmativorum omnium est definitio; ut, quod omnis triangulus ae-

habet. Hujusmodi autem ratio est, quoniam scire demonstrabile, est demonstrationem habere. Quare si in talibus demonstratio est, manifestum est quod non erit ipsorum definitio.
Scit enim utique aliquis et secundum definitionem non habens
demonstrationem. Nihil enim prohibet non simul habere.

Sufficiens autem fides est ex inductione. Nihil enim aliquando definientes cognoscent, neque eorum quae per se
insunt, neque quae insunt secundum accidens.

Amplius si definitio substantiae quaedam est notificatio,
hujusmodi manifestum est quod non sint substantiae. Quod
quidem igitur non est definitio omnis, cujus est et demonstratio, manifestum est.

Quid autem cujus est definitio, nunquid omnis est demonstratio, aut non? Una quidem jam ratio, et de hac eadem
est. Unius enim inquantum unum, una est scientia. Quare
si vere scire demonstrabile est scientiam habere, accidet
quoddam impossibile. Definitionem enim habens sine demonstratione sciret.

Amplius principia demonstrationum definitiones sunt,
quarum non esse demonstrationes monstratum est prius, aut
erunt principia demonstrativa, et principiorum principia, et
hoc in infinitum abibit, aut primarum definitiones erunt indemonstrabiles.

Sed utrum si non omnis ejusdem sed cujusdam ejusdem
sit definitio et demonstratio, aut impossibile sit? Non est
demonstratio cujus est definitio. Definitio quidem ipsius quid
est, et substantiae est, sed demonstrationes videntur omnes
supponere esse, et accipientes quod quid est, ut Mathematicae
quid unitas, et quid par et quid impar, et aliae similiter.

Amplius omnis demonstratio aliquid de aliquo demonstrat,
ut quia est aut non est; in definitione autem nil alterum
de altero praedicatur, ut quod animal de bipede, neque hoc
de animali, neque de plano figura. Neque enim planum est
figura neque figura planum.

Amplius alterum est quod quid est, et quia est demonstrare. Definitio quidem igitur quid est ostendit; sed demonstratio quia, si est hoc de hoc, aut non est. Alterius autem
altera demonstratio est, nisi sit tamquam quaedam pars totius.
Hoc autem dico quoniam ostensum est quod Isocheles duobus
rectis habet aequales tres, si omnis ostensus est triangulus;
pars enim est, hoc autem totum. Haec autem adinvicem non
se habent sic, et quia est et quid est. Non enim alterum
est alterius pars. Manifestum itaque est, quod neque cujus
est definitio, omnis sit demonstratio, neque cujus omnis sit
demonstratio, hujus omnis sit definitio. Quare omnino ejusdem
nullius contingit habere utrumque. Manifestum igitur est quod
neque definitio est demonstratio, neque idem erunt, neque
alterum in altero. Et namque subjecta similiter se haberent.
Haec quidem igitur usque ad hoc opposita.

quales habeat duobus rectis [angulos].

Hujus autem ratio est, quod to scire demonstrative est
to demonstrationem habere. Quare, si de talibus est demonstratio, manifestum est quod eorum non sit etiam definitio.
Sciret enim aliquis etiam secundum definitionem, non habens
demonstrationem; quum nihil impediat quominus simul habeat.

Sufficiens autem [hujus rei] fides exsistit quoque ex inductione; nihil enim unquam definientes cognovimus, nec
eorum quae per se insunt, nec eorum secundum accidentium.

Porro, si definitio est substantiae alicujus explicatio; talia
quidem manifestum est quod non sint substantiae. Quod
ergo non sit definitio omnium eorum quorum etiam sit demonstratio, manifestum est.

Quid autem, estne omnis illius cujus est definitio, etiam
demonstratio, an non? Una quidem eademque est ratio et
hujus. Nam unius, quatenus unum est, una est scientia.
Quare, si quidem to scire demonstrabile est to habere demonstrationem; accidet impossibile quid. Nam definitionem
habens sine demonstratione sciet, [quum tamen nihil sine
demonstratione sciamus].

Praeterea principia demonstrationum [sunt] definitiones;
quorum [principiorum] quod non futurae sint demonstrationes, demonstratum est antea. Aut futura sunt principia
demonstrabilia, et principiorum principia, et hoc in infinitum
progredietur; aut prima [principia] futura sunt definitiones
non demonstrabiles.

At enimvero, si non [omnis] ejusdem, an [alicujus] ejusdem sit definitio et demonstratio? an [hoc] impossibile [est]?
non enim illius est demonstratio, cujus est definitio. Nam
definitio est tou quid sit et substantiae; demonstrationes
autem omnibus apparent suppositae, et sumentes to quid
sit; ut mathematicae, quid [sit] monas, et quid impar, et
ceterae [scientiae] similiter.

Porro, omnis demonstratio aliquid de aliquo demonstrat,
ut, quod sit, aut quod non sit: in definitione autem nihil
aliud de alio praedicatur; ut, neque animal de bipede, neque
hoc de animali; neque de planitie figura; non enim est planities figura; neque figura [est] planities.

Porro, aliud est to quid [res] sit, et to quod sit, ostendere. Definitio igitur, quid sit, declarat; demonstratio autem,
quod aut sit hoc [verum] de illo, aut non sit. Alius autem
alia est demonstratio, nisi [aliquid] sit ut pars totius. Hoc
vero dico, quod demonstratum sit, aequicrurem duobus rectis
[aequales angulos habere], si demonstratum sit omnem triangulum [eos habere]; est enim [trianguli] pars [triangulus
aequicruris], hic vero totum [seu genus]. Haec vero, quod
[res] sit, et, quid sit, ita sese mutuo non habent: non enim
alterum alterius pars est.

Manifestum ergo est, quod nec, cujus est definitio illius
omnino sit demonstratio, nec cujus sit demonstratio, illius
omnino sit definitio; quare omnino nullius ejusdem sit, ut
utraque [aliquis] habeat.

Igitur manifestum est, quod definitio et demonstratio
neque idem sint, nec [sit] altera in altera; nam alioqui etiam
subjecta similiter se haberent. Haec ergo hactenus disqui-
sita sint.

Postquam Philosophus ostendit quod omnis
quaestio est quodammodo quaestio medii, quod
quidem est quod quid est, et propter quid, hic
incipit manifestare qualiter medium nobis innotescat; et dividitur in partes duas. In prima parte
ostendit quomodo et quid est et propter quid se
habent ad demonstrationem. In secunda parte ostendit
quomodo oporteat investigare quod quid est, et
propter quid, ibi, « Quomodo autem oportet venari. »
Prima autem pars dividitur in partes duas. In prima
manifestat quomodo se habeat ad demonstrationem
ly quid est. In secunda manifestat quomodo se habeat ad demonstrationem ly propter quid, quod
significat causam, ibi, « Quoniam autem scire opi-
« namur, cum scimus causam. » Circa primum
duo facit. Primo dicit de quo est intentio. Secundo
prosequitur propositum, ibi, « Principium autem
« futurorum. » Dicit ergo primo, quod quia omnis
quaestio ad cujus determinationem demonstratio
inducitur, est quaestio medii quod est quid, et

propter quid; oportet primo dicere per quem modum hoc ipsum quod quid est nobis ostendatur;
utrum scilicet per demonstrationem vel per divisionem, vel quovis alio modo. Et iterum oportet dicere,
quis sit modus reducendi ea quae apparent de re
ad quod quid est. Et quia definitio est oratio significans quod quid est, oportet etiam scire quid
sit definitio et quae definibilia. In his autem hoc
ordine procedemus. Primo quidem opponendo. Secundo autem veritatem determinando.

Deinde cum dicit « principium autem »

Exequitur propositum ordine praedicto. Unde
primo procedit circa praemissa disputative opponendo. Secundo veritatem determinando, ibi, « Ite-
« rum autem speculandum si non dicitur bene. »
Circa primum duo facit. Primo procedit disputando
de ipsa definitione, quae significat quod quid est.
Secundo de ipso quid est per definitionem significato, ibi, « Ipsius autem quid est, utrum syllogis-
« mus. » Circa primum tria facit. Primo inquirit

disputative, utrum omnium quorum est demonstratio, sit definitio. Secundo utrum e converso
omnium quorum est definitio, sit demonstratio, ibi,
« Quid autem cujus est definitio. » Tertio utrum
alicujus ejusdem sit definitio et demonstratio, ibi,
« Sed utrum si non omnis. » Circa primum duo
facit. Primo dicit de quo est intentio. Secundo
exequitur propositum, ibi, « Dubitabit enim utique
« aliquis. » Dicit ergo primo, quod inter ea quae
in futurum dicenda sunt principium oportet sumere
ab eo quod est convenientissimum habitarum, idest
consequentium rationum. Quod quidem est de hoc
quod posset aliquis dubitare, utrum contingat idem
et secundum idem scire per definitionem et demonstrationem.

Deinde cum dicit « definitio quidem »

Probat quod non omnium, quorum est demonstratio, sit definitio. Et hoc quadrupliciter. Primo
quidem, quia definitio est indicativa ejus quod quid
est, omne autem quod pertinet ad quod quid est,
praedicatur et affirmative et universaliter; ergo definitio est solum eorum contentiva, sive significativa,
quae praedicantur affirmative et universaliter. Sed
non omnes syllogismi sunt demonstrativi conclusionum affirmativarum universalium; sed quidam
sunt negativi, puta omnes qui fiunt in secunda
figura, quidam vero particulares, puta omnes qui
sunt in tertia figura. Non ergo omnium est definitio, quorum est demonstratio.

Secundo ibi « postea neque »

Ostendit idem dicens, quod neque definitio etiam
potest esse omnium eorum, quae concluduntur per
syllogismos affirmativos, quod contingit esse solum
in prima figura; sicut demonstrative syllogizatur,
quod triangulus habeat tres angulos aequales duobus rectis. Hujusmodi autem quod dictum est, scilicet
quod non omnium quae syllogizantur possit esse
definitio, ratio est, quia scire aliquid demonstrative nihil aliud est, quam demonstrationem habere. Ex quo patet, quod si omnium horum scientia solum per demonstrationem habetur, non est
eorum definitio. Ea enim quorum est definitio, cognoscuntur per definitionem. Sequeretur ergo quod
aliquis non habens eorum demonstrationem sciret
ea, eo quod nihil prohibet aliquem habentem definitionem non simul habere demonstrationem, quamvis definitio sit demonstrationis principium. Non
enim quicumque cognoscit principia, scit conclusionem inducere demonstrando.

Tertio ibi « sufficiens autem »

Ostendit idem per inductionem ex qua potest
fieri praemissae conclusionis sufficiens fides, quia
demonstratio est eorum quae per se insunt, ut
patet de his quae in primo habita sunt. Nullus
autem unquam cognovit per definitionem, neque
aliquid eorum quae per se insunt, neque etiam
aliquid eorum quae per accidens insunt, quoniam
accidentium quae per se vel per accidens insunt,
non possunt esse aliquae definitiones, ut habetur
septimo Metaphysicae. Quare ejus quod est inesse
per se vel per accidens quod syllogismus concludit,
nullus unquam dedit definitionem.

Quarto ibi « amplius si »

Ostendit idem per rationem, quia definitio est
notificatio substantiae: tum quia substantia principaliter definitur, accidens autem per posterius definitione quae est per additamentum, ut habetur in
septimo Metaphysicae: tum etiam, quia accidens non

definitur, nisi quatenus significatur per modum
substantiae per aliquod nomen. Haec autem, de
quibus sunt demonstrationes, non sunt substantiae,
nec per modum substantiae significantur, sed per
modum accidentium, scilicet secundum inesse aliquid
alicui. Unde concludit non esse possibile quod
definitio sit omnis ejus cujus est demonstratio.

Deinde cum dicit « quid autem »

Inquirit an e converso demonstratio sit omnis
ejus cujus est definitio. Et ostendit quod non,
duplici ratione: quarum prima supra tacta est. Unius
inquantum est unum videtur esse una scientia, idest
unus modus cognoscendi. Unde si id quod est demonstrabile, vere scitur per hoc quod habetur
demonstratio de eo, sequitur quoddam impossibile
si per definitionem sciri possit; quia habens definitionem sciret aliquid demonstrabile absque hoc quod
haberet demonstrationem, quod videtur inconveniens.
Et haec ratio fuit secundo posita inter praemissas.

Secundam rationem ponit ibi « amplius prin-
« cipia »

Definitiones enim sunt principia demonstrationum, ut in primo habitum est: sed principia non
sunt demonstrabilia: quia sic sequeretur, quod
principiorum essent principia, et quod demonstrationes in infinitum procederent, quod est impossibile,
ut in primo ostensum est. Unde sequitur, quod
definitiones sint indemonstrabiles tamquam quaedam
principia prima in demonstrationibus. Et sic non
omnium quorum est definitio, est demonstratio.

Deinde cum dicit « sed utrum »

Inquirit utrum sit possibile quod alicujus ejusdem sit definitio et demonstratio, etsi non omnis
ejus. Et ostendit quod non, tribus rationibus. Quarum prima est, quia definitio est manifestativa ejus
quod quid est, et substantiae idest essentiae cujuslibet rei. Demonstrationes autem hoc non manifestant,
sed supponunt; sicut in mathematicis demonstrationibus arithmeticae supponitur quid est unitas, et
quid est par, et simile etiam in aliis demonstrationibus. Ergo non est ejusdem demonstratio et
definitio.

Secundam rationem ponit ibi « amplius omnis »

Quae talis est. In eo quod per demonstrationem
concluditur praedicatur aliquid de aliquo vel affirmative vel negative: sed in definitione non praedicatur aliquid de aliquo: sicut in hac definitione,
Homo est animal bipes, neque praedicatur animal
de bipede, neque bipes de animali. Et similiter in
hac definitione, Circulus aut triangulus est figura
plana, nec planum praedicatur de figura, neque e
converso. Si enim partes definitionis adjungerentur
sibi invicem, oporteret quod praedicatio intelligeretur per modum convenientem definitioni, scilicet in
eo quod quid est: hoc autem non videmus. Nec
enim genus praedicatur in eo quod quid est de
differentia, neque e converso. Non ergo ejusdem
est definitio et demonstratio.

Tertiam rationem ponit ibi « amplius alterum »

Et dicit quod alterum est manifestare quod quid
est, et quia est; ut patet in differentia quaestionum
supraposita. Sed definitio ostendit de aliquo quid
est, demonstratio autem ostendit affirmative vel negative aliquid esse de aliquo vel non esse. Videmus
autem quod alterius rei alia est demonstratio, nisi
illa duo se habeant adinvicem sicut totum et pars;
quia tunc una et eadem esset demonstratio de
utroque. Sicut demonstratio quod triangulus habet

tres angulos aequales duobus rectis, similiter etiam ostensum est de isochele, qui se habet ad triangulum sicut pars ad totum; sed non ita est in his duobus quia est et quid est; neutrum enim est pars alterius. Ostensum est igitur, quod nec omnis cujus est definitio sit demonstratio, neque e converso. Et ex hoc ulterius concludi potest, quod nullius ejusdem sint, et quod definitio et demon-

stratio neque sunt idem, neque unum sit in alio, sicut pars subjectiva in suo toto; quia oporteret quod etiam ea quorum sunt, se haberent per modum totius et partis, ita scilicet quod omne diffinibile esset demonstrabile, aut e converso, quod supra improbatum est. Ultimo epilogando concludit usque ad hoc processum esse opponendo.

LECTIO III.

Quod quid est, seu significatum definitionis demonstrari minime posse ostenditur.

Ipsius autem quod quid est utrum syllogismus sit, an demonstratio est, aut non, sicut ratio supponit?

Syllogismus quidem enim aliquid de aliquo demonstrat per medium. Sed quid est proprium est, et in eo quod quid est praedicatur. Hoc autem necesse est converti.

Si enim ipsi c est a proprium, manifestum est quod et a ipsi b et hoc ipsi c. Quare omnia sunt adinvicem.

At vero et si a in eo quod quid est in omni b, et universaliter b de omni c in eo quod quid est dicitur, necesse est et a in eo quod quid est praedicari de c.

Si vero aliquis non accepit sic reduplicans, non necesse est a in eo quod quid est de c praedicari. Si autem a quidem de b in eo quod quid est non de quibuscumque b in eo quod quid est, ipsum autem quod quid est, utrumque hoc habebit; erit itaque et b de c in eo quod quid est.

Si igitur quod quid est, et quod quid erat esse, utraque habent, in medio erit prius quod quid erat esse.

Et omnino si est monstrare quid est homo, sit c homo, a vero quod quid est sive animal bipes sive aliquid aliud. Si igitur syllogizatur, necesse est de b a omni praedicari, et hujusmodi autem erit alia media ratio. Quare et hoc quod quid est homo.

Oportet autem in duabus propositionibus primis, et immediatis terminis considerare. Maxime autem manifestum est, quod dicitur sic.

Qui quidem itaque per conversionem demonstrantes quid est anima, et quid est homo, aut aliud quolibet eorum quae sunt, quod est ex principio petunt. Ut si aliquis definiat animam esse eamdem eidem causam vivendi, hoc autem numerum seipsum moventem, necesse est repetere si consequitur quod vere est esse numerum seipsum moventem sic, sicut idem.

Non si enim consequitur a ipsi b et hoc ipsi c, erit ipsi c a quod quid erat esse; sed verum erat dicere quod erit solum; neque si est a quod quid est et de b praedicatur omni. Nam animalis esse praedicatur de hominis esse, sicut et dicimus omnem hominem esse animal, sed non sic sicut unum est esse. Siquidem igitur non sic accipiat, non syllogizatur quod a sit in c in eo quod quid erat in substantia. Si vero sic accipiat, tunc prius erat accipiens quod in c est in eo quod quid erat esse b. Quare neque demonstratum est. Quod enim erat in principio accepit.

Ipsius autem quid est, utrum est syllogismus et demonstratio, an non, quemadmodum praesens ratio supponebat? Nam syllogismus aliquid de aliquo demonstrat per medium; at definitio proprium quid est, et ratione ejus quid est praedicatur. Haec vero necesse est reciprocari. Si enim to a proprium est tou c; manifestum est quod et [proprium sit] tou b, et hoc tou c: quare omnia mutuo [convertuntur]. Verumtamen etiam, si to a secundum essentiam inest omni c, et universaliter to b de omni c secundum essentiam dicitur; necesse est, a quoque secundum essentiam de c dici. Si vero quis ita non sumet reduplicans, non necesse erit, to a de c praedicari secundum essentiam, si to a quidem de b secundum essentiam praedicetur, non autem de iis de quibus b secundum essentiam praedicatur. Attamen definitionem utraque haec habebunt. Erit ergo et b definitio tou c. Si itaque to quid sit, et to quid erat esse, ambo habent; in medio termino erit prius to quid erat esse.

Et in universum, si demonstrari potest, quid sit homo, sit to c, homo; to a autem, to quid sit, sive animal bipes, sive aliud quid. Ut ergo aliquid colligatur syllogismo, necesse est, to a de omni b praedicari. Hujus vero erit alia ratio media. Quare et hoc erit definitio homini. Sumit igitur [demonstrans], quod eum demonstrare oportet. Nam to b quoque est definitio hominis.

Oportet autem [nos rem ipsam] in duabus propositionibus et primis atque immediatis considerare; maxime enim tum, quod dictum est, perspicuum fit. Quicumque igitur per conversionem ostendunt quid sit anima, aut quid sit homo, aut aliud quodcumque eorum quae sunt, ii principium petunt. Ut, si quis postulaverit, animam esse id quod ipsi causa vitae sit; id vero esse numerum se ipsum moventem. Nam necesse est eum hoc petere, animam velut numerum esse se ipsum moventem, tamquam id, quod [cum definito] idem sit.

Non enim, si consequitur a to b, et hoc to c, erit propterea to a definitio essentiae tou c, (sed, quod sit, solum verum erit dicere,) neque [definitio concludetur], si to a sit id, quod secundum essentiam de omni b praedicatur. Nam et definitio animalis praedicatur de essentia hominis; verum enim est, quidquid sit in definitione hominis, de eo praedicari ea quae sint in [definitione] animalis, (sicut etiam omnem hominem esse animal,) at non ita, ut haec [omnino] unum quid sint. Si ergo ita non sumpserit [demonstrans], non colliget, to a esse definitionem tou c secundum essentiam et substantiam. Sin vero ita sumpserit, prius sumpserit necesse est, to b esse definitionem essentiae tou c. Quare non demonstratum est; nam principium petiit.

Postquam Philosophus disputative inquisivit, utrum definitio significans quod quid est possit demonstrari, hic procedit ulterius ad inquirendum disputative, utrum ipsum quod quid est, quod est definitionis significatum, possit demonstrative proba-

ri. Et primo proponit quod intendit. Secundo exequitur propositum, ibi, « Syllogismus quidem enim. » Movet ergo primo quaestionem, utrum possit esse syllogismus aut demonstratio ejus quod quid est, ita scilicet quod concludatur hoc esse quod quid

est hujus; aut hoc non sit possibile, sicut supposuit
ratio immediate praemissa. Fuit autem necessaria
haec dubitatio post praemissa, quia in definitione
attenditur non solum ut illud, quod significatur,
sit quod quid est, sed etiam ut tali modo tradatur,
qui competat ad manifestandum quod quid est; ita
scilicet quod sit ex prioribus et notioribus, et alia
hujusmodi habeat quae in definitione sunt observanda. Signanter autem dicit, utrum sit syllogismus,
aut demonstratio: nam rationum subsequentium
quaedam concludunt quod ejus quod quid est non
sit demonstratio; quaedam vero quod ejus omnino
non sit syllogismus.

Deinde cum dicit « syllogismus quidem »

Procedit disputative, ad ostendendum quod non
sit syllogismus vel demonstratio ejus quod quid est.
Et primo excludit quosdam speciales modos, quibus
posset videri quod posset demonstrari quod quid
est. Secundo ponit rationes communes ad hoc, ibi,
« Amplius scimus quomodo demonstrabit. » Circa
primum tria facit. Primo ostendit, quod non potest
demonstrari quod quid est per acceptionem convertibilium terminorum. Secundo quod non potest
demonstrari per divisionem, ibi, « At vero neque
« per divisiones. » Tertio quod non potest demonstrari accipiendo id quod requiritur ad quod quid
est, ibi, « Sed utrum sit demonstrare. » Circa primum tria facit. Primo praemittit quaedam, quae
sunt necessaria ad propositum ostendendum. Secundo inducit rationem, ibi, « Si enim ipsius c a pro-
« prium est. » Tertio manifestat inconveniens quod
sequitur, ibi, « Oportet autem in duabus proposi-
« tionibus. » Circa primum praesupponit duo: quorum
primum pertinet ad ipsum syllogismum: scilicet quod
omnis syllogismus probat aliquid de aliquo per aliud
medium, ut ex superioribus patet. Aliud autem
pertinet ad ipsum quod quid est, quod est per
syllogismum probandum: ad quod requiruntur duae
conditiones: quarum una est, quod quod quid est
sit proprium. Quaelibet enim res habet propriam
essentiam sive quidditatem. Et quia non omne quod
est proprium alicui, pertinet ad essentiam ejus, sicut
risibile homini; ideo requiritur secunda conditio,
quod praedicetur in quid. Et has duas conditiones
necesse est sequi tertiam, scilicet ut quod quid est sit
convertibile cum eo cujus est.

Deinde cum dicit « si enim »

Ponit rationem ad propositum ostendendum. Et
circa hoc tria facit. Primo dicit qualem oporteat esse
syllogismum, quando concludit quod quid est, si hoc
sit possibile. Secundo concludit inconveniens, quod ex
hoc sequitur, ibi, « Si ergo quod quid est. » Tertio
exemplificat in terminis, ibi, « Et omnino si est mon-
« strare. » Circa primum tria facit. Primo enim o-
stendit quid requiratur ad syllogismum concludentem
quod quid est, ex eo quod est proprium. Secundo
quid requiratur ex eo quod praedicatur in quid,
ibi, « At vero et si a. » Tertio ostendit, quod sine
his, talis syllogismus esse non possit, ibi, « Si vero
« aliquis. » Dicit ergo primo, quod si a quod est
probandum de c tamquam quod quid est ejus, est
proprium ipsius c, quod requiritur ad quod quid
est, ut dictum est; oportebit quod primum, scilicet
a, sit proprium medii quod est b. Nam si a excedit
b quod universaliter praedicatur de c, sequitur quod
a multo magis excedat c. Et similiter manifestum
est, quod oportebit b esse proprium ipsius c. Nam
si b excedat c, sequitur quod a quod universaliter

praedicatur de b, excedat c, et sic non erit proprium
ejus, ut supponebatur. Relinquitur ergo, quod si
aliquis syllogismus sit qui concludit quod quid est,
oportet esse talem habitudinem terminorum ejus,
ut omnes adinvicem convertantur.

Deinde cum dicit « at vero »

Ostendit quid debet habere syllogismus praedictus
ex eo quod concludit id quod praedicatur in eo
quod quid est. Et dicit, quod oportet hoc modo
syllogismum procedere, ut major extremitas, quae
est a, praedicetur in eo quod quid de minori extremitate, quae est c; et sic concluditur quod quid de
minori extremitate, quae est c; et sic concluditur
quod a praedicetur de c in eo quod quid est.

Deinde cum dicit « si vero »

Ostendit quod praedictus modus syllogizandi
requiratur: et dicit quod « si aliquis non ita accipiat
« terminos duplices, » idest observans duas conditiones praedictas, vel potius accipiens quod quid
est ex duabus partibus, non sequitur ex necessitate, quod a praedicetur de c in eo quod quid est.
Sed et si ex una tantum parte praedictae conditiones observentur, non sufficit ad propositum. Et si
enim detur quod a praedicetur de b in eo quod
quid est, non propter hoc sequitur quod praedicetur
in eo quod quid de quibuscumque praedicatur b et
qualitercumque. Et sic sequitur quod ex utraque
parte oporteat accipere quod quid est; ita scilicet
quod non solum a sit quod quid est ipsius b, sed
etiam ipsum b sit quod est ipsius c convertibiliter,
et in eo quod quid praedicatum.

Deinde cum dicit « si igitur »

Ducit ad inconveniens: quia si (1), sicut ostensum
est, ex utraque parte invenitur non solum praedicari aliquid in eo quod quid sicut genus praedicatur de specie, sed etiam quod ex utraque parte
sit quod quid erat esse, quod significat definitio;
sequitur quod quid erat esse prius fuisse in medio
termino, idest quod medius terminus sit quod quid
erat esse minoris extremitatis; et ita supponitur quod
oportebat probare, scilicet quidditatem ipsius c.

Deinde cum dicit « et omnino »

Manifestat quod dixerat in terminis; puta si
volumus monstrare quid est homo, sit c, idest minor extremitas, homo; a vero, idest major ex-
mitas sit quod quid est hujusmodi, puta « animal
« bipes, vel aliquid aliud hujusmodi. » Si ergo
hoc oporteat per syllogismum probari, necesse est
quod definiatur aliquod medium, scilicet b, de quo
omni a praedicetur; et ad hoc medium pertinebit
quaedam alia media definitio, quae scilicet erat
definitio minoris extremitatis. Unde sequetur, quod
hoc etiam medium sit quod quid est hominis. Et
ita qui syllogizat, accipit supponendo, id quod o-
portebit ostendere, scilicet quod b sit quod quid
erat esse hominis.

Deinde cum dicit « oportet autem »

Manifestat quomodo hoc inconveniens sequitur
ex praemissis. Et circa hoc tria facit. Primo ostendit modum quomodo hoc convenienter manifestetur.
Et dicit quod id quod dictum est oportet considerare
in duobus propositionibus quae sint primae, et habeant
terminos immediate sibi inhaerentes. Possibile enim
esset per plures propositiones hoc ostendere, ex
quibus plures syllogismi constarent, vel etiam esset
possibile duas solas propositiones accipiendo, accipere
eas mediatas. Sed quia oportet semper deducere ad

(1) *In Edit. Rom. deest* si.

duas primas immediatas, ideo ut brevior et expeditior sit consideratio, assumamus a principio tales propositiones, et sic maxime poterit manifestari propositum.

Secundo ibi « qui quidem »

Proponit quod intendit: et dicit concludens ex praemissis, quod illi qui volunt demonstrare per terminos convertibiles quod quid est alicujus rei, puta « quid est anima, vel quid est homo, vel quod-« cumque aliud hujusmodi, » necesse est quod incidant in hoc quod petant principium. Et inducit exemplum de definitione animae secundum Platonem. Quia enim anima vivit et est corpori causa vivendi, sequitur quod differat a corpore per hoc quod corpus vivit propter aliam causam, anima vero vivit per seipsam. Ponebat autem Plato quod numerus est substantia omnium rerum, eo quod non distinguebat inter unum quod convertitur cum ente, quod significat substantiam ejus de quo dicitur, et unum quod est principium numeri; et ita sequebatur quod anima substantialiter sit numerus sicut et quaelibet alia res multa se continens. Item ponebat Plato quod vivere sit quoddam moveri. Duobus enim distinguitur vivum a non vivente; scilicet sensu et motu, ut dicitur in primo de Anima; et ipsum sentire sive cognoscere dicebat esse quoddam moveri. Sic ergo dicebat animam esse numerum seipsum moventem: dicebat etiam animam esse id quod est sibi causa vivendi. Si quis ergo velit probare quid est anima, quia scilicet est id quod est sibi causa vivendi, et assumat pro medio, quod anima est numerus seipsum mo-

vens, necesse est hoc petere, scilicet quod anima sit numerus seipsum movens, ita scilicet quod hoc sit idem ipsi animae, tamquam quod quid est ejus. Alioquin non sequeretur, quod si aliquid est quod quid est ipsius numeri moventis seipsum, quod sit quod quid est ipsius animae.

Tertio ibi « non si enim »

Probat propositum, scilicet quod talis probatio contineat petitionem principii: et dicit quod non sequitur quod major extremitas quae est A, sit quod quid est minoris extremitatis quae est C, ex hoc quod A sequitur ad B, et B sequitur ad C; sed sequitur simpliciter quod A solum insit C. Et si ulterius detur quod ipsum A sit quod quid est alicujus, et praedicetur universaliter de B; non adhuc sequitur quod A sit quod quid est ipsius C, idest quod quid est animalis, praedicari de hoc quod est hominis esse, idest de eo quod est quod quid est hominis. Sicut enim verum est quod animal universaliter praedicatur de homine, ita verum est quod definitio animalis universaliter praedicetur de definitione hominis; non tamen ut sint omnino unum et idem. Sic ergo patet, quod si aliquis non sic accipiat terminos, ut primum sit omnino unum et idem medio, et medium ultimo; non poterit syllogizari, quod A quod est primum, sit quod quid est ipsi C quod est ultimum ex essentia ejus. Si vero accipiantur termini modo praedicto, sequitur quod priusquam concludatur, accipiatur in praemissis quod quid est ipsius C, scilicet ipsum B; ex quo sequitur quod non sit demonstratio, sed petitio vel acceptio principii.

LECTIO IV.

Definitionem ipsam non posse per viam divisionis demonstrari, ostenditur.

At vero neque per divisionis viam est syllogizare, sicut in resolutione circa figuras dictum est. Nequaquam enim necesse est illam rem esse cum haec sint, sed sicut, neque inducens demonstrat. Non enim oportet conclusionem interrogare, neque in concedendo esse, sed necesse est esse cum sint illa, etsi non dicat respondens, ut, homo animal est, aut inanimatum? postea accipit animal, non syllogizatum est. Item omne animal aut gressibile, aut aquatile; et si accipit gressibile, et hominem totum animal gressibile, non necesse est ex dictis, sed accipit et hoc. Differt autem nihil in multis aut in paucis sic dicere, idem enim est. Non syllogisticus quidem igitur usus sit sic procedentibus, et de convenientibus syllogizari.

Quid enim prohibet hoc verum quidem omne esse de homine, non tamen quod quid est, neque quod quid erat esse ostenditur?
Amplius quid prohibet, aut opponere aliquid, aut auferre aut supergredi substantiam? Haec igitur dimittuntur quidem.
Contingit autem solvere in accipiendo in eo quod quid est omnia, et quid est consequenter per divisionem facere quae fiunt prius, et nihil relinquere. Hoc autem necessarium est. Individuum enim specie oportet esse.

At hec via per divisionem syllogistice demonstrat, quemadmodum in doctrina de resolutione figurarum dictum est. Nulla enim in quaestione necesse est, rem illam esse, si haecce sint; verum uti [neque dividens, ita] neque inducens demonstrat. Non enim oportet conclusionem interrogare, nec eo, quod concedatur, esse; sed [oportet eam] sequi necessario, quia illa sint, etiamsi non ponat respondens. [Ut], numquid homo animal, an inanimatum? En sumpsit, [esse] animal, non fuit syllogismo conclusum. Rursus, omne animal aut est pedestre, aut aquaticum. Sumpsit pedestre. Atque hoc, esse hominem, *to* totum, animal pedestre, non sequitur hoc necessario ex dictis, sed sumit hoc quoque [demonstrans]. Nihil autem interest, in pluribus, aut in paucis, ita colligere; nam idem est. In his ergo etiam, quae syllogismo colligi possint, usus erit ejusmodi rationis et viae alienus a syllogismi necessitate.

Quid enim impedit quominus verum sit omne hoc de homine, et tamen neque essentiam, neque notionem [hominis] explicet?
Praeterea, quid impedit quominus apponatur aliquid, aut tollatur, aut essentiam [rei definiendae] transcendat?
Haec igitur praetermittuntur quidem, fit autem ut solvantur, eo, quod sumat [tamquam concessa] omnia, quae ratione ejus quid sit dicuntur, et, quod sequitur, ordine per divisionem conficiat, primum [concedi] postulans, et nihil praetermittat. Id vero necessarium est, si omnia in divisionem incidant, et nihil deficiat: quod ipsum necessarium est: individuum enim jam oportet esse.

Sed syllogismus tamen non inest, et si vere alio modo cognoscere facit, et hoc quidem non est inconveniens. Neque enim inducens fortasse demonstrat, sed tamen manifestat aliquid, syllogismum autem non dicit, ex divisione dicens definitionem. Sicut enim in conclusionibus quae sine mediis sunt, si aliquis dicat quoniam his existentibus necesse est hoc esse, contingit interrogare propter quid, sic et in divisivis terminis, quod est homo? animal mortale bipes habens pedes sine pennis, propter quid secundum unamquamque appositionem. Dicet enim et monstrabit divisionem sicut opinatur, quod omne animal aut mortale, aut immortale sit. Hujusmodi autem ratio non omnis est definitio. Quare quamvis divisione demonstraverit, sed definitio non syllogismus sit.

Nihilo minus tamen syllogismus in tali ratione non inest, sed si quidem, alio modo [ea] scientiam gignit. Et hoc quidem non absurdum est Neque enim inducens forte demonstrat, at nihilo minus aliquid ostendit.

Syllogismum autem non dicit, qui ex divisione definitionem dicit. Quemadmodum enim in conclusionibus sine mediis si quis dicat quod, his positis, necesse sit illud esse, fit ut causa rei quaeratur; sic quoque in definitionibus per divisionem collectis; [ut] quid est homo? animal mortale, pedestre, bipes, implume; causa [quaeritur], secundum unamquamque appositionem; dicet enim [aliquis]. et demonstrabit divisione, ut arbitratur quidquid sit, aut esse mortale, aut immortale. Tota autem talis oratio non est definitio. Quare, etiamsi demonstratum esset divisione, at definitio saltem syllogismo non fit.

Postquam Philosophus ostendit quod non potest demonstrari quod quid est per terminos convertibiles, hic ostendit quod non potest demonstrari per viam divisionis. Et circa hoc duo facit. Primo ostendit propositum. Secundo excludit quamdam solutionem, ibi, « Contingit solvere autem. » Circa primum duo facit. Primo ostendit propositum per rationem communem omnibus, quae syllogizari possunt. Secundo ostendit propositum quantum ad ea quae sunt propria ei quod quid est, ibi, « Quid « enim prohibet, etc. » Dicit ergo primo, quod sicut non potest demonstrari quod quid est per terminos convertibiles, ita etiam non potest demonstrari per viam divisionis, per quam etiam nihil syllogistice probatur, sicut dictum est in Resolutione circa figuras, idest in primo Priorum analyticorum. Sicut enim in Posterioribus analyticis docetur resolutio usque ad principia prima, ita etiam in prioribus analyticis fit resolutio ad prima quaedam simplicia pertinentia ad dispositionem syllogismi in modo et figura. Quod autem per viam divisionis non possit aliquid syllogizari, probat per hoc, quod via divisionis non ex necessitate sequitur conclusio existentibus praemissis, quod requiritur ad rationem syllogismi. Sed ita se habet in via divisionis, sicut et via inductionis. Ille enim qui inducit per singularia ad universale, nec demonstrat, neque syllogizat ex necessitate. Cum enim aliquid syllogistice probatur, non est necessarium ulterius quod vel interroget de conclusione, nec quod respondens ei det conclusionem, sed necesse est quod conclusio sit vera praemissis existentibus veris. Hoc autem non accidit in via divisionis, sicut manifestat per exempla. Procedit enim via divisionis cum accepto aliquo communi, quod per multa dividitur, remoto uno concluditur alterum. Puta si entium aliud est animal, et aliud est inanimatum, habito quod homo non sit inanimatum, concluditur quod sit animal: sed ista conclusio non sequitur, nisi respondens det quod homo vel sit animal vel inanimatum. Et est attendendum, quod satis convenienter comparavit divisionem inductioni. Utrobique enim oportet supponere, quod accepta sint omnia quae contineantur sub aliquo communi; alioquin nec inducens poterit ex singularibus acceptis concludere universale, nec dividens ex remotione quarumdam partium poterit concludere aliam. Patet ergo quod inducens facta inductione quod Socrates currat, et Plato, et Cicero, non potest ex necessitate concludere quod omnis homo currat, nisi detur sibi a respondente quod nihil aliud contineatur sub homine, quam ista quae inducta sunt. Similiter etiam nec dividens, si probaverit quod hoc coloratum non

sit album nec pallidum, non potest ex necessitate concludere quod sit nigrum, nisi detur sibi a respondente, quod nihil aliud contineatur sub colorato nisi ea quae assumpta sunt in divisione. Et quia investigantibus quid est homo, oportet accipere non solum genus quod est animal, sed differentiam; ulterius in suo exemplo procedit, quod si omne animal aut gressibile est aut aquaticum, et accipiat quod homo, qui non est animal quod est aquaticum, sit totum hoc quod est animal gressibile, non ex necessitate sequitur ex dictis; sed oportet quod hoc etiam supponat datum sibi a respondente; scilicet quod animal sufficienter dividatur per gressibile et aquaticum. Et quia quandoque per plures divisiones proceditur ad accipiendum quod quid est alicujus rei, ideo praemissis duabus divisionibus in suo exemplo, subdit quod nihil differt quod sic procedatur in multis aut in paucis. Eadem enim est ratio in omnibus. Et sic ulterius concludit quod procedentes per viam divisionis, etiam circa ea quae contingit syllogizari, non utuntur probatione syllogistica.

Deinde cum dicit « quid enim »

Inducit duas rationes proprias ei quod quid est. Quarum prima est, quia non omne quod vere praedicatur de aliquo, praedicatur in eo quod quid est, nec significat essentiam ejus. Si igitur detur quod per viam divisionis sufficienter probetur, quod totum hoc, scilicet animal gressibile, vere praedicetur de homine; non tamen propter hoc erit probatum quod praedicetur de eo in eo quod quid est, vel ostendat quod quid erat esse, idest quod demonstrat essentiam rei.

Secundam rationem ponit ibi « amplius quid »

Quae talis est. Essentia enim cujuslibet rei declaratur per aliqua certa, quibus nec addere oportet nec subtrahi. Nihil autem prohibet quin ille qui procedit per viam divisionis, aut apponat aliquid supra ea quae sufficiunt ad ostendendum quod quid est, aut auferat aliquid eorum quae ad hoc sunt necessaria, aut etiam quod supergrediatur vel excellat essentiam rei, utpote si sit communius quam ipsa res, quod fit dum subtrahuntur differentiae ultimae quibus ea quae sunt communia contrahuntur. Unde per divisionem non probatur sufficienter quodquid est. Et hoc est quod concludit, quod in via divisionis praetermittuntur praedictae conditiones, ut scilicet id quod concluditur praedicetur in eo quod quid est, et quod nec excedat nec excedatur.

Deinde cum dicit « contingit autem »

Excludit quamdam solutionem. Et primo proponit eam. Secundo concludit ipsam, ibi, « Sed « syllogismus tunc etc. » Dicit ergo primo, quod contingit solvere ea quae objecta sunt, ex eo quod aliquis dicat quod dividendo accipiat omnia quae praedicantur in eo quod quid, et ita per consequentiam ad divisionem faciat id quod primo intendit, ut scilicet constituat definitionem significantem quod quid est, et nihil relinquat eorum quae requiruntur ad definiendum. Et si haec duo faciat, scilicet omnia quae accipit per divisionem praedicentur in eo quod quid, et omnia hujusmodi cadant in divisione, ita quod nihil desit, necessarium est id quod est inventum sit quod quid est. Et hujusmodi necessitatis ratio est, quia acceptis omnibus quae praedicantur in eo quodquid, nullo derelicto, jam id quod inventum est, oportet esse quoddam individuum, scilicet individuam rationem talis rei, ita scilicet quod non indigeat ulteriori divisione ad hoc quod approprietur huic rei.

Deinde cum dicit « sed syllogismus »

Excludit praedictam solutionem; et dicit quod quamvis necesse sit praedictis existentibus aliquid individuum fieri, sicut expositum est, tamen praedicta via non est syllogistica, quamvis cognoscere faciat quod quid est per alium modum; et hoc non est inconveniens, scilicet quod aliquid alio modo manifestetur quam per syllogismum. Ille enim qui utitur inductione non probat syllogistice, sed tamen aliquid manifestat. Quod autem ille qui per divisionem ad definitione m pervenit, non faciat syllogismum, ostendit per quoddam simile. Si enim inducatur conclusio ex majori propositione, subtracta media, et concludens dicat, quod necesse est sequi ex praemissis, poterit interrogare respondens, propter quid sit necessarium: quod non accidit in syllogistica probatione. Unde talis modus argumentandi non est syllogisticus. Ita etiam in terminis divisivis non fit syllogismus, quia semper restat interrogatio propter quid. Puta si aliquis volens notificare quid est homo, accipiat per viam divisionis quod homo est animal mortale bipes, vel habens pedes sine pennis, ad quamlibet propositionem praedictorum poterit convenienter quaeri propter quid sit necesse. Ille enim qui ad manifestandum quod quid est conatur, non solum dicet, sed etiam probabit per divisionem secundum quod ipse opinatur, quod omne quod est, sit mortale, aut immortale. Et quamvis detur quod per hanc divisionem possit demonstrare propositum, tamen non est necesse quod ratio sic conclusa sit definitio; quia forte ea ex quibus constat ratio talis, non praedicantur in eo quod quid est, vel excedunt substantiam definiti. Sed et si contingat quod talis ratio sit definitio, non tamen per syllogismum probatur quod definitio sit, ut ex supra dictis patet.

LECTIO V.

Ex duobus modis ex his quae ad quod quid est exiguntur,
ipsum demonstrari minime posse ostenditur.

ANTIQUA.

Sed utrum sit demonstrare quod quid est secundum substantiam ex conditione accipiente quod quid erat esse, quod est ex his quae sunt in eo quod quid est propriis? Haec autem in quod quid est sola, et proprium est omne. Hoc enim est esse illi.

An iterum accipit quod quid erat esse, et in hoc? Necesse est enim per medium monstrare.

Amplius sicut in syllogismo neque accipit quod quid erat esse syllogizare; semper enim totum aut pars est ex quibus est syllogismus; sic neque quod quid erat esse, oportet esse in syllogismo; sed seorsum hoc appositis esse, et ad dubitantem syllogizatum est, aut non est hoc contradicere, quoniam hic erat syllogismus, et adhuc quod neque quid erat esse syllogizatum est, quoniam utique est; hoc enim positum est nobis quod quid erat esse. Quare necesse est sine eo quod quid est syllogismum aut quod quid erat esse syllogizare aliquid.

Et si ex suppositione alia demonstrent, ut si malo inest divisibile esse, in contrario autem contrarii esse, in quibus est contrarium, bonum autem contrario malo, et indivisibile divisibili, est itaque bonum esse indivisibile.
Etenim hoc accipiens, quod quid erat esse demonstrat.
Accipere autem ad demonstrationem quod quid erat esse alterum tantum sit: et in demonstrationibus est, quoniam est hoc de hoc, sed non ipsum, neque cujus eadem ipsa ratio. Et convertitur.

RECENS.

Verum numquid definitionem secundum substantiam monstrare [aliquis] potest, ex hypothesi quidem, sumens id quod ratione ejus quid sit praedicatur, esse ex propriis essentiae principiis; haecce vero sola substantiam indicare, et totum [in definitione aggregatum] esse proprium? Hoc vero est essentia illius.

Aut rursus priorem definitionem etiam in hoc sumpsit? nam necesse est per medium demonstrare.

Praeterea, quemadmodum neque in syllogismo sumitur quid sit syllogismo conclusum esse, (quum semper aut totum, aut pars sit [ad conclusionem] propositio, e quibus [duabus] est syllogismus;) ita neque definitio inesse in syllogismo quo [probatur definitio] debet, sed seorsum hac esse [debet] ab iis, quae posita sunt. Et dubitanti, num hoc [probatum] syllogismo collectum sit, an non, respondendum est, collectum esse; hoc enim erat syllogismus. Et [dubitanti] an sit definitio syllogismo collecta, [respondendum est], utique [esse eam syllogismo collectam]; hoc enim a nobis positum erat esse definitionem. Quare necesse est, etiam absque definitione syllogismi, aut definitionis definitione, syllogismo collectum esse aliquid.

Si vero ex hypothesi [aliquis] demonstret, velut, si malo inest *to* esse divisibile; *tō* contrario autem *to* esse contrarium [omnibus], quibuscumque est aliquid contrarium, bonum vero malo contrarium est; et indivisibile divisibili: inest ergo *tō* bonum esse *to* indivisibile esse. Etenim hic assumens aliquam definitionem demonstrat; assumit autem eam ad probandam definitionem hanc, [quae primo erat proposita].

Diversum ergo aliquid in demonstrationibus [ita colligimus], quod [verum] sit hoc de illo at non quod idem sit, neq id, cujus eadem definitio, et [quod] reciprocetur.

Ad utrosque autem et secundum divisionem demonstrantem et ad sic syllogismum, est eadem oppositio, propter quid est homo animal et bipes gressibile, sed non animal et bipes. Ex acceptis enim neque una necessitas est unum fieri quod praedicatur, sed utique idem erit homo, et grammaticus, et musicus.

Qualiter igitur definiens demonstrabit substantiam aut quod quid est? Neque enim sicut demonstrans ex certis esse, manifestum faciet quod necesse est, cum sint illa, alterum esse aliquod, demonstratio enim haec est: neque demonstrabit sicut inducens per singularia cum manifesta sint, quoniam omne sic cui nihil aliter est. Non enim quid est demonstrat, sed quoniam est aut non est. Quis igitur est modus relictus? Non enim monstrabit sensu, aut digito.

Adversus utrosque autem, tam eum qui per divisionem demonstrat, quam syllogismum hoc modo [colligentem] eadem est dubitatio; quare futurus sit homo animal bipes pedestre, at non animal et pedestre? Ex sumptis enim nulla exsistit necessitas, qua ista unum fiant praedicatum; sed [ut ita praedicentur], quemadmodum hominem eumdem et musicum et grammaticum esse dicimus.

Quomodo igitur definiens demonstrabit substantiam, aut quid res sit! neque enim, ut demonstrans ex iis quae esse conceduntur, manifestum faciet quod necesse sit, quum illa sint, aliud quid esse; nam hoc est demonstratio; nec, ut inducens, per singularia, quae manifesta sunt, quod omne ita [se habeat], quia nihil [sit, quod] aliter [se habeat]; non enim, quid sit, demonstrat; sed, quod aut sit, aut non sit. Quis ergo alius modus superest? neque enim sensu, aut digito monstrabit.

Postquam Philosophus ostendit quod non potest demonstrari quod quid est, nec per convertibiles terminos, nec per viam divisionis, hic ostendit ulterius quod non potest quod quid est demonstrari, accipiendo id quod requiritur ad quod quid est. Et circa hoc duo facit. Primo ostendit propositum. Secundo concludit ex omnibus praedictis, quod nullo modo quod quid est demonstrari possit, ibi, « Qua
« liter igitur definiens, etc. » Circa primum duo facit. Primo inducit rationes proprias ad propositum. Secundo inducit quamdam rationem communem ad id quod nunc dicitur, et ad id quod supra dictum est, ibi, « Ad utrosque autem etc. » Circa primum duo facit. Primo ostendit quod non potest demonstrari quod quid est per hoc quod accipiatur id quod pertinet ad rationem ejus quod quid est. Secundo ostendit, quod non potest demonstrari quod quid est hujusmodi rei, ex hoc quod recipiatur quod quid est alterius rei, ibi, « Ex suppositione autem, « etc. » Circa primum duo facit. Primo movet quaestionem. Secundo argumentatur ad propositum, ibi, « Aut iterum accipit, etc. » Quaeritur ergo primo, utrum contingat demonstrare quid sit aliquid secundum suam substantiam, ex tali suppositione, per quam accipiatur quod quid erat esse alicujus rei, ex illis conditionibus quae sunt propriae ei quod quid est. Puta si aliquis probet quod animal gressibile bipes sit quod quid est hominis, accipiens pro medio quod haec ratio convertatur cum homine, et constat ex genere et differentia. Haec autem sola requiruntur ad quod quid est; et totum hoc quod dictum est, est proprium quod quid est, quia est esse illi, scilicet ei quod quid est; quasi dicat quod hoc quod est esse rationem convertibilem ex genere et differentiis constantem, est omnino idem ei quod quid est.

Deinde cum dicit « an iterum ».

Objicit ad praedictam quaestionem duabus rationibus; ostendens quod non potest quod quid est praedicto modo demonstrari. Quarum prima est; quia sicut praemissi modi demonstrandi deficiunt in hoc quod accipiunt id quod quaeritur, ita est in proposito. Accipitur enim et in modo probationis quod quid erat esse; puta dum accipitur quod omnis ratio convertibilis constans ex genere et differentiis significat quod quid est: et ita inconveniens est probatio: necesse est enim id ad quod demonstratio inducitur non supponere quasi medium, sed potius per aliud medium demonstrare.

Secundam rationem ponit ibi « amplius sicut »

Quae sumitur ex similitudine syllogismi. Cum enim aliquis syllogizat, non oportet quod accipiat

definitionem syllogismi ad syllogizandum, quia ea ex quibus procedit syllogismus hoc modo se habent, quod semper quodlibet eorum est aut tota propositio, scilicet universalis, seu major; aut est pars, idest particularis, seu minor, quae sumitur sub majori. Et ita definitio syllogismi non est aliquid eorum ex quibus procedit syllogismus. Et similiter si aliquis velit syllogizare quod quid erat esse alicujus rei, non oportet quod accipiat quid sit quod quid erat esse; sed oportet hoc seorsum haberi in mente, praeter ea quae ponuntur in definitione vel syllogismo. Hujusmodi enim rationes syllogismi et definitiones se habent in definiendo et syllogizando, sicut regulae artis, ad quas debet aspicere artifex in operando. Artifex enim qui facit cultellum, non facit operando regulam secundum quam operatur, sed secundum regulam quam habet in mente examinat an cultellus bene sit factus. Et ita etiam ille qui syllogizat non accipit rationem syllogismi in syllogizando, sed examinat syllogismum factum, an sit bonus. Unde si aliquis dubitet de syllogismo facto an sit syllogizatum vel non, poterit syllogizans obviare, ostendendo quod syllogismus sit tale aliquid. Similiter etiam ei qui intendit syllogizare quod quid erat esse, convenit ut habeat seorsum in mente rationem ejus quod quid erat esse: ut si aliquis dicat quod non est syllogizatum quod quid erat esse, ipse dicat quod imo, quia tale aliquid ponitur quod quid erat esse. Sic ergo patet quod syllogizans quod quid erat esse, non debet sumere quid est syllogismus, neque quid est quod quid erat esse.

Deinde cum dicit « etsi ex suppositione »

Ostendit quod non potest demonstrari quod quid est unius rei ex quod quid est alterius rei. Et circa hoc duo facit. Primo proponit quod intendit. Secundo probat propositum, ibi, « Etenim hic acci
« piens, etc. » Dicit ergo primo quod etiam non probatur quod quid est, si aliquis velit hoc probare ex suppositione quod quid est alterius rei. Puta, si aliquis sic procedat accipiens quod idem sit esse divisibili et malo, idest quod divisio sit quod quid est mali, et ulterius argumentetur sic: in omnibus quae habent contrarium, contrarii est contrarium quod quid est; sed bono est contrarium malum, et indivisibile est contrarium divisibili; sequitur ergo quod indivisibile sit quod quid est ipsius boni. Et sumuntur ista exempla secundum Platonem, qui posuit quod eadem est ratio unius et boni. Videmus enim quod unumquodque appetit unitatem sicut proprium bonum; unum autem est idem quod indivisibile; et sic per oppositum sequitur quod malum sit idem quod divisibile. Unum enim refugit

divisionem sui, quia per hoc tendit ad diminutum
et imperfectum.

Deinde cum dicit « etenim »

Probat propositum; scilicet quod non possit demonstrari quod quid est. Et hoc duobus rationibus:
quarum prima est, quia etiam in hoc modo probationis demonstrat aliquis accipiendo quod quid erat
esse, et ita accipit quod oportet probare.

Deinde cum dicit « accipere autem »

Et dicit, quod non solum est inconveniens quod
accipitur quod quid erat esse ad demonstrandum;
sed et alterum inconveniens fit, quod accipitur quod
quid erat ad demonstrandum quod quid erat esse;
quia etiam in demonstrationibus in quibus probatur hoc de hoc. puta passio de subjecto, accipitur
pro medio quod quid erat esse; non tamen quod
quid erat esse quod accipitur, est ipsum, videlicet,
quod debet concludi, vel aliquod quod habeat eamdem rationem et convertatur. Eamdem autem rationem habet quod bonum sit indivisibile et malum divisibile; et haec duo convertuntur. quia posito uno ponitur alterum, et e converso.

Deinde cum dicit « ad utrosque »

Inducit rationem communem contra eum qui
demonstrat ex suppositione et divisione: et dicit
quod eadem oppositio habet locum contra utrosque:
scilicet contra eum qui vult demonstrare quod quid
est per divisionem; et contra eum qui utitur suppositione quod quid est in syllogismo. Manifestum
est enim quod definitio significat unum aliquid:
unde ea quae ponuntur in definitione ad significandum unitatem dicuntur poni absque copula, ut
dicatur quod homo est animal gressibile bipes; non
autem debet dici quod homo sit animal et bipes.
Unde si aliquis vult probare quod quid est, oportet

quod probet quae assumuntur fieri unum. Sed non
est necessarium secundum praedictas vias divisionis
et suppositionis, quod ex his quae accipiuntur ad
definiendum fiat unum praedicatum; sed poterit esse
quod sint multa; puta si dicatur quod est grammaticus et musicus. Videtur ergo, quod secundum
vias praedictas non probetur quod quid est.

Deinde cum dicit « qualiter igitur »

Concludit ex praemissis quod nullo modo potest
probari quod quid est: et dicit: Si igitur neque per
terminos convertibiles, neque per divisionem, neque
per suppositionem demonstratur quod quid est; quomodo igitur definiens poterit demonstrare substantiam rei, vel quod quid est? Jam enim ex praemissis patet quod non probat sicut manifestum
faciens ex his quae sunt per se nota, quod necesse
sit alterum aliquid sequi per ea quae dicta sunt,
quod requiritur ad demonstrationem. Relinquitur
autem praeter tres modos quartus modus, qui est
per inductionem. Sed nec contingit probare quod
quid est per singularia manifesta, scilicet quod aliquid praedicetur de omnibus, et non sit aliquid
eorum quod aliter se habeat; quia sic inducendo
non demonstrabit quod quid est, sed demonstrabit
aliquid esse vel non esse: puta quod omnis homo
est animal, vel nullus homo est lapis. Nullus autem
alius modus relinquitur ad demonstrandum quod
quid est, nisi forte modus demonstrationis qui est
ad sensum, sicut cum demonstratur digito. Manifestum est autem quod hic modus non potest competere in proposito; quia quod quid est non est
objectum sensus, sed intellectus, ut dicitur in tertio
de Anima. Relinquitur ergo quod nullo modo possit
demonstrari quod quid est.

LECTIO VI.

*Ex communibus idem quod supra ratiocinatur: definitionem item esse nominis
quidditatem tribus rationibus ostendit.*

ANTIQUA.	RECENS.

ANTIQUA.

Amplius autem quomodo monstrabit quod quid est? Necesse est enim quod quid est homo, aut aliquod quomodolibet, scire quia est. Quod enim non est, nullus scit quid
est, sed quid significat definitio quidem, aut nomen. cum
dico tragelaphus: quid autem est tragelaphus impossibile est
scire.

At vero si demonstrabit quid est et quia est. Et qualiter
eadem ratione monstrabit. Definitio enim quoque unum aliquid manifestat, et demonstratio. Id autem quod quid est
homo, et esse hominem, aliud est.

Postea et per demonstrationem dico necessarium esse o-
mne demonstrare quia est, nisi substantia sit; esse autem
nulla substantia est. Non enim est genus quod est. Demonstratio utique erit quod est, quod vere et nunc faciunt
scientiae. Quid enim significat triangulus accipit geometra,
quod autem est, demonstrat. Quid igitur monstrabit definiens?
Quid est, non quia est, ut triangulum. Sciens itaque aliquis
definitione quod quid est, si est non sciet. Sed impossibile est.

Manifestum autem est secundum nunc modos terminorum,
quod non demonstrant definientes quia est. Si enim est ex
medio aliquod aequale, sed propter quid est quod definitur,
et propter quid est circulus. Esset enim utique et montis

RECENS.

Porro, quomodo demonstrabit definitionem? nam necesse
est scientem, quid sit homo, aut aliud quodcumque, scire
etiam quod sit; id enim quod non est, nemo scit quid sit,
sed tantum, quid quidem significet oratio aut nomen, quando
dico hircocervus; quid sit autem hircocervus impossibile est
scire. At vero, si ostendet quid sit, et quod sit, quomodo
[haec] eadem ratione demonstrabit? nam et definitio unum
quid significat, et demonstratio; to autem quid sit homo, et
to esse hominem diversa sunt.

Deinde quoque per demonstrationem dicimus necessarium
esse ut demonstretur omne quod sit, nisi sit substantia. To
Esse autem non est substantia ulli rei; non enim genus est
ens. Demonstratio ergo erit, quod sit.
Quod quidem nunc etiam faciunt scientiae. Nam quid
significet triangulus, sumpsit geometra; quod autem sit, demonstrat. Quid ergo demonstrabit definiens? quid sit? an
vero [quod sit] triangulum? sciens ergo quis definitione quid
sit, num sit, non sciet. Sed hoc impossibile est.
Manifestum vero etiam est secundum hos modos terminorum, quod non demonstrent definientes, quod [res] sit.
Nam tametsi sit aequale, quod a medio ducitur; at cur est
ipsum definitum? et cur hoc est circulus? posset enim quis

aenei dicere ipsam. Neque enim quod possibile sit esse quod dicitur cum assignantur termini, neque quod illud est, cujus dicunt esse definitionem; sed semper licet dicere propter quid.

Si ergo definiens demonstrat, aut quid est aut quid significet nomen, sed non est ullo modo ejus quod quid est, erit utique definitio ratio nominis idem significans.

Sed inconveniens est. Primum quidem et non substantiae utique esset, et eorum quae non sunt. Significare enim est etiam quae non sunt.

Amplius definitiones omnes rationes essent. Esset enim utique nomen ponere cuilibet rationi. Quare omnes terminos utique disputaremus, et Ilias definitio sit.

Amplius neque una scientia demonstrat utique quod hoc nomen ejus quod quid est significat; neque definitiones igitur hujus assignant.

Ex his igitur neque definitio, neque syllogismus idem existens, neque ejusdem syllogismus et definitio est. Adhuc autem quod neque definitio nihil demonstrat, neque monstratur. Neque quod quid est neque definitione neque demonstratione cognoscere est.

dicere orichalcd esse eum. Neque enim, quod fieri possit, ut sit id quod dicitur, definitiones una explicant; nec, quod illud [sit]; cujus dicunt esse definitionem. Sed semper licet dicere, ob quam causam sit?

Si ergo definiens demonstrat aut quid sit, aut quid significet nomen; si nequaquam est explicatio illius, [quod], quid sit, quaerimus; fuerit sane definitio cum nomine idem significans; verum hoc absurdum est.

Nam prinum quidem [definitio] esset eorum quoque, quae non substantiae, nec omnino sunt; nam et, quae non sunt, possunt [nomine] significari.

Porro, [sic] omnes fere orationes definitiones essent. Posset enim aliquis nomen imponere cuicumque orationi. Quare omnes proferremus definitiones, et Ilias esset definitio.

Insuper, nulla scientia demonstraret quod hoc nomen significet hocce; neque enim definitiones hoc declarant.

Ex his igitur apparet, neque definitionem, neque syllogismum idem esse, neque ejusdem esse syllogismum et definitionem; praeterea vero, nec definitionem quicquam aut demonstrare [de aliquo], aut [simpliciter] demonstrare; neque essentiam [rei], aut definitione aut demonstratione cognosci posse.

Postquam Philosophus ostendit quod non contingit demonstrare quod quid est, inducendo per singulos modos quibus aliquid demonstrari potest, hic ostendit propositum per rationes communes. Et circa hoc tria facit. Primo praemittit quoddam quod est necessarium ad propositum ostendendum. Secundo ostendit propositum, ibi, « At vero si demonstrabit quod quid est. » Tertio epilogat quae dicta sunt, ibi, « Ex his igitur neque definitio etc. » Dicit ergo primo, quod non videtur esse possibilis aliquis modus, quo aliquis demonstret quod quid est esse hominis: et hoc ideo, quia necesse est, quod quicumque scit quod quid est inesse hominis vel cujuscumque rei, quod sciat rem illam esse. Quia enim non entis non est aliqua quidditas vel essentia, de eo quod non est, nullus potest scire quod quid est, sed potest scire significationem nominis vel rationem ex pluribus nominibus compositam; sicut potest aliquis scire quid significat hoc nomen tragelaphus vel hircocervus, quod idem est, quia significat quoddam animal compositum ex hirco et cervo; sed impossibile est sciri quod quid est hircocervi, quia nihil est tale in rerum natura.

Deinde cum dicit « at vero »

Ex eo quod praemissum est procedit ad propositum ostendendum. Circa hoc duo facit. Primo ostendit quod non potest ostendi quod quid est demonstratione. Secundo quod non potest ostendi definitione, ibi, « Si ergo et definiens demonstrat. » Circa primum ponit tres rationes: quarum prima talis est. Sicut definitio inducitur ad manifestandum aliquid unum, inquantum scilicet ex partibus definitionis fit unum per se, et non per accidens; ita etiam oportet quod demonstratio, quae utitur definitione tamquam medio, unum aliquid demonstret. Oportet enim conclusionem esse medio proportionatam. Et ita patet, quod per unam et eamdem demonstrationem non possunt diversa demonstrari. « Sed aliud est quod quid est homo, et esse hominem. » In solo enim primo essendi principio quod est essentialiter ens, ipsum esse et quidditas ejus est unum et idem: in omnibus autem aliis, quae sunt entia per participationem, oportet quod sit aliud esse et quidditas entis. Non est ergo possibile quod eadem demonstratione demonstret aliquis quid est et quia est.

Secundam rationem ponit ibi « postea ei »

Quae talis est. Secundum commune sapientum dictum, necessarium est quod omne, idest primum totum quod per demonstrationem demonstratur, sit ipsum quia est; nisi forte aliquis dicat quod hoc ipsum quia est sit substantia alicujus rei. Hoc autem est impossibile. Hoc enim ipsum quod est esse, non est substantia vel essentia alicujus rei in genere existentis. Alioquin oporteret quod hoc quod dico ens esset genus, quia genus est quod praedicatur de aliquo in eo quod quid. Ens autem non est genus, ut probatur in tertio Metaphysicae. Et propter hoc etiam Deus qui est suum esse, non est in genere. Si autem quia est esset substantia alicujus rei, simul cum aliquis ostenderet quia est, ostenderet quid est; et ita non totum quod demonstratio demonstrat, esset quia est. Illud autem est falsum. Ergo patet quod demonstratio solum demonstrat quia est. Demonstrat enim enunciationem aliquam quae significat esse et non esse. Et hoc etiam apparet in processu scientiarum. Geometra enim accipit quid significat hoc nomen triangulus, et demonstrat quod sit; puta cum demonstrat, super lineam rectam datam contingit triangulum aequilaterum constituere. Si igitur aliquis demonstraret solum quid est triangulus, praeter morem demonstrationum quibus utuntur scientiae, non demonstraret hoc totum quod est triangulum esse, sed demonstraret solum hoc quod dico triangulum. Sicut enim propter hoc quod esse non est substantia rei, ille qui demonstrat esse, hoc solum demonstrat; ita si aliquis demonstraret quid est, hoc solum demonstraret. Sequeretur igitur quod aliquis sciens per definitionem quid est, nesciret an est; quod est impossibile, ut ex praedictis patet.

Tertiam rationem ponit ibi « manifestum autem »

Per exempla consuetarum definitionum manifestat idem quod in praecedenti ratione est conclusum, scilicet quod monstrans quid est, non monstrat quia est. Unde dicit, manifestum esse non solum secundum praedicta, sed etiam secundum modos terminorum, idest definitionum quae nunc sunt in usu, quod illi qui definiunt, non manifestant quia est: puta qui definit circulum, dicens quod est aliquid ex cujus medio lineae ad circumferentiam ductae sunt aequales, adhuc restat quaestio propter quid oporteat poni esse id quod definitur; puta propter quid oporteat poni quod sit circulus qui praedicto modo definitur. Convenit enim aliquam similem rationem dicere montis aenei, puta quod est corpus aeneum in altum et usquequaque diffusum: et tamen adhuc restat quaerere an sit aliquid tale in rerum natura. Et hoc ideo quia termini, idest rationes definitivae, non declarant quod illud de quo assignantur, aut sit, aut possibile sit esse; sed semper assignata tali ratione licet quaerere si oporteat tale aliquid esse. Sic igitur patet quod impossibile est quod simul demonstretur quid est et quia est.

Deinde cum dicit « si ergo »

Ostendit quod non potest ostendi quod quid est definitione, ducendo ad inconveniens: unde primo proponit, secundo ostendit quid ex hoc sequatur, ibi, « Sed inconveniens etc. » Dicit ergo primo, quod cum ille qui definit possit ostendere vel quid est, vel tantum quid significat nomen, non propter hoc oportebit quod definitio sit manifestativa ipsius quod quid est, quod proprie pertinet ad definitionem: alioquin sequetur quod definitio significans quod quid est nihil sit aliud quam ratio significans idem quod nomen. Nec enim super talem rationem addit aliquid definitio, nisi quia significat essentiam alicujus rei, unde si non sit aliqua res: cujus essentiam definitio significet, nihil differt definitio a ratione exponente significationem alicujus nominis.

Deinde cum dicit « sed inconveniens »

Ostendit inconveniens esse quod definitio nihil aliud sit quam ratio exponens nominis significationem. Et hoc tribus rationibus. Quarum prima est, quod contingit etiam ea quae nec sunt substantia, nec sunt universaliter entia, aliquo nomine significare. Quodlibet autem nomen per aliquam interpretationem exponi potest. Si ergo nihil aliud esset definitio, quam ratio interpretativa nominis, seque-

retur quod definitio esset non substantiarum, et totaliter non entium: quod patet esse falsum. Ostensum est enim in 7 Metaphysicae quod definitio principaliter quidem est substantiae, aliorum autem inquantum se habent ad substantiam.

Secundam rationem ponit ibi « amplius definitiones »

Quae talis est. Cujuslibet rationi, idest orationi aliquid significanti est imponere aliquod nomen quod est ei correspondens, quod per illam rationem manifestatur. Si ergo nihil aliud est definitio quam ratio interpretativa nominis, sequetur quod omnes rationes essent definitiones; et ita sequetur cum disputamus vel colloquimur adinvicem, quod ipsae disputationes vel collocutiones nostrae sint quaedam definitiones; et similiter sequetur quod Ilias, idest poema Homeri de bello Trojano sit quaedam definitio.

Tertiam rationem ponit ibi « amplius neque »

Quae talis est. Nulla scientia demonstrat quod tale nomen significet talem rem. Nomina enim significant ad placitum: unde oportet hoc supponere secundum voluntatem instituentis. Manifestum est ergo, quod definitiones non significant hoc, scilicet solam nominis interpretationem.

Deinde cum dicit « ex his »

Epilogat quae disputative praemissa sunt. Et dicit, quod ex praemissis videtur sequi quod definitio et syllogismus non sunt idem, neque de eodem; et quod definitio nihil demonstret, quia non est de eodem de quo est demonstratio. Et similiter videtur esse ostensum, quod non est possibile cognoscere quod quid est, neque per definitionem, neque per demonstrationem; quia definitio solum ostendit quid, et demonstratio ostendit quia est. Sed ad cognitionem quod quid est requiritur cognitio quia est, ut dictum est.

LECTIO VII.

Nonnunquam ipsum quod quid est, demonstratione ostendi posse demonstrat.

Iterum autem speculandum est quid horum dicitur bene, et quid non bene, et quid sit definitio: et ejus quod quid est, numquid quodammodo est demonstratio, aut definitio, aut nullo modo.

Quoniam autem, sicut diximus, idem est scire quod quid est, et scire causam ipsius si est. Ratio autem hujus est quoniam est aliqua causa. Et haec aut eadem, aut alia est. Et si utique alia est, aut demonstrabilis, aut indemonstrabilis est. Si igitur est alia, et contingit demonstrare, necesse est medium causam esse, et in figura prima demonstrari. Universale enim et praedicativum est, quod demonstratur. Unus quidem igitur modus nunc exquisitus per aliud quod quid est monstrare, et horum enim quod quid est necesse est medium esse quod quid est, et propriorum proprium. Quare hoc quidem medium monstrabit, illud vero non monstrabit eorum, quae quod quid est erant esse ejusdem rei. Hic quidem igitur modus quod non sit demonstratio dictum est prius; sed est logicus syllogismus ipsius quod quid est.

Quo autem modo contingat dicemus, dicentes iterum ex principio. Sicut enim propter quod quaerimus habentes quia, aliquando autem et simul manifesta fiunt, sed neque prius propter quid possibile est cognoscere, quam quia; manifestum

Rursus autem considerandum est, quid horum bene dicatur, et quid non bene; et quid sit definitio; et num sit definitionis demonstratio et definitio, aut plane non [sit].

Quoniam vero, ut diximus, idem est *to* scire quid sit, et *to* scire causam quare [res] sit; ratio autem hujus est, quod sit aliqua causa; et haec aut eadem, aut alia; quae si alia fuerit, aut demonstrari, aut non demonstrari possit; si igitur est alia [causa], et eam demonstrari contingit, necesse est, medium esse causam, et in prima figura demonstrari; universale enim et affirmativum est id quod demonstratur. Unus ergo quidem modus fuerit, qui jam est expositus, unam per aliam definitionem demonstrandi. Eorum enim quae ratione ejus quid est praedicantur medium necesse est esse *to* quid sit; et propriorum proprium. Quare hoc quidem demonstrabit [aliquis], illud autem non demonstrabit eorum, quae eidem rei secundum essentiam insit.

Hic igitur modus quod non fuerit demonstratio, prius dictum est; sed est logicus syllogismus de eo quid sit.

Quomodo autem contingat [definitionem demonstrari], dicamus, iterum repetentes ab initio. Quemadmodum enim inquirimus causam [rei], quum jam scimus [eam] esse, aliquando vero simul etiam illa inno-

est quod similiter et quod quid erat esse non sine quia est, impossibile enim est scire quid est, ignorantes si est.

Hoc autem si est aliquando quidem secundum accidens habemus; aliquando vero habentes quod quid est ipsius rei, ut tonitruum, quoniam sonus quidam nebularum est, et defectum, quoniam privatio quaedam luminis, est, et hominem, quoniam animal quoddam est, et animam, quoniam seipsum movens.

Sed quaecumque quidem secundum accidens scimus quia sunt, necesse nullo modo habere se ad quid est. Neque enim scimus quia sunt. Quaerere autem quid est non habentes quia est. nihil quaerere est. Sed cum habemus quia est, quid est facile est quaerere. Quare quemadmodum habemus quia est, sic habemus ad id, quod quid est.

Quorum igitur habemus aliquid ipsius quod quid est, primum quidem sit defectus in quo A, luna in quo c, oppositio terrae in quo B. Utrum quidem igitur deficit, aut non, B quaerere est utrum est, aut non. Hoc autem nihil differt quaerere, quam si est ratio ipsius; et si sit hoc, et illud dicimus esse. Aut qualis contradictionis est ratio? utrum habendi duos rectos, aut non habendi? Cum autem inveniamus simul quia et propter quid est, scimus si per media sit. Si vero non, qui, propter quid autem non. Sit igitur luna c, defectus A lunam plenam, umbram non posse facere, nullo nostrum medio existente manifesto in quo B. Si igitur in c est B, quod est lunam non posse facere umbram, cum nullus nostrum medius sit, in hoc autem A quod est deficere; quia deficit quidem manifestum est, sed propter quid nondum; et quia defectus est quidem scimus, quid autem est nescimus. Cum manifestum autem est, quia A in c sit, sed propter quid est quaerere, B est quaerere quid est, utrum sit objectio, aut conversio lunae, aut extinctio. Haec autem est ratio alterius termini, ut in his, quae sunt ipsius A, est enim defectus objectio. Quid est tonitruum? ignis extinctio in nube: sit nubes c, tonitruum A, extinctio ignis B. In c igitur nube est B, extinguitur enim in ipsa ignis, hoc autem est sonus, et est B ratio ipsius A primi termini. Si autem item hujus aliquid medium sit, ex reliquis erit rationibus.

Quomodo quidem igitur accipitur quid est, et fit notum, dictum est. Quare syllogismus quidem ipsius quid est non fit, neque demonstratio; manifestum tamen est per syllogismum, et demonstrationem. Quare neque sine demonstratione est cognoscere quid est, cujus est causa aliqua; neque est demonstratio ipsius, sicut et in oppositionibus diximus.

tescunt, attamen non licet prius causam rei cognoscere, quam quod [ea] sit; ita manifestum est, quod similiter etiam definitio esse nequeat, nisi res sit. Nam fieri non potest, ut, quid sit, sciamus, quum ignoremus num sit.

To num sit vero aliquando cognoscimus per accidens; aliquando autem scientes aliquid ex ipsa re; ut tonitru, quod sit sonus quidam nubium; et eclipsin, quod sit privatio luminis; et hominem, quod sit animal quoddam; et animam, quod sit quidpiam se ipsum movens.

Quaecumque ergo secundum accidens scimus quod sint, necesse est, [ex iis] nequaquam nos [aliquid] habere ad definitionem [conficiendam]; neque enim, quod sint, scimus; at to inquirere, quid [res] sit, quum nescimus quod sit, est frustra inquirere; quatenus autem ipsarum rerum aliquid cognitum habemus, facilius est [inquirere, quid sit res? Quare, quo modo scimus quod [res] sit, sic quoque ad cognitionem definitionis nos habemus.

Quorum autem essentiae aliquid notum habemus, primum sit ita [exemplum]: eclipsis, loco A; luna, loco c; objectio umbrae a terra, loco B. To [quaerere] igitur, num [luna] deficiat, an non, est to B inquirere, sitne an non. Hoc vero nihil est al ud quam quaerere, num sit ejus [aliqua] ratio. Quae si fuerit, etiam illud esse dicimus. Aut [quaerimus], utrius contradictionis ratio sit, non tou habere duos rectos [angulos] an tou non habere.

Quando vero [ejusmodi rationem] invenerimus, tum simul et quod res sit, et cur sit, scimus, si modo per media colligatur.

Sin autem minus, quod res sit, [scimus], at non quare sit. Sit luna, c; eclipsis, A; at sub plenilunio, non apparente aliquo inter nos [et lunam] interjecto, non posse hoc umbram facere, loco B. To [quaerere] igitur, num to B, to non posse facere umbram, nulla re inter nos [et lunam] interjecta; huic vero [inest] to A. to deficere; quod quidem deficiat [luna], perspicuum est; quare autem nondum. Et fieri quidem eclipsin, scimus; at quid [ea] sit nescimus.

Quum vero manifestum sit, to A inesse tō c, at, cur insit, est to quaerere quid sit to B, num objectio umbrae a terra, an conversio lunae, an exstinctio luminis. Hoc vero est definitio alterius extremi, ut, in his to A; nam est eclipsis objectio umbrae a terra. Quid est tonitru? exstinctio ignis in nube. Cur tonat? quia exstinguitur ignis in nube. Sit nubes, c; tonitru, A; exstinctio ignis, B. Igitur tō c, nubi, inest to B; exstinguitur enim in ea ignis; huic vero [inest] to A, sonitus. Et est itaque to B ratio tou A, ut primi extremi.

Si vero hujus aliud rursus sit medium, id a reliquis pendebit rationibus.

Quomodo ergo sumatur to quid sit, et notum fiat, dictum est. Quare syllogismus quidem tou quid sit non fit, neque demonstratio; innotescit tamen per syllogismum, et per demonstrationem; quare nec sine demonstratione cognosci potest, quid [res] sit, cujus est alia causa; neque est demonstratio ejus, ut etiam in Dubitationibus diximus.

Postquam Philosophus disputative inquisivit qualiter cognoscatur definitio et quod quid est, hic determinat utraque veritatem. Et primo dicit de quo est intentio. Secundo exequitur propositum, ibi, « Quoniam autem sicut diximus. » Tertio epilogat quae dicta sunt, ibi, « Manifestum est igitur ex dictis etc. » Dicit ergo primo, quod iterum post disputativum processum considerandum est veritatem, determinando quid praedictorum dicatur bene et quid non bene; et hoc tam circa ipsam definitionem, ut consideremus quid sit ipsa definitio, quam etiam circa ipsum quod quid est, ut consideremus utrum aliqualiter possit manifestari demonstratione, vel definitione, vel nullo modo.

Deinde cum dicit « quoniam autem »

Exequitur propositum. Et primo quantum ad ipsum quod quid est. Secundo quantum ad definitionem, quae est ratio significativa ejus, ibi, « Definitio autem quoniam dicitur ratio etc. » Circa primum ponit duos modos manifestandi quod quid est. Et primo ponit modum logicae probationis. Secundo modum demonstrativae probationis, ibi, « Quo autem modo contingit etc. » Circa primum resumitur primo id quod supra manifestatum est, scilicet quod

idem est scire quid est et scire causam quaestionis, an est; sicut idem est scire propter quid, et causam scire quaestionis quia est. « Ratio autem hujusmodi, » quod idem est scire quid est, et scire causam ipsius si est ita, est, quia oportet quod ejus quod est rem esse sit aliqua causa. Propter hoc enim dicitur aliquid causatum, quod habet causam sui esse. Haec autem causa essendi, aut est eadem, scilicet cum essentia ipsius rei, aut alia. Eadem quidem sicut forma et materia, quae sunt partes essentiae; alia vero, sicut efficiens et finis, quae quidem duae causae sunt quodammodo causae formae et materiae. Nam agens operatur propter finem, et unit formam materiae. Et si accipiamus causam quae est alia ab essentia rei, quandoque quidem est talis per quam possit fieri demonstratio, quandoque autem non. Non enim ex omni causa agente sequitur ex necessitate effectus. Ex suppositione autem finis sequitur quod sit id quod est ad finem, ut probatur in 2 Physicae. Supponamus ergo quod sit aliquis effectus, cujus esse causa sit non solum ipsa essentia rei, sed habeat etiam aliam causam, et sit talis per quam possit demonstrari; puta si dicamus, quod si homo pertingit ad beatitudinem, necesse est praeexistere virtutem. Accipiamus autem, quod essentia virtutis sit habitus operans secundum rationem rectam. Potest ergo demonstrari esse aliquem habitum secundum rectam rationem operantem, si sit aliquis habitus ad beatitudinem perducens. Accipiatur ergo pro medio illa causa alia quae est demonstrativa, et formetur syllogismus in prima figura: quod necesse est fieri, quia oportet quod quid est universaliter et affirmative praedicari de re cujus est. Syllogizabitur ergo sic: Omnis habitus perducens ad beatitudinem, est habitus secundum rectam rationem operans; sed virtus est hujusmodi, ergo etc. Concludit ergo quod iste modus qui est nunc inquisitus est unus modus ostendendi quod quid est per aliud, quod est causa. Et quod ille modus sit conveniens, patet: quia necesse est, sicut supra dictum est, quod medium ad probandum quod quid est accipiatur ipsum quid est; et similiter medium ad probandum aliqua propria accipiatur aliquid proprium. Est autem considerandum quod cum quid est sit causa ipsius rei, secundum diversas causas ejusdem rei potest multipliciter quod quid est ejusdem rei assignari. Puta quid est domus potest accipi per comparationem ad causam materialem, ut dicamus quod est aliquid compositum ex lignis et lapidibus; et etiam per comparationem ad causam finalem, ut dicamus, quod est artificium praeparatum ad habitandum. Sic ergo continget quod cum sint multa quod quid est ejusdem rei, aliquod illorum monstrabitur, et aliquod non monstrabitur, sed supponetur. Unde non sequitur quod sit petitio principii; quia aliud quod quid est supponitur, et aliud probatur. Nec tamen est modus probandi quod quid est demonstrative, sed logice syllogizandi; quia non sufficienter per hoc probatur, quod id quod concluditur sit quod quid est illius rei de qua concluditur, sed solum quod insit.

Deinde cum dicit « quo autem »

Ostendit quomodo per demonstrationem potest accipi quodquod est. Et circa hoc duo facit. Primo ostendit quomodo manifestatur quod quid est per demonstrationem in aliquibus. Secundo ostendit quod non est ita in omnibus, ibi, « Est autem « quorumdam etc. » Circa primum tria facit. Primo praemittit quaedam, quae sunt necessaria ad propositum ostendendum. Secundo manifestat propositum, ibi, « Quorum igitur habemus etc. » Tertio epilogat, ibi, « Quomodo quidem igitur etc. » Circa primum praemittit tria: quorum primum est comparatio quaedam ipsius quod quid est ad propter quid. Dicit ergo quod ad ostendendum quomodo contingat accipere quod quid est per demonstrationem, oportet iterum a principio resumere. Ubi considerandum occurrit quod dupliciter se habet aliquid ad cognoscendum propter quid. Quandoque enim habemus quia in nostra cognitione, et quaerimus adhuc propter quid; quandoque autem simul manifestata sunt nobis utraque. Tertium autem impossibile est, ut scilicet prius cognoscat aliquis de aliqua re propter quid quam quia. Et similiter est de eo quod quid erat esse: quia aliquando scimus rem esse, nec tamen perfecte scimus quid sit; aliquando autem simul scimus utrunque. Sed tertium est impossibile, ut scilicet sciamus quid est, ignorantes si est.

Secundum ponit ibi « hoc autem »

Et dicit quod rem aliquam esse possumus scire absque eo quod sciamus perfecte quid est, dupliciter.

Uno modo, secundum quod cognoscimus aliquod accidens ejus, puta si per velocitatem motum existimemus leporem esse. Alio modo, per hoc quod cognoscimus aliquid de essentia ejus; quod quidem est possibile in substantiis compositis; ut puta si comprehendamus hominem esse per hoc quod est rationale, nondum cognitis aliis quae complent essentiam hominis. In substantiis vero simplicibus hoc non contingit; quia non potest cognosci aliquid de substantia simplicis rei, nisi tota cognoscatur, ut patet in 9 Metaphysicae. Oportet autem quod qui cognoscit aliquid esse, quod per aliquid rei illud cognoscat; et hoc vel est aliquid praeter essentiam rei, vel aliquid de essentia ipsius. Et de hoc ponit exemplum: puta si cognoscamus tonitruum esse propter hoc quia percipimus quemdam sonum in nubibus, quod quidem pertinet ad essentiam tonitrui, non tamen est tota tonitrui essentia, quia non omnis sonus nubium est tonitruus. Et similiter si cognoscamus defectum, idest eclypsim solis vel lunae esse propter hoc quod est quaedam privatio luminis, cum tamen non omnis privatio luminis sit eclypsis. Et eadem ratio est, si aliquis percipiat hominem esse propter hoc quod est quoddam animal, vel si percipiat animam esse, propter hoc quod est aliquid seipsum movens.

Tertium ponit ibi « sed quaecumque »

Et dicit quod illa de quibus scimus quia sunt per aliquod accidens ipsorum, nullo modo per hoc se habent ad hoc quod cognoscamus de ipsis quid est; etiam quia nec est per hujusmodi accidens vere scimus ea esse. Scimus quidem esse eorum accidentia; sed quia accidentia non sunt ipsae res, non propter hoc vere scimus ipsas res esse. Vanum autem est quaerere quid est, si aliquis nesciat quia est. Sed illa, de quibus scimus ea esse per aliquid ipsorum, facilius possunt cognosci a nobis quid sunt. Unde manifestum est quod sicut nos habemus ad cognoscendum quia est aliquid, ita nos habemus ad cognoscendum quid est.

Deinde cum dicit « quorum igitur »

Manifestat propositum secundum praemissa; et dicit, quod in his quae scimus esse per hoc quod cognoscimus aliquid essentiae ejus, accipiamus primo tale exemplum. Sit defectus, idest eclypsis, in quo A, quae est major extremitas; luna in quo C, quae est minor extremitas; oppositio terrae directa inter lunam et solem in quo B, quod est medium. Idem igitur est quaerere utrum deficiat luna vel non, et quaerere utrum B sit vel non. Quaerere (1) autem utrum B sit, vel non, nihil differt, quam quaerere si est aliqua ratio ipsius defectus. Nam B, idest oppositio terrae, est ratio defectus lunae et si sit oppositio terrae, etiam hunc (2) dicimus esse, scilicet defectum lunae, aut non. Similiter si quaeramus qualis sit ratio contradictionis, utrum scilicet in habendo duos rectos vel non habendo sit contradictio. Cum autem inveniamus esse id quod quaerimus, puta esse defectum, simul sciemus quia et propter quid, si inveniatur propositum per medium debitum quod est causa. Si vero non, sed per aliquod extrinsecum; sciemus quia, sed non propter quid: puta si sit luna C, et defectus A, accipiamus pro medio quod est B, hoc est quod luna non potest facere umbram aliquo nostrum medio non existente cum sit plenilunium. Luna enim

(1) Al. et quaerere autem utrum etc. intermediis omissis.
(2) Al. tunc.

quandoque (1) deficit facit umbram interposito
aliquo corpore: sed hoc quod est non posse facere
umbram nisi aliquis nostrum existat in medio, non
est causa defectus, sed potius effectus. Si ergo в
praedicetur de c, quia scilicet luna potest in plenilunio facere umbram aliquo nostrum medio existente, et iterum si in hoc medio sit A, idest si
accipiatur quod quando hoc accidit luna deficit,
manifestum erit lunam deficere, sed propter quid
luna deficiat nondum erit manifestum; et similiter
sciemus quia est defectus, sed nesciemus quid est
defectus. Quando autem manifestum est quod A est
in c, idest quod luna deficit, sicut in praedicto e-
xemplo, nec scitur propter quid est, nec scitur quid
est tunc quaerere propter quid est, nihil (2) aliud est,
quam quaerere quid est. Puta si quaeramus quare
deficit luna, utrum deficiat propter hoc quod objicitur terra in medio inter solem et lunam, vel hoc
fiat per conversionem lunae, et tunc vertatur versus nos superficies lunae quae est tenebrosa, ut
quidam dixerunt, vel etiam lumen extinguatur in
aliquo humido. Quaerere autem utrum propter aliquam harum causarum fiat defectus lunae, nihil
est aliud quam quaerere utrum defectus lunae sit
objectio terrae, aut conversio lunae, aut extinctio
luminis ejus. Et hoc medium est ratio alterius extremitatis, sicut in praemissis exemplis est ratio
ipsius A, quod est major extremitas; quia defectus
lunae nihil est aliud quam objectio facta lunari
lumini a terra. Ponit etiam aliud exemplum: ut si
quaeramus quid est tonitruum, et dicamus secundum opinionem Anaxagorae et Empedoclis, quod
est extinctio ignis in nube. Secundum vero opinionem ejus in secundo Meteororum, tonitruum fit ex
percussura exhalationis siccae infrigidatae (3) ad

(1) Al. incongrue ponitur non.
(2) Al. redundat enim.
(3) Al. in frigiditate.

nubes. Utitur autem multoties in exemplis opinionibus aliorum. Si ergo secundum praedictam opinionem quaeratur propter quid tonat? respondetur,
propter hoc quod extinguitur ignis in nube. Sit igitur
nubes c, quod est minor extremitas, tonitruum autem A quod est major extremitas, extinctio ignis
sit B, quod est medium. Syllogizetur ergo sic. In
c, idest in nube est extinctio ignis; sed omnis extinctio ignis est sonus tonitrui. Et sic patet quod
accipiendo propter quid, per demonstrationem, accipimus quid est; quia ipsum medium ostendens
propter quid, est ratio definitiva primi termini, idest
majoris extremitatis. Sed si oporteat accipere aliquod aliud medium ad hoc demonstrandum, hoc
assumetur ex reliquis rationibus, idest ex definitione minoris extremitatis, et aliarum causarum ex-
trinsecarum. Cum enim subjectum sit causa passionis, necesse est quod definitio passionis demonstretur per definitionem subjecti. Et hoc patet in
exemplo proposito. Quia enim luna est corpus natum sic moveri, ideo necesse est quod objiciatur
certo tempore terra inter solem et ipsam.

Deinde cum dicit « quomodo quidem »

Epilogat quod dictum est, et dicit: Dictum est
« quomodo accipiatur et innotescat quod quid est, »
scilicet per hoc quod accipitur propter quid: dictum
est etiam quod non est syllogismus neque demonstratio ipsius quid est, ut scilicet proprie syllogizetur vel demonstretur quod quid est: et tamen manifestatur quod quid est per syllogismum et per
demonstrationem, inquantum scilicet medium demonstrationis propter quid est quod quid est. Unde
manifestum est quod neque sine demonstratione
potest cognosci quod quid est, cujus est altera causa;
nec tamen est demonstratio ipsius quid est, sicut
probatur in objiciendo. Et secundum hoc objectiones inductae sunt verae.

LECTIO VIII.

Non in omnibus posse quod quid est per demonstrationem ostendit: quomodo item definitio
demonstrationem ipsam respiciat, exemplo manifestat.

Est autem quorumdam quidem quaedam altera causa,
quorumdam autem non est. Definitiones quidem secundum
species factae nullum habent medium quo demonstrentur: sed
definitiones secundum materiam factae possunt habere medium. Quare manifestum est quoniam eorum quae sunt quid
est, alia quidem sine medio, et principia sunt, quae et esse
et quia sunt supponere oportet, aut alio modo manifesta facere: quod vere arithmeticus facit: namque quid est unitas
supponit, et quia est. Sed habentium medium, quorum est
quaedam altera causa substantiae, ut ipsius esse, est per
demonstrationem, (sicut dictum est,) ostendere, non quod quid
est demonstrantes.
Definitio autem quoniam quidem dicitur ratio ipsius quod
quid est, manifestum est, quoniam aliqua ratio ipsius quod
quid est significat nomen, aut erit ratio altera nomina ponens,
ut quidem significans quid est secundum quod triangulus est:
quod vero habentes quia est, quaerimus propter quid est.
Difficile autem est sic accipere quae non scimus quia sunt.
Causa autem prius dicta est difficultatis: quia neque si est,
neque si non, scimus, sed aut secundum accidens. Ratio
autem una est duplex: haec quidem conjunctio est, ut quae
est Ilias: alia vero unum de uno ostendens non secundum

Est autem aliorum quidem alia causa quaedam, aliorum
vero non est. Hinc manifestum est quod et eorum quae
ratione ejus quid est dicuntur, alia sint immediata et principia; quae et quod sint, et quid sint, supponere oportet,
aut alio modo clara facere. Quod ipsum arithmeticus facit;
nam et quid sit, unitatem supponit, uti et, quod [ea] sit.
Eorum autem quae medium habent, et quorum est aliqua
quaedam causa substantiae, per demonstrationem, ut diximus
[ipsam causam] declarare licet, nec tamen demonstrando to
quid sit.

Definitio vero quoniam dicitur esse oratio, quae quid sit
indicat, manifestum est quod oratio quaedam sit de eo quid
significat nomen, aut oratio diversa nominalis; ut, quid significat [triangulus], quid est, quatenus triangulus [vocatur];
quod ubi cognoverimus quod sit, inquirimus cur sit. Difficile autem est [illa] ita deprehendere, quae nescimus quod
sint. Causa vero difficultatis ante dicta est; quod neque scimus utrum sint, an non sint, nisi secundum accidens.
Oratio autem una est duobus modis; alia quidem conjunctione, ut Ilias; alia autem, quia unum de uno indicat

accidens. Ratio autem una quidem igitur terminus est termini, quae dicta est.

Alia vero terminus est demonstrans propter quid est.

Quare prima quidem significat quod quid est, demonstrat autem non. Quae vero posterius est, manifestum est quoniam erit ut demonstratio ejus quod quid est, positione differens a demonstratione.

Differt enim dicere propter quid tonat, et quid est tonitruum. Dicet enim siquidem, propter id quod extinguitur ignis in nubibus: quid autem tonitruum est? sonus extincti ignis in nubibus. Quare eadem ratio alio modo dicitur. Et sic quidem demonstratio continua, sic autem definitio. Amplius est terminus, continuus sonus in nubibus. Hoc autem est, quae est ipsius quid est demonstrationis conclusio.

Immediatorum autem definitio positio est ipsius quid est indemonstrabilis. Una vero syllogismo ipsius quid est casu differens a demonstratione. Tertium autem est quae est ipsius quid est conclusio.

Manifestum igitur ex dictis est, et qualiter est ipsius quod quid est demonstratio, et quomodo non est. Et quorum est, et quorum non. Amplius autem definitio quot modis dicitur, et qualiter quod quid est demonstretur et quomodo non, et quorum est et quorum non est. Adhuc autem et ad demonstrationem quomodo se habet, et quomodo contingere et quomodo non.

non secundum accidens.

Una ergo finitio est definitionis modo proposita. Finitio alia autem est explicatio, quae causam rei declarat.

Quare prior [finitio] significat quidem aliquid, at non demonstrat; posterior autem, manifestum est quod futura sit velut demonstratio ipsius essentiae, collocatione [sola terminorum] a definitione differens. Differt enim dicere, cur tonat? et, quid est tonitru? dicet enim ita [ad priorem quaestionem] aliquis, quoniam exstinguitur ignis in nubibus; quid autem est tonitru? Sonitus exstincti ignis in nubibus. Quare eadem oratio alio modo dicitur, et hoc quidem modo demonstratio [est] continua; illo vero definitio.

Porro, definitur tonitru: sonitus in nubibus. Hoc vero est conclusio demonstrationis essentiae.

At immediatorum definitio positio est essentiae non amplius demonstranda.

Est ergo definitio una quidem, oratio essentiam rei explicans non amplius demonstrabilis; altera vero syllogismus tou quid sit dispositione differens a demonstratione; tertia denique, conclusio demonstrationis tou quid sit.

Manifestum igitur ex dictis est, et quomodo ipsius definitionis fiat demonstratio, et quomodo non fiat; et quorum sit, et quorum non sit; porro autem, quot modis dicatur definitio; et quomodo [illa] essentiam rei demonstret, et quomodo non; et quorum sit, et quorum non sit; praeterea vero, quomodo se habeat ad demonstrationem; et quomodo contingat ejusdem esse, et quomodo non contingat.

Postquam Philosophus ostendit quod in quibusdam per demonstrationem accipitur quod quid est, hic ostendit quod hoc non est possibile in omnibus. Et ad hoc ostendendum praesupponit quod quorumdam est quaedam altera causa, quorumdam autem non. Quia igitur quod quid est, accipitur per demonstrationem, cujus medium est causa, manifestum est quod sunt quaedam, quorum quod quid est oportet accipere sicut quoddam immediatum principium, ita quod oportet supponere de tali re et esse et quid est, vel manifestare aliquo alio modo quam per demonstrationem, puta per effectum, vel per simile, vel aliquo tali modo. Est autem considerandum quod hoc quod dicit « quorumdam non esse aliam causam, » potest intelligi tripliciter. Uno modo quod simpliciter et absolute causam non habet sui esse. Et hoc competit soli primo principio quod est causa esse et veritatis in omnibus rebus: nihil enim prohibet etiam eorum quae ex necessitate sunt, esse aliquam causam necessitatis, ut patet in quinto Metaphysicae. Et ideo cum hic Philosophus pluraliter loquatur, non sic est intelligendum quod hic dicitur, quod aliqua sint quae nullam habent causam sui esse. Alio modo potest intelligi secundum ordinem causarum ejusdem rei. Manifestum est enim in rebus habentibus quatuor causas, quod una causa est quodammodo causa alterius. Quia enim materia est propter formam et non e converso, ut probatur in secundo Physicorum; definitio quae sumitur ex causa formali est causa definitionis quae sumitur ex causa materiali ejusdem rei. Et quia generatum consequitur formam per actionem generantis, consequens est quod agens sit quodam modo causa formae, et definitio definitionis. Ulterius autem omne agens agit propter finem unde definitio: quae a fine sumitur, est quodammodo causa definitionis quae sumitur a causa agente. Ulterius autem non est procedere in generibus causarum: unde dicitur quod finis est causa causarum. Potest tamen in singulis causarum generibus fieri demonstratio a posterius ad priora; sed definitiones vel demonstrationes debent dari per causas primas. Et secundum hunc

sensum in quibusdam libris interponitur quod definitiones secundum speciem factae nullum habent medium quo demonstrentur, definitiones autem secundum materiam factae possunt habere medium; quia scilicet definitiones quae dantur secundum causam meram materialem possunt demonstrari per definitiones quae dantur secundum causam formalem. Definitio autem quae datur secundum causam formalem non potest ulterius demonstrari per aliquod principium intrinsecum rei quod proprie pertinet ad quod quid est, utpote intrans essentiam rei. Sed et si demonstraretur per causam efficientem et finalem, dicendum erit quod semper causa superior se habet ut formalis respectu inferioris. Praedicta tamen verba non habentur in libris graecis. Unde magis videtur esse Glossa quae per errorem scriptorum introducta est loco textus. Tertio modo potest intelligi inquantum alia sunt, quia non habent causam in genere subjecto alicujus scientiae, sicut in genere numeri, de quo est arithmetica, est devenire ad unitatem ejus. In hoc enim genere non est accipere aliud principium. Et hic sensus concordat exemplo quod Philosophus subjungit dicens, quod arithmeticus supponit quid est unitas, et quia est. Et sicut illa quorum non est alia causa, ita etiam illa quae possunt habere medium, et quorum est altera causa, potest manifestari quod quid est, ita tamen quod non demonstretur ipsum quod quid est, sed magis ut medium demonstrationis quod quid est accipiatur.

Deinde cum dicit « definitio autem. » Ostenso, qualiter se habeat quod quid est ad demonstrationem, ostendit quomodo se habet definitio. Et circa hoc duo facit. Primo ostendit qualiter definitio se habeat ad demonstrationem. Secundo manifestat quod dixerat per exemplum, ibi, « Differt enim dicere propter quid. » Circa primum tria facit. Primo proponit unum modum definitionis quid est. Secundo proponit alium modum definitionis significantis propter quid, ibi, « Alia vero « terminus. » Tertio ostendit qualiter se habeat utraque definitio ad demonstrationem, ibi, « Quare prima « quidem. » Circa primum supponit primo quod de-

finitio sit ratio significativa illius quod quid est. Si
autem non (1) posset haberi aliqua ratio rei quam
definitio, impossibile esset quod sciremus aliquam
rem esse, quin sciremus de ea quid est; quia impossibile est quod sciamus aliquam rem esse nisi
per aliquam illius rei rationem. De eo enim quod
est nobis penitus ignotum non possumus scire si
est, aut non. Invenitur autem aliqua alia ratio praeter definitionem, quae quidem vel est ratio expositiva significationis nominis, vel est ratio ipsius
rei nominatae, altera tamen a definitione, quia non
significat quid est sicut definitio, sed forte aliquod
accidens. Sicut forte invenitur aliqua ratio quae
exponit quid significat hoc nomen triangulus, et
per hujusmodi rationem habentes quia est, adhuc
quaerimus propter quid est, ut sic accipiamus quod
quid est. Sed sicut supra dictum est, hoc est difficile accipere in illis in quibus nescimus an sit.
Et hujusmodi difficultatis causa superius est assignata; quia scilicet quando nescimus rem esse per
aliquid rei, non absolute scimus si est vel non est,
sed solum secundum accidens, ut supra expositum
est. Ad distinguendum autem rationem significantem quid est ab aliis, subjungit quod dupliciter
aliqua ratio potest dici una. Quaedam enim est una
sola conjunctione, per quem modum etiam habet
unitatem Ilias, idest poema de historia Trojana. Et
per hunc etiam modum dicitur esse una ratio, quae
est expositiva nominis, vel manifestativa ipsius rei
nominatae per aliqua accidentia; ut si dicatur quod
homo est animal risibile susceptibile disciplinae.
Alia vero ratio est una inquantum simpliciter significat unum de una re, cujus ratio est; et hoc
non secundum accidens. Et talis ratio est definitio
significans quid est, quia essentia cujuslibet rei est
una. Sic ergo concludit quod illa quae dicta est,
est una definitio definitionis, scilicet quod definitio
est ratio ipsius quod quid est.

Deinde cum dicit « alia vero »

Ponit alium modum definitionis; et dicit quod
alia definitio definitionis est, ut sit ratio manifestans
propter quid.

Deinde cum dicit « quare prima »

Ostendit quomodo utraque definitio se habeat
ad demonstrationem; concludens ex praemissis, quod
prima definitio solum significat quod quid est, sed
non demonstrat ipsum. Secunda vero definitio est
quasi demonstratio quaedam ipsius quod quid est,
et non differt a demonstratione nisi sola positione,
idest ordine terminorum et propositionum.

Deinde cum dicit « differt enim »

Manifestat quod dixerat per exempla. Et circa
hoc duo facit. Primo manifestat per exempla, quae
dicta sunt. Secundo colligit ex praemissis diversitatem definitionum, ibi, '« Immediatorum autem de -
« finitio. » Dicit ergo primo, quod differt dicere
propter quid tonat, et quid est tonitruum: quia
secundum opinionem illorum qui dicunt quod
extinctio ignis in nube est causa tonitrui, dicit

aliquis propter quid, cum dicit tonitruum esse propter hoc quod ignis extinguitur in nube. Ille autem
dicit quid est tonitruum, qui dicit quod sonus
ignis extincti in nubibus. Utrum (1) autem horum
significat eadem rationem, sed per alium modum.
Nam cum dicitur, tonat propter hoc quod extinguitur ignis in nube, significatur per modum demonstrationis continuae, idest non distinctae per diversas propositiones; accipiuntur tamen continuae omnes termini demonstrationis. Cum dicitur quod
tonitruum est sonus extincti ignis in nubibus, significatur per modum definitionis. Sed si dicamus
quod tonitruum est sonus in nubibus, nulla mentione facta de extinctione ignis, erit definitio significans quid est, et erit solum demonstrationis conclusio.

Deinde cum dicit « immediatorum autem »

Colligit ex praemissis quot sunt modi definitionum per respectum ad demonstrationem. Et primo
resumit quoddam quod supra dixerat: quod eorum
quae non habent causam, definitiones sunt accipiendae sicut quaedam immediata principia. Et ideo
dicit hic, quod definitio immediatorum, idest rerum
non habentium causas, est sicut quaedam indemonstrabilis positio ejus quod quid est. Ex hoc concludit quod triplex est genus definitionis per comparationem ad demonstrationem. Quaedam enim
est definitio quae est indemonstrabilis ratio ejus
quod quid est. Et haec est illa, quam dixerat esse
immediatorum. Alia autem definitio est, quae est
quasi quidam syllogismus demonstrativus ejus quod
quid est, et non differt a demonstratione nisi casu,
idest secundum diversam acceptionem et positionem
dictionum, ut cum dicitur, tonitruum est sonus
extincti ignis in nubibus. Tertia autem definitio est
quae solum est significativa ipsius quod quid est,
et est conclusio demonstrationis.

Deinde cum dicit « manifestum igitur »

Epilogat quae dicta sunt; et dicit manifestum
esse ex praedictis per quem modum est demonstratio ipsius quod quid est, et per quem modum
non; quia scilicet quod quid est potest accipi ex
ipsa demonstratione, non autem potest demonstrari.
Dictum est etiam in quibus possit esse demonstratio ejus quod quid est secundum modum praedictum, quia in habentibus causam, et in quibus
non, quia in non habentibus causam. Dictum est
etiam quot modis dicitur definitio, quia scilicet
quaedam significat quod quid est, quaedam autem
etiam manifestat propter quid. Dictum est etiam
quomodo quid est demonstratur, inquantum scilicet
significatur per definitionem significantem solum
quod quid est; et quomodo non demonstratur, inquantum scilicet per definitionem accipitur non
solum quid, sed etiam propter quid. Dictum est
etiam quomodo definitio se habeat diversimode ad
demonstrationem, et quomodo contingat quod ejusdem sit demonstratio et definitio, et quomodo hoc
non contingat.

---

(1) *In Edit. Rom. deest* non.

(1) *Lege* utrumque.

LECTIO IX.

Quonam modo demonstrari contingat ex quatuor generibus causarum.

ANTIQUA.

Quoniam autem scire opinamur cum scimus causam: causae autem quatuor sunt, una quidem, quod quid erat esse, una vero, cum haec sit, necesse est hoc esse: altera autem aliquid primo movet: quarta vero, causa cujus; omnes hae per medium monstrantur.

Et hoc enim quod cum sit, hoc necesse est esse, una quidem propositione accepta non est; duabus autem ad minus. Hoc autem est cum unum medium habeant. Hoc igitur uno accepto, conclusionem necesse est esse.

Manifestum autem est, et sic propter quid recta in medio circulo, quo existente recta est? Sit igitur recta in quo A, duorum rectorum in quo B, quae est in medio circulo in quo C, A igitur rectam esse in C, quae est in medio circulo, causa B est, hoc enim ipsi A aequale est. quod vero est C ipsi B, duorum enim rectorum medium est. Existente igitur B medio duorum rectorum, A in C est; hoc autem erat in semicirculo rectam esse. Huic autem idem est quod quid erat esse, cum hoc significet ratione.

At vero, et ipsius quod quid erat esse, causa monstrata est media

Propter quid autem Medorum bellum factum est Athenis? quae causa est praeliari Athenienses? quoniam in Sardos commiserunt. Propter hoc enim motum est primum. Sit bellum in quo A: prius committit B. Athenienses C. Est igitur B in C prius est committere Atheniensibus; A autem in B debellari enim prius injustos. Est itaque in B A debellari prius incipientes, B autem prius in Atheniensibus, prius enim inceperunt. Medium itaque hic causa est primum movens.

Quorumcunque autem causa est propter aliquid, ut propter quid ambulat? ut sanus fiat: et propter quid facta est domus? ut salvet vasa. Hoc ergo ut sanet, illud vero propter id quod salvet. Propter quod post caenam oportet ambulare, et cujus gratia oportet, nihil differt. Ambulare post caenam in quo C: non eminere cibos in quo B: sanari in quo A. Sit igitur in eo quod post caenam ambulat esse facere non supereminere cibos juxta os ventris, et hoc esse sanum. Videtur enim inesse ipsi ambulare quod est C, B, quod est non eminere cibos, in hoc autem A quod sanativum est. Quae igitur causa est in C quod A sit propter quid, est B non eminere cibos. Hoc autem est velut illius ratio: A enim sic demonstrabitur. Propter quid A in C est? quoniam hoc est sanari. Oportet autem commutare rationes, et sic magis unaquaeque apparebit.

Generationes autem econtrario hic, et in causis secundum motum. Ibi quidem enim medium oportet primum fieri, hic autem ipsum C ultimum. Ultimum autem est propter quid est.

Contingit autem idem, et unum, et quid est, et propter quid est, et ex necessitate, ut per laternae pellem lumen. Et namque ex necessitate digreditur, quod in parva est partibilius per majores poros. Sic quidem ignis fit digrediendo, et propter aliquid, ut non offendamus. Itaque si esse contingit, et fieri contingit: sicut sonat extincto igne, necesse est sceptire, et sonare, et si est quaemadmodum Pythagorici dicunt, minarum causa his qui sunt in tartaro, quatenus timeant.

Plurima autem hujusmodi sunt, et maxime in his quae natura subsistunt, et constantibus. Hoc quod propter hoc natura fecit, alia vero ex necessitate. Necessitas autem duplex est. Hoc quidem enim secundum naturam et motum; sicut lapis ex necessitate et sursum et deorsum defertur, sed non propter eamdem necessitatem.

In his autem quae sunt ab intelligentia, alia quidem

RECENS.

Quoniam vero scire [rem tum demum] arbitramur, quando causam cognoscimus; causae autem quatuor sunt: una quidem, essentiam rei explicans; una vero, ex qua, positis quibusdam, necesse est, hoc esse; altera praeterea, quae aliquid primo movit; quarta denique, cujus gratia aliquid fit; omnes hae [causae] per medium monstrantur. Nam *to*, posito hoc, necesse esse, illud esse, una tantum sumpta propositione, non licet [demonstrare], at minimum duabus; id vero est, quum [propositiones] unum medium habeant. Quo ergo uno sumpto, necesse est, conclusionem exsistere.

Manifestum vero ita quoque fit. Cur rectus est [angulus] in semicirculo? aut, quo posito, rectus est? Nimirum sit [angulus] rectus, loco A; dimidius duorum rectorum, loco B; angulus in semicirculo, loco C. Ergo *to* A, [angulum] rectum, inesse *tō* C, angulo in semicirculo, hujus causa est *to* B. Nam hic [angulus] est aequalis [angulo] A; ille autem [angulus] C [angulo] B; nam 'est dimidius duorum rectorum. Posito igitur B, dimidio duorum rectorum, *to* A inest *tō* C: hoc autem erat *to* rectum esse [angulum] in semicirculo.

Hoc vero idem est cum explicatione essentiae rei, quod hoc definitionem significet. Verumtamen haec ipsa explicatio essentiae rei [ut] causa demonstrata est medium esse.

At [si quis quaerat], cur Medorum cum Atheniensibus bellum ortum est? quaenam causa fuit bellum gerendi contra Athenienses? quia [hi] una cum Eretriensibus Sardes bello petierant; id enim primo movit [bellum]. Sit bellum loco A; priores bello petere, B; Athenienses, C. Inest ergo *to* B *tō* C, *to* priores intulisse bellum, Atheniensibus; A autem *tō* B, nam bellum inferunt iis, qui prius injuriam facere. Inest igitur *tō* B quidem *to* A, *to* bellum gerere cum his qui prius lacessivere; hoc B vero *tō* C, nempe Atheniensibus, nam primi [hostiliter agere] coeperunt. Medium igitur et hic est causa primo movens.

Quorum autem causa [quaeritur], cujus gratia: ut, quare obambulat? ut bene valeat; cur domus est? ut serventur vasa; illud quidem [fit] bonae valetudinis gratia, haec vero [est] conservationis gratia. Cur vero post coenam ambulare nos oportet? et cujus id gratia fieri oportet? nihil differunt.

Sit ambulatio post coenam, C; *to* non supernatare cibos, loco B; *to* bene valere, loco A. Insit igitur *tō* ambulare post coenam *to* efficere ut non supernatent cibi ad os ventriculi; et hoc sanum est. Videtur enim inesse *tō* ambulare C, *to* B, quod non supernatent cibi; huic vero *to* A *to* sanum. Quid igitur causae est *tō* C, ut illi A insit, *to* cujus gratia? *to* B, quod non supernatent [cibi]. Hoc vero est velut illius ratio, nam *to* A sic explicabitur. Quare *to* B insit *tō* C? quoniam bene valere est ita se habere. Oportet autem nos commutare rationes, et sic singula erunt clariora.

Generationes autem contrario modo et hic et in causis moventibus se habent. Ibi namque opus est, ut medium prius fiat: hic autem *to* C est extremum; ultimum vero id, cujus gratia fit

Contingit autem, ut unum idemque et alicujus gratia, et ex necessitate sit; velut, lumen [transit] per lucernam? nam et ex necessitate id quod tenuiorum est partium transit per poros majores, si quidem lumen fit per transitum; et alicujus gratia [hoc fit], ne offendamus. An igitur, si quidem esse contingit, etiam fieri contingit? ut, si tonat, et, extincto igne, necesse est, sibilum et sonitum edi, et, ut Pythagorei dicunt, minationis causa, ut terreantur qui in Tartaro sunt.

Plurima vero talia sunt, et maxime in his, quae secundum naturam constituuntur et constant: modo enim natura alicujus gratia efficit, modo ex necessitate.

Necessitas autem duplex est; alia quidem secundum naturam et [naturae] impetum; alia vero violenta, quae est praeter impetum [naturae], quemadmodum lapis ex necessitate et sursum et deorsum fertur, at non per eamdem necessitatem.

In his autem quae sunt a ratione, alia quidem nequa-

nequaquam sunt ab eo, quod per se frustra est, ut domus aut effigies; neque ex necessitate sunt, sed propter hoc vero sunt a fortuna, ut sanitas, et salus. Maxime autem in quibuscumque contingit, sic et aliter, cum non a fortuna generatio sit.

Quare finis bonus propter aliquid fit, et aut natura aut arte. A fortuna autem nihil propter aliquid fit.

quam a casu sunt, ut domus, aut statua; neque ex necessitate sed alicujus gratia; alia vero etiam a fortuna sunt, ut valetudo et salus.

Maxime vero [illa talia sunt], in quibus et hoc et illo modo contingit, quando generatio non est a fortuna, quare finis bonus alicujus gratia fit; et aut natura, aut arte. A fortuna autem nihil fit alicujus gratia.

Postquam Philosophus ostendit qualiter ipsum quid est se habeat ad demonstrationem, hic ostendit quomodo ad demonstrationem se habeat propter quid, quod significat causam. Et circa hoc duo facit. Primo ostendit quomodo causae assumantur in demonstratione; secundo quomodo diversimode in diversis rebus, ibi, « Eadem autem causa est. » Circa primum duo facit. Primo proponit quod intendit; secundo manifestat propositum, ibi, « Et « hoc enim existente. » Dicit ergo primo, quod quia scire opinamur, cum sciamus causam, ut in primo habitum est; demonstratio autem est syllogismus faciens scire; ita consequens est, quod medium demonstrationis sit causa. Sunt autem quatuor genera causarum, ut in secundo Physicae et in quinto Metaphysicae plenius manifestatur: quarum una est quod quid erat esse idest causa formalis, quae est completiva essentiae rei. Alia autem est causa, qua posita necesse est causatum poni; et haec est causa materialis, quia ea quae sequuntur ex necessitate materiae, sunt necessaria absolute, ut habetur in secundo Physicorum. Tertia autem causa est, quae est principium motus, idest causa efficiens. Quarta causa est, cujus gratia fit aliquid, scilicet causa finalis. Et ita patet quod per medium demonstrationis omnes hae causae manifestantur, quia quaelibet harum causarum potest accipi ut medium demonstrationis.

Deinde cum dicit « et hoc »

Manifestat quod dixerat. Et circa hoc duo facit. Primo ostendit quomodo diversae causae sumuntur ut medium demonstrationis in diversis rebus: secundo ostendit quomodo unius et ejusdem rei possunt esse diversae causae, ibi, « Contingit autem « ibidem. » Circa primum quatuor facit. Primo manifestat quomodo causa materialis accipiatur in demonstratione. Secundo manifestat propositum in causa formali, ibi, « At vero ipsius. » Tertio ostendit idem de causa efficienti, ibi, « Propter quid « autem Medorum. » Quarto autem in causa finali, ibi, « Quorumcumque autem. » Circa primum duo facit. Primo proponit modum, quo causa materialis assumitur in demonstratione, qui etiam competit in aliis causis. Secundo ponit exemplum, ibi, « Manifestum est autem. » Dicit ergo primo, quod illud, quo existente necesse est aliud esse, scilicet causa materialis, non contingit accipi sic, ut ex necessitate aliquid sequatur, si accipiatur una sola propositio; sed oportet accipere ad minus duas hoc modo se habentes, quod communicent in uno medio. Si ergo accipiatur in duabus propositionibus unum medium quod est causa materialis, ex necessitate sequitur conclusio necessaria. Puta, si dicamus, omne compositum ex contrariis est corruptibile, lapis est hujusmodi, ergo etc. Oportet autem accipere duas propositiones, non solum propter exigentiam formae syllogisticae, sed etiam quia non omnia quae sunt ex materia habent ex materia necessitatem, ut probatur in secundo Physicorum.

Et ideo praeter propositionem in qua sumitur hoc habere talem materiam, oportet quod sumatur alia propositio quae declaret quod ex tali materia aliquid ex necessitate sequatur.

Deinde cum dicit « manifestum autem »

Proponit exemplum in mathematicis. Nec est contra id quod dicitur in 3 Metaphysicae, quod mathematicae scientiae non demonstrant per causam materialem. Mathematica enim abstrahit quidem a materia sensibili, non autem a materia intelligibili, ut dicitur in 6 Metaphysicae: quae quidem materia intelligibilis consideratur secundum quod aliquid divisibile accipiatur, vel in numeris, vel in continuis. Et ideo quandocumque in mathematicis aliquid demonstratur de toto per partes, videtur esse demonstratio par causam materialem: partes enim se habent ad totum secundum rationem materiae, ut habetur in 2 Physicae. Et quia materia magis proprie dicitur in sensibilibus, propter hoc noluit eam nominare causam materialem, sed causam necessitatis. Ad evidentiam autem exempli quod in litera ponitur, sciendum est, quod omnis triangulus cadens in semicirculo est rectus, ut probatur in tertio Euclidis. Est autem probatio talis:

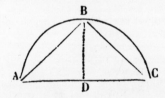

Sit semicirculus A B C, corda autem ejus, quae est diameter circuli, dividatur in puncto D quod est centrum circuli. Erigatur ergo super punctum D linea perpendicularis, quae attingat circumferentiam circuli in puncto B, a quo ducantur duae lineae ad duo puncta A et c: dico ergo, quod angulus A B C, cadens in semicirculo, est rectus. Probatio: triangulus B D C habet tres angulos aequales duobus rectis: sed angulus ejus B D C est rectus, quia linea B D est perpendicularis: ergo duo alii anguli, scilicet D B C, et B C D sunt aequales uni recto. Sed hi duo anguli sunt aequales, eo quod duae lineae D B et D C sunt aequales, quia contrahuntur a centro ad circumferentiam: relinquitur ergo quod angulus D B C sit media pars recti anguli. Pari quoque modo probatur quod angulus A B D sit media pars recti. Ergo totus angulus A B C est rectus.

Hac ergo probatione utitur hic Philosophus dicens, quod manifestum est per hunc modum, quod est recta quae in semicirculo, idest rectus angulus, qui cadit in semicirculo, dum accipit illud, quo existente sequitur quod fit rectus. Sit ergo rectus angulus in quo A, quod est major extremitas; medietas duorum angulorum sit medium in quo B, angulus cadens in semicirculo sit extremitas in quo

est c. Hoc ergo, quod est A esse in c, idest quod
angulus in semicirculo sit rectus, causa est scilicet
quod angulus semicirculi est medium duorum rectorum. Hoc enim medium est aequale per conversionem ipsi A, ipsum c est simili modo aequale
ipsi B. Nam B est esse medietatem duorum angulorum rectorum. Hoc ergo existente, necesse est quod
A sit in c, quod nihil aliud est quam angulum semicirculi esse rectum. Subjungit autem hic quod modus demonstrationis potest etiam ad formalem causam pertinere quam nominaverat quod quid erat esse,
eo quod esse medium duorum rectorum potest accipi
ut ratio significans quod quid est recti anguli.

Deinde cum dicit « at vero »

Remittit ad praemissa: et dicit quod in superioribus monstratum est quomodo causa formalis,
quae est quid erat esse, pertineat ad medium
demonstrationis.

Deinde cum dicit « propter quid »

Ponit exemplum de causa movente, tangens
quamdam graecam historiam: videlicet, quod Athenienses quondam adjunctis sibi quibusdam aliis
graecis invaserunt Sardenses, qui erant subjecti regi
Medorum, et ideo Medi invaserunt Athenienses.
Dicit ergo primo, quod quaeri potest propter quid
bellum Medorum factum est cum Atheniensibus;
et hoc propter quid est causa quare Athenienses
impugnati sunt a Medis, quia scilicet ipsi simul cum
quibusdam aliis, scilicet Eritriis, fecerunt insultum
in Sardenses. Hoc enim est quod fuit motivum belli.
Sit ergo bellum in quo A, quod est major extremitas; quod priores insultum fecerunt sit B, idest medium; sed Athenienses sic c, idest minor extremitas.
Ergo B est in c, inquantum scilicet Atheniensibus
convenit quod priores fecerunt insultum: A autem
est in B, quia scilicet illi qui prius aliis injustitiam
intulerunt sunt debellati. Sic ergo A est in B, inquantum debellantur illi qui prius inceperunt.
Hoc autem, scilicet B quod est medium, pertinet ad
Athenienses, qui prius bellum inceperunt. Et sic
patet quod hic accipitur quasi medium causa, quae
primo movit.

Deinde cum dicit « quorumcumque autem »

Manifestat idem in causa finali. Et circa hoc
duo facit. Primo proponit exemplum in causa
finali. Secundo ostendit differentiam inter causam
finalem et causam quae est principium motus, ibi,
« Generationes autem e contrario. » Dicit ergo primo, quod similiter se habet cum praedictis in quibuscumque accipitur quasi causa finis cujus causa
fit aliquid. Puta si dicamus: propter quid aliquis
ambulat post coenam? ut scilicet fiat sanus: et iterum propter quid est domus? ad hoc ut scilicet
vasa, idest supellectilia hominis, salventur idest con-
serventur. Sic ergo hoc, scilicet ambulatio post
coenam, fit gratia sanandi; hoc autem, scilicet aedificatio domus est gratia servandi supellectilia. Sic
ergo nihil differt dicere propter quid oportet post
coenam ambulare, et cujus gratia hoc oporteat. Sit
ergo ambulare post coenam in quo c minor extremitas, sed non eminere cibos in ore stomachi sit
medium in quo est B. sanari vero sit major extremitas in quo est A. Sic ergo B in c, quia ambulatio
post coenam facit ut non emineant cibi in ore stomachi, et propter hoc provenit sanitas, quod est A
esse in B. Videtur enim quod ipsi ambulare, quod
est c, insit B, quod est non eminere cibos in ore
stomachi. Ad hoc autem sequitur A, quod est esse

sanativum. Sic ergo patet quod B, scilicet non eminere cibos in ore stomachi, est causa quare c est
A, idest quare ambulare post coenam, sit sanativum;
et hoc, scilicet non eminere cibos in ore stomachi,
est ratio ejus quod est esse sanativum: A enim, idest
esse sanativum, sic assignabitur et notificabitur.
Quod autem A sit in c est B propter quid; quia
scilicet sic se habere, ut non emineant cibi in ore
stomachi, est sanari. Et ad hoc quod singula fiant
magis manifesta, oportet transumere rationes, ut
scilicet accipiatur medium quasi ratio majoris extremitatis, sicut in praemisso exemplo apparet.

Deinde cum dicit « generationes autem »

Ostendit quomodo diversimode se habet, et in
causa quae est principium motus. Contrario enim
modo se habent in via generationis causa finalis,
et causa quae est principium motus. Nam scilicet
in demonstratione quae sumitur per causam quae
est principium motus, oportet medium principium
fieri, idest principium in via generationis, sicut
prius fuit quod Athenienses insultum fecerunt in
Sardenses, quam quod impugnarentur a Medis. Sed
hic in demonstratione quae fit per causam finalem
accipitur sicut primum in via generationis ipsum c,
quod est minor extremitas, et ultimum causatum causae finalis. Ultimum etiam in via generationis est finis,
cujus gratia est aliquid. Manifestum est autem, quod
primo aliquis ambulat post coenam, ex hoc sequitur
quod cibi non emineant in ore stomachi, et ex hoc
ulterius sequitur sanitas hominis, quae est principalis finis.

Deinde cum dicit « contingit autem »

Ostendit quomodo ad eumdem effectum possunt
accipi plures praedictarum causarum. Et circa hoc
duo facit. Primo manifestat plures causas esse ejusdem. Secundo ostendit in quibus habeat locum quod
dictum est, ibi, « Plurima autem hujusmodi sunt. »
Dicit ergo primo, quod contingit unum et eumdem
effectum esse propter aliquem finem sive gratia ejus,
et ex necessitate alicujus prioris causae, sicut hoc
quod est lumen apparere per pellem lucernae, ex
necessitate provenit. Necesse est enim quod corpus
minorum partium transeat per poros largiores. Dicitur autem hoc secundum opinionem ponentium,
quod lumen sit corpus quoddam subtile, et quod
apparentia luminis per diaphanum fiat propter magnitudinem pororum quasi quorumdam foraminum.
Corpus subtile videtur esse parvarum partium. Et
quia hoc non est secundum suam opinionem, subjungit quod ex tali necessitate hoc provenit, si
tunc lumen appareat disgrediendo, idest per egres-
sum partium ejus per poros diaphani. Hoc autem,
quod est apparere lumen per pellem lucernae, est
propter aliquem finem, ut scilicet ambulantes in
nocte beneficio luminis non offendantur. In talibus ergo possibile est dupliciter argumentari. Uno
modo a causa praeexistente, ut dicamus, si esse contingit hoc, et hoc erit: puta si lumen impositum
est lucernae, sequitur quod diffundatur per poros
pellis: alio modo a causa posteriori, quae est posterior in fieri; et secundum hoc argumentabitur,
quod si fieri contingit finem ultimum, oportet praecedere ea per quae pervenitur ad finem: sicut patet
in tonitruo, quod si sit ignis extinctus, necesse est
sceptire, idest fulminare, et facere fremitum quemdam ignis extincti, et sonum quemdam. Et si opinio Pythagoricorum est vera quod tonitruum fiat
ad comminandum his qui sunt in Tartaro, oportet

dicere, quod tonitruum fiat ad hoc quod homines qui sunt in Tartaro timeant.

Deinde cum dicit « plurima autem »

Ostendit in quibus contingat hoc quod dictum est. Et circa hoc tria facit. Primo ostendit quomodo hoc se habeat in his quae sunt a natura: secundo quomodo se habeat in his quae sunt a proposito, ibi, « In his autem quae sunt. » Tertio infert quoddam corollarium, ibi, « Quare finis bonus ». Dicit ergo primo, quod plurima hujusmodi, quae scilicet sunt ex necessitate, et sunt propter finem, maxime inveniuntur in his quae subsistunt a natura, et in his quae sunt per naturam constructa. Natura enim quaedam facit propter finem, quaedam vero facit ex necessitate priorum causarum: quae quidem est duplex. Una secundum naturam, quae est secundum conditionem materiae: alia secundum causam moventem: sicut lapis movetur quidem ex necessitate quandoque sursum, quandoque deorsum; sed non propter idem genus necessitatis; sed deorsum movetur propter necessitatem naturae, sursum autem propter necessitatem moventis, id est projicientis.

Deinde cum dicit « in his »

Ostendit quomodo se habeat in his, quae sunt a proposito: et dicit quod in illis quae fiunt per rationem, sicut sunt opera artis, quaedam talia sunt quod nunquam fiunt a casu, sicut domus et statua, nec etiam possunt unquam fieri ex necessitate naturae, sed semper fiunt propter finem, quia sen.per fiunt a ratione, quae non operatur nisi intendens finem:

quaedam vero quae possunt quidem fieri a ratione artis, tamen possunt etiam quandoque fieri a fortuna, sicut patet de sanitate, quae quandoque fit per artem medicinae, sed tamen, quia potest provenire ex aliqua causa naturali, potest contingere, quod aliquis sanetur praeter intentionem; sicut si leprosus sanetur ex esu serpentis, quem comedit ut moreretur. Et similiter contingit de salute, cum scilicet aliquis intrans domum propter aliquid aliud liberatur de manu inimicorum quaerentium ipsum. Et hoc maxime contingit in omnibus rebus in quibus contingit quod aliquid fit et sic et aliter, cum non a fortuna fit, idest contingit eumdem effectum non fortuito ex diversis causis provenire. Puta potest aliquis intrare domum non a fortuna ut salvetur a manu hostium, vel ut comedat, vel ut quiescat. Unde si intendendo unum eorum eveniat aliud, erit a fortuna. Sed domus et statua non fiunt nisi propter easdem causas, et ideo talia non contingit fieri a fortuna.

Deinde cum dicit « quare finis »

Concludit ex praemissis, quod pervenire ad bonum est aut a natura, aut ab arte. Ars enim et natura similiter operantur propter finem, ut habetur in 2 Physicae; sed a fortuna non fit aliquid gratia hujusmodi. Quod ideo dicitur, quia etsi fortuna contingat in his quae fiunt propter aliquid, ut dicitur in 2 Physicae, illud tamen quod dicitur a fortuna fieri, non est intentum tamquam finis, sed praeter intentionem accidit.

LECTIO X.

Quomodo demonstrari contingat aliquid ex causis quae simul sunt et non sunt cum suis effectibus, exponit: quomodo item a priori ipsum posterius non syllogizetur, docet.

ANTIQUA.

Eadem autem causa est in his quae fiunt, et factis, et futuris, quae vere est his quae sunt. Medium enim causa est in his quae sunt, quae est; ipsis autem quae fiunt quae fit; factis autem facta, et futuris, futura.

Ut propter quid factus est defectus? propter id, quod in medio facta est terra: fit autem propter id quod fit, erit autem et propter id quod erit in medio, et est propter id quod est similiter. Et quid est crystallus? Accipiatur igitur quoniam aqua densata est. Aqua c, densata in quo A, causa media in quo B defectus caloris penitus. Est igitur in c quidem B. in hoc autem densatum esse quod est in quo A, fit autem crystallus cum fiat B, factum est a facto B, erit autem futuro B. Siquidem causa, et cujus est causa simul fiunt cum fiant, et sunt cum sint, et in eo quod factum est, et in futuro similiter est.

In his autem quae non simul sunt, numquid sunt in continuo tempore?

Sicut videtur nobis alias aliorum causas esse, hoc est facti esse altera facta, et futura futuri, ejus autem quod fit, si aliquid antea factum est.

Est igitur a posterius facto syllogismus principium, igitur et horum est quae facta sunt. Unde et in his quae fiunt similiter est. A priori autem non est; ut quoniam hoc factum est, quare hoc posterius factum est, et in futuro similiter.

Neque enim determinati aut non determinati erit temporis. Quare neque quoniam hoc verum est dicere factum esse, hoc verum est dicere factum esse posterius. In medio enim falsum esset dicere hoc, jam altero facto. Eadem autem ratio

RECENS.

Eadem vero causa est eorum quae fiunt, et quae facta sunt, et quae futura sunt, quae quidem est iis quae sunt; (nam medium causa est;) nisi quod his quae sunt, [medium causa est, ut] ens; his autem quae fiunt, id quod fit; iis quae facta sunt, id quod factum est; futuris vero futurum; ut, cur orta est eclipsis? quia in medio [inter lunam et solem] intercessit terra; fit autem [eclipsis], quia fit [interjectio terrae], erit vero [eclipsis], quia erit [terra] in medio; et est [eclipsis], quia est [terra in medio]. Quid est crystallus? Sumatur nimirum, quod sit aqua concreta. Sit aqua loco c; concretum, loco A; causa media, loco B, defectus omnino caloris. Inest igitur *tō* c *to* B; huic vero *to* condensatum esse, *to* loco A. Fit autem crystallus, quum fit B, factus vero est, facto B; erit denique, futuro B.

Quod ergo sic causa est, et id cujus est causa, simul fiunt, quando fiunt; et sunt, quando sunt; et circa *to* factum esse, et futurum esse, similiter [res se habet].

In his autem quae simul non sunt, numquid in continuo tempore, quemadmodum nobis videtur, alia est causa aliorum? ut, *tou* hoc factum esse aliud, quod factum est; et *tou* futurum esse aliud futurum; et *tou* fieri [aliud], si quid prius factum est?

Est vero [in his] ab eo, quod posterius genitum est, syllogismus. Principium autem et horum sunt ea quae ante facta sunt. Quare etiam in his quae modo fiunt, similiter.

Ab eo autem quod prius factum est, non est [syllogismus]; ut, quum illud factum sit, hocce posterius factum esse. Et de futuro similiter. Nec enim indefiniti nec definiti erit temporis; ut, quia hoc verum sit dicere factum esse, illud

est et in futuro.

Neque quoniam hoc factum est, hoc erit. Medium enim homogeneum oportet esse, factorum factum, futurorum vero futurum, cum his quae fiunt fieri, cum his quae sunt esse. Sed futurum esse et esse non contingit esse homogeneum.

Amplius enim neque indeterminatum contingit esse tempus medium, neque determinatum. Falsum enim erit dicere in medio.

postea factum esse dicere verum sit. Intermedio enim tempore falsum erit hoc dicere, quum alterum jam factum sit. Eadem autem est ratio et futuri.

Neque, si hoc factum est, illud erit. Nam medium oportet esse simul ortum; eorum quae facta sunt, id quod factum est; futurorum futurum; eorum quae fiunt, id quod fit; eorum quae sunt, id quod est. At illius quod nunc factum est, et illius quod futurum est, non contingit esse [medium] cum effectu simul ortum.

Praeterea neque indefinitum contingit esse tempus intermedium, neque definitum. Falsum enim foret pronuntiare intermedio tempore [de futuro].

Postquam Philosophus ostendit quomodo quatuor genera causarum in demonstratione pro mediis assumuntur, hic ostendit quomodo in diversis demonstratur aliquid per causam. Est autem circa hoc duplex differentia consideranda. Prima quidem secundum quod causa simul est cum effectu vel non simul; secundo prout causa producit effectum semper aut sicut frequenter. Et de hac agit, ibi, « Sunt autem quidem quaedam quae fiunt universaliter. » Circa primum duo facit. Primo ostendit quomodo aliquid demonstretur per causam quae est simul cum eo cujus est causa. Secundo quomodo demonstratur aliquid per causam quae non est simul cum eo cujus est causa, ibi, « In his autem, « quae non simul. » Circa primum considerandum, quod quia in motu necesse est considerare prius et posterius, in causis motus est accipere causam et causatum se habere secundum prius et posterius. Sicut patet, quod causa agens naturalis movendo perducit ad suum effectum. Et sicut per totum motum perducitur mobile ad terminum motus, ita per primam partem motus perducitur ad secundam et sic deinceps. Unde, sicut motus est causa quietis consequentis, ita pars prima motus est causa subsequentis, et sic deinceps. Et hoc indifferenter, sive hoc consideretur in uno mobili, quod movetur continue a principio usque ad finem, sive in diversis mobilibus quorum primum movet secundum et secundum tertium, licet simul dum primum movens movet, primum motum moveatur, tamen primum remanet movens postquam desiit moveri, quo movente simul movetur secundum mobile. Et ita successive moventur mobilia quorum unum est causa motus alterius, sicut de his quae projiciuntur manifestat Philosophus in 8 Physicor. Per hunc ergo modum contingit, quod causa non est simul cum eo cujus est causa, inquantum scilicet prima pars motus est causa secundae vel primum motum movet secundum. Quamvis autem motus in suis partibus successionem habeat, tamen simul est cum causa movente. Simul enim dum movens movet, mobile movetur, eo quod motus nihil est aliud quam actus mobilis a movente, secundum quem movens dicitur movere, et mobile moveri. Et multo magis in his quae sunt extra motum oportet causam simul esse cum suo causato, sive accipiatur aliquid ut terminus motus, sicut illuminatio aëris simul est cum solis exortu, sive aliquid accipiatur in his quae sunt penitus immobilia, et causis essentialibus quae sunt causae ipsius esse. Circa primum ergo duo facit. Primo proponit quod intendit; secundo manifestat propositum per exempla, ibi, « Ut propter « quid factus defectus. » Dicit ergo primo, quod quandocumque causa est simul cum suo effectu, oportet eamdem causam accipere quantum ad hoc

quod est fieri, vel factum esse, et futurum esse, quae accipitur quantum ad hoc est quod est esse; quia si causa simul cum suo causato, sicut necesse est quod quando est causa, est effectus, ita necesse est quod quando fit causa, fiat effectus, et quando est facta quod sit factus effectus, et quando est futura sit futurus effectus. Nec est instantia quod dum fit aedificator addiscendo artem aedificativam, nondum fit aedificium, cujus ipse est causa per artem aedificativam; quia aedificator non nominat causam aedificii in actu, sed causam in potentia vel in habitu. Sed aedificans nominat causam in actu, quam oportet simul esse cum eo cujus est causa, ut dicitur in 2 Physicor. Est autem identitas quantum ad hoc, quod in omnibus medium est causa. Sed hoc accipiendum est secundum debitam proportionem, ut scilicet ipsum esse causae proportionetur ipsi esse effectus, et fieri causae fieri causati, et factum esse causae facto esse causati, et futurum esse causae futuro esse causati.

Deinde cum dicit « ut propter »

Manifestat quod dixerat per duo exempla: quorum primum est de eclypsi lunae. Dicimus enim quod heri factus est defectus lunae propter hoc quod heri facta est interpositio terrae inter solem et lunam; et quod nunc fit defectus lunae propter hoc quod nunc fit talis interpositio terrae, et quod cras fiet defectus lunae propter id, quod terra ponetur in medio, et quod nunc est defectus lunae propter id quod nunc est interpositio terrae. Secundum autem exemplum de crystallo: puta si dicamus: quid est crystallus? et accipiatur hoc per definitionem, quod sit aqua condensata vehementer. Sit ergo aqua c, idest minor extremitas, et densatum esse sit a, idest major extremitas, et accipiatur pro medio b, idest quod penitus caret calore. Exhalante enim calido inspissatur humidum. Unde quando intense exhalat calidum, consequens est quod intense inspissetur humidum. Reducendo ergo ad formam syllogisticam, dicemus, quod b est in c, quia scilicet crystallus habet perfectam exhalationem calidi, in b autem est a, quia illud quod perfecte caret calido densatum est. Sicut igitur hujusmodi quod est crystallum esse plenum aqua densata est causa quod habeat defectum caloris, ita etiam causa quod fiat crystallus causa est quod fiat b. Et eadem ratio est in factum esse, et in futurum esse. Et sic concludit, quod si sic accipiatur causa et causatum, oportet quod similiter sint simul in fieri, et in esse, et in factum esse, et in futurum esse.

Deinde cum dicit « in his autem »

Ostendit quomodo causa quae non est simul cum causato accipiatur medium demonstrationis. Et primo in his quae fiunt in directum. Secundo in his quae fiunt circulariter, ibi, « Quoniam au-

« tem videmus. » Circa primum tria facit. Primo proponit quaestionem. Secundo interponit quoddam quod est necessarium cognoscere ad solutionem quaestionis, ibi, « Est igitur a posterius facto. » Tertio solvit quaestionem, ibi, « Speculandum est « igitur quid est contingens. » Circa primum duo facit. Primo proponit quaestionem. Secundo manifestat eam, ibi, « Sicut videtur nobis. » Movet ergo primo quaestionem, utrum in causis quae non simul fiunt cum causatis, sit dicere quod causatum secundum tempus continuum consequatur ad causam vel non?

Deinde cum dicit « sicut videtur »

Manifestat quaestionem. Videmus enim quod aliae sunt causae aliorum non simul cum eis existentes, sicut ejus quod factum esse, est alia causa praecedens quod est fieri; et ipsius fore, idest quod aliquid sit futurum causa est aliquod futurum fieri, et iterum ipsius fieri causa est aliquid quod prius factum est. Est igitur quaestio utrum istae causae se consequentes sint in tempore continuo, vel non? Hoc enim necessarium est scire demonstratori; quia si non sit continuatio in hujusmodi causis, non erit accipere immediatum, quia semper inter duo non continuata est accipere aliquod medium. Et ideo si illud nunc in quo est effectus non sit continuum ad illud nunc in quo est causa, erit in medio aliquid accipere quod sit causa media, et sic in infinitum.

Deinde cum dicit « est igitur »

Manifestat quoddam quod est necesserium ad solutionem praemissae quaestionis. Et primo proponit quod intendit. Secundo probat propositum, ibi, « Neque enim determinati. » Circa primum considerandum est, quod sicut linea est quoddam continuum, punctus quoddam indivisibile quod terminat et dividit lineam, ita etiam ipsum fieri vel moveri est quoddam continuum, ipsum autem quod est motum esse vel factum esse est quoddam indivisibile, quod potest accipi vel ut terminans totum motum, vel ut dividens motum tamquam finis primae partis motus, et principium secundae, sicut patet de puncto quod dividit lineam. Sic igitur ipsum factum esse est causa praecedens ipsum fieri cujus est principium, et est effectus consequens illud fieri cujus est terminus. Si ergo debeamus demonstrare, oportet fieri syllogismum demonstrativum a posteriori factum esse ad fieri praecedens, ut si dicamus hoc factum esse, ergo illud prius fiebat. Sed quia et ipsum factum esse est principium fieri, sive quae facta sunt eorum quae fiunt, consequens est ut similiter se habeant in his quae fiunt, ut scilicet a posteriori fieri syllogizetur ad prius factum; puta si dicamus: sol movetur ad punctum medii caeli, ergo prius motus est ad punctum orientis. Sed a priori non potest fieri syllogismum ad posterius; utputa, si dicamus, quod quia hoc prius factum est, ideo sequitur, quod illud quod est posterius fiat aut factum sit. Et quae ratio est de fieri et de factum esse, eadem ratio est de fore, et futurum fieri.

Deinde cum dicit « neque enim »

Probat quod dixerat. Et circa hoc duo facit. Primo probat propositum ratione accepta ex parte temporis absolute considerati: secundo ex parte temporis quod convenit (1) esse medium inter causam priorem et effectum posteriorem, ibi, « Amplius « enim neque indeterminatum. » Dicit ergo primo, quod ideo a priori non potest syllogizari ad posterius, quia posito priori non oportet quod sequatur posterius, neque secundum aliquod determinatum tempus, neque simpliciter non determinati. Et hoc primo manifestat quantum ad determinatum tempus: puta si dicamus: bibit infirmus potionem, ergo tali die sanabitur. Si enim a priori facto syllogizari possit posterius secundum determinatum tempus, poterit concludi, quod quia verum est dicere hoc factum esse, puta infirmum bibisse potionem, quod etiam verum sit dicere hoc factum esse quod posterius est, puta eum esse sanatum. Sed hoc non sequitur: puta potest dari aliquod tempus in quo verum est eum potionem bibisse, et tunc nondum verum est eum sanatum esse; sicut in intermedio tempore inter sumptionem medicinae, et sanitatem adeptam. Et hoc est quod dicit, quod ideo praedicta conclusio non sequitur, quia in medio tempore falsum erit quod hoc sit factum, scilicet hunc esse sanatum, quamvis alterum jam sit factum, scilicet eum medicinam bibisse. Et eadem ratio est etiam respectu futuri. Non enim possumus concludere: iste nunc medicinam bibit, ergo erit sanatus pro aliquo tempore determinato; quia hoc non erit verum in quolibet tempore futuro, scilicet in tempore medio.

Secundo ibi « neque quoniam »

Probat idem quantum ad tempus indeterminatum: puta si dicamus: iste medicinam bibit, ergo sanabitur. Non enim sequitur, quod quia hoc factum est, scilicet quod iste medicinam bibit, hoc erit, scilicet sanabitur. Jam enim supradictum est, quod causa quae ex necessitate infert effectum, est simul cum effectu. Et accipitur quasi medium homogeneum, idest unius generis; sicut ad probandum aliqua esse facta in praeterito accipitur pro medio et causa aliquid quod est in praeterito, et similiter futurorum, id quod est futurum, et eorum quae sunt in fieri id quod est in fieri, et eorum scilicet quae existunt id quod existit. Sed quando sic syllogizatur: hoc factum est, ergo hoc erit: non accipitur medium unius generis; sed unum est prius, et aliud posterius. Unde posito priori non sequitur ex necessitate posterius in illis in quibus effectus causarum impediri possunt.

Deinde cum dicit « amplius enim »

Ponit aliam rationem, quae sumitur ex parte temporis medii: et dicit, quod sicut ex parte temporis absolute considerati manifestum est quod non potest syllogizari a priori ad posterius, nec secundum tempus determinatum, neque secundum tempus indeterminatum, ita etiam nec ex parte medii temporis contingit accipi aliquid determinatum aut indeterminatum, in quo scilicet potest concludi posterius a priori. Jam enim dictum est, quod in toto tempore intermedio falsum est dicere, id quod est posterius, esse, quamvis id quod est prius jam praecessit.

---

(1) *Lege* contingit.

LECTIO XI.

Factum esse non continuum esse ipsi fieri, nec alii facto esse ostendit: quamquam etiam in uno fieri infinita facta esse intelligantur, sumendum tamen esse in his medium aliquod docet.

Speculandum igitur quid est conjungens, ut post, id quod factum est, sit fieri in rebus. Aut manifestum est quod non est habitum cum facto esse quod fit. Neque enim factum cum post facto esse, termini enim sunt et atomi, sicut neque puncta adinvicem sunt habita, neque quae facta sunt. Utraque enim indivisibilia sunt. Neque igitur quod fit cum eo quod factum est propter id. Quod quidem enim fit, divisibile est: quod autem factum est, indivisibile est. Sicut igitur linea ad punctum se habet, sic id quod fit, ad quod factum est. Sunt enim infinita facta in eo quod fit. Magis autem manifestum in universalibus de Motu oportet dicere de his.

De hoc quidem igitur quod quomodo cum eo, quod consequenter se habeat, media causa, in tantum acceptum sit. Necesse enim et in iis mediam, et primam, et sine medio esse; ut A factum est, quoniam C factum est, ante autem est A. Principium igitur est C propter id quod proximum est, ipsi nunc, quod est principium temporis: sed C factum est, quoniam D factum est: D igitur cum fiat, A necesse est factum esse. Causa autem est C: D enim facto necesse est C factum esse, C autem facto necesse est A prius fuisse. Sic autem accipiens aliquod medium, stabit alicubi immediatum.
Aut semper intercidet propter infinitum? Non enim contiguum factum cum facto, quemadmodum dictum est. Sed incipere tantum necesse est a medio, et ab ipso nunc primo.
Similiter autem est in eo quod erit. Si enim verum est dicere quoniam erit D, necesse est prius verum dicere, quoniam A erit. Hujus autem causa est C. Siquidem enim D erit, prius C erit; si vero C erit, prius A erit. Similiter autem erit decisio infinita et in iis. Non enim sunt talia quae erunt contigua adinvicem. Principium autem et in iis immediatum, sine medio accipiendum est.

Habet autem sic se et in operibus. Si facta est domus, necesse est decisos esse lapides, et factum esse hoc propter quid? quoniam necesse est fundamentum factum esse si domus facta est. Si vero fundamentum est, prius lapides esse sectos necesse est. Iterum si erit domus, similiter prius erunt lapides. Demonstrantur autem per medium similiter. Erit enim fundamentum prius.

Considerandum vero est, quid sit quod connectat; ut quia ante aliquid factum sit, nunc aliquid fiat in ipsis rebus. Aut manifestum est, quod non connectatur [praeterito] ei quod factum est, [praesens] id quod fit: neo enim id quod factum est, cum eo quod ante factum est, connectitur; quum sint [rerum] termini, et individua. Sicuti ergo neque puncta mutuo connectuntur, ita nec quae facta sunt; utraque enim divida non possunt. Neque ergo id quod fit, cum illo quod factum est, [necessario cohaeret], ob eamdem rationem: nam id quod fit, dividi potest; quod autem factum est, dividi nequit. Quemadmodum igitur linea ad punctum se habet, ita id quod fit, ad id quod factum est. Insunt enim in eo quod fit, infinita quae facta sunt. Magis autem perspicue de his agendum est in generali disquisitione de motu.
De eo igitur, quomodo se habeat medium ut causa quando unum fit deinceps post aliud, tantum acceptum sit. Nam necesse est, in his quoque primum et medium esse immediata. Ut, A factum est, quoniam C factum est; posterius autem C factum est; prius vero to A. Principium autem est to C, quia praesenti magis vicinum est, quod est principium temporis; C vero factum est, si D factum est: D ergo facto, necesse est, A factum esse. Causa vero est C. Nam D facto, necesse est, C factum esse; C autem facto, necesse est, A prius factum esse. Sic autem sumpto medio, consistetne alicubi [ratio] in eo, quod est immediatum? an vero semper excidet in infinitum? neque enim semper connectitur praeterito praesenti, ut dictum est. Sed incipiendum nihilo minus est a medio, et ab eo quod nunc primum est.
Similiter vero etiam de futuro. Nam si verum est dicere quod futurum sit D; prius necesse est ut verum sit dicere, futurum esse A. Hujus autem causa est to C. Nam si quidem to D erit, prius to C futurum est; si vero to C erit, prius to A futurum est. Similiter vero infinita est divisio etiam in his. Non enim sunt futura, quae inter se cohaereant. Principium autem et in his immediatum sumendum est.
Sic autem [res se] habet in operationibus. Si facta est domus, necesse est, caesos fuisse lapides, et provenisse. Hoc autem quare? quoniam necesse est, fundamentum factum esse, si quidem [necesse erat], domum esse factam. Quodsi vero fundamentum [factum est]. prius provenisse lapides, necesse est.
Rursus, si futura domus est, similiter prius erunt lapides. Monstratur autem id per medium eodem modo; nam erit fundamentum prius.

Postquam Philosophus quaesivit utrum in his quae non simul fiunt, posterius secundum continuitatem temporis sequatur ad prius, et interposuit quoddam necessarium, scilicet quod a priori ad posterius non syllogizatur, hic accedit ad determinandum quaestionem motam. Et circa hoc duo facit. Primo ostendit quomodo se habeant fieri et factum esse secundum temporis continuitatem. Secundo ostendit propositum, ibi, « De hoc quidem igitur etc. » Dicit ergo primo, quod ad ostendendum propositum, oportet speculari quid est conjungens vel continuans factum esse ei quod est fieri, ut post unum continue sequatur aliud. Et circa hoc dicit primo manifestum esse quod fieri cum eo quod est factum esse, non est habitum, idest consequenter se habens. Dicuntur autem consequenter se habentia, quorum nihil est medium ejusdem generis; sicut duo mili-

tes in acie vel duo clerici in choro. Habitum autem supra id quod est consequenter, addit contactum, sicut dicitur in quinto Physicorum. Sic ergo dicit quod fieri non potest esse consequenter se habens et contiguum cum hoc quod est factum esse. Et hoc probat, quia neque etiam factum esse est contiguum, scilicet, ut consequenter se habens cum alio factum esse; eo quod duo facta esse hoc modo se habent, ut quaedam ultima et indivisibilia in tempore, sicut duo puncta in linea. Unde sicut duo puncta non sunt consequenter se habentia adinvicem, ita etiam neque duo facta esse; quia tam puncta quam facta esse sunt sicut indivisibilia, et talia non se habent consequenter in continuis, ut probatur in sexto Physicorum. Et quia duo facta esse non sunt consequenter se habentia, propter hoc etiam manifestum est quod fieri et factum esse non consequenter se habent. Fieri enim est divisibile sicut et moveri, sed factum esse est indivisibile sicut et punctum. Sicut igitur se habet linea ad punctum, sic se habet fieri ad factum esse. Sunt enim infinita facta esse in eo quod est fieri, sicut et infinita puncta potentialiter sunt in linea. Et haec est causa quare in linea non possunt esse duo puncta consequenter se habentia, quia inter quaelibet duo puncta est accipere aliud punctum, et similiter inter quaelibet duo facta esse est accipere aliud. Unde duo facta esse non se habent consequenter. Et quia factum esse est terminus ejus quod est fieri, sequitur consequenter, quod nec fieri se habeat consequenter cum eo quod est factum esse; quia tunc duo facta esse se haberent consequenter adinvicem. Sed fieri immediate terminatur ad factum esse, sicut linea ad punctum. « De his autem oportet etc. » idest de his patebit magis in universalibus de motu, idest in libro Physicorum. Tractatur enim de hoc in sexto illius.

Deinde cum dicit « de hoc quidem »

Ostendit secundum praedicta quomodo accipi possit immediate vel mediate effectus causae in his quae non simul sunt. Et primo ostendit propositum, secundo manifestat per exempla, ibi, « Habet autem « sic se in operibus etc. » Circa primum duo facit. Primo ostendit propositum in praeteritis, secundo in futuris, ibi, « Similiter autem in eo quod erit etc. » Circa primum duo facit. Primo ostendit propositum; secundo excludit quamdam obviationem, ibi, « Aut semper intercidet. » Dicit ergo primo, quod ex praemissis accipi potest, quod causa, quae accipitur ut medium in demonstratione, se habeat consequenter ei scilicet quod est in fieri vel generari, quia etiam in his demonstrationibus quae syllogizant de his quae sunt in fieri, necesse est accipere esse aliquod medium, et primum quod sit sine medio: sicut si concludamus, quod A factum est propter hoc quod C factum est, ita scilicet quod posterius factum sit C, et prius A. Puta si dicamus, iste sanatus est, ergo bibit medicinam: a priori enim non consequitur syllogismus, ut supra dictum est, sed ipsum accipitur ut id quod est magis proximum ipsi nunc praesenti quam A. Praesens autem nunc est principium temporis, quia secundum ipsum distinguitur praeteritum et futurum; et sic oportet praesens nunc accipere ut principium notificandi temporis successionem. In praeteritis enim tanto aliquid est posterius in fieri, quanto proximius est in praesenti nunc, in futuris autem est e converso. Sicut igitur accipitur ut principium syllogizandi quod est posterius in fieri quam A, et propinquius praesenti nunc; ita et accipiamus D propinquius praesenti nunc quam C, et concludimus quod si factum est D, quod prius factum est C. Puta, si perficit opus sani hominis, prius sanus est. Possumus ergo concludere, quod si factum est D, necesse est quod prius factum sit A; et accipit pro causa id quod erat in medio, scilicet C. Facto enim D,

necesse est quod prius factum fuerit C, et facto C necesse est quod prius factum fuerit A: ergo et facto D, necesse est quod prius factum fuerit A. Puta si hic homo jam perficit opus sani hominis, sequitur quod prius sit sanatus; et si est sanatus, necesse est quod prius biberit medicinam. Sic igitur semper accipiendo medium, puta aliquid aliud inter C et A, sicut C acceptum est medium inter D et A, stabitur alicubi ad aliquod immediatum.

Deinde cum dicit « aut semper »

Ponit quamdam obviationem. Potest enim aliquis dicere, quod nunquam veniatur ad immediatum, sed semper erit accipere aliquod medium inter duo facta esse, propter hoc quod in ipso fieri sunt infinita facta esse, eo quod factum esse non consequenter se habet ad aliud factum esse, ut dictum est. Sed hanc obviationem excludit ipse, quia quamvis sint infinita facta esse in uno fieri, tamen necesse est incipere ab aliquo medio, scilicet ab ipso nunc tamquam a primo. Dictum est enim quod id quod est posterius, est principium syllogizandi. Respectu autem omnium in praeterito factorum, postremum est ipsum praesens nunc; unde necesse est, ipsum praesens nunc accipere ut primum et immediatum principium. Quodlibet autem aliorum factorum accipitur ut principium mediatum.

Deinde cum dicit « similiter autem »

Manifestat idem et in futuris: et dicit quod sicut se habet in eo quod factum est, similiter se habet et in eo quod factum erit: quia si verum est quod erit D, necesse est quod prius verificetur quod sit A: et hujusmodi causa accipietur C quae cadit medium inter D et A. Quia si erit erit D, necesse est quod prius erit C; et si erit C, necesse est quod prius sit futurum A. Et similiter etiam in his potest fieri objectio de infinita divisione futuri in instantia, vel motus in momenta: quia sicut in praeteritis, ita et in futuris non consequenter se habent indivisibilia: et tamen etiam hic accipiendum est aliquid sicut immediatum principium, sicut dictum est in his quae facta sunt in praeterito. Licet enim non sit accipere duo facta esse se consequenter habentia, neque in praeterito neque in futuro, potest tamen accipi aliquid ultimum utrobique; et hoc accipietur ut principium immediatum.

Manifestat quod dixerat per exempla: et dicit quod praedictus modus argumentandi potest considerari circa opera humana. Accipiamus enim factam esse domum tamquam quoddam postremum, ex quo concluditur sicut quoddam primum quod necesse est lapides prius fuisse decisos, et accipiemus pro medio constructionem fundamenti: quia si domus facta est, necesse est quod prius sit fundamentum factum; et si factum est fundamentum, necesse est quod prius sint lapides decisi. Et quod dictum est in praeterito, accipiendum est in futuro: puta si erit domus, necesse est quod prius futura sit decisio lapidum; et hoc demonstretur per medium quod est constructio fundamenti.

LECTIO XII.

Quod in his quae circulariter et ut frequenter fiunt, propter quid et medium sumendum sit docet, praemissa eorum quae fiunt divisione.

ANTIQUA.

Quoniam autem videmus in his quae fiunt, circulo quandam generationem esse: et contingit hoc esse, si consequantur adinvicem medium, et termini. Iis enim converti est. Ostensum est autem hoc in prioribus, quod convertantur conclusiones: circulo autem esse hoc est.

In operibus autem videtur sic. Compluta enim terra necesse est vaporem fieri; hoc autem facto, nubem; hac vero facta, necesse est terram complutam esse. Hoc autem erat ex principio. Quare circulo circuivit. Cum enim unum horum quodlibet est, alterum est; et cum illud est, alterum, et cum hoc primum.

Sunt autem quaedam, quae fiunt universaliter; semper quidem, et in omni, aut se habent, aut fiunt semper. Alia vero semper quidem non, sed sicut frequenter sunt; ut non semper omnis homo masculus barbatus, sed est sicut frequenter. Talium igitur necesse est et medium sicut frequenter esse.

Si enim A de B praedicatur universaliter, et B de C universaliter, necesse est et A de C semper, et de omni praedicari. Hoc enim erat universaliter, et de omni, et semper. Sed suppositum est sicut frequenter esse. Necesse ergo est medium sicut frequenter esse, quod est in quo est B. Erunt igitur et eorum quae sunt frequenter, principia sine medio, quaecumque frequenter sunt sic, aut fiunt.

Quomodo quidem igitur quod quid est inter terminos assignatum est, et qualiter demonstratio aut definitio sit ipsius aut non, dictum est prius.

RECENS.

Quum vero videamus in iis quae generantur, circulo quandam generationem fieri; id quidem contingit, si mutuo se consequantur medium et extrema; nam in his conversio locum habet. Demonstratum autem hoc in prioribus est, quod convertantur [ita] conclusiones. *To* circulo vero, [causam effectus sui causam esse], hoc idem est. In operationibus autem hoc modo conspicitur: humectata terra, necesse est, oriri vaporem; quo generato, nubem; qua generata, aquam; hac vero orta, necesse est, humectari terram. Hoc autem erat id, quod ab initio [causa erat]. Quare circulo recurrit. Quum unum enim quodcumque eorum sit, et aliud, et quum hoc sit, aliud; et quum hoc sit, [iterum] primum.

Sunt autem quaedam, quae universaliter fiant; (nam semper et in omnibus aut ita se habent, aut fiunt;) alia vero non semper quidem, at utplurimum [sunt aut fiunt]. Velut, non omnis homo mas circa mentum pilos alit, sed utplurimum.

Talium vero necesse est medium quoque utplurimum esse. Nam si A de B universaliter praedicatur; et hoc de C universaliter; necesse est, etiam A de C semper et omnino praedicari; hoc enim est universale, quod et in omnibus, et semper [tale est]. Verum supponebatur, utplurimum [ita sese habere]; ergo necesse est, medium quoque utplurimum [ita] esse, id cujus loco B.

Erunt igitur et eorum quae utplurimum sunt, principia immediata, quaecumque ut plurimum ita sint aut fiant.

Quomodo ergo *to* quid sit per definitiones explicetur, et quemadmodum demonstratio aut definitio illius sit, aut non sit, dictum est antea.

Postquam Philosophus ostendit quomodo accipiendum sit medium quod est causa in his quae fiunt in rectum, hic ostendit quomodo debeat accipi in his quae fiunt secundum generationem circularem. Et primo ostendit propositum. Secundo manifestat per exempla, ibi, « In operibus autem « videtur sic. » Circa primum considerandum est, quod quia motus caeli circularis causa est generationis in istis inferioribus, ideo dicitur in secundo de Generatione quod quaedam circulatio in generationibus invenitur; puta quod ex aqua generatur terra, et ex terra iterum aqua. Dicit ergo, quia videmus esse quamdam generationem in his quae circulo generantur, in his etiam contingit observari hoc quod supra dictum est, quod scilicet syllogizetur a posteriori, si hoc modo accipiantur termini demonstrationis, quod medium et extremi termini se invicem consequuntur; quia in his quae sic generantur est quaedam conversio circularis, dum scilicet a primo generato devenitur ad ultimum, et ab ultimo reditur ad primum, non idem numero, sed idem specie, ut patet in secundo de Generatione. Et ita non sequitur quod idem numero sit prius et posterius, effectus et causa. Et hoc ipsum competit processui demonstrationum, eo quod, ut in praecedentibus dictum est, quandoque conclusiones convertuntur, ut ex eis scilicet syllogizentur aliquae praemissarum, hoc enim est circulo demonstrare. Quod quamvis non competat, si om-

nino sit unum et idem quod prius fuit conclusio, et postea est principium, respectu ejusdem numero, ne sit idem notius, et minus notum; si tamen non sit omnino idem, sicut accidit in his quae circulo generantur, nullum inconveniens est.

Deinde cum dicit « in operibus »

Manifestat quod dixerat per exempla: et dicit quod in ipsis operibus naturae videtur sic evenire, quod sit quidam circularis processus: quia si terra sit compluta, necesse est quod per actionem solis vapor ex ea resolvatur; quo resoluto, et sursum elevato, necesse est quod generetur nubes; et hac generata, necesse est quod generetur qua pluviae; qua generata, necesse est quod cadat, et cadens super terram compluat eam. Et hoc est quod accipimus quasi primum; non tamen est eadem complutio terrae ad quam ultimo pervenitur, et a qua primo incipiebatur. Et sic manifestum est quod factus est quidam circuitus, inquantum uno eorum existente fit aliud, et illo existente fit aliquod aliud, quo existente reditur ad primum, non idem numero, sed idem specie. Iste tamen causarum circuitus inveniri non potest secundum ordinem qui invenitur in causis per se. Sic enim necesse est pervenire ad unum primum in quolibet genere causarum, ut probatur in secundo Metaphysicae. Quod autem aqua generetur ex igne, et ignis iterato ex aqua, hoc non est per se, sed per accidens. Non enim ens per se generatur ut ex ente in actu, sed ex ente in potentia, ut dicitur in primo Physicorum. Procedendo ergo in causis per se non erit circulatio. Nam complutionis terrae causam agentem accipiemus calorem aëris, qui causatur ex sole, et non e converso. Causam vero materialem aquam cujus materia non est vapor, sed materia communis elementorum.

Deinde cum dicit « sunt autem »

Ostendit qualiter diversimode demonstretur per causam in his quae sunt semper, et in his quae sunt ut frequenter. Et circa hoc tria facit. Primo proponit quod intendit. Secundo probat propositum, ibi, « Si enim de в. » Tertio epilogat quae dicta sunt, ibi, « Quomodo quidem igitur etc. » Dicit ergo primo, quod quaedam sunt quae universaliter fiunt, et quantum ad tempus, quia semper, et quantum ad subjectum, quia in omnibus « aut se habent, » sicut immobilia, quibus non expedit proprie fieri, « aut fiunt » sicut mobilia quae semper eodem modo se habent, ut patet in motibus caelestibus. Quaedam vero non fiunt sicut semper, sed sicut frequenter. Et ponit de his exemplum. Sicut quod omnis homo masculus efficitur quandoque barbatus, non accidit semper, sed sicut frequenter. Sicut igitur eorum quae sunt semper oportet accipere medium semper, ita et talium quae sunt sicut frequenter oportet accipere medium sicut frequenter.

Deinde cum dicit « si enim »

Probat quod ad concludendum id quod est sicut frequenter, necesse sit accipere medium quod sit sicut frequenter. Detur enim oppositum, quod accipiatur medium quod sit universaliter et semper;

puta si A, quae est major extremitas, praedicetur universaliter de в, quod est medium, et в de c, quod est minor extremitas; ex necessitate sequitur quod A praedicetur de c universaliter, et quantum ad tempus, et quantum ad subjectum, quod est semper et de omni praedicari. Unde idem nunc dicimus universaliter praedicari, quod praedicari de omni et semper. Sed suppositum erat quod A praedicaretur de c, sicut frequenter. Necesse est ergo, quod medium quod est в accipiatur sicut frequenter existens. Sic ergo, patet quod possunt accipi quaedam immediata principia eorum quae sunt frequenter, ita quod ipsa principia sint aut fiant sicut frequenter. Hujusmodi tamen demonstrationes non faciunt simpliciter scire verum esse quod concluditur, sed secundum quid; scilicet quod sit verum ut in pluribus; et sic etiam principia quae assumuntur, veritatem habent. Unde hujusmodi scientiae demonstrantur a scientiis quae sunt de necessariis absolute quantum ad certitudinem demonstrationis.

Deinde, cum dicit « quomodo quidem »

Epilogat quae dicta sunt: et dicit quod jam supra dictum est quomodo quod quid est, quod est aliqualiter idem ei quod propter quid, assignatur inter terminos syllogisticos, dum ostensum est qualiter singula causarum genera, et in singulis diversitatibus rerum, sint media demonstrationum. Dictum est etiam qualiter ejus quod quid est sit vel non sit demonstratio vel definitio.

LECTIO XIII.

Definitionem substantialem ex his quae semper insunt constare, quorum quodlibet in plus est, non tamen extra genus, et tot quousque, omnia non sint in plus.

ANTIQUA.

Quomodo autem oportet venari in eo quod quid est venientia, nunc dicamus.

Eorum igitur quae insunt unicuique, quaedam extenduntur in plus, non tamen erunt extra genus. Dico autem in plus esse quaecumque insunt quidem unicuique universaliter, at vero, sed et alii, ut est aliquid quod omni trinitati inest sed et non trinitati. Sicut quod inest trinitati, sed et non numero. Sed impar inest omni trinitati, et est in plus. Et namque ipsis quinque inest, sed non extra genus. Quinque enim numerus est impar, nullum autem impar extra numerum est.

Hujusmodi autem accipienda sunt usque ad hoc, quousque tot accipiantur quorum unumquodque quidem in plus sit, omnia autem non sint in plus. Hanc enim necesse est substantiam rei esse.

Ut trinitati omni inest numerus impar primus utrobique, et sicut quod non est non mensurari numero, et sicut non componi ex numeris. Hoc itaque jam trinitas est, impar numerus primus, et sic primo. Horum enim unumquodque aliud quidem in imparibus omnibus inest, ultimum autem dualitati, omnia autem nulli.

Quoniam autem ostensum est a nobis in superioribus, quod necessaria quidem sunt in eo quod quid est praedicantia, universalia autem necessaria sunt, in trinitate autem, et in unoquoque alio, sic accipiuntur in eo quod quid est accepta, sic autem erit ex necessitate quidem trinitas hoc.

RECENS.

Quemadmodum autem oporteat nos investigare ea, quae ratione ejus quid est praedicantur, nunc dicamus.

Eorum nimirum, quae semper alicui insunt, quaedam latius sese extendunt, neque tamen extra genus [illius, cui inesse dicuntur]. Dico autem ad plura se extendere illa quae insunt quidem singulis universaliter, verumtamen etiam alii insunt. Velut, est aliquid, quod omni ternario inest, at etiam illi, quod non est ternarius; ut to ens inest ternario, verum etiam illi quod non est numerus. Quin imo etiam impar inest omni ternario; et latius se extendit, nam et quinario inest; at non extra genus; nam quinarius est numerus; nihil vero praeter numerum impar est.

Talia autem sumenda sunt eosque, donec tot sumpta fuerint primo, quorum quidem unumquodque ad plura se extendat, omnia autem [conjuncta] non [extendant se] ad plura. Hanc enim oportet esse essentiam rei.

Velut ternario omni inest numerus, impar, et primum esse utroque modo, et quod non mensuretur numero, et quod ex numeris non componatur. Hoc ergo jam est ternarius, numerus impar primus et illo modo primus. Horum enim singula. illa quidem omnibus imparibus numeris insunt, at ultimum etiam binario inest, omnia autem nulli [praeter numerum ternarium insunt].

Quum vero declaratum sit a nobis in superioribus, quod necessaria quidem sint, quae ratione ejus quid est praedicantur, (universalia vero necessaria sunt,) de ternario autem et de quocumque alio ita sumantur [praedicata] ratione ejus quid est sumpta, sic [sumpta] ex necessitate haec fuerint [ipse] ternarius.

Quod autem substantia sit ex his, manifestum est. Necesse autem est nisi hoc esset trinitati esse, ut genus aliquod esse, hoc autem nominatum aut non nominatum erit. Igitur in plus quam trinitati inesse. Concessum est enim hujus esse genus, quod est secundum potentiam in plus. Si itaque nulli inerunt alii quam atomis trinitatis, hoc utique erit trinitatis esse. Supponatur enim haec substantia uniuscujusque esse, quae est in illius atomis ultimum praedicamentum. Quare similiter et alii cuilibet sic demonstrativorum eidem esse inerit.

Quod autem essentia [ternarii haec sit], inde manifestum est. Nam necesse est, si hoc non essentia ternarii, quemadmodum genus aliquod hoc esse, seu nominatum, seu innominatum; erit ergo latius, quam ut soli ternario insit. Ponatur enim, tale esse genus, ut potentia pluribus insit. Si igitur nulli alii inest, nisi individuis [singulis] ternariis, id quidem fuerit essentia ternarii. Nam ponatur et hoc, essentia, to esse uniuscujusque, quae est ultimum talis categoria de individuis [substantiis]. Quare similiter et alteri cuicumque, quae ita monstrantur, illa ipsius essentia erunt.

Postquam Philosophus ostendit qualiter quod quid est et propter quid se habeant ad demonstrationem, hic ostendit quomodo possint investigari. Et primo quomodo investigetur quod quid est. Secundo quomodo investigetur propter quid, ibi, « Ad habendum autem etc. » Circa primum duo facit. Primo dicit de quo est intentio. Secundo exequitur propositum, ibi, « Eorum autem igitur, « quae insunt semper etc. » Dicit ergo primo, quod postquam dictum est qualiter quod quid est cognoscatur, et qualiter quod quid est vel propter quid accipiatur ut medium in demonstratione, nunc dicendum est quomodo oporteat investigare ea quae ponuntur in eo quod quid est.

Deinde cum dicit « eorum igitur »

Ostendit propositum: et manifestat qualia oporteat esse illa quae accipiuntur ad ostendendum quod quid est. Secundo quomodo sunt inquirenda, ibi, « Congruum autem est cum totum aliquod etc. » Circa primum tria facit. Primo praemittit quamdam divisionem. Secundo proponit qualia oportet esse quae accipiuntur ad constituendum quod quid est, ibi, « Hujusmodi accipienda sunt etc. » Tertio probat, ibi, « Quoniam autem ostensum est etc. » Circa primum considerandum est, quod ea quae ponuntur in eo quod quid est, oportet quod semper et universaliter praedicentur, ut supra habitum est: et ideo accipiens ea quae praedicantur de unoquoque ut semper, dicit quod inter ea, quaedam inveniuntur, quae extenduntur in plus quam id cui insunt, non tamen ita quod inveniantur extra genus illud. Et exponit quid sit esse in plus: et dicit quod in plus dicuntur quaecumque universaliter insunt alicui, non tamen ei soli, sed etiam alii. Datur autem per hoc intelligi aliud membrum oppositum; quia scilicet est aliquid quod extenditur in plus, et est extra genus. Et de hoc primo ponit exemplum, dicens, quod est aliquid quod inest omni ternario, sicut patet de ipso ente quod quidem universaliter inest, non tantum trinitati, sed etiam aliis, et non solum in genere numeri, sed etiam in his quae sunt extra genus numeri: impar vero inest omni ternario, et est in plus, quia etiam inest ipsi quinario, non tamen invenitur extra genus ternarii, quod est numerus; quia etiam quinarius in genere numeri invenitur; nihil autem quod sit extra genus numeri potest dici impar.

Deinde cum dicit « hujusmodi autem »

Ostendit qualia debent esse quae accipiuntur ad constituendum quod quid est. Et primo proponit quod intendit: secundo manifestat per exemplum, ibi, « Ut trinitati omni, etc. » Dicit ergo primo, quod ad manifestandum quod quid est, accipienda sunt talia, quae quidem sunt semper, et in plus, non tamen non extra genus, usque ad talem terminum, ut primo quidem unumquodque quod acci-

pitur sit in plus, omnia autem non sint in plus, sed convertantur cum re, cujus quaeritur quod quid est. Ejus enim rationem necesse est significare quod quid est rei.

Deinde cum dicit « ut trinitati »

Manifestat quod dixerat per exemplum. Accipiamus enim ista quatuor: numerus, impar, primus utroque modo. Dupliciter enim dicitur aliquis numerus primus. Uno modo, quia non mensuratur aliquo alio numero: sicut per oppositum patet, quod quaternarius non est numerus primus, quia mensuratur dualitate, ternarius autem est numerus primus, quia non mensuratur aliquo numero, sed sola unitate. Alio modo, dicitur aliquis numerus primus, quia non componitur ex pluribus numeris: sicut patet per oppositum, de septenario, qui primo modo est primus, non enim mensuratur nisi unitate; non autem est primus secundo modo, componitur enim ex ternario et quaternario, sed ternarius non componitur ex pluribus numeris, sed ex sola unitate et dualitate. Sic ergo patet, quod quodlibet praedictorum quatuor convenit universaliter trinitati; quodlibet autem eorum convenit etiam aliis in genere numeri. Nam hoc quod dicitur numerus, et impar, convenit omnibus numeris imparibus: ultimum autem, scilicet quod sit primus utroque modo convenit etiam dualitati, quae nec mensuratur alio numero, nec componitur ex numeris, sed ex solis unitatibus: unde omnia ista simul juncta significant quod quid est ternarius. Sed videtur quod non requiratur ad definitionem quod quaelibet particula sit in plus quam definitum. Dicit enim Philosophus in 7 Metaphysicae, quod quando pervenitur ad ultimas differentias, erunt aequales differentiae speciebus: non ergo oportet quod differentia sit in plus quam species. Quod etiam ratione videtur. Dicit enim Philosophus in 8 Metaphysicae, quod ratio quae est ex differentiis videtur esse speciei et actus, idest formae: quia sicut ibidem dicitur, differentia respondet formae, cujuslibet autem speciei est propria forma quae nulli alii convenit. Videtur igitur quod differentia ultima non excedat speciem. Dicit etiam Philosophus in 7 Metaphysicae quod nihil est aliud in definitione quam genus et differentiae; et quod possibile est definitionem ex duobus constitui, quorum unum sit genus, aliud differentia. Differentia autem non invenitur extra proprium genus: alioquin non esset divisiva generis per se, sed per accidens. Videtur ergo quod differentia non excedat speciem. Sed dicendum est quod si accipi posset differentia quae notificaret ipsam formam substantialem speciei, nullo modo differentia ultima esset in plus quam species, ut rationes probant. Sed quia formae essentiales non sunt nobis per se notae, oportet quod manifestentur per aliqua accidentia quae sunt signa illius formae, ut patet in 8 Metaphysicae; non autem oportet accipere accidentia propria illius speciei, quia talia oportet per definitionem speciei demonstrari; sed oportet notificare formam speciei per alia accidentia communiora, et secundum hoc differentiae sumptae dicuntur quidem substantiales, inquantum inducuntur ad declarandum formam essentialem: sunt autem communiores specie, inquantum assumuntur ex aliquibus signis, quae sequuntur superiora genera.

Deinde cum dicit « quoniam autem »

Ostendit quod supra dixerat. Et primo, quod oporteat praedicta universaliter et ex necessitate praedicari de ternario. Secundo, quod ex praedictis constituatur ipsa essentia ipsius ternarii, ibi, « Quod « autem substantia ex his, etc. » Dicit ergo primo, quod quia superius ostensum est quod ea quae praedicantur in eo quod quid est ex necessitate insunt, quaecumque autem ex necessitate insunt universaliter praedicantur; necesse est quod sive de ternario, sive de quocumque alio accipiantur praedicto modo ea quae praedicantur in eo quod quid, quod ex necessitate et universaliter praedicentur.

Deinde cum dicit « quod autem »

Ostendit quod ex his quae praedicto modo accipiuntur, constituatur essentia ternarii, vel cujuscum-

que alterius: quia necesse est, si hoc quod supra positum est, non esset ipsa substantia ternarii, cum praedicetur in eo quod quid est, quod esset quoddam genus, vel nominatum, vel innominatum. Non enim cuilibet rationi est nomen impositum. Et inde est quod multa sunt innominata, tam in generibus quam in speciebus. Ideo autem oportet quod praedicta ratio sit genus ternarii si non significet essentiam ejus, quia omne quod praedicatur in quid, aut est genus, aut definitio significans essentiam. Non est autem possibile quod sit genus, quia sequeretur quod esset in plus quam ternarius: hoc enim supponimus esse genus, cujus potentia sub se continet plures species. Habitum est autem quod praedicta ratio non convenit nisi atomis, idest individuis sub ternario contentis. Relinquitur ergo quod praedicta ratio sit definitio significans essentiam ternarii. Haec enim supponitur esse essentia uniuscujusque, quae invenitur in individuis illius speciei. Similiter secundum praedictum modum praedicationis, sicut dictum est de ternario, ita etiam est intelligendum de quibuscumque aliis, quibus demonstretur aliquid esse idem per modum praedictum.

LECTIO XIV.

Modos venandi quod quid est ponens, cur divisivo utatur processu ostendit,
cum ipsum reprobaverit: ordinem item particularis definitionis docet.

Congruum autem est, cum totum aliquod aliquis negocietur, departiri genus in atoma specie prima, ut est numerus in trinitatem et dualitatem, postea sic illorum definitiones accipere tentare, ut rectae lineae, et circuli, et anguli.

Post haec autem accipiendum quid genus sit, utrum quantitatis sit, aut qualitatis, et proprias passiones speculari per communia prima. Compositis enim ex atomis convenientia ex definitionibus erunt manifesta, propter quod principium est omnium definitionum, quod simplex est, et simplicibus per se inesse convenientia solum, aliis autem secundum illa.

Divisiones autem quae sunt secundum differentias, utiles sunt in his, ut sic adeamus. Sicut tamen demonstrant, dictum est in prioribus. Utiles autem sunt utique sic solum ad colligendum quod quid est, et etiam videtur utique nil utile, sed mox videntur accipere omnia, tamquam si ex principio acceperit aliquis sine divisione.

Differt autem aliquod prius et posterius praedicamentorum praedicari, ut est dicere animal mansuetum bipes, et bipes animal mansuetum est, et iterum ex hoc et differentia est homo, aut quodlibet esse unum sic. Unde necesse est dividentem repetere.

Amplius autem ad nil relinquendum in eo quid est, sic solummodo contingit. Cum enim primum accipitur genus, si quidem inferiorum aliquam divisionem accipiat, non incidet omne in hoc. Ut non omne animal aut totalum est, aut divisum pennis, sed pennatum animal est omne. Hujus enim differentia haec est. Prima autem est differentia animalis, in quam omne animal incidit. Similiter autem est in unoquoque aliorum, et in his quae extra genus et quae sub ipsis sunt, ut in ave, in qua est omnis avis, et in pisce, in quo est omnis piscis. Sic igitur cum ambulans est, quid est scire, quando nil relictum est. Aliter autem relinquere est necesse, et non scire.

Oportet autem, si quis totam aliquam [definitionem] constituere velit, dividere [eum] genus in prima specie individua; ut, numerum in ternarium et binarium; deinde hoc modo tentare, ut accipiat illorum definitiones; ut, rectae lineae, et circuli, et recti anguli; postea vero sumere, quid sit genus, ut, utrum ex Quantis, an vero ex Qualibus, proprias affectiones considerando per communia prima. Quaecumque his enim ex individuis compositis accidunt, ex definitionibus erunt manifesta, propterea quod definitio omnium principium sit, et id, quod [in re] simplex est, et quod simplicibus solis per se insunt accidentia, aliis autem secundum haec [simplicia].

Divisiones autem secundum differentias utiles sunt, et hoc modo procedamus.

Quomodo tamen demonstrent, dictum est in prioribus. Utiles autem fuerint saltem hoc modo, ut definitio colligatur.

Et sane videri possit nihil aliud [colligere divisio], sed statim sumere omnia, ac si quis statim ab initio sine divisione sumeret.

Differt autem aliquid, prius aut posterius praedicatum praedicari. Ut, si quis dicat: animal cicur bipes, aut: bipes animal cicur. Si enim omnia ex duobus sunt, et unum quid est animal cicur, et rursus ex hoc et differentia est homo, aut quodcumque sit unum factum; necesse est, dividendo id inquirere.

Praeterea ut nihil praetermittatur in definitione hac sola ratione contingit. Nam si primum genus sumptum fuerit, si quis aliquam ex inferioribus divisionibus sumat, non coincident omnia in hoc. Velut, non omne animal aut integras habet aut divisas alas; verum omne volatile animal est; hujus enim haec est differentia. Prima autem differentia est animalis, in quam omne animal incidit. Similiter vero etiam in ceterorum unoquoque, et in externis generibus, et in his quae sunt sub ipso, ut avis, in quam [differentiam] omnis avis [incidit], et piscis, in quam omnis piscis. Sic progredienti igitur scire licet, nihil esse praetermissum; alias autem et omittere aliquid et nescire [quod omissum quidpiam sit] necesse est.

Postquam Philosophus ostendit qualia oportet esse ea quae constituunt definitionem significantem essentiam rei, hic ostendit qualiter debeant investigari. Et circa hoc duo facit. Primo proponit modum maxime convenientem ad investigandum ea quae sunt in definitione ponenda, scilicet per divisionem generis. Secundo ponit quemdam aliud modum per similia et differentia, ibi, « Quaerere autem opor- « tet etc. » Circa primum duo facit. Primo ostendit, quod oportet uti divisione generis ad investigandum particulas definitionis. Secundo quid oporteat in tali investigatione observari, ibi, « Ad construendum au- « tem terminum (1), etc. » Circa primum duo facit. Primo ostendit veritatem. Secundo excludit errorem, ibi, « Nihil autem oportet dividentem, etc. » Circa primum tria facit. Primo ostendit qualiter per divisionem generis investigentur definitionis particulae. Secundo quomodo processus definitionis sit utilis ad propositum, ibi, « Divisiones autem quae sunt « etc. » Tertio quomodo sunt cavenda ea quae circa hunc processum defectum inducere possunt, ibi, « Differt autem, etc. » Circa primum duo facit. Primo ostendit quod oportet uti divisione generis ad definiendum. Secundo quomodo oportet accipere differentias, ibi, « Post haec autem accipiendum (2), etc. » Dicit ergo primo, quod cum aliquis vult negotiari ad definiendum aliquod totum, idest universale, congruum est ut primo dividat genus in primas partes illius generis quae sunt indivisibiles secundum speciem: puta quod dividat numerum in binarium et ternarium; et hac divisione praemissa, per quam cognoscitur genus, tentet postea accipere definitionem singularum specierum, sicut etiam fit in aliis, puta in linea recta, et in circulo, et in recto angulo. Omnia enim haec congrue definiuntur praemissa divisione generis.

Deinde cum dicit « post haec »

Ostendit qualiter sint accipiendae: et dicit quod postquam acceperimus per divisionem generis in species quid sit genus, puta utrum sit in genere qualitatis, vel quantitatis, oportet ad investigandum differentias considerare proprias passiones, quae, sicut dictum est, sunt signa manifestantia formas proprias specierum. Et hoc oportet primum facere per aliqua communia. Si enim nos congregemus accidentia ex generibus communioribus quae hic dicuntur indivisibilia, quae non resolvuntur in aliqua priora, statim ex definitionibus eorum erunt manifesta ea quae quaerimus. Oportet enim omnium definitionum esse principium id quod simplex est, idest genus commune: et hujusmodi simplicibus solum per se insunt accidentia, quae communiter inveniuntur in multis; omnibus autem aliis conveniunt secundum illa. Sicut album et nigrum per se quidem conveniunt corpori terminato, et secundum hoc commune conveniunt, et homini, et equo, et quibuscumque aliis. Unde si oporteret accipere definitionem alicujus cui universaliter conveniret album, puta definitionem nivis, oporteret recurrere ad genus communius, quod est corpus terminatum, et ex eo investigare causam albedinis; et secundum hoc ostenderetur nobis quare nix universaliter sit alba. Et ista causa poterit pertinere ad quod quid est nivis, puta inspissatio hujusmodi quae facit humidum terminari cum conservatione lucis.

Deinde cum dicit « divisiones autem »

Ostendit quomodo praedictus processus conferat ad definitiones: et dicit quod ad hoc quod aliquis in praedicto modo procedat ad definiendum, idest dividendo genus in species, utile est quod homo accipiat divisionem generis ad differentias. Sed tamen quomodo per hoc manifestetur quod quid est, dictum est in praecedentibus. Sunt quidem utiles praedictae divisiones ad accipiendum quod quid est solum, sicut dictum est; sed ad syllogizandum quod quid est nihil videntur facere, ut prius dictum est. Sed videtur quod dividentes statim accipiant omnia syllogizata, sicut si prius aliquis accepisset, antequam divideret.

Deinde cum dicit « differt autem »

Ostendit quid oporteat cavere ne circa praedictum processum defectus accidat. Et circa hoc duo facit. Primo ostendit quod oporteat cavere inordinationem. Secundo quod oporteat cavere diminutionem, ibi, « Amplius autem ad nil relinquendum, etc. » Dicit ergo primo, quod multum differt quid prius et quid posterius praedicetur inter ea quae ponuntur in definitione. Potest enim uno modo sic dici, quod homo est animal mansuetum bipes. Alio modo potest ordinari, ut dicatur quod homo est bipes animal mansuetum. Et quod hoc differat ad definiendum, patet per hoc, quia oportet omne quod definitur constituatur ex genere et differentia. Sic igitur si mansuetum accipiatur ut differentia animalis, oportet, quod animal mansuetum sit aliquid unum quod accipiatur ut genus, ex quo et alia differentia, quae est bipes, constituitur homo. Et eadem ratio est de quocumque alio quod fit unum ex pluribus per se, et non per accidens. Sicut igitur differt quod accipiatur hoc vel illud, pro genere vel differentia, aut quod accipiatur aliquid ut est differentia constitutiva generis, et divisiva ejusdem; ita differt ad definiendum, quod sic vel aliter partes definitionis ordinentur. Si enim dicam quod homo est animal mansuetum bipes, accipietur animal ut genus, mansuetum autem ut differentia constitutiva ejus, bipes autem ut differentia divisiva ipsius: e converso autem erit si dicatur quod homo est animal bipes mansuetum. Quia igitur differentia ordinis facit differentiam in quod quid est, consequens est quod ille qui dividit, non solum supponat ea quae accipiuntur ad definiendum, sed etiam petat ordinem eorumdem. Et sic manifestum est, quod definitio non syllogizat quod quid est.

Deinde cum dicit « amplius autem »

Docet cavere diminutionem: ostendens quomodo fieri possit, ut nihil praetermittatur eorum, quae requiruntur ad quod quid est; et dicit quod hoc contingit fieri solum isto modo quo dicetur. Ad cujus evidentiam considerandum est quod omnes differentiae superiorum generum pertinent ad quod quid est alicujus speciei. Nam inferius genus constituitur per differentiam divisivam superioris generis. Ad vitandum ergo diminutionem, oportet quod nulla hujusmodi differentiarum praetermittatur. Praetermittitur autem si aliquis accepto supremo genere, accipiat consequenter aliquam differentiam divisivam, non quidem ipsius supremi generis, sed alicujus inferioris. Quod quidem hoc modo cognosci potest: quia cum animal accipiatur aliquod supremum genus, si postea aliquis accipiat divisionem alicujus de inferioribus generibus, non totum quod continetur sub genere superiore cadet sub illa divisione. Et ponit ad hoc exemplum, sicut non omne animal est vel totalum, vel divisum pennis. Dicitur autem animal totalum quod habet totas alas integras et continuas, sicut vespertilio. Divisum pennis autem dicitur animal, cujus alae distinguuntur per diversas pennas, sicut accipitris vel corvi. Animali autem non habenti alas neutrum horum convenit: sed omne animal volatile continetur sub altera harum differentiarum, quia secundum praedictas differentias dividitur hoc genus, quod est animal volatile. Sed prima et immediata differentia animalis attenditur ex hoc quod omne animal cadit sub divisione. Et ita est esset de omnibus aliis generibus.

sive accipiamus genera quae sunt extrinseca animali, sicut lapis et planta, sive illa quae sub animali continentur, sicut avis et piscis. Prima tamen differentia avis attenditur secundum differentiam in quam incidit omnis avis, et eadem ratio est de pisce. Concludit ergo quod si aliquis sic procedat in dividendo, scilicet quod totum divisum contineatur sub partibus divisionis, poterit homo cognoscere, quod nil est relictum de his, quae sunt necessaria ad definiendum. Si autem aliter procedatur, necesse est quod aliqua relinquantur, et quod homo non cognoscat se integraliter definivisse.

LECTIO XV.

Non oportere definientem ac dividentem omnia scire ostenditur: quae item observare oporteat definientem docet.

Nihil autem oportet definientem omnia scire, quae sunt. Et tamen impossibile quidam dicunt esse differentias cognoscere, quae sunt ad unumquodque, non cognoscentem unumquodque. Sine autem differentiis non esse unumquodque scire. A quo enim non differt, idem esse huic; a quo autem differt, alterum ab hoc.

Primum quidem igitur hoc falsum est. Non enim secundum omnem differentiam alterum est. Multae enim sunt differentiae in eadem specie, sed non secundum substantiam neque per se.

Postea cum accipiant opposita, et secundum differentiam, et cum omne incidat hinc aut inde, et accipiat in altero quod quaeritur esse, et hoc cognoscit, nihil differt scire aut nescire, in quibuscumque praedicantur de aliis differentiae. Manifestum enim quoniam si sic vadens veniat in hoc, quorum non amplius est differentia, habebit rationem substantiae.

Omne autem incidere in divisionem, si sunt opposita, quibus nihil interest, non est repetitio. Necesse enim est, omne in altero ipsorum esse, siquidem illius differentia est

Ad construendum autem terminum per divisiones tria oportet conjecturari accipientem praedicantia in eo quod quid est, et haec ordinare quid primum, aut secundum, haec omnia sunt.

Est autem horum unum primum per id, quod possumus sicut ad accidens colligere, quoniam est, et per genus probare.

Ordinare autem sicut oportet, si primum accipiat. Hoc autem erit, si primum accipiatur, quod omnibus inhaeret, illi autem non omnia. Necesse est enim aliquod esse hujusmodi. Accepto autem hoc, erit idem in omnibus inferioribus modus. Secundum autem aliorum primum erit, et tertium habitorum. Remoto enim quod est sursum habitum, aliorum primum erit. Similiter autem est et in aliis.

Quod autem haec omnia sint, manifestum est ex hoc, quod recipimus primum quidem secundum divisionem, quoniam omne est aut hoc aut illud. Est autem hoc, et iterum totius differentia, a toto nil differre specie amplius hoc.

Manifestum enim est, quoniam neque plus hoc opponitur. Omnia enim in eo quod quid est accipiuntur horum neque deficere nihil. Aut enim genus, aut differentia utique esset. Genus quidem igitur est primum, et cum differentiis prius acceptum est, differentiae autem omnes continentur. Non enim amplius sunt ultima. Specie enim differret et ultimum. Hoc autem est dictum non differre.

Nequaquam autem oportet definientem aut dividentem omnia scire, quae sunt. Et sane fieri non posse dicunt nonnulli, ut quis differentias sciat, quae sunt uniuscujusque, ignorans unumquodque; sine differentiis autem non posse aliquem singula scire. A quo enim aliquid non differat, cum eo hoc esse idem; a quo autem differat, ab eo [esse] diversum.

Primum quidem hoc falsum est. Non enim secundum omnem differentiam [alterum ab altero] diversum est. Nam multae differentiae insunt iisdem specie, at non secundum substantiam, neque per se.

Praeterea, si quis sumat opposita et differentiam, et quod omnia in hoc aut illud [oppositum] incidant, et sumat in altero esse quaesitum, et hoc cognoscat; nihil attinet scire aut nescire ea de quibus aliis praedicantur differentiae. Manifestum enim est, quod, si ita procedens ad ea perveniat, quorum non amplius est differentia, sit ille habiturus definitionem substantiae. Omnia vero incidere in divisionem, si opposita sint, quorum non sit medium, id non est postulatum; nam necesse est, quidquid [est sub genere], in alterutro illorum esse, si quidem illius [generis] differentia fuerit.

Ut autem constituatur definitio per divisiones, tria observare oportet: ut sumamus ea, quae ratione ejus quid est praedicantur, et haec disponamus, quid sit primum aut secundum, et ut haec omnia sint.

Est autem ex his unum primum, quia possumus, sicut de accidenti syllogismo colligere, quod inest, etiam per genus [syllogismum] construere.

At disponet [aliquis], quemadmodum oportet, si primum sumpserit. Hoc vero fiet, si sumptum fuerit id quod ad omnia consequitur, ad ipsum autem non omnia. Nam necesse est, esse aliquid tale. Hoc autem sumpto, inferiorum eadem jam erit ratio. Nam quod secundum est, id reliquorum [quae ad hoc secundum sequuntur] primum erit; et tertium eorum quae post ipsum veniunt. Ablato enim superiori, id quod sequitur ceterorum primum erit. Similiter vero etiam in reliquis.

Quod vero haec omnia sint [membra definitionis], manifestum est inde, si sumamus id quod primum est secundum [illius] divisionem, quod totum illud aut hoc aut illud sit animal, sit autem hoc: et rursus hujus totius differentiam; at quod ultimi non amplius sit differentia; aut etiam quod statim cum ultima differentia a toto secundum speciem hoc [definitum] non differat.

Nam perspicuum est, quod [hac ratione] neque abundet definitio, quum omnia horum ratione ejus quia est sumpta sint; nec deficiat aliquid; si quidem aut genus, aut differentia fuerit. Genus quidem ergo id, quod [secundum hanc rationem] primum et cum differentiis assumptum est; differentiae autem omnes [hac ratione] continentur [in definitione] quum non sit amplius posterior ulla, specie enim differret ultimum: at hoc dictum est non differre.

Postquam Philosophus ostendit veritatem circa divisionem generis quae sumitur ad definiendum, hic excludit duos errores. Secundum, ibi, « Omne « autem incidere. » Circa primum tria facit. Primo proponit exclusionem erroris: et dicit quod non est necessarium quod ille qui dividendo definit sciat omnia quae sunt in mundo.

Secundo ibi « et tamen »

Narrat opinionem errantium. Dicebant enim quidam, quod non potest agnosci differentia alicujus ad omnia alia entia, nisi omnia alia entia agnoscantur: ut patet in aliquibus duobus, quorum differentiam cognoscere non possumus, nisi utrumque cognoscamus. Addebant autem quod non est possibile, quod aliquid sciatur quid est, nisi cognoscatur differentia ejus ad omnia alia. Id enim a quo aliquid non differt est idem ei; illud autem a quo differt est alterum ab ipso. Non autem possumus scire quid sit unumquodque, nisi sciamus quid sit idem ei, et quid alterum ab eo. Et secundum hoc concludebant, quod non potest aliquid cognosci nisi omnia cognoscantur.

Tertio ibi « primum quidem »

Improbat quod dictum est, dupliciter. Et primo quidem interimit hoc quod dictum est, quod illud a quo aliquid differt est alterum. Loquimur enim nunc de eodem et altero secundum essentiam, quam significat definitio. Manifestum est autem. quod etiam in eadem specie sunt differentiae multae accidentales, quae non diversificant substantiam speciei, quam significat definitio, nec per se insunt. Unde consequens est quod non omnis differentia facit talem alteritatem, quam necessarium sit cognoscere ad definiendum.

Secundo ibi « postea cum »

Improbat quae dicta sunt, alio modo. Cum enim ille qui vult definire dividendo accipiat oppositas differentias hoc modo quod omne quod continetur sub diviso cadat sub hoc membro divisionis vel sub illo, et accipiat sub altero membrorum id cujus definitio quaeritur, si hoc quod intendit definire, cognoscat sub illo membro divisionis contineri, non differt ad propositum, utrum sciat vel nesciat, quod de quibusdam aliis rebus praedicentur oppositae differentiae. Puta, si dividam animal per rationale et irrationale, et accipiam propositum sic hominem contineri sub rationali, non requiritur quod sciam, de quibus irrationale praedicetur, nec qualiter illa adinvicem differant. Manifestum enim est quod si aliquis sic procedat, scilicet dividendo genus per primas differentias ejus, et accipiendo propositum sub altero membro divisionis, quousque perveniatur in illa, quae ulterius dividi non possunt essentialibus differentiis, sic procedens habebit definitionem substantiae, quam quaerebat. Decipiebantur ergo praedicti homines ex eo quod non distinguebant inter cognoscere aliquid in communi, et in speciali. Oportet enim quod quicumque scit quid est aliquid, cognoscat omnia alia in communi, non autem in speciali. Puta qui scit quid est homo, oportet quod sciat hominem per hoc quod est animal distingui ab omnibus quae non sunt animalia, et per hoc quod est rationale distingui ab omnibus quae non sunt rationalia. Non enim oportet, quod illa cognoscat nisi secundum hoc commune, quod est animal vel rationale.

Deinde cum dicit « omne autem »

Excludit secundum errorem. Posset enim aliquis credere quod quicumque utitur divisione ad definiendum, indigeat petere quod totum divisum contineatur sub membris divisionis Sed ipse dicit quod hoc non est necessarium, si opposita, per quae fit divisio, sint immediata: quia secundum hoc necessarium est, quod totum divisum sub altero oppositorum contineatur, dum tamen accipiantur primae differentiae alicujus generis. Differentiae enim quae sunt immediatae si comparentur ad genus inferius, non sunt immediatae si comparentur ad genus superius. Sicut par et impar sunt immediata si comparentur ad numerum, cujus sunt propriae differentiae; non autem si comparentur ad quantitatem.

Deinde cum dicit « ad construendum »

Postquam exclusit ea quae non requiruntur ad divisiones definiti, hic ostendit quae secundum rei veritatem requirantur. Et primo ponit quod intendit. Secundo manifestat propositum, ibi, « Est au- « tem horum unum. » Dicit ergo primo: quod ad hoc quod aliquis constituat terminum, idest definitionem, per viam divisionis, tria oportet considerare: quorum primum est, ut ea quae primo accipiuntur, praedicentur in eo quod quid est; secundo ut ordinetur quid sit primum, et quid secundum; tertium est quod accipiantur omnia quae pertinent ad quod quid est, et nihil eorum praetermittatur.

Deinde cum dicit « est autem »

Manifestat propositum. Et primo ostendit quomodo tria praedicta possunt observari. Secundo ostendit quod praedicta tria observata sufficiant, ibi, « Manifestum est autem. » Circa primum tria facit. Primo ostendit quomodo observetur primum: et dicit quod unum horum, quod scilicet accipiantur ea quae praedicantur in eo quod quid est, observatur primo quidem per hoc quod homo potest inducere syllogismos quod id quod assumitur insit, sicut cum disputatur ad problemata de accidente, Secundo, ut ostendatur quod praedicatur in eo quod quid per ea quibus disputatur ad problemata de genere.

Secundo ibi « ordinare autem »

Manifestat quomodo observetur secundum, scilicet debita ordinatio partium: et dicit quod tunc ordinantur partes definitionis sicut oportet, si aliquis primo accipiat id quod est primum: et hoc erit si aliquis homo primo accipiat id quod consequitur alia posterius accepta, et non e converso. Hoc enim est communius et prius. Necesse est autem aliquid hujusmodi accipi in definitione tamquam genus; puta cum dicitur, homo est animal gressibile bipes. Si enim est gressibile bipes, est animal, sed non e converso. Cum ergo jam acceperimus animal tamquam primum, idem modus observandus est in ordinatione inferiorum. Accipietur enim quasi secundum in definitione illud quod secundum rationem praemissam erit primum inter omnia sequentia; et similiter accipietur tertium id quod est primum respectu habitorum, idest consequentium. Semper enim remoto superiori, illud quod est habitum, idest immediate consequens, erit primum omnium aliorum. Et ita est in omnibus aliis, puta in quarto et in quinto, si tot oporteat partes definitionis esse.

Tertio ibi « quod autem »

Manifestat qualiter possit tertium observari: et dicit quod manifestum erit, omnia quae pertinent ad quod quid est accipi in definitione secundum modum supra dictum, ex hoc quod dividendo aliquod genus, accipimus primas differentias sub quibus divisum universaliter continetur, sicut omne animal est hoc vel illud, puta rationale. Et iterum accipiemus hoc totum, scilicet animal rationale, et dividemus ipsum per differentias proprias: sed quando jam devenimus ad ultimam differentiam, jam non erit dividere per alias differentias specificas, sed statim ultima differentia addita, hoc cujus definitio quaeritur, in nullo differet specie a suo toto, idest a ratione congregata ab omnibus partibus acceptis: sicut homo non differt specie ab aliquo eorum de quibus praedicatur animal rationale mortale.

Deinde cum dicit « manifestum enim »

Ostendit quod tria praedicta observata sufficiant ad definiendum, quod definitio neque superfluum neque diminutum habebit. Quod autem non apponatur aliquid plus quam debeat, manifestum est per primum trium praedictorum: quia scilicet accepta sunt solum ea, quae praedicantur in eo quod quid:

et talia necesse erat accipere. Similiter etiam manifestum est quod nihil deficit. Aut enim deficeret genus, aut differentia. Sed quod genus non deficiat, patet ex secundo trium dictorum. Acceptum est enim primum id sine quo non sunt alia, et potest esse sine aliis; et hoc est genus; et cum genere postea acceptae sunt differentiae. Sed quod differentiae omnes sunt acceptae, patet per tertium praedictorum trium : quia non amplius potest accipi posterior differentia post illam cujus diximus non esse etiam differentiam, quia jam sequeretur quod ultimum acceptum adhuc differret differentia essentiali, cum tamen dictum sit quod non differat. Similiter etiam ex praemissis patet quod non intermittatur aliqua differentia in medio, per hoc scilicet quod semper accipiuntur primae differentiae. Unde relinquitur quod sufficiant tria praedicta ad definiendum observari.

LECTIO XVI.

Verus venandi quod quid est modus exponitur: definitorem item uti metaphoris nequaquam convenire ostenditur.

ANTIQUA.

Quaerere autem oportet intendentem in similia et in differentia. Primum quidem omnia idem habeant, postea iterum in alteris, quae in eodem quidem genere sunt cum illis, sunt autem ipsis quidem idem specie, illorum autem altera. Cum autem in his accipiatur quid habeant omnia idem, et in aliis similiter, in acceptis iterum similiter intendendum, si idem sit, quousque in unam conveniant rationem. Haec autem erit definitio. Si vero non vadit in unam, sed in duas aut plures, manifestum est quod utique non est unum aliquod, quod quaeritur, sed plura.

Ut puta si quid est magnanimitas quaerimus, intendendum est in quosdam magnanimos, quos scimus quod habeant unum omnes inquantum sunt hujusmodi. Ut magnanimus Alcides est, aut Achilles, aut Ajax, quid unum omnes habent? non tolerare injuriam. Hic quidem enim dimicavit, ille vero insanivit, hic autem interfecit seipsum. Iterum idem est in alteris, ut in Lysandro et Socrate, si jam indifferentes prosperitati et improsperitati: haec duo accipiens intendendo quid idem commune habent? aut impassibilitas quae est circa fortunas, aut non tolerantiam injuriarum. Si vero nullum sit, duae species utique erunt magnanimitatis.

Semper enim omnis definitio universalis. Non enim in quodam oculo dicit sanabile medicus; sed aut in omni, aut in specie determinans.

Facilius enim est singulare definire quam universale. Unde oportet ex singularibus in universalia ascendere. Namque aequivocationes latent magis in universalibus, quam in differentibus.

Sicut in demonstrationibus oportet syllogizari esse, sic et in terminis certa. Hoc autem erit, si per ea quae singulariter dicuntur, sit in unoquoque genere definire separatim, ut simile non omne, sed in coloribus et figuris, et acutum quod in voce est. Et sic necesse ire timentem, ne aequivocatio contingat.

Si autem neque disputare in metaphoris, neque quaecumque dicuntur in metaphoris. Disputare enim necesse erit in metaphoris.

RECENS.

Inquirere autem [differentias] oportet respiciendo ad similia et quibus non differunt [res inferiores], primum, quid omnia commune habeant; deinde rursus ad alia, quae in eodem quidem genere sint cum illis, at ipsa inter se specie eadem sint, ab illis vero sint [specie] diversa. Quando autem in his sumptum fuerit, quid omnia idem habeant, et in reliquis similiter; tum rursus in his quae sumpta sunt, considerare oportet, num idem hoc sit, donec ad unam deveniatur rationem. Nam haec futura est rei definitio. Sin vero ad unam rationem non devenerit [aliquis], sed ad duas aut plures; manifestum est quod non possit unum quid esse quod quaeritur, sed esse debeant plura.

Sic dico: si quaeramus quid sit magnanimitas, considerandum est id in quibusdam magnanimis, quos novimus, quidnam unum habeant omnes hi, quatenus tales sunt: ut, si Alcibiades sit magnanimus, aut Achilles, et Ajax; quid omnes hi unum [ratione magnanimitatis habent]? quod injuriam ferre nequeunt. Hic enim bellum movit; alter ira incensus fuit; hic denique sibi mortem conscivit. Rursus in aliis [considerare oportet], ut in Lysandro et Socrate. Si ergo [in his hoc commune sit], quod neque secunda neque adversa fortuna [animo] mutarentur, haec duo sumens considero, quid habeant idem tum animi constantia in fortunae casibus, tum id quod ferre injurias nequeunt ignominia affecti. Sin vero nihil [haec habeant commune], duae species sane fuerint magnanimitatis.

Semper autem est omnis definitio universalis. Neque enim quid [huic] oculo salubre sit, medicus dicit, sed aut quid omni, aut certam speciem designans.

Facilius etiam est particulare definire quam universale. Quare oportet nos a singularibus ad universalia ascendere. Nam et homonymiae in universalibus magis latent, quam in his quae differentiis non item dividuntur.

Quemadmodum vero in demonstrationibus oportet inesse vim concludendi, ita etiam in definitionibus requiritur perspicuitas. Haec vero inerit, si ex iis quae de singulis dicta sunt, definiamus separatim id quod in quoque genere est. Ut, simile non omne, sed in coloribus et figuris; et acutum in voce. Et sic licet ad commune transire, caventi, ne homonymia incidat.

Quodsi vero nec in disputando metaphoris utendum est; manifestum est quod neque definire oporteat per metaphoras, nec [per ea] quae per metaphoras dicuntur, siquidem alias etiam necesse esset, metaphoris in disputationibus uti.

Postquam Philosophus docuit investigare quod quid est secundum modum maxime congruum, qui est per divisionem generis, hic docet investigare quod quid est alio modo. Et circa hoc tria facit. Primo docet praedictum modum investigandi. Secundo manifestat per exemplum, ibi, « Utputa dico, » Tertio probat hunc modum esse convenientem, ibi, « Semper autem est omnis definitio. » Dicit ergo primo, quod si aliquis inquirit definitionem alicujus rei, oportet quod attendat ad ea quae sunt similia illi, et etiam ad ea quae sunt differentia ab illa re. Quod quidem qualiter fieri debeat ostendit subdens, quod primo oportet circa similia considerare quid idem in omnibus inveniatur, puta quid idem inveniatur in omnibus hominibus, qui omnes conveniunt in hoc, quod est esse rationale. Postea considerandum est iterum in aliis, quae conveniunt cum primis in eodem genere, et sunt sibi invicem idem specie, sunt autem altera specie ab illis quae primo accipiebantur, sicut equi ab hominibus, oportet etiam accipere quid sit idem in his, scilicet equis, puta hinnibile. Cum ergo accipiatur quid sit idem in omnibus his, scilicet hominibus, quia rationale, et quid sit idem similiter in omnibus scilicet equis hinnibile, iterum considerandum est si aliquid est idem in istis duobus acceptis, scilicet in rationali et hinnibili. Et ita est considerandum, quousque perveniatur ad aliquam unam rationem communem. Haec enim erit definitio rei. Si vero talis consideratio non inducat in unam rationem communem, sed inducat in duas rationes diversas, aut etiam in plures, manifestum erit quod id cujus definitio quaeritur non erit unum secundum essentiam, sed plura; et ita non poterit habere unam differentiam.

Deinde cum dicit « ut puta »

Manifestat quod dixerat per exemplum: et dicit, quod si quaeramus quid est magnanimitas? debemus attendere ad quosdam magnanimos, ut sciamus quid unum habent in seipsis inquantum magnanimi sunt. Sicut Alcides, idest Hercules, dictus est magnanimus, etiam Achilles, et etiam Ajax, qui omnes habent unum quid commune quod est non sustinere injurias. Cujus signum est, quia Alcides non sustinens injurias dimicavit, Achilles vero in insaniam versus est propter iram, Ajax autem interfecit seipsum. Iterum debemus considerare in aliis, qui dicuntur magnanimi, sicut in Lysandro aut Socrate. Habent enim hoc commune quod non mutabantur propter prosperitatem fortunae, et per infortunium, sed indifferenter se habebant in utrisque. Accipiamus ergo haec duo, scilicet impassibilitatem a fortuitis casibus et non tolerare injurias, et consideremus si est aliquid commune eis. In hoc enim consistit ratio magnanimitatis. Sicut si dicamus quod utrumque contingit propter hoc, quod aliquis existimat se dignum magnis. Ex hoc enim contingit quod homo non patitur injurias, et ex hoc contingit quod et contemnit mutationem exteriorum bonorum tamquam minimorum. Si autem nihil commune inveniretur illis duobus acceptis, non esset una species magnanimitatis, sed duae. Unde non posset dari una communis definitio.

Deinde cum dicit « semper enim »

Ostendit praemissum modum inveniendi quod quid est esse convenientem. Et circa hoc duo facit. Primo ostendit hunc modum convenientem. Secundo ostendit quid oportet in hoc modo vitare, ibi, « Si autem neque disputare. » Circa primum duo facit. Primo ostendit praedictum modum esse

convenientem quantum ad terminum, prout scilicet pervenitur ad aliquid commune. Secundo quantum ad processum, prout scilicet proceditur in praedicto modo a particularibus, ibi, « Faciliusque est singulare. » Dicit ergo primo, quod convenienter dictum est, quod oportet inquirentes quod quid est pervenire ad aliquod commune; quia omnis definitio datur de aliquo secundum quod consideratur in universali, non autem secundum quod consideratur in hoc singulari vel in illo. Non enim medicus definit quid sit sanum in hoc oculo hujus hominis, sed vel in universali simpliciter quantum ad omnes, vel distinguit sanum secundum diversas species, puta cum dicit hoc esse sanum cholericis, illud autem phlegmaticis.

Deinde cum dicit « facilius enim »

Ostendit praedictum modum esse convenientem quantum ad processum, quo scilicet proceditur a minus communibus ad majus commune. Et hoc dupliciter. Primo ratione facilitatis. Procedit enim disciplina a facilioribus. Facilius autem est definire singulare, idest aliquod minus commune, inquantum scilicet in universalibus quae sunt minus determinata magis latent aequivocationes, quam in illis quae sunt indifferentia. et quae non dividuntur per differentias specificas. Et ideo oportet a singularibus definiendo ascendere ad universalia.

Secundo ibi' « sicut in »

Ostendit idem ex ratione evidentiae. Sicut enim in demonstrationibus oportet syllogizari praesupponendo aliquid, quod est evidens et manifestum, sic etiam et in terminis, idest in definitionibus. Non enim potest aliquis devenire in cognitionem alicujus ignoti nisi per aliquod notum; sive aliquis intendat cognoscere quia est, quod fit per demonstrationem, sive quid est, quod fit per definitionem. Hoc autem contingit, ut scilicet praeexistat aliquod evidens, si sit, idest contingat separatim definitionem definiri per ea quae singulariter dicuntur, idest quae proprie conveniunt, et distincte huic vel illi: sicut si aliquis velit notificare quid est simile, non considerabit ad omne id quod potest simile dici: sed de quibusdam similibus, puta quomodo dicatur simile in coloribus, et quomodo dicatur simile in figuris. Dicitur enim simile in coloribus ex unitate coloris; dicitur autem simile in figuris ex eo quod anguli sunt aequales, et latera proportionabilia. Similiter etiam in aliis si velit definire acutum non respiciet ad omne quod dici potest acutum, sed respiciet ad acutum secundum quod dicitur in voce. Et per hunc modum patet quod aliquis definire intendens refugit statim ne contingat aequivocatio. Et per hoc patet esse convenientem modum definiendi, quo ex inferioribus proceditur ad commune, inquantum scilicet in specialibus specialia definire facilius est, et magis in talibus potest esse nota univocatio.

Deinde cum dicit « si autem »

Excludit modum procedendi in definitionibus. Et dicit, quod sicut non oportet disputare per metaphoras, ita etiam non oportet definire per metaphoras: utpote si dicamus quod homo est arbor inversa, nec oportet in definitionibus assumere quaecumque metaphorice dicuntur. Cum enim definitiones sint principia, et efficacissima media in disputationibus; si definitiones darentur per metaphoras, sequeretur quod oporteret ex metaphoris disputare. Hoc autem fieri non debet, quia metaphora accipitur secundum aliquid simile; non autem oportet ut id quod est simile secundum unum, sit simile quantum ad omnia.

LECTIO XVII.

Quomodo investigari oporteat ipsum propter quid, tribus quasi regulis docet.

Ad habendum autem problemata, eligere oportet decisiones, et divisiones. Sic autem eligere subjectum genus commune omnium consimilium, ut si animalia sunt quae considerantur, qualia omni animali insunt. Aeceptis autem his, reliquorum omni qualia inhaerent, ut si hoc est avis, qualia inhaereant omni avi, et sic semper proximo. Manifestum enim et quoniam habebimus jam dicere propter quid insunt inhaerentia iis quae sunt sub communi: ut propter quid homini aut equo insunt. Sit autem animal in quo A, B autem inhaerentia omni animali; in quibus autem sunt C D E, sint quaedam animalia. Manifestum igitur est propter quid est B in D, propter A enim: similiter et in aliis: et semper in aliis deorsum eadem ratio est.

Nunc quidem igitur secundum ea quae assignantur communia nomina, dicimus. Oportet autem non solum sic considerare, sed et si aliud aliquid accipitur commune, accipientes si aliquibus hoc inhaereat; et qualia hoc sequantur. Ut cornua habentia hoc habere ventres, non utrobique dentes esse. Iterum cornua habere quaedam sequuntur. Manifestum est enim propter quid est in illis quod dicitur, propter id scilicet quod cornua habent.

Amplius autem alius modus est secundum analogum. Eligere enim unum idem non est accipere quod oportet vocare sepion, et spinam, et os. Sunt autem quae sequuntur et hoc, tamquam natura una hujusmodi existente.

Eadem autem problemata sunt, quae quidem idem medium habent. Amplius, ut quoniam omnia antiperistasis, horum autem quaedam genere sunt eadem, quaecumque habent differentias, ex quo aliorum, aut aliter sunt, ut propter quid echo, aut propter quid forma apparet, et propter quid iris. Omnia enim haec unum problema sunt genere, omnia enim repercussio sunt, sed specie altera.

Alia autem ex eo quod medium sub altero medio est, differunt problemata. Ut propter quid Nilus, finiente mense, magis fluit? propter id, quod hybernior est finis mensis. Propter quid autem est hybernior finis mensis? propter id, quod luna deficit. Haec quidem enim se habent adinvicem.

Ut autem demonstremus propositas quaestiones, seligere oportet sectiones et divisiones; ita autem seligere, ut supponatur genus commune omnium. Ut, si animalia sint, de quibus inquisitio suscipiatur, qualia omni animali insint. His autem sumptis, rursus [videndum est], qualianam reliquorum ad omne primum sequantur. Velut, si hoc sit avis, qualia ad omnem avem sequantur. Et sic semper ea quae proxima sunt; nam manifestum est quod tum poterimus dicare causam ob quam insint, quae sequantur illa, quae sunt sub aliquo communi. Ut, cur homini aut equo [haec] insint. Sit nimirum animal, loco A; to B autem, quae omne animal sequuntur; loco denique C D E, animalia quaedam. Jam vero manifestum est, quare B insit to D, videlicet propter A; similiter vero etiam in reliquis; et semper est in aliis eadem ratio.

Nunc quidem ergo secundum tradita communia nomina loquimur.

Oportet vero non solum in his nos considerare, sed etiam, si deprehensum fuerit aliud quid, quod communiter insit, assumere, deinde [videre], ad quae hoc consequatur, et quaenam illud consequantur. Ut, animalibus cornua habentibus [inest] to habere omasum, to non in utraque maxilla dentes habere. Rursus, to cornua habere ad quae sequatur, [videndum est]. Nam patebit tum, cur id quod dictum est, ipsis insit; nam inerit, quia cornua habent.

Praeterea alius est modus secundum proportionem eligere. Non licet enim unum et idem sumere, quo oporteat nominare nervum per totum vermis corpus protensum, et spinam dorsi [in pisce], et os [in animali]. Sunt autem nonnulla, quae et ad haec consequantur, quasi una quaedam sit hujusmodi natura.

Eadem autem problemata sunt haec quidem, quia idem habeant medium, ut, quod omnia fiant, quia contraria qualitas circumsistat; horum vero nonnulla genere eadem sunt, quaecumque differentias habent, quod aliorum sint, aut alio modo sint; ut, quare sonat? aut cur aliquid apparet? aut cur [conspicitur] iris? haec enim omnia genere unum sunt problema, (omnia enim sunt repercussio;) sed specie differunt. Illa vero [problemata], quia medium sub alio medio sit differunt; ut, cur Nilus concitatior fluit mense deficiente? quia [mensis] deficiens hiemi similior sit; et cur hiemi est similior deficiens? quod tum luna deficiat. Nam haec ita sese mutuo habent.

Postquam ostendit Philosophus quomodo oportet investigare quod quid est, hic ostendit quomodo oportet investigare propter quid. Et circa hoc duo facit. Primo ostendit quomodo oporteat investigari propter quid. Secundo movet quasdam quaestiones circa ipsum propter quid, ibi, « De eausa autem et cujus est causa. » Circa primum duo facit. Primo ostendit quomodo alicujus quaestionis propositae possit investigari propter quid. Secundo ostendit quomodo diversae quaestiones communicant in propter quid, ibi, « Eadem autem problemata. » Circa primum duo facit. Primo docet accipere propter quid accipiendo commune univocum. Secundo accipiendo commune analogum, ibi, « Amplius autem alius modus. » Circa primum duo facit. Primo docet investigare propter quid accipiendo commune univocum, quod est genus nominatum. Secundo accipiendo quodlibet aliud commune, ibi, « Nunc quidem igitur, etc. » Dicit ergo primo,

quod ad hoc quod habeamus propter quid circa singula problemata quae ponuntur, oportet considerare divisiones et subdivisiones, et sic ad singula procedere disputando, supposito communi genere. Ut si aliquis velit considerare propter quid aliquid conveniat aliquibus animalibus, oportet accipere qualia sunt quae conveniunt omni animali. Quibus acceptis, oportet iterato accipere secundum divisionem qualia sunt quae consequuntur primo ad aliquod commune, quae sub animali continentur: puta qualia consequuntur ad omnem avem: et sic semper debemus procedere accipiendo id quod est primum, in quod scilicet fit immediate divisio, quod supra observabatur in divisionibus, quibus proceditur ad investigandum quod quid est. Sic ergo procedendo, manifestum est quod semper poterimus dicere propter quid aliqua insunt his quae continentur sub aliquo communi; ut si velimus scire propter quid aliqua insunt homini et equo, puta somnus et vigilia. Sit ergo animal in quo est A, quod est medium, B autem, idest major extremitas accipiatur pro his quae inhaerent omni animali, sicut somnus et vigilia, quaedam autem animalium species, puta homo, equus, bos accipiantur ut minor extremitas, scilicet C D E. Sic ergo manifestum est proper quid B, id est somnus vel vigilia sit in D, puta in homine, quia propter A, idest propter hoc quod homo est animal. Et similiter est faciendum in aliis, et in omnibus est eadem ratio observanda. Hujusmodi autem documenti ratio est, quia subjectum est causa propriae passionis. Et ideo si volumus investigare causam alicujus passionis, propter quam insit quibusdam rebus inferioribus, oportet accipere commune quod est proprium subjectum, per cujus definitionem accipitur causa illius passionis.

Deinde cum dicit « nunc quidem »

Ostendit quomodo oportet investigare propter quid est reducendo in aliquod commune, quod non sit genus nominatum: et dicit quod ea quae supra dicta sunt, dicuntur secundum illa communia quibus nomina sunt assignata; sed oportet non solum sic in talibus considerare, sed et si quod aliud appareat commune quod insit aliquibus etiam si non sit genus, vel si non sit nominatum. Deinde oportet considerare ad quae hoc commune consequatur, et quae sunt quae consequantur ad hoc commune innominatum acceptum. Sicut habere cornua est quoddam commune, cui non est nomen impositum, et quod non est genus. Ad hoc autem commune sequuntur duo: quorum unum est, quod omne animal habens cornua habet multos ventres propter necessitatem ruminationis: quorum unum vocatur echinus in interioribus existens asper et capedinem habens, ut dicitur in libro de Historiis animalium. Aliud autem quod consequitur ad animalia habentia cornua est quod non habeant dentes in utraque mandibula, sed solum in inferiori, quia materia dentium convertitur in cornua. Item considerandum est ad quae animalia consequantur habere cornua, puta bovem et cervum. Sic enim manifestum erit propter quid haec animalia habent illas proprietates, quia scilicet habent cornua.

Deinde cum dicit « amplius autem »

Ostendit investigare propter quid reducendo ad aliquod commune analogum: et dicit quod alius modus investigandi propter quid, est eligere commune secundum analogum, idest proportionem. Contingit enim unum accipere analogum, quod est idem secundum speciem vel genus, sicut os sepiarum quod vocatur sepion, et spina piscium, et ossa animalium terrestrium. Omnia enim ista conveniunt secundum proportionem, quia eodem modo se habent spinae ad pisces, sicut ossa ad terrestria animalia. Ad hoc autem commune analogum, quaedam consequuntur propter unitatem proportionis; sicut si communicarent in una natura generis vel speciei, sicut esse coopertum carnibus.

Deinde cum dicit « eadem autem »

Ostendit quomodo multa problemata conveniunt in eo quod est propter quid. Et primo, quantum ad unitatem medii; secundo quantum ad ordinem mediorum, ibi, « Alia autem. » Dicit ergo primo, quod quaedam problemata sunt eadem, inquantum scilicet conveniunt in eo quod est propter quid, propter hoc quod habent idem medium. Sicut per hoc medium quod est antiperistasis, idest contra resistentia, vel repercussio, multa demonstrantur. Sunt autem quaedam eadem non simpliciter, sed genere; quae quibusdam differentiis diversificantur, quae sumuntur vel ex diversitate subjectorum, vel ex diversitate modi fiendi. Sicut si quaeritur propter quid sit echo, aut propter quid apparet, scilicet aliquod in speculo, vel propter quid generatur iris. Omnia enim ista sunt idem problema, quantum ad medium propter quid, quod est idem genere. Omnia enim causantur ex repercussione. Sed repercussiones differunt specie. Nam echo fit per repercussionem aëris moti a corpore sonante ad aliquod corpus concavum. Apparitio autem rei in speculo fit propter hoc quod immutatio medii repercutitur ad speculum. Iris autem fit propter hoc quod radii solares repercutiuntur ad vapores humidos.

Deinde cum dicit « Alia autem »

Ostendit quomodo problemata conveniunt in propter quid secundum ordinationem mediorum: et dicit, quod quaedam alia problemata sunt, quae differunt adinvicem eo quod habent diversa media, quorum unum est sub altero: et ponit exemplum. Utpote si quaeratur propter quid Nilus in fine mensis, scilicet lunaris, magis inundat. Hujusmodi enim ratio est, quia finis mensis magis est pluvialis. Quare autem hoc sit, accipitur per aliud medium; propter hoc scilicet quod tunc deficit luna, quae habet dominium super humores, et ideo deficiente lumine ejus magis commoventur vapores in aëre, ex quo causantur pluvia. Et sic patet quod ista duo media sic se habent adinvicem, quod unum eorum est sub altero.

LECTIO XVIII.

An causa et effectus simul sint et non sint inquirit.

ANTIQUA.	RECENS.
De causa autem et cujus est causa dubitabit aliquis numquid, et cum causatum est, et causa est. Ut si folia fluunt, aut deficit luna, et causa deficiendi, etiam folia cadendi erunt. Ut si hujus est lata habere folia, deficiendi autem terram	De causa vero et illo cujus est causa, dubitaverit forte aliquis, num, quando inest effectus, etiam causa insit; ut, si [arbori] folia defluant, aut [luna] deficiat, statim quoque causa adsit defectus aut foliorum defluxionis. Velut, si hoc

esse in medio.

Si enim non, aliqua alia erit causa ipsorum. Si vero causa sit, simul et causatum; ut si in medio est terra, deficit: aut si latum folium est, fluit. Si igitur non sit, simul itaque erunt.

Et si demonstrantur per altera. Sit enim folium fluere in quo A, latum autem folium in quo B, vitis vero in quo c. Si autem in B est A, omne enim latum folium folio fluit, in c autem B, omnis enim vitis est habens latum folium, in c igitur A, omnis enim vitis folio fluit. Causa autem est B medium. Sed quoniam latis foliis vitis sit, est propter id quod folio fluit demonstrare. Sit enim D quidem latum folium, E autem folio fluere, vitis vero in quo z. In z igitur est E, folio enim fluit: omnis vitis, in E autem D; omne enim fluens folio latum est folium, omnis itaque vitis latum est folium. Causa autem est folio fluere.

Si autem non contingit causas esse adinvicem, causa enim prius est eo cujus est causa, et deficiendi quidem causa est terram esse in medio, non est causa deficere. Si igitur quidem per causam demonstratio, propter quid est; si vero non per causam, ipsius quia, quoniam in medio est cognovit, propter quid autem non.

Quod autem non deficere causa sit in medio esse, sed hoc deficiendi causa, manifestum est. In ratione enim deficiendi est quod est in medio. Quare manifestum est quod per hoc illud cognoscitur, sed non hoc per illud.

Aut contingit unius plures causas esse. Et namque si est idem de pluribus primum praedicari, sit A in B primo esse, et in c alio primo, et hoc sit in D, et illud in E. Erit itaque A in D et E utraque. Causa autem est in B quidem A, in E autem c: quare cum causa sit, necesse est rem esse; sed res cum sit, non necesse est quidem quod sit causa. Causam quidem necesse est esse, non tamen omnem.

Aut si semper est universale propositum, et causa quoddam totum est, et cujus est causa universaliter, ut folio fluere in toto quodam determinatum est, et si species ipsius sint multae, et universaliter igitur, aut plantis aut hujusmodi plantis. Quare medium aequale oportet esse in iis, et cujus est causa, et converti, ut propter quid arbores folio fluunt? Si ergo propter densitatem hujusmodi folio fluit arbor, oportet esse densitatem, si densitas est, non in qualibet sed in arbore, folio fluit.

sit, lata habere folia; si autem defectus sit, terram in medio esse. Si enim non sit [haec causa], alia quaedam erit causa eorum. Sive si causa sit, num simul quoque erit effectus: ut, si in medio sit terra, deficiat; aut si lata [habeat arbor] folia, ipsa folia defluant.

Quodsi vero ita se habent [causa et effectus], simul quidem fuerint, et mutuo alterum per alterum demonstrari posset. Sit enim *to* folia defluere, loco A; *to* lata folia habere autem, loco B; vitis denique, loco c. Nimirum si *tō* B inest A (siquidem omne lata habens folia defrondescit), *tō* c vero inest B (nam omnis vitis lata folia habet); *tō* c inest A, et omnis vitis defrondescit. Causa autem *to* E est medium. Verum etiam, quod vitis lata folia habeat, per foliorum defluxionem demonstrare licet. Sit enim *to* D quidem, lata folia habens; *to* E autem, *to* folia defluere; vitis denique, loco z; nimirum *tō* z inest E (nam omnis vitis defrondescit); *tō* E autem [inest] D (omne enim defrondescens folia lata habet): omnis igitur vitis folia lata habet. Causa vero est foliorum defluxio.

Si vero non contingit mutuo alterum alterius esse causam (nam causa effectu suo prior est), et defectus quidem [luminis in luna] causa est, quod in medio terra posita sit; at *tou* in medio terram positam esse, non causa est defectus [luminis in luna]. Si ergo illa quidem demonstratio per causam demonstrat cur res sit; ea vero quae non est per causam, demonstrat [tantum], quod res sit; scit quidem [demonstrans], quod [terra] in medio [posita sit]; cur autem nescit. Quod autem defectus [lunae] non sit causa *tou* in medio [terram positam esse], sed hoc potius defectus [lunae], manifestum est; in definitione enim defectus inest hoc, *to* in medio [positam esse terram]; quare patet quod illud per hoc cognoscatur, nequaquam vero hoc per illud.

Num vero contingit, unius rei plures esse causas? Nam si unum et idem pluribus primis praedicari; sit *to* A, quod *tō* B primo insit, et *tō* c alii primo, et haec [insit] *tois* D E. Inerit igitur A *tois* D E; causa vero *tō* D quidem [erit] *to* B; *tō* E autem *tō* c. Quare, ubi quidem causa sit, necesse est, rem esse; ubi vero res sit, non necesse est, omne esse, quod forte causa fuerit; sed causam quidem esse, nec tamen omnem.

An vero, si semper universale est problema, est causa quoque totum quid? et id, cujus est causa universale? Ut, si defluxio foliorum toti cuipiam definito insit, etiamsi species illius fuerint, et his [speciebus] universaliter, aut plantis, aut certis quibusdam plantis [inest]. Quare etiam in his medium aequale esse oportet, et id cujus est causa, et mutuo converti. Ut, quare arbores defrondescunt? Nimirum si propter condensationem humoris [versus interiora], sive arbor defrondescit, oportet esse condensationem humoris; sive fit condensatio humoris non in quocumque, sed in arbore, oportet [eam] defrondescere.

Postquam Philosophus ostendit quomodo oportet investigare propter quid, hic movet duas quaestiones circa ipsum propter quid; quarum prima est de coexistentia causae ad causatum; secunda pertinet ad unitatem causae, ibi, « Utrum autem contingat. » Circa primum tria facit. Primo proponit quaestionem. Secundo objicit, ibi, « Si enim non est. » Tertio solvit, ibi, « Aut contingit unius. » Dicit ergo primo, quod de causa et causato potest aliquis dubitare, utrum quando est unum eorum, sit et aliud. Quae quidem quaestio non est intelligenda quantum ad simultatem temporis, sed quantum ad simultatem consecutionis: utpote si posito uno consequatur aliud simul tempore, vel posterius. Et ponit duo exempla, in quorum uno causa praecedit causatum. Nam lata folia habere est causa quod fluant folia alicujus arboris; non autem habere lata folia et folia fluere sunt simul tempore. In alio autem exemplo causa et causatum sunt simul tempore, sicut interpositio terrae simul tempore est cum defectu lunae. Est ergo quaestio utrum ad unum istorum consequatur aliud.

Deinde cum dicit « si enim »

Objicit ad propositam quaestionem, ostendens quod causa et causatum semper simul sunt secun-

dum consequentiam: et ponit ad hoc duas rationes: quarum prima sumitur ex ratione causae et causati: et dicit quod omne causatum oportet quod habeat aliquam causam. Unde si posito isto causato, non simul ponitur quod ista ejus causa sit, sequitur quod sit ejus aliqua alia causa: et hoc ideo, quia necesse est quod causatum simul sit cum aliqua causa. Sicut ad hoc quod est terram esse in medio, sequitur quod luna deficiat; et ad hoc quod est arborem habere lata folia, sequitur quod folia ejus fluant. Si igitur non est dare aliam causam, sequitur quod simul sit cum hac causa.

Secundam rationem ponit ibi « et si demon- « strantur »

Quae quidem sumitur ex hoc quod causa et causatum per invicem demonstrantur. Et circa hoc tria facit. Primo ponit rationem. Secundo removet errorem qui posset consequi, ibi, « Si autem non « contingit, etc. » Tertio probat quoddam quod supposuerat, ibi, « Quod autem non deficere. » Circa primum dicit, quod etiam manifestum est, quod causa et causatum simul se consequuntur, si hoc verum est quod per invicem demonstrentur; quia ad medium demonstrationis de necessitate sequitur conclusio. Quod autem per invicem demonstrentur, probat in praedicto exemplo. Sit enim folium fluere in quo A, quae est major extremitas, latum folium habere in quo B, quod est medium; vites vero accipiantur in quo C, quod est minor extremitas. Sic igitur in B est A, quia omne quod habet latum folium, folio fluit: in C autem est B, quia omnis vitis habet folia lata: et sic concluditur quod A est in C, idest quod omnis vitis folio fluit. Et in toto hoc processu causa accipitur pro medio, et sic causatum per causam demonstratur. Contingit autem e converso demonstrare causam per causatum, scilicet quod vitis habet lata folia per hoc quod fluit folio. Accipiatur enim lata folia habere quasi major extremitas, quae est D; defluere folia quasi medium, quod est E; vitis vero minor extremitas, quae est z. Sic igitur E est in z, quia omnis vitis fluit folio; D autem est in E, quia scilicet omne quod fluit et lata habet folia folio fluit: ex hoc concluditur quod omnis vitis sit lati folii, et accipitur pro causa in consequendo folia fluere.

Deinde cum dicit « si autem »

Excludit quemdam errorem qui posset sequi ex praemissis: ut scilicet eadem ratione unum praedictorum demonstretur ex alio. Sed ipse excludens hoc, dicit, quod si non contingit quod aliqua duo sint sibi invicem causae, scilicet in eodem genere, eo quod causa est prior eo cujus est causa, non autem contingit idem esse prius et posterius, eodem modo cum causa defectus lunae sit terram esse in medio, non est possibile quod defectus lunae sit causa ejus quod terra sit in medio. Si igitur demonstratio quae est per causam, est demonstratio propter quid; quae autem non est per causam est ipsius quia, ut in Primo habitum est; sequitur quod ille qui per defectum lunae demonstrat quod terra sit in medio, cognoscit quidem quia, non propter quid.

Deinde cum dicit « quod autem »

Probat quod supposuerat, scilicet quod interpositio terrae sit causa defectus, et non e converso: et dicit manifestum esse quod lunam deficere non est causa ejus quod est terram esse in medio, sed e converso, quia in ratione eclypsis ponitur quod terra sit in medio, ut supra dictum est. Cum igitur quid et propter quid sint idem, manifestum est quod defectus cognoscitur per interpositionem terrae, sicut per medium propter quid, et non e converso.

Deinde cum dicit « aut contingit »

Solvit primam quaestionem, ostendens in quibus verum sit quod causa et causatum se sequantur, et

in quibus non. Et circa hoc duo facit. Primo ostendit in quibus non sit verum. Secundo in quibus sit verum, ibi, « Aut si semper. » Dicit ergo primo, quod contingit unum commune habere plures causas secundum quod convenit diversis; sicut esse vituperabile convenit audaci propter excessum, timido autem propter defectum. Accipiatur ergo quod aliquid unum praedicetur de pluribus primo et immediate, ut praedicetur A de B primo, et similiter de C, sicut esse vituperabile de superabundantia et defectu; et ista duo, scilicet C et B, praedicentur de D et E, sicut superabundantia convenit audaci, defectus autem timido. Praedicabitur itaque A de D et E, quia tam audax quam timidus est vituperabilis. Causa autem quod A sit in D, est ipsum B. Est enim audax vituperabilis propter superabundantiam. Quod autem A insit ipsi E, causa est ipsum C. Timidus enim vituperabilis est propter defectum. Patet ergo quod cum causa sit, necesse est rem esse, quia sive A sit superabundantia sive defectus, necesse est aliquid esse vituperabile. Sed existente re, necesse est quidem quod aliqua causarum sit, non tamen necesse est quamlibet causam esse. Sicut posito quod aliquid sit vituperabile, non est necesse quod sit in superabundantia; sed necesse est quod sit vel in superabundantia, vel in defectu.

Deinde cum dicit « aut si semper »

Ostendit in quibus necesse sit simul se consequi causam et causatum: et dicit quod si aliquid quaeratur in universali, et accipiatur tam causa quam id cujus est causa, et quaeritur in universali, tunc oportet quod ad causam semper sequatur effectus, et ad effectum causa. Sicut hoc quod est fluere folio non convenit primo pluribus ut erat in praemisso exemplo, sed determinate uni primo communi, quamvis illius communis sint multae species, quibus universaliter convenit quod fluunt folio; puta si accipiamus plantas, vel plantas tales, scilicet lata folia habentes. Unde in omnibus istis oportet accipere aequale medium, ita quod convertatur causa et id cujus est causa. Sicut si quaeramus quare arbores fluant folio? si accipiatur causam hujusmodi esse propter hoc quod humidum est condensatum et sic facilius desiccabile, sequetur quod si causatum sit, quod etiam causa sit; puta si fluit arbor, quod sit condensatio humoris. Et e converso oportet quod posita causa in tali subjecto ponatur effectus; ut puta si condensatio humoris est non in quacumque re, sed in arbore, sequitur quod folia fluant.

LECTIO XIX.

An ad unitatem causae effectus sequatur, et e converso.

ANTIQUA.	**RECENS.**
Utrum autem contingat non eamdem causam ejusdem in omnibus, sed alteram, aut non? Aut si quidem per se demonstretur, et non secundum signum, aut accidens, non potest autem esse. Ratio enim	Utrum autem contingit, non eamdem esse causam ejusdem [effectus] in omnibus, sed diversam, an vero non? nisi, si [causa] sit per se demonstrata, nec per signum, aut per accidens, fieri non potest, [ut una sit]; definitio enim ex-

ultimi medium. Si vero non sic est, contingit.

Est autem et causam, et cujus causa, in quo considerare secundum accidens, immo videntur problemata esse. Si autem non similiter se habebit medium. Si quidem aequivocum, et aequivocum medium est; si vero sicut in genere fit, similiter se habebit, ut propter quid vicissim analogum. Alia enim est causa in numeris et in lineis, et eadem. Inquantum autem linea est, non eadem est: inquantum autem habens augmenta hujus, eadem sicut in omnibus. Similem autem esse colorem colori, figuram figurae, aliam causam esse, aequivocum enim est simile in omnibus. Hoc quidem est fortassis secundum analogiam habere latera aequalia, et aequales angulos. In coloribus autem unum sensum esse, aut aliquod aliud hujusmodi. Secundum autem analogiam eadem sunt, et medium se habet secundum analogiam.

Habet autem sic consequi causam adinvicem, et cujus est causa, et in quo est causa. Unumquodque quidem accipienti, et cujus est causa, et causa in plus est; ut in quatuor aequales qui sunt extra, in plus sunt, quam in triangulis aut quadrangulis, in omnibus autem et in aeque. Quaecumque enim quatuor rectis aequales, quae sunt extra, et medium similiter est. Est autem medium ratio primi termini. Ex quo omnes scientiae sunt per definitiones, ut folio fluere similiter sequitur vitem, et excellit ficum et non omnia; sed aequalium est. Si vero accipiat aliquis primum medium, ratio fluendi folium est. Erit enim primum quidem quod in altera medium, quoniam hujus sunt omnia. Sit hujusmodi medium quoniam succus densatur, aut aliquid hujusmodi. Quid autem est folio fluere? densari in contactu seminis succum.

In figuris autem sic assignabit quaerentibus consecutionem causae, et cujus est causa. Sit enim A quidem in B omni, B autem in unoquoque eorum quae sunt D: B quidem universaliter utique in ipsis erit D. Hoc autem dico universale, quod non convertitur: omnia autem convertuntur et exceduntur. In ipsis igitur esse causa ipsius A B est. Oportet itaque, A in plus quam B extendi. Si vero non, quid magis erit causa hoc illius? Si ergo in omnibus E est A, erit aliquod unum illa omnia aliud a B. Si enim non, quomodo erit dicere, quoniam in quo est E sit A omni, in quo autem A non omni sit E? Propter quod enim erit aliqua causa, ut A sit in omnibus E. Si itaque quae sunt E erunt, aliquod unum considerare oportet, et sit C. Contingit igitur et plures causas esse ejusdem, sed non ejusdem specie; ut longae vitae esse quadrupedia, causa est non habere choleram, volatilia autem sicca esse aut aliqua alia.

Si autem in atomum non statim veniunt, non solum unum medium est, sed plura, et causae plures sunt. Et qualis est causa mediorum, quae ad universale prima est, aut quae ad singulare singularium? Manifestum igitur est quod magis proxime unicuique proxima est causa. Primum quidem sub universali esse haec est causa, ut in D quod od C, ipsius B causa est. In D quidem igitur esse C, causa est ipsius A; in C autem A B, in hoc autem eadem est. De syllogismo et demonstratione quid unumquodque sit, et quomodo sit, manifestum est. Similiter autem et de scientia demonstrativa. Idem enim est.

tremi medium est; si vero non hoc modo, contingit [esse eamdem causam ejusdem in omnibus].

Licet vero etiam et id cujus est causa, et cui [causa est], considerare secundum accidens, at haec non videntur esse problemata [demonstrationi accommodata].

Sin vero, medium similiter se habebit [ad omnia subjecta] si quidem illa aequivoca, fuerint, medium erit aequivocum; si autem [illa] ut in genere fuerint, similiter se habebit; ut, cur est commutata comparatione proportio? Alia enim [hujus rei] causa est in lineis, et numeris, et eadem quidem [in lineis], ut lineae sunt, diversa est; quatenus vero augmentum tale accipit, eadem [hujus rei in numeris et lineis causa est]. Ita in omnibus. Hujus vero, similem esse colorem colori, et figuram figurae, alia [causa est] alii [subjecto]. Aequivocum enim est ipsum simile in his; nam hic quidem fortasse [nihil aliud erit, quam] secundum proportionem habere latera, et aequales angulos; de coloribus autem [simile dicitur], quod uno sensu modo percipiantur, aut aliud tale. Quae autem secundum proportionem eadem sunt, ea etiam medium habebunt secundum proportionem.

Habet autem se res hoc modo, quod consequantur inter se mutuo causa, et id cujus, et id cui causa est. Specialiter quidem sumenti ad plura se extendit effectus, [quam subjectum, aut causa]. Ut quatuor rectis aequales externos [angulos habere] ad plura [se extendit], quam triangulus aut quadratum; omnibus autem [figuris rectilineis] aequaliter [convenit hoc, habere exteriores quatuor rectis aequales [angulos] Quaecumque enim quatuor rectis aequales exteriores [angulos habent figurae, sunt rectilineae], et medium similiter se habet.

Est autem medium definitio primi extremi: unde omnes scientiae per definitionem constituuntur. Ut, to folia defluere simul consequitur ad vitem, et magis commune est; et ad ficum, et magis commune est; at non omnes [excedit], sed aequale est. Si ergo sumas primum medium, definitio defluxionis foliorum adest. Erit enim primo quidem alterutrius illorum medium, quod omnia talia [foliorum patiantur defluxionem]. Deinde hujus medium, quod humor condensetur, aut aliud tale. Quid autem est to folia defluere? to condensari humorem in connexione seminis.

In figuris autem sic [aliquis] proponet quaerentibus consecutionem causae, et illius cujus est causa. Insit A quidem in B; B autem unicuique D, latius vero. Igitur B quidem universaliter inesset tois D. Hoc enim dico universale, quod [quum latius sit], non reciprocatur. Id autem primum est universale, cum quo singula quidem non reciprocantur [ut angustiora], omnia autem [congregata] reciprocantur, et se extenduntur. Iis autem quae sunt loco D, causa inhaerentiae tou A est to B. Oportet ergo B ad plura se extendere, quam B; sin autem minus, quomodo magis erit hoc illius causa? Sin ergo omnibus E inest A, erunt omnia illa unum quid diversum ab ipso B. Quodsi enim non [sit diversum]: quomodo dicere licebit, quod, cui E inest, illi omni insit A; cui autem A, non omni illi [insit] E? cur enim non futura est causa quaedam, ut A, quod insit omnibus D? verum etiam ta E eruntne aliquid unum? Considerare hoc oportet; et sit to C. Contingit ergo, ut unius rei plures sint causae, sed non eorumdem specie. Ut, quod diuturnioris sint vitae [animalia], quae quatuor pedes habent, [causa est], quod bile careant; at volatilibus, quod sicca sint, aut aliud quid. Si vero ad individuam [speciem] non recta descendant, nec ad unum tantum medium, sed ad plura; plures quoque erunt causae.

Utrum vero ex mediis causa est ad universale primum, an vero quod ad singula [causa est] singulis?

Manifestum sane est, quod [causa sint] proxima cuique, cui causa [sunt]. Nam cur primum sub universali sit, hoc est causa; ut, tō D [causa est] to C, quod tō D insit B. Ipsi ergo D causa est C, quod ei insit A; tō C autem [causa est] B, huic autem eadem causa.

De syllogismo ergo et demonstratione, et quid utrumque sit, et quomodo fiat, manifestum est; simul vero etiam de scientia demonstrativa; idem enim est [cum demonstratione].

Postquam Philosophus determinavit quaestionem motam, utrum ad existentiam effectus sequatur existentia causae, et e converso: hic inquirit utrum ad unitatem causae sequatur unitas effectus, et e converso: Et circa hoc duo facit. Primo ostendit quomodo ad unitatem effectus sequatur unitas causae. Secundo ex hoc manifestat consecutionem causae et effectus, ibi,

« Habet autem sic consequi. » Circa primum tria facit. Primo proponit quaestionem, quae est utrum contingat quod ejusdem effectus non sit eadem causa in omnibus sed alia et alia, vel non. Videbatur enim in solutione praemissae quaestionis supponi quod contingat unius effectus in diversis rebus esse diversas causas.

Secundo « aut si quidem »

Solvit quaestionem distinguendo. Contingit enim aliquid assignari pro causa alicujus effectus tripliciter. Uno modo accipiendo causam per se, et sic demonstrative concludendo effectum. Alio modo accipiendo signum. Tertio modo accipiendo aliquod accidens. Si ergo accipiatur pro causa id quod per se est medium demonstrationis, non potest esse nisi una causa unius effectus in omnibus. Et hoc probat, quia hoc medium per se in demonstrationibus est ratio ultimi, idest definitio majoris extremitatis. Quae tamen si demonstrari indigeat de subjecto, demonstrabitur per definitionem subjecti, ut supra habitum est. Manifestum est autem, quod unius una est definitio. Unde oportet quod unius effectus non accipiatur nisi una causa, quae est medium demonstrationis. Si vero non accipiatur quasi causa inferens id quod est per se medium demonstrationis, sed accipiatur pro medio aliquod signum vel aliquod accidens, tunc contingit unius effectus accipi quasi plures causas in diversis, sicut patet in exemplo superius posito. Per se enim causa quod aliquid sit vituperabile est praeter rectam rationem. Sed quod aliquid sit superabundans vel deficiens, est signum ejus quod est praeter rectam rationem.

Tertio ibi « est autem »

Manifestat positam solutionem, ostendens membra divisionis positae esse possibilia: et dicit quod contingit et id quod est causa, et id cujus est causa, considerare secundum accidens: sicut musicus per accidens est causa domus, cujus per se est causa aedificator, qui tamen est causa receptaculi latronum per accidens, si hoc contingat in domo fieri. Quinimmo etiam ipsa problemata videntur esse per accidens. Si vero non accipiatur per accidens causa et causatum, oportet quod medium quod accipitur pro causa similiter se habeat cum effectu, cujus demonstratio quaeritur: ut pote si aliqua sunt aequivoca, et medium commune quod accipitur erit aequivocum. Si autem non sint aequivoca, sed conveniant quasi in genere, et medium erit commune sicut genus; sicut vicissim analogum, idest commutatim proportionari univoce in multis invenitur, puta in numeris et lineis, in quibus habet quodammodo aliam causam, et quodammodo eamdem. Aliam quidem secundum speciem, inquantum scilicet alii sunt numeri, et aliae lineae: sed est genere eadem, in quantum scilicet tam lineae quam numeri conveniunt in hoc quod habent tale augmentum, ex quo in eis commutata proportio demonstratur. Aliud autem exemplum subjungit in aequivocis: et dicit quod ejus quod est simile alia causa est in coloribus et in figuris, quia aequivoce dicitur utrobique. In figuris enim nihil est aliud esse simile, quam quod latera habeant analogiam, idest quod sint ad invicem proportionabilia, et quod anguli sint aequales. Sed in coloribus esse simile est quod faciant eamdem immutationem in sensu, vel aliquid aliud hujusmodi. Tertio autem dicit de his quae conveniunt secundum analogiam, quoniam in his oportet esse medium unum secundum analogiam, sicut supradictum est, quia tam iris quam echo est quaedam repercussio.

Deinde cum dicit « habet autem »

Ostendit secundum praemissa qualiter invicem causae consequantur. Et circa hoc tria facit. Primo ostendit qualis sit consecutio causae et effectus. Secundo ordinat hujusmodi consequentiam in figura syllogistica, ibi, « In figuris autem. » Tertio movet quamdam dubitationem ex praemissis, ibi, « Si autem in atomum. » Dicit ergo primo, quod talis modus consequentiae invenitur inter causam et causatum et subjectum cui inest illud causatum: quod si aliquis accipiat secundum unum aliquid particulare id cujus causa quaeritur, erit in plus quam causa vel subjectum; sicut habere angulos extrinsecos aequales quatuor rectis convenit triangulo eadem ratione, quia tres anguli ejus extrinseci simul cum tribus intrinsecis sunt aequales sex rectis. Cum igitur tres intrinseci sint aequales duobus rectis, sequitur quod tres extrinseci sint aequales quatuor rectis. Etiam quadrangulus habet quatuor angulos aequales quatuor rectis, sed alia ratione. Anguli enim ejus intrinseci et extrinseci sunt aequales octo rectis; sed anguli intrinseci quadranguli sunt aequales quatuor rectis. Sic igitur habere angulos exteriores aequales quatuor rectis est in plus quam triangulus aut quadrangulus: sed si simul accipiantur, aequaliter se habebunt. Quaecumque enim figurae communicant in hoc quod habent angulos exteriores aequales quatuor rectis, oportet quod similiter communicent in medio, quod est causa aequalitatis ad quatuor angulos rectos. Et hoc probat sicut et prius, per hoc, quod medium est definitio majoris extremitatis. Et inde est quod omnes scientiae fiunt per definitiones. Probat autem hoc per exemplum in rebus naturalibus. Hoc enim quod est folio fluere, consequitur ad vitem, et quia ex pluribus consequitur etiam ad ficum excedit ipsam: tamen (1) est excessivum omnium quibus convenit, sed est eorum sicut aequalium. Si ergo aliquis velit accipere id quod est primum medium respectu omnium, erit haec definitio ejus, quod est folio fluere: quae quidem definitio erit primum medium ad alia, eo quod omnia talia sunt. Et iterum hujus accipietur aliquod aliud medium, puta, quod succus densatur per desiccationem, vel aliquod aliud hujusmodi. Unde si quaeratur quid est folio fluere, dicemus, quod nihil aliud est quam condensari succum seminis in contractu, scilicet folii ad ramum.

Deinde cum dicit « in figuris »

Ordinat modum praedictae consecutionis in figura syllogistica: et dicit, quod si quaeratur consecutio causae et causati; sic poterit assignari secundum figuras syllogismorum. Sit enim A in omni B, B autem in unoquoque eorum quae sunt D, sed in plus quam D. Sic igitur B universaliter erit in his quae continentur sub D, secundum quod universaliter dicitur inesse, quod non convertitur, sed et primum universale est, cui unumquodque quidem contentorum sub eo non convertitur. Omnia autem simul accepta convertuntur cum primo universali, sed excedunt quodlibet eorum quae sub eo continentur. Sic igitur quod A sit in ipsis quae continentur sub D, causa est B. Oportet ergo quod A extendatur in plus quam D. Si autem non, sed se haberet ex aequo, quare magis B esset causa in inferendo quod A sit in D quam e converso? Potest enim ex utroque convertibilium concludi aliud. Ponatur igitur ulterius quod A praedicetur de omnibus in quibus est E, sed non convertitur: oportet enim dicere quod illa omnia quae continentur sub B, sint aliquid unum diversum ab eo quod est B. Si enim non esset aliud E quam B, quomodo esset verum dicere quod A inesset omni B, et non e converso, cum A

(1) *Lege* non tamen.

non sit nisi in E et in B? Et ita sequeretur, si E
et B non essent aliud quam A, non esset in plus
quam E. Supponatur ergo quod A sit in plus quam
D, et quam E. Quare ergo non poterit inveniri
aliqua causa propter quam insit omnibus quae sunt
in D. Et haec causa est B. Sed adhuc quaerendum
est utrum et omnia quae continentur sub E habeant aliquam unam causam, et sit talis causa C.
Igitur concludit quod contingit ejusdem esse plures
causas, sed non ejusdem secundum speciem. Sicut
ejus quod est A, causa est B et C: sed B est causa
quod A insit his quae continentur sub D, C autem
est causa quod A insit his quae continentur sub E.
Et ponit exemplum in his rebus naturalibus. Sit
enim hoc quod est esse longae vitae quasi A, quadrupedia quasi D, sed non habere choleram, scilicet superfluam, sit quasi B, quod est causa in qua-
drupedibus longae vitae: volatilia autem quasi E: siccum autem esse vel aliquid aliud hujusmodi quod
est in eis causa longae vitae, aut aliquid aliud hujusmodi sit quasi C.

Deinde cum dicit « si autem »

Movet quamdam dubitationem ex praemissis. Dictum est supra quod non statim a principio venitur in aliquod atomum, idest indivisibile, in quo inveniatur illud cujus causa quaeritur; sed statim inveniuntur multa et indivisa, in quibus illud unum
invenitur, et non est unum medium per quod

de omnibus illud unum demonstretur, et causae
plures sunt. Est ergo dubitatio si illorum mediorum oporteat aliquam causam accipere, utrum
oporteat causam accipere ex parte universalis primi,
puta ex parte ipsius A, vel ex parte singularium,
idest eorum quae sunt minus communia? sicut
supra accipiebatur E et D, vel quadrupedia et
aves? Et ad hoc respondens, dicit quod oportet
semper media accipere quae sunt propinquiora subjecto, in quo quaeritur causa illius communis causati; et sic oportet procedere quousque perveniatur
ad id quod est immediatum communi causato. Et
hujus rationem assignat: quia illud quod est ex
parte ejus quod continetur sub aliquo communi, est
ei causa quod sit sub illo communi, sicut D est
sub B, etsi C sit causa D, quod B insit ei. Et ex
hoc sequitur ulterius quod C sit causa quod A insit D, et quod A insit C, B est causa. Ipsi autem
B inest A per seipsum et immediate. Ultimo autem
epilogat ea quae dicta sunt in tota doctrina Analyticorum: et dicit quod manifestum est ex praemissis, tam in libro Priorum quam in libro Posteriorum de syllogismo et demonstratione quid sit,
et quomodo fiat utrumque: et similiter manifestum
est de scientia demonstrativa, quomodo fiat in nobis. Hoc enim ad idem pertinet, quia demonstratio
est syllogismus faciens scire, ut supra in primo
habitum est.

LECTIO XX.

Quomodo prima ac communia demonstrationis principia a nobis cognoscantur, determinat.

ANTIQUA.

De principiis autem quomodo fiunt cognita principia, et
quis est cognoscens habitus, hinc est manifestum, dubitanti-
bus quidem primum.

Quod quidem igitur non contingit scire per demonstrationem, non cognoscentem prima principia immediata, dictum
est prius.

Immediatorum autem cognitio utrum eadem est, aut non
eadem, dubitabit utique aliquis, et utrum scientia utriusque,
aut est, aut non est, aut hujus quidem scientia, illius
autem alterum aliquod genus sit, et utrum cum non insint
habitus fiant, aut dum insint, lateant.

Si quidem igitur habemus ipsos, inconveniens est. Contingit enim et certissimas habitas cognitiones demonstrantem
latere.

Si autem accipimus non habentes prius itaque qualiter
cognoscimus, et addiscimus, ex non praeexistenti cognitione?
Impossibile enim est, sicut in demonstratione diximus.

Manifestum igitur est, quoniam neque habere possibile
est ignorantibus, et neque non habentibus habitum fieri.

Necesse itaque est habere quamdam quidem potentiam,
non hujusmodi autem habere, ut sit his honorabilior secundum certitudinem.

Videtur autem hoc inesse omnibus animalibus. Habent
enim naturalem potentiam judicativam, quam vocamus sensum.

Cum autem insit sensus animalibus, in his quidem animalium mansio est sensibilis, in aliis autem non fit. In quibuscumque igitur non fit, aut omnino, aut circa quae non fit,
non est in his cognitio, ultra quam sentiunt. In quibuscumque autem sentientibus est habere unum quoddam in anima.

Multis igitur factis hujusmodi, jam differentia quaedam fit.
Quare in his quamdam est fieri rationem ex talium memoria,
in aliis vero non.

RECENS.

De principiis autem, et quomodo fiant nota, et quisnam
sit habitus qui illa cognoscat, hinc manifestum erit primo
dubia disceptantibus.

Quod quidem non contingit scire [aliquid] per demonstrationem, nisi quis perspecta .habeat prima immediata
principia, dictum est prius.

Immediatorum vero cognitio num sit, et an eadem sit,
vel non eadem, dubitaverit forte aliquis; et num utriusque
sit scientia, necne; aut hujus quidem scientia, illius vero
aliud quoddam genus [cognitionis]; et num, quum antea non
adessent hi habitus, accesserint, aut, quum adessent, deinde
latuerint.

Nimirum si habemus eos, absurdum esse videatur. Accidit
enim, ut habentes perfectiorem demonstrationis cognitionem
lateant. Si vero accipimus [horum cognitionem], quum antea
non habeamus, quomodo cognoscere possimus et discere non
praecedente cognitione? nam impossibile hoc est, quemadmodum et de demonstratione dicebamus. Manifestum est igitur
quod neque habere eam possimus, nec possit illa nobis antea
ignorantibus, nullumque eorum habitum habentibus, innasci.

Necesse ergo est, nos habere aliquam facultatem, at non
esse eam talem, quae sit praestantior illis ratione certitudinis.
Apparet autem hanc inesse omnibus animalibus. Habent enim
[illa] connatam vim judicandi, quam vocant sensum. Sensus autem quum insit, in aliis quidem animalibus sensu percepti fit
permansio; in aliis vero non fit. In quibuscumque ergo non
fit, aut omnino, aut circa quae non fit, in his non est cognitio praeter sensum. In quibus autem, dum sentiunt, [fit quaedam mansio sensu percepti], illa possunt retinere [percepta]
in anima. Si vero multa talia fiunt, jam exsistit aliqua differentia, ut his quidem [animalibus] ratio nascatur ex talium
[in anima reservatorum] memoria; aliis vero non. Ex sensu

Ex sensu quidem igitur fit memoria sicut diximus, ex memoria autem multoties facta experimentum. Multae enim memoriae numero, experimentum est unum. Ex experimento autem, aut ex omni quiescente universali in anima uno praeter multa, quod cum in omnibus unum sit et idem, illud est artis principium et scientiae. Siquidem circa generationem, artis est; si vero circa esse, scientiae. Neque igitur determinati habitus, neque ab aliis habitibus fiunt notioribus, sed a sensu, ut in versione pugnae. Uno enim stante, alter stetit, postea alter, quousque in principium veniat. Anima autem cum hujusmodi, sit, qualis possit pati hoc.

Quod autem dictum est olim alibi, non autem plane dictum est, iterum dicamus. Stante enim uno indifferentium, primum quidem universale in anima est. Et namque sentire quidem singulare est, sensus autem universale est, ut hominis, non Calliae hominis. Iterum in his statur, quousque utique impartibilia stent, et universalia, ut hujus animalis, quousque animal, et in hoc similiter. Manifestum est, quoniam nobis prima inductione cognoscere necessarium est. Et namque sic sensus universale facit.

Quoniam autem eorum qui circa intelligentiam habituum, quibus verum dicimus, alii quidem semper veri sunt, alii autem recipiunt falsitatem, ut opinio, et ratio: veri autem sunt semper scientia et intellectus, nihil est scientia certius aliud genus quam intellectus, principia demonstrationum sunt notiora, scientia autem omnis cum ratione est, principiorum quidem scientia non utique erit. Quoniam autem nihil verius contingit esse scientia, quam intellectus, intellectus utique erit principiorum, ex his considerantibus. Et quod quidem demonstrationis principium non sit demonstratio, quare neque scientiae scientia est. Si igitur nil aliud secundum scientiam genus habemus verum, intellectus utique erit scientiae principium et principium principii. Hoc autem omne similiter se habet ad omne genus rerum.

ergo fit memoria, ut dicimus. Ex memoria autem ejusdem saepius repetita [fit] experientia. Memoria enim multiplex numero una experientia est. Ab experientia autem, sive ex omni universali quiescente in anima, uno illo praeter singula, quod in omnibus illis rebus unum sit et idem, [oritur] principium artis et scientiae; quum rerum generationem quidem spectet [experientia], artis; quum vero substantiam [rerum], scientiae.

Nec ergo separatim insunt hi habitus, nec ab aliis habitibus fiunt notioribus, sed a sensu. Ut in pugna, acie in fugam jam conversa, uno stante alius stat, iterum alius, donec ad principium deveniatur. Anima vero talis est natura sua, ut quae hoc ipsum pati possit.

Quod autem dictum est jam dudum, non satis perspicue tamen dictum est, iterum dicamus. Consistente enim uno ex individuis, primum quidem fit in anima universale. Nam sentitur quidem singulare, sensus vero est *tou* universalis, ut hominis, sed non Calliae hominis. Rursus in his consistit [intellectus], donec individua constiterint et universalia; ut, tale animal, donec animal; et in hoc similiter. Manifestum ergo est, quod nobis prima per inductionem cognoscere necessarium sit; nam et sensus hoc modo universale conficit.

Quoniam vero illorum, qui sunt circa rationem, habituum, quibus verum perspicimus, alii quidem semper veri sunt; alii autem falsum suscipiunt, ut opinio et ratiocinatio; semper autem vera sunt scientia et intelligentia, nec ullum aliud genus scientia certius est praeter intelligentiam; principia autem demonstrationum notiora sunt [ipsis demonstrationibus]; omnis scientia autem est cum ratione: principiorum quidem scientia non fuerit. Quodsi vero nihil est scientia verius, quam intelligentia, intelligentia sane [habitus] fuerit principiorum; et ex his considerantibus [manifestum est], quod etiam demonstrationis principium non sit demonstratio; quare neque scientiae scientia. Si ergo nullum aliud praeter scientiam habemus genus [habituum] verum, intelligentia fuerit principium scientiae. Et principium quidem [scientiae] fuerit [intelligentia] principii; illud autem omnino similiter se habet ad omnem rem.

Postquam Philosophus ostendit quomodo cognoscatur id, quod est principium demonstrationis sicut medium, scilicet quod est propter quid, hic ostendit quomodo cognoscantur prima principia demonstrationis communia. Et primo dicit de quo est intentio. Secundo exequitur propositum, ibi, « Quod quidem igitur, etc. » Dicit ergo primo, quod ex his quae sequentur manifestum erit de principiis primis indemonstrabilibus qualiter eorum cognitio fiat in nobis, et quo habitu cognoscantur. Hoc tamen ordine observato, ut prius circa hoc dubitationes ponamus.

Deinde cum dicit « quod quibus »

Exequitur propositum. Et circa hoc duo facit. Primo movet dubitationem. Secundo solvit, ibi, « Necesse itaque est habere, etc. » Circa primum tria facit. Primo praemittit quoddam ex quo ostenditur necessitas hujusmodi inquisitionis. Secundo movet quaestiones, ibi, « Immediatorum autem etc. » Tertio objicit ad quaestionem, ibi, « Siquidem, etc. » Dicit ergo primo, quod dictum est quod non contingit aliquid scire per demonstrationem nisi praecognoscantur prima principia immediata. Et ideo ad scientiam quae est de demonstratione, utile est ut sciatur qualiter prima principia cognoscantur.

Deinde cum dicit « immediatorum autem »

Movet dubitationes tres circa praedictam cognitionem principiorum: quarum prima est, utrum omnium immediatorum principiorum sit eadem cognitio vel non. Secunda dubitatio est utrum omnium immediatorum sit scientia vel nullorum, aut sit scientia quorumdam, aliorum vero aliud genus cognitionis. Tertia vero quaestio est, utrum habitus istorum principiorum fiat in nobis cum prius non

fuerunt, vel in nobis fuerunt sed tamen nos latebant.

Deinde cum dicit « si quidem »

Objicit ad quaestionem ultimam, ad quam aliae ordinantur. Et primo objicit ad unam partem: et dicit, quod est inconveniens dicere quod habeamus habitus horum principiorum, et lateat nos. Manifestum est enim, quod illi qui habent cognitionem principiorum, habent certiorem cognitionem cognitione quae est per demonstrationem. Non enim potest haberi ita quod lateat habentem. Dictum est enim in principio libri, quod ille qui habet scientiam, scit quod impossibile est aliter se habere. Ergo multo minus potest esse quod aliquis habeat cognitionem principiorum immediatorum, et lateat ipsum. Quod tamen inconveniens sequeretur, si habitus hujusmodi inessent et laterent.

Secundo ibi « si autem »

Objicit ad contrarium. Si enim aliquis dicat quod accipimus de novo habitus principiorum, cum prius eos non habuerimus, relinquitur ulterius dubitatio qualiter possumus hujusmodi principia de novo cognoscere et addiscere, et hoc non ex aliqua praeexistenti cognitione. Impossibile est enim aliquid addiscere nisi praeexistenti cognitione, sicut etiam supra circa demonstrationem diximus. Immediata autem principia ideo ex praeexistenti cognitione addiscere non possumus, quia praeexistens cognitio est certior, cum sit causa certitudinis his quae per eam innotescunt. Nulla autem cognitio certior est cognitione hujusmodi principiorum. Unde non videtur, quod possimus ea cognoscere cum prius non cognoverimus.

Tertio ibi « manifestum igitur »

Concludit ex praemissis duabus rationibus, quod

neque possibile est semper habere cognitionem horum principiorum, quae nos lateant, neque etiam
possibile est quod in nobis generetur de novo talis
cognitio, omnino ignorantia praecedente, et non
aliquo alio habitu.

Deinde cum dicit « necesse itaque »

Solvit praemissas quaestiones. Et primo solvit
ultimam. Secundo solvit duas primas, ibi, « Quoniam autem eorum quae circa intellectum, etc. »
Circa primum duo facit. Primo solvit dubitationem.
Secundo manifestat solutionem positam, ibi, « Quod
« autem dictum est olim, etc. » Circa primum tria
facit. Primo proponit, quod oportet aliquid cognoscitivum in nobis praeexistere. Secundo ostendit
quid sit illud, ibi, « Videtur autem, etc. » Tertio
ostendit quomodo ex praeexistenti cognoscitivo principio fiat in nobis principiorum cognitio, ibi, « Ex
« sensu quidem, etc. » Dicit ergo primo, quod
necesse est a principio in nobis esse quamdam potentiam cognoscitivam, quae scilicet praeexistat cognitioni principiorum, non tamen talem quae sit
potior quantum ad certitudinem cognitione principiorum. Unde non eodem modo principiorum cognitio fit in nobis ex praeexistenti cognitione, sicut
accidit in his quae cognoscuntur per demonstrationem: quia cognitio eorum quae cognoscuntur
per demonstrationem, idest cognitio conclusionum,
fit in nobis ex praeexistenti cognitione sensitiva.

Deinde cum dicit « videtur autem »

Ostendit quid sit illud principium cognoscitivum
praeexistens. Et quantum ad hoc ponit tres gradus
in animalibus: quorum primus est hoc quod videtur
inesse communiter omnibus animalibus, quod omnia habent quamdam connaturalem potentiam ad
judicandum de sensibilibus, quae vocatur sensus,
quae non acquiritur de novo, sed ipsam naturam
consequitur.

Secundum gradum ponit ibi « cum autem »

Et dicit quod cum sit sensus in omnibus animalibus, in quibusdam eorum remanet aliqua impressio sensibilis abeunte re sensibili, sicut contingit in omnibus animalibus perfectis. In quibusdam autem non contingit hoc, sicut in quibusdam
animalibus imperfectis, sicut patet in his quae non
moventur motu progressivo. Et forte contingit quod
circa aliqua animalia remanet aliqua impressio
quantum ad aliqua sensibilia quae sunt vehemen-
tiora, non autem quantum ad aliqua quae sunt
debiliora. In quibuscumque igitur animalibus omnino nulla impressio remanet sensibilis, hujusmodi
animalia nullam cognitionem habent, nisi dum sentiunt. Et similiter animalia in quibus nata est remanere talis impressio, si circa aliqua sensibilia in
eis non remanet, non possunt habere aliquam cognitionem nisi dum sentiunt. Sed animalia in quibus inest hujusmodi remansio impressionis, contingit adhuc habere quamdam cognitionem in anima
praeter sensum: et ista sunt quae habent memoriam.

Tertium gradum ponit ibi « multis igitur »

Et dicit quod cum multa sint talia animalia
habentia memoriam, inter ea ulterius est quaedam
differentia. Nam in quibusdam eorum fit ratiocinatio
de his, quae remanent in memoria, sicut in hominibus; in quibusdam autem non, sicut in brutis.

Deinde cum dicit « ex sensu »

Ostendit secundum praedicta, quomodo in nobis
fiat cognitio primorum principiorum: et concludit
ex praemissis, quod ex sensu fit memoria, in illis

scilicet animalibus in quibus scilicet remanet impressio sensibilis, sicut supra dictum est. Ex memoria autem multoties facta circa eamdem rem in
diversis tamen singularibus, fit experimentum; quia
experimentum nihil aliud videtur, quam accipere
aliquid ex multis in memoria retentis. Sed tamen
experimentum indiget aliqua ratiocinatione circa
particularia, per quam confertur unum ad aliud,
quod est proprium rationis. Puta, cum talis recorda-
tur quod talis herba multoties sanavit multos a febre,
dicitur esse experimentum quod talis sit sanativa
febris. Ratio autem non sistit in experimento particularium; sed ex multis particularibus in quibus
expertus est, accipit unum commune quod firmatur
in anima et considerat illud absque consideratione
alicujus singularium, et hoc accipit ut principium
artis et scientiae. Puta diu medicus consideravit
hanc herbam sanasse Socratem febrientem, et Platonem, et multos alio singulares homines: cum autem sua consideratio ad hoc ascendit, quod talis
species herbae sanat febrientem simpliciter, hoc accipitur ut quaedam regula artis medicinae. Hoc est
ergo quod dicit: quod sicut ex memoria fit experimentum, ita etiam ex experimento, aut etiam ulterius
ex universali quiescente in anima, quod scilicet
accipitur ac si in omnibus ita sit, sicut est experimentum in quibusdam (Quod quidem universale
dicitur esse quiescens in anima inquantum scilicet
consideratur praeter singularia in quibus est motus. Quod etiam dicit esse unum praeter multa,
non quidem secundum esse, sed secundum considerationem intellectus, qui considerat naturam aliquam, puta hominis, non respiciendo ad Socratem
et Platonem. Quod etsi secundum considerationem
intellectus, sit unum praeter multa, tamen secundum esse est in omnibus singularibus unum et
idem; non quidem numero, quasi sit eadem huma-
nitas numero omnium hominum, sed secundum
rationem speciei. Sicut enim hoc album est simile
illi albo in albedine, non quasi una numero albedine existente in utroque; ita etiam Socrates est
similis Platoni in humanitate, non quasi una humanitate numero in utroque existente:) Ex hoc igitur
experimento et de tali universali per experimentum
accepto, est in anima id, quod est principium artis
et scientiae. Et distinguit inter artem et scientiam,
sicut etiam in sexto Ethic., ubi dicitur quod ars est
recta ratio factibilium. Et ideo hic dicit, quod si
ex experimento accipiatur aliquod universale circa
generationem, idest circa quaecumque factibilia, puta
circa sanationem, vel agriculturam, hoc pertinet ad
artem. Scientia vero, ut ibidem dicitur, est circa
necessaria: et ideo si universale consideretur circa
ea quae semper eodem modo sunt, pertinet ad
scientiam, puta circa numeros vel figuras. Et iste
modus, qui dictus est, competit in principiis omnium scientiarum et artium. Unde concludit quod
neque praeexistunt in nobis habitus principiorum
quasi determinati et completi; neque etiam fiunt de
novo ab aliquibus notioribus habitibus praeexistentibus, sicut generatur in nobis habitus scientiae ex
praecognitione principiorum, sed habitus principiorum sunt in nobis a sensu praeexistente. Et ponit
exemplum in pugnis quae fiunt per reversionem
exercitus devicti et fugati. Cum enim unus eorum
perfecerit statum, idest immobiliter coeperit stare
et non fugere, alter stat adjungens se ei, et postea
alter, quousque tot congregentur, quot faciunt prin-

cipium pugnae, sic etiam de sensu et memoria
unius particularis, et iterum alterius et alterius,
quandoque pervenitur ad id, quod est principium
artis et scientiae, ut dictum est. Posset autem aliquis credere quod solus sensus vel memoria singularium sufficiat ad causandum intelligibilem cognitionem principiorum, sicut posuerunt quidam
antiqui non discernentes inter sensum et intellectum: et ideo ad hoc excludendum Philosophus subdit, quod cum sensu oportet praesupponere talem
naturam animae, quae posset pati hoc, idest sit susceptiva cognitionis universalis; quod quidem fit
per intellectum possibilem; et iterum quod possit
agere hoc per intellectum agentem, qui facit intelligibilia in actu per abstractionem universalium a
singularibus.

Deinde cum dicit « quod autem »

Manifestat quod dictum est in praecedenti solutione, quantum ad hoc, quod experimento singularium accipitur universale: et dicit, quod illud
quod supra dictum est, et non plane, quomodo scilicet experimento singularium fiat universale in
anima, iterum oportet dicere, ut planius manifestetur. Si enim accipiantur multa singularia, quae
sunt indifferentia quantum ad aliquid unum in eis
existens, illud unum secundum quod non differunt, in anima acceptum, est primum universale,
quicquid sit illud; sive scilicet pertineat ad essentiam singularium, sive non. Quia enim invenimus Socratem et Platonem, et multos alios esse indifferentes quantum ad albedinem, accipimus hoc unum,
scilicet album, quasi universale, quod est accidens.
Et similiter quia invenimus Socratem et Platonem
et alios esse indifferentes quantum ad rationabilitatem, hoc unum in quo non differunt, scilicet
rationale, accipimus quasi universale, quod est differentia. Qualiter autem hoc unum accipi possit,
manifestat consequenter. Manifestum est enim quod
singulare sentitur proprie et per se, sed tamen sensus est quodammodo et ipsius universalis. Cognoscit enim Calliam, non solum inquantum est Callias,
sed etiam inquantum est hic homo; et similiter Socratem inqua tum est hic homo. Et inde est quod
tali acceptione sensus praeexistente, anima intellectiva potest considerare hominem in utroque. Si
autem ita esset, quod sensus apprehenderet solum
id quod est particularitatis, et nullo modo cum
hoc apprehenderet universale in particulari, non
esset possibile quod ex apprehensione sensus cau-
saretur in nobis cognitio universalis. Et hoc idem
manifestat consequenter in processu, qui est a speciebus ad genus; et subdit quod iterum in his, scilicet
in homine et equo, anima stat per considerationem, quousque perveniatur ad aliquid impartibile in eis, quod est universale. Ut puta consideramus tale et tale animal, puta hominem et equum,
quousque perveniatur ad commune animal quod

est genus superius. Quia igitur universalium cognitionem accipimus ex singularibus, concludit manifestum esse quod necesse est prima universalia
principia cognoscere per inductionem. Sic enim, scilicet per viam inductionis, sensus facit universale intus
in anima, inquantum considerantur omnia singularia.

Deinde cum dicit « quoniam autem »

Solvit primas duas quaestiones; utrum scilicet primorum principiorum sit scientia vel aliquis alius
habitus. Circa quod ex praemissis accipitur, quod
principiorum cognitio pertinet ad intellectum, cujus
est cognoscere universale. Nam universale dicit esse
principium scientiae. Circa intellectum autem sunt
duo genera habituum habentium se aliqualiter ad
verum. Quidam enim sunt semper veri, alii vero
interdum recipiunt falsitatem, ut patet de opinione
et ratiocinatione; quae potest esse veri et falsi. Sunt
etiam et quidam habitus erronei se habentes ad
falsum. Quia vero principia sunt maxime vera, manifestum est quod non pertinent ad habitus qui
semper sunt falsi, neque etiam ad habitus qui interdum recipiunt falsitatem; sed solum ad habitus
qui semper sunt veri. Hujusmodi autem sunt scientia
et intellectus. Additur autem in tertio Ethicorum,
tertium, scilicet sapientia. Sed quia sapientia, ut ibidem dicitur, comprehendit in se scientiam et intellectum, est enim quaedam scientia et caput scientiarum,
hic eam praetermittit. Hac ergo praetermissa, nullum
aliud genus cognitionis quam intellectus est certius scientia. Manifestum est autem quod principia
demonstrationum sunt notiora conclusionibus demonstratis, ut in principio habitum est. Non autem
potest esse scientia ipsorum principiorum; quia
omnis scientia fit ex aliqua ratiocinatione, scilicet
demonstrativa, cujus sunt principia illa de quibus
loquimur. Quia igitur nihil potest esse verius
quam scientia et intellectus (nam sapientia in his
intelligitur), consequens est ex consideratione praemissorum, quod principiorum proprie sit intellectus. Probat hoc etiam alia ratione: quia scilicet
demonstratio non est ex necessitate demonstrationis
principium, alioquin procederetur in demonstrationibus in infinitum, quod in primo improbatum
est. Cum igitur demonstratio scientiam causet, sequitur quod neque scientia possit esse principium
scientiae, ita scilicet quod principia scientiarum per
scientiam cognoscantur. Si igitur nullum aliud genus cognitionis praeter scientiam habemus, quod
semper sit verum; relinquitur quod intellectus erit
principium scientiae, quia scilicet per intellectum cognoscuntur principia scientiarum, ita scilicet quod hic
intellectus qui est principium scientiae, est cogno-
scitivus principii ex quo procedit scientia. Hoc autem,
scilicet scientia, est omne, idest totum, quod similiter
se habet ad omnem rem, idest ad totam materiam
de qua est scientia, sicut scilicet intellectus ad principium scientiae.

DE PHYSICO AUDITU ⁽¹⁾

LIBER PRIMUS

SUMMA LIBRI. — NATURALIUM PRINCIPIA TUM EX ANTIQUORUM, TUM EX PROPRIA OPINIONE VENATUR, EAQUE TRIA ESSE STATUIT: MATERIAM SCILICET AC FORMAM PER SE, PRIVATIONEM VERO PER ACCIDENS.

LECTIO I.

A principiis universalioribus inchoandum, cum haec nobis prius nota sint.

ANTIQUA.

Quoniam quidem intelligere et scire contingit circa omnes scientias, quarum sunt principia aut causae aut elementa, ex horum cognitione (Tunc enim cognoscere arbitramur u- numquodque cum causas primas et prima principia cognosci- mus, et usque ad elementa): manifestum quidem, quod quae sunt circa principia scientiae quae de Natura est, prius de- terminare tentandum.

Innata autem est ex notioribus nobis via et certioribus, in certiora naturae et notiora. Non enim eadem nobis nota et simpliciter. Unde quidem necesse secundum modum hunc procedere ex incertioribus naturae, nobis autem certioribus, in certiora naturae et notiora. Sunt autem primum nobis manifesta et certa confusa magis: posterius autem ex his fiunt nota elementa et principia dividentibus haec. Unde ex uni- versalibus ad singularia oportet procedere.

Totum enim secundum sensum notius est. Universale autem totum quoddam est: multa enim comprehendit ut par- tes universale.

Sustinent autem idem hoc quodammodo et nomina ad ra- tionem: totum enim quodammodo et indistincte significat, ut puta circulus. Definitio autem ipsius dividit in singularia.

Et pueri primum appellant omnes viros patres, et feminas matres: posterius autem determinant horum unumquodque.

Quia liber Physicorum, cujus expositioni inten- dimus, est primus liber scientiae Naturalis, in e- jusdem principio oportet assignare quid sit materia et subjectum scientiae Naturalis. Sciendum est igi- tur, quod cum omnis scientia sit in intellectu; per hoc autem aliquid fit intelligibile in actu, quod aliqualiter abstrahitur a materia: secundum quod aliqua diversimode se habent ad materiam, ad di- versas scientias pertinent. Rursus, cum omnis scien- tia per demonstrationem habeatur, demonstrationis autem medium sit definitio, necesse est secundum diversum, definitionis modum scientias diversificari.

(1) *Sive* de Naturali auscultatione, *ut habet nuperrima translatio.*

RECENS.

Quoniam cognitio et scientia in omnibus methodis, qua- rum sunt principia vel causae vel elementa, ex horum notitia proficiscitur (tunc enim putamus unumquodque cognoscere, quum causas primas noverimus et principia prima, et usque ad elementa), perspicuum est hic quoque tentandum esse ut primum definiantur ea quae ad principia naturalis scientiae pertinent.

Naturaliter autem constituta est via ab iis quae sunt nobis notiora et clariora, ad ea quae sunt clariora et notiora natura; non enim eadem sunt et nobis nota, et simpliciter: quare necesse est hoc modo progredi, nimirum ex iis quae natura quidem sunt obscuriora, nobis tamen sunt clariora, ad ea quae sunt notiora et clariora natura.

Ea vero sunt nobis primum perspicua et manifesta, quae sunt magis confusa; deinde iis qui haec dividunt, ex ipsis elementa et principia innotescunt.

Idcirco ab universalibus ad singularia progredi oportet. Totum enim secundum sensum notius est: universale autem est totum quiddam, quoniam universale multa, tamquam partes, comprehendit.

Sic affecta quodammodo sunt etiam nomina erga defini- tionem. Totum enim quiddam et indefinite significant, veluti Circulus: definitio vero ejus dividit in singulas partes. Ac pueri quoque primum omnes viros appellant patres, et omnes mulieres matres; postea vero discernunt horum utrumque.

Sciendum igitur, quod quaedam sunt, quorum esse dependet a materia, nec sine materia definiri pos- sunt: quaedam vero sunt, quae licet esse non pos- sint nisi in materia sensibili, in eorum tamen defini- tione materia sensibilis non cadit. Et haec differunt adinvicem, ut curvum et simum: nam simum est in materia sensibili: et necesse est quod in ejus defi- nitione cadat materia sensibilis: est enim simum nasus curvus: et talia sunt omnia naturalia, ut homo, lapis. Curvum vero, licet esse non possit nisi in materia sensibili, tamen in ejus definitione materia sensibilis non cadit. Et talia sunt omnia mathema- tica, ut numeri, magnitudines et figurae. Quaedam vero sunt, quae non dependent a materia nec secundum esse nec secundum rationem: vel quia nunquam sunt in materia, ut Deus et aliae substantiae separatae: vel quia non universaliter sunt in materia, ut substantia, potentia, et actus, et ipsum ens. De his vero quae dependent a materia sensibili secundum esse, sed non secundum rationem, est Mathematica. De his vero quae dependent a materia non solum secundum esse, sed etiam secundum rationem, est Naturalis quae Physica dicitur. Et quia omne quod habet materiam mobile est, consequens est quod ens mobile sit subjectum Naturalis philosophiae. Naturalis autem philosophia de naturalibus est. Naturalia autem sunt quorum principium est natura. Natura autem est principium motus et quietis in eo in quo est. De his igitur quae habent in se principium motus est scientia Naturalis. Sed quia ea quae consequuntur aliquod commune prius et seorsum determinanda sunt, ne oporteat ea multoties pertractando omnes partes illius repetere, necessarium fuit quod praemitteretur unus liber in scientia Naturali, in quo tractaretur de iis quae consequuntur ens mobile in communi, sicut omnibus scientiis praemittitur Philosophia prima, in qua determinatur de iis quae sunt communia enti inquantum est ens. Hic autem est liber Physicorum, qui etiam dicitur de Physico sive de naturali auditu: quia per modum doctrinae ad audientes traditus fuit. Cujus subjectum est ens mobile simpliciter. Non dico autem corpus mobile, quia omne mobile esse corpus, probatur in isto libro: nulla autem scientia probat suum subjectum: et ideo statim in principio de Caelo, qui sequitur ad istum, incipitur a notificatione corporis. Sequuntur autem ad hunc librum alii libri scientiae Naturalis, in quibus tractatur de speciebus mobilium: puta in libro de Caelo de mobili secundum motum localem, qui est prima species motus. In libro autem de Generatione, de motu ad formam et primis mobilibus, scilicet elementis, quantum ad transmutationes eorum in communi: quantum vero ad speciales eorum transmutationes in libro Meteororum. De mobilibus vero mistis inanimatis in libro de Mineralibus: de animatis vero in libro de Anima, et consequentibus ad ipsum. Huic autem libro praemittit Philosophus prooemium, in quo ostendit ordinem procedendi in scientia Naturali. Unde duo facit. Primo ostendit, quod oportet incipere a consideratione principiorum. Secundo, quod inter principia oportet incipere a principiis universalioribus, ibi, « Innata « autem. » Primo ponit talem rationem. In omnibus scientiis, quarum sunt principia aut causae aut elementa, intellectus et scientia procedit ex cognitione principiorum, causarum et elementorum: sed scientia quae est de natura, habet principia, elementa, et causas: ergo in ea oportet incipere a determinatione principiorum. Quod autem dicit « intelligere », refertur ad definitiones: quod vero dicit « scire », ad demonstrationem. Nam sicut demonstrationes sunt ex causis, ita et definitiones: cum completa definitio sit demonstratio sola positione differens, ut dicitur in primo Posteriorum. Per hoc autem, quod dicit principia, aut causas, aut elementa, non intendit ibi idem significare. Nam causa est in plus quam elementum: nam elementum est ex quo componitur res primo, et est in eo, ut dicitur quinto Metaphysicae: sicut litterae sunt elementa locutionis, non autem syllabae. Causae autem dicuntur, ex quibus res dependet secundum esse suum vel fieri:

unde et etiam quae sunt extra, vel etiam quae sunt in re, causae dici possunt, ex quibus non componitur res primo; non tamen elementa. Principium vero importat quemdam ordinem alicujus processus. Unde aliquid potest esse principium, quod non est causa, sicut id unde incipit motus, (1) non tamen est causa: et punctus est principium lineae, non tamen causa. Sic igitur per principia, videtur intelligere causas moventes et agentes, in quibus attenditur ordo processus cujusdam. Per causas autem, intelligere videtur causas formales et finales, ex quibus maxime dependent res secundum suum esse et fieri. Per elementa vero proprie proprias causas materiales. Utitur autem disjunctione non copulatione, ad designandum quod non omnis scientia per omnes causas demonstrat. Nam Mathematica non demonstrat nisi per causam formalem. Metaphysica demonstrat per causam formalem et finalem praecipue, et etiam agentem. Naturalis autem per omnes causas. Primam autem propositionem rationis inductae probat ex communi opinione, sicut primo lib. Posteriorum dicitur: quia tunc quilibet experitur se cognoscere aliquid cum scit omnes causas ejus a primis usque ad ultimas. Nec oportet ut aliter accipiamus hic causas et elementa et principia quam supra, ut Commentator vult; sed eodem modo. Dicit autem « usque ad elementa » quia id quod est ultimum in cognitione est materia. Nam materia est propter formam, forma autem est ab agente propter finem, nisi ipsa sit finis. Utputa dicimus, quod propter secare serra habet dentes: et ferreos oportet eos esse, ut sint apti ad scindendum.

Secundo ibi « innata autem »

Ostendit quod inter principia oportet praedeterminare de universalioribus. Et primo per rationem. Secundo per quaedam signa, ibi, « Totum. » Circa primum ponit talem rationem. Innata est nobis via ut procedamus incipiendo ab iis quae sunt nobis magis nota, in ea quae sunt magis nota naturae: sed ea, quae sunt nobis magis nota, sunt confusa, qualia sunt universalia: ergo oportet nos ab universalibus ad singularia procedere. Ad manifestationem autem primae propositionis inducit, quod non sunt eadem magis nota nobis et secundum naturam; sed illa, quae sunt magis nota secundum naturam, sunt minus nota secundum nos. Et, quia iste est naturalis modus sive ordo addiscendi, ut veniatur a nobis notis ad ignota nobis; inde est, quod oportet nos devenire ex notioribus nobis ad notiora naturae. Notandum autem est quod non eadem dicit nota esse nobis et nota simpliciter. Simpliciter autem notiora sunt, quae secundum se sunt notiora. Sunt autem secundum se notiora, quae plus habent de entitate: quia unumquodque cognoscibile est inquantum est ens. Magis autem entia sunt quae sunt magis in actu: unde . . a maxime sunt cognoscibilia naturae. Nobis autem e converso accidit, eo quod nos procedimus intelligendo de potentia in actum, et principium cognitionis nostrae est a sensibilibus, quae sunt materialia et intelligibilia in potentia. Unde illa sunt prius nobis nota quam substantiae separatae, quae sunt magis notae secundum naturam, ut patet secundo Metaphysices. Non ergo dicit nota naturae quia natura cognoscat ea, sed quia sunt nota secundum se et secundum propriam naturam. Dicit autem

(1) *Supple* est principium.

« notiora et certiora » quia in scientiis non requiritur qualiscumque cognitio, sed cognitionis certitudo. Ad intellectum autem secundae propositionis,
sciendum est quod confusa hic dicuntur, quae
continent in se aliqua in potentia et indistincte.
Et, quia cognoscere aliquod indistincte medium est
inter puram potentiam et actum perfectum, ideo,
dum intellectus noster procedit de potentia in actum,
primo occurrit sibi confusum quam distinctum: sed
tunc est scientia completa in actu, quando pervenitur per resolutionem ad distinctam cognitionem
principiorum et elementorum. Et haec est ratio,
quare confusa sunt primo nobis nota quam distincta.
Quod autem universalia sint confusa, manifestum
est, quia universalia continent in se suas species
in potentia; et qui scit aliquid in universali scit
illud indistincte: tunc autem distinguitur ejus cognitio, quando unumquodque eorum quae continentur
potentia in universali, actu cognoscitur: qui enim
scit animal non scit irrationale nisi in potentia.
Prius autem est scire aliquid in potentia quam in
actu. Secundum igitur hunc ordinem addiscendi,
quo procedimus de potentia in actum, prius quoad nos est scire animal quam hominem. Contrarium
autem huic videtur esse quod dicit Philosophus in
primo Posteriorum, quod singularia sunt magis nota
quo ad nos: universalia vero naturae, sive simpliciter. Sed intelligendum est quod ibi accipit singularia ipsa individua sensibilia, quae sunt magis
nota quo ad nos, quia sensus cognitio, quae est
singularium, praecedit cognitionem intellectus, quae
est universalium. Sed, quia cognitio intellectualis
est perfectior, universalia autem sunt intelligibilia
in actu, non autem singularia, cum sint materialia;
simpliciter secundum naturam universalia sunt notiora. Hic autem singularia dicit non ipsa individua,
sed species: quae sunt notiores secundum naturam,
utpote perfectiores existentes, et distinctam cognitionem habentes: genera vero sunt prius nota quo
ad nos, utpote habentia cognitionem in potentia et
confusam. Sciendum autem quod Commentator aliter
exponit. Dicit enim quod ibi, « Innata est, » vult
ostendere Philosophus modum demonstrationis hujus scientiae, quia scilicet demonstrat per effectus
et posteriora secundum naturam, ut sic quod ibi
dicitur intelligatur de processu in demonstrando et
non in determinando. Deinde cum dicit « sunt
« autem primum, » intendit manifestare secundum eum quae sunt magis nota quo ad nos et
minus secundum naturam, scilicet composita simplicibus, intelligens composita per confusa. Ultimo
autem concludit quod procedendum est ab universalioribus ad minus universalia, quasi quoddam
corollarium. Unde patet, quod ejus expositio non
est conveniens; quia non conjungit totum ad unam
intentionem, et quia hic non intendit Philosophus
ostendere modum demonstrationis hujus scientiae:
hoc enim faciet in secundo libro secundum ordinem determinandi. Iterum, quia confusa non debent
exponi composita, sed indistincta: non enim posset

concludi aliquid ex universalibus, cum genera non
componantur ex speciebus.

Secundo ibi « totum enim »

Manifestat propositum per tria signa: quorum
primum sumitur a toto integrali sensibili: et dicit
quod totum sensibile est notius secundum sensum;
ergo et totum intelligibile est notius secundum intellectum. Universale autem est quoddam totum intelligibile, quia comprehendit sub se multa ut partes,
scilicet sua inferiora: ergo universale est notius quo
ad nos. Videtur autem haec probatio inefficax, quia
utitur toto et parte et comprehensione aequivoce.
Dicendum est autem, quod totum integrale et universale conveniunt in hoc, quod utrumque est confusum. Sicuti enim qui apprehendit genus non
apprehendit species distincte, sed in potentia tantum; ita qui apprehendit domum nondum distinguit
partes: unde, cum ratione confusionis totum sit
prius cognitum quo ad nos, eadem ratio est de
utroque toto: esse autem compositum non est commune utrique toti: unde manifestum est quod signanter dixit supra, confusa, et non, composita.

Secundo ibi « sustinent autem »

Ponit aliud signum de toto integrali et intelligibili. Definitum enim se habet ad definientia quodammodo ut totum integrale, inquantum actu sunt
definientia in definito; sed tamen qui apprehendit
nomen, utputa hominem aut circulum, non statim
distinguit definientia: unde nomen est sicut quoddam totum et indistinctum, sed definitio dividit in
singularia, idest distincte ponit principia definiti. Videtur autem hoc esse contrarium ei quod supra
dixit. Nam definientia videntur universaliora: quae
dixit prius esse nota nobis. Sed dicendum, quod
definientia secundum se sunt prius nota nobis
quam definitum: sed prius est notum nobis definitum, quam quod talia sint definientia ipsius; sicut
prius sunt nota nobis animal et rationale quam
homo. Sed prius est nobis notum homo confuse,
quam quod animal et rationale sint definientia ipsius.

Tertio ibi « et pueri »

Ponit tertium signum sumptum ex universaliori
sensibili. Sicut enim universalius intelligibile est
prius notum nobis secundum intellectum, ut puta
animal homine, ita communius sensibile est prius notum nobis secundum sensum: ut puta hoc animal, quam
hic homo. Et dico prius secundum sensum, et secundum locum, et secundum tempus. Secundum locum
quidem; quia cum aliquid a remotis videmus, prius
percipimus ipsum esse corpus quam esse animal:
et hoc prius quam quod sit homo, et ultimo quod
sit Socrates. Et similiter secundum tempus puer
prius apprehendit hunc ut quemdam hominem
quam hunc hominem, qui est Plato, qui est pater ejus. Et hoc est quod dicit, « pueri primum
« appellant omnes viros patres et feminas matres,
« sed posterius determinant, » idest determinate cognoscunt « unum quodque. » Ex quo manifeste ostenditur, quod prius cognoscimus aliquid sub confusio-
ne quam distincte.

LECTIO II.

Antiquorum de entibus ac principiis sententiae quamplures; quamque illarum improbare, et quomodo, ad Naturalem pertinet.

Necesse autem est aut unum esse principium, aut plura. Et si unum: aut immobile, sicut dicunt Parmenides et Melissus: aut mobile, sicut Physici, hi quidem aerem dicentes esse, alii vero aquam primum principium. Si autem plura: aut finita, aut infinita: et si finita, plura autem uno, aut duo, aut tria, aut quatuor, aut secundum alium aliquem numerum. Et si infinita, aut sic, sicut dixit Democritus, genus unum, figura autem et specie differentia, aut etiam contraria.

Similiter autem quaerunt et quae sunt quaerentes quot sunt. Ex quibus enim sunt quae sunt, quaerunt primum, utrum haec unum aut plura sint; et si multa, aut finita aut infinita. Quare principium et elementum quaerunt utrum unum aut multa.

Id quidem igitur, si unum et immobile sit quod est, intendere, non de natura est intendere. Sicut enim Geometrae non amplius ratio est ad destruentem principia, sed est aut alterius scientiae, aut omnibus communis: sic neque alicui de principiis. Non enim amplius principium est si unum solum, et sic unum: principium enim cujusdam aut quorumdam est.

Simile igitur intendere est, si sic unum est, et ad aliam positionem quamlibet disputare sermonis gratia dictam, ut heracliteam: aut si aliquis dicat hominem unum, quod est, esse.

Aut solvere rationem litigiosam, quod sane utraeque quidem habent rationes et Melissi, et Parmenidis; etenim falsa recipiunt, et non syllogizantes sunt. Magis autem Melissi onerosa est ratio, et non habens defectum. Sed uno inconvenienti dato, alia contingunt: hoc autem videre nihil difficile.

Nobis autem subjiciantur, quae sunt natura, aut omnia, aut quaedam moveri. Est autem manifestum hoc ex inductione. Similiter autem neque solvere omnia convenit: sed aut quaecumque ex principiis aliquis demonstrans mentitur. Quodcumque vero non minime: ut tetragonismum, eum quidem qui per decisiones, Geometrici est dissolvere: illum autem qui Antiphontis, non Geometrici est.

Sed quoniam de natura quidem, non autem naturales defectus contingit dicere ipsos, fortassis bene se habet aliquantulum disputare de ipsis: habet enim philosophiam hic respectus.

Necesse est autem aut unum esse principium, aut plura; et, si unum sit, aut esse immobile, ut inquiunt Parmenides et Melissus; aut quod moveatur, ut ajunt Physici: quorum alii aerem, alii aquam statuunt esse primum principium. Quodsi plura sint, necesse est vel esse finita vel infinita; et, si finita, uno autem plura, certe vel esse duo, vel tria, vel quatuor, vel aliquo alio numero: si infinita. vel oportet sic esse ut censuit Democritus, nimirum genere unum, figura autem vel forma discrepantia, aut etiam contraria.

Similiter etiam ii quaerunt, qui quaerunt quot sint entia: primum enim quaerunt, utrum haec, ex quibus entia constant, unum sint, an multa; et, si multa sint, utrum sint finita, an infinita. Quocirca quaerunt, utrum principium ac elementum sit unum, an multa.

Porro haec consideratio, an unum sit ens et immobile, non est consideratio de natura. Quemadmodum enim minime est geometrae disputare adversus eum qui geometriae principia evertit, sed ea disputatio est vel alterius scientiae, vel omnium communis: ita etiam ei qui de principiis physicis agit, non est disputandum adversus negantes principia physica: quia non est amplius principium, si est tantum unum et ita unum: quandoquidem principium est alicujus, vel aliquorum.

Perinde igitur est, considerare an ita sit unum principium, ac si contra quamvis aliam thesin disceptetur, quae disputationis causa asseratur; veluti adversus thesin Heracliteam: vel si quis affirmarit id quod est, esse unum hominem.

Aut solvere argumentationem litigiosam, quam ambo quidem sermones habent, tam Melissi quam Parmenidis (etenim falsa accipiunt, neque concludunt), sed ratio Melissi est magis importuna, nec habet dubitationem: sed uno absurdo dato, cetera eveniunt: hoc vero non est difficile.

Nos autem supponamus, quae natura constant, vel omnia vel quaedam moveri: quod quidem per inductionem perspicuum est. Simul autem nec solvere omnia decet; sed ea tantum, quae ex principiis demonstrans quispiam falso concludit: quae vero non ita concluduntur, nequaquam solvenda sunt. Exempli gratia, tetragonismum qui per segmenta fit, geometrae est dissolvere; Antiphontis vero tetragonismum dissolvere, non est geometrae.

Sed quia, licet non de natura, tamen naturales dubitationes eos dicere contingit: fortassis e re erit paululum de his disserere: habet enim in se philosophiam haec consideratio.

Posito prooemio, in quo ostensum est quod scientia Naturalis debet incipere a principiis universalioribus, hic secundum praedictum ordinem incipit prosequi ea quae pertinent ad scientiam Naturalem. Et dividitur in duas partes. In quarum prima determinat de principiis universalibus scientiae Naturalis. In secunda determinat de ente mobili in communi, de quo intendit in hoc libro. Et hoc in Tertio libro, ibi, « Quoniam autem natura est principium. » Prima in duas. In prima determinat de principiis subjecti hujus scientiae, idest de principiis entis mobilis inquantum hujusmodi. In secunda de principiis doctrinae, in secundo libro ibi, « Eorum quae sunt. » Prima autem in duas. In prima prosequitur opiniones aliorum de principiis communibus entis mobilis. In secunda inquirit veritatem de eis, ibi, « Omnes igitur contraria principia. » Circa primum tria facit. Primo ponit di-

versas opiniones antiquorum philosophorum de principiis communibus. Secundo ostendit, quod aliquas earum prosequi non pertinet ad Naturalem, ibi, « Id quidem igitur. » Tertio prosequitur opiniones improbando eorum falsitatem, ibi, « Principium autem. » Circa primum duo facit. Primo ponit diversas opiniones philosophorum de principiis naturae. Secundo ostendit eamdem diversitatem esse circa opiniones philosophorum de entibus, ibi, « Similiter autem quaerunt. » Dicit ergo primo, quod necesse est esse unum principium aut multa: et utraque pars habuit philosophos opinantes. Quidam enim eorum posuerunt unum principium, quidam multa. Eorum qui posuerunt unum, quidam posuerunt illud esse immobile, sicut Parmenides et Melissus, de quorum opinione infra patebit: quidam vero posuerunt illud esse mobile, scilicet antiqui Naturales. Quorum quidam posuerunt aerem esse

principium naturalium, ut Diogenes: quidam vero
aquam, ut Thales: quidam vero ignem, ut Heraclitus: alii vero aliud medium inter aërem et aquam, ut
vaporem. Nullus vero eorum qui posuerunt principium
unum tantum, dixit illud esse terram, propter ejus
grossitiem. Hujusmodi autem principia mobilia dicebant, quia per horum alicujus rarefactionem et
condensationem alia fieri dicebant. Eorum vero
qui posuerunt plura principia, quidam posuerunt ea
finita, quidam posuerunt infinita. Eorum autem
qui posuerunt ea finita « licet plura uno, » quidam posuerunt ea esse duo, scilicet ignem et terram, ut infra dicet Parmenides: quidam vero tria,
scilicet ignem, aerem et aquam: nam terram quasi
compositam existimabant propter ejus grossitiem.
Alii vero posuerunt ea esse quatuor, scilicet Empedocles: vel etiam secundum aliquem alium numerum, quia et ipse Empedocles cum quatuor elementis posuit duo alia, scilicet amicitiam et litem.
Qui vero posuerunt plura infinita, diversificati sunt.
Democritus enim posuit indivisibilia corpora quae
dicuntur atomi, esse principia omnium rerum. Sed
hujusmodi corpora posuit esse omnia unius generis
secundum naturam, sed tamen differebant secundum
figuram et formam. Et non solum differebant, sed
contrarietatem adinvicem habebant. Ponebant enim
tres contrarietatem: unam secundum figuram, quae
est inter curvum et rectum: aliam secundum ordinem, quae est prioris et posterioris: aliam secundum positionem, scilicet ante et retro, et sursum et deorsum, dextrorsum et sinistrorsum. Et
sic ex illis corporibus unius naturae existentibus
diversa fieri ponebant secundum diversitatem figurae,
positionis et ordinis atomorum. Ex hac autem opinione dat intelligere oppositam opinionem, scilicet
Anaxagorae, qui posuit infinita principia, sed non
unius generis secundum naturam. Posuit enim principia esse infinitas partes carnis et ossis minimas,
et aliorum hujusmodi, ut manifestum erit inferius.
Advertendum autem quod non divisit plura principia per mobilia et immobilia, quia nullus ponens
prima principia plura, potuit ponere ea immobilia.
Cum enim omnes ponerent contrarietatem in principiis, contraria autem nata sunt se alterare, cum
pluralitate principiorum immobilias stare non poterat.

Secundo ibi « similiter autem »

Ostendit quod eadem diversitas opinionum est
circa entia: et dicit, quod similiter Physici, inquirentes de iis quae sunt, idest de entibus, quaerunt
quot sunt, utrum scilicet unum aut plura et si
sint multa, utrum sint finita vel infinita. Et ratio
est, quia antiqui Physici non cognoverunt nisi
causam materialem, de aliis autem parum tetigerunt.
Ponebant autem formas naturales esse accidentia,
sicut et artificiales. Sicut ergo tota substantia artificialium est eorum materia, ita sequebatur secundum eos, quod tota substantia naturalium esset eorum materia. Unde, qui ponebant tantum unum
principium, puta aerem, putabant quod alia entia
essent aer secundum suam substantiam: et simile
est de aliis opinionibus. Et hoc est quod dicit, quod
« Physici quaerunt ex quibus sunt quae sunt, »
idest inquirendo de principiis inquirunt causas materiales ex quibus entia esse dicuntur. Unde patet
quod quando inquirunt de entibus, utrum sint unum
aut plura, eorum inquisitio est de principiis materialibus quae elementa dicuntur.

Deinde cum dicit « id quidem »

Ostendit, quod aliquam istarum opinionum improbare non pertinet ad Naturalem. Et circa hoc
duo facit. Primo ostendit, quod improbare opinionem Parmenidis et Melissi non pertinet ad scientiam Naturalem. Secundo assignat rationem, quare
ad praesens est utile eam reprobare, ibi, « Sed,
« quoniam de natura. » Circa primum duo facit.
Primo ostendit quod non pertinet ad scientiam
Naturalem improbare praedictam opinionem. Secundo
quod non pertinet ad eam solvere rationes quae
ad probandum ipsam inducuntur, ibi, « Aut solvere
« rationem. » Primum ostendit duabus rationibus,
quarum secunda incipit ibi, « Simile igitur. » Dicit
ergo primo, quod non pertinet ad scientiam Naturalem intendere ad perscrutandum de hac opinione,
si ens est unum et immobile. Jam enim ostensum
est, quod non differt secundum intentionem antiquorum philosophorum ponere unum principium
immobile, et ponere unum ens immobile. Et quod
improbare hanc opinionem ad Naturalem non pertineat, sic ostendit. Ad Geometram non pertinet inducere rationem contra destruentem sua principia:
sed hoc vel pertinet ad aliquam aliam scientiam
particularem, (si tamen Geometria sic sit subalternata alicui particulari scientiae, sicut Musica
Arithmeticae subalternatur, ad quam pertinet disputare contra negantem principia musicae): vel hoc
pertinet ad scientiam communem, scilicet Logicam
vel Metaphysicam. Sed praedicta positio destruit
principia naturae, quia « si sit solum unum ens,
« et sic unum, » scilicet immobile, ut sic ex eo
fieri alia non possint, sic tolletur ratio principii: quia
omne principium aut est principium alicujus, aut
aliquorum. Ad positionem igitur principii sequitur
multitudo: quia aliud est principium, aliud cujus
est principium. Qui igitur negat multitudinem, tollit
principia: non igitur debet contra hanc positionem
disputare Naturalis.

Secundo ibi « simile igitur »

Ostendit idem alia ratione. Non enim requiritur
ad aliquam scientiam ut inducat rationem contra
opiniones manifeste falsas et improbabiles. Nam
quolibet proferente contraria opinionibus sapientis
solicitum esse stultum est, ut dicitur primo Topicorum. Hoc est ergo quod dicit, quod « intendere
« ad perquirendum si ens est sic unum, » scilicet
immobile, simile est ac si disputaretur contra quamlibet aliam positionem improbabilem, ut puta contra positionem Heracliti, qui dixit omnia semper
moveri, et nihil esse verum: vel contra positionem
alicujus, qui diceret, quod totum ens est unus homo, quae quidem positio esset omnino improba-
bilis. Et tamen qui ponit esse ens unum tantum
immobile, cogitur ponere totum ens esse aliquod
unum. Sic igitur patet, quod non est hujus scientiae
contra hanc positionem disputare.

Deinde cum dicit « aut solvere »

Ostendit quod non est Naturalis etiam solvere
praedictorum philosophorum rationes. Et hoc propter duas rationes, quarum secunda incipit, ibi,
« Nobis autem subjiciantur. » Probat ergo primo
propositum per hoc, quod non exigitur in aliqua
scientia ut solvantur rationes sophisticae, quae ma-
nifestam defectum habent vel formae vel materiae.
Et hoc est quod dicit, quod simile est intendere
ad improbabiles rationes « aut etiam solvere litigio-
« sam rationem, » idest sophisticam. Hoc autem

quod sint sophisticae « habent utraeque rationes et « Melissi et Parmenidis. » Peccant enim in materia, unde dicit, quod « falsa recipiunt, » idest falsas propositiones assumunt. Et peccant in forma, unde dicit, quod non « syllogizantes sunt. » Sed positio Melissi « est magis onerosa, » idest vana et fatua « et non habens defectum, » idest non inducens dubitationem: et hoc infra ostendetur. Non est autem inconveniens quod uno inconvenienti dato, alia sequantur. Sic igitur concludi potest, quod non requiritur ad Philosophum Naturalem, quod solvat hujus rationes.

Secundam rationem ponit ibi « nobis autem » Quae talis est. In scientia Naturali supponitur quod naturalia moveantur vel omnia vel quaedam. « Quaedam » dicit, quia de quibusdam est dubium si moventur, et qualiter moventur: puta de anima, de centro terrae, de polo caeli, et formis naturalibus et aliis hujusmodi. Et quod naturalia moveantur, potest manifestum esse ex inductione, quia ad sensum apparet quod res naturales moveantur. Est etiam necessarium motum supponi in scientia Naturali, sicut necessarium est supponi naturam, in cujus definitione ponitur motus. Est enim natura principium motus, ut infra dicetur. Hoc autem habito quod motus supponatur in scientia Naturali, ulterius procedit ad propositum ostendendum per hoc, quod non omnes rationes sunt solvendae in aliqua scientia, sed solum quae concludunt aliquod falsum ex principiis illius scientiae: quaecumque vero non concludunt ex principiis scientiae, sed ex contrariis principiorum, non solvuntur in illa scientiae. Et hoc probat per exemplum in geometricis dicens, ut tetragonismum, idest quadraturam circuli: hunc quidem qui est per decisiones circumferentiae, dissolvere pertinet ad Geometram, quia nihil supponit contrarium principiis scientiae. Voluit enim quidam invenire quadratum aequale circulo dividendo circumferentiam circuli in multas partes: et singulis partibus supponere lineas rectas: et sic inveniendo aliquas figuras, sicut rectilineas, aequales alicui illarum figurarum quae continetur a decisione circumferentiae et chorda, ut pluribus aut omnibus, aestimabat se invenisse figuram rectilineam aequalem toti circulo: cui facile erat invenire quadratum aequale per principia geometriae: et sic putabat se invenire

posse quadratum aequale circulo. Sed non sufficienter argumentabatur; quia licet decisiones illae consumerent totam circumferentiam circularem: non tamen figurae contentae a decisione circumferentiae et lineis rectis comprehendebant totam superficiem circularem. Sed dissolvere quadratum Antiphontis non pertinet ad Geometram: quia utebatur contrariis principiorum geometriae. Describebat enim in circulo aliquam figuram rectilineam, puta quadratum, et subdividebat arcus, quibus sustentabantur latera quadrati, singulos in duo media, et a punctis decisionum deducebat lineam rectam ad omnes angulos quadrati, et sic resultabat in circulo figura octo angulorum, quae plus accedebat ad aequalitatem circuli quam quadratum. Iterum dividebat arcus quibus sustentabantur latera figurae, octo angulorum: singulos in duo media: et sic ducendo lineas rectas a punctis decisionum ad angulos praedictae figurae, resultabat figura sexdecim angulorum, quae adhuc plus accedebat ad aequalitatem circuli. Semper ergo dividendo arcus et ducendo lineas rectas ad angulos figurae praeexistentis consurgit figura propinquius se habens ad aequalitatem circuli.

Dicebat autem, quod non est procedere in infinitum in decisione arcuum. Erat ergo devenire ad aliquam figuram rectilineam aequalem circulo, cui poterit quadratum aequari.

Quia igitur supponebat quod arcus non semper dividuntur in duo media: quod est contra principia Geometriae, hujusmodi rationem dissolvere non pertinet ad Geometram. Quia igitur rationes Parmenidis et Melissi supponunt ens esse immobile, ut infra patebit: hoc autem est contra principia supposita in scientia Naturali, sequitur quod solvere hujusmodi rationes non pertinet ad philosophum Naturalem.

Deinde cum dicit « sed quoniam »

Assignat rationem quare disputet contra praedictam positionem. Et dicit, quod, quia praedicti Philosophi loquebantur de rebus naturalibus: licet non inducerent « defectus » idest dubitationes naturales, utile est ad propositum disputare de hujusmodi opinionibus; quia et si non sit scientiae Naturalis disputare contra hujusmodi positiones, pertinet tamen ad Philosophiam primam.

LECTIO III.

Parmenidis ac Melissi positio de entium ac principiorum unitate, cum ex entis, tum ex unius ratione arguitur.

ANTIQUA.

Principium autem maxime est omnium proprium, quoniam multipliciter dicitur quod est, quomodo dicunt dicentes unum esse omnia, utrum substantiam unam omnia, aut quantitatem, aut qualitatem? Et iterum utrum substantiam unam omnia, ut hominem unum, aut equum unum. aut animam unam; aut qualitatem unam erunt haec, ut album, aut calidum, aut aliquid aliorum talium. Haec enim omnia differunt multum, et sunt impossibilia dicta. Siquidem enim erunt et

RECENS.

Principium autem omnium accommodatissimum est, ut videamus, quoniam ens multis modis dicitur, quonam modo id accipiant qui inquiunt omnia esse unum: utrum intelligant omnia esse substantiam, an esse quanta, an qualia. Rursus, utrum omnia esse unam substantiam, ut hominem unum, vel equum unum, vel animam unam; an unum quale, ut album, vel calidum, vel aliud quidpiam tale. Haec enim omnia longe inter se differunt, ac dici nequeunt.

substantia et quale et quantum; et haec sive resoluta adinvicem, sive non, multa sunt quae sunt. Si vero omnia, aut quale, aut quantum sunt, sive cum sit substantia, sive cum non sit, inconveniens est, si oportet inconveniens dicere impossibile, nullum autem aliorum separabile est extra substantiam. Omnia namque de subjecto dicuntur, ipsa substantia. Melissus autem, quod est, infinitum dicit esse: quantum itaque aliquid est quod est: infinitum enim in quantitate est. Substantiam autem infinitam, aut qualitatem, aut passionem esse, non contingit nisi secundum accidens, si simul et aliquae quantitates sunt. Infiniti autem ratio quantitati congruit, sed non substantiae neque qualitati. Siquidem igitur substantia est et quantum, et duo et non unum est, quod est: si vero substantia solum, non infinitum est, neque magnitudinem habebit ullam; quantum enim quoddam erit.

Amplius quoniam et ipsum unum multipliciter dicitur, quemadmodum et quod est, intendendum quomodo dicunt unum esse omne. Dicitur enim unum, aut continuum, aut indivisibile, aut quorum ratio una et eadem, quae aliquid erat esse, quemadmodum vappa et vinum. Siquidem igitur continuum, multa sunt quod est; in infinitum enim divisibile est continuum. Habet autem dubitationem de toto et parte, fortassis autem non ad hanc rationem, sed ad ipsam secundum seipsam. Utrum unum aut plura pars et totum, et quomodo unum aut plura, et si plura quomodo plura: et de partibus non continuis, et si toti unum utrumque est sicut indivisibile, quoniam et eadem eisdem erunt.

At vero, si est indivisibile, nullum erit quantum neque quale, neque jam infinitum quod est, sicut Melissus dicit, neque finitum, sicut et Parmenides. Terminus enim indivisibilis finitus non est.

At vero, si ratione unum sunt omnia quae sunt, sicut est tunica et indumentum, Heracliti rationem contingit dicere: idem enim erit et bono et malo, et non bono esse et bono. Quare idem erit bonum et non bonum: et homo et equus. Et non solum de eo, quod unum sunt quae sunt, ratio erit, sed de eo quod nihil. Et tali igitur esse et tanto idem.

Etenim si sit et substantia, et quantum, et quale (sive haec sint a se invicem sejuncta, sive non), certe multa entia sunt. Si vero omnia sint quantum, vel quale, sive etiam substantia sit, sive non sit; absurdum est, si tamen absurdum dicere oportet quod est impossibile. Nihil enim aliud separabile est praeter substantiam: quoniam reliqua omnia de subjecta substantia dicuntur.

Atqui Melissus inquit ens infinitum esse. Ens igitur est quantum quiddam; quoniam infinitum est in quantitate: substantia vero, aut qualitas, aut affectio non potest esse infinita, nisi ex accidenti, videlicet si simul quaedam quanta sint. Nam in definitione infiniti quantum adhibetur, non substantia, nec quale. Ergo si et substantia est, et quantum; duo sunt entia, non unum. Quodsi substantia tantum sit, profecto ens nec infinitum erit, nec ullam magnitudinem habebit: quandoquidem esset quantum quiddam.

Praeterea quoniam ipsum quoque unum dicitur multis modis, quemadmodum et ens; considerandum est, quonam modo dicant universum esse unum. Dicitur autem unum, vel quod est continuum, vel quod est individuum, vel quorum una et eadem est definitio quidditatem explicans, ut temetum et vinum. Itaque si ens continuum est, multa est quod est unum: quia continuum est divisibile in infinitum. Est autem dubitatio de parte ac toto (quae fortasse nihil ad hanc rationem facit, sed ipsa per se spectanda est), utrum pars et totum sint unum, an multa: et quomodo sint unum vel multa: et si sunt multa, quomodo multa (ac de partibus non continuis est eadem disputatio): et si utraque pars cum toto unum sit, utpote individua, hinc effici ut et ipsae partes inter se unum sint.

At vero si unum est ens ut individuum, nihil erit quantum, aut quale: proinde ens nec erit infinitum, ut inquit Melissus, nec finitum, ut ait Parmenides: finis enim seu terminus individuum est, non id quod est finitum.

Sed si omnia entia sunt definitione unum, ut vestimentum et indumentum; accidit eis ut Heracliti sermonem pronuntient. Eadem enim erit essentia boni et mali, item non boni et boni. Quocirca idem erit et bonum et non bonum, idem homo et equus: nec de hoc erit illis disputatio, an omnia entia sint unum; sed de eo potius, an nihil sint: item tale esse, et tantum esse, idem erunt.

Postquam posuit opiniones Philosophorum de principiis, hic disputat contra eos. Et primo contra illos qui non naturaliter de natura sunt locuti. Secundo contra illos qui naturaliter de natura sunt locuti, ibi, « Sicut autem Physici. » Circa primum duo facit. Primo disputat contra positionem Melissi et Parmenidis. Secundo contra rationes eorum, ibi, « Ex quibus demonstrant. » Circa primum duo facit. Primo disputat contra positionem hanc, ens est unum, per rationem sumptam ex parte entis, quod est subjectum in propositione. Secundo per rationem sumptam ex parte unius, quod est praedicatum, ibi, « Amplius quoniam. » Dicit ergo primo, quod id quod maxime accipiendum est pro principio ad disputandum contra positionem praedictam, est, quod id « quod est, » idest ens, dicitur multipliciter. Quaerendum enim est ab eis qui dicunt ens esse unum, quomodo accipiant ens: utrum scilicet pro substantia, vel pro qualitate, vel pro aliquo aliorum generum. Et quia substantia dividitur in universalem et particularem, idest sub stantiam primam et secundam, et iterum in multas species; quaerendum est, utrum dicant ens esse unum, ut hominem unum, aut ut equum unum, aut animam unam: aut ut qualitatem unam, aut album, aut calidum, aut ut aliquod hujusmodi: multum enim differt quodcumque istorum dicatur. Oportet igitur, quod si ens est unum, quod vel sit substantia et accidens simul, vel accidens tantum, vel substantia tantum. Si autem sit substantia et accidens simul, non erit unum ens tantum sed duo. Nec differt quantum ad hoc, utrum substantia et

accidens sint simul in uno ut unum vel diversa; quia licet sint simul in uno, non tamen sunt simpliciter unum, sed unum subjecto. Si vero dicatur, quod sit accidens tantum, et non substantia: hoc est omnino impossibile, nam accidens sine substantia omnino esse non potest. Omnia enim accidentia de substantia dicuntur, sicut de subjecto: et in hoc ratio eorum consistit. Si vero dicatur, quod sit substantia tantum sine accidente, sequitur quod non sit quantitas, nam quantitas accidens est. Et hoc est contra positionem Melissi: posuit enim ens esse infinitum: unde sequitur quod sit quantum: quia infinitum, per se loquendo, non est nisi in quantitate. Sed substantia et qualitas et hujusmodi non dicuntur infinita nisi per accidens, inquantum scilicet sunt simul in quantitate. Cum ergo Melissus ponat ens infinitum, non potest ponere substantiam sine quantitate. Si ergo est substantia et quantitas simul, sequitur, quod non sit tantum unum ens, sed duo. Si vero sit solum substantia, non est infinitum: quia non habebit magnitudinem neque quantitatem. Nullo igitur modo potest esse verum quod Melissus dicit, ens esse unum.

Secundo ibi « amplius quoniam »

Ponit secundam rationem acceptam ex parte unius. Et circa hoc duo facit. Primo ponit rationem. Secundo ostendit quomodo quidam erraverunt in solutione ipsius, ibi, « Conturbati. » Dicit ergo primo, quod sicut ens dicitur multipliciter, ita et unum: et ideo considerandum est quomodo dicantur omnia esse unum. Dicitur enim unum tripliciter: vel sicut continuum est unum, ut linea et corpus, vel sicut indivisibile est unum, ut punctum: vel sicut unum dicuntur illa, quorum ratio est una, seu definitio, sicut vappa et vinum dicuntur unum. Primo ergo ostendit, quod non possunt dicere quod omnia sunt unum continuatione, quia continuum est quodammodo multa; omne enim continuum est in infinitum divisibile, et sic continet in se multas partes; et qui ponit ens continuum, necesse est quod ponat quodammodo multa: et non solum propter multitudinem partium, sed etiam propter diversitatem quae videtur esse inter totum et partes: est enim duLitatio utrum totum et partes sint unum aut plura. Et licet forsitan haec dubitatio ad propositum non pertineat, tamen per seipsam utilis est ad cognoscendum, et non solum de totis continuis, sed etiam de totis contiguis, quorum partes non sunt continuae, sicut partes domus, quae sunt unum contactu et compositione. Et intelligendum est quod totum secundum quid est idem parti, et non simpliciter. Si autem simpliciter totum esset idem uni partium, eadem ratione esset idem alteri partium. Quae autem uni et eidem sunt eadem, sibi invicem sunt eadem. Et sic sequitur quod ambae partes, si ponantur simpliciter esse idem toti, quod sint idem adinvicem: et sic sequeretur quod totum sit indivisibile non habens diversitatem partium.

Secundo ibi « at vero »

Ostendit, quod omnia non possunt esse unum, sicut indivisibile est unum; quia quod est indivisibile non potest esse quantum: cum omnis quantitas sit divisibilis; et per consequens non potest esse quale, ut intelligatur de qualitate quae fundatur super quantitatem. Et, si non est quantum,

non potest esse finitum, sicut dixit Parmenides, neque infinitum, sicut dixit Melissus; quia terminus indivisibilis, utpote punctus, est finis, et non finitus: quia finitum et infinitum conveniunt quantitati.

Tertio ibi « At vero. »

Ostendit quomodo non potest dici, omnia esse unum per rationem: quia, si hoc esset, sequerentur tria inconvenientia. Et primo, quod contraria essent unum secundum rationem; scilicet quod eadem ratio esset boni et mali, sicut Heraclitus ponebat eamdem esse rationem contrariorum, ut patet in quarto Metaphysicae. Secundum inconveniens est quod eadem esset ratio boni et non boni, quia ad malum sequitur non bonum; et sic sequeretur, quod esset eadem ratio entis et non entis; et sic sequeretur quod omnia entia non solum essent unum ens, ut ipsi ponunt, sed etiam non ens vel nihil: quia quaecumque sunt unum secundum rationem, ita se habent quod de quocumque praedicatur unum, et aliud: unde, si ens et nihil sunt unum secundum rationem, sequitur, si omnia sunt unum ens, quod omnia sunt nihil. Tertium inconveniens est, quod diversa genera, ut qualitas, quantitas sint eadem secundum rationem. Et hoc inconveniens ponit cum dicit: « Et tali et tanto. » Advertendum vero, quod sicut Philosophus dicit in quarto Metaphysices, contra negantes principia non potest adduci demonstratio simpliciter, quae procedit ex magis notis simpliciter, sed demonstratio ad contradicendum, quae procedit ex iis quae supponuntur ab adversario, quae sunt interdum minus nota simpliciter. Et hic Philosophus in hac disputatione utitur pluribus quae sunt minus nota quam hoc, quod est entia esse multa et non unum tantum, et ad quod rationes adducit.

LECTIO IV.

Ex ignorantia distinctionis unius, Antiqui principia ac entia unum esse putantes,
dictas rationes solvere etiam nesciebant.

ANTIQUA.

Conturbati sunt autem et Posteriores quemadmodum et Antiqui, ne forte contingat simul idem unum esse et multa. Unde alii quidem, Est, auferebant, quemadmodum Lycophron. Alii autem dictionem mutabant, ut quoniam homo non albus est, sed albatur, neque ambulans est, sed ambulat: ut non, Est, adjicientes, multa faciant esse unum. Tamquam singulariter dicto uno, aut ente. Sed multa sunt quae sunt, aut ratione, ut aliud albo esse et musico: eisdem vero utraque: multa itaque unum: aut divisione, quemadmodum totum et partes. Hic autem jam deficiebant, et confitebantur unum multa esse, tamquam non conveniret idem unum et multa esse: non opposita autem sunt. Etenim unum et potentia, et endelechia. Hoc igitur modo facientibus impossibile videtur, quae sunt, unum esse.

RECENS.

Posteriores quoque veterum, conturbati sunt, verentes ne quando eis accideret ut dicerent idem simul esse unum et multa. Quare nonnulli verbum EST auferebant, ut Licophron: alii vero orationem reformabant, non dicentes hominem album esse, sed albescere; nec hominem esse ambulantem sed ambulare: ne quando verbum EST adjungentes, multa esse efficerent, quod est unum: quasi uno modo dicatur unum aut ens. Entia vero multa sunt, vel definitione (ut alia est albi essentia, et musici: eidem tamen subjecto insunt; multa igitur est quod est unum), vel divisione, ut totum et partes. Hic vero jam ambigebant, et fatebantur, quod unum est, esse multa: quasi idem non posset esse unum et multa; non propterea tamen opposita concedebant: est enim unum et potestate et actu.

Iis igitur qui hoc modo aggrediuntur, apparet fieri non posse ut ea quae sunt, unum sint.

Postquam Philosophus improbavit positionem Parmenidis et Melissi ponentium ens esse unum, hic ostendit, quod ex eadem radice, quidam poste

riores philosophi in dubitationem inciderunt quamdam. Erraverunt enim Parmenides et Melissus, eo quod nesciverunt distinguere unum. Unde quae ali quo modo sunt unum, simpliciter esse unum enunciabant. Posteriores autem philosophi nescientes distinguere unum, pro inconvenienti reputabant, quod idem aliquo modo sit unum et multa: quod tamen convicti rationibus confiteri cogebantur. Et ideo dicit, quod « Posteriores philosophi turbati « sunt, » idest in dubitationem inciderunt, quemadmodum et antiqui, scilicet Parmenides et Melissus, ne forte cogerentur hoc dicere, quod idem sit unum et multa, quod inconveniens videbatur utrisque. Et ideo primi, ponentes omnia unum, totaliter multitudinem auferebant. Posteriores vero multitudinem auferre conabantur a quibuscumque, quae ponerent esse unum. Et ideo quidam in propositionibus « ut « Lycophron » auferebant hoc verbum Est: dicebant enim quod non est dicendum, homo est albus, sed homo albus. Considerabant enim quod homo et albus sunt quodammodo unum: alioquin album de homine non praedicaretur: sed videbatur eis, quod haec dictio Est, cum sit copula verbalis, inter duo copularet: et ideo totaliter ab eo quod est unum, multitudinem auferre volentes, dicebant non esse apponendum hoc verbum Est. Sed quia imperfecta oratio videbatur, et imperfectum sensum generari in animo auditoris, si ponantur nomina absque additione alicujus verbi, hoc volentes corrigere, alii mutabant modum loquendi; et non dicebant, homo albus propter imperfectionem orationis, nec. homo est albus, ne daretur intelligi multitudo; sed, homo albatur, quia per hoc quod est albari, non intelligitur res aliqua, ut eis videbatur, sed quaedam subjecti transmutatio. Et similiter dicebant non esse

dicendum, homo est ambulans, sed, homo ambulat, ne per additionem hujus copulae verbalis Est, id quod reputabant unum, scilicet hominem album, facerent esse multa, ac si unum et ens dicerentur « singulariter, » idest uno modo, et non multipliciter. Sed hoc est falsum; quia id quod est unum uno modo potest esse multa alio: sicut quod est unum subjecto, potest esse multa ratione; sicut album et musicum idem sunt subjecto, sed ratione multa: alia enim est ratio musici, et alia albi: unde concludi potest quod unum sit multa. Alio etiam modo contingit quod id, quod est unum toto et actu, sit multa secundum partium divisionem. Unde totum est unum in sua totalitate, sed habet partium multitudinem. Et quamvis ad id quod est unum subjecto et multa ratione aliquod remedium adinvenirent auferentes hoc verbum Est, vel continuantes ut supra dictum est, tamen in hoc similiter toto et partibus omnino deficiebant, respondere nescientes: et confitebantur tamquam aliquod inconveniens unum esse multa. Sed hoc non est inconveniens, quando unum et multa non accipiuntur ut opposita. Unum enim in actu, et multa in actu opponuntur; sed unum in actu et multa in potentia non sunt opposita. Et propter hoc subdit, quod unum dicitur multipliciter; scilicet unum in potentia, et unum in actu: et sic idem nihil prohibet esse unum in actu et multa in potentia, sicut patet de toto et partibus. Ultimo autem inducit conclusionem principaliter intentam; scilicet quod ex praedictis rationibus patet, quod impossibile est omnia entia esse unum.

LECTIO V.

Facile esse Antiquorum rationes solvere, ut rationis Melissi solutio prae se fert, ostendit.

Et ex quibus autem demonstrant solvere non difficile est; utrique enim sophistice syllogizant et Parmenides et Melissus; et namque falsa recipiunt, et non syllogizantes sunt. Est autem magis Melissi onerosa ratio et non habens defectum: sed uno inconvenienti assignato alia contingunt, hoc autem nihil grave est.

Quod quidem igitur Melissus paralogizat, manifestum est. Opinatur enim accipere, si quod factum est omne habet principium, quoniam et quod non est factum, non habet principium.

Postea et hoc inconveniens, omnis esse principium rei, et non temporis et generationis (non simplicis) sed alterationis, tamquam non momentaneae factae mutationis.

Postea propter quid est immobile, si unum est? Sicut enim et pars una, cum sit haec aqua, movetur in ipsa, quare non et omnis? Postea propter quid alteratio non erit?

At vero nec specie possibile est unum esse, sed sicut ex quo. Sic enim et Physicorum quidam unum dicunt, illo autem modo non. Homo namque ab equo alterum est specie, et contraria invicem.

Atque ea ex quibus demonstrant, solvere non est difficile. Utrique enim litigiose ratiocinantur, tam Melissus quam Parmenides. Etenim falsa sumunt, neque concludunt eorum rationes: sed magis importuna est ratio Melissi, nec habet ullam dubitationem: verum uno absurdo dato, cetera sequuntur: hoc autem non est difficile.

Vitiose igitur Melissum argumentari perspicuum est. Sumpsisse enim putat, si quicquid est factum, habet principium, etiam quod non est factum, non habere principium. Deinde et hoc absurdum est, existimare quamlibet generationem, non tantum simplicem, sed etiam variationem, rei principium habere, non temporis, quasi non fiat simul ulla mutatio.

Insuper cur est immobile, si sit unum? sicut enim pars, quum sit una, ut haec aqua, movetur in eodem loco: cur non etiam universum ita movebitur? praeterea variatio quam ob causam esse non poterit? At vero nec forma potest esse unum, sed tantum eo ex quo. Hoc autem modo unum esse etiam physici quidam dicunt, illo autem modo nequaquam: homo namque ab equo forma diversum est, et contraria inter se differunt.

Postquam Philosophus improbavit positionem Parmenidis et Melissi, hic incipit solvere eorum rationes. Et circa hoc duo facit. Primo ostendit

quomodo rationes eorum sunt solvendae. Secundo solvit rationes Melissi, ibi, « Quod quidem igitur. Tertio solvit rationem Parmenidis, ibi, « Et ad Par-

• menidem. • Dicit ergo primo, quod non est difficile solvere rationes, ex quibus syllogizant Parmenides et Melissus, quia utrique sophistice syllogizant, et in eo quod assumunt falsas propositiones, et in eo quod non servant debitam formam syllogismi. Sed ratio Melissi • est magis onerosa, • idest vana et fatua • et non habens defectum, • idest non inducens dubitationem. Assumit enim quod contrariatur naturalibus principiis, et manifeste falsum: scilicet quod ens non generetur. Unde non est grave, si uno inconvenienti dato, alia sequantur.

Secundo ibi • quod quidem •

Solvit rationem Melissi, quae talis erat. Quod factum est habet principium: ergo quod non est factum non habet principium. Sed ens non est factum: ergo non habet principium, et per consequens non habet finem. Sed quod non habet principium et finem est infinitum: ergo ens est infinitum. Quod autem est infinitum est immobile, non enim haberet extra se quo moveretur. Iterum quod est infinitum est unum: quia si esset multa, oporteret esse aliquid extra infinitum: ergo ens est unum et infinitum et immobile. Ad ostendendum autem quod ens non generatur, inducebat quamdam rationem: qua etiam utebantur quidam philosophi Naturales; unde ponit eam infra circa finem hujus primi libri. Hanc autem rationem improbat quantum ad quatuor. Primo quantum ad hoc, quod dicit, quod factum est habet principium: ergo quod non est factum non habet principium. Hoc autem non sequitur, sed est fallacia consequentis. Arguit enis a destructione antecedentis ad destructionem consequentis, cum recta forma argumentandi sit e converso arguere. Unde non sequitur: si est factum habet principium: ergo si non est factum non habet principium; sed sequeretur, ergo si non habet principium, non est factum.

Secundo ibi • postea et •

Improbat praedictam rationem quantum ad illam illationem: non habet principium, ergo est infinitum. Principium enim dicitur dupliciter: uno modo dicitur principium temporis et generationis: et sic accipitur principium, cum dicitur, quod factum est habet principium: vel, quod non est factum non

habet principium. Alio modo est principium rei vel magnitudinis: et sic sequeretur: si non habet principium, est infinitum. Unde patet, quod accipit nomen principii, ac si esset uno modo dictum. Et hoc est quod dicit, quod inconveniens est dicere • quod • principium omnis, • idest cujuscumque habentis principium • sit principium rei, • idest magnitudinis, et quod non sit alio modo dictum principium temporis et generationis: non tamen ita quod simpliciter generatio et momentanea quae est inductio formae in materiam habeat principium: quia simplicis generationis non est accipere principium; sed totius alterationis, cujus terminus est generatio, est accipere principium, cum non sit momentanea mutatio, et aliquando generatio dicatur propter suum terminum.

Tertio ibi • postea propter •

Improbat praedictam positionem quantum ad tertiam illationem, qua infertur: est infinitum, ergo est immobile: et ostendit quod hoc non sequitur, dupliciter. Primo quidem in motu locali: quia aliqua pars aquae potest moveri in seipsa, ita quod non moveatur ad locum extrinsecum, sed secundum congregationem et disgregationem partium: sicut, si totum corpus infinitum esset aqua, esset possibile, quod partes ejus moverentur infra totum, et non procederent extra totum locum. Item improbat quantum ad motum alterationis, quia nihil prohiberet infinitum alterari vel in toto vel in partibus.

Non enim propter hoc oporteret ponere aliquid extra infinitum.

Quarto ibi • at vero •

Improbat praedictam rationem quo ad quartam illationem, qua concludebatur, quod si ens est infinitum, quod sit unum. Non enim sequebatur quod sit unum secundum speciem, sed forte secundum materiam: sicut quidam philosophorum Naturalium posuerunt omnia esse unum secundum materiam, non autem secundum speciem. Manifestum est enim quod homo et equus differunt secundum speciem, et similiter contraria sunt differentia abinvicem secundum speciem.

LECTIO VI.

Positionem Parmenidis, unum omnia asserentis, esse falsam, multiplici ratione probatur.

ANTIQUA.

Et ad Parmenidem autem idem modus rationum est, etsi aliqui alii proprii sunt. Et solutio, partim quidem quia falsa est, partim autem quia non concluditur.

Falsa quidem: quoniam simpliciter accipit, quod est, dici, cum dicatur multipliciter.

Non concludit autem, quia, si sola alba accipiantur, significante unum albo, nihilominus multa alba sunt, non unum. Non enim continuatione erit unum album, neque ratione, aliud erit esse albo, et susceptibili, et non erit extra album nihil divisum, non enim inquantum est separabile: sed esse alterum est albo, et ei cui inest. Sed hoc Parmenides nondum vidit.

RECENS.

Sed et adversus Parmenidem idem est rationum modus, et si qui alii sunt proprii: ac solutio est, partim quia falsa sumit, partim quia non concludit. Falsa sumit, quatenus accipit ens simpliciter dici, quum dicatur multis modis. Non concludit autem, quia, si sola alba sumpta fuerint, quum album unam rem significet, nihilominus multa alba erunt, non unum: quoniam album neque continuatione unum erit, neque definitione. Diversa enim erit essentia albi et subjecti suscipientis album; ac nihil erit separabile praeter album: non enim differt, quatenus est separabile; verum essentia differt album ab eo cui albor inest. Sed hoc Parmenides nondum viderat.

Necesse est igitur accipere iis qui dicunt, quod est, unum esse, non solum unum significare quod est, de quo utique praedicetur, sed et quod vere est, et quod vere unum: accidens enim de subjecto quodam dicitur. Quare cui accidit quod est, non erit: alterum enim est ab eo quod est. Erit itaque aliquid quod vere est. Non itaque inerit alii existens quod vere est. Non enim erit ens aliquod ipsi, nisi multa quod est, significet, sic quod sit aliquod unumquodque. Sed supponitur quid est, significare unum.

Si igitur quod vere est nulli accidit, sed illi aliquid, magis quod vere est significat quod est, quam quod non est. Si enim erit quod vere est idem et album: albo autem esse non est, quod vere est; neque enim accidere ipsi possibile est, quod est: neque enim quod est, est quod non vere est. Non ergo quod est, est quod album est. Non sic autem sicut cum aliquid non sit, sed omnino non sit. Quod vere itaque est, non est: verum enim est dicere, quoniam album est: hoc autem non quod est significavit. Quare, si et album significat quod vere est, multa ergo significat quod est.

Neque igitur magnitudo erit quod est; siquidem quod vere est, est quod est. Utrique enim alterum est esse partium.

Quod autem dividitur quod vere est, in quod vere est aliquid aliud ratione, manifestum est: ut homo, si est quod vere est aliquid, necesse est et animal quod vere est aliquid esse, et bipes. Si enim non quod vere est, aliquid est, accidentia erunt: aut igitur homini, aut alii alicui subjecto: sed impossibile est. Accidens enim dicitur hoc, aut quod contingit esse et non esse: aut cujus est in ratione hoc cui accidit, ut sedere quidem sicut separabile: in simo autem est ratio naris, cui dicimus accidere simum. Amplius quaecumque in definitiva ratione insunt, aut ex quibus sunt, in ratione horum non est ratio totius, ut in bipede ratio hominis, aut in albo, quae est albi hominis. Si igitur haec hunc habent modum, et homini accidat bipes, necesse est separabile esse ipsum: quare continget utique non bipedem esse hominem, aut in ratione bipedis inerit hominis ratio: sed impossibile est: illud enim in illius ratione inest. Si autem alii accidunt bipes et animal, et non est utrumque quod vere est aliquid, et homo utique erit accidentium alteri. Sed quod vere aliquid est sit accidens nulli, et de quo ambo et utrumque et quod est, ex his dicatur. Ex indivisibilibus itaque est omne.

Necesse igitur est, ut [qui dicunt ens esse unum] non solum sumant ens significare unum cui attribuatur; sed etiam sumant quod est proprie atque essentialiter ens, et quod est proprie atque essentialiter unum; accidens enim de subjecto aliquo dicitur. Quare id cui ens accidit, non erit: quandoquidem est diversum ab ente: erit igitur aliquid non ens: ergo non erit in alio id quod est proprie atque essentialiter ens: siquidem aliud entis essentiam non habebit, nisi ens multa significet, ita ut unumquodque sit aliquid. Atqui supponitur ens unam rem significare.

Si igitur quod proprie atque essentialiter est ens, nulli accidit, reliqua vero illi enti, cur ens significat potius id quod proprie atque essentialiter est ens, quam non ens? nam si idem sit proprie atque essentialiter ens et album, albi vero essentia non sit proprie atque essentialiter ens (etenim nullum ens potest ei accidere, quum non sit ens praeter id quod est proprie atque essentialiter ens), album non erit ens: nec tamen ita, quasi aliquid non ens, sed omnino erit non ens. Quod igitur est proprie atque essentialiter ens, est non ens: vere enim dicitur esse album: hoc autem significabat non ens. Quapropter si etiam album significat id quod proprie atque essentialiter est ens, profecto ens multa significat.

Ergo nec magnitudinem ens habebit, siquidem ens nil aliud est quam quod est proprie et essentialiter ens: quoniam utriusque partis essentia est diversa. Id autem quod est proprie et essentialiter ens, dividi in aliud proprie atque essentialiter ens quiddam, etiam ratione perspicuum est: velut si homo est proprie atque essentialiter ens quiddam; necesse est et animal et bipes esse proprie atque essentialiter ens quiddam: nisi enim proprie atque essentialiter entia sint, accidentia erunt: aut igitur homini accident, aut alii cuipiam subjecto. Atqui hoc est impossibile. Id enim dicitur accidens vel quod potest inesse et non inesse, vel in cujus definitione inest id cui accidit: exempli causa, sedere, est accidens tamquam quod separatur; in simo autem inest ratio nasi, cui dicimus simum accidere.

Praeterea quaecumque insunt in oratione definitiva, aut ex quibus res constat, in horum definitione non inest ratio totius, ut in bipede non inest ratio hominis, aut in albo non inest ratio albi hominis. Si igitur ista hoc modo se habent, et bipes homini accidit: necesse est ipsum esse separabile; adeo ut homo possit esse non bipes; aut in bipedis definitione inerit hominis ratio. Sed hoc est impossibile: quoniam illud in hujus definitione inest. Quodsi alii subjecto accidunt bipes et animal, ac neutrum sit proprie atque essentialiter ens quoddam; certe et homo erit in eorum numero quae alii accidunt.

Atqui illud esto proprie atque essentialiter ens quoddam, quod nulli accidit. Item de quo ambo sive utrumque, de eo id quoque quod ex his constat, dicatur. Ex individuis igitur universum constat.

Postquam Philosophus improbavit rationem Melissi, hic improbat rationem Parmenidis. Et primo improbat eam. Secundo excludit dicta quorumdam, qui male obviabant rationi Parmenidis, ibi, « Qui- « dam autem rationibus. » Circa primum duo facit. Primo ponit modos quibus obviandum est rationibus Parmenidis. Secundo illis modis eam solvit, ibi, « Fal- « sa quidem. » Circa primum sciendum quod ratio Parmenidis talis erat, ut patet primo Metaph. Quicquid est praeter ens, est non ens: sed quod est non ens est nihil: ergo quicquid est praeter ens est nihil. Sed ens est unum: ergo quicquid est praeter unum est nihil: ergo est tantum unum ens. Et ex hoc concludebat, quod esset immobile; quia non haberet a quo moveretur, nec haberet extra se quo moveretur. Ex ipsis autem eorum rationibus, patet quod Parmenides considerabat ens secundum rationem entis, et ideo ponebat ens esse unum et finitum. Melissus autem considerabat ens ex parte materiae: considerabat enim ens secundum quod est factum vel non factum, et ideo ponebat ens esse unum et infinitum. Dicit ergo quod idem modus est procedendi contra rationem Parmenidis, et contra rationem Melissi. Nam sicut ratio Melissi solvebatur ex eo quod as-

sumebat propositiones falsas, et ex eo quod non recte concludebat secundum rectam formam syllogisticam; sic et ratio Parmenidis solvitur, partim quia falsa assumit, et partim quia non recte concludit. Dicit autem et esse alios modos proprios disputandi contra Parmenidem, quia contra eum disputari potest ex propositionibus ab eo sumptis, quae sunt aliquo modo verae et probabiles. Sed Melissus procedebat ex eo quod est falsum et improbabile, scilicet quod ens non generatur: unde non disputavit contra eum per propositiones ab eo sumptas.

Secundo ibi « falsa quidem »

Prosequitur praedictos modos. Et primo primum. Secundo secundum, ibi, « Non concludit « autem. » Dicit ergo primo, quod Parmenides assumit propositiones falsas, « quia accepit quod « est ens dici simpliciter, » idest uno modo, cum tamen dicatur multipliciter. Dicitur enim ens uno modo substantia, alio modo accidens: et hoc multipliciter secundum diversa genera. Potest etiam accipi ens, prout est commune substantiae et accidenti. Patet autem quod propositiones ab eo sumptae in uno sensu sunt verae, et in alio sensu sunt falsae.

Nam, cum dicitur, quicquid est praeter ens, est non ens: verum est si ens sumatur prout est commune substantiae et accidenti: si autem sumatur pro accidente vel pro substantia tantum, falsum est, ut infra ostendetur. Similiter, et cum dicit quod ens est unum: verum est si accipiatur pro aliqua uua substantia, vel pro aliquo uno accidente: non tamen verum erit in illo sensu, quod quicquid est praeter illud ens, sit non ens.

Secundo ibi « non concludit »

Prosequitur secundum modum solutionis, quod scilicet ratio Parmenidis non recte concludebat. Et primo ostendit in simili. Secundo adaptat ad propositum, ibi, « Necesse est igitur. » Dicit ergo primo, quod ex hoc sciri potest quod ratio Parmenidis non concludit recte, quia forma argumentandi non est efficax in omni materia, quod oporteret si esset debita forma argumentandi. Si enim accipiamus album loco entis: et dicamus, quod album significat unum tantum; et non dicatur aequivoce: et dicamus sic: Quicquid est praeter album est non album: et quicquid est non album est nihil, non sequitur quod album sit unum tantum. Primo quidem, quia non erit necessarium ut omnia alba sint unum continuum. Vel aliter « Non enim erit unum album « continuatione » idest ex hoc ipso quod est continuum, non erit unum simpliciter, quia continuum est quodammodo multa, ut supra dictum est. Et similiter non erit unum ratione. Alia enim est ratio albi, et susceptibilis; et tamen non erit aliquid praeter album quasi ab eo divisum: non est enim aliud album a susceptibili quia album sit separabile a susceptibili, sed quia alia est ratio albi et susceptibilis. Sed hoc nondum erat consideratum tempore Parmenidis, scilicet quod aliquid esset unum subjecto et multa ratione: et ideo credidit quod, si nihil sit extra aliquod subjectum, quod sequatur id esse unum. Sed hoc falsum est, tum propter multitudinem partium, tum propter diversam rationem subjecti et accidentis.

Secundo ibi « necesse est »

Adaptat similitudinem ad propositum; et quod dictum est de albo ostendit similiter se habere circa ens. Et circa hoc duo facit. Primo ostendit, quod non sequitur ens esse unum simpliciter, propter hoc quod subjectum et accidens sunt diversa secundum rationem. Secundo propter multitudinem partium, ibi, « Neque igitur magnitudo. » Circa primum duo facit. Primo ostendit quod cum dicitur, Quicquid est praeter ens non ens, hoc quod est ens, non potest accipi pro accidente tantum. Secundo, quod potest accipi pro substantia tantum, ibi, « Si igitur quod vere. » Dicit ergo primo, quod cum dicitur quod quicquid est praeter ens est non ens, si ens dicatur unum significare, oportebit quod significet non quodcumque ens, vel de quocumque praedicatur: sed significet « quod vere est, » idest substantiam, et significet « quod vere est unum, » scilicet indivisibile. Si enim ens significet accidens, cum accidens praedicetur de subjecto, oportet quod subjectum non sit, cui accidit accidens, quod ponitur ens. Si enim quicquid est praeter ens est non ens, idest praeter accidens et subjectum est alterum ab accidente, quod significat hoc quod dico ens, sequitur quod ens praedicetur de non ente. Et hoc est, quod concludit: « Erit itaque aliquid, cum non « sit; » ac si dicat: ergo sequitur quod non ens sit ens. Hoc autem est impossibile, quia hoc est primum

supponendum in scientiis, quod contradictoria non praedicentur de se invicem, ut in 4 Metaphysices dicitur. Unde concludit quod si aliquid sit vere ens, supposita hac propositione, quicquid est praeter ens, est non ens, sequitur quod illud non sit accidens inhaerens alii: quia tunc non contingeret ipsi subjecto sic esse aliquod ens, idest quod ipsum subjectum haberet rationem entis, nisi ens multa significaret, ita quod unumquodque illorum multorum esset aliquod ens. Sed supponitur a Parmenide quod ens significat unum tantum.

Secundo ibi « si igitur »

Postquam conclusit quod cum dicitur, quicquid est praeter ens est non ens, per ens non potest intelligi accidens, ostendit quod nec etiam substantia. Unde dicit: Si igitur quod vere est non sit accidens alicui, sed illi aliquid accidit, oportet quod in hac propositione, quicquid est praeter ens, est non ens, « magis significetur quod vere est, » idest substantia, per ens, quam per non ens. Sed non potest hoc stare. Ponatur enim quod id quod vere est ens, idest illa substantia, sit album: album autem non est quod vere est. Jam enim dictum est, quod id quod vere est, non est possibile accidere alicui. Et hoc ideo, quia « quod non vere est, » idest quod non est substantia « non est quod est, » idest non est ens. Sed quicquid est praeter ens, idest praeter substantiam, est non ens. Sic ergo sequitur quod album non sit ens. Et non solum ita quod non sit hoc ens, sicut homo non est hoc ens quod est asinus; sed quod omnino non sit: quia ipse dicit, quod quicquid est praeter ens est non ens, et quod est non ens, est nihil. Ex hoc ergo sequitur quod non ens praedicetur de eo quod vere est, quia album praedicatur de substantia quae vere est: et tamen album non significat ens, ut dictum est. Unde sequitur quod ens sit non ens. Et hoc est impossibile, quia unum contradictoriorum non praedicatur de altero. Unde si ad evitandum hoc inconveniens dicamus quod vere ens non solum significat subjectum, sed etiam ipsum album, sequitur ut ens multa significet. Et ita non erit tantum unum ens, quia subjectum et accidens plura sunt secundum rationem.

Deinde cum dicit « neque igitur »

Ostendit quod non sequitur ex ratione Parmenidis quod sit tantum unum propter multitudinem partium: et primo quantum ad partes quantitativas. Secundo quantum ad partes rationis, ibi, « Quod « autem dividitur. » Dicit ergo primo, quod si ens tantum unum significet, non solum non poterit esse accidens cum subjecto, sed neque etiam ens erit aliqua magnitudo; quia omnis magnitudo est divisibilis in partes, utriusque autem partis non est eadem ratio, sed altera. Unde sequitur quod illud ens unum non sit substantia corporea.

Secundo ibi « quod autem »

Ostendit, quod non possit esse ens substantia definibilis. Manifestum est enim ex definitione « quod id quod vere est, » idest substantia, dividitur in plura, quorum unumquodque est quod vere est, idest substantia, et aliud secundum rationem. Ut ponamus, quod id unum quod vere est, sit homo: cum sit animal bipes, necesse est quod animal sit, et bipes sit; et sic utrumque eorum erit « quod vere est, » idest substantia. Quod si non sint substantiae, erunt accidentia. Aut igitur homini aut alteri alicui. Sed impossibile est, quod sint accidentia homini. Et ad hoc ostendendum duo supponit. Primum est, quod accidens dicitur dupliciter. Uno modo accidens separabile, quod contingit inesse et non inesse, ut sedere. Alio modo accidens inseparabile et per se: et hoc est accidens in cujus definitione ponitur subjectum cui accidit, sicut simum est per se accidens nasi, quia in definitione simi ponitur nasus, est enim simum nasus curvus. Secundum quod supponit est, quod si aliqua ponuntur in definitione alicujus definiti, aut in definitione alicujus eorum ex quibus constat definitio, impossibile est quod in definitione alicujus horum ponatur definitio totius definiti. Sicut (1) bipes ponitur in definitione hominis, et quaedam alia, quae ponuntur in definitione bipedis vel animalis, ex quibus definitur homo; impossibile est, quod ponatur homo in definitione bipedis, aut in definitione alicujus eorum quae cadunt in definitione bipedis vel animalis: alioquin esset definitio circularis, et esset idem prius et posterius, et notius et minus notum. Omnis enim definitio est ex prioribus et notioribus, ut in sexto Topicorum dicitur. Et eadem ratione cum in definitione hominis albi ponatur album, non est possibile quod in definitione albi ponatur homo albus. His igitur positis, sic argumentatur. Si bipes est accidens homini, necesse est vel quod sit accidens separabile, et sic contingit hominem non esse bipedem, quod est impossibile: vel erit inseparabile, et sic oportebit quod homo ponatur in ratione bipedis: quod est etiam impossibile, quia bipes ponitur in ratione ejus: im-

possibile est igitur, quod bipes sit accidens homini, et eadem ratione neque animal. Sed si dicatur quod ambo sunt accidentia alicui alii, sequeretur quod etiam homo accidat alicui alteri. Sed hoc est impossibile, jam enim supra dictum est, quod illud quod vere est nulli accidit: homo autem supponitur esse illud quod vere est, ut ex superioribus patet. Quod autem sequatur, hominem accidere alteri, si animal et bipes alteri accidunt, sic manifestat: quia de quocumque dicuntur ambo seorsum, scilicet animal et bipes, de eodem dicetur utrumque simul, scilicet animal et bipes: et de quocumque dicitur animal et bipes, dicitur quod est ex eis, scilicet homo, quia nihil est aliud homo quam animal bipes. Sic igitur patet, quod, si ponatur unum tantum ens, non possunt poni partes quantitativae, neque partes magnitudinis, neque partes rationis. Sic igitur sequitur, quod omne ens sit de numero indivisibilium, ne ponentes unum ens cogamur ponere multa propter partes. Commentator autem dicit, quod ibi, « Sed quod vere « est, » ponit secundam rationem Parmenidis, ad ostendendum quod ens sic unum, quae talis est. Ens, quod est unum, est substantia et non accidens: et per substantiam intelligit corpus. Si autem corpus illud dividatur in duas medietates, sequitur quod ens dicatur de utraque medietate et de congregato ex eis. Et hoc vel procedit in infinitum, quod est impossibile secundum ipsum, aut erit dividere usque ad puncta, quod etiam est impossibile, unde oportet quod ens sit unum indivisibile. Sed haec expositio est extorta, et contra intentionem Aristotelis, sicut satis apparet literam inspicienti.

(1) *Lege* sicut si bipes.

LECTIO VII.

Arguuntur qui, ne ad entium pluralitatem cogerentur, non ens aliquid esse dictis rationibus cedebant.

ANTIQUA.

Quidam autem rationibus utrisque acquieverunt. Huic quidem quoniam omnia unum sunt, si quod est, unum significat: quoniam est, et quod non est. Ei autem, quae decisione, individuas facientes magnitudines.

Manifestum autem est, et quoniam non verum est, quod si unum significat quod est, et non possibile est simul contradictionem esse, non erit nihil, quod non est. Nihil enim prohibet quod non est, non simpliciter esse: sed non ens aliquid esse, quod non est.

Dicere igitur extra ipsum quod est, nisi aliquid erit aliud, unum omnia esse, inconveniens est. Quis enim addiscit ipsum quod est, nisi quod vere est, aliquid sit? Si autem hoc, nihil tamen prohibet multa quae sunt esse, sicut dictum est. Quod quidem igitur sic unum esse quod est impossibile sit, manifestum est.

RECENS.

Nonnulli autem utrique rationi sunt assensi: alteri quidem qua concluditur omnia esse unum, si ens significet unum: nam alioqui esset etiam non ens; alteri vero, per bipertitam divisionem, efficiendo magnitudines individuas.

Perspicuum autem est non esse verum, si ens significet unum, et contradictio simul esse nequeat, sequi ut nullum non ens sit: nihil enim vetat, sumi non ens, quod non simpliciter sit non ens, sed non ens quiddam. Haec igitur assertio, si non est aliud quidpiam praeter ipsum ens, omnia unum fore, absurda est. Quis enim intelligit ipsum ens aliud esse, quam quod est proprie et essentialiter ens quiddam? quod si verum est, nihil tamen prohibet esse multa entia, ut dictum fuit. Ergo ita ens unum esse non posse perspicuum est.

Postquam Philosophus improbavit rationem Parmenidis ducendo ad quaedam inconvenientia, hic improbat positionem quorumdam, qui praedicta inconvenientia concedebant. Et circa hoc duo facit. Primo ponit positionem eorum. Secundo improbat eam, ibi, « Manifestum autem. » Considerandum

primo, quod supra Philosophus contra rationem Parmenidis duabus rationibus usus est. Una ad ostendendum, quod ex ratione Parmenidis non requiritur omnia esse unum propter diversitatem subjecti et accidentis: quae quidem ratio ducebat ad hoc inconveniens, quod non ens est ens, ut ex superioribus patet. Alia vero ratio procedebat ad ostendendum quod sequitur omnia esse unum, propter hoc, quod si esset magnitudo, sequeretur magnitudinem esse indivisibilem: quia si sit divisibilis, erunt quodammodo multa. Platonici vero utrique rationi acquieverunt concedendo impossibilia, ad quae deducunt. Acquieverunt ergo primae rationi, quae ducebat ad hoc, quod non ens esset ens, si aliquis diceret, quod ens significet unum, vel substantiam tantum vel accidens tantum; et per hoc vellet dicere quod omnia sunt unum. Huic rationi, dico, acquieverunt quod non ens esset ens. Dicebat enim Plato quod accidens non est non ens. Et propter hoc dicitur in sexto Metaphysices quod Plato posuit sophistica circa non ens, quia versatur maxime circa ea quae per accidens dicuntur. Sic ergo Plato intelligens per ens substantiam, concedebat primam propositionem Parmenidis dicentis, quod quicquid est praeter ens est non ens, quia ponebat accidens, quod est praeter substantiam, esse non ens: non tamen concedebat propositionem hanc, scilicet, quicquid est non ens, est nihil. Licet enim diceret accidens esse non ens: non tamen dicebat accidens esse nihil, sed aliquid. Et propter hoc, secundum ipsum, non sequebatur quod sit unum tantum. Sed alteri rationi, quae ducebat ad hoc quod magnitudo esset indivisibilis, assentiebant, faciendo magnitudines esse indivisibiles ex decisione, idest dicendo, quod magnitudinum divisio ad indivisibilia terminatur. Ponebat enim corpora resolvi in superficies, et superficies in lineas, et lineae in indivisibilia, ut patet in tertio de Caelo et Mundo.

Secundo ibi • manifestum autem •

Improbat praedictam positionem quantum ad hoc, quod concedebat quod non ens est aliquid. Nam quantum ad illud quod concedebat, individuas esse magnitudines, improbat suo loco in sequentibus scientiae naturalis. Improbat autem primum dupliciter. Primo ostendendo, quod non sequitur ex ratione Platonis quod non ens sit aliquid. Secundo quantum ad hoc, quod dicebat, quod nisi hoc ponatur, scilicet, quod si non ens quod est accidens, non sit aliquid, sequitur omnia esse

unum, ibi, • Dicere igitur •. Dicit ergo primo manifestum esse, quod non est verum, quod ista ratio Platonis sequatur qua sic deducebat, Ens unum significat: ponebat enim ens esse genus, et univoce dictum de omnibus secundum participationem primi entis. Et iterum ponebat, quod contradictoria non sunt simul vera. Ex his duobus arbitrabatur sequi, non ens non esse nihil, sed aliquid. Si, enim ens significat unum, quod est substantia, oportebit quod quicquid est non substantia sit non ens: quia, si esset ens, cum ens non significet nisi substantiam, sequeretur quod esset substantia, et tunc esset simul substantia et non substantia, quod est contradictoria simul vera esse. Si igitur impossibile est contradictoria simul vera esse, et ens significat unum, quod est substantia; sequetur quod quicquid est non substantia est non ens. Sed aliquid est non substantia, scilicet accidens: igitur aliquid est non ens; et sic non est verum, quod non ens sit nihil. Ostendit autem Aristoteles quod hoc non sequitur, quia si ens significat principaliter unum, quod est substantia, nihil prohibet dicere quod accidens, quod non est substantia, non sit simpliciter ens: sed tamen non propter hoc oportet quod illud quod non est aliquid, idest substantia, dicatur absolute non ens. Licet ergo accidens non sit ens simpliciter, non tamen potest dici absolute non ens.

Secundo ibi • dicere igitur •

Concludit ulterius, quod non sequitur, si non ens, quod est accidens, non sit aliquid, quod omnia sint unum. Et hoc est quod dicit, quod non inconveniens est dicere, quod sequatur omnia esse unum, nisi aliquid sit extra ens: quia per ens non potest intelligi nisi substantia quae vere est: sed si substantia sit, nihil prohibet esse multa, sicut jam dictum est, etiam remota magnitudine et accidente: quia definitio substantiae dividitur in multa, quae sunt de genere substantiae, scilicet homo, animal et bipes. Et ulterius sequitur quod secundum diversas differentias generis sint multae substantiae in actu. Et ultimo infert conclusionem intentam, quod non omnia sunt unum, sicut dicebat Parmenides et Melissus.

LECTIO VIII.

Opiniones Naturalium Philosophorum de primis principiis.

Sicut autem Physici dicunt, duo modi sunt. Hi quidem enim unum facientes, quod est corpus subjectum: aut trium aliquod, aut aliud, quod est igne densius, aëre autem subtilius: alia autem generant densitate et raritate multa facientes, haec autem sunt contraria. Universaliter autem excellentia et defectus, sicut magnum dicit Plato et parvum: nisi quod hic quidem haec facit materiam, unum autem speciem. Alii vero unum quidem subjectum materiam, contraria autem differentias et species. Quidam autem ex uno inhaerentes contrarietates segregant, quemadmodum Anaximander dixit, et quicumque unum et multa dicunt esse, sicut Empedocles et Anaxagoras ex commistione namque segregant alia. Differunt autem abinvicem, eo quod hic circulationem facit horum, hic autem semel. Et hic quidem infinitas similes partes et contrarias: ille vero vocata elementa solum.

Ut autem physici dicunt, duo sunt modi. Alii namque quum ens unum statuerint, videlicet corpus quod est subjectum, nempe aut trium elementorum aliquod, aut aliud quod est igne densius, aëre rarius, reliqua gignunt, densitate ac raritate multas res efficiendo. Haec vero sunt contraria: universaliter autem sunt exsuperantia et defectio, ut magnum et parvum asserit Plato: praeterquam quod hic quidem ista facit materiam, unum autem, formam; illi autem unum quod subjectum est, materiam, contraria vero, differentias et formas. Alii autem ex uno contrarietates quae in eo insunt, secerni dicunt; quemadmodum ait Anaximander, et quicumque inquiunt essentialiter esse unum et multa, sicut Empedocles et Anaxagoras: ex eo namque quod mixtum est, hi quoque reliqua secernunt. Differunt autem inter se, quoniam ille horum circuitum facit, hic vero semel; et hic quidem infinitas et similares partes et contraria esse inquit, ille vero ea tantum quae vocantur elementa.

Postquam Philosophus improbavit opinionem de principiis eorum qui de natura non naturaliter sunt locuti, hic prosequitur opiniones eorum qui de principiis naturaliter sunt locuti non removentes motum: et ideo vocat eos Physicos, idest Naturales. Et circa hoc duo facit. Primo ostendit diversitatem opinionum. Secundo prosequitur unam earum, ibi, « Videtur autem. » Dicit ergo primo, quod secundum opinionem Naturalium Philosophorum duo sunt modi, secundum quos generantur res ex principiis: quorum unum tangebant Philosophi Naturales ponentes unum tantum principium materiale: sive esset unum de tribus elementis, scilicet igne et aere et aqua, quia terram solam nullus posuit principium, ut supra dictum est: sive aliquod medium inter ea, ut puta quod esset densius igne et subtilius aere. Ab isto autem uno principio dicebant omnia alia generari secundum raritatem et densitatem: utputa, qui ponebant aerem principium, dicebant, quod ex eo rarefacto generatur ignis: ex eo autem condensato generatur aqua. Rarum autem et densum sunt contraria: et reducuntur ad excellentiam et defectum, ut ad quaedam universaliora: nam densum est, quod habet multum de materia: rarum autem, quod parum: et sic quodammodo concordabant cum Platone, qui ponebat magnum et parvum principia: quae etiam pertinent ad excellentiam et defectum. Sed in hoc differebant a Platone, quia Plato posuit magnum et parvum ex parte materiae: quia ponebat unum principium formale, quod est quaedam idea participata a diversis secundum diversitatem materiae. Antiqui vero naturales ponebant contrarietatem ex parte formae: quia ponebant primum principium unam materiam, ex qua multa constituuntur secundum diversas formas. Alii vero antiqui Naturales ponebant res fieri ex principiis, ex hoc quod ipsa contraria et diversa extrahebantur ab uno, in quo erant quasi commista et confusa. Sed in hoc differebant, quia Anaximander ponebat illud unum confusum esse principium, non autem illa multa, quae in eo erant commista: unde ponebat unum tantum principium. Empedocles vero et Anaxagoras ponebant magis esse principia illa, quae in eo permiscebantur: et ideo ponebant multa principia, licet et illud unum confusum quodammodo principium poneretur. Sed Anaxagoras et Empedocles differebant in duobus. Primo quidem, quia Empedocles ponebat circulationem quandam commistionis et segregationis: ponebat enim Mundum multoties esse factum, et multoties corruptum: ita quod, cum mundus corruptus fuit, amicitia omnia confundente in unum, iterum mundus generaretur lite separante et distinguente, et sic confusioni succedit distinctio et e converso. Sed Anaxagoras ponebat semel tantum mundum factum esse: ita quod a principio omnia essent commista in unum: sed intellectus, qui incoepit extrahere et distinguere, nunquam cessabit hoc facere, ita quod nunquam erunt omnia commista in unum. Alio modo differunt in hoc, quod Anaxagoras posuit principia esse infinitas partes similes et contrarias, sicut infinitas partes carnis quod sunt similes invicem: et infinitas partes ossis, et aliorum, quae habent partes similes: cum tamen quarumdam sit ad alias contrarietas, sicut partium ossis ad partes sanguinis est contrarietas secundum humidum et siccum: sed Empedocles posuit principia illa solum quatuor quae communiter dicuntur elementa, scilicet ignem, aerem, aquam et terram.

LECTIO IX.

Rationes quamplures contra Anaxagoram, infinita principia asserentem, afferuntur.

ANTIQUA.

Videtur autem Anaxagoras sic infinita opinari, ut accipiat communem opinionem Physicorum esse veram, tamquam non fiat nullum eorum ex eo quod non est. Propter hoc enim dicunt quod erant simul omnia, et fieri hujusmodi statuerunt alterari. Alii autem congregationem et segregationem.

Amplius ex eo, quod fiunt ex alterutris: contraria inerant ergo.

Si enim omne quod est fit, necesse est fieri aut ex iis quae sunt, aut ex iis quae non sunt. Horum autem illud, quod est ex iis quae non sunt aliquod fieri, impossibile est, (de hac enim conveniunt opinione, omnes, qui de natura sunt) reliquum jam contingere ex necessitate putaverunt, ex iis quae sunt et insunt fieri: sed propter parvitatem magnitudinum ex insensibilibus nobis. Unde dicunt omne in omni misceri, propter id, quod omne ex omni videbant fieri.

Apparere autem differentia et appellari altera abinvicem ex magis superabundanti propter multitudinem in mistura infinitorum. Sincere quidem enim totum album, aut nigrum, aut carnem, aut os non esse; sed quod plus unumquodque habet, hoc videtur esse natura rei.

Si igitur infinitum, secundum quod infinitum, ignotum est, secundum multitudinem quidem et magnitudinem infinitum ignotum quantum est quoddam: secundum speciem autem

RECENS.

Videtur autem sensisse Anaxagoras sic esse infinita: quia existimavit communem physicorum opinionem esse veram, ex nihilo nihil fieri. Ideo namque sic inquiunt, « Erant simul » omnia; » et « Fieri tale, est variari. » Alii vero aiunt esse confusionem et secretionem.

Praeterea movetur Anaxagoras eo quod contraria ex se invicem fiunt: inerant igitur: nam si necesse est ut quicquid fit, vel ex entibus fiat, vel ex non entibus: hoc autem, ut ex non entibus fiat, est impossibile (in hanc enim sententiam consentiunt quicumque de natura disserunt): quod reliquum est necessario evenire censuere, ut fiat ex iis quae sunt et insunt, sed propter molis parvitatem sensu a nobis non percipiantur. Idcirco ajunt quodlibet esse cuilibet admixtum, quia quodlibet ex quolibet fieri cernunt: videri autem res differentes et appellari diversas inter se, ex eo quod propter multitudinem infinitorum quae in mixtione insunt, exsuperat: totum enim sincere album, aut nigrum, ut dulce, aut carnem, aut os non esse; sed cujus plurimum quaeque res habet, hoc videri ejus rei naturam esse.

Si igitur infinitum, qua infinitum, ignotum est; sane quod numero vel magnitudine est infinitum, ignoratur quantum sit: quod vero forma est infinitum, ignoratur quale sit. Si

infinitum ignotum, quale quoddam est. Principiis autem infinitis existentibus. et secundum multitudinem et secundum speciem, impossibile est quae sunt ex his cognoscere: sic enim cognoscere compositum arbitrabamur cum scimus ex quibus et quantis sit.

Amplius autem, si necesse est cujus pars contingit quantacumque esse secundum magnitudinem et parvitatem, et ipsum totum contingere: (dico autem talium aliquam partium, in quam, cum insit, dividitur totum), si autem impossibile est animal aut plantam quantacumque esse secundum magnitudinem et parvitatem, manifestum est, quoniam neque partium quamlibet: erit enim totum partibus simile: caro autem et os, et hujusmodi partes sunt animalis, et fructus plantarum. Manifestum igitur, quoniam impossibile est carnem, aut os, aut aliquod aliud quantumcumque esse magnitudine, aut in majus, aut in minus.

Amplius, si omnia insunt quidem hujusmodi invicem et non fiunt, sed segregantur cum insint: dicuntur autem et a plurimo: fit autem ex quolibet quodlibet, ut ex carne aqua segregatur, et caro ex aqua: omne autem corpus finitum resecatur a corpore finito, manifestum est, quod non contingit in unoquoque unumquodque esse.

Remota enim ex aqua carne, et iterum alia facta, ex reliqua segregabitur: quamvis semper minor erit segregata: sed tamen non excellit magnitudo parvitatem. Quare, siquidem stabit segregatio, non omne in omni inerit: in reliqua enim aqua non inerit caro. Si vero non stabit, sed habebit semper remotionem, infinita magnitudine, aequalia finita inerunt, infinita secundum multitudinem: hoc autem impossibile est.

Adhaec autem, si omne quidem corpus remoto quodam minus necesse est fieri, carnis autem determinata est quantitas et magnitudine et parvitate: manifestum est quod ex minima carne nullum segregabitur corpus: erit enim minus minima.

Amplius autem in infinitis corporibus inest utique jam caro infinita, et sanguis, et cerebrum, separata tamen abinvicem, nihil autem minus entia sunt, quae sunt: et infinitum unumquodque: hoc autem irrationabile est.

Nunquam autem segregatum esse, nescientis dicitur, recte autem dicitur: passiones enim inseparabiles sunt. Si igitur misti sunt colores et habitus, si segregentur, erit aliquid album et sanum, non alterum aliquid cum sit, neque de subjecto. Quare inconveniens est impossibilia quaerens intellectus, si vere velit quidem segregare. Hoc autem facere est impossibile et secundum quantitatem et secundum qualitatem. Secundum quantitatem quidem, quoniam non est minima magnitudo: secundum qualitatem autem, quoniam inseparabiles sunt passiones.

Non recte autem generationem accepit similium specierum. Est enim ut lutum in luta dividitur, est autem ut non: et non idem modus est, ut lateres ex luto, et domus ex lateribus. Sic autem aqua et aer ex alterutris, et sunt et fiunt.

Melius autem est minora et finita recipere, quod vere facit Empedocles.

vero principia tam numero quam forma sunt infinita, impossibile est ea nosse quae ex his constant. Nam ita demum compositum nosse existimamus, quum novimus ex quibus et quot constet.

Praeterea, si necesse est ut cujus pars quantacumque esse potest magnitudine et parvitate, etiam ipsum totum quantumcumque esse possit (ejusmodi autem partium aliquam dico, in quam, quum in toto insit, ipsum totum dividitur); impossibile autem est animal aut plantam quantacumque esse magnitudine et parvitate: manifestum est ne partium quidem ullam quantumcumque esse posse: alioqui similiter etiam totum quantumcumque esset. Atqui caro, et os, et ejusmodi alia sunt partes animalis; nec non fructus sunt partes plantarum. Patet igitur non posse carnem aut os, aut aliud quidpiam tale quantumcumque esse magnitudine, sive augendo, sive diminuendo magnitudo spectetur.

Praeterea, si ejusmodi omnia in se vicissim insunt, nec fiunt, sed quum insint, secernuntur, appellationem vero sumunt ab eo quod plus est, fit autem ex quovis quodvis (ut ex carne aqua per secretionem, et caro ex aqua), omne autem corpus finitum consumitur a corpore finito: manifestum est non posse in unoquoque unumquodque inesse. Ablata enim carne ex aqua, et rursus alia carne facta ex residua aqua per secretionem, quamquam ea quae secernitur, semper minor erit, tamen magnitudinem aliquam parvitate non superabit. Quocirca si secretio consistet, non inerunt omnia in omnibus; quoniam in aqua residua non inerit caro: sin autem non consistet, sed fiet semper ablatio; profecto quae in re finita inerunt, magnitudine quidem aequalia ac finita, multitudine autem infinita erunt: quod est impossibile.

Ad haec, si necesse est omne corpus aliquo ablato minus fieri, carnis autem quantitas definita est tam ratione magnitudinis, quam parvitatis; manifestum est, ex minima carne nullum corpus secretum iri: alioquin erit minus carne minima. Praeterea in infinitis corporibus inesse jam posset caro infinita, et sanguis, et cerebrum: atque haec a se invicem separata, quae nihilominus essent, et quidem singula, infinita: quod est a ratione alienum.

Quod autem ait Anaxagoras, nunquam secretum iri, non quidem scite dicitur; recte tamen dicitur: quoniam affectiones sunt inseparabiles. Si igitur mixti essent colores et habitus: si secernantur, erit aliquod album, aut salubre, quod non erit aliud quiddam, nec de subjecto dicetur. Quapropter mens illa inepta erit ea quaerens quae fieri nequeunt: siquidem vult secernere; hoc autem est facto impossibile, tam secundum quantitatem, quam secundum qualitatem: et quidem secundum quantitatem, quia non datur minima magnitudo; secundum qualitatem autem, quoniam affectiones sunt inseparabiles.

Nec vero generationem recte sumit sitam in iis esse quae formam similem habent. Nam lutum partim in luta dividitur, partim non dividitur: nec ut lateres ex domo, et domus ex lateribus, ita etiam aqua et aer ex se invicem et sunt et fiunt. Praestat autem pauciora et finita principia sumere; quod quidem facit Empedocles.

Positis diversis opinionibus naturalium philosophorum de principiis, hic prosequitur unam earum, scilicet opinionem Anaxagorae, quia haec opinio videbatur assignare causam communem omnium specierum motus. Et dividitur in duas partes. In prima ponit rationem ipsius. In secunda objicit contra eam, ibi, « Si igitur infinitum. » Circa primum tria facit. Primo praemittit ea quae Anaxagoras supponebat, et ex quibus argumentabatur. Secundo ponit suae rationis processum, ibi, « Si enim omne « quod est fit. » Tertio ponit ejus responsionem ad quamdam tacitam objectionem, ibi, « Apparet « autem. » Duo autem ponebat Anaxagoras ex quibus procedebat: quorum primum est, quod etiam ab omnibus Naturalibus philosophis supponebatur, quod scilicet ex nihilo nihil fiat. Et hoc est quod dicit, quod Anaxagoras ex hoc videbatur opinari esse principia infinita, quia accipiebat communem opinionem omnium philosophorum Naturalium esse veram,

hanc, scilicet quod id quod simpliciter non est, nullo modo fieret; quia enim hoc supponebant tamquam principium, ad diversas opiniones processerunt. Ut enim cogerentur ponere aliquid de novo fieri, quod prius omnino non esset, posuerunt aliqui omnia prius simul extitisse, vel in aliquo uno confuso, sicut Anaxagoras et Empedocles, vel in aliquo principio materiali, scilicet aqua, igne et aere: vel in aliquo medio illorum. Et secundum hoc, duos modos factionis ponebant. Quidam enim posuerunt omnia simul praeexistere, sicut in uno principio materiali: et dixerunt quod fieri nihil aliud est quam alterari: ex illo enim uno principio materiali omnia fieri dicebant per condensationem et rarefactionem ejusdem. Alii vero, qui ponebant omnia praeexistere simul, sicut in aliquo confuso et commisto ex multis, dixerunt quod fieri rerum non est aliud quam congregatio et segregatio. Et omnes hi decepti fuerunt, quia nesciverunt distinguere inter potentiam et actum. Ens enim in potentia est quasi medium inter purum non ens et ens in actu. Quae igitur naturaliter fiunt, non fiunt ex simpliciter non ente, sed ex ente in potentia, non autem ex ente in actu, ut ipsi opinabatur. Unde quae fiunt non oportet praeexistere actu, ut ipsi dicebant, sed potentia tantum.

Deinde cum dicit « amplius ex eo »

Ponit secundum quod supponebat. Dicebat enim, quod contraria fiunt ex alterutris: videtur enim ex calido fieri frigidum et e converso. Et ex hoc concludebant, quod cum ex nihilo nihil fiat, quod unum contrariorum praeexistit in altero. Quod quidem est verum, sed potentia: nam frigidum est potentia in calido, non autem actu, ut Anaxagoras aestimabat, propter hoc quod nesciebat accipere esse in potentia, quod est esse medium inter purum non esse, et esse actu.

Secundo ibi « si enim »

Ponit deductionem rationis ipsius: et procedebat sic. Si aliquid est, necesse est quod fiat aut ex ente, aut ex non ente. Sed horum alterum excludebat, scilicet quod aliquid fieret ex non ente, propter communem opinionem philosophorum supra positam. Unde concludebat reliquum membrum, scilicet quod aliquid fiat ex ente: puta, si aer fit ex aqua, quod aer prius existit. Non autem diceretur quod aer fiat ex aqua, nisi in aqua praeexisteret aer: unde volebat accipere, quod omne quod fit ex aliquo, praeexisteret in eo ex quo fiebat. Sed quia hoc videbatur contra id quod apparet sensui, non enim apparet ad sensum quod illud quod generatur ex aliquo praeexistat in eo; ideo hanc objectionem excludebat per hoc, quod ponebat quod id quod fit ex aliquo praeexisteret in eo secundum quasdam partes minimas, quae sunt nobis insensibiles propter suam parvitatem: puta, si aer fit ex aqua, partes aliquae minimae aeris sunt in aqua, non autem in illa quantitate in qua generatur; et ideo per congregationem illarum partium aeris adinvicem et segregationem ex partibus aquae, dicebat fieri aerem. Habito igitur hoc, quod omne quod fit ex aliquo, praeexistat in eo, assumebat ulterius omne ex omni fieri: unde concludebat quod quodlibet esset in quolibet permixtum secundum partes minimas et insensibiles. Et, quia infinities unum ex alio fieri potest, infinitas partes minimas in unoquoque esse dicebat.

Deinde cum dicit « apparere autem »

Excludit quamdam tacitam objectionem. Posset enim aliquis objicere, si infinitae partes cujuslibet rei sunt in quolibet, sequetur quod non ab invicem res differant, nec ab invicem differre videantur. Ad hoc ergo quasi respondens dicit, quod res videntur differre adinvicem et nominantur etiam diversa ex eo, quod maxime superabundat in eis, cum tamen infinita sit multitudo partium minimarum, quae continentur in aliquo misto: et sic nihil est pure et totaliter album aut nigrum, aut os; sed id, quod plus est in uno quoque, hoc videtur esse natura rei.

Deinde cum dicit « si igitur »

Improbat positionem praedictam. Et circa hoc duo facit. Primo improbat eam absolute. Secundo comparat eam ad opinionem Empedoclis, ibi, « Melius autem. » Circa primum duo facit. Primo ponit rationes ad improbandum opinionem Anaxagorae. Secundo improbat modum positionis, ibi, « Nequaquam. » Circa primum ponit quinque rationes:

quarum prima talis est. Omne infinitum est ignotum, secundum quod infinitum est. Et exponit quare dicit « secundum quod infinitum »; quia si est infinitum secundum multitudinem vel magnitudinem, erit ignotum secundum quantitatem; si autem est infinitum secundum speciem, puta quia constituatur ex infinitis secundum speciem diversis, tunc erit ignotum secundum qualitatem. Et hujus ratio est, quia id quod est notum apud intellectum, comprehenditur ab ipso quantum ad omnia quae ipsius sunt; quod non potest contingere in aliquo infinito. Si igitur alicujus rei principia sunt infinita, oportet ea esse ignota, vel secundum quantitatem, vel secundum speciem. Sed si principia sunt ignota, oportet esse ignota ea quae sunt ex principiis. Quod probat ex hoc, quia tunc arbitramur nos cognoscere unumquodque compositum « cum scimus « ex quibus et quantis sit, » idest quando cognoscimus et species et quantitates principiorum. Sequitur igitur de primo ad ultimum, quod si principia rerum naturalium sint infinita, quod naturales res erunt ignotae secundum quantitatem vel secundum speciem.

Secundam rationem ponit ibi « amplius autem »

Quae talis est. Si alicujus totius partes non habent aliquam determinatam quantitatem, sive magnitudinem vel parvitatem, sed contingit eas quantascumque esse, vel secundum magnitudinem vel parvitatem, necesse est quod totum non habeat determinatam magnitudinem vel parvitatem, sed contingat esse cujuscumque magnitudinis vel parvitatis: et hoc ideo, quia quantitas totius consurgit ex partibus. Sed hoc intelligendum est de partibus existentibus actu in toto, sicut caro, nervus et os existunt in animali. Et hoc est quod dicit: « Dico « autem talium aliquam partium, in quam cum « insit, » scilicet actu « dividitur aliquod totum, » et per hoc excluduntur partes totius continui, quae sunt potentia in ipso. Sed impossibile est quod animal vel planta, vel aliquod hujusmodi habeat se indeterminate ad quantamcumque magnitudinem vel parvitatem: est enim aliqua quantitas ita magna ultra quam nullum animal extenditur, et aliqua ita parva infra quam nullum animal invenitur: et similiter dicendum est de planta. Ergo sequitur ad destructionem consequentis, quod neque aliqua partium sit indeterminatae quantitatis, quia simile est de toto et partibus. Sed caro et os et hujusmodi sunt partes animalis, et fructus partes plantarum: impossibile est igitur, quod caro et os et hujusmodi habeant indeterminatam quantitatem vel secundum majus, vel secundum minus. Non ergo est possibile quod sint aliquae partes carnis aut ossis, quae sint insensibiles propter parvitatem. Videtur autem hoc quod dicitur, contrarium esse divisioni continui in infinitum. Si enim continuum in infinitum divisibile est: caro autem continuum quoddam est: videtur quod sit in infinitum divisibilis. Omnem igitur parvitatem determinatam transcendet pars carnis secundum divisionem infinitam. Sed dicendum, quod licet corpus, mathematice acceptum, sit divisibile in infinitum: corpus tamen naturale non est divisibile in infinitum. In corpore enim mathematico non consideratur nisi quantitas, in qua nihil invenitur divisioni repugnans: sed in corpore naturali invenitur forma naturalis, quae requirit determinatam quantitatem, sicut et alia accidentia. Unde non potest inveniri quantitas in specie carnis, nisi infra aliquos terminos determinata.

Tertiam rationem ponit ibi • amplius, si •

Circa quam duo: scilicet, primo praemittit quaedam ex quibus argumentatur. Secundo ponit deductionem rationis, ibi, • Remota enim. » Circa primum tria proponit. Primum est, quod omnia simul sunt secundum positionem Anaxagorae, ut dictum est, ex quo vult deducere ad inconveniens. Dicebat enim Anaxagoras, ut dictum est, quod omnia hujusmodi, quae sunt similium partium, ut caro et os et similia, insunt invicem, et non fiunt de novo, sed segregantur ex aliquo, in quo praeextiterunt; sed unumquodque denominatur • a plurimo, » idest a pluribus partibus in se existentibus. Secundum est, quod quodlibet fit ex quolibet, sicut ex carne fit aqua per segregationem, et similiter caro ex aqua. Tertium est, quod omne corpus finitum resecatur a corpore finito: hoc est, si a corpore finito quantumcumque magno auferatur multoties finitum quantumcumque parvum, toties poterit auferri minus a majori, quod totum majus consumetur a minori per divisionem. Ex his autem tribus concludit quod principaliter intendit: scilicet, quod non sit unumquodque in unoquoque; quod est contrarium primo istorum positorum trium. Sic enim contingit in rationibus ducentibus ad impossibile, quod concludatur finaliter destructio alicujus praemissorum.

Secundo ibi • remota enim •

Deducit argumentationem, et assumit quod in praecedenti argumentatione conclusum est. Dicit enim quod, si ex aqua removeatur caro • dum • scilicet ex aqua generatur caro » et, si iterum ex residua aqua fiat alia segregatio carnis; quamvis semper remaneat aliqua minor quantitas carnis in aqua, tamen magnitudo carnis non excedit aliquam parvitatem; idest contingit dare aliquam parvam mensuram carnis, qua non erit minor aliqua caro, ut ex superiori ratione apparet. Hoc ergo habito, quod in aqua sit parva caro, qua nulla sit minor, sic procedit. Si ex aqua segregatur caro, et iterum alia caro, aut stabit ista segregatio aut non stabit: si stabit, ergo in residua aqua non erit caro et sic non erit quodlibet in quolibet: si autem non stabit, ergo in aqua semper remanebit aliqua pars carnis, ita tamen quod in secunda segregatione sit minor quam in prima, et in tertia minor quam in secunda. Et, cum non sit descendere in parvitatem partium in infinitum, ut dictum est, illae minimae partes carnis erunt aequales et infinitae numero in aliqua aliqua finita, alioquin non procederet in infinitum segregatio. Sequitur igitur quod si segregatio non stat, sed semper in infinitum removetur caro ex aqua, quod in aliqua magnitudine finita, scilicet aqua, sint quaedam finita secundum quantitatem et aequalia adinvicem et infinita secundum numerum, scilicet infinitae minimae partes carnis: et hoc est impossibile et contrarium ei quod supra positum est, scilicet quod omne corpus finitum resecatur ab aliquo corpore finito; ergo et primum fuit impossibile, scilicet quod quodlibet esset in quolibet, ut Anaxagoras posuit. Considerandum est autem quod non sine causa philosophus apposuit aequalia in hoc ultimo inconvenienti, ad quod ducit. Non enim est inconveniens quod in aliquo finito sint infinita inaequalia si attendatur ratio quantitatis: quia si dividatur continuum secundum eandem proportionem, erit procedere in infinitum, utputa si accipiatur tertium totius, et tertium tertii, et sic deinceps: sed tamen partes

acceptae non erunt aequales secundum quantitatem. Sed si fiat divisio per partes aequales, non proceditur in infinitum, etiam si sola ratio quantitatis in corpore mathematico consideretur.

Quartam rationem ponit ibi • adhaec autem •

Quae talis est. Omne corpus remoto aliquo fit minus, cum omne totum sit majus sua parte: cum autem quantitas carnis sit determinata secundum magnitudinem et parvitatem, ut ex dictis patet: necesse est esse aliquam minimam carnem: ergo ab eo non potest aliquid segregari, quia sic esset aliquod minus minimo. Non igitur ex quolibet potest fieri quodlibet per segregationem.

Quintam rationem ponit ibi • amplius autem •

Quae talis est. Si infinitae partes uniuscujusque sunt in unoquoque, et quodlibet est in quolibet, sequetur quod in infinitis corporibus sint infinitae partes carnis, et infinitae partes sanguinis vel cerebri: et quantumcumque inde separentur, adhuc remanent ibi. Sequeretur ergo, quod infinita sunt in infinitis infinities, quod est irrationabile.

Deinde cum dicit • nunquam autem •

Improbat positionem Anaxagorae quantum ad ponendi modum: et hoc dupliciter. Primo, quia non intelligebat propriam positionem. Secundo, quia non habebat sufficiens motivum ad ponendum eam, ibi, • Non recte autem. » Dicit ergo primo, quod in hoc quod dicit quod segregatio nunquam finietur, nescivit quid diceret, quamvis aliquo modo verum dixerit, quia accidentia nunquam possunt separari a substantiis: et tamen ponebat permistionem non solum corporum, sed etiam accidentium. Cum enim aliquid fit album, dicebat, quod hoc fiebat per abstractionem albedinis prius commistae. Si igitur colores et alia hujusmodi accidentia ponantur esse commista, ut ipse dicebat, si aliquis hoc supposito dicat, quod omnia commista possunt segregari, sequeretur quod sit album et sanum, et non sit aliquod subjectum de quo dicantur et in quo sint, quod est impossibile. Relinquitur igitur hoc verum esse, quod non omnia commista possunt segregari, si accidentia etiam commisceantur. Sed ex hoc sequitur inconveniens: ponebat enim Anaxagoras quod omnia a principio erant commista, sed intellectus incoepit segregare. Quicumque autem intellectus quaerit facere quod impossibile est fieri, est indecens intellectus: quare inconveniens erit intellectus ille impossibilia intendens • si vere velit, » idest totaliter velit segregare, quod est impossibile: et secundum quantitatem, quia non est minima magnitudo, ut Anaxagoras ponebat, sed ex quolibet minimo potest aliquid auferri: et secundum qualitatem, quia accidentia non sunt separabilia a subjectis.

Secundo ibi • non recte •

Improbat praedictam positionem quantum ad hoc quod non habebat sufficiens motivum. Quia enim videbat Anaxagoras quod aliquid fit magnum ex congregatione multarum partium similium parvarum, sicut torrens ex multis guttis, credidit ita esse in omnibus. Et ideo dicit Aristoteles quod • non • recte accipit generationem similium specierum • idest quod semper oporteret aliquid generari ex similibus secundum speciem. Quaedam enim ex similibus generantur, et in similia resolvuntur, sicut lutum dividitur in luta; in quibusdam autem non est sic. sed quaedam generantur ex dissimilibus. Et in his etiam non est unus modus: quia quaedam fiunt ex dissimilibus per alterationem, sicut lateres non ex lateribus, sed ex luto: quaedam vero per compositionem, sicut domus non ex domibus, sed ex lateribus. Et per hunc modum aer et aqua fiunt « ex alte- « rutris, » idest sicut ex dissimilibus. Alia litera habet « sicut lateres ex domo: » et sic ponit duplicem modum quo aliquid fit ex dissimilibus: scilicet per compositionem, sicut domus fit ex lateribus, et per resolutionem, sicut lateres fiunt ex domo.

Secundo ibi « melius autem »

Improbat positionem Anaxagorae per comparationem ad opinionem Empedoclis: et dicit, quod melius est quod fiant principia pauciora et finita, quod fecit Empedocles. quam plura et infinita, quod fecit Anaxagoras.

LECTIO X.

Quamplures Antiquorum rationes famosae, prima principia contraria esse, enarrantur.

ANTIQUA.

Omnes igitur contraria principia faciunt: et dicentes quod unum sit omne et immobile (etenim Parmenides calidum et frigidum principia facit: haec autem appellat ignem et terram.) Et quidam rarum et densum. Et Democritus firmum et inane: quorum aliud quidem sicut quod est, aliud autem sicut quod non est, esse dicitur. Adhuc, positione, figura, et ordine: haec autem genera contrariorum sunt. Positione, sursum et deorsum, ante et retro: Figura, angulus, rectum, circulatum. Quod quidem igitur contraria quodammodo omnes faciunt principia manifestum est.

Et hoc rationabiliter. Oportet enim principia, neque ex alterutris esse, neque ex aliis, et ex his omnia: contrariis autem primis insunt haec. Propter id quod prima quidem, non sunt ex aliis: ob id vero quod sunt contraria, non sunt ex alterutris. Sed oportet hoc in ratione considerare qualiter contingat. Accipiendum igitur est primum, quod omnium quae sunt, nihil neque facere aptum natum est, neque pati contingens a contingenti: neque fit quodlibet ex quolibet, nisi aliquis accipiat secundum accidens (qualiter enim fiet album ex musico, nisi accidens fit albo?) aut nigro musicum: sed album quidem sit ex non albo: et hoc non ex omni, sed nigro, aut mediis. Et musicum ex non musico: sed non ex omni, sed ex immusico, aut si aliquid ipsis est medium. Neque igitur corrumpitur in contingens primum, ut album non in musicum: nisi forte secundum accidens, sed in non album: et non in contingens, sed in nigrum aut medium: similiter autem musicum in non musicum: et hoc non in contingens, sed in immusicum: aut si ipsis aliquid medium est. Similiter autem hoc est et in aliis: quoniam non solum simplicia eorum: quae sunt, sed et composita secundum eamdem se habent rationem. Sed propter hoc quod oppositae dispositiones non denominatae sunt, latet hoc contingens: necesse enim omne consonans ex inconsonanti fieri: et inconsonans ex consonanti: et corrumpi consonans in inconsonantiam, et hanc non in contingentem, sed in oppositam. Differt autem nihil inconsonantia dicere, aut ordine, aut compositione: manifestum enim est quod eadem sit ratio. At vero domus et statua, et quodlibet aliud fit similiter: domus quidem enim fit non ex eo quod composita sunt, sed ex eo quod divisa sunt haec sic: et statua, et figuratorum aliquod ex non figurato: et unumquodque horum alia quidem ordo, alia vero compositio quaedam sunt. Si ergo hoc verum est, quod omne quod fit, fiat et corrumpatur quod corrumpitur, aut ex contrariis aut in contraria, et in horum media. Media autem ex contrariis sunt, ut colores ex albo et nigro. Quare omnia erunt, quae natura fiunt, aut contraria, aut ex contrariis.

RECENS.

Omnes igitur ea quae contraria sunt, principia esse statuunt, tam ii qui dicunt universum esse unum quod non movetur (etenim Parmenides calidum et frigidum principia facit, atque haec appellat ignem et terram), quam ii qui rarum et densum. Democritus quoque solidum et inane principia statuit: quorum illud rationem entis, hoc vero rationem non-entis habere ait. Praeterea solida illa distinguit situ, figura, ordine; haec vero sunt contrariorum genera: situ, ut supra infra, ante retro: figura, ut angulus, rectum, circulare.

Omnes igitur quodammodo ea quae contraria sunt rerum principia statuere, manifestum est. Atque hoc rationi est consentaneum: oportet enim principia nec ex se invicem esse, nec ex aliis, et ex ipsis esse omnia. Primis autem contrariis haec insunt: nam quia prima sunt, ex aliis non sunt, et quia sunt contraria, non sunt ex se invicem.

Sed hoc etiam ratione considerandum est quomodo accidat. Primum igitur sumendum est, in omnibus entibus ita esse natura comparatum, ut nec agat quodvis in quodvis, nec patiatur quodlibet a quolibet, nec fiat quodcumque ex quocumque, nisi quis haec sumat ex accidenti. Nam qui fieri possit album ex non albo, nisi album aut nigro musicum forte accidit? sed album fit ex non albo, atque ex hoc non quovis sed ex nigro, vel ex interjectis coloribus. Musicum quoque fit ex non musico, nec tamen ex quovis, sed ex musicae experte, aut si quid est his interjectum.

Ergo nec interit in quodvis primum, ut album non interit in musicum, nisi forte ex accidenti, sed in non album: nec in quodvis non album, sed in nigrum aut colorem medium. Itidemque musicum interit in non musicum, et hoc non quodvis, sed in musicae expers, aut si quid his est interjectum.

Non aliter se res habet in ceteris: quoniam et entium illorum, quae non simplicia sed composita sunt, eadem est ratio: sed quia oppositae affectiones nomine vacant, accidit ut hoc lateat. Necesse enim est, quicquid harmonia constat, ex harmoniae experte fieri; et quod harmonia caret, ex eo fieri quod harmoniam habet; item interire quod est harmonia praeditum, in harmoniae privationem, et hanc non quamlibet sed oppositam.

Nihil autem interest, utrum de harmonia dicatur, an de ordine vel compositione. Patet enim horum omnium eamdem esse rationem. Sed et domus et statua et quodvis aliud similiter fit. Domus enim fit ex eo quod haec non essent hoc modo composita, sed sejuncta. Statua quoque et omnino eorum aliquid quae figuram habent, fit ex figurae privatione. Atque horum unumquodque partim ordo, partim compositio quaedam est.

Si igitur hoc verum est; quicquid fit, ex contrariis fit, et quicquid interit, in contraria interit, et in media his interjecta. Sed haec media ex contrariis sunt, ut medii colores ex albo et nigro. Quapropter quaecumque natura fiunt, aut sunt contraria, aut ex contrariis.

Usque quidem igitur hoc fere secuti sunt, et aliorum plurimi, quemadmodum diximus prius: omnes enim elementa, et ab ipsis vocata principia, et vere sine ratione ponentes, tamen contraria dicunt, tamquam ab ipsa veritate coacti.

Differunt autem abinvicem, in eo quod alii quidem prio-

Hucusque igitur fere simul profecti sunt et alii plurimi, quemadmodum antea diximus. Omnes enim elementa, et quae ab ipsis vocantur principia, quamvis sine ratione ponant, tamen contraria esse pronuntiant, tamquam ab ipsa veritate coacti. Differunt autem inter se: quoniam alii priora, alii

ra, alii posteriora accipiunt: et quod hi quidem notiora secundum rationem, illi autem secundum sensum. Hi quidem
enim calidum et frigidum, illi autem humidum et siccum:
alii autem imparem et parem: quidam autem concordiam et
discordiam causam ponunt generationis: haec autem abinvicem differunt secundum dictum modum.

Quare est eadem dicere quodammodo, et altera abinvicem: altera quidem quemadmodum videbitur pluribus: eadem
vero secundum analogiam: accipiunt enim ex eadem coordinatione. Haec quidem enim continent, alia autem continuntur
contrariorum. Sic igitur similiter dicunt et aliter: et pejus,
et melius. Et hi quidem notiora secundum rationem, sicut
dictum est prius: illi autem secundum sensum. Universale
quidem enim secundum rationem notum est, singulare autem
secundum sensum: ratio quidem enim universalis est, sensus
autem particularis, ut magnum et parvum secundum rationem est: rarum autem et densum secundum sensum. Quod
quidem igitur contraria oportet esse principia, manifestum est.

posteriora principia sumunt. Et nonnulli quidem accipiunt
notiora secundum rationem; quidam vero secundum sensum.
Alii namque calidum et frigidum, quidam humidum et siccum, alii impar et par, nonnulli contentionem et amicitiam,
generationis causas ponunt: haec vero inter se eo quo diximus modo differunt.

Adeo ut eadem quodammodo dicant et diversa inter se:
diversa quidem, quemadmodum et plerisque videtur; eadem
autem, qua in his est proportio. Sumunt enim principia ex
eadem classe: quia contrariorum alia continent, alia continentur. Sic igitur eodem modo et diverso loquuntur, ac
partim deterius, partim melius: et alii quidem ponunt notiora
secundum rationem, ut antea dictum fuit, alii vero secundum
sensum. Universale enim secundum rationem notum est, particulare vero secundum sensum. Quandoquidem ratio est rei
universalis; sensus autem, rei particularis. Exempli causa
magnum et parvum, secundum rationem; densum autem et
rarum, secundum sensum notiora sunt. Principia igitur contraria esse perspicuum est.

Positis opinionibus philosophorum de principiis
naturae, hic incipit inquirere veritatem. Et primo
inquirit eam per modum disputationis ex probabilibus
procedendo. Secundo ostendit veritatem per modum
demonstrationis, ibi, « Sic ergo nos dicamus. »
Circa primum duo facit. Primo inquirit de contrarietate principiorum. Secundo de numero eorum, ibi,
« Consequens autem utique. » Circa primum tria
facit. Primo ponit positionem antiquorum de contrarietate principiorum. Secundo inducit ad hoc rationem, ibi, « Et hoc rationabiliter. » Tertio ostendit quomodo se habebant in ponendo philosophi
contraria principia, ibi, « Usque quidem igitur. »
Dicit ergo primo, quod omnes antiqui philosophi
posuerunt contrarietatem in principiis. Et hoc manifestat per tres opiniones philosophorum. Quidam
enim dixerunt quod totum universum sit unum ens
immobile: quorum Parmenides dixit, quod omnia
sunt unum secundum rationem, sed plura secundum
sensum; et inquantum sunt plura, ponebat in eis
contraria principia, scilicet calidum et frigidum: et
attribuebat calidum igni; frigidum vero terrae. Secunda vero opinio fuit philosophorum Naturalium,
qui posuerunt unum principium materiale mobile,
et dicebant, quod ex eo fiebant alia secundum raritatem et densitatem, et sic ponebant rarum et
densum esse principia. Tertia vero opinio est eorum,
qui posuerunt plura principia: inter quos Democritus posuit omnia fieri ex indivisibilibus corporibus: quae quidem adinvicem conjuncta in ipso contactu quoddam vacuum relinquebant, et hujusmodi
vacuitates vocabat poros, ut patet in primo de Generatione. Sic igitur omnia corpora ponebat composita ex firmo et inani, idest ex pleno et vacuo.
Unde plenum et vacuum dicebat principia naturae:
sed plenum attribuebat enti, vacuum vero non enti.
Item licet corpora indivisibilia omnia essent unius
naturae, tamen ex eis dicebat constitui diversa secundum diversitatem figurae, positionis et ordinis.
Unde ponebant principia esse contraria quae sunt
in genere positionis, scilicet sursum et deorsum,
ante et retro: contraria quae sunt in genere figurae, scilicet rectum, angulare et circulare: et similiter contraria quae sunt in genere ordinis, scilicet
prius et posterius, de quibus non fit mentio in
litera, quia manifesta sunt. Et sic concludit quasi
inducendo, quod omnes philosophi posuerunt principia esse contraria secundum aliquem modum. De
opinione autem Anaxagorae et Empedoclis mentionem non fecit, quia eas superius magis explicavit.

Et tamen hi ponebant etiam quodammodo contrarietatem in principiis: dicentes omnia fieri congregatione et segregatione, quae conveniunt in genere
cum raro et denso.

Secundo ibi « et hoc rationabiliter. »

Ponit probabilem rationem ad ostendendum quod
prima principia sunt contraria: quae talis est. Tria
videntur de ratione principiorum esse. Primum,
quod non sint ex aliis. Secundum, quod non
sint ex alterutris. Tertium, quod omnia alia
sint ex eis. Sed haec tria conveniunt primis contrariis: ergo prima contraria sunt principia. Ad intelligendum autem quid vocet prima contraria, considerandum, quod quaedam contraria sunt, quae
ex aliis contrariis causantur, sicut dulce et amarum
causantur ex humido et sicco, et calido et frigido:
sic autem non est procedere in infinitum, sed est
devenire ad aliqua contraria quae non causantur
ex aliis contrariis, et haec vocat prima contraria.
His igitur primis contrariis tres praedictae conditiones conveniunt principiorum. Ex eo ergo quod prima sunt, manifestum est quod non sunt ex aliis;
ex eo vero quod contraria sunt, manifestum est quod
non sunt ex alterutris: quamvis enim frigidum fiat
ex calido, inquantum id quod prius est calidum sit
frigidum: tamen ipsa frigiditas nunquam fit ex caliditate, ut postea dicetur. Tertium vero, qualiter
omnia fiant ex contrariis, oportet diligentius investigare. Ad hoc igitur ostendendum praemittit primo,
quod neque actio neque passio potest accidere inter
« contingentia, » id est inter ea quae contingunt
simul esse, vel inter « contingentia, » idest inter
quaecumque indeterminata. Neque quodlibet fit ex
quolibet, sicut Anaxagoras dixit, nisi forte secundum
accidens: et hoc manifestatur primo in simplicibus:
album enim non fit ex musico, nisi secundum accidens forte, inquantum musico accidit album vel
nigrum: sed album fit per se ex non albo, quod est
nigrum vel medius color, et similiter musicus ex
non musico, et non ex quocumque non musico,
sed ex opposito, quod dicitur immusicum, idest quod
est natum habere musicam, et non habet: vel ex
quocumque medio inter ea. Et eadem ratione non
corrumpitur aliquid primo et per se in quodcumque
contingens, sicut album non corrumpitur in musicum, nisi per accidens, sed per se corrumpitur in
non album: et non in quodcumque non album, sed
in nigrum, aut in medium colorem: et idem dicit
de corruptione musici, et de aliis similibus. Et hujus
ratio est, quia omne quod fit et corrumpitur, non

^est ante quam fiat, nec est postquam corrumpitur:
unde oportet quod id quod per se aliquid fit, et
in quod per se aliquid corrumpitur, tale sit, quod
in sua ratione includat non esse ejus quod fit vel
corrumpitur. Et similiter manifestat hoc in compositis: et dicit, quod similiter se habet in compositis
sicut in simplicibus, sed magis latet in compositis:
quia opposita compositorum non sunt nominata,
sicut opposita simplicium: oppositum enim domus
non est nominatum, sicut oppositum albi: unde, si
reducantur ad aliqua nominata, erit manifestum.
Nam omne compositum consistit in aliqua consonantia, consonans autem fit ex inconsonanti: et inconsonans ex consonanti, et similiter consonans
corrumpitur in inconsonantiam, non in quamcumque, sed in oppositam. Inconsonantia autem potest
dici, vel secundum ordinem tantum, vel secundum
compositionem. Aliquod enim totum consistit in
consonantia ordinis, sicut exercitus; aliquod vero in
consonantia compositionis, sicut domus; et eadem
ratio est de utroque. Et manifestum est, quod omnia composita fiunt similiter ex incompositis, sicut
domus fit ex incompositis, et figuratum ex infigu-
ratis: et in omnibus his nihil attenditur nisi ordo
et compositio. Sic igitur quasi per inductionem manifestum est, quod omnia quae fiunt vel corrumpuntur, fiunt ex contrariis vel mediis, vel corrumpuntur in ea: media autem fiunt ex contrariis, sicut
colores medii ex albo et nigro. Unde concludit, quod
omnia quae fiunt secundum naturam, vel ipsa sunt
contraria, sicut album et nigrum vel fiunt ex contrariis, sicut media. Et hoc est principale intentum,
quod intendit concludere: scilicet quod omnia fiant
ex contrariis: quod erat tertia conditio principiorum.

Tertio ibi « usque quidem »

Ostendit hic Philosophus, quomodo se habuerunt
philosophi in ponendo principia esse contraria. Et
primo quomodo se habuerunt quantum ad motivum
positionis. Secundo quomodo se habuerunt quantum
ad ipsam positionem, ibi, « Differunt autem adin-
« vicem. » Dicit ergo primo, quod sicut supra dictum est, multi philosophorum secuti sunt veritatem, usque ad hoc, quod ponerent principia esse
contraria: quod quidem licet bene ponerent, non
tamen quasi ab aliqua ratione moti hoc ponebant,
sed sicut ab ipsa veritate coacti. Verum enim est
bonum intellectus, ad quod naturaliter ordinatur:
unde, sicut res cognitione carentes moventur ad
suos fines absque ratione, ita interdum intellectus
hominis quadam naturali inclinatione tendit in veritatem, licet rationem veritatis non percipiat.

Secundo ibi « differunt autem »

Ostendit quomodo praedicti Philosophi se habebant in praedicta positione: et circa hoc duo facit.
Primo ostendit quomodo differebant in ponendo
principia esse contraria. Secundo quomodo simul
differebant et conveniebant, ibi, « Quare est eadem
« dicere. » Dicit ergo primo, quod Philosophi, ponentes principia esse contraria, dupliciter differebant.
Primo quidem, quia aliqui eorum, rationabiliter ponentes, accipiebant pro principiis priora contraria:
alii vero minus provide considerantes accipiebant
posteriora contraria, ut principia. Et eorum, qui
accipiebant priora contraria, quidam attendebant ad
ea quae erant notiora secundum rationem: quidam
vero ad ea quae sunt notiora secundum sensum.
Vel potest dici, quod per hanc secundam differentiam assignatur ratio primae differentiae: nam ea

quae sunt notiora secundum rationem, sunt priora
simpliciter: quae vero sunt priora secundum sensum sunt posteriora simpliciter, et priora quo ad
nos. Manifestum est autem, quod oportet principia
esse prima. Unde illi, qui judicabant prius secundum id quod est notius rationi, ponebant principia
contraria et priora simpliciter: qui vero judicabant
prius secundum id quod est notius sensui ponebant principia posteriora simpliciter. Unde quidam
ponebant prima principia calidum et frigidum: alii
vero humidum et siccum, et utraque sunt secundum sensum notiora. Tamen calidum et frigidum,
quae sunt activae qualitates, sunt priora humido
et sicco, quae sunt qualitates passivae: quia activum
naturaliter est prius passivo. Alii vero posuerunt
principia notiora secundum rationem: quorum aliqui posuerunt principia parem et imparem, scilicet
Pythagorici, existimantes substantiam omnium esse
numeros, et quod omnia componuntur ex pari et
impari, sicut ex forma et materia; nam pari attribuebant infinitatem et alteritatem propter ejus divisibilitatem, impari vero tribuebant finitatem et
identitatem propter suam indivisionem. Quidam vero
posuerunt causas generationis et corruptionis concordiam et discordiam, scilicet sequaces Empedoclis, quae
sunt etiam secundum rationem notiora: unde patet
quod in istis positionibus apparet praedicta diversitas.

Secundo ibi « quare est »

Ostendit quomodo in differentia praedictarum
opinionum est etiam quaedam convenientia; concludens ex praedictis quod quodammodo antiqui
philosophi dixerunt eadem principia, et quodammodo altera. Altera quidem secundum quod diversi
diversa contraria assumpserunt, sicut dictum est:
eadem vero secundum analogiam, idest proportionem: quia principia accepta ab omnibus habent
eamdem proportionem. Et hoc tripliciter. Primo
quidem, quia quaecumque principia accipiuntur ab
eis se habent adinvicem ut contraria, et hoc est
quod dicit, quod omnes accipiunt principia ex eadem coordinatione, scilicet contrariorum; omnes e-
nim accipiunt contraria pro principiis, sed tamen
diversa. Nec est mirum, si ex coordinatione contrariorum diversa accipiantur principia: quia inter
contraria quaedam sunt continentia, ut priora et
communiora: et quaedam contenta, ut posteriora
et minus communia. Iste est igitur unus modus,
quo similiter dicunt, inquantum omnes accipiunt
principia ex ordine contrariorum. Alius modus in
quo conveniunt secundum analogiam est quod
quaecumque principia accipiuntur ab eis, unum
eorum se habet ut melius, et aliud ut pejus, sicut
concordia, vel plenum, vel calidum, ut melius: discordia vero, vel vacuum, vel frigidum, ut pejus:
et sic est considerare in aliis. Et hoc ideo est, quia
semper alterum contrariorum habet privationem
admistam. Principium enim contrarietatis est oppositio privationis et habitus, ut dicitur in decimo
Metaphysices. Tertio modo conveniunt secundum
analogiam in hoc, quod omnes accipiunt principia
notiora: sed quaedam notiora secundum rationem,
quaedam vero notiora secundum sensum. Cum enim ratio
sit universalis, sensus vero particularis, universaliora sunt notiora secundum rationem, ut magnum
et parvum: singularia vero secundum sensum, ut
rarum et densum, quae sunt minus communia. Et
sic ultimo, quasi epilogando, concludit quod principaliter intendit, scilicet quod principia sunt contraria.

LECTIO XI.

*Non sufficit prima principia duo contraria esse; sed tertiam naturam dari oportet,
nec plura tribus principia sunt.*

Consequens autem utique erit dicere, utrum duo aut tria, aut plura sunt.

Unum quidem enim impossibile est, quoniam non unum contraria.

Infinita autem non: quoniam neque scibile quod est erit.

Et est una contrarietas in omni genere uno. Substantia autem unum quoddam genus est.

Et quod contingit ex finitis, melius ex finitis, quemadmodum Empedocles, quam ex infinitis. Omnia namque ex finitis assignare opinatur, quemadmodum Anaxagoras ex infinitis.

Amplius sunt alia aliis priora contraria. Et fiunt altera ex alteris, ut dulce et amarum, et album et nigrum, principia autem semper oportet manere. Quod quidem igitur neque unum, neque infinita sunt, manifestum est ex his.

Quoniam autem finita, facere duo tantum, vel non facere duo tantum habet quamdam rationem. Deficiet enim aliquis, qualiter densitas raritatem facere aliquid apta nata sit, aut haec densitatem: similiter autem et alia quaecumque contraria. Non enim concordia discordiam inducit, et facit aliquid ex ipsa, neque discordia ex illa: sed utraque alterum quiddam tertium. Quidam autem et plura recipiunt ex quibus parant eorum quae sunt naturam.

Adhuc autem amplius, et de hoc aliquis dubitabit, nisi aliquis alteram supposuerit contrariis naturam. Nullius enim videmus eorum quae sunt, substantia contraria. Principium autem non de subjecto oportet dici aliquo: erit enim principium principii. Subjectum enim principium, et prius videtur esse praedicato.

Amplius non esse dicimus substantiam contrariam substantiae. Qualiter igitur ex non substantiis substantia utique erit? Aut quomodo prius non substantia substantia erit?

Unde si aliquis priorem veram putabit esse rationem, et hunc, necessarium est, si debet salvare utrasque rationes, subesse quoddam tertium. Quemadmodum dicunt unam quamdam naturam dicentes omne: aut aquam, aut ignem, aut medium horum. Videtur autem medium magis. Ignis enim et terra et aer et aqua cum contrarietatibus complexa sunt. Unde non irrationabiliter faciunt subjectum alterum ab his facientes. Aliorum autem quidam aerem: aer enim minime habet aliorum differentias sensibiles. Consequenter autem aqua.

Sed omnes unum hoc contrariis figurant, ut densitate et raritate: et eo quod majus et minus: haec autem omnino sunt, excellentia videlicet, et defectus, sicut dictum est prius. Et videtur antiqua esse opinio, quod unum, et superabundantia et defectus principia rerum sint: sed non eodem modo. Sed Antiqui duo quidem facere, unam autem pati. Posteriorum autem quidam contrarium unum quidem facere, duo vero pati magis dicunt. Tria quidem igitur dicere elementa esse, et ex his, et ex hujusmodi aliis intendentibus, videbitur utrique habere quamdam rationem, sicut diximus.

Plura autem tribus non amplius: ad patiendum quidem enim sufficiens est unum. Si autem quatuor existentibus duae erunt contrarietates: oportebit seorsum utrisque esse alteram quamdam naturam. Si autem ex se invicem poterint generare, otiosa utique altera contrarietatum erit.

Simul autem et impossibile est plures esse contrarietates primas. Substantia enim unum quoddam genus est entis. Quare in eo quod prius et posterius sunt differunt ab invicem principia tantum: sed non genere. Semper enim in uno genere contrarietas est una: omnes enim contrarietates reduci videntur in unam. Quod quidem igitur neque unum sit elementum, neque plura duobus vel tribus manifestum est. Horum autem utrum sit verum, quemadmodum diximus, dubitationem habet multam.

Consequens autem est ut explicetur duone sint principia, an tria, an plura. Unum enim principium esse nequit, quia contraria non sunt unum. Infinita vero principia esse non possunt: quoniam ens sub scientiam non caderet. Item una contrarietas est in omni genere uno: substantia vero est unum quoddam genus. Et quia potest ex principiis finitis res astrui: melius autem est ex finitis, ut facit Empedocles, quam ex infinitis. Omnia namque putat Empedocles se per causas explicare ex principiis finitis, quae Anaxagoras explicat ex infinitis. Praeterea alia contraria sunt aliis priora, et fiunt alia ex aliis, ut dulce et austerum, et album et nigrum: principia vero semper manere oportet.

Ex his igitur perspicuum est nec unum nec infinita principia esse. Quum autem finita principia sint: ratio aliqua est, cur non ponantur duo tantum principia. Dubitare enim aliquis possit quomodo natura comparatum sit ut aut densitas efficiat raritatem esse aliquid, aut haec densitatem. Similis ratio est alius cujusvis contrarietatis: quia nec amicitia contentionem copulat, seu quidpiam ex ea facit; neque contentio quicquam ex illa facit: sed ambo aliud quiddam tertium efficiunt. Nonnulli autem et plura sumunt, ex quibus rerum naturam constituunt.

Ad haec, illud quoque in dubitationem revocare aliquis possit, nisi quis aliam naturam contrariis subjiciat. Nam contraria nullius rei essentiam esse videmus. Principium vero non oportet dici de aliquo subjecto: alioquin erit principium principii: quandoquidem subjectum ut principium videtur prius esse attributo. Praeterea dicimus non esse substantiam contrariam substantiae. Quomodo igitur ex non-substantia, substantia esse poterit? aut quomodo non substantia poterit esse prior quam substantia?

Quare si quis et priorem sermonem et hunc verum esse putet, necesse est, si utrumque sermonem tueri velit, ut contrariis subjiciat aliquod tertium, quemadmodum affirmant qui ajunt universum esse unam naturam, ut aquam aut ignem aut quod est his interjectum.

Videtur autem illud potius esse subjectum, quod est elementis interjectum. Ignis enim, ac terra, nec non aer et aqua, contrarietatibus implicita sunt. Proinde non absurde faciunt qui subjectum ab his diversum constituunt. Inter ceteros autem illi rectius sentiunt, qui aerem ponunt: etenim aer minus ceteris habet differentias sensiles. Aerem autem sequitur aqua.

Sed omnes unum hoc contrariis figurant, ut densitate et raritate, nec non contentione et remissione. Haec autem in universum profecto sunt exsuperantia et defectio, ut antea dictum fuit. Ac videtur etiam haec opinio antiqua esse, nempe unum et exsuperantiam et defectionem esse rerum principia: quamquam non eodem modo veteres haec principia posuere, quo recentiores: sed veteres duo illa efficere, unum autem illud pati; quidam autem posteriores e contrario unum illud efficere, duo vero illa pati potius affirmant.

Haec igitur assertio, tria esse elementa, iis qui ex his et aliis ejusmodi inspectionibus rem considerant, videri potest habere aliquam rationem, ut antea diximus. Plura autem tribus non item: quoniam unum ad patiendum sufficit. Quodsi quatuor quum sint termini, duae contrarietates erunt: certe oportebit seorsum utrique subjici aliam quamdam mediam naturam. Sin ex se invicem gignere possunt, quum sint duo, utique supervacua erit alterutra contrarietas. Item non possunt esse plures contrarietates primae: nam substantia est unum quoddam entis genus. Quapropter principia eo tantum inter se different, quod alia sint priora, alia posteriora; sed genere non different: quia semper in uno genere est una contrarietas, et omnes contrarietates ad unam referri videntur.

Ergo nec unum esse elementum, nec plura duobus vel tribus, manifestum est: horum autem utrum sit verius, quemadmodum diximus, magnam habet dubitationem.

Postquam inquisivit Philosophus de contrarietate principiorum, hic incipit inquirere de numero eorum: et circa hoc tria facit. Primo movet quaestionem. Secundo excludit quae non cadunt sub quaestionem, ibi, « Unum quidem. » Tertio prosequitur quaestionem, ibi , « Quoniam autem finita . » Dicit ergo primo, quod post inquisitionem de contrarietate principiorum, consequens est inquirere de numero eorum: utrum scilicet sint duo, tria, aut plura.

Secundo ibi « unum quidem »

Excludit ea quae non cadunt sub quaestione. Et primo quod non sit tantum unum principium. Secundo quod non sint infinita, ibi, « Infinita autem non. » Dicit ergo primo, quod impossibile est esse unum principium tantum. Ostensum est enim quod principia sunt contraria: sed contraria non sunt unum tantum, quia nihil est sibi ipsi contrarium: ergo principia non sunt unum tantum.

Secundo ibi « infinita autem »

Ostendit quod non sunt infinita principia, quatuor rationibus. Quarum prima talis est. Infinitum inquantum hujusmodi est ignotum: si igitur principia sunt infinita, oportet ea esse ignota. Sed ignoratis principiis ignorantur ea quae sunt ex eis. ergo sequitur quod nihil in mundo possit sciri.

Secundam rationem ponit ibi « et est »

Quae talis est. Principia oportet esse prima contraria, ut supra ostensum est: prima autem contraria sunt primi generis, quod est substantia: substantia autem, cum sit unum genus, habet unam primam contrarietatem; prima enim contrarietas cujuslibet generis est primarum differentiarum, per quas dividitur genus: ergo non sunt infinita principia.

Tertiam rationem ponit ibi « et quod »

Quae talis est. Quod potest fieri per finita, magis est ponendum per finita fieri, quam per infinita: sed ratio omnium quae fiunt secundum naturam assignatur secundum Empedoclem per principia finita, sicut per Anaxagoram per principia infinita: ergo non est ponendum principia esse infinita.

Quartam rationem ponit ibi « amplius sunt »

Quae talis est. Principia sunt contraria: si ergo principia sunt infinita, oportet omnia contraria esse principia. Sed non omnia contraria sunt principia: quod patet ex duobus. Primo quidem, quia principia, oportet esse prima contraria: non autem omnia contraria sunt prima, cum quaedam sint aliis priora. Secundo, quia principia non dicuntur esse ex alterutris, ut supra dictum est: contraria autem quaedam fiunt ex alterutris, ut dulce et amarum, et album et nigrum; non ergo principia sunt infinita. Et sic ultimo concludit, quod principia non sunt unum tantum, neque infinita. Considerandum est autem, quod Philosophus hic disputative procedit ex probabilibus; unde assumit ea, quae videntur pluribus: quae non possunt esse falsa secundum totum, sed sunt secundum partem vera. Verum est igitur quodammodo, quod contraria fiunt ex invicem, ut supra dictum est, si sumatur subjectum contrariis: quia id quod est album, postea fit nigrum: sed tamen ipsa albedo non convertitur in nigredinem. Sed quidam antiquorum ponebant quod nec etiam coassumendo subjectum, prima contraria fiunt ex invicem. Unde Empedocles negabat elementa fieri ex invicem. Et ideo Aristoteles hic signanter non dicit calidum fieri ex frigido, sed dulce ex amaro, et album ex nigro.

Deinde cum dicit « quoniam autem »

Prosequitur illud quod erat in quaestione, scilicet in quo numero sint principia. Et circa hoc duo facit. Primo ostendit quod non sunt duo tantum principia, sed tria. Secundo ostendit, quod non sunt plura, ibi, « Plura autem tribus. » Circa primum duo facit. Primo ostendit per rationes non esse tantum duo principia, sed oportet addi tertium. Secundo ostendit, quod in hoc etiam antiqui philosophi convenerunt, ibi, « Unde et aliquis priorem. » Circa primum ponit tres rationes. Dicit ergo primo quod, cum ostensum sit quod principia sunt contraria: et ita non possunt esse tantum unum principium, sed duo ad minus; nec iterum sint infinita principia; restat considerandum, utrum sint duo tantum vel plura duobus. Quantum enim ad hoc quod supra ostensum est, quod contraria sunt principia, videtur quod sint duo tantum principia: quia contrarietas est inter duo extrema. « Sed in hoc deficiet « aliquis, » idest dubitabit. Oportet enim quod ex principiis fiant alia, ut supra dictum est. Si autem sint tantum duo contraria principia, non videtur quomodo ex illis duobus possint omnia fieri. Non enim potest dici quod unum eorum faciat aliquid ex reliquo: non enim densitas nata est convertere ipsam raritatem in aliquid, neque raritas densitatem: et similiter est de qualibet alia contrarietate: non enim concordia movet discordiam, et facit aliquid ex ipsa, neque e converso: sed utrumque contrariorum transmutat aliquod tertium, quod est subjectum utriusque. Calidum enim non facit esse calidam ipsam frigiditatem, sed subjectum frigiditatis: nec e contra. Videtur ergo quod oporteat poni aliquod tertium, quod sit subjectum contrariorum, ad hoc, quod ex contrariis alia possint fieri. Nec refert quantum ad praesens pertinet, utrum illud subjectum sit unum, vel plura: quidam enim posuerunt plura principia materialia, ex quibus praeparant naturam entium; non enim dicebant esse naturam rerum materiam, ut infra in secundo dicetur.

Secundam rationem ponit ibi « adhuc autem »

Et dicit quod nisi contrariis, quae ponuntur esse principia, supponatur aliquid aliud, surget major dubitatio quam praemissa. Primum enim principium non potest esse accidens aliquod de subjecto dictum. Cum enim subjectum sit principium accidentis, quod de eo praedicatur, et sit eo prius naturaliter; sequeretur, si primum principium esset accidens, et de subjecto praedicatum, quod principii esset principium, et quod primo esset aliquid prius. Sed si ponamus sola contraria esse principia, oportet principium esse aliquod accidens de subjecto dictum: quia nullius rei substantia est inter contraria alteri, sed solum contrarietas est inter accidentia. Relinquitur igitur quod non possunt sola contraria esse principia. Considerandum autem quod in hac ratione utitur praedicato pro accidente, quia praedicatum designat formam subjecti. Antiqui autem credebant omnes formas esse accidentia. Hic autem procedit disputative ex propositionibus probabilibus, quae erant apud antiquos famosae.

Tertiam rationem ponit ibi « amplius non »

Quae talis est. Omne quod non est principium, oportet esse ex principiis: si igitur sola contraria sint principia, sequetur, cum substantia non sit contraria substantiae, quod substantia sit ex non substantiis; et sic, quod non est substantia sit prius quam substantia: quia quod est ex aliquibus est posterius eis. Hoc autem est impossibile. Nam primum genus entis est substantia, quae est ens per se. Non igitur potest esse quod sola contraria sint principia: sed oportet et tertium poni.

Deinde cum dicit « unde si »

Ostendit quomodo ad hoc etiam concordat positio philosophorum. Et circa hoc duo facit. Primo manifestat, quomodo ponebant unum materiale principium. Secundo quomodo ponebant etiam cum uno materiali principio, praeter haec duo principia contraria, ibi, « Sed omnes unum hoc. » Considerandum est autem circa primum, quod Philosophus in praecedentibus more disputantium visus est opponere ad utramque partem oppositam. Nam primo probavit, quod principia sunt contraria: et nunc induxit rationes ad probandum quod contraria non sufficiunt ad hoc quod ex eis res generentur. Et, quia rationes disputativae verum concludunt tantum secundum aliquid, sed non secundum totum; ex utrisque rationibus veritatem concludit; et dicit, quod si aliquis putet veram priorem rationem, quae probabat principia esse contraria, et hanc immediate positam, quae probabat contraria principia non posse sufficere; ad salvandum utramque, est necesse dicere, quod quoddam tertium subsit contrariis, sicut dixerunt ponentes totum universum esse naturam quamdam unam: intelligentes per naturam, materiam, sicut aquam, aut ignem, aut aerem, aut medium horum, ut vaporem, aut aliud hujusmodi. Et magis videtur de medio. Hoc enim tertium accipitur ut subjectum contrariis, et quodammodo ut distinctum ab eis. Unde illud quod minus habet de contrarietate, convenientius ponitur tertium principium praeter contraria. Ignis enim et terra et aer et aqua habent contrarietatem annexam, scilicet calidi et humidi, et frigidi et sicci. Unde non irrationabiliter faciunt subjectum aliquid alterum ab his, in quo minus est excellentia contrariorum. Post hos autem melius dixerunt, qui posuerunt aerem principium, quia in aere inveniuntur qualitates contrariae minus sensibiles. Post hos qui posuerunt aquam. Qui vero posuerunt ignem, pessime dixerunt, quantum ad hoc; quia ignis habet qualitatem contrariam maxime sensibilem, et magis activam: quia in ipso est excellentia calidi. Quamvis, si comparentur elementa secundum subtilitatem, melius videntur dixisse qui posuerunt ignem principium; ut alibi dicitur. Quod enim est subtilius, videtur esse simplicius et prius. Unde terram nullus posuit principium propter sui grossitiem.

Secundo ibi « sed omnes »

Ostendit quomodo cum uno materiali principio posuerunt principia contraria; et dicit quod omnes ponentes unum materiale principium dicebant illud figurari vel formari contrariis quibusdam, ut rari-

tate et densitate, quae reducuntur ad magnum et parvum, et excellentiam et defectum. Et sic hoc quod Plato posuit quod unum et magnum et parvum sint principia rerum, fuit etiam opinio antiquorum naturalium, sed differenter. Nam antiqui considerantes quod una materia variatur per diversas formas, posuerunt duo ex parte formae quae est principium agendi, et unum ex parte materiae, quae est principium patiendi. Sed Platonici, considerantes quomodo in una specie distinguuntur multa individua secundum divisionem materiae, posuerunt unum ex parte formae, quae est principium activum, et duo ex parte materiae, quae est principium passivum. Et sic concludit principale intentum, quod praemissa et similia considerantibus rationabile videbitur quod sint tria naturae principia. Et hoc dicit designans ex probabilibus processisse.

Deinde cum dicit « plura autem »

Ostendit quomodo non sunt plura principia tribus, duabus rationibus. Quarum prima talis est. Quod potest fieri per pauciora, superfluum est si fiat per plura: sed tota generatio rerum potest compleri ponendo unum principium materiale, et duo formalia; quia ad patiendum sufficit unum materiale principium. Sed, si essent quatuor principia contraria, et duae primae contrarietates, oporteret quod utraque contrarietas haberet aliud et aliud subjectum, quia unum subjectum videtur esse primo unius contrarietatis. Et sic, si duobus contrariis positis, et uno subjecto, possunt res fieri adinvicem, superfluum videtur, quod ponatur alia contrarietas. Non igitur ponenda sunt plura quam tria principia.

Secundam rationem ponit ibi « simul autem »

Quae talis est. Si plura sunt principia quam tria, oportet esse plures primas contrarietates: sed hoc est impossibile, quia prima contrarietas videtur esse primi generis, quod est unum, scilicet substantia: unde omnia contraria quae sunt in genere substantiae non differunt genere, sed se habent sicut prius et posterius: quia in uno genere est tantum una contrarietas, scilicet prima, eo quod omnes aliae contrarietates videntur reduci ad unam primam. Sunt autem aliquae primae differentiae contrariae, quibus dividitur genus: ergo videtur quod non sint plura principia quam tria. Considerandum est autem, quod utrumque probabiliter dictum est: scilicet et quod in substantiis non sit contrarietas, et quod in substantiis sit una contrarietas prima. Si enim accipiatur ipsum quod est substantia, nihil est ei contrarium: si vero accipiantur formales differentiae in genere substantiae, contrarietas in eis invenitur. Ultimo autem quasi epilogando concludit, quod neque sit unum tantum principium, neque plura duobus vel tribus. Sed utrum horum sit verum, habet multam dubitationem, sicut ex praemissis patet, scilicet utrum sint duo tantum, vel tria.

LECTIO XII.

In omni generatione, tam naturali quam artificiali, tria reperiuntur, subjectum, terminus, et oppositum, quae principiorum rationem habent.

ANTIQUA.

Sic igitur nos dicamus primum de omni generatione aggredientes: est enim secundum naturam communia prius dicere, et sic circa unumquodque propria speculari.

Dicimus enim fieri ex eo aliud, ex altero alterum, aut simplicia dicentes, aut composita. Dico autem sic hoc, est enim hoc fieri hominem musicum, est autem non musicum aliquod, fieri musicum hominem: aut non musicum hominem, musicum. Simpliciter quidem igitur dico, quod fit homo et non musicum, et quod simpliciter fit musicum; compositum autem, et quod fit, et quod factum est; cum non musicum hominem dicamus fieri, aut musicum, aut musicum hominem.

Horum autem quidem non solum dicitur hoc aliquid fieri, sed etiam ex hoc, ut ex non musico musicus. Hoc autem non dicitur in omnibus, ut ex homine factus sit musicus, sed homo factus sit musicus.

Eorum autem quae fiunt sicut simplicia dicimus fieri, aliquid quidem permanens fit, aliud vero non permanens: homo quidem permanet musicus factus, et homo est: sed non musicum et immusicum, neque simpliciter, neque compositum permanet.

Determinatis igitur his, ex omnibus quae fiunt, hoc est accipere, si aliquis intenderit, sicut diximus: quoniam oportet aliquid semper subjici, quod fit, et hoc, si numero est unum, sed specie non unum est: specie enim dico et ratione idem: non enim idem est homini et immusico esse.

Et hoc quidem permanet, illud vero non permanet. Non oppositum quidem permanet: homo enim permanet: musicum autem et immusicum non permanet: neque ex ambobus compositum, ut non musicus homo.

Sed ex aliquo fieri aliquid, et non hoc fieri aliquid, magis quidem dicitur in non permanentibus: ut ex immusico musicum fieri, ex homine autem non. At vero et in permanentibus aliquando dicitur similiter: ex aere enim statuam dicimus fieri, non aes statuam. Hoc autem ex opposito, et non permanenti utrolibet dicitur, ex hoc hoc, et hoc hoc: et namque ex musico et immusicus fit musicus. Unde et in composito similiter est: etenim ex immusico homine, et immusicus homo dicitur fieri musicus.

Multipliciter autem cum dicatur fieri, et horum quidem non simpliciter fieri, sed hoc aliquid fieri, simpliciter autem fieri substantiarum solum est, secundum quid aliorum, manifestum, quod necesse est subjici aliquid, quod fit. Etenim quantum, et quale, et ad alterum, et quando, et ubi, fiunt in subjecto aliquo, propter id, quod sola substantia de nullo alio dicitur subjecto, sed alia omnia de substantia. Quod autem et substantiae, et quaecumque alia simpliciter entia, ex quodam subjecto fiant, consideranti fiet utique manifestum: semper enim est aliquid, ex quo fit, quod subjicitur, ex quo fit, quod fit, ut plantae et animalia ex semine.

Fiunt autem quae fiunt simpliciter, alia quidem transfiguratione, ut statua: alia oppositione, ut quae augmentantur: alia vero abstractione, ut ex lapide Mercurius: compositione autem, ut domus: alteratione vero, ut quae convertuntur secundum materiam. Omnia autem quae sic fiunt, manifestum est quoniam ex subjectis fiunt.

Quare ostensum ex dictis est, quoniam quod fit, semper compositum est. Et est quidem aliquid quod fit, est autem aliquid quod hoc fit, et hoc dupliciter. Aut enim subjectum, aut oppositum: dico autem opponi quidem non musicum: subjici autem hominem; et infigurationem, et inordinationem, et informationem oppositum: aes autem et lapidem et aurum dico subjectum.

RECENS.

Nos itaque sic dicimus, omni prius generatione pertractata. Est enim naturae consentaneum, quum prius ea quae communia sunt, declarata fuerint, sic deinde cujusque rei propria contemplari.

Dicimus enim fieri ex alio aliud, et ex diverso diversum, quum aut de simplicibus loquamur, aut de compositis. Hoc autem sic dico: Potest enim homo fieri musicus: potest etiam aliquid non musicum, fieri musicum: aut homo non musicus, fieri homo musicus. Simplex igitur quod fit, appello, ut hominem, et non musicum, et simplex cujus est generatio, ut musicum: compositum vero et ejus generationem, et quod fit, quando non musicum hominem dicimus fieri hominem musicum.

De horum altero non solum dicitur fieri hoc aliquid, sed etiam ex hoc: puta ex non musico musicum. Sed hoc non dicitur de omnibus. Non enim ex homine fit musicus, sed homo fit musicum.

Jam vero eorum quae fiunt, prout simplicia fieri dicimus, aliud, quum fit, permanet, aliud non permanet. Homo namque permanet atque est, quum fit homo musicus: sed non musicum, et musicae expers, neque simpliciter neque compositum permanet.

His autem definitis, ex iis omnibus quae fiunt, hoc licet accipere, si quis animum advertat, sicut dicimus opus semper esse ut subjiciatur aliquid quod fiat.

Atque hoc licet numero sit unum, tamen forma non est unum (nam forma et definitione pro eodem accipio): non est enim eadem essentia hominis et musicae experti: et illud quidem permanet, hoc autem non permanet. Quod enim non est oppositum, permanet: homo namque permanet: musicum vero, et musicae expers non permanet. Imo nec id permanet, quod est ex ambobus compositum, ut homo musicus.

Ex aliquo autem fieri aliquid, et non hoc fieri aliquid, magis quidem dicitur de iis quae permanent: exempli causa, ex non musico musicum fieri dicitur: ex homine autem non dicitur. Verumtamen et in iis quae permanent interdum dicitur eodem modo; dicimus enim ex aere statuam fieri: non, aes fieri statuam. De eo autem quod est oppositum, nec permanet, utroque modo dicitur, nimirum et ex hoc fieri illud, et hoc fieri illud; nam et ex musico experte fit musicus, et musicae expers fit musicus. Idcirco etiam in composito res se habet eodem modo: quoniam et ex homine musicae experte, et homo musicae expers, dicitur fieri musicus.

Quum autem multis modis fieri dicatur, et quaedam dicantur non fieri simpliciter, sed fieri hoc aliquid; simpliciter autem fieri, tantum substantiarum proprium sit: in aliis quidem constat necesse esse ut subjiciatur aliquid quod fiat. Nam et quantum, et quale, et quod ad alterum quidpiam refertur, et quando, et ubi, re aliqua subjecta fiunt: propterea quod sola substantia de nullo alio subjecto dicitur, reliqua vero omnia de substantia dicuntur.

Sed et substantias et quaecumque alia simpliciter sunt, ex subjecto aliquo fieri, consideranti perspicuum utique fiet. Semper enim est aliquid quod subjicitur, ex quo fit id quod fit: ut plantae et animantia ex semine.

Fiunt autem quae simpliciter fiunt, partim figurae mutatione, ut statua ex aere: quaedam adjectione, ut ea quae augentur: nonnulla ablatione, ut ex lapide Mercurius: alia ex compositione, ut domus: alia variatione, ut quorum materia mutatur. Quaecumque autem sic fiunt, constat ex subjectis fieri.

Quapropter ex iis quae diximus, manifestum est quicquid fit, semper esse compositum: et esse quidem aliquid quod fit; esse autem et aliquid, in hoc quod mutatur. Et hoc quod fit duplex est: aut enim est subjectum, aut est oppositum. Dico autem opponi quod est musicae expers, subjici autem hominem. Item figurae et formae vel ordinis privationem, oppositum appello: aes autem, aut lapidem aut aurum, voco subjectum.

Postquam Philosophus processit ad investigandum numerum principiorum disputative, hic incipit determinare veritatem. Et dividitur in partes duas. In prima determinat veritatem. In secunda ex veritate determinata excludit dubitationes et errores Antiquorum, ibi, « Quod autem singulariter. » Prima dividitur in duas. In prima ostendit quod in quolibet fieri naturali tria inveniuntur. In secunda ex hoc ostendit tria esse principia, ibi, « Mani-« festum est igitur quidem quod siquidem sunt « causae. » Circa primum duo facit. Primo dicit, de quo est intentio. Secundo prosequitur intentum, ibi, « Dicimus enim fieri. » Quia ergo supra dixerat, quod multam habet dubitationem utrum sint tantum duo naturae principia, vel tria, concludit quod de hoc primo dicendum est, considerantes de generatione vel factione in communi ad omnes species mutationis: in qualibet enim mutatione invenitur quoddam fieri, sicut quod alteratur de albo in nigrum de albo fit non album, et de non nigro fit nigrum; et similiter est in aliis mutationibus. Et rationem ordinis assignat; quia necesse est primo dicere communia, et postea speculari ea quae propria sunt circa unumquodque, sicut in principio libri dictum est.

Secundo ibi « dicimus enim »

Prosequitur propositum. Et circa hoc duo facit: Primo enim praemittit quaedam, quae necessaria sunt ad propositum ostendendum. Secundo ostendit propositum, ibi, « Determinatis autem his. » Circa primum duo facit. Primo praemittit quamdam divisionem. Secundo ostendit differentiam inter partes divisionis, ibi, « Horum autem. » Dicit ergo primo, quod cum in quolibet fieri aliud dicatur fieri ex alio, quantum ad fieri secundum esse substantiale: vel alterum ex altero, quantum ad fieri secundum esse accidentale, propter hoc quod omnis mutatio habet duos terminos; dupliciter contingit hoc dicere, eo quod termini alicujus factionis vel mutationis possunt accipi ut simplices vel compositi. Et hoc sic exponitur; aliquando enim dicimus, homo fit musicus; et tunc duo termini factionis sunt simplices; et similiter quando dicimus, quod non musicum fit musicum: sed quando dicimus, non musicus homo fit musicus homo, tunc uterque terminorum est compositus. Quia, cum fieri attribuitur homini, vel non musico, uterque est simplex: et sic id quod fit, idest cui attribuitur fieri, significatur fieri ut simplex. Id vero in quod terminatur ipsum fieri, quod significatur fieri ut simplex, est musicum: ut cum dico, homo fit musicus, vel non musicus fit musicus: sed tunc utrumque significatur fieri ut compositum, scilicet « et quod fit, » idest id cui attribuitur fieri « et quod factum est, » idest id ad quod terminatur fieri, cum dicimus, non musicus homo fit musicus: tunc enim est compositio ex parte subjecti tantum, et simplicitas ex parte praedicati. Sed, cum dico, non musicus homo fit musicus homo, tunc est compositio ex parte utriusque.

Secundo ibi « horum autem »

Ostendit duas differentias inter praedicta: quarum prima est, quod in quibusdam praemissorum utimur duplici modo loquendi, scilicet quod hoc fit hoc, et ex hoc fit hoc: dicimus enim quod non musicus fit musicus, et ex non musico fit musicus. Sed non in omnibus sic dicitur: non enim dicitur, ex homine fit musicum, sed, homo fit musicus.

Secundam differentiam ponit ibi « eorum autem »

Et dicit quod, cum duobus simplicibus attribuitur fieri, scilicet subjecto et opposito, alterum istorum est permanens, et alterum non permanens. Quia, cum aliquis jam factus est musicus, permanet homo, sed non permanet oppositum sive sit negative oppositum, ut non musicum, sive privative aut contrarie, ut immusicum. Neque etiam compositum ex subjecto et opposito permanet: non enim permanet homo non musicus, postquam homo factus est musicus. Et tamen istis tribus attribuebatur fieri: dicebatur enim quod homo fit musicus, et non musicus fit musicus, et homo non musicus fit musicus: quorum trium solum primum manet completa factione, alia vero duo non manent.

Deinde cum dicit « determinatis igitur »

Ex suppositione praemissorum ostendit propositum; scilicet quod in qualibet factione naturali inveniantur tria. Et circa hoc tria facit. Primo enumerat duo, quae inveniuntur in qualibet factione naturali. Secundo probat quod supposuerat, ibi, « Et hoc quidem permanet. » Tertio concludit propositum, ibi, « Quare ostensum est. » Dicit ergo primo, quod suppositis praemissis, siquis voluerit considerare in omnibus quae fiunt secundum naturam, hoc accipiet, quod semper oportet subjici alicui, cui attribuitur fieri. Et illud, licet sit unum numero vel subjecto, tamen specie vel ratione non est idem. Cum enim attribuitur homini quod fiat musicus, homo quidem est unum subjecto, sed duo ratione: non enim est idem homo secundum rationem, et non musicus. Tertium autem non ponit, scilicet quod in generatione necesse est aliquid generari: quoniam illud manifestum est.

Secundo ibi « et hoc quidem »

Probat duo quae supposuerat. Primo, quod subjectum cui attribuitur fieri, sit duo ratione. Secundo quod oporteat in quolibet fieri supponi subjectum, ibi, « Multipliciter autem. » Primum ostendit dupliciter. Primo quidem per hoc quod in subjecto, cui attribuitur fieri, est aliquid quod permanet, et aliquid quod non permanet: quia id quod non est oppositum termino factionis, permanet: homo enim permanet, quando fit musicus: sed non musicum non permanet, neque compositum, ut homo non musicus. Et ex hoc apparet, quod homo et non musicus non sunt idem ratione, cum unum permaneat, et aliud non.

Secundo ibi « sed ex aliquo »

Ostendit idem alio modo: quia in non permanentibus magis dicitur, ex hoc fit hoc, quam, hoc fit hoc, licet tamen et hoc possit dici, sed non ita proprie: dicimus enim, quod ex non musico fit musicus. Dicimus etiam, quod non musicus fit musicus, sed hoc per accidens, in quantum scilicet id cui accidit esse non musicum fit musicus. Sed in permanentibus non sic dicitur: non enim dicimus quod ex homine fit musicus, sed quod homo fit musicus. Quandoque tamen in permanentibus dicimus, ex hoc fit hoc, sicut dicimus quod ex aere fit statua; sed hoc contingit, quia nomine aeris intelligimus infiguratum: et ita dicitur hoc ratione privationis intellectae. Et licet ex hoc fieri hoc dicamus in permanentibus, magis tamen utrumque contingit in non permanentibus dici, et, hoc fit hoc, et, ex hoc fit hoc; sive non permanens accipiatur oppositum, sive compositum ex opposito et subjecto. Ex hoc ergo ipso quod diverso modo utimur loquendi circa subjectum et oppositum, manifestum est, quod subjectum et oppositum, ut homo et non musicus, etsi sunt idem subjecto, sunt duo tamen ratione.

Deinde cum dicit « multipliciter autem »

Ostendit alterum quod supposuerat, scilicet quod in omni factione naturali oporteat esse subjectum: et hoc quidem per rationem probare pertinet ad Metaphysicum, unde probatur in 7 Metaphysicae: sed hic probat tantum per inductionem: et primo ex parte eorum quae fiunt; secundo ex parte modorum fiendi, ibi, « Fiunt autem quae fiunt. » Dicit ergo primo, quod cum fieri dicatur multipliciter, fieri simpliciter est solum fieri substantiarum, sed alia dicuntur fieri secundum quid. Et hoc ideo, quia fieri importat initium essendi: ad hoc ergo quod aliquid fiat simpliciter, requiritur quod prius non fuerit simpliciter: quod accidit in iis quae substantialiter fiunt: quod enim fit homo non solum prius non fuit homo, sed simpliciter verum est dicere ipsum non fuisse. Cum autem homo fiat albus, non est verum dicere quod prius non fuit, sed quod prius non fuerit talis. In iis igitur quae fiunt secundum quid, manifestum est quod indigent subjecto: nam quantitas et qualitas, et alia accidentia, quorum est fieri secundum quid, non possunt esse sine subjecto. Solius enim substantiae est non inesse subjecto. Sed etiam in substantiis, siquis considerat, manifestum fit quod fiunt ex subjecto: videmus enim quod plantae et animalia fiunt ex semine.

Secundo ibi « fiunt autem »

Ostendit idem inducendo per modos fiendi; et dicit quod eorum quae fiunt, quaedam fiunt transfiguratione, sicut statua fit ex aere: quaedam fiunt ex appositione, ut patet in omnibus augmentatis, sicut fluvius fit ex multis rivis: alia vero fiunt abstractione, sicut ex lapide fit per sculpturam imago Mercurii. Quaedam vero fiunt compositione, sicut domus; quaedam vero fiunt alteratione, sicut ea quorum materia alteratur; sive fiant secundum naturam, sive secundum artem: et in omnibus his apparet quod fiunt ex aliquo subjecto. Unde manifestum fit, quod omne quod fit, fit ex subjecto. Sed advertendum est quod artificialia connumeravit inter ea quae fiunt simpliciter « quamvis formae « artificiales sint accidentia »: quia artificialia quodammodo sunt in genere substantiae per suam materiam; vel propter opinionem antiquorum, qui similiter aestimabant naturalia ut artificialia, ut in secundo dicetur.

Deinde cum dicit « quare ostensum »

Concludit propositum: et dicit ostensum esse ex dictis quod id cui attribuitur fieri semper, est compositum. Et, cum in qualibet factione sit id ad quod terminatur fieri, et id cui attribuitur fieri, quod est duplex, scilicet subjectum et oppositum; manifestum est quod in quolibet fieri sunt tria: scilicet subjectum, et terminus factionis, et oppositum ejus. Sicut, cum homo fit musicus, oppositum est non musicum, et subjectum est homo, et musicus est terminus factionis. Et similiter infiguratio et informitas et inordinatio sunt opposita: sed aes et aurum et lapides subjecta in artificialibus.

LECTIO XIII.

Materiam ac formam principia per se tam in esse quam in fieri rerum naturalium esse.
Privationem vero per accidens principium esse inducitur.

Manifestum igitur quod, si quidem sunt causae et principia eorum, quae natura sunt, ex quibus primis sunt et fiunt, non secundum accidens: sed unumquodque quidem dicitur secundum substantiam, quod fit ex subjecto et forma: componitur enim musicus homo ex homine et musico quodammodo: resolves enim rationem in rationes eorum. Manifestum igitur est quod fiant, quae fiunt, ex his.

Est autem subjectum numero quidem unum, specie vero duo: homo quidem enim et aurum, et omnino materia innumerabilis est. Hoc enim aliquid magis, et non secundum accidens ex ipso fit, quod fit. Privatio autem et contrarietas accidens. Unum autem species, ut ordinatio, aut musica, aut aliorum aliquid sic praedicantium.

Unde est quod sicut duo dicenda sunt esse principia, est autem sicut tria. Et est quidem sicut contraria, ut si aliquis dicat musicum et immusicum, aut calidum et frigidum, aut consonans et inconsonans: est autem sicut non ab alterutris enim pati contraria impossibile est: solvitur autem propterea, quod aliud est subjectum, hoc enim non est contrarium. Quare neque plura contrariorum sunt principia quodammodo, sed duo: ut est dicere numero. Neque iterum penitus duo, propter id, quod alterum est esse ipsis, sed tria: alterum enim est esse homini, et non musico esse, et infigurato et aeri.

Quot quidem igitur principia circa generationem physicorum, et quomodo tot sint, dictum est. Et ostensum est, quoniam oportet subjici aliquid contrariis, et contraria duo esse,

Si quidem igitur causae et principia rerum natura constantium ea sunt, ex quibus primis res sunt, et factae sunt non ex accidenti, sed quod quidque secundum essentiam dicitur, perspicuum est, rem omnem fieri ex subjecto et forma. Componitur enim quodammodo musicus homo ex homine et musico: quoniam definitiones in eorum definitiones dissolves.

Patet igitur ea quae fiunt ex his fieri. Porro subjectum numero quidem unum est, specie autem duo. Homo namque et aurum, et omnino materia est numerabilis: magis enim est hoc aliquid: nec per accidens ex eo. fit quod fit: privatio autem et contrarietas est accidens. Forma vero est unum principium ut ordo, aut musica, aut- aliud quidpiam eorum quae sic attribuuntur.

Quapropter quum duo principia dici possunt, tum etiam tria. Et partim contraria; veluti, si quis dicat musicum et musicae expers, aut calidum et frigidum, aut harmonia constans et harmonia carens: partim non contraria: quia contraria vicissim pati nequeunt. Sed et hoc solvitur, quoniam subjectum aliud est: hoc enim non est contrarium. Quocirca principia nec plura quodammodo sunt, quam contraria, sed duo tantum, ut ita dicam, numero: nec rursus sunt omnino duo, quia diversa est eorum essentia, sed sunt tria: alia enim est hominis, alia musicae expertis essentia, nec non ejus quod figura caret et aeris.

Quot igitur sint principia rerum naturalium, quae sub generationem cadunt, et quomodo tot sint, dictum est: et constat opus esse ut aliquid subjiciatur contrariis, et con-

sed quodam non alio modo necessarium. Sufficiens enim erit alterum contrariorum facere absentia et praesentia mutationem.

Subjecta autem natura scibilis est secundum analogiam. Sicut enim ad statuam aes, aut ad lectulum lignum, aut ad aliorum aliquod habentium formam in materia, et informe se habet priusquam accipiat formam, sic ipsa se ad substantiam habet, et hoc aliquid, et quod est. Unum quidem igitur principium est, non sicut unum existens, neque sic unum sicut hoc aliquid, unum autem secundum quod ratio. Amplius autem contrarium huic privatio est. Haec autem quomodo duo, quomodo plura dictum est.

Primum quidem igitur dictum est quod principia contraria sunt. Posterius autem, quod necesse est et aliud quoddam subjici et esse tria. Ex his autem nunc manifestum est, quae differentia contrariorum, et quomodo se habent adinvicem principia, et quid sit subjectum. Utrum autem substantia species, aut subjectum, nondum manifestum est. Sed quod principia tria, et quomodo, et quis modus eorum dictum est. Quot quidem igitur et quae sint principia, ex his consideretur.

Postquam Philosophus ostendit, quod in quolibet fieri naturali tria inveniuntur, hic ex praemissis intendit ostendere quot sunt principia naturae. Et circa hoc duo facit. Primo ostendit propositum. Secundo recapitulando ostendit quae dicta sint, et quae restant dicenda, ibi, « Primum quidem igitur « dictum. » Circa primum duo facit. Primo ostendit tria naturae principia. Secundo notificat ea, ibi, « Subjecta autem naturae. » Circa primum tria facit. Primo ostendit veritatem de principiis naturae. Secundo ex veritate ostensa solvit praemissas de principiis dubitationes, ibi, « Unde est quod sicut « duo. » Tertio, quia ab antiquis dictum est quod principia sunt contraria, ostendit utrum semper requirantur contraria, vel non, ibi, « Quod quidem « igitur. » Circa primum duo facit. Primo ostendit duo esse principia naturae per se. Secundo ostendit tertium esse principium naturae per accidens, ibi, « Est autem subjectum » Circa primum utitur tali ratione. Illa dicuntur esse principia et causae rerum naturalium, ex quibus sunt et fiunt per se, et non secundum accidens. Sed omne quod fit, est et fit ex subjecto et forma: ergo subjectum et forma sunt per se causae et principia omnis ejus quod fit secundum naturam. Quod autem id quod fit secundum naturam, fit ex subjecto et forma, probat hoc modo. Ea, in quae resolvitur definitio alicujus rei sunt componentia rem illam; quia unumquodque resolvitur in ea ex quibus componitur. Sed ratio ejus quod fit secundum naturam, resolvitur in subjectum et formam: nam ratio hominis musici resolvitur in rationem hominis, et in rationem musici: siquis enim velit definire hominem musicum, oportet quod assignet definitionem hominis et musici: ergo id quod fit secundum naturam, est et fit ex subjecto et forma. Et notandum est quod hic intendit inquirere principia non solum fiendi, sed etiam essendi: unde signanter dicit: « Ex quibus « primis sunt et fiunt. » Et dicit « Ex quibus pri- « mis », idest per se et non secundum accidens. Per se ergo principia omnia quae fiunt secundum naturam, sunt subjectum et forma.

Secundo ibi « est autem »

Addit tertium principium per accidens: et dicit quod licet subjectum sit unum numero, tamen specie et ratione duo « ut supra dictum est; » quia homo et aurum, et omnis materia numerum quem-

---

traria duo esse: sed alio quodam modo hoc non esse necessarium. Sufficiet enim alterum contrarium ad efficiendam sua absentia et praesentia mutationem.

Subjecta vero natura sciri potest proportione. Ut enim ad statuam aes, vel ad lecticam lignum, vel ad aliud quidpiam eorum quae formam habent, materia, et quod forma caret, se habet priusquam formam acceperit: sic ipsa ad substantiam se habet, et ad id quod est hoc aliquid, atque ens. Hoc igitur est unum principium, quum tamen non sit ita unum, nec ita ens, ut hoc aliquid; sed unum secundum rationem. Insuper est et huic contrarium, id est privatio.

Haec autem quomodo sint duo, et quomodo plura, dictum fuit in superioribus: ac primum quidem dictum fuit, tantum contraria esse principia: postea vero necesse esse etiam aliud quiddam subjici, et esse tria principia. Ex iis vero quae nunc exposita fuere, patet quae sit differentia contrariorum, et quomodo principia sint inter se affecta, et quid sit quod subjicitur.

Utrum autem forma an subjectum sit rei essentia, nondum manifestum est: sed principia esse tria, et quomodo sint tria, et quis sit eorum modus, est manifestum. Quot igitur, et quae sint principia, ex his perspicitur.

dam habet: est enim ibi considerare ipsum subjectum quod est aliquid positive, ex quo fit aliquid per se et non per accidens, ut hoc quod est homo et aurum: et est ibi considerare id quod accidit ei, scilicet contrarietatem et privationem, ut inmusicum et infiguratum. Tertium autem est species vel forma, sicut ordinatio est forma domus vel musica hominis musici, vel aliquod aliorum quae hoc modo ponuntur. Sic igitur forma et subjectum sunt principia per se ejus quod fit secundum naturam; sed privatio vel contrarium est principium per accidens, inquantum accidit subjecto; sicut dicimus quod aedificator est causa activa domus per se, sed musicus est causa activa domus per accidens, inquantum accidit aedificatori esse musicum. Et sic homo est causa per se, ut subjectum hominis musici; sed non musicum est causa et principium ejus per accidens. Potest aliquis objicere quod privatio non accidit subjecto, quando est sub forma; et sic privatio non est principium essendi per accidens. Et ideo dicendum, quod materia nunquam est sine privatione; quia, quando habet unam formam, est cum privatione alterius formae: et ideo, dum est in fieri aliquid quod fit, ut homo musicus in subjecto, quando nondum habet formam, est privatio ipsius musicae: ideo principium per accidens hominis musici in fieri est non musicum: hoc enim accidit homini dum fit musicus. Sed, quando jam advenit ei haec forma, adjungitur ei privatio alterius formae; et sic privatio formae oppositae est principium per accidens in essendo. Patet ergo secundum intentionem Aristotelis quod privatio, quae ponitur principium naturae per accidens, non est aliqua aptitudo ad formam vel inchoatio formae, vel aliquod principium imperfectum activum « ut quidam « dicunt » sed ipsa carentia formae, vel contrarium formae, quod subjecto accidit.

Deinde cum dicit « unde est »

Solvit secundum determinatam veritatem dubitationes omnes praecedentes; et concludit ex praedictis quod quodammodo dicendum esse duo principia, scilicet per se, et quodammodo tria, si coassumatur principium per accidens cum principiis per se. Et quodammodo sunt principia contraria, ut si aliquis accipiat musicum et non musicum, et calidum et frigidum, et consonans et inconsonans. Et quodammodo principia non sunt contraria, si accipiantur sine subjecto: quia sic contraria non possunt pati adinvicem, nisi hoc solvatur per hoc quia contrariis supponitur aliquod subjectum, ratione cujus adinvicem patiuntur. Et sic concludit quod principia non sunt plura contrariorum, idest contrariis, hoc est quam contraria, sed sunt duo tantum per se. Sed nec totaliter duo: quia unum eorum, secundum esse est alterum, subjectum enim secundum rationem est duo, sicut dictum est; et sic sunt tria principia; quia homo et non musicus, et aes et infiguratum differunt secundum rationem. Sic igitur patet, quod priores sermones, disputati ad utramque partem, fuerunt secundum aliquid veri, sed non totaliter.

Deinde cum dicit « quod quidem »

Ostendit quomodo sunt duo contraria necessaria, et quomodo non: et dicit manifestum esse ex dictis quot sunt principia circa generationem naturalium, et quomodo sint tot. Ostensum est enim quod oportet duo esse contraria, quorum unum est principium per se, et alterum per accidens: et quod aliquid subjiciatur contrariis, quod est etiam principium per se: sed aliquo modo alterum contrariorum non est necessarium ad generationem, sufficit enim alterum contrariorum quandoque facere mutationem absentia sua et praesentia. Ad cujus evidentiam sciendum est, quod sicut in quinto hujus dicetur, tres sunt species mutationis; scilicet generatio, et corruptio, et motus. Quorum haec est differentia, quia motus est de uno affirmato in aliud affirmatum, sicut de albo in nigrum. Generatio autem est de negato in affirmatum, sicut de non albo in album: vel de non homine in hominem. Corruptio autem est de affirmato in negatum, sicut de albo in non album, vel de homine in non hominem. Sic igitur patet, quod in motu requiruntur duo contraria et unum subjectum. Sed in generatione et corruptione requiritur praesentia unius contrarii et absentia ejus quae est privatio. Generatio autem et corruptio salvantur in motu; nam quod movetur de albo in nigrum, corrumpitur album et fit nigrum. Sic igitur in omni mutatione naturali requiritur subjectum, et forma, et privatio. Non autem ratio motus salvatur in omni generatione et corruptione, sicut patet in generatione et corruptione substantiarum. Unde subjectum et forma et privatio salvantur in omni mutatione, non autem subjectum et duo contraria. Haec etiam oppositio invenitur in substantiis quae est primum genus: non autem oppositio contrarie-

tatis; nam formae substantiales non sunt contrariae, licet differentiae in genere substantiae contrariae sunt, secundum quod una accipitur cum privatione alterius, sicut patet de animato et inanimato.

Deinde cum dicit « subjecta autem »

Manifestat praemissa principia: et dicit, quod natura, quae primo subjicitur mutationi, idest materia prima, non potest sciri per seipsam: cum omne quod cognoscitur, cognoscatur per suam formam: materia autem prima consideratur subjecta omni formae, sed scitur « secundum analogiam, » idest secundum proportionem. Sic enim cognoscimus quod lignum est aliquid praeter formam scamni et lecti: quia quandoque est sub una forma, quandoque sub alia. Cum igitur videamus hoc quod est aer, quandoque fieri aquam, oportet dicere quod aliquid existens sub forma aëris, quandoque sit sub forma aquae: et sic illud quod est aliquid praeter formam aquae et praeter formam aëris, se habet ad ipsas substantias naturales, sicut se habet aes ad statuam, et lignum ad lectum, et quodlibet materiale et informe ad formam; et hoc dicimus esse materiam primam. Hoc est igitur unum principium naturae, quod non sic unum est sicut hoc aliquid, hoc est, sicut aliquod individuum demonstratum, ita quod habeat formam et unitatem in actu: sed dicitur ens et unum inquantum est in potentia ad formam. Aliud principium autem est ratio vel forma. Tertium autem est privatio, quae contrariatur formae. Et quomodo ista principia sint duo, et quomodo tria, dictum est prius.

Deinde cum dicit « primum quidem »

Resumit quae dicta sunt; et ostendit quae restant dicenda. Dicit ergo, quod prius dictum est, quod contraria sunt principia: et postea, quod eis aliquid subjicitur, et sic faciunt tria principia. Et ex his quae nunc dicta sunt, manifestum est quae differentia sit inter contraria: quia unum est principium per se, et aliud per accidens. Et iterum dictum est, quomodo principia se habeant adinvicem: quia subjectum et contrarium sunt unum numero et duo ratione. Et iterum dictum est quid est subjectum, secundum quod manifestari potuit. Sed non dictum adhuc est, quid sit magis substantia, utrum forma vel materia; hoc enim dicetur in principio secundi. Sed dictum est quod principia sunt tria, et quomodo, et quis est modus ipsorum. Et ultimo concludit principale intentum, scilicet quod manifestum est quot sint principia et quae sint.

LECTIO XIV.

Ex notitia eorum quae de materiae quidditate probantur, Antiquorum dubitationes duplici solutione solvuntur.

<table>
<tr><td style="text-align:center">ANTIQUA.</td><td style="text-align:center">RECENS.</td></tr>
<tr><td>Quod autem singulariter sic solvitur et Antiquorum defectus dicamus post haec. Quaerentes enim secundum Philosophiam Primi veritatem et naturam rerum, diverterunt ut in viam quamdam aliam abscedentes ob infirmitatem: et dicunt neque fieri eorum quae sunt nullum, neque corrumpi, propter id quod necessarium est fieri quod fit, aut ex eo</td><td>Atque hoc tantum modo veterum dubitationem dissolvi post haec dicemus. Primi namque philosophi veritatem et rerum naturam quaerentes aberrarunt, quasi in aliam quamdam viam prae imperitia abducti: atque asserunt, eorum quae sunt, nihil fieri aut interire, propterea quod necesse est, ut quod fit, vel fiat ex ente, vel ex non-ente: ex his</td></tr>
</table>

quod est, aut ex eo quod non est. Ex his autem utrisque impossibile est esse: neque enim quod est fieri contingit: est enim jam: neque ex eo quod non est nihil utique fieri: subjici enim aliquid oportet. Et sic consequenter contingens augmentantes, non esse multa dicunt, sed tantum quod est. Illi igitur talium accipiebant opinionem propter ea quae dicta sunt.

Nos autem dicimus quidem ex eo quod est, aut ex eo quod non est, fieri: aut quod est, aut quo non est aliquid facere aut pati, aut quodlibet fieri hoc, uno quidem modo nihil differt, ut Medicum aliquid facere aut pati, aut ex Medico aliquid esse aut fieri. Quare quoniam hoc dupliciter dicitur, manifestum est quoniam et ex eo quod est, et ex eo quod non est et quod est aut facere aut pati: aedificat quidem igitur Medicus non secundum quod Medicus, sed secundum quod aedificator: et albus fit non inquantum Medicus, sed inquantum niger. Medicatur autem et non medicus fit, inquantum est medicus. Quoniam autem maxime proprie dicimus medicum aliquid facere aut pati aut fieri ex medico, si secundum quod medicus hoc patiatur aut faciat, manifestum ex eo quod non est, fieri, et hoc significat inquantum non est. Quod illi quidem non percipientes deliquerunt, et propter hanc ignorantiam intantum ignoraverunt quod nihil opinati sunt fieri neque esse aliorum, sed auferebant omnem generationem. Nos autem et ipsi dicimus fieri quidem nihil simpliciter ex eo quod non est, sed tamen fieri ex eo quod non est, ut secundum accidens: ex privatione enim quod est quidem per se non ens non in existente fit. Mirabile autem videtur et impossibile sic fieri aliquid ex eo quod non est. Similiter autem nec ex eo quod est neque quod est fieri, nisi secundum accidens: sic autem et ex hoc fieri eodem modo, ut si ex animali animal utique fiat, et ex quodam animali quoddam animal, ut si canis ex equo fiat: fiet quidem enim utique non solum ex quodam animali canis, sed etiam ex animali, sed non inquantum est animal: est enim jam hoc. Si autem aliquid debet fieri animal non secundum accidens, non ex animali erit. Et si aliquid quod est non ex eo quod est, neque ex eo quod non est: quod enim est ex eo quod non est, dictum est nobis quid significet, quoniam inquantum non est. Amplius autem et esse omne aut non esse non removetur: unus quidem igitur modus hic est.

Alius autem quoniam contingit eadem dicere secundum potentiam et actum: hoc autem determinatum est in aliis per certitudinem magis.

Quare secundum quod vere dicimus, defectus solvuntur, propter quos coacti removent praedictorum quaedam: propter hoc enim intantum destiterunt priores a via in generationem et corruptionem et omnino mutationem: haec enim utique visa natura, omnem solvit hanc ipsorum ignorantiam.

autem utrisque fieri nequit: quia neque ens fit, quum jam sit; ex nihilo autem nihil fit, quoniam aliquid subjici oportet.

Atque ita deinceps consecutionem augentes, non esse multas res inquiunt, sed tantummodo ipsum ens. Illi igitur hanc opinionem conceperunt ob ea quae dicta sunt.

Nos autem dicimus, haec ex ente vel non-ente fieri, aut non-ens vel ens facere quippiam, seu pati, aut quodvis fieri illud, uno modo nihil differre; sed perinde valere ac si quis dicat medicum aliquid facere vel pati, aut ex medico aliquid esse vel fieri.

Quare quum hoc duobus modis dicatur: patet etiam illud, nimirum ex ente et ens vel facere vel pati, bifariam accipi. Aedificat igitur medicus, non qua medicus, sed qua aedificator: et albus fit, non qua medicus, sed qua niger. Medetur autem, et fit medicinae expers, qua medicus. Quia vero dicimus maxime proprie medicum aliquid facere vel pati, aut ex medico fieri, quum, qua medicus, haec patitur aut facit aut fit: manifestum est etiam hoc, ex non-ente fieri, significare qua non-ens. Quod quidem illi non distinguentes, a recta via sunt abducti: et propter hanc ignorantiam eo inscitiae pervenerunt, ut putarint nullam aliam rem fieri aut esse, sed tollerent omnem generationem.

Nos autem et ipsi dicimus nihil quidem fieri simpliciter ex non ente; fieri tamen ex non ente tamquam per accidens: fit enim aliquid ex privatione, quae est per se non ens, quum non insit in eo quod fit. Admirationi autem hoc est, et impossibile ita videtur fieri aliquid ex non ente.

Itidemque dicimus, neque ex ente, neque ens fieri, nisi per accidens. Eodem autem modo fieri hoc dicimus, ac si ex animali animal fieret, et ex aliquo animali aliquod animal: veluti si canis ex equo fieret. Nam canis fieret non solum ex aliquo animali, verum etiam ex animali: non tamen qua est animal, quia hoc jam est. Quodsi futurum est ut aliquid fiat animal non ex accidenti, certe non ex animali erit.

Et si quid fiet ens, non fiet ex ente, neque ex non ente: quippe dictum a nobis fuit quid significet illud, ex non ente, videlicet qua est non ens. Praeterea vero omnem rem esse aut non esse non tollimus.

Unus igitur dubitationis solvendae modus hic est. Alius autem est: quoniam eadem dici possunt secundum potestatem et secundum actum. Hoc vero in aliis libris magis exquisite definitum est. Quare (ut diximus) dubitationes solvuntur, quibus coacti veteres tollunt nonnulla eorum quae dicta sunt. Ideo namque priores philosophi tantum aberrarunt a via ducente ad generationem et interitum, et omnino mutationem. Nam haec natura si ab eis cognita fuisset, omnem hanc eorum ignorantiam dissolvisset.

Postquam Philosophus determinavit veritatem de principiis naturae, hic excludit antiquorum dubitationes per ea quae determinata sunt de principiis. Et primo dubitationes seu errores, qui provenerunt ex ignorantia materiae. Secundo dubitationes seu errores, qui provenerunt ex ignorantia privationis, ibi, « Tangentes igitur quidam. » Tertio reservat alteri scientiae dubitationes quae accidunt circa formam, ibi, « De principio autem secundum speciem. » Circa primum duo facit. Primo ponit dubitationem et errorem in quem antiqui inciderunt ex ignorantia materiae. Secundo solvit eorum dubitationem per ea quae sunt determinata, ibi, « Nos autem dicimus. » Dicit ergo primo quod post determinatam veritatem de principiis, dicendum est, quod solum ista via, omnis defectus, idest dubitatio antiquorum, solvitur. Et hoc est signum, esse verum, quod de principiis dictum est. Nam veritas excludit omnem falsitatem et dubitationem: sed posito quocumque falso, oportet aliquam difficultatem remanere. Dubitatio autem et error antiquorum philosophorum hic fuit. Primi, qui secundum philosophiam inquisierunt veritatem et naturam rerum diverterunt in quamdam aliam viam a via veritatis, et a via naturali: quod accidit eis propter infirmitatem intellectus eorum. Dixerunt enim, quod nihil

neque generatur neque corrumpitur, quod est et contra veritatem et contra naturam. Et ad hoc ponendam eos infirmitas intellectus coegit: quia nescierunt hanc rationem solvere, per quam videbatur probari, quod ens non generatur. Quia, si ens fit, aut fit ex ente, aut ex non ente: et utrumque horum videbatur esse impossibile, scilicet quod ens fiat ex ente et quod fiat ex non ente. Quod enim ex ente aliquid fieri sit impossibile, ex hoc manifestum est: quia id, quod est, non fit: nihil enim est antequam fiat, et ens jam est: ergo non fit. Quod etiam ex non ente aliquid fieri sit impossibile, ex hoc manifestum est, quia oportet aliquid subjici ei quod fit, ut supra ostensum est: et ex nihilo nihil fit: et ex hoc concludebatur, quod entis non erat generatio neque corruptio. Et ulterius in hoc argumentantes augebant suam positionem, ut dicerent quod non essent multa entia, sed unum ens tantum; et hoc dicebant propter rationem praedictam. Cum enim ponerent unum esse materiale principium, et ex illo nihil dicerent causari secundum generationem et corruptionem, sed solum secundum alterationem, sequebatur quod id remaneret semper unum secundum substantiam.

Secundo ibi « nos autem »

Solvit praedictam objectionem. Et circa hoc duo

facit. Primo solvit dupliciter praedictam objectionem. Secundo concludit principale propositum,
ibi, « Quare secundum quod vere. » Prima dividitur in duas, secundum duas solutiones, quas
ponit. Secunda ibi, « Alius autem quoniam. » Dicit
ergo primo quod quantum ad modum loquendi
non differt dicere, quod aliquid fit ex ente, vel
non ente, vel quod ens aut non ens faciat aliquid
aut patiatur, sive de quocumque alio: et dicere
hujusmodi propositiones de medico, scilicet quod
medicus faciat aliquid aut patiatur: vel quod ex
medico fit aliquid, aut fiat. Sed dicere, quod medicus faciat aliquid aut patiatur, vel quod ex medico fiat aliquid, duplicem habet intellectum: ergo
dicere, quod ex ente aut ex non ente fiat aliquid,
aut quod ens aut non ens faciat aliquid aut patiatur, duplicem habet intellectum. Et sic est in quibuscumque aliis terminis ponatur: puta si dicatur,
quod ex albo fiat aliquid, aut quod album faciat
aliquid, aut patiatur. Quod autem duplicem habeat
intellectum, cum dicitur, quod medicus aliquid facit
aut patiatur: aut quod ex medico fit aliquid, sic
manifestat. Dicimus enim, quod medicus aedificat;
sed hoc non facit inquantum est medicus, sed inquantum aedificator est. Et similiter dicimus quod
medicus fit albus, sed non inquantum est medicus,
sed inquantum est niger. Alio modo dicimus quod
medicus medicatur inquantum est medicus. Et similiter quod medicus fit non medicus inquantum est
medicus: sed tunc dicimus proprie et per se medicum aliquid facere vel pati. Vel ex medico aliquid fieri, quando hoc attribuitur medico inquantum medicus. Per accidens autem quando attribuitur
ei, non inquantum est medicus, sed inquantum est
aliquid aliud. Sic igitur patet, quod, cum dicitur
medicum facere aliquid aut pati, vel ex medico fieri
aliquid, dupliciter intelligitur; scilicet per se et per
accidens. Unde manifestum est, quod cum dicitur
aliquid fieri ex non ente proprie et per se, intelligitur hoc si fiat aliquid ex non ente inquantum
est non ens; et similis ratio est de ente. Et hanc
distinctionem antiqui non percipientes, intantum
peccaverunt, quod nihil sunt opinati fieri, nec opinati sunt quod aliquod aliorum praeter id quod
ponebant primum principium materiale, haberet
esse substantiale. Puta, dicentes aerem esse primum materiale principium, dicebant omnia alia
significare quoddam esse accidentale. Et sic exclu-
debant omnem generationem substantialem, solam
alterationem relinquentes, ex eo scilicet quod
quia non fit aliquod ex non ente per se vel ente,
opinabantur quod nihil possit fieri ex ente vel non
ente. Sed nos etiam ipsi dicimus, quod ex non ente
nihil fit simpliciter et per se, sed solum secundum
accidens: quia quod est, idest ens per se quidem,
non est ex privatione, et hoc ideo, quia privatio
non intrat essentiam rei factae. Ex hoc autem aliquid fit per se, quod inest rei postquam jam facta
est; sicut figuratum fit ex infigurato non per se,
sed per accidens: quia postquam jam est figuratum,
infiguratum non inest ei. Sed iste est mirabilis
modus fiendi aliquid ex non ente, et qui videbatur

impossibilis antiquis philosophis. Sic igitur patet
quod ex non ente fit aliquid non per se, sed per
accidens. Similiter si quaeratur utrum ex ente fiat
aliquid, dicendum est quod ex ente fit aliquid per
accidens, sed non per se. Et hoc manifestat per
tale exemplum. Ponamus enim quod ex equo generetur aliquis canis, quo posito manifestum est
quod ex quodam animali fiet quoddam animal: et
sic ex animali fiet animal: non tamen fiet animal
ex animali per se, sed per accidens: non enim fit
inquantum est animal, sed inquantum est hoc animal: quia animal jam est actu antequam fiat canis,
quia est equus, sed non est hoc animal quod est
canis: unde per se hoc animal quod est canis, fit
ex non hoc animali, idest ex non cane. Sed si fieret animal per se et non per accidens, oporteret
quod fieret ex non animali. Sic etiam est de ente:
fit enim ens aliquod ex non ente hoc, sed accidit
ei quod non est hoc, quod fit ens: unde non fit
aliquid per se ex ente, neque per se ex non ente,
hoc enim per se significat aliquid fieri ex non ente,
si fiat ex non ente inquantum est non ens, ut dictum est. Et sicut cum hoc animal fit ex hoc animali, vel hoc corpus ex hoc corpore, non removetur omne corpus, nec omne non corpus, nec omne
animal vel non animal ab eo ex quo aliquid fit;
sic non removetur ab eo ex quo fit hoc ens, neque
omne esse, neque omne non esse: quia id quod fit
hoc ens, quod est ignis, habet aliquod esse, quia
est aer: et aliquod non esse, quia non est ignis.
Iste igitur est unus modus solvendi praedictam dubitationem. Sed iste modus solvendi insufficiens est:
si enim fit ens per accidens ex ente et ex non
ente, oportet ponere aliquid ex quo fiat ens per
se; quia omne quod est per accidens reducitur ad
id quod est per se. Ad ostendendum igitur ex quo
fit aliquid per se, subjungit secundum modum ibi,
« alius autem »

Et dicit quod contingit aliqua dicere et secundum potentiam et secundum actum, ut certius determinatum est in aliis, scilicet in nono Metaphysices. Ex ente igitur in potentia fit aliquid per se,
ex ente autem in actu vel ex non ente fit aliquid
per accidens. Hoc autem dicit, quia materia, quae
est ens in potentia, est id, ex quo fit aliquid per
se: haec est enim quae intrat substantiam rei factae. Sed ex privatione vel forma praecedente
fit aliquid per accidens, inquantum materiae,
ex qua fit aliquid per se, conveniebat esse sub tali
forma, vel sub tali privatione. Sicut statua ex aere
fit per se: sed ex non habente talem figuram, et
ex habente aliam figuram fit statua per accidens.

Ultimo concludit principale propositum ibi « qua-
« re secundum »

Dicens quod sicut vere dicimus, defectus, id est
dubitationes solvuntur propter praedicta. Ex quibus
dubitationibus coacti antiqui aliqui removerunt quaedam praedictorum, scilicet generationem et corruptionem et pluralitatem substantialiter differentium.
Sed haec natura manifestata, scilicet materiae, solvit omnem illorum ignorantiam.

LECTIO XV.

Materiam a privatione distingui, eamque ingenerabilem et incorruptibilem esse ostenditur.

Tangentes quidem igitur et alteri quidam sunt ipsam, sed non sufficienter. Primum quidem enim confitentur simpliciter fieri aliquid ex eo quod non est, inquantum Parmenidem recte est dicere. Postea videtur ipsis si vere est numero una, et potentia tantum unam esse.

Sed hoc differt plurimum: nos quidem enim materiam et privationem alteram dicimus. Sed horum, hanc quidem non esse secundum accidens materiam: privationem autem per se non esse: et hanc quidem prope rem et substantiam aliqualiter materiam: privationem autem nequaquam.

Quidam autem quod non est magnum et parvum similiter aut simul utrumque, aut seorsum utrumque. Quare penitus alter modus est hic trinitatis, et ille. Usque quidem enim ad hoc perveniunt, quod oportet quamdam supponi naturam, hanc tamen unam faciunt: etenim si aliquis dualitatem facit dicens magnum et parvum ipsam, nihilominus idem facit, alteram enim despexit.

Subjecta quidem materia cum forma causa est eorum quae fiunt, sicut mater: altera vero pars contrarietatis multoties imaginabitur ad maleficium ipsius protendenti intellectum, neque esse penitus, et esse extra omne. Existente enim quodam divino et optimo et appetibili, aliud quidem contrarium esse ipsi dicimus.

Aliud autem natum aptum appetere et desiderare ipsum secundum ipsius naturam: quibusdam autem accidit contrarium appetere suiipsius corruptionem, et neque suiipsius possibile est appetere speciem propter non esse indigens, neque contrarium: corruptiva enim sunt adinvicem contraria. Sed hoc est materia, sicut, si femina masculum, et turpe bonum, non quod per se est turpe, sed secundum accidens.

Corrumpitur autem et fit, est quidem ut sic, est autem ut non. Secundum quidem enim quod est id in quo, secundum se corrumpitur; quod enim corrumpitur in hoc, est privatio: inquantum autem secundum potentiam, non per se, sed incorruptibilem et ingenitam necesse est esse ipsam. Si nim fiat, subjici aliquid oportet primum, ex quo fit: hoc autem est haec natura: quare erit ante fieri. Dico enim materiam, primum subjectum uniuscujusque ex quo fit aliquid cum insit non secundum accidens: et si corrumpitur in hoc abibit ultimum: quare corrupta erit antequam corrumpatur.

De principio autem secundum formam utrum unum aut plura, aut quot, aut quae sint, per certitudinem primae philosophiae opus est determinare: ergo in illud tempus reponatur. De physicis autem et corruptibilibus speciebus in posterius demonstrandis dicemus. Quod quidem igitur sint principia, et quae, et quot numero, determinatum, sic a nobis sit. Item autem aliud principium incipientes dicamus.

Sane attigerunt eam et alii nonnulli, non tamen satis. Primum enim fatentur simpliciter fieri aliquid ex non ente, quatenus fatentur Parmenidem recte dicere. Deinde ipsis videtur, si haec natura est una numero, etiam potestate tantummodo unam esse. Hoc autem plurimum differt. Nos enim materiam et privationem diversa esse dicimus: et horum illud quidem esse non ens ex accidenti, nempe materiam; privationem vero esse non ens per se. Et illam quidem esse prope et quodammodo substantiam, nimirum materiam: privationem autem nequaquam.

Alii vero magnum et parvum, sive utrumque, sive seorsum alterutrum, similiter statuunt esse non ens. Quare omnino hic ternarii modus ab illo differt. Huc usque enim progressi sunt ut intelligerent naturam aliquam subjici oportere. Sed hanc unam faciunt. Nam etsi quidam dualitatem facit, inquiens eam subjectam naturam esse magnum et parvum, nihilominus tamen idem facit: quoniam alteram neglexit, nimirum privationem. Alia namque natura, quum permaneat, eorum quae fiunt, una cum forma est causa, quasi mater. Altera vero, quae est pars contrarietatis, saepe videri poterit ei qui ad ipsius maleficium animum adverterit, ne esse quidem ullo modo.

Quum enim sit quiddam divinum et bonum et expetendum, dicimus aliud esse ei contrarium; aliud quod sua natura id expetit et appetit. Sed illis accidit ut contrarium appetat sui ipsius interitum. Atqui nec ipsa forma se ipsam expetere potest, quia non est sui indigens; neque contrarium eam expetit: quia contraria sui invicem perimendi vim habent. Sed hoc est materia: perinde ac si femina marem, aut turpe pulchrum appeteret. Verumtamen non est per se turpis, sed ex accidenti: nec per se femina, sed ex accidenti.

Partim autem interit et fit: partim minime. Ut enim est id in quo, per se interit. Quod enim interit, in ipsa est, nempe privatio. Ut autem secundum potestatem spectatur, non per se gignitur et interit, sed necesse est eam esse incorruptibilem et ingenitam. Sive enim fieret, oporteret subjici aliquod primum, nempe id ex quo insito fit: hoc autem est ipsa natura: proinde prius erit quam fiat. Materiam enim voco primum cujusque rei subjectum, ex quo insito fit aliquid, non per accidens. Sive quid intereat, in hoc ultimum abibit. Quare interempta erit, antequam interimatur.

De principio autem, quod est secundum formam, utrum sit unum an multa, et quod vel quae sint, exquisite definire est munus primae philosophiae. Quare in illud tempus rejiciatur. De naturalibus autem et interitui obnoxiis formis in iis dicemus quae posterius demonstrabuntur. Quod igitur sint principia, et quae, et quot numero sint, sic a nobis definitum esto. Rursus autem alio facto initio dicamus.

Postquam Philosophus exclusit dubitationes et errores antiquorum philosophorum provenientes ex ignorantia materiae, hic excludit errores provenientes ex ignorantia privationis. Et circa hoc tria facit. Primo proponit errantium errores: secundo ostendit differentiam hujus positionis ad veritatem supra ab ipso determinatam, ibi, « Sed hoc differt. » Tertio probat suam opinionem veram esse, ibi, « Subjecta quidem natura. » Dicit ergo primo, quod quidam philosophi tetigerunt materiam, sed non sufficienter: quia non distinguebant inter privationem et materiam; unde quod est privationis attribuebant materiae. Et, quia privatio secundum se est non ens, dicebant quod materia secundum se est non ens.

Et sic, sicut aliquid per se simpliciter fit ex materia, sic confitebantur quod simpliciter et per se aliquid fit ex non ente. Et ad hoc ponendum duabus rationibus inducebantur. Primo quidem ratione Parmenidis dicentis, quod quicquid est praeter ens est non ens: unde, cum materia sit praeter ens, quia non est ens actu, dicebant eam simpliciter esse non ens. Secundo vero, quia videbatur eis quod id quod est numero unum vel subjecto, sit etiam ratione unum: quod hic appellat esse potentia unum; quia ea, quae sunt ratione unum, sic se habent quod eadem est virtus utriusque. Ea vero quae sunt subjecto unum, sed non ratione, non habent eamdem potentiam seu virtutem, ut patet in albo et musico. Subjectum autem et privatio sunt unum numero, ut aes et infiguratum; unde videbatur eis quod essent idem ratione vel virtute: sic igitur hic accipit unitatem potentiae. Sed ne quis hic dubitet, occasione horum verborum, quid sit potentia materiae, et utrum sit una vel plures: dicendum est quod actus et potentia dividunt quodlibet genus entium, ut patet in nono Metaphysicae, et in tertio hujus. Unde sicut potentia ad qualitatem non est aliquid extra genus qualitatis, ita potentia ad esse substantiale non est aliquid extra genus substantiae. Non igitur potentia materiae est aliqua proprietas addita super essentiam ejus; sed materia secundum suam substantiam est potentia ad esse substantiale; et tamen potentia materiae subjecto est una respectu multarum formarum, sed ratione sunt multae potentiae secundum habitudinem ad diversas formas: unde in tertio hujus dicetur, quod posse sanari et posse infirmari differt secundum rationem.

Secundo ibi « sed hoc »

Ostendit differentiam suae opinionis ad opinionem praemissam. Et circa hoc duo facit. Primo aperit intellectum suae opinionis: secundo ostendit quid alia opinio ponat, ibi, « Quidam autem quod « non est. » Dicit ergo primo, quod multum differt aliquid esse unum numero vel subjecto, et esse unum potentia vel ratione. Quia nos ipsi dicimus, ut ex superioribus patet, quod materia et privatio licet sint unum subjecto, tamen sunt alterum ratione: quod patet ex duobus. Primo quidem, quia materia est non ens secundum accidens, sed privatio est non ens per se: hoc enim ipsum quod est infiguratum, significat non esse: sed aes non significat non esse, nisi inquantum ei accidit infiguratum. Secundo vero, quia materia est prope rem, et est aliqualiter, quia est in potentia ad rem et est aliqualiter substantia rei, quia intrat in constitutionem substantiae. Sed hoc de privatione dici non potest.

Secundo ibi « quidam autem »

Manifestat intellectum opinionis platonicae: et dicit quod Platonici ponebant quidem duo ex parte materiae, scilicet magnum et parvum, sed tamen aliter quam Aristoteles: quia Aristoteles ponit ista duo esse materiam et privationem, quae sunt unum subjecto, et differunt ratione: sed isti non ponebant quod alterum istorum esset privatio et alterum materia, sed privationem coassumebant utrique, scilicet parvo et magno: sive acciperent ista duo simul, utpote cum loquebantur non distinguentes eam per magnum et parvum, sine acciperent utrumque seorsum. Unde patet quod omnino aliter ponebant tria principia platonici ponentes formam, et magnum et parvum, et Aristoteles qui posuit materiam et privationem et formam. Platonici vero usque ad hoc pervenerunt prae aliis philosophis antiquioribus, quod oportet unam quamdam naturam supponi omnibus formis naturalibus, quae est materia prima; sed hanc faciunt unam tantum, sicut subjecto ita et ratione, non distinguentes inter ipsam et privationem; quia etsi ponant qualitatem ex parte materiae, scilicet magnum et parvum, nihilominus non faciunt differentiam inter materiam et privationem, sed faciunt mentionem tantum de materia, sub qua comprehenditur magnum et parvum, et privationem despexerunt, de ea mentionem non facientes.

Deinde cum dicit « subjecta quidem »

Probat quod sua opinio habet veritatem: et circa hoc duo facit. Primo ostendit propositum, scilicet quod oporteat privationem distingui a materia. Secundo ostendit quomodo materia corrumpatur vel generetur, ibi, « Corrumpitur autem. » Primum autem ostendit dupliciter. Primo quidem ostensive. Secundo ducendo ad impossibile, ibi, « Aliud autem aptum na- « tum. » Dicit ergo primo, quod ista natura quae subjicitur, scilicet materia simul cum forma, est causa eorum quae fiunt secundum naturam ad modum matris: sicut enim mater est causa generationis in recipiendo, ita et materia. Sed, si quis accipiat alteram partem contrarietatis, scilicet privationem, protendens intellectum circa ipsam, imaginabitur ipsam non ad constitutionem rei pertinere, sed magis ad quoddam malum rei, quia est penitus non ens, cum privatio nihil aliud sit quam negatio formae in subjecto: et est extra totum ens, ut sic in privatione locum habeat ratio Parmenidis. Quicquid est praeter ens est non ens, non autem in materia, ut dicebant Platonici. Et quod privatio pertineat ad malum, hoc ostendit per hoc, quod forma est quoddam divinum et optimum et appetibile. Divinum quidem est, quod omnis forma est quaedam participatio similitudinis divini esse, quod est actus purus: unumquodque enim intantum est actu inquantum habet formam. Optimum autem est, quia actus est perfectio potentiae et bonum ejus; et per consequens sequitur quod sit appetibile: quia unumquodque suam appetit perfectionem. Privatio autem opponitur formae, cum non sit aliud quam remotio ejus: unde, cum id quod opponitur bono et removet ipsum, sit malum; manifestum est quod privatio pertinet ad malum: unde sequitur quod non sit idem quod materia, quae est causa rei sicut mater.

Secundo ibi « aliud autem »

Ostendit idem per rationem ducentem ad impossibile hoc modo. Cum forma sit quoddam bonum et appetibile, materia, quae est aliud a privatione et a forma, est apta nata appetere et desiderare ipsam secundum suam naturam. Sed quibusdam, qui non distinguunt materiam a privatione, accidit hoc inconveniens, quod contrarium appetet corruptionem suiipsius; quod est inconveniens. Et quod hoc accidat sic ostendit: quia, si materia appetit formam, non appetit eam secundum quod est sub ipsa forma, quia jam non indiget esse per eam, appetitus autem omnis est propter indigentiam, quia est non habiti : similiter et non appetit eam secundum quod est sub contrario vel privatione, quia unum contrarium est alterius corruptivum, et sic aliquid appeteret sui corruptionem. Manifestum est igitur quod materia, quae appetit formam, est aliud ratione, sicut a forma, ita et a privatione. Si enim materia appetit formam secundum propriam naturam, ut dictum est; si ponitur quod materia et privatio sint eaedem ratione, sequitur quod privatio appetit formam, et ita appetit suiipsius corruptionem, quod est impossibile: unde et hoc impossibile est, quod materia et privatio sint eaedem ratione. Sed tamen et materia est hoc, id est privationem habens, sicut si femina appetat masculum, et turpe appetat bonum: non quod ipsa turpitudo appetat bonum sibi contrarium, sed secundum accidens, quia id cui accidit esse turpe, appetit esse bonum; et similiter femineitas non appetit masculinum, sed id cui accidit esse feminam. Et similiter privatio non appetit esse formam, sed id cui accidit privatio, scilicet materia. Sed contra haec verba Philosophi Avicenna tripliciter opponit. Primo quidem, quia materiae non competit neque appetitus animalis, ut per se manifestum est: neque appetitus naturalis, ut appetat formam, cum non habeat aliquam formam vel virtutem inclinantem ipsam ad aliquid: sic enim grave naturaliter appetit locum infimum, in quantum sua gravitate inclinatur ad locum talem. Secundo objicit ex hoc, quod, si materia appetit formam, hoc est, quia caret omni forma, aut quia appetit multas formas habere simul, quod est impossibile; aut quia fastidit formam quam habet, et quaerit habere aliam; et hoc etiam est vanum; nullo igitur modo dicendum videtur quod materia appetat formam. Tertio objicit per hoc, quia dicere quod materia appetat formam, sicut femina masculum, est figurate loquentium, scilicet poetarum, et non philosophorum. Sed hujusmodi objectiones facile est solvere. Sciendum est enim, quod omne quod appetit aliquid, vel cognoscit ipsum, et se ordinat in illud; vel tendit in ipsum ex ordinatione et directione alicujus cognoscentis; sicut sagitta tendit in determinatum signum ex directione et ordinatione sagittantis. Nihil est igitur aliud appetitus naturalis quam ordinatio aliquorum secundum propriam naturam in finem suum. Non solum autem aliquid ens in actu per virtutem activam ordinatur in suum finem, sed etiam materia secundum quod est in potentia; nam forma est finis materiae. Nihil igitur est aliud materiam appetere formam, quam eam ordinari ad formam; ut potentia ad actum. Et quia sub quacumque forma sit, adhuc remanet in potentia ad aliam formam, ideo est ei semper appetitus formae; non propter fastidium formae quam habet, nec propter hoc quod quaerat contraria esse simul; sed quia est in potentia ad alias formas dum unam habet in actu. Nec etiam utitur hic figurata locutione, sed exemplari. Dictum est enim supra quod materia prima scibilis est secundum proportionem, inquantum sic se habet ad formas substantiales, sicut materiae sensibiles ad formas accidentales. Et ideo ad manifestandum materiam primam oportet uti exemplo sensibilium substantiarum. Sicut igitur usus est exemplo aeris infigurati et hominis non musici ad materiam, ita nunc ad ejus manifestationem utitur exemplo feminae virum appetentis et turpis appetentis bonum: hoc enim accidit eis inquantum habent de ratione materiae. Sciendum tamen est, quod Aristoteles hic loquitur contra Platonem, qui talibus metaphoricis locutionibus ute-

batur, assimilans materiam matri et feminae et formam masculo. Et ideo Aristoteles utitur contra eum metaphoris ab eo assumptis.

Deinde cum dicit « corrumpitur autem »

Ostendit quomodo materia corrumpatur; et dicit, quod quodammodo corrumpitur, et quodammodo non: quia secundum quod est in ea privatio, sic corrumpitur, cum cessat in ea esse privatio; ut si diceremus aes infiguratum corrumpi, quando desinit esse infiguratum. Sed secundum se, inquantum est quoddam ens in potentia, est ingenita et incorruptibilis. Quod sic patet. Si enim materia fiat, oportet ei aliquid subjici ex quo fiat, ut patet ex superioribus. Sed primum quod subjicitur in generatione est materia: hoc enim dicimus materiam, primum subjectum, ex quo aliquid fit per se, et non secundum accidens, et inest rei jam factae. Et utrumque eorum ponitur ad differentiam privationis ex qua fit aliquid per accidens, et non inest rei factae. Sequitur ergo, quod materia sit antequam fiat, quod est impossibile. Et similiter omne quod corrumpitur, resolvitur in materiam primam: quando igitur jam est materia prima, tunc est corruptum. Et sic, si materia prima corrumpatur, erit corrupta antequam corrumpatur; quod est impossibile. Sic igitur est impossibile materiam primam generari vel corrumpi. Sed ex hoc non excluditur quin per creationem in esse procedat.

Deinde cum dicit « de principio »

Quia jam excluserat errores circa materiam et privationem, restare videbatur ut excluderet errores et dubitationem circa formam. Posuerunt enim quidam formas separatas, scilicet ideas, quas reducebant ad unam primam ideam. Et ideo dicit, quod de principio formali utrum sit unum vel plura, et quot et quae sunt, pertinet determinare ad philosophiam primam, et usque ad id tempus reservetur: quia forma est principium essendi, et ens inquantum hujusmodi, est subjectum primae philosophiae: sed materia et privatio sunt principia entis transmutabilis, quod a philosopho naturali consideratur. Sed tamen de formis naturalibus et corruptibilibus in sequentibus hujus doctrinae determinabitur. Ultimo autem epilogat quae dicta sunt: et dicit quod sic determinatum est, quod principia sunt, et quae et quot. Sed oportet iterum aliter principium facere scientiae naturalis, inquirendo scilicet principia scientiae.

LIBER SECUNDUS

SUMMA LIBRI. — DE NATURA ET NATURALIUM RERUM QUIDDITATE, ET EARUM QUATUOR CAUSARUM GENERIBUS PER SE: DEQUE CASU AC FORTUNA CAUSIS PER ACCIDENS, EORUMQUE VARIIS EFFECTIBUS AC MODIS.

LECTIO I.

Quid natura sit: quaeve natura, aut secundum naturam sint:
quodque natura sit demonstrare ridiculum esset, cum eam esse, per se notum sit.

ANTIQUA.

Eorum quae sunt, alia quidem sunt natura, alia vero propter alias causas. Natura quidem sunt animalia quaeque, et partes ipsorum, et plantae, et simplicia corpora, ut terra, et ignis, et aer et aqua: haec enim et hujusmodi esse natura dicimus. Omnia autem, quae praedicta sunt, videntur differentia ad non natura existentia: quae quidem enim natura sunt, omnia videntur habere in se ipsis principium motus et status: haec quidem secundum locum, illa vero secundum augmentum et decrementum, quaedam autem secundum alterationem. Lectulus autem et indumentum et si aliquod hujusmodi genus est, secundum quod quidem sortitum est praedicationem unamquamque, et inquantum est ab arte, neque unum habet impetum mutationis innatum. Secundum autem quod contingit ipsis lapideis aut terreis esse, aut mistis ex his, habent hoc tantum.

Est igitur Natura principium alicujus et causa movendi et quiescendi in quo est primum, per se, et non secundum accidens. Dico autem non secundum accidens, cum fiat utique ipse sibi aliquis causa sanitatis, cum sit medicus: sed tamen non secundum quod sanatur medicinam habet, sed accidit eumdem medicum esse et sanari: unde et dividuntur aliquando abinvicem. Similiter autem et aliorum unumquodque quae fiunt: nullum enim ipsorum habet in seipso factionis principium: sed alia quidem in aliis et ab exteriori, ut domus et aliorum manu incisorum unumquodque: alia autem in seipsis quidem, sed non secundum seipsa. Quaecumque autem secundum accidens fiunt causae sunt utique ipsis: est igitur Natura quod dictum est.

Naturam autem habent quaecumque hujusmodi habent principium: et sunt haec omnia subjecta: subjectum enim quoddam et in subjecto est natura semper.

Secundum naturam autem sunt et haec quaecumque his insunt secundum se, ut igni ferri sursum: hoc enim natura quidem non est, neque habet naturam, sed a natura et secundum naturam est. Quid quidem igitur natura sit, dictum est: et quid quod a natura, et secundum naturam.

Quod autem est natura tentare demonstrare ridiculum est: manifestum enim est, quod hujusmodi rerum sunt multa. Demonstrare autem manifesta per immanifesta, non potentis judicare est propter ipsum, et non propter ipsum cognitum. Quod autem contingat hoc pati, non immanifestum est. Syllogizet enim aliquis cum natus sit caecus de coloribus. Quare necesse est hujusmodi de nominibus habere rationem, nihil autem intelligere.

RECENS.

Eorum quae sunt, alia natura constant, alia per alias causas. Natura quidem constant et animalia, et eorum partes, et plantae, et simplicia corpora, ut terra, et ignis, et aer, et aqua. Haec enim et ejusmodi alia dicimus natura constare. Haec autem quae dicta sunt omnia differre videntur ab iis quae natura non constant. Nam quaecumque natura constant, videntur in se ipsis habere principium motus et quietis, alia secundum locum, alia secundum accretionem et diminutionem, alia secundum variationem.

Lectica vero, et vestimentum, et si quod aliud ejusmodi genus est, qua singulis his appellationibus significantur, et quatenus ab arte sunt, nullum mutationis impetum insitum habent: qua vero eis accidit ut sint lapidea, vel terrea, vel ex his mixta, habent; et in tantum quidem, quatenus natura est principium quoddam et causa cur id moveatur et quiescat, in quo inest primum, per se, non ex accidenti. Dico autem, non ex accidenti, quia fieri potest ut aliquis sibi ipsi sit causa sanitatis, quum sit medicus: verumtamen, non quatenus sanatur, medicinam habet, sed accidit eumdem esse medicum et sanari. Idcirco haec aliquando a se invicem separantur.

Similiter vero se habet unumquodque ceterorum quae fiunt: nullum enim eorum habet in se principium effectionis; sed quaedam in aliis et extra habent, ut domus, et unumquodque aliorum quae manu efficiuntur: quaedam in se ipsis habent quidem, non tamen per se, nimirum quaecumque ex accidenti sibi ipsis causae fieri possunt. Natura igitur est quod dictum fuit.

Naturam vero habent, quaecumque habent ejusmodi principium. Atque haec omnia sunt substantia. Natura namque semper est subjectum quoddam et in subjecto.

Secundum naturam autem dicuntur et haec et quae his insunt per se, ut igni sursum ferri. Hoc enim non est natura, nec habet naturam, sed est naturaliter et secundum naturam.

Dictum est igitur quid sit natura, et quid sit quod est naturaliter, et secundum naturam. Esse autem naturam conari probare, ridiculum est: patet enim ejusmodi entia multa esse. Demonstrare autem quae sunt perspicua, ex obscuris, ejus est qui non potest dijudicare quod est per se, et quod non est per se notum. Posse autem aliquem ita esse affectum, non est obscurum. Aliquis enim qui ab ortu sit caecus, potest de coloribus ratiocinari. Quare necesse est his esse disputationem de nominibus, sed ipsos nihil intelligere.

Postquam Philosophus in primo libro determinavit de principiis rerum naturalium, hic determinat de principiis scientiae naturalis. Ea autem quae primo oportet cognoscere in aliqua scientia, sunt subjectum ipsius et medium per quod demonstrat. Unde hic secundus liber in duas partes dividitur. In prima determinat de quibus sit consideratio scientiae naturalis. In secunda ex quibus causis demonstrat, ibi, « Determinatis autem his. » Prima dividitur in duas: prima ostendit quid sit natura. In secunda de quibus considerat scientia naturalis, ibi, « Quoniam autem determinatum est. » Prima dividitur in duas. In prima ostendit quid sit natura. In secunda quot modis dicitur, ibi, « Vi-« detur autem natura. » Prima dividitur in duas. In prima ostendit quid sit natura. In secunda excludit intentionem quorumdam tentantium demonstrare quod natura sit, ibi, « Quod autem natura sit. » Circa primum duo facit. Primo notificat naturam. Secundo ea quae denominantur a natura, ibi, « Na-« turam autem habent. » Circa primum tria facit. Primo investigat definitionem naturae. Secundo concludit eam, ibi, « Est igitur natura. » Tertio exponit ipsam definitionem, ibi, « Dico autem non « secundum accidens. » Dicit ergo primo quod inter omnia entia, quaedam esse dicimus a natura: quaedam vero ab aliis causis, puta ab arte vel a casu. Dicimus autem esse a natura quaelibet animalia, et partes ipsorum, sicut carnem et ossa, et etiam plantas, et corpora simplicia, sicut elementa, quae non resolvuntur in aliqua corpora priora, ut sunt terra, ignis, aer et aqua: haec enim omnia et similia a natura esse dicuntur. Et differunt haec omnia ab his quae non sunt a natura: quia omnia hujusmodi videntur habere in se principium alicujus motus et status: quaedam quidem secundum locum, sicut gravia et levia, et etiam corpora caelestia: quaedam vero secundum augmentum et decrementum, ut animalia et plantae: quaedam vero secundum alterationem, ut corpora simplicia, et omnia quae componuntur ex eis. Sed ea quae non sunt a natura, sicut lectus et indumentum et similia, quae accipiunt hujusmodi praedicationem, secundum quod sunt ab arte, nullius mutationis principium habent in seipsis nisi per accidens, inquantum scilicet materia et substantia corporum artificiatorum sunt res naturales. Sic igitur inquantum artificialibus accidit esse ferrea vel lapidea, habent aliquod principium motus in seipsis, sed non inquantum sunt artificiata: cultellus enim habet in se principium motus deorsum, non inquantum est cultellus, sed inquantum est ferreus. Sed videtur hoc non esse verum quod secundum quamlibet mutationem rerum naturalium principium motus sit in eo quod movetur. In alteratione enim et generatione simplicium corporum, totum principium motus videtur esse ab extrinseco agente: puta cum aqua calefit, vel aer in ignem convertitur, principium mutationis est ab exteriori agente. Dicunt ergo quidam, quod etiam in hujusmodi mutationibus principium activum motus est in eo quod movetur, non quidem perfectum, sed imperfectum, quod coadjuvat actionem exterioris agentis. Dicunt enim, quod in materia est quaedam inchoatio formae, quam dicunt esse privationem, quae est tertium principium naturae. Et ab hoc principio intrinseco, generationes et alterationes corporum simplicium naturales dicuntur. Sed hoc non potest

esse: quia, cum nihil agat nisi secundum quod est in actu, praedicta inchoatio formae, cum non sit actus, sed aptitudo quaedam ad actum, non potest esse principium activum. Et praeterea, etiam si esset forma completa, non ageret in suum subjectum alterando ipsum: quia forma non agit, sed compositum, quod non potest seipsum alterare nisi sint in eo duae partes, quarum una sit alterans et alia alterata. Et ideo dicendum est, quod in rebus naturalibus eo modo est principium motus, quo eis motus convenit. Quibus ergo convenit movere, est in eis principium activum motus: quibus autem competit moveri, est in eis principium passivum, quod est materia. Quod quidem principium, inquantum habet potentiam naturalem ad talem formam et motum, facit esse motum naturalem. Et propter hoc factiones rerum artificialium non sunt naturales: quia licet principium materiale sit in eo quod fit, non tamen habet potentiam naturalem ad talem formam. Et sic etiam motus localis corporum caelestium est naturalis, licet sit a motore separato, inquantum in ipso corpore caeli est potentia naturalis ad talem motum. In corporibus vero gravibus et levibus est principium formale sui motus; sed hujusmodi principium formale non potest dici potentia activa, ad quam pertinet motus iste, sed comprehenditur sub potentia passiva. Gravitas enim in terra non est principium ut moveat, sed magis ut moveatur: quia sicut alia accidentia consequuntur formam substantialem, ita et locus; et per consequens moveri ad locum; non tamen ita, quod forma naturalis sit motor, sed motor est generans, quod dat talem formam, ad quam talis motus consequitur.

Secundo ibi « est igitur »

Concludit ex praemissis definitionem naturae hoc modo. Naturalia differunt a non naturalibus inquantum habent naturam. Sed non differunt a non naturalibus, nisi inquantum habent principium motus in seipsis. Ergo natura nihil aliud est, quam principium motus et quietis in eo in quo est, primo et per se, et non secundum accidens. Ponitur autem in definitione naturae principium, quasi genus, et non aliquid absolutum: quia nomen naturae importat habitudinem principii. Quia enim nasci dicuntur ea quae generantur conjuncta generanti, ut patet in plantis et animalibus, ideo principium generationis vel motus natura nominatur. Unde deridendi sunt qui volentes definitionem Aristotelis corrigere, naturam per aliquod absolutum definire conati sunt, dicentes, quod natura est vis insita rebus, vel aliquid hujusmodi. Dicitur autem « prin-« cipium et causa » ad designandum, quod non omnium motuum natura est eodem modo principium in eo quod movetur, sed diversimode, ut dictum est. Dicit autem, « movendi et quiescendi, » quia ea, quae naturaliter moventur ad locum, similiter, vel magis naturaliter in loco quiescunt. Propter hoc enim ignis naturaliter movetur sursum, quia naturaliter ibi, est; et propter quod unumquodque et illud magis. Non tamen intelligendum est, quod in quolibet quod movetur naturaliter, natura sit etiam principium quiescendi: quia corpus caeleste naturaliter quidem movetur, sed non naturaliter quiescit: sed hoc pro tanto dicitur, quia non solum motus, sed etiam quietis principium est. Dicit autem, « in quo est, » ad differentiam artificialium, in quibus non est motus nisi per accidens. Addit autem, « primum » quia natura, etsi sit principium motus compositorum, non tamen primo. Unde, quod animal movetur deorsum, non est ex natura animalis inquantum est animal, sed ex natura dominantis elementi. Quare autem dicat, « per se et non secundum accidens, » exponit consequenter cum dicit, « Dico autem non secun-« dum accidens. » Contingit enim aliquando quod aliquis medicus est sibiipsi causa sanitatis: et sic principium suae sanationis est in eo, sed per accidens: unde principium sanationis in eo non est natura: non enim secundum quod sanatur habet medicinam, sed secundum quod est medicus. Accidit autem eumdem esse medicum et sanari: sanatur enim inquantum est infirmus: et ideo, quia per accidens conjunguntur, aliquando per accidens dividuntur; contingit enim alium esse medicum sanantem, et alium infirmum qui sanatur. Sed principium motus naturalis est in corpore naturali, quod movetur, inquantum movetur: inquantum enim ignis habet levitatem, fertur sursum: nec dividuntur ad-invicem, ut aliud sit corpus quod movetur sursum, et aliud leve; sed semper unum et idem. Et sicuti est de medico sanante, ita est de omnibus arti-ficialibus: nullum enim eorum habet in seipso suae factionis principium; sed quaedam fiunt ab extrin-seco, ut domus, et alia, quae manu inciduntur: quaedam autem fiunt a principio intrinseco, sed per accidens, ut dictum est. Et sic dictum est, quid sit natura.

Deinde cum dicit « naturam autem »

Definit ea quae a natura denominantur: et dicit, quod habentia naturam sunt illa quae habent in seipsis principium sui motus. Et talia sunt omnia subjecta naturae: quia natura est subjectum, se-cundum quod natura dicitur materia: et est in subjecto, secundum quod natura dicitur forma.

Deinde cum dicit « secundum naturam »

Exponit quid sit secundum naturam. Et dicit, quod secundum naturam esse dicuntur tam subjecta quorum esse est a natura: quam etiam accidentia quae in eis in sunt causata ab hujusmodi princi-pio: sicut ferri sursum non est ipsa natura, neque habens naturam, sed est causatum a natura. Et sic dictum est quid sit natura, et quid sit illud quod habet naturam, et quid sit secundum naturam.

Deinde cum dicit « quod autem »

Excludit praesumptionem quorumdam volentium demonstrare quod natura sit: et dicit, quod ridicu-lum est, quod aliquis tentet demonstrare quod natura sit, cum manifestum sit secundum sensum, quod multa sunt a natura, quae habent principium sui motus in se. Velle autem demonstrare manife-stum per non manifestum, est hominis qui non potest judicare quid est notum propter se, et quid non est notum propter se; quia dum vult demon-strare id quod est notum propter se, utitur eo quasi non propter se noto. Et quod id contingat aliquibus, manifestum est: aliquis enim caecus natus aliquando syllogizat de coloribus: cui tamen non est per se notum id quo utitur ut principio, quia non habet intellectum rei. Sed utitur solum nomi-nibus, eo quod cognitio nostra ortum habet a sensu, et cui deficit unus sensus deficit una scientia. Unde caeci nati, qui nunquam senserunt colorem, non possunt aliquid de coloribus intelligere: et sic utuntur non notis quasi notis. Et e contra ac-cidit his qui volunt demonstrare naturam esse, quia utuntur notis ut non notis. Naturam autem esse, est per se notum, inquantum naturalia sunt manifesta sensui. Sed quid sit uniuscujusque rei natura, vel quod principium motus, hoc non est manifestum. Unde patet per hoc, quod irrationabi-liter Avicenna conatus est improbare Aristotelis dictum, volens, quod naturam esse possit demon-strari, sed non a naturali: quia nulla scientia probat sua principia; sed ignorantia principiorum moventium non impedit quin naturam esse sit per se notum, ut dictum est.

LECTIO II.

Quot nam modis dicatur natura, quidve magis naturae nomine dignum; sit materia, an forma: cujus item duplex esse genus dicit.

Videtur autem nonnullis natura et substantia eorum quae natura sunt esse quod primum inest unicuique non forma-tum per seipsum, ut lectuli natura lignum, statuae autem aes. Signum autem dicit Antiphon: quoniam si aliquis projecerit lectum deorsum, et accipiat potentiam putrescens ut utique sit germen: non utique fieri lectum, sed lignum: tamquam dicat, secundum accidens esse dispositionem secundum legem et artem, substantiam autem illa quae permanet, haec pa-tiens continue. Sic autem et horum unumquodque ad alterum aliquod idem hoc sustinuit (ut aes quidem et aurum ad a-quam: ossa autem et ligna ad terram, similiter autem et aliorum quodlibet) illa naturam esse et substantiam ipsorum. Unde sane hi quidem terram, alii vero ignem, alii aerem dicunt, quidam autem aquam, quidam vero quaedam horum. Sed alii omnia haec naturam esse eorum quae sunt: quot

Jam vero quibusdam videtur natura et essentia eorum quae natura constant, esse id quod primum cuique rei inest, informe per se: ut lecticae natura est lignum, statuae vero aes. Cujus rei signum esse inquit Antiphon, quod, si quis defoderit lecticam, et putredo vim acceperit, adeo ut ger-minet, certe non fiet lectica, sed lignum: quasi illud ex ac-cidenti insit, nempe dispositio quae est secundum formam et artem; essentia vero ea sit, quae etiam permanet, ab his continenter affecta.

Quodsi etiam horum unumquodque ad aliud quiddam eodem modo est affectum (veluti aes et aurum ad aquam, ossa autem et ligna ad terram, similiterque aliud quodvis), ea inquit esse ipsorum naturam et essentiam.

Idcirco alii terram, alii ignem, alii aerem, alii aquam, alii nonnulla ex his, alii haec omnia inquiunt esse rerum

enim aliquis acceperit ipsorum hujusmodi, sive unum sive multa hoc, et tanta dicit esse omnem substantiam: alia autem omnia passiones istorum, et habitus et dispositiones. Et horum quidem quodlibet esse perpetuum: non enim esse mutationem ipsis ex seipsis: alia autem fieri et corrumpi infinities. Uno quidem modo natura sic dicitur, primo unicuique subjecta materia habentium in seipsis motus principium et mutationis.

Alio autem modo forma et species quae est secundum rationem. Sicut enim ars dicitur qnod est secundum artem et artificiosum, sic et natura quod secundum naturam dicitur, et quod naturale. Neque autem illud adhuc dicimus habere secundum artem nihil, si potentia tantum est, ut lectulus, nondum enim habet formam lectuli, neque esse secundum artem, neque in his quae natura subsistunt: potentia enim caro, aut os, neque habet adhuc suiipsius naturam prinsquam accipiat formam secundum rationem, qua definientes dicimus, quid est caro aut os, neque natura est. Quare alio modo natura utique erit habentium in seipsis motus principium forma et species non separabilis, sed aut secundum rationem. Quod autem est ex his, natura quidem non est, sed a natura, ut homo: et magis natura hoc est quam materia: unumquodque enim tunc dicitur, cum endelechia sit, et magis, quam cum potentia.

Amplius fit ex homine homo, sed non lectulus ex lectulo: unde dicunt figuram non esse naturam, sed lignum: quoniam fiet utique si germinet non lectulus sed lignum. Sic ergo haec est ars, et forma est natura: fit enim ex homine homo. Amplius autem natura dicta sicut generatio via est in naturam: non enim quemadmodum medicatio dicitur non in medicinam via, sed in sanitatem. Necesse quidem enim est a medicina non in medicinam esse medicationem. Non sic autem natura se habet ad naturam, sed quod nascitur ex quodam in quoddam venit secundum quod nascitur. Quod igitur innascitur non ex quo, sed in quod. Forma itaque natura est.

Sed forma et natura dupliciter dicitur: etenim privatio species quodammodo est. Si autem est privatio et contrarium aliquid circa simplicem generationem aut non est, posterius considerandum est.

naturam. Quod enim quisque existimavit esse tale, sive unum sive multa, hoc et tot inquiunt esse universam essentiam, reliqua autem omnia esse horum affectiones, et habitus, et dispositiones.

Et horum quidem quodvis esse sempiternum (non enim esse ipsis mutationem ex se ipsis); cetera vero fieri et interire infinities. Uno igitur modo natura sic dicitur, nimirum prima cuique rei in se motus et mutationis principium habenti subjecta materia. Alio autem modo forma et species, quae in definitione ponitur.

Ut enim dicitur ars, quod est secundum artem, et quod est artificiosum: ita etiam dicitur natura, quod est secundum naturam, et quod est naturale. Neque in illo autem ullo modo dicemus habere quidpiam secundum artem, si potestate tantum sit lectica, necdum habeat lecticae speciem, neque dicimus esse artem: neque in iis quae natura constant. Quod enim potestate est caro aut os, id necdum habet suam ipsius naturam priusquam acceperit formam quae ponitur in definitione (hoc est quum dicimus definientes quid sit caro, vel os), nec natura constat.

Quare alio modo natura fuerit eorum quae in se principium motus habent forma et species, quae non est separabilis, nisi secundum definitionem. Quod autem ex his est compositum, natura quidem non est, sed naturaliter est seu natura constat, ut homo. Atque haec magis quam materia, est natura. Unumquodque enim tunc dicitur, quum actu est, potius quam quum est potestate.

Praeterea fit homo ex homine, non lectica ex lectica. Ideoque inquiunt, non figuram, sed lignum esse naturam; quia, si germinaret, non fieret lectica, sed lignum. Si igitur hoc est ars, etiam forma est natura: fit enim ex homine homo. Praeterea natura accepta pro generatione, est via ad naturam. Non enim ita se habet, ut medicatio, quae dicitur via non ad medicinam, sed ad sanitatem; necesse enim est medicationem a medicina esse, non ad medicinam: sed non ita habet natura ad naturam. Verum id quod nascitur, ex aliquo ad aliquid venit seu nascitur. Ad quod igitur veniendo nascitur? non ad id ex quo, sed ad id ad quod.

Forma igitur est natura. Forma autem et natura duobus modis dicitur; etenim privatio est quodammodo forma. Utrum autem privatio et contrarium quidpiam sit in simplici generatione, necne, posterius erit considerandum.

Postquam Philosophus ostendit quid est natura, hic ostendit quot modis natura dicitur. Et primo ostendit, quod natura dicitur de materia: secundo, quod dicitur de forma, ibi, « Alio autem modo. » Circa primum sciendum est, quod antiqui philosophi naturales, non valentes usque ad primam materiam pervenire, ut supradictum est, aliquod corpus sensibile primam materiam omnium rerum ponebant, ut ignem, vel aerem, vel aquam: et sic sequebatur, quod omnes formae advenirent materiae tamquam in actu existenti, ut contingit in artificialibus: nam forma cultelli advenit ferro jam existenti in actu. Et ideo similem opinionem accipiebant de formis naturalibus sicut de artificialibus. Dicit ergo primo, quod quibusdam videtur, quod hoc sit substantia et natura rerum naturalium, quod primo inest unicuique, quod secundum se considerandum est informe; ut si dicamus, quod natura lecti est lignum, et natura statuae est aes; nam lignum est in lecto, et secundum se consideratum non est formatum. Et hujusmodi signum dicebat Antiphon esse hoc, quod si aliquis projiciat lectum ad terram et ligna putrescendo accipiant potentiam ut aliquid ex eis germinetur, illud quod generatur non erit lectus, sed lignum. Et, quia substantia est quae permanet, et naturae est sibi simile generare, concludebat, quod omnis dispositio quae est secundum quamcumque legem rationis vel artem, sit accidens: et illud quod permanet sit substantia: quae continue patitur hujusmodi dispositionum immutationem. Supposito ergo quod rerum artificialium formae sint accidentia, et

materia sit substantia, assumebant aliam propositionem: quod sicut se habent lectus et statua ad aes et lignum, ita et quodlibet horum se habet ad aliquid aliud quod est materia ipsorum, ut aes et aurum ad aquam: quia omnium liquefactibilium materia videtur esse aqua: et ossa et ligna ad terram, et similiter est de quolibet aliorum naturalium. Unde concludebat, quod illa materialia subsistentia formis naturalibus sint natura et substantia eorum. Et propter hoc quidam dixerunt terram esse naturam et substantiam omnium rerum, scilicet primi poetae theologizantes. Posteriores vero philosophi, vel ignem, vel aerem, vel aquam, vel quaedam horum, vel omnia haec, ut ex superioribus patet. Quia tot de numero eorum dicebant esse substantiam omnium rerum, quot accipiebant esse principia materialia; et omnia alia dicebant esse accidentia horum, idest materialium principiorum, vel per modum passionis, vel per modum habitus, vel per modum dispositionis, vel cujuslibet alterius, quod reducatur ad genus accidentis. Et haec est una differentia, quam ponebant inter principia materialia et formalia; quia dicebant ea differre secundum substantiam et accidens. Alia autem differentia est, quia dicebant differre secundum perpetuum et corruptibile; nam quodcumque praemissorum corporum simplicium ponebant esse materiale principium, dicebant illud esse perpetuum: non enim dicebant, quod transmutarentur invicem. Sed omnia alia dicebant fieri et corrumpi infinities: ut puta, si aqua sit principium materiale, dicebant aquam nunquam corrumpi, sed manere eam in omnibus, sicut substantiam eorum. Sed aes et aurum ut alia hujusmodi dicebant corrumpi et generari infinities. Haec autem positio quantum ad aliquid vera est, et quantum ad aliquid falsa. Quantum enim ad hoc, quod materia sit substantia et natura rerum naturalium, vera est: materia enim intrat constitutionem substantiae cujuslibet rei naturalis: sed quantum ad hoc, quod dicebant, omnes formas esse accidentia, falsa est. Unde ex hac opinione et ratione ejus concludit id quod verum est, scilicet quod natura uno modo dicitur materia quae subjicitur unicuique rei naturali habenti in se principium motus vel cujuscumque mutationis; nam motus est species mutationis, ut in quinto hujus dicetur.

Secundo ibi « alio autem »

Ostendit, quod natura dicitur de forma. Et circa hoc duo facit. Primo ostendit propositum: scilicet quod forma sit natura. Secundo ostendit formarum diversitatem, ibi, « Sed forma sit natura. » Primum ostendit tribus rationibus. Dicit ergo primo, quod alio modo dicitur natura forma et species, quae est secundum rationem, idest ex qua ratio rei constituitur: et hoc probat tali ratione. Sicut enim illud est ars, quod competit alicui inquantum est secundum artem et artificiosum; ita illud est natura, quod competit alicui inquantum est secundum naturam et naturale. Sed illud, quod est in potentia tantum ad hoc, quod sic artificiosum, non dicimus habere aliquod esse artis, quia nondum habet speciem lecti: ergo in rebus naturalibus id quod est potentia caro et os, non habet naturam carnis et ossis antequam accipiat formam, secundum quam sumitur ratio definitiva rei, per quam scilicet scimus quid est caro vel os: nec adhuc est natura in ipso antequam habeat formam: ergo natura rerum naturalium habentium in se principium motus, aliquo modo etiam forma est: quae licet non separetur a materia secundum rem, tamen differt ab ea ratione. Sicut enim aes et infiguratum, quanvis sint unum subjecto, tamen ratione differunt; ita materia et forma. Et hoc pro tanto dicit, quia nisi forma esset aliud secundum rationem a materia, non esset alius et alius modus quo materia dicitur natura, et quo forma dicitur natura. Posset autem aliquis credere, quod quia materia dicitur natura et etiam forma, quod compositum possit dici natura, quia substantia dicitur de forma et materia, et de composito. Sed hoc excludit, dicens, quod compositum ex materia et forma, ut homo, non est ipsa natura, sed est aliquid a natura, quia natura habet rationem principii, compositum autem habet rationem principiati. Ulterius autem ex ratione praemissa procedit ad ostendendum, quod forma sit magis natura quam materia: quia unumquodque magis dicitur secundum quod est actu, quam secundum quod est in potentia: unde forma secundum quam aliquid est naturale in actu, est magis natura quam materia, secundum quam est aliquid naturale in potentia.

Secundam rationem ponit ibi « amplius fit »

Dicit, quod licet non fiat lectulus ex lectulo, ut Antiphon dicebat, fit tamen homo ex homine. Unde verum est quod dicunt, quod forma lecti non est natura, sed lignum; quoniam, si lignum germinet, non fiet lectulus, sed lignum. Sicut igitur haec forma, quae non redit per germinationem, non est natura, sed ars; ita forma quae redit per generationem est natura: sed forma rei naturalis redit per generationem: fit enim ex homine homo: ergo forma rei naturalis est natura.

Tertiam rationem ponit ibi « amplius autem »

Quae talis est. Natura potest significari ut generatio: puta si natura dicatur nativitas. Sic igitur natura dicta ut generatio, id est nativitas, est via in naturam: haec enim est differentia inter actiones et passiones, quod actiones denominantur a principiis, passiones vero a terminis. Unumquodque enim denominatur ab actu, qui est principium actionis et terminus passionis. Non enim ita est in passionibus sicut in actionibus: medicatio enim non dicitur via in medicinam, sed in sanitatem: necesse est enim quod medicatio sit a medicina, non in medicinam. Sed « natura dicta sicut generatio, » idest nativitas, non sic se habet ad naturam sicut medicatio ad medicinam; sed se habet ad naturam sicut ad terminum, cum sit passio: id enim quod nascitur, a quodam in quoddam venit, in quantum nascitur: unde id quod nascitur denominatur ab eo in quod, non ab eo ex quo. Id autem in quod tendit nativitas, est forma: forma igitur est natura.

Deinde cum dicit « sed forma »

Ostendit, quod natura, quae est forma, dupliciter dicitur: scilicet de forma incompleta et forma completa. Et hoc patet in generatione secundum quid: ut puta cum aliquid fit album: nam albedo est forma completa, et privatio albedinis est quodammodo species, inquantum conjungitur nigredini, quae est forma imperfecta. Sed utrum in generatione simplici, quae est substantiarum, sit aliquid quod sit privatio et contrarium simul, ita quod formae substantiales sint contrariae, vel non; considerandum est posterius in quinto hujus, et in libro de Generatione.

LECTIO III.

Differentia quae est inter physici et mathematici contemplationem de eadem re, traditur.

ANTIQUA.

Quoniam autem determinatum est quot modis natura dicitur, post hoc speculandum est quo differat mathematicus a physico.

RECENS.

Quum autem definitum sit quot modis natura dicatur, deinceps videndum est quo differat mathematicus a physico: naturalia namque corpora planities habent, et soliditates, et

Etenim plana et firma habent physica corpora et longitudines et puncta, de quibus intendit mathematicus.

Amplius astrologia aut altera est, aut pars physicae. Si enim physici est quid sit sol aut luna scire: accidentium autem, quae sunt per se, nullum, inconveniens est. Et aliter quoniam videntur de natura dicentes et de figura solis et lunae: et utrum sphaerica sit terra et mundus aut non.

De his quidem igitur negociatur et mathematicus, sed non inquantum physici corporis terminus est unumquodque. Neque accidentia speculatur inquantum talibus existentibus accidunt.

Unde et abstrabit. Abstracta enim sunt intellectu a motu et nihil differt: neque fit mendacium abstrahentium.

Latet autem hoc facientes et ideas dicentes. Physica enim abstrahunt: cum minus sint abstracta mathematicis.

Fiet autem hoc manifestum si aliquis utrorumque tentaverit dicere terminos et ipsorum et accidentium. Impar quidem enim et par, rectum, curvum, adhuc autem et linea et figura sine motu. Caro autem et os, et homo non adhuc, sed haec sicut naris sima, sed non sicut curvum dicuntur.

Demonstrant autem et quae magis physica quam mathematica: ut perspectiva, et harmonica, et astrologia; e contrario enim quodammodo se habent ad geometriam. Geometria quidem enim physicam intendit lineam: sed non inquantum est physica. Sed perspectiva quidem mathematicam lineam, sed non inquantum mathematica, sed inquantum est physica.

longitudines, et puncta; quae considerat mathematicus.

Praeterea videndum est utrum astrologia sit diversa a physica, an pars physicae. Nam si physici est scire quid sit sol aut luna, nihil autem eorum scire quae soli aut lunae per se accidunt, certe est absurdum: praesertim quia videntur, qui de natura disserunt, etiam loqui de figura lunae ac solis, et quaerere utrum terra et mundus sint rotunda necne.

De his igitur tractat etiam mathematicus, non tamen qua horum unumquodque est terminus corporis naturalis: neque horum accidentia contemplatur, qua ejusmodi rebus accidunt: ideo separat: sunt enim res in mutatione per intellectum separabiles; nihilque interest, nec falsum committitur ab iis qui separant.

Non animadvertunt autem se quoque hoc facere illi qui ideas esse dicunt; separant enim res naturales, quae minus separabiles sunt quam mathematicae. Hoc autem manifestum fieri potest, si quis utrorumque definitiones afferre conetur: id est, tam rerum ipsarum, quam accidentium. Impar enim erit et par, et rectum, et inflexum; praeterea numerus, et linea, et figura, sine motu erunt: caro autem. et os, et homo, non item: sed haec ut naris simus, non ut inflexum dicuntur.

Quinetiam hoc declarant eae mathematicae, quae sunt magis naturales: ut perspectiva, et musica, et astrologia. Contra enim quodammodo se habent ac geometria: quoniam geometria naturalem quidem lineam considerat, non tamen qua est naturalis; perspectiva autem mathematicam quidem lineam considerat, non tamen qua est mathematica, sed qua est naturalis.

Postquam Philosophus ostendit quid sit natura et quot modis dicitur, hic consequenter intendit ostendere de quibus considerat scientia naturalis. Et dividitur in partes duas. In prima ostendit quomodo differat naturalis a mathematico. In secunda ostendit ad quae se extendat consideratio scientiae naturalis, ibi, « Quoniam autem natura. » Circa primum tria facit. Primo movet quaestionem. Secundo ponit rationes ad quaestionem, ibi, « Etenim plana. » Tertio solvitur quaestio, ibi, « De « his igitur negociatur. » Dicit ergo primo, quod postquam determinatum est quot modis natura dicitur, considerandum est in quo differat mathematicus a naturali philosopho.

Deinde cum dicit « etenim plana »

Ponit rationes ad quaestionem: quarum prima talis est. Quaecumque scientiae considerant eadem subjecta, vel sunt eaedem, vel una est pars alterius: sed mathematicus philosophus considerat de punctis lineis et superficiebus et corporibus, et similiter naturalis: quod probat ex hoc, quod corpora naturalia habent, « plana, » idest superficies, « et firma, » idest soliditates, « et longitudines « et puncta. » Oportet autem quod naturalis consideret de omnibus quae insunt corporibus naturalibus: ergo videtur, quod scientia naturalis et mathematica vel sint eaedem, vel una sit pars alterius.

Secundam rationem ponit ibi « amplius astro-« logia »

Et circa hanc rationem primo movet quaestionem utrum astrologia sit omnino altera a naturali philosophia, vel sit pars ejus: manifestum est enim quod est pars mathematicae. Unde, si est etiam pars naturalis philosophiae, sequitur quod mathematica et physica conveniunt ad minus in hac parte. Quod autem astrologia sit physicae pars, probat dupliciter. Primo quidem per rationem talem. Ad quemcumque pertinet cognoscere substantias et naturas aliquarum rerum, ad eum etiam pertinet considerare accidentia illarum: sed ad naturalem pertinet considerare naturam et substantiam solis et

lunae, cum sint quaedam corpora naturalia, ergo ad eum pertinet etiam considerare per se accidentia ipsorum. Hoc etiam probatur ex consuetudine philosophorum. Nam philosophi naturales inveniuntur determinasse de figura solis et lunae et terrae et totius mundi, circa quod insudat etiam astrologorum intentio. Sic igitur astrologia et scientia naturalis conveniunt non solum in eisdem substantiis, sed etiam in consideratione eorumdem accidentium: et in demonstratione earumdem conclusionum. Unde videtur quod astrologia sit pars physicae, et per consequens physica non totaliter differat a mathematica.

Secundo ibi « de his quidem »

Solvit praemissam quaestionem. Et circa hoc duo facit. Primo ponit solutionem. Secundo confirmat eam, ibi, « Fiet autem. » Circa primum tria facit. Primo solvit quaestionem. Secundo concludit quoddam corollarium ex praedictis, ibi, « Unde et « abstrahit. » Tertio excludit errorem, ibi, « Latet « autem hoc. » Dicit ergo primo, quod mathematicus et naturalis determinant de eisdem, scilicet punctis, lineis et superficiebus et hujusmodi, sed non eodem modo. Non enim mathematicus determinat de eis, inquantum unumquodque eorum est terminus corporis naturalis, neque considerat ea, quae accidunt eis inquantum sunt termini corporis naturalis, per quem modum de eis considerat scientia naturalis. Non est autem inconveniens quod idem cadat sub consideratione diversarum scientiarum secundum diversas considerationes.

Secundo ibi « unde et »

Concludit quoddam corollarium ex praedictis. Quia enim mathematicus considerat lineas et puncta et superficies et hujusmodi accidentia eorum, non inquantum sunt termini corporis naturalis, ideo dicitur abstrahere a materia sensibili et naturali. Et causa quare possunt abstrahere, est ista, quia secundum intellectum sunt abstracta a motu. Ad cujus causae evidentiam considerandum est, quod multa sunt conjuncta secundum rem, quorum unum

non est de intellectu alterius, sicut album et musicum conjunguntur in aliquo subjecto, et tamen
unum non est de intellectu alterius: et ideo potest
unum separatim intelligi sine alio. Et hoc est unum
intellectum esse abstractum ab alio. Manifestum est
autem, quod posteriora non sunt de intellectu priorum, sed e contra. Unde priora possunt intelligi
sine posterioribus, et non e contra: sicut patet,
quod animal est prius homine: et prius est homo,
hoc homine: nam homo se habet ex additione ad
animal, et hic homo ex additione ad hominem: et
propter hoc homo non est de intellectu animalis,
nec Socrates de intellectu hominis: unde animal
potest intelligi absque homine, et homo absque
Socrate, et aliis individuis: et hoc est abstrahere
universale a particulari. Similiter autem et inter
accidentia omnia quae adveniunt substantiae, primo
advenit ei quantitas, et deinde qualitates sensibiles,
et actiones et passiones, et motus consequentes
sensibiles qualitates. Sic igitur quantitas non claudit in sui intellectu qualitates sensibiles vel passiones vel motus, claudit tamen in sui intellectu
substantiam. Potest igitur intelligi quantitas sine
materia subjecta motui et qualitatibus sensibilibus,
non tamen absque substantia. Et ideo hujusmodi
quantitates et quae eis accidunt, sunt secundum
intellectum abstracta a motu et a materia sensibili,
non autem a materia intelligibili, ut dicitur in
septimo Metaph. Quia igitur sic sunt abstracta a
motu secundum intellectum, quod non claudunt in
suo intellectu materiam sensibilem subjectam motui;
ideo mathematicus potest abstrahere a materia sensibili, et nihil differt quantum ad veritatem considerationis utrum sic vel sic considerentur. Quamvis enim non sint abstracta secundum esse, non
tamen mathematici abstrahentes ea secundum intellectum mentiuntur, quia non asserunt ea esse
extra materiam sensibilem, hoc enim esset mendacium, sed considerant de eis absque consideratione
materiae sensibilis, quod absque mendacio fieri
potest. Sicut aliquis potest considerare albedinem
absque musica et vere, licet conveniant in eodem
subjecto: non tamen esset vera consideratio si as-
sereret album non esse musicum.

Tertio ibi « latet autem »

Excludit ex praedictis errorem Platonis. Quia
enim latebat eum quomodo intellectus vere posset
abstrahere ea quae non sunt abstracta secundum
esse, posuit, omnia quae sunt abstracta secundum
intellectum, esse abstracta secundum rem. Unde
non solum ponit mathematica abstracta propter hoc
quod mathematicus abstrahit a materia sensibili,
sed etiam posuit ipsas res naturales abstractas, propter hoc quod naturalis scientia est de universalibus et non de singularibus. Unde posuit hominem
esse separatum, et equum, et lapidem et alia hujusmodi: quae quidem separata. dicebat esse ideas;
cum tamen naturalia sint minus abstracta quam
mathematica. Mathematica enim sunt omnino abstracta a materia sensibili secundum intellectum:
quia materia sensibilis non includitur in intellectu
mathematicorum, neque in universali neque in particulari: sed in intellectu specierum naturalium includitur quidem materia sensibilis, sed non materia individualis: in intellectu enim hominis includitur caro et os, sed non haec caro et hoc os.

Deinde cum dicit « fiet autem »

Manifestat positam solutionem dupliciter. Primo
quidem per differentiam definitionum, quas assignat
mathematicus et naturalis. Secundo per scientias
medias, ibi, « Demonstrant autem et quae magis. »
Dicit ergo primo, quod hoc quod dictum est de
diverso modo considerationis mathematicis et physici, fiet manifestum si quis tentaverit dicere definitiones naturalium et mathematicorum, et accidentia eorum: quia mathematica, ut par et impar et
rectum et curvum, et numerus, et linea et figura,
definiuntur sine motu et materia: non autem caro,
et os, et homo: sed horum definitio est sicut definitio simi, in cujus definitione ponitur subjectum
sensibile. Et sic ex ipsis definitionibus naturalium
et mathematicorum apparet quod supra dictum est
de differentia mathematici et naturalis.

Secundo ibi « demonstrant autem »

Probat idem per scientias quae sunt mediae
inter mathematicam et naturalem. Dicuntur autem
scientiae mediae, quae accipiunt principia abstracta
a scientiis pure mathematicis, et applicant ad materiam sensibilem: sicut perspectiva applicat ad lineam usualem ea quae demonstrantur a geometria
circa lineam abstractam, et harmonica, idest musica,
applicat ad sonos ea quae arithmeticus considerat
circa proportiones numerorum, et astrologia considerationem geometriae et arithmeticae applicat ad
caelum et ad partes ejus. Hujusmodi autem scientiae,
licet sint mediae inter scientiam naturalem et mathematicam, tamen dicuntur hic a Philosopho esse
magis naturales quam mathematicae, quia unumquodque denominatur et speciem habet a termino:
unde, quia harum scientiarum consideratio terminatur ad materiam naturalem, licet per principia
mathematica procedat, magis sunt naturales quam
mathematicae. Dicit ergo de hujusmodi scientiis,
quod contrario modo se habent cum scientiis quae
sunt pure mathematicae, sicut geometria vel arithmetica. Nam geometria considerat quidem de linea
quae habet esse in materia sensibili, quae est linea
naturalis: non tamen considerat de ea inquantum
est in materia sensibili, secundum quod est naturalis, sed abstracte, ut dictum est. Sed perspectiva
e contra accipit lineam abstractam, secundum quod
est in consideratione mathematici, et applicat eam
ad materiam sensibilem: et sic determinat de ea,
non inquantum est mathematica, sed inquantum est
physica. Ex ipsa ergo differentia scientiarum me-
diarum ad scientias pure mathematicas, apparet
quod supra dictum est. Nam si hujusmodi scientiae
mediae abstracta applicant ad materiam sensibilem,
manifestum est, quod mathematicae e contra ea
quae sunt in materia sensibili abstrahunt. Et per
hoc etiam patet responsio ad id quod supra obji-
ciebatur de astrologia: unde astrologia est magis
naturalis quam mathematica. Unde non est mirum
si communicet in conclusionibus cum scientia naturali: quia tamen non est pure naturalis, per aliud
medium eamdem conclusionem demonstrat. Sicut,
quod terra sit sphaerica demonstratur a naturali per
medium naturale; ut puta, quia partes ejus undique
et aequaliter concurrunt ad medium: ab astrologo
autem ex figura eclipsis lunaris, vel ex hoc quod
non eadem sidera ex omni parte terrae aspiciuntur.

LECTIO IV.

Naturalis philosophus non solam materiam speculatur: sed formam omnem in materia usque ad hominis intellectum.

Quoniam autem natura dupliciter dicitur, species et materia, et sicut de simo quid sit intendimus, sic considerandum est. Quare neque sine materia hujusmodi, neque secundum materiam.

Etenim jam et de hoc dubitabit aliquis dupliciter: quia duae naturae sunt, de qua est Physica, aut de eo quod ex utrisque. Sed si de eo quod est ex utrisque et circa utraque, utrum igitur ejusdem, aut alius utrumque cognoscere.

In antiquos quidem enim aspicienti videbitur utique esse materiei: ex parva enim parte quadam Empedocles et Democritus speciem et quod quid erat esse tetigerunt.

Si autem ars imitatur naturam: ejusdem autem scientiae est cognoscere formam et materiam usque ad hoc, ut medici sanitatem, et choleram et phlegma, in quibus est sanitas: similiter autem et aedificatoris etiam formam domus, et materiam, quoniam lateres et ligna sunt: similiter autem in aliis: et Physici utique erit cognoscere utrasque naturas.

Adhuc, quod cujus causa fit, et finem ejusdem: et quaecumque sunt propter hoc. Natura autem finis est, et cujus causa fit: quorum enim continuo motu existente, est aliquis finis, ipsius motus, hoc ultimum est, et cujus causa fit: unde et Poeta derisorie apposuit dicere hunc finem, cujus quidem causa effectus est: vult enim non omne esse ultimum finem, sed optimum. Quoniam autem faciunt artes materiam, aliae quidem simpliciter, aliae vero operose: et utimur tamquam propter nos omnibus quae sunt. (Sumus enim quodam modo et nos finis). Dupliciter enim est id cujus causa fit: dictum est autem de his in his quae de prima philosophia sunt. Duae igitur sunt principantes materiam et cognoscentes artes: quae utitur, et factiva, quae architectonica: unde et usualis architectonica quodammodo est. Differunt autem secundum quod haec formae quidem cognoscitiva est architectonica, a lia autem ut factiva materiae: gubernator enim quale sit forma aliqua temonis cognoscit et instituit: alius autem ex quo ligno et qualibus illis erit. In his quidem igitur quae sunt secundum artem, nos facimus materiam propter opus: sed in physicis inest.

Amplius eorum quae sunt ad aliquid materia est: in alia enim forma alia materia.

Usque ad quantum ergo physicum oportet cognoscere speciem et quod quid est? Aut quemadmodum ad medicum nervum, et fabrum aes usquequo: cujus enim causa unumquodque. Et circa haec quae sunt separatae quidem species in materia: homo enim hominem generat ex materia et sol. Quomodo autem se hab at hoc separabile, et quid sit, Philosophiae primae est determinare.

Quum autem natura duobus modis dicatur, nimirum forma et materia: sic debemus contemplari, ac si de simitate consideraremus quid sit. Quocirca ejusmodi res neque sunt absque materia, neque secundum materiam. Nam et de hoc dubitare quispiam possit, quum duae sint naturae, de utra disserere sit munus physici: an de eo disserat quod ex ambabus constat. Atqui si de eo disserit quod ex ambabus naturis constat, certe etiam de utraque natura disseret.

Utrum igitur ad eamdem, an ad aliam atque aliam scientiam pertinet utramque naturam cognoscere ? Ad veteres quidem philosophos respicienti videri potest ad aliam pertinere: parum enim Empedocles et Democritus formam et quidditatem attigerunt. Quodsi ars imitatur naturam, ejusdem vero scientiae est quadantenus nosse formam et materiam (ut medici est nosse sanitatem, nec non bilem et pituitam, in quibus inest sanitas: similiter etiam aedificatoris est nosse et formam domus et materiam, quod scilicet materia domus sint lateres et ligna: eademque ratio est aliarum rerum); profecto etiam physicae munus erit cognoscere ambas naturas. Praeterea ejusdem scientiae est nosse id cujus causa, et finem, et quaecumque horum causa sunt.

Natura autem est finis et id cujus causa: quorum enim motus quum sit continuus, est aliquis finis illius motus, hic finis est extremum et id cujus causa. Ideoque poeta ridicule adductus est ut diceret,

Habet finem cujus causa genitus erat.

Non enim omne extremum meretur nomen finis, sed id quod est optimum.

Quum autem artes materiam faciant, aliae simpliciter, aliae ad opus idoneam; nosque his omnibus utamur tamquam nostra causa sint (sumus enim et nos aliquo modo finis; quia bifariam sumitur id cujus causa, ut dictum est in libris de philosophia).

Duae sane sunt artes quae praesunt materiae, atque eam cognoscunt; nempe ea quae utitur, et quae effectrici praeest, architectonica. Idcirco etiam ea quae utitur, est quodammodo architectonica. Differunt autem, quatenus haec quidem formam cognoscit, architectonica vero est tamquam efficiens materiam; nam gubernator, qualis sit forma clavi, novit, et imperat: alter autem novit ex quali ligno et quibus motibus clavus erit. In iis igitur quae secundum artem, nos materiam facimus operis causa: in naturalibus vero suppetit.

Praeterea materia in eorum numero est, quae ad aliquid referuntur. Nam alii formae alia materia convenit. Quousque igitur oportet physicum cognoscere formam et quid est? an ut medicus nosse debet nervum, aut faber aes, nempe usque ad aliquem terminum ? alicujus enim causa ununquodque considerat, et in iis versatur, quae sunt quidem forma separabilia, sunt tamen in materia: homo namque hominem gignit; et sol...... Quomodo autem se habeat quod separatur, et quid sit, primae philosophiae munus est definire.

Postquam Philosophus ostendit differentiam inter naturalem et mathematicum, hic ostendit ad quid se extendat consideratio naturalis: et circa hoc duo facit. Primo ostendit, quod ad naturalem pertinet considerare formam et materiam. Secundo ostendit quid sit terminus considerationis naturalis circa formam, ibi, « Usque ad quantum. » Circa primum duo facit. Primo ex praemissis concludit propositum. Secundo movet dubitationes circa determinatum, ibi, « Etenim jam. » Dicit ergo primo, quod natura dicitur dupliciter, scilicet de materia et forma, ut supra dictum est. Et sic est considerandum in

scientia naturali, sicut cum intendimus de simo quid est; tunc enim non solum formam, idest curvitatem, sed etiam materiam, idest nasum attendimus. Unde in scientia naturali neque est consideratio sine materia sensibili, neque etiam solum secundum materiam, sed etiam secundum formam. Et notandum, quod iste processus Aristotelis includit duo media, per unum quorum sic potest argumentari. Naturalis philosophus debet considerare de natura: sed natura est tam forma quam materia: ergo debet tam de materia quam de forma considerare. Per aliud vero sic. Naturalis differt a mathematico, ut dictum est; quia consideratio naturalis est sicut consideratio simi, consideratio vero mathematici est sicut consideratio curvi: sed consideratio simi est consideratio formae et materiae: ergo et consideratio naturalis est consideratio utriusque.

Secundo ibi « etenim jam »

Movet circa praemissa dubitationem duplicem: quarum prima est. Cum natura dicatur de materia et de forma, utrum scientia naturalis sit tantum de materia, vel tantum de forma, vel de eo quod est ex utroque compositum. Secunda dubitatio est. Supposito, quod de utroque consideret scientia naturalis, utrum sit eadem scientia naturalis quae consideret de forma et materia, vel alia et alia de utroque.

Secundo ibi « in antiquos »

Solvit praedictas dubitationes; et maxime secundam, ostendens quod ad ejusdem scientiae naturalis considerationem pertinet considerare de forma et de materia. Nam prima quaestio satis videbatur soluta esse per hoc quod dixerat, quod consideratio naturalis est, sicut cum intendimus de simo quid sit. Circa hoc ergo duo facit. Primo ponit quid antiqui sensisse videntur; et dicit, quod si aliquis velit aspicere ad dicta antiquorum Naturalium, videtur, quod scientia naturalis non sit nisi de materia; quia vel nihil tractaverunt de forma, vel aliquid modicum, sicut tetigerunt eam Democritus et Empedocles inquantum posuerunt aliquid fieri ex multis secundum aliquem determinatum modum mistionis vel congregationis.

Secundo ibi « si autem »

Ostendit propositum tribus rationibus: quarum prima talis est. Ars imitatur naturam: oportet igitur quod sic se habeat scientia naturalis circa naturalia, sicut se habet scientia artificialis circa artificialia. Sed ejusdem scientiae artificialis est cognoscere materiam et formam usque ad aliquem certum terminum; sicut medicus cognoscit sanitatem ut formam, et choleram et phlegma et hujusmodi sicut materiam, in qua est sanitas. Nam in contemperatione humorum sanitas consistit. Et similiter aedificator considerat formam domus et lateres et ligna, quae sunt materia domus; et ita est in omnibus aliis artibus; ergo ejusdem scientiae naturalis est cognoscere tam materiam quam formam. Ejus autem quod ars imitatur naturam, ratio est, quia principium operationis artificialis cognitio est: omnis autem nostra cognitio est per sensus a rebus sensibilibus et naturalibus accepta, unde ad similitudinem naturalium in artificialibus operamur. Ideo autem res naturales imitabiles sunt per artem, quia ab aliquo principio intellectivo tota natura ordinatur ad finem suum, ut sic opus naturae videatur esse opus intelligentiae, dum per determinata media ad certos fines procedit: quod etiam in operando ars imitatur.

Secundam rationem ponit ibi « adhuc quod »

Ejusdem scientiae est considerare finem, et ea quae sunt ad finem: et hoc ideo, quia ratio eorum quae sunt ad finem a fine sumitur. Sed natura, quae est forma, est finis materiae; ergo ejusdem scientiae naturalis est considerare materiam et formam. Quod autem forma sit finis materiae, sic probat. Ad hoc quod aliquid sit finis alicujus motus continui, duo requiruntur: quorum unum est, quod sit ultimum motus; et aliud est, quod sit cujus causa fit: aliquid enim potest esse ultimum, sed non est cujus causa fit. Unde poeta hoc apposuit, quod derisorie se ha-

bet dicere, finem cujus causa fit. Videtur enim esse nugatio, sicut si diceretur, homo animal: quia animal est de ratione hominis, sicut et cujus causa fit, de ratione finis: vult enim Poeta, quod non omne, ultimum sit finis, sed illud quod est ultimum et optimum, hoc est cujus causa fit. Et quidem, quod forma sit ultimum generationis, hoc est per se manifestum. Sed, quod sit cujus causa fit respectu materiae, manifestat per similitudinem in artibus. Inveniuntur enim quaedam artes, quae faciunt materiam; quarum quaedam faciunt eam simpliciter, sicut ars figuli facit lateres, quae sunt materia domus: quaedam vero faciunt eam operose, idest materiam praeexistentem in natura disponunt ad receptionem formae, sicut ars carpentaria praeparat ligna ad formam navis. Item considerandum est, quod nos utimur omnibus quae sunt secundum artem facta, sicut propter nos existentibus. Nos enim sumus quodammodo finis omnium artificialium. Et dicit « quodammodo, » quia, sicut dictum est in philosophia prima, dupliciter dicitur id cujus causa fit: scilicet cujus et quo: sicut finis domus, ut cujus, est habitator; ut quo, est habitatio. Ex his igitur accipere possumus quod duae artes sunt principantes materiam: idest quae praecipiunt artibus facientibus materiam, et cognoscentes, idest dijudicantes de ipsis: una scilicet quae utitur, et alia, quae est factiva artificiati, inducens scilicet formam: et haec est sicut architectonica respectu ejus quae disponit materiam, sicut navifactiva respectu carpentariae, quae secat ligna. Unde etiam oportet quod ipsa ars usualis sit quodammodo architectonica, idest principalis ars respectu factivae. Quamvis igitur utraque sit architectonica, scilicet usualis et factiva, tamen differunt; quia usualis est architecta inquantum est cognoscitiva et dijudicativa de forma; alia autem quae est architecta tamquam factiva formae, est cognoscitiva materiae, idest dijudicat de materia. Et hoc manifestat per exemplum: usus enim navis pertinet ad gubernatorem, et sic gubernatoria est usualis, et sic est architectonica respectu navifactivae, et cognoscit et dijudicat de forma. Et hoc est quod dicit, quod gubernator cognoscit et instituit qualis debeat esse forma temonis: alius autem, scilicet factor navis, cognoscit et dijudicat ex quibus et qualibus lignis debeat fieri navis. Sic ergo manifestum est, quod ars quae inducit formam, praecipit arti quae facit vel disponit materiam: et ars quae utitur artificiato jam facto, praecipit arti quae inducit formam. Ex quo possumus accipere, quod sic se habet materia ad formam, sicut forma ad usum. Sed usus est cujus causa fit artificiatum; ergo et forma est, cujus causa est materia in artificialibus. Et sicut in his quae sunt secundum artem, nos facimus materiam propter opus artis, quod est ipsum artificiatum; ita in naturalibus materia inest a natura non a nobis facta, nihilominus eamdem habens ordinem ad formam, scilicet quod est propter formam. Unde sequitur, quod ejusdem scientiae naturalis sit considerare materiam et formam.

Tertiam rationem ponit ibi « amplius eorum »

Quae talis est. Eorum quae sunt ad aliquid, una est scientia: sed materia est de numero eorum quae sunt ad aliquid, quia dicitur ad formam. Quod ideo non dicitur quia ipsa materia sit in genere relationis; sed cujuslibet formae determinatur propria materia. Et hoc est quod subdit, quod sub alia forma oportet esse aliam materiam. Unde relinquitur, quod ejusdem scientiae naturalis sit considerare formam et materiam.

Deinde cum dicit « usque ad »

Ostendit quantum se extendat consideratio scientiae naturalis circa formam. Et circa hoc duo facit. Primo movet quaestionem hanc, scilicet usque ad quantum oporteat naturalem considerare de forma et quidditate rei. Nam considerare formas et quidditates rerum absolute, videtur pertinere ad philosophum primum. Secundo solvit, quod sicut medicus considerat nervum, et faber aes usque ad aliquem terminum, ita et naturalis formas. Medicus enim non considerat de nervo inquantum est nervus, hoc enim pertinet ad naturalem, sed inquantum est subjectum sanitatis; et similiter faber de aere non inquantum est aes, sed inquantum est subjectum statuae, aut alicujus hujusmodi. Et similiter naturalis non considerat de forma inquantum est forma, sed inquantum est in materia. Et ideo sicut medicus in tantum considerat de nervo inquantum pertinet ad sanitatem, cujus causa considerat nervum; similiter naturalis in tantum considerat de forma inquantum habet esse in materia. Et ideo terminus

considerationis scientiae naturalis est circa formas, quae quidem sunt aliquo modo separatae, sed tamen esse habent in materia; et hujusmodi formae sunt animae rationales: quae quidem sunt separatae, inquantum intellectiva virtus non est actus alicujus organi corporalis, sicut virtus visiva est actus oculi; sed in materia sunt inquantum dant esse naturale tali corpori. Et quod sint in materia, per hoc probat, quod forma cujuslibet rei generatae ex materia, est in materia: ad hoc enim terminatur generatio ut forma sit in materia. Sed homo generatur ex materia et ab homine, quasi ab agente primo, et a sole tamquam ab agente universali respectu generabilium: unde sequitur, quod anima, quae est forma humana, sit in materia. Unde usque ad animam rationalem se extendit consideratio naturalis, quae est de formis. Sed quomodo se habeant formae totaliter a materia separatae, et quid sint, vel etiam quomodo se habeat haec forma, idest anima rationalis secundum quod est separabilis, et sine corpore existere potens, et quid sit secundum suam essentiam separabile, hoc determinare pertinet ad philosophum primum.

LECTIO V.

Philosophum naturalem de causis speculari oportere: quaenam et quot numero sit.

Determinatis autem his, considerandum est de causis, et quae et quot numero sunt. Quoniam enim sciendi gratia hoc negocium est: scire autem non ante opinamur unumquodque quam utique accipimus propter quid est unumquodque, hoc autem est accipere primam causam; manifestum est, quoniam et nobis hoc faciendum est et de generatione et corruptione et de omni physica mutatione: quatenus scientes eorum principia, reducere in ipsa tentemus quaesitorum unumquodque.

Uno quidem modo causa dicitur, ex quo fit aliquid cum insit, sicut aes statuae, et argentum phialae, et horum genera. Alio autem modo species et exemplum: haec autem est ratio ipsius quod quid erat esse: et hujus genera, aut ejus quae est diapason, duo ad unum, et omnino numerus, et partes, quae in definitione. Amplius unde principium mutationis primum aut quietis est, ut consilians causa, et pater filii, omnino faciens facti, et commutans commutati. Adhuc autem quemadmodum finis. Hoc autem est quod cujus causa, ut ambulandi sanitas: propter quid enim ambulat, dicimus ut sanetur: et dicentes sic, opinamur assignare causam. Et quaecumque jam movente alio inter media, sunt finis: ut sanitatis, macies, aut purgatio, aut potiones, aut organa: omnia enim haec finis gratia sunt. Differunt tamen abinvicem, quod alia quidem opera, alia vero organa. Causae quidem igitur fere tot modis dicuntur.

Contingit autem multipliciter dictis causis, et multas ejusdem causas esse non secundum accidens: ut statuifica, et aes, non secundum alterum aliquid, sed secundum quod est statua: sed non eodem modo; sed hoc quidem ut materia, illud autem, sicut unde motus. Sunt autem quaedam, et adinvicem causae, ut labor causa est boni habitus, et hic laborandi: sed non eodem modo; sed haec quidem sicut finis, illa sicut principium motus. Amplius autem eadem contrariorum est: quae enim praesens causa hujus. et absentem causam aliquando contrarii, ut absentia gubernatoris navis submersionis, cujus erat praesentia causa salutis.

His definitis, considerandum est, quaenam et quot numero sint causae. Quum enim cognoscendi gratia instituta sit haec tractatio, nec prius unumquodque nosse arbitremur, quam sumpserimus causam propter quam est (hoc autem est sumere primam causam): profecto nobis quoque hoc faciendum est et in ortu et interitu, et in omni naturali mutatione: ut, cognitis horum principiis, conemur ad ea referre singula quaesita.

Uno igitur modo causa dicitur id ex quo insito aliquid fit: ut aes est causa statuae, et argentum phialae, et horum genera. Alio autem modo forma et exemplar: haec autem est ratio quidditatis, et hujus genera; ut harmoniae diapason, forma est duo ad unum, et omnino numerus, ac partes quae in definitione ponuntur.

Praeterea unde est primum mutationis vel quietis principium: cujusmodi causa est, qui consultat; et pater filii; et omnino quod facit, ejus quod fit: et quod mutat, ejus quod mutatur. Praeterea ut finis. Hoc autem est id cujus gratia: ut deambulandi, sanitas. Cur enim deambulat ? dicimus, ut bene valeat: et, quum sic dixerimus, putamus nos causam reddidisse; et quaecumque alio movente interjecta, finis gratia fiunt: ut sanitatis gratia fit extenuatio, vel purgatio, vel pharmaca, vel instrumenta: haec enim omnia finis gratia sunt: differunt autem inter se, quod alia sint opera, alia instrumenta.

Causae igitur tot fere modis dicuntur. Quum autem causae multis modis dicantur, accidit ut ejusdem effectus sint multae causae, non ex accidente: ut statuae et ars statuaria et aes, non alia quapiam ratione, sed qua est statua; non tamen eodem modo; sed altera est causa, ut materia; altera, ut id unde motus profectus est. Sunt etiam quaedam sibi invicem causae: ut labor est causa firmae corporis constitutionis; atque haec est causa laborandi: non tamen eodem modo: sed haec est causa ut finis: illud autem, ut principium motus. Praeterea eadem et contrariorum causa: quod enim praesens est causa hujus effectus, hoc absens dicimus interdum causam esse contrarii effectus: ut absentiam gubernatoris dicimus esse causam submersionis navis, cujus praesentia erat causa salutis.

Omnes autem nunc dictae causae in quatuor incidunt modos manifestissimos. Elementa enim syllabarum, et terra
vasorum, et ignis, et hujusmodi corporum, et partes totius,
et suppositiones conclusionis, sicut ex quo causae sunt. Harum
autem hae quidem sunt sicut subjectum et partes: aliae autem sunt sicut quod quid erat esse, et totum, et compositio,
et species. Semen autem et medicus et consilians, et omnino
faciens, omnes sunt unde principium mutationis aut status
aut motus est. Aliae autem sicut finis et bonum aliorum:
quae enim est cujus causa potissima est, et finis aliorum voluit esse. Differt autem nihil eamdem dicere bonam, vel videri
bonam. Causae quidem igitur hae, et tot sunt specie.

Omnes autem causae quae nunc dictae sunt, in quatuor
modos manifestissimos cadunt: nam elementa sunt causae
syllabarum; et materia, eorum quae opificio constant, et ignis
et quae sunt ejusmodi, corporum; et partes, totius; et hypo-
theses, conclusionis: causae, inquam, sunt, ut id ex quo.
Harum vero aliae sunt ut subjectum, veluti partes: aliae ut
quidditas, nempe totum, et compositio et forma; sed semen,
et medicus, et consultans, et omnino quod est faciens, haec,
inquam, omnia sunt causae unde est principium mutationis
vel status vel motionis; aliae vero sunt causae, ut finis bo-
numque aliorum. Id enim cujus gratia, debet esse optimum
et ceterorum finis. Nihil vero intersit utrum dicatur ipsum
finem esse bonum, an videri bonum.

Causae igitur tales ac tot sunt specie.

Postquam Philosophus ostendit de quibus considerat scientia naturalis, hic incipit ostendere ex
quibus causis demonstret. Et dividitur in partes duas.
In prima determinat de causis. In secunda vero
ostendit ex quibus causis naturalis demonstret, ibi,
« Quoniam autem causae quatuor. » Circa primum
duo facit. Primo ostendit necessitatem determinandi
de causis secundo incipit de causis; determinare,
ibi, « Uno quidem modo. » Dicit ergo primo, quod
postquam determinatum est quid cadat sub consideratione scientiae naturalis, restat considerandum
de causis, quae et quot sunt. Et hoc ideo, quia hoc
negocium, quo intendimus de natura tractare, non
ordinatur ad operationem, sed ad scientiam; quia
nos non possumus facere res naturales, sed solum
de eis scientiam habere; sed nos non opinamur
nos scire unumquodque nisi cum accipimus propter
quid, quod est accipere causam: unde manifestum
est quod hoc observandum est nobis circa generationem et corruptionem et omnem naturalem mutationem, ut cognoscamus causas et reducamus u-
numquodque de quo quaeritur propter quid, in
proximam causam. Hoc autem ideo dicit, quia considerare de causis inquantum hujusmodi, proprium est
philosophi primi; nam causa in eo quod causa est,
non dependet a materia secundum esse, eo quod
in his etiam quae a materia sunt separata, invenitur ratio causae. Sed a philosopho naturali assumitur consideratio de causis propter aliquam necessitatem; nec assumitur ab eo considerare de causis,
nisi secundum quod sunt causae naturalium mutationum.

Secundo ibi « uno quidem »

Determinat de causis. Et circa hoc tria facit.
Primo ostendit diversas species causarum. Secundo
de quibusdam immanifestis causis determinat, ibi,
« Dicitur autem fortuna. » Tertio ostendit quod
non sunt plures neque pauciores, ibi, « Quoniam
« autem causae. » Prima dividitur in duas. In
prima determinat species causarum. In secunda determinat modos diversarum causarum secundum
unamquamque speciem, ibi, « Modi autem causa-
« rum. » Circa primum duo facit. Primo inducit
diversas species causarum. Secundo reducit eas ad
quatuor, ibi, « Omnes autem nunc. » Circa primum
duo facit. Primo ponit diversitatem causarum. Secundo exponit quaedam consequentia ex diversitate
praedicta, ibi, « Contingit autem. » Dicit ergo primo, quod uno modo dicitur causa ex quo fit aliquid cum insit, sicut aes dicitur causa statuae, et
argentum causa phialae, et etiam genera horum
dicuntur causae earumdem rerum, sicut metallum,
vel liquabile, vel hujusmodi. Apposuit autem, « cum
« insit » ad differentiam privationis et contrarii,

nam statua quidem fit ex aere, quod inest statuae
jam factae: fit etiam ex infigurato, quod quidem
non inest statuae jam factae. Unde aes est causa
statuae, non autem infiguratum, cum sit principium
per accidens tantum, ut in primo dictum est. Secundo modo dicitur causa species et exemplum:
et hoc dicitur causa inquantum est ratio quiddita-
tiva rei; hoc enim est per quod scimus de unoquoque quid est. Et sicut dictum est circa materiam, quod etiam genera materiae dicuntur causa,
ita et genera speciei dicuntur causa. Et ponit
exemplum in quadam consonantia musicae, quae
vocatur diapason, cujus forma est proportio dupla,
quae est duorum ad unum. Nam proportiones nu-
merales applicatae ad sonum sicut ad materiam,
consonantias musicales constituunt; et cum duo vel
duplum sit forma consonantiae, quae est diapason,
et genus duorum, quod est numerus, est causa.
Sicut enim dicimus quod forma diapason est proportio duorum ad unum, quae est proportio dupla;
ita possumus dicere quod forma diapason est proportio duorum ad unum, quae est multiplicitas. Et
ita ad hunc modum causae reducuntur omnes partes,
quae ponuntur in definitione, non autem partes
materiae, ut dicitur in septimo Metaph. Nec est hoc
contra id quod supra dictum est, quod in definitione rerum naturalium ponitur materia: nam in
definitione speciei non ponitur materia individualis,
sed materia communis: sicut in definitione hominis
ponuntur carnes et ossa, non autem hae carnes et
haec ossa. Natura igitur speciei constituta ex forma
et materia communi se habet ut formalis respectu
individui, quod participat talem naturam: et pro
tanto hic dicitur, quod partes quae ponuntur in
definitione, ad causam formalem pertinent. Considerandum est etiam, quod duo posuit pertinentia
ad quidditatem rei, idest speciem et exemplum, propter diversas opiniones de essentiis rerum. Nam
Plato posuit naturas specierum esse quasdam formas abstractas, quas dicebat exemplaria et ideas:
et propter hoc posuit exemplum vel paradigma.
Naturales autem philosophi, qui aliquid de forma
tetigerunt, posuerunt formas in materia, et propter
hoc nominavit speciem. Ulterius autem dicit quod
alio modo dicitur causa, a quo est « principium
« motus et quietis, sicut consilians dicitur causa:
« et pater filii, et omnino commutans commutati. »
Circa autem hujusmodi causas considerandum est
quod quadruplex est causa efficiens: scilicet perficiens, praeparans, adjuvans et consilians. Perficiens
enim est, quod dat complementum motui vel mutationi, sicut quod introducit formam substantialem
in generatione. Praeparans autem seu disponens
est, quod aptat materiam seu subjectum ad ulti-

mum complementum. Adjuvans vero est, quod non operatur ad proprium finem, sed ad finem alterius. Consilians autem in his quae agunt a proposito, est quod dat agenti formam per quam agit. Nam agens a proposito agit per suam scientiam, quam consilians sibi tradit; sicut et in rebus naturalibus generans dicitur movere gravia vel levia, in quantum dat formam per quam moventur. Quartum autem modum causae ponit, quod aliquid dicitur ut finis; et hoc est cujus causa aliquid fit; sicut sanitas dicitur causa ambulationis. Et hoc patet, quia respondetur ad quaestionem factam propter quid: cum enim quaerimus propter quid ambulat, dicimus ut sanetur: et hoc dicentes opinamur nos assignare causam. Ideo autem potius probat de fine quod sit causa, quam de aliis, quia hoc minus videbatur, propterea quia finis est ultimum in generatione. Et ulterius addit, quod omnia quae sunt intermedia inter primum movens et ultimum finem, omnia sunt quodammodo fines; sicut medicus ad sanitatem inducendam extenuat corpus, et sic sanitas est finis maciei: maciem autem operatur per purgationem, purgationem autem per potionem, potionem autem praeparat per aliqua instrumenta: unde omnia haec sunt quodammodo finis; nam macies est finis purgationis, et purgatio potionis, et potio organorum, et organa sunt fines in operatione, vel inquisitione organorum. Et sic patet, quod ista intermedia differunt adinvicem, inquantum quaedam sunt organa, et quaedam opera operata, scilicet per organa. Et hoc inducit ne aliquis credat quod solum id quod est ultimum, sit causa, sicut cujus gratia: propter hoc, quod hoc nomen finis ultimum quoddam videtur esse. Est igitur omnis finis ultimum non simpliciter, sed respectu alicujus. Et ultimo concludit quod fere tot modis dicuntur causae. Et addit « fere, » propter causas quae sunt per accidens, sicut sunt casus et fortuna.

Secundo ibi « contingit autem »

Manifestat tria consequentia ex jam dicta causarum diversitate: quorum unum est, quod cum causae dicantur multipliciter, contingit unius et ejusdem esse multas causas per se et non per accidens, sicut causa statuae est ars statuifica, et efficiens: et aes ut materia. Et inde est, quod aliquando unius rei assignantur plures definitiones secundum diversas causas; sed perfecta definitio omnes causas complectitur. Secundum est, quod quaedam sibi invicem sunt causae, secundum diversas speciem causae; sicut laborare est causa efficiens bonae habitudinis, bona autem habitudo est causa finalis laboris. Nihil enim prohibet aliquid esse prius et posterius altero secundum diversas rationes: finis enim est prius secundum rationem, sed posterius in esse: agens autem e contra. Et similiter forma est prior materia secundum rationem complementi: materia autem est prius quam forma generatione et tempore in omni eo quod movetur de potentia in actum. Tertium est, quod idem est causa contrariorum quandoque: sicut per suam praesentiam gubernator est causa salutis navis, per absentiam autem suam causa est submersionis ejus.

Deinde cum dicit « omnes autem »

Reducit omnes causas superius enumeratas in quatuor species: et dicit, quod omnes causae quae enumeratae sunt superius reducuntur ad quatuor modos qui sunt manifesti; nam elementa, id est literae, sunt causae sillabarum, et similiter terra est causa vasorum, et argentum phialae, et ignis, et similia corpora, scilicet simplicia, sunt causae corporum, et similiter quaelibet partes sunt causa totius, « et suppositiones, » idest propositiones syllogismi sunt causa conclusionum: et omnia ista habent unam rationem causae, prout dicitur causa id ex quo fit aliquid: hoc enim est in omnibus praemissis. Omnium autem nunc enumeratorum, quaedam se habent ut materia, et quaedam ut forma, quae causat quidditatem rei; sicut omnes partes se habent ut materia; ut elementa syllabarum, et quatuor elementa corporum mistorum; sed ea quae important totum, vel compositionem, vel quandoque speciem, se habent in ratione formae: ut species referatur ad formas simplicium, totum autem et compositio ad formas compositorum. Videntur autem hic esse duo dubia. Primo quidem de hoc, quod dicit, quod partes sunt causae materiales totius animalis, cum supra partes definitionis reduxerit ad causam formalem. Et potest dici, quod supra locutus est de partibus speciei quae cadunt in definitione totius, hic autem loquitur de partibus materiae in quarum definitione cadit totum, sicut circulus cadit in definitione semicirculi. Sed melius dicendum est, quod licet partes speciei quae ponuntur in definitione, comparentur ad suppositum naturae per modum causae formalis: tamen ad ipsam naturam, cujus sunt partes, comparantur ut materia; nam omnes partes comparantur ad totum, ut imperfectum ad perfectum, quae quidem est comparatio materiae ad formam. Item potest esse dubium de hoc, quod dicit, quod propositiones sunt materia conclusionis. Materia enim inest ei cujus est materia: unde supra notificans causam materialem dixit, quod est ex quo fit aliquid cum insit: propositiones autem sunt seorsum a conclusione. Sed dicendum, quod ex terminis propositionum constituitur conclusio: unde secundum hoc propositiones dicuntur materia conclusionis, inquantum termini, qui sunt materia propositionum, sunt etiam materia conclusionis, licet non secundum quod stant sub ordine propositionum; sicut farina dicitur materia panis, licet non secundum quod stat sub forma farinae. Ideo tamen potius dicuntur propositiones materia conclusionis quam e converso, quia termini qui conjunguntur in conclusione, separatim ponuntur in praemissis. Sic igitur habemus duos modos causae. Quaedam vero dicuntur esse causae secundum aliam rationem, quia scilicet sunt principium motus et quietis. Et hoc modo semen, quod est activum in generatione, dicitur causa: et similiter medicus per hunc modum dicitur causa sanitatis, et consilians est causa per hunc modum, et omne faciens. Alia litera habet « et propositiones. » Nam propositiones quidem quantum ad terminos sunt materia conclusionis, ut dictum est: quantum autem ad vim illativam ipsarum reducuntur ad hoc genus causae. Nam principium discursus rationis in conclusione est ex propositionibus. In aliis vero causis invenitur alia ratio causae, secundum scilicet quod finis vel bonum habet rationem causae. Et haec species causae potissima est inter alias causas. Est enim causa finalis aliarum causarum causa. Manifestum est enim, quod agens agit propter finem: et similiter ostensum est supra in artificialibus, quod formae ordinantur ad usum, sicut ad finem: et materia in formam, sicut in finem: et pro tanto dicitur finis causa causarum. Et, quia dixerat quod haec species causae habet rationem boni, et quandoque in his quae agunt per electionem contingit finem esse malum; ideo ad hanc dubitationem tollendam dicit, quod nihil differt utrum causa finalis sit vere

bona, vel apparens bona: quia quod apparet bonum non movet, nisi sub ratione boni, et sic ultimo concludit tot esse species causarum, quot dictae sunt.

LECTIO VI.

Nonnullae causarum divisiones ponuntur penes illarum multiplices modos, et quae ad ipsas sequantur.

ANTIQUA.

Modi autem causarum numero quidem sunt multi, capitales autem et hi minores. Dicuntur autem causae multipliciter. Et ipsarum similium specierum et prior et posterior altera altera; ut sanitatis medicus, et artifex: et diapason, duplum et numerus: et semper continentia ad unumquodque.

Amplius autem secundum accidens, et horum genera, sicut statuae, aliter Polycletus, et aliter statuam faciens: quoniam accidit statuam facienti Polycletum esse. Et continentes secundum accidens, ut si homo causa sit statuae, aut omnino animal. Sunt autem accidentiam aliae aliis longius et propius, ut si albus et musicus causa dicantur statuae.

Praeter autem omnes et proprie dictas, et secundum accidens, aliae quidem sicut potentes dicuntur, aliae vero sicut operantes: ut aedificandi domum aedificator, aut aedificans aedificator. Similiter autem dicuntur, et in quibus causae, quae sunt causae, de iis quae dicta sunt, ut statuae ut statuae, aut et omnino imaginis: et aeris hujus ut aeris, aut omnino materiei. Et in accidentibus similiter est.

Amplius autem complexae, et istae et illae dicuntur: ut non Polycletus, neque statuam faciens, sed Polycletus statuam faciens.

Sed tamen omnes hae sunt multitudine quidem sex; dictae autem dupliciter. Aut enim sicut singulare, aut sicut genus: aut sicut accidens, aut sicut genus accidentis: aut sicut complexae hae, aut sicut simpliciter dictae. Omnes autem actu operantes, aut secundum potentiam sunt.

Differunt autem intantum quod operantes quidem et singulares simul sunt et non sunt, et ea quorum sunt causae, sicut hic medicans cum hoc qui fit sanus: et hic aedificator cum hoc aedificato. Quae autem sunt secundum potentiam non semper: corrumpuntur enim non simul domus et aedificator.

Oportet autem semper causam uniuscujusque summam quaerere, sicut et in aliis: ut homo aedificat, quoniam aedificator est; aedificator autem est secundum artem aedificandi: haec autem prima causa est, et sic in omnibus.

Amplius autem aliae quidem genera sunt generum, aliae autem singulares singularium: ut statuae statuam quidem faciens, hic autem hujus. Et potentiae quidem possibilium, operantes autem ad operata. Quot quidem igitur causae sint, et quomodo causae sint, nobis determinatum sit sufficienter.

RECENS.

Modi vero causarum numero quidem sunt multi; sed si summatim colligantur, et ipsi pauciores fiunt. Dicuntur enim causae multis modis; et ipsarum causarum quae sunt ejusdem generis, alia est prior et posterior quam alia: ut sanitatis causa est medicus, et artifex: et harmoniae diapason causa est duplum et numerus; ac semper ea quae continent, ita se habent ad singula.

Praeterea dicuntur causae ut accidens, et horum genera: ut puta statuae aliter causa est Polycletus, aliter statuarius, quoniam accidit statuario ut sit Polycletus. Sed et ea quae accidens continent, appellantur causae: veluti si homo sit causa statuae aut omnino animal. Accidentium quoque alia sunt aliis remotiora et propinquiora: veluti si albus et musicus dicatur esse causa statuae.

Omnes autem causae, et quae proprie, et quae ex accidenti dicuntur, ita dicuntur, aliae quia possunt, aliae quia agunt: ut aedificandae domus causa est aedificator, aut aedificans aedificator.

Similiter autem dicetur etiam in iis quorum eae causae quas exposuimus, sunt causae: exempli gratia, est causa hujus statuae, vel statuae, vel omnino imaginis; item est causa hujus aeris, vel aeris, vel omnino materiae. Eadem est accidentium ratio.

Praeterea et hae et illae dicentur conjunctae: verbi gratia, non Polycletus, nec statuarius, sed Polycletus statuarius. Sed nihilominus omnes hae sunt quidem, quod ad multitudinem, sex, sed dicuntur bifariam: vel enim ut singulare, vel ut genus, vel ut accidens, vel ut genus accidentis, et ut haec conjuncta, vel simpliciter accepta: haec autem omnia vel agentia vel secundum potestatem.

Adeo autem differunt, ut agentes et singulares, simul sint et non sint, cum iis quorum sunt causae (veluti hic qui medetur simul est cum hoc qui sanatur; et hic aedificans, simul est cum hac re quae aedificatur): quae vero secundum potestatem causae dicuntur, non semper simul sunt; quia non simul interit domus et aedificator.

Oportet autem semper summam cujusque rei causam quaerere, quemadmodum et in aliis rebus: ut homo aedificat quia est aedificator; aedificator autem est secundum artem aedificandi: haec igitur causa prior est. Atque ita se res habet in omnibus. Praeterea oportet generum quaerere genera: singularium autem, singularia: ut statuarius est causa statuae: hic autem statuarius, hujus statuae. Ac potestates quidem, eorum quae fieri possunt: agentia vero eorum quae aguntur.

Quot igitur sint causae, et quomodo sint causae, satis a nobis definitum esto.

Postquam Philosophus distinxit species causarum, hic distinguit diversos modos causarum etiam secundum eamdem speciem causae: et circa hoc duo facit. Primo distinguit diversos modos causarum. Secundo determinat quaedam consequentia ad distinctionem praedictam, ibi, « Differunt autem. » Circa primum duo facit. Primo distinguit diversos modos causarum. Secundo reducit eos ad certum numerum, ibi, « Sed tamen hae omnes. » Circa

primum distinguit modos causarum secundum quatuor divisiones. Dicit ergo primo, quod multi numero sunt modi causarum; sed si reducantur capitulariter (1) sive in quadam summa ad aliqua communia, inveniuntur pauciores. Vel capitales accipiuntur secundum combinationem: manifestum est enim quod pauciores sunt combinationes modorum

(1) *Al.* capitularie.

quam modi. Prima ergo divisio vel combinatio modorum est, quod in eadem specie causae dicitur una causa prior altera, ut intelligamus causam priorem universaliorem: ut sanitatis causa est medicus ut causa propria et posterior, artifex autem ut communior et prior: et hoc in specie causae efficientis. Et simile est in specie causae formalis: nam causa formalis diapason propria et posterior est proportio dupla: causa autem prior et communior est proportio numeralis, quae dicitur multiplicitas. Et similiter ea quae continet unamquamque causam communitate sui ambitus, dicitur causa prior. Advertendum est autem, quod causa universalis et propria, vel prior et posterior, potest accipi, aut secundum communitatem praedicationis secundum exempla hic posita de medico et artifice; vel secundum communitatem causalitatis: ut si dicamus solem esse causam universalem calefactionis, ignem vero causam propriam: et haec duo sibi invicem correspondent. Manifestum est enim, quod quaelibet virtus extenditur ad aliqua, secundum quod communicant in una ratione objecti: et quanto ad plura extenditur, tanto oportet illam rationem esse communiorem: et cum virtus proportionetur objecto secundum ejus rationem, sequitur quod causa superior agat secundum formam magis universalem et minus contractam. Et sic est considerare est in ordine rerum: quia quanto aliqua sunt superiora in entibus, tanto habent formas minus contractas, et magis dominantes supra materiam, quae coarctat virtutem formae. Unde et id quod est prius in causando, invenitur esse prius quodammodo secundum rationem universalioris praedicationis; utputa si ignis est primum calefaciens caelum, non tantum est primum calefaciens, sed primum alterans.

Secundam divisionem ponit ibi « amplius autem »

Et dicit, quod sicut causae per se dividuntur per causas priores et posteriores, vel communes et proprias, ita etiam et causae per accidens. Est enim praeter causas per se accipere causas per accidens, et genera horum: sicut causa statuae per accidens quidem est Polycletus, per se autem causa statuae est faciens statuam. Polycletus enim est causa statuae, inquantum accidit ei esse statuam facientem: et etiam ea quae sua communitate continent Polycletum sunt causa statuae per accidens, sicut et homo et animal. Et iterum considerandum est, quod in causis per accidens quaedam sunt propinquiores causis per se, et quaedam magis remotae. Nam causa per accidens dicitur omne illud, quod conjungitur causae per se, quod non est de ratione ejus: hoc autem contingit esse, vel propinquius rationi causae, vel remotius ab ea: et secundum hoc causae per accidens erunt, vel propinquiores vel remotiores. Sicut si statuam facienti accidat esse album et musicum, musicum propinquius est, quia est in eodem subjecto, et secundum idem, scilicet secundum animam, in qua est musica et ars statuae factiva; album autem inest secundum corpus. Sed subjectum propinquius se habet adhuc quam alia accidentia, sicut Polycletus quam album vel musicum: non enim conjunguntur haec statuam facienti, nisi propter subjectum.

Tertiam divisionem ponit ibi « praeter autem »

Et dicit, quod praeter causas propriae dictas, idest per se, et per accidens, quaedam dicuntur causae in potentia, sicut potentes operari, quaedam vero sicut operantes in actu; sicut causa aedificandi domum potest dici, vel aedificans in habitu, vel

aedificans in actu. Et sicut distinguuntur causae modis praedictis, similiter distinguuntur ea quorum sunt causae. Est enim aliquid causatum posterius et magis proprium, et aliquid quod est prius et magis commune: sicut si dicatur quod aliquid est causa hujus statuae vel statuae in communi; et adhuc communius, si dicatur causa imaginis. Et *similiter, si dicatur aliquid causa motiva hujus aeris, vel aeris in universali, vel materiae. Et ita etiam potest dici in effectibus per accidens, et quod aliquid sit communius, et aliquid minus commune. Et dicitur effectus per accidens, quod conjungitur effectui per se, et est praeter rationem ejus; sicut per se effectus coci est cibus delectabilis, per accidens autem cibus sanativus. Medici autem e contra.

Quartam divisionem ponit ibi « amplius autem »

Et dicit quod quandoque complexe accipiuntur causae per se cum causis per accidens: ut si non dicamus causam statuae Polycletum, qui est causa per accidens, neque facientem statuam, qui est causa per se, sed Polycletum statuam facientem.

Deinde cum dicit « sed tamen »

Reducit praedictos modos ad certum numerum: et dicit, quod praedicti modi certo numero sunt sex, sed quodlibet eorum dupliciter dicitur. Sex autem modi sunt isti: singulare et genus, quod supra dixit prius et posterius; accidens et genus accidentis, simplex et complexum; et quodlibet horum dividitur per potentiam et actum, et sic fiunt omnes modi duodecim. Distinguit autem omnes modos per potentiam et actum: quia quod est in potentia, non simpliciter est.

Deinde cum dicit « differunt autem »

Determinat tria consequentia ad praedictam distinctionem modorum. Primum est, quod inter causas in actus et causas in potentia est ista differentia: quod causae operantes in actu simul sunt et non sunt cum eis quorum causae sunt in actu; ita tamen quod accipiantur causae singulares, idest propriae; sicut hic medicans simul est et non est cum hoc qui fit sanus, et hic aedificans cum hoc quod aedificatur. Si vero non acciperentur causae propriae, licet acciperentur in actu, non esset verum quod dicitur; non enim aedificans est et non est simul cum hoc quod aedificatur. Potest enim esse quod aedificans est in actu; sed tunc hoc aedificium non aedificatur, sed aliud. Sed, si accipiamus aedificantem hoc aedificium, et hoc aedificium secundum quod est in aedificari, necesse est quod posito uno ponatur et alterum, et remoto uno, removeatur et alterum. Hoc autem non accidit semper in causis quae sunt in potentia: non enim simul corrumpitur domus, et qui aedificavit ipsam. Unde habetur, quod sicut agentia inferiora quae sunt causa rerum quantum ad suum fieri, oportet simul esse cum iis quae sunt, quamdiu fiunt; ita agens divinum, quod est causa existendi in actu, simul est cum esse rei in actu. Unde subtracta divina actione a rebus, res in nihilum deciderent, sicut remota praesentia solis lumen in aëre deficeret.

Secundum ponit ibi « oportet autem »

Dicens, quod in naturalibus oportet semper supremam causam uniuscujusque requirere, sicut contingit in artificialibus; ut si quaeramus, quare homo aedificat: respondetur, quia est aedificator? et similiter, si quaeramus, quare est aedificator? respondetur, quia habet artem aedificativam: et hic statur, quia haec est prima causa in hoc ordine. Et ideo oportet in rebus naturalibus procedere usque ad causam supremam; et hoc ideo est, quia effectus nescitur, nisi sciatur causa. Unde si effectus alicujus causa sit etiam alterius causae effectus, sciri non poterit, nisi causa ejus sciatur; et sic quousque perveniatur ad primam causam.

Tertium ponit ibi « amplius autem »

Et est, quod causis debent proportionaliter re-spondere effectus; ita quod generalibus causis gene-rales effectus reddantur, et singularibus singulares. Puta si dicatur quod statuae causa est statuam faciens; et hujus statuae, hic statuam faciens. Et similiter causis in potentia respondent effectus in potentia, et causis in actu effectus in actu. Et ultimo epilogando concludit, quod sufficienter de-terminatum est de speciebus, et modis causarum.

LECTIO VII.

De casu ac fortuna agitur, antiquorumque tres de his opiniones, cum suis rationibus traduntur, et contra illas disputatur.

ANTIQUA.

Dicitur autem et fortuna et casus causarum: et multa et esse et fieri propter fortunam, et propter casum. Quo igitur modo in his causis est fortuna et casus, et utrum idem sit for-tuna et casus, aut altera: et omnino quid sit fortuna et casus, considerandum est.

Quidam enim si sint an non dubitant. Nihil enim fieri a fortuna dicunt, sed omnium esse aliquam causam deter-minatam, quaecumque nos dicimus a casu fieri, aut a for-tuna; ut veniendi a fortuna in forum, et reperiendi quem volebat, quem non est opinatus ante, causa est venientem velle emere. Similiter autem et in aliis quae a fortuna di-cuntur, semper est aliquam accipere causam, sed non fortu-nam.

Quoniam, si aliquid esset fortuna, inconveniens utique videbitur, sicut et vere est; et dubitabit utique aliquis, pro-pter quid nullus antiquorum sapientum causas de generatio-ne et corruptione dicens, de fortuna nihil determinavit. Sed sicut visum est, nihil opinabantur, neque illi aliquid esse a fortuna.

Sed et mirabile hoc videtur, sicut vere est. Multa enim et sunt et fiunt a fortuna et a casu, quae non ignorantes, quoniam est inferre unumquodque in aliquam causam eorum quae fiunt, sicut antiqua ratio dixit destruens fortunam et casum; tamen horum alia quidem dicunt esse omnes a for-tuna, alia non a fortuna. Unde et quodammodo erat ipsis facienda memoria. At vero neque illorum aliquid opinaban-tur esse fortunam, ut amicitiam, aut litem, aut ignem, aut intellectum, aut aliquid talium.

Inconveniens igitur est, sive non putaverunt esse, sive putantes reliquerunt, et hac aliquando utentes: sicut Empe-docles non semper aërem congregari superius dicit, sed ut contingit: dicit enim in Mundi creatione, quod sicut collisit se currens tunc, multoties autem aliter: et partes animalium ait a fortuna fieri plurimas.

Sunt etiam quidam, qui caeli hujus et mundanorum o-mnium causam esse ponunt casum; a casu enim fieri voluta-tionem et motum discernentem et statuentem in hunc ordi-nem omne.

Et multum hoc admiratione dignum est, dicentes ani-malia quidem et plantas a fortuna nec esse nec fieri, sed aut naturam, aut intellectum esse, aut hujusmodi alteram causam: non enim ex semine unoquoque quodvis fit, sed ex tali quidem oliva, ex tali autem homo: caelum autem et di-viniora manifestorum a casu fieri: hujusmodi autem causam nullam, qualem animalium et plantarum. Et igitur, si sic se habeat hoc ipsum, dignum est considerare, et bene sese ha-bet aliquid dici de hoc ipso.

Quomodo enim eo quod aliter inconveniens est quod di-citur, adhuc inconvenientius est dicere haec, videntes quidem in caelo nihil casu fieri: in iis autem quae non sunt a for-tuna, multa contingere a fortuna: et erat merito e contrario fieri.

RECENS.

Sed et fortuna et casus dicuntur esse in causarum nu-mero, multaque et esse et fieri fortuito et casu. Quo igitur modo in his causis sit fortuna et casus, et utrum idem sint fortuna et casus, an diversa, et omnino quid sit fortuna et casus, considerandum est.

Etenim nonnulli, an sit necne, dubitant: ajunt enim nihil fieri a fortuna; sed omnium, quae dicimus casu vel fortuito fieri, esse aliquam causam definitam: ut puta fortuito veniendi in forum, et reperiendi quem volebat quidem, non tamen putabat se reperturum, causa est voluntas, rem aliquam, quum in forum venisset, emendi. Similiter et in aliis quae fortuito fieri dicuntur, semper aliquam causam sumi posse, non autem fortunam.

Nam si fortuna esset aliquid, re vera absurdum videre-tur: ac dubitare quispiam posset, cur nemo unquam veterum sapientum, causas ortus et interitus tradens, de fortuna quidpiam definierit. Sed, ut videtur, ne illi quidem putarunt aliquid esse a fortuna.

Sed et hoc admirabile est. Multa namque et fiunt et sunt a fortuna et casu: quae non ignorantes posse referri singula ad aliquam eorum quae fiunt causam, quemadmodum anti-quos sermo fortunam tollens ait; tamen horum quaedam omnes ajunt esse a fortuna, quaedam autem non a fortuna. Quocirca ejus quoque aliqua mentio ab ipsis facienda erat.

At vero nec illorum quidpiam putarunt esse fortunam, veluti amicitiam, aut contentionem, aut mentem, aut ignem, aut aliquid aliud ejusmodi. Absurdum igitur est, sive non existimarunt esse, sive, quum esse putarent, praetermiserunt; praesertim quum ipsi quoque interdum casu et fortuna utan-tur; sicut Empedocles non semper aerem in superiorem locum secerni inquit, sed quomodo contigerit: dicit enim in Cosmopoeia,

Saepe alias aliter, sed tum sic forte cucurrit.

Partes quoque animalium plerasque a fortuna factas esse dicit.

Sunt autem nonnulli, qui et caeli hujus et omnium mundi partium causam adscribunt casui: casu enim fieri ajunt con-versionem et motum, qui universum distinxit et redegit in hunc ordinem.

Et sane hoc valde est admiratione dignum, quod dicunt animalia quidem et plantas nec esse nec fieri a fortuna; sed eorum causam esse aut naturam, aut mentem, aut aliquid aliud tale (quia non quodvis ex unoquoque semine fit, sed ex illo oliva, ex hoc autem homo); caelum autem, et quae sunt inter res manifestas maxime divina, casu facta esse, atque eorum nullam esse talem causam, qualem fatentur esse animalium et plantarum.

Atqui, si ita res habet, hoc ipsum est consideratione dignum, et e re est de ipso aliquid dicere. Nam, praeterquam quod alioqui est absurdum quod dicitur, adhuc absurdius est haec dicere, quum videamus in caelo quidem nihil casu fieri, in his autem quae non sunt a fortuna, multa fortuito accidere. Atqui contrarium fieri decebat.

Sunt autem quidam quibus videtur esse quidem causa fortuna, immanifesta autem humano intellectui, tamquam divinum quoddam eus, et felicius. Quare considerandum est quid sit utrumque, et si idem aut alterum sit et casus et fortuna: et quomodo in determinatas causas incidunt.

Sunt autem nonnulli quibus fortuna videtur esse quidem causa, sed humanae menti obscura, tamquam sit divinum quid ac numen excellentius. Quare considerandnm est, et quid sit utrumque, et utrum idem sint an diversa casus inquam et fortuna, et quomodo in causas supra definitas cadant.

Postquam Philosophus determinavit de manifestis speciebus et modis causarum, hic determinat de quibusdam modis immanifestis, scilicet de fortuna et casu. Et circa hoc duo facit. Primo dicit, de quo est intentio. Secundo prosequitur propositum, ibi, « Quidam autem sicut. » Dicit ergo primo, quod etiam fortuna et casus computantur inter causas, cum multa dicantur fieri vel esse etiam propter fortunam et casum. Et ideo tria consideranda sunt de eis: scilicet quomodo reducantur ad causas praedictas; et iterum utrum casus et fortuna sint idem, vel aliud et aliud; et iterum quid sit casus et fortuna.

Secundo ibi « quidam enim »

Incipit de fortuna et casu determinare. Et primo ponit opiniones aliorum. Secundo determinat veritatem, ibi, « Primum quidem igitur quoniam. » Circa primum ponit tres opiniones. Secunda incipit ibi, « Sunt autem quidam qui caeli hujus. » Tertia, ibi, « Sunt autem quidam quibus videtur. » Circa primum duo facit. Primo ponit opinionem negantium fortunam et casum, et rationes eorum. Secundo disputat de altera rationum, ibi, « Sed hoc « mirabile. » Dicit ergo primo, quod quidam dubitaverunt, an fortuna et casus essent; et negaverunt ea esse, duabus rationibus. Quarum prima est, quia omnia ista quae dicuntur fieri a casu vel fortuna, inveniuntur habere aliquam causam determinatam aliam a fortuna: et ponit hujusmodi exemplum: si enim aliquis veniens ad forum inveniat aliquem hominem quem volebat invenire, de quo tamen non opinabatur ante quod esset eum inventurus, dicimus quod inventio illius hominis sit a fortuna: sed hujus inventionis causa est voluntas emendi, propter quam ivit ad forum ubi erat ille quem invenit: et similiter est in omnibus aliis quae dicuntur esse a fortuna, quia habent aliquam aliam causam praeter fortunam. Et sic fortuna non videtur esse causa alicujus; et per consequens nec aliquid esse; quia non ponimus fortunam, nisi inquantum aliqua ponimus esse a fortuna.

Secundam rationem ponit ibi « quoniam si »

Et dicit, quod si fortuna aliquid esset, inconveniens videretur (sicut vere est inconveniens, sicut infra ostendetur); et dubitationem afferens, quare nullus antiquorum sapientum, qui determinavit de causis generationis et corruptionis, aliquid determinavit de fortuna; sed, sicut videtur, nihil opinabantur illi antiqui esse a fortuna. Et sic haec secunda ratio sumitur ex opinione antiquorum naturalium.

Deinde cum dicit « sed et mirabile »

Disputat de hac secunda ratione; ostendens quod supra supposuerat, scilicet quod inconveniens sit, antiquos naturales non determinasse de casu et fortuna: et hoc probat duabus rationibus, quarum primam ponit dicens. « Et mirabile videtur » (sicut vere est) quod antiqui naturales de casu et fortuna non determinaverunt: assumpserunt enim sibi determinare causas eorum quae fiunt: multa autem sunt, quae fiunt a fortuna et casu: unde de fortuna et casu determinare debuerunt. Nec excu-

santur propter rationem supradictam destruentem fortunam et casum; quia licet homines non ignorent quod contingit reducere unumquenque effectum in aliquam causam, sicut dixit praedicta opinio destruens fortunam et casum, nihilominus tamen posuerunt non obstante hac ratione, quaedam fieri a fortuna, et quaedam non. Unde ipsis philosophis naturalibus facienda erat mentio de fortuna et casu, saltem ut ostenderent falsum esse aliqua fieri a fortuna et casu; et ut assignarent rationem, quare quaedam dicebantur esse a fortuna et quaedam non. Sic etiam non possunt excusari per hoc quod casus et fortuna reducerentur in aliquam causarum ab eis positarum; non enim opinabantur, quod fortuna sit aliquid eorum quae arbitrabantur esse causas, ut amicitiam aut litem, aut aliquid hujusmodi.

Secundam rationem ponit ibi « inconveniens « igitur »

Et dicit quod inconveniens est, quod antiqui reliquerunt tractare de fortuna, sive putaverunt fortunam esse, sive non: quia, si putaverunt fortunam esse, inconveniens fuit quod de ea non determinaverunt: si vero non putaverunt fortunam esse, inconveniens fuit quod ea aliquando usi sunt, sicut Empedocles, qui dixit quod aer non semper adunatur superius supra terram quasi hoc ei sit naturale, sed quia ita accidit a casu; dicit enim quod quando mundus est factus lite distinguente elementa, accidit quod aer se collegit in istum locum, et sicut tunc cucurrit, ita semper stante isto mundo cursum habebit. Sed multoties in aliis mundis, quos ponebat infinities fieri et corrumpi, ut supra dictum est, aer aliter ordinatur inter partes universi. Et similiter dicebat quod plurimae partes animalium fiunt a fortuna; sicut quod in prima constitutione mundi fiebant capita sine cervice.

Deinde cum dicit « sunt etiam »

Ponit secundam opinionem. Et circa hoc duo facit. Primo ponit eam. Secundo improbat eam, ibi, « Et multum hoc. » Dicit ergo primo, quod quidam dixerunt casum esse causam caeli et omnium partium mundi; et dicebant, quod revolutio mundi et motus stellarum distinguens et statuens totum universum inferius secundum hunc ordinem fit a casu. Et haec videtur esse opinio Democriti, dicentis, quod ex concursu atomorum per se mobilium, caelum et totus mundus casualiter constitutus est.

Secundo ibi « et multum »

Improbat hanc positionem duabus rationibus: quarum prima est, quod admiratione dignum videtur, quod animalia et plantae non fiunt a fortuna, sed ab intellectu vel natura, vel a quacumque alia causa determinata; quod ex hoc patet, quod non ex quocumque semine aliquid generatur, sed ex determinato semine fit homo, et ex determinato semine oliva. Et, cum ista inferiora non fiant a fortuna, dignum est admiratione hoc quod caelum et ea quae sunt diviniora inter sensibilia manifesta nobis, scilicet partes mundi sempiternae, sint a casu, et non habeant aliquam causam determinatam, sicut animalia et plantae. Et, si hoc verum est, dignum fuisset insistere et assignare rationem, quare sic esset; quod tamen antiqui praetermiserunt.

Secundam rationem ponit ibi « quomodo enim »

Dicens, quomodo potest esse verum quod caelestia corpora sint a casu, et inferiora non: cum et aliter videatur esse inconveniens ex hoc ipso quod illa nobiliora sunt, et adhuc etiam inconvenientius secundum ea quae videntur. Videmus enim quod in caelo nihil fit a casu. In his autem inferioribus, quae non dicuntur esse a casu, multa videntur contingere a fortuna. Rationabile autem esset e contrario accidere secundum eorum positionem, ut scilicet in illis invenirentur aliqua fieri a casu, vel a fortuna, quorum casus vel fortuna est causa: non autem in illis quorum non est causa.

Deinde cum dicit « sunt autem »

Ponit tertiam opinionem de fortuna: et dicit quod quibusdam videtur quod fortuna sit causa, sed immanifesta intellectui humano, ac si sit quoddam divinum, et supra homines. Volebant enim quod omnes fortuiti eventus reducerentur in aliquam divinam causam ordinantem, sicut ponimus omnia ordinari per divinam providentiam. Sed quamvis haec opinio habeat veram radicem, non tamen bene usi sunt nomine fortunae: illud enim divinum ordinans non potest dici vel nominari fortuna, quia secundum quod aliquid participat rationem vel ordinem recedit a ratione fortunae: unde magis debet dici fortuna causa inferior, quae de se non habet ordinem ad eventum fortuitum, quam causa superior, si qua sit ordinans. Praetermittit tamen inquisitionem hujus opinionis, tum quia excedit metas scientiae naturalis, tum quia infra manifestat quod fortuna non est causa per se, sed per accidens. Unde per ea quae sequuntur quomodo se habeat de his opinionibus erit manifestum. Et ideo concludit, quod ad evidentiam harum opinionum considerandum est quid sit fortuna et casus: et utrum sint idem, vel aliud, et quomodo reducantur ad causas praedictas.

LECTIO VIII.

Aliquae ex parte tum causarum, tum effectuum divisiones ponuntur,
ex quarum notitia casus ac fortunae ratio concluditur.

ANTIQUA.

Primum quidem igitur, quoniam videmus alia quidem semper similiter fieri: alia autem sicut frequenter, manifestum est, quod neutri horum causa fortuna dicitur: id enim quod a fortuna, neque ejus est quod est ex necessitate et semper, neque ejus quod est sicut frequenter. Sed quoniam quaedam fiunt, et praeter haec: et omnes dicunt haec esse a fortuna, manifestum quod fortuna aliquid sit, et casus. Hujusmodi enim fortuna fieri, et a fortuna hujusmodi esse scimus.

Eorum autem quae fiunt, alia propter aliquid fiunt, alia vero non.

Horum autem alia quidem secundum propositum fiunt, alia vero non: ambo autem sunt in iis quae sunt propter hoc. Quare manifestum quoniam in iis quae sunt praeter necessarium, et quae sicut frequenter, sunt quaedam, circa quae contingit quod est propter hoc. Sunt autem propter hoc, quaecumque ab intellectu utique aguntur, et quaecumque a natura.

Hujusmodi igitur, cum secundum accidens fiant, a fortuna dicimus esse. Sicut enim et quod est, aliud quod per seipsum est, aliud autem secundum accidens, sic et causam contingit esse: ut domus quidem per seipsam causa est aedificativa secundum accidens autem album, aut musicum: per se quidem igitur causa finita est, secundum accidens autem infinita. Infinita enim uni accidunt.

Sicut igitur dictum est, cum in iis quae propter hoc fiunt hoc fiat, tunc dicitur a casu et a fortuna. Ipsa autem differentia horum adinvicem posterius determinanda. Nunc autem hoc sit manifestum, quod utraque sunt in iis quae sunt propter hoc: ut causa accipiendi argentum venisset utique delaturus pecuniam, si scivisset. Venit autem non hujus causa, sed accidit venisse et fecisse hoc reportandi gratia. Hoc autem neque sicut frequenter veniens ad villam, neque ex necessitate. Amplius autem finis est reportatio non in seipso causarum, sed propositorum, et ab intellectu: et dicitur a fortuna venisse. Si autem proponens, et hujus causa, aut semper veniens, aut sicut frequenter reportaturus, non a fortuna.

Manifestum itaque, quod fortuna causa sit secundum accidens in his quae in minori sunt secundum propositum eorum quae propter hoc sunt. Unde circa idem et intellectus et fortuna est: propositum enim non sine intellectu est.

RECENS.

Primum igitur, cum videamus quaedam semper, alia plerumque eodem modo fieri, manifestum est neutrius horum causam dici aut fortunam aut quod est fortuitum, id est, neque ejus quod necessario et semper fit, neque ejus quod plerumque fit. Sed quia nonnulla etiam sunt quae praeter haec fiunt, atque omnes haec ajunt esse a fortuna: apparet fortunam et casum esse aliquid. Nam quae sunt ejusmodi, esse a fortuna; et quae sunt a fortuna, ejusmodi esse novimus.

Eorum autem quae fiunt, alia fiunt alicujus gratia, alia minime: illorum autem quaedam sunt ex praeelectione, quaedam non ex praeelectione: ambo autem sunt in iis quae alicujus gratia fiunt. Quapropter perspicuum est, etiam in iis quae nec necessario nec plerumque fiunt, esse nonnulla in quibus esse potest quod fit alicujus gratia. Sunt autem alicujus gratia, quum ea quae a mente fieri possunt, tum etiam quae a natura.

Quae igitur sunt ejusmodi, quum ex accidenti fiunt, ea dicimus esse a fortuna. Sicut enim ens aliud est per se, aliud ex accidenti: ita etiam causa esse potest, ut aedium per se causa est quod est aedificandi facultate praeditum, ex accidenti autem album aut musicum. Quae igitur est causa per se, definita est; quae vero ex accidenti, indefinita: quoniam infinita possunt uni accidere. Sicut igitur dictum fuit, quando in iis quae alicujus causa fiunt, hoc fit, tum dicitur esse a casu et a fortuna.

Horum autem inter se differentia posterius explicanda erit. Sed hoc in praesentia constet, utraque in iis esse quae alicujus causa fiunt: ut puta, argenti accipiendi gratia venisset, utique accepturus pecuniam, si scivisset; sed non hujus rei gratia venit: verum accidit ut veniret, et hoc faceret accipiendi gratia: idque nec plerumque veniens in eum locum nec necessario. Finis autem, id est acceptio pecuniae, non est in numero causarum quae in ipsa re sunt, sed est eorum quae sub praeelectionem cadunt, et a mente proficiscuntur. Tuncque dicitur fortuito profectus esse. Quodsi id praeelegisset et hujus gratia fuisset, vel semper aut plerumque eo se conferens acciperet pecuniam: certe id non esset a fortuna.

Patet igitur fortunam esse causam ex accidenti, in iis quae [raro] contingunt secundum praeelectionem eorum quae alicujus gratia fiunt. Quapropter in eodem versantur mens et fortuna: quia praeelectio non est sine mente.

Postquam Philosophus posuit opiniones aliorum de fortuna et casu, hic determinat veritatem. Et dividitur in partes tres. In prima ostendit quid sit fortuna. In secunda in quo differant casus et fortuna, ibi, « Differunt autem. » In tertia ostendit, ad quod genus causae casus et fortuna reducantur, ibi, « Sed modorum causae. » Prima pars dividitur in duas. In prima ostendit quid sit fortuna. In secunda ex definitione fortunae assignat rationem eorum quae de fortuna dicuntur, ibi, « Infinita quidem. » Circa primum tria facit. Primo ponit quasdam divisiones ad investigandum definitionem fortunae. Secundo ostendit, sub quibus membris illarum divisionum fortuna contineatur, ibi, « Sicut dictum est. » Tertio concludit definitionem fortunae, ibi, « Manifestum est autem. » Et, quia fortuna ponitur ut causa quaedam, ad cognitionem autem causae oportet scire quorum sit causa, ponit primo divisionem ex parte ejus cujus fortuna est causa. Secundo ponit divisionem ex parte ipsius causae, ibi, « Hujusmodi igitur cum secundum accidens. » Circa primum ponit tres divisiones. Quarum prima est, quod quaedam fiunt semper, ut ortus solis: quaedam sicut frequenter, ut quod homo nascatur oculatus: neutrum autem horum dicitur esse a fortuna. Sed quaedam fiunt « praeter haec, » idest ut in paucioribus, sicut quod homo nascatur cum sex digitis, vel sine oculis: et omnes dicunt hujusmodi fieri a fortuna: unde manifestum est quod fortuna aliquid est, cum esse a fortuna, et esse ut in paucioribus, convertantur: et hoc inducit contra primam opinionem, quae negavit fortunam. Videtur autem divisio Philosophi esse insufficiens, quia etiam quaedam contingentia sunt ad utrumlibet. Avicenna ergo dixit, quod in iis quae sunt ad utrumlibet, contingit aliquid esse a fortuna, sicut ea quae sunt in minori parte. Nec obstat quod non dicitur a fortuna, quia Socrates sedeat, cum hoc sit ad utrumlibet: quia licet sit hoc ad utrumlibet respectu potentiae motivae, non tamen est ad utrumlibet respectu potentiae appetitivae, quae determinate tendit in unum, praeter quam si aliquid accideret diceretur esse fortuitum. Sed sicut potentia motiva quae est ad utrumlibet non exit in actum, nisi per potentiam appetitivam determinetur ad unum; ita nihil quod est ad utrumlibet, exit in actum, nisi per aliquod determinetur ad unum: quia id quod est ad utrumlibet, est sicut ens in potentia: potentia autem non est principium agendi, sed solum actus. Unde ex eo quod est ad utrumlibet nihil sequitur nisi per aliquid aliud, quod determinat ad unum, vel sicut semper, vel sicut frequenter: et propter hoc in iis quae fiunt, praetermisit ea, quae sunt ad utrumlibet. Sciendum etiam quia quidam definierunt esse necessarium, quod non habet impedimentum: contingens vero sicut frequenter, quod potest impediri in paucioribus. Sed hoc irrationabile est. Necessarium enim dicitur aliquid, quod in sui natura habet quod non possit non esse. Contingens autem ut frequenter, quod possit non esse. Hoc autem quod est habere impedimentum vel non habere, est contingens. Natura autem non parat impedimentum ei quod non potest non esse, quia esset superfluum.

Secundam divisionem ponit ibi « eorum autem »

Et dicit, quod quaedam fiunt propter finem, quaedam vero non. Habet autem haec divisio dubitationem: quia omne agens agit propter finem, sive agat a natura, sive agat ab intellectu. Sed sciendum est, quod ea dicit non propter aliquid fieri, quae propter se fiunt, inquantum in seipsis habent delectationem vel honestatem propter quam secundum seipsa placent. Vel dicit non propter finem fieri, quae non fiunt propter finem deliberatum, sicut confricatio barbae, vel aliquid hujusmodi, quod interdum fit absque deliberatione ex sola imaginatione movente: unde habent finem imaginatum, sed non deliberatum.

Tertiam divisionem ponit ibi « horum autem »

Et dicit quod eorum quae fiunt propter finem, quaedam fiunt secundum voluntatem, et quaedam non; et ambo ista inveniuntur in iis quae fiunt propter aliquid. Non solum enim quae fiunt a voluntate, sed etiam ea quae fiunt a natura, propter aliquid fiunt. Et, quia ea quae fiunt ex necessitate, vel sicut frequenter, fiunt a natura, vel a proposito; manifestum est quod tam in iis quae fiunt semper, quam in iis quae fiunt frequenter, sunt aliqua quae fiunt propter finem, cum tam natura quam propositum propter finem operentur. Et sic patet, quod istae tres divisiones includunt seinvicem: quia ea quae fiunt a proposito vel natura, fiunt propter finem: et ea quae fiunt propter finem, fiunt semper, aut frequenter.

Deinde cum dicit « hujusmodi igitur »

Ponit divisionem, quae sumitur ex parte causae: et dicit quod, cum hujusmodi, quae scilicet a proposito sunt, propter aliquid et in minori parte fiunt, et a causa secundum accidens, tunc dicimus ea esse a fortuna. Sicut enim entium quoddam est per se, et quoddam per accidens; ita et causarum; sicut per se domus causa est ars aedificatoria, per accidens vero album vel musicum. Sed considerandum est quod causa per accidens dicitur dupliciter: uno modo ex parte causae, alio modo ex parte effectus. Ex parte quidem causae, quando illud quod dicitur causa per accidens, conjungitur causae per se sicut si album; vel musicum dicatur causa domus, quia accidentaliter conjungitur aedificatori. Ex parte autem effectus, quando accipitur aliquod quod accidentaliter conjungitur effectui: ut si dicamus, quod aedificator est causa discordiae, quia ex domo facta accidit discordia. Hoc modo dicitur fortuna esse causa per accidens; ex eo quod effectui aliquid conjungitur per accidens: utpote si fossurae sepulchri adjungatur per accidens inventio thesauri. Sicut enim effectus per se causae naturalis est, quod consequitur secundum exigentiam suae formae, ita effectus causae agentis a proposito est illud, quod accidit ex intentione agentis: unde quicquid provenit in effectu praeter intentionem est per accidens. Et hoc dico, si id quod est praeter intentionem, ut in paucioribus consequatur. Quod enim vel semper, vel ut frequenter conjungitur effectui, cadit sub eadem intentione. Stultum est enim dicere, quod aliquis intendat aliquid, et non velit illud quod ut frequenter vel semper adjungitur. Ponit autem differentiam inter causam per se, et causam per accidens: quia causa per se est finita et determinata: causa autem per accidens est infinita et indeterminata, eo quod infinita uni possunt accidere.

Deinde cum dicit « sicut igitur »

Ostendit sub quibus membris praedictarum divisionum fortuna contineatur, et quod est a fortuna. Et dicit primo, quod fortuna et casus, ut prius dictum est, sunt in iis quae fiunt propter aliquid.

Differentia autem casus et fortunae posterius determinabitur: sed nunc hoc debet fieri manifestum, quia utrumque continetur in iis quae aguntur propter finem; sicuti, si aliquis sciret se recepturum pecuniam in foro fuisset ad deportandum eam. Sed, si non venit propter hoc, per accidens est quod adventus ejus fiat reportationis gratia, idest habeat hunc effectum. Et sic patet quod fortuna est causa per accidens eorum quae sunt propter aliquid. Item manifestum est, quod est causa eorum quae sunt in minori parte; quia ista reportatio pecuniae dicitur fieri a fortuna, quando reportat ad villam veniens, neque ex necessitate, neque frequenter. Item est in iis quae fiunt a proposito; quia reportatio pecuniae, quae dicitur fieri a fortuna, est finis aliquarum causarum, non secundum seipsam, sicut in iis quae fiunt a natura; sed est finis eorum quae fiunt secundum propositum, et ab intelle-

ctu. Sed si aliquis hoc proposito iret ut pecuniam reportaret, vel semper aut frequenter reportaret, quando venit, non diceretur esse a fortuna, sicut si aliquis frequenter aut semper madefacit sibi pedes, quando vadit ad locum lutosum; et hoc licet non intendat, tamen hoc non dicitur esse a fortuna.

Secundo ibi « manifestum itaque »

Concludit ex praemissis definitionem fortunae. Et dicit manifestum esse ex praemissis, quod fortuna est causa per accidens in his quae fiunt secundum propositum, propter finem, in minori parte. Et ex hoc patet, quod fortuna et intellectus sunt circa idem; quia his tantum convenit agere a fortuna, quae habent intellectum. Propositum enim vel voluntas non est sine intellectu. Et licet ea tantum agant a fortuna quae habent intellectum, tamen quanto aliquid magis subjacet intellectui, tanto minus subjacet fortunae.

LECTIO IX.

Ea quae tam ab antiquis sapientibus de casu ac fortuna dicebantur, quam quae a vulgaribus, rationabilia fuisse ostenditur: quidque infortunium vel eufortunium sit.

ANTIQUA.

Infinitas quidem igitur causas necesse est esse, a quibus utique fiat quod est fortuna. Unde videtur fortuna infinita esse, et immanifesta homini.

Et est ut nihil a fortuna videatur utique fieri: omnia quidem enim haec recte dicuntur, quoniam rationabiliter. Est quidem enim ut sit a fortuna, et secundum accidens enim fit, et est causa sicut accidens fortuna: ut autem simpliciter, nullius: ut domus aedificator quidem causa est, secundum accidens autem tibicens, et venientem referendi argentum non hujus causa venientem infinitae sunt multitudine. Etenim videre aliquem volens, et persequens, et fugiens, et visurus.

Et fortunam dicere esse aliquid extra rationem recte est. Ratio enim aut est eorum quae semper sunt, aut eorum quae sunt frequenter: fortuna autem in his quae fiunt praeter haec: quare quoniam infinitae, quae sic causae sunt, et fortuna infinita est.

Tamen deficiet in quibusdam utique aliquis. Numquid igitur quaevis utique fiant fortunae causae ut sanitatis aut spiritus aut aestus: sed non depilari. Sunt autem aliae aliis proximiores, quae sunt secundum accidens causarum.

Fortuna autem bona quidem dicitur, cum bonum aliquid evenit. Prava autem cum pravum aliquid.

Eufortunium autem et infortunium est cum magnitudinem habent haec. Quo circa et cum parum abest ut quis malum, seu bonum capiat magnum, infortunatum, vel bene fortunatum esse dicitur: quoniam sicut ens dicit intellectus: quod enim parum, tamquam nihil distare videtur.

Amplius autem incertum eufortunium rationabiliter est: fortuna enim incerta est. Neque enim ut semper, neque sicut frequenter possibile esse, quae sunt a fortuna quicquam.

Sunt quidem igitur ambo causae, quemadmodum dictum est secundum accidens: et fortuna et casus incontingentibus fieri neque simpliciter, neque sicut frequenter, et eorum quaecumque utique fient propter aliquid.

RECENS.

Necesse est igitur ut eae causae sint indefinitae, a quibus fieri potest quod est a fortuna. Unde etiam fortuna videtur esse rei indefinitae, atque homini occulta. Et aliquo modo nihil a fortuna fieri posse videtur. Haec enim omnia recte dicuntur, quia sunt rationi consentanea. Nam aliquo modo fit a fortuna: ex accidenti namque.

Ac fortuna est causa ut accidens: simpliciter autem nullius rei causa est: ut puta, aedium causa quidem est aedificator, sed ex accidenti tibicen; et, quum in forum venerit, argentum accipiat, qui non hujus causa venit, causae sunt multitudine infinitae: nam et videre aliquem volens, et persequens, et fugiens, venisse potest.

Illud quoque recte dicitur, fortunam esse rem a ratione alienam: quoniam ratio est eorum quae semper aut quae plerumque sunt; fortuna vero in iis cernitur, quae praeter haec fiunt: adeo ut, quia indefinitae sunt quae ita sunt causae, etiam fortuna sit res indefinita. Verumtamen de quibusdam aliquis dubitare possit, an quaevis causae fieri possint ipsius fortunae: veluti, an valetudinis causa sit aut ventus, aut aestus, sed non detonsum esse. Nam causarum accidentariarum aliae sunt aliis propinquiores.

Secunda autem fortuna dicitur, quum aliquid boni evenit: adversa vero, quum aliquid mali. Fortunae vero prosperitas et infortunium seu calamitas tum dicitur, quum haec magna sunt. Quare etiam quum parum abest quin in magnum aliquod malum vel bonum inciderimus, id quoque est infortunio vel prosperitate fortunae uti: quia mens id asserit quasi sit. Quod enim parum abest, quasi nihil abesse videtur. Praeterea fortunae prosperitas inconstans est merito: quoniam ipsa fortuna inconstans est: utpote quum nihil eorum quae a fortuna proficiscuntur, aut semper aut plerumque esse possit.

Utraeque igitur sunt causae, sicut dictum fuit, ex accidenti, tam fortuna quam casus; videlicet in iis quae fieri contingit nec simpliciter, nec plerumque, et in horum numero quae fieri possunt alicujus gratia.

Posita definitione fortunae, hic ex praemissa definitione assignat rationem eorum quae de fortuna dicuntur. Et primo eorum quae dicta sunt a philosophis antiquis de fortuna. Secundo eorum

quae ab hominibus vulgariter de fortuna dicuntur, ibi, « Et fortunam dicere. » Posuit autem supra tres opiniones de fortuna et casu: quarum mediam improbavit tamquam omnino falsam, quia scilicet ponebat fortunam esse causam caeli, et mundanorum omnium. Unde ea subtracta de medio, primo assignat quomodo veritatem habet tertia opinio, quae ponebat fortunam esse immanifestam homini. Secundo quomodo veritatem habeat prima opinio quae posuit nihil fieri a fortuna et a casu, ibi, « Et est ut nihil a fortuna. » Quia autem superius dictum est, quod causae per accidens sunt infinitae, et iterum dictum est quod fortuna est causa per accidens; concludit ex praemissis quod ejus quod est a fortuna, sunt infinitae causae. Et, quia infinitum, secundum quod est infinitum, est ignotum, inde est quod fortuna immanifesta est homini.

Secundo ibi « et est ut »

Ostendit, quomodo prima opinio veritatem habeat: et dicit, quod quodammodo est verum dicere quod a fortuna nihil fit. Haec enim omnia quae ab aliis dicta sunt de fortuna, quodammodo recte dicuntur: quia rationem aliquam habent. Cum enim fortuna sit causa per accidens, sequitur quod a fortuna sit aliquid per accidens. Quod autem est accidens non est simpliciter. Unde sequitur, quod fortuna simpliciter nullius sit causa. Et hoc quod dixerat circa utramque opinionem, manifestat per exempla: et dicit, quod aedificator est causa per se domus, et simpliciter; tibicen autem est causa domus per accidens. Similiter quod aliquis veniat ad aliquem locum non causa deportandi argentum, est causa reportationis per accidens. Sed haec causa per accidens infinita est; quia infinitis aliis de causis potest homo ire ad locum illum; puta si vadat causa visitandi aliquem, vel causa persequendi hostem, vel causa fugiendi persequentem, vel causa videndi aliqua spectabilia: omnia autem ista, et quaecumque similia, sunt causa reportationis argenti, quae contingit a fortuna.

Deinde cum dicit « et fortunam »

Assignat rationem eorum quae dicuntur de fortuna vulgariter. Et primo assignat rationem ejus quod dicitur de fortuna esse sine ratione. Secundo ejus, quod dicitur, fortunam esse bonam vel malam, ibi, « Fortuna dicitur autem. » Circa primum duo facit. Primo ostendit propositum. Secundo movet quamdam dubitationem, ibi, « Tamen deficit. » Dicit ergo primo quod recte dicitur fortunam esse sine ratione, quia ratiocinari non possumus nisi de iis quae sunt semper vel frequenter: fortuna autem est extra utrumque. Et ideo, quia causae tales in paucioribus existentes sunt per accidens, et infinitae et sine ratione, sequitur quod fortunae sint causae infinitae sine ratione. Omnis enim causa per se producit effectum suum, vel semper, vel frequenter.

Secundo ibi « tamen deficiet »

Movet quamdam dubitationem: et dicit, quod licet dicatur quod fortuna est causa per accidens, in quibusdam tamen deficiet, idest dubitabit aliquis:

et est dubitatio, utrum quaecumque contingunt esse causa per accidens debeant dici causa ejus quod fit a fortuna: sicut patet quod sanitatis causa per se potest esse vel natura, vel ars medicinae: causae autem per accidens possunt dici omnia illa, quibus contingentibus contingit fieri sanitatem; sicut est spiritus, idest ventus, et aestus, et abrasio capitis: numquid igitur quodlibet istorum est causa per accidens ? Sed, quia supra diximus quod fortuna maxime dicitur causa per accidens ex parte effectus, prout scilicet aliquid dicitur esse causa ejus quod accidit effectui: manifestum est quod causa fortuita aliquid operatur ad effectum fortuitum, licet non intendat illud, sed aliquid aliud effectui conjunctum. Et secundum hoc ventus aut aestus possunt dici causae fortuitae sanitatis, inquantum faciunt aliquam alterationem in corpore ad quam sequitur sanitas. Sed depilatio, aut aliquid aliud hujusmodi non facit manifeste aliquid ad sanitatem. Sed tamen inter causas per accidens aliquae sunt propinquiores, et aliquae remotiores. Illae autem quae sunt remotae, minus videntur esse causae.

Deinde cum dicit « fortuna autem »

Assignat rationem ejus, quod dicitur, fortunam esse bonam vel malam. Et primo assignat rationem quare dicitur fortuna bona vel mala simpliciter; et dicit quod fortuna dicitur bona, quando aliquod bonum contingit, et mala quando malum.

Secundo ibi « eufortunium autem »

Assignat rationem eufortunii et infortunii; et dicit quod eufortunium et infortunium dicitur, quando habet aliquod bonum vel malum cum magnitudine: nam eufortunium dicitur, quando sequitur aliquod magnum bonum: Infortunium autem, quando sequitur aliquod magnum malum. Et, quia privari bono accipitur in ratione mali, et privari malo in ratione boni; ideo quando aliquis parum distat a magno bono, si amittat illud, dicitur infortunatus; et si aliquis sit propinquus magno malo, et liberetur ab illo, dicitur infortunatus: et hoc ideo, quia intellectus accipit illud quod parum distat, ac si nihil distaret, sed jam haberetur.

Tertio ibi « amplius autem »

Assignat rationem quare eufortunia sint incerta: et dicit quod hoc ideo est quia eufortunium fortuna quaedam est. Fortuna autem est incerta, cum sit eorum quae non sunt semper, neque frequenter, ut dictum est. Unde sequitur eufortunium esse incertum.

Ultimo ibi « sunt quidem »

Concludit quasi recapitulando, quod utrumque, scilicet casus et fortuna, est causa per accidens: et utrumque est in iis quae contingunt non simpliciter, idest neque semper, neque frequenter; et utrumque est in iis quae fiunt propter aliquid, ut ex supradictis patet.

LECTIO X.

Casus ac Fortuna, ponens ea in quibus sunt natura, ac discrimen sumitur, cui notitia, quatuor tantum causarum genera esse manifestum sit.

Differunt autem, quoniam casus in plus est: quod enim est a fortuna, est a casu: hoc autem non omne a fortuna est.

Fortuna quidem enim, et quod a fortuna est quibuscumque actu contingere utique inerit, et omnino actus est. Unde necesse est circa practica esse fortunam. Signum autem est quod videtur idem felicitati aut prope. Felicitas autem praxis quaedam est: eupraxia enim est. Quare quibuscumque non contingit agere, neque a fortuna aliquid facere.

Et propter hoc neque inanimatum quippiam, neque infans, neque bestia quicquam facit a fortuna, quoniam non habent propositum. Neque eufortunium, neque infortunium inest his, nisi secundum similitudinem, sicut dixit Protarchus eufortunatos esse lapides, ex quibus sunt arae, cum honorentur, copulati autem his conculcentur. Pati autem a fortuna inest quodammodo et his, cum agens aliquid circa haec agat a fortuna, aliter autem non.

Sed casus est in aliis animalibus, et inanimatis, ut equus casu, inquit, venit, quoniam salvatus est quidem veniens, non salutis autem causa venit. Et tripes casu cecidit: stat quidem enim causa sedendi, sed non causa sedendi cecidit.

Quare manifestum est quod in his quae simpliciter propter aliquid fiunt, cum non accidentis causa fiunt, cujus extra est causa, tunc a casu dicimus. A fortuna autem eorum quaecumque a casu fiunt propositorum in habentibus propositum.

Signum autem est quid vanum est: quoniam dicitur cum non fiat quod propter aliud est illius causa, ut ambulare, si depositionis causa est: si vero non fiat ambulanti, frustra dicimus ambulasse, et ambulatio vana: tamquam hoc sit frustra, quod aptum natum est alterius causa, cum non perficiat illud cujus causa erat aptumque erat. Quoniam si aliquis se balneatum dicat frustra, quia non defecit sol; derisio utique erit, non enim erat hoc propter illud. Si igitur quod automatum secundum nomen est, cum ipsum frustra fiat. Cecidit enim non percutiendi causa lapis. Ab eo igitur quod automatum cecidit lapis, quia cecidit utique a quodam et percutiendi causa.

Maxime autem separatum est a fortuna in his quae a natura fiunt. Cum enim fit aliquid extra naturam, tunc non a fortuna, sed magis ab eo, quod per se frustra est, factum esse dicimus. Est autem et hoc alterum: hujus quidem enim extra est causa, illius vero intra. Quid igitur sit per se frustra, et quid fortuna, dictum est, et quo a seinvicem differant.

Sed modorum causarum, in quibus est unde principium motus, utrumque ipsorum est. Aut enim eorum quae sunt a natura causa aliqua est, aut eorum quae sunt sub intellectu causa semper est. Sed eorum multitudo indeterminata est.

Quoniam autem casus et fortuna sunt causae eorum, quorum utique aut intellectus fit causa, aut natura, cum secundum accidens causa aliqua fiat horum ipsorum: nihil autem secundum accidens prius est his quae fiunt per se: manifestum est quod neque per accidens causa prius est ea, quae est per se. Posterior itaque est casus et fortuna et intellectu et natura. Quare, siqua maxime caeli causa est casus; necesse prius causam intellectum et naturam esse, et aliorum multorum, et hujus autem omnis.

Quae autem sunt causae, et quod tot sint numero quot dicimus, manifestum est: tot enim secundum numerum propter quid comprehendit. Aut enim in quod quid est reducitur propter quid ultimum in immobilibus, ut in Mathematicis. Indefinitione enim recti, aut commensurati, aut alicujus cujusdam reducitur ultimum. Aut in movens primum, ut propter quid certaverunt? quoniam furati sunt. Aut cujus gratia? ut dominentur. Aut in iis quae fiunt, materia. Quod quidem igitur causae, et haec tot sint, manifestum est.

Differunt autem, quia casus latius patet. Quod enim a fortuna est, casu est: hoc autem non omne est a fortuna. Nam fortuna et fortuitum in iis est, in quibus et fortunae prosperitas inesse potest; et omnino actio spectatur.

Quare necesse est ut fortuna in iis rebus versetur quae sub actionem cadunt. Cujus rei signum est, quia fortunae prosperitas videtur aut idem esse quod beatitudo, aut ei propinqua: beatitudo vero est actio quaedam, siquidem est recta actio. Quocirca quaecumque non possunt agere, ea nec fortuito aliquid facere queunt.

Atque ob hanc causam nec inanimatum aliquid, nec bellua nec infans facit aliquid fortuito: quia non habet praeelectionem. Nec fortunae prosperitas vel infortunium his inest, nisi secundum similitudinem: ut Protarchus dixit fortunatos esse lapides ex quibus arae exstruuntur, quia honorantur, quum alii ejusdem generis pedibus conculcentur. Sed et pati a fortuna his quodammodo inest, quando scilicet qui in his aliquid fecit fortuito facit. Aliter vero non inest.

Casus autem aliis quoque animalibus et multis rebus inanimatis attribuitur, ut puta dicimus equum casu venisse: quia, quum veniret, servatus est, non tamen ob eam causam venit ut servaretur. Ac tripoda casu cecidisse: stetit enim sedendi gratia; sed non ob eam causam cecidit, ut quis sederet.

Quare perspicuum est, in iis quae simpliciter alicujus causa fiunt, quando non ejus quod contingit, gratia facta sunt quae externam causam habent, tunc nos dicere haec casu esse facta. Horum autem ea fieri a fortuna, quae casu fiunt, et sub eorum praeelectionem cadunt quae praeelectione sunt praedita.

Argumento est vox *maten*, id est Frustra: quia tunc dicitur aliquid frustra fieri, quum id quod alius gratia quoddam fit, id ipsum non fit cujus gratia geritur: ut deambulatio si purgationis gratia est, nec purgatio evenit ei qui deambulavit, dicimus eum frustra deambulasse, ac deambulationem suo fine esse frustratam: tamquam hoc sit frustra, quod sua natura in alterius gratiam est comparatum, quando scilicet non perficit id cujus gratia est et natura comparatum est. Nam si quis dicat se frustra lavisse, quia sol non deficit, ridiculus profecto erit, quoniam hoc non est illius gratia.

Sic igitur *to automaton*, id est Casus, etiam nominis ratione habita, tunc dicitur, quum ipsum frustra (*maten*) sit. Cecidit enim lapis non feriendi gratia: casu igitur lapis cecidit, quia cadere potest etiam ab aliquo feriendi gratia projectus.

Maxime autem a casu sejungitur, quod est a fortuna, in iis quae a natura fiunt. Quum factum est aliquid praeter naturam, tunc non dicimus id factum esse a fortuna, sed potius casu: quamquam et hoc est diversum; illius enim causa est externa, hujus vero interna.

Quid igitur sit casus, et quid fortuna, dictum est, et quid inter se differant. Quod autem ad causae modum attinet, horum utrumque in iis causis numeratur unde est principium motus. Semper enim est causa vel eorum quae natura, vel eorum quae a mente fiunt: sed horum multitudo est indefinita.

Quum autem casus et fortuna sint earum rerum causae, quarum mens aut natura potest esse causa, quando scilicet aliquid ex accidenti fit horum ipsorum gratia, nihil autem quod fit ex accidenti prius sit iis quae sunt per se: patet etiam causam ex accidenti non esse priorem causa per se.

Casus igitur et fortuna sunt causae posteriores et mente et natura. Quare etiam si quammaxime casus esset caeli causa, tamen necesse esset mentem et naturam esse causam priorem quum multarum aliarum rerum, tum etiam hujus universi.

Esse autem causas, ac tot esse numero, quot diximus, manifestum est. Tot etenim numero comprehendit quaestio cur sit: nam quaestio cur sit, vel ad quidditatem inducitur, quae extremum est in rebus immobilibus, ut in mathematicis (ad definitionem enim recti, aut symmetri, aut alius cujuspiam ad postremum revocatur).

Vel ad primum movens, veluti, cur pugnarunt? quia praedati sunt: vel cujus gratia? ut dominentur: vel in iis quae fiunt, materia. Has igitur ac tot esse causas perspicuum est.

Postquam Philosophus determinavit de fortuna et casu quantum ad ea in quibus conveniunt, hic ostendit differentiam eorum adinvicem. Et dividitur in duas partes: In prima determinat de differentia fortunae et casus. In secunda ostendit ubi maxime haec differentia consistit, ibi, « Maxime autem. » Prima dividitur in duas. In prima ostendit differentiam inter casum et fortunam. In secunda recapitulat quae dicta sunt de utroque, ibi, « Quare manifestum est. » Circa primum duo facit. Primo ponit differentiam inter casum et fortunam; et dicit quod in hoc differunt, quod casus est in plus quam fortuna; quia omne quod est a fortuna, est a casu, sed non convertitur.

Secundo ibi « fortuna quidem »

Manifestat praedictam differentiam. Et primo ostendit in quibus sit fortuna. Secundo, quod casus in pluribus est, ibi, « Sed casus in aliis. » Circa primum duo facit. Primo ostendit in quibus sit fortuna. Secundo concludit in quibus non sit, ibi, « Et propter hoc neque. » Dicit ergo primo, quod fortuna et id quod est a fortuna invenitur in illis quibus bene contingere aliquid dicitur; quia in quibus est fortuna potest esse eufortunium et infortunium. Dicitur autem bene contingere illi aliquid, cujus est agere. Ejus autem proprie est agere, quod habet dominium sui actus; quod autem non habet dominium sui actus, magis agitur quam agat; et ideo actus non est in potestate ejus quod agitur, sed magis ejus quod agit ipsum. Et quia vita practica sive activa est eorum quae habent dominium sui actus, in his enim invenitur operari secundum virtutem vel vitium: ideo necesse est quod fortuna sit circa practica. Et hujus signum inducitur, quod fortuna videtur idem felicitati, vel ei esse propinqua vel esse ipsa; unde vulgariter felices bene fortunati vocantur. Secundum enim illos qui felicitatem in bonis exterioribus consistere putant, felicitas est idem fortunae. Secundum illos vero qui bona exteriora in quibus plurimum habet locum fortuna, dicunt deservire instrumentaliter ad felicitatem, secundum hoc bona fortuna est propinqua felicitati, quia coadjuvat ad ipsam. Unde cum felicitas sit quaedam operatio (est enim eupraxia, idest bona operatio, scilicet virtutis perfectae, ut dicitur in primo Ethices), sequitur quod fortuna sit in illis in quibus convenit (1) bene agere, vel impediri ad hoc; et hoc est bene contingere, vel male contingere. Unde, cum aliquis sit dominus sui actus, inquantum voluntarie agit, sequitur quod in illis tantum contingat aliquid a fortuna esse, quae voluntarie agunt, non autem in aliis.

Secundo ibi « et propter »

Concludit ex praemissis, in quibus non sit fortuna; et dicit quod propter hoc quod fortuna non est nisi in his quae voluntarie agunt, inde est quod neque inanimatum, neque puer, neque bestia, cum non agant voluntarie, quasi liberum arbitrium non habentes, agunt a fortuna. Unde neque eufortunium in his potest accidere, nisi similitudinarie; sicut quidam dixerunt quod lapides, ex quibus fiunt altaria, sunt fortunati, quia eis honor et reverentia exhibetur, cum lapides ei conjuncti conculcentur. Quod dicitur per similitudinem ad homines in quibus honorati videntur bene fortunati; hi autem qui conculcantur dicuntur male fortunati. Sed quamvis praemissis non contingat agere a fortuna, nihil

(1) *Lege* contingit.

tamen prohibet ea pati a fortuna, cum aliquod agens voluntarium circa ea operatur. Sicut dicimus esse eufortunium cum aliquis homo invenit thesaurum, vel infortunium, cum percutitur a lapide cadente.

Deinde cum dicit « sed casus »

Ostendit quod casus etiam est in aliis. Et circa hoc tria facit. Primo ostendit quod casus est in aliis. Secundo concludit quamdam conclusionem ex dictis, ibi, « Quare manifestum est. » Tertio ad ejus manifestationem quoddam signum inducit, ibi, « Signum autem est. » Dicit ergo primo, quod casus non solum est in omnibus qui voluntarie agunt, sed etiam in aliis animalibus, sicut quod equus casu venit, quando salutem adeptus est veniens, licet non venerit causa salutis. Aliud exemplum ponit in rebus inanimatis. Dicimus enim quod tripoda cecidit casu, quia (1) sic stat per casum, ut sit apta ad sedendum: licet non ista de causa ceciderit, ut staret apta ad sedendum.

Secundo ibi « quare manifestum »

Concludit ex praemissis, quod in iis quae simpliciter fiunt propter aliquid, quando non fiunt causa ejus quod accidit, sed fiunt causa alicujus extrinseci, tunc dicimus quod fiant a casu. Sed a fortuna dicimus illa fieri tantum de numero eorum quae fiunt a casu, quaecumque accidunt in habentibus propositum.

Tertio ibi « signum autem »

Manifestat quod in conclusione posuerat: scilicet quod casus accidat in his quae sunt propter aliquid. Et accipit signum ab eo quod dicitur vanum, quod secundum nomen in graeco propinquum est casui. Dicitur autem vanum, cum id quod est propter aliquid non fiat ejus causa, idest cum non accidat ex eo propter quod fit: sicut si aliquis ambulet ad deponendum superflua naturae, si hoc non accidat deambulanti, dicitur frustra deambulasse: et ambulatio ejus esset vana, ac si hoc sit frustra, vel vanum, quod aptum natum est fieri causa alicujus, cum non perficiat illud « cujus causa natum « est fieri. » Et quare dicat « cujus causa natum « est fieri » exponit subdens: quia si aliquis dicat se frustra balneatum, quia eo balneato non defecit sol, derisorie diceret; quia hoc quod est ipsum esse balneatum, non erat natum fieri propter hoc quod deficeret sol. Unde casus, qui in graeco dicitur automatum, idest per se frustra, accidit in his, quae sunt propter aliquid, sicut et id quod est frustra vel vanum: quia per se frustra, ipsum frustra secundum suum nomen significat: sicut per se homo, ipsum hominem: et per se bonum, ipsum bonum. Et exemplificat in his quae casu fiunt; sicut cum dicitur, quod lapis cadendo, percutiens aliquem, cecidit non percutiendi causa: ergo cecidit ab eo quod est per se vanum, vel per se frustra: quia non natus est propter hoc cadere: cadit enim aliquando lapis ab aliquo emissus percutiendi causa. Quamvis autem casus et vanum conveniant in hoc, quod utrumque est in his quae sunt propter aliquid; differunt tamen, quia vanum dicitur ex hoc, quod non consequitur aliquid quod intendebatur; unde quandoque est vanum et casus simul: puta cum non accidit aliquid aliud: quandoque autem est casus, sed non vanum, cum accidit et illud quod intendebatur, et aliud: quandoque autem est

(1) *Forte* quando.

vanum et non casus, quando non accidit illud quod intendebatur, neque aliquid aliud.

Deinde cum dicit « maxime autem »

Ostendit, in quibus maxime casus differat a fortuna: et sic dicit, quod maxime differt in illis quae fiunt a natura: quia ibi habet locum casus, sed non fortuna. Cum enim aliquid fit extra naturam in operationis naturae, puta cum nascitur sextus digitus, tum non dicimus quod fiat a fortuna, sed magis ab eo quod est per se frustra, id est a casu. Et sic possumus accipere aliam differentiam inter casum et fortunam: quod eorum quae sunt a casu, causa est intrinseca: sicut eorum quae sunt a natura: eorum vero quae sunt a fortuna, causa est extrinseca, sicut et eorum quae sunt a proposito. Et ultimo concludit quod dictum est: quid sit per se frustra, idest casus, et quid fortuna, et quo modo differant abinvicem.

Deinde cum dicit « sed modorum »

Ostendit ad quod genus causae casus et fortuna reducantur. Et primo ostendit propositum. Secundo ex hoc improbat quamdam opinionem superius positam, ibi, « Quoniam autem casus. » Dicit ergo primo, quod tam casus quam fortuna reducuntur ad genus causae moventis: quia casus et fortuna, vel est causa eorum quae sunt a natura: vel eorum quae sunt ab intelligentia, ut ex dictis patet: unde, cum natura et intelligentia sint causa, ut unde est principium motus, et fortuna et casus ad idem genus reducuntur. Sed tamen, quia casus et fortuna sunt causae per accidens, eorum multitudo est indeterminata, ut supra dictum est.

Secundo ibi « quoniam autem »

Excludit opinionem ponentium fortunam et casum esse causam caeli et omnium mundanorum: et dicit quod, quia casus et fortuna sunt causae per accidens eorum quorum intellectus et natura sunt causae per se: causa autem per accidens non est prior ea quae est per se: sicut nihil per accidens est prius eo quod est per se: sequitur quod casus et fortuna sunt posteriores quam intellectus et natura. Unde, si ponatur quod casus sit causa caeli, sicut quidam posuerunt, ut supra dictum est; sequitur quod intellectus et natura per prius sint causa aliquorum aliorum, et postea totius universi. Causa etiam totius universi prior esse videtur quam causa alicujus partis universi, cum quaelibet pars universi ordinetur ad perfectionem universi. Hoc autem videtur inconveniens, quod aliqua alia causa sit prior quam ea quae est causa caeli: unde inconveniens est, quod casus sit causa caeli. Considerandum est autem, quod si ea quae fortuito vel casualiter accidunt, idest praeter intentionem

causarum inferiorum, reducantur in aliquam causam superiorem ordinantem in ipsa, comparatione ad illam causam non possunt dici fortuita vel casualia; unde illa causa superior non potest dici fortuna.

Deinde cum dicit « quae autem »

Ostendit quod causae non sunt plures iis quae sunt dictae: quod quidem manifestatur sic. Hoc quod dico propter quid, quaerit de causa: sed ad propter quid non respondetur nisi aliqua dictarum causarum: non igitur sunt plures causae, quam quae dictae sunt. Et hoc est quod dicit, quod hoc, quod dico propter quid, tot est secundum numerum, quot sunt causae praedictae. Quandoque enim propter quid reducitur ultimo in quod quid est, id est in definitionem, ut patet in omnibus immobilibus, sicut mathematica, in quibus propter quid reducitur ad definitionem recti, vel commensurati, vel alicujus alterius, quod demonstratur in mathematica. Cum enim definitio recti anguli sit quod constituatur ex linea super aliam cadentem, quae ex utraque parte faciat duos angulos aequales; si quaeratur propter quid iste angulus sit rectus: respondetur, quia constituitur ex linea faciente duos angulos aequales ex utraque parte: et ita est in aliis.

Quandoque vero reducitur propter quid in primum movens, ut propter quid aliqui pugnaverunt? quia furati sunt: hoc enim est, quod incitavit ad pugnam. Quandoque autem reducitur in causam finalem, ut si quaeramus cujus causa aliqui pugnant: respondetur, ut dominentur. Quandoque autem reducitur in causam materialem, ut si quaeratur, quare istud corpus est corruptibile; et respondetur, quia compositum est ex contrariis. Sic ergo patet has esse causas, et tot. Necesse est autem quatuor esse causas: quia cum causa sit, ad quam sequitur esse alterius; esse ejus quod habet causam potest considerari dupliciter: uno modo absolute, et sic causa essendi est forma, per quam aliquid est in actu: alio modo secundum quod de potentia ente fit actu ens: et quia omne quod est in potentia, reducitur ad actum per id quod est actu ens, ex hoc necesse est esse duas alias causas, scilicet materiam et agentem, quod reducit materiam de potentia in actum. Actio autem agentis ad aliquod determinatum tendit, sicut ab aliquo determinato principio procedit; nam omne agens agit quod est sibi conveniens. Id autem, ad quod intendit actio agentis dicitur causa finalis. Sic igitur necesse est esse causas quatuor. Sed quia forma est causa essendi absolute, aliae vero tres sunt causae essendi secundum quod aliquid accipit esse; inde est quod in immobilibus non considerantur aliae tres causae, sed solum causa formalis.

LECTIO XI.

Quae physicum contemplari oportet: quem etiam ex omni causarum genere demonstrare ostenditur.

ANTIQUA.

Quoniam autem causae quatuor sunt, de omnibus erit physici cognoscere: et in omnes reducens ipsum propter quid, demonstrabit physice materiam, formam, moventem, et quod est cujus causa.

RECENS.

Quum autem causae quatuor sint, omnes nosse, physici munus est; et ad omnes referens, causam cur sit, physice reddet: nimirum ad materiam, formam, movens et id cujus

Veniunt autem tres in unam multoties. Quod quidem e-nim quid est, et quod cujus causa, una est: quod vero unde motus principium, specie eadem est his: homo enim hominem generat.

Et tenetur physicus considerare omnino quaecumque mota movent; quaecumque autem non, non amplius physicae sunt. Non enim in seipsis habentia motum neque principium motus movent, sed immobilia sunt. Unde tria negocia sunt: haec quidem circa mobile, alia vero circa mobile quidem, incorruptibile autem: quaedam autem circa mobilia corruptibilia.

Quare propter quid, et ad materiam reducenti redditur, et in ipsum quod quid est, et in primum movens.

De generatione enim maxime hoc modo causas considerant: quid post aliquid fiat, et qui primum fecit, aut quid sustinuit, et sic semper quid consequenter. Duplicia autem sunt principia moventia, quorum alterum non physicum est: non enim habet motus principium in seipso: hujusmodi autem si aliquid movet quod non movetur, sicut est quod et penitus immobile est, et omnium primum.

Et quod quid est et forma: finis enim et cujus causa. Quare quoniam natura propter aliquid est, et hanc cognoscere oportet.

Et penitus reddendum propter quid, ut quia ex hoc necesse est hoc esse. Hoc autem ex hoc, aut simpliciter est, aut sicut frequenter.

Et si hoc debet fieri, sicut ex propositionibus conclusio. Et quoniam hoc erat quod quid erat esse.

Et quia dignius est sic, non simpliciter, sed ad uniuscujusque substantiam.

gratia. Sed tres plerumque in unam coëunt; nam quid est, et id cujus gratia, unum sunt; primum autem a quo motus proficiscitur, specie ab his non differt: homo namque hominem gignit.

Et omnino quaecumque mota movent. Quaecumque vero non mota movent, non sunt amplius physicae considerationis; quia movent, quum in se ipsis non habeant motum nec principium motus, sed sint immobilia. Idcirco tres sunt tractationes: una de immobili; altera de eo quod movetur quidem, sed est interitus expers; tertia de rebus interitui obnoxiis.

Quocirca redditur causa cur sit, et ab eo qui refert ad materiam, et ad quidditatem, et ad primum movens. Etenim de generatione maxime hoc modo causas considerant, quid post quid fiat, et quid primum fecerit, aut quid passum sit, et ita semper quod deinceps sequitur.

Duo autem sunt principia moventia naturaliter: quorum alterum non est physicum, quia non habet in se principium motus: tale autem est, si quid movet nec movetur; veluti quod est omnino immobile et omnium primum.

Porro quidditas et forma: est enim finis, et id cujus gratia. Quapropter quum natura alicujus gratia agat, etiam hanc causam nosse oportet. Et omnino reddenda est causa cur sit: veluti, quia ex illo necesse est hoc fieri; ex illo, inquam, aut simpliciter, aut plerumque: et si hoc erit futurum, ut ex propositionibus conclusio: et quia haec est quidditas: et quia melius ita est, non simpliciter, sed relatione habita ad cujusque rei essentiam.

Postquam Philosophus determinavit de causis, hic dicit, quod naturalis ex omnibus causis demonstrat. Et circa hoc duo facit. Primo dicit, de quo est intentio. Secundo exequitur propositum, ibi, « Veniunt « autem tres. » Dicit ergo primo, quod, cum quatuor sint causae, sicut supra dictum est, ad naturalem pertinet, et omnes cognoscere, et per omnes naturaliter demonstrare, reducendo quaestionem propter quid in quamlibet dictarum quatuor causarum, scilicet formam, moventem, finem et materiam.

Deinde cum dicit « veniunt autem » Exequitur propositum. Et circa hoc duo facit. Primo praemittit quaedam, quae sunt necessaria ad propositum ostendendum. Secundo probat propositum, ibi, « Quare propter quid. » Circa primum duo praemittit ad subsequentem probationem necessaria: quorum primum est de habitudine causarum ad invicem. Secundum est de consideratione naturalis philosophiae, ibi, « Et tenetur. » Dicit ergo primo, quod multoties contingit quod tres causae concurrunt in unam, ita quod causa formalis et finalis sint una secundum numerum. Et hoc intelligendum est de causa generationis finali, non autem de causa finali rei generatae. Finis enim generationis hominis est forma humana; non tamen finis hominis est forma ejus, sed per formam suam convenit sibi operari ad finem. Sed causa movens est eadem secundum speciem utrique earum; et hoc praecipue in agentibus univocis, in quibus agens facit sibi simile secundum speciem, sicut homo generat hominem. In his enim forma generantis, quae est principium generationis, est idem specie cum forma generati, quae est generationis finis. In agentibus autem non univocis alia est ratio. In his enim ea quae fiunt non possunt pertingere ad hoc quod consequantur formam generantis secundum eandem rationem speciei; sed participant aliquam similitudinem ejus, secundum quod possunt, ut patet in iis quae generantur a sole. Non igitur agens semper est idem specie cum forma, quae est finis generationis. Nec iterum omnis finis est forma;

et propter hoc apposuit « multoties. » Materia vero non est nec idem specie, nec idem numero, cum aliis causis; quia materia inquantum hujus (1) est ens in potentia, agens vero est ens in actu inquantum hujus, forma vero vel finis est actus, vel perfectio.

Secundo ibi « et tenetur »

Proponit secundum, quod est, de quibus scilicet consideret naturalis: et dicit quod quaecumque moventia movent ita quod moveantur, pertinent ad considerationem naturalem: quae vero movent sed non moventur, non sunt de consideratione naturalis philosophiae, cujus est considerare de naturalibus quae habent in se principium motus. Hujusmodi autem moventia non mota non habent in se principium motus, cum non moveantur sed sunt immobilia, et sic non sunt naturalia, et per consequens non sunt de consideratione naturalis philosophiae. Unde patet quod tria sunt negocia, idest triplex est studium et intentio philosophiae, secundum tria genera rerum quae inveniuntur. Rerum enim quaedam sunt mobilia, et circa hoc est unum studium philosophiae. Aliud vero studium ejus est circa ea quae sunt mobilia, sed incorruptibilia, sicut sunt corpora caelestia. Tertium vero studium ejus est circa mobilia et corruptibilia, sicut sunt corpora inferiora. Et primum quidem negocium pertinet ad metaphysicum. Alia vero duo ad scientiam naturalem, cujus est determinare de omnibus mobilibus tam corruptibilibus quam incorruptibilibus. Unde male intellexerunt quidam volentes haec tria reducere ad tres partes philosophiae, scilicet ad mathematicam, metaphysicam et physicam. Nam astronomia, quae videtur circa mobilia incorruptibilia considerationem habere, magis est naturalis quam mathematica, ut supra dictum est; inquantum enim applicat principia mathematica ad materiam naturalem, circa mobilia considerationem habet. Est igitur haec divisio secundum diversitatem rerum extra animam existentium, non secundum divisionem scientiarum accepta.

(1) *Lege* inquantum hujusmodi; *ita quoque paulo infra.*

Deinde cum dicit « quare propter »

Ostendit propositum. Et circa hoc duo facit. Primo ostendit quod ad naturalem pertinet considerare omnes causas, et per eas demonstrare; quae duo supra proposuerat. Secundo probat quaedam quae in hac probatione supponit, ibi, « Dicendum « quid igitur. » Circa primum duo facit. Primo ostendit, quod naturalis omnes causas considerat. Secundo, quod per omnes demonstrat, ibi, « Et pe- « nitus propter quid. » Circa primum duo facit. Primo ostendit, quod naturalis considerat materiam et formam et moventem. Secundo quod considerat finem, ibi, « Et quod quid est. » Et circa primum duo facit. Primo proponit quod intendit. Secundo probat, ibi, « De generatione. » Concludit ergo primo ex praedictis, quod assignatur propter quid a naturali, et reducendo in materiam, et reducendo quod quid est, id est in formam, et reducendo in primum movens.

Secundo ibi « de generatione »

Probat propositum in hunc modum. Dictum est quod naturalis considerat ea quae moventur et generabilia et corruptibilia. Quicquid ergo oportet considerare circa generationem, oportet considerari a naturali. Sed circa generationem, oportet considerari formam, materiam et moventem. Qui enim volunt considerare circa generationem causas, hoc modo considerant: primo quid est id quod fit post aliquid, sicut ignis fit post aerem, cum ex aere generatur ignis; et in hoc consideratur forma, per quam generatum est id quod est. Et iterum consideratur quid est quod primum fecit, idest quod primum movit ad generationem, et hoc est movens. Et iterum quid est quod sustinuit, et hoc est subjectum et materia. Et non solum primum movens et primum subjecum considerantur circa generationem, sed etiam et ea quae consequenter sunt. Et sic patet quod ad naturalem pertinet considerare formam, moventem et materiam. Non tamen quaelibet moventia: sunt enim principia moventia dupliciter: scilicet mota, et non mota: quorum id quod non movetur, non est naturale, quia non habet in se principium movens, quod est penitus immobile, et primum omnium, ut ostenditur in octavo.

Deinde cum dicit « et quod »

Ostendit quod naturalis considerat etiam finem: et dicit quod etiam forma et quod quid est, pertinet ad considerationem naturalis, secundum quod etiam finis est, et cujus causa fit generatio. Dictum est autem supra, quod forma et finis coincidunt in idem. Et quia natura operatur propter aliquid; ut intra probabitur, necesse est quod ad naturalem pertineat considerare formam non solum inquantum est forma, sed inquantum est finis. Si autem natura non ageret propter aliquid, consideraret quidem naturalis de forma inquantum est forma, sed non inquantum est finis.

Deinde cum dicit « et penitus »

Ostendit quomodo naturalis demonstrat per omnes causas. Et primo quomodo demonstrat per ma-teriam et moventem, quae sunt causae priores in generatione. Secundo ostendit, quomodo demonstrat per formam, ibi, « Et si hoc fieri debet. » Tertio, quomodo demonstrat per finem, ibi, « Et quia « dignius. » Dicit ergo primo, quod in naturalibus reddendum est propter quid « penitus, » id est secundum quodlibet genus causae, ut quia hoc praecessit, sive illud sit materia, sive movens, necesse est hoc esse consequenter, ut si aliquod generatum et ex contrariis, necesse est illud corrumpi: et si sol appropinquat ad polum septentrionalem, necesse est dies fieri longiores, et frigus diminui et calorem augeri apud eos qui habitant in parte septentrionali. Sed tamen considerandum est, quod non solum semper ex praecedente materia, vel movente necesse est aliquid subsequi; sed quandoque subsequitur aliquid simpliciter, idest ut semper, ut in his quae dicta sunt; quandoque autem ut frequenter, ut ex semine humano et movente in generatione, ut frequentius sequitur generatum habere duos oculos, quod tamen aliquando deficit. Et similiter ex hoc, quod materia sic est disposita in corpore humano, accidit generari febrem propter putrefactionem ut frequentius, quandoque tamen impeditur.

Secundo ibi « et si hoc »

Ostendit quomodo sit demonstrandum in naturalibus per causam formalem. Ad cujus intelligentiam sciendum est, quod quando ex causis praecedentibus in generatione, scilicet ex materia et movente, sequitur aliquid ex necessitate, tunc ex eis potest sumi demonstratio, ut supra dictum est: non autem quando sequitur aliquid ut frequenter: sed tunc debet sumi demonstratio ab eo quod est posterius in generatione ad hoc quod aliquid ex necessitate sequatur ex altero, sicut ex propositionibus demonstrationis sequitur conclusio, ut procedamus demonstrando sic: Si hoc debet fieri, ista et ista requiruntur: sicut si debet generari homo, necesse est, quod sit semen humanum agens in generatione. Si autem procedamus e contrario, Est semen humanum agens in generatione, non sequitur, Ergo generabitur homo, sicut ex propositionibus sequitur conclusio. Sed hoc quod debet fieri, idest ad quod determinatur generatio, erat, secundum supradicta, quod quid erat esse, idest forma. Unde manifestum est, quod quando secundum hunc modum demonstramus, si hoc debet fieri, per causam formalem demonstramus.

Tertio ibi « et quia »

Ostendit quomodo naturalis demonstrat per causam finalem: et dicit quod etiam naturalis demonstrat aliquando aliquod esse, quia dignius est quod sic sit; sicut si demonstret, quod dentes anteriores sunt acuti, quia melius est sic esse ad dividendum cibum; et natura facit quod melius est, non simpliciter, sed secundum quod competit substantiae uniuscujusque. Alioquin cuilibet animali daret animam rationalem quae est melior quam anima irrationalis.

LECTIO XII.

Quaestiones duas proponit, atque ad alteram earum, illam videlicet, si natura propter finem agit, rationes antiquorum inducit, quibus eam non propter hoc operari ostendisse arbitrati sunt.

ANTIQUA.

Dicendum quidem igitur primum, quoniam natura eorum quae sunt propter hoc causarum est: postea de necessario, quomodo se habeat in physicis: ad hanc enim causam reducunt omnes quoniam calidum hujusmodi aptum natum est et frigidum: unumquodque igitur talium haec ex necessitate sunt et fiunt, et apta nata sunt. Et namque etsi aliam causam dicant quamcumque tangentes, gaudere sinant, hic quidem concordiam et discordiam, ille vero intellectum.

Habet autem dubitationem quid prohibeat naturam non propter aliquid facere, neque quod melius, sed sicut pluit Juppiter, non ut frumentum augmentet, sed ex necessitate. Sursum enim ductam aquam congelari oportet, et congelatam aquam deorsum venire, augeri autem, cum hoc fiat, accidit frumentum. Similiter si perditur frumentum in area, non hujus causa pluit ut perdatur, sed hoc accidit. Quare quid prohibet sic et partes se habere in natura, ut dentes ex necessitate oriri anteriores quidem acutos, aptos ad dividendum, maxillares autem latos et utiles ad conterendum cibum, cum non propter hoc facti sint, sed hoc accidit. Similiter autem est et de aliis partibus, in quibus videtur esse, quod propter hoc. Ubicumque enim omnia accidunt, sicut si propter hoc fiant, haec quidem salvata sunt ab eo quod propter se vanum constantia apte: quaecumque vero non sic, perdita sunt, et perduntur: quemadmodum Empedocles dixit bovigenas viriproras. Ratio quidem igitur qua utique deficiet aliquis haec est, et si aliqua alia hujusmodi est.

RECENS.

Dicendum igitur est, primum cur natura sit in earum causarum numero quae alicujus gratia agunt: deinde quomodo se habet necessitas in rebus naturalibus. Ad hanc enim causam omnes referunt: veluti, quia natura est comparatum ut, quod est calidum, sit tale, et quod est frigidum, et unumquodque eorum quae talia sunt, idcirco haec necessario sunt et fiunt: nam quando aliam causam dicunt, statim, quum vix attigerint, eam valere sinunt, alius amicitiam et contentionem, alius mentem.

Est autem dubitatio, quid prohibeat naturam non facere alicujus gratia, nec quia ita sit melius, sed sicut Juppiter pluit non ut frumentum augeat, sed ex necessitate. Quod enim sublatum est, refrigerari oportet, et refrigeratum, quum sit in aquam mutatum, descendere: accidit autem ut hoc facto frumentum augeatur. Similiter et si cui pereat frumentum in area: non hujus gratia pluit, ut periret, sed hoc accidit. Quare quid prohibet sic etiam partes se habere in natura? veluti dentes necessario oriri, anteriores quidem acutos et ad scindendum aptos; molares autem latos et ad molendum cibum idoneos? non enim hujus causa factum id esse, sed contigisse. Similis ratio est reliquarum partium, quae videntur esse alicujus gratia. Ubi igitur omnia acciderunt perinde ac si alicujus gratia facta essent, haec sunt servata, quum casu essent apte constituta. Quae vero non ita facta sunt, perierunt, et pereunt: quemadmodum Empedocles inquit periisse bovigena andropora.

Ratio igitur, ob quam dubitare aliquis possit, haec est, et si qua alia est ejusmodi.

Postquam Philosophus ostendit, quod naturalis demonstrat ex omnibus causis, hic manifestat quaedam quae supposuerat, scilicet quod natura agat propter finem. et quod in quibusdam necessarium non sit ex causis prioribus inesse, quae sunt movens et materia, sed ex causis posterioribus, quae sunt forma et finis. Et circa hoc duo facit. Primo proponit quod intendit. Secundo prosequitur propositum, ibi, « Habet autem dubitationem. » Dicit ergo primo, quod dicendum est primo, quod natura est de numero illarum causarum, quae propter aliquid agunt. Et valet ad quaestionem de Providentia. Ea enim quae non cognoscunt finem, non tendunt in finem, nisi ut directa ab aliquo cognoscente, sicut sagitta a sagittante: unde si natura operetur propter finem, necesse est quod ab aliquo intelligente ordinetur, quod providentiae opus. Post hoc autem dicendum est, quomodo se habet necessarium in rebus naturalibus: utrum scilicet necessitas rerum naturalium semper sit ex materia, vel aliquando etiam ex materia et movente, vel aliquando ex forma et fine. Et necessitas quaerendi haec, est ista: quia omnes antiqui naturales reducunt effectus naturales in hanc causam, assignando rationem de eis, scilicet quod necesse est ea sic evenire propter materiam, utpote quia calidum natum est esse tale, et facere talem effectum, et similiter frigidum et omnia similia, necesse est fieri vel esse ea quae ex eis causantur. Et si

aliqui antiquorum naturalium aliquam aliam causam tetigerint, quam necessitatem materiae, non tamen habent unde gaudeant gloriantes; quia causis positis ab eis, scilicet intellectu, quem posuit Anaxagoras, et amicitia et lite, quas posuit Empedocles, non sunt usi, nisi in generalibus quibusdam, sicut in constitutione mundi. In particularibus autem effectibus hujusmodi causas praetermiserunt.

Secundo ibi « habet autem »

Exequitur propositum. Et primo inquirit, utrum natura agat propter aliquid. Secundo, quomodo necessarium in rebus naturalibus inveniatur, ibi, « Quod autem est. » Circa primum duo facit. Primo ponit opinionem ponentium naturam non agere propter aliquid, et rationem eorum. Secundo improbat eam, ibi, « Sed impossibile est ista. » Circa primum sciendum, quod ponentes naturam non agere propter aliquid, hoc confirmare nitebantur removentes id ex quo natura praecipue videtur propter aliquid operari. Hoc autem est quod maxime demonstrant naturam propter aliquid operari, quod ex operatione naturae semper invenitur aliquid fieri quanto melius et commodius esse potest: sicut pes hoc modo est factus a natura, secundum quod est aptus ad gradiendum: unde, si recedat a naturali dispositione, non est aptus ad hunc usum, et simile est de caeteris. Et quia contra hoc praecipue opponere nitebantur; ideo dicit, quod potest opponi ab adversariis, quod nihil prohibet naturam non facere propter aliquid, neque facere semper quod melius est. Invenimus enim quandoque quod ex aliqua operatione naturae provenit aliqua utilitas, quae tamen non est finis illius naturalis operationis, sed contingit sic evenire; sicut si dicamus « quod Jup- « piter pluit, » idest, Deus, vel natura universalis, non propter hunc finem ut frumentum augmentet, sed pluvia provenit ex necessitate materiae. Oportet enim, inferioribus partibus ex propinquitate solis calefactis, resolvi vapores ex aquis, quibus sursum ascendentibus propter calorem, cum pervenerint ad locum ubi deficit calor propter distantiam a loco ubi reverberantur radii solis, necesse est quod aqua vaporabiliter ascendens congeletur ibidem: et congelatione facta vapores vertantur in aquam, et cum aqua fuerit generata, necesse est quod cadat deorsum propter gravitatem: et cum hoc fit, accidit ut frumentum augeatur, non tamen propter hoc pluit ut augeatur: quia sicut in aliquo loco frumentum destruitur propter pluviam, ut cum est collectum in area, non tamen propter hoc pluit ut destrua- tur frumentum, sed hoc casu accidit pluvia cadente, et eodem modo videtur casu accidere, quod fru- mentum crescat pluvia cadente. Unde videtur quod nihil prohibeat sic etiam esse in partibus animalium quae videntur esse sic dispositae propter aliquem finem, ut pote quod aliquis dicat quod ex necessi- tate materiae contingit, quod quidam dentes, ante- riores scilicet, sint acuti, et apti ad dividendum cibum: et maxillares sint lati, et utiles ad conteren- dum cibum. Non tamen ita quod propter istas uti- litates natura fecerit dentes tales; sed quia dentibus sic factis a natura propter necessitatem materiae sic decurrentis accidit ut talem formam conseque- rentur; qua forma existente, sequitur talis utilitas. Et similiter potest dici de omnibus aliis partibus,

quae videntur habere aliquam determinatam for- mam propter aliquem finem. Et, quia posset ali- quis dicere quod semper vel ut in pluribus tales utilitates consequuntur: quod autem est semper vel frequenter conveniens est esse a natura; ideo ad hanc objectionem excludendam, dicunt adversa- rii quod a principio constitutionis mundi quatuor elementa convenerunt ad constitutionem rerum na- turalium, et factae sunt multae et variae dispositiones rerum naturalium; et in quibuscumque omnia sic acci- derunt apta ad aliquam utilitatem, sicut si propter haec essent facta, et illa tantum conservata sunt, eo quod habuerunt dispositionem aptam ad conservationem, non ab aliquo agente intendente finem, sed ab eo quod est per se vanum, idest a casu; quaecumque vero non habuerunt talem dispositionem, sunt de- structa, et quotidie destruuntur: sicut Empedocles dixit a principio fuisse quosdam generatos, qui ex una parte erant boves, et ex alia parte erant ho- mines. Haec est ergo ratio, per quam aliquis du- bitabit, vel si aliqua alia talis est. Sed consideran- dum est in ista ratione, quod exemplum inconveniens accipit. Nam pluvia, licet habeat necessariam causam ex parte materiae, tamen ordinatur ad finem ali- quem, scilicet ad conservationem rerum generabi- lium et corruptibilium: propter hoc enim est gene- ratio et corruptio in istis inferioribus, ut conservetur perpetuum esse in eis: unde augmentum frumenti inconvenienter accipitur in exemplum; comparatur enim causa universalis ad effectum particularem. Sed et hoc etiam considerandum est, quod augmen- tum et conservatio terrae nascentium accidit ex pluvia ut in pluribus: sed corruptio accidit ut in paucioribus: unde licet pluvia non sit propter per- ditionem, non tamen sequitur quod non sit propter conservationem et augmentum

LECTIO XIII.

Naturam agere propter finem, quinque rationibus validissimis ostendit.

Sed impossibile est ista hunc habere modum. Haec quidem enim et quaecumque sunt a natura, aut semper sic fiunt, aut sicut frequenter. Sed eorum quae sunt a fortuna. et per se vano, nihil: neque enim a fortuna, neque a casu videtur pluere multoties hyeme, sed forte sub cane: neque cauma sub cane, sed si hyeme. Si igitur a casu videntur, aut pro- pter hoc esse: sed non possibile est hoc esse, neque a casu, aut a fortuna, propter aliquid utique erunt. At vero natura sunt hujusmodi omnia, quemadmodum et ipsi firmabant hoc dicentes. Est itaque quod propter aliquid in his quae natura fiunt et sunt.

Amplius, in quibuscumque finis aliquis est, hujus causa agitur quod prius, et quod consequenter. Ergo sicut agitur, sic aptum natum est: et sicut aptum natum est, sic agitur unumquodque si non aliquid impediat: agitur autem propter hoc, et aptum itaque natum est hujus causa: ut si domus esset eorum quae natura fiunt, sic utique facta esset, sicut nunc ab arte est. Si autem quae natura, non solum natura, sed arte fierent, similiter utique fierent secundum quod apta nata sunt: propter ergo alterum, alterum.

Omnino autem ars alia quidem perficit quae natura non potest operari, alia vero imitatur. Si igitur quae sunt secun- dum artem, propter haec sunt, manifestum, quod et quae sunt secundum naturam. Similiter autem se habent adinvi- cem in iis quae sunt secundum artem, et in iis quae se- cundum naturam, posteriora ad priora.

Sed impossibile est ut hoc modo haec se habeant. Haec enim, et quaecumque natura constant, aut semper ita fiunt, aut plerumque: eorum autem quae fortuna aut casu fiunt, nihil semper aut plerumque ita fit: non enim fortuito neque casu videtur saepe pluere hieme, sed si id fiat quum sol est sub cane: neque aestus sub cane, sed si hieme. Si igitur aut casu esse videtur, aut alicujus gratia: si haec esse casu non possunt, certe alicujus gratia erunt. Atqui ejusmodi om- nia natura constant, vel ut ipsi affirmarent qui haec dicunt. Esse igitur alicujus gratia, inest in rebus quae fiunt et con- stant natura.

Praeterea in quibus est aliquis finis, hujus gratia fit id quod est prius, et quod deinceps. Ergo ut fit, ita natura aptum est fieri: et ut natura aptum est fieri, nisi quid im- pediat, ita unumquodque fit. Atqui fit alicujus gratia: ergo etiam natura aptum est fieri hujus gratia. Ut puta, si domus in eorum numero esset quae natura fiunt: sic utique a na- tura fieret, ut nunc fit ab arte. Quodsi ea quae fiunt natura, non solum natura sed etiam arte fierent; eodem sane modo fierent, quo natura fieri apta sunt. Alterum igitur alterius gratia.

Et omnino ars partim perficit quae non potest natura perficere; partim naturam imitatur. Si igitur artificiosa fiunt alicujus gratia, patet etiam naturalia ita fieri. Nam posteriora et priora similiter inter se affecta sunt in rebus artificiosis, atque in rebus naturalibus.

Maxime autem manifestum est in animalibus, quae neque arte, neque inquirendo, neque deliberando faciunt. Unde dubitant quidam, utrum intellectu, aut quodam alio operentur aranei et formicae, et hujusmodi. Paulatim autem sic procedenti, et in plantis apparent expedientia quaedam facta propter finem, ut folia propter fructus cooperimentum. Quare si natura facit, et propter hoc, hirundo nidum, et araneus telam, et plantae folia gratia fructuum, et radices non sursum sed deorsum gratia nutrimenti, manifestum, quod est causa hujusmodi in iis quae natura fiunt et sunt.

Et quoniam natura dupliciter, alia quidem sicut materia, alia vero sicut forma, finis autem haec est, propter finem autem alia sunt, haec utique erit causa cujus gratia.

Maxime autem hoc manifestum est in aliis animalibus, quae nec arte nec adhibita inquisitione aut consultatione faciunt. Ideo quidam dubitant, utrum mente, an alio quopiam operentur aranei, et formicae, et ejusmodi animalia. Paulatim vero ita progredienti etiam in plantis videntur ea fieri, quae ad finem conferunt: ut folia fructus tegendi gratia. Quocirca si natura et alicujus gratia facit hirundo nidum, et araneus araneam, et plantae folia fructuum gratia, et radices non sursum sed deorsum versus, alimenti gratia: perspicuum est ejusmodi causam esse in iis quae natura fiunt et constant.

Et quum natura duplex sit, altera ut materia, altera ut forma; haec autem sit finis, et finis gratia reliqua sint: certe haec erit causa cujus gratia.

Posita opinione et ratione dicentium naturam non agere propter finem, hic improbat eam. Et primo per rationes proprias. Secundo per rationes sumptas ab iis ex quibus adversarii contrarium ostendere nitebantur, ibi, « Peccatum autem fit. » Circa primum ponit quinque rationes: quarum prima talis est. Omnia quae fiunt naturaliter, aut fiunt sicut semper, aut sicut frequenter: sed nihil eorum, quae fiunt a fortuna vel per se vano, idest a casu, fit semper vel ut frequenter; non enim dicimus quod a fortuna vel a casu fit, quod multoties pluat in hyeme; sed diceremus esse a casu, si forte multum plueret sub cane, idest in diebus canicularibus: et similiter non dicimus quod sit a casu, quod in diebus canicularibus sit cauma; sed, si hoc esset in hyeme, dicunt quod fuit a casu. Ex his duobus sic argumentatur. Omnia quae fiunt, aut fiunt a casu, aut fiunt propter finem. Quae enim accidunt praeter intentionem finis dicuntur accidere casualiter. Sed impossibile est ea quae fiunt semper vel frequenter accidere a casu: ergo ea quae fiunt semper vel frequenter fiunt propter aliquid. Sed omnia quae fiunt secundum naturam, fiunt vel semper, vel frequenter, sicut etiam ipsi confitebantur: ergo omnia quae fiunt a natura, fiunt propter aliquid.

Secundam rationem ponit ibi « amplius in »

Et dicit quod in quibuscumque est aliquis finis, et priora et consequentia omnia agunt causa finis. Hoc supposito, sic argumentatur. Sic aliquid agitur naturaliter, sicut aptum natum est agi: hoc enim significat quod dico naturaliter, illud, scilicet, aptum natum: et haec propositio convertitur, quia sicut aptum natum est agi, ita agitur: sed oportet apponere hanc conditionem « nisi aliquid impediat. » Accipiamus ergo primum, quod non habet instantiam: quod sicut aliquid agitur naturaliter, sic aptum natum est agi. Sed ea quae fiunt naturaliter, sic aguntur, quod inducuntur ad finem: ergo sic apta sunt agi, ut sint propter finem: et hoc est naturam appetere finem, scilicet habere aptitudinem naturalem ad finem. Unde manifestum est, quod natura agit propter finem. Et hoc quod dixerat manifestat per exemplum. Similiter enim ex prioribus pervenitur ad posteriora in arte et in natura: unde, si artificialia, ut domus, fierent a natura, hoc ordine fierent, quo nunc fiunt per artem: scilicet prius institueretur fundamentum, et postea erigerentur parietes, et ultimo supponeretur tectum. Hoc modo natura procedit in iis quae sunt terrae affixa; scilicet plantis; cujus radices, quasi fundamentum, terrae infiguntur: stipes vero ad modum parietis elevatur in altum, frondes autem supere-

minent ad modum tecti. Et similiter si ea quae fiunt a natura fierent ab arte, hoc modo fierent sicut apta nata sunt fieri a natura: ut patet in sanitate, quam contingit fieri, et ab arte, et a natura: sicut enim natura sanat calefaciendo et infrigidando, ita et ars. Unde manifestum est quod in natura est alterum propter alterum, scilicet priora propter posteriora, sicut et in arte.

Tertiam rationem ponit ibi « omnino autem »

Et dicit quod ars quaedam facit quae natura non potest facere, sicut domum, et alia hujusmodi. In iis vero quae convenit (1) fieri et ab arte et a natura, ars imitatur naturam, ut patet in sanitate, ut dictum est. Unde, si ea quae sunt secundum artem, sunt propter finem, manifestum est, etiam ea quae fiunt secundum naturam, propter finem fieri, cum similiter se habeant priora ad posteriora in utrisque. Potest tamen dici quod haec non est alia ratio a praemissa, sed complementum et explicatio ipsius.

Quartam rationem ponit ibi « maxime autem »

Et sumitur haec ratio ab iis quae manifestius in natura propter aliquid operari videntur. Unde dicitur, quod naturam operari propter aliquid, maxime est manifestum in animalibus, quae neque operantur per artem, neque per inquisitionem, neque per deliberationem; et tamen ita manifestum est in operationibus eorum, quod propter aliquid operantur, quod (2) quidam dubitaverunt, utrum aranei et formicae, et hujusmodi animalia operentur per intellectum, vel per aliquod aliud principium. Sed tamen hoc (3) fit manifestum, quod non operentur ex intellectu, sed per naturam, quia semper eodem modo operantur: omnis enim hirundo similiter facit nidum, et omnis araneus similiter facit telam, quod non esset si ab intellectu et arte operarentur: non enim omnis aedificator similiter facit domum, quia artifex habet judicare de forma artificiati, et potest eam variare. Ulterius autem procedenti de animalibus ad plantas, in iis etiam apparent quaedam esse facta ut utilia ad finem, sicut folia sunt utilia propter cooperimentum fructuum. Unde, quia hoc est a natura et non ab arte, quod hirundo facit nidum, et araneus telam, et plantae producunt folia gratia fructum: et radices sint in plantis non sursum, sed deorsum, ut accipiant nutrimentum a terra; manifestum est, quod causa finalis invenitur in iis quae fiunt et sunt a natura, scilicet propter aliquid operante.

(1) *Lege* contingit.
(2) *Edit. Rom.* propter aliquid operantur. Propter quod etc.
(3) *Edit. cit.* et hoc.

Quintam rationem ponit ibi « et quoniam »

Dicit, quod cum natura dicatur dupliciter, scilicet de materia et forma, et forma est finis generationis, ut supra dictum est: hoc autem est de ratione finis, ut propter ipsum fiant alia: sequitur, quod esse, et fieri propter aliquid, inveniatur in rebus naturalibus.

LECTIO XIV.

Naturam propter finem agere, ex tribus astruitur principiis, quibus antiqui ostendisse oppositum visi sunt.

ANTIQUA.

Peccatum autem fit et in iis quae fiunt secundum artem: scripsit enim non recte grammaticus, et propinavit medicus, non recte potionem: quare manifestum est, quod contingit et in iis quae secundum naturam fiunt. Si igitur sunt quaedam secundum artem, in quibus quod recte fit, propter aliquid fit, in quibus etiam peccatur alicujus gratia agitur, sed fallitur: similiter utique et in physicis, et monstra sunt peccata illius, quod propter aliquid est: et in substantiis ergo quae sunt ex principio bovigena, si non ad aliquem terminum et finem poterant venire, corrupto principio aliquo facta sunt sicut nunc semine.

Amplius necesse est semen fieri primum, sed non statim animalia: et molle natura primum, quod semen erat.

Amplius et in plantis inest quod propter hoc, minus autem dearticulatum est. Utrum igitur in arboribus fiant, sicut bovigena viriprora, sic et vitigena oleoprora? Aut non? Inconveniens enim est, sed tamen oportuit, si quidem in animalibus est.

Adhuc oportuit in seminibus fieri, ut contingit.

Omnino autem destruit sic dicens ea quae natura quidem sunt et secundum naturam. Natura quidem enim sunt quaecumque a quodam in seipsis principio continue mota accedunt ad aliquem finem. Ab unoquoque autem non idem unicuique neque contingens, semper tamen in eumdem, nisi aliquid impediat. Quod autem est cujus causa fit, et quod propter hoc, fiet utique a fortuna; sicut dicimus a fortuna venit extraneus, et balneatus abscessit, cum tamquam propter hoc veniens egerit, non propter hoc autem venit, et hoc secundum accidens: fortuna autem est causarum quae sunt secundum accidens, quemadmodum et prius diximus: sed, cum hoc semper aut sicut frequenter fiat, non secundum accidens, neque a fortuna est: in physicis autem semper sic est, nisi aliquid impediat.

Inconveniens autem est non opinari propter aliquid fieri, nisi videatur movens deliberasse. Attamen ars quidem non deliberat. Et namque si esset in ligno navis factiva, similiter utique natura fecisset: quare si in arte inest propter aliquid, et in natura inest: manifestum est autem maxime, cum aliquis medetur ipse sibi ipsi, huic quidem enim assimilatur natura. Quod igitur causa sit natura, et sic sicut propter aliquod, manifestum est.

RECENS.

Peccatum autem committitur etiam in rebus artificiosis: scripsit enim non recte grammaticus: et propinavit non recte medicus pharmacum. Quare patet id contingere etiam in rebus naturalibus. Si igitur sunt quaedam artificiosa, in quibus quod recte fit, alicujus gratia fit; in iis autem quae peccantur, alicujus quidem gratia ars aggreditur, sed aberrat: res similiter se habebit etiam in rebus naturalibus, ac monstra erunt peccata ejus quod alicujus gratia agit. Ergo et in primis constitutionibus bovigena, nisi ad aliquem terminum et finem venire poterant, utique corrupto aliquo principio fiebant, ut nunc fiunt corrupto semine.

Praeterea necesse est, semen prius factum esse, non statim animalia. Et illud *oulofues* (id est confusum et indigestum) primum exortum, semen erat. Praeterea et in plantis inest quod alicujus gratia est: sed minus est distinctum. Utrum igitur etiam in plantis fiebant, sicut bovigena androprora, ita etiam vitigena oleoprora, an non? quippe absurdum est. Atqui oportebat, siquidem et in animalibus.

Praeterea oportebat etiam in seminibus fieri quidvis. Omnino autem qui sic dicit, ea tollit, quae natura constant, et ipsam naturam. Natura enim constant, quaecumque ab aliquo interno principio continenter mota, perveniunt ad aliquem finem. Ab unoquoque autem principio non fit idem singulis, nec quidvis; sed semper ad eumdem pervenitur, nisi quid impediat.

Id autem cujus gratia et id quod est ejus gratia, fieri possunt etiam a fortuna: sicut dicimus fortuito venisse hospitem, et quum laverit, abivisse; quando scilicet ita egit, ac si hujus gratia venisset, non tamen hujus gratia venit: atque hoc fecit ex accidenti: nam fortuna est in earum causarum numero, quae ex accidenti agunt, quemadmodum et antea diximus: sed quum hoc semper aut plerumque fit, tunc non fit ex accidenti, nec a fortuna. In rebus vero naturalibus semper ita fit, nisi quid impediat.

Illud quoque absurdum est, quod non putant alicujus gratia fieri, nisi videant movens consultasse. Atqui etiam ars non consultat. Etenim si in ligno inesset ars navium exstruendarum; similiter ut natura faceret. Quapropter si in arte inest quod est alicujus gratia, etiam in natura inest. Quod maxime manifestum est, quum aliquis sibi ipse medetur: huic enim natura assimilatur. Naturam igitur esse causam, atque ita ut alicujus gratia agat, perspicuum est.

Postquam ostendit Philosophus per proprias rationes quod natura agit propter aliquid, hic intendit hoc manifestare, removendo ea per quae aliqui contrarium existimabant. Et dividitur in tres partes, secundum tria, ex quibus aliqui moveri videbantur ad hoc negandum. Secundum incipit, ibi, « Omnino « autem destruit. » Tertium, ibi, « Inconveniens « autem. » Primum autem ex quo aliqui moveri videbantur ad negandum naturam agere propter finem, ex hoc erat quia videbant aliquando altera accidere, sicut accidit in monstris, quae sunt peccata naturae. Unde etiam Empedocles posuit, quod

a principio constitutionis rerum fuerunt producta quaedam, non habentia hanc formam et hunc ordinem, qui nunc in natura communiter invenitur. Ad hoc ergo excludendum inducit quatuor rationes. Circa quarum primam ostendit, quod licet ars agat propter aliquid, tamen in iis quae fiunt secundum artem contingit fieri peccatum; quia aliquando grammaticus non recte scribit, et medicus quandoque potat aliquem medicinali potione non recte. Unde manifestum est, quod contingit peccatum esse etiam in iis quae sunt secundum naturam, quamvis natura propter aliquid operetur. In arte autem eorum quae propter aliquid fiunt, quaedam fiunt secundum artem, et recte fiunt; quaedam autem sunt, in quibus artifex fallitur non secundum artem agens; et in his contingit peccatum, arte propter aliquid agente. Si enim ars non ageret ad determinatum finem, qualitercumque ars operaretur non esset peccatum: quia operatio artis aequaliter se haberet ad omnia. Hoc ipsum igitur quod in arte contingit esse peccatum, est signum, quod ars propter aliquid operetur. Ita etiam contingit in naturalibus rebus, in quibus monstra sunt quasi naturae peccata, propter aliquid agentis, inquantum deficit recta operatio naturae: et hoc ipsum quod in naturalibus contingit esse peccatum, est signum quod natura propter aliquid agat. Unde in substantiis quas in principio mundi Empedocles dixit esse constitutas, « bovigenas, » id est ex media parte boves, et ex media homines, si non poterant pervenire ad aliquem finem et terminum naturae, ut scilicet conservarentur in esse, non hoc fuit quia natura non hoc intendat; sed quia haec non possibilia salvari generata sunt non secundum naturam, sed corrupto aliquo naturali principio; sicut nunc etiam accidit aliquos monstruosos partus generari propter corruptionem seminis.

Secundam rationem ponit ibi « amplius necesse »

Quae talis est. Ubicumque sunt determinata principia et determinatus ordo procedendi, ibi oportet esse determinatum finem, propter quem alia fiant. Sed in generatione animalium est determinatus ordo procedendi, quia oportet primum fieri semen, et non statim a principio est animal, et ipsum semen non statim est induratum, sed a principio est molle, et quodam ordine ad perfectionem tendit: ergo in generatione animalium est determinatus finis. Non ergo propter hoc accidunt monstra et peccata in animalibus, quia natura non agit propter aliquid.

Tertiam rationem ponit ibi « amplius et »

Quae talis est. Licet natura in plantis agat propter aliquid sicut in animalibus, tamen minus est dearticulatum, id est distinctum in plantis, vel minus ex operationibus eorum colligi potest. Si ergo propter hoc accidant peccata et monstra in animalibus, quia natura non agit propter aliquid: magis deberet accidere in plantis. Utrum igitur sicut fiunt in animalibus bovigena viriprora, ita fiant vitigena oleoprora, id est ex media parte olivae, et media parte vitis, vel non? Dicere enim quod fiant, videtur inconveniens: sed tamen oportet ita esse, si in animalibus contingit hac de causa, quia natura non agit propter aliquid. Non ergo ista de causa in animalibus contingit.

Quartam rationem ponit ibi « adhuc oportuit »

Quae talis est. Sicut et animalia generantur a natura, ita et semina animalium. Si igitur accidit aliquid in generatione animalium qualitercumque contingit, et non quasi natura agente ad determinatum finem, sequitur etiam idem in seminibus: scilicet ut a quocumque quodcumque semen produceretur, et hoc patet esse falsum; unde et primum falsum est.

Secundo ibi « omnino autem »

Excludit secundum, ex quo movebantur ad ponendum naturam non agere propter aliquid. Vide-

batur enim hoc quibusdam, quod ea quae naturaliter accidunt, videntur ex prioribus principiis procedere, quae sunt agens et materia, non ex intentione finis. Sed ipse contrarium ostendit, dicens, quod ille qui sic dicit, naturam scilicet non agere propter aliquid, destruit naturam, et ea quae sunt secundum naturam. Haec enim dicuntur esse secundum naturam quaecumque ab aliquo principio intrinseco moventur continue, quousque perveniant ad aliquem finem non in quodcumque contingens, neque a quocumque principio in quemcumque finem, sed a determinato principio in determinatum finem. Semper enim ab eodem principio proceditur in eumdem finem, nisi aliquid impediat. Contingit autem id cujus causa fit aliquid, aliquando fieri a fortuna, quando non propter hoc agitur: sicut si aliquis extraneus veniat, et recedat inde balneatus, dicimus hoc esse a fortuna, eo quod ita se fecit balneare, ac si propter hoc venisset, cum tamen propter hoc non veniret; unde secundum accidens est ipsum balneari. Fortuna enim est de numero causarum secundum accidens, ut prius dictum est. Sed, si semper aut frequenter ei venienti hoc accidat, non dicitur esse a fortuna. In rebus autem naturalibus non per accidens, sed semper sic est, nisi aliquid impediat: unde manifestum est, quod determinatus finis qui sequitur in natura, non sequitur a casu, sed ex intentione naturae. Ex quo patet, quod contra rationem naturae est dicere, quod natura non agat propter aliquid.

Tertio ibi « inconveniens autem »

Excludit tertium, ex quo aliquis opinari potest, quod natura non agat propter aliquid. Videbatur enim quibusdam, quod natura non agat propter aliquid, quia non deliberat. Sed Philosophus dicit, quod inconveniens est hoc opinari; quia manifestum est, quod ars agit propter aliquid; et tamen manifestum est, quod ars non deliberat, nec artifex deliberat inquantum habet artem, sed inquantum deficit a certitudine artis: unde artes certissimae non deliberant, sicut scriptor non deliberat quomodo debeat formare literas; et illi etiam artifices, qui deliberant, postquam invenerunt certum principium artis, in exequendo non deliberant. Unde citharaedus, si in tangendo quamlibet chordam deliberaret, imperitissimus videretur. Ex quo patet, quod non deliberare contingit alicui agenti, non quia non agit propter finem, sed quia habet determinata media, per quae agit. Unde et, quia natura habet determinata media per quae agat, propter hoc non deliberat. In nullo enim alio natura ab arte videtur differre, nisi quia natura est principium intrinsecum, et ars est principium extrinsecum. Si enim ars factiva navis esset intrinseca ligno, facta fuisset navis a natura, sicut modo fit ab arte. Et hoc maxime manifestum est in arte, quae est in eo quod movetur, licet per accidens. Sicut de medico qui medicatur seipsum; huic arti enim maxime assimilatur natura. Unde patet, quod natura nihil est aliud quam ratio cujusdam artis, scilicet divinae, indita rebus, qua ipsae res moventur ad finem determinatum: sicut si artifex factor navis posset lignis tribuere, quod ex seipsis moverentur ad navis formam inducendam. Ultimo autem epilogando dicit manifestum esse, quod natura sit causa, et quod agat propter aliquid.

LECTIO XV.

Cujusmodi sit rerum naturalium necessitas.

Quod autem ex necessitate est, utrum ex suppositione sit, aut simpliciter.

Nunc enim quidam opinantur quod ex necessitate est in generatione esse, quemadmodum utique si aliquis, murum esse ex necessitate existimet, quoniam gravia quidem deorsum ferri apta natura sunt, levia autem superemineat: unde lapides quidem deorsum in fundamento: terra autem sursum propter levitatem: supra autem maxime ligna, levissima enim sunt.

Sed tamen non sine iis quidem factum est, non tamen propter hoc: nisi sicut propter materiam, sed causa abscondendi ipsa et salvandi: similiter autem et in aliis omnibus, in quibus propter aliquid est, non sine quidem habentibus necessaria materiam sunt: non tamen propter hoc, sed aut sicut materia sunt, sed propter aliquid est: ut propter quid serra est talis? quatenus hoc est, et propter hoc: sed tamen id quod est cujus causa, impossibile est fieri, nisi ferrea sit: necesse igitur ferream esse, si serra erit et opus ipsius. Ex suppositione autem quod necessarium est sed non ut finis: in materia enim necessarium est: quod autem est cujus causa, in ratione est.

Est autem et in doctrinis necessarium, et in his quae secundum naturam fiunt quodammodo similiter: quoniam enim rectus hoc est, necesse est triangulum duobus rectis aequales habere; sed non si hoc est, illud est; sed si hoc non est, neque ille rectus est. In iis autem, quae fiunt propter hoc, e contrario est: si finis enim erit aut est, quod est ante finem, erit aut est: si vero non, sicut ibi, cum non sit conclusio, principium non erit, et hic finis, et quod cujus causa: principium enim et hoc est, non actionis, sed ratiocinationis, ibi autem ratiocinationis: actus enim non sunt. Quare si erit domus, haec necesse est fieri, aut existere, aut esse, aut omnino materiam, quae propter hoc, ut lateres et lapides esse, si domus, non tamen propter hoc est finis. Sed aut sicut materiae sunt, neque erit propter hoc. Omnino tamen, si non sint, non erit neque domus, neque serra: haec quidem nisi sint lapides, illa vero nisi ferrum sit. Neque enim ibi principia sunt, nisi triangulum duobus rectis. Manifestum igitur est quod est necessarium in physicis, quod sicut materia dicitur, et motus qui ipsius: et utraeque physico dicendae sunt causae, magis autem ea quae cujus causa: causa enim haec materiae est, sed non haec finis.

Et finis, qui cujus causa et principium, a definitione et ratione est, sicut in iis quae secundum artem. Quoniam si domus talis est, oportet haec fieri ex necessitate et esse: et quoniam haec est sanitas, haec oportet fieri et esse ex necessitate. Sic et si hoc est hoc, hoc: si autem hoc, et hoc. Fortassis autem et in ratione est necessarium. Determinanti enim opus serrandi, quoniam divisio hujusmodi: hoc autem non erit, nisi habeat dentes hujusmodi, hi autem non, nisi ferrum. Sunt enim et in definitione quaedam partes, ut materia.

Necessitas autem utrum inest ex hypothesi, an simpliciter? Nunc enim putant necessitatem in ortu esse. Perinde ac si quis aedificium ex necessitate factum esse arbitraretur: quia gravia deorsum feruntur suapte natura, levia vero in locum sublimem: idcirco lapides quidem et fundamenta sunt inferiori loco, supra autem est terra ob levitatem; summum locum maxime obtinent ligna, quia sunt levissima.

Verumtamen non quidem sine his factum est, non tamen propter hoc est factum, nisi ut propter materiam, sed potius quaedam celandi ac servandi gratia. Similiter autem et in aliis omnibus, in quibus inest quod est alicujus gratia. Non sunt enim sine his, quae necessariam naturam habent; non tamen sunt propter haec, nisi ut materiam; sed alicujus gratia, veluti, cur serra est talis? ut hoc sit, hujusque gratia; hoc vero cujus gratia, fieri nequit, nisi ferrea sit: necesse est igitur ferream esse, si futura sit serra, et opus ejus. Ergo ex hypothesi est necessitas; non ut finis. In materia namque est necessitas: id vero cujus gratia, est in ratione.

Est autem necessitas et in disciplinis, et in iis quae natura fiunt, quodammodo similis. Quum enim rectum sit hoc, necesse est triangulum habere tres angulos duobus rectis aequales. At non si hoc sit, etiam illud est: sed si hoc non sit, neque rectum erit. In iis vero quae alicujus gratia fiunt, e contrario si finis erit aut est, etiam quod antecedit: erit aut est. Sin minus, ut illic quum non est conclusio, non erit principium; ita etiam hic non erit finis et id cujus gratia. Hoc enim est principium, non actionis, sed ratiocinationis: ibi autem ratiocinationis, quoniam actiones non sunt.

Quare si erit domus, necesse est haec esse facta, aut suppetere, aut esse, aut omnino esse materiam propriam alicujus gratia: veluti, lapides et lateres, si futura est domus. Non tamen propter haec est finis, neque ob haec erit, nisi ut ob materiam. Omnino vero, nisi haec sint, neque domus erit, neque serra: illa quidem, nisi sint lapides; haec autem, nisi sit ferrum: quia nec ibi sunt principia, nisi triangulum habeat tres angulos aequales duobus rectis. Perspicuum igitur est, necessitatem esse in rebus naturalibus, quae dicitur ut materia, et hujus motiones.

Et ambae quidem causae tradendae sunt a physico; magis tamen ea cujus gratia: haec enim est causa materiae, non ipsa materia est causa finis. Ac finis, id cujus gratia, et principium, a definitione et ratione sumitur: ut in rebus artificiosis, quum domus sit talis, oportet haec esse facta, et esse ex necessitate; et quum sanitas sit hoc, oportet ex necessitate haec esse facta et esse: ita etiam si homo est hoc, oportet haec quoque esse; et si haec, etiam ista.

Fortassis autem etiam in definitione est necessitas. Quum enim opus secandi aliquis definierit esse divisionem talem: at haec non erat, nisi serra habeat dentes tales; hi vero non erunt, nisi sit ferrea. Sunt enim in definitione quoque partes quaedam definitionis, tamquam materia.

Postquam Philosophus ostendit, quod natura agit propter finem, hic procedit ad inquirendum de secunda quaestione, scilicet quomodo necessitas inveniatur in rebus naturalibus. Et circa hoc tria facit. Primo movet quaestionem. Secundo ponit aliorum opinionem, ibi, « Nunc quidam enim. » Tertio determinat veritatem, ibi, « Sed tamen non « sine his. » Quaerit ergo primo, utrum in rebus naturalibus sit necessarium simpliciter, id est absolute, aut necessarium ex conditione, sive ex suppositione. Ad cujus evidentiam sciendum est, quod

necessitas quae dependet ex causis prioribus, est necessitas absoluta; ut patet ex necessario, quod dependet ex materia: animal enim esse corruptibile est necessarium absolute: consequitur enim ad hoc, quod est animal esse compositum ex contrariis. Similiter etiam quod habet necessitatem ex causa formali est necessarium absolute, sicut hominem esse rationalem, aut triangulum habere tres angulos aequales duobus rectis, quod reducitur in definitionem trianguli. Et similiter quod habet necessitatem ex causa efficiente est necessarium absolute, sicut necessarium est esse alternationem noctis et diei propter motum solis. Quod autem habet necessitatem ab eo quod est posterius in esse, est necessarium ex conditione vel suppositione: ut puta si dicatur necesse est hoc esse si hoc debeat fieri, et hujusmodi necessitas est ex fine et ex forma in quantum est finis generationis. Quaerere igitur, utrum in rebus naturalibus sit necessarium simpliciter, aut ex suppositione, nihil aliud est quam quaerere, utrum in rebus naturalibus necessitas inveniatur ex fine, aut ex materia.

Secundo ibi « nunc enim »

Ponit aliorum opinionem: et dicit quod quidam opinantur, quod generatio rerum naturalium proveniat ex necessitate absoluta materiae: ut puta si aliquis diceret, quod paries aut domus taliter fit ex necessitate materiae, eo quod gravia nata sunt deorsum ferri, levia vero supereminere; et propter hoc lapides graves et duri remanent in fundamento, terra vero lapidibus supponitur tamquam levior, ut patet in parietibus constructis ex lateribus, qui ex terra conficiuntur: sed in summo ponuntur ligna, scilicet in tecto, quae sunt maxime levia. Ita etiam existimabant dispositiones rerum naturalium provenisse tales ex necessitate materiae; ut puta si dicatur, quod homo habet pedes inferius, et manus superius propter gravitatem aut levitatem humorum.

Tertio ibi « sed tamen »

Determinat veritatem. Et circa hoc duo facit. Primo ostendit qualiter sit necessitas in rebus naturalibus. Secundo assimilat necessitatem rerum naturalium necessitati, quae est in scientiis demonstrativis, ibi, « Est autem et in doctrinis. » Dicit ergo primo, quod licet inconveniens videatur dicere quod in rebus naturalibus sit talis dispositio propter necessitatem materiae, sicut et apparet hoc esse inconveniens in rebus artificialibus, de quibus exemplum positum est: non tamen est talis dispositio facta in rebus naturalibus et artificialibus sine principiis materialibus, habentibus aptitudinem ad talem dispositionem: non enim domus convenienter constaret, nisi graviora in fundamento ponerentur, et leviora superius. Non tamen est dicendum, quod propter hoc domus sic sit disposita, quod una pars ejus sit inferius et alia superius, « propter hoc, » id est propter gravitatem aut levitatem quarumdam partium, nisi secundum quod haec praepositio, propter, dicit causam materialem, quae propter formam est: sed partes domus sic sunt dispositae propter finem, qui est cooperire et salvare homines a caumate, idest a caliditate et pluviis. Et sicuti est in domo, similiter est in omnibus aliis, et in quibuscumque contingit agere propter aliquid: in omnibus enim hujusmodi non consequuntur dispositiones generatorum aut factorum sine principiis materialibus, quae habent necessariam materiam, per quam apta nata sunt sic disponi. Non tamen res factae aut generatae sic disponuntur propter hoc quod principia materialia sunt talia, nisi sicut ly propter, dicit causam materialem: sed sic disponuntur propter aliquem finem: et principia materialia quaeruntur ut sint apta huic dispositioni, quam requirit finis, ut patet in serra: est enim serra hujusmodi, idest talis dispositionis aut formae: quare oportet quod sit talis, idest ut habeat talem materiam: et est hujusmodi, idest talis dispositionis aut formae, « propter hoc » idest propter aliquem finem. Sed tamen

iste finis, qui est sectio, non posset provenire nisi esset ferrea. Necessarium est ergo serram esse ferream si debeat esse serra, et si debeat esse ejus finis, quod est opus ipsius. Sic ergo patet, quod in rebus naturalibus est necessarium ex suppositione, sicut et in rebus artificialibus: sed non ita, quod id quod est necessarium, sit sicut finis: quia id quod necessarium est, ponitur ex parte materiae, sed ex parte finis ponitur ratio necessitatis. Non enim dicimus quod necessarium sit esse talem finem, quia materia talis est: sed potius e contra, quia finis et forma talis futura est, necesse est materiam talem esse. Et sic necessitas ponitur ad materiam, sed ratio necessitatis ad finem.

Secundo ibi « est autem »

Assimilat necessitatem quae est in generatione rerum naturalium, necessitati quae est in scientiis demonstrativis. Et primo quantum ad ordinem necessitatis. Secundo quantum ad id quod est necessitatis principium, ibi, « Et finis quod est. » Dicit ergo primo, quod aliquo modo similiter invenitur necessarium in scientiis demonstrativis, et in iis quae generantur secundum naturam. Invenitur enim in scientiis demonstrativis necessarium a priori; sicut si dicamus, quod quia definitio recti anguli est talis, necesse est triangulum esse talem, scilicet habere tres angulos aequales duobus rectis: ex illo ergo priori quod assumitur ut principium, provenit ex necessitate conclusio. Sed non sequitur e contra, si conclusio est, quod principium sit: quia aliquando ex falsis propositionibus potest syllogizari conclusio vera. Sed tamen sequitur, si conclusio non est, quod neque principium praemissum sit: quia falsum nunquam syllogizaretur nisi ex falso. Sed in iis quae fiunt propter aliquid, sive secundum artem, sive secundum naturam, e contra se habet: quia, si finis erit, aut est, necesse est quod est ante finem, futurum esse, aut esse. Si vero id quod est ante finem non est, neque finis erit: sicut in demonstrativis, si non sit conclusio, non erit principium. Sic igitur patet, quod in iis, quae fiunt propter finem, eumdem ordinem tenet finis, quem tenet principium in demonstrativis: et hoc ideo, quia etiam finis est principium, non quidem actionis, sed ratiocinationis: quia a fine incipimus ratiocinari de iis quae sunt ad finem. In demonstrativis autem non attenditur principium actus, sed ratiocinationis: quia in demonstrativis non sunt actiones, sed ratiocinationes tantum. Unde convenienter finis in iis quae fiunt propter finem tenet locum principii, quod est in demonstrativis. Unde similitudo est utrobique, quamvis e contra se videatur habere, propter hoc, quod finis est ultimum in actione, quod in demonstratione non est. Sic igitur concludit, quod si debeat fieri domus, quod est finis generationis, necesse est hoc fieri, aut praeexistere, scilicet materiam, quae propter finem est: sicut lateres et lapides necesse est praeexistere si domus fieri debet. Non tamen, quod finis sit propter materiam; sed non erit si materia non sit, sicut domus non erit si non sint lapides: et serra non erit si non fuerit ferrum: quia et in scientiis demonstrativis principia non sunt, si conclusio non sit, quae assimilatur iis quae sunt ad finem, sicut principium fini, sicut dictum est. Sic igitur manifestum est, quod in rebus naturalibus dicitur esse necessarium, quod se habet per modum materiae vel materialis motus; et ratio hujus necessitatis est ex fine. Propter finem enim necessarium est esse materiam talem. Et naturalis quidem assignare debet utramque causam, scilicet materialem et finalem, sed magis finalem: quia finis est causa materiae, sed non e contra. Non enim finis est talis quia materia est talis, sed potius materia est talis quia finis est talis, ut dictum est.

Secundo ibi « et finis »

Assimilat necessitatem naturalis generationis necessitati scientiarum demonstrativarum quantum ad id quod est necessitatis principium. Manifestum est enim quod in scientiis demonstrativis, principium demonstrationis est definitio: et similiter finis, quod est principium et ratio necessitatis in iis quae fiunt secundum naturam, est quoddam principium sumptum a ratione et definitione. Finis enim generationis est forma speciei, quam significat definitio; et hoc etiam patet in artificialibus. Sicut enim demonstrator in demonstrando accipit definitionem ut principium, ita et aedificator in aedificando, et medicus in sanando; ut quia talis est definitio domus, oportet hoc fieri et esse, ad hoc quod domus fiat. Et, quia haec est definitio sanitatis, oportet hoc fieri, ad hoc quod aliquis sanetur. Et si hoc, et illa: quousque perveniatur ad illa quae fienda sunt. Contingit autem quandoque in scientiis demonstrativis triplicem esse definitionem: quarum una est demonstrationis principium, ut haec, To-

nitruum est extinctio ignis in nube. quaedam vero demonstrationis conclusio, ut haec, Tonitruum est continuus sonus in nubibus: quaedam vero complectitur utrumque, ut haec, Tonitruum est continuus sonus in nubibus propter extinctionem ignis in nube: et haec comprehendit in se totam demonstrationem absque demonstrationis ordine. Unde in primo Posteriorum dicitur, quod definitio est demonstratio positione differens. Quia igitur in iis quae fiunt propter finem, finis se habet ut principium in demonstrativis, et ea quae sunt ad finem, sicut conclusio; etiam in definitione rerum naturalium invenitur id quod est necessarium propter finem. Si enim aliquis velit definire opus serrae, quoniam est talis divisio, quae quidem non erit nisi habeat dentes, qui non erunt apti ad dividendum nisi sint ferrei, oportebit in definitione serrae ponere ferrum. Nihil enim prohibet in definitione poni quasdam partes materiae: non quidem partes individuales, ut has carnes et haec ossa, sed partes communes, ut carnes et ossa: et hoc necessarium est in definitione omnium rerum naturalium. Sicut ergo definitio, quae colligit in se principium demonstrationis et conclusionem, est tota demonstratio; ita definitio colligens finem et formam et materiam, comprehendit totum processum generationis naturalis.

LIBER TERTIUS

SUMMA LIBRI. — RERUM NATURALIUM COMMUNIA ACCIDENTIA DETERMINARE QUOD PHYSICUM OPORTEAT: ET DE MOTUS ET INFINITI NATURA ET MODIS.

LECTIO I.

Speculari motum, et quae ipsum assequuntur, naturalis esse: nonnullaeque entis divisiones traduntur ad motus definitionem habendam admodum utiles.

ANTIQUA.

Quoniam autem natura est principium motus et mutationis: scientia autem nobis de natura est, oportet non ignorare quid sit motus: necessarium enim est, ignorato ipso, et ignorari naturam.

Determinantibus autem de motu, tentandum est eodem aggredi modo et de iis quae consequenter sunt. Videtur autem motus esse continuorum: sed infinitum apparet primo in continuo: unde et definientibus continuum, contingit prius indigere multoties ratione infiniti, cum in infinitum divisibile continuum sit. Adhuc autem sine loco et vacuo et tempore impossibile est esse motum. Manifestum igitur est, quod et

RECENS.

Quum autem natura sit principium motus et mutationis, ac methodus nobis sit instituta de natura, non est ignorandum quid sit motus: hoc enim ignorato, necesse est etiam naturam ignorari. Quum autem definierimus de motu, nitendum erit eodem modo tractare de iis quae deinceps sequuntur. Videtur autem motus esse in rerum continuarum numero: infinitum vero apparet primum in eo quod est continuum; ideoque plerumque accidit, ut qui definiunt, adjungant rationem infiniti: tamquam id quod in infinitum dividi potest, continuum sit.

Ad haec sine loco et inani et tempore motus esse nequit.

propter haec, et propter id quod omnium sunt communia et universalia omnibus, intendendum est, cum proposuerimus de unoquoque istorum. Posterior autem de propriis speculatio ea quae de communibus est. Primum autem, sicut diximus, de, motu.

Est quidem igitur aliquid, quod actu tantum est, aliud autem tantum potentia. Et eorum quae sunt actu, hoc quidem hoc aliquid, aliud vero quale, vel aliquod aliorum entis praedicamentorum. Sed ejus quod ad aliquid; aliud quidem secundum superbundantiam et defectum dicitur, aliud autem secundum activum et passivum, et omnino motivum et mobile: motivum enim motivum mobilis est, et mobile a motivo est mobile.

Non est autem motus praeter res, ad quas est motus. Mutatur enim semper id quod mutatur, aut secundum substantiam, aut secundum quantitatem, aut secundum qualitatem, aut secundum locum: commune autem in his nullum est accipere, sicut diximus, quod neque hoc, neque quantum, neque quale sit, neque aliorum praedicamentorum ullum. Quare neque motus neque mutatio ullius erit, extra ea quae dicta sunt, cum nihil sit extra praedicta.

Unumquodque autem dupliciter inest omnibus, ut hoc. Aliud quidem enim forma ipsius, aliud vero privatio: et secundum qualitatem, hoc quidem enim album, illud autem nigrum: et secundum quantitatem, aliud quidem perfectum, aliud vero imperfectum Similiter autem et secundum loci mutationem, hoc quidem sursum, illud vero deorsum: aut aliud quidem grave, aliud vero leve. Quare motus et mutationis tot sunt species quot et entis.

Manifestum est igitur, quum propter has causas, tum etiam quoniam ista sunt omnibus communia et universalia, considerandum in primis esse de his singulis: quia propriorum inspectio posterior est quam ea quae in communibus versatur.

Primum autem, ut diximus, videndum est de motu. Est autem aliquid quod est actu tantum: aliud, quod est potestate et actu: quod partim est hoc aliquid, partim tantum, partim tale: et similiter in ceteris entis categoriis. Eorum autem quae ad aliquid referuntur, aliud secundum exsuperantiam et defectionem dicitur: aliud, quia efficiendi et patiendi, et omnino ut moveat et moveatur, vim habet. Quod enim movendi vim habet, rem mobilem movendi vim habet: et mobile, ab eo est mobile, quod movendi vi est praeditum.

Jam vero non est motus extra res; quicquid enim mutatur, aut mutatur secundum substantiam, aut secundum quantitatem, aut secundum qualitatem, aut secundum locum. Commune autem his sumere nihil licet, sicut dicimus, quod nec sit hoc aliquid, nec quantum, nec quale, nec in ulla alia categoria. Quare nec motus nec mutatio erit ullius praeter ea quae dicta sunt: quum nihil sit praeter ea quae dicta sunt.

Unumquodque autem bifariam cunctis inest; ut hoc aliquid: nam ejus aliud est forma, aliud privatio; et in qualitate: aliud enim est album, aliud nigrum: et in quantitate, aliud est perfectum, aliud imperfectum. Similiter et in latione, aliud est supra, aliud infra: vel aliud leve, aliud grave. Quocirca motus et mutationis species tot sunt quot entis.

Postquam Philosophus determinavit de principiis rerum naturalium, et de principiis hujus scientiae, hic incipit prosequi suam intentionem, determinando de subjecto hujus scientiae, quod est ens mobile simpliciter. Dividitur ergo in partes duas. In prima determinat de motu secundum se. In secunda de motu per comparationem ad moventia et mobilia, septimo libro, ibi, « Omne quod mo- « vetur. » Prima dividitur in duas. In prima determinat de ipso motu. In secunda de partibus ejus, in quinto libro, ibi, « Transmutatur autem. » Circa primum duo facit. Primo dicit de quo est intentio. Secundo exequitur, ibi, « Est quidem « igitur. » Circa primum duo facit. Primo dicit de quo principaliter intendit. Secundo ponit quaedam ei adjuncta, quae ex consequenti intenduntur, ibi, « Determinantibus autem. » Circa primum utitur tali ratione. Natura est principium motus et mutationis, ut ex definitione in secundo posita patet. Quomodo autem differant motus et mutatio, in quinto ostendetur. Et sic patet, quod ignorato motu ignoratur natura, cum in ejus definitione ponatur. Cum ergo nos intendamus tradere scientiam de natura, necesse est notificare motum.

Secundo ibi « determinantibus autem »

Adjungit quaedam, quae concomitantur motum; et utitur duabus rationibus, quarum prima talis est. Quicumque determinat de aliquo, oportet quod determinet ea, quae consequuntur ipsum: subjectum enim et accidentia in una scientia considerantur. Sed motum consequitur infinitum intranee: quod patet sic. Motus enim est de numero continuorum, quod infra patebit in sexto. Infinitum autem cadit in definitione continui. Et addit, « primo, » quia infinitum quod est in additione numeri, causatur ex infinito quod est in divisione continui. Et quod infinitum cadat in definitione continui, ostendit, quia multoties definientes continuum utuntur infinito, utpote cum dicunt, quod continuum est quod est divisibile in infinitum. Et dicit « multoties, » quia invenitur etiam alia definitio continui quae ponitur in Praedica-

mentis, Continuum est cujus partes ad unum terminum communem copulantur. Differunt autem hae duae definitiones. Continuum enim cum sit quoddam totum, per partes suas definiri habet. Partes autem dupliciter comparantur ad totum; scilicet secundum compositionem, prout ex partibus totum componitur, et secundum resolutionem, prout totum dividitur in partes. Haec igitur definitio continui data est secundum viam resolutionis: quae autem ponitur in Praedicamentis, secundum viam compositionis. Sic igitur patet, quod infinitum consequitur motum intranee. Quaedam autem consequuntur motum extrinsece, sicut exteriores quaedam mensurae, ut locus, et vacuum, et tempus: nam tempus est mensura ipsius motus, mobilis vero mensura est locus quidem secundum veritatem, vacuum autem secundum opinionem quorumdam. Et ideo subjungit, quod motus non potest esse sine loco, vacuo et tempore. Nec impedit, quod non omnis motus est localis; quia nihil movetur nisi in loco existens; omne enim corpus sensibile est in loco, et hujusmodi solius est moveri. Motus etiam localis est primus motuum, quo remoto removentur alii, ut infra patebit in octavo. Sic igitur patet, quod praedicta quatuor consequuntur motum, unde pertinent ad considerationem philosophi naturalis propter rationem praedictam. Et etiam propter aliam quam consequenter subjungit, quia praedicta sunt communia omnibus rebus naturalibus: unde, cum determinandum sit in scientia naturali de omnibus rebus naturalibus, praedeterminandum est de quolibet istorum; quia speculatio quae est de propriis est posterior ea quae est de communibus, ut in principio dictum est. Sed inter haec communia prius determinandum est de motu, quia alia consequuntur ad ipsum, ut dictum est.

Deinde cum dicit « est quidem »

Exequitur propositum. Et primo determinat de motu et infinito, quae intranee motum consequuntur; secundo de aliis tribus, quae consequuntur ipsum extrinsece, in quarto libro, ibi, « Similiter autem « necesse. » Prima dividitur in duas. In prima determinat de motu. In secunda de infinito, ibi, « Quoniam antem de natura. » Circa primum duo facit. Primo praemittit quaedam ad investigandum definitionem motus. Secundo definit motum, ibi, « Divisio autem secundum unumquodque. » Circa primum duo facit. Primo enim praemittit quasdam divisiones, quia via ad inveniendum definitiones convenientissima est per divisiones, ut patet per Philosophum in secundo Posteriorum, et in septimo Metaphysicae. Secundo ostendit, quod motus in praedictas divisiones cadit, ibi, « Non est « autem motus, etc. » Circa primum ponit tres divisiones: quarum prima est, quod ens dividitur per potentiam et actum: et haec quidem divisio non distinguit genera entium: nam potentia et actus inveniuntur in quolibet genere. Secunda divisio est prout ens dividitur secundum decem genera: quorum unum est hoc aliquid, id est substantia, aliud quantum, aliud quale, aut aliquod aliorum praedicamentorum. Tertia divisio est unius generis entium, scilicet ejus quod ad aliquid. Nam motus aliquo modo ad hoc genus pertinere videtur, inquantum movens refertur ad mobile. Ad hujus igitur tertiae divisionis intellectum considerandum est, quod, cum relatio habeat debilissimum esse, quia consistit tantum in hoc quod est ad aliud se habere, oportet quod super aliquod aliud accidens fundetur; quia perfectiora accidentia sunt proquinquiora substantiae, et eis mediantibus, alia accidentia substantiae insunt. Maxime autem super duo fundatur relatio, quae habent ordinem ad aliud; scilicet super quantitatem et actionem; nam quantitas potest esse mensura etiam alicujus exterioris; agens autem transfundit actionem suam in aliud. Relationes igitur quaedam fundantur super quantitatem, et praecipue super numerum, cui competit prima ratio mensurae, ut patet in duplo et dimidio, multiplici et submultiplici, et in aliis hujusmodi. Idem etiam, et simile et aequale, super unitatem, quae est principium numeri. Aliae vero relationes fundantur super actionem et passionem, vel super ipsum actum, sicut calefaciens dicitur ad calefactum: vel super hoc quod est egisse, sicut pater refertur ad filium quia genuit; vel super potentiam agendi, sicut dominus ad servum quia potest eum coercere. Hanc igitur divisionem manifeste expressit Philosophus in quinto Metaphysicae, sed hic breviter tangit dicens, quod ad aliquid, aliud quidem est secundum superabundantiam et defectum, quod quidem fundatur super quantitatem, ut duplum et dimidium; aliud autem secundum activum et passivum, et motivum et mobile, quae adinvicem referuntur, ut patet per se.

Secundo ibi « non est »

Ostendit quomodo motus reducitur ad praedictas divisiones. Et circa hoc duo facit. Primo ostendit, quod motus non est praeter genera re-

rum in quibus contingit esse motum. Secundo, quod dividitur sicut genera rerum dividuntur, ibi, « Unumquodque autem. » Circa primum considerandum est, quod cum motus, sicut infra patebit, sit actus imperfectus, omne autem, quod est imperfectum, sub eodem genere cadit cum perfecto: non quidem sicut species, sed per reductionem, sicut materia prima est in genere substantiae, necesse est, quod motus non sit praeter genera rerum in quibus contingit esse motum: et hoc est quod dicit, quod motus non est praeter genera rerum, in quibus est motus, ita quod sit aliquid extraneum vel aliquid commune ad haec genera. Et hoc manifestat per hoc quod omne ens, scilicet quod mutatur, mutatur vel secundum substantiam, vel secundum quantitatem, vel secundum qualitatem, vel secundum locum, ut in quinto ostendetur. His autem generibus non est accipere aliquod commune univocum, quod non contineatur sub aliquo praedicamento, ut sit genus eorum: sed ens est commune ad ea secundum analogiam, ut in quarto Metaphysicae ostendetur. Unde etiam manifestum est, quod neque motus neque mutatio sunt extra praedicta genera, cum nihil sit extra ea, sed sufficienter dividant ens. Quomodo autem motus se habeat ad praedicamentum actionis vel passionis, infra ostendetur.

Secundo ibi « unumquodque autem »

Ostendit, quod motus dividitur sicut genera rerum. Manifestum est enim quod in omnibus generibus contingit aliquid esse dupliciter: vel sicut perfectum, vel sicut imperfectum. Cujus ratio est, quia privatio et habitus est prima contrarietas, quae in omnibus contrariis salvatur, ut in decimo Metaphysicae dicitur: unde, cum omnia genera dividantur contrariis differentiis, oportet in omnibus generibus esse perfectum et imperfectum, sicut in substantia aliquid est ut forma, et aliquid ut privatio. Et in qualitate aliquid est ut album, quod est perfectum, aliud ut nigrum, quod est quasi imperfectum. Et in quantitate aliquid est quantitas perfecta, et aliquid imperfecta. Et in loco aliquid est sursum, quod est quasi perfectum: et aliquid deorsum, quod est quasi imperfectum: vel leve et grave, quae ponuntur in ubi ratione inclinationis. Unde manifestum est, quod quot modis dividitur ens, tot modis dividitur motus secundum diversa genera entium; ut augmentum, quod est motus in quantitate, a generatione, quae est motus in substantia. Differunt etiam species motus secundum perfectum et imperfectum in eodem genere: nam generatio est motus in substantia ad formam, corruptio vero ad privationem: in quantitate augmentum ad quantitatem perfectam: diminutio ad imperfectam. Quare autem non assignentur duae species in qualitate et in ubi, ostendetur in quinto.

LECTIO II.

Motus definitio traditur, partiumque ejus intellectus tum propriis ac communibus exemplis, tum rationibus deducitur.

Diviso autem secundum unumquodque genus, hoc quidem esse actu, aliud autem potentia: potentia existentis actus, secundum quod hujusmodi est, motus est.

Ut alterabilis quidem, inquantum est alterabile, alteratio est: augmentabilis autem, et oppositi, (nullum enim commune nomen utrisque) augmentum et decrementum: generabilis autem et corruptibilis, generatio, et corruptio, loco mutabilis, loci mutatio.

Quod autem hoc sit motus ab hinc manifestum est. Cum enim aedificabile, inquantum hujusmodi ipsum dicimus esse, actu aedificatur: et est hoc aedificatio. Similiter autem et doctrinatio, et volutatio, et medicatio, et saltatio, et adolescentia, et senectus.

Quoniam autem quaedam eadem sunt, et potentia, et actu, quamvis non simul, aut non secundum idem, sed ut calidum quidem potentia, frigidum autem actu, multa jam agunt et patiuntur adinvicem: omne enim erit simul activum et passivum: ergo et movens physice mobile erit: omne enim hujusmodi movet cum movetur et ipsum. Videtur quidem igitur quibusdam, omne moveri movens. Sed de his quidem ex aliis erit manifestum quomodo se habent. Est enim quidam moventium et immobile: sed potentia existentis cum actu ens agat, aut ipsum, aut aliud, inquantum mobile, motus est.

Dico autem hoc inquantum sic: est enim aes potentia statua: sed tamen non aeris actus, et inquantum aes est, motus est: non enim idem est aeri esse, et potentia alicui mobili: quoniam si idem esse simpliciter, et secundum rationem, esset utique aeris, inquantum a es est, actus, motus. Non est autem idem, quemadmodum dictum est.

Manifestum autem est et in contrariis: posse quidem enim sanari, et posse laborare alterum est. Et namque si laborare quidem et sanari idem esset, subjectum autem, et sanabile, et infirmum, sive humiditas sive sanguis, unum et idem est. Quoniam autem non est idem, quemadmodum neque color idem et visibile, possibilis inquantum possibile actus, manifestum, quod motus est.

Quum autem in unoquoque genere distincta sint, quod est actu, et quod est potestate: actus ejus quod est potestate qua talis est, motus est. Ut ejus quod est variabile, qua est variabile, variatio: et ejus quod potest augeri, nec non oppositi, id est ejus quod potest deminui (nullum enim nomen est commune utrisque), accretio et deminutio; ejus quod oriri et interire potest, ortus et interitus: et ejus quod ferri potest latio.

Motum autem hoc esse, hinc paret: quum enim aedificabile, quatenus ipsum dicimus tale esse, actu est; tunc aedificatur, atque hoc est aedificatio. Itidemque discendi actus, et medicatio, et volutatio, et saltatio, et ad virilem aetatem et senectutem progressio.

Quum autem nonnulla ita se habeant, ut eadem sint et potestate et actu, non tamen simul vel non secundum idem; sed, exempli gratia, calidum potestate, frigidum actu: multa jam vicissim facient et patientur; quodvis enim horum simul habebit vim faciendi et patiendi. Quapropter etiam quod naturaliter movet, mobile est; quicquid enim est tale, movet quum et ipsum moveatur. Quibusdam ergo videtur, quicquid movet, moveri; sed de hoc manifestum ex aliis libris erit, quomodo res se habeat: est enim aliquid movens et immobile.

Actus vero ejus quod potestate est, quando actu est et agit vel ipsum vel aliud, quatenus est mobile: hic, inquam, actus est motus. Illud autem quatenus sic dico: nam aes potestate est statua; non tamen actus aeris, quatenus est aes, est motus; non est enim eadem essentia aeris, et potestate aliqua mobilis; quodsi eadem essent simpliciter et secundum rationem, utique actus aeris qua est aes, esset motus; sed non est eadem, ut dictum fuit.

Hoc autem patet in contrariis: nam posse valere, et posse aegrotare, differunt (alioqui enim aegrotare et valere essent idem) subjectum vero, quod valet, et quod aegrotat, sive sit humor, sive sanguis, est unum et idem. Quum autem non idem sit, sicuti neque color est idem quod aspectabile; perspicuum est, actum possibilis, quatenus est possibile, esse motum.

Postquam Philosophus praemisit quaedam, quae sunt necessaria ad inquisitionem definitionis motus, hic definit motum. Et primo in generali. Secundo in speciali, ibi, « Qui quidem igitur motus. » Circa « primum duo facit. Primo ostendit quid sit motus. Secundo inquirit, cujus actus sit motus, utrum moventis aut mobilis, ibi, « Movetur autem movens » physice. » Circa primum tria facit. Primo ponit definitionem motus. Secundo manifestat definitionem, seu partes definitionis, ibi, « Quod autem hoc sit « motus. » Tertio ostendit definitionem esse bene assignatam, ibi, « Quod quidem igitur hoc sit. » Circa primum duo facit. Primo ponit definitionem motus. Secundo exemplificat, ibi, « Ut alterabilis « quidem. » Circa primum sciendum est, quod aliqui definierunt motum dicentes, quod motus est exitus de potentia in actum non subito. Qui in definiendo errasse inveniuntur, eo quod in definitione motus posuerunt quaedam quae sunt posteriora motu, exitus enim est quaedam species motus. Subitum etiam in sua definitione recipit tempus: est enim subitum, quod fit in indivisibili temporis: tempus autem definitur per motum. Et ideo omnino impossibile est aliter definire motum per priora et notiora, nisi sicut Philosophus hic definit. Dictum est enim, quod unumquodque genus dividitur per

potentiam et actum. Potentia autem et actus, cum sint de primis differentiis entis, naturaliter priora sunt motu, et his utitur Philosophus ad definiendum motum. Considerandum est igitur, quod aliquid est in actu tantum, aliquid vero in potentia tantum, aliquid vero medio modo se habens inter potentiam puram et actum perfectum. Quod igitur est in potentia tantum, nondum movetur; quod autem jam est in actu perfecto, non movetur, sed jam motum est. Illud igitur movetur, quod medio modo se habet inter puram potentiam et actum; quod quidem partim est in potentia, et partim in actu, ut patet in alteratione. Cum enim aqua est solum in potentia calida, nondum movetur: cum vero est jam calefacta, terminatus est motus calefactionis: cum vero jam participat aliquid de calore sed imperfecte, tunc movetur ad calorem: nam quod calefit paulatim participat calorem, magis ac magis. Ipse igitur actus imperfectus caloris in calefactibili existens, est motus; non quidem secundum id quod actu tantum est, sed secundum quod jam in actu existens, habet ordinem in ulteriorem actum: quia, si tolleretur ordo ad ulteriorem actum, ipse actus quantumcumque imperfectus, esset terminus, et non motus: sicut accidit cum aliquid semiplene calefit. Ordo autem ad ulteriorem actum competit existenti in potentia ad ipsum. Et similiter, si actus imperfectus consideretur tantum ut in ordine ad ulteriorem actum, secundum quod habet rationem potentiae, non habet rationem motus, sed principii motus: potest enim incipere calefactio, sicut a frigido, ita et a tepido. Sic igitur actus imperfectus habet rationem motus, et secundum quod comparatur ad ulteriorem actum ut potentia, et secundum quod comparatur ad aliquid imperfectius, ut actus. Unde neque est potentia existentis in potentia, neque est actus existentis in actu, sed est actus existentis in potentia; ut per id, quod dicitur actus, designetur ordo ejus ad anterior rem potentiam; et per id, quod dicitur in potentia existentis, designetur ordo ejus ad ulteriorem actum. Unde convenientissime Philosophus definit motum dicens, quod motus est actus existentis in potentia, secundum quod hujusmodi.

Secundo ibi « ut alterabilis »

Exemplificat in omnibus speciebus motus, sicut alteratio est actus alterabilis, inquantum est alterabile. Et, quia motus in quantitate et in substantia, non habent unum nomen, sicut motus in qualitate, qui dicitur alteratio; quantum ad motum in quantitate ponit duo nomina; et dicit, quod augmentabilis, et oppositi, scilicet diminuibilis, quibus non est unum commune nomen, est augmentum et diminutio. Et similiter in substantia, generabilis et corruptibilis, generatio et corruptio. Et mutabilis secundum locum, loci mutatio. Accipit enim hic motum communiter pro mutatione, non autem stricte, secundum quod dividitur contra generationem et corruptionem, ut dicetur in quinto.

Deinde cum dicit « quod autem »

Manifestat singulas particulas definitionis. Et primo quantum ad hoc quod motus dicitur actus. Secundo quantum ad hoc, quod dicitur existentis in potentia, ibi, « Quoniam autem. » Tertio quantum ad hoc quod additur, inquantum hujusmodi, ibi, « Dico autem hoc. » Circa primum utitur tali ratione. Id, quo aliquid fit actu prius in potentia existens, est actus. Sed aliquid fit actu dum movetur, prius adhuc in potentia existens: ergo motus est actus. Dicit ergo ex hoc manifestum esse quod motus sit hoc, id est actus: quia aedificabile dicit potentiam ad aliquid; cum aut (1) aedificabile secundum hanc potentiam, quam importat, reducitur in actum, tunc dicimus, quod aedificatur: et iste actus, est aedificatio passiva. Et similiter est de omnibus aliis motibus, sicut doctrinatio, volutatio, medicatio, saltatio, adolescentia, id est augmentum, et senectus id est diminutio. Considerandum est enim quod antequam aliquid moveatur, est in potentia ad duos actus: scilicet ad actum perfectum, qui est terminus motus, et ad actum imperfectum, qui est motus; sicut aqua antequam incipiat calefieri, est in potentia ad calefieri, et ad calidum esse: cum autem calefit, reducitur in actum imperfectum, qui est motus: nondum autem in actum perfectum, qui est terminus motus; sed adhuc respectu ipsius remanet in potentia.

Secundo ibi « quoniam autem »

Ostendit, quod motus sit actus existentis in potentia, tali ratione. Omnis enim actus, ejus est proprie actus, in quo semper invenitur; sicut lumen nunquam invenitur nisi in diaphano: et propter hoc est actus diaphani: sed motus semper invenitur

in existente in potentia: est igitur motus actus existentis in potentia. Ad manifestationem igitur secundae propositionis dicit, quod, quia quaedam eadem sunt et in potentia, et in actu: licet non simul, aut secundum idem, sicut aliquid est calidum in potentia, et frigidum actu: ex hoc sequitur, quod multa agunt et patiuntur adinvicem, inquantum scilicet utrumque est in potentia et actu respectu alterius, secundum diversa. Et quia omnia corpora inferiora naturalia communicant in materia, ideo in unoquoque est potentia ad id quod est actu in altero: et ideo in omnibus talibus aliquid simul agit et patitur, et movet et movetur. Et ex hac ratione quibusdam visum est, quod simpliciter omne movens moveatur. Sed de hoc manifestum erit magis in aliis: ostendetur enim in octavo hujus, et in duodecimo Metaphysices, quod est quoddam movens immobile, quia non est in potentia, sed in actu tantum. Sed quando id quod est in potentia, actu quodammodo existens agit, aut ipsum, aut aliud, inquantum est mobile, idest reducitur in actum motus, sive sit motum a se, sive ab alio, tunc est motus actus ejus. Et inde est, quod illa quae sunt in potentia, sive agant, sive patiantur, moventur: quia et agendo patiuntur, et movendo moventur; sicut ignis, cum agit in ligna, patitur, inquantum ingrossatur per fumum, quia flamma non est nisi fumus ardens.

Tertio ibi « dico autem »

Manifestat hanc particulam « inquantum hujusmodi. » Et primo per exemplum. Secundo per rationem, ibi, « Manifestum autem et in contrariis. » Dicit ergo primo, quod necessarium fuit addi, inquantum hujusmodi, quia id quod est in potentia, est etiam aliquid actu. Et licet idem sit subjectum existens in potentia et in actu, non tamen est idem secundum rationem esse in potentia et esse in actu: sicut aes est in potentia ad statuam et est actu aes; non tamen est eadem ratio aeris inquantum est aes, et inquantum est potentia ad statuam. Motus autem non est actus aeris inquantum est aes, sed inquantum est in potentia ad statuam: alias oporteret quod quamdiu aes esset, tamdiu aes moveretur: quod patet esse falsum. Unde patet convenienter additum esse, inquantum hujusmodi.

Deinde cum dicit « manifestum autem »

Ostendit idem per rationem sumptam a contrariis. Manifestum est enim quod aliquando idem subjectum est in potentia ad contraria, sicut humor aut sanguis, est idem subjectum se habens in potentia ad sanitatem et aegritudinem. Manifestum est autem, quod esse in potentia ad sanitatem, et esse in potentia ad aegritudinem, est alterum et alterum, et hoc secundum ordinem ad objecta: alioquin, si idem esset posse laborare et posse sanari, sequeretur quod laborare et sanari essent idem. Differunt ergo posse laborare et posse sanari secundum rationem, sed subjectum est unum et idem. Patet ergo quod non est eadem ratio subjecti, inquantum est quoddam ens, et inquantum est potentia ad aliud: alioquin potentia ad contraria esset una secundum rationem. Et sic etiam non est idem secundum rationem color et visibile. Et ideo necessarium fuit dicere, quod motus est actus possibilis inquantum est possibile, ne intelligeretur esse actus ejus quod est in potentia, inquantum est quoddam subjectum.

---

(1) *Lege* cum autem.

LECTIO III.

Cum ratione, tum ex aliorum antiquorum de motu definitionibus examinatis et exclusis, suam rectam ac sufficientem deducit.

Quod quidem igitur hoc fit, et quod accidit tunc moveri, cum est actu, et neque prius neque posterius, ostensum est. Contingit enim unumquodque, aliquando quidem operari, aliquando autem non, ut aedificabile; et aedificabilis actus, inquantum est aedificabile, aedificatio est. Aut enim hoc est aedificatio actus, aut domus; sed, cum domus fit, non amplius aedificabile est: aedificatur autem aedificabile: necesse est ergo aedificationem esse actum: aedificatio autem motus quidam est. At vero eadem conveniet ratio in aliis motibus.

Quod autem bene dictum sit, manifestum est ex quibus alii de ipso dicunt, ex eo quod non facile est definire aliter ipsum. Neque enim motum in alio genere ponere potest utique aliquis.
Manifestum autem intendentibus quemadmodum ponunt quidam ipsum, alteritatem et inaequalitatem, et quod non est dicentes esse motum: quorum nullum necessarium est moveri; neque si altera sint, neque si inaequalia, neque si non sint. Sed neque mutatio in haec neque ex his magis est, quam ex oppositis.
Causa autem, cur in his ponant illi, est, quod indeterminatum quiddam jam videtur esse motus. Alterius autem coordinationis principia, ex eo quod sunt privativa, et indeterminata sunt: neque enim hoc, neque tale, neque unum ipsorum, quia neque aliorum quicquam praedicamentorum.
Videri autem indeterminatum esse motum, causa est, quia neque in potentiam eorum quae sunt generum, neque in actum est ponere ipsum simpliciter. Neque enim quod potest esse quantum moveri ex necessitate est, neque quod actu quantum est. Et motus quidem actus quidam videtur esse (imperfectus autem:) causa autem est, quoniam imperfectum est quod possibile, cujus est actus motus. Propter hoc igitur difficile est accipere quid ipsum sit: aut enim in privationem necesse est ipsum ponere, aut in potentiam, aut in actum simplicem: horum autem nullum videtur esse posse: relinquitur igitur praedictus modus, actum quidem quemdam esse, sed hujus actum qualem diximus, difficile quidem videre, contingit autem esse.

Esse igitur hunc actum, et tunc accidere ut res moveatur, quum est hic actus, non prius nec posterius, manifestum est; unumquodque enim potest interdum actu esse, interdum non esse: veluti quod aedificari potest; et actus ejus quod aedificari potest, quatenus aedificari potest, aedificatio est. Aut enim aedificatio est actus ejus quod aedificari potest, aut aedes; atqui quum aedes sunt, non est amplius quod potest aedificari: aedificatur autem quod potest aedificari: necesse igitur est aedificationem esse actum illum; aedificatio vero est motus quidam. Atque eadem ratio conveniet etiam aliis motibus.
Scite autem dictum esse patet etiam ex iis quae alii de ipso motu dicunt, et ex eo quod non est facile ipsum aliter definire. Neque enim motum et mutationem in alio genere collocare aliquis possit: nec qui de eo aliter dixerunt, recte locuti sunt. Quod quidem manifestum fiet considerantibus quemadmodum quidam eum ponant, qui ajunt motum esse diversitatem, et inaequalitatem, et non ens, quum nihil horum moveri necesse sit, nec si sint diversa, nec si inaequalia nec si non entia.
Sed neque mutatio aut in haec aut ex his potius est quam ex oppositis. Causa vero cur hi motum ad haec retulerint, est: quia motus videtur esse indefinitum quiddam: ae alterius classis principia, quia sunt privantia, sunt indefinita: neque enim ullum eorum est hoc aliquid, neque tale, quia neque in ulla aliarum categoriarum.
Cur autem motus videatur esse res indefinita, causa est: quia neque ad entium potestatem, neque ad actum referri potest simpliciter; neque enim quod potest esse quantum, necessario movetur, neque quod est actu quantum.
Ac motus videtur quidem esse actus quidam, sed imperfectus; causa autem est, quia id est imperfectum, quod est potestate, cujus actus est motus. Ideoque difficile est sumere quid ipse sit; aut enim necesse est eum ad privationem referre, aut ad potestatem, aut ad actum simplicem; quorum nullum videtur esse posse. Relinquitur ergo modus quem diximus: nimirum motum esse actum quemdam, ac talem actum, qualem diximus, difficilem quidem cognitu, sed qui esse possit.

Posita definitione motus et manifestatis singulis particulis definitionis, hic consequenter ostendit quod definitio sit bene assignata. Et primo directe, secundo indirecte, ibi, « Quod autem bene dictum sit. » Circa primum utitur tali ratione. Omne quod est in potentia, quandoque continget esse in actu: sed aedificabile est in potentia: ergo continget aliquando actum esse aedificabilis, inquantum est aedificabile. Hoc autem est vel domus, vel aedificatio: sed domus non est actus aedificabilis inquantum est aedificabile, quia aedificabile inquantum hujusmodi reducitur in actum cum aedificatur; cum autem jam domus est, non aedificatur. Relinquitur igitur quod aedificatio sit actus aedificabilis, inquantum hujusmodi: aedificatio autem est quidam motus: motus igitur est actus existentis in potentia, inquantum hujusmodi. Et eadem ratio est de aliis motibus. Patet igitur quod motus talis sit actus, qualis dictus est; et quod tunc aliquid movetur quando est in tali actu, et neque prius neque posterius; quia prius, cum est in potentia tantum, non incipit motus; neque etiam posterius, cum

jam omnino desinat esse in potentia, per hoc quod fit in actu perfecto.
Secundo ibi « quod autem »
Ostendit indirecte definitionem bene assignatam, per hoc scilicet quod non contingat motum aliquem aliter definire. Et circa hoc tria facit. Primo proponit quod intendit. Secundo ponit definitiones aliorum de motu, et reprobat eas, ibi, « Manifestum autem intendentibus. » Tertio assignat causam quare alii sic definierunt motum, ibi, « Cau- « sa autem in hoc ponere. » Dicit ergo primo, quod manifestum est motum esse bene definitum ex duobus. Primo quidem, quia definitiones quibus alii definierunt motum, sunt inconvenientes: secundo ex hoc, quod non convenit (1) eum aliter definire. Cujus ratio est, quia motus non collocari potest in aliquo alio genere, quam in genere actus existentis in potentia.
Secundo ibi « manifestum autem »
Excludit definitiones aliorum de motu. Et scien-

(1) *Lege* contingit.

dum quod tripliciter aliqui definierunt motum. Dixerunt enim motum esse alteritatem seu diversitatem, propter hoc, quod id quod movetur, semper alio et alio modo se habet. Item dixerunt motum esse inaequalitatem, quia id quod movetur, semper magis ac magis accedit ad terminum. Dixerunt etiam motum esse quod non est, idest non ens: quia id quod movetur, dum movetur, nondum habet id ad quod movetur: ut quod movetur ad albedinem, nondum est album. Has autem definitiones destruit Philosophus tripliciter. Primo quidem ex parte subjecti motus. Si enim motus esset alteritas, vel inaequalitas, vel non ens, cujuscumque ista inessent, necessario moveretur: quia cuicumque inest motus, illud movetur. Sed non est necessarium moveri, neque ea quae sunt altera ex hoc ipso quod altera seu diversa sunt, neque inaequalia, neque ea quae non sunt: relinquitur igitur quod alteritas, et inaequalitas, et non ens non est motus. Secundo ostendit illud ex parte termini ad quem: quia motus et mutatio non est magis in alteritatem quam in similitudinem, neque magis in inaequalitatem quam in aequalitatem, neque magis in non esse quam in esse. Nam generatio est mutatio ad esse, et corruptio ad non esse. Non igitur motus magis est alteritas quam similitudo: vel inaequalitas quam aequalitas: vel non ens, quam ens. Tertio ostendit idem ex parte termini a quo: quia sicut motus aliquis est ex alteritate, et ex inaequalite, et ex non ente, ita est ex oppositis horum. Non igitur motus magis debet poni in his generibus quam in oppositis.

Tertio ibi « causa autem »

Assignat causam quare praedicto modo antiqui motum definierunt. Et circa hoc duo facit. Primo assignat causam ejus quod dictum est. Secundo assignat causam cujusdam quod supposuerat, ibi, « Videri autem indeterminatum. » Dicit ergo primo, quod ista est causa quare antiqui posuerunt motum in praedictis generibus, scilicet alteritatis, inaequalitatis et non entis: quia motus videtur esse quoddam indeterminatum, idest incompletum et imperfectum, quasi non habens determinatam naturam. Et, quia indeterminatus est, propter hoc videtur

esse ponendus in genere privativorum. Nam, cum Pythagoras poneret duas ordinationes rerum, in quarum utraque ponebat quaedam decem principia: principia, quae erant in secunda ordinatione, dicebantur ab ipso indeterminata, quia sunt privativa: non enim determinantur per formam, quae sit in genere substantiae, neque per formam qualitatis, neque per formam aliquam specialem in aliquo horum generum existentem, neque etiam per formam alicujus aliorum praedicamentorum. In una autem ordinatione ponebant Pythagorici haec decem, scilicet finitum, impar, unum, dextrum, masculum, quietem, rectum, lumen, bonum, triangulum aequilaterum. In alia autem, infinitum, par, multitudinem, sinistrum, feminam, motum, obliquum, tenebram, malum, ex altera parte longius.

Secundo ibi « videri autem »

Assignat causam quare motus ponitur inter indeterminata; et dicit quod hujus causa est, quia neque potest poni sub potentia, neque sub actu. Si enim poneretur sub potentia, quidquid esset in potentia, puta ad quantitatem, moveretur secundum quantitatem. Et, si contineretur sub actu, quicquid esset actu quantum, moveretur secundum quantitatem. Et, si contineretur sub actu, quicquid esset actu quantum, moveretur secundum quantitatem. Et quidem verum est quod motus est actus, sed est actus imperfectus, medius inter potentiam et actum. Et quod sit actus imperfectus, ex hoc patet, quod illud cujus est actus, est ens in potentia, ut supra dictum est: et ideo difficile est accipere quid sit motus. Videtur enim in primo aspectu quod vel sit simpliciter actus, vel simpliciter potentia, vel quod contineatur sub privatione, sicut aliqui posuerunt ipsum contineri sub non ente, et sub inaequalitate. Sed nullum horum est possibile, ut supra ostensum est. Unde relinquitur solus praedictus modus ad definiendum motum, ut scilicet motus sit actus talis qualem diximus, scilicet existentis in potentia. Talem autem actum considerare difficile est propter permixtionem actus et potentiae; tamen esse talem actum non est impossibile, sed contingens.

LECTIO IV.

Alia quasi materialis motus definitio ex praemissis deducitur, motum videlicet actum mobilis esse: quoque item pacto moventis ac mobilis motus idem actus, ratione autem diversus sit declaratur.

ANTIQUA.

Movetur autem et movens omne, sicut dictum est, cum sit potentia mobile.

Et cujus mobilitas quies est. Cui enim motus inest, hujus immobilitas quies est.

Ad hoc enim agere inquantum hujusmodi, ipsum movere est. Hoc autem facit tactu: quare simul et patitur.

Unde motus actus mobilis est inquantum est mobile. Accidit autem hoc tactu motivi: quare simul et patitur. Species autem semper existimabitur aliqua movens: aut enim haec, aut qualis, aut quanta, quae erit principium et causa motus, cum moveat; ut actu homo facit ex potentia existente homine, hominem.

RECENS.

Movetur autem, ut dictum fuit, omne movens quod potestate est mobile, et cujus immobilitas est quies; cui namque motus inest, huic immobilitas est quies; nam in id agere, qua tale est, id ipsum est movere; id autem facit tactu: quare simul etiam patitur: idcirco motus est actus ejus quod est mobile, quatenus est mobile.

Atque hoc evenit tactu ejus quod movendi vim habet: quapropter simul etiam patitur. Jam vero quod movet, semper afferet aliquam formam, id est, vel hoc aliquid, vel tale, vel tantum, quod erit principium et causa motus, quando movet; ut is qui actu est homo, facit hominem ex eo quod est homo potestate.

Et dubium autem manifestum est, quod est motus in mobili: actus enim hujus, et ab hoc.

Motivi autem actus, non alius est.

Oportet quidem enim esse actum utriusque: motivum
quidem est in ipso posse, movens autem in ipso operari, vel
agere.

Sed est activum mobilis: quare similiter unus utriusque
est actus.

Sicut idem spatium est unius ad duo, et duorum ad u-
num, et ascendentis, et descendentis. Haec enim unum idem
sunt: ratio autem non una. Similiter autem est, et in movente, et in moto.

Sed et id de quo dubitari solet, perspicuum fit, nempe
motum esse in re mobili; est enim actus hujus, et ab eo
quod movendi vim habet. Atque ejus quod movendi vim
habet, actus non est diversus: oportet enim ambobus esse
actum; motivum enim est, quia potest: movens autem, quia
agit; est autem activum ipsius mobilis: quare similiter unus
est utrisque actus, quemadmodum idem est intervallum sive
species unum ad duo, sive duo ad unum, nec non acclive
et declive; haec enim sunt unum; sed definitio non est una;
similiter autem res habet etiam in movente et eo quod movetur

---

Postquam Philosophus definivit motum, hic o-
stendit cujus actus sit motus: utrum scilicet mobilis,
vel moventis. Et potest dici quod hic ponit aliam
definitionem motus, quae se habet ad praemissam,
ut materialis ad formalem, et conclusio ad principium. Et haec est definitio: motus est actus mobilis,
inquantum est mobile. Haec enim definitio concluditur ex praemissa. Quia enim motus est actus existentis in potentia, inquantum hujusmodi; existens
autem in potentia, inquantum hujusmodi, est mobile,
non autem movens, quia movens inquantum hujusmodi, est ens in actu; sequitur quod motus sit actus
mobilis, inquantum hujusmodi. Circa hoc ergo tria
facit. Primo ostendit quod motus est actus mobilis.
Secundo quomodo se habet motus ad moventem,
ibi, « Motivi autem actus. » Tertio movet dubitationem, ibi, « Habet autem defectum. » Circa primum
duo facit. Primo ponit definitionem motus, scilicet
quod motus est actus mobilis. Secundo ex hoc declarat quoddam, quod poterat esse dubium, ibi,
« Et dubium autem. » Circa primum tria facit.
Primo investigat definitionem motus. Secundo concludit eam, ibi, « Unde motus est. » Tertio manifestat eam, ibi, « Accidit autem, etc. » Ad investigandum autem definitionem motus praemittit, quod
moveri etiam accidit moventi. Et circa hoc duo facit.
Primo probat quod omne movens movetur. Secundo
ostendit unde accidat ei moveri, ibi, « Adhuc a-
« gere. » Quod autem movens moveatur, ostendit
ex duobus. Primo quidem, quia omne quod prius
est in potentia, et postea in actu, quodammodo
movetur: movens autem invenitur esse prius movens in potentia, et postea movens in actu; movens
ergo hujusmodi movetur. Et hoc est quod dicit,
quod omne movens, cum ita se habeat quod quandoque sit in potentia « mobile, » idest ad movendum, movetur, sicut dictum est; hoc enim ex dictis
apparet. Dictum est enim quod motus est actus
existentis in potentia: et hoc contingit in omni movente naturali: unde dictum est, quod omne movens
physicum movetur.

Secundo ibi « et cujus »

Ostendit idem alio modo. Cujuscumque sua immobilitas est ejus quies, huic inest motus (quies
enim et motus cum sint opposita, habent fieri
circa idem,) sed moventis immobilitas, idest cessatio a movendo, dicitur quies; (dicuntur enim,
quaedam quiescere, quando cessant agere;) omne
igitur tale movens, scilicet cujus immobilitas est
quies, movetur.

Secundo ibi « ad hoc enim »

Ostendit unde accidat moventi quod moveatur:
non enim accidit ei ex hoc quod movet, sed ex
hoc quod movet tangendo, quia movere est agere
ad hoc quod aliquid moveatur: id autem quod sic
a movente patitur, movetur. Sed hoc quod est

agere, facit tactu: nam corpora tangendo agunt:
unde sequitur, quod et simul patiatur: quia quod
tangit, patitur. Sed hoc intelligendum est, quando est
mutuus tactus, scilicet quod aliquid tangit et tangitur, ut contingit in his quae communicant in
materia, quorum utrumque ab altero patitur, dum
se tangunt. Corpora autem caelestia, quia non communicant cum corporibus inferioribus in materia,
sic agunt in ea, quod non patiuntur ab eis, et
tangunt et non tanguntur, ut dicitur in primo de
Generatione.

Deinde cum dicit « unde motus »

Ponit definitionem motus; concludens ex praedictis, quod quamvis movens moveatur, motus tamen
non est actus moventis, sed mobilis secundum quod
est mobile. Et hoc consequenter manifestat per hoc,
quod moveri accidit moventi et non per se ei competit: unde si aliquid secundum hoc movetur, secundum quod actus ejus est motus; sequitur quod
motus non sit actus moventis, sed mobilis; non
quidem inquantum est movens, sed inquantum est
mobile. Quod autem moveri accidit moventi, manifestat per id quod supra dictum est: hoc enim,
scilicet actus mobilis, qui est motus, accidit ex contactu moventis: ex quo sequitur quod simul dum
agit patiatur: et sic moveri competit moventi per
accidens. Quod autem non competat ei per se, manifestat per hoc, quod semper aliqua forma videtur
movens esse, sicut forma quae est in genere substantiae, in transmutatione quae est secundum
substantiam; et forma quae est in genere qualitatis,
in alteratione; et forma quae est in genere quantitatis, in augmento et diminutione Hujusmodi enim
formae sunt causae et principia motuum, cum
omne agens moveat secundum formam. Omne enim
agens agit inquantum est actu; sicut actu homo
facit ex homine in potentia hominem actu: unde
cum unumquodque sit actu per formam, sequitur
quod forma sit principium movens. Et sic movere
competit alicui inquantum habet formam, per quam
est in actu; unde cum motus sit actus existentis in
potentia, ut supra dictum est, sequitur quod motus
non sit alicujus inquantum est movens, sed inquantum est mobile: et ideo in definitione motus positum est, quod est actus mobilis, inquantum est
mobile.

Deinde cum dicit « et dubium »

Manifestat quoddam dubium ex praedictis. Solet
enim esse dubium apud quosdam, utrum motus sit
in movente, aut in mobili. Sed hoc dubium declaratur ex praemissis. Manifestum est enim, quod
actus cujuslibet est in eo cujus est actus: et supra
sic manifestatum est, quod actus motus est in mobili, cum sit actus mobilis, causatus tamen in eo
a movente.

Deinde cum dicit « motivi autem »

Ostendit quomodo se habeat motus ad movens. Et primo proponit quod intendit; dicens quod actus motivi, non est alius ab actu mobilis. Unde cum motus sit actus mobilis, est etiam quodammodo actus motivi.

Secundo ibi « oportet quidem »

Manifestat propositum. Et circa hoc tria facit. Primo ostendit, quod moventis est aliquis actus sicut et mobilis. Quidquid enim dicitur secundum potentiam et actum, habet aliquem actum sibi competentem. Sed sicut in eo quod movetur dicitur mobile secundum potentiam, inquantum potest moveri, motum autem secundum actum inquantum actu movetur: ita ex parte moventis motivum dicitur secundum potentiam, inquantum scilicet potest movere; movens autem in ipso agere, idest inquantum agit actu. Oportet igitur utrique, scilicet moventi et mobili, competere quemdam actum.

Secundo ibi « sed est activum »

Ostendit quod idem sit actus moventis et moti: moventis enim dicitur inquantum aliquid agit, moti

autem inquantum patitur; sed idem est quod movens agendo causat, et quod motum patiendo recipit. Et hoc est quod dicit, quod « movens est activum « mobilis, » idest actum mobilis causat: quare oportet unum actu esse utriusque, scilicet moventis et moti. Idem enim est quod est a movente, ut a causa agente, et quod est in moto, ut in patiente et recipiente.

Tertio ibi « sicut « idem

Manifestat hoc per exemplum. Eadem enim distantia est unius ad duo, et duorum ad unum secundum rem; sed differunt secundum rationem; quia secundum quod incipimus comparationem a duobus procedendo ad unum, dicimus duplum, e contrario vero dicitur dimidium. Et similiter idem est spatium ascendentis et descendentis; sed secundum diversitatem principii et termini vocatur ascensio vel descensio. Et similiter est in movente et moto. Nam motus secundum quod procedit a movente in mobile, est actus moventis; secundum autem quod est in mobili a movente, est actus mobilis.

LECTIO V.

In quonam magis motus sit, in movente an in mobili: deque motus ab actione et passione discrimine et identitate, et praedicamentorum distinctione quamplura dicuntur. Motum item motoris ac mobilis actum esse concludit.

ANTIQUA.

Habet autem defectum rationabilem. Necesse est enim fortassis esse quemdam actum activi et passivi: hic quidem enim actio, illinc vero passio: opus enim, et finis, hujus quidem actio, illius autem passio.

Quoniam igitur utraque sunt motus: siquidem alteri, in aliquo sunt. Aut enim utraque in patiente et moto sunt: an in agente sunt utraque. Aut actio quidem in agente, passio autem in patiente est. Si autem oportet et hanc actionem vocare, aequivoce quidem fit.

At vero, si hoc est in movente motus erit: eadem enim ratio est in movente, et in moto. Quare autem omne movens movebitur, aut habens motum non movebitur.

Si autem utraque in moto sunt, et in patiente, et actio inquam, et passio, et doctio, et doctrina, cum duo sint, in addiscente sint. Primum quidem actus uniuscujusque non in unoquoque erit. Postea et inconveniens est per duos motus simul moveri. Quaedam namque erunt alterationes duae unius, et in unam speciem. Sed impossibile est.

Sed unus erit actus? Sed irrationabile est duorum, et diversorum secundum speciem eumdem et unum esse actum. Et erit siquidem doctio et doctrina idem, et passio et actio, et docere cum addiscere, idem: et agere cum pati. Quare necesse est omnem docentem addiscere, et agentem pati.

Aut neque actum alterius in altero esse inconveniens est. Est enim doctio actus docentis: in quodam enim et non decisus, sed hujus in hoc.

Neque unum duobus quicquam prohibet eumdem esse actum, non sicut esse idem, sed sicut est quod potentia est ad agens. Neque necesse est docentem addiscere, neque si pati et agere idem est, non tamen ut ratio sit una, quod quid est esse dicentes, sicut tunicae et indumenti; sed sicut via ex Thebis ad Athenas, et ab Athenis ad Thebas (quemadmodum dictum est prius). Non enim omnia eadem insunt quolibet modo eisdem, sed solum quibus esse idem est.

At vero neque si doctio et doctrina idem, et addiscere et docere idem: sicut neque si spatium unum distantium sit, et distare hinc illuc, et inde huc, uuum et idem est.

RECENS.

Exsistit autem dubitatio logica: quia fortasse necesse est esse aliquem actum diversum effectivi et passivi; alterum enim est effectio, alterum passio; opus vero et finis illius quidem est effectus, hujus vero affectio. Quum igitur ambo sint motus, si diversi sunt, in quonam erunt? aut enim ambo sunt in eo quod patitur et movetur: aut effectio est in efficiente, passio vero in patiente; quodsi et hanc vocare effectionem oportet, sane homonymus erit. At vero si hoc est, motus erit in eo quod movet; est enim eadem ratio ejus quod movet et ejus quod movetur. Quare aut omne movens movebitur, aut habens motum, non movebitur. Quodsi ambo sint in eo quod movetur et patitur, tam effectio quam passio, et in eo quod discit, tam docendi quam discendi actio, quum duo sint; primum quidem suus cujusque actus in ipso non erit; deinde eveniet absurdum, duobus motibus idem simul moveri; quaenam enim erunt variationes duae unius subjecti et ad unam formam. At hoc impossibile. Sed unus erit actus? verum a ratione est alienum, duarum rerum specie diversarum unum et eumdem esse actum. Et si quidem docendi ac discendi actus idem sunt, nec non effectio et passio; certe et docere erit idem quod discere, et facere idem quod pati. Quare necesse erit, omnem docentem discere, et facientem pati.

An nec absurdum est, alius rei actum in alia re esse? (nam actus docendi est actus ejus quod docendi vim habet, in aliquo tamen est, neque abscissus, sed hujus in hoc:) nec quidquam prohibet unum et eumdem esse duarum rerum actum, non ut essentia sit eadem, sed ut id quod est potestate, se habet ad id quod agit.

Nec necesse est eum qui docet, discere, ne si quidem facere et pati idem sint, non sint tamen ita ut una sit ratio quidditatem explicans, qualis est vestimenti et indumenti, sed ut via quae Thebis Athenas et quae Athenis Thebas ducit, sicut et ante dictum fuit. Non enim eadem omnia insunt iis quae quoquo modo sunt eadem, sed tantum iis quorum eadem est essentia. At vero nec si actus docendi est idem quod actus discendi, propterea etiam discere est idem quod docere; quemadmodum nec si distantia est una eorum quae distant, propterea etiam distare hoc ab illo, et illud ab hoc, sunt unum et idem.

Omnino autem dicere est neque doctio cum doctrina, neque actio cum passione idem proprie est, sed cui insunt haec, motus: quod enim hujus in hoc, et quod hujus ab hoc actum esse, ratione alterum est.

Quid quidem igitur motus sit, et universaliter, et secundum partem dictum est: non enim immanifestum est quomodo definietur specierum unaquaeque ipsius. Alteratio quidem enim alterabilis secundum quod est alterabile, actus est. Amplius autem notius quod potentia activi et passivi, inquantum hujusmodi, simpliciterque; et iterum secundum unumquodque, quoniam aedificatio, aut medicatio. Eodem autem dicetur modo, et de aliis motibus singulis.

Ut autem omnino dicam, nec docendi et discendi actus, nec effectio et passio sunt idem proprie: sed motus, cui haec insunt, idem est; nam esse actum hujus in hoc, et hujus ab hoc, ratione differunt.

Quid igitur sit motus et universaliter et in parte, dictum est: non est enim obscurum, quomodo unaquaeque ejus species definietur. Variatio namque est actus ejus quod variari potest, quatenus variari potest. Praeterea notiori modo definitur actus ejus quod facere et quod pati potest, quatenus est tale; idque et simpliciter, et rursus in singulis, vel aedificatio, vel medicatio. Eodem modo dicetur et de singulis aliis motibus.

Postquam Philosophus ostendit, quod motus est actus mobilis et moventis, nunc movet quamdam dubitationem circa praemissa. Et primo movet dubitationem. Secundo solvit, ibi, « At neque actum. » Circa primum duo facit. Primo praemittit quaedam ad dubitationem. Secundo dubitationem prosequitur, ibi, « Quoniam igitur utraque. » Dicit ergo primo, quod id quod dictum est « habet defectum, » idest dubitationem « rationabilem, » idest logicam; ad utramque enim partem sunt probabiles rationes. Ad hanc autem dubitationem hoc praemittit, quod aliquis actus est activi, et aliquis actus est passivi, sicut supra dictum est, quod et moventis et moti est aliquis actus. Actus quidem activi vocatur actio, actus vero passivi vocatur passio. Et hoc probat, quia illud quod est opus et finis uniuscujusque est actus ejus et perfectio: unde, cum opus et finis, agentis sit actio, patientis autem passio, ut per se manifestum est, sequitur quod dictum est, quod actio sit actus agentis, et passio patientis.

Secundo ibi « quoniam igitur »

Prosequitur dubitationem. Manifestum est enim quod tam actio quam passio sunt motus: utrumque enim est idem motui. Aut igitur actio et passio sunt idem motus, aut sunt diversi motus. Si sunt diversi, necesse est quod uterque ipsorum sit in aliquo subjecto. Aut igitur uterque est in patiente et moto, aut alterum eorum est in agente, scilicet actio, et alterum in patiente, scilicet passio. Si autem aliquis dicat e contra, quod id quod est in agente sit passio, aequivoce loquitur: id enim quod est passio vocabit actionem, et e contra. Videtur autem quartum membrum omittere, scilicet quod utrumque sit in agente: sed hoc praetermittit, quia ostensum est, quod motus sit in mobili, per quod excluditur hoc membrum, quod neutrum sit in patiente, sed utrumque in agente. Ex his igitur duobus membris, quae tangit, primum prosequitur.

Sequitur ibi (1) « at vero »

Si enim aliquis dicat quod actio est in agente et passio in patiente, actio autem est motus quidam, ut dictum est, sequitur quod motus sit in movente. Eamdem autem rationem oportet esse et de movente et de moto, scilicet ut in quocumque eorum sit motus, illud moveatur. Vel eadem ratio est de movente et moto, sicut et de patiente et agente. In quocumque autem est motus, illud movetur: quare sequitur, vel quod omne movens moveatur, vel quod aliquid habeat motum, et non moveatur; quorum utrumque videtur inconveniens.

Deinde cum dicit « si autem »

Prosequitur aliud membrum, dicens, quod si aliquis dicat quod utrumque, scilicet actio et passio, cum sint duo motus, sunt in patiente et moto, et

doctio, quae est ex parte docentis, et doctrina quae ex parte addiscentis, sunt in addiscente, sequuntur duo inconvenientia : quorum primum est quia dictum est quod actio est actus agentis: si igitur actio non est in agente sed in patiente, sequetur quod proprius actus uniuscujusque non est in eo cujus est actus. Postea sequitur aliud inconveniens; scilicet quod aliquod unum et idem moveatur secundum duos motus. Actio enim et passio supponuntur nunc esse duo motus: in quocumque autem est motus, illud movetur secundum illum motum: si igitur actio et passio sunt in mobili, sequitur quod mobile moveatur secundum duos motus. Et hoc idem esset, ac si essent duae alterationes unius subjecti, quae terminarentur ad unam speciem; sicut quod unum subjectum moveretur duabus dealbationibus, quod est impossibile. Quod vero idem subjectum moveatur duabus alterationibus simul ad diversas species terminatis, scilicet dealbatione et calefactione, non est inconveniens. Manifestum autem est quod actio et passio ad eamdem speciem terminantur; idem est enim quod agens agit, et patiens patitur.

Deinde cum dicit « sed unus »

Prosequitur aliud membrum. Posset enim aliquis dicere, quod actio et passio non sunt duo motus, sed unus. Et ex hoc ducit ad quatuor inconvenientia: quorum primum est, quod idem sit actus diversorum secundum speciem. Dictum est enim quod actio sit actus agentis, et passio actus patientis, quae secundum speciem sunt diversa. Si igitur actio et passio sunt idem motus, sequitur quod idem actus sit diversorum secundum speciem. Secundum inconveniens est quod, si actio et passio sint unus motus, quod idem sit actio cum passione, et doctio, quae est ex parte docentis, cum doctrina, secundum quod se tenet ex parte addiscentis. Tertium inconveniens est quod agere sit idem quod pati, et docere idem quod addiscere. Quartum, quod ex hoc sequitur, est quod omne docens addiscat, et omne agens patiatur.

Deinde cum dicit « aut neque »

Solvit praemissam dubitationem. Est autem manifestum ex supra determinatis, quod actio et passio non sunt duo motus, sed unus et idem motus. Secundum enim quod est ab agente, dicitur actio: secundum autem quod est in patiente, dicitur passio. Unde inconvenientia, quae sequuntur ad primam partem, in qua supponebatur quod actio et passio essent duo motus, non oportet solvere, praeter unum quod remanet solvendum etiam supposito quod actio et passio sint unus motus: quia cum actio sit actus agentis, ut supra dictum est; si actio et passio sunt unus motus, sequitur quod actus agentis quodammodo sit in patiente, et sic actus unius erit in altero. Quatuor autem inconvenientia

(1) *Edit. Rom.* secundo ibi.

sequebantur ex altera parte, et sic restant quinque inconvenientia solvenda. Dicit ergo primo, quod non est inconveniens actum unius esse in altero, quia doctio est actus docentis, ab eo tamen in alterum tendens continue, et sine aliqua interruptione: unde idem actus est hujusmodi (1), idest agentis, ut a quo: et tamen est in patiente, ut receptus in eo. Esset autem inconveniens si actus unius, eo modo quo est actus ejus, esset in alio.

Secundo ibi « neque unum »

Solvit aliud inconveniens, scilicet quod idem actus esset duorum: et dicit quod nihil prohibet unum actum esse duorum, ita quod non sit unus et idem motus secundum rationem, sed unus secundum rem; ut dictum est supra, quod eadem est distantia duorum ad unum, et unius ad duo, et ejus quod est in potentia ad agens, et e contra. Sic enim idem actus secundum rem, est duorum secundum diversam rationem: agentis quidem, secundum quod est ab eo: patientis autem, secundum quod est in ipso. Ad alia autem tria inconvenientia, quorum unum ex altero deducebatur, respondet ordine retrogrado. Primo scilicet ad illud quod ultimo inducebatur ut magis inconveniens. Sic igitur tertio respondet ad quintum inconveniens: et dicit, quod non est necessarium quod docens addiscat, vel quod agens patiatur. Et si agere et pati sint idem: tamen dicamus quod non sunt idem sicut ea quorum ratio est una, ut tunica et indumentum, sed sicut ea quae sunt idem subjecto, et diversa secundum rationem, ut via a Thebis ad Athenas, et ab Athenis ad Thebas, ut dictum est prius. Non enim oportet quod omnia eadem conveniant iis quae sunt quocumque modo idem, sed solum illis quae sunt idem subjecto vel re, et ratione. Et ideo, etiam dato quod agere et pati sint idem, cum non sint idem ratione (ut dictum est), non sequitur quod cuicumque convenit agere, quod ei conveniat pati.

Quarto ibi « at vero »

Respondet ad quartum inconveniens; et dicit, quod non sequitur, etiam si doctio et doctrina addiscentis esset idem, quod docere et addiscere essent idem; quia doctio et doctrina dicuntur in abstracto: docere autem et discere in concreto. Unde applicantur ad fines, vel ad terminos, secundum quos sumitur diversa ratio actionis et passionis. Sicut licet dicamus quod sit idem spatium distantium aliquorum, abstracte accipiendo: si tamen applicamus ad terminos spatii, sicut dicimus distare hinc illuc, et inde huc, non est unum et idem.

Quinto ibi « omnino autem »

Respondet ad tertium inconveniens, destruens hanc illationem, qua concludebatur, quod si actio et passio sunt unus motus, quod actio et passio sunt idem; et dicit, quod finaliter dicendum est, quod non sequitur quod actio et passio sint idem, vel doctio et doctrina: sed quod motus, cui inest utrumque eorum, sit idem. Qui quidem motus secundum unam rationem est actio, et secundum aliam rationem est passio: alterum enim est secundum rationem esse actum hujus, ut in hoc: et esse actum hujus, ut ab hoc: motus autem dicitur actio secundum quod est actus agentis, ut ab hoc: dicitur autem passio secundum quod est actus patientis, ut in hoc. Et sic patet quod licet motus sit idem

moventis et moti, propter hoc, quod abstrahit ab utraque ratione: tamen actio et passio differunt, propter hoc, quod has diversas rationes in sua significatione includunt. Ex hoc autem apparet, quod, cum motus abstrahat a ratione actionis et passionis, non continetur in praedicamento actionis, neque in praedicamento passionis, ut quidam dixerunt. Sed restat circa hoc dubitatio duplex. Prima quidem, quia si actio et passio sint unus motus, et non differunt nisi secundum rationem, ut dictum est, videtur quod non debeant esse duo praedicamenta: cum praedicamenta sint genera rerum. Item, si motus vel est actio vel passio, non invenietur motus in substantia, qualitate, quantitate, et ubi, ut supra dictum est, sed solum continebitur in actione et passione. Ad horum igitur evidentiam sciendum est, quod ens dividitur in decem praedicamenta non univoce, sicut genus in species, sed secundum diversum modum essendi. Modi autem essendi proportionales sunt modis praedicandi. (Praedicando enim aliquid de aliquo altero, dicimus hoc esse illud: unde et decem genera entis dicuntur decem praedicamenta.) Tripliciter autem fit omnis praedicatio. Unus quidem modus est, quando de aliquo subjecto praedicatur id quod pertinet ad essentiam ejus, ut cum dico, Socrates est homo, vel Homo est animal; et secundum hoc accipitur praedicamentum substantiae. Alius autem modus est, quo praedicatur de aliquo id quod non est de essentia ejus, tamen inhaeret ei: quod quidem vel se habet ex parte materiae subjecti, et secundum hoc est praedicamentum quantitatis, nam quantitas proprie consequitur materiam, unde et Plato posuit magnum ex parte materiae. Aut consequitur formam, et sic est praedicamentum qualitatis: unde et qualitates fundantur super quantitatem, sicut color in superficie, et figura in lineis, vel in superficiebus. Aut se habet per respectum ad alterum, et sic est praedicamentum relationis: cum enim dico, Homo est pater, non praedicatur de homine aliquid absolutum, sed respectus, qui ei inest ad aliquid extrinsecum. Tertius autem modus praedicandi est, quando aliquod extrinsecum de aliquo praedicatur per modum alicujus denominationis. Sic enim et accidentia extrinseca de substantiis praedicantur; non tamen dicimus, quod homo sit albedo, sed quod homo sit albus. Denominari autem ab aliquo extrinseco invenitur quidem quodammodo communiter in omnibus, et aliquo modo specialiter in iis quae ad homines pertinent tantum. Communiter autem invenitur aliquod denominari ab aliquo extrinseco, vel secundum rationem causae, vel secundum rationem mensurae (denominatur enim aliquid causatum et mensuratum ab aliquo exteriori). Cum autem quatuor sint causarum genera; duo ex his sunt partes essentiae, scilicet materia et forma: unde praedicatio quae posset fieri secundum haec duo, pertinet ad praedicamentum substantiae; utpote si dicamus quod homo est rationalis, et homo est corporeus. Causa autem finalis non causat seorsum aliquid ab agente: in tantum enim finis habet rationem causae, inquantum movet agentem. Remanet igitur sola causa agens, a qua potest denominari aliquid sicut ab exteriori. Sic igitur secundum quod aliquid denominatur a causa agente, est praedicamentum passionis, nam pati nil est aliud quam suscipere aliquid ab agente. Secundum autem quod e contra denominatur causa agens ab effectu, est praedicamentum actionis. Nam actio est actus ab agente in aliud, ut supra dictum est. Mensura autem quaedam est extrinseca et quaedam intrinseca. Intrinseca quidem, sicut propria longitudo uniuscujusque, et latitudo, et profunditas: ab his ergo denominatur aliquid sicut ab intrinseco inhaerente: unde pertinet ad praedicamentum quantitatis. Exteriores autem mensurae sunt tempus et locus. Secundum igitur quod aliquid denominatur a tempore, est praedicamentum Quando: secundum autem quod denominatur a loco, est praedicamentum Ubi et Situs: quod addit supra Ubi ordinem partium in loco. Hoc autem non erat necessarium addi ex parte temporis, cum ordo partium in tempore in ratione temporis importetur; est enim tempus numerus motus secundum prius et posterius. Sic igitur aliquid dicitur esse quando vel ubi per denominationem a tempore vel a loco. Et etiam aliquid speciale in hominibus. In aliis enim animalibus natura dedit sufficienter ea quae ad conservationem vitae pertinent, ut cornua ad defendendum, corium grossum et pilosum ad tegendum, ungulas, vel aliquid hujusmodi, ad incidendum sine laesione. Et sic, cum talia animalia dicuntur armata vel vestita vel calceata, quodammodo non denominantur ab aliquo extrinseco, sed ab aliquibus suis partibus; unde hoc refertur in his ad praedicamentum substantiae, utputa si diceretur, quod homo est manuatus vel pedatus. Sed hujusmodi non poterant dari homini a natura, tum quia non conveniebant subtilitati complexionis ejus, tum propter multiformitatem operum, quae conveniunt homini inquantum habet rationem, quibus aliqua determinata instrumenta accommodari non poterant a natura: sed loco omnium inest homini ratio, qua exteriora sibi praeparat loco horum quae aliis animalibus intrinseca sunt. Unde, cum homo dicitur armatus, vel vestitus, vel calceatus, denominatur ab aliquo extrinseco, quod non habet rationem neque causae, neque mensurae, unde est speciale praedicamentum, et dicitur habitus. Sed attendendum est, quod etiam aliis animalibus hoc praedicamentum attribuitur, non secundum quod in sua natura considerantur, sed secundum quod in hominis usum veniunt, ut si dicamus equum phaleratum, vel sellatum, seu armatum. Sic ergo patet quod licet motus sit unus, tamen praedicamenta quae sumuntur secundum motum sunt duo, secundum quod a diversis rebus exterioribus fiunt praedicamentales denominationes. Nam alia res est agens, a qua sicut ab exteriori sumitur per modum denominationis praedicamen-

tum passionis: et alia res est patiens, a qua denominatur agens. Et sic patet solutio primae dubitationis. Secunda autem dubitatio de facili solvitur. Nam ratio motus completur, non solum per id quod est de motu in rerum natura, sed etiam per id quod ratio apprehendit. De motu enim in rerum natura nihil aliud est quam actus imperfectus, qui est inchoatio quaedam actus perfecti in eo quod movetur; sicut in eo quod dealbatur, jam incipit esse aliquid albedinis. Sed ad hoc quod illud imperfectum habeat rationem motus, requiritur ulterius quod intelligamus ipsum quasi medium inter duo, quorum praecedens comparatur ad ipsum sicut potentia ad actum, unde motus dicitur actus: consequens vero comparatur ad ipsum, sicut perfectum ad imperfectum, vel actus ad potentiam: propter quod dicitur actus existentis in potentia, ut supra dictum est. Unde quodcumque imperfectum accipiatur, ut non in aliud perfectum tendens, dicitur terminus motus, quod non erit motus secundum quem aliquid moveatur: utpote, si aliquid incipiat dealbari, et statim alteratio interrumpatur. Quantum igitur ad id quod in rerum natura est de motu, motus ponitur per reductionem in illo genere quod terminat motum, sicut imperfectum reducitur ad perfectum, ut supra dictum est; sed quantum ad id, quod ratio comprehendit circa motum, scilicet esse medium quoddam inter duos terminos, sic jam implicatur ratio causae et effectus: nam reduci aliquid de potentia in actum, non est nisi ab aliqua causa agente. Et secundum hoc, motus pertinet ad praedicamentum actionis et passionis; haec enim duo praedicamenta accipiuntur secundum rationem causae agentis et effectus, ut dictum est.

Deinde cum dicit « quid quidem »

Definit motum in particulari: et dicit quod dictum est quid sit motus, et in universali, et in particulari; quia ex hoc quod dictum est de definitione motus in universali, manifestum esse poterit, quomodo definiatur in particulari. Si enim motus est actus mobilis secundum quod hujusmodi, sequitur quod alteratio est actus alterabilis secundum quod hujusmodi, et sic de aliis. Et, quia positum fuit in dubitatione, utrum motus sit actus moventis, vel mobilis, et ostensum est quod est actus activi, ut ab hoc, et passivi, ut in hoc; ad tollendum omnem dubitationem aliquantulum notius dicamus, quod motus est actus potentiae activi et passivi. Et sic etiam poterimus in particulari dicere, quod aedificatio est actus aedificatoris et aedificabilis inquantum hujusmodi, et simile est de medicatione et aliis motibus.

LECTIO VI.

Contemplari infinitum quod Naturalem oporteat, antiquorumque tam naturaliter quam non naturaliter loquentium de illo plurimae afferuntur opiniones.

ANTIQUA.

Quoniam autem de Natura scientia est circa magnitudines, et tempus, et motum, aut infinitum, aut finitum esse: et si non omne sit infinitum, aut finitum, ut passio, aut punctus. (Talium enim fortasse nullum necesse est in altero horum esse) conveniens utique erit de Natura negociantem considerare si est, aut non est: et si est, quid est.

Signum enim quod hujus scientiae propria consideratio de ipso est. Omnes enim, qui videntur rationabiliter tetigisse hujusmodi philosophiam, fecerunt verbum; de Infinito.

Et omnes tamquam principium quoddam ponunt eorum quae sunt. Alii quidem, quemadmodum Pythagorici et Plato, per se: non sicut accidens alicui alteri, sed sicut substantiam ipsum esse infinitum.

Praeter hoc quod Pythagorici quidem in sensibilibus: neque enim abstractum faciunt numerum, et esse extra caelum, infinitum. Plato autem extra, nullum esse corpus neque ideas, eo quod nusquam sint ipsae, tamen infinitum et in sensibilibus, et in illis esse.

Et hi quidem infinitum esse parem, hic quidem enim comprehensus, et sub impari reclusus adhibet iis, quae sunt, infinitatem. Signum autem hujus est, quod contingit in numeris: circumpositis enim gnomonibus circa unum, et extra, aliquando quidem aliam fieri speciem, aliquando autem unam. Plato autem duo infinita magnum et parvum.

Qui autem de natura, omnes semper subjiciunt alteram quamdam naturam dictorum elementorum infinito, ut aquam, aut aerem, aut medium horum. Finita autem facientium elementa, nullus infinita facit. Quicumque autem infinita faciunt elementa, quemadmodum Anaxagoras et Democritus: illae quidem ex similibus partibus, hic autem ex omni seminario figurarum per contactum continuum infinitum esse dicit. Et hic quidem quamlibet partem esse similiter mistam toto, ex eo quod videt, quodlibet ex quolibet fieri: hinc etenim dicere videtur, et simul aliquando omnes res firmatas esse, ut haec caro, et hoc os, et sic quodlibet: et omnia itaque, et simul igitur. Principium enim non solum in unoquoque disgregationis, sed et omnium est: quoniam enim omne quod fit, ex hujusmodi fit corpore, omnium enim generatio praeterquam quod non simul, et quoddam principium esse oportet generationis. Hoc autem est unum, quod ille vocat intellectum. Intellectus autem ex principio quodam operatur intelligens et cognoscens: quare necesse est simul aliquando omnia fuisse, et incepisse moveri aliquando. Democritus autem nihil alterum ex altero fieri primorum dicit: sed tamen ipsum commune corpus omnium esse principium, magnitudine secundum partes, et figura differens. Quod quidem igitur conveniens sit physicis haec speculatio, manifestum ex his.

Rationabiliter autem, et principium ipsum ponunt omnes. Neque enim frustra possibile ipsum esse, neque aliam ipsi inesse potentiam, nisi sicut principium: omnia enim principium sunt, aut ex principio: infiniti autem non est principium: esset enim utique finis ipsius. Amplius autem, et ingenitum, et incorruptibile, si est quoddam principium: quodcumque enim fit, necesse est accipere finem, et finis, omnis est corruptionis. Quare, sicuti dicimus, non est hujus principium, sed hoc aliorum videtur esse, et continere omnia et gubernare: sicut affirmant quicumque non faciunt praeter infinitum alias causas, ut intellectum, aut concordiam. Et hoc esse debet divinum: immortale enim et incorruptibile est, sicut affirmant Anaximander, et plurimi philosophorum.

RECENS.

Quum autem scientia de natura in magnitudinibus et motibus ac temporibus versetur, quorum unumquodque necesse est vel infinitum vel finitum esse (etsi non quodvis est vel infinitum vel finitum; ut affectio aut punctum: fortassis enim nihil eorum quae sunt ejusmodi, necesse est in horum altero collocari); sane decet, eum qui de natura pertractat, considerare de infinito, an sit, necne: et si sit, quid sit.

Indicat autem hanc inspectionem esse hujus scientiae propriam, quod quicumque videntur cum dignitate hujusmodi philosophiam attigisse, de infinito disseruerunt. Idque omnes ut principium quoddam entium ponunt: alii quidem, ut Pythagorei et Plato, per se, non quasi ipsum infinitum alii cuipiam accidat, sed quasi sit substantia. Verum Pythagorei ponunt infinitum in rebus sensibilibus; quia numerum separatum non faciunt; atque asserunt id quod extra caelum esse infinitum: Plato vero inquit extra caelum non esse ullum corpus, nec ideas, propterea quod hae nullibi sunt: sed infinitum et in rebus sensibilibus, et in illis esse ait.

Et illi quidem infinitum ajunt esse par: hoc enim comprehensum et ab impari terminatum praebet entibus infinitum: hujus autem rei signum esse, quod accidit in numeris: quum enim circa unum et seorsum ponantur normae, aliquando fit semper alia forma, aliquando una et eadem manet: Plato autem duo infinita ponit, nempe magnum et parvum.

Qui vero de natura disserunt, omnes infinito semper subjiciunt aliquam aliam naturam eorum quae vocantur elementa; ut aquam, aut aerem, aut quod est his interjectum. Eorum autem qui finita elementa faciunt, nemo ea infinita facit. Sed quicumque infinita elementa faciunt, sicut Anaxagoras et Democritus; hi ajunt infinitum esse tactu continuum: nempe ille ex partibus similaribus, hic autem ex figurarum farragine.

Et ille quidem, quamvis particularum aeque esse mixturam atque universum; quia videt quodvis ex quovis fieri: hinc enim dixisse videtur simul aliquando omnes res fuisse, ut haec caro, et hoc os, atque ita quovis: ergo et omnia: et simul igitur. Principium enim secretionis non solum est in unoquoque, sed et omnium. Quum enim quod fit, ex tali fiat corpore, omnium autem fit generatio, quamvis non simul etiam principium aliquod generationis esse oportet; hoc autem est unum, quam ille appellat mentem; mens vero a principio aliquo operatur intelligendo. Quare necesse est, omnia simul aliquando fuisse, et quandoque moveri coepisse.

Democritus autem nullum principiorum fieri alterum ex altero inquit. Verumtamen ipsum commune corpus est omnium rerum principium, magnitudine ac figura partium differens. Hanc igitur inspectionem physicis convenire, manifestum ex his est.

Nec sine ratione omnes ponunt ipsum esse principium: quia nec frustra esse potest, nec aliam vim habere quam principii; omnia namque aut sunt principium, aut ex principio; sed infiniti non est principium; alioquin etiam ejus esset finis. Praeterea et ingenitum et interitus expers, utpote quod est principium quoddam; quod enim factum est, necesse est accepisse finem; et finis quoque est cujusvis interitus. Ideo, sicut dicimus, non videtur esse hujus principium, sed hoc esse aliorum principium; et continere omnia, atque omnia gubernare, ut ajunt quicumque praeter infinitum non faciunt alias causas, veluti mentem, aut amicitiam; atque hoc esse numen: esse enim immortale, ac perire non posse, ut inquit Anaximander, et plurimi eorum qui de natura disserunt.

Postquam Philosophus determinavit de motu, hic incipit determinare de infinito. Et primo ostendit quod ad scientiam naturalem pertinet determinare de infinito. Secundo incipit determinare, ibi,

« Esse autem infinitum. » Circa primum duo facit. Primo ostendit quod ad naturalem pertinet determinare de infinito; secundo ponit opiniones antiquorum philosophorum de infinito, ibi, « Et omnes

« tamquam quoddam. » Primum ostendit, et ratione, et signo. Ratio talis est: scientia naturalis consistit circa magnitudines, et tempus et motum. Sed necesse est finitum aut infinitum in his inveniri: omnis enim magnitudo vel motus vel tempus ab altero horum continetur, idest sub finito vel infinito: ergo ad naturalem philosophum pertinet considerare de infinito, an sit, et quid sit. Sed, quia posset aliquis dicere quod consideratio de infinito pertinet ad philosophum primum ratione suae communitatis, ad hoc excludendum interponit, quod non omne ens oportet esse finitum vel infinitum, nam punctus et passio, idest passibilis qualitas, sub nullo horum continetur: ea autem quae pertinent ad considerationem philosophi primi, consequuntur ens inquantum ens est, et non aliquod determinatum genus entis.

Secundo ibi « signum enim »

Ostendit idem per signum acceptum a consideratione philosophorum naturalium. Omnes enim qui rationabiliter tractaverunt hujusmodi philosophiam, scilicet naturalem, fecerunt mentionem de infinito. Ex quo colligitur probabile argumentum ab auctoritate sapientum, quod ad philosophiam naturalem pertinet determinare de infinito.

Deinde cum dicit « et omnes »

Ponit opiniones antiquorum de infinito. Et primo ostendit in quo diversificantur, secundo ostendit in quo omnes conveniebant, ibi, « Rationabi- « liter autem. » Circa primum duo facit. Primo ponit opinionem philosophorum non naturalium de infinito, scilicet Pythagoricorum, et Platonicorum; secundo opiniones naturalium, ibi, « De natura au- « tem omnes. » Circa primum duo facit. Primo ostendit, in quo conveniebant Pythagorici et Platonici; secundo in quo differebant, ibi, « Praeter « hoc, quidam Pythagorici. » Dicit ergo primo, quod omnes philosophi posuerunt infinitum esse sicut quoddam principium entium: sed hoc fuit proprium Pythagoricis et Platonicis, quod ponerent infinitum non esse accidens alicui alteri naturae, sed esse quoddam per se existens. Et hoc competebat eorum opinioni, quia ponebant numeros et quantitates esse substantias rerum, unde et infinitum per se existens ponebant.

Deinde cum dicit « praeter hoc »

Ostendit differentiam inter Platonem et Pythagoricos: et primo quantum ad positionem infiniti, secundo quantum ad radicem ipsius, ibi, « Et hi « quidem infinitum esse. » Quantum autem ad positionem infiniti, in duobus differebant Platonici a Pythagoricis. Pythagorici enim non ponebant infinitum nisi in sensibilibus: cum enim infinitum competat quantitati, prima autem quantitas est numerus, Pythagorici non ponebant numerum separatum a sensibilibus, sed dicebant numerum esse substantiam rerum sensibilium, et per consequens infinitum non erat nisi in sensibilibus. Item Pythagoras considerabat, quod sensibilia, quae sunt infra caelum, sunt circum clausa caelo, unde in eis non potest esse infinitum: et propter hoc ponebat, quod infinitum esset in sensibilibus extra caelum. Sed Plato e contrario ponebat, quod nihil est extra caelum: neque enim dicebat esse extra caelum aliquod corpus sensibile, quia caelum dicebat esse continens omnia sensibilia, neque etiam ideas et species rerum, quas ponebat esse separatas, dicebat esse extra caelum, quia intus et extra significant

locum, ideae vero, secundum ipsum, non sunt in aliquo loco quia locus corporalium est. Item dicebat Plato quod infinitum non solum est in rebus sensibilibus, sed etiam in illis, idest in ideis separatis, quia etiam in ipsis numeris separatis est aliquid formale, ut unum, et aliud materiale, ut duo, ex quibus omnes numeri componuntur.

Secundo ibi « et hi quidem »

Ostendit differentiam eorum quantum ad radicem infiniti: et dicit, quod Pythagorici attribuebant infinitum uni radici, scilicet numero pari: et hoc manifestabant dupliciter. Primo per rationem: quia id, quod concluditur ab alio, et per aliud terminatur, quantum est de se habet rationem infiniti: quod autem concludit et terminat habet rationem termini: par autem numerus comprehenditur et concluditur sub impari. Si enim proponitur aliquis numerus par, undique divisibilis apparet: cum vero addita unitate, ad imparem numerum reducitur, jam quamdam indivisionem consequitur, ac si par sub impari constringatur: unde videtur, quod par sit per se infinitum, et causet in aliis infinitatem. Ostendit etiam idem per signum. Ad cujus evidentiam sciendum est, quod in geometricis, gnomon dicitur quadratum super diametrum consistens cum duobus supplementis: hujusmodi igitur gnomon circumpositus quadrato constituit quadratum. Ex hujus ergo similitudine in numeris, gnomones dici possunt numeri, qui aliquibus numeris adduntur. Est autem hic observandum: quod, si aliquis accipiat numeros impares secundum ordinem progressionis numeralis, et unitati, quae est quadratum virtute, inquantum unum est solum unum, addat primum numerum imparem, scilicet ternarium, constituetur quaternarius, qui est numerus quadratus; nam bis duo sunt quatuor. Si vero huic secundo quadrato addatur secundus, scilicet quinarius, consurgit novenarius, qui est quadratum trinarii; nam ter tria sunt novem. Si autem huic tertio quadrato addatur tertius impar, scilicet septenarius, consurgit sexdecim, qui est quadratum quaternarii; et sic semper per ordinatam additionem numerorum imparium resultat eadem forma in numeris, scilicet quadratum. Per additionem autem parium semper resultat diversa figura: nam, si primus par, scilicet duo, addantur unitati, consurgit ternarius, qui est figurae trilaterae: si autem huic addatur secundus par, scilicet quaternarius, consurgit septenarius, qui est figurae heptagonae; et sic semper variatur figura numerorum ex additione parium. Et hoc videtur esse signum, quod uniformitas pertinet ad numerum imparem, difformitas autem et varietas est infinitum pertinet ad numerum parem. Et hoc est quod dicit « signum « hujus, » scilicet quod infinitum sequatur numerum parem, est hoc, quod contingit in numeris. Circumpositis enim gnomonibus, idest numeris additis circa unum, idest circa unitatem, et extra idest circa alios numeros, aliquando quidem fit alia species, idest alia forma numeralis, scilicet per additionem numeri paris; aliquando autem fit una species, scilicet per additionem numeri imparis: et sic patet, quare Pythagoras numero pari attribuit infinitatem. Plato autem attribuebat duabus radicibus, scilicet magno et parvo; haec enim duo, secundum ipsum, sunt ex parte materiae, cui competit infinitum.

Deinde cum dicit « qui autem »

Ponit opiniones naturalium philosophorum de infinito. Sciendum est ergo, quod omnes naturales philosophi, qui scilicet naturaliter principia rerum tradiderunt, dixerunt quod infinitum non est per se subsistens, sicut supra dictum est, sed ponunt infinitum esse accidens alicujus naturae ei suppositae. Qui ergo posuerunt unum principium tantum materiale, quodcumque sit de numero eorum quae dicuntur elementa, sive aer, sive aqua, sive aliquod medium, dixerunt id esse infinitum. Qui vero fecerunt plura elementa, sed finita secundum numerum, nullus eorum posuit quod elementa essent infinita secundum quantitatem: ipsa enim distinctio elementorum contrariari videbatur infinitati utriusque eorum. Sed illi qui fecerunt infinita secundum numerum, dicunt ex omnibus illis infinitis fieri quoddam unum infinitum per contactum. Et hi fuerunt Anaxagoras et Democritus: qui in duobus differebant. Primo quidem in quidditate principiorum infinitorum. Nam Anaxagoras posuit illa infinita principia, esse infinitas similes partes, ut carnis, et ossis, et hujusmodi. Democritus autem ponebat hujusmodi infinita principia, esse indivisibilia corpora, differentia secundum figuras: quae quidem corpora dicebat esse semina totius naturae. Alia differentia est quantum ad habitudinem horum principiorum adinvicem. Anaxagoras enim dixit, quod quaelibet harum partium infinitarum esset commista cuilibet; sicut quod in qualibet parte carnis esset os, et e contra, et similiter de aliis. Et hoc ideo, quia videns, quod quodlibet fit ex quolibet, et credens quod omne quod fit ex aliquo, est in eo: syllogizavit quod quodlibet sit in quolibet. Et ex hoc videtur ipse affirmare, quod aliquando omnes res erant simul confusae adinvicem, et nihil erat distinctum ab alio. Sicut enim haec caro et hoc os per generationem eorum commiscentur adinvicem, sic etiam est de quolibet alio. Omnia igitur aliquando fuerunt simul. Est enim accipere principium disgregationis non solum in aliquo uno, sed in omnibus simul: quod sic probat. Quod enim fit ex alio, erat prius ei commistum; et per hoc fit, quod segregatur ab eo: sed omnia fiunt, licet non simul: oportet igitur ponere unum principium generationis omnium, non solum uniuscujusque. Et hoc unum principium vocavit intellectum, cui soli competit distinguere et congregare, propter hoc quod est immistus. Quod autem fit per intellectum, videtur habere quoddam principium; quia intellectus, a determinato principio incipiens, operatur: si ergo segregatio fit ab intellectu, oportet dicere, quod segregatio habeat quoddam principium: unde concludebat, quod aliquando omnia fuerunt simul; et quod motus, quo segregantur res adin-

vicem, aliquando incoeperit, cum prius non fuerit. Sic igitur Anaxagoras posuit unum principium fieri ex altero. Sed Democritus dicit, quod unum principium non fit ex altero, sed tamen natura corporis, quae est communis omnibus indivisibilibus corporibus, differens secundum partes et figuras, est principium omnium secundum magnitudinem, inquantum ex indivisibilibus ponebat componi omnes magnitudines divisibiles. Et sic concludit, quod ad philosophum naturalem pertinet considerare de infinito.

Deinde cum dicit « rationabiliter autem »

Ponit quatuor, in quibus antiqui philosophi concordabant circa infinitum. Quorum primum est, quod omnes posuerunt infinitum esse principium: et hoc rationabiliter, idest per probabilem rationem: non enim possibile est, si infinitum est, quod sit « frustra, » idest quod non habeat aliquem determinatum gradum in entibus; nec potest habere aliam virtutem nisi principii. Quia omnia quae sunt in mundo, vel sunt principia, vel ex principiis: infinito autem non competit habere principium, quia quod habet principium, habet finem: unde relinquitur quod infinitum sit principium. Sed attendendum est quod in hac ratione utuntur aequivoce principio et fine; nam quod est ex principio, habet principium originis: infinito autem repugnat principium et finis quantitatis vel magnitudinis. Secundum autem quod attribuebant infinito, est, quod sit ingenitum et incorruptibile. Et hoc sequitur ex eo quod est principium: omne enim quod fit, necesse est quod accipiat finem, sicut et habet principium: et etiam cujuslibet corruptionis est aliquis finis: finis autem repugnat infinito: esse ergo generabile et corruptibile repugnat infinito. Et sic patet, quod non est aliquod principium infiniti, sed magis infinitum est principium aliorum. In hoc etiam aequivoce sumebant principium et finem, sicut et supra. Tertium autem quod attribuebant infinito, erat, quod contineret et gubernaret omnia: hoc enim videtur esse primi principii: et hoc dixerunt quicumque non posuerunt praeter materiam, quam dicebant infinitam, alias causas, scilicet agentes, ut intellectum posuit Anaxagoras et concordiam Empedocles: continere enim et gubernare magis pertinet ad principium agens, quam ad materiam. Quartum autem quod infinito attribuebant, est, quod esset quoddam divinum: omne enim quod est immortale aut incorruptibile, divinum appellabant. Et hoc posuit Anaximander, et plures antiquorum philosophorum naturalium.

LECTIO VII.

Rationes infinitum esse apparenter concludentes primo inducit; hinc nonnullis infiniti acceptionibus expositis, tria prosequitur argumenta, quibus validissime, infinitum a sensibilibus non esse separatum concluditur.

Esse autem infinitum, fides ex quinque continget, maxime intendentibus. Ex tempore: hoc enim infinitum: et ex ea quae est magnitudinum divisione: utuntur enim mathematici infinito. Amplius sic utique solum non est deficere fieri et corrumpi, si infinitum sit. Amplius inducendo finitum semper ad aliquid: quare necesse est ei nullum esse terminum, si semper inducere necesse est alterum ad alterum. Maxime autem, et magis proprie, quod communem facit dubitationem omnibus; propter id enim quod in intellectu est, non deficit, et numerus infinitus videtur esse, et mathematicae magnitudines, et quod est extra caelum. Infinitum autem, cum sit extra, et corpus infinitum videtur esse, et mundi: quid enim magis vacuum hic, quam ibi? quare si quidem in uno loco, et ubique necesse est esse magnitudinem. Similiter autem et si vacuum est, et locus infinitus, et corpus infinitum necesse est esse: contingere enim ab esse nihil differt in perpetuis.

Habet autem dubitationem de infinito consideratio. Et namque non esse ponentibus, multa impossibilia accidunt, et esse. Amplius autem qualiter est, utrum sicut substantia, aut sicut accidens per se alicui naturae; aut neutraliter. Sed nihilominus est infinitum, aut infinita multitudine. Maxime autem physici est considerare si est magnitudo sensibilis infinita.

Primum ergo determinandum est, quot modis dicitur infinitum. Uno quidem igitur modo, quod impossibile est transire, ex eo quod non est aptum transiri, ut est vox invisibilis. Aliter autem transitum habens inconsumabilem, aut quod vix. Aut quod aptum natum est habere, non tamen habet transitum, aut finem. Amplius infinitum omne, aut est secundum appositionem, aut secundum divisionem, aut utroque modo.

Separabile quidem igitur esse infinitum a sensibilibus, ipsum aliquid existens infinitum, impossibile est. Si namque neque magnitudo neque multitudo est, substantia autem ipsum infinitum, et non accidens, indivisibile erit: divisibile enim aut magnitudo, aut multitudo erit. Si autem indivisibile est, non infinitum est, nisi sicut vox invisibilis. Sed neque sic dicunt affirmantes esse infinitum; neque nos quaerimus, sed sicut intransibile. Si autem secundum accidens est infinitum, non erit utique elementum eorum quae sunt, secundum quod est infinitum; sicut neque invisibile locutionis, quamvis vox sit invisibilis.

Amplius quomodo continget aliquid esse ipsum infinitum, si vere non est, et secundum numerum, et magnitudinem: quorum est per se passio quaedam infinitum? Adhuc enim minus esse necesse est quam numerum et magnitudinem.

Manifestum autem et quod non contingit infinitum esse, sicut actu ens, et sicut substantiam et principium: erit enim quodlibet ipsius acceptum infinitum, si partibile est: infinito enim esse, et infinitum idem est, si substantia infinitum est, et non de subjecto: quare autem indivisibile est, aut in infinita divisibile: multa autem infinita esse idem impossibile est. At vero sicut aëris, aer pars est; sic et infiniti, infinitum, siquidem substantia est et principium: impartibile igitur, et indivisibile est. Sed impossibile est esse actu infinitum. Quantum enim quid necesse est esse. Secundum accidens ergo est infinitum: sed si sic est, dictum est, quod non contingit ipsum dicere principium, sed illud cui accidit, ut aerem, aut par. Quare inconvenienter utique enunciant, dicentes, sicut Pythagorei dicunt: simul enim substantiam faciunt infinitum, et partiuntur. Sed fortassis haec quidem est universalis quaestio magis, si contingit in mathematicis infinitum esse, et in intelligibilibus, et in nullam habentibus magnitudinem. Nos autem intendimus de sensibilibus et de quibus facimus scientiam, utrum in ipsis est aut non est corpus infinitum in augmentum.

Esse autem quoddam infinitum, ex quinque potissimum argumentis fides considerantibus fit. Nempe ex tempore, hoc enim est infinitum; et ex divisione, quae in magnitudinibus cernitur, nam et mathematici utuntur infinito. Praeterea, quia hoc tantum modo non deficit ortus et interitus, si illud sit infinitum, unde aufertur quod fit. Praeterea, quia finitum semper ad aliquid terminatur: quare necesse est nullum esse terminum, si semper necesse est terminari alterum ad alterum.

Maxime autem fidem facit et maxime proprium est argumentum, quod communem dubitationem omnibus efficit; nam quia cogitationis non est finis, videtur et numerus esse infinitus, et mathematicae magnitudines, et quod est extra caelum. Quum autem infinitum sit quod extra est, etiam corpus infinitum esse videtur, ac mundi infiniti: cur enim potius in hac parte inanis, quam in illa? quare si ab uno est loco, etiam ubique esse molem necesse est. Item si est inane, et locus infinitus, necesse est etiam esse corpus infinitum; nam posse et esse, in sempiternis nihil differunt.

Habet autem dubitationem inspectio de infinito: quoniam et iis qui non esse ponunt, multa impossibilia eveniunt, et iis qui esse ponunt. Praeterea, utro modo sit, utrum ut substantia, aut ut accidens per se naturae alicui, an neutro modo, sed nihilominus sit infinitum vel infinita numero.

Maxime autem physici est considerare an sit magnitudo sensibilis infinita. Primum igitur definiendum est, quot modis dicatur infinitum. Uno igitur modo dicitur infinitum, quod est impossibile pertransire, quia non est natura aptum ut percurratur: quemadmodum vox est inaspectabilis; alio modo, cujus transitus non habet finem, aut vix, aut quod sua natura potest habere, non tamen habet transitum vel finem. Praeterea omne infinitum est vel additione, vel divisione, vel utroque modo.

Infinitum igitur separatum a rebus sensibilibus, quod sit ipsum quiddam infinitum, esse nequit: nam si ipsum infinitum nec est magnitudo, nec multitudo, sed est substantia, non accidens: certe individuum erit. Quod enim est dividuum, aut erit magnitudo aut multitudo. Si vero individuum sit, non erit infinitum, nisi ut vox est inaspectabilis. Sed ita nec esse dicunt ii qui ajunt esse infinitum, nec nos quaerimus, sed ut id quod pertransiri non potest.

Sin autem infinitum est ex accidenti: non potest esse elementum eorum quae sunt, quatenus est infinitum: quemadmodum nec inaspectabile est linguae elementum, quamvis vox sit inaspectabilis. Praeterea qui fieri potest ut aliquid sit ipsum infinitum, si quidem non ita esse possunt numerus et magnitudo, quorum affectio quaedam per se est infinitum? Necesse enim est adhuc minus esse infinitum, quam numerum, vel magnitudinem.

Perspicuum est etiam non posse infinitum esse ut actu existens, et ut substantiam, et ut principium: nam quaevis ejus pars sumatur, erit infinita, si partibilis est: infiniti enim essentia, et infinitum, idem sunt: si quidem infinitum est substantia, nec dicitur de subjecto. Quare aut individuum est aut in infinita dividuum: sed multa infinita non possunt esse idem. At vero ut aëris pars est aer; ita etiam infiniti infinitum, si est substantia et principium. Est igitur impartibile et individuum. Sed impossibile est, quum actu sit infinitum: quantum enim quiddam esse necesse est.

Ergo ex accidenti infinitum inest. Sed si ita sit, dictum fuit non posse id appellari principium, sed illud potius cui accidit, nempe aerem, aut par. Quare absurde pronuntiant, qui sic asserunt, ut inquiunt Pythagorei: simul enim statuunt infinitum esse substantiam, et in partes dividunt.

Sed fortassis haec quaestio est magis universalis, an possit esse infinitum etiam in mathematicis, et in intelligibilibus, et in iis quae nullam habent magnitudinem. Nos vero de rebus sensibilibus, ac de quibus methodum conscribimus, dispiciamus, utrum in his sit an non sit corpus infinitum accretione.

Positis opinionibus antiquorum de infinito, hic incipit inquirere veritatem. Et primo objicit ad utramque partem; secundo solvit, ibi, « Quod qui- « dem igitur actu corpus. » Circa primum duo facit. Primo ponit rationes ad ostendendum quod infinitum sit; secundo ad ostendendnm quod non sit, ibi, « Habet autem dubitationem. » Circa primum ponit quinque rationes: quarum prima sumitur ex tempore, quod secundum communem opinionem antiquorum infinitum erat. Solus enim Plato generavit tempus, ut in octavo hujus dicetur. Dicit ergo primo, quod ad ostendendum infinitum esse, ex quinque rationibus accipi potest: et primo quidem ex tempore, quod est infinitum, secundum illos, qui dicebant tempus semper fuisse, et semper futurum esse. Secunda ratio sumitur ex divisione magnitudinum in infinitum: infinito enim in magnitudinibus utuntur etiam mathematici in suis demonstrationibus: quod non esset si infinitum totaliter tolleretur a rebus: oportet igitur ponere infinitum. Tertia ratio sumitur ex perpetuitate generationis et corruptionis secundum plurium opinionem. Si enim totaliter tolleretur infinitum, non posset dici quod generatio et corruptio in infinitum durarent: unde oporteret dicere, quod quandoque totaliter generatio cessaret, quod est contra multorum opinionem: oportet ergo ponere infinitum. Quarta ratio sumitur ex apparenti ratione finiti. Videtur enim pluribus, quod de ratione finiti sit, quod semper includatur ab aliquo alio; quia videmus apud nos omne finitum extendi usque ad aliquid. Demonstrato igitur aliquo corpore, si illud sit infinitum, habetur propositum: si autem sit finitum, oportebit quod terminetur ad aliquod aliud; et iterum illud, si sit finitum, ad aliquod aliud. Aut ergo erit procedere in infinitum, aut devenietur ad aliquod corpus infinitum; et utroque modo ponitur infinitum: unde necesse est, quod nullus sit terminus corporum; sed semper oportet, quod omne finitum includatur ab aliquo altero. Quinta ratio sumitur ab apprehensione intellectus vel imaginationis. Unde dicit, quod illud, quod maxime facit communem dubitationem inducentem homines ad ponendum infinitum, est ex hoc, quod intellectus nunquam deficit, quin super quodlibet finitum datum possit aliquid addere. Existimabant autem antiqui philosophi quod res responderent apprehensioni intellectus et sensus; unde dicebant, quod omne quod videtur, est verum, ut in quarto Metaphysices dicitur: et propter hoc credebant, quod etiam in rebus esset infinitum. Inde est quod videtur numerus esse infinitus: quia intellectus cuilibet numero dato unitatem addendo facit aliam speciem. Et eadem ratione videntur magnitudines mathematicae, quae in imaginatione consistunt, esse infinitae: quia qualibet magnitudine data, possumus imaginari majorem. Et eadem ratione videtur esse extra caelum quoddam spatium infinitum: quia possumus imaginari extra caelum, in infinitum quasdam dimensiones . Si autem est infinitum spatium extra caelum, necesse videtur quod sit corpus infinitum, et quod sint mundi infiniti: et hoc duplici ratione. Prima ratio est: quia si consideretur totum spatium infinitum, totum secundum se consideratum est uniforme: non est ergo assignare rationem, quare magis in una parte illud spatium sit vacuum a corpore, quam in alia: si ergo in aliqua parte illius spatii inveniatur aliqua ma-

gnitudo corporalis, sicut quae est hujus mundi, oportet quod in qualibet parte illius spatii inveniatur aliqua magnitudo corporalis, sicut quae est hujus mundi; et sic oportet corpus esse infinitum, sicut et spatium: vel etiam oportet mundos esse infinitos, ut Democritus posuit. Alia ratio est ad idem ostendendum: quia, si est infinitum spatium, aut est vacuum, aut est plenum: si est plenum, habetur propositum quod sit corpus infinitum: si autem est vacuum, cum vacuum nihil aliud sit quam locus non repletus corpore, possibile tamen repleri, necesse est, quod si est spatium infinitum, sit etiam locus infinitus, qui posset repleri corpore: et ita oportebit corpus esse infinitum, quia in perpetuis non differt contingere et esse. Unde, si contingit locum infinitum repleri corpore, oportet dicere quod sit repletus corpore infinito: necesse ergo videtur dicere, quod sit corpus infinitum.

Secundo ibi « habet autem »

Objicit in contrarium. Et circa hoc tria facit. Primo ostendit quaestionem esse dubitabilem, ne rationes praemissae omnino verum concludere videantur. Secundo ostendit quot modis dicitur infinitum, ibi, « Primum ergo determinandum. » Tertio ponit rationes ad ostendendum infinitum non esse, ibi, « Separabile quidem igitur esse. » Dicit ergo primo, quod dubitatio est circa infinitum, utrum sit, vel non sit. Multa enim impossibilia consequuntur iis qui ponunt infinitum omnino non esse, sicut ex praemissis patet: et etiam iis. qui ponunt infinitum esse, multa accidunt impossibilia, ut ex consequentibus rationibus patebit. Est etiam dubitatio, qualiter infinitum sit; utrum scilicet sit aliquid per se existens, sicut quaedam substantia, vel sicut aliquod accidens per se conveniens alicui naturae; aut neutro modo sit, scilicet neque per se existens, sicut substantia, neque sicut accidens per se: sed nihilominus si est accidens, est aliquod infinitum continuum, et aliqua infinita secundum multitudinem. Sed maxime pertinet ad considerationem philosophi naturalis, si est aliqua magnitudo sensibilis infinita: nam magnitudo sensibilis est magnitudo naturalis.

Secundo ibi « primum ergo »

Ostendit quot modis dicitur infinitum; et ponit duas divisiones infiniti; quarum prima est communis infinito, et omnibus privative dictis. Nam sicut invisibile dicitur tripliciter: vel quod non est aptum natum videri, ut vox, quae non est de genere visibilium: vel quod male videtur, sicut quod videtur in obscuro, aut a remotis; vel quod natum est videri, et non videtur, sicut quod est omnino in tenebris: sic igitur, et uno modo dicitur infinitum, quod non est natum transiri; nam infinitum idem est quod intransibile; et hoc est, quia est de genere intransibilium, sicut indivisibilia, ut punctus et forma; per quem etiam modum dicitur, vox invisibilis. Alio modo dicitur infinitum, quod quantum est de se transiri potest, sed ejus transitus non potest perfici a nobis; sicut si dicatur profunditas maris esse infinita; vel si potest perfici, tamen vix, et cum difficultate; sicut si dicamus quod iter usque in Indiam est infinitum; et utrumque istorum pertinet ad hoc, quod est esse male transibile. Tertio modo dicitur infinitum, quod est natum transiri, quia est de genere transibilium existens, quod tamen non habet transitum ad finem; ut si esset aliqua linea non habens terminum, vel quaecumque alia quantitas; et sic proprie dicitur infinitum. Aliam divisionem propriam infiniti ponit, ibi, « Amplius autem infinitum. » Dicens quod infinitum dicitur vel per appositionem, sicut in numeris: aut secundum divisionem, sicut in magnitudinibus: aut utroque modo, sicut in tempore.

Tertio ibi « separabile quidem »

Ponit rationes ad excludendum infinitum: et primo ad excludendum infinitum separatum, quod Platonici posuerunt; secundo ad excludendum infinitum a rebus sensibilibus, ibi, « Rationabiliter qui- « dem igitur. » Circa primum ponit tres rationes: circa quarum primam dicit quod impossibile est infinitum esse separatum a sensibilibus: ita quod infinitum sit aliquid per se existens, sicut Platonici posuerunt: quia, si ponitur infinitum esse aliquid separatum, aut habet aliquam quantitatem, scilicet continuam, quae est magnitudo: aut discretam, quae est multitudo, aut non. Si autem est substantia sine accidente, quod est magnitudo, sive multitudo, oportet quod infinitum sit indivisibile: quia omne divisibile, vel est numerus, vel magnitudo. Si autem aliquid est indivisibile, non erit infinitum nisi primo modo, scilicet prout dicitur aliquid infinitum, quod non est aptum natum transiri; sicut dicitur vox invisibilis, sed hoc est praeter intentionem praesentis quaestionis, qua quaerimus de infinito, et praeter intentionem eorum qui posuerunt infinitum: non enim intenderunt ponere infinitum sicut indivisibile, sed sicut intransibile, idest quod natum est transiri, et non habet transitum. Si vero infinitum non sit solum substantia, sed etiam habeat accidens, quod est magnitudo et multitudo, cui competit infinitum, et sic infinitum insit substantiae, secundum illud accidens, non erit infinitum, inquantum hujusmodi, principium eorum quae sunt, sicut antiqui posuerunt: sicut etiam non dicimus invisibile esse principium locutionis, quamvis accidat voci, quae est principium locutionis.

Secundam rationem ponit ibi « amplius quo- « modo »

Et est talis. Minus est separabile et per se existens passio quam subjectum. Sed infinitum est passio magnitudinis et numeri: sed magnitudo et numerus non possunt separari, et per se existere, ut in Metaphysica probatum est; ergo neque infinitum.

Tertiam rationem ponit ibi « manifestum autem »

Et dicit manifestum esse quod non potest poni quod infinitum sit in actu, et quod sit sicut substantia quaedam, et sicut principium rerum. Aut enim infinitum erit partibile, aut impartibile. Si quidem erit partibile, necesse est quod quaelibet pars ejus sit infinitum, si infinitum est substantia: quia, si infinitum est substantia et non dicitur de aliquo subjecto, ut accidens, oportebit quod idem sit infinitum « et infinito esse, » idest essentia et ratio infiniti: non enim idem est id quod est album et natura albi, sed (1) id quod est homo, est hoc quod est natura hominis: unde oportebit quod si infinitum sit substantia, aut sit indivisibile, aut dividatur in partes infinitas, quod est impossibile: quia ex multis infinitis componi aliquid idem est impossibile; quia oporteret infinitum terminari ad aliud infinitum. Apparet etiam non solum ex ratione, sed etiam ex similitudine, quia si infinitum sit substantia et dividatur, oportet quod quaelibet pars ejus sit infinita. Sicut enim quaelibet pars aeris est aer, ita et quaelibet pars infiniti erit infinita, si infinitum sit substantia et principium. Quia, si sit principium, oportet infinitum esse substantiam simplicem non compositam ex partibus difformibus, sicut homo, cujus non quaelibet pars est homo. Cum ergo sit impossibile alicujus infiniti quamlibet partem infinitam esse, oportebit quod infinitum sit impartibile et indivisibile. Sed illud quod est indivisibile, non potest esse infinitum in actu, quia id quod est infinitum in actu est quantum, et omne quantum est divisibile: sequitur ergo quod, si est infinitum in actu, non sit sicut substantia, sed sub ratione accidentis, quod est quantitas: et si hoc sit infinitum, non erit principium, sed illud cui accidit infinitum, sive illud sit aliqua substantia sensibilis, ut aer, sicut posuerunt philosophi naturales, sive sit aliqua substantia intelligibilis, ut par, sicut posuerunt Pythagorici. Unde manifestum est quod inconvenienter dixerunt Pythagorici ponentes infinitum esse substantiam, et simul cum hoc ponentes ipsum esse divisibile; quia sequitur quod quaelibet pars ejus sit infinita; quod est impossibile, ut supra dictum est. Ultimo autem dicit, quod ista quaestio, quae est, an infinitum sit in mathematicis quantitatibus, et in rebus intelligibilibus non habentibus magnitudinem, est magis universalis quam sit praesens consideratio: nos enim intendimus ad praesens de rebus sensibilibus, de quibus tradimus scientiam naturalem, utrum in ipsis sit corpus infinitum in augmentum, ut antiqui naturales posuerunt.

(1) Lege nec.

LECTIO VIII.

Magnitudinem seu sensibile corpus actu infinitum dari impossibile esse, cum logicis, tum validis naturalibus rationibus ex suppositione ostenditur.

ANTIQUA.

Rationabiliter quidem igitur speculantibus, et ex hujusmodi videbitur non esse utique. Si enim est corporis ratio, quod planitie determinatum est, non erit utique corpus infinitum, neque intelligibile, neque sensibile. At vero nec numerus.

RECENS.

Logice igitur considerantibus ex rationibus ejusmodi videri possit non esse. Nam si est corporis definitio, Quod superficie terminatur: non potest esse corpus infinitum, nec intelligibile nec sensibile.

merus sic est, sicut separatus et infinitus, numerabile enim numerus est, aut habens numerum: si ergo numerabile possibile est numerari, et pertransire utique possibile erit infinitum.

Physice autem magis considerantibus ex his, manifestum erit: neque enim compositum possibile est esse infinitum, neque simplex. Compositum quidem igitur non erit infinitum corpus, si finita elementa sint multitudine: necesse est enim plura esse, et aequari contraria semper, et non esse unum eorum infinitum. Si namque quantumcumque deficiat, quae in uno corpore est potentia, a potentia alterius, ut si ignis finitus sit, aer autem infinitus: sit autem aequalis ignis, ad aerem aequalem in potentia, quantumcumque duplicatus, solum autem numerum quemdam habens, tamen manifestum est quod infinitum excedet et corrumpet finitum. Unumquodque autem infinitum esse, impossibile est. Corpus enim est omniquaque habens dimensionem: infinitum autem quod in indeterminate distans est. Quare infinitum corpus ubique extensum erit in infinitum. At vero neque unum convenit infinitum corpus esse et simplex: neque sicut dicunt quidam, quod extra elementa est, ex quo alia generantur, neque simpliciter. Sunt enim quidam qui hoc faciunt infinitum: sed non aerem, aut aquam, ne alia corrumpantur ab infinito: habent enim adinvicem contrarietatem, ut aer quidem humidus, aqua autem frigida, ignis vero calidus: quorum si esset unum infinitum, corrumperentur utique jam alia. Nunc autem dicunt alterum esse id, ex quo haec sunt. Impossibile est autem esse aliquod corpus hujusmodi infinitum (de hoc enim commune quiddam dicendum est, et de omni similiter, et aere, et aqua, et quolibet.) Sed primo dicendum, quod non est hujusmodi corpus sensibile extra vocata elementa: omne namque ex quo est, et resolvitur in hoc: quare esset utique hic corpus, praeter aerem, et ignem, et terram, et aquam; videtur autem nullum hujusmodi. Neque igitur ignem, neque aliorum elementorum ullum, contingit infinitum esse: omnino enim et praeter id, quod infinitum sit aliquod ipsorum, impossibile est, si ipsum universum finitum sit, aut esse aut fieri unum aliquod ipsorum, sicut dicit Heraclitus omnia fieri aliquando ignem. Eadem autem ratio est, et de uno, et de alio, quod faciunt extra elementa physici: omne namque mutatur ex contrario in contrarium, ut ex calido in frigidum.

At vero neque numerus, sic ut separatus, est et infinitus: quoniam numerus, aut quod habet numerum, est numerabile. Si igitur numerabile potest numerari: etiam poterit infinitum pertransiri. Magis autem physice dispicientibus, ex his [videri poterit non esse].

Etenim infinitum neque compositum esse potest, neque simplex. Compositum igitur corpus non erit infinitum, si elementa sint numero finita. Necesse enim est, semper contraria esse plura et inter se aequari, nec esse unum eorum infinitum. Nam si cujuscumque eorum vis, quae in uno est corpore, superetur ab altero, veluti si ignis est finitus, aer autem infinitus, sed aequalis ignis aequalem aerem vi quantumvis multipla superat, modo numerum aliquem habeat: perspicuum tamen est fore ut infinitum superet, et interimat quod finitum est.

Unumquodque autem esse infinitum, impossibile est. Corpus enim est, quod undique habet extensionem: infinitum vero, quod in immensum extenditur. Quare infinitum corpus undique erit extensum in immensum.

Ac vero nec potest infinitum corpus esse unum et simplex, neque, ut quidam dicunt, id quod est praeter elementa, ex quo haec gignuntur, neque omnino. Sunt enim nonnulli, qui infinitum hoc faciunt, sed non aerem, aut aquam, ne cetera ab eo interimantur, quod inter illa est infinitum. Habent enim inter se contrarietatem, ut puta aer est frigidus, aqua vero est humida, ignis autem calidus: quorum si unum sit infinitum, cetera jam dudum interiissent; nunc vero aliud esse ajunt id ex quo haec fiunt.

Verum impossibile est esse tale: non quia infinitum (de hoc enim commune aliquid dicendum est, quod omni corpori aeque conveniat, id est et aeri et aquae et alii cuivis); sed quia non est tale sensibile corpus praeter ea quae vocantur elementa; omnis enim res, ex quo est, in id etiam dissolvitur. Quare hic esset aliud quidpiam praeter aerem et ignem et terram et aquam: sed nullum apparet.

Neque igitur ignis, neque ullum aliud elementum potest esse infinitum; nam omnino, et praeterquam quod esset aliquod eorum infinitum, impossibile est ut universum, etiamsi sit finitum, aut sit aut fiat unum aliquid illorum: sicut Heraclitus ait omnia fieri aliquando ignem.

Eadem ratio est etiam in uno, quale praeter elementa faciunt physici: omnia namque mutantur ex contrario in contrarium, ut ex calido in frigidum.

Postquam Philosophus removit opinionem antiquorum, qua de infinito non naturaliter loquebantur, illud a sensibilibus separantes, hic ostendit non esse infinitum, sicut philosophi naturales ponebant: et primo ostendit hoc per rationes logicas, secundo per rationes naturales, ibi, « Physice autem magis. » Dicuntur autem primae rationes logicae, non quia ex terminis logicis logice procedant, sed quia logico modo procedunt, scilicet ex communibus et probabilibus, quod est proprium syllogismi dialectici. Ponit ergo duas logicales rationes in quarum prima ostenditur, quod non sit aliquid corpus infinitum. Definitio enim corporis est quod sit determinatum « planitie, » idest superficie; sicut definitio lineae est, quod ejus termini sint puncta: nullum autem corpus determinatum superficie est infinitum: ergo nullum corpus est infinitum, neque sensibile, quod est corpus naturale, neque intelligibile, quod est corpus mathematicum. Quod ergo dicit « ratio- « nabiliter, » exponendum est logice. Nam logica dicitur rationalis philosophia. Secunda ratio ostendit, quod non sit infinitum multitudine. Omne enim numerabile contingit numerari, et per consequens numerando transiri: omnis autem numerus et omne quod habet numerum, est numerabile: ergo omne hujusmodi contingit transiri. Si igitur aliquis numerus sive separatus, sive in sensibilibus existens, sit infinitus, sequetur quod possibile sit transire infinitum; quod est impossibile. Attendendum est autem quod istae rationes sunt probabiles, procedentes ex iis quae communiter dicuntur: non enim ex ne-

cessitate concludunt: quia qui poneret aliquod corpus esse infinitum, non concederet quod de ratione corporis esset terminari superficie, nisi forte secundum potentiam, quamvis hoc sit probabile et famosum. Similiter qui diceret aliquam multitudinem esse infinitam, non diceret eam esse numerum, vel numerum habere: addit enim numerus super multitudinem rationem mensurationis. Est enim numerus multitudo mensurata per unum, ut dicitur in decimo Metaphysicae; et propter hoc numerus ponitur species quantitatis discretae, non autem multitudo, sed est de transcendentibus.

Secundo ibi « physice autem »

Inducit rationes naturales ad ostendendum quod non sit corpus infinitum in actu. Circa quas considerandum est, quod quia Aristoteles nondum probaverat corpus caeleste esse alterius essentiae a quatuor elementis: opinio autem communis suo tempore fuerat, quod esset de natura quatuor elementorum, procedit in his rationibus, ac si non esset aliud corpus sensibile extra quatuor elementa, secundum suam consuetudinem; quia semper antequam probet id, quod est suae opinionis, procedit ex suppositione opinionis aliorum communis. Unde, postquam probavit in primo libro de Caelo et Mundo, caelum esse alterius naturae ab elementis, ad veritatis certitudinem iterat considerationem de infinito, ostendens universaliter quod nullum corpus sensibile est infinitum. Hic autem primo ostendit quod non sit corpus sensibile infinitum, supposito quod sint elementa finita multitudine; secundo ostendit idem universaliter, ibi, « Oportet autem, et de omni. » Dicit ergo primo quod procedendo naturaliter, idest ex principiis scientiae naturalis, magis et certius considerari poterit, quod non sit corpus sensibile infinitum ex iis quae dicentur. Omne enim corpus sensibile, aut est simplex, aut compositum. Primo ergo ostendit, quod non sit corpus sensibile compositum infinitum, supposito quod sint elementa finita secundum multitudinem. Non enim potest esse quod unum ipsorum sit infinitum, et alia finita; quia ad compositionem alicujus corporis misti requiritur quod sint plura elementa, et quod contraria aliquo modo adaequentur, alias compositio permanere non posset: quia illud quod esset omnino potentius destrueret alia, cum elementa sint contraria. Si autem unum elementorum esset infinitum, nulla aequalitas esset aliis finitis existentibus, quia infinitum improportionabiliter excedit finitum: non ergo hoc potest esse quod unum tantum eorum quae veniunt in mistionem, sit infinitum. Posset autem aliquis dicere quod illud infinitum esset debilis virtutis in agendo, et ideo non potest vincere alia, scilicet finita, quae sunt fortioris virtutis; utpote si infinitus sit aer, et finitus ignis. Et ideo ad hoc removendum, dicit, quod quantumcumque potentia unius corporis, quod ponitur infinitum, deficiat a potentia alterius corporis quod ponitur infinitum, utpote, si ignis sit finitus, et aer infinitus; necesse est tamen dicere, quod aer quantumcumque duplicatus, idest secundum aliquem numerum multiplicatus, sit aequalis igni in potentia. Si igitur potentia ignis esset centuplo major, quam potentia aeris ejusdem quantitatis: si aer centupletur secundum quantitatem, erit aequalis ei in potentia: et tamen aer centuplatus est multiplicatus secundum aliquem numerum determinatum, et vincitur a potentia aeris infiniti. Unde manifestum est, quod etiam potentia ignis vinceretur a potentia aeris infiniti; et sic infinitum excedit et corrumpit finitum, quantumcumque potentioris naturae videatur. Similiter etiam non potest esse quod quodlibet elementorum, ex quibus componitur corpus mistum, sit infinitum: quia de ratione corporis est quod habeat dimensiones in omnem partem, non in longitudinem tantum, ut linea, neque in longitudinem et latitudinem solum, ut superficies. De ratione autem infiniti est quod habeat dimensiones infinitas: ergo de ratione corporis infiniti est, quod habeat dimensiones infinitas in omnem partem; et sic non potest esse quod ex pluribus corporibus infinitis aliquod unum componatur, quia quodlibet occupat totum mundum, nisi ponantur duo corpora esse simul, quod est impossibile. Sic igitur, ostenso quod corpus compositum

non potest esse infinitum, ostendit ulterius quod nec etiam corpus simplex, neque unum elementorum, neque aliquod medium inter ea, ut vapor est medium inter aerem et aquam. Quidam enim posuerunt hoc esse principium, ex eo alia generari dicentes; et hoc dicebant esse infinitum, non autem aerem, aut aquam, aut aliquod aliorum elementorum, quia contingeret alia elementa corrumpi a quocumque ipsorum, quod infinitum poneretur, quia elementa habent contrarietatem adinvicem, cum aer sit humidus, aqua frigida, ignis calidus, terra sicca: unde, si unum horum esset infinitum, corrumperet alia, cum contrarium natum sit corrumpi a contrario. Et ideo dicunt aliqui aliud ab elementis esse infinitum, ex quo sicut ex principio elementa causantur. Hanc autem positionem dicit esse impossibilem, non solum quantum ad hoc quod dicit tale corpus medium esse infinitum, quia de hoc dicetur communis quaedam ratio, tam de igne et aere et aqua, quam etiam de corpore medio. Sed ex hoc ipso etiam est impossibilis praedicta positio, quia ponit aliquod principium elementare praeter quatuor elementa: non invenitur enim aliquod corpus sensibile praeter ea quae dicuntur elementa, scilicet aerem, aquam, et hujusmodi: sed hoc oporteret, si aliquid aliud praeter elementa veniret in compositionem istorum corporum: unumquodque enim compositum resolvitur in ea ex quibus componitur. Si igitur aliquid aliud veniret in compositionem istorum corporum, quam haec quatuor elementa, sequeretur quod hic apud nos inveniretur aliquod corpus simplex, praeter haec quatuor elementa, per resolutionem istorum in elementa. Sic igitur patet quod positio praemissa falsa est quantum ad hoc, quod posuit aliquod corpus simplex praeter haec nota elementa. Ulterius autem ostendit communi ratione, quod nullum elementorum possit esse infinitum; quia, si aliquod elementorum esset infinitum, impossibile esset totum universum esse aliud nisi illud elementum, et oporteret quod omnia alia elementa converterentur in ipsum, vel jam essent conversa in ipsum, propter excellentiam virtutis infiniti super alia: sicut Heraclitus dicit, quod quandoque futurum est, quod omnia convertantur in ignem, propter excellentem ignis virtutem. Et eadem ratio est de uno elementorum, et de alio corpore, quod faciunt quidam naturales extra elementa: oportet enim illud aliud habere contrarietatem ad elementa, cum ex eo ponantur alia generari. Mutatio autem non fit nisi ex contrario in contrarium, ut ex calido in frigidum, sicut supra ostensum est. Sic igitur et istud corpus medium, ratione contrarietatis destruet alia elementa.

LECTIO IX.

Corpus infinitum actu non dari, quatuor astruit rationibus Anaxagoraeque deluditur opinio, qua infiniti motus acquietis causam reddidisse arbitratus est.

Oportet autem de omni ex his considerare, si contingat, aut non contingat, corpus infinitum esse sensibile. Quod autem omnino impossibile sit corpus infinitum esse sensibile, ex his manifestum.

Aptum enim natura est omne sensibile, et alicubi esse, et locus aliquis est uniuscujusque, et idem partis, et omnis est, ut totius terrae, et unius glebae: et ignis, et scintillae.

Quare si quidem sit ejusdem speciei, aut immobile erit, aut semper movebitur. Et impossibile est: quid enim magis deorsum, aut sursum, aut quovis? dico autem ut si gleba sit alicubi, ipsa qua movebitur, aut ubi manebit? locus enim infinitus erit sibi, et cognati sibi corporis: utrum igitur continebit totum locum? et quomodo? Quae igitur et ubi quies, et motus ipsius? an ubique manebit? non ergo movebitur. An ubique movebitur? non ergo stabit. Si autem dissimile est omne, dissimiles et loci sunt. Et primum quidem non unum corpus universi est, nisi tangendo. Postea aut finita haec erunt, aut infinita specie. Et finita quidem non esse possunt: erunt enim alia quidem finita, alia vero non, si omne infinitum erit, ut ignis, aut aqua. Corruptio autem hujusmodi in contrariis esset, (sicut dictum est prius.) Et propter hoc nullus Naturalium unum et infinitum ignem facit, neque terram, sed aut aerem, aut aquam, aut ipsorum medium, quia locus utriusque manifestus erat et determinatus: haec autem utroque participant; eo qui sursum, et eo qui deorsum. Si autem infinita, et simplicia sunt, et loci infiniti, et elementa infinita erunt: si autem hoc impossibile est, et loci finiti sunt, et totum finitum esse necesse est. Impossibile enim est non aequari locum et corpus. Neque enim locus omnis major est, quam quantumcumque contingit corpus simul esse. Similiter autem neque infinitum erit corpus, neque corpus majus quam locus. Aut enim vacuum erit aliquid: aut corpus nusquam aptum natum est esse.

Anaxagoras autem, inconvenienter dicit de infiniti mansione, fulcire enim ipsum seipsum, dicit infinitum: hoc autem est, quia in seipso est. (Aliud enim continet nihil.)

Tamquam ubi utique aliquid sit, aptum natum sit ibi esse. Hoc autem non verum est: erit enim aliquid alicubi et non ubi aptum natum est esse. Si igitur, quia maxime non movetur totum in seipso (quod enim fulcitur, et in seipso est, immobile esse necesse est:) sed quare non aptum natum sit moveri, dicendum est, non enim sufficiens est sic dicentem evadere. Erit enim utique, et quodlibet aliud non motum, sed aptum natum esse nihil prohibet: quoniam et terra non fertur, neque si infinita esset ferretur, coercita tamen a medio. Sed non quia non est aliud ubi mutatur, manebit in medio: sed non movebitur: quia non apta nata est sic: sed tamen licebit utique dicere, quia fulcit seipsam. Si ergo neque in terra haec causa est, cum sit infinita, sed quia gravitatem habet (grave autem manet in medio) similiter et infinitum manet utique in seipso, propter aliam quamdam causam: sed non quia infinitum est, et fulcit ipsum, et seipsum.

Similiter autem manifestum, quod et si sit quaelibet pars oportebit manere: sicut enim infinitum in seipso manet, se fulciens, sic et si quaelibet pars accipiatur, in seipsa manebit: totius enim et partis similes loci sunt, sicut terrae et glebae deorsum: et omnis ignis et scintillae sursum. Quare, si infiniti locus quod in seipso, et idem partis, manebit ergo in seipsa.

Omnino autem manifestum est quod impossibile est, simul infinitum dicere corpus, et locum quemdam corporibus esse, si omne corpus sensibile aut gravitatem habet, aut levitatem. Et, si grave quidem est, in medium natura habet ferri, si vero leve, sursum: necesse est enim et infinitum corpus. Impossibile autem, aut omne utrumlibet, aut medium utrumque sustinere. Quomodo enim divides, aut quomodo infiniti erit hoc quidem sursum, illud autem deorsum, aut ultimum aut

Oportet autem de omni corpore etiam ex his considerare, utrum possit, an. non possit esse corpus infinitum sensibile.

Omnino autem esse impossibile, ut sit corpus infinitum sensibile, ex his manifestum erit: quia natura est comparatum, ut omne sensibile sit alicubi, et sit cujusque rei locus aliquis, idemque sit partis et totius locus, ut totius terrae et unius glebae, nec non ignis et scintillae. Quocirca, si quidem est unius formae, aut immobile erit, aut semper feretur. Atqui est impossibile: cur enim potius infra quam supra, aut ubi? verbi gratia, si gleba sit, ubi haec movebitur? aut ubi manebit? Infinitus enim est locus corporis ei cognati. Utrum igitur continebit totum locum? et quomodo? quisnam ergo aut ubi erit status et motus ejus? an ubique stabit? non ergo moveri. An ubique movebitur? non igitur consistet.

Quodsi universum dissimile sit, dissimiles etiam erunt loci. Ac primum quidem non erit universi corpus unum, nisi tactu. Deinde aut finita haec erunt, aut infinita, specie. Ac finita quidem esse non possunt: nam alia erunt infinita, alia minime, si universum est infinitum: ut ignis, vel aqua. Sed quod est tale, contrariis interitum affert, sicut antea dictum fuit. Ideoque nullus eorum qui de natura disseruerunt, unum illud et infinitum statuerunt esse ignem, aut terram: sed vel aquam, vel aerem, vel medium his interjectum: quia locus illius utriusque perspicue definitus est: haec autem participant superiorem et inferiorem locum. Sin autem infinita et simplicia sunt: etiam loci erunt infiniti, et elementa erunt infinita. Quod si est impossibile, ac finiti loci sunt: necesse est ut etiam universum sit finitum. Est enim impossibile, non esse paria locum et corpus: quia neque totus locus est major, quam ut possit corpus simile esse: (simul autem neque corpus erit infinitum;) neque corpus est majus quam locus: alioqui aut erit aliquid inane, aut corpus, quod suapte natura nullibi sit.

Anaxagoras vero absurde loquitur de infiniti permansione. Ait enim ipsum infinitum se ipsum sustinere: et hoc ideo, quia in se ipso est: quippe quod nulla alia res continet. Quasi ubi aliquid est, ibi suapte natura sit. Sed hoc non est verum: potest enim aliquid esse alicubi vi, non ubi natura comparatum est ut sit.

Si igitur quammaxime non movetur universum; quia necesse est id esse immobile, quod in se sustinetur et in se est: tamen dicendum est, cur non sit natura aptum moveri. Non enim sufficit hoc, ut is qui ita dixerit, dimittatur: quoniam et quodvis aliud esse potest, quod non moveatur; sed natura aptum esse ut moveatur, nihil prohibet. Nam et terra non fertur: nec si infinita esset, ferretur, a medio cohibita: non tamen, quia non est aliud quo feratur, manet in medio; sed quia est ei natura sic insitum. Tamen [aliquatenus] dicere licet terram se ipsam sustinere. Ergo si ne in terra quidem, si sit infinita, haec est causa quietis; sed quia pondus habet, quod autem est grave, in medio manet, terra vero in medio est: similiter etiam infinitum manet in se ipso propter aliquam aliam causam, non quia est infinitum, et ipsum se sustinet.

Item manifestum est, opus esse ut quaevis ejus pars maneat. Ut enim infinitum in se ipso manet, se sustinens: ita et si quaevis pars sumatur, in se ipsa manebit; quia loca totius et partis sunt ejusdem speciei: veluti, totius terrae et glebae locus inferus, ac totius ignis ac scintillae locus superus: quare si infiniti locus est in se ipso, partis etiam locus idem erit: in se igitur manebit.

Omnino autem patet esse impossibile, ut simul dicatur esse infinitum corpus, et aliquem esse locum corporibus: si omne corpus sensibile aut pondus habet, aut levitatem: et, si quidem grave est, ad medium natura fertur; si vero leve, sursum: quia necesse est, etiam infinitum corpus esse tale. Sed est impossibile, aut totum alterutro modo aut dimidium utroque modo affectum esse. Quo enim modo divides? aut quomodo infiniti erit alia pars supra, alia infra, aut extrema medium?

Amplius omne corpus sensibile in loco est: loci autem species et differentiae sursum et deorsum, ante et retro: dextrorsum et sinistrorsum. Et haec non solum ad nos, et positione sunt, sed in ipso toto determinata sunt: impossibile autem in infinito hoc esse.

Simpliciter autem, si impossibile est locum esse infinitum: in loco autem omne corpus est, impossibile est infinitum esse aliquod corpus. At vero quod alicubi est et in loco est; et quod in loco est, alicubi est. Si igitur neque quantitatem possibile est infinitam esse (quantum enim aliquid erit, ut bicubitum, aut tricubitum, haec enim significant quantum) sic in loco, quia alicubi, hoc est autem, aut sursum aut deorsum, aut in aliqua alia distantia: quae sunt sex: horum autem unumquodque terminus aliquis est.

vel media?

Praeterea omne corpus sensibile est in loco. Loci autem species ac differentiae sunt superum et inferum, et anterius et posterius, et dextrum et sinistrum: atque haec non tantum relatione ad nos habita, et positione, sed etiam in ipso universo definita sunt. Atqui est impossibile, haec infinito inesse.

Et omnino si impossibile est locum esse infinitum, omne autem corpus est in loco: impossibile est etiam, esse aliquod corpus infinitum. At vero quod est alicubi, est in loco; et quod in loco est, est alicubi. Ergo si neque quantum est infinitum, omnino existere non potest: quoniam esset quantum quiddam, ut bicubitum et tricubitum (haec enim quantum significant); atque ita esse etiam in loco: quia est alicubi: hoc autem vel supra, vel infra, vel in aliqua alia sex dimensionum, quarum unaquaeque est terminus quidam.

Postquam ostendit Philosophus non esse corpus sensibile infinitum, facta suppositione, quod sint elementa finita; hic ostendit idem simpliciter absque omni suppositione. Et primo dicit de quo est intentio; secundo exequitur propositum, ibi, « Aptum enim natura est. » Dicit ergo primo, quod ex iis quae sequuntur, oportet considerare de omni corpore, nulla suppositione facta, si contingat quodcumque corpus naturale esse infinitum; et ex sequentibus rationibus manifestum fiet quod non.

Secundo ibi « aptum enim »

Ostendit propositum quatuor rationibus. Secunda incipit, ibi, « Omnino autem manifestum. » Tertia ibi, « Amplius omne corpus sensibile est. » Quarta ibi, « Simpliciter autem et si impossibile. » Circa primam rationem tria facit. Primo praesupponit quaedam necessaria ad rationem; secundo ponit rationem, ibi, « Quare siquidem ejusdem speciei. » Tertio excludit falsam opinionem quamdam, ibi, « Anaxagoras autem inconvenienter. » Praemittit ergo tria; quorum primum est, quod omne corpus sensibile habet aptitudinem naturalem, ut sit in aliquo loco. Secundum est, quod cuilibet corpori naturali convenit aliquis locus locorum qui sunt. Tertium est, quod idem est locus naturalis totius et partis, sicut totius terrae et unius glebae, et totius ignis et unius scintillae: et hujus signum est, quod in quacumque parte loci totius ponatur pars corporis, quiescit ibi.

Secundo ibi « quare si »

Ponit rationem, quae talis est. Si ponatur aliquod corpus infinitum, aut oportet quod totum sit unius speciei cum suis partibus, sicut aqua vel aer: aut quod habeat partes dissimilium specierum, ut homo aut planta. Si habet omnes partes unius speciei, sequitur secundum praemissa, quod vel sit totaliter immobile et nunquam moveatur, aut quod semper moveatur: quorum utrumque est impossibile: quia per alterum horum excluditur quies, et per alterum motus a rebus naturalibus: et utroque modo tollitur ratio naturae, cum natura sit principium motus et quietis. Quod autem sequatur, quod sit vel totaliter mobile, vel totaliter quietum, probat consequenter per hoc, quod non esset assignare rationem: quare aliquid magis sursum aut deorsum moveretur, aut in quamcumque partem: et hoc manifestat per exemplum. Ponamus enim quod totum illud corpus infinitum, simile in partibus, sit terra: non erit assignare quo aliqua gleba terrae moveatur, vel ubi quiescat: quia quamlibet partem loci infiniti occupabit aliquod corpus sibi connatum, idest ejusdem speciei. Numquid igitur potest

dici quod una gleba moveatur ad hoc quod contineat, idest quod occupet successive totum locum infinitum, sicut sol movetur, ut sit in qualibet parte zodiaci circuli? Et quomodo poterit hoc esse, ut una gleba terrae pertranseat per omnes partes infiniti loci? nihil autem movetur ad impossibile. Si igitur impossibile est quod gleba moveatur ad occupandum totum locum infinitum, ubi erit quies ejus, et ubi motus ejus? Aut enim oportet quod semper quiescat, et sic nunquam moveatur: aut quod semper moveatur, et sic nunquam quiescat. Si autem detur alia pars divisionis, scilicet quod corpus infinitum habeat partes dissimiles secundum speciem, sequitur etiam quod dissimilia sint loca diversarum partium: alius est enim locus naturalis aquae, et alius terrae. Sed ex hac positione sequitur primo, quod corpus totius infiniti non sit unum simpliciter, sed secundum quid, scilicet secundum contactum: et sic non erit unum corpus infinitum (ut ponebatur). Et, quia posset aliquis non reputare hoc inconveniens, subjungit aliam rationem contra hoc: et dicit quod, si totum infinitum componitur ex dissimilibus partibus, necesse est quod hujusmodi partes dissimiles secundum speciem, aut sint specierum finitarum aut infinitarum secundum numerum. Non autem potest esse quod sint finitarum specierum: quia oportebit, si totum est infinitum, quod quaedam sint finita secundum quantitatem, et quaedam infinita: aliter enim ex finitis numero posset componi infinitum: hoc autem ponere, sequitur quod illa quae sunt infinita corrumpant alia propter contrarietatem (ut prius dictum est in praecedenti ratione). Et ideo etiam nullus antiquorum naturalium philosophorum unum principium (quod dixit esse infinitum) posuit ignem, vel terram, quae sunt extrema, sed magis aquam, vel aerem, vel aliquod medium: quia loca istorum erant manifesta et determinata, scilicet sursum et deorsum: non sic autem est de aliis, sed terra est deorsum respectu eorum, et ignis sursum. Si vero aliquis accipiat aliam partem, scilicet quod corpora partialia sint infinita secundum speciem, sequitur etiam quod loca sint infinita secundum speciem, et quod elementa sint infinita: si autem hoc est impossibile, quod elementa sint infinita, ut in primo probatum est, et quod loca etiam sint infinita, cum non sit possibile invenire infinitas species locorum; necesse est quod totum corpus sit finitum. Et quia concluserat ex infinitate corporum infinitatem locorum, subjungit quod impossibile est non aequari corpus ad locum: quia non potest esse, quod sit locus major, quam contingit esse corpus: neque corpus potest esse infinitum, si locus non est infinitus; et neque corpus potest esse majus quam locus quocumque modo: quia, si locus sit major quam corpus, sequitur quod sit vacuum alicubi: aut, si corpus sit majus quam locus, sequitur quod aliqua pars corporis non sit in aliquo loco.

Tertio ibi « Anaxagoras autem »

Excludit quemdam errorem; et primo ponit ipsum: et dicit, quod Anaxagoras dixit infinitum quiescere; sed inconvenienter assignavit rationem quietis ejus: dixit enim quod fulcit, idest sustentat infinitum, seipsum, quia est in se, et non in alio, cum nihil ipsum contineat, et sic non possit extra se moveri.

Secundo ibi « tamquam ubi »

Improbat rationibus duabus, quod dictum est. Quarum prima est, quod Anaxagoras sic assignavit rationem de quiete infiniti, ac si ubi aliquid sit, ibi sit aptum natum esse: quia ex hac sola ratione dixit infinitum quiescere, quia est in seipso. Sed hoc non est verum, quod ubi aliquid est, ibi semper aptum natum sit esse: quia aliquid est alicubi per violentiam, et non naturaliter. Quamvis igitur hoc maxime verum sit quod totum infinitum non movetur, quia sustentatur et manet in se ipso, et sic est immobile: sed tamen dicendum erat, quare non est aptum natum moveri. Non enim potest aliquis sic evadere dicens, quod non movetur infinitum: quia eadem ratione et de quolibet alio nihil prohibet quod non moveatur, sed sit aptum natum moveri: quia et, si terra esset infinita, sicut nunc non fertur quando est in medio, ita et tunc non ferretur quantum ad partem quae esset in medio: sed hoc non esset quia non haberet aliquid aliud ubi sustentaretur nisi in medio: sed quia non habet aptitudinem naturalem, ut a medio moveatur. Si ergo ita est in terra, quod non est causa quare quiescat in medio quia est infinita, sed quia habet gravitatem ex qua nata est manere in medio: similiter de quocumque alio infinito assignanda est causa quare quiescat, et non quia est infinitum, vel quia fulcit seipsum.

Aliam autem rationem ponit ibi « similiter autem »

Et dicit quod, si totum infinitum quiescit quia manet in seipso, sequitur, quod quaelibet pars ex necessitate quiescat, quia manet in seipsa; idem enim est locus totius et partis, ut dictum est: ut ignis et scintillae sursum, et terrae et glebae deorsum: si ergo totius infiniti locus est ipsummet, sequetur, quod quaelibet pars infiniti maneat in seipsa, sicut in proprio loco.

Secundam rationem ponit ibi « omnino autem »

Et dicit, quod omnino manifestum est, quod impossibile est dicere esse infinitum corpus in actu, et quod cujuslibet corporis est aliquis locus: si omne corpus sensibile, aut habet gravitatem aut levita-

tem, sicut antiqui dixerunt ponentes infinitum. Quia si sit corpus grave, oportet quod naturaliter feratur deorsum, scilicet ad medium: si autem sit leve, necesse est quod feratur sursum. Si ergo sit aliquod infinitum corpus sensibile: necesse est, quod etiam in corpore infinito sit sursum et medium. Sed impossibile est quod totum infinitum sustineat in se utrumlibet horum, scilicet sursum et medium: vel etiam, quod sustineat utrumque secundum diversas medietates (quomodo enim infinitum poterit dividi, ut una pars ejus sit sursum, et alia deorsum: vel quod in infinito sit ultimum et medium)? Non est igitur corpus sensibile infinitum.

Tertiam rationem ponit ibi « amplius omne »

Et dicit, quod omne corpus sensibile est in loco. Differentiae autem loci sunt sex, sursum, deorsum, ante et retro, dextrorsum et sinistrorsum: quae quidem sunt determinata non solum quo ad nos, sed etiam in ipso toto universo. Determinantur enim secundum se hujusmodi positiones, in quibus sunt determinata principia et termini motus: unde in animatis determinantur sursum et deorsum, secundum motum alimenti: ante et retro secundum motum sensus: dextrorsum et sinistrum secundum motum processivum, cujus principium est a parte dextra. In rebus autem inanimatis, in quibus non sunt principia determinata horum motuum, dicitur dextrorsum et sinistrorsum per comparationem ad nos: dicitur enim columna dextra, quae est ad dextram hominis: et sinistra, quae est ad sinistram. Sed in toto universo determinantur sursum et deorsum secundum motum gravium et levium: secundum autem motum caeli determinatur dextrum oriens, sinistrum occidens; ante vero hemisphaerium superius: retro vero hemisphaerium inferius: sursum vero meridies, deorsum vero septemtrio. Haec autem non possunt determinari in corpore infinito. Impossibile est ergo totum universum esse infinitum.

Quartam rationem ponit ibi « simpliciter autem »

Et dicit quod, si impossibile est esse locum infinitum, cum omne corpus sit in loco, sequitur quod impossibile sit esse aliquod corpus infinitum. Sed quod impossibile sit esse locum infinitum, sic probat; quia haec duo convertuntur, esse in loco, et esse in aliquo loco, sicut et esse hominem et esse aliquem hominem: et esse quantitatem et esse aliquam quantitatem. Sicut igitur impossibile est esse quantitatem infinitam, quia sequeretur aliquam quantitatem esse infinitam ut bicubitum et tricubitum, quod est impossibile: ita impossibile est esse locum infinitum; quia sequeretur aliquem locum infinitum esse, vel sursum, vel deorsum, et hujusmodi: quod est impossibile, cum quodlibet eorum significet quemdam terminum, ut dictum est. Sic ergo nullum corpus sensibile est infinitum.

LECTIO X.

Propria ex sententia actu infinitum non reperiri demonstrat: diversorum item infinitorum communia ac propria insinuans, quonammodo potentia infinitum esse dicatur concludit.

ANTIQUA.

Quod quidem igitur actu corpus non sit infinitum, manifestum ex his. Quod autem, si non sit infinitum, simpliciter multa impossibilia accidant, manifestum est. Temporis enim erit quoddam principium et finis. Et magnitudines non divisibiles in magnitudines. Et numerus non erit infinitus. Cum autem determinatur sic, neutro modo videtur contingere; ob hoc videlicet est manifestum, quod sic quidem est, sic autem non.

Dicitur igitur esse aliud quidem potentia, aliud vero actu. Et infinitum est quidem appositione, est autem et ablatione. Magnitudo autem, quod quidem actu non sit infinita, dictum est: divisione autem est. Non enim difficile destruere indivisibiles lineas. Relinquitur igitur potentia esse infinitum.

Non oportet autem potentia ens accipere, sicut si possibile sit hoc. statuam aes esse, quod et erit hoc, statua: sic et infinitum, quod erit actu. Sed quoniam multipliciter est esse, quemadmodum dies et agon in semper aliud et aliud fieri, sic et infinitum est. Et namque in his est, et potentia, et actu. Olympia enim sunt, et in posse agonem fieri, et in eo quod fit.

Aliter autem, et in tempore manifestum quod infinitum, et in hominibus, et in divisione magnitudinum.

Omnino quidem enim sic est infinitum, in semper aliud et aliud accipiendo: et acceptum quidem semper esse finitum, sed semper alterum, et alterum. Quare infinitum non oportet accipere sicut hoc aliquid, ut hominem, aut domum: sed sicut dies dicitur, et agon, quibus esse, non sicut substantia quaedam factum est, sed semper in generatione aut corruptione finitum, sed semper alterum et alterum.

Sed in magnitudinibus quidem permanente accepto, hoc accidit: in hominibus autem et tempore corruptis, sic ut non sit deficere.

Quod autem secundum appositionem, idem quodammodo est, et quod est secundum divisionem. Infinitum enim secundum appositionem fit e contrario: secundum quod enim divisum videtur in infinitum, sic appositum videbitur ad determinatum. Infinita enim magnitudine, sic accipiens aliquis determinatum accipiet eadem ratione, non eamdem aliquam magnitudinem ratione accipiens, non transibit finitum. Sin vero sic augmentet, ut semper eamdem aliquam sit accipere magnitudinem, transibit finitum, propter id, quod omne finitum absumitur quolibet finito. Aliter quidem igitur non est; sic autem est infinitum potentia et divisione. Et actu autem est, sicut diem esse dicimus et agonem; et potentia sic, sicut materiam, et non per se, sicut finitum. Et secundum appositionem igitur sic infinitum potentia est, quod idem dicimus quodammodo esse ei, quod est secundum divisionem: semper quidem enim aliquid ipsius extra est accipere.

Non tamen excedit omnem determinatam magnitudinem: sicut in divisione excedit omnem determinatam, et erit minor.

Ut autem omnem excedat secundum appositionem: neque potentiam possibile esse, siquidem non est secundum accidens actu infinitum, sicut dicunt Physiologi, extra corpus mundi, cujus substantia est aer, aut aliud hujusmodi. Sed, si non possibile est quod infinitum corpus sensibile actu sit, manifestum, quod neque potentia utique erit secundum appositionem, sed aut (sicut dictum est,) e contrario divisionis.

Quoniam et Plato propter hoc infinita duo fecit, quod et in augmentum videtur excellere, et in infinitum abire, et ad annihilationem. Faciens tamen duo, non utitur duobus: neque enim in numeris secundum divisionem, infinitum est (unitas enim minimum est) neque in augmentum, usque namque decem facit numerum.

RECENS.

Non esse igitur actu corpus infinitum, ex his perspicuum est.

Sed accidere multa impossibilia, si infinitum omnino non sit, manifestum est: quia temporis erit aliquod principium, et finis; ac magnitudines non erunt dividuae in magnitudines, ac numerus non erit infinitus. Quando autem, his sic definitis, neutro modo videtur esse posse: arbitrario judice opus est, atque apparet, aliquo modo infinitum esse, aliquo modo non esse. Esse vero dicitur aliud potestate, aliud actu. Et infinitum partim est adjectione, partim est etiam detractione. Jam vero magnitudinem actu non esse infinitam dictum fuit; divisione autem esse infinitam: non enim difficile est tollere insectiles lineas.

Relinquitur ergo, infinitum esse potestate. Non oportet autem, quod est potestate, accipere, veluti, si hoc potest statua, hoc ideo erit etiam statua: sic et infinitum quidpiam, quod erit actu. Sed quum multis modis. Esse dicatur; sicut est dies, et certamen: quia semper aliud et aliud sit: ita etiam est infinitum: est enim in his quoque potestate esse et actu. Olympia namque sunt, et quia potest certamen fieri, et quia fit. Aliter autem et in tempore infinitum apparet, et in hominibus, et in divisione magnitudinum. Etenim in universum sic infinitum est: quia semper aliud et aliud sumitur: et id quidem quod sumitur, semper finitum est; sed semper est aliud et aliud.

Quare infinitum non oportet accipere ut hocce aliquid: veluti, hominem, aut domum: sed ut haec dies dicitur, et hoc certamen, quorum essentia non ut substantia quaedam facta est, sed semper in ortu et interitu consistit: etiam si sint finita, tamen semper alia atque alia. Sin autem ita rationem auxerit, ut semper complectatur eamdem magnitudinem; pertransibit: quia omne finitum consumitur quovis finito. Infinitum igitur aliter non est, sic autem est: potestate ac detractione. Quin et actu est: sicuti diem esse dicimus, et certamen; et potestate ita est, ut materia: non per se, ut id quod est finitum.

Ergo et secundum additionem ita infinitum est potestate: quod dicimus idem quodammodo esse: atque infinitum secundum divisionem: quia semper licebit aliquid extra ipsum sumere. Non tamen superabit omnem definitam magnitudinem, sicut in divisione superat omnem magnitudinem definitam: et fit minus. Ut autem omnem magnitudinem superet infinitum additione, ne potestate quidem esse potest, nisi sit ex accidenti infinitum actu, ut inquiunt physici illi, qui qui extra mundum ponunt corpus, cujus essentia sit aer aut aliud quidpiam tale infinitum. Sed si corpus sensibile infinitum actu ita esse non potest, perspicuum est, ne potestate quidem infinitum esse posse secundum additionem, nisi, ut dictum fuit, modo divisioni contrario.

Nam et Plato ideo fecit duo infinita, quia et accretione videtur superare et in infinitum abire, et detractione. Quum tamen duo fecerit, his non utitur. Neque enim in numeris inest infinitas detractione, quia unitas est minimum: neque accretione, quia numerum facit usque ad denarium.

Postquam Philosophus disputative processit de infinito, hic incipit determinare veritatem: et primo ostendit an sit infinitum; secundo quid sit, ibi, « Accidit autem contrarium. » Prima dividitur in duas. In prima ostendit quomodo infinitum sit. In secunda comparat diversa infinita adinvicem, ibi, • Aliter autem in tempore. • Circa primum tria facit. Primo ostendit, quod infinitum quodammodo est et quodammodo non est. Secundo determinat, quod est in potentia, et non est sicut actu ens, ibi, • Dicitur igitur. • Tertio manifestat quomodo sit in potentia, ibi, • Non oportet autem potentia ens. • Dicit ergo quod ex praemissis manifestum est, quod non sit aliquod corpus infinitum in actu. Item ex iis quae ante dicta sunt, manifestum est quod, si infinitum simpliciter non sit, quod multa impossibilia accidunt. Quorum unum est, quod tempus habebit principium et finem; quod reputatur inconveniens secundum ponentes aeternitatem mundi. Et iterum sequetur quod magnitudo non semper sit divisibilis in magnitudines: sed quandoque devenietur per divisionem magnitudinum ad quaedam, quae non sunt magnitudines: sed omnis magnitudo est divisibilis. Item sequetur, quod numerus non augeatur in infinitum. Quia igitur secundum determinata, neutrum videtur contingere: neque scilicet quod infinitum sit actu, neque quod simpliciter non sit, necesse est dicere quod quodammodo est, quodammodo non est.

Secundo ibi • dicitur igitur •

Ostendit quod infinitum est sicut potentia ens; et dicit, quod aliquid dicitur esse in actu, et aliquid dicitur esse in potentia. Infinitum autem dicitur esse per appositionem, sicut in numeris, vel per ablationem, sicut in magnitudinibus. Ostensum est enim quod magnitudo non est actu infinita: et sic in magnitudinibus per appositionem infinitum non invenitur: sed per divisionem in eis invenitur infinitum. Non enim est difficile destruere opinionem ponentium indivisibiles esse lineas. Vel secundum aliam literam, non est difficile partiri atomas lineas, id est ostendere lineas, quas quidam ponunt indivisibiles, esse partibiles. Dicitur autem infinitum in appositione vel divisione secundum quod potest apponi vel dividi. Reliquitur igitur quod infinitum sit tamquam in potentia ens.

Tertio ibi • non oportet •

Ostendit quomodo infinitum sit in potentia. Dupliciter enim invenitur aliquid in potentia. Uno modo sic quod totum potest reduci in actum, sicut possibile est hoc aes esse statua, quod aliquando erit statua: non autem sic dicitur esse infinitum in potentia. Alio modo aliquid dicitur in potentia esse, quid postea fit actu ens, non quidem totum simul, sed successive. Multipliciter enim dicitur aliquid esse: vel quia totum est simul, ut homo et domus; vel quia semper una pars ejus fit post aliam, per quem modum dicitur esse dies, et ludus agonalis. Et hoc modo dicitur infinitum esse simul, et in potentia et in actu: omnia enim hujusmodi simul sunt in potentia, quantum ad unam partem, et actu quantum ad aliam. Olympia enim, id est festa agonalia, quae celebrabantur in monte Olympo, dicuntur esse, et durare secundum agones, vel posse fieri in actu: quia quamdiu durabant ista festa, aliqua pars illarum ludorum erat in fieri, et aliqua erat ut in futurum fienda.

Deinde cum dicit • aliter autem •

Comparat diversa infinita adinvicem. Et primo comparat infinitum temporis et generationis infinito quod est in magnitudinibus. Secundo comparat infinitum secundum appositionem, et infinitum secundum divisionem in magnitudinibus, ibi, • Quod autem secundum appositionem. • Circa primum tria facit. Primo proponit quod intendit: et dicit, quod aliter manifestatur infinitum in generatione hominum et in tempore, et aliter in divisione magnitudinum.

Secundo ibi • omnino quidem •

Ostendit quid sit commune omnibus infinitis: et dicit, quod hoc omnino et universaliter in omnibus infinitis invenitur, quod infinitum est in semper aliud et aliud accipiendo secundum quamdam successionem; ita tamen quod quicquid accipitur in actu de infinito, totum sit finitum. Unde non oportet accipere quod infinitum sit aliquid totum simul existens, sicut hoc aliquid demonstratum, sicut accipimus hominem vel domum; sed sicut sunt successiva, ut dies, et ludus agonalis, quorum esse non est hoc modo quod aliquid eorum sit sicut quaedam substantia perfecta tota actu existens. In generatione autem et corruptione, etsi in infinitum procedatur, semper illud quod accipitur in actu, est finitum. In toto enim decursu generationis, etiam si procedatur in infinitum, et omnes homines, qui simul accipiuntur sunt finiti secundum numerum: et hujusmodi finitum oportet accipere alterum et alterum, secundum quod quidam homines succedunt quibusdam.

Tertio ibi • sed in •

Ostendit differentiam: et dicit, quod illud finitum, quod accipimus in magnitudinibus, vel apponendo vel dividendo, permanet, et non corrumpitur. Sed illa finita quae accipiuntur in infinito, decursu temporis et generationis humanae corrumpuntur: ita quod per istum modum non contingit tempus et generationem deficere.

Deinde cum dicit • quod autem •

Comparat duo infinita quae sunt in magnitudinibus; scilicet secundum appositionem, et secundum divisionem. Et circa hoc tria facit. Primo ponit convenientiam inter utrumque infinitum. Secundo ostendit differentiam, ibi, • Non tamen excellit. • Tertio inducit quamdam conclusionem ex dictis, ibi, • Quare neque est excellere. • Dicit ergo primo, quod quodammodo infinitum per appositionem est idem cum infinito secundum divisionem: quia infinitum secundum appositionem fit ex opposito cum infinito secundum divisionem: secundum enim quod aliquid dividitur in infinitum, secundum hoc in infinitum videtur posse apponi ad aliquam determinatam quantitatem. Manifestat igitur quomodo sit infinitum divisione in magnitudine: et dicit quod si aliquis in aliqua magnitudine finita, accepta aliqua parte determinata per divisionem, semper accipiat dividendo alias partes, secundum eamdem rationem, idest proportionem, sed non secundum eamdem quantitatem, in eadem proportione, non pertransibit dividendo illud finitum: puta, si linea cubitali accipiat medietatem, et iterum a residuo medietatem, sic in infinitum procedere potest: servabitur enim in subtrahendo eadem proportio, sed non eadem quantitas subtracti: minus est enim secundum quantitatem dimidium dimidii, quam dimidium totius. Sed, si semper sumeret eamdem quantitatem, oporteret quod semper magis ac magis augeretur proportio: puta si a quantitate decem cubitorum subtrahatur unus cubitus, subtractum se habet ad totum in subdecupla proportione. Si autem iterum a residuo subtrahatur unus cubitus, subtractum se habebit in majori proportione; minus enim unus cubitus exceditur a novem quam a decem. Sicut igitur servando eamdem proportionem diminuitur quantitas, ita sumendo eamdem quantitatem augetur proportio. Si ergo aliquis sic subtrahendo ab aliqua magnitudine finita, semper augeat proportionem sumendo eamdem quantitatem, transibit dividendo magnitudinem finitam: puta, si a linea centum cubitorum semper subtrahat unum cubitum: et hoc ideo, quia omne finitum consumitur quocumque infinito semper accepto. Aliter igitur infinitum non est secundum divisionem nisi in potentia, quod tamen simul est actu cum potentia, sicut dictum est de die in tempore, et de agone. Et cum infinitum sit semper in potentia, assimilatur materiae, quae est semper in potentia, et non est per se existens in actu totum, sicut finitum est in actu: et sicut infinitum secundum divisionem est in potentia cum actu simul, similiter dicendum est de infinito secundum appositionem, quod quodammodo est idem cum infinito secundum divisionem, ut dictum est. Inde autem manifestum est, quod infinitum per appositionem est in potentia, quia semper contingit aliquid aliud accipere apponendo.

Secundo ibi « non tamen »

Ostendit differentiam inter infinitum secundum appositionem et infinitum secundum divisionem: et dicit, quod infinitum per appositionem non excedit in majus omnem magnitudinem finitam determinatam vel datam : sed infinitum secundum divisionem, excedit omnem determinatam parvitatem in minus. Accipiamus enim aliquam determinatam parvitatem, puta unius digiti: si lineam centum cubitorum dividam in infinitum, accipiendo semper dimidium, venietur ad aliquid minus uno digito. Sed apponendo in infinitum e contrario divisioni, erit dare aliquam quantitatem finitam quae nunquam pertransibitur. Dentur enim duae magnitudines, quarum utraque sit decem cubitorum: et tertia, quae sit viginti. Si igitur id quod subtraho in infinitum, accipiendo semper dimidium ab una magnitudine decem cubitorum, addatur alteri, quae etiam est decem cubitorum, nunquam pervenietur in infinitum apponendo ad mensuram quantitatis, quae est viginti cubitorum: quia quantum remanebit in magnitudine

cui subtrahitur, tantum, deficiet a mensura data in quantitate, cui addetur.

Tertio ibi « ut autem »

Inducit conclusionem ex dictis. Et primo inducit eam. Secundo manifestat per dictum Platonis, ibi, « Quoniam et Plato. » Dicit ergo, quod ex quo appositio in infinitum non facit transcendere omnem determinatam quantitatem, non est possibile esse, nec etiam in potentia, quod excellatur omnis determinata quantitas per appositionem: quia, si esset in natura potentia ad appositionem transcendentem omnem quantitatem, sequeretur quod esset actu infinitum, sic quod infinitum esset accidens alicui naturae; sicut naturales philosophi extra corpus hujus mundi, quod videmus, ponunt quod est quoddam infinitum cujus substantia est aer, vel aliquod aliud hujusmodi. Si ergo non est possibile esse corpus sensibile actu infinitum (ut ostensum est), sequitur quod non sit potentia in natura ad appositionem trascendentem omnem magnitudinem: sed solum ad appositionem infinitam per contrarium divisioni (ut dictum est). Quare autem, si esset potentia ad infinitam additionem transcendentem omnem magnitudinem, sequatur esse corpus infinitum in actu; non autem ad additionem infinitam in numeris, trascendentem omnem numerum, sequatur esse numerum infinitum in actu, infra ostendetur.

Secundo ibi « quoniam et »

Manifestat quod dixerat per dictum Platonis: et dicit quod, quia infinitum in appositione magnitudinum est per oppositam divisionem: propter hoc Plato duo fecit infinita: scilicet magnum, quod pertinet ad additionem, et parvum, quod pertinet ad divisionem: quia scilicet infinitum videtur excellere, et per additionem in augmentum, et per divisionem in decrementum, vel tendendo in nihil. Sed cum ipse Plato faciat duo infinita, non tamen utitur eis: quia cum numerum poneret substantiam esse omnium rerum, in numeris non invenitur infinitum per divisionem: quia in eis est minimum unitas: neque etiam per additionem secundum ipsum, quia dicebat quod species numerorum non variantur nisi usque ad decem et postea reditur ad unitatem computando undecim, et duodecim, etc.

LECTIO XI.

Antiquorum de infinito definitionem refellens, propriam ac veram assignat.

ANTIQUA.

Accidit autem contra esse infinitum, quam sicut dicunt. Non enim cujus nihil est extra, sed cujus semper aliquid est extra, hoc infinitum est.

Signum autem est: et namque annulos dicunt infinitos, ut habentes circulationem: quia semper est extra accipere, secundum similitudinem quamdam dicentes, non tamen proprie. Oportet enim et hoc esse, et nunquam idem recipi: in circulo autem non sic fit, sed semper quod est consequenter, solum alterum. Infinitum quidem igitur hoc est, cujus, secundum quantitatem accipientibus, semper est aliquid

RECENS.

Contra vero accidit esse infinitum, quam dicunt: non enim cujus nihil extra est, sed cujus semper aliquid extra est, id infinitum est. Hujus autem rei signum est: quoniam annulos illos infinitos esse ajunt, qui pala carent, propterea quod semper aliquid extra licet sumere: per similitudinem quamdam hoc dicentes, non proprie: oportet enim hoc inesse et nunquam idem sumi. In circulo autem non fit ita, sed tantummodo semper diversum est, quod deinceps sumitur.

Infinitum igitur hoc est, cujus quantitate aliqua accepta, semper aliquid extra sumere licet. Cujus autem nihil extra

accipere extra.

Cujus autem nihil est extra, hoc perfectum est, et totum. Sic enim definimus totum, cui nihil abest, ut hominem totum, aut arcam. Sicut autem definimus singulare, sic, et quod proprie: ut totum cujus nihil est extra: cujus autem absentia extra est: non omne est, cum absit. Totum autem, et perfectum, aut idem penitus, aut proximum secundum naturam est. Perfectum autem nullum, non habens finem, finis autem terminus est.

Unde melius, est opinandum, Parmenidem Melisso dixisse. Hic quidem enim infinitum totum dicit, ille autem, totum finiri a medio aeque pugnans. Non enim linum lino est continuare omni et toti infinitum.

Quoniam hinc accipiunt dignitatem de infinito, quod est omnia continens: et omnia in seipso habens, propter id quod habet similitudinem quamdam cum toto. Est enim infinitum perfectionis magnitudinis materia: et quod potentia totum est, actu vero non. Divisibile autem est et ad divisionem, et ad oppositam appositionem. Totum autem et finitum, non secundum se, sed secundum aliud: et non continet, sed continetur, inquantum est infinitum. Unde ignotum est inquantum est infinitum; speciem enim non habet materia. Ergo manifestum est, quod magis in partis ratione sit infinitum, quam in totius, pars enim materia totius est, sicut aes statuae.

Quoniam si continet in sensibilibus, et in intelligibilibus magnum et parvum, oportuit continere intelligibilia: inconveniens autem et impossibile est, ignotum et indeterminatum continere et determinare.

est, id est perfectum ac totum. Sic enim totum definimus, a quo nihil abest; ut hominem totum, vel arcam. Sicut autem unumquodque definimus. ita etiam quod proprie et praecipue est, ut totum, cujus nihil est extra: cujus autem aliquid abest, id non est universum, quidquid absit.

Totum vero et perfectum aut omnino idem sunt, aut natura inter se affinia. Atqui perfectum nihil est, quod non habeat finem: finis autem est terminus. Idcirco existimandum est, rectius locutum esse Parmenidem, quam Melissum. Hic enim ait infinitum esse totum: ille vero, totum esse finitum

« a medio aequivalens. »

Nam infinitum cum universo ac toto connectere non est ut linum cum lino conjungere.

Ceterum hinc sumunt excellentiam illam infiniti. Quod omnia continet; et, Quod in se universum habet: quoniam habet similitudinem quamdam cum toto. Infinitum enim est perfectionis magnitudinis materia. Et potestate totum, actu autem minime. Dividuum autem detractione, et inversa adjectione. Totum vero, et finitum, non per se, sed per aliud: Neque continet, sed continetur, quatenus est infinitum. Ideoque est ignotum, qua infinitum. Materia namque formam non habet.

Quare perspicuum est, infinitum potius habere rationem partis, quam totius: nam materia est pars totius, ut aes aeneae statuae. Ceterum si magnum et parvum continet in sensibilibus et intelligibilibus; oportebat id continere intelligibilia: sed absurdum est et impossibile, id quod est ignotum et infinitum, continere ac definire.

Postquam Philosophus ostendit quomodo est infinitum, hic ostendit quid sit infinitum. Et circa hoc tria facit: primo ostendit quid sit infinitum; secundo ex hoc assignat rationem eorum quae de infinito dicuntur, ibi, « Secundum rationem autem « accidit: » tertio solvit rationes, quae supra positae sunt, ibi, « Reliquum autem est. » Circa primum duo facit. Primo ostendit quid sit infinitum, excludens quorumdam falsam definitionem. Secundo excludit quamdam falsam opinionem, consequentem ex illa falsa definitione, ibi, « Quoniam hinc acci- « piunt dignitatem. » Circa primum tria facit. Primo proponit quod intendit; secundo manifestat propositum, ibi, « Signum namque; » tertio infert quamdam conclusionem ex dictis, ibi, « Unde me- « lius est opinandum. » Dicit ergo primo, quod contrario modo definiendum est infinitum, quam sicut quidam definierunt: dixerunt enim quidam, quod infinitum est extra quod nihil est: sed e contra dicendum est, quod infinitum est cujus est semper aliquid extra.

Secundo ibi « signum autem »

Manifestat propositum: et primo ostendit, quod sua assignatio sit bona; secundo quod assignatio antiquorum sit incompetens, ibi, « Cujus autem « nihil est extra. » Ostendit ergo primo, quod infinitum sit cujus semper est aliquid extra, per quoddam signum. Dicunt enim quidam, quod annuli sunt infiniti, quia per hoc quod habent quamdam circulationem, semper est ibi supponere partem ad partem acceptam: sed hoc dicitur secundum similitudinem, et non proprie: quia ad hoc quod aliquid sit infinitum, requiritur hoc, scilicet quod extra quamlibet partem acceptam, sit quaedam alia: ita tamen quod nunquam resumatur illa, quae prius fuit accepta. Sed in circulo non est sic; quia pars, quae accipitur post aliam partem, est alia solum ab ea quae immediate accepta est, non tamen ab omnibus partibus prius acceptis: quia una pars potest multoties sumi, ut patet in motu circulari. Si igitur annuli dicuntur infiniti propter hanc simili-

tudinem, sequitur, quod illud quod est vere infinitum, sit cujus semper sit accipere aliquid extra, si aliquis velit accipere ejus quantitatem. Non enim potest comprehendi quantitas infiniti; sed si quis velit eam accipere, accipiet partem post partem in infinitum (ut supra dictum est).

Secundo ibi « cujus autem »

Probat, quod definitio antiquorum sit incompetens, tali ratione. Id cujus nihil est extra, est definitio perfecti et totius: quod sic probat. Definitur enim unumquodque totum esse, cui nihil deest sicut dicimus hominem totum, aut arcam totam, quibus nihil deest eorum quae debent habere. Et sicut hoc dicimus in aliquo singulari toto, ut est hoc particulare, vel illud, ita etiam haec ratio competit ei, quod est vere et proprie totum, scilicet in universo, extra quod simpliciter nihil est. Cum autem aliquid desit per absentiam alicujus intrinseci, tunc non est totum. Sic igitur manifestum est, quod haec est definitio totius « Totum est, cujus « nihil est extra. » Sed totum et perfectum, vel sunt penitus idem; vel sunt propinqua secundum naturam. (Et hoc ideo dicit, quia totum non invenitur in simplicibus, quae non habent partes: in quibus tamen utimur nomine perfecti); per hoc igitur manifestum est, quod perfectum est, cujus nihil est extra ipsum. Sed nullum carens fine est perfectum (quia finis est perfectio uniuscujusque). Finis autem est terminus ejus (cujus est finis); nullum igitur infinitum et interminatum est perfectum. Non ergo competit infinito definitio perfecti, cujus scilicet nihil extra.

Deinde cum dicit « unde melius »

Inducit quamdam conclusionem ex dictis. Quia enim infinito non competit definitio totius, manifestum est, quod melius dixit Parmenides, quam Melissus. Melissus enim dixit totum universum esse infinitum: Parmenides vero dixit, quod totum finitur per aeque pugnans a medio: in quo designavit corpus universi esse sphaericum. In sphaerica enim figura lineae a medio usque ad terminum, scilicet circumferentiam ducuntur secundum aequalitatem quasi aeque pugnantes sibi invicem. Et recte dicitur, quod totum universum fit finitum: quia totum et infinitum non se invicem consequuntur, quasi sibi continuata, sicut lino continuatur linum, in filando. Erat enim proverbium ut ea quae consequuntur, dicerentur sibi continuari sicut linum lino.

Deinde cum dicit « quoniam hinc »

Excludit quamdam falsam opinionem ex praedicta definitione falsa exortam. Et primo communiter quantum ad omnes, secundo specialiter quantum ad Platonem, ibi, « Quoniam si continet. » Dicit ergo primo, quod, quia aestimaverunt infinitum conjungi toti, hinc acceperunt quasi « dignitatem, » id est rem per se notam, de infinito, quod omnia contineret et omnia in se haberet, propter hoc, quod habet quamdam similitudinem cum toto, sicut id quod est in potentia, habet similitudinem cum actu. Infinitum enim inquantum est in potentia, est sicut materia respectu perfectionis magnitudinis: et est sicut totum in potentia, non autem in actu. Quod patet ex hoc, quod infinitum dicitur secundum quod possibile est aliquid dividi in minus, et secundum quod ex opposito divisioni potest fieri appositio (ut supra dictum est). Sic igitur infinitum secundum se, id est secundum propriam rationem, est in potentia totum: et est imperfectum, sicut materia non habens perfectionem. Non autem est totum et finitum secundum se, id est secundum propriam rationem, qua est infinitum; sed secundum aliud, id est secundum finem et totum, ad quod est in potentia: divisio enim quae est possibilis in infinitum, secundum quod ad aliquid terminatur, dicitur esse

perfecta, et secundum quod vadit in infinitum est imperfecta. Et manifestum est quod, cum totius sit continere, materiae autem contineri, quod infinitum inquantum hujusmodi, non continet, sed continetur: inquantum scilicet id quod de infinito est in actu, semper continetur ab aliquo majori, secundum quod possibile est aliquid esse extra accipere. Ex hoc autem, quod est sicut ens in potentia, non solum hoc sequitur, quod infinitum continetur, et non contineat; sed etiam sequuntur duae aliae conclusiones: quarum una est, quod infinitum inquantum hujusmodi, est ignotum, quia est sicut materia non habens speciem, id est formam (ut dictum est): materia autem non cognoscitur nisi per formam. Alia conclusio est, quae ex eodem sequitur, quod infinitum magis habet rationem partis, quam totius: quia materia comparatur ad totum ut pars. Et recte infinitum se habet ut pars, inquantum non est de ipso accipere nisi aliquam partem in actu.

Secundo ibi « quoniam si »

Excludit opinionem Platonis, qui ponebat infinitum tam in sensibilibus quam in intelligibilibus: et dicit, quod ex hoc manifestum est etiam, quod, si magnum et parvum, quibus Plato attribuit infinitum, sint in sensibilibus et in intelligibilibus tamquam continentia (propter hoc, quod continere attribuitur infinito), sequitur, quod infinitum contineat intelligibilia. Sed hoc videtur esse inconveniens et impossibile, quod infinitum, cum sit ignotum et indeterminatum, contineat et determinet intelligibilia. Non enim determinantur nota per ignota, sed magis e contra.

L E C T I O XII.

Quarumdam propositionum de infinito intellectus, eoque in diversis diversimode invento quonammodo geometrae utantur.

Secundum rationem autem accidit, ut quod est, secundum appositionem non esse videatur infinitum sic, ut omnem excedat magnitudinem, in divisione autem esse; continetur enim sicut materia intus et infinitum; continet autem species.

Rationabiliter autem est, et in numero quidem, ad minimum versus esse terminum: ad plus autem semper omnem excellere multitudinem. In magnitudinibus autem e contrario. In minus quidem excedere omnem magnitudinem, sed in majus non esse magnitudinem infinitam. Causa autem est, quia unum est indivisibile, quodcumque unum sit, ut homo, unus homo, et non multi; numerus autem est uno plura, et quanta quaedam: quare, necesse est stare ad indivisibile: duo namque et tria denominantia nomina sunt, similiter et aliorum numerorum unusquisque.

In plus autem, semper est intelligere; infinitae enim sunt bipartitiones magnitudinis. Quare potentia quidem est, actu vero non: sed semper excedit acceptum omnem determinatam multitudinem. Sed non separabilis est hic numerus a decisione, neque manet infinitas, sed fit semper sicut et tempus, et numerus temporis.

In magnitudinibus autem contrarium est, dividitur enim in infinita continuum. In majus autem non est in infinitum: quantum enim contingit potentia esse, et actu contingit tantum esse. Quare cum sit infinita nulla magnitudo sensibilis

Jam vero hoc rationi consentaneum accidit, ut adjectione infinitum non ita esse videatur, ut omnem magnitudinem superet: divisione autem sit. Ut enim materia intus continetur, ita etiam infinitum: forma autem continet.

Illud quoque rationi consentaneum evenit, ut in numero versus minimum sit terminus; progrediendo autem ad plus semper omnis multitudo superetur. In magnitudinibus vero contrarium fit: nam in progressu ad minimum omnis magnitudo superatur; in progressu autem ad majus, non est magnitudo infinita. Causa vero est: quia unum est individuum quidquid unum sit, ut homo est unus homo, non multi. Numerus autem est plura uno, et quanta quaedam. Quapropter necesse est, in individuo consistere. Duo namque aut tria sunt nomina paronyma: itidemque quilibet alius numerus.

Id autem versus quod plus est progredienti semper licet intelligere: quoniam infinitae sunt bipartitae divisiones magnitudinis. Quocirca potestate quidem est, actu vero minime; sed semper, quod sumitur, superat omnem definitam multitudinem. Verum hic numerus non est separatus a bipartita illa divisione, neque manet illa infinitas: sed fit ut et tempus et numerus temporis. In magnitudinibus autem contrarium est: continuum enim dividitur quidem in infinita: progrediendo autem ad id quod est majus, non est infinitum. Quantum enim potest esse potestate, tantum potest etiam esse actu:

non contingit excessum esse omnis determinatae magnitudinis, esset enim utique aliquid caelo majus.

Infinitum autem non idem est in motu et magnitudine et tempore, tamquam una quaedam natura; sed posterius dicitur et secundum prius, ut motus quidem, quia prius est magnitudo in qua movetur aut alteratur aut augmentatur: tempus autem propter motum. Nunc quidem enim utimur his, posterius autem tentabimus dicere: et quid est unumquodque, et quia omnis magnitudo sit in magnitudines divisibilis.

Non removet autem ratio mathematicos a consideratione, auferens sic esse aliquid infinitum, ut actu sit in augmentum, intransibile. Neque enim sic indigent infinito, neque utuntur: sed solum esse, quantamcunque velint, finitam, maximae autem magnitudini, secundum eamdem inest secari rationem, quantamcumque magnitudinem alteram. Quare ad demonstrandum quidem, illo modo nihil differt; esse autem in existentibus erit magnitudinibus.

Quoniam autem causae divisae sunt quadrifariam, manifestum, quod sicut materia infinitum causa est, et quod esse quidem ipsi privatio est, per se autem subjectum, continuum ipsum et sensibile est. Videntur autem et omnes alii sicut materia, utentes infinito. Unde et inconveniens est, continens ipsum facere, et non contentum.

Quare quum nulla magnitudo sensibilis sit infinita; fieri non potest ut superetur omnis finita magnitudo: esset enim aliquid caelo majus.

Jam vero infinitum non est idem in magnitudine, et motu et tempore, quasi una quaedam natura: sed posterius dicitur ratione prioris; ut motus dicitur, quia prius est magnitudo, in qua movetur aut variatur aut augetur, tempus autem propter motum. Nunc igitur his utimur, posterius autem dicere conabimur, et quid unumquodque sit, et cur omnis magnitudo in magnitudines sit divisa.

Porro haec disputatio minime aufert inspectionem mathematicis, dum tollit infinitum sic esse, ut actu sit accretione, quasi pertransiri non possit. Neque enim mathematici nunc egent infinito, neque utuntur: sed tantum sumunt, finitam esse quantamcumque velint. Licet autem eadem ratione, qua maximam magnitudinem, dividere quantulamcumque aliam magnitudinem. Quare ad hoc ut illo modo demonstretur, nihil referet: esse autem infinitum in iis magnitudinibus reperietur quae sunt.

Quia vero causae dividuntur quadrifariam: patet infinitum esse causam ut materiam, et essentiam ejus esse privationem; continuum autem et sensibile esse id quod per se subest. Sed et omnes alii videntur uti infinito, tamquam materia; Ideoque absurdum est, ipsum facere id quod continet, non quod continetur.

Posita definitione infiniti, hic ex definitione assignata assignat rationem eorum quae de infinito dicuntur. Et primo ejus quod dicitur de appositione et divisione infiniti. Secundo ejus, quod infinitum in diversis secundum ordinem invenitur, ibi, « Infinitum autem non idem est. » Tertio ejus, quod Mathematici utuntur infinito, ibi, « Non removet « autem ratio. » Quarto ejus, quod infinitum ponitur principium, ibi, « Quoniam autem causae. » Circa primum duo facit. Primo assignat rationem ejus quod dicitur de infinito, circa divisionem et appositionem in magnitudinibus. Secundo ejus quod dicitur in numeris per comparationem ad magnitudines, ibi, « Rationabiliter autem est. » Dictum est autem supra, quod appositio in infinitum sic invenitur in magnitudinibus, quod tamen non exceditur per hoc quaecumque determinata magnitudo. Sed divisio in infinitum sic invenitur in magnitudinibus quod dividendo transitur quaecumque quantitas in minus (ut supra expositum est): Hoc autem secundum rationem dicit accidere, quia, cum infinitum habeat rationem materiae, continetur intus sicut materia; illud autem quod continet, est species et forma. Manifestum est autem ex iis quae dicta sunt in secundo, quod totum habet rationem formae, partes autem rationem materiae. Cum ergo in magnitudinibus a toto itur ad partes per divisionem, rationabile est, quod ibi nullus terminus inveniatur, qui non transcendatur per infinitam divisionem. Sed in additione itur a partibus ad totum, quod habet rationem formae continentis et terminantis; unde rationabile est quod sit aliqua determinata quantitas, quam infinita appositio non transcendat.

Secundo ibi « rationabiliter autem »

Assignat rationem de infinito in numeris per comparationem ad magnitudines. Dicitur enim quod in numero invenitur aliquis terminus in minus, quem non est dividendo transcendere; sed non invenitur aliquis terminus in plus; quia quolibet numero est invenire alium majorem per additionem, in magnitudinibus autem est e contra (ut dictum est). Et hujus rationem assignat: et primo quidem quare in numeris aliquis terminus invenitur, qui in minus non transcenditur dividendo. Hujus enim ratio est: quia omne unum, inquantum unum, est

indivisibile, sicut homo indivisibilis est unus homo et non multi. Quemlibet autem numerum oportet resolvere in unum: quod patet ex ipsa ratione numeri, numerus enim hoc significat, quod sint aliqua plura uno: quaelibet autem plura excedentia unum sive plus vel minus, sunt determinatae species numerorum: unde cum unum sit de ratione numeri, et de ratione unius sit indivisibilitas, sequitur quod divisio numeri stet in termino indivisibili. Quod autem dixerat, quod de ratione numeri sit, quod sint plura uno, manifestat per species: quia duo et tria, et quilibet alius numerus denominatur ab uno; unde dicitur in quinto Metaphysicae, substantia senarii est in hoc, quod sit sexies unum, non autem in hoc quod sit bis tria, vel ter duo: quia sequeretur quod unius rei essent plures definitiones, et plures substantiae: quia ex diversis partibus diversimode consurgit unus numerus.

Secundo ibi « in plus autem »

Assignat causam quare in numeris additio excedit omnem determinatam multitudinem; et dicit, quod possumus semper intelligere, quolibet numero dato, alium majorem, per hoc quod magnitudo dividitur in infinitum. Manifestum est enim quod divisio causat multitudinem: unde quanto plus dividitur magnitudo, tanto major multitudo consurgit: et ideo ad infinitam divisionem magnitudinum, sequitur infinita additio numerorum. Ideo sicut infinita divisio magnitudinis non est in actu, sed in potentia, et excedit omne determinatum in minus (ut dictum est), ita additio numerorum infinita, non est in actu, sed in potentia: et excedit omnem determinatam multitudinem. Sed hic numerus, qui sic in infinitum multiplicatur, non est numerus separatus a decisione magnitudinum. Circa quod sciendum est quod divisio (ut dictum est) multitudinem causat. Est autem divisio duplex. Una formalis, quae est per opposita; et alia secundum quantitatem. Prima autem divisio causat multitudinem, quae est de transcendentibus, secundum quod ens dividitur per unum et multa. Sed divisio continuae quantitatis causat numerum, qui est species quantitatis, inquantum habet rationem mensurae: et hic numerus multiplicabilis est in infinitum, sicut et magnitudo divisibilis est in infinitum. Sed multitudo, quae sequitur divisionem formalem rerum, non multiplicatur in infinitum: sunt enim determinatae species rerum, sicut et determinata quantitas universi. Et ideo dicit, quod hic numerus, qui multiplicatur in infinitum, non separatur a divisione continui; neque tamen hic numerus sic est infinitus, sicut aliquid permanens: sed sicut semper in fieri existens, inquantum successive additur supra quemlibet numerum datum, sicut esset etiam de tempore, et de numero temporis: numerus enim temporis crescit successive per additionem diei ad diem, non quod omnes dies sint simul.

Deinde cum dicit « in magnitudinibus »

Ostendit quod e contrario est in magnitudinibus. Dividitur enim continuum in infinitum (ut dictum est). Sed in majus non procedit in infinitum, etiam secundum potentiam: quia quantum unumquodque est in potentia, tantum potest esse in actu; si igitur esset in potentia naturae, quod cresceret aliqua magnitudo in infinitum, sequeretur quod esset aliqua magnitudo sensibilis infinita, quod est falsum, ut supra dictum est. Relinquitur igitur, quod non est in potentia additio magnitudinum in infinitum sic, quod excedatur omnis determinata quantitas: quia sequeretur, quod esset aliquid majus caelo. Ex quo patet falsum esse quod quidam dicunt, quod in materia prima est potentia ad omnem quantitatem: non enim est in materia prima potentia nisi ad terminatam quantitatem. Patet etiam ex praemissis ratio, quare non oportet numerum tantum esse in actu, quantum est in potentia, sicuti hic dicitur de magnitudine: quia additio numeri sequitur divisionem continui, per quam a toto itur ad id quod est in potentia ad numerum: unde non oportet devenire ad aliquem actum finientem potentiam, sed additio magnitudinis ducit in actum (ut dictum est). Commentator autem assignat aliam rationem: quia potentia ad additionem magnitudinis est in una et eadem magnitudine: sed potentia ad additionem numerorum est in diversis numeris, inquantum cuilibet numero potest aliquid addi. Sed haec ratio parum valet; quia sicut per additionem est alia et alia species numeri, ita alia et alia species mensurae, secundum quod bicubitum et tricubitum dicuntur species quantitatis. Et etiam quicquid additur superiori numero additur inferiori; et secundum hoc in uno et eodem numero, scilicet binario vel trinario, est potentia ad infinitam additionem.

Deinde cum dicit « infinitum autem »

Ostendit quomodo infinitum inveniatur diversimode in diversis; et dicit, quod infinitum non est secundum eamdem rationem in motu et in magnitudine et tempore, ac si esset una natura univoce praedicata de eis; sed dicitur de posteriori eorum se ..dum prius, sicut de motu propter magnitudi-

nem, in qua est motus, vel localis, vel alterationis, vel augmenti: de tempore autem propter motum: et hoc ideo, quia infinitum competit quantitati: motus autem est quantus secundum magnitudinem, et tempus propter motum (ut infra patebit). Et ideo dicit, quod nunc utimur his, sed posterius manifestabitur de unoquoque eorum quid sit: et quod omnis magnitudo sit divisibilis in magnitudines.

Deinde cum dicit « non removet »

Ostendit quomodo mathematici utuntur infinito: et dicit, quod ratio praedicta, qua ponimus non esse magnitudinem infinitam in actu, non removet considerationem mathematicorum, qui utuntur infinito: puta cum geometra dicit, quod sit talis linea infinita: non enim indigent ad suam demonstrationem infinito in actu, neque eo utuntur: sed solum indigent, quod sit aliqua linea finita tanta, quanta est eis necessaria, ut ex ea possint subtrahere quod volunt: et ad hoc sufficit, quod aliqua maxima magnitudo sit: quia alicui maximae magnitudini competit, quod possit dividi secundum quantamcumque proportionem respectu alterius magnitudinis datae; unde ad demonstrandum, non differt, utrum sit hoc modo vel illo, scilicet vel infinita vel finita maxima quantitas: sed quantum ad esse rei multum differt, utrum sit vel non sit.

Deinde cum dicit « quoniam autem »

Ostendit quomodo infinitum sit principium; et dicit, quod, cum sint quatuor genera causarum, ut supra dictum est, patet ex praemissis, quod infinitum est causa sicut materia: infinitum enim habet esse in potentia, quod est proprium materiae. Sed materia quidem quandoque est sub forma, quandoque autem sub privatione. Infinito autem non competit ratio materiae secundum quod est sub forma, sed secundum quod est sub privatione: quia scilicet infinitum dicitur per remotionem perfectionis et termini. Et propter hoc subjungit, quod ipsi infinito esse est privatio, id est ratio infiniti in privatione consistit. Et ne aliquis intelligat, quod infinitum est materia, sicut materia prima; subjungit, quod per se subjectum privationis, quae constituit rationem infiniti, est continuum sensibile. Et hoc apparet, quia infinitum (quod est in numeris) causatur ex infinita divisione magnitudinis: et similiter infinitum in tempore et motu causatur ex magnitudine: unde relinquitur, quod primum subjectum infiniti, sit continuum. Et, quia magnitudo secundum esse non est separata a sensibilibus, sequitur, quod subjectum infiniti sit sensibile. Et in hoc etiam concordant omnes antiqui, qui utuntur infinito sicut principio materiali; unde inconveniens fuit quod attribuerunt infinito continere, cum materiae non sit continere, sed contineri.

LECTIO XIII.

Quinque diluuntur argumenta, quae probare videbantur dari infinitum in actu.

Reliquum autem est aggredi, secundum quas rationes infinitum esse videtur, non solum potentia, sed ut determinatum. Alia enim ipsorum non necessaria sunt, alia vero habent quasdam veras contrarietates.

Neque enim ut generatio non deficiat, necessarium est infinitum esse actu sensibile corpus: contingit enim alterius corruptionem alterius generationem esse, cum omne finitum sit.

Amplius tangi et includi, alterum est hoc quidem enim ad aliquid, et cujusdam (tangit enim aliquid omne) et finitorum alicui accidit. Finitum autem non ad aliquid est, neque tangere cujusvis quodvis.

Intelligentiae autem credere inconveniens est. Non enim, in re abundantia et defectus est, sed in intelligentia. Unumquemque enim nostrum intelliget utique aliquis multiplicem seipso augmentans in infinitum: sed non propter hoc, extra aliquid est, aut extra tantam magnitudinem, quam habemus, quamvis intelligit aliquis: sed quoniam est, hoc accidit.

Tempus autem et motus infinita sunt, et intelligentia non permanente accepto.

Magnitudo autem neque divisione, neque intelligibili augmentatione est infinita. Sed de infinito quidem quomodo est et quomodo non est, et quid est, dictum est.

Reliquum est ut percurramus rationes propter quas infinitum esse videtur non tantum po estate, sed etiam ut definitum. Nam partim earum non sunt necessariae, partim eis occurri potest aliis quibusdam veris modis. Neque enim ut generatio non deficiat, necesse est actu infinitum esse corpus sensile: quia potest alterius interitus esse alterius generatio, quum universum sit infinitum.

Praeterea tangere, et finitum esse, differunt. Illud enim ad aliquid refertur, et [in Graeca lingua] alicujus esse dicitur (quodcumque enim tangit, *aptetai tinos*, id est Tangit rem aliquam), et alicui finito accidit: quod autem finitum est, non refertur ad aliquid, nec quamvis rem tangere quaevis potest.

Cogitationi autem credere absurdum est. Non est enim exsuperantia et defectio in re, sed in cogitatione. Unumquemque enim nostrum posset aliquis cogitare multiplo quam sit majorem, infinite augens. Non ideo tamen excedit aliquis urbem, aut est tali magnitudine praeditus, quam habemus, quia sic quispiam cogitat, sed quia est: hoc autem accidit. Tempus vero et motus infinita sunt, nec non intellectio, non permanente eo quod sumitur. Sed magnitudo neque accretione quae in cogitatione constat, infinita est. Verum de infinito, quomodo sit, et quomodo non sit, et quid sit, dictum est.

Postquam Philosophus per definitionem infiniti rationes eorum quae de infinito dicuntur, assignavit, hic solvit rationes quae supra positae sunt ad ostendendum infinitum esse. Et primo dicit de quo est intentio. Secundo exequitur propositum, ibi, « Neque enim ut generatio. » Dicit ergo primo: Post ea quae dicta sunt de infinito, reliquum est solvere rationes, secundum quas videbatur ostendi, quod infinitum sit non solum in potentia (sicut supra determinavimus), sed quod sit in actu, sicut ea quae sunt finita et determinata. Aliquae enim illarum rationum non concludunt ex necessitate, sed sunt totaliter falsae: aliquae autem earum ex aliqua parte verum concludunt.

Secundo ibi « neque enim »

Solvit quinque rationes, quae supra positae sunt ad ostendendum infinitum esse. Et primo solvit eam quae sumebatur ex parte generationis, quae erat tertia. Concludebatur enim, quod si generatio non deficit, quod oporteat esse infinitum. Sed haec ratio quantum ad hoc verum concludit, quod infinitum sit in potentia, quae successive in actum reducatur (sicut supra dictum est): sed non est necessarium, quod sit aliquod corpus sensibile infinitum in actu ad hoc quod generatio non deficiat, sicut antiqui aestimaverunt, ponentes infinitum conservare generationem, ac si semper generatio fieret per extractionem ex aliquo corpore: quod in infinitum fieri non posset, nisi illud corpus esset infinitum. Sed hoc non est necessarium; cum toto corpore sensibili existente finito, generatio in infinitum durare possit per hoc, quod corruptio unius est generatio alterius.

Secundo ibi « amplius tangi »

Solvit rationem quartam, quae sumebatur ex parte contactus, ac si necessarium sit omne corpus finitum tangere quoddam aliud: et sic oporteat procedere in infinitum. Sed ipse solvit, quod alterum est tangi et finire: quia tangi et includi dicitur respectu alterius: omne enim tangens tangit aliquid; sed finitum dicitur absolute, et non ad aliud, inquantum per proprios terminos aliquid finitum est in seipso. Accidit enim alicui finito quod tangat. Non tamen oportet, quod omne tactum ab uno, tangat aliud: ut sic in infinitum procedatur. Unde manifestum est, quod haec ratio omnino nihil ex necessitate concludit.

Tertio ibi « intelligentiae autem »

Solvit rationem quintam, quae sumitur ex parte intellectus et imaginationis, quam antiqui non distinguebant ab intellectu. Per hanc autem rationem supra ostendebatur, quod esset spatium infinitum extra caelum, et per consequens locus et corpus. Sed ipse dicit, inconveniens est credere intelligentiae; ita scilicet, quod quidquid apprehenditur intellectu vel imaginatione sit verum, ut quidam antiquorum putaverunt, quorum opinio reprobatur in quarto Metaphysicae. Non enim sequitur, si apprehendo aliquam rem minorem vel majorem quam sit, quod sit aliqua abundantia vel defectus in re illa: sed solum in apprehensione intellectus, vel imaginationis. Potest enim aliquis intelligere quemcumque hominem esse multiplicem ejus quod est, vel duplum, vel triplum, vel qualitercumque augmentans in infinitum; non tamen propter hoc erit aliqua hujusmodi quantitas multiplicata extra intellectum, aut extra determinatam quantitatem, aut magnitudinem. Sed contingit quod re sic existente, aliquis ita intelligat.

Quarto ibi « tempus autem »

Solvit rationem primam acceptam ex tempore et motu: et dicit quod tempus et motus sunt infinita, non in actu, quia nihil est temporis in actu, nisi nunc: neque aliquid motus est in actu, nisi quoddam indivisibile. Sed intellectus apprehendit continuitatem temporis et motus, accipiendo ordinem prioris et posterioris: ita tamen quod id quod primo fuit acceptum de tempore vel motu, non permanet sic: unde non oportet dicere quod totus motus infinitus sit in actu, vel quod totum tempus sit infinitum.

Quinto ibi « magnitudo autem »

Solvit rationem secundam sumptam ex parte magnitudinis; et dicit, quod magnitudo non est infinita in actu, neque per divisionem, neque per augmentationem intelligibilem, sicut ex supradictis patet. Ultimo autem epilogat quod dictum est de infinito.

LIBER QUARTUS

SUMMA LIBRI. — DE LOCO, VACUO, TEMPORE, TUM EX ANTIQUORUM, TUM EX PROPRIA SENTENTIA DISSERITUR.

LECTIO I.

Loci contemplationem ad naturalem attinere dicitur; propriae item rationes famosaeque adducuntur locum esse affirmantes.

ANTIQUA.

Similiter autem necesse est naturalem, et de loco, sicut et de infinito, considerare si est, aut non: et quomodo est, et quid est.

Et ea namque, quae sunt, omnes opinantur alicubi esse. Quod enim non est, nusquam est. Ubi enim est tragelaphus, aut sphinx?

Et de motu, qui communis maxime est, et magis proprius, qui secundum locum est (quem vocamus loci mutationem.)

Habet autem multas dubitationes, quid forte sit locus: non enim idem videtur considerantibus ex omnibus quae insunt. Amplius autem neque habemus quicquam ab aliis, neque praedubitatum, neque bene exquisitum de hoc.

Quod quidem igitur locus sit, videtur ex transmutatione manifestum esse. Ubi namque nunc est aqua, hinc exeunte sicut ex vase, iterum aer inest: aliquando autem locum hunc, aliud aliquod corporum detinet: hoc ab iis quae insunt et commutatur, alterum omnibus esse videtur: in quo enim aer est nunc, aqua in hoc prius erat. Quare manifestum est, quod erat locus aliquis, et receptaculum alterum ab utrisque, in quod et ex quo mutatum est.

Amplius autem loci mutationes physicorum corporum et simplicium, ut ignis, et terrae, et talium, non solum ostendunt quod aliquis est locus, sed quod et habet quamdam potentiam: fertur enim unumquodque in suum locum non prohibitum, hoc quidem sursum illud autem deorsum. Haec autem sunt loci partes et species, sursum et deorsum, et reliquae sex distantiarum. Sunt autem hujusmodi non solum ad nos dextrorsum, sinistrorsum, sursum, et deorsum: nobis enim non semper idem, sed secundum positionem quomodocumque vertamur fit: propter quod idem multoties dextrum et sinistrum est, et sursum et deorsum, et ante et retro. In natura autem determinatum est seorsum unumquodque: non enim quodcumque contingit, sursum est; sed quo fertur ignis et leve. Similiter autem, et deorsum non quodcumque contingit, sed quo habentia gravitatem, et terrea, tamquam

RECENS.

Similiter necesse est etiam de loco, ut de infinito, physicum nosse, an sit necne, et quomodo sit, et quid sit. Omnes enim existimant, ea quae sunt, alicubi esse; etenim non-ens nullibi est; ubi namque est hircocervus, aut sphinx? Et motus ille, qui est maxime communis et maxime proprius, secundum locum est, quem vocamus lationem.

Exsistunt autem multae dubitationes, quid tamdem sit locus: non enim idem videtur dispicientibus, ex iis omnibus quae insunt. Praeterea nihil habemus ab aliis de eo vel dubitatum, vel expositum.

Locum igitur esse, videtur constare ex mutatione quae vicissim fit; ubi namque nunc est aqua, hic, ea exeunte ut ex vase, rursus aer inerit; quando vero hunc ipsum locum aliquod aliud corpus occupat, hic ergo videtur esse diversum quid ab his omnibus quae ingrediuntur et mutantur; nam in quo loco nunc est aer, antea in eo aqua erat. Quare patet, locum et receptaculum esse quiddam ab utrisque diversum, in quod et ex quo sunt mutata.

Praeterea lationes naturalium et simplicium corporum, ut ignis et terrae et aliorum ejusmodi, non solum declarant locum esse aliquid, sed et habere vim quamdam. Unumquodque enim fertur in suum locum, nisi prohibeatur; aliud quidem sursum, aliud vero deorsum.

Haec autem sunt loci partes ac species: superum, inquam, et inferum, et sex dimensionum reliquae. Talia vero sunt non tantum quod ad nos, nempe superum et inferum, dextrum et sinistrum: quia nobis non semper idem est, sed secundum positionem fit, prout nos convertimur. Unde et idem saepe est dextrum et sinistrum, et superum et inferum, et ante et retro. In natura vero unumquodque seorsum est definitum; non enim quodvis est superum, sed quo fertur ignis, et corpus leve: itidemque non quodvis est inferum, sed quo feruntur quae habent pondus, ac terrestria: utpote non positione solum differentia, sed potentia. Ostendunt autem et mathematica: cum enim non sint in loco, tamen secundum positionem ad nos, habent dextra et sinistra (ut solum intelligatur ipsorum positio) non habentia natura. horum unumquodque.

Amplius vacuum affirmantes, locum dicunt esse. Vacuum enim erit utique locus privatus corpore. Quod quidem igitur sit aliquis locus praeter corpora: et omne corpus sensibile in loco, per hoc aliquis concipiet.

Videbitur autem utique et Hesiodus recte dicere, faciens primum Chaos. Dicit igitur: Omnium quidem primum Chaos factum est, postea vero terra lata, tamquam indigeret primum esse receptaculum iis quae sunt, propter id quod opinati sunt, quemadmodum multi, omnia alicubi et in loco esse. Si autem hujusmodi est, mirabilis quaedam utique erit potentia loci, et prima omnium. Sine quo namque aliorum nullum est, illud autem sine aliis, necesse est primum esse; non enim perditur locus, iis quae sunt in eo corruptis.

non tantum positione differentia; sed etiam facultate. Declarant hoc etiam res mathematicae; quum enim non sint in loco, tamen positione quadam, quae ad nos refertur, habent dextrum et sinistrum: adeo ut solum intelligatur earum positio, non habeant natura haec singula.

Praeterea qui dicunt esse inane, hi locum esse inquiunt: quandoquidem inane est locus corpore privatus. Locum igitur esse aliquid praeter corpora, et omne corpus sensile esse in loco, ex his possit aliquis existimare. Videri etiam potest Hesiodus recte dicere, qui Chaos primum fecit; inquit enim:

Omnium primum Chaos factum est: sed postea
Terra lato pectore praedita:

quasi oporteat primum subesse entibus receptaculum: propterea quod putavit, ut plurimi, omnia esse alicubi et in loco.

Si vero est tale, admirabilis quaedam erit loci vis, et omnium prima; id enim, sine quo aliorum nihil aliud est, ipsum vero est sine aliis, necesse est esse primum; locus namque non perit, iis intereuntibus quae in ipso sunt.

Postquam Philosophus determinavit in tertio de motu et infinito, quae competunt motui intrinsece, secundum quod est de genere continuorum, nunc in quarto libro intendit determinare de iis quae adveniunt motui extrinsece. Et primo de iis quae adveniunt motui extrinsece, quasi mensurae mobilis; secundo de tempore, quod est mensura ipsius motus, ibi, « Consequens autem dictis. » Circa primum duo facit. Primo determinat de loco. Secundo de vacuo, ibi, « Eodem autem modo accipiendum. » Circa primum duo facit. Primo ostendit quod determinandum est a naturali de loco. Secundo prosequitur propositum, ibi, « Quod quidem igitur locus sit. » Circa primum duo facit. Primo proponit quod intendit; et dicit, quod sicut ad naturalem pertinet determinare de infinito, si est vel non est, et quomodo sit, et quid sit, similiter etiam et de loco.

Secundo ibi « et ea namque »

Probat quod dixerat. Et primo ex parte ipsius loci. Secundo ex parte nostra, ibi, « Habet autem multas dubitationes. » Circa primum ponit duas rationes; quarum prima talis est. Ea quae sunt communia omnibus naturalibus, pertinent maxime ad considerationem naturalis: sed locus est hujusmodi: omnes enim communiter opinantur, omnia ea quae sunt, in aliquo loco esse. Et ad hoc probandum utuntur sophistico argumento a positione consequentis. Argumentantur enim sic. Quod non est, nusquam est, idest in nullo loco est: non enim est dare ubi sit tragelaphus aut sphinx, quae sunt quaedam fictitia, seu chimaerica, argumentatur ergo quod, si id quod in nullo loco est, non sit: ergo omne quod est, est in loco. Sed, si esse in loco convenit omnibus entibus, videtur quod locus magis pertineat ad considerationem metaphysici, quam physici. Et dicendum est, quod hic argumentatur ab opinione ponentium omnia entia esse sensibilia, propter hoc quod imaginationem corporum transcendere non possunt: et secundum hos naturalis scientia est philosophia prima communis omnibus entibus, ut dicitur in quarto Metaphysicae.

Secundam rationem ponit ibi « et de motu »

Quae talis est. Ad philosophum naturalem pertinet considerare de motu: sed motus qui est secundum locum « quem dicimus loci mutationem » est maxime communis inter omnes motus: quaedam enim corpora, scilicet caelestia, moventur hoc motu

tantum; cum tamen nihil moveatur aliis motibus, quin moveatur hoc motu. Similiter etiam hic motus est magis proprius: quia hic solus motus est vere continuus et perfectus, ut in octavo probabitur. Motus autem secundum locum non potest cognosci, nisi cognoscatur locus. Naturalis igitur debet considerare de loco.

Deinde cum dicit « habet autem »

Inducit ad idem rationem ex parte nostra. De illis enim a sapientibus determinandum est, de quibus dubitatio est: multae autem dubitationes sunt de loco quid sit. Quarum quidem dubitationum duplex est causa. Una est ex parte ipsius loci: quia non omnes proprietates loci ducunt in eamdem sententiam de loco; sed ex quibusdam proprietatibus loci, videtur quod locus sit hoc; ex quibusdam autem videtur quod locus sit aliud. Alia vero causa est ex parte hominum; quia antiqui nec bene moverunt dubitationem circa locum, neque etiam bene exquisierunt veritatem.

Deinde cum dicit « quod quidem »

Incipit determinare de loco: et primo per modum disputativum. Secundo determinando veritatem, ibi, « Post hoc autem accipiendum. » Circa primum duo facit. Primo ponit rationes ad ostendendum locum esse. Secundo ad ostendendum quod locus non sit, ibi, « At vero sed habet defectum. » Circa primum duo facit. Primo ostendit locum esse rationibus acceptis a veritate rei. Secundo ab opinionibus aliorum, ibi, « Amplius vacuum. » Circa primum ponit duas rationes: in quarum prima sic procedit. Dicit enim, quod ex ipsa transmutatione corporum quae moventur secundum locum, manifestum est quod locus aliquid sit. Sicut enim transmutatio quae est secundum formas, homines induxit ad cogitationem materiae, quia scilicet oportet esse aliquod subjectum in quo sibi formae succedant; ita transmutatio secundum locum induxit homines ad cognitionem loci. Oportet enim esse aliquid, ubi sibi corpora succedant. Et hoc est quod subdit, quod exeunte aqua inde ubi nunc est, sicut ex quodam vase, iterum subintrat aer: cum igitur eumdem locum quandoque aliud corpus detineat, ex hoc manifestum videtur esse, quod locus sit aliud ab iis quae sunt in loco, et transmutantur secundum locum: quia ubi nunc est aer, prius aqua ibi erat: quod non esset, si locus non esset aliud ab aere et aqua. Relinquitur igitur, quod locus est aliquid, et quoddam receptaculum alterum ab utroque locatorum: et est terminus motus localis a quo et in quem.

Secundam rationem ponit ibi « amplius autem »

Et dicit quod, cum quorumcumque corporum motus ostendat locum esse, ut dictum est; motus localis corporum naturalium simplicium, ut ignis et terrae, et aliorum hujusmodi gravium et levium, non solum ostendit quod locus sit aliquid, sed etiam quod locus habeat quamdam potentiam et virtutem. Videmus enim, quod unumquodque horum fertur in suum proprium locum quando non impeditur; grave quidem deorsum, leve autem sursum. Ex quo patet, quod locus habet quamdam virtutem conservandi locata; et propter hoc locatum tendit in suum locum desiderio suae conservationis. Non autem ex hoc ostenditur quod locus habeat virtutem attractivam, nisi sicut finis dicitur attrahere. Sursum autem et deorsum, et alia de numero sex distantiarum, scilicet ante et retro, dextrorsum et sinistrorsum, sunt partes et species loci. Hujusmodi autem distantiae determinantur in universo secundum naturam, et non solum quo ad nos: et hoc patet, quia in his in quibus dicuntur quo ad nos, non semper idem est sursum vel deorsum, vel dextrorsum vel sinistrorsum: sed variatur secundum quod diversimode nos convertimur ad ipsum; unde multoties aliquod immobile manens, quod prius erat dextrum, fit sinistrum: et similiter de aliis, prout nos diversimode ad illa convertimur. Sed in natura aliquid determinatum est sursum et deorsum secundum motum gravium et levium, et aliae positiones secundum motum caeli, ut in tertio dictum est. Non enim indifferenter quaecumque pars mundi est sursum vel deorsum; sed semper sursum est, quo feruntur levia; deorsum autem, quo feruntur gravia. Quaecumque autem secundum se habent determinatas positiones, necesse est quod habeant potentias, quibus terminentur; alia enim est in animali potentia dextri, et alia

sinistri: unde relinquitur, quod locus sit, et habeat aliquam potentiam. Quod autem in aliquibus dicatur positio solum quo ad nos, ostendit per mathematica; quae quidem, licet non sint in loco, tamen attribuitur eis positio solum per respectum ad nos, unde in eis non est positio secundum naturam sed solum secundum quod intelliguntur in aliquo ordine ad nos, vel supra, vel subtus, vel sinistrorsum, vel dextrorsum.

Deinde cum dicit « amplius vacuum »

Ostendit locum esse ex opinionibus aliorum. Et primo ex opinione ponentium vacuum; quia quicumque affirmant vacuum esse, necesse est quod dicant esse locum: cum vacuum nihil aliud sit quam locus privatus corpore. Et sic ex hoc, et ex praemissis rationibus potest aliquis concipere quod locus sit aliquid praeter corpora: et quod omnia corpora sensibilia sint in loco.

Secundo ibi « videbitur autem »

Inducit ad idem opinionem Hesiodi, qui fuit unus de antiquis poetis theologis, qui posuit primo factum esse chaos. Dixit enim, quod primo inter omnia factum est chaos, quasi quaedam confusio, et receptaculum corporum; et postea facta est terra lata ad recipiendum diversa corpora, ac si primo necesse esset esse receptaculum rerum, quam ipsae res. Et hoc ideo posuerunt, quia crediderunt, sicut et multi alii, quod omnia quae sunt sint in loco. Quod, si verum est, sequitur quod locus non solum sit, sed quod habeat mirabilem potentiam, quae sit prima omnium entium. Illud enim, quod potest esse sine aliis, et alia non possunt esse sine eo, videtur esse primum: locus autem secundum eos potest esse sine corporibus: quod exinde conjiciebant, quia videmus locum remanere destructis locatis; res autem non possunt esse sine loco; relinquitur igitur secundum eos, quod locus sit primum inter omnia entia.

LECTIO II.

Rationes locum esse destruentes adducuntur.

At vero habet defectum si est, quid est: utrum enim moles quaedam corporibus, aut quaedam altera natura. Quaerendum est enim genus ipsius primum. Distantias quidem igitur habet tres, longitudinis, latitudinis et profunditatis: quibus determinatur corpus omne. Impossibile est autem corpus esse locum, in eodem namque essent duo corpora.

Amplius, si vere corporis locus est receptaculum, manifestum quod et superficiei erit, et reliquorum terminorum. Eadem enim consonat ratio: ubi namque prius erant aquae plana, erunt iterum plana: at vero differentiam nullam habemus puncti, et loci puncti: quare, si neque ab hoc est locus diversus, neque ab aliorum aliquo: neque est aliquid praeter unumquodque istorum locus.

Quid enim forte ponemus esse locum? Neque enim elementum, neque ex elementis potest esse, hujusmodi habens naturam, neque corporeorum, neque incorporeorum: magnitudinem quidem enim habet locus, corpus autem nullum. Adhuc autem sensibilium quidem corporum, elementa corporea: ex intelligibilibus autem elementis magnitudo nulla fit.

Verumenimvero exsistit dubitatio, si locus est, quid sit; utrum moles quaedam corporis, an alia quaedam natura. Primum namque ipsius genus est quaerendum. Sane dimensiones tres habet, longitudinem et latitudinem, et altitudinem, quibus omne corpus definitur: impossibile tamen est locum esse corpus, propterea quod in eodem essent duo corpora.

Praeterea si corporis est locus et receptaculum; patet etiam superficiei esse, ac reliquorum terminorum; eadem namque ratio conveniet; ubi namque prius erant planities aquae, rursus erunt planities aeris. Atque differentiam nullam habemus puncti et loci puncti; quare si non est locus ab hoc diversus, nec ab ullo alio diversus erit, nec locus est aliquid praeter haec singula.

Quid enim tamdem possumus ponere locum esse? quia quum talem habeat naturam, neque potest esse elementum, neque constare ex elementis aut corporeis aut incorporeis; nam magnitudinem quidem habet, sed non est corpus ullum, elementa vero corporum sensibilium sunt corpora ex elementis autem intelligibilibus nulla magnitudo fit.

Amplius et cujus utique quis ponet iis quae sunt, causam esse locum? nulla enim causa inest ipsi de quatuor. Neque enim sicut Materia, eorum quae sunt; neque enim ex ipso constituta sunt entia; neque sicut Forma et ratio eorum quae sunt; neque sicut Finis, neque sicut Movens ea quae sunt.

Amplius et ipse, si est aliquid eorum quae sunt, alicubi erit. Zenonis enim opinio quaerit quamdam rationem: si namque omne quod est, in loco est, manifestum quoniam et loci locus erit, et hoc in infinitum procedet.

Amplius, si ut omne corpus in loco est, sic et in omni loco corpus, quomodo igitur dicemus de iis quae augmentantur? Necesse est enim ex his, simul augmentari locum cum ipsis, si neque minor neque major locus est uniuscujusque. Per hoc quidem igitur non solum quid est, sed etiam si est, dubitare necesse est.

Praeterea quamobrem ponat aliquis locum esse entibus causam? nulla enim quatuor causarum ipsi inest: quia nec est ut entium materia (quandoquidem ex eo nil constat), nec ut rerum forma et ratio, nec ut finis, nec entia movet.

Praeterea et ipse locus, si est aliquod ens, ubi erit? Zenonis enim dubitatio rationem aliquam quaerit: quia si omne ens est in loco, patet etiam loci locum fore: atque hoc in infinitum progreditur.

Praeterea, quemadmodum omne corpus inest loco, ita etiam in omni loco est corpus: quomodo igitur dicemus de iis quae augentur? necesse enim ex his est, eorum locum simul augeri, si locus neque minor neque major est qualibet re locata. Ex his igitur non solum quid sit, sed etiam an sit, dubitare necesse est.

Postquam Philosophus posuit rationes ad ostendendum quod locus sit, hic ponit sex rationes ad ostendendum quod locus non sit. Principium autem ad investigandum de aliquo an sit oportet accipere quid sit; saltem quid significetur per nomen; et ideo dicit, quod quamvis ostensum sit quod locus sit, tamen habet defectum, idest dubitationem, quid est, et si est, utrum scilicet sit quaedam moles corporea, aut aliqua natura alterius generis. Et ex hoc sic argumentatur. Si locus est aliquid, oportet quod sit corpus: quia locus habet tres dimensiones, idest longitudinis, latitudinis et profunditatis; his autem determinatur corpus, quia omne quod habet tres dimensiones est corpus. Sed impossibile est locum esse corpus; quia cum locus et locatum sint simul, sequeretur duo corpora esse simul, quod est inconveniens; ergo impossibile est locum aliquid esse.

Secundam rationem ponit ibi « amplius si »

Quae talis est. Si locus corporis vere est quoddam receptaculum corporis, aliud a corpore, oportet quod etiam superficiei sit aliquod receptaculum, aliud ab ipsa: et similiter est de aliis terminis quantitatis, quae sunt linea et punctus. Et hanc conditionalem sic probat. Propter hoc enim ostendebatur locus esse alius a corporibus, quia ubi nunc est corpus aeris, ibi prius erat corpus aquae, et similiter ubi prius erat superficies aquae, nunc est superficies aeris: ergo locus superficiei est aliud a superficie, et similis ratio est de linea et puncto. Argumentatur ergo a destructione consequentis, per hoc quod non potest esse aliqua differentia loci puncti, a puncto: quia cum locus non excedat locatum, locus puncti non potest esse nisi aliquod indivisibile. Duo autem indivisibilia quantitatis, ut duo puncta simul conjuncta, non sunt nisi unum: ergo eadem ratione, neque locus superficiei erit aliud a superficie, neque locus corporis erit aliud a corpore.

Tertiam rationem ponit ibi « quid enim »

Quae talis est. Omne quod est, vel est elementum, vel ex elementis: sed locus neutrum horum est: ergo locus non est. Mediam probat sic. Omne quod est elementum, vel ex elementis, est de numero corporeorum vel incorporeorum: sed locus

non est de numero incorporeorum quia habet magnitudinem, nec de numero corporeorum, quia non est corpus, ut probatum est: ergo neque est elementum, neque ex elementis. Et, quia posset aliquis dicere, quod licet non sit corpus, est tamen elementum corporeum; ad hoc excludendum subjungit, quod sensibilium corporum sunt elementa corporea (quia elementa non sunt extra genus elementatorum). Nam ex intelligibilibus principiis, quae sunt incorporea, non constituitur aliqua magnitudo: unde, si locus non sit corpus, non potest esse elementum corporeum.

Quartam rationem ponit ibi « amplius et »

Quae talis est. Omne quod est, aliquo modo est causa respectu alicujus; sed locus non potest esse causa secundum aliquem quatuor modorum: neque enim est causa sicut materia, quia ea quae sunt, non constituuntur ex loco, quod est de ratione materiae; neque sicut causa formalis, quia tunc omnia quae haberent unum locum, essent unius speciei, cum principium speciei sit forma; neque iterum sicut causa finalis rerum: quia magis videntur esse loca propter locata, quam locata propter loca: neque iterum est causa efficiens, vel motiva, cum sit terminus motus. Videtur igitur, quod locus nihil sit.

Quintam rationem ponit ibi « amplius et »

Quae est ratio Zenonis, et est talis. Omne quod est, est in loco. Si igitur locus est aliquid, sequitur quod sit in loco, et ille locus in alio loco, et sic in infinitum, quod est impossibile; ergo locus non est aliquid.

Sextam rationem ponit ibi « amplius si »

Quae talis est. Omne corpus est in loco, et in omni loco est corpus, ut a multis probabiliter existimatur: ex quo accipitur quod locus non sit minor neque major quam locatum. Cum ergo locatum crescit, oportet quod crescat et locus: sed hoc videtur impossibile, cum locus sit quoddam immobile: non ergo locus aliquid est. Et ultimo epilogat, quod per hujusmodi rationes non solum dubitatur quid sit locus, sed etiam an sit. Hujusmodi autem rationes solventur per ea quae sequentur.

LECTIO III.

Opiniones formam seu materiam locum esse dicentium prosequitur;
eaeque quam plurimis rationibus refelluntur.

ANTIQUA.

Quoniam autem aliud quidem secundum se, aliud vero secundum aliud dicitur: similiter et locus, alius quidem communis, in quo omnia corpora sunt; alius vero proprius in quo primo. (Dico autem communis, quoniam quasi nunc in caelo es, quia in aere: hic autem in caelo et in aere, quia in terra: similiter autem et in hac, quia et in loco, qui nihil continet plus quam te.) Si igitur locus est primum continens unumquodque corpus, terminus quidam utique erit: quare videtur species et forma uniuscujusque locus esse, qua determinatur magnitudo, et materia magnitudinis: haec enim est uniuscujusque terminus. Sic quidem igitur considerantibus, locus uniuscujusque species est.

Secundum autem quod videtur esse locus distantia magnitudinis, sic materia haec namque altera est a magnitudine. Haec autem est contenta sub specie et definita, sicut sub plano et termino; est autem hujusmodi materia et infinitum. Cum enim removeantur termini et passiones sphaerae, relinquitur nihil praeter materiam. Unde Plato, materiam et locum dicit esse idem in Timaeo: receptivum enim et locum unum et idem dicit: alio vero modo ibi dicens receptivum, et in dictis, non scriptis dogmatibus, tamen locum et receptivum idem retulit. Dicunt quidem enim omnes esse aliquid locum: quid autem est, hic solus conatus est dicere.

Merito autem ex his intendentibus videtur utique difficile cognoscere quid est locus: siquidem horum quodcumque est, sive materia, sive forma. Haec enim altissimam habent speculationem, et sine invicem non facile est cognoscere ipsa.

At vero quod impossibile sit utrumvis horum esse locum, non est difficile videre. Forma enim et materia non separantur a re, locum autem contingit: in quo namque aqua erat, in hoc iterum aer, sicut diximus prius, fit, transmutatis adinvicem aereque, et aqua, et aliis corporibus similiter. Quare neque pars, neque habitus, sed separabilis est locus ab unoquoque: et enim videtur tale quid esse locus, ut vas: etenim vas locus transmutabilis, vas autem nihil rei. Secundum quidem igitur quod separabilis est a re, sic quidem non est forma. Secundum autem quod continet, siquidem alterum est a materia.

Videtur autem semper quod est alicubi, ipsum esse aliquid: et alterum aliquid extra ipsum.

Platoni igitur dicendum est (si oportet digredientes dicere) quare non in loco species et numeri sunt, si id, quod vere participativum est, locus sit: sive magnum sive parvum sit quod participativum est, sive materies, ut in Timaeo scripsit.

Amplius quomodo ferretur in sui locum, si locus esset materia aut species? impossibile est enim cujus non est motus, neque sursum aut deorsum, locum esse: quare, quaerendus in hujuscemodi locus est. Si autem in ipso locus est (oportet enim siquidem aut forma aut materia est) erit locus in loco. Transmutantur enim simul cum re, et moventur et species et infinitum, non semper in eodem, sed ubi utique res. Quare loci erit locus.

Amplius cum ex aere fit aqua, perditus est locus: non enim in eodem loco fit corpus, quae igitur corruptio? Ex quibus igitur necessarium est locum esse aliquid, et iterum ex quibus utique dubitabit aliquis de substantia ipsius, dictum est.

RECENS.

Quum autem aliquid per se, aliquid per aliud dicatur; locus quoque alius est communis, in quo sunt omnia corpora, alius proprius, in quo primo aliquid est. Verbi gratia, tu nunc es in caelo, quia es in aere, hic autem est in caelo: et in aere es, quia es in terra: similiterque in hac es, quia es in hoc loco, qui nihil aliud continet quam te. Si igitur locus est id quod primum continet unumquodque corpus; utique erit aliquis terminus: quare locus videatur esse forma et species cujusque rei, quo definitur magnitudine et magnitudinis materia; hic enim est cujusque rei terminus.

Ergo iis qui ita considerant, locus est cujusque rei species. Quatenus autem locus videtur esse intervallum magnitudinis, est potius materia; hoc enim est diversum a magnitudine atque hoc est quod continetur ac definitur a forma, ut a planitie et termino: tale autem est materia, et quod interminatum est; quum enim terminus et affectiones globi detractae fuerint, nihil relinquitur praeter materiam. Idcirco etiam Plato in Timaeo materiam et receptaculum ait idem esse; quod enim vim habet recipiendi, ac receptaculum, ait esse unum et idem. Quum autem alio modo ibi appellet id quod habet vim recipiendi, et alio modo in iis quae vocantur dogmata non scripta; tamen locum et receptaculum pronuntiavit esse idem.

Nam omnes quidem inquiunt locum esse aliquid; sed quid sit, hic solus dicere est aggressus. Merito autem, si quis ex his rem consideret, difficile esse videbitur cognoscere quid sit locus: siquidem est horum alterutrum, id est, sive materia, sive forma: nam alioqui altissimam haec inspectionem, nec facile est ea cognoscere a se invicem sejuncta.

At vero impossibile esse ut locus sit horum alterutrum, non difficile est videre. Forma namque et materia non sejunguntur a re; locus autem sejungi potest: in quo enim modo erat aer, in eum rursus aqua (ut dicebamus) ingreditur, vicissim facta translatione aquae et aeris, et similiter aliorum corporum. Quocirca locus nec est pars, nec habitus, sed est separabilis a quaque re. Etenim locus tale quidpiam esse videtur, quale est vas: nam vas est locus qui transferri potest: vas autem non est pars ulla rei.

Quatenus igitur est separabilis a re, eatenus non est forma; quatenus autem continet, eatenus differt a materia. Porro semper videtur quod est alicubi, et ipsum esse aliquid, et extra id esse quiddam ab eo diversum. Platoni sane dicendum erat, si oportet hoc in excessu dicere, cur formae et numeri non sint in loco: siquidem locus est id quod habet vim participandi: sive id quod habet vim participandi sit magnum et parvum; sive sit materia, ut in Timaeo scripsit.

Praeterea quomodo res ferretur ad suum locum, si locus esset materia vel forma? impossibile enim est id esse locum, cujus non motus, nec superum nec inferum est. Quapropter in hujusmodi locus est quaerendus.

Quodsi in ipsa re est locus (oportet enim, siquidem est vel forma vel materia), erit locus in loco. Simul enim cum re mutatur ac movetur et forma, et quod est interminatum; nec semper est in eodem loco, sed ubi est res ipsa: quapropter loci erit locus.

Praeterea quando ex aere facta est aqua, locus periit; nam corpus quod factum est, non est in eodem loco: quis igitur est interitus?

Ergo ex quibus necesse est locum esse aliquid, et rursus ex quibus aliquis dubitare possit de ejus essentia, dictum est.

Postquam Philosophus inquisivit disputative an locus sit, hic inquirit quid sit. Et primo ponit rationes disputativas ad ostendendum locum esse formam, vel materiam. Secundo ponit rationes in contrarium, ibi, « At vero quod impossibile sit. » Circa primum duo facit. Primo ponit rationem ad ostendendum locum esse formam. Secundo ad ostendendum locum esse materiam, ibi, « Secundum autem « quod videtur locus esse. » Tertio inducit corollarium ex his, ibi, « Merito autem ex his. » Dicit ergo primo, quod sicut in entibus quoddam est per se ens, et aliquod dicitur ens per accidens; similiter considerandum est circa locum, quod quidam locus est communis, in quo omnia corpora sunt; et alius est locus proprius, qui primo et per se dicitur locus. Locus autem communis non dicitur locus nisi per accidens, et per posterius: quod sic manifestat. Possum enim dicere quod tu es in caelo, quia es in aere, qui est in caelo, et quod tu es in aere et in caelo, quia es in terra: et in terra diceris esse, quia es in loco, qui nihil continet plus quam te. Si ergo illud quod primo et per se continet unumquodque est per se locus ejus: hujusmodi autem est terminus, ad quem res terminatur: sequitur ergo quod locus proprie et per se sit terminus rei. Forma autem est terminus uniuscujusque: quia per formam terminatur materia uniuscujusque ad proprium esse: et magnitudo ad terminatam mensuram: quantitates enim rerum consequuntur formas earum. Videtur igitur secundum hanc considerationem, quod locus sit forma. Sed sciendum quod in hac ratione est sophisma consequentis: syllogizatur enim in secunda figura ex duabus affirmativis.

Secundo ibi « secundum autem »

Ponit rationem Platonis, per quam sibi videbatur quod locus esset materia. Ad cujus evidentiam sciendum est, quod antiqui putaverunt locum esse spatium quod est inter terminos rei continentis; quod quidem habet dimensiones longitudinis, latitudinis et profunditatis, non tamen hujus (1) spatium videbatur esse idem cum aliquo corpore sensibilium: quia recedentibus et advenientibus diversis corporibus sensibilibus, remanet idem spatium. Secundum hoc ergo sequitur, quod locus sit dimensiones separatae. Et ex hoc volebat syllogizare Plato, quod locus esset materia. Et hoc est quod dicit, quod secundum quod locus videtur aliquibus esse distantia magnitudinis spatii, separata a quolibet corpore sensibili, videbatur quod locus esset materia. Ipsa namque distantia vel dimensio magnitudinis, altera est a magnitudine: nam magnitudo significat aliquid terminatum aliqua specie: sicut linea terminatur punctis, et superficies linea, et corpus superficie, quae sunt species magnitudinis: sed dimensio spatii est contenta sub forma et determinata, sicut corpus determinatur plano, idest superficie, ut quodam termino. Id autem quod continetur sub terminis, videtur esse in se non determinatum. Quod autem est in se non determinatum, sed determinatur per formam et terminum, est materia, quae habet rationem infiniti: quia, si ab aliquo corpore sphaerico removeantur passiones sensibiles, et termini quibus figuratur dimensio magnitudinis, nihil relinquitur nisi materia: unde relinquitur quod ipsae dimensiones ex se indeterminatae, quae per aliud determinantur, sint ipsa materia. Et hoc praecipue sequebatur secundum radices Platonis, qui ponebat numeros et quantitates esse substantias rerum. Quia igitur locus est dimensiones, et dimensiones sunt materia, dicebat Plato in Timaeo, quod idem est locus et materia: omne enim receptivum alicujus dicebat esse locum, non distinguens inter receptionem loci et materiae: unde, cum materia sit receptivum formarum, sequitur quod materia sit locus. Tamen sciendum quod de receptivo diversimode

Plato loquebatur: quia in Timaeo dixit receptivum esse materiam; in dogmatibus autem dictis et non scriptis, idest cum verbo tenus docebat in scholis, dicebat receptivum esse magnum et parvum: quae etiam ex parte materiae ponebat, ut supra dictum est: tamen cuicumque attribueret esse receptivum, semper dicebat quod receptivum et locus sint idem. Sic igitur, cum multi dicerent locum esse aliquid, solus Plato conatus est assignare quid sit locus.

Tertio ibi « merito autem »

Concludit ex praedictis, quod si locus est vel materia vel forma, rationabile videtur, quod sit difficile cognoscere quid sit locus: quia tam materia quam forma habent altissimam speculationem et difficilem, et non est facile etiam cognoscere unum eorum sine altero.

Deinde cum dicit « at vero »

Ponit quinque rationes in contrarium. Circa quarum primam dicit, quod non est difficile videre locum non esse materiam vel formam: quia forma et materia non separantur a re cujus sunt: sed locum contingit separari, quia in loco in quo erat aer, postea est aqua: et etiam alia corpora adinvicem mutantur loco; unde manifestum est, quod locus non est pars rei ut materia vel forma. Neque est etiam habitus, seu quodcumque accidens: quia partes et accidentia non sunt separabilia a re: sed separabilis: et hoc manifestat per exemplum, quia locus videtur comparari ad locatum sicut quoddam vas: sed in hoc tantum differt: quia locus est immobilis, vas autem mobile, ut infra exponetur. Sic igitur per hoc quod locus est separabilis, ostenditur quod locus non sit forma. Sed quod locus non sit materia, ostenditur non solum per hoc quod est separabilis, sed etiam per hoc quod continet: materia autem non continet, sed continetur.

Secundam rationem ponit ibi « videtur autem »

Quia enim ostenderat quod locus non est materia nec forma, per hoc quod locus separatur a locato, vult ostendere quod etiam si locus nunquam separaretur a locato, ex hoc ipso quod dicimus quod aliquid est in loco, apparet quod locus non est forma neque materia; quia omne quod dicitur esse alicubi, videtur et ipsum esse aliquid: et alterum aliquid esse ab eo, in quo est: unde, cum aliquid dicitur esse in loco, sequitur quod locus sit extra locatum. Materia autem et forma non sunt extra rem: ergo neque materia neque forma est locus.

Tertiam rationem ponit ibi « Platoni igitur »

Hic arguit specialiter contra positionem Platonis digrediendo. Dictum est enim supra in tertio, quod Plato posuit ideas et numeros non esse in loco: sequebatur autem, secundum ejus sententiam de loco, quod essent in loco: quia omne participatum est in participante: species autem et numeros ponebat participari, sive a materia, sive a magno et parvo: sequitur ergo quod species et numeri sint in materia, sive in magno et parvo. Si igitur materia, vel magnum et parvum est locus, sequitur quod numeri et species sint in loco.

Quartam rationem ponit ibi « amplius quomodo »

Circa quam dicit quod non poterit convenienter assignari quomodo aliquid moveatur secundum locum, si materia et forma sint locus. Impossibile est enim assignare locum in iis quae non moventur sursum vel deorsum, vel quocumque aliter secundum locum: unde in illis quaerendus est locus, quae secundum locum moventur. Sed si in ipso, quod

(1) *Lege* hujusmodi.

movetur, est locus quasi aliquid ei intrinsecum (quod oportet dicere si materia vel forma sit locus), sequitur quod locus erit in loco: quia omne quod transmutatur secundum locum est in loco. Sed ea quae sunt in re, ut species et infinitum, idest materia, moventur simul cum re: quia non semper sunt in eodem loco, sed sunt ubi est res: ergo oportet quod materia et forma sint in loco. Si igitur alterum eorum sit locus, sequitur quod locus sit in loco, quod inconveniens est.

Quintam rationem ponit ibi « amplius cum »

Quae talis est. Quandocumque aliquid corrumpitur, corrumpuntur aliquo modo partes speciei ipsius:

materia autem et forma sunt partes speciei: ergo corrupta re, ad minus per accidens, forma et materia corrumpuntur: si igitur materia et forma sit locus, sequitur quod locus corrumpatur, si locus pertinet ad speciem: quia corpus quod generatur non esset in eodem loco, si locus aëris pertineret ad speciem ejus, sicut cum aqua generatur ex aëre. Sed non est assignare qualiter locus corrumpatur: ergo non potest dici, quod materia vel forma sit locus. Ultimo autem epilogat quod dictum est, per quae videtur necessarium esse quod sit locus: et per quae aliquis potest dubitare de substantia ejus.

LECTIO IV.

Quot modis quippiam in aliquo esse dicatur inducens, ut prius dubitata de loco dissolvat, an aliquid in seipso esse dicatur, et quomodo dilucidat.

ANTIQUA.

Post haec autem accipiendum est quot modis aliud in alio dicitur. Uno quidem igitur modo sicut digitus in manu, et omnino pars in toto est. Alio vero, sicut totum in partibus, non enim praeter partes est totum. Alio modo sicut homo in animali, et omnino species in genere; alio vero, sicut genus in specie, et omnino pars speciei in speciei ratione. Adhuc sicut sanitas in calidis et frigidis et omnino species in materia. Adhuc, sicut in rege, quae sunt graecorum: et omnino motum in primo motivo. Amplius, sicut in optimo, et omnino in fine; hoc autem est, cujus causa fit. Omnium autem maxime proprium est, sicut in vase, et omnino in loco.

Dubitabit autem aliquis, utrum unum et idem aliquid esse in seipso contingit, aut nihil: sed omnia, aut nusquam, aut in alio esse?

Dupliciter autem hoc est; aut secundum se, aut secundum alterum. Cum enim sint partes totius, et id in quo, et id, quod in hoc dicetur totum in seipso esse. Dicitur autem et secundum partes, ut album, quia superficies, et sciens, quia ratiocinativum. Amphora quidem igitur, non erit in seipsa, neque vinum, vini autem amphora erit. Quod namque est, et in quo est, utraque ejusdem partes sunt. Sic quidem igitur contingit, idem aliquid esse in seipso.

Primum autem non contingit, ut album in corpore: superficies enim in corpore, scientia autem in anima. Secundum haec autem sunt appellationes, cum sicut partes sint in homine. Amphora autem, et vinum, cum seorsum sint, non partes sunt. Simul autem cum sint partes, erit idem in seipso, ut album in homine, quoniam in corpore, et in hoc, quantum in superficie. In hoc autem, non amplius, quoniam secundum aliud est. Et altera specie haec sunt, et alteram naturam habet unumquodque, ut superficies et album.

Neque igitur inductivo considerantibus, nihil in seipso videmus secundum aliquem determinatorum modorum.

Et ratione manifestum est, quia impossibile est; oportet enim utraque utrumque esse (ut amphoram, vas, et vinum esse: vinum autem, vinum et amphoram) si vere primo contingit, quippiam in seipso esse. Quare, siquidem maxime in alterutris esset, amphora quidem acciperet vinum, non secundum quod vinum, sed inquantum illa; et vinum inerit in amphora, non inquantum amphora ipsa, sed secundum quod illud amphora. Secundum esse quidem igitur quod alterum sit, manifestum est: alia namque est ratio ejus quod in quo et alia illius, quod in hoc est.

At vero neque secundum accidens contingit: simul enim duo corpora in eodem erunt: nam ipsa amphora in seipsa erit, si cujus natura receptiva est, hoc contingit in seipso esse: et adhuc illud cujus receptivum est, ut si vini vinum. Quod quidem igitur impossibile sit aliquid in seipso esse primo, manifestum est.

RECENS.

Post haec sumendum est quot modis aliud esse dicatur in alio. Uno igitur modo, ut digitus in manu, et omnino pars in toto; alio modo, ut totum in partibus: non enim totum est extra partes; alio modo, ut homo in animali, et omnino ut species in genere; alio, ut genus in specie, et omnino pars speciei in definitione speciei. Praeterea, ut sanitas in calidis et frigidis, et omnino forma in materia. Praeterea ut in rege res graecorum, et omnino quod est in primo motore. Praeterea ut in bono, et omnino in fine: hoc autem est id cujus gratia. Omnium autem maxime proprie dicitur, quod est ut in vase, et omnino quod est in loco.

Jam vero dubitare quis possit, utrum aliquid possit esse ipsum in semetipso, an nihil, sed omnia vel nusquam sint, vel in alio. Hoc autem bifariam est; nempe vel per se, vel per aliud. Quum enim totius partes sunt, et id in quo inest et id quod in illo inest; tunc dicetur totum esse in se ipso; nam et ratione partium dicitur: utputa albus, quia superficies est alba; et homo sciens, quia facultas ratiocinandi est sciens. Ergo nec vas erit in se ipso, nec vinum, sed vini vas erit: quod enim inest, et id in quo inest, ambo sunt ejusdem partes.

Sic igitur fieri potest ut idem aliquid sit in se ipso; Primo autem non potest, ut album in corpore: quia superficies est in corpore, scientia vero est in anima; ex his autem, quum sint partes, appellationes sumuntur, ut in homine certe; sed amphora et vinum, quum sunt seorsum, non sunt partes, sed simul tamen: idcirco, quando sunt partes, erit idem in se ipso: ut album in homine, quia est in corpore: et in hoc, quia est in superficie: verum in hac non amplius per aliud; atque haec diversa sunt specie, aliamque naturam et vim utrumque habet, superficies et albor.

Si igitur per inductionem consideremus, nihil videmus esse in se ipso secundum ullam definitionem. Et ratione patet hoc esse impossibile; oportebit enim utrumque ambo esse: utputa, amphoram esse et vas et vinum, ac vinum esse et vinum et amphoram: si quidem aliquid potest ipsum esse in se ipso. Quocirca si quammaxime in se invicem sint; tamen amphora recipiet vinum, non quatenus ipsa est vinum, sed quatenus illud est vinum; vinum autem inerit in amphora, non quatenus ipsum est amphora, sed quatenus est amphora. Secundum essentiam igitur haec differre patet: alia namque est definitio ejus in quo est, et ejus quod in illo est.

Quinimo nec ex accidenti esse potest: simul enim duo corpora in eodem inerunt; nam et ipsa amphora in se ipsa erit, si id cujus natura est ad suscipiendum apta, potest in se ipso esse: et insuper in eodem erit id cujus suscipiendi vim habet, ut vinum, si vini suscipiendi vim habet. Impossibile igitur esse ut aliquid sit primo in se ipso: manifestum est.

Quod autem Zeno opposuit, quia, si locus est aliquid, in aliquo erit, solvere non est difficile. Nihil enim prohibet in alio esse primum locum, non tamen in illo, sicut in loco, sed sicut sanitas quidem in calidis, ut habitus, calor autem in corpore, sicut passio est; quare non necesse est in infinitum abire.

Illud autem manifestum, quoniam nihil est vas ejus quod est in seipso (alterum enim est primo, et quod est, et in quo est): propter quod, non erit utique, neque materia, neque forma locus, sed alterum; illius enim aliquid haec sunt et materia et forma. Haec quidem igitur sunt opposita.

Quod autem Zeno dubitabat, quia si locus est aliquid, erit in aliquo, solvere non est difficile: nihil enim vetat, primum locum esse quidem in alio; non tamen esse in illo ut in loco, sed quemadmodum sanitas est in calidis, ut habitus; calidum autem in corpore, ut affectio: quare non est necesse in infinitum abire.

Sed illud perspicuum est, quia vas non est ulla pars ejus quod in ipso est (nam quod primo inest, et in quo inest diversa sunt), locum nec posse esse materiam, nec formam, sed diversum quidpiam: nam haec sunt aliquid ejus quod inest, tam materia quam forma. De his igitur dubitatum esto.

Postquam Philosophus inquisivit disputative an locus sit, et quid sit, hic accedit ad determinandum veritatem. Et primo praemittit quaedam, quae sunt necessaria ad considerationem veritatis. Secundo determinat veritatem, ibi, « Quid autem forte. » Circa primum tria facit. Primo ostendit quot modis dicitur aliquid esse in aliquo. Secundo inquirit, utrum aliquid possit esse in seipso, ibi, « Dubitabit autem « aliquis. » Tertio solvit quaedam prius dubitata, ibi, « Quod autem Zeno opposuit. » Ponit ergo octo modos quibus aliquid in aliquo dicitur esse: quorum primus est, sicut digitus dicitur esse in manu, et universaliter quaecumque alia pars in suo toto. Secundus modus est, prout totum dicitur esse in partibus. Et, quia iste modus non est adeo consuetus sicut primus, ad ejus manifestationem subjungit quod totum non est praeter partes, et sic oportet ut intelligatur esse in partibus. Tertius modus est, sicut homo dicitur esse in animali, vel quaecumque alia species in suo genere. Quartus modus est, sicut genus dicitur esse in speciebus. Et ne iste modus extraneus videatur, rationem innuit quare hoc dicit: nam genus est pars definitionis speciei, et etiam differentia: unde quodammodo et genus et differentia dicuntur esse in specie, sicut partes in toto. Quintus modus est, sicut sanitas dicitur esse in calidis et in frigidis, quorum contemperantia constituit sanitatem: et universaliter quaecumque alia forma in materia vel subjecto, sive sit accidentalis, sive substantialis. Sextus modus, sicut res graecorum dicuntur esse in rege Graeciae, et universaliter omne quod movetur, est in primo motivo. Per hunc etiam modum dicere possum aliquid esse in me, quia est in potestate mea ut faciam illud. Septimo modo dicitur aliquid esse in aliquo, sicut in quodam optimo diligibili, et universaliter sicut in fine. Et per hunc modum dicitur esse cor alicujus in aliqua re, quam desiderat et amat. Octavo modo dicitur esse aliquid in aliquo, sicut in vase, et universaliter sicut locatum in loco. Videtur autem praetermittere modum quo aliquid est in aliquo sicut in tempore: sed hic reducitur in hunc octavum modum: nam sicut locus est mensura mobilis, ita tempus est mensura motus. Dicit autem, quod secundum hunc octavum modum maxime proprie dicitur esse aliquid in aliquo: unde oportet secundum regulam quam tradidit in quarto et quinto Metaphysicae, quod omnes alii modi reducantur aliquo modo ad hunc modum, quo aliquid est in aliquo sicut in loco. Quod sic patet. Locatum enim continetur sive includitur in loco, et in eo habet quietem et fixionem. Propinquissime igitur per hunc modum, pars dicitur esse in toto integrali, in quo actu includitur: unde etiam infra dicetur

quod locatum est in loco, sicut pars separata: et pars est sicut quoddam locatum conjunctum. Totum autem, quod est secundum rationem, ad similitudinem hujus totius sumitur: unde consequenter dicitur id quod est in ratione alicujus esse in eo, ut animal in homine. Contingit autem sicut partem totius integralis includi in toto secundum actum, ita partem totius universalis includi in toto secundum potentiam; nam genus ad plura se extendit in potentia quam species, licet species habeat plura in actu: unde consequenter dicitur esse etiam species in genere. Et, quia sicut species continetur in potentia generis, ita forma in potentia materiae: ulterius dicetur forma esse in materia. Et, quia totum habet rationem formae respectu partium, ut dictum est in secundo, consequenter etiam totum dicitur esse in partibus. Sicut autem forma includitur sub potentia passiva materiae, ita effectus includitur sub potentia activa agentis, unde et dicitur aliquid esse in primo motivo. Deinde autem manifestum est quod appetitus quiescit in bono desiderato et amato, et in eo figitur sicut et locatum in loco: unde etiam dicitur affectus amantis inesse amato. Et sic patet quod omnes alii modi derivantur ab ultimo, qui est maxime proprius.

Secundo ibi « dubitabit autem »

Inquirit, utrum aliquid possit esse in seipso: nam Anaxagoras supra dixit infinitum esse in seipso. Primo ergo movet dubitationem, utrum scilicet aliquod unum et idem possit esse in seipso, vel nihil: sed omnia, vel nusquam sint, vel sint in aliquo alio?

Secundo ibi « dupliciter autem »

Solvit: et primo ostendit quomodo possit esse aliquid in seipso; secundo quomodo non possit, ibi, « Primum autem non convenit. » Dicit ergo primo, quod dupliciter potest intelligi aliquid esse in seipso: uno modo primo et per se, alio modo secundum alterum, idest secundum partem; et isto secundo modo potest dici aliquid esse in seipso. Cum enim alicujus totius duae partes ita se habeant, quod una sit in quo est aliquid, et alia sit quod est in illa, sequitur quod totum dicatur et in quo est, ratione unius partis; et quod est in hoc, ratione alterius; et sic totum dicetur esse in seipso. Invenimus enim quod aliquid dicitur de aliquo secundum partem, sicut aliquis dicitur albus quia superficies ejus est alba: et homo dicitur sciens, quia scientia est in parte ratiocinativa. Si igitur accipiatur amphora plena vino, sicut quoddam totum, cujus partes sunt amphora et vinum; neutra partium ejus erit in seipsa, idest neque amphora neque vinum; sed hoc totum, scilicet amphora vini, erit in seipsa, inquantum utrumque est pars ejus, scilicet et vinum, quod est in amphora, et ampliora in qua est vinum. Per hunc igitur modum contingit aliquod idem esse in seipso.

Secundo ibi « primum autem »

Ostendit quod non contingit aliquid esse primo in seipso. Et primo proponit quod intendit, distinguens utrumque modum, quo aliquid est in seipso, et quo non est. Secundo probat propositum, ibi, « Neque enim inductive considerantibus. » Dicit ergo, quod non contingit aliquid esse primo in seipso: et manifestat quid sit aliquid esse primo in seipso per oppositum: album enim dicitur esse in corpore, quia superficies est in corpore; unde non est primo in corpore, sed in superficie. Et similiter scientia primo dicitur esse in anima, non autem in homine, in quo est per animam. Et secundum haec, scilicet secundum animam et superficiem, sunt appellationes, quibus nominatur homo albus vel sciens, cum anima et superficies sint sicut partes in homine: non quod superficies sit pars, sed quia se habet ad modum partis, inquantum est aliquid hominis, ut terminus corporis. Si autem accipiatur vinum et amphora seorsum abinvicem, non sunt partes; unde neutri competit esse in seipso. Sed, cum simul sunt, utpote cum amphora est plena vino, propter hoc quod amphora et vinum sunt partes, idem erit in seipso, ut expositum est, non primo, sed per partes: sicut album non primo est in homine, sed per corpus, et in corpore per superficiem. In superficie autem non est per aliquid aliud: unde primo dicitur esse in superficie. Nec est idem id in quo est aliquid primo, et quod est in eo, sicut album et superficies; quia altera sunt secundum speciem superficies et album, et alia est natura et potentia utriusque.

Secundo ibi « neque igitur »

Ostensa differentia inter hoc quod est esse primo in aliquo, et non primo, ostendit jam quod nihil est primo in seipso. Et primo ostendit quod non sit aliquid primo in seipso per se. Secundo, quod non sit aliquid primo in seipso per accidens, ibi, « At vero neque secundum accidens etc. » Primum ostendit dupliciter: scilicet inductive, et ratione. Dicit ergo primo, quod considerando per inductionem in singulis modis supra determinatis, quibus dicitur aliquid esse in aliquo, apparet, quod nihil est in seipso primo et per se. Neque enim aliquid est totum suiipsius, neque pars, neque genus, et sic de aliis. Ponit autem hoc concludendo ex praemissis: quia sicut manifestum est in albo et in superficie, quae se habent ut forma et materia, quod sunt aliud secundum speciem et virtutem, ita etiam potest in omnibus aliis modis considerari.

Secundo ibi « et ratione »

Probat idem ratione: et dicit manifestum esse per rationem, quod impossibile est aliquid esse primo et per se in seipso. Si enim aliquid primo et per se sit in seipso, oportet quod eidem et secundum idem conveniat ratio ejusdem in quo est aliquid, et ratio ejus quod est in eo: unde oportet quod utrumque, scilicet tam continens quam contentum, sit utrumque: utputa quod amphora sit vas et vinum, et vinum sit vinum et amphora, si primo et per se convenit aliquid esse in seipso. Unde hoc posito, scilicet quod vinum sit amphora et vinum, et amphora sit vinum et amphora, siquis dicat quod alterum eorum sit in altero, ut puta vinum in amphora, sequitur quod vinum recipiatur in

amphora, non inquantum vinum est, sed inquantum vinum est illa, scilicet amphora. Quare, si esse in amphora primo et per se convenit amphorae (ex eo quod ponitur aliquod primo et per se in seipso esse), sequitur quod nihil possit dici esse in amphora, nisi inquantum ipsum est amphora. Et sic si vinum dicatur esse in amphora, sequitur quod esse in amphora competit vino, non secundum quod vinum est vinum, sed secundum quod vinum est amphora. Et eadem ratione, si amphora recipiat vinum, recipiet ipsum non inquantum amphora est amphora, sed inquantum amphora est vinum: hoc autem est inconveniens: unde manifestum est, quod secundum alteram rationem est id in quo, et quod in hoc. Alia est enim ratio ejus quod est in aliquo, et ejus in quo est aliquid. Non potest ergo per se et primo aliquid esse in seipso.

Deinde cum dicit « at vero »

Ostendit quod non sit aliquid primo in seipso, etiam secundum accidens. Dicitur enim aliquid esse in aliquo secundum accidens, quando est in eo propter aliquid aliud in eo existens: ut si dicamus hominem esse in mari, quia est in navi, quae est in mari: in hac tamen primo dicitur esse, idest non propter partem. Si igitur contingat aliquid esse in seipso primo, non per se quidem, sed per accidens; sequitur quod sit in seipso propter hoc quod aliquid aliud sit in ipso; et sic sequitur, quod duo corpora sint in eodem; scilicet illud corpus, quod est in eo, et ipsummet, quod est in seipso. Sic enim amphora erit in seipsa per accidens, si ipsa amphora, cujus natura est ut recipiat aliquid, sit in seipsa; et iterum illud, cujus est receptivum, scilicet vinum: ergo in amphora, erit amphora et vinum, si propter hoc quod vinum est in amphora, sequitur, amphoram esse in seipsa: et sic duo corpora essent in eodem. Sic igitur patet quod impossibile est aliquid esse primo in seipso. Sciendum tamen quod aliquando dicitur aliquid esse in seipso, non secundum intellectum affirmativum, sicut hic reprobat Philosophus, sed secundum intellectum negativum, prout esse in seipso non significat nisi non esse in alio.

Deinde cum dicit « quod autem »

Solvit quaedam dubitata. Et primo removet rationem Zenonis, quae inducebatur ad probandum quod locus non sit, per hoc, quia si est, oportet quod sit in alio, et sic itur in infinitum. Sed hoc, ut dicit, non est difficile solvere, postquam jam sunt distincti modi, quibus aliquid dicitur esse in aliquo: nihil enim prohibet dicere, quod locus est in aliquo, non tamen est in illo sicut in loco, sed per quemdam alium modum, sicut forma est in materia, vel accidens in subjecto: inquantum scilicet locus est terminus continentis. Et hoc est quod subdit, « sicut sanitas est in calidis, ut habitus: « et calor in corpore, ut passio » vel accidens: unde non necesse est, quod procedatur in infinitum.

Secundo ibi « illud autem »

Solvit etiam dubitationes supra positas de quidditate loci, an scilicet sit forma vel materia, ex hoc quod ostensum est, quod nihil primo et per se est in se ipso: ex hoc enim manifestum est, quod nihil potest esse sicut vas, vel locus ejus, quod continetur in ipso, sicut pars, quae sit materia vel forma: oportet enim primo et per se alterum esse, quod est in aliquo, et in quo est aliquid, ut ostensum est. Unde sequitur, quod neque forma neque materia sit locus, sed aliquid alterum a locato, sit locus: materia enim et forma sunt aliquid locati, sicut partes intrinsecae ejus. Ultimo autem concludit, quod supradicta per modum oppositionis dicta

sunt de loco: quarum quidem oppositionum aliquae jam solutae sunt, aliquae vero solventur post manifestatam naturam loci.

LECTIO V.

Quarumdam suppositionum intellectus praemittitur, ad assignandam definitionem loci necessarius.

Quid autem tandem sit locus. Hic fiet utique manifestum. Accipiamus autem de ipso quaecumque videntur vere secundum se inesse ipsi. Dignum est igitur, locum esse primum, quod continet illud cujus locus est. et nihil esse rei. Amplius, primum locum neque majorem neque minorem esse. Adhuc autem, neque deficere unicuique. et separabilem esse. Adhuc autem, omnem locum habere sursum et deorsum: et ferri natura, et manere unumquodque corporum in propriis locis: hoc autem facere aut sursum aut deorsum. Suppositis autem his, reliqua consideranda.

Oportet autem tentare intentionem sic facere: ut quid sit reddatur, et quaeque opposita solvantur, et quae videntur loco inesse insint. Et amplius, difficultatis, et oppositorum causa circa locum manifesta erit: sic enim utique pulcherrime demonstratur unumquodque.

Primum quidem igitur oportet intelligere quod non quaereretur locus nisi motus aliquis esset secundum locum. Propter hoc enim caelum maxime in loco esse opinantur, quod semper in motu est. Hujusmodi autem, aliud quidem est loci mutatio, aliud vero augmentum et decrementum. Et namque in augmento et decremento transmutatur, et quod prius erat hic, iterum transmutatum est in majus aut minus.

Est autem quod movetur, aliud quidem per seipsum actu, aliud vero secundum accidens. Ipsius autem quod secundum accidens, alia quidem possibilia sunt moveri per se. ut partes corporis, et in navi clavus: alia vero non possunt, sed semper secundum accidens, ut albedo et scientia: haec enim sic transmutant locum, quia id in quo sunt, transmutatur.

Quoniam autem dicimus esse in caelo, sicut in loco, quia in aere, hic autem in caelo est, et in aere autem non omni, sed propter ultimum ipsius et continens, in aere esse dicimus: si enim omnis aer sit locus, non aequalis erit uniuscujusque locus, et unumquodque locatum. Videtur autem hujusmodi primum in quo est.

Cum quidem igitur non divisum sit continens, sed continuum, non dicimus esse in illo, sicut in loco, sed sicut pars in toto. Cum vero divisum sit et contactum, in primo quodam est ultimo continentis, quod neque pars est ipsius quod est in ipso, neque majus distantia, sed aequale. In eodem enim sunt ultima se tangentium.

Et cum continuum quidem sit, non in illo movetur, sed cum illo: divisum autem in illo: et sive moveatur continens, sive non, nihil minus.

Amplius cum non divisum sit, sicut pars in toto dicitur: ut sicut in oculo visus, et in corpore manus: cum autem divisum est, ut in cado aqua, et in scypho vinum: manus enim cum corpore movetur, aqua autem in cado.

Sed quid tandem sit locus, ita perspicuum fieri potest. De eo autem accipiamus, quaecumque videntur vere ipsi per se inesse. Censemus igitur locum esse primo id quod continet illud cujus est locus, nec esse aliquid ejus rei quam continet. Praeterea primum locum nec esse minorem nec majorem re locata. Praeterea, destitui quaque re et esse separabile. Ad haec, omnem locum habere partem superam et inferam; et singula corpora natura ferri, ac manere in propriis locis: hoc autem facere aut supra, aut infra.

His suppositis, reliqua sunt dispicienda. Conari autem oportet considerationem ita instituere, quatenus quid s't explicetur: adeo ut et ea de quibus dubitatur, solvantur, et quae videntur loco inesse, maneant: et praeterea causa difficultatis, atque eorum quae de ipso dubitantur, perspicua fiat. Sic enim pulcherrime unumquodque monstrabitur.

Primum itaque oportet intelligere, non futuram fuisse loci inquisitionem, nisi motus aliquis esset, qui in loco spectaretur. Idcirco et caelum maxime putamus esse in loco, quia semper est in motu. Hic vero partim est latio, partim accretio et deminutio nam et in accretione et deminutione fit mutatio: et quod prius hic erat, rursus translatum est in minus aut majus. Quod autem movetur, partim est per se actu, partim ex accidenti. Quod autem est ex accidenti, partim potest moveri per se, ut partes corporis, et clavus qui est in navi: alia non possunt per se moveri, sed semper moventur ex accidenti, ut albor, et scientia: haec enim sic mutant locum, quia id in quo insunt, mutat.

Quia vero dicimus esse in caelo ut in loco, quia est in aere, hic autem est in caelo: sed et in aere esse dicimus, id est, non in toto; sed propter ejus extremum et continens in aere esse dicimus: nam si universus aer esset locus, certe non esset aequalis cujusque rei locus et res ipsa: sed videtur aequalis esse. Talis autem est primus locus, in quo res est.

Quum igitur id quod continet, non est divisum, sed continuum; tunc dicitur in illo esse, non ut in loco, sed ut pars in toto Quum autem est divisum, ac tangit; tunc est in aliquo primo, quod est extremum continentis; et neque est pars ejus quod in ipso est, neque majus intervallo, sed aequale: quoniam in eodem sunt extremitates eorum quae se tangunt. Et id quidem quod est continuum, non in illo movetur, sed cum illo: quod autem est divisum, in illo: et sive continens moveatur, sive minime, nihilominus ipsum movetur. Praeterea quum non est divisum, dicitur esse ut pars in toto: veluti in oculo aspectus aut in corpore manus. Quum autem est divisum, dicitur esse ut in loco, velut in cado aqua, aut in dolio vinum: etenim manus cum corpore movetur: aqua vero in cado.

Praemissa disputatione de loco an sit, et quid sit, et solutis quibusdam dubitationibus, hic accedit ad determinandum veritatem de loco: et primo praemittit quasdam suppositiones, quibus utetur determinando de loco. Secundo ostendit qualis debeat esse definitio danda de loco, ibi, « Oportet autem « tentare etc. » Tertio incipit determinare de loco, ibi, « Primum quidem igitur. » Dicit ergo primo, quod manifestum fiet ex sequentibus, quid sit locus:

sed oportet prius accipere quasi quasdam suppositiones et principia per se nota, illa scilicet quae videntur per se inesse loco: quae quidem sunt quatuor, omnes enim reputant hoc esse dignum. Primo quidem, quod locus contineat id cujus est locus: ita tamen quod locus non sit aliquid locati. Quod quidem dicit ad excludendum continentiam formae, quae est aliquid rei, et alio modo continet quam locus. Secunda suppositio est, quod primus locus, idest, in quo aliquid primo est, est aequalis locato, non major, neque minor. Tertia suppositio est, quod locus non deficit unicuique locato, quin omne locatum habeat locum: non tamen ita, quod unus et idem locus nunquam deficiat eidem locato: quia locus est separabilis a locato; sed, quando locus unus deficit alicui locato, tunc locatum sit in alio loco. Quarta suppositio est, quod in omni loco invenitur quaedam differentia loci sursum et deorsum, et quod naturaliter unumquodque corpus, cum est extra proprium locum, fertur ad ipsum: et cum est in eo, manet in ipso. Propria autem loca naturalium corporum sunt sursum et deorsum, ad quae naturaliter moventur, et in quibus manent. Sed hoc dicit secundum eorum opinionem, qui non ponebant aliquod corpus, praeter naturam quatuor elementorum: nondum enim probaverat corpus caeleste esse neque grave neque leve, sed postea probabit hoc in primo libro de Caelo. Ex his autem nunc suppositis procedetur ad considerationem aliorum.

Secundo ibi « oportet autem »

Ostendit qualis debeat esse definitio danda de loco: et dicit, quod in definiendo locum, intentio nostra debet ad quatuor attendere, quae quidem necessaria sunt ad definitionem perfectam. Primo quidem, ut ostendatur quid sit locus: nam definitio est oratio indicans quid est res. Secundo, ut solvantur quaecumque opposita sunt circa locum; nam cognitio veritatis est solutio dubitatorum. Tertium est, quod ex definitione data manifestentur proprietates loci, quae insunt ei: quia definitio est medium in demonstratione, qua propria accidentia demonstratur de subjectis. Quartum est, quod ex definitione loci erit manifesta causa, quare aliqui antiqui discordaverunt circa locum, et omnium quae sunt opposita circa ipsum. Et sic pulcherrime definitur unumquodque.

Tertio ibi « primum quidem »

Determinat de loco. Et primo ostendit quid sit locus. Secundo solvit dubitationes prius positas, ibi, « Manifestum autem ex his etc. » Tertio assignat causam naturalium proprietatum loci, ibi, « Et fertur igitur in sui ipsius. » Circa primum duo facit. Primo ostendit quid sit locus. Secundo, quomodo aliquid sit in loco, ibi, « Cui quidem igitur. » Circa primum duo facit. Primo praemittit quaedam, quae sunt necessaria ad investigandum definitionem loci. Secundo incipit determinare loci definitionem, ibi, « Jam igitur manifestum est. » Circa primum quatuor praemittit: quorum primum est, quod nunquam fuisset inquisitum de loco, nisi esset aliquis motus secundum locum: ex hoc enim necesse fuit ponere locum aliud a locato, quia inveniuntur in eodem loco successive duo corpora: et similiter unum corpus in duobus locis; sicut etiam transmutatio formarum circa unam materiam induxit in cognitionem materiae. Et propter hoc, maxime opinantur aliqui, quod caelum sit in loco, quia semper movetur. Sed motus aliquis est secundum locum per se, scilicet loci mutatio: alius autem ex consequenti, scilicet augmentum et decrementum (quia augmentata quantitate, vel diminuta, corpus accipit majorem vel minorem locum).

Secundum ponit ibi « est autem »

Et dicit, quod aliquid movetur per se in actu, sicut quodcumque corpus: aliud vero secundum accidens: quod quidem contingit dupliciter. Quae-

dam enim moventur secundum accidens, quae tamen sunt possibilia moveri per se; sicut partes alicujus corporis, dum sunt in toto, moventur per accidens, sed quando separantur, moventur per se: ut clavus, quando est infixus navi, movetur per accidens, sed quando extrahitur, movetur per se. Quaedam vero non possunt moveri per se, sed semper moventur per accidens; sicut albedo, et scientia, quae mutant locum, inquantum mutatur illud in quo sunt. Hoc autem induxit, quia hoc modo aliquid per se vel per accidens, actu vel potentia natum est esse in loco, sicut et moveri.

Tertium ponit ibi « quoniam autem »

Et dicit, quod aliquis dicitur esse in caelo sicut in loco, propter hoc quod est in aere, qui quidem est in caelo. Nec tamen dicimus quod in toto aere, sit aliquis primo et per se, sed propter ultimam extremitatem aeris, quae continet aliquem, dicitur aliquis esse in aere: quia, si totus aer esset locus alicujus, puta hominis, non esset aequalis locus et locatum: quod est contra suppositionem prius positam. Sed in quo est aliquid primo, videtur esse extremum corporis continentis, et sic est hujus (1), scilicet aequale.

Quartum ponit ibi « cum quidem »

Et primo ponit. Secundo probat, ibi, « Et cum « continuum. » Dicit ergo primo, quod cum continens non est divisum a corpore contento, sed est ei continuum, non dicitur esse in illo sicut in loco, sed sicut pars in toto; utpote, si dicamus unam partem aeris contineri a toto aere. Et hoc concludit ex praemissis, quia ubi est continuum, ibi non est accipere ultimum in actu: quod supra dixit requiri ad locum. Sed, cum continens est divisum et contiguum contento, tunc contentum, scilicet est in loco, existens in ultimo continentis primo et per se: illud, inquam, continens, quod non est pars ejus, neque est majus neque minus secundum divisionem, sed aequale. Et quo modo possunt esse continens et contentum aequalia, ostendit per hoc, quod ultima contingentium se, sunt simul: unde oportet eorum ultima esse aequalia.

Secundo ibi « et cum »

Probat istud quartum duabus rationibus: quarum prima est, quod contentum, continuum continenti, non movetur in continente, sed simul cum illo, sicut pars simul cum toto: sed quando est divisum contentum a continente, tunc potest moveri in illo, sive continens moveatur, sive non, homo enim movetur in navi vel quiescente, vel mota. Cum ergo aliquid moveatur in loco, sequitur quod locus sit continens divisum.

Secundam rationem ponit ibi « amplius cum »

Et dicit quod, cum contentum non sit divisum a continente, sed continuum ei, tunc dicitur esse in eo, sicut pars in toto; ut visus est sicut pars formalis in oculo, et manus sicut pars organica in corpore: sed, cum divisum est contentum a continente, tunc dicitur esse in eo, ut in vase, sicut aqua in cado, et vinum in scypho: quorum haec est differentia: quod manus movetur cum corpore, sed non in corpore: sed aqua movetur in cado. Cum igitur supra dictum sit, quod esse in loco est sicut esse in vase, non autem sicut pars in toto; sequitur quod locus sit, sicut continens divisum.

(1) *Lege* hujusmodi.

LECTIO VI.

Diluuntur ex praemissis locum formam, seu spatium, aut materiam esse dicentes:
veraque ejus ac propria traditur definitio.

ANTIQUA.

Jam igitur manifestum ex his, quid est locus. Vere enim quatuor sunt, quorum necesse est locum unum aliquid esse. Aut enim forma, aut materia est, aut spatium aliquod medium extremorum, aut extrema, si non est spatium ullum praeter inexistentis corporis magnitudinem.

Horum autem quod non contingat tria esse, manifestum est.

Sed propter id quod continet, videtur forma esse: in eodem enim sunt extrema continentis et contenti.

Sunt quidem igitur utraque termini, sed non ejusdem; sed forma quidem rei, locus autem continentis corporis.

Sed ex eo quod mutatur multoties, manente continente, contentum et divisum, ut ex vase aquae: ipsum medium esse aliquod videtur spatium, tamquam aliquid sit praeter corpus, quod transfertur.

Hoc autem non est, sed contingens incidit corpus eorum quae transferuntur et quae se apta nata sunt contingere. Si autem aliquod esset spatium, aptum natum et manens in eodem loco, infiniti utique essent loci. Distante enim aere et aqua, idem facient omnes partes in toto, quod quidem omnis aqua in vase.

Simul autem erit et locus transmutatus: quare erit loci alius locus, et multi loci simul erunt. Non est autem alius locus partis, in quo movetur, cum totum vas transmutatur, sed idem: in quo enim est commutatur aer et aqua aut partes aquae. Sed non est in quo fiunt loco: qui pars est loci qui est locus totius caeli.

Et materia etiam videtur utique esse locus, si in quiescente aliquis consideret, et non in separato, sed continuo. Sicut enim, si alteratur, est hoc quidem nunc utique album, nunc autem nigrum: et nunc quidem durum, olim autem molle: (unde dicimus aliquid esse materiam) sic et locus per talem quamdam videtur esse phantasiam. Verum illud quidem, quoniam quod nunc est aqua, prius erat aer: locus autem, quia ubi nunc est aqua, ibi erat aer.

Sed materia quidem, sicut dictum est in prioribus, neque divisa est a re, neque continet rem: locus autem utraque.

Si igitur nihil horum trium locus est, neque forma, neque materia, neque spatium semper aliquid existens alterum praeter id quod est rei distantia, necesse est locum esse reliquum de quatuor, continentis scilicet terminum corporis. Dico autem contentum corpus, quod movetur secundum loci mutationem.

Videtur autem magnum aliquid et difficile accipi quid est locus: et propter hoc quod apparet esse materia et forma: et propter hoc quidem, quod in quiescente et continente fit transmutatio ejus quod fertur. Contingere autem videtur esse spatium medium aliud aliquid a motis magnitudinibus. Proficit autem aliquid, et aer apparens incorporeus esse: videtur enim non solum terminus vasis esse locus, sed et quod est medium tamquam vacuum.

Est autem sicut vas locus transmutabilis, sic locus vas immobile. Unde, cum quidem in eo quod movetur quippiam moveatur et mutetur, quod intus, ut in flumine navis, tamquam vase utitur magis quam loco continente. Vult autem immobilis locus esse: unde totus fluvius magis locus est, quia immobilis totus est.

Quare terminus continentis immobilis primus locus est.

Et propter hoc, medium caeli, et ultimum ad nos circularis loci mutationis videtur esse, hoc quidem sursum, illud vero deorsum, maxime omnibus proprie: quia hoc quidem semper manet, circulorum autem ultimum, similiter se habens, manet. Quare, quoniam quod leve quidem sursum fertur natura, quod vero grave deorsum: quod quidem est ad medium continens, deorsum est, et ipsum medium: quod vero ad ultimum sursum est, et ipsum ultimum.

Et propter hoc, planum videtur esse quoddam: et sicut vas locus, et continens.

Amplius simul cum re quodammodo locus est: simul enim finis est, et locus.

RECENS.

Jam vero ex his perspicuum est, quid sit locus. Fere enim quatuor sunt, ad quorum unum necesse est locum referri; aut enim est forma, aut materia, aut intervallum quoddam, quod est extremis interjectum, aut extrema, si nullum est intervallum praeter magnitudinem corporis quod inest Horum autem tria esse non posse, perspicuum est. Verum, quia continet, videtur esse forma; in eodem enim sunt extremitates ejus quod continet, et ejus quod continetur. Sane ambo sunt termini, non tamen ejusdem: sed forma est terminus rei; locus autem, corporis continentis.

Quia vero id quod continetur ac divisum est, eo quod continet manente, mutatur saepe, ut ex vase aqua; idcirco quod est interjectum, videtur esse aliquod intervallum, quasi quippiam sit praeter corpus quod transfertur. Quod non ita est: sed incidit quodvis corpus eorum quae transferuntur, et sua natura tangere possunt.

Ceterum si intervallum esset aliquid quod sua natura esset, ac maneret eodem in loco; infiniti essent loci; translatis enim aqua et aere, idem facient omnes partes in toto, quod universa aqua facit in vase. Item locus mutabitur; quapropter erit etiam loci alius locus: et multi loci simul erunt. Non est autem alius locus partis in quo movetur, quum totum vas transfertur, sed idem manet; nam in quo sunt, in eo vicissim transferuntur aer et partes aquae, sed non in eo loco in quem transeunt: qui scilicet est pars loci qui est locus totius caeli.

Sed et materia videri potest esse locus, si quis consideret in eo quod quiescit, nec est separatum sed continuum; quemadmodum enim si variatur, est aliquid quod nunc est album olim erit nigrum; et nunc est durum, olim erat molle: unde dicimus materiam esse aliquid: ita et locus videtur esse aliquid, quia ejusmodi quamdam speciem prae se fert. Verum illud ideo dicitur: quia quod erat aer, nunc est aqua; locus autem, quia ubi erat aer, ibi nunc est aqua. Sed materia quidem, ut in superioribus dictum fuit, neque separabilis est a re, neque continet: quum utrumque loco conveniat.

Si igitur locus non est ullum ex his tribus; hoc est, neque forma, neque materia, neque intervallum, quod semper diversum quidpiam sit praeter rem quae transfertur: necesse est locum esse id quod ex illis quatuor est reliquum, nempe terminus corporis continentis. Corpus autem contentum appello, quod est latione mobile.

Jam vero magnum quiddam ac difficile esse videtur, sumere quid sit locus: quum quia materiae et formae speciem refert tum etiam quia in eo quod continet, quiescente, fit translatio ejus quod fertur; videtur enim esse possae intervallum quoddam interjectum, diversum a magnitudinibus quae moventur. Confert etiam aliquid aer, qui videtur esse incorporeus; nam locus videtur esse non solum extremitates vasis, sed etiam quod est interjectum quasi inane.

Porro sicut vas est locus qui transferri potest, ita locus est vas immobile: idcirco quando in re mota aliquid movetur et quod intus est, mutat locum, veluti in flumine navigium, eo utitur quod continet, potius ut vase, quam ut loco; locus autem debet esse quiddam immobile; quare universum flumen magis est locus: quia universum est immobile. Quocirca ejus quod continet, terminus immobilis primus, id ipsum est locus.

Ideoque medium caeli, et extremum circularis conversionis quod nos versus est, omnibus maxime proprie videtur esse, hoc quidem supra, illud autem infra: quoniam illud semper manet; circuli autem extremum semper eodem modo se habens manet. Quapropter quum leve id sit quod sursum natura fertur, grave autem quod deorsum; certe terminus qui medium versus continet, infra est; necnon et ipsum medium; qui vero extremum versus continet, supra est, necnon et ipsum extremum. Proinde locus videtur esse planum quiddam, et quasi vas, et rem locatam continens. Praeterea locus simul est cum re: quia termini simul sunt cum eo quod terminatur.

Praemissis his quae sunt necessaria ad investigandum definitionem loci, hic investigat loci definitionem; et circa hoc tria facit. Primo investigat particulas definitionis. Secundo concludit definitionem, ibi, « Quare terminus. » Tertio ostendit eam bene assignatam, ibi, « Et propter hoc medium. » Circa primum duo facit. Primo investigat genus loci. Secundo differentiam completivam definitionis ejus, ibi, « Videtur autem magnum aliquid. » Ad investigandum autem genus loci utitur divisione quadam: unde circa hoc tria facit. Primo proponit divisionem. Secundo excludit tria membra divisionis, ibi, « Horum autem quod non contingat. » Tertio concludit quartum, ibi, « Si igitur nihil horum. » Dicit ergo primo, quod jam ex praemissis potest esse manifestum quid sit locus. Videtur enim secundum ea quae consueverunt de loco dici, quod locus sit unum de quatuor, scilicet vel materia, vel forma, vel aliquod spatium inter extrema continentis; vel, si nullum spatium est inter extrema continentis, quod habeat aliquas dimensiones praeter magnitudinem corporis quod ponitur infra corpus continens, oportebit dicere quartum, scilicet quod extrema corporis continentis sit locus.

Secundo ibi « horum autem »

Excludit tria membra praedictae divisionis. Et primo proponit quod intendit, dicens, manifestum est per sequentia, quod non contingit locum esse aliquod horum trium.

Secundo prosequitur ibi « sed propter »

Et primo de forma, secundo de spatio, ibi, « Sed ex eo quod mutatur. » Tertio de materia, ibi, « Et materia autem videtur. » Circa primum duo facit. Primo ponit quare locus videatur esse forma; quia scilicet forma continet quod videtur esse proprium loci. Extrema vero corporis continentis et contenti, sunt simul, cum continens et contentum sint contigua adinvicem: et sic terminus continens qui est locus, non videtur separatus esse a termino corporis contenti: et sic videtur locus non differre a forma.

Secundo ibi « sunt quidem »

Ostendit quod forma non sit locus; quia quamvis locus et forma in hoc conveniant, quod uterque eorum est quidam terminus, non tamen unius et ejusdem; sed forma est terminus ejus cujus est forma; locus autem non est terminus corporis cujus est locus, sed corporis continentis ipsum: et licet sint simul termini continentis et contenti, non tamen sunt idem.

Deinde cum dicit « sed ex eo »

Prosequitur de spatio. Et primo ponit quare spatium videtur esse locus: secundo ostendit quod non sit locus, ibi, « Hoc autem non est. » Dicit ergo primo, quod, quia multoties mutatur corpus contentum a loco, et divisum ab eo, de loco in locum, et succedunt sibi corpora invicem in eodem loco, ita quod continens remanet immobile, eo modo quo aqua exit a vase; propter hoc videtur, quod locus sit aliquod spatium medium inter extremitates corporis continentis, ac si aliquid esset ibi praeter corpus, quod movetur de uno loco ad alium. Quia, si non esset aliud ibi praeter illud corpus, sequeretur quod vel locus non esset aliud a locato, vel quod id quod est medium inter extremitates continentis non posset esse locus. Sicut autem oportet locum esse aliquid praeter corpus contentum, ita videtur quod oporteat locum esse aliquid praeter

corpus continens, ex eo quod locus manet immobilis; corpus autem continens, et omne quod est in eo, contingit transmutari. Nihil autem aliud potest intelligi esse praeter corpus continens et contentum, nisi dimensiones spatii in nullo corpore existentes. Sic igitur ex hoc quod locus est immobilis, videtur quod spatium sit locus.

Secundo ibi « hoc autem »

Ostendit quod spatium non sit locus duabus rationibus. Circa quarum primam dicit, quod hoc non est verum, quod aliquid sit ibi infra extremitates corporis continentis, praeter corpus contentum, quod transfertur de loco in locum: sed infra illas extremitates corporis continentis, incidit aliquod corpus, quodcumque illud esse contingat: ita tamen, quod sit de numero corporum mobilium, et iterum de numero eorum quae sunt apta nata tangere corpus continens. Sed, si posset esse aliquod spatium continens medium praeter dimensiones corporis continentis, quod semper maneret in eodem loco, sequeretur hoc inconveniens, quod infinita loca simul essent: et hoc ideo, quia cum aqua et aer habeant proprias distantias; et quodlibet corpus, et quaelibet pars corporis, et omnes partes, idem facient in toto quod tota aqua facit in vase. Secundum vero eorum positionem, qui tenent sententiam de spatio, cum tota aqua est in vase, sunt ibi aliae dimensiones spatii praeter dimensiones aquae. Omnis autem pars continetur a toto, sicut locatum a vase: nec differt nisi solum quantum ad hoc, quod pars non est divisa, locatum autem est divisum. Si ergo pars dividatur in actu, sequetur quod sint ibi aliae dimensiones totius, scilicet continentis, praeter dimensiones partis. Non potest autem dici, quod divisio faceret ibi esse de novo aliquas dimensiones: non enim divisio causat dimensionem, sed praeexistentem dividit: ergo, antequam pars esset divisa a toto, erant aliae propriae dimensiones partis, praeter dimensiones totius, penetrantes etiam partem. Quot ergo partes est accipere per divisionem in aliquo toto, ita quod una contineat aliam, tot dimensiones abinvicem distinctae erunt ibi: quarum quaedam alias penetrabunt. Est autem accipere in infinitum in aliquo toto continuo partes quae alias continent, propter hoc quod continuum in infinitum dividitur. Relinquitur igitur, quod sint infinitae dimensiones seinvicem penetrantes. Si igitur dimensiones corporis continentis penetrantes locatum, sit locus; sequitur quod sint infinita loca simul: quod est impossibile.

Secundam rationem ponit ibi « simul autem »

Ponit secundam rationem, quae talis est. Si dimensiones spatii, quod est infra extremitates corporis continentis, sit locus, sequitur, quod locus transmutetur: manifestum est enim quod transmutato aliquo corpore, utputa amphora, transmutatur illud spatium, quod est infra extremitates amphorae, cum nusquam sint nisi ubi est amphora. Omne autem quod transmutatur in aliquem locum, penetratur, secundum eorum positionem, a dimensionibus spatii in quod transmutatur: sequitur ergo quod aliquae aliae dimensiones subintrant dimensiones illius spatii amphorae; et sic loci erit alius locus, et multa loca erunt simul. Hoc ergo inconveniens accidit quia ponitur alius esse locus corporis contenti, ut aquae, et vasis, ut amphorae: nam, secundum illorum opinionem, locus aquae est spatium quod est infra extremitates amphorae. Locus autem totus amphorae est spacium, quod est infra extremitates corporis continentis amphoram. Sed nos non dicimus quod alius sit locus partis, et in quo movetur pars; cum totum vas transmutetur secundum idem. Dicit autem hic partem, corpus contentum in vase, ut aquam contentam in amphora: quia secundum Aristotelem, aqua movetur per accidens vase transmutato, et non mutat locum, nisi inquantum amphora locum mutat: unde non oportet, quod locus in quem vadit sit locus partis per se, sed solum inquantum est locus amphorae. Sed secundum tenentes opinionem de spatio, sequitur quod ille locus per se respondeat aquae, sicut et amphorae: et quod per se etiam respondeat spatio; et per se loquendo spatium illud movebitur et habebit locum et non solum per accidens. Et licet corpus continens quandoque moveatur, non tamen sequitur, secundum opinionem Aristotelis, quod locus moveatur, aut quod loci sit locus: contingit quidem enim aliquod corpus continens, in quo est aliquid contentum, moveri, sicut aer vel aqua, aut aliquae partes aquae; utputa, si navis est in fluvio, partes aquae, quae inferius continent navem, moventur, sed tamen locus non movetur. Et hoc est quod subdit: « sed non in quo fiunt loco, » id est, sed non illud, in quo aliqua fiunt, sicut in loco movetur. Et quomodo hoc sit verum, ostendit per hoc quod subdit, « quod est pars loci, qui est locus totius caeli. » Licet enim hoc continens moveatur, prout est hoc corpus; tamen prout consideratur secundum ordinem quem habet ad totum corpus caeli, non movetur: nam aliquod corpus, quod succedit, eumdem ordinem vel situm habet per comparationem ad totum caelum, quem habuit corpus quod prius effluxerat. Hoc est ergo quod dicit, quod licet aqua vel aer moveatur, non tamen movetur locus, prout consideratur ut pars quaedam loci totius caeli, habens determinatum situm in universo.

Deinde cum dicit « et materiae »

Prosequitur de materia: et primo ostendit quare materia dicitur esse locus. Secundo ostendit quod non sit locus, ibi, « Sed materia quidem. » Dicit ergo primo, quod materia videtur esse locus, si aliquis consideret transmutationem corporum succedentium sibi in eodem loco, in aliquo uno subjecto quiescente secundum locum, et non habeatur respectus ad hoc quod locus est separatus, sed attendatur solummodo transmutatio in aliquo uno continuo. Aliquod enim corpus continuum et quietum secundum locum, cum alteratur, unum et idem numero, nunc quidem est album, nunc autem nigrum: et nunc est durum, et prius molle. Et propter istam transmutationem formarum circa subjectum, dicimus quod materia est aliquid, quae manet una, facta transmutatione secundum formam. Et per talem etiam apparentiam videtur locus esse aliquid; quia in eo permanente succedunt sibi diversa corpora. Sed tamen alio modo loquendi utimur in utroque: nam ad designandum materiam vel subjectum, dicimus quod id quod nunc est aqua, prius erat aer. Ad designandum autem unitatem loci, dicimus quod ubi nunc est aqua, prius erat aer.

Secundo ibi « sed materia »

Ostendit quod materia non sit locus: quia, sicut supra dictum est, materia non est divisa a re cujus est materia, neque continet ea: quorum utrumque competit loco. « Locus igitur non est materia. »

Deinde cum dicit « si igitur »

Remotis tribus membris, concludit quartum; et

dicit, quod quia locus non est aliquod trium, idest neque forma, neque materia, neque aliquod spatium, quod sit alterum praeter distantias rei locatae, necesse est, quod locus sit reliquum de quatuor supra nominatis, scilicet quod sit terminus corporis continentis. Et, ne aliquis intelligat contentum vel locatum esse aliquod spatium medium, subjungit, « et corpus contentum dicitur illud, quod est natum « moveri secundum loci mutationem. »

Deinde cum dicit « videtur autem »

Investigat differentiam loci; scilicet quod sit immobilis. Circa hoc duo facit. Primo ostendit quod ex hac differentia non debite considerata, insurrexit quidam error circa locum. Secundo ostendit, quomodo sit intelligenda immobilitas loci, ibi, « Est « autem sicut vas. » Dicit ergo primo, quod videtur magnum aliquid et difficile accipere quid sit locus; tum propter hoc quod quibusdam videtur quod locus sit materia, vel forma, quae habent altissimam considerationem, ut supra dictum est; tum propter hoc, quod mutatio ejus quod fertur secundum locum, fit in quodam quiescente et continente. Cum igitur nihil videatur esse continens et immobile, nisi spatium; videtur contingere, quod locus sit quoddam spatium medium, quod sit aliud a magnitudinibus quae moventur secundum locum. Et ad credulitatem hujus opinionis multum proficit, quod aer videtur esse incorporeus: quia ubi est aer, videtur quod non sit corpus, sed quoddam spatium vacuum: et sic videtur locus non solum esse terminus vasis, sed quoddam medium, tamquam vacuum.

Secundo ibi « est autem »

Ostendit quomodo intelligenda est immobilitas loci, ut excludatur opinio praedicta: et dicit, quod vas et locus in hoc differre videntur: quod vas transmutatur, locus autem non: unde, sicut vas potest dici locus transmutabilis, ita locus potest dici vas immobile. Et ideo, cum aliquid movetur in aliquo corpore, quod movetur, sicut navis in flumine, utitur isto, in quo movetur, magis sicut vase, quam sicut loco continente: quia locus « vult esse immo« bilis, » id est de aptitudine et natura loci est, quod sit immobilis. Et propter hoc magis potest dici, quod totus fluvius sit locus navis, quia totus fluvius est immobilis. Sic igitur fluvius totus, inquantum est immobilis, est locus communis. Cum autem locus proprius sit pars loci communis, oportet accipere proprium locum navis, in aqua fluminis, inquantum habet ordinem ad totum fluvium, ut est immobilis. Est igitur accipere locum navis in aqua fluente, non secundum hanc aquam quae fluit, sed secundum ordinem vel situm quem habet haec aqua fluens ad totum fluvium: qui quidem ordo situs, idem remanet in aqua succedente. Et ideo, licet aqua materialiter praeterfluat, tamen secundum quod habet rationem loci, prout scilicet consideratur in tali ordine et situ ad totum fluvium, non mutatur. Et per hoc similiter accipere debemus quomodo inter extremitates corporum mobilium naturalium, sit locus per respectum ad totum corpus sphaericum caeli, quod habet fixionem et immobilitatem, propter immobilitatem centri et polorum. Sic igitur, licet haec pars aeris, quae continebat, vel haec pars aquae effluat et moveatur, inquantum est haec aqua: tamen, secundum quod habet haec aqua rationem loci, scilicet situs et ordinis ad totum sphaericum caeli, semper manet. Sicut etiam dicitur, idem ignis manere quantum ad formam: licet secundum materiam varietur consumptis et additis quibusdam lignis. Et per hoc cessat objectio, quae potest fieri contra hoc, quod ponimus locum esse terminum continentis: quia, cum continens sit mobile, et terminus continentis erit mobilis: et sic aliquod quietum existens habebit diversa loca. Sed hoc non sequitur: quia terminus continentis non erat locus, inquantum est haec superficies istius corporis mobilis; sed secundum ordinem vel situm quem habet in toto immobili. Ex quo patet, quod tota ratio loci in omnibus continentibus est ex primo continente et locante, scilicet caelo.

Deinde cum dicit « quare terminus »

Concludit ex praemissis definitionem loci; scilicet quod locus est terminus immobilis continentis primus. Dicit autem « Primus » ut designet locum proprium, et ut excludat locum communem.

Deinde cum dicit « et propter »

Ostendit definitionem bene assignatam per hoc, quod ea, quae dicuntur de loco, congruunt secundum hanc definitionem. Et ponit tria: quorum est, quod propter hoc quod locus est continens immobile, « medium caeli, » idest centrum « et ulti- « mum circularis loci mutationis, » idest corporum circulariter motorum: ultimum dico « versus « nos, » scilicet superficies orbis lunae; « videtur « hoc quidem esse sursum, » idest ultimum praedictum; « illud vero esse deorsum, » scilicet me-

dium. Et hoc maxime proprie videtur dici inter omnia: quia centrum sphaerae semper manet. Illud autem quod est ultimum in corporibus circulariter motis versus nos, licet moveatur circulariter, tamen manet, inquantum similiter se habet, id est in eadem elongatione ad nos. Et, quia ad propria loca moventur corpora naturalia, inde est, quod levia naturaliter moventur sursum, et gravia deorsum: quia ipsum medium et terminus continens versus medium vocatur deorsum, et similiter ipsum ultimum, et quod est versus ultimum, dicitur esse sursum. Utitur autem tali modo loquendi: quia terrae, quae est simpliciter gravis, locus est medium: aquae autem locus est versus medium. Et similiter locus ignis, qui est simpliciter levis, est ultimum: locus autem aëris est versus ultimum.

Secundum ponit ibi « et propter »

Et dicit quod, quia locus est terminus, propter hoc locus dicitur esse sicut quaedam superficies, et sicut quoddam vas continens: non autem sicut spatium vasis continentis.

Tertium ponit ibi « amplius simul »

Et dicit quod, quia locus est terminus, propter hoc simul est locus et locatum: quia simul est finis locati, et terminus continentis, qui est locus: quia tangentium ultima simul sunt. Et secundum hoc etiam intelligitur, quod locus aequatur locato: quia scilicet aequantur secundum extrema.

LECTIO VII.

Quorumcumque corporum tam proprius quam communis assignatur locus: modus quoque in eo existendi, et praecipue ultimi, disseritur.

ANTIQUA.

Cui quidem igitur corpori est aliquod extra corpus continens ipsum, hoc in loco est: cui vero non, minime.

Unde et si aqua fuerit hujusmodi, partes quidem movebuntur ipsius: continentur enim subinvicem: omnis autem est tamquam quod movebitur, et tamquam non: sic quidem enim tota simul locum non mutat, circulariter autem movebitur (partium enim hic locus est) et sursum quidem et deorsum non. Circulariter autem quaedam, alia vero sursum et deorsum, quaecumque habent densitatem et raritatem.

Sicut autem dictum est, alia quidem sunt in loco secundum potentiam, alia vero secundum actum. Unde, cum sit quidem continuum id quod est similium partium, secundum potentiam in loco partes sunt: cum autem separata quidem sunt, tangant autem se, sicut collectio, secundum actum sunt.

Et alia quidem per se sunt: ut omne corpus, aut secundum loci mutationem, aut augmentum mobile, alicubi per se existit. Caelum autem, sicut dictum est, non est alicubi totum, neque in aliquo est: siquidem nullum corpus continet ipsum: secundum quod autem movetur, sic et locus est partibus: altera enim partium ad alteram habita est. Alia vero secundum accidens, ut anima, et caelum: partes enim in loco quodammodo omnes sunt: in eo enim quod circulariter sunt, continet alia aliam.

Unde movetur circulariter solum quod sursum est. Totum autem, non alicubi est: quod enim alicubi est, et ipsum aliquid est: et adhuc aliquid oporteret esse extra hoc, in quo quidem continetur: extra autem omne et totum nibil est. Et propter hoc omnia in caelo sunt: caelum enim ipsum totum fortassis est. Est autem locus, non caelum, sed caeli quiddam ultimus scilicet et tangens mobile corpus terminus quiescens. Et propter hoc terra in aqua est, haec vero in aere, hic autem in aethere, aether vero in caelo, caelum autem non amplius in alio est.

RECENS.

Illud corpus igitur est in loco, extra quod est aliquod aliud corpus, quod ipsum continet; illud vero non est in loco, extra quod non est ullum corpus. Idcirco etiamsi aqua talis fiat; partes quidem ejus movebuntur, quia continentur aliae ab aliis: universum autem aliquo modo movebitur, aliquo modo non movebitur; ut enim est totum simul, locum non mutabit: in orbem autem movebitur, quia partium hic locus est. Et nonnulla quidem non moventur sursum et deorsum, sed in orbem: alia vero sursum ac deorsum, quaecumque scilicet habent densitatem et raritatem. Sicut autem dictum fuit, alia sunt in loco potestate, alia actu: quare quum id quod constat ex similibus partibus, est continuum; partes potestate in loco sunt; quum autem separatae sunt, ac tangunt, velut acervus; tunc actu in loco sunt.

Et alia quidem per se sunt in loco, ut omne corpus aut latione aut accretione mobile, per se est alicubi; caelum autem (ut dictum fuit) nusquam totum est, nec in aliquo loco: si quidem nullo corpore continetur. Quatenus autem movetur, eatenus etiam locus est partibus: alia namque pars alii cohaeret. Alia vero sunt in loco ex accidenti: ut anima et caelum; nam omnes partes sunt quodammodo in loco: quoniam in circulo alia pars aliam continet; idcirco superum corpus tantum in orbem movetur; universum autem non est alicubi: quod enim est alicubi, et ipsum est aliquid, et insuper oportet praeter hoc esse aliud quidpiam, in quo sit, seu quod ipsum contineat: sed praeter universum ac totum, nihil est, quod scilicet sit extra universum.

Proinde in caelo omnia sunt: nam caelum fortasse est universum. Locus autem est, non caelum, sed caeli quoddam extremum ac terminus quiescens, qui tangit corpus mobile. Ideoque terra est in aqua; haec vero in aere; hic autem in aethere; aether autem in caelo, sed caelum non est amplius in alio.

Postquam Philosophus definivit locum, hic ostendit qualiter aliquid sit in loco: et circa hoc duo facit. Primo ostendit qualiter aliquid simpliciter sit in loco, et qualiter non. Secundo ostendit quomodo illud quod non est simpliciter in loco, secundum quid in loco sit, ibi, « Unde et si aqua fiat. » Concludit ergo primo ex praemissis, quod cum locus sit terminus continentis, cuicumque corpori adjacet aliquod corpus continens ipsum exterius, hoc est in loco simpliciter et per se: cui vero corpori non adjacet aliquod corpus exterius continens ipsum, minime est in loco. Tale autem corpus in mundo non est nisi unum, scilicet ultima sphaerae, quicumque sit illa: unde secundum haec determinationem, sequitur quod ultima sphaera non sit in loco. Sed hoc videtur impossibile: quia ultima sphaera movetur in loco: nihil autem movetur in loco, quod non sit in loco. Hujusmodi igitur dubitationis difficultas non accidit iis qui tenent sententiam de spatio: non est enim eis necesse dicere, quod ad hoc quod sphaera ultima sit in loco, quod habeat corpus continens: sed spatium, quod intelligitur penetrare totum mundum et omnes partes ejus, est locus totius mundi, et cujuslibet partium ejus, secundum eos. Sed haec positio est impossibilis: quia vel oportet dicere quod locus non sit aliquid praeter locatum, vel aliquae dimensiones spatii sint per se existentes, et tamen subintrantes dimensiones corporum sensibilium: quae sunt impossibilia. Unde Alexander dicit, quod ultima sphaera nullo modo est in loco: non enim omne corpus de necessitate est in loco: cum locus non cadat in definitione corporis. Et propter hoc dixit, quod ultima sphaera non movetur in loco, neque secundum totum, neque secundum partes. Sed, quia oportet omnem motum in aliquo genere motus poni, Avicenna eum secutus, dixit quod motus ultimae sphaerae non est motus in loco, sed motus in situ: contra Aristotelem qui dicit in quinto hujus quod motus est tantum in tribus generibus. scilicet quantitate, qualitate, et ubi. Sed hoc non potest stare. Impossibile est enim quod motus sit per se loquendo in aliquo genere, cujus specierum ratio in indivisibili consistit. Propter hoc enim in substantia non est motus, quia ratio cujuslibet speciei substantiae consistit in indivisibili, eo quod species substantiae non dicuntur secundum magis et minus. Et propter hoc, cum motus habeat successionem, non producitur in esse forma substantialis per motum, sed per generationem, quae est terminus motus: secus autem est de albedine et similibus, quae participantur secundum magis et minus. Quaelibet autem species situs habet rationem in indivisibili consistentem: ita quod, si aliquid additur vel minuitur, non est eadem species situs: unde impossibile est, quod in genere situs sit motus. Et praeterea remanet eadem difficultas: nam situs (secundum quod ponitur praedicamentum) importat ordinem partium in loco: licet secundum quod ponitur differentia quantitatis, non importet nisi ordinem partium in toto. Omne igitur quod movetur secundum situm, oportet quod moveatur secundum locum. Quidam autem alii dixerunt, scilicet Avempace, quod aliter assignandus est locus corpori quod movetur circulariter, et aliter corpori quod movetur motu recto. Quia enim linea recta est imperfecta additionem recipiens: corpus, quod movetur motu recto, requirit locum exterius continentem. Quia vero linea circularis in

seipsa perficitur, corpus quod circulariter movetur, non requirit locum exterius continentem, sed locum circa quem revolvatur: unde et motus circularis dicitur esse motus circa medium. Sic igitur dicunt quod superficies convexa sphaerae contentae, est locus primae sphaerae. Sed hoc est contra suppositiones communes prius de loco positas; scilicet quod locus sit continens, et quod locus sit aequalis locato. Et ideo Averroes dixit, quod ultima sphaera est in loco per accidens. Ad cujus evidentiam considerandum est, quod omne illud quod habet fixionem per alterum, dicitur esse per accidens in loco, ex hoc quod id per quod figitur, in loco est: ut patet de clavo infixo navi, et de homine quiescente in navi: manifestum est autem quod corpora circulariter mota habent fixionem per immobilitatem centri, unde ultima sphaera dicitur esse in loco per accidens, inquantum centrum, circa quod revolvitur, habet esse in loco. Quod autem aliae sphaerae inferiores habent per se locum, in quo continentur, hoc accidit, et non est de necessitate corporis circulariter moti. Sed contra hoc objicitur: quia si ultima sphaera sit in loco per accidens, sequitur quod moveatur in loco per accidens, et sic motus per accidens est prior motu per se. Sed ad hoc respondetur quod ad motum circularem non requiritur, quod id quod movetur per se circulariter, sit per se in loco: requiritur autem ad motum rectum. Sed hoc videtur esse contra definitionem Aristotelis quam supra posuit de eo quod est in loco per accidens. Dixit enim aliqua esse vel moveri in loco per accidens, ex hoc quod movetur id in quo sunt. Non autem dicitur aliquid esse in loco per accidens ex hoc quod aliquid, quod est omnino extrinsecum ab ipso, est in loco. Cum igitur centrum sit omnino extrinsecum a sphaera ultima, ridiculum videtur dicere, quod sphaera ultima sit in loco per accidens ex hoc quod centrum est in loco. Et ideo magis approbo sententiam Themistii, qui dixit, quod ultima sphaera est in loco per suas partes. Ad cujus evidentiam considerandum est, quod sicut Aristoteles supra dixit, non quaereretur locus, nisi propter motum, qui demonstrat locum, ex hoc quod corpora succedunt sibi in uno loco. Unde licet locus non sit de necessitate corporis, est tamen de necessitate corporis quod movetur secundum locum. Sic igitur alicui corpori moto localiter, necesse est assignare locum, secundum quod in illo motu consideratur successio diversorum corporum in eodem loco. In his igitur, quae moventur motu recto, manifestum est quod duo corpora succedunt sibi in loco secundum totum: quia totum unum corpus dimittit totum locum, et in ipsum totum subintrat aliud corpus: unde necesse est quod corpus, quod movetur motu recto, sit in loco secundum se totum. In motu autem circulari, licet totum fiat in diversis locis ratione, non tamen totum mutat locum subjecto: semper enim remanet idem locus subjecto, sed diversificatur ratione tantum, ut in sexto hujus dicetur: sed partes mutant locum non solum ratione, sed subjecto. Attenditur ergo in motu circulari successio in eodem loco, non totorum corporum, sed partium ejusdem corporis. Non igitur corpori, quod circulariter movetur, debetur ex necessitate locus secundum totum, sed secundum partes. Sed contra hoc esse videtur, quod partes secundum locum corporis continui non sunt in loco, neque moventur: sed totum moventur, et totum est in loco: manifestum est autem quod ultima sphaera est corpus continuum, partes igitur ejus nec sunt in loco, nec moventur secundum locum: et sic non videtur verum quod ultimae sphaerae debeatur locus ratione partium. Sed ad hoc dicendum est, quod partes totius continui, licet non sint in loco in actu, sunt tamen in loco in potentia, secundum quod continuum est divisibile: pars enim si sit divisa, erit in toto sicut in loco: unde per hunc modum partes continui moventur in loco. Et hoc maxime apparet in continuis humidis, quae sunt facilis divisionis: sicut in aqua, cujus partes inveniuntur moveri infra totam aquam. Sic igitur, quia aliquid dicitur de toto ratione partium, inquantum partes ultimae sphaerae sunt in loco in potentia, tota ultima sphaera est in loco per accidens, ratione partium: et sic esse in loco sufficit ad motum circularem. Si quis autem objiciat, quod id quod est in actu, est prius eo quod est in potentia: et sic videtur inconveniens, quod primus motus localis sit corporis existentis in loco per partes, quae sunt in potentia in loco: Dicendum est ergo, quod hoc optime congruit motui primo: necesse est enim quod gradatim ab uno immobili descendatur ad diversitatem, quae est in mobilibus. Minor est autem variatio quae est secundum partes existentes in loco in potentia, quam quae est secundum tota existentia in loco in actu. Unde primus motus, qui est circularis, minus habet de difformitate, et plus retinet de uniformitate: propinquior existens substantiis immobilibus. Multo autem convenientius est dicere, quod ultima sphaera sit in loco propter partes suas intrinsecas, quam propter centrum, quod est omnino extra substantiam ejus: et magis consonat opinioni Aristotelis, ut patet inspicienti sequentia, in quibus Philosophus manifestat quomodo caelum sit in loco.

Tertio ibi « unde et »

Circa hoc enim duo facit. Primo enim manifestat quomodo sphaera ultima est in loco; secundo infert conclusionem ex dictis, ibi, « Unde movetur circulariter. » Circa primum tria facit. Primo manifestat, quod ultima sphaera est in loco per partes; secundo quomodo partes ejus sint in loco, ibi, « Sicut autem dictum est, alia quidem. » Tertio, quomodo ex partibus competat toti esse in loco, ibi, « Et alia quidem per se. » Quia ergo dixerat, quod cui non est aliquod extra continens, non est in loco per se, concludit quod, si aliquod hujusmodi corpus, quod non continetur ab alio, sicut est ultima sphaera, sit aqua, in qua magis apparet quod dicitur propter facilem divisionem partium, partes ejus movebuntur, inquantum continentur subinvicem, sic quodammodo in loco existentes. Sed tota aqua quodammodo movebitur, et quodammodo non: non enim sic movebitur quod tota simul mutet locum, quasi translata in alium locum subjecto diverso, sed movebitur circulariter: qui quidem motus requirit locum partium, et non totius: et non movebitur sursum et deorsum sed circulariter. Quaedam autem movebuntur sursum et deorsum mutantia locum secundum totum, scilicet corpora rara et densa, vel gravia et levia.

Secundo ponit ibi « sicut autem »

Ostendit quomodo partes ultimae sphaerae sunt in loco: et dicit, quod sicut supra dictum est, quaedam sunt in loco in actu, quaedam secundum

potentiam. Unde, cum aliquod sit continuum similium partium, partes ejus sunt in loco secundum potentiam, sicuti est in ultima sphaera. Sed, quando partes sunt separatae, et solum contiguae, sicut accidit in collectione lapidum, tunc partes sunt in loco secundum actum.

Tertio ibi « et alia »

Ostendit quomodo ex hoc sequetur, totam sphaeram esse in loco: et dicit, quod quaedam sunt per se in loco, sicut omne corpus quod per se movetur in loco, vel secundum augmentum, ut supra dictum est: sed caelum, id est ultima sphaera, non est hoc modo in loco sicut dictum est, cum nullum corpus contineat ipsum, sed secundum quod movetur circulariter, partibus sibi invicem succedentibus, sic et locus debetur partibus ejus in potentia, ut dictum est, inquantum scilicet una pars ejus « est habita, » id est consequenter se habens, ad aliam. Quaedam vero secundum accidens sunt in loco, sicut anima, et omnes formae: et hoc etiam modo caelum, scilicet ultima sphaera, est in loco, inquantum ones ejus partes sunt in loco, ex eo quod unaquaeque pars ejus continetur sub alia, secundum circulationem: in corpore enim non circulari pars extrema remanet non contenta, sed continens tantum: sed in corpore circulari, quaelibet pars est continens et contenta, in potentia tamen. Unde ratione omnium partium suarum, corpus circulare est in loco. Et hoc accidit esse per accidens, scilicet per partes: sicut supra, cum dixit, quod partes corporis moventur per accidens in loco.

Deinde cum dicit « unde movetur »

Inducit quamdam conclusionem ex praedictis. Quia enim dixerat quod corpus, quod circulariter movetur, non oportet esse in loco secundum totum, sed solum per accidens ratione partium; concludit, quod corpus supremum movetur solum circulariter, propter hoc quod ipsum totum est alicubi: quia quod est alicubi, ipsum est aliquid, et habet aliquid extra se, a quo continetur: sed extra totum nihil est. Et propter hoc, omnia dicuntur esse in caelo, sicut in ultimo continente, quia caelum fortassis est quod est totum continens. Dicit autem, « fortassis, » quia nondum probatum est, quod extra caelum nihil sit. Non est autem sic intelligendum, quod ipsum corpus caeli sit locus: sed quaedam superficies ultima ejus versus nos; et est sicut terminus tangens corpora mobilia, quae in ipso sunt; et propter hoc dicimus, quod terra est in aqua, quae est in aere: qui est in aethere, id est igne, qui est in caelo, quod non est ulterius in alio. Secundum vero intentionem Averrois, litera ista aliter exponenda est: nam exemplum de aqua, quod primo inducit, non est referendum, secundum ipsum, ad ultimam sphaeram: sed ad totum universum; quod quidem movetur, inquantum partes ejus moventur: quaedam quidem circulariter, ut corpora caelestia: quaedam vero motu sursum vel deorsum, ut inferiora corpora. Quod vero postmodum inducitur, quod quaedam sunt in loco actu, quaedam potentia, non est referendum ad prius dicta; sed oportet ut propter se dictum accipere. Quia enim dixerat, quod quaedam sunt in loco secundum partes, quaedam secundum totum, consequenter adjungit, quod quaedam sunt in loco secundum actum, quaedam secundum potentiam; et ulterius, quod quaedam sunt in loco per se, quaedam per accidens. Ubi notandum est, quod caelum, secundum ipsum dupliciter accipitur hic: nam primo caelum accipitur pro universitate corporum, et maxime caelestium; secundo pro ultima sphaera. Dicit ergo, quod per se sunt in loco, quae moventur secundum locum, sive secundum totum, sive secundum partes, ut caelum et universum: per accidens autem sunt in loco, ut anima et caelum, id est ultima sphaera: quia oportet dicere, quod omnes partes universi aliquo modo sint in loco: ultima quidem sphaera per accidens, alia vero corpora per se, inquantum ab exteriori corpore continentur: et hoc manifestat usque in finem.

LECTIO VIII.

Ex data loci definitione, proposita circa esse loci dubia omnia solvuntur, eaque omnium secundum naturam mobilium motus ac quietis rationem reddi posse asseritur.

ANTIQUA.

Manifestum autem ex his, quoniam et dubitationes omnes solvuntur, sic utique dicto loco. Neque enim simul augmentari necesse est locum, neque puncti esse locum, neque duo corpora in eodem loco, neque spatium aliquod esse corporeum: corpus enim est medium loci quodvis, sed non spatium corporis. Et est locus alicubi, non sicut in loco autem, sed sicut terminus in termino: non enim omne quod est, in loco est, sed mobile corpus.

Et fertur igitur in suumipsius locum unumquodque rationabiliter. Cui enim consequenter, et quod tangitur non vi, proximum est. Et simul apta nata, impassibilia sunt. Quae vero tanguntur, et activa et passiva sunt adinvicem.

Et manet igitur natura in proprio loco, unumquodque rationabiliter. Et namque haec pars in toto loco, sicut divisibilis pars ad totum est: ut cum aquae aliquis moveat partem, aut aeris. Sic autem, et aer se habet ad aquam ut materia, haec autem species: aqua quidem materia aeris, aer autem sicut actus quidam ipsius. Aqua enim potentia aer est, aer vero potentia est aqua alio modo: determinandum autem de his posterius est. Sed propter tempus, necesse quidem est dicere: incerte autem nunc dictum, tunc erit certius. Si igitur idem materia et actus (aqua enim est utraque, sed hoc quidem potentia, illud vero actu) se habebit utique sicut pars quodammodo ad totum: unde et his tactus inest. Copulatio autem, cum utraque actu unum fiant. Et de loco quidem, et quoniam est, et quid est, dictum est.

RECENS.

Ex his perspicuum est, omnes dubitationes dissolvi posse si ita locus explicetur: quia neque necesse est simul augeri locum; neque puncti esse locum; neque duo corpora esse in eodem loco; neque esse aliquod intervallum corporeum: quod enim loco. est interjectum, est corpus quodlibet, non intervallum corporis; et locus est alicubi, non tamen ut in loco, sed ut terminus in re terminata: non enim omne ens est in loco, sed tantum corpus mobile.

Et fertur igitur unumquodque optima ratione ad suum locum; quod enim deinceps collocatum est, ac tangit non vi, illud est cognatum: et copulata quidem in unam naturam sunt impartibilia; quum autem se tangunt, vicissim pati et agere possunt. Et manet igitur naturaliter unumquodque in loco proprio, non sine ratione; nam et haec pars habet eamdem rationem ad locum totum, quam habet pars divisa ad totum; veluti, quum aliquis amoverit partem aquae vel aeris.

Sic vero et aer se habet ad aquam; haec enim est ut materia; ille vero, ut forma: nempe aqua est materia aeris, aer autem est tamquam actus quidam illius; etenim aqua est potestate aer, sed aer est potestate aqua alio modo. Definiendum autem de his est posterius: sed per occasionem necesse fuit aliquid dicere. Verum quod in praesentia obscure dictum est, tunc erit magis perspicuum. Si igitur idem est materia et actus (nam aqua est utrumque, sed est alterum potestate, alterum actu), eo fere modo se habebit ut pars ad totum: ideoque his est tactus: copulatio vero est in unam naturam, quando ambo fiunt unum actu. Ac locum quidem esse, et quid sit, dictum est.

Postquam Philosophus ostendit quid sit locus, hic ex definitione data, solvit dubitationes supra positas de loco. Fuerunt autem supra positae sex rationes ad ostendendum locum non esse: quarum duas praetermisit: illam scilicet in qua inquirebatur, utrum locus esset elementum, vel ex elementis; et iterum illam, in qua ostendebatur, quod ad nullum genus causae locus reducatur: non enim a ponentibus locum, sic ponitur quasi elementum vel causa rerum: unde facit mentionem solum de quatuor residuis: quarum una erat, quod cum locus non deesset corpori, nec corpus loco, videbatur sequi quod augmentato corpore, augmentetur locus. Sed hoc sequitur, si supponatur, quod locus sit spatium quoddam, coextensum dimensionibus corporis, ut intelligatur illud spatium crescere crescente corpore: sed hoc non est necesse secundum definitionem praedictam de loco, quod sit terminus continentis. Alia ratio fuit, quod, si locus corporis, aliud est a corpore, quod etiam locus puncti, aliud sit a puncto: quare

non videbatur possibile, quod locus sit aliud a corpore, cum locus puncti non sit aliud a puncto. Sed haec etiam ratio procedit secundum imaginationem eorum, qui opinabantur locum esse spatium coaequatum dimensionibus corporis: unde oportebat, quod cuilibet dimensioni corporis, responderet dimensio spatii: et similiter cuilibet puncto corporis: sed hoc non oportet dicere, si ponamus locum esse terminum continentis. Alia ratio fuit, quod si locus est aliquid, oportet quod sit corpus: cum habeat tres dimensiones rerum: et sic sequetur duo corpora esse in eodem loco. Sed secundum eos qui ponebant locum esse terminum corporis continentis, non oportet dicere, neque quod duo corpora sint in eodem loco, neque quod sit aliquod spatium corporeum medium inter extremitates corporis continentis; sed quod sit ibi quoddam corpus. Item alia ratio fuit, quod si omne quod est, est in loco, sequetur quod etiam locus sit in loco. Quae quidem ratio de facile solvitur, supposito quod locus sit terminus continentis. Manifestum est enim, secundum hoc, quod locus est in aliquo, scilicet in corpore continente: non tamen sicut in loco, sed sicut terminus in aliqua re finita, ut punctum in linea, et superficies in corpore. Non enim necessarium est, quod omne quod est, sit in aliquo sicut in loco: sed hoc necesse est solum de corpore mobili: motus enim induxit ad distinguendum inter locatum et locum.

Deinde cum dicit « et fertur »

Assignat ex praedicta definitione rationem proprietatum loci. Et primo quantum ad hoc quod corpus naturaliter fertur ad proprium locum. Secundo quantum ad hoc, quod corpus naturaliter quiescit in suo loco, ibi, « Et manet igitur natura. » Dicit ergo primo, quod, si ponatur locus esse terminus continentis, rationabiliter assignari potest causa, quare unumquodque corpus feratur ad proprium locum; quia illud corpus continens, ad quod consequenter se habet corpus contentum et locatum, et quod ab eo tangitur terminis simul existentibus, et hoc non per violentiam, est proximum et secundum naturam. Ordo enim situs in partibus universi attenditur secundum ordinem naturae. Nam corpus caeleste, quod est supremum, est nobilissimum, post quod inter alia corpora secundum ignobilitatem (1) naturae est ignis; et sic deinceps usque ad terram. Unde manifestum est, quod corpus inferius, quod se habet consequenter secundum situm ad corpus superius, est proximum sibi in ordine naturae. Et ideo addit, « non vi, » ut ostendat naturalem ordinem situs, cui respondet ordo situs naturalis: et excludat ordinem situs violentum, sicut aliquando per violentiam corpus terrestre est super aerem vel aquam: et hujusmodi duo corpora se consequentia in naturali ordine situs, et in ordine naturarum, simul apta nata esse, « sunt impassibilia, » id est cum continuantur adinvicem, et fiunt unum, ad quod aptitudinem habent propter propinquitatem naturae, tunc sunt impassibilia; sed dum tanguntur distincta existentia propter contrarietatem qualitatum activarum et passivarum, sunt activa et passiva adinvicem. Sic igitur proximitas naturae, quae est inter corpus continens et contentum, est causa quare corpus naturaliter movetur ad suum locum; quia oportet, quod gradus naturalium locorum respondeat gradui naturalium locatorum (ut dictum est). Sed haec ratio non potest assignari si ponatur locus esse spatium: quia in dimensionibus spatii separatis, nullus ordo naturae considerari potest.

Secundo ibi « et manet »

Assignat causam, quare corpora naturaliter quie-

scant in suis locis: et dicit, quod hoc accidit rationabiliter, si ponamus locum esse terminum corporis continentis: quia secundum hoc, corpus locatum se habet ad corpus continens, sicut quaedam pars ad totum, divisa tamen. Et hoc manifestius apparet in corporibus quae sunt facilis divisionis, sicut est aer vel aqua: horum enim partes possunt moveri ab aliquo in toto sicut locatum movetur in loco: et hoc etiam non solum verum est secundum figuram continendi unum sub alio, sed etiam secundum proprietatem naturae: aer enim se habet ad aquam ut totum, quia aqua est ut materia, aer autem ut forma: nam aqua est quasi materia aeris, et aer est sicut forma ejus; quod ex hoc apparet, quia aqua est in potentia ad aerem simpliciter. Sed verum est quod etiam aer est quodam alio modo in potentia ad aquam, ut determinabitur posterius in libro de Generatione; sed ad praesens tempus, necesse est hoc accipere ad ostensionem propositi. Sed hic non declaratur per certitudinem, sed in libro de Generatione declarabitur certius: ibi enim dicetur, quod, cum ex aqua generatur aer, est corruptio secundum quid, generatio simpliciter, propter hoc, quod perfectior forma introducitur, et imperfectior abjicitur. Cum autem ex aere generatur aqua, est corruptio simpliciter et generatio secundum quid: quia perfectior forma abjicitur, et imperfectior introducitur. Sic igitur aqua simpliciter est in potentia ad aerem, sicut imperfectum ad perfectum: aer autem est in potentia ad aquam sicut perfectum ad imperfectum. Unde aer se habet ut forma, et ut totum, quod habet rationem formae: aqua vero se habet ut materia, et ut pars, quae pertinet ad rationem materiae. Quamvis igitur idem sit, et materia et actus, quia aqua in se continet utrumque, sed tamen hoc quidem est in potentia proprie loquendo, scilicet aqua, sicut imperfectum: illud vero, scilicet aer, in actu, ut perfectum: unde habebit se aqua ad aerem quodammodo, sicut pars ad totum: et ideo his, scilicet aeri et aquae, cum sint duo distincta, inest tactus: sed, cum ex utrisque fit unum, uno transeunte in naturam alterius, tunc fit copulatio, id est continuatio. Sicut igitur pars naturaliter quiescit in toto, ita et naturaliter corpus quiescit in suo loco naturali. Considerandum tamen est, quod Philosophus hic loquitur de corporibus secundum formas substantiales, quas habent ex influentia corporis caelestis, quod est primus locus, et dans virtutem locativam omnibus aliis corporibus: secundum autem qualitates activas et passivas est contrarietas inter elementa, et unum est corruptivum alterius. Ultimo autem epilogando concludit quod dictum est de loco et quod est, et quid est.

---

(1) *Forte* nobilitatem.

LECTIO IX.

Ad philosophum naturalem quod de vacuo considerare spectat, et quomodo: rationesque tum naturales quam non naturales vacuum esse ostendentes proponit.

Eodem autem modo accipiendum physici esse considerare de vacuo, et si est, aut non, et quomodo est, et quid est, sicut et de loco. Et namque similem habet incredulitatem et fidem, per ea quae opinantur locum. Ut enim locum quendam, et vas, vacuum ponunt dicentes: videtur autem esse plenum quidem, cum habet illam molem gravem, cujus susceptivum est; cum vero privatum est, vacuum: tamquam idem quidem sit vacuum, et plenum, et locus: esse autem ipsis non idem.

Incipere autem oportet considerationem accipientes quae dicunt affirmantes esse, et iterum quae dicunt non affirmantes esse: et iterum communes opiniones de ipsis.

Alii quidem igitur tentantes monstrare quia non est, non quod homines volunt dicere vacuum hoc argunt, sed peccantes dicunt, sicut Anaxagoras, et qui eodem modo argumentantur: demonstrant enim quod aliquid est aer, litigantes per utres, et demonstrantes, quod aer est fortis et accipientes in clepsydris. Alii autem homines volunt vacuum esse spatium, in quo nullum est corpus sensibile. Opinantes autem omne quod est esse corpus, dicunt omnino in quo nihil est hoc esse vacuum: unde plenum aere vacuum esse. Igitur hoc non oportet monstrare, quia est aliquid aer, sed quia non est alterum spatium a corporibus, neque separabile, aut quod sit actu, quod distinguat omne corpus, ut sit non continuum, sicut dicunt Democritus et Leucippus et alii multi physiologorum: aut et si aliquid est, extra omne corpus est, cum sit continuum. Hi quidem igitur non secundum posita ad problema contradicunt.

Sed affirmantes esse magis: dicunt autem unum quidem, quia motus secundum locum non erit: hic autem est loci mutatio, et augmentum: non enim videbitur utique motus esse, nisi sit vacuum: plenum enim impossibile est recipere: si vero recipiat, et sint duo in eodem, continget utique, et quotlibet simul esse corpora: differentiam enim propter quam non erit utique quod dictum est, non erit dicere. Si autem hoc continget, et parvissimum accipiet maximum, multa namque parva, magnum sunt: quare, si multa aequalia continget in eodem esse, et multa inaequalia.

Melissus quidem igitur demonstrat, quod omne immobile ex his: si enim movebitur aliquid, necesse est esse vacuum, dicit: vacuum autem non est eorum, quae sunt. Uno quidem igitur modo ex his demonstrant quod aliquid est vacuum.

Alio vero modo, quia videntur quaedam corpora coeuntia, et calcantia, ut et vinum, dicunt, cum utribus, recipere dolia: tamquam in ea quae sunt vacua, coeunte densato corpore.

Amplius autem, et augmentum videtur omnibus fieri per vacuum: alimentum quidem corpus esse: duo autem corpora impossibile simul esse.

Testimonium autem, et quod est de cinere faciunt, qui recipit tantum aquae, quantum si vas vacuum esset.

Esse autem affirmaverunt et Pythagorici vacuum, et ingredi ipsum in caelo ex infinito spiritu tamquam respiranti, et hoc esse vacuum, quod determinat naturas: tamquam sit vacuum separatio quaedam eorum, quae sunt consequenter, et determinatio: et hoc esse primum in numeris: vacuum enim determinare numerum ipsorum. Ex quibus quidem igitur alii dicunt esse, alii vero non dicunt, fere tot et hujusmodi sunt.

Eodem modo existimandum est, physici esse dispicere etiam de inani, an sit necne, et quomodo sit, vel quid sit: quemadmodum et de loco; etenim similem habet refutationem et fidem ex iis quae de eo existimantur; nam qui id esse dicunt, hi ponunt inane quasi locum quemdam et vas. Videtur autem inane plenum quidem esse, quum molem habet, cujus est capax: quum autem ea destitutum fuerit, tunc esse inane; quasi idem sit inane, et plenum, et locus, sed eorum essentia non sit eadem.

Initium autem considerationis fieri oportet, sumptis iis quae dicunt qui ajunt esse inane, et rursus quae dicunt qui negant esse; ac tertium communes de iis opiniones. Qui igitur ostendere conantur non esse inane, hi non id refellunt, quod homines inane dicere volunt, sed quod aberrantes inquiunt: sicut Anaxagoras, et alii qui hoc modo redarguunt: demonstrant enim aerem esse aliquid, utres torquendo, et ostendendo quanta sit vis aeris, eumque in clepsydris intercipiendo. Homines autem volunt, inane esse intervallum, in quo nullum est corpus sensile. Et quum putent omne ens esse corpus, inquiunt, in quo omnino nihil est, id esse inane: idcirco quod est aere plenum, non esse inane.

Non oportet igitur hoc probare, aerem esse aliquid: sed non esse intervallum diversum a corporibus, neque separatum, neque quod actu sit et permeet per omne corpus, adeo ut non sit continuum: quemadmodum inquiunt Democritus et Leucippus, et multi alii de natura disserentes: aut si quid est extra omne corpus, quum corpus sit continuum.

Ergo hi non per januam problemati occurrunt; sed potius qui inane esse dicunt. Primum autem inquiunt non fore motum secundum locum: hic vero est latio, et accretio; non videri enim esse motum, nisi sit inane: quia quod est plenum, recipere aliquid nequit; sin autem reciperet, et duo corpora in eodem essent; certe possent quotcumque corpora simul esse; nam differentia, propter quam, quod dixi, esse nequeat, afferri non potest. Quodsi hoc fieri potest, etiam quod est minimum, recipiet quod est maximum. Multa namque parva est quod magnum est. Quapropter si multa aequalia possunt in eodem esse, etiam multa inaequalia esse poterunt.

Ac Melissus quidem ex his ostendit universum esse immobile: quia si movebitur, necesse, inquit, erit inane esse; inane autem non est in entium numero.

Uno igitur modo ex his ostendunt inane esse aliquid: autem, quia videntur quaedam coire et comprimi, sicut et vinum ajunt una cum utribus recipi a doliis, tamquam corpus condensatum coeat in ea spatia inania quae insunt. Praeterea etiam accretio videtur omnibus fieri per inane: alimentum enim esse corpus: duo vero corpora simul esse non posse.

Testimonium de cinere quoque afferunt, qui recipit tantum aquae, quantum vas, quum est inane. Pythagorei quoque dixerunt esse inane: et in caelum, quasi respiret, ingredi ex infinito spiritu: atque inane esse, quod naturas disterminat; tamquam inane sit separatio quaedam et distinctio eorum quae deinceps collocantur: et hoc esse primum in numeris: inane enim distinguere eorum naturam. Ex quibus igitur alii ajunt esse, alii negant, talia fere et tot numero sunt.

Postquam Philosophus determinavit de loco, hic determinat de vacuo: et circa hoc duo facit. Primo manifestat suam intentionem, secundo prosequitur propositum, ibi, « Alii quidem igitur. » Circa primum duo facit. Primo ostendit quod ad philosophum naturalem pertinet determinare de vacuo. Secundo ostendit quo ordine de vacuo determinan-

dum sit, ibi, « incipere autem. » Dicit ergo primo, quod sicut ad philosophum naturalem pertinet determinare de loco an sit et quid sit, ita et de vacuo: quia per similes rationes aliqui crediderunt et discrediderunt esse locum et vacuum. Illi enim, qui dicunt esse vacuum, ponunt ipsum ut quemdam locum et quoddam vas: quod quidem vas vel locus videtur esse plenum, cum habet intra se aliquam molem alicujus corporis; sed quando non habet dicitur esse vacuum, ac si idem sit subjecto locus, et vacuum, et plenum, sed differant solum secundum rationem.

Secundo ibi « incipere autem »

Ostendit quo ordine determinandum sit de vacuo: et dicit, quod oportet incipere ab hoc, quod ponamus rationes eorum qui dicunt vacuum esse: et iterum eorum, qui dicunt vacuum non esse: et iterum communes opiniones de vacuo, quid scilicet ad rationem vacui pertineat.

Deinde cum dicit « alii quidem »

Prosequitur quod dictum est. Et primo praemittit ea quae sunt necessaria ad inquirendum veritatem de vacuo. Secundo incipit inquirere veritatem, ibi, « Quoniam autem non est. » Circa primum duo facit. Primo ponit rationes ponentium et negantium esse vacuum. Secundo ponit communem opinionem de vacuo, ostendens quid sit de ratione vacui, ibi, « At quale autem, etc. » Circa primum duo facit. Primo ponit rationem negantium esse vacuum; secundo rationes affirmantium, ibi, « Sed affirmantes. » Dicit ergo primo, quod aliqui antiquorum philosophorum volentes monstrare non esse vacuum, in hoc peccaverunt, quod non arguebant contra rationem ponentium esse vacuum: non enim ostendebant non esse vacuum, sed inducebant rationes suas ad ostendendum quod plenum aere non est vacuum, ut patet de Anaxagora et aliis similiter argumentantibus: qui ad demonstrandum vacuum non esse, volebant demonstrare, quod aer sit aliquid, et ita, cum vacuum sit in quo nihil est, sequetur, quod plenum aere non sit vacuum. Quod autem aer sit aliquid, demonstrabant litigantes cum suis adversariis, per utres: qui, cum sint inflati possunt aliquod pondus sustinere: quod non esset, nisi aer esset aliquid; et sic demonstrant, quod aer est fortis. Et etiam per hoc quod accipiunt aerem in clepsydris, id est in vasis furantibus aquam: in quibus cum attractione aeris attrahitur aqua: vel etiam impeditur introitus aquae, nisi exeat aer. Patet igitur, quod isti non objiciunt ad positionem: quia omnes ponentes esse vacuum, volunt esse vacuum spatium, in quo nullum corpus sensibile est: propter hoc, quod omne quod est, opinantur esse corpus sensibile: et sic ubi non est corpus sensibile, credunt nihil esse: unde, cum aer sit corpus modicum sensibile, opinantur, quod ubi non est nisi aer, sit vacuum. Ad destruendum igitur eorum positionem, non sufficit ostendere quod aer sit aliquid: sed oportet ostendere, quod non sit aliquod corpus vel aliquod spatium sine corpore sensibili: secundum quod dupliciter aliqui ponebant esse vacuum: uno modo sicut separatum a corporibus, ut si diceremus, esse vacuum: alio modo sicut actu existens inter corpora, quod distinguit corpora ab invicem, ut non sint continua, ut dixerunt Democritus et Leucippus et multi aliorum naturalium philosophorum: imaginabantur enim quod, si totum ens esset continuum, omnia essent unum: non enim esset assignare, quare magis distinguerentur corpora plus hic quam ibi: unde inter omnia corpora distincta, ponebant interesse aliquod spatium vacuum, in quo nullum ens esset. Et, quia Democritus ponebat corpora componi ex multis corporibus indivisibilibus, ponebat inter media illorum corporum indivisibilium esse quas-

dam vacuitates, quas dicebat poros; et sic omnia corpora dicebat componi ex pleno et vacuo. Vel, si etiam totum corpus mundi sit continuum, et non sit inter partes universi aliqua vacuitas, ponebat tamen vacuum extra totum mundum. Manifestum est igitur, quod praedicti philosophi volentes destruere vacuum, non inducebant rationem ad quaestionem secundum positionem aliorum: debuissent enim ostendere, quod nullo illorum modorum sit vacuum.

Secundo ibi « sed affirmantes »

Ponit rationes ponentium esse vacuum. Et primo eorum, qui locuti sunt de vacuo naturaliter. Secundo eorum, qui locuti sunt non naturaliter, ibi, « Esse autem affirmaverunt etc. » Circa primum duo facit. Primo ponit rationem eorum, qui ponebant vacuum esse quoddam spatium a corporibus separatum. Secundo eorum qui ponebant vacuum in corporibus, ibi, « Alio vero modo, etc. » Circa primum duo facit. Primo ponit rationem ponentium esse vacuum. Secundo ponit quomodo Melissus e contra illa ratione utebatur, ibi, « Melissus quidem igitur. » Dicit ergo primo, quod illi, qui affirmabant vacuum esse, magis inducebant rationes ad propositum. Quarum una erat, quod motus secundum locum, qui est loci mutatio et augmentatio, ut supra dictum est, non esset, si vacuum non esset. Quod sic ostendebant. Si enim aliquid movetur secundum locum, non potest moveri in plenum, quia locus plenus uno corpore non potest recipere aliud; quia si reciperet, sequeretur duo corpora esse in eodem loco: et eadem ratione sequeretur de quocumque: non enim potest assignari differentia, quare duo corpora sint in eodem loco, et non plura. Et, si hoc contingit, scilicet quod quotcumque corpora sint in eodem loco, sequetur, quod parvissimus locus possit recipere maximum corpus: quia multa parva constituuntur unum magnum: unde, si multa parva aequalia sint in uno loco, et multa inaequalia. Sic ergo probata hac conditionali, quod si motus est, vacuum est: arguebant a positione antecedentis: motus est: ergo vacuum est.

Secundo ibi « Melissus quidem »

Ostendit, quod Melissus supposita eadem conditionali argumentabatur e contra, a destructione consequentis: quia si motus est, vacuum est: sed vacuum non est, ergo motus non est: ergo totum ens est immobile. Iste est igitur unus modus, quo aliqui probabant vacuum esse quasi separatum.

Deinde cum dicit « alio vero modo »

Ponit tres rationes ponentium vacuum esse, in corporibus. Quarum prima est ex his quae condensantur. Videntur enim eorum quae inspissantur, partes coire vel convenire in invicem, et se invicem calcare et comprimere: ita quod, sicut fertur, dolia tantum de vino recipiunt cum utribus, quantum etiam sine utribus; et praecipue si utres sint subtiles, propter hoc, quod vinum in utribus condensari videtur. Hanc autem condensationem fieri existimabant, ac si densato corpore, partes subintrarent in quasdam vacuitates.

Secundam rationem ponit ibi « amplius autem »

Quae sumitur ex augmento. Augentur enim corpora per alimentum, quod corpus quoddam est. Duo autem corpora non possunt esse in eodem loco: ergo oportet esse aliquas vacuitates in corpore augmentato, in quibus recipiatur alimentum. Et sic necesse est esse vacuum ad hoc quod recipiatur alimentum.

Tertiam rationem ponit ibi « testimonium au- « tem »

Quae sumitur ex vase pleno cinere, quod tantum recipit de aqua, quantum si esset vacuum; quod non esset, nisi essent aliquae vacuitates inter partes cineris.

Deinde cum dicit « esse autem »

Ponit opiniones non naturalium de vacuo: et dicit, quod etiam Pythagorici affirmaverunt esse vacuum: quod quidem ingrediebatur infra partes mundi a caelo, propter vacuum infinitum, quod ponebant esse extra caelum, quasi quemdam aerem, vel spiritum infinitum: ut sicut ille qui respirat, dividit

suo flatu aliqua faciliter divisibilia, ut aquam aut hujusmodi, ita ex aliquo quasi respirante ingrederetur distinctio in res: quod non intelligebant fieri nisi per vacuum: sicut de Democrito dictum est, ac si vacuum nihil esset aliud quam distinctio rerum. Et, quia prima distinctio et pluralitas invenitur in numeris, ideo vacuum primo ponebant in numeris: ut per naturam vacui una unitas distingueretur ab alia, ne numerus sit continuus, sed habeat naturam discretam. Sed, quia isti quasi aequivoce loquebantur de vacuo, appellantes rerum distinctionem vacuum, propter hoc infra de hac opinione non prosequitur. Ultimo autem quasi epilogando concludit, dictum esse, propter quid quidam dicunt esse vacuum, et quidam non dicunt.

LECTIO X.

Vacui quibusdam significatis propositis, opiniones ipsum esse asserentem confutantur.

ANTIQUA.

Ut autem sciamus qualiter se habeat, oportet accipere, quid significet nomen.

Videtur autem vacuum locus esse, in quo nihil est: hujus autem causa est: quia omne quod est, corpus opinantur esse: omne autem corpus in loco est: vacuum autem, in quo nullum corpus est: quare sicubi non est corpus, nihil est ibi. Corpus autem iterum omne opinantur esse tangibile: hujusmodi autem est, quod habet gravitatem aut levitatem: accidit igitur ex syllogismo, hoc esse vacuum, in quo nullum est grave aut leve. Haec quidem igitur ex syllogismo, sicut prius diximus accidunt.

Sed inconveniens est, si punctum vacuum sit: oportet enim locum esse, in quo loco corporis sit spatium tangibilis. Sic igitur videtur dici vacuum, uno quidem modo non plenum sensibili corpore secundum tactum: sensibile autem secundum tactum est gravitatem habens aut levitatem.

Unde dubitabit aliquis, quid utique dicant, si habeat hoc spatium colorem aut sonum, utrum vacuum, an non? Aut manifestum est, si corpus quidem suscipiat tangibile vacuum esse; si vero non, minime.

Alio autem modo, in quo non est hoc aliquid. neque substantia aliqua corporea. Unde quidam dicunt vacuum esse corporis materiam: qui quidem et locum hoc idem dicentes, non bene: materia enim separabilis non est a rebus: vacuum autem quaerunt sicut separabile.

Quoniam autem de loco determinatum est, et vacuum locum necesse est esse, si est privatum corpore, locus autem quomodo est, et quomodo non est dictum est: manifestum est? quoniam sic quidem vacuum non est, neque separatum, neque inseparabile: vacuum enim non corpus, sed corporis spatium volunt esse. Unde et vacuum videtur aliquid esse, quia et locus.

Et per eadem sane acceptum est: provenit enim motus, qui est secundum locum, et locum dicentibus esse aliquid praeter incidentia corpora, et his qui dicunt quod vacuum est. Causam autem motus opinantur esse vacuum, sic sicut in quo moventur: hoc autem tale erit, qualem locum dicunt esse quidam.

Nulla autem necessitas est, si motus est, esse vacuum. Omnino quidem igitur omnis motionis, nequaquam: unde, et Melissum latuit: alterari namque contingit plenum. Sed neque secundum locum motum. Similiter enim subingredi adinvicem, contingit, si nullum spatium separabile sit praeter corpora mota. Et hoc manifestum est et in continuorum revolutionibus, sicut in iis quae sunt humidorum.

Contingit autem densari non in vacuo, sed propter id, quod ea, quae insunt, elabuntur, ut aqua collisa aer, qui inest.

RECENS.

Ceterum ad intelligendum utro modo res habet, oportet sumere quid nomen significet. Videtur igitur inane esse locus, in quo nihil est. Hujus causa est: quia quod est, putant esse corpus, omne autem corpus esse in loco; inane vero, in quo loco nullum est corpus: quare sicubi non est corpus, ibi esse inane. Rursus putant omne corpus esse tactile: tale autem esse, quodcumque habet gravitatem aut levitatem. Itaque syllogismo efficitur id esse inane, in quo nihil est grave aut leve. Haec igitur, ut et antea diximus, syllogismo colliguntur. Absurdum autem est, punctum esse inane; oportet enim inane esse locum, in quo sit corporis tactilis intervallum.

At vero videtur inane dici uno quidem modo, quod non est plenum corporum tactu sensibilis: tactu autem sensibile est, quod habet pondus et levitatem. Idcirco et dubitare quispiam possit, qui dicerent, si intervallum haberet colorem aut sonum, utrum esset inane necne. At manifestum est, si possit recipere corpus tactile, inane esse; sin minus, non esse.

Alio autem modo inane dicitur. in quo non est hoc aliquid, nec substantia aliqua corporea. Quare nonnulli ajunt inane esse corporum materiam: qui hoc ipsum dicunt etiam esse locum, haud scite: nam materia non est separabilis a corporibus: inane autem quaerunt ut separabile.

Quia vero de loco definitum fuit; et necesse est inane esse locum, si est corpore privatum; dictum autem est, quomodo locus sit, et quomodo non sit: apparet non esse ita inane, nec inseparabile, nec separatum: quandoquidem inane non debet esse corpus, sed corporis intervallum.

Quocirca etiam inane videtur esse aliquid, quia et locus ita videtur, atque iisdem de causis. Etenim motus secundum locum in mentem venit et iis qui dicunt locum esse aliquid praeter corpora quae incidunt, et iis qui inane. Putant autem inane esse causam motus, sicut id in quo movetur: quod perinde est, ut nonnulli locum esse inquiunt.

Sed nulla necessitas cogit, si sit motus, esse inane. Ac omnino quidem omnis motus inane causa esse nullo modo potest: et ob id quod et Melissum latuit; variari enim potest quod est plenum. Sed neque motum secundum locum necesse est esse propter inane. Simul enim sibi vicissim cedere possunt corpora quae moventur, quum nullum praeter ea sit intervallum separatum; atque hoc manifestum est etiam in rerum continuarum, ut et in humidarum, conversionibus.

Possunt etiam corpora cogi non in inane, sed quia extruduntur ea quae insunt, ut aqua compressa, extruditur aer qui inest. Et augeri possunt, non solum corpore aliquo in-

Et augmentari non solum ingrediente aliquo, sed et alteratione, ut si ex aqua fiat aer.

Omnino autem, et quae est de augmento ratio, et de aqua in cinerem infusa, ipsa seipsam impedit: aut enim non augetur quodlibet, aut non corpore. aut contingit duo corpora in eodem esse (Dubitationem igitur volunt communem solvere, sed non demonstrant vacuum, quod est): aut omne corpus vacuum esse necesse est, si penitus augetur, et augetur per vacuum: eadem autem et in cinere ratio est. Quod quidem igitur et ex quibus demonstrant vacuum, solvere facile sit, manifestum est.

grediente, sed etiam variatione: veluti, si ex aqua fiat aer. Omnino autem et haec ratio de accretione, et illa de aqua in cinerem infusa, sibi ipsi est impedimento. Aut enim non quodvis augetur; augetur: aut possunt duo corpora esse in eodem loco: (dubitationem igitur communem putant se solvere sed inane non probant esse:) aut necesse est, universum corpus esse inane, si undique augetur, et per inane augetur. Eadem ratio est etiam in cinere. Ea igitur ex quibus demonstrant esse inane, facile solvi, perspicuum est.

Dixerat superius Philosophus a tribus esse incipiendum. Postquam ergo prosecutus est duo eorum, scilicet opiniones negantium et affirmantium vacuum esse, hic prosequitur tertium, communes scilicet opiniones hominum de vacuo demonstrans. Circa hoc igitur tria facit. Primo ostendit quid significetur nomine vacui. Secundo ostendit quomodo vacuum aliqui esse posuerunt, ibi, « Quoniam autem de loco. » Tertio excludit rationes ponentium vacuum esse, ibi, « Neque una autem. » Circa primum duo facit. Primo ostendit de quo est intentio. Secundo exequitur propositum, ibi, « Videtur autem, etc. » Dicit primo, quod cum dictum sit quod quidam posuerunt vacuum esse, quidam vero negaverunt: ad cognoscendum qualiter se habeat veritas, oportet accipere tamquam principium, quid significet nomen vacui. Sicut enim cum dubitatur an aliqua passio insit alicui subjecto, oportet accipere pro principio quid sit res; ita cum dubitatur de aliquo an sit, oportet accipere pro medio, quid significet nomen: quaestio enim quid est, sequitur quaestionem an est.

Secundo ibi « videtur autem »

Ostendit quid significet nomen vacui: et primo, ponit significationem communiorem; secundo significationem secundum usum Platonicorum, ibi, « Alio autem modo. » Circa primum tria facit. Primo ostendit quid significet hoc nomen Vacuum. Secundo quid oportet addere ad illam significationem, ibi, « Sed inconveniens est. » Tertio removet quamdam dubitationem, ibi, « Unde et sic, etc. » Dicit ergo, quod secundum opinionem hominum, videtur vacuum nihil aliud significare, quam locum in quo nihil sit: et hujus causa est, quia proprie vacuum dicitur, in quo non est aliquod corpus: quia soli corpori convenit, quod sit in loco: et vacuum nihil aliud potest significare quam locum absque locato. Sed, quia homines opinantur quod omne ens sit corpus, sequitur secundum eorum opinionem, quod ubi non est corpus nihil sit. Et ulterius opinantur, quod omne corpus sit tangibile, id est habens tangibiles qualitates: et hujusmodi corpus est, quod est grave vel leve (nondum enim erat notum, quod corpus caeleste esset praeter naturam quatuor elementorum); unde, cum proprie de ratione vacui sit, quod sit locus in quo non est aliquod corpus, sequitur quod vacuum sit in quo non est corpus grave vel leve. Non quidem, quod hoc sit de ratione vacui secundum primam impositionem nominis, sed secundum quamdam syllogisticam deductionem, ex communi opinione hominum opinantium omne corpus esse grave vel leve, sicut est secundum opinionem communem hominum existimantium omne ens esse corpus, sequitur vacuum esse in quo nihil est. Sic igitur tribus modis potest accipi hujus nominis significatio. Una est

propria, scilicet, vacuum est locus in quo non est corpus: aliae duae secundum opinionem hominum: quarum una est communior, scilicet, vacuum est locus in quo nihil est: alia vero est magis coarctata, scilicet, vacuum est locus in quo non est corpus grave vel leve.

Secundo ibi « sed inconveniens »

Ostendit quid addendum sit ad hanc significationem. Dicit enim quod inconveniens est, si dicatur, quod punctum sit vacuum; cum tamen de puncto dici possit, quod in puncto non sit corpus tangibile. Oportet ergo addere, quod vacuum sit locus in quo non sit corpus tangibile: sed sit ibi spatium susceptivum corporis tangibilis; sicut caecum dicitur, quod caret visu, natum autem habere. Et sic concluditur, quod uno modo dicitur vacuum spatium quod non est plenum corpore sensibili secundum tactum: quod scilicet est grave vel leve.

Tertio ibi « unde dubitabit »

Removet quamdam dubitationem; quae est, utrum, si in aliquo spatio sit color vel sonus, dicendum sit vacuum, vel non: et hoc propter definitionem primo datam, scilicet vacuum est, in quo est nihil. Et solvit: quod si spatium, in quo est tantum sonus vel color, est susceptivum corporis tangibilis, vacuum est; si vero non, vacuum non est. Et hoc ideo, quia haec non est propria definitio vacui: Vacuum est in quo nihil est, nisi secundum opinionem credentium, ubi non est corpus nihil esse.

Deinde cum dicit « alio autem »

Ponit aliam significationem vacui secundum usum Platonicorum: et dicit, quod alio modo dicitur esse vacuum, in quo non est hoc aliquid, neque aliqua substantia corporea. Fit autem hoc aliquid per formam: unde aliqui dicunt materiam corporis, secundum quod est absque forma, esse vacuum: qui etiam materiam dicunt esse locum, ut supra dictum est. Sed non bene dicunt: quia materia non est separabilis a rebus, quarum est materia: sed homines quaerunt locum et vacuum, tamquam aliquid separabile a corporibus locatis.

Deinde cum dicit « quoniam autem »

Ostendit quomodo aliqui ponebant vacuum esse; et primo quid dicebant esse vacuum: secundo propter quid vacuum ponebant, ibi, « Et propter hoc acceptum. » Dicit ergo primo, quod quia vacuum est locus privatus corpore, et determinatum est de loco quomodo sit, et quomodo non sit (dictum est enim quod locus non est aliquod spatium, sed terminus continentis), manifestum est etiam, quod neque vacuum est spatium separatum a corporibus, neque intrinsecum corporibus, sicut ponebat Democritus: et hoc ideo, quia ponentes vacuum quocumque istorum modorum, volunt quod vacuum non sit corpus, sed spatium corporis. Ideo enim videbatur aliquid esse vacuum, quia locus aliquid est: et sicut locus videbatur esse spatium, ita et vacuum. Si ergo locus non est aliquod spatium praeter corpus, neque vacuum potest esse spatium praeter corpora. Et cum de ratione vacui sit, quod sit spatium corporis praeter corpora, ut supra dictum est, sequitur, quod vacuum non sit.

Secundo ibi « et per eadem »

Ostendit quare posuerunt vacuum; et dicit quod propter idem acceperunt vacuum esse, propter quod acceperunt locum esse: scilicet propter motum, ut supra dictum est, quia provenit ut salvetur motus secundum locum, tam secundum illos qui dicunt locum aliquid esse praeter corpora quae sunt in loco, quam secundum illos qui ponunt vacuum esse. Negantibus autem locum et vacuum non provenit motum secundum locum esse. Et sic vacuum quodammodo opinantur causam esse motus eo modo quo et locum, ut in quo scilicet est motus.

Deinde cum dicit « nulla autem »

Excludit rationes ponentium vacuum esse. Et non intendit hic rationes praemissas vera solutione solvere, sed instantiam dare ex qua ex ipso aspectu apparet quod rationes non ex necessitate concludunt. Primo ergo excludit rationes ponentium vacuum separatum. Secundo ponentium vacuum in corporibus, ibi, « Contingit autem densari. » Primam autem rationem excludit dupliciter. Primo quidem, quia non est necessarium, si motus sit, quod vacuum sit. Et, si loquamur universaliter de qualibet specie motus, manifeste apparet, quod nequaquam est necessarium: nihil enim prohibet id quod est plenum alterari: solus enim motus localis excludi videtur, si vacuum non ponatur. Et hoc latuit Melissum, dum credidit, remoto vacuo, omnem speciem motus auferri. Secundo excludit eamdem rationem per hoc, quod neque motus localis tollitur, si vacuum non sit. Dato enim quod nullum spatium separabile sit praeter corpora quae moventur, potest motus localis esse per hoc quod corpora subintrent seinvicem per modum inspissationis: et sic aliquid in plenum movetur, et non in vacuum. Et hoc apparet manifeste in generationibus corporum continuorum: et praecipue in humidis, sicut videtur in aqua: si enim projiciatur lapis in aliquam magnam latitudinem aquae, manifeste apparet fieri quasdam circulationes circa locum percussionis, quousque pars aquae depulsae commoveat aliam, et subintret ipsam: unde, quia modica pars aquae subintrat per quamdam diffusionem in majorem aquam circulationis praedictae, a parvo in majus procedunt, quousque totaliter deficiant.

Secundo ibi « contingit autem »

Excludit rationes ponentium vacuum in corpo-

ribus. Et primo rationem quae procedebat ex condensatione; et dicit quod contingit corpora condensari, et partes corporis subintrare sibi invicem, non propter hoc quod pars subintrans vadat in locum vacuum; sed ideo, quia erant aliqua foramina plena aliquo corpore subtiliori, quod facta condensatione elabitur: sicut quando aqua colliditur et inspissatur, aer qui intus erat, excluditur; et haec maxime apparent in spongia, et in hujusmodi corporibus porosis. Haec igitur solutio non ostendit causam condensationis, quam inferius ponit; sed ostendit, quod etiam per hunc modum, manifeste excludi potest necessitas vacui.

Secundo ibi « et augmentari »

Excludit rationem, quae procedit ex augmento: et dicit quod augmentum contingit esse non solum per additionem alicujus corporis ingredientis in corpus augmentatum, ut sic necesse sit esse vacuum, sed etiam per alterationem: sicut cum ex aqua fit aer, major fit quantitas aeris, quam erat aquae. Et haec etiam non est vera solutio rationis inductae, sed solum instantia quaedam, ne sit necesse ponere vacuum. Vera autem solutio ponitur in libro de Generatione; ubi ostenditur, quod alimentum non sic transit in id quod augetur quasi sit aliud corpus ab ipso; sed quia convertitur in substantiam ejus, sicut ligna apposita igni convertuntur in ignem.

Tertio ibi « omnino autem »

Excludit simul, et rationem de augmento, et rationem de aqua effusa in cinerem: et dicit, quod utraque impedit seipsam. Quod sic patet. Est enim circa augmentum haec dubitatio. Videtur enim quod non totum augeatur, vel quod augmentum non fiat per additionem corporis, sed per additionem alicujus incorporei: aut quod contingat duo corpora esse in eodem loco. Hanc igitur dubitationem, quae communiter videtur esse tam contra ponentes vacuum, quam contra non ponentes, volunt solvere. Sed tamen non demonstrant, quod vacuum sit; sed oportet eos dicere, si augmentum sit propter vacuum, quod totum corpus sit vacuum, cum totum corpus augeatur. Et similiter dicendum est de cinere: quia, si vas plenum cinere recipit tantum de aqua quantum vacuum, oportet dicere, quod totum sit vacuum. Non est igitur hoc propter vacuitatem, sed propter commistionem in aqua. Aqua enim commista cineri condensatur, et aliqua pars ejus exhalat, et iterum partes cineris magis inspissantur humefactione: cujus est signum, quia non potest extrahi tantum de aqua, quantum prius fuit. Ultimo autem concludit, quod manifestum est, quod facile est solvere ea, ex quibus demonstrant vacuum esse.

LECTIO XI.

Vacuum non esse, ex natura motus plurimis rationibus ostenditur.

ANTIQUA.

Quod autem non est vacuum, sic divisum, sicut quidam dicunt, dicemus iterum. Si enim est uniuscujusque simplicium corporum loci mutatio aliqua natura, ut ignis quidem sursum, terrae autem deorsum, et ad medium, manifestum est, quod non vacuum erit causa loci mutationis. Cujus igitur causa erit vacuum? videtur enim causa esse motus secundum locum, hujus autem causa non est.

Amplius, si est vacuum aliquid, velut locus privatus corpore, cum sit vacuum, quo movebitur positum in ipso corpus? non enim in omnem partem. Eadem autem ratio et ad eos locum esse aliquid opinantes separatum, in quem fertur quod fertur: quomodo enim movebitur positum aut manebit? Et de sursum et deorsum, et de vacuo convenit eadem ratio merito: vacuum enim locum faciunt, qui esse dicunt. Et quomodo jam inerit, aut in loco, aut in vacuo? non enim accidit cum totum positum sit sicut in separato loco, et sufferente corpore: pars enim nisi seorsum ponatur, non erit in loco, sed in toto. Amplius si non est locus, vacuum non erit.

Accidit autem dicentibus esse vacuum, tamquam necessarium, siquidem erit motus contrarium magis esse, si aliquis intendat non contingere moveri quicquam si sit vacuum: sicut enim propter simile dicentes terram quiescere, sic et in vacuo necesse est quiescere. Non enim est quo magis et minus movebitur: secundum enim quod vacuum est, non habet differentiam.

Deinde quoniam omnis motus aut violentus aut secundum naturam est. Necesse est autem, siquidem sit violentus, esse et eum qui secundum naturam: violentus enim est extra naturam: qui autem extra naturam, posterior est eo qui est secundum naturam. Quare, si non secundum naturam est unicuique physicorum corporum motus, neque aliorum erit motuum neque unus. At vero motus naturalis quomodo erit in vacuo, cum nec una sit differentia secundum vacuum et infinitum? secundum quidem enim quod infinitum est, nihil erit sursum neque deorsum, neque medium: secundum autem quod vacuum est, nihil differens sursum a deorsum. Sicut enim nullius neque una est differentia, sic et non entia: vacuum autem non est aliquid, et privatio videtur esse: natura autem loci mutatio differens est: quare erunt, quae sunt natura differentia. Si igitur non est natura, nusquam et nulla loci mutatio: aut si hoc est, non est vacuum.

Amplius nunc quidem projecta moventur, projectore non tangente, aut propter antiperistasim, sicut quidam dicunt, aut ex eo quod pellit pulsus aer velociore motu, quam latio pulsi secundum quam fertur in proprium locum: in vacuo autem nihil horum contingit esse: neque enim erit ferri, nisi aut quod vehitur.

Amplius nullus utique poterit dicere, propter quid quod movetur stabit alicubi; quid enim magis hic quam illic? Quare aut quiescet, aut in infinitum necesse est ferri, nisi aliquod impedierit majus. Amplius autem nunc quidem in vacuum ob id quod cedit ferri videtur: in vacuo autem ubique similiter est hujusmodi: quare in omnem feretur partem.

RECENS.

Non esse autem inane ita separatum, ut nonnulli ajunt, rursus dicamus. Nam si cuique simplici corpori est naturalis quaedam latio, ut igni sursum versus, terrae autem deorsum et ad medium; utique patet, inane non esse causam lationis. Cujus igitur causa inane erit? quandoquidem videtur esse causa motus, qui fit in loco: sed tamen hujus causa non est.

Praeterea si est aliquid ut locus privatus corpore, quum sit inane, quo feretur corpus in illud impositum? non enim feretur ad universum. Eadem ratio est et adversus eos qui putant locum esse aliquid separatum, in quem fertur id quod fertur. Quomodo enim feretur, quod impositum est? aut quomodo manebit? Ac de supero atque infero et de inani eadem ratio merito conveniet: quoniam ii qui dicunt esse inane, statuunt id esse locum. Quomodo igitur inerit vel in loco vel inani? hoc enim esse nequit, quum totum aliquod ponitur tamquam in loco separato ac permanente corpore. Pars enim, nisi seorsum ponatur, non erit in loco, sed in toto. Praeterea si non est locus, nec inane erit.

Quodsi quis rem consideret, iis qui dicunt esse inane, quasi hoc sit necessarium si sit motus, contrarium potius evenit, id est, non posse quidpiam moveri si sit inane: sicut enim quidam propter similitudinem inquiunt terram quiescere, ita etiam necesse est, in inani quiescere. Non est enim ubi magis vel minus moveatur; nam qua est inane, non habet differentiam.

Primum igitur quia omnis motus aut est vi aut natura; necesse est, si violentus sit, etiam naturalem esse; nam violentus est quidem praeter naturam; qui vero est, praeter naturam, est naturali posterior. Quare nisi motus naturalis inest cuique naturali corpori, nec ullus alius motus inerit. Atqui naturalis quomodo erit, quum nulla sit differentia in inani et infinito? quatenus enim est infinitum, nihil erit superum aut inferum, aut medium; quatenus vero est inane, nihil differet superum ab infero. Nam sicuti nihili nulla est differentia, ita etiam non-entis: inane autem videtur esse non-ens quiddam, ac privatio; sed naturalis latio est differens; quocirca et quae natura moventur, differentia erunt. Aut igitur nulli usquam est naturalis latio: aut si hoc est, non est inane.

Praeterea, quae jaciuntur, nunc moventur, quum is qui impulit, amplius non tangit; vel propter antiperistasin, ut nonnulli inquiunt, vel quoniam aer impulsus celeriori motu impellit quam sit latio corporis impulsi, qua fertur ad proprium locum. In inani autem nihil tale inesse potest; nec ferri quicquam poterit, nisi ut id quod vehitur.

Praeterea nemo potest dicere cur res mota sistetur alicubi. Cur enim potius hic quam illic? quare aut quiescet; aut necesse est in infinitum ferri; nisi quid potentius impediet.

Praeterea nunc quidem ad inane, quia cedit, ferri videtur: sed in omni parte inanis similiter est ejusmodi quod cedit. Quare in omnem partem feretur.

Positis opinionibus aliorum de vacuo, et quid significetur nomine vacui, hic incipit inquirere veritatem. Et primo ostendit vacuum non esse separatum; secundo ostendit vacuum non esse corporibus inditum, ibi, « Sunt autem quidam, etc. » Circa primum duo facit. Primo ostendit vacuum separatum non esse ex parte motus; secundo ex consideratione, qua ipsum vacuum consideratur secundum se, ibi, « Et per se autem. » Circa primum duo facit. Primo ostendit vacuum non esse ex parte motus. Secundo ex parte velocitatis et

tarditatis in motu, ibi, « Amplius autem ex his, etc. » Circa primum ponit sex rationes. Circa quarum primam dicit, quod oportet iterum dicere, quod non est vacuum separatum sicut quidam dicunt. Ideo autem apponit « iterum, » quia hoc etiam aliqualiter ostensum est ex parte loci. Si enim locus non sit spatium, sequitur quod vacuum nihil sit, ut supra dictum est. Sed nunc iterum idem ostendit ex parte motus: ponebant enim vacuum, ut dictum est, propter motum: sed propter motum non est necessarium ponere vacuum. Maxime enim videtur, quod esset causa motus localis. Sed propter motum localem non oportet ponere vacuum: quia omnia corpora simplicia habent motus locales naturales, sicut motus naturalis ignis est sursum, et motus terrae est deorsum, et ad medium. Et sic manifestum est, quod natura uniuscujusque corporis est causa motus localis, et non vacuum. Quod quidem esset, si propter affirmationem (1) vacui aliqua corpora naturalia moverentur. Si autem non ponitur causa motus localis, nullius alterius motus causa poni potest, neque alterius rei. Frustra igitur vacuum est.

Secundam rationem ponit ibi « amplius si »
Quae talis est. Si ponatur vacuum esse, non potest assignari causa motus naturalis, et quietis naturalis: manifestum est enim quod corpus naturale movetur ad locum suum naturalem, et quiescit in eo naturaliter, propter convenientiam quam habet cum ipso, et quia non convenit cum loco a quo recedit. Sed vacuum non habet aliquam naturam, per quam possit convenire aut disconvenire a corpore naturali; si ergo ponatur aliquod vacuum, quasi quidam locus privatus corpore, non poterit assignari ad quam partem illud corpus naturaliter moveatur: non enim potest dici quod feratur ad quamlibet partem, quia hoc videmus ad sensum esse falsum, quia ab una parte naturaliter recedit, et naturaliter accedit ad aliam. Et haec eadem ratio valet contra eos, qui ponunt locum esse quoddam spatium separatum, in quod corpus mobile fertur: non enim erit assignare quomodo corpus positum in tali loco vel moveatur vel quiescat; quia dimensiones spatii nullam habent naturam, per quam possit attendi similitudo vel dissimilitudo ad corpus naturale. Et merito congruit eadem ratio de vacuo « et desursum et deorsum, » idest de loco, cujus partes sunt sursum et deorsum: quia illi qui ponunt vacuum, dicunt ipsum esse locum. Et non solum ponentes vacuum, et ponentes locum esse spatium, non possunt assignare quomodo aliquid moveatur et quiescat secundum locum; sed etiam non possunt convenienter assignare quomodo aliquid sit in loco vel in vacuo. Si enim locus ponatur esse spatium, oportet quod totum corpus inferatur in illud spatium, et non sicut accidit apud ponentes locum esse terminum corporis continentis quod locatum est in loco sicut in aliquo separato, et sicut in quodam corpore continente et sustentante. Et hoc videtur esse de ratione loci, quod aliquid sit in loco, sicut in separato et seorsum existente: quia, si pars alicujus corporis non ponatur seorsum ab ipso corpore, non erit in eo sicut in loco, sed sicut in toto. Est igitur de ratione loci et locati, quod locus seorsum sit a locato. Et hoc non accidit, si spatium sit locus, in quo totum mergitur totum corpus. Non igitur spatium est locus: et si spatium non est locus, manifestum est, quod vacuum non est.

Tertiam rationem ponit ibi « accidit autem »
Et dicit, quod, cum antiqui philosophi ponerent quod necesse est vacuum esse si est motus: e contra accidit, quia si est vacuum, non est motus. Et hoc probat per quoddam simile. Quidam enim dixerunt quod terra quiescit in medio propter similitudinem partium circumferentiae undique; et sic, terra, cum non habeat quare moveatur magis versus unam partem circumferentiae, quam versus aliam, quiescit. Et eadem ratione necesse est in vacuo

quiescere. Non enim est assignare quare magis moveatur ad unam partem quam ad aliam: quia vacuum inquantum hujusmodi, non habet differentias in suis partibus; non entis enim non sunt differentiae.

Quartam ponit ibi « deinde quoniam »
Quae talis est. Motus naturalis est prior violento, cum motus violentus non sit nisi quaedam declinatio a motu naturali. Remoto ergo motu naturali, removetur omnis motus, cum remoto priori removeatur posterius. Sed posito vacuo removetur motus naturalis, quia tollitur differentia partium loci, ad quas est motus naturalis; sicut et posito infinito, ut supra dictum est. Sed hoc interest inter vacuum et infinitum: quia posito infinito nullo modo potest poni neque sursum neque medium, ut in tertio dictum est: posito autem vacuo possunt haec quidem poni, sed non quod adinvicem differant: quia nullius, et non entis, et per consequens vacui, cum sit non ens et privatio, non est aliqua differentia. Sed loci mutatio naturalis requirit locorum differentiam, quia diversa corpora ad diversa loca moventur; unde oportet loca naturalia differre abinvicem. Si igitur ponatur vacuum, nullius erit naturalis loci mutatio: et si non est loci mutatio naturalis, nulla loci mutatio erit: unde si est aliqua propria loci mutatio, oportet quod vacuum non sit.

Quintam ponit ibi « amplius nunc »
Circa quam considerandum est, quod solet esse quaedam dubitatio circa ea quae projiciuntur: oportet enim movens et motum simul esse, ut infra in septimo probatur: et tamen illud, quod projicitur, invenitur moveri etiam postquam separatum est a projiciente, sicut apparet in lapide projecto, et sagitta emissa per arcum. Nunc igitur supposito quod vacuum non sit, solvitur ista dubitatio ex parte aeris, quo medium repletur: et hoc dupliciter. Dicunt enim quidam quod ea quae projiciuntur, moventur postquam non tanguntur a projiciente propter antiperistasim, idest repercussionem, vel contra resistentiam: aer enim motus repercutitur ad alium aerem, et ille ad alium, et sic deinceps, et per talem repercussionem aeris ad aerem movetur lapis. Alii vero dicunt, quod hoc ideo est, quia aer, qui continuus existens a projiciente impellitur, velocius impellit corpus projectum, quam sit motus, quo corpus projectum fertur naturaliter in proprium locum. Unde propter velocitatem motus aeris non permittitur corpus projectum, utputa lapis, vel aliud hujusmodi, cadere deorsum, sed fertur secundum impulsionem aeris. Nulla autem istarum causarum posset poni si esset vacuum; et ita corpus projectum nullo modo ferretur, nisi quamdiu veheretur, puta a manu projicientis, sed statim emissus a manu caderet: cujus contrarium videmus: non ergo est vacuum.

Sextam ponit ibi « amplius nullus »
Quae talis est. Si motus sit in vacuo, nullus poterit assignare causam, propter quid illud quod movetur, alicubi stat. Non enim est ratio quare magis quiescat in una parte vacui quam in alia: neque in his quae moventur naturaliter, cum non sit differentia inter partes vacui, ut supra dictum est: neque in his, quae moventur motu violento. Nunc enim dicimus, quod cessat motus violentus, ubi deficit repercussio vel impulsio aeris, secundum duas causas assignatas. Oportebit ergo, quod vel quiescat omne corpus et nihil mo-

veatur, aut si aliquid moveatur, quod moveatur in infinitum, nisi occurrat ei aliquod corpus majus quod violentum motum ejus impediat. Ad confirmationem autem hujus rationis subjungit causam quare ponunt aliqui motum fieri in vacuo, quia scilicet vacuum cedit, et non resistit mobili: unde, cum vacuum similiter cedit ex omni parte, feretur in infinitum ex qualibet parte.

LECTIO XII.

Ex natura velocitatis ac tarditatis motus illorum destruit sermonem, qui ex iis esse vacuum demonstrasse arbitrabantur.

ANTIQUA.

Amplius autem et ex his manifestum est, quod dicitur. Videmus enim idem grave et leve corpus velocius ferri propter duas causas: aut quia id differt per quod, ut per aquam, aut per terram, aut per aerem: aut quia id differt quod fertur, si alia sunt eadem, propter excellentiam gravitatis aut levitatis.

Hoc igitur, per quod fertur, causa est: quia impeditur maxime quidem, quod contra fertur, postea autem et manens: magis autem quod non facile dividitur: hujusmodi autem grossius est. Id igitur, in quo est A, movebitur per B, quod autem in quo est C tempus: per ipsum autem D cum sit subtilius: sed aequalis longitudo est ipsius B, quae est ipsius D, secundum analogiam impedientis corporis. Sit enim B quidem aqua, D vero aer: quanto igitur subtilius aer aqua, et incorporalius, tanto citius A per D movebitur, quam per B. Habet igitur eamdem rationem, qua quidem distat aer ab aqua, velocitas ad velocitatem. Quare, si dupliciter subtile est, in duplici tempore, quod est ipsum B, transibit quam D. Et erit in quo est C tempus duplex eo, quo est E: et semper jam quantumcumque sit incorporalius, et minus impeditivum et bene divisibilius per quod fertur, citius movebitur.

Vacuum autem nullam habet rationem, qua excedatur a pleno, sicut neque ipsum nihil ad numerum. Si enim quatuor tria excedunt uno, pluribus autem duo, et adhuc unum pluribus quam duo: ipsum autem nihil non amplius habent rationem, qua excedant. Necesse est enim dividi excedens in excedentiam, et in id, quod exceditur. Quare et quatuor erunt quot excedunt, et nihil. Unde neque linea punctum excedit, nisi componatur ex punctis. Similiter autem vacuum ad plenum nullam possibile est habere rationem.

Ergo neque motum. Sed, si per subtilissimum in tanto talique tempore fertur per vacuum, omnem exsuperat rationem.

Sit enim Z, vacuum aequale autem magnitudine his quae sunt B et D A: ergo, si transibit, et movebitur per Z, quodam quidem in tempore, quod est I: minori quam in quo est E, et hanc habebit rationem vacuum ad plenum. Sed in tanto tempore quantum est in quo est I ipsius D A, transibit subtilius. Transibit autem, si sit aliquid subtilitate differens ab aere, in quo est Z, secundum hanc proportionem, quam tempus habet, in quo est E ad tempus, in quo est I. Si enim in tanto subtilius sit corpus, in quo est Z, ipso D, quantum exsuperat E ipsum I, transibunt econtrario velocitate in tanto quantum I ipsum Z, quod est, in quo est A, si feratur. Si igitur nullum sit corpus, in quo est Z adhuc velocius pertransibit, quoniam et sicut prius: sed erat, in quo est I. Quare in aequali tempore transibit quod est plenum et vacuum. Sed impossibile est. Manifestum est igitur, quod si fuerit aliquod tempus, in quo per vacuum quodlibet feratur, accidet hoc impossibile: in aequali enim accipietur, et quod plenum est transire aliquod et vacuum: erit enim aliquod analogum corpus alterum ad alterum, ut tempus ad tempus.

Sed sicut in capitulo est dicere, palam accidentis causa est: quia motus quidem ad motum omnis proportio est: (in tempore enim est): temporis autem omnis, est ad tempus, finitis utrisque; vacui autem ad plenum non est.

Secundum quidem igitur quod differunt per quae feruntur, haec contingunt.

Secundum autem eorum, quae feruntur excellentiam, haec

RECENS.

Praeterea ex his quoque perspicuum fit quod dicitur: videmus enim idem pondus et corpus celerius ferri ob duas causas: nimirum vel quia differt id per quod fertur, veluti per aquam aut terram, aut aerem: vel quia id quod fertur, si cetera eadem sint, differt ob exsuperantiam ponderis vel levitatis. Id igitur per quod fertur, est causa, quia impedit, maxime quidem si contra feratur, deinde etiam si maneat: magis autem quod non facile dividi potest; hujusmodi est, quod crassius est. Pondus igitur A feretur per magnitudinem B in tempore G: per magnitudinem vero D, quae est subtilior, in tempore E: si aequalis est longitudo magnitudinis B et magnitudinis D, secundum proportionem impedientis corporis. Esto namque to B aqua: to D autem aer. Quanto igitur aer est res subtilior et magis incorporea quam aqua, tanto celerius to A feretur per D, quam per B. Habeat ergo eamdem rationem celeritas ad celeritatem, quam aer ad aquam; quare si duplo est subtilius, in duplo pore conficiet spatium B, quam spatium D: ac tempus G erit duplo majus tempore E. Et semper igitur quanto magis erit incorporeum, et minus habebit vim impediendi, et facilius dividi poterit id per quod fertur; tanto celerius pondus feretur. Inane autem nullam habet proportionem, qua superetur a corpore sicuti; nihil nullam habet proportionem ad numerum. Nam si quatuor uno superant tria, pluribus autem duo, et adhuc pluribus unum quam duo: jam nulla erit proportio, qua superet Nihil: quandoquidem necesse est, id quod superat, dividi in exsuperantiam et id quod superatur: proinde quatuor erunt id quo superant et nihil. Idcirco nec linea superat punctum, nisi componatur ex punctis. Itidemque inane non potest ullam rationem habere ad plenum. Quocirca neque motus per inane ullam rationem habebit ac motum qui sit per plenum.

Sed si pondus conficit tantum spatii, tanto tempore per id quod est subtilissimum: profecto si feratur per inane, superat omnem proportionem. Esto namque to z inane aequale magnitudinibus B et D. Si igitur to A transeat et moveatur in aliquo tempore, nempe in tempore ubi H, quod minus est quam tempus E, certe hanc inane ad plenum rationem habebit. Atqui in tanto tempore, quantum est H, pondus A pertransit tou D partem T. Verum pertransibit etiam si quid sit, in quo Z, subtilitate differens ab aere eadem proportione quam habet tempus E ad tempus H. Nam si corpus Z tanto sit subtilius corpore D, quanto superat tempus H: vice versa pondus A si feratur, celeritate pertransibit magnitudinem Z tanto tempore quantum est to H. Si igitur nullum sit corpus in Z, adhuc celerius. Atqui erat in tempore H: quare in tempore aequali pertransit quod est plenum, et quod est inane. Sed hoc est impossibile.

Perspicuum igitur est, si erit aliquod tempus, quo feretur quodvis per inane, eventurum hoc impossibile. Sumetur enim aliquid in tempore aequali pertransire quod est plenum et quod est inane. Erit enim corpus aliquod proportione habens alterum, ut tempus ad tempus. Et, ut in summa dicam, manifesta est ejus quod accidit, causa: quia scilicet omnis motionis ad motionem ratio est (in tempore enim est); omnis autem temporis ad tempus est ratio, quum ambo sunt finita: sed vacui ad plenum non est ratio.

Ergo haec eveniunt, quatenus differunt ea per quae feruntur. Haec vero ex eorum quae feruntur, exsuperantia: videmus enim, ea quae majus momentum habent aut ponderis

sunt. Videmus enim majorem inclinationem habentia, aut gravitatis aut levitatis, si quo ad alia similiter se habeant figuris, citius lata per aequale spatium finitum: et secundum rationem quam habent magnitudines adinvicem: quare et per vacuum. Sed impossibile est. Propter quam enim causam fertur velocius? in plenis quidem enim ex necessitate: velocius enim dividit ex fortitudine majus: aut enim figura dividit, aut inclinatione quam habet quod fertur, aut projectum. Æque velocia ergo omnia erunt. Sed impossibile est.

Quod quidem igitur, si vacuum sit, accidat contrarium quam propter quod probant esse vacuum, manifestum est ex dictis. Hi igitur opinantur vacuum esse, si erit secundum locum motus, discretum secundum se. Hoc autem idem est ei, quod est dicere, locum esse aliquod separatum. Sed hoc quod sit impossibile esse, dictum est prius.

aut levitatis, si, quod ad cetera, similibus figuris praedita sint, celerius ferri per aequale spatium: idque secundum rationem quam habent magnitudines inter se: quapropter et per inane ita fiet. Sed est impossibile. Quam enim ob causam feretur celerius? etenim in iis quae plena sunt, hoc necessario accidit: quod enim est majus, vi sua celerius dividit.

Nam quod fertur aut projectum est; id vel figura dividit, vel momento quod obtinet: aequali igitur celeritate omnia ciebuntur: quod est impossibile. Ex his igitur quae dicta sunt, apparet, si inane sit, contrarium accidere quam cujus causa, qui dicunt esse inane, illud astruunt. Hi namque putant, si sit motus secundum locum, esse inane separatum ac per se: quod perinde est ac si dicatur, esse locum aliquid separatum. Sed antea dictum fuit, hoc esse impossibile.

Hic ostendit vacuum non esse ex parte velocitatis et tarditatis in motu. Et circa hoc duo facit. Primo assignat causas, propter quas velocitas et tarditas est in motu; secundo ex illis causis argumentatur ad propositum, ibi, « Hoc igitur per quod « fertur, etc. » Dicit ergo primo, quod unum et idem corpus grave, et quodcumque aliud, utpote lapis vel aliquid hujusmodi, propter duas causas velocius fertur, aut propter differentiam medii per quod fertur: ut per aerem, vel terram, vel aquam: aut propter differentiam ipsius mobilis, quia est vel gravius vel levius ceteris paribus.

Secundo ibi « hoc igitur »

Ex praemissis causis argumentatur ad propositum. Et primo ex differentia medii; secundo ex differentia mobilis, ibi, « Secundo autem horum. » Circa primum duo facit. Primo ponit rationem. Secundo eam recapitulando recolligit, ibi, « Sed « sicut in capitulo. » Circa primum duo facit. Primo ponit rationem. Secundo ostendit conclusionem sequi ex praemissis, ibi, « Sicut enim vacuum. » Ponit ergo primo talem rationem. Proportio motus ad motum in velocitate est sicut proportio medii ad medium in subtilitate: sed spatii vacui ad spatium plenum nulla est proportio: ergo motus per vacuum non habet proportionem ad motum qui sit per plenum. Primo ergo manifestat primam proportionem hujus rationis: et dicit, quod medium per quod aliquid fertur, est causa velocitatis et tarditatis, quia impedit corpus quod movetur; et maxime quidem impedit, quando medium fertur in contrarium: ut patet in navi, cujus motus impeditur a vento: secundario autem impedit, si etiam quiescat: quia si simul moveretur cum mobili, non impediret, sed magis juvaret, sicut fluvius, qui defert navem inferius. Sed inter ea quae impediunt, magis impedit illud quod non facile dividitur; et tale est corpus magis grossum. Et hoc manifestat per exemplum: sit enim corpus quod movetur A, spatium per quod movetur, sit B, et tempus in quo A movetur per B, sit C. Ponamus autem aliud spatium, quod sit D, aequalis longitudinis cum B, sed tamen, D sit plenum subtiliori corpore quam B, secundum aliquam analogiam, idest proportionem corporis medii, quod impedit motum corporis: ut puta, quod spatium B sit plenum aqua, spatium vero D sit plenum aere. Quanto ergo aer est subtilior aqua et minus spissus, tanto mobile, quod est A, citius movebitur per spatium D, quam per spatium B. Quae est ergo proportio aeris ad aquam in subtilitate, eadem est proportio velocitatis ad velocitatem: et quanto est major velocitas, tanto est minus tempus; quia velocior motus dicitur, qui est in minori tempore, per aequale spatium, ut in sexto

dicetur. Unde, si aer est in duplo subtilior quam aqua, sequetur quod tempus, in quo movetur per B, quod est plenum aqua, sit duplum tempus in quod pertransit D, quod est plenum aere: et ita tempus C, in quo pertransit spatium B, erit duplum tempore, quod est E, in quo pertransit spatium D: et sic poterimus universaliter accipere, quod in quacumque proportione medium per quod aliquid fertur est subtilius et minus impeditivum et facilius divisibile, in eadem proportione erit motus velocior.

Sequitur ibi « vacuum autem »

Manifestat secundam propositionem: et dicit, quod vacuum non exceditur a pleno secundum aliquam proportionem: et hoc probat per hoc, quod numerus non excedit nihil secundum aliquam proportionem, sed solum attenditur proportio aliqua numeri ad numerum, vel ad unitatem, sicut quatuor excedunt tria in uno, et adhuc in pluri excedunt duo, adhuc in pluri unum: unde dicitur major proportio quatuor ad unum, quam ad duo, vel tria. Sed quatuor non excedunt nihil secundum aliquam proportionem: et hoc ideo, quia necesse est, quod omne excedens dividatur in id quod exceditur, et in excedentiam, idest in id in quo excedit, sicut quatuor dividitur in tria et in unum in quo excedit tria. Si ergo quatuor excedunt nihil, sequitur quod quatuor dividatur in aliquot et nihil, quod est inconveniens. Unde etiam non potest dici quod linea excedat punctum, nisi componeretur ex punctis, et divideretur in ea. Et similiter non potest dici quod vacuum habeat aliquam proportionem ad plenum: quia vacuum non cadit in compositionem pleni.

Tertio ibi « ergo neque »

Ponit conclusionem; concludens, quod non est possibile esse proportionem inter motum, qui fit per vacuum, et motum, qui fit per plenum: sed, si aliquod corpus fertur per quodcumque subtilissimum in tanto spatio, talique tempore, motus qui est per vacuum, transcendet omnem proportionem datam.

Deinde cum dicit « sit enim »

Quia praedictam conclusionem ostensive ex principiis suppositis deduxerat: ne qua dubitatio oriatur de principiis praemissis, ut certior sit processus, probat eamdem conclusionem deducendo ad impossibile. Si enim dicatur quod motus qui est per vacuum, habet aliquam proportionem velocitatis ad motum qui est per plenum, sequuntur multa inconvenientia. Ponatur ergo quod spatium vacuum sit Z, quod quidem sit aequale secundum magnitudinem spatio B, quod est plenum aqua, et spatio D, quod est plenum aere. Si autem detur quod motus qui est per z habeat aliquam proportionem secundum velocitatem ad motus qui sunt per B et D, oportet dicere, quod motus qui est per z, quod est vacuum, sit in aliquo determinato tempore: quia velocitates distinguuntur secundum quantitates temporum, ut supra dictum est. Si ergo dicatur, quod mobile, quod est A, transeat per spatium vacuum, quod est z, in aliquo tempore, sit illud tempus I, quod oportet esse minus quam tempus E, in quo pertransit spatium D, quod est plenum aere: et sic, haec erit proportio motus per vacuum ad motum per plenum, quae est proportio temporis E ad tempus I. Sed necesse erit ponere quod in tanto tempore, quantum est I, mobile, quod est A, pertranseat quoddam spatium plenum subtiliori corpore ipso D. Et hoc quidem continget, si inveniatur aliquod corpus, quod differat in subtilitate ab aere, quae (1) ponebatur spatium plenum D, secundum illam proportionem quam habet tempus E ad tempus I; utputa si dicatur illud corpus esse ignis, quo plenum ponatur spatium z, secundum quod prius ponebatur vacuum: quia, si corpus quo ponitur plenum spatium z, est tanto subtilius corpore quo ponitur plenum spatium D, quantum tempus E excedat I; sequitur quod mobile, quod est A. si feratur per z, quod est spatium plenum subtilissimo corpore, et per D, quod est spatium plenum aere, transibit per z e converso in majori velocitate in tanto tempore in quanto est minus E. Si ergo nullum corpus sit, in quo est z, sed ponatur hoc spatium vacuum, sicut et primo, adhuc debebit velocius moveri. Sed hoc est contra id quod fuit positum. Positum enim erat quod motus fieret per spatium z, quod est vacuum, in tempore I; et sic, cum in tempore I transeat idem spatium cum est plenum subtilissimo corpore, sequitur quod in eodem tempore transit idem mobile unum et idem spatium, cum est vacuum, et cum est plenum. Manifestum est ergo quod, si fuerit aliquod tempus in quo mobile feratur per quodcumque spatium vacuum, sequetur hoc impossibile, quod in aequali tempore transibit plenum et vacuum: quia erit accipere aliquod corpus, quod habebit proportionem ad aliud corpus, sicut habet proportionem tempus ad tempus.

Deinde cum dicit « sed sicut ·

Summatim colligit ea in quibus virtus consistit praemissae rationis; et dicit, quod sicut contingit recapitulando dicere, manifesta est causa, quare praedictum inconveniens accidat: quia scilicet quilibet motus est proportionatus cuilibet motui secundum velocitatem, quia omnis motus est in tempore, et quaelibet duo tempora si sint finita habent proportionem adinvicem: sed vacui ad plenum non est proportio, ut probatum est: unde, si ponatur motus fieri per vacuum, necesse est quod sequatur inconveniens.

Sequitur « secundum quidem ·

Ultimo autem epilogans concludit, quod praedicta inconvenientia accidunt, si accipiantur diversae velocitates motuum secundum differentiam mediorum. Sed contra hanc rationem Aristotelis, insurgunt plures difficultates. Quarum quidem prima est, quod non videtur sequi, si fiat motus per vacuum, quod non habeat proportionem in velocitate ad motum qui fit per plenum. Quilibet enim motus habet determinatam velocitatem ex proportione potentiae motoris ad mobile, etiam, si nullum sit impedimentum; et hoc patet per exemplum, et per

(1) Lege quo.

rationem. Per exemplum quidem in corporibus caelestibus, quorum motus a nullo impeditur: et tamen eorum est determinata velocitas secundum determinatum tempus; per rationem autem, quia ex hoc ipso quod in magnitudine, per quam fit motus, est accipere prius et posterius in motu: prius autem et posterius est in motu, ex temporis ratione, sequitur motum esse in determinato tempore. Sed verum est quod huic velocitati potest aliquid subtrahi ex aliquo impediente: non igitur oportet quod proportio motus ad motum in velocitate sit sicut proportio impedimenti ad impedimentum, ita quod, si non sit aliquod impedimentum, quod motus fiat in non tempore: sed oportet quod secundum proportionem impedimenti ad impedimentum, sit proportio retardationis ad retardationem: unde posito quod motus sit per vacuum, sequitur quod nulla retardatio accidat supra velocitatem naturalem; et non sequitur quod motus qui est per vacuum, non habeat proportionem ad motum qui fit per plenum. Huic autem objectioni Averroes, in commento suo resistere conatur. Et primo quidem conatur ostendere hanc objectionem ex falsa imaginatione procedere. Dicit enim quod ponentes praedictam objectionem, imaginantur additionem in tarditate motus fieri, sicut fit additio in magnitudine lineae, quod pars addita sit alia a parte, cui additur. Ita enim videtur praedicta objecto procedere, ac si tardatio fiat per hoc quod aliquis motus addatur alteri motui: ita quod subtracto illo motu addito per impedimentum retardans, remaneat quantitas motus naturalis. Sed hoc dicit non esse simile: quia, cum retardatur motus, quaelibet pars motus fit tardior, non autem quaelibet pars lineae fit major. Deinde ostendere nititur, quomodo ratio Aristotelis necessitatem habeat; et dicit, quod velocitas vel tarditas motus consurgit quidem ex proportione motoris ad mobile; sed oportet mobile esse aliquo modo resistens motori, sicut patiens quodammodo est contrarium agenti. Quae quidem resistentia potest esse ex tribus. Primo quidem ex ipso situ mobilis: ex hoc enim ipso quod movens intendit transferre mobile ad aliquod ubi, ipsum mobile in alio ubi existens repugnat intentioni motoris. Secundo ex natura mobilis; sicut apparet in motibus violentis, ut cum grave projicitur sursum. Tertio ex parte medii. Omnia enim haec tria accipienda sunt simul, ut unum resistens, ad hoc quod causetur una causa tarditatis in motu. Quoniam igitur mobile seorsum consideratum, secundum quod differt a movente, est aliquid ens actu: potest inveniri resistentia mobilis ad motorem, vel ex parte mobilis tantum, sicut accidit in corporibus caelestibus, vel ex parte mobilis et medii simul, sicut accidit in corporibus animatis, quae sunt hic. Sed in gravibus et levibus subtracto eo quod mobile habet a movente, scilicet forma quae est principium motus, quam dat generans, quod est movens, non remanet nisi materia, ex cujus parte nulla resistentia potest considerari ad movens; unde relinquitur in talibus sola resistentia ex parte medii. Sic igitur in corporibus caelestibus est differentia velocitatis solum secundum proportionem motoris ad mobile: in corporibus vero animatis secundum proportionem motoris ad mobile et ad medium resistens simul: et in talibus procederet objectio praedicta, quod remota retardatione, quae est ex parte medii impedientis, adhuc remanet determinata quantitas temporis in motu secundum proportionem motoris ad mobile. Sed in gravibus et levibus non potest esse retardatio velocitatis, nisi secundum resistentiam medii: et in talibus procedit ratio Aristotelis. Sed haec omnino videntur esse frivola. Primo quidem, quia licet quantitas tarditatis non sit secundum modum quantitatis continuae, ut addatur motus motui, sed secundum modum quantitatis intensivae, sicut cum aliquid est altero albius, tamen quantitas temporis ex qua Aristoteles argumentatur, est secundum modum quantitatis continuae, et fit tempus majus per additionem temporis ad tempus; unde subtracto tempore quod additur ex impediente, remanet tempus naturalis velocitatis. Deinde, quia in gravibus et levibus remota forma, quam dat generans, remanet per intellectum corpus quantum, et ex hoc ipso quod quantum est, in opposito situ existens, habet resistentiam ad motorem: non enim potest intelligi alia resistentia in corporibus caelestibus ad suos motores; unde nec etiam in gravibus et levibus sequetur ratio Aristotelis, secundum quod ipse dicit. Et ideo melius et brevius dicendum est; quod ratio Aristotelis inducta est ratio ad contradicendum positioni, et non ratio demonstrativa simpliciter. Ponentes autem vacuum hac de causa ipsum ponebant, ut non impediretur motus; et sic secundum eos causa motus erat ex parte medii, quod non impedit motum. Et ideo contra eos Aristoteles argumentatur, ac si tota causa velocitatis et tarditatis esset ex parte medii; sicut etiam et supra evidenter hoc ostendit dicens, quod, si natura est causa motus simplicium corporum, non oportet ponere vacuum, ut causam motus eorum: per quod dat intelligere, quod totam causam motus ponebant ex parte medii, et non ex natura mobilis. Secunda autem dubitatio contra rationem praedictam est, quia si medium, quod est plenum, impedit, ut ipse dicit, sequitur quod non sit in hoc medio inferiori aliquis motus purus non impeditus: quod videtur inconveniens. Et ad hoc Commentator praedictus respondet, quod hoc impedimentum, quod est ex medio, requirit motus naturalis gravium et levium, ut possit esse resistentia mobilis ad motorem, saltem ex parte medii. Sed melius dicendum est, quod omnis motus naturalis incipit a loco non naturali, et tendit in locum naturalem: unde, quandiu ad locum naturalem perveniat, non est inconveniens si aliquid non naturale ei conjungatur. Paulatim enim recedit ab eo quod est contra naturam, et tendit in id quod est secundum naturam; et propter hoc motus naturalis in fine intenditur. Tertia objecto est, quia, cum in corporibus naturalibus sit determinatus terminus raritatis, non videtur quod semper sit accipere corpus rarius et rarius secundum quamlibet proportionem temporis. Sed dicendum est, quod licet sit determinata raritas in rebus naturalibus, non tamen hoc est ex natura corporis mobilis inquantum est mobile, sed ex natura determinatarum formarum, quae requirunt determinatas raritates vel densitates. In hoc autem libro agitur de corpore mobili in communi; et ideo frequenter utitur Aristoteles in hoc libro in suis rationibus quibusdam quae sunt falsa, si considerentur naturae determinatae corporum: possibilia autem, si consideretur natura corporis in communi. Vel potest dici, quod hic etiam procedit secundum opinionem antiquorum philosophorum, qui ponebant rarum et densum prima principia

formalia; secundum quos raritas et densitas in infinitum augeri poterant: cum non sequerentur alias priores formas, secundum quarum exigentiam determinarentur.

Deinde cum dicit « secundum autem »

Ostendit non esse vacuum separatum ex velocitate et tarditate motus, secundum quod omnino causa sumitur ex parte mobilis: et dicit quod haec quae dicentur consequentur (1), si consideretur differentia velocitatis et tarditatis secundum quod mobilia, quae feruntur, se invicem excellunt; quia videmus quod per aequale spatium finitum, citius feruntur ea quae habent majorem inclinationem, aut secundum gravitatem, aut secundum levitatem: sive sint majora in quantitate, aequaliter gravia vel levia existentia, sive sint aequalia in quantitate, et sint magis gravia vel levia: hoc dico si similiter se habeant secundum figuras (nam corpus latum tardius movetur, si deficiat in gravitate vel magnitudine, quam corpus acutae figurae), et secundum proportionem quam habent magnitudines motae adinvicem, vel in gravitate, vel in magnitudine, est proportio velocitatis: unde et oportebit ita esse etiam si sit motus per vacuum, secundum quod corpus gravius seu levius, aut magis acutum velocius feratur per medium vacuum. Sed hoc non potest esse; quia non est assignare aliquam causam, propter quam unum corpus alio velocius feratur. Si enim motus fiat per spatium plenum aliquo corpore, potest assignari causa majoris vel minoris velocitatis, secundum aliquam praedictarum causarum: hoc enim est, quia illud quod movetur majus existens, ex sua fortitudine velocius dividit medium, vel propter aptitudinem figurae, quia acutum est penetrabilius, aut propter inclinationem majorem quam habet, vel ex gravitate vel ex levitate, vel etiam propter violentiam prohibentis: vacuum autem dividi non potest citius vel tardius: unde sequetur quod omnia aequali velocitate movebuntur per vacuum. Sed hoc manifeste apparet impossibile. Patet igitur ex velocitate motus, quod vacuum non est. Attendendum est etiam quod in processu hujus rationis est similis difficultas sicut in prima: videtur enim supponere quod differentia velocitatis in motibus non sit nisi propter differentiam divisionis medii, cum tamen in corporibus caelestibus sint diversae velocitates, in quibus non est aliquod plenum medium resistens, quod dividi oporteat per motus corporis caelestis. Sed solvenda est haec dubitatio sicut et prius.

Sequitur « quod quidem »

Ultimo autem epilogando concludit manifestum esse ex dictis, quod, si ponatur vacuum esse, accidit contrarium ejus, quod supponebant probantes esse vacuum: illi enim procedebant, ac si motus esse non possit, si vacuum non sit. Sed ostensum est contrarium; scilicet si vacuum sit, quod motus non est. Sic igitur praemissi philosophi opinantur vacuum esse quoddam discretum et separatum secundum se, scilicet quoddam spatium habens dimensiones separatas; et hujusmodi vacuum opinantur necesse esse ponere, si sit motus secundum locum, aut vacuum separatum: quod idem est, quod dicere locum esse quoddam spatium, distinctum a corporibus: quod est impossibile, ut supra ostensum est in tractatu de loco.

(1) *Edit. Rom.* consequenter.

LECTIO XIII.

Vacuum sic esse uti nomen sonat, tribus rationibus ostenditur.

ANTIQUA.

At vero per se considerantibus videbitur utique dictum vacuum, sicut vere vacuum. Sicut enim in aqua, si ponat aliquis cubum, cedet tanta aqua, quantus est cubus; sic est etiam in aere, sed sensui immanifestum est. Et semper igitur in omni corpore habenti transmutationem in quo (1) est aptum natum mutari, necesse est, nisi coeat, transmutari, aut deorsum semper, si deorsum est motus, sicut est terrae: aut sursum, sicut ignis: aut ad utraque, aut quodcumque aliquid sit impositum. In vacuo autem hoc quidem impossibile est: nullum enim corpus est. Sed per vacuum aequale spatium transire videtur, quod quidem erat prius in vacuo: tamquam si aqua non cederet ligneo cubo, neque aer, sed omnia transirent per ipsum: at vero cubus habet tantam magnitudinem, quantam continet vacuum: quod si calidum est aut frigidum, aut grave aut leve, nihilominus alterum in esse ab omnibus passionibus est: etsi non divisibile sit ab illis: dico autem corpus lignei cubi: quod etiam si separaretur ab omnibus aliis, et neque grave neque leve sit, continebit aequale vacuum, et in eadem erit, quae est loci et vacui parte aequali sibi. Quid igitur distabit cubi corpus ab aequali, vacuo, et loco? Et si duo hujusmodi sunt, propter quid non quotlibet in eodem erunt? Unum igitur hoc, inconveniens, et impossibile est.

Amplius autem manifestum est, quod hoc cubus habet transmutatus, quod et omnia alia corpora habent. Quare, si a loco nihil differt, quid oportet locum facere corporibus extra uniuscujusque corpus, si impassibile est corpus? Nihil enim confert, si alterum circa ipsum aequale spatium hujusmodi sit.

(2) Amplius oportet manifestum esse quale vacuum sit in his quae moventur. Nunc autem nusquam infra mundum: aer enim aliquid est: non videtur autem, neque aqua, si essent pisces ferrei. Tactu enim est discretio illius quod tangitur. Quod quidem igitur non separatum sit vacuum, ex his manifestum est.

(1) *Al.* in quod.
(2) *Ea quae sequuntur usque ad* Quod quidem *desunt in aliquibus graecis codicibus.*

RECENS.

Sed per se considerantibus videbitur, quod dicitur inane, revera esse inane. Sicut enim in aqua si quis ponat tesseram, tantum aquae cedet, quanta est tessera: ita etiam in aere; quamquam sensu non percipitur. Semper itaque in omni corpore quod transferri potest, quatenus natura aptum est ut transferatur, necesse est ut, nisi comprimatur, transferatur vel semper deorsum, si deorsum sit ejus latio, ut terrae; vel sursum, si sit ignis: vel in utramque partem, veluti si sit aer: aut qualecumque sit quod imponitur. In inani vero hoc est impossibile: quia non est corpus: sed videbitur per tesseram aequale intervallum meare, quod erat antea in inani, perinde ac si aqua non cederet ligneae tesserae, nec aer, sed in omnem partem per ipsam permearet. At vero et tessera habet tantam magnitudinem, quantum inane continet: quae etiam si calida sit aut frigida, aut gravis aut levis, nihilominus [imo et magis] essentia differt ab omnibus affectionibus, quamvis non sit separabilis: molem dico ligneae tesserae. Quocirca etiamsi separetur ab omnibus aliis, et neque sit gravis neque levis, tamen occupabit aequale inane, et erit in eadem loci atque inanis parte sibi aequali. Quid ergo differet corpus tesserae ab aequali inani et loco? et si duo ejusmodi, cur non etiam quaecumque in eodem erunt? Hoc igitur est unum absurdum et impossibile.

Praeterea perspicuum est, tesseram etiam alio translatam hoc habituram, quod et reliqua omnia corpora habent. Quare si hoc nihil fere differt, quid opus est efficere locum corporibus praeter cujusque rei molem, si moles est impatibilis? nihil enim confert, si aequale hujusmodi intervallum in ipsa sit.

[Praeterea oportet manifestum esse, cujusmodi sit inane in iis quae moventur. Nunc vero nusquam apparet intra mundum; nam aer est aliquid: atqui non videtur, sed nec aqua videretur, si pisces essent ferrei: quoniam tactu judicatur res tactilis].

Ex his igitur perspicuum est, non esse inane separatum.

Hic ostendit vacuum non esse, rationibus acceptis ex parte ipsius vacui, absque consideratione motus; et hoc ostendit tribus rationibus. Dicit ergo primo, quod etiam considerantibus vacuum per se absque motu, videbitur quod ita sit dictum ab aliquibus vacuum esse, sicut vere sonat nomen vacui. Nam vacuum sonat aliquid inane, et quod non est; et inaniter et absque ratione et veritate dictum est quod vacuum sit. Et hoc quidem sic ostendit: quia, si aliquis ponat in aqua aliquod corpus cubum, scilicet quod habet sex superficies quadratas, oportet quod tanta quantitas aquae recedat a loco suo, quanta est quantitas cubi; et sicut est de aqua, ita est de aere, licet non sit ita manifestum, eo quod aqua est magis sensibilis quam aer. Eadem igitur ratione, quandocumque aliquid immittitur in aliquod corpus quod natum est transmutari in aliquam partem, necesse est, nisi partes cohaereant per condensationem, aut subintrationem partium in invicem, quod transmutetur: vel secundum conditionem corporis cedentis (quando habet exitum liberum) utpote quod corpus grave, ut terra, cedat deorsum, et corpus leve, ut ignis, cedat sursum: et corpus quod est respectu alicujus grave, et respectu alicujus leve, cedat in utramque partem, sicut aer et aqua: vel quod corpus cedat secundum conditionem

corporis interpositi, quando scilicet corpus cedens coarctatur a corpore interposito, ut non possit moveri secundum suam exigentiam, sed secundum exigentiam corporis interpositi. Universaliter tamen hoc verum est, quod oportet corpus, in quod alterum corpus immittitur, cedere corpori immisso, ne sint duo corpora simul: sed hoc non potest dici de vacuo, quod cedat corpori immisso: quia vacuum non est aliquod corpus: omne autem quod movetur quocumque modo, est corpus. Sed si sit aliquod spatium vacuum, et aliquod corpus immittatur in illud spatium, oportet quod corpus impositum transeat per illud spatium, quod prius erat vacuum, scilicet simul cum eo existens: sicut, si aqua non cederet ligno cubo, neque aer, sed ista corpora transirent per ipsum corpus ligneum cubum, ita quod aer et aqua subintrarent ipsum corpus cubum, et essent simul cum eo. Sed hoc est impossibile, scilicet quod corpus cubum ligneum sit simul cum spatio vacuo: quia corpus ligneum cubum habet tantam magnitudinem quantam habet vacuum, quod ponitur quoddam spatium dimensionatum sine corpore sensibili. Et quamvis corpus ligneum cubicum sit calidum vel frigidum, aut grave vel leve, nihilominus tamen ipsum corpus cubicum alterum est secundum rationem ab omnibus passionibus sensibilibus sibi accidentibus: quamvis non sit separabile ab eis secundum rem. Hoc autem quod est secundum rationem alterum a passionibus est ipsum « corpus lignei cubi, » idest quod pertinet ad corporeitatem ejus. Si ergo separetur hoc corpus ab omnibus quae sunt alia ab ipso secundum rationem, ita quod non sit grave neque leve, sequitur quod contineat vel occupet de spatio vacuo aliquid aequale sibi. Et sic in eadem parte sibi aequali, quae est pars loci et vacui, erit simul corpus lignei cubi. Quo supposito, non videtur quod sit assignare differentiam inter corpus cubi et dimensiones loci vel vacui: nam sicut dimensiones loci vel vacui sunt sine qualitatibus sensibilibus, ita et dimensiones corporis cubici, ad minus secundum rationem, sunt aliae ab hujusmodi passionibus. Duae autem magnitudines aequalis quantitatis non possunt differre nisi secundum situm: non enim potest imaginari quod haec linea sit alia ab illa sibi aequali, nisi inquantum imaginamur utramque in alio et alio situ: unde si ponantur duae magnitudines simul, non videtur quomodo possint differre: et sic, si duo corpora aequalia dimensionata sint simul, sive sint cum passionibus sensibilibus, sive non, sequitur quod duo corpora sint unum. Unde, si adhuc corpus cubicum, et spatium, quod est locus vel vacuum, remaneant duo, et simul sint, non potest assignari ratio, quare non quaecumque alia corpora simul esse possunt in eodem. Et ita, sicut corpus cubicum simul est cum spatio loci aut vacui, ita et simul cum utroque poterit esse adhuc aliquod tertium vel quartum corpus: quod impossibile est. Non enim potest dici quod simul cum corpore cubico ligneo non possit esse simul aliquod sensibile corpus propter materiam: quia corpori non debetur locus ratione materiae, nisi secundum quod materia continetur sub dimensionibus: unde quod duo corpora non possint esse simul, non est ex parte materiae vel passionum sensibilium, sed solum ex ratione dimensionum, in quibus non potest esse

diversitas si sint aequales, nisi secundum situm, ut dictum est. Unde, cum dimensiones sint in spatio vacuo, sicut in corpore sensibili; sicut duo corpora sensibilia non possunt esse simul, ita nec corpus sensibile simul cum spatio vacuo. Hoc igitur videtur unum inconveniens et impossibile quod sequitur ex praemissa positione, quod duo corpora sint simul.

Secundam rationem ponit ibi « amplius autem »

Et dicit manifestum esse, quod cubus, qui transmutatur, et ponitur in spatium vacuum, habet hoc quod habent omnia alia corpora, scilicet dimensiones. Si ergo dimensiones corporis cubici non differunt a dimensionibus loci secundum rationem; quare oportet facere aliquem locum corporibus extra proprium corpus uniuscujusque, si locus nihil aliud est quam corpus impassibile, idest absque passionibus sensibilibus? Ex quo enim corpus habet proprias dimensiones, ad nihil videtur esse necessarium quod ponantur circa ipsum aliquae aliae dimensiones spatii aequalis suis dimensionibus. Accidit igitur, si ponatur vacuum vel locus, esse quoddam spatium separatum, vel quod non est necessarium corpora esse in loco.

Tertiam rationem ponit ibi « amplius oportet »

Et dicit quod, si aliquid esset vacuum, oporteret quod manifestaretur in istis mobilibus. Sed nunquam apparet aliquod vacuum infra mundum: quia plenum aere, quod videtur vacuum, non est vacuum: aer enim est aliquid, licet visu non percipiatur. Quia, si etiam pisces essent ferrei et haberent similem apparentiam cum aqua, non posset aqua discerni ab eis per visum: nec tamen sequeretur, quod aqua non esset, vel etiam pisces; quia non solum visu, sed etiam tactu discernitur illud quod tangitur. Et sic patet aerem aliquid esse: quia tactu percipitur calidus vel frigidus. Ex his igitur apparet, quod vacuum non sit aliquod spatium separatum, neque infra mundum, neque extra mundum.

LECTIO XIV.

Vacuum corporibus inditum non esse asseritur: non irrationabilia item fuisse antiquorum de vacuo dubitata ratiocinatur, ipsorumque omnium solutio ponitur.

Sunt autem quidam, qui per rarum et densum opinantur manifestum esse quod sit vacuum. Si enim non est rarum et densum, neque coire et calcari possibile est: si vero hoc non sit, aut omnino motus non erit, aut movetur totum, sicut dixit Xuthus: aut in aequale semper mutari aquam et aerem oportebit: dico autem sic, ut si ex aqua cyathi factus sit aer, simul ex aequali aere tantumdem aquam fieri, aut vacuum erit ex necessitate: conculcari enim vel extendi non contingit aliter.

Si igitur rarum dicunt, multa vacua separata habens; manifestum est, quod si neque vacuum contingit esse separabile, sicut neque locum habentem aliquod vacuum suiipsius, nec rarum sic.

Si autem non est separabile, sed tamen inest aliquod vacuum, minus quidem impossibile. Contingit autem, primum

Sunt autem nonnulli, qui ex raro et denso perspicuum esse putant, esse inane. Nisi enim sit rarum ac densum, neque coire et comprimi res poterunt. Quod si non sit, aut omnino motus non erit, aut fluctuabit universum, ut dicebat Xuthus; aut semper oportebit tantumdem mutari aeris et aquae. Verbi gratia, si ex aquae poculo sit factus aer, simul ex aequali aere factum esse tantumdem aquae, aut vacuum esse necessario: comprimi enim ac dilatari non aliter accidit.

Si igitur rarum appellant, quod multa inania separata habet; perspicuum est, si non potest esse inane separatum, quemadmodum nec locus habens sui intervallum, ne rarum quidem ita esse.

At si non separatum esse ajunt, inesse tamen aliquid vacui; minus quidem est impossibile; verumtamen accidit, quidem quod non omnis motus est causa vacuum; sed ejus qui sursum est: rarum enim leve: unde ignem rarum esse dicunt.

Postea motus causa non sic vacuum, sicut in quo est: sed sicut utres in eo quod feruntur ipsi sursum ferunt quod ipsis continuum est, sic vacuum sursum fert. Et etiam qualiter potest motus esse vacui, aut locus vacui? vacui enim est vacuum, in quod fertur.

Amplius quomodo assignabunt in gravi ferri deorsum?

Et manifestum est quod, si quanto fuerit rarius et magis vacuum, magis sursum feretur; et si sit omnino vacuum, velocissime utique feretur. Fortassis autem et hoc impossibile est moveri: ratio autem eadem: sicut enim in vacuo sine motu omnia sunt, sic et vacuum quidem est, quod est sine motu: incomparabiles enim sunt velocitates.

Quoniam autem vacuum quidem non dicimus esse, alia vero vere dubitata sunt; aut motus non erit, nisi erit densitas et raritas, aut turbabitur caelum, aut semper aequalis quam ex aere, et ex aqua erit et aer: manifestum enim est, quia plus aeris ex aqua fit. Necesse igitur, nisi sit, aut depulsum quod habetur ultimum tumultuari facere, aut alibi alicubi aequaliter mutare ex aere in aquam, ut omne corpus totius aequale sit, aut nihil moveri: semper enim transmutato, hoc accidet, nisi circulariter moveatur. Non semper autem in circulum fit loci mutatio, sed aliquando et in rectum est. Hi igitur, propter hoc, vacuum aliquid dicunt esse.

Nos autem dicimus ex subjectis, quoniam est materia una contrariorum calidi et frigidi, et aliarum naturalium contrarietatum: et ex eo quod potentia est, actu eus fit: et non separabilis quidem materia est, esse autem alterum est. Et una quidem est numero, et si contingat coloris, calidi, et frigidi.

Est igitur et corporis materia, et magni et parvi eadem. Manifestum est autem hoc: cum enim ex aqua aer fiat, eadem materia non accipiens aliud aliquid facta est, sed quod erat potentia, actu facta est: et iterum aqua ex aere similiter, aliquando quidem in magnitudinem ex parvitate, aliquando in parvitatem ex magnitudine. Similiter autem, et cum multus aer existens, in minori fit mole, et ex minori major, potentia cum sit, fit materia utraque.

Sicut enim ex frigido fit calidum, et ex calido frigidum: quia eadem est, quae erat potentia: sic ex calido magis calidum, nullo facto in materia calido quod non esset calidum, quando erat minus calidum. Sicut quidem nec majoris circuli circulatio et convexitas, si fiat minoris circuli, eadem cum sit, aut alia, in nullo alio factus est ambitus, quod non esset ambitus, sed rectum: non enim deficiendo minus aut majus est. Neque enim scintillae est accipere aliquam magnitudinem, in qua non et caliditas et albedo insit. Sic igitur et prior calor posteriori: quare et magnitudo et parvitas sensibilis corporis non accipiere aliquid materia extenditur, sed quia potentia est materia utriusque. Itaque idem est densum et rarum, et una materia ipsorum.

Est autem densum quidem grave, rarum autem leve. Amplius sicut circuli circulatio conducta in minus, non aliud accipit concavum, sed quod erat conductum est; sic et ignis, quodcumque aliquis accipiat, omne calidum est: sic et omne conductione et distensione ejusdem materiei. Duo enim sunt ab utroque denso et raro. Grave enim et durum densa videntur esse, et contraria, rara, leve et molle. Dissonat autem grave et durum in plumbo et ferro.

Ex dictis igitur manifestum est, quod neque disgregatum est vacuum, neque simpliciter, neque in raro, neque potentia: nisi aliquis velit penitus vocare vacuum causam loci mutationis. Sic autem qua gravis est aut levis materia, quae hujusmodi, erit vacuum. Densum enim et rarum secundum hanc contrarietatem, motus activa sunt: secundum autem durum et molle, passionis et non passionis receptiva, et non loci mutationis, sed alterationis magis. Et de vacuo quidem quomodo est et quomodo non est, determinatum sit hoc modo.

primum ut inane non sit causa omnis motionis, sed tantum ascensus (quod enim est rarum, leve est; idcirco et ignem rarum esse inquiunt); deinde inane non erit causa motus sic, ut in quo; sed quemadmodum utres, quia ipsi sursum feruntur, efferunt etiam quod cohaeret; ita inane vim habebit sursum ferendi. Atqui quomodo potest esse latio vacui, aut locus vacui? fit enim vacuum vacui in quod fertur.

Praeterea quomodo de pondere rationem afferunt propter quam deorsum feratur? Ac manifestum est, si corpus, quo rarius et inanius est, eo magis sursum fertur, consequens esse, ut, si omnino sit inane, celerrime feratur. Fortassis autem et impossibile est, hoc moveri. Ac ratio est eadem: quia sicut in vacuo sunt omnia immobilia, ita etiam vacuum est immobile: quandoquidem celeritates inter se inferri nequeunt.

Quia vero inane esse negamus, de reliquis autem vere dubitatum est: profecto aut motus non erit, nisi sit condensatio et rarefactio; aut fluctuabit caelum; aut semper tantumdem aquae fiet ex aere, et aeris ex aqua: constat enim plus aeris ex aqua fieri. Necesse igitur est, nisi sit compressio aut expulsum id quod cohaeret, efficere ut extremum fluctuet, aut alio quopiam loco tantumdem aeris mutari in aquam, ut tota moles universi sit aequalis, aut nihil moveri. Semper enim, aliquo corpore translato, hoc eveniet, nisi in orbem volvatur: verum latio non semper in orbem fit, sed etiam in rectum. Ergo hi propter hujusmodi argumenta inane aliquod esse affirmarent.

Nos autem ex iis quae supposita sunt, dicimus unam esse materiam contrariorum, nempe calidi et frigidi, et aliarum naturalium contrarietatum; et ex eo quod est potestate, fieri quod est actu; et materiam non esse separabilem, sed essentia diversam, et unam numero esse materiam: verbi gratia, coloris, et calidi et frigidi. Est etiam corporis tam magni quam parvi eadem materia: quod manifestum est, quia, quum ex aqua fit aer, eadem materia, non assumpto aliquo alio, fit aer: sed quod erat potestate, fit actu: itidemque rursus fit aqua ex aere, modo ex parvitate in magnitudinem, modo ex magnitudine in exiguitatem mutatione facta. Similiter itaque, si aer ex majori mole in minorem et ex minore in majorem mutetur: materia, quae potestate est, fit utrumque. Sicut enim eadem materia ex frigida fit calida, et ex calida fit frigida, quoniam erat potestate: ita etiam ex calida fit magis calida, quum nulla materiae pars calefiat, quae non esset antea calida, quum erat minus caloris. Quemadmodum nec majoris circuli circumferentis et convexitas, si fiat minoris circuli, sive sit eadem sive alia; in nulla parte fit convexitas, quae non convexa, sed recta esset: (non enim intermissione est minus vel magis): nec licet sumere aliquam flammae magnitudinem, in qua non insit et calor et candor. Sic igitur et prior calor se ad posteriorem habet. Quare et magnitudo et parvitas molis sensibilis, non assumente aliquid materia, extenditur: sed quia materia potestate est ad utrumque. Quocirca idem est densum et rarum, et una est ipsorum materia. Porro densum est grave: rarum autem est leve.

[Praeterea, ut circuli circumferentia in minus redacta non aliud quoddam cavum recipit, sed quod erat contractum est, et ignis quamcumque particulam quis sumat, omnis est calida: sic et universum constat contractione et dilatatione ejusdem materiae]. Duo namque in utroque sunt, id est, denso et raro. Nam grave et durum, videntur esse densa: et contraria videntur esse rara, nempe leve et molle; discordant autem grave et durum in ferro et plumbo.

Ex iis igitur quae dicta fuerunt, perspicuum est, neque esse inane separatum, sive simpliciter sive in eo quod est rarum; neque potestate: nisi quis omnino appellare velit inane, id quod est causa lationis. Sic autem gravis et levis rei materia, qua est talis, erit inane illud. Nam densum et rarum, ratione hujus contrarietatis, vim habent efficiendae lationis: ratione autem duri et mollis, vim habent efficiendae passionis et impatibilitatis, nec lationis, sed variationis potius. Ac de inani quidem, quomodo sit, et quomodo non sit, hoc modo definitum esto.

Postquam Philosophus ostendit non esse vacuum, hic ostendit non esse vacuum corporibus inditum. Et circa hoc tria facit. Primo ponit rationem ponentium vacuum. Secundo improbat positionem eorum, ibi, « Si igitur rarum « dicunt, etc. » Tertio solvit rationem ipsorum, ibi, « Quoniam autem vacuum, etc. » Dicit ergo quod quidam philosophi fuerunt, qui opinati sunt, quod

vacuum sit in corporibus, accipientes rationem ex raro et denso: videbatur enim eis, quod rarefactio et condensatio fieret propter vacuum intrinsecum corporibus. Si vero non esset sic rarum et densum, dicebant quod non erat possibile, ut partes alicujus corporis coirent, idest subintrarent adinvicem, et quod aliquod corpus calcaretur, idest comprimeretur per condensationem. Si autem hoc non sit, ducebant ad inconveniens et ex parte motus localis, et ex parte motus generationis et corruptionis, sive motus alterationis. Ex parte quidem motus localis: quia oportebit dicere, vel quod omnino motus non sit, vel quod uno motu moveatur totum universum, sicut dixit Xuthus Philosophus; et hoc ideo, quia, si aliquod corpus movetur localiter, cum accedit ad locum plenum alio corpore, oportet quod illud corpus inde expellatur, et tendat in alium locum: et iterum illud aliud corpus ibi inventum in alium: et, nisi fiat condensatio corporum, oportebit quod omnia corpora moveantur. Ex parte vero generationis sive alterationis sequitur hoc inconveniens, quod semper fiat aequalis mutatio ex aere in aquam, et ex aqua in aerem: utputa, si ex aqua unius cyathi generatus est aer, oportet quod ex tanto aere quantus est aer generatus, alibi generaretur aqua: et hoc ideo, quod major quantitas est aeris quam aquae, ex qua generatur. Occupat igitur aer generatus majorem locum quam aqua, ex qua generatur: et sic oportet quod vel totum corpus universi occuparet majorem locum, vel quod alibi tantumdem de aere convertatur in aquam: vel oportet dicere quod sit aliquod vacuum intra corpora, ad hoc quod fiat condensatio corporum; quia non opinabantur quod aliter contingeret condensari et rarefieri corpora nisi vacuo in eis existente.

Secundo ibi « si igitur »

Destruit positionem praedictam. Et primo secundum unum intellectum. Secundo secundum alium, ibi, « Si autem non est separabile. » Dicit ergo primo, quod illi qui dicunt vacuum esse in corporibus, dupliciter possunt hoc intelligere: uno modo quod in quolibet corpore sint multa quasi foramina vacua, quae sint separata secundum situm ab aliis partibus plenis; sicut est videre in spongia, vel in pumice, vel in aliquo alio hujusmodi. Alio modo quod vacuum non sit separatum secundum situm ab aliis partibus corporis: utpote si dicamus quod dimensiones, quas dicebant esse vacuum, subintrent omnes partes corporis. Si autem primo modo dicant vacuum esse in corporibus, patet reprobatio hujusmodi ex praemissis. Per quam enim rationem ostenditur, quod non est aliquod vacuum separatum extra corpora, nec aliquis locus habens tale spatium proprium praeter dimensiones corporum, per eamdem rationem probari potest, quod non est aliquod corpus hoc modo rarum, quod habeat intra se aliqua spatia vacua, distincta ab aliis partibus corporis.

Secundo ibi « si autem »

Improbat praedictam positionem quantum ad secundum intellectum; quatuor rationibus. Dicit ergo quod, si vacuum non sit in corporibus sicut separabile et distinctum ab aliis partibus, sed tamen inest aliquod vacuum in corporibus, minus quidem est impossibile: quia non sequuntur inconvenientia supra posita contra vacuum separatum. Sed tamen ad hoc etiam sequuntur quaedam inconvenientia. Primo quidem quod vacuum non erit causa omnis motus localis, ut ipsi intendebant, sed solum motus qui est in sursum; quia vacuum, secundum eos, est causa raritatis, rarum autem invenitur esse leve, ut patet in igne: leve autem est quod movetur sursum; unde vacuum erit causa solum motus sursum.

Secundam rationem ponit ibi « postea motus »

Et dicit, quod secundum istos, qui ponunt va-

cuum in corporibus, vacuum est causa motus, non sicut in quo aliquid movetur, ut ponebant causam motus vacuum qui dicebant vacuum spatium separatum; sed eo modo ponunt vacuum causam motus, inquantum ipsum vacuum intrinsecum defert corpora: sicut si dicamus, quod utres inflati in eo quod feruntur ipsi sursum propter levitatem, deferunt sursum quicquid eis continuatur; et sic vacuum inditum corporibus fert secum corpus in quo est. Sed hoc videtur esse impossibile: quia tunc oporteret quod si vacuum moveretur, quod esset aliquis locus vacui: et cum vacuum et locus sint idem, sequeretur quod vacui interioris esset vacuum exterius in quod fertur, quod est impossibile.

Tertiam rationem ponit ibi « amplius quomodo »

Et dicit quod, si motus sursum causa est vacuum deferens corpus sursum; cum nihil sit assignare quod defert corpus deorsum, non erit assignare quare gravia deorsum ferantur.

Quartam rationem ponit ibi « et manifestum »

Et dicit quod si rarum causat motum sursum propter vacuitatem, oportebit quod quanto aliquid est rarius et magis vacuum, tanto velocius feratur sursum: et si sit omnino vacuum, velocissime feretur. Sed hoc est impossibile; quia quod est omnino vacuum non potest moveri eadem ratione qua supra ostensum est quod in spatio vacuo non potest esse motus, quia non esset comparare velocitates vacui et pleni, neque ex parte spatii, neque ex parte mobilis secundum aliquam determinatam proportionem, eo quod pleni ad vacuum nulla est proportio. Non ergo vacuum potest esse causa motus sursum.

Deinde cum dicit « quoniam autem »

Solvit praemissam rationem. Et primo repetit eam magis ipsam explanans; secundo solvit eam, ibi, « Nos autem dicimus. » Dicit ergo primo, quod quia non dicimus esse vacuum, neque in corporibus neque extra, oportet solvere quae ab aliis inducuntur, quia vere ingerunt dubitationem. Et primo ex parte motus localis: quia aut non erit omnino motus, nisi sit raritas et densitas, quam non intelligebant fieri nisi per vacuum; aut oportebit dicere, quod ad motum cujuslibet corporis etiam ipsum caelum in sursum feratur, vel aliqua pars ejus: quod vocat turbationem caeli. Aut iterum ex parte generationis et corruptionis oportebit quod semper aequalis aqua fiat ex aere, et alibi aer ex aqua; quia cum plus ex aere generetur quam ex aqua, necesse est ut fiat condensatio, quam non credebant posse fieri sine vacuo: aut quod corpus, quod habetur ultimum secundum communem opinionem, scilicet corpus caeleste, depellatur per exsuperantiam inferiorum corporum, aut quod alibi in quocumque loco tantumdem de aere convertatur in aquam, ad hoc quod totum corpus universi inveniatur semper aequale. Sed, quia ad hoc quod dixerat de motu locali posset quodammodo obviari, iterum repetit, ut excludat illud; et dicit, quod aut sequitur quod nihil moveatur, quia secundum praedicta, tumultuatio caeli accidet quocumque transmutato. Sed hoc est verum, nisi intelligatur motus fieri circulariter, utputa quod A moveatur ad locum B, et B ad locum C, et C ad locum D et iterum D ad locum A: sic enim non oportebit, posita circulari ratione, quod uno modo totum universum turbetur. Sed nos non videmus quod omnis loci mutatio corporum naturalium sit in circulum; sed multae sunt in rectum: unde adhuc sequetur tumultuatio caeli, nisi ponatur condensatio et vacuum. Haec igitur est ratio, propter quam, aliqui ponebant esse vacuum.

Secundo ibi « nos autem »

Solvit praemissam rationem. Tota antem vis praemissae rationis in hoc consistit, quod rarefactio et condensatio fiat per vacuum. Unde obviat Aristoteles ostendens, quod contingit rarefieri et condensari sine vacuo. Et primo ostendit propositum. Secundo inducit conclusionem principaliter intentam, ibi, « Ex dictis igitur manifestum est. » Circa primum tria facit. Primo manifestat propositum per rationem. Secundo per exempla, ibi, « Sicut enim « ex frigido et calido. » Tertio per effectus rari et densi, ibi, « Est autem densum quidem. » Circa primum duo facit. Primo praemittit quaedam necessaria ad propositum. Secundo probat propositum, ibi, « Est igitur et corporis. » Praemittit autem quatuor, quae accipit ex subjectis, idest ex his quae supponuntur in scientia naturali, et supra etiam manifestata sunt in primo hujus libri. Primum est, quod una est materia contrariorum, ut calidi et frigidi, vel cujuscumque alterius naturalis contrarietatis, contraria enim nata sunt fieri circa idem. Secundum est, quod omne quod est in actu, necessario fit ex eo quod est in potentia. Tertium est, quod materia non est separabilis a contrariis, ita ut sit absque eis: sed tamen secundum rationem materia est aliud a contrariis. Quartum est, quod materia, per hoc, quod nunc est sub uno contrario, et postea sub alio, non est alia et alia, sed eadem numero.

Secundo ibi « est igitur »

Ex praemissis ostendit propositum in hunc modum. Eadem numero est materia contrariorum: magnum autem et parvum sunt contraria circa quantitatem: ergo eadem numero est materia magni et parvi. Et hoc manifestum est in transmutatione substantiali. Cum enim generatur aer ex aqua, eadem materia quae prius erat sub aqua, facta est sub aere, non accipiendo aliquid quod prius non haberet; sed illud quod prius erat in potentia et in materia, reductum est in actum. Et similiter est cum e converso ex aere generatur aqua. Sed hoc interest, quod, cum ex aqua generatur aer, fit mutatio ex parvo in magnum, quia major est quantitas aeris generati quam aquae ex qua generatur: cum autem ex aere fit aqua, fit e contra transmutatio a magnitudine in parvitatem. Ergo, et cum aer multus existens reducitur ad minorem quantitatem per condensationem, vel ex minori in majorem per rarefactionem, eadem materia est, quae fit utrumque in actu, scilicet magnum et parvum prius existens ad haec in potentia. Non ergo condensatio sit per hoc quod aliquae aliae partes subintrando adveniant, vel rarefactio per hoc quod partes inhaerentes extrahantur, ut existimant ponentes vacuum inter corpora; sed per hoc quod materia earumdem partium accipit nunc majorem, nunc minorem quantitatem: ut sic rarefieri nihil aliud sit, quam materiam recipere majores dimensiones per reductionem de potentia in actum; condensari autem e contrario. Sicut autem materia est in potentia ad determinatas formas, ita etiam est in potentia ad determinatam quantitatem: unde rarefactio et condensatio non procedit in rebus naturalibus in infinitum.

Secundo ibi « sicut enim »

Manifestat idem per exempla. Et, quia rarefactio et condensatio pertinet ad motum alterationis, ponit exemplum de aliis alterationibus: et dicit, quod sicut eadem materia mutatur ex frigido in calidum, et ex calido in frigidum, propter hoc quod utrumque eorum erat in potentia in materia; sic etiam et aliquid fit magis calidum, non propter hoc quod aliqua pars materiae fiat calida, quae prius non erat calida cum esset minus calidum, sed quia tota materia reducitur in actu magis vel minus calidi. Aliud exemplum ponit de qualitate circa quantitatem: et dicit quod, si circumferentia et convexitas majoris circuli restringatur ad minorem circulum, manifestum est, quod fit magis curvum, non tamen ista ratione, quod ambitus, idest circularitas facta sit in aliqua parte quae primo non fuisset curvata sed recta; sed per hoc quod idem ipsum quod prius erat minus curvatum, magis curvatur. Non enim in hujusmodi alterationibus fit aliquid magis vel minus deficiendo, idest per subtractionem, neque etiam per additionem; sed per unius et ejusdem transmutationem de perfecto ad imperfectum, aut e contra. Et hoc patet per hoc quod in eo quod est simpliciter et uniformiter aliquale, non est invenire aliquam partem quae sit sine tali qualitate, sicut non est accipere in scintilla ignis aliquam partem, in qua non sit caliditas et albedo, idest claritas. Sic igitur et prior calor advenit posteriori non per hoc quod aliqua pars quae non erat calida sit facta calida; sed per hoc quod illud quod erat minus calidum, fit magis calidum. Unde et magnitudo et parvitas sensibilis corporis non extenditur vel ampliatur in rarefactione et condensatione per hoc quod materia aliquid superadditum accipiat; sed quia materia, quae prius erat in potentia ad magnum et parvum, transmutatur de uno in alterum; et ideo rarum et densum non fit per additionem partium subintrantium, vel per subtractionem earumdem; sed per hoc quod una est materia rari et densi.

Tertio ibi « est autem »

Manifestat propositum per effectus rari et densi. Ex differentia enim raritatis et densitatis sequitur differentia aliarum qualitatum, scilicet gravis et levis, duri et mollis; ut sic patet, quod rarum et densum diversificant qualitates, et non quantitates. Dicit ergo quod ad raritatem sequitur levitas, et ad densitatem sequitur gravitas; et hoc rationabiliter; quia rarum est ex hoc, quod materia recipit majores dimensiones: densum autem ex hoc, quod materia recipit minores dimensiones: et sic, si accipiantur diversa corpora aequalis quantitatis, unum rarum, et aliud densum, densum habet plus de materia. Dictum est autem supra in tractatu de loco, quod corpus contentum comparatur ad continens sicut materia ad formam: et sic grave, quod tendit versus medium contentum, rationabiliter est magis densum habens plus de materia. Sicut ergo circumferentia circuli majoris reducta ad minorem circulum non recipit concavitatem in aliqua sui parte, in qua non erat prius; sed quod prius erat concavum reducitur ad majorem concavitatem, et sicut quaecumque pars ignis, quam quis receperit, est calida, ita et totum corpus fit rarum et densum conductione, idest contractione, et distensione unius et ejusdem materiae, secundum quod movetur ad majorem vel minorem dimensionem. Et hoc patet per haec, quae sequuntur ex raro et denso, quae sunt qualitates; nam ad densum sequitur grave et durum. Et de gravi quidem ratio assignata est; de duro autem ratio manifesta est; quia durum dicitur, quod magis resistit pulsui vel divisioni. Quod autem habet plus de materia, minus est divisibile, quia minus obedit agenti, propter hoc quod est magis remotum ab actu. E converso autem ad rarum sequitur leve et molle. Sed grave et durum in aliquibus dissonant, sicut in ferro et plumbo: nam plumbum est gravius, sed ferrum est durius. Et hujus ratio est, quia plumbum habet plus de terrestri: sed id, quod est aquae in eo, est imperfectius congelatum et digestum.

Deinde cum dicit « ex dictis »

Concludit principale propositum; et dicit manifestum esse ex dictis, quod non est vacuum aliquod spatium separatum, neque simpliciter est extra corpus existens, neque existens in raro,

secundum aliqua foramina vacua : neque etiam existens est in potentia in corpore raro, secundum illos, qui non ponebant vacuum, quod est in corporibus, separatum a pleno. Et sic nullo modo est vacuum, nisi aliquis velit penitus vocare vacuum materiam, quae quodammodo est causa gravitatis et levitatis, et sic est causa motus secundum locum. Densum enim et rarum sunt causa motus secundum contrarietatem gravis et levis: sed secundum contrarietatem duri et mollis, sunt causa passibilis et impassibilis: nam molle est, id quod facile patitur divisionem: durum autem e contra, ut dictum est; sed hoc non pertinet ad loci mutationem: sed magis ad alterationem. Et sic concludit determinatum esse de vacuo, quomodo sit, et quomodo non sit.

LECTIO XV.

Tempus an sit necne: et an unum et idem nunc contingat in toto tempore esse vel plura, quaeritur.

ANTIQUA.

Consequens autem dictis est aggredi de tempore. Primum autem bene se habet opponere de ipso, et per extraneas rationes, utrum sit eorum quae sunt, aut non entium; postea quae natura ipsius.

Quod quidem igitur omnino non sit, aut vix et obscure, ex his aliquis utique concipiet. Hoc quidem enim ipsius prius factum est, et non est: aliud vero futurum, et nondum est. Ex his autem, et infinitum, et semper acceptum tempus componitur. Ex his autem quae non sunt, compositum impossibile esse videtur participare aliquam substantiam.

Adhuc autem omnis rei divisibilis, siquidem sit, necesse est, cum est, aut omnes, aut quasdam partes esse. Temporis autem aliae factae, aliae vero futurae sunt: est autem nihil cum sit divisibile. Ipsum autem nunc non est pars: mensurat enim pars, et componi oportet totum ex partibus. Tempus autem non videtur componi ex ipsis nunc.

Amplius autem ipsum Nunc, quod videtur distinguere praeteritum et futurum, utrum unum et idem, semper permaneat, an aliud et aliud, non facile est scire.

Si quidem enim Nunc semper alterum et alterum: nulla autem est earum, quae sunt in tempore, alia et alia pars simul est, quae non continet, alia vero contineatur, sicut minus tempus est sub majore: ipsum autem nunc, quod non est, prius autem fuit, necesse est corruptum esse aliquando: quia ipsa quidem nunc, simul adinvicem non erunt: corruptum autem esse necesse est prius. In eodem quidem igitur corruptum esse impossibile est: propter hoc, quod tunc est: in alio autem nunc, corrumpi ipsum prius nunc non contingit. Sic enim impossibile est habita esse invicem ipsa Nunc, ut punctum cum puncto. Si igitur in eo quod consequenter est non corrumpitur, sed in alio, in mediis nunc, quae sunt infinita, simul erit: hoc autem impossibile est.

At vero neque nunc semper manere idem possibile est. Nullius enim divisibilis finiti unus terminus est, nec si in uno sit continuum, nec si in plura. Ipsum autem Nunc terminus est, et tempus est accipere finitum.

Amplius, si simul esse secundum tempus, et nec prius, nec posterius, in eodem esse, et in ipso nunc est, simul sunt, quae in annum sunt millesimum, his quae sunt hodie; nec prius, nec posterius nihil aliud alio. De his quidem igitur quae insunt ipsi, tot opposita sint.

RECENS.

His quae dicta sunt, consequens est ut agatur de tempore; primum autem e re erit, de eo dubitare etiam per rationes exotericas, utrum sit in numero entium an nonentium: deinde quae sit ejus natura.

Omnino igitur tempus non esse, aut saltem vix et obscure esse, ex his suspicari quispiam possit. Pars enim ejus fuit, nec est: pars autem futura est, necdum est: ex his autem partibus constat tempus infinitum et quod semper sumitur. Quod vero constat ex iis quae non sunt, non videtur posse obtinere essentiam.

Ad haec, cujusvis rei dividuae, si sit, necesse est, ut, quando est, vel omnes ejus partes sint vel aliquae. Atqui temporis aliae partes praeterierunt, aliae futurae sunt, nulla autem est, quum sit dividuum. Instans autem non est pars. Nam pars metitur, et opus est ut totum componatur ex partibus: tempus autem non videtur componi ex instantibus.

Praeterea instans, quod videtur disterminare praeteritum et futurum, utrum semper unum et idem permaneat, an sit aliud et aliud, non facile est videre. Nam si semper est aliud atque aliud; (non est autem in tempore ulla pars alia atque alia simul, quarum una non contineat, et altera contineatur, ut minus tempus contineatur a majori; quod vero nunc non est, et antea erat, necesse est aliquando interiisse): profecto etiam instantia vicissim simul non erunt, sed necesse semper erit prius instans interiisse. Itaque in se ipso interiisse non potest, quia tunc est; in alio autem instanti interiisse prius instans non potest. Esto namque impossibile, ut instantia sibi invicem cohaereant, sicuti punctum puncto. Ergo si in eo quod est deinceps, non interiit, sed in alio: certe in infinitis instantibus interjectis simul erit; quod est impossibile.

At vero nec semper idem permanere potest. Nullius enim rei dividuae finitae unus est terminus, nec si ad unum sit continua, nec si ad plura: instans autem est terminus, ac licet sumere tempus terminatum.

Praeterea si simul esse tempore, et neque prius neque posterius esse, nihil aliud est quam in eodem esse, et in instanti esse, certe si ea quae sunt prius et quae posterius, sint in eodem hoc instanti, etiam ea quae ante decem millia annorum facta sunt, simul erunt cum iis quae facta sunt hodie, nec erit quicquam prius aut posterius aliud alio.

De iis igitur quae ipsi tempori insunt, tot in dubium revocata sunto.

Postquam determinavit de loco et vacuo, nunc determinat de tempore. Et primo dicit de quo est intentio, et quo ordine procedendum sit. Secundo prosequitur propositum, ibi, « Quod quidem igitur. » Dicit ergo primo, quod consequens est ad praedicta aggredi de tempore; in quo designat difficultatem considerationis. Et sicut de praemissis, ita et de tempore, primo oportet opponendo procedere « per « rationes extraneas, » idest ab aliis positas, vel sophisticas, utrum scilicet sit tempus, vel non: et si est, quae est natura ejus.

Secundo ibi « quod quidem »

Prosequitur de tempore; et primo opponendo, secundo determinando veritatem, ibi, « Accipiendum « autem. » Circa primum duo facit. Primo opponendo inquirit an tempus sit. Secundo quid sit, ibi, « Quid autem sit tempus. » Circa primum duo facit. Primo ponit duas rationes ad ostendendum tempus non esse. Secundo inquirit de nunc, utrum sit unum nunc in toto tempore, vel plura, ibi, « Amplius autem ipsius nunc. » Dicit ergo primo, quod ex istis duabus rationibus potest aliquis concipere, vel quod tempus omnino non sit, vel quod sit aliquid quod vix et obscure percipi possit. Prima ergo ratio est talis. Omne compositum ex his quae non sunt, impossibile est esse, vel habere aliquam substantiam: sed tempus componitur ex his quae non sunt; quia temporis est aliquid praeteritum et jam non est, aliud est futurum, et nondum est; et ex his duobus componitur totum tempus infinitum et perpetuum positum: ergo impossibile est tempus aliquid esse.

Secundam rationem ponit ibi « adhuc autem »

Quae talis est. Cujuslibet divisibilis existentis necesse est, dum est, aliquam partem esse, vel aliquas: sed tempus non est hujusmodi: quia quaedam temporis partes sunt praeteritae, aliae vero sunt futurae; et nihil temporis, quod sit divisibile, est in actu. Ipsum vero nunc, quod est in actu, non est pars temporis; quia pars est, quae mensurat totum, ut binarius senarium: vel saltem ex qua componitur totum, sicut quaternarius est pars senarii non mensurans ipsum, sed quia ex ipso et binario componitur senarius: tempus autem non componitur ex ipsis nunc, ut infra probabitur: tempus igitur non est aliquid.

Deinde cum dicit « amplius autem »

Inquirit utrum sit idem nunc in toto tempore; et circa hoc tria facit. Primo movet quaestionem. Secundo objicit ad unam partem, ibi, « Siquidem « enim nunc. » Tertio ad alteram, ibi, « At vero

« neque nunc. » Dicit ergo primo, quod non est facile scire, utrum nunc, quod videtur distinguere inter praeteritum et futurum, semper maneat idem in toto tempore, an sit aliud et aliud.

Secundo ibi « si quidem »

Ostendit quod non sit aliud et aliud nunc, tali ratione. Duae partes temporis, quae sunt aliae ab invicem, non possunt simul esse, nisi una contineat aliam, sicut majus tempus continet minus, ut annus mensem, mensis diem (simul enim est et dies, et mensis et annus): sed unum nunc, cum indivisibile sit, non continet alterum: si ergo est accipere in tempore duo nunc, necesse est quod illud nunc quod prius fuit, et modo non est, aliquando corrumpatur, et quod nunquam duo nunc sint simul. Omne autem corruptum necesse est in aliquo nunc corrumpi. Non autem potest dici quod prius nunc sit corruptum in ipso nunc priori: quia tunc erat ipsum nunc, et nihil corrumpitur dum est. Similiter etiam, non potest dici, quod prius nunc corrumpatur in posteriori: quia impossibile est sic se habere duo nunc adinvicem quod sint habita, idest immediate consequentia se: sicut etiam impossibile est de duobus punctis; et hoc nunc supponatur: quia in sexto probabitur. Sic igitur inter quaelibet duo nunc, sunt infinita nunc. Si ergo prius nunc corrumpatur in aliquo posteriori nunc, sequitur quod illud Nunc quod est ante, simul sit cum omnibus aliis Nunc intermediis: quod est impossibile, ut dictum est. Impossibile est igitur esse aliud et aliud nunc.

Tertio ibi « at vero »

Ostendit quod non possit esse unum et idem Nunc duabus rationibus. Quarum prima talis est. Nullius divisibilis finiti potest esse unus terminus tantum, neque si sit continuum secundum unam dimensionem, ut linea, neque si secundum plures, ut superficies et corpus: nam unius lineae finitae termini sunt duo puncta, et superficiei plures lineae, et corporis plures superficies. Sed ipsum nunc est terminus temporis. Cum igitur sit accipere aliquod tempus finitum, necesse est ponere plura nunc.

Secundam rationem ponit ibi « amplius, si »

Illa dicuntur esse simul secundum tempus, et nec prius nec posterius, quae sunt in eodem nunc: si ergo est idem nunc permanens in toto tempore, sequitur quod illa quae fuerunt ante mille annos, sint simul cum his quae sunt hodie. Ultimo autem epilogando concludit, tot esse opposita de ipsis nunc, quae sunt in tempore.

LECTIO XVI.

Quid temporis inquirens, quamvis ipsum, motum non esse dicat, illud tamen sine motu non esse ratiocinatur.

Quid autem tempus, et quae ipsius natura similiter et ex traditis immanifestum est, et ex quibus attingimus ad venientes prius. Quidam enim totius quidem motum dicunt,

Quid autem sit tempus, et quae sit ejus natura aeque ex iis quae tradita sunt, est incertum, atque de iis de quibus antea disseruimus. Alii namque ajunt esse motum universi:

Alii autem ipsam sphaeram.

Quamvis circulationis pars tempus quoddam est, circulatio autem non est. Pars enim circulationis est, quae accipitur, sed non circulatio.

Amplius autem si plures essent caeli, similiter esset tempus cujuslibet ipsorum motus. Quare multa tempora simul.

Totius autem sphaera visa est quidem, dicentibus esse tempus: quia in tempore omnia sunt, et in totius sphaera. Est autem stultius quod dicitur, quam et de hoc impossibilia considerare.

Quoniam autem videtur maxime motus esse et mutatio quaedam tempus, hoc considerandum est. Uniuscujusque quidem igitur mutatio et motus in ipso quod movetur est solum, aut ubi fortasse est ipsum quod movetur et transmutatur. Tempus autem similiter, et ubique et apud omnia est.

Amplius autem mutatio quidem omnis velocior aut tardior est: tempus autem non est; tardum enim et velox tempore determinantur. Velox quidem, quod in pauco multum movetur. Tardum autem quod in multo paucum: tempus autem non determinatur tempore: neque quo quantum aliquid est, neque quo quale. Quod quidem igitur non est motus, manifestum est. Nihil autem differat nobis dicere in praesenti motum aut mutationem.

At vero, neque sine motu tempus est: cum enim nihil ipsi mutamur secundum intelligentiam, aut latet nos mutari, non videtur nobis fieri tempus; sicut neque his, qui in Sardo fabulantur dormire apud Heroas, cum expergiscentur. Copulant enim primum Nunc, posteriori Nunc, et unum faciunt, removentes propter insensibilitatem medium. Ut igitur si non esset alterum nunc, sed idem et unum, non esset tempus, sic et quando latet alterum esse, non videtur quod medium est esse tempus. Si igitur opinari non esse tempus, tunc accidit nobis, cum non definimus nec unam mutationem, sed in uno indivisibili videtur anima manere: cum autem sentimus et determinamus, tunc dicimus fieri tempus: manifestum est quod non est sine motu neque mutatione tempus. Quod igitur neque motus, neque sine motu tempus est, manifestum est.

---

alii vero ipsam sphaeram. Atqui conversionis etiam pars est tempus quoddam: non tamen est ipsa conversio. Quod enim sumptum est, pars est conversionis, non conversio. Praeterea si plures essent caeli, aeque tempus esset cujusvis horum motio: quare multa tempora simul essent.

Universi autem sphaera visum est iis qui id dixerunt, tempus esse: quia et in tempore omnia sunt, et in universi sphaera. Sed hoc eorum dictum magis fatuum est, quam ut sit opus de eo considerare impossibilia quae consequuntur.

Quum autem maxime videatur tempus esse motum et mutationem quamdam: hoc utique considerandum est. Ergo cujusque mutatio ac motus est solum in eo quod mutatur, vel ubicumque est illud ipsum quod movetur et mutatur: tempus vero peraeque est et ubique et apud omnia.

Insuper omnis quidem mutatio est celerior et tardior, tempus vero non est: nam tardum et velox tempore definitur: velox quidem id quod brevi tempore multum movetur; tardum autem, quod longo tempore parvum. Atqui tempus non definitur tempore, nec quia sit quantum quiddam, nec quia sit quale.

Patet igitur tempus non esse motum. Nihil autem differat in praesentia sive dicamus motum, sive mutationem.

At vero nec est sine mutatione; quum enim ipsi nihil mutamur cogitatione, aut, si mutemur, non animadvertimus; tunc non videtur nobis fuisse tempus: quemadmodum nec iis quos in Sardinia fabulantur dormire apud heroas, quum experrecti fuerint: conjungunt enim prius instans cum posteriori instanti, et unum faciunt, eximentes tempus interjectum, quia id sensu non percipiunt. Sicut igitur si non esset aliud instans, sed unum et idem, non esset tempus: ita etiam quando non animadvertitur esse diversum, non videtur esse tempus quod est interjectum. Ergo si tunc nobis accidit ut non putemus esse tempus, quum nullam mutationem distinguimus, sed anima in uno et individuo manere videtur; quum autem sentimus ac distinguimus, tunc dicimus fuisse tempus: perspicuum est, non esse tempus sine motu et mutatione.

Patet igitur tempus nec esse motum nec sine mutatione.

Postquam inquisivit an tempus sit, hic disputative inquirit quid sit. Et primo improbat positiones aliorum. Secundo inquirit quomodo se habet tempus ad motum, qui tempori propinquissimus videtur, ibi, « Quoniam autem videtur maxime. » Circa primum duo facit. Primo ponit opiniones. Secundo improbat eas, ibi, « Quamvis circulationis. » Dicit ergo primo, quod quid sit tempus, et quid sit natura ejus, non potest esse manifestum ex his quae tradita erant de tempore ab antiquioribus, neque per aliqua quibus attingi possit quid ipsi circa hoc determinaverint. Quidam enim dixerunt, quod tempus est motus caeli; quidam vero, quod est ipsa sphaera caelestis.

Secundo ibi « quamvis circulationis »

Improbat positas opiniones; et primo primam, secundo secundam, ibi, « Totius autem sphaera. » Circa primum ponit duas rationes. Quarum prima talis est. Si circulatio est tempus, oportet quod pars circulationis sit circulatio, quia pars temporis tempus est. Sed pars circulationis non est circulatio: ergo tempus non est circulatio.

Secundam rationem ponit ibi « amplius autem »

Quae talis est. Motus multiplicatur secundum multitudinem mobilium. Si ergo plures essent caeli, plures essent circulationes eorum: et sic, si circulatio sit tempus, sequeretur quod essent multa tempora simul: quod est impossibile: non enim est accipere duas partes temporis simul, nisi una contineat aliam, ut supra dictum est. Movebantur tamen hi ad ponendum tempus esse circulationem, quia videbant tempora circulo quodam reiterari.

Deinde cum dicit « totius autem »

Excludit secundam opinionem; et dicit. Quibusdam visum est quod sphaera caeli esset tempus:

per hoc quod omnia sunt in tempore, et etiam omnia sunt in sphaera totius, quia caelum continet omnia; unde concludere volebant, quod sphaera caeli esset tempus. In qua quidem ratione duplex erat defectus; quia non univoce dicitur esse aliquid in tempore, et in loco. Secundo, quia argumentabatur in secunda figura, ex duabus affirmativis. Et ideo dicit, quod ista positio est magis stulta quam considerare impossibilia, quae ad ipsam consequantur. Manifestum est enim quod omnes partes sphaerae sunt simul, non autem temporis.

Deinde cum dicit « quoniam autem »

Inquirit quomodo se habet tempus ad motum. Et primo ostendit quod tempus non est motus; secundo quod non est sine motu, ibi, « At vero « neque sine motu, etc. » Circa primum ponit duas rationes ad ostendendum quod tempus non sit motus aut mutatio, quod posset maxime videri. Primo, quia omnis motus et mutatio, vel est solum in ipso transmutato. vel etiam in loco ubi est transmutatum et transmutans. Quorum primum dicitur propter motum in substantia, et qualitate, et quantitate: secundum autem dicitur propter motum in ubi, qui dicitur motus in loco. Sed tempus est ubique et apud omnia: ergo tempus non est motus.

Secundam rationem ponit ibi « amplius autem »

Quae talis est. Omnis mutatio et motus est velox aut tardus: sed tempus non est hujusmodi, ergo tempus non est motus vel mutatio. Mediam sic probat. Tardum et velox determinatur ex tempore, quia velox dicitur quod movetur per multum spatium in pauco tempore: tardum autem quod e contrario per paucum spatium in multo tempore. Sed tempus non determinatur tempore, neque secundum suam quantitatem, neque secundum qualitatem, quia idem non est mensura suiipsius, ergo tempus non est velox neque tardum. Et quia proposuerat quod mutatio est velox aut tarda, non facta mentione de motu, subjungit quod quantum ad praesens, non differt dicere motum aut mutationem; in quinto enim ostendetur eorum differentia.

Deinde cum dicit « at vero »

Ostendit quod tempus non est sine motu; quia quando homines non mutantur secundum suam apprehensionem, aut si mutantur, tamen latet eos, tunc non videtur eis quod pertranseat aliquod tempus. Sicut patet in iis qui in Sardo, quae est civitas Asiae, dicuntur fabulose dormire apud heroas, id est, apud deos. Animas enim bonorum et magnorum heroas vocabant, et quasi deos vocabant, ut Herculis, Bacchi et similium. Per incantationes enim aliquas aliqui insensibiles reddebantur, quos dicebant dormire apud heroas: quia excitati quaedam miracula

se vidisse dicebant, et futura quaedam praenunciabant. Tales autem redeuntes non percipiebant tempus, quod praeterierat, dum ipsi sic absorpti erant; quia illud instans primum in quo dormire coeperant, copulabant posteriori nunc, in quo excitabantur, ac si essent unum; medium enim tempus non percipiebant. Sicut igitur, si non esset aliud et aliud nunc, sed idem et unum, non esset tempus medium; sic et quando latet diversitas duorum nunc, non videtur tempus esse medium. Si ergo tunc accidit non opinari tempus, cum non percipimus aliquam mutationem, sed homini videtur quod sit in uno indivisibili nunc, tunc autem percipimus fieri tempus, quando sentimus et determinamus, idest numeramus, motum aut mutationem: manifeste sequitur, quod tempus non sit sine motu, neque sine mutatione. Ultimo ergo concludit quod tempus non sit motus, nec sit sine motu.

LECTIO XVII.

Tempus, cum aliquid motus esse definierit, quidnam sit ejus latius manifestat.

Accipiendum autem, quoniam quaerimus quid sit tempus, hinc incipientibus, quidnam ipsius motus est: simul enim motum sentimus et tempus. Et namque si sint tenebrae, et nihil per corpus patiamur, motus autem aliquis in anima fiat, subito simul videtur fieri quodammodo tempus. At vero et cum tempus videtur fuisse aliquod, simul et motus aliquis fuisse videtur. Quare aut motus, aut aliquid motus est tempus: quoniam autem non est motus, necesse est motus aliquid esse ipsum.

Quoniam autem quod movetur movetur ex quodam in quiddam, et omnis magnitudo continua est, sequitur magnitudinem motus. Propter id enim quod magnitudo continua est, et motus continuus erit: quia vero motus, et tempus. Quantus enim motus est, tantum et tempus videtur fieri.

Prius autem et posterius in loco primum sunt: haec autem positione sunt determinata. Quoniam autem in magnitudine prius et posterius, necesse est in motu prius et posterius esse proportionaliter iis quae sunt ibi. At vero et in tempore est prius et posterius, propter id, quia sequitur semper alterum alterum ipsorum.

Est autem prius et posterius ipsorum in motu: id quidem quod est motus est: tamen esse ipsius alterum est, et non est motus.

At vero et tempus cognoscimus, cum definimus motum, prius et posterius determinantes: et tunc dicimus fieri tempus, quando prioris et posterioris in motu sensum percipimus.

Determinamus autem in accipiendo aliud et aliud ipsum, et medium ipsorum alterum. Cum enim altera extrema medii intelligimus, et duo dicat anima ipsa nunc, hoc quidem prius, illud vero posterius, tunc et hoc dicimus esse tempus. Determinatur enim ipso nunc tempus esse videtur et supponatur. Quando igitur tamquam unum ipsum nunc sentimus, et non sit sicut prius et posterius in motu, aut ut idem quidem, non autem prioris et posterioris alicujus, non videtur tempus fieri ullum nec motus. Cum autem prius et posterius est, tunc dicimus tempus: hoc enim est tempus, numerus motus secundum prius et posterius. Non ergo motus tempus est, sed secundum quod numerum habet motus.

Signum est autem: plus enim et minus judicamus numero: motum autem plurem et minorem tempore: Numerus itaque quidam tempus est.

Quoniam autem numerus est dupliciter: (et namque quod numeratur et numerabile numerum dicimus, et quo numeramus:) tempus autem est, quod numeratur, et non quo numeramus: est autem alterum quo numeramus, et quod numeratur.

Quoniam autem quaerimus quid sit tempus, sumendum est, hinc facto initio, quid motionis sit. Simul enim motionem sentimus ac tempus. Nam etiam si tenebrae sint, et nihil corpore patiamur, motus tamen aliquis in anima insit: confestim simul videtur fuisse etiam aliquod tempus. At vero et quum tempus aliquod videtur fuisse, simul etiam motus aliquis fuisse apparet: quocirca tempus aut est motus aut aliquid ipsius motus. Quoniam igitur non est motus; necesse est ut sit aliquid ipsius motus.

Quum autem id quod movetur, moveatur ab aliquo ad aliquod, quumque omnis magnitudo sit continua: magnitudini consequens est motus. Nam quia magnitudo est continua, etiam motus est continuus, et quia motus, etiam tempus. Quantus enim fuit motus, tantum etiam semper videtur tempus fuisse. Jam vero prius et posterius in loco primum sunt: et hic quidem positione partium. Quum autem in magnitudine sit prius et posterius; necesse est ut etiam in motu sint prius et posterius, quae illis proportione respondeant.

Quin etiam in tempore est prius et posterius, quia semper horum alterum alteri consequens est. Horum autem prius et posterius est in motu, quod re ipsa est motus; sed ejus essentia diversa non motus est. At vero etiam tempus cognoscimus, quum motum distinximus, prius et posterius distinguentes: tuncque dicimus fuisse tempus, quum sensu percipimus prius et posterius in motu. Distinguimus autem, quoniam haec aliud atque aliud esse, et his diversum quiddam esse interjectum existimamus. Quum enim extrema a medio diversa intelligimus, ac duo momenta affirmat anima, alterum prius, alterum posterius; tunc id dicimus esse tempus. Quod enim momentis terminatur, tempus esse videtur: atque hoc supponatur.

Quum igitur sentimus momentum, quasi unum, nec vel tamquam prius et posterius in motu, vel quasi idem quidem, sed ad prius et posterius aliquid pertinens: tunc non videtur fuisse ullum tempus, quia nec motus. Quum autem prius et posterius sentimus, tunc dicimus esse tempus. Tempus enim nihil aliud est quam numerus motus secundum prius et posterius. Tempus igitur non est motus, nisi quatenus motus numerum habet. Argumento est, quod plus et minus dijudicamus numero, motum autem majorem et minorem dijudicamus tempore: ergo tempus est numerus quidam. Quum autem numerus bifariam accipiatur (nam et quod numeratur et quod est numerabile numerum vocamus, et id quo numeramus): tempus igitur est id quod numeratur, non quo numeramus. [Sunt autem diversa, id quo numeramus, et quo numeratur].

Postquam Philosophus disputative inquisivit de tempore, hic incipit determinare veritatem. Et primo determinat veritatem de tempore; secundo movet quasdam dubitationes circa veritatem determinatam, et solvit eas, ibi, « Dignum autem. » Circa primum duo facit. Primo determinat de tempore secundum se, secundo per comparationem ad ea quae tempore mensurantur, ibi, « Quoniam autem est tempus, etc. » Circa primum tria facit. Primo manifestat quid sit tempus; secundo quid sit nunc temporis, ibi, « Et « sicut motus semper, etc. » Tertio ex definitione motus assignata assignat rationes eorum quae dicuntur de tempore, ibi, « Quod quidem igitur tem- « pus, etc. » Circa primum duo facit. Primo ponit temporis definitionem; secundo manifestat eam, ibi, « Signum autem. » Prima pars dividitur in tres particulas, secundum tres partes definitionis temporis, quas investigat. Secunda pars incipit, ibi, « Quo- « niam autem quod movetur, etc. » Tertia ibi, « Determinamus autem, etc. » Primo ergo investigat hanc particulam, quod tempus est aliquid motus: unde dicit, quod, quia inquirimus quid sit tempus, hinc incipiendum est, ut accipiamus quid motus sit tempus. Et quod tempus sit aliquid motus, per hoc manifestum est, quod simul sentimus motum et tempus. Contingit enim quandoque quod percipimus fluxum temporis, quamvis nullum motum particularem sensibilem sentiamus; utpote, si simus in tenebris, et sic visu non sentimus motum alicujus corporis exterioris, et, si nos non patiamur aliquam alterationem in corporibus nostris ab aliquo exteriori agente, nullum motum corporis sentiemus; et tamen, si fiat aliquis motus in anima nostra, puta secundum successionem cogitationum et imaginationum, subito videtur nobis quod fiat aliquod tempus; et sic percipiendo quemcumque motum percipimus tempus; et similiter e contra, cum percipimus tempus, simul percipimus motum: unde, cum non sit ipse motus, ut probatum est, relinquitur quod sit aliquid motus. Habet autem dubitationem quod hic dicitur de perceptione temporis et motus. Si enim tempus consequatur aliquem motum sensibilem extra animam existentem, sequitur, quod qui non sentit illum motum non sentiat tempus: cujus contrarium hic dicitur: si autem consequatur motum animae, sequitur, quod res non comparentur ad tempus nisi mediante anima; et sic tempus erit non res naturae, sed intentio animae, ad modum intentionis generis et speciei. Si autem consequatur universaliter omnem motum, sequitur quod quot sunt motus, tot sint tempora: quod est impossibile: quia duo tempora non sunt simul, ut supra habitum est. Ad hujus igitur evidentiam sciendum est, quod est unus primus motus, qui est causa omnis alterius motus: unde quaecumque sunt in esse transmutabili, habent hoc ex illo primo motu, qui est motus primi mobilis. Quicumque autem percipit quemcumque motum, sive in rebus sensibilibus existentem, sive in anima, percipit esse transmutabile, et per consequens percipit primum motum, quem sequitur tempus. Unde quicumque percipit quemcumque motum, percipit tempus, licet tempus non consequatur nisi unum primum motum, a quo omnes alii causantur et mensurantur; et sic remanet tantum unum tempus.

Secundo ibi « quoniam autem »

Investigat secundam particulam positam in definitione temporis. Supposito enim quod tempus sit

aliquid motus, consequens scilicet ipsum, restat investigandum, secundum quid tempus consequatur motum, quia secundum prius et posterius. Circa hoc ergo tria facit. Primo ostendit quomodo in motu inveniatur prius et posterius; secundo quomodo prius et posterius se habeat ad motum, ibi, « Est autem prius et posterius. » Tertio, quod tempus sequitur motum, secundum prius et posterius, ibi, « At vero et tempus. » Circa primum duo facit. Primo ostendit quod continuitas est in tempore ex motu et magnitudine; secundo, quod etiam prius et posterius, ibi, « Prius autem et posterius. » Dicit ergo primo, quod omne quod movetur, movetur ex quodam in quiddam. Sed inter alios motus, primus est motus localis, qui est a loco in locum secundum aliquam magnitudinem. Primum autem motum consequitur tempus: et ideo ad investigandum de tempore, oportet accipere motum secundum locum. Quia ergo motus secundum locum est secundum magnitudinem ex quodam in quiddam: et omnis magnitudo est continua, oportet quod motus consequatur magnitudinem in continuitate; ut quia magnitudo continua est, et motus continuus est, et per consequens tempus etiam continuum est, quia quantus est motus primus, tantum fieri tempus videtur. Non autem tempus mensuratur secundum quantitatem cujuscumque motus: quia tardus movetur secundum paucum spatium in multo tempore, velox autem e converso; sed solum quantitatem primi motus sequitur tempus.

Secundo ibi « prius autem »

Ostendit etiam, quod idem ordo consideratur in priori et posteriori: et dicit, quod prius et posterius sunt prius in loco sive in magnitudine; et hoc ideo quia magnitudo est quantitas positionem habens, de ratione autem positionis est prius et posterius: unde ex ipsa positione locus habet prius et posterius. Et, quia in magnitudine est prius et posterius, necesse est, quod in motu sit prius et posterius proportionaliter his « quae sunt ibi, » scilicet in magnitudine et in loco: et per consequens etiam in tempore est prius et posterius; quia motus et tempus ita se habent, quod semper alterum eorum sequitur ad alterum.

Deinde cum dicit « est autem »

Ostendit quomodo prius et posterius se habent ad motum: et dicit, quod prius et posterius ipsorum, scilicet temporis et motus, quantum ad id quod est, motus est; tamen secundum rationem est alterum a motu, et non est motus. De ratione enim motus est, quod sit actus existentis in potentia: sed quod in motu sit prius et posterius, hoc contingit motui ex ordine partium magnitudinis. Sic igitur prius et posterius sunt idem subjecto cum motu, sed differunt ratione. Unde restat inquirendum, cum tempus sequatur motum, sicut supra ostensum est, utrum sequatur ipsum inquantum est motus, an inquantum habet prius et posterius.

Deinde cum dicit « at vero »

Ostendit quod tempus sequatur motum ratione prioris et posterioris. Propter hoc enim est ostensum quod tempus sequitur motum, quia simul cognoscimus tempus et motum: secundum illud ergo tempus sequitur motum, quo cognito in motu cognoscitur tempus. Sed tunc cognoscimus tempus, cum distinguimus determinando prius et posterius: et tunc dicimus fieri tempus, quando accipimus sensum prioris et posterioris in motu. Relinquitur ergo quod tempus sequitur motus secundum prius et posterius.

Deinde cum dicit « determinamus autem »

Ostendit quid motus tempus sit, quia numerus motus: et hoc etiam ostendit eodem medio, scilicet per cognitionem temporis ex motu. Manifestum est enim, quod tunc esse tempus determinamus, cum accipimus in motu aliud et aliud, et accipimus aliquid medium inter ea. Cum enim intelligimus extrema diversa alicujus medii, et anima dicat, illa esse duo nunc, hoc prius, illud posterius, quasi numerando prius et posterius in motu, tunc hoc dicimus esse tempus. Tempus enim determinari videtur ipso nunc; et hoc supponatur ad praesens, quia postea erit magis manifestum. Quando igitur sentimus unum nunc, et non discernimus in motu prius et posterius: accipimus idem nunc non ut finem prioris et principium posterioris, non videtur fieri tempus: quia neque est motus: sed, cum accipimus prius et posterius et numeramus ea, tunc dicimus fieri tempus: et hoc ideo, quia tempus nihil aliud est, quam numerus motus secundum prius et posterius: tempus enim percipimus, ut dictum est, cum numeramus prius et posterius in motu. Manifestum est ergo, quod tempus non est motus, sed sequitur motum secundum quod numeratur. Unde est numerus motus. Si quis autem objiciat contra praedictam definitionem, quod prius et posterius tempore determinantur, et sic definitio est circularis: Dicendum est quod prius et posterius ponuntur in definitione temporis, secundum quod causantur in motu ex

magnitudine, et non secundum quod mensurantur ex tempore; et ideo supra Aristoteles ostendit, quod prius et posterius prius sunt in magnitudine quam in motu, et in motu quam in tempore, ut haec objectio excludatur.

Deinde cum dicit « signum est »

Manifestat praedictam definitionem dupliciter. Primo quidem quodam signo. Id enim, quo aliquid judicamus plus et minus, est numerus ejus: sed motum judicamus plurem et minorem tempore: tempus igitur est numerus.

Secundo ibi « quoniam autem »

Manifestat quod dictum est, per distinctionem numeri: et dicit, quod numerus dicitur dupliciter. Uno modo id quod numeratur actu, vel quod est numerabile: utpote cum dicimus decem homines vel decem equos: qui dicitur numerus numeratus, quia est numerus applicatus rebus numeratis. Alio modo dicitur numerus quo numeramus, id est ipse numerus absolute acceptus, ut duo, tria, quatuor. Tempus autem non est numerus quo numeramus: quia sic sequeretur, quod numerus cujuslibet rei esset tempus: sed est numerus numeratus, quia ipse numerus prioris et posterioris in motu tempus dicitur: vel etiam ipsa quae sunt prius et posterius numerata: et ideo, licet numerus sit quantitas discreta, tempus tamen est quantitas continua, propter rem numeratam: sicut decem mensurae panni quoddam continuum est, quamvis denarius numerus sit quantitas discreta.

LECTIO XVIII.

Quo pacto nunc ipsum idem vel non idem sit in toto tempore: quomodo item tempus respiciat, continuet vel distinguat, exactissima redditur ratio.

ANTIQUA.

Et sicut motus semper alius est et alius, sic et tempus. Quod autem simul omne tempus, idem est. Ipsum enim nunc idem est, secundum id quod est: esse autem ipsi alterum est. Ipsum autem nunc tempus mensurat secundum quod prius et posterius est.

Ipsum autem nunc, est quidem sicut idem, est vero sicut non idem. Secundum quidem enim quod in alio et alio, alterum est. (Hoc vero erat ipsi nunc:) inquantum autem quodcumque ens est, ipsum nunc idem est.

Sequitur enim, sicut dictum est, magnitudinem motus: hunc autem tempus, sicut diximus: et similiter igitur punctum id quod fertur, quo motum cognoscimus, et prius in ipso et posterius: hoc qua quidem quodcumque ens est, idem est: punctum enim aut lapis aut aliquid aliud hujusmodi est: ratione autem aliud est: sicut sophistae accipiunt alterum, Coriscum in theatro esse, et Coriscum in foro: et hoc igitur in eo quod alibi et alibi, est alterum. Id autem quod fertur, sequitur ipsum nunc, sicut tempus motum. Eo enim quod fertur cognoscimus prius et posterius in motu. Secundum autem quod numerabile, prius et posterius ipsum nunc est. Quare et in his, quod quidem ens nunc est, idem est: prius enim et posterius est, quod in motu: ipsum autem esse alterum. Secundum enim quod numerabile est prius et posterius, ipsum nunc est.

Et maxime hoc est. Etenim motus est propter id quod movetur: et loci mutatio propter id quod fertur: hoc aliquid enim est quod fertur, motus autem non. Est igitur

RECENS.

Et quemadmodum motus semper est alius atque alius, ita etiam tempus. Universum vero tempus simul acceptum, idem est: [quoniam momentum re ipsa unum et idem est, sed essentia ejus est diversa]. Momentum autem metitur tempus, quatenus est prius et posterius.

Jam vero momentum partim est idem, partim non est idem. Quatenus enim in alio atque alio est, diversum est: [hoc autem est ipsum momentum]; sed quatenus momentum est id quod tandem est, eatenus est idem. Consequens enim est, ut dictum fuit, magnitudini motus, huic vero tempus, ut asserimus. Peraeque igitur puncto id quod fertur, quo motum cognoscimus, atque in eo prius et posterius. Hoc autem re ipsa idem est: aut enim est punctum, aut lapis, aut aliquid aliud ejusmodi: sed ratione est aliud: sicuti sophistae sumunt aliud esse Coriscum in lyceo, et Coriscum in foro: ergo et hoc, quia alibi et alibi est, diversum est. Atqui id quod fertur, consequens est momentum, sicut motui tempus: nam eo quod fertur cognoscimus prius ac posterius in motu: momentum autem est quatenus prius ac posterius est numerabile. Quocirca et in his re ipsa momentum est idem; quia quod in motu est, est prius et posterius: essentia vero est diversa: [quoniam momentum est, quatenus prius et posterius est numerabile]. Atque hoc est maxime notum: quia et motus per id quod movetur, cognoscitur: et latio per id quod fertur. Quod enim fertur, est hoc aliquid: motus autem non est hoc aliquid. Partim itaque id quod vocatur momentum, est semper idem, partim non idem: quoniam et

sicut idem ipsum, quod nunc dicitur, semper: est autem sicut non idem: et namque est similiter, quod fertur.

Manifestum est autem, quod, nisi tempus sit, ipsum nunc non erit: et, si ipsum nunc non erit, tempus non erit. Sicut enim simul sunt, quod fertur, et loci mutatio; sic et numerus, qui est ejus quod fertur, et qui est loci mutationis. Tempus enim est loci mutationis numerus: ipsum autem nunc est, ut quod fertur, ut unitas numeri.

Et continuum tempus est ipsi nunc: et dividitur secundum ipsum nunc. Sequitur enim hoc ad loci mutationem, et ad id quod fertur. Motus enim, et loci mutatio una est ab eo quod fertur: quia unum et non quodcumque ens (etenim deficeret) sed ratione: et namque determinat priorem et posteriorem motum hoc.

Sequitur autem et hoc quodammodo ad punctum: et punctum enim continuat longitudinem, et determinat: est enim hujus quidem principium, illius autem finis. Sed, cum sic quidem accipiat aliquis, tamquam duobus utens uno, necesse est stare, si principium et finis idem punctum erit. Ipsum autem nunc, propter id quod movetur quod fertur, semper alterum est. Quare tempus numerus est, non sicut ejusdem puncti, quia est et principium et finis, sed sicut ultima ejusdem magis, et non sicut partes, et propter quod dictum est: medio enim puncto, tamquam duobus utetur. Quare quiescere accidit.

Et adhuc manifestum, quod nulla pars ipsum nunc temporis est, neque divisio motus, sicut neque puncta lineae: lineae enim duae partes unius sunt. Secundum quidem igitur quod est terminus, ipsum nunc non est tempus, sed accidit; secundum vero quod numerat, numerus. Termini quidem enim illius solum sunt, cujus sunt termini. Numerus autem qui est horum equorum decem, alibi et alibi est.

id quod fertur, similiter se habet.

Perspicuum etiam est, sive tempus non sit, momentum non fore: sive non sit momentum, non fore tempus. Ut enim simul sunt id quod fertur et latio, ita etiam numerus ejus quod fertur et numerus lationis. Tempus enim est lationis numerus: momentum vero est velut id quod fertur, ut unitas numeri. Ergo et continuum est tempus propter momentum, ac dividitur ratione momenti. Nam et quod ad hoc, sequitur lationem, et rem quae fertur. Etenim motio et latio una est propter id quod fertur, quia est unum: nec momentum (nam interrumpi posset), sed ratione. Hoc namque terminat priorem et posteriorem motum. Quin etiam quod ad hoc, aliquo modo est consequens puncto. Nam punctum quoque et continet quodammodo longitudinem, et terminat: quoniam alterius est principium, alterius est finis.

Sed quum ita quispiam accipit, utens uno puncto quasi duobus: necesse est consistere, si idem punctum erit principium et finis. Momentum autem, quia quod fertur movetur, semper diversum est. Quocirca tempus est numerus, non ut ejusdem puncti, quia sit principium et finis: sed potius ut extremitates lineae, nec ut partes: quum ob id quod dictum fuit (quia medio puncto quasi duobus utetur, unde accidet ut quiescat); tum etiam quia perspicuum est, neque momentum esse partem temporis, neque divisionem esse partem motus, quemadmodum nec puncta lineae: sed duae lineae sunt partes unius.

Quatenus igitur momentum est terminus, non est tempus sed ei accidit. Quatenus autem numerat, est numerus. Termini namque illius rei tantummodo sunt cujus sunt termini. Sed numerus qui est horum equorum, ut denarius, etiam alibi reperitur.

Postquam Philosophus ostendit quid est tempus, hic determinat de nunc: et primo ostendit utrum sit idem nunc in toto tempore vel aliud et aliud: quod supra in dubitatione positum fuit. Secundo ex hoc ulterius assignat rationem eorum quae dicuntur de nunc, ibi, « Manifestum autem est, etc. » Circa primum tria facit. Primo ponit, quod nunc quodammodo est idem, et quodammodo non est idem. Secundo exponit quod dixerat, ibi, « Ipsum autem nunc. » Tertio probat, ibi, « Sequitur enim sicut dictum est. » Dicit ergo primo, quod cum tempus sit numerus motus, sicut partes motus sunt semper aliae et aliae, ita et partes temporis: sed illud quod simul existit de toto tempore, est idem, scilicet ipsum nunc. Quod quidem secundum id quod est, idem est: sed ratione est alterum, secundum quod est prius et posterius: et sic nunc mensurat tempus non secundum quod est idem subjecto, sed secundum quod ratione est alterum et alterum, et prius et posterius.

Secundo ibi « ipsum autem »

Exponit quod dixerat: et dicit, quod ipsum nunc, quodammodo semper est idem, et quodammodo non idem. Inquantum enim semper consideratur ut aliud et aliud secundum successionem temporis et motus, sic est alterum, et non idem: sed secundum quod consideratur in se, sic est idem: et hoc est quod supra diximus, quod ipsi est esse alterum. Nam hoc est esse ipsi nunc, id est secundum hoc accipitur ratio ipsius, ut consideratur in decursu temporis et motus: sed inquantum ipsum nunc est quoddam ens, sic est idem subjecto.

Tertio ibi « sequitur enim »

Probat quod dixerat. Et primo probat, quod nunc est idem subjecto, sed alterum et alterum ratione; secundo quod ipsum nunc mensuret tempus, ibi, « Et notum autem maxime. » Dicit ergo primo, quod sicut supra dictum est, motus quantum ad continuitatem et prius et posterius sequi-

tur magnitudinem, et tempus motum, sicut dictum est. Imaginemur igitur secundum geometras, quod punctus motus faciat lineam; similiter oportebit aliquid esse idem in tempore, sicut est aliquid in motu. Si autem punctum motum suo motu faciat lineam, ipsum punctum quod fertur, est quo cognoscimus motum et prius et posterius in ipso. Non enim motus percipitur nisi ex hoc, quod mobile aliter et aliter se habet: et secundum id, quod pertinet ad praecedentem dispositionem mobilis, judicamus prius in motu: secundum autem id, quod pertinet ad sequentem dispositionem mobilis, judicamus posterius in motu. Hoc ergo quod movetur, quo motum cognoscimus, et discernimus prius et posterius in ipso, sive sit punctum, sive sit lapis, sive quodcumque aliud: ex ea parte, qua est quoddam ens, quodcumque sit, est idem, scilicet subjecto; sed ratione est alterum: et hoc modo sophistae utuntur altero, cum dicunt, Coriscum alterum esse in theatro, et in foro: sic arguentes secundum sophisma accidentis: Esse in foro est aliud ab eo quod est in theatro: sed Coriscus est nunc in foro, nunc in theatro: ergo est alius a se. Sic igitur patet, quod id quod movetur, est alterum secundum rationem, in eo quod est alibi: licet sit idem subjecto. Sed sicut tempus sequitur ad motum, ita ipsum nunc sequitur ad id quod fertur. Et hoc probat: quia per mobile cognoscimus prius et posterius in motu. Cum enim invenimus mobile in aliqua parte magnitudinis per quam movetur, judicamus quod motus qui fuit per unam partem magnitudinis prius praeteriit, et per aliam partem magnitudinis posterius sequitur. Et similiter in numeratione motus quae fit per tempus, id quod distinguit prius et posterius temporis, est ipsum nunc, quod est terminus praeteriti, et principium futuri. Sic igitur nunc se habet ad tempus, sicut mobile ad motum: ergo secundum commutatam proportionem, sicut tempus ad motum, ita et nunc ad mobile. Unde, si mobile in toto motu est idem subjecto, sed differat ratione, oportebit ita esse et in nunc, quod sit idem subjecto, et aliud et aliud ratione: quia illud quo discernitur in motu prius et posterius, est idem subjecto, sed alterum ratione, scilicet mobile: et id, secundum quod numeratur prius et posterius in tempore, est ipsum nunc. Ex hac autem consideratione de facili potest accipi intellectus aeternitatis. Ipsum enim nunc inquantum respondet mobili se habenti aliter et aliter, discernit prius et posterius in tempore, et suo fluxu tempus facit, sicut punctus lineam. Sublata igitur alia et alia dispositione a mobili, remanet substantia semper eodem modo se habens. Unde intelligitur nunc, ut semper stans, et non ut fluens: nec habens prius et posterius. Sicut igitur nunc temporis intelligitur ut numerus mobilis, ita nunc aeternitatis intelligitur ut numerus, vel potius ut unitas rei, semper eodem modo se habentis.

Secundo ibi « et notum »

Ostendit unde habeat mensurare Nunc tempus: et dicit quod hoc ideo est: quia id, quod est maxime notum in tempore Nunc est; et unumquodque mensuratur per id quod est maxime notum sui generis, ut dicitur in decimo Metaphysicae. Et hoc etiam ostendit ex habitudine motus ad mobile; quia motus cognoscitur per id quod localiter fertur, quasi minus notum per magis notum. Quod ideo est, quia id quod movetur, « est hoc aliquid, » id est, res quaedam per se stans, quod non convenit motui: unde mobile est notius motu, et per mobile cognoscitur motus; et similiter tempus per ipsum nunc. Et sic concludit conclusionem principaliter intentam, quod id quod dicitur nunc, semper est idem quodammodo, et quodammodo non: quia similiter est de mobili, ut dictum est.

Deinde cum dicit « manifestum est »

Assignat rationem eorum quae dicuntur de nunc: et primo ejus quod dicitur, quod nihil est temporis nisi nunc: secundo ejus quod dicitur, quod nunc dividit et continuat temporis partes, ibi, « Et « continuum autem; » tertio ejus quod dicitur quod nunc non sit pars temporis, ibi, « Et adhuc « manifestum. » Dicit ergo primo, manifestum esse quod, si non sit tempus, non erit nunc: et si non erit nunc, non erit tempus: et hoc ex habitudine motus ad mobile. Sicut enim loci mutatio, et id quod fertur, sunt simul, sic et numerus ejus quod fertur, simul est cum numero localis motus. Sed tempus est numerus loci mutationis, ipsum autem nunc comparatur ad id quod fertur, non quidem sicut numerus (quia nunc indivisibile est) sed sicut unitas numeri. Relinquitur igitur, quod tempus et nunc non sunt sine invicem. Attendendum est autem, quod tempus semper comparatur loci mutationi, qui est primus motuum: tempus enim est numerus primi motus, ut dictum est.

Secundo ibi « et continuum »

Assignat rationem ejus quod dicitur, quod tempus continuatur et dividitur secundum nunc. Et primo ex parte motus et mobilis. Secundo ex parte lineae et puncti, ibi, « Sequitur autem et hoc. » Dicit ergo primo, quod jam ex dictis patet, quod tempus est continuum ipsi nunc, id est continuatur per ipsum, et dividitur per ipsum. Et hoc etiam consequens est ad id quod invenitur in loci mutatione, cujus numerus est tempus: et in eo quod fertur secundum locum, cui respondet ipsum nunc.

Manifestum est enim, quod omnis motus habet unitatem ab eo quod movetur: quia scilicet id quod movetur est unum et idem manens in toto motu: et non est indifferenter id quod movetur, uno motu manente, quodcumque ens, sed illud idem ens quod prius incepit moveri: quia, si esset aliud ens quod postea moveretur, deficeret primus motus: et esset alius motus alterius mobilis. Et sic patet, quod mobile dat unitatem motui, quae est ejus continuitas. Sed verum est, quod mobile est aliud et aliud secundum rationem: et per hunc modum distinguit priorem et posteriorem partem motus: quia secundum quod consideratur in una ratione vel dispositione, cognoscitur, quod quaecumque dispositio fuit in mobili ante illam assignatam, pertinebat ad priorem partem motus; quaecumque autem post hanc erit, pertinebit ad posteriorem. Sic ergo mobile, et continuat motum, et distinguit ipsum; et eodem modo se habet nunc ad tempus.

Secundo ibi « sequitur autem »

Assignat ejusdem rationem ex parte lineae et puncti: et dicit, quod hoc quod dictum est de tempore et nunc, consequitur quodammodo ad id quod invenitur in linea et puncto: quia punctum continuat lineam, et distinguit ipsam, inquantum est principium unius partis et finis alterius. Sed tamen differenter se habet in linea et puncto, et tempore et nunc: quia punctum est quoddam stans, et linea similiter: unde potest homo accipere idem punctum bis, et uti eo ut duobus, ut scilicet principio et fine: et cum sic utimur puncto ut duobus, accidit quies, sicut patet in motu reflexo, in quo id quod erat finis primi motus, est principium secundi motus reflexi. Et propter hoc probatur infra in octavo, quod motus reflexus non est continuus, sed intercidit quies media. Sed ipsum nunc non est stans, propter id quod respondet mobili, quod semper fertur durante motu: et propter hoc oportet nunc esse semper alterum et alterum secundum rationem, ut supra dictum est. Et ideo, cum tempus sit numerus motus, non hoc modo numerat motum, quod aliquid idem temporis accipiatur ut principium unius et finis alterius: sed magis numerat motum accipiendo duo ultima temporis, scilicet duo nunc, quae tamen non sunt partes ejus. Et quare competat iste modus numerandi in tempore magis quam alius, quo per punctum numerantur partes, inquantum est principium et finis; ratio est quae dicta est: quia secundum hunc modum utitur aliquis puncto ut duobus: et sic accidit quies media, quae non potest esse in tempore et motu. Non tamen intelligendum est per id quod dicitur, quod idem nunc non sit principium futuri et finis praeteriti: sed quod non percipimus tempus numerando motum per unum nunc, sed magis per duo, ut dictum est: quia sequeretur, quod in numeratione motus idem Nunc sumeretur bis.

Deinde cum dicit « et adhuc »

Assignat rationem ejus quod dicitur, quod nunc non est pars temporis: et dicit, manifestum esse, quod nunc non est pars temporis, sicut neque id per quod distinguitur motus, non est pars motus, scilicet aliqua divisio signata in mobili; sicut etiam nec puncta sunt partes lineae; duae enim lineae sunt partes unius lineae. Manifestat autem proprietates ipsius temporis ex motu et linea: quia, sicut dictum est supra, motus est continuus propter magnitudinem, et tempus propter motum. Concludit ergo finaliter, quod ipsum nunc, secundum quod est terminus quidam, non est tempus, sed accidit ipsi, ut terminus terminato: sed secundum quod tempus numerat alia, sic etiam Nunc est numerus aliorum quam temporis. Et hujus ratio est, quia terminus non est nisi ejus cujus est terminus: sed numerus potest esse diversorum; sicut numerus decem equorum, numerus est et aliarum rerum. Sic igitur nunc non est terminus solius temporis, sed est numerus omnium mobilium, quae moventur in tempore.

LECTIO XIX.

Quisnam numerus motus tempus sit: nonnullorum etiam de ipso dictorum rationes redduntur.

ANTIQUA.

Quod quidem igitur tempus numerus motus secundum prius et posterius sit, et continuum (continui namque) manifestum est. Minimus autem numerus, quidam simpliciter quidem est, ut dualitas est: quidam autem numerus est, qui est quidem sic, est autem tamquam non sic: ut lineae minimum multitudine quidem est duae aut una, magnitudine autem non est minimum: semper enim dividitur omnis linea. Quare similiter et tempus: minimum enim quidem est secundum numerum unum aut duo; secundum vero magnitudinem non est.

Manifestum est autem, propter quid tardum et velox non dicitur: multum autem et paucum, et breve et longum: secundum enim quod continuum est, longum et breve dicitur: secundum autem quod numerus, multum et paucum: velox autem et tardum non est: neque enim numerus quo numeramus, velox et tardus ullus est.

Et idem etiam ubique simul: prius autem et posterius non idem: quia et mutatio praesens quidem una est: facta autem et futura altera est. Tempus autem numerus est, non quo numeramus, sed quod numeratur, vel numeratus. Huic autem accidit prius et posterius semper esse altera: ipsa enim nunc semper altera. Est autem numerus unus quidem et idem, qui est centum equorum, et qui est centum hominum: quorum autem numerus est, altera sunt, ut equi ab hominibus.

Amplius sicut contingit motum esse eumdem et unum iterum et iterum, sic et tempus contingit, ut hyemem, aut ver, aut autumnum.

Non solum autem motum tempore metimur, sed motu tempus, propterea quod definiuntur se invicem. Tempus quidem enim determinat motum, cum sit numerus ipsius: motus autem, tempus. Et dicimus multum aut paucum esse tempus, motu mensurantes, sicut et numerabilibus numerum. Numero quidem equorum multitudinem cognoscimus. Iterum autem uno equo equorum numerum ipsum: similiter autem et in tempore et motu est. Tempore quidem enim motum, motu autem tempus mensuramus.

Et hoc rationabiliter accidit. Imitatur enim magnitudinem quidem motus, hunc autem tempus, eo, quod quanta et continua sint et divisibilia: propter magnitudinem enim esse hujusmodi, motus haec sustinet: propter autem motum tempus. Et mensuramus magnitudinem motu, et motum magnitudine: multam enim dicimus esse viam, si processus multus: et hunc multum, si via multa. Sic igitur et tempus, si motus: et motum, si tempus.

RECENS.

Tempus igitur esse numerum motus ratione prioris et posterioris, et esse continuum, quia est continui, perspicuum est. Minimus autem numerus, qui simpliciter accipitur, est binarius: aliquis autem numerus partim est minimus, partim non est: ut lineae minimus numerus multitudine quidem sunt duae aut una, magnitudine vero non est minimus: semper enim omnis linea dividitur. Quare similiter etiam tempus: minimum enim numero est unum aut duo: magnitudine autem non est.

Perspicuum etiam est quod non dicatur velox et tardum: sed multum et paucum, et longum et breve. Nam qua est continuum, est longum et breve: qua vero est numerus, est multum et paucum. Sed velox et tardum non est: quia nec ullus numerus quo numeramus, est velox et tardus.

Et idem tempus simul est ubique. Prius autem et posterius non est idem: quoniam et mutatio, praesens quidem una est, praeterita vero et futura est diversa. Tempus autem est numerus, non quo numeramus, sed qui numeratur. Hoc autem evenit ratione prioris et posterioris semper diversum: quia momenta sunt diversa; numerus autem est unus et idem, centum equorum et centum hominum: sed quorum est numerus, ea sunt diversa, nempe equi et homines.

Praeterea, ut accidit motum esse unum et eumdem iterum atque iterum, ita et tempus idem esse accidit: ut annum aut ver, vel autumnum.

Non solum autem metimur motum tempore, sed etiam motu tempus: quia se invicem definiunt. Tempus enim definit motum, quum sit ejus numerus: ac motus tempus, dicimusque multum ac paucum tempus, motu metientes, quemadmodum et numerabili numerum, verbi gratia, uno equo numerum equorum. Etenim numero cognoscimus multitudinem equorum: rursusque uno equo ipsum numerum equorum. Similiter autem et in tempore et in motu res habet. Nam tempore motum, et motu tempus metimur.

Atque hoc est rationi consentaneum: sequitur enim magnitudinem motus, et motum tempus: quia sunt et quanta, et continua, et dividua. Nam propterea quod talis est magnitudo, motus ita est affectus: et propter motum tempus: metimurque magnitudinem motu, et motum magnitudine. Dicimus enim longam esse viam, si sit longa profectio: et hanc longam, si sit longa via: nec non tempus, si motus; et motum, si tempus.

Postquam Philosophus definivit tempus, hic ex definitione data reddit rationem eorum quae dicuntur de tempore. Et circa hoc quatuor facit. Primo ostendit quomodo in tempore invenitur minimum, et quomodo non; secundo quare tempus dicitur multum et paucum, breve et longum, non autem velox et tardum, ibi, « Manifestum autem propter « quod. » Tertio ostendit quomodo tempus sit idem et quomodo non, ibi, « Et idem autem ubique. »

Quarto quomodo tempus cognoscitur motu, et e contra, ibi « non solum autem motu. » Dicit ergo primo, quod manifestum est ex definitione temporis prius data, quod tempus est numerus motus secundum prius et posterius, ut supra expositum est: et iterum manifestum est ex praemissis, quod tempus est quoddam continuum. Licet autem non habeat continuitatem ex eo quod est numerus, habet tamen continuitatem ab eo cujus est numerus: quia est numerus continui, scilicet motus, ut supra dictum est. Non est autem tempus numerus simpliciter, sed numerus numeratus. In numero autem simpliciter est invenire aliquem minimum numerum, scilicet dualitatem. Sed, si accipiamus numerum quemdam, scilicet numerum alicujus rei continuae, quodammodo est invenire minimum, et quodammodo non: quia secundum multitudinem est invenire minimum, non autem secundum magnitudinem: sicut in multis lineis secundum multitudinem quidem est minimum, ut una linea, vel duae: una quidem, si accipiatur id quod est minimum simpliciter in numero: duae autem si accipiatur id quod est minimum in genere numeri, habens rationem numeri. Sed in lineis non est invenire minimum secundum magnitudinem, ut sit scilicet aliqua linea minima, quia semper est dividere quamcumque lineam. Et similiter dicendum est tempore; quia est invenire in eo minimum secundum multitudinem, scilicet unum vel duo, ut puta aut unum annum, aut duos annos, aut duos dies, aut horas: sed minimum secundum magnitudinem non est invenire in tempore: quia cujuslibet temporis dati est accipere partes, in quas dividitur.

Secundo ibi « manifestum est »

Assignat rationem, quare tempus non dicitur tardum aut velox, sed dicitur multum et paucum, breve et longum. Jam enim ostensum est, quod tempus, et numerus est, et continuum est. In quantum ergo est continuum, dicitur tempus et longum et breve, sicut et linea; inquantum autem numerus est, dicitur et multum et paucum. Esse autem et velox et tardum nullo modo competit numero: neque numero simpliciter, ut manifestum est; neque etiam potest convenire numero alicujus rei. Nam esse velox vel tardum dicitur de aliquo secundum quod est numeratum: dicitur enim velox motus, eo quod parvo tempore numeratur; tardum autem e contra: unde manifestum est, quod tempus nullo modo potest dici velox vel tardum.

Tertio ibi « et idem »

Ostendit quomodo tempus sit idem, et quomodo non idem. Et primo quomodo sit idem vel non idem simpliciter; secundo quomodo sit idem secundum quid, ibi, « Amplius sicut contingit. » Dicit ergo primo, quod tempus simul existens est idem ubique, id est respectu omnium quae moventur ubique; non enim diversificatur secundum diversa mobilia, sed diversificatur secundum diversas partes ejusdem motus. Et ideo tempus prius et tempus posterius non est idem: et hoc ideo, quia prima mutatio praesens, cujus primo et principaliter numerus tempus est, una est; sed hujus mutationis altera pars est quae jam facta est et pertransiit, et altera quae futura est. Unde et tempus alterum est quod prius fuit, et alterum quod futurum est: et hoc ideo, quia tempus non est numerus simpliciter, sed numerus alicujus rei numeratae, scilicet prioris et posterioris in motu: et huic numero semper accidit esse alterum, et prius et posterius, propter hoc quod ipsa Nunc secundum quod se habent prius et posterius semper sunt altera. Si autem esset nume-

rus simpliciter, tunc esset idem tempus et mutationis quae praeteriit, et ejus quae futura est, quia numerus simpliciter est unus et idem diversorum numeratorum, ut centum equorum et centum hominum: sed numerus numeratus est alius diversorum; centum enim equi sunt aliud quid a centum hominibus. Et quia tempus est numerus prioris et posterioris in motu: nam alia sunt, quae in motu se habent ut prius, secundum id quod praeteriit de motu: et alia ut posterius, secundum id quod sequitur; propter hoc est aliud tempus praeteritum, et aliud futurum.

Secundo ibi « amplius sicut »

Ostendit quomodo tempus reiteratur idem, secundum quid. Et dicit, quod sicut reiterari unum et eumdem motum contingit, sic contingit reiterari unum et idem tempus. Reiteratur enim idem motus specie, sed non numero: quia ab eodem signo Arietis, a quo primo movebatur sol, et postea movebitur. Et ideo sicut prius fuit hyems, aut ver, aut aestas, aut autumnus, ita erit, non quidem unum numero, sed specie.

Deinde cum dicit « non solum »

Ostendit, quod sicut motum cognoscimus tempore, ita et tempus motu. Et hoc primo ex ratione numeri et numerati. Secundo ex similitudine magnitudinis motus, ibi, « Et hoc rationabiliter, etc. » Dicit ergo primo, quod non solum mensuramus motum per tempus, sed etiam mensuramus tempus per motum; propter hoc, quod invicem definiuntur; oportet enim accipere quantitatem unius secundum quantitatem alterius. Quod enim tempus determinet motum, ex hoc contingit, quia est numerus ipsius: sed e contra motus determinat tempus quo ad nos: percipimus enim interdum quantitatem temporis ex motu; utpote, dicimus tempus esse multum vel paucum secundum mensuram motus nobis certam: quia et ipsum numerum aliquando per numerabilia cognoscimus et e contra. Cognoscimus enim numero, equorum multitudinem; et iterum uno equo cognoscimus numerum equorum. Non enim sciremus quot sunt milliaria, nisi sciremus quid est milliare. Et similiter est in tempore et motu: quia cum est nobis certa quantitas temporis, quantitas autem motus ignota, tunc tempore mensuramus motum; et e contra, quando motus est notus, et tempus ignotum.

Secundo ibi « et hoc rationabiliter »

Ostendit idem ex comparatione motus ad magnitudinem: et dicit, quod rationabiliter accidit quod dictum est de tempore et motu: quia sicut motus magnitudinem imitatur in quantitate et continuitate et divisibilitate, ita et tempus imitatur motum: haec enim in motu inveniuntur propter magnitudinem, et in tempore propter motum. Mensuramus autem magnitudinem per motum et motum per magnitudinem: dicimus enim multam esse viam, quando percipimus motum nostrum fuisse multum; et e contra, quando consideramus magnitudinem viae, dicimus motum nostrum fuisse multum. Et ita etiam de tempore et motu est, ut supra dictum est.

LECTIO XX.

Quid sit in tempore esse. Quae sint ea quae sunt in tempore, et quae non sunt in tempore; tempusque ut moventia, ita et quiescentia mensurare.

ANTIQUA.

Quoniam autem est tempus mensura motus, et ejus quod est moveri: mensurat autem sic motum in determinando quemdam motum, quo mensurabit totum, sicut longitudinem cubitus, in determinando aliquam magnitudinem, quae metitur totum. Et est motum in tempore esse mensurari tempore et ipsum et esse ejus. Simul enim et motum, et esse motus mensurat; et hoc est ipsi in tempore esse, mensurari ipsius esse.

Manifestum autem quod et aliis hoc est in tempore esse mensurari esse ipsorum a tempore. In tempore enim esse duorum est alterum: unum quidem esse tunc, quando tempus est; alterum autem, sicut quaedam dicimus quia in numero sunt: hoc autem significat, aut sicut partem numeri, et passionem, et omnino quod numeri aliquid est, aut quod est ipsius numerus. Quoniam autem numerus tempus est, ipsum quidem nunc et prius, et quaecumque sunt hujusmodi, sic in tempore sunt, sicut in numero unitas, et superfluus, et par: haec quidem numeri aliquid, illa vero temporis aliquid sunt. Res autem sicut in numero in tempore sunt: si autem hoc est, continentur sub numero, sicut quae sunt in loco sub loco. Manifestum autem est, quoniam non est in tempore esse, quando tempus est, sicut neque in motu esse, neque in loco, quando locus et motus est. Si enim erit quod est in aliquo, sic, omnes res erunt in quolibet, et caelum in milio: quando enim milium est, est et caelum: sed hoc quidem accidit, illud autem necesse est consequi: et ei quod est in tempore, esse quoddam tempus quando et illud est; et ei quod est in motu, esse tunc motum.

Quoniam autem est, sicut est in numero, sic in tempore, accipietur aliquod majus tempus omni eo quod est in tempore. Unde necesse est omnia, quae sunt in tempore, contineri a tempore, sicut alia, quaecumque in aliquo sunt, ut quae sunt in loco, a loco.

Et pati jam aliquid sub tempore, sicut et consuevimus dicere quia tabefacit tempus, et senescunt omnia in tempore, et obliviscuntur propter tempus, sed non didicit, neque novum factum est, neque bonum: corruptionis enim causa per se magis est tempus: numerus etenim motus est, motus autem distare facit quod est.

Quare manifestum est, quoniam, quae semper sunt, secundum quod semper sunt, non sunt in tempore: neque enim continentur sub tempore, neque mensuratur esse eorum sub tempore.

Signum autem hujus, quoniam neque patiuntur nihil a tempore tamquam non existentia in tempore.

Quoniam autem tempus mensura motus est, erit et quietis mensura secundum accidens: omnis enim quies in tempore est.

Non enim sicut quod in motu est, necesse moveri, sic et quod in tempore est: non enim tempus motus est, sed numerus motus: in numero autem motus contingit esse et quiescens.

Non enim omne immobile quiescit, sed privatum motu, aptum autem natum moveri, sicut dictum est in prioribus. Esse autem in numero, est esse quemdam numerum rei, et mensurari esse ipsius numero in quo est: quare, si in tempore, et sub tempore est.

Mensurabit autem tempus id quod movetur, et quiescens, secundum quod hoc quidem motum, illud autem quiescens. Motum enim ipsorum et quietem mensurabit, secundum quod quanta quaedam. Quare quod movetur, non simpliciter erit mensurabile sub tempore, secundum quod quantum aliquid est, sed secundum quod motus ipsius quantus.

Quare quaecumque neque moventur, neque quiescunt, non sunt in tempore: in tempore enim est esse mensurari tempore: tempus autem motus et quietis mensura est.

Manifestum igitur, quoniam neque quod non est omne in tempore erit, ut quaecumque non contingit aliter, sicut

RECENS.

Quum autem tempus sit mensura motus et ipsius moveri; hoc autem metiatur motum, eo quod definit aliquem motum, qui totum metietur (sicut et longitudinem ulna, eo quod definit aliquam magnitudinem, quae metietur totum): profecto et motum esse in tempore, nihil aliud est quam tempus eum metiri, et ejus essentiam: simul enim et motum et motus essentiam metitur. Et hoc est ipsi motui, esse in tempore, nimirum tempus metiri ejus essentiam.

Quia etiam aliis rebus constat hoc convenire, ut esse in tempore, nihil aliud sit quam tempus eorum essentiam metiri. Nam esse in tempore, duorum alterum est: unum quidem, tunc esse quando est tempus; alterum vero, ut quaedam dicimus esse in numero; quod quidem significat vel ut partem numeri et affectionem, et omnino aliquid numeri esse: vel numerum ejus esse. Quia vero tempus est numerus: certe momentum, et prius, et quaecumque sunt ejusmodi, ita sunt in tempore, ut in numero unitas, et impar et par, (nam haec sunt aliquid numeri, illa vero aliquid temporis,) res autem sunt in tempore, ut in numero. Quodsi ita est, res continentur a numero, quemadmodum et ea quae in loco sunt, a loco.

Perspicuum quoque est quod esse in tempore, non est tunc esse quum tempus est: quemadmodum nec esse in motu nec esse in loco, significat tunc esse, quum motus et locus est. Alioqui si ita sit esse in aliquo, omnes res in quavis re erunt, et caelum erit in milio. Quo tempore enim milium est, etiam caelum est. Sed hoc accidit: illud vero necessario consequitur: id est, et ei quod est in tempore esse, aliquod tempus, quando illud est; et ei quod est in motu, esse tunc motum.

Quoniam autem quod est in tempore, est ut in numero; sumetur aliquod majus tempus omni re quae est in tempore. Idcirco necesse est ut omnia quae sunt in tempore, contineantur a tempore, quemadmodum et cetera quaecumque in aliquo sunt: verbi gratia, quae sunt in loco, continentur a loco. Ergo et pati aliquid a tempore: quemadmodum et dicere solemus, tempus omnia consumere, ac tempore omnia senescere, et oblivionem induci propter tempus: sed non didicit, neque juventutem aut pulchritudinem tempore nactum quidpiam est. Tempus enim per se est potius causa interitus, quia est numerus motus: motus autem, id quod est, de statu suo dimovet. Quocirca perspicuum est, ea quae semper sunt, quatenus semper sunt, non esse in tempore: quia non continentur a tempore, nec tempus metitur eorum essentiam. Hujus rei argumentum est, quod nihil patiuntur a tempore, utpote quae non sunt in tempore.

Quoniam autem tempus est mensura motus, est etiam quietis mensura ex accidenti. Omnis enim quies in tempore est. Non enim sicut necesse est, id quod est in motu, moveri: ita etiam quod est in tempore: quia tempus non est motus, sed est numerus motus: in numero autem motus potest esse etiam quod quiescit. Non enim omne immobile quiescit, sed quod est privatum motu, quum natura sit aptum moveri, quemadmodum dictum fuit in superioribus. Esse autem in numero, nihil aliud est, quam esse aliquem numerum rei, et numerum in quo ea res est, metiri ejus rei essentiam. Quare si est in tempore, ejus rei essentiam metietur tempus Metietur autem tempus id quod movetur, et id quod quiescit, quatenus illud movetur, hoc autem quiescit. Nam motionem eorum et quietem metietur, quota sit.

Quocirca id quod movetur, non simpliciter cadit sub mensuram temporis, quatenus est quantum quiddam, sed quatenus motio ejus est tanta. Quapropter quaecumque nec moventur nec quiescunt, non sunt in tempore. Nam esse in tempore nihil aliud est quam comprehendi mensura temporis: tempus autem est mensura motus et quietis.

Patet igitur, nec quidquid non est, in tempore esse: veluti quaecumque non possunt aliter se habere, ut dimetientem habere communem mensuram cum latere. Omnino enim, si

diametrum esse lateri commensurabilem. Omnino enim, si mensura est tempus, motus per se, aliorum autem secundum accidens, manifestum est, quod quorum esse mensurat, his omnibus inerit esse in moveri, et quiescere. Quaecumque quidem igitur generabilia et corruptibilia sunt, et omnino quae aliquando quidem sunt, aliquando autem non sunt, necesse est in tempore esse: est enim quoddam tempus majus, quod excellit esse ipsorum, et mensurat substantiam. Ipsorum autem quae non sunt, quaecumque continet tempus, alia quidem erant, ut Homerus aliquando erat; alia vero erunt, ut futurorum aliquod: et tempus utraque continet: etsi ad ambo utraque, et erant et erunt. Quaecumque autem non continet, neque erant, neque sunt, neque erunt. Sunt autem hujusmodi eorum, quae non sunt, quorum opposita semper sunt, ut incommensurabilem esse diametrum semper est, et non erit hoc in tempore: ergo neque commensurabilem esse: unde semper non est, quia contrarium est ei, quod semper est. Quorum autem non semper est contrarium, haec et possunt esse et non esse: et est generatio et corruptio ipsorum.

tempus est motus mensura per se, ceterorum autem ex accidenti; manifestum est, quorum essentiam tempus metitur, eorum omnium essentiam consistere in eo ut moveantur et quiescant. Quaecumque igitur interitui et generationi sunt obnoxia, et omnino quandoque sunt, quandoque non sunt, haec necesse est esse in tempore. Est enim tempus quoddam majus, quod excedet et eorum essentiam et tempus metiens eorum essentiam. Sed inter ea quae non sunt, quaecumque tempus continet, partim fuerunt, ut Homerus aliquando fuit; partim erunt, ut futurum aliquid, in utramvis partem ea tempus continet. Et si in utramque partem contineat, et erant et erunt. Quae vero tempus nullo modo continet, haec neque fuerunt, neque sunt, neque erunt. Ejusmodi autem sunt ea non entia, quorum opposita semper sunt: verbi gratia, dimetientem non habere communem mensuram, semper est: atque hoc non erit in tempore: proinde nec habere communem mensuram. Ideo semper non est, quia est contrarium ei quod semper est: quorum autem contrarium non semper est, haec possunt esse et non esse: eorumque est ortus et interitus.

Postquam Philosophus determinavit de tempore secundum se, hic determinat de tempore per comparationem ad ea quae sunt in tempore. Et circa hoc duo facit. Primo comparat tempus ad ea quae sunt in tempore; secundo ad ea quae sunt in nunc, ibi, « Ipsum autem nunc. » Circa primum duo facit. Primo comparat tempus ad motum; secundo ad alia quae sunt in tempore, ibi, « Manifestum « autem quia. » Circa primum considerandum est, quod alio modo comparatur motus ad tempus, et alio modo res aliae. Motus enim mensuratur tempore, et secundum illud quod est, et secundum suam durationem, sive secundum esse suum: res autem aliae, utpote homo aut lapis, mensurantur tempore secundum suum esse, sive secundum durationem, prout habent esse transmutabile: secundum autem id quod sunt, non mensurantur tempore, sed magis eis respondet nunc temporis, ut supra dictum est. Dicit ergo primo, quod tempus est mensura ipsius motus et ejus quod est moveri: per quod dat intelligere durationem motus. Mensurat autem tempus motum per hoc, quod tempore mensuratur aliqua pars motus, quae mensurat totum: et hoc necessarium •est: quia unumquodque mensuratur per aliquid sui generis, ut dicitur in decimo Metaphysicae. Et hoc apparet in magnitudinum mensuris. Cubitus enim mensurat totam longitudinem alicujus panni vel alicujus viae per hoc quod determinat aliquam partem illius longitudinis, quae metitur totum. Et sic per partem motus tempus mensurat totum motum: per motum enim unius horae mensuratur motus totius diei, et per motum diurnum mensuratur motus annuus. Quia igitur motus mensuratur tempore, nihil est aliud motum esse in tempore, quam mensurari a tempore, et secundum id quod est, et secundum suam durationem; quia secundum utrumque mensuratur a tempore, ut dictum est.

Secundo ibi « manifestum autem »

Ostendit quomodo se habet ad alia. Et primo ostendit, quomodo aliae res sunt in tempore; secundo quibus rebus conveniat in tempore esse, ibi, « Quoniam autem est sicut etc. » Dicit ergo primo: quia motum esse in tempore est tempore mensurari, et ipsum · et esse ejus, manifestum est, quod etiam idem est, alia in tempore esse et mensurari a tempore, non ipsa, sed esse eorum: motus enim per se mensuratur a tempore, sed alia secundum quod habent motum. Et quod hoc sit res esse in

tempore, quod mensurari esse ejus a tempore, sic ostendit, quia esse in tempore dupliciter potest intelligi. Uno modo ut dicatur aliquid esse in tempore, quia est simul cum tempore: alio modo indicantur aliqua esse in tempore, sicut dicuntur aliqua esse in numero, quod etiam dicitur dupliciter. In numero enim est aliquid sicut pars, sicut binarius est in quaternario: et aliquid est sicut propria passio ejus, ut par et impar, vel quicquid aliud est ipsius numeri. Alio vero modo dicitur aliquid esse in numero, non quia ipsum est aliquid numeri, sed quia numerus est ejus, ut numerati; sicut homines dicuntur esse in tali vel tali numero. Sed, quia tempus est numerus, utroque modo contingit aliquid esse in tempore: nam nunc, et prius et posterius, et quaecumque sunt hujusmodi, hoc modo sunt in tempore, sicut sunt in numero unitas, quae est pars, et par et impar, quae sunt numeri passiones, et superfluum et perfectum. Dicitur autem numerus perfectus, qui constat ex partibus mensurantibus ipsum; sicut numerus senarius, quem mensurant unitas, binarius et ternarius; quae simul juncta constituunt senarium. Numerus autem superfluus dicitur, cujus partes mensurantes ipsum, excedunt totum; sicut duodenarius, quod mensuratur unitate, binario, ternario, et quaternario, et senario, quae simul juncta consurgunt in sexdecim: et per hunc modum sunt aliqua in tempore, inquantum sunt aliquid temporis. Sed res quae non sunt aliquid temporis, dicuntur esse in tempore, sicut numerata in numero: unde oportet quod ea quae sunt in tempore, contineantur sub tempore, sicut sub numero; sicut ea quae sunt in loco, continentur sub loco sicut sub mensura. Exponit etiam consequenter primum modum essendi aliquid in tempore: et dicit manifestum esse, quod non est idem esse in tempore, et esse quando tempus est: sicut etiam non est idem esse in motu et in loco, et esse quando est locus et motus: alioquin sequeretur, quod omnes res essent in quolibet, ut puta, quod caelum esset in grano milii, quia, quando est milium, est caelum. Est autem inter haec duo differentia: quia quando dicitur aliquid esse, quando alterum est, accidit uni, quod sit cum altero simul: sed illud, in quo aliquid est, sicut in mensura, ex necessitate consequitur: sicut tempus ex necessitate consequitur ei quod est in tempore, et motus ei quod est in motu, ut simul sint.

Secundo ibi « quoniam autem »

Ostendit quibus conveniat esse in tempore. Et primo, quod non omnia entia sunt in tempore; secundo quod non omnia non entia, ibi, « Manifestum igitur. » Circa primum duo facit. Primo ostendit quod ea quae sunt semper, non sunt in tempore; secundo quod nihilominus ea quae quiescunt, inquantum hujusmodi, sunt in tempore, ibi, « Quoniam autem est tempus. » Circa primum duo facit. Primo proponit ea, ex quibus procedit ad propositum ostendendum; secundo concludit propositum, ibi, « Quare manifestum est, etc. » Proponit autem duo: quorum primum est, quod, cum aliquid sit in tempore sicut numeratum in numero, necesse est, quod accipi possit aliquod majus tempus omni eo quod est in tempore, sicut potest accipi aliquis numerus major omni eo quod est numeratum. Et propter hoc necesse est omnia quae sunt in tempore, et totaliter contineri a tempore, et concludi sub ipso, sicut ea, quae sunt in loco, concluduntur sub loco.

Secundum ibi « et pati »

Et est, quod omne quod est in tempore, aliquid patitur sub tempore secundum quod passio pertinet ad defectum. Et hoc probat ex consueto modo locutionis. Consuevimus enim dicere quod longitudo temporis tabefacit, id est putrefacit et corrumpit; et iterum, quod propter tempus omnia senescunt quae sunt in tempore: et quod propter tempus oblivio accidit: quae enim de recenti cognovimus in memoria manent: sed per diuturnitatem temporis elabuntur. Et, si aliquis dicat quod etiam perfectiones attribuuntur tempori sicut et passiones, hoc consequenter excludit: et ponit tria contra tria praemissa. Contra id enim quod dixit, quod obliviscitur propter tempus, subdit quod aliquis non addiscit propter tempus: si enim aliquis diu vivat otiosus a studio addiscendi, non propter hoc addiscit, sicut propter tempus obliviscitur. Contra hoc autem, quod dixit, quod omnia senescunt sub tempore, subdit quod non est aliquid factum novum propter tempus. Non enim solum per hoc aliquid innovatur, quia longo tempore durat, sed magis antiquatur. Contra illud vero quod dixerat, quod tempus tabefacit, subdit, quod tempus non facit, « bonum, » id est integrum et perfectum, sed magis tabidum et corruptum: et hujus causa est, quia ex tempore aliqua corrumpuntur, etiam si non appareat aliquid aliud manifeste corrumpens. Quod ex ipsa ratione temporis apparet. Est enim tempus numerus motus. De ratione autem motus est, quod faciat distare id quod est, a dispositione in qua prius erat: unde, cum tempus sit numerus primi motus, ex quo in omnibus causatur mutabilitas, sequitur, quod per diuturnitatem temporis, omnia quae sunt in tempore, removeantur a sua dispositione.

Deinde cum dicit « quare manifestum »

Concludit propositum ex praemissis: et primo ex primo prius proposito. Ostensum est enim quod quaecumque sunt in tempore continentur sub tempore: quae autem sunt semper non continentur sub tempore quasi excedente, neque esse, id est duratio eorum mensuratur sub tempore, cum in infinitum durent: infinitum autem non contingit mensurari: ergo illa quae sunt semper, non sunt in tempore. Sed hoc verum est secundum quod sunt semper: corpora enim caelestia sunt semper, secundum esse substantiae eorum, non autem secundum ubi: et ideo duratio eorum non mensuratur tempore, sed motus localis ipsorum tempore mensuratur.

Secundo ibi « signum autem »

Probat idem ex secundo prius positorum: et dicit, quod signum hujus, quod ea quae sunt semper, non sunt in tempore, est, quod non patiuntur a tempore, quasi non existentia in tempore: non enim tabescunt neque senescunt, sicut dictum est de illis quae sunt in tempore.

Deinde cum dicit « quoniam autem »

Quia ostenderat, quod ea quae sunt semper, non sunt in tempore; ea autem quae quiescunt, eodem modo se habent: posset aliquid credere, quod quiescentia, inquantum hujusmodi, non mensurarentur tempore: et ideo ad hoc excludendum ostendit, quod tempus est etiam quietis mensura. Et circa hoc quinque facit. Primo enim proponit quod intendit: et dicit, quod quia tempus est mensura motus per se, erit etiam et per accidens mensura quietis: quia et omnis quies est in tempore, sicut et omnis motus.

Secundo ibi « non enim »

Excludit quoddam, per quod videri possit, quod quies non mensuraretur tempore. Quia enim tempus est mensura motus, posset aliquis credere quod quiescens, quia non est in motu, non sit in tempore. Et ideo ad hoc excludendum dicit, quod non est necesse moveri omne quod est in tempore, sicut necesse est moveri omne quod est in motu, quia tempus non est motus, sed numerus motus. Contingit autem esse in numero motus non solum quod movetur, sed etiam quod quiescit.

Tertio ibi « non enim »

Probat propositum: scilicet quod quiescens sit in numero motus, ita quod tempore mensuretur: et ad hoc probandum inducit quod « non omne immobile, » id est non omne quod non movetur, quiescit. Sed quiescens est privatum motu, quod tamen aptum natum est moveri: sicut supra dictum est in tertio, quod movetur illud cujus immobilitas quies est: quies enim non est negatio motus, sed privatio ipsius: et sic patet, quod esse quiescentis est esse rei mobilis: unde cum esse rei mobilis sit in tempore, et mensuretur tempore, esse etiam rei quiescentis tempore mensuratur. Hic autem dicimus esse in tempore aliquid sicut in numero, quia est aliquis numerus ipsius rei, et quia esse ipsius mensuratur numero temporis. Unde manifestum est, quod quiescens est in tempore, et mensuratur tempore, non inquantum est quiescens, sed inquantum est mobile. Et propter hoc praemissit quod tempus est mensura motus per se, quietis autem per accidens.

Quarto ibi « mensurabit autem »

Ostendit secundum quid mobile et quiescens mensurantur a tempore: et dicit quod tempus mensurat illud quod movetur et quiescit, non inquantum est lapis vel homo, sed inquantum est motum et quiescens: mensuratio enim proprie debetur quantitati: cujus ergo quantitas tempore mensuratur, illud tempore proprie mensuratur. Ex mensuratione autem temporis cognoscitur quantus sit motus, et quanta sit quies, non autem quantum sit illud quod movetur. Unde quod movetur, simpliciter non mensuratur tempore secundum propriam quantitatem, sed secundum quantitatem sui motus. Ex quo patet, quod proprie tempus sit mensura motus et quietis; sed per se motus, quietis autem per accidens.

Quinto ibi « quare quaecumque »

Inducit quoddam corollarium ex praemissis. Si

enim nihil mensuratur tempore nisi secundum quod movetur et quiescit, sequitur quod quaecumque non moventur neque quiescunt, ut substantiae separatae, non sunt in tempore: quia hoc est esse in tempore, mensurari a tempore. Tempus autem est mensura motus et quietis, ut ex dictis patet.

Deinde cum dicit « manifestum igitur. »

Ostendit quod non omnia non entia sunt in tempore: et dicit manifestum esse ex praemissis, quod neque etiam omne non ens est in tempore, sicut ea quae non contingunt aliter esse, ut diametrum esse commensurabilem lateri quadrati; hoc enim .est impossibile: quia nunquam contingit esse verum. Hujusmodi autem non mensurantur tempore, et hoc sic probat. Tempus primo et per se est mensura motus: alia autem non mensurantur nisi per accidens. Quaecumque ergo mensurantur tempore, eis contingit moveri et quiescere: quia quoddam majus eis excellit durationem eorum. Unde et generabilia et corruptibilia, et omnia quae quandoque sunt et quandoque non sunt (quia sunt in

moveri et quiescere), sunt in tempore: quia quoddam tempus est majus eis, quod excellit durationem ipsorum: et propter hoc mensurat substantias eorum, non secundum id quod sunt, sed secundum esse vel durationem ipsorum. Sed inter ea quae non sunt, et tamen continentur a tempore, quaedam aliquando erant, ut Homerus, quaedam aliquando erunt, ut aliquod futurum: vel si continentur a tempore praeterito et futuro, erunt, et erant: ea vero quae nullo modo continentur a tempore, neque sunt neque fuerunt neque erunt: et talia sunt ea quae semper non sunt, et eorum opposita semper sunt; sicut diametrum esse incommensurabilem lateri semper est, unde non mensuratur tempore. Et propter hoc neque contrarium ejus quod est, diametrum esse commensurabilem lateri, mensuratur tempore: ideo enim semper non est, quia est contrarium ei quod semper est. Quorum autem contrarium non semper est, haec possunt esse et non esse, et habent generationem et corruptionem: et talia mensurantur tempore.

LECTIO XXI.

Quid ipsum Nunc, Tunc, Jam, Modo, Olim, Repente, significent, ex nunc ac temporis ratione insinuatur.

Ipsum autem nunc est continuatio temporis, ut dictum est prius: continuat enim tempus praeteritum et futurum: et omnino terminus temporis est: est enim hujus quidem principium, illius autem finis. Sed hoc non, sicut et in puncto manente, manifestum est.

Dividit autem potentia, et, inquantum quidem hujusmodi est, semper alterum est ipsum nunc: inquantum autem copulat, semper idem est. Sicut et in mathematicis lineis: non semper enim idem utrumque punctum, intellectum est: dividentium enim semper aliud est. Secundum autem quod copulat, unum idemque penitus est. Sic et ipsum nunc aliud quidem temporis divisio secundum potentiam est, aliud autem terminus utrorumque et unio.

Est autem idem et secundum idem divisio et unio: esse autem non idem est: Hoc quidem igitur, sic dicitur ipsorum nunc.

Aliud autem, cum tempus, quod est hujus, prope sit, ut veniet nunc, quia hodie veniet: venit nunc, quia hodie venit. Sed in Ilio facta, non sunt nunc, neque diluvium factum est nunc, tamen tempus continuum est, sed quia non est prope.

Ipsum autem tunc, tempus determinatum per prius nunc est, ut tunc destructa est Troja, et tunc erat diluvium. Oportet enim includi ad ipsum nunc. Erit ergo quantum aliquod ab hoc tempore in illud, quod erat, ad praeteritum.

Si vero neque tempus est, quod non sit tunc, omne erit tempus finitum. Aut ergo deficiet, aut non: siquidem semper est motus. Aliud igitur, aut idem multoties: manifestum quoniam ut utique motus, sic et tempus est. Si enim unus et idem sit motus, aliquando erit et tempus unum et idem: si autem non, non erit. Quoniam autem ipsum nunc principium et finis est, sed non ejusdem, sed praeteriti quidem, finis, principium autem futuri, sicut habebit circulus in eodem quodammodo curvum et concavum, ita tempus semper in principio et fine: et propter hoc videtur semper alterum: non enim semper ejusdem principium et finis ipsum nunc: simul enim et secundum idem opposita essent: non deficiet itaque tempus, semper enim in principio est.

Ipsum autem jam propinquum praesenti nunc indivisibili,

Porro Nunc, seu momentum, est continuatio temporis, sicuti dictum fuit: continet enim tempus praeteritum et futurum: et omnino est terminus temporis, quoniam alterius est principium, alterius est finis. Quamquam hoc non est, ut in puncto permanente, perspicuum: dividit autem potestate. Et quatenus est tale, semper est diversum Nunc; quatenus vero connectit, semper est idem, ut in mathematicis lineis: non enim est semper unum et idem punctum intellectu: quia dividentibus est aliud atque aliud; sed quatenus est una linea, idem punctum est omnino. Ita etiam Nunc, partim est temporis divisio secundum potestatem, partim terminus utriusque et copula. Est autem idem et secundum idem divisio et copulatio: sed essentia non est eadem.

Sic ergo dicitur aliquod Nunc. Aliud autem est, quando est tempus huic propinquum. Veniet enim nunc, quia hodie veniet: aut venit nunc, quia venit hodie. Sed quae Ilii sunt gesta, non sunt facta nunc, neque inundatio nunc est facta. Atqui usque ad ea tempus est continuum: sed nihilo magis dicuntur nunc facta, quia non sunt propinqua.

Aliquando autem, est tempus terminatum priori et posteriori Nunc: veluti, aliquando capta est Troja: et aliquando erit inundatio. Oportet enim esse terminatum ipso Nunc. Erit igitur tempus certa quantitate praeditum, ab hoc Nunc usque ad illud. Et ita fuit in praeterito.

Si vero nullum est tempus quod non sit aliquando, certe omne tempus finitum erit. Numquid ergo deficiet? an non, si quidem semper est motus? Aliusne igitur, an idem saepius? manifestum est, ut motus, ita etiam esse tempus. Nam si unus et idem motus aliquando fit, erit unum et idem tempus; sin minus, non erit.

Quia vero Nunc est finis et principium temporis, non tamen ejusdem, sed finis praeteriti, principium autem futuri; utique sicut circulus in eodem quodammodo habet convexum et concavum, ita etiam tempus semper est in principio et fine. Ideoque semper aliud videtur esse: quia Nunc non est principium et finis ejusdem: alioqui simul et secundum idem essent opposita. Non deficiet igitur tempus, quia semper in principio est.

Modo autem dicitur, quod est propinquum praesenti Nunc

pars est futuri temporis: quando vadet? jam: quia prope est tempus, in quo futurum est. Et praeteriti temporis, quod non procul est ab ipso nunc. Quando vadis? jam ivi. Illon autem destrui jam non dicimus, quia procul multum est ab ipso nunc.

Ipsum autem Modo prope praesenti nunc, est pars praeteriti. Quando venit? modo: si sit tempus proximum praesenti nunc. Olim autem, quod procul. Repente autem, quod in insensibili tempore est propter parvitatem.

individuo, quum sit pars futuri temporis: veluti, quando ambulabis? modo: quia propinquum est tempus, quo futurum est ut ambulet. Et praeteriti temporis illud, quod non procul distat a praesenti Nunc: veluti, quando ambulabis? modo ambulavi. Illun autem modo captum esse non dicimus, quia est valde remotum a praesenti Nunc.

Et Nuper dicitur, quod est propinquum praesenti Nunc et est pars praeteriti. Veluti, quando venisti? nuper: si sit tempus propinquum praesenti Nunc. Olim autem, quod longe distat. Repente vero dicitur, quod in tempore propter exiguitatem insensibili de statu dimovetur.

Postquam Philosophus ostendit, quomodo se habeat tempus ad ea quae sunt in tempore; hic ostendit quomodo per comparationem ad nunc aliqua diversimode secundum tempus nominantur. Et circa hoc duo facit. Primo ponit significationem ipsius nunc. Secundo quorumdam aliorum quae determinantur secundum tunc, ibi, « Ipsum autem « tunc. » Circa primum duo facit. Primo proponit propriam et principalem significationem ipsius nunc. Secundo ponit secundariam significationem, ibi, « Aliud autem. » Circa primum tria dicit de nunc: quorum primum est, quod nunc continuat tempus praeteritum futuro, inquantum est terminus temporis; principium quidem futuri, finis autem praeteriti: licet hoc non sit sic manifestum in nunc, sicut in puncto: nam punctum stans est, et ideo potest bis accipi; semel ut principium, et semel ut terminus; quod non accidit in nunc, ut supra dictum est.

Secundo ibi « dividit autem »

Dicit, quod tempus etiam dividitur secundum nunc, sicut et linea dividitur secundum punctum; sed tamen Nunc dividit tempus inquantum consideratur ut multa in potentia: prout scilicet accipitur seorsum, ut principium hujus temporis, et seorsum, ut finis alterius: et inquantum sic accipitur, accipitur ut alterum et alterum nunc: sed, secundum quod accipitur ut copulans tempus et continuans, accipitur ut idem. Et hoc manifestat per simile in lineis mathematicis, in quibus magis est manifestum. Non enim in lineis mathematicis punctum, quod signatur in medio, semper intelligitur idem: quia, secundum quod dividitur linea, intelligitur aliud punctum, quod est ultimum unius lineae, et aliud secundum quod est ultimum alterius: quia lineae, secundum quod sunt divisae actu, intelliguntur ut contiguae; contigua autem sunt, quorum ultima sunt simul. Sed, secundum quod punctum continuat partes lineae, sic est unum et idem: quia continua sunt quorum terminus est idem. Et sic est etiam de nunc respectu temporis: quia uno modo potest accipi divisio temporis secundum potentiam, alio modo secundum quod est terminus communis duorum temporum, uniens et continuans ea.

Tertio ibi « est autem »

Dicit quod nunc dividens et continuans tempus est unum et idem subjecto, sed differt ratione, ut ex praedictis patet. Uno igitur modo sic dicitur nunc.

Deinde cum dicit « aliud autem »

Ponit secundariam significationem ipsius nunc: et dicit quod alio modo dicitur nunc, non ut terminus temporis continuans praeteritum futuro, sed ipsum tempus propinquum praesenti nunc: sive sit praeteritum, sive sit futurum; sicut dicimus veniet nunc, quia veniet hodie: et venit nunc, quia venit

hodie. Sed non dicimus, quod bellum trojanum factum est nunc, neque quod diluvium factum sit nunc: quia licet totum tempus sit continuum, non tamen est propinquum praesenti nunc.

Deinde cum dicit « ipsum autem »

Exponit quaedam, quae determinantur per tunc. Et primo quid significet ipsum. Circa quod duo facit. Primo ponit significationem ejus. Secundo movet quaestionem, ibi, « Si vero neque tempus. » Ostendit ergo primo, quod hoc quod dico tunc, significat tempus determinatum per aliquod prius nunc, sive propinquum sive remotum. Possumus enim dicere, quod tunc destructa est Troja, et tunc factum est diluvium: oportet enim quod id quod dicitur factum tunc, includatur ad aliquod nunc, vel instans praecedens: oportebit enim dicere quod sit aliquod tempus determinatae quantitatis ab hoc tempore praesenti in illud nunc quod erat in praeterito. Et sic patet, quod hoc quod dico tunc, differt a secunda significatione nunc in duobus: quia tunc semper est ad praeteritum, et indifferenter se habet ad propinquum et remotum: sed nunc se habet ad propinquum, sed indifferenter ad praeteritum et futurum.

Secundo ibi « si vero »

Movet quamdam dubitationem ex praemissis, et solvit eam. Dixerat enim, quod tempus, quod dicitur tunc, includitur intra praeteritum nunc, et praesens: unde omne tempus quod dicitur tunc, oportet esse finitum: sed non est aliquod tempus quod non possit dici tunc: ergo omne tempus erit finitum. Sed omne tempus finitum deficit: videtur ergo dicendum, quod tempus deficiat. Sed, si semper est motus, et tempus est numerus motus, videtur quod tempus non deficiat. Oportebat ergo dicere, quod si omne tempus est finitum, quod vel sit aliud et aliud tempus, vel quod idem tempus multoties reiteretur. Et hoc oportet esse in tempore, sicut et in motu. Si enim sit semper unus et idem motus, oportebit esse unum et idem tempus. Si vero non sit unus et idem motus, non erit unum et idem tempus. Secundum igitur opinionem ejus, motus nunquam incepit neque deficiet, ut in octavo patebit: et ita reiteratur unus quidem motus specie, non numero: non enim eadem est circulatio quae nunc est, cum illa quae fuit heri, numero, sed specie: et tamen totus motus est unus continuitate, quia una circulatio continuatur alteri, ut in octavo probabitur. Et similiter oportet esse de tempore, sicut de motu. Unde consequenter ostendit, quod tempus nunquam deficiet. Patet enim ex praemissis, quod nunc est principium et finis, sed non respectu ejusdem; sed finis respectu praeteriti, et principium respectu futuri. Unde sic se habet de nunc, sicut se habet de circulo, in quo concavum et convexum sunt idem subjecto, sed differunt ratione per respectum ad diversa: nam convexum circuli attenditur secundum comparationem ad exteriora: concavum autem per respectum ad interiora. Et, quia nihil est accipere de tempore nisi nunc, ut supra dictum est, sequitur quod tempus semper sit in principio et in fine. Et propter hoc, tempus videtur esse alterum et alterum: quia nunc non est principium et finis ejusdem temporis, sed diversorum temporum: alioquin opposita inessent eidem secundum idem: principium enim et finis habent oppositas rationes. Si ergo idem esset principium et finis respectu ejusdem, opposita inessent eidem secundum idem. Ulterius concludit ex praemissis, quod, quia nunc est principium et finis temporis, tempus nunquam deficiet: quia tempus non potest accipi sine nunc, ut supra dictum est: et nunc est principium temporis: unde tempus semper est in sui principio: quod autem est in sui principio, non deficit, unde tempus non deficiet. Et eadem ratione potest probari quod tempus non incepit, secundum quod nunc est finis temporis. Sed haec ratio procedit, supposito quod motus semper sit, ut ipse dicit. Hoc enim supposito, necesse est dicere quod quodlibet nunc temporis sit principium et finis. Si autem dicatur quod motus incepit aut terminetur, sequitur quod aliquod nunc temporis est principium et non finis: et aliquod est finis, et non principium; sicut et in linea accidit. Si enim esset linea infinita, quodlibet punctum si-

gnatum in ea esset principium et finis. In linea autem finita est accipere aliquod punctum, quod est principium tantum, vel finis tantum. Sed de hoc magis inquiretur in octavo.

Deinde cum dicit « ipsum autem »

Ostendit quid significet hoc quod dico Jam: et habet eamdem significationem quam habet nunc secundo modo acceptum. Illud enim dicitur Jam, quod est propinquum praesenti indivisibili nunc: sive sit pars futuri, sive sit pars praeteriti. Pars quidem futuri, sicut cum dico, quando ibit? Jam: quia scilicet tempus in quo est hoc futurum, propinquum est. Pars autem praeteriti; sicut cum quaeritur, quando vadis? et respondetur, Jam ivi. Sed de iis quae sunt procul non dicimus Jam, sicut non dicimus quod Troja jam sit destructa: quia hoc est multum remotum a praesenti nunc.

Deinde cum dicit « ipsum autem »

Exponit quaedam alia ad tempus pertinentia: et dicit quod hoc quod dico Modo, significat quod praeteritum est propinquum praesenti nunc: sicut si quaeratur, quando factum est hoc? respondetur, Modo, si tempus praeteritum sit proximum praesenti nunc. Sed Olim dicimus, quando est remotum a praesenti nunc in praeterito. Repente autem aliquid fieri dicitur, quando tempus in quo fit, est insensibile propter parvitatem.

LECTIO XXII.

Tempus generationis causam per se magis, corruptionis autem per accidens dicitur esse: omnemque mutationem ac motum in tempore esse ratiocinatur.

Mutatio autem omnis a natura remotiva est: in tempore autem omnia fiunt et corrumpuntur. Unde et alii quidem sapientissimum dicebant; Pythagoreus autem Paro, penitus indisciplinabile, quia et obliviscuntur, in hoc rectius dicens. Manifestum igitur, quoniam corruptionis magis erit per se causa quam generationis, sicut dictum est prius. Destructivum autem mutatio per se est: generationis autem et ipsius esse est secundum accidens.

Signum autem sufficiens est, quia fit quidem nihil, nisi moveat ipsum quodammodo et agat: corrumpitur autem, et cum nihil moveatur: et hanc maxime solemus dicere sub tempore corruptionem. At vero neque hanc tempus facit, sed accidit in tempore fieri et hanc insensibile.

Quod quidem igitur tempus est, et quid est, et quot modis dicimus ipsum Nunc, et quid ipsum Tunc, et quid Modo, et quid Jam, et quid Olim, et quid Repente, dictum est.

His autem nobis sic determinatis, manifestum est, quod omnem mutationem, et omne quod movetur, necesse est moveri in tempore: velocius enim et tardius dicimus secundum omnem mutationem: in omnibus enim sic videtur. Dico autem velocius moveri, quod prius transmutatur ad subjectum secundum idem spatium, et quod secundum regularem motum movetur, ut in loci mutatione, si utraque secundum circulationem moventur, aut utraque secundum rectum; similiter autem et in aliis.

At vero prius in tempore est. Prius enim et posterius dicimus secundum ad ipsum nunc distantiam: ipsum autem nunc praeteriti et futuri est. Quare, quoniam ipsum nunc in tempore est, et prius et posterius in tempore erunt. In quo enim est ipsum, et ipsius nunc distantia. E contrario

Omnis autem mutatio naturaliter vim habet de statu dimovendi. Omnia vero in tempore fiunt et intereunt: idcirco alii dixerunt tempus esse sapientissimum; Pythagoreus autem Paro rectius dixit esse insipientissimum; quia et obliviscuntur in eo. Manifestum igitur est, tempus per se fore potius causam interitus, quam generationis, quemadmodum et antea dictum fuit. Nam mutatio per se vim habet de statu dimovendi: ex accidenti autem est causa generationis et cur quidque sit. Cujus rei argumentum sufficiens est: quia nihil fit, quin aliquo modo ipsum moveatur et agat: interit autem etiam quod nihil movetur. Atque hunc maxime interitum dicere solemus esse a tempore. At vero ne hunc quidem tempus facit: sed accidit, ut haec quoque mutatio in tempore fiat. Esse igitur tempus, et quid sit, et quot modis dicamus Nunc, et quid sit Aliquando, et Nuper, et Modo, et Olim, et Repente, dictum est.

His a nobis ita commemoratis, perspicuum est, omnem mutationem et quicquid movetur, esse in tempore. Celerius enim ac tardius, est in omni mutatione: quoniam in omnibus sic apparet. Dico autem celerius moveri, quod prius mutatur in subjectum, quum moveatur in eodem intervallo et aequabili motu. Ut in latione si ambo moveantur per circumferentiam, vel ambo per lineam rectam. Similiterque in aliis se res habet. At vero prius, in tempore est. Prius namque et posterius dicimus ratione distantiae a praesenti momento: praesens autem momentum est terminus praeteriti et futuri: Quare quum praesens momentum sit in tempore, etiam prius et posterius in tempore erunt: nam in quo est praesens momentum, in eo est etiam distantia a praesenti momento. Sed contrario modo dicitur prius in tempore praeterito e

autem prius dicitur et secundum praeteritum tempus et futurum. In praeterito quidem enim prius dicimus, quod longius est ab ipso nunc: posterius autem, et quod prope est. In futuro autem prius quidem, quod propinquius est ipsi nunc, posterius autem quod procul est. Quare quoniam prius in tempore est: omnem autem motum sequitur prius: manifestum est, quod omnis mutatio et motus in tempore est.

in futuro: quoniam in praeterito prius dicimus, quod est remotius a praesenti momento; posterius autem, quod est propinquius: in futuro autem, prius, quod est propius; posterius, quod remotius. Quapropter, quum prius sit in tempore, omni autem motui prius sit consequens: perspicuum est, omnem mutationem et omnem motum esse in tempore.

Postquam Philosophus comparavit tempus ad nunc et ad ea quae sunt in tempore, hic manifestat quaedam quae superius tacta sunt. Et primo, quomodo corruptio attribuitur tempori. Secundo, quomodo omnis motus et mutatio sit in tempore, ibi, « His autem nobis. » Circa primum duo facit. Primo manifestat propositum per rationem. Secundo per signum, ibi, « Signum sufficiens. » Dicit ergo primo, quod omnis mutatio de sui ratione removet rem quae mutatur, a naturali dispositione sua. Sed tam generatio quam corruptio fit in tempore: et ideo quidam attribuebant generationes rerum tempori, ut disciplinam, et hujusmodi; dicentes tempus esse sapientissimum, propter hoc quod generatio scientiae fit in tempore. Sed quidam Philosophus, Paro nomine, de secta Pythagoricorum, posuit e converso, videlicet, quod penitus tempus est indisciplinabile, quia scilicet per longitudinem temporis accidit oblivio. Et in hoc rectius dixit; quia, ut supra dictum est, tempus per se magis est causa corruptionis quam generationis: et hoc ideo, quia tempus est numerus motus: mutatio autem per se est destructiva et corruptiva. Sed causa generationis et ipsius esse non est nisi per accidens: ex hoc enim ipso quod aliquid movetur, recedit a dispositione quam prius habebat: sed quod perveniat ad aliquam dispositionem, hoc non importatur in ratione motus, inquantum est motus, sed inquantum est finitus et perfectus; quam quidem perfectionem habet motus ex intentione agentis, quod movet ad determinatum finem. Et ideo corruptio magis potest attribui mutationi quam tempori, sed generatio et esse, agenti et generanti.

Secundo ibi « signum autem »

Manifestat idem per signum: et dicit signum esse sufficiens ejus quod dictum est, quod nihil invenitur fieri, nisi appareat aliquid agens et movens ipsum. Sed tamen aliquid corrumpitur, cum non appareat manifeste aliquid quod moveat ipsum ad corruptionem; et talem corruptionem solemus attribuere tempori, sicut cum aliquis senio deficit ex causa intrinseca corrumpente non manifesta: cum autem aliquis occiditur gladio, corruptio ejus non

attribuitur tempori. In generatione autem semper est generans manifestum: quia nihil a seipso generatur; et ideo generatio non attribuitur tempori, sicut corruptio. Non tamen corruptio sic attribuitur tempori, quod tempus faciat ipsam; sed quia fit in tempore, et corrumpens latet.

Ultimo ibi « quod quidem »

Epilogat dictum esse quod tempus est, et quid sit, et quot modis dicitur Nunc: et quid significet et tunc, et modo, et olim, et jam, et repente.

Deinde cum dicit « his autem »

Ostendit quod omnis mutatio fit in tempore, duabus rationibus. Quarum prima talis est. In omni mutatione invenitur velocius et tardius: haec autem determinantur tempore, quia velocius dicitur mutari, quod transmutatur prius ad determinatum terminum secundum idem spatium, ita tamen quod eadem sit regula utriusque motus; ut in loci mutatione si sit utraque mutatio circularis, aut utraque recta. Si autem una esset circularis et alia recta, non propter hoc velocius moveretur quod prius veniret ad terminum: et similiter intelligendum de aliis generibus mutationum. Sequitur igitur, quod omnis mutatio fit in tempore.

Secundam rationem ponit ibi « at vero »

Et ad hoc probandum utitur tali propositione: Prius et posterius sunt in tempore: quod quidem manifestat hoc modo. Prius et posterius dicitur aliquid per distantiam ad ipsum nunc, quod est terminus praeteriti et futuri: sed ipsum nunc est in tempore, quia in eodem oportet quod sit nunc et distantia ipsius nunc, sicut in eodem est punctus et distantia, quae accipitur per respectum ad punctum: utrumque enim est in linea. Et, quia dixerat quod prius et posterius determinantur per distantiam ad ipsum nunc, ostendit quomodo hoc fit e contrario in praeteritis et futuris: quia in praeterito dicitur prius, quod est remotius ab ipso nunc: posterius autem, quod est propinquius; in futuro autem est e contra. Si ergo, quia prius et posterius sunt in tempore, ad omnem autem motum sequitur prius et posterius: necesse est quod omnis motus sit in tempore.

LECTIO XXIII.

Duae de tempore dubitationes moventur ac solvuntur, altera de existentia, altera de ipsius unitate.

Dignum autem consideratione est, et quomodo igitur se habet tempus ad animam: et propter quid in omni videtur esse tempus, et in terra, et in mari, et in caelo.

Dignum porro est consideratione, et quonam modo affectum sit tempus erga animam: et cur in omni re videatur esse tempus, et in terra, et in mari, et in caelo. An quia est

Aut, quia motus est passio quaedam vel habitus, numerus existens: haec autem mobilia omnia, in loco enim sunt omnia. Tempus autem et motus, simul sunt et secundum potentiam et actum.

Utrum autem, cum non sit anima, erit tempus, an non, dubitabit utique aliquis.

Impossibile enim cum sit numeraturum esse aliquem, impossibile est numerabile esse aliquod. Quare manifestum est, quia neque numerus est: numerus enim aut quod numeratur est, aut numerabile. Si autem nihil aliud aptum natum est quam anima numerare, et animae intellectus, impossibile est tempus esse, anima si non sit.

Nisi hoc quod utrumque ens est tempus, ut si contingit motum esse sine anima. Prius autem et posterius in motu sunt: tempus autem haec sunt, secundum quod numerabilia sunt.

Dubitabit autem aliquis, et qualis motus tempus numerus sit.

Aut cujuslibet: etenim generatur in tempore, et augmentatur, et alteratur in tempore, et fertur. Secundum igitur quod motus est, sic est uniuscujusque motus numerus: unde motus simpliciter numerus est continui, sed non cujusdam.

Sed est nunc moveri unum et aliud, quorum utriusque motus erit numerus. Alterum et alterum igitur tempus, et simul duo aequalia erunt?

Aut non? omne namque tempus, unum similiter et simul est; specie autem, et quae non simul: si enim et hi sint canes, illi vero equi, utrique autem septem, idem numerus est: sic et motuum simul terminatorum idem tempus est: sed hic velox fortassis, alius vero non: et alius quidem loci mutatio est, hic autem alteratio: tempus tamen idem est, siquidem et numerus aequalis sit, et alterationis et loci mutationis, et simul sint. Et propter hoc motus quidem alteri sunt, et seorsum sunt: tempus autem ubique idem, quia et numerus unus et idem ubique est, qui est aequalium et simul.

Quoniam autem loci mutatio, et hujus circularis: numeratur autem unumquodque uno quodam proximo, unitates unitate, equi vero equo, sic et tempus tempore quodam finito. (Mensuratur autem, sicut diximus, tempus motu, et motus tempore: hoc autem est, quia determinato motu et tempore mensuratur motus quantitas, et temporis).

Si igitur quod primum mensura est omnium proximorum, circulatio, quae regularis est, mensura maxime erit, quia numerus hujus notissimus est. Neque igitur alteratio, neque augmentatio regulares, loci autem mutatio est.

Unde et videtur tempus esse sphaerae motus: quia hoc mensurantur alii motus, et tempus hoc motu.

Propter hoc autem et consuetum dici accidit. Dicunt enim circulum esse humanas res, et aliorum motum habent, videlicet naturalem, et generationem, et corruptionem. Hoc autem est, quia omnia haec tempore dijudicantur, et accipiunt finem et principium, sicut si secundum quamdam circulationem sit: tempus etenim ipsum videtur circulus quidam. Hoc autem iterum videtur ob hoc quod hujus loci mutationis mensura est, et mensuratur ipsum ab hujusmodi. Quare dicere esse rerum, quae fiunt, circulum, dicere est temporis esse quemdam circulum. Hoc autem est, quia mensuratur circulatione: extra enim mensuram nihil aliud videtur esse quod mensuratur, sed aut multae mensurae totum.

Dicitur autem recte, quod numerus quidem idem est ovium et canum, si aequalis uterque sit: decem autem non idem, neque decem eadem sunt: sicut neque trianguli idem, qui est aequilaterus, et gradatus; et tamen eadem figura est: quia utraque trianguli sunt. Idem enim dicitur, cujus non differt differentia, sed non cujus differt, ut triangulus a triangulo differentia differt (alteri quidem enim trianguli sunt) figurae autem non, sed in una et eadem divisione: figura enim haec quidem talis circulus est, talis vero triangulus: hujus autem talis quidem est aequilaterus, talis vero qui gradatus: figura igitur eadem et haec, triangulus enim est: triangulus autem non idem est. Et numerus jam similiter idem: non enim differt numeri differentia numerus horum. Decem autem non idem est. In quibus enim dicitur differunt: haec quidem enim canes, alia vero equi. Et de tempore quidem ipso, et de circa ipsum proprietatibus, hac intentione, dictum est.

Postquam Philosophus determinavit de tempore, hic removet quasdam dubitationes circa tempus. Et primo circa existentiam temporis. Secundo circa temporis unitatem, ibi, « Dubitabit autem aliquis. »

motionis affectio quaedam, sive habitus, quum sit ejus numerus? haec vero omnia mobilia sunt, quia omnia sunt in loco: tempus autem et motus simul sunt, tam potestate quam actu.

Utrum autem, nisi sit anima, erit tempus, an non, dubitare quispiam possit: quando enim numerans esse nequit, impossibile est esse numerabile. Quare manifestum est, ne numerum quidem esse posse: numerus enim est vel quod est numeratum, vel quod est numerabile. Quodsi nihil aliud natura aptum est ad numerandum quam anima, et quidem ea pars animae quae vocatur intellectus: impossibile est, tempus esse, quum anima non sit, nisi hoc ipsum quod re et subjecto est tempus: veluti si potest esse motus sine anima: prius autem ac posterius in motu est: ac tempus haec sunt, quatenus sunt numerabilia.

Sed et dubitare aliquis possit, cujus motionis numerus sit tempus. An est cujusvis? quoniam et fit in tempore, et interit, et augetur, et variatur in tempore et fertur. Quatenus igitur est motus, eatenus est cujusque motionis numerus. Idcirco est continuae motionis simpliciter numerus, non cujusdam. Verum fieri potest, ut nunc aliud quoque motum sit, quorum utriusque motionis erit numerus. Ergo diversum tempus est, et simul duo aequalia tempora erunt? an non? idem enim tempus est unum, similiter et simul. Specie vero unum sunt etiam ea quae non sunt simul. Etenim si sint hi quidem canes, illi vero, equi; utrique autem, septem: numerus est idem. Sic etiam motuum qui simul perficiuntur, idem est tempus. Sed alter fortasse est velox, alter minime; et alter latio, alter variatio. Tempus tamen est idem, si quidem et numerus aequalis, ac simul est tam variationis quam lationis. Ideoque motus quidem diversi et separati sunt: tempus vero ubique est idem: quia etiam numerus est unus et ubique idem, is qui aequalium et simul est.

Quoniam autem [prima] est latio, et hujus [prima] species motus circularis, numeratur autem unumquodque uno aliquo ejusdem generis, ut unitates unitate, equi equo, ita etiam tempus tempore aliquo definito; metitur autem (ut diximus) tempus motio, et motionem tempus: (quod quidem ideo est, quia motio tempore definita metitur et motionis quantitatem et temporis:) si igitur quod est primum, est mensura eorum omnium quae sunt ejusdem generis: certe circularis motus aequabilis maxime est mensura: quia hujus numerus est notissimus. Ergo variatio quidem et accretio et generatio non sunt aequabiles: latio vero est aequabilis. Ideoque tempus videtur esse motus sphaerae: quia et alios motus, et ipsum tempus hic motus metitur. Sed et propterea accidit quod dici consuevit. Inquiunt enim res humanas esse circulum, et ceterarum quoque rerum, quae motum naturalem et ortum et interitum habent, circulum esse. Hoc autem ideo, quia haec omnia tempore judicantur, et accipiunt finem et principium, quasi circuitione quadam. Etenim ipsum quoque tempus videtur esse circulus quidam. Et hoc rursus ideo videtur, quia est hujusmodi lationis mensura, et ipsum metitur hujusmodi latio. Quocirca dicere, eas res quae fiunt, esse circulum, nihil aliud est quam dicere, temporis esse quemdam circulum. Hoc autem ideo, quia ipsum metitur conversio; nam praeter id quod metitur, nihil aliud esse videtur totum illud quod mensura definitur, quam plures mensurae.

Recte etiam dicitur eumdem esse numerum ovium et canum, si uterque sit aequalis. Non esse tamen eumdem denarium, nec eadem decem: sicut nec trianguli iidem sunt aequilaterus et scalenus: quamquam figura est eadem, quia sunt ambo trianguli. Idem quippe dicitur, cujus differentia non differt, non id cujus differentia differt; utputa triangulus, trianguli differentia differt: sunt igitur diversi trianguli. Figurae vero differentia non differt, sed est in una et eadem divisione. Figura enim quae est talis, est circulus: quae vero talis, est triangulus; horum autem, is qui est talis, est aequilaterus: qui vero talis, scalenus. Ergo et haec est eadem figura, quia est triangulus: sed triangulus non idem est. Quare et numerus est idem: quia numerus ipsorum non differt numeri differentia. Sed denarius non est idem: quoniam ea, de quibus dicitur, differunt; quum alia sint canes, alia equi. Ac de tempore quidem, tum ipso, tum iis quae ad ipsum pertinent et hujus considerationis propria sunt, dictum est.

Circa primum duo facit. Primo movet duas dubitationes. Secundo solvit eas, ibi, « Aut quia motus. » Dicit ergo primo, quod hae dubitationes indigent diligenti consideratione: scilicet quomodo tempus se habet ad animam, et iterum, quare tempus videatur esse ubique, scilicet in terra, in mari et in caelo.

Secundo ibi « aut quia »

Solvit praemissas quaestiones. Et primo secundam, quae facilior est. Secundo primam: « Utrum « autem cum sit. » Dicit ergo, quod tempus est quoddam accidens motus: quia est numerus ejus, accidens autem consuevit nomine habitus et passionis nominari: unde ubicumque est motus, oportet quod sit tempus. Omnia autem corpora sunt mobilia, etsi non aliis motibus, saltem motu locali, quia omnia sunt in loco. Et, quia posset aliquis dicere quod licet sint mobilia, non tamen omnia moventur, sed quaedam quiescunt, et sic tempus non videtur esse in omnibus; ad hoc excludendum subjungit, quod tempus est simul cum motu: sive motus accipiatur secundum actum, sive secundum potentiam. Quaecumque enim sunt possibilia moveri, et non moventur actu, quiescunt. Tempus autem non solum mensurat motum, sed etiam quietem, ut supra dictum est. Unde relinquitur quod ubicumque est motus vel actu vel potentia, quod ibi sit tempus.

Secundo ibi « utrum autem »

Solvit primam quaestionem. Et circa hoc tria facit. Primo movet dubitationem. Secundo objicit ad quaestionem, ibi, « Impossibile enim. » Tertio solvit, ibi, « Si autem hoc. » Est ergo dubitatio utrum non existente anima esset tempus, aut non.

Secundo ibi « impossibile enim »

Objicit ad óstendendum quod non: quia si impossibile esset esse aliquod potens numerare, impossibile esset esse aliquod numerabile, potens scilicet numerari: sed, si non est numerabile, non est numerus, quia numerus non est; nisi in eo quod numeratur actu vel quod est numerabile in potentia. Relinquitur ergo, quod si non est aliquod potens numerare, quod non sit numerus. Sed nihil aliud natum est numerare quam anima, et inter partes animae non alia quam intellectus: quia numerus fit per collationem numeratorum ad unam primam mensuram; conferre autem rationis est. Si ergo non est anima intellectiva, non est numerus. Tempus autem est numerus, ut dictum est. Si ergo non sit anima intellectiva, non est tempus.

Tertio ibi « nisi hoc »

Solvit dubitationem; et dicit, quod aut oportet dicere quod tempus non sit, si non est anima, aut oportet hoc dicere verius, quod tempus est utcumque ens sine anima: utputa si contingit motum esse sine anima: sicut enim ponitur motus, ita necesse est poni tempus: quia prius et posterius in motu sunt, et haec, scilicet prius et posterius motus, inquantum sunt numerabilia, sunt ipsum tempus. Ad evidentiam autem hujus solutionis considerandum est quod positis rebus numeratis, necesse est poni numerum; unde, sicut res numeratae dependent a numerante, ita et numerus eorum, esse autem rerum numeratarum non dependet ab intellectu, nisi sit aliquis intellectus qui sit causa rerum, sicut est intellectus divinus; non autem dependent ab intellectu animae; unde nec numerus rerum ab intellectu animae dependet, sed solum ipsa numeratio, quae est actus animae, ab intellectu animae dependet: Sicut ergo possunt esse sensibilia sensu non existente, ita possunt esse numerabilia et numerus non existente numerante. Sed forte conditionalis,

quam primo posuit, est vera: scilicet quod, si est impossibile esse aliquem numerantem, impossibile est esse aliquod numerabile; sicut haec est vera, si impossibile est esse aliquem sentientem, impossibile est esse aliquid sensibile. Si enim est sensibile, potest sentiri; et si potest sentiri potest esse aliquod sentiens; licet non sequatur quod, si est sensibile, quod sit sentiens. Et similiter sequitur, quod si est aliquid numerabile, quod possit esse aliquid numerans: unde, si impossibile est esse aliquod numerans, impossibile est esse aliquid numerabile: non tamen sequitur, quod si non est numerans, quod non sit numerabile, ut objectio Philosophi procedebat. Si ergo motus haberet esse fixum in rebus, sicut lapis vel equus, posset absolute dici, quod sicut etiam anima non existente est numerus lapidis, ita etiam anima non existente esset numerus motus, qui est tempus. Sed motus non habet esse fixum in rebus, nec aliquid actu invenitur in rebus de motu, nisi quoddam indivisibile motus, quod est motus divisio: sed totalitas motus accipitur per considerationem animae, comparantis priorem dispositionem mobilis ad posteriorem. Sic igitur, et tempus non habet esse extra animam, nisi secundum suum indivisibile. Ipsa tamen totalitas temporis accipitur per ordinationem animae numerantis prius et posterius in motu, ut supra dictum est; et ideo signanter dicit Philosophus quod tempus non existente anima est utcumque ens, idest imperfecte; sicut et si dicatur quod motum contingit esse sine anima imperfecte. Et per hoc solvuntur rationes supra positae ad ostendendum quod tempus non sit, quia componitur ex partibus non existentibus: patet enim ex praedictis quod non habet esse perfectum extra animam sicut nec motus.

Deinde cum dicit « dubitabit autem »

Movet quaestionem de unitate temporis, sive de comparatione temporis ad motum. Et circa hoc tria facit. Primo movet dubitationem: secundo solvit, ibi, « Aut cujuslibet. » Tertio manifestat quoddam quod supposuerat, ibi, « Dicitur autem recte. » Dicit ergo primo, quod dubitatio est, cum tempus sit numerus motus, cujus vel qualis motus sit numerus.

Secundo ibi « aut cujuslibet »

Solvit dubitationem. Et primo excludit falsam solutionem. Secundo ponit veram, ibi, « Quoniam « autem loci mutatio. » Circa primum tria facit. Primo ponit solutionem falsam; secundo improbat eam ducendo ad inconveniens, ibi, « Sed est nunc « moveri. » Tertio ostendit illud inconveniens esse impossibile, ibi, « Aut non omne namque. » Est ergo prima solutio, quod sit tempus numerus cujuslibet motus: et ad hoc probandum inducit quod omnis motus est in tempore, scilicet generatio, et augmentum, et alteratio, et loci mutatio: quod autem convenit omni motui, convenit motui secundum quod ipsum: esse autem in tempore est numerari tempore. Sic igitur videtur quod quilibet motus, inquantum hujusmodi, habet numerum: unde, cum tempus sit numerus motus, videtur sequi, quod tempus sit numerus motus continui universaliter, et non alicujus determinati motus.

Secundo ibi « sed est nunc »

Improbat praedictam solutionem. Contingit enim aliqua duo simul moveri: si ergo cujuslibet motus tempus sit numerus, sequitur quod duorum motuum simul existentium sit alterum et alterum tempus; et sic ulterius sequitur, quod duo tempora aequalia sunt simul, utpote duo dies, vel duae horae: duo autem tempora inaequalia simul esse non est admirabile, ut diem et horam.

Tertio ibi « aut non »

Ostendit hoc esse impossibile, scilicet duo tempora aequalia simul esse: quia omne tempus quod est simul et similiter, idest aequaliter, est unum tantum; sed tempus quod non est simul, non est unum numero, sed species ejus est una, sicut dies cum die, et annus cum anno. Et hoc manifestat per simile in aliis numeratis. Si enim sint septem equi et septem canes, non differunt secundum numerum, sed differunt secundum speciem rerum numeratarum: et similiter omnium motuum qui simul terminantur secundum principium et secundum finem, est idem tempus: sed motus differunt secundum proprias rationes, inquantum forte unus est velox, et alius tardus: et unus est loci mutatio, et alius alteratio: sed tempus est idem, si alterationis et loci mutationis sit aequalis numerus, supposito quod sint simul. Et propter hoc oportet quod motus sint alteri et divisi ab invicem; sed tempus in omnibus est idem: quia unus et idem numerus est eorum quae sunt aequalia et simul, ubicumque sint.

Deinde cum dicit « quoniam autem »

Ponit veram solutionem: et circa hoc tria facit. Primo praemittit quaedam, quae sunt necessaria ad solutionem. Secundo ex praemissis solutionem concludit, ibi, « Si igitur quod primum. » Tertio manifestat solutionem praedictam per dicta aliorum, ibi, « Unde videtur. » Circa primum praemittit tria. Quorum primum est, quod inter alios motus, primus et magis simplex et regularis est motus localis; et inter alios motus locales, motus circularis, ut in octavo probabitur. Secundum est, quod unumquodque numeratur uno quodam proximo sui generis, sicut unitates unitate, et equus equo, ut patet in decimo Metaphysicae: unde oportet quod tempus quodam terminato tempore mensuretur, sicut videmus quod tempora mensurantur per diem. Tertium quod praemittit est, quod tempus mensuratur motu, et motus tempore, sicut supra dictum est: et hoc ideo est, quia aliquo terminato motu et aliquo terminato tempore mensuratur quantitas cujuslibet motus et temporis.

Secundo ibi « si igitur »

Concludit ex praemissis, quod si aliquid quod est primum, est mensura « omnium proximorum, » idest omnium quae sunt sui generis, necesse est quod circulatio, quae est maxime regularis, sit mensura omnium motuum. Dicitur autem motus regularis, qui est unus et uniformis. Haec autem regularitas non potest inveniri in alteratione et augmento: quia non sunt usquequaque continui, nec aequalis velocitatis. Sed in loci mutatione inveniri potest regularitas, quia potest esse aliquis motus localis continuus et uniformis: et talis est solus motus circularis, ut in octavo probabitur: et inter alios motus circulares, maxime uniformis et regularis est primus motus, qui revolvit totum firmamentum motu diurno: unde illa circulatio, tamquam prima et simplicior et regularior, est mensura omnium motuum. Oportet autem motum regularem esse mensuram seu numerum aliorum; quia omnis mensura debet esse certissima: et talia sunt quae uniformiter se habent. Ex hoc ergo colligere possumus, quod si prima circulatio mensurat omnem motum,

et motus mensuratur a tempore, inquantum mensuratur quodam motu, necesse est dicere, quod tempus sit numerus primae circulationis, secundum quam mensuratur tempus, et ad quem mensurantur omnes alii motus temporis mensuratione.

Tertio ibi « unde et videtur »

Approbat praedictam solutionem per opiniones aliorum. Et primo per opinionem errantium, qui moti fuerunt ad dicendum quod motus spherae caelestis sit tempus, propter hoc, quod hoc motu mensurantur omnes alii motus, et tempus mensuratur hoc motu. Manifestum est enim quod dicimus diem vel annum completum attendentes ad motum caeli.

Secundo ex usu communiter loquentium, ibi, « propter hoc »

Et dicit: propter hoc, scilicet quod tempus est numerus circulationis primae, accidit quod consuevit dici, quod quidam circulus sit in rebus humanis, et in aliis, quae moventur naturaliter et generantur et corrumpuntur: quod ideo est, quia omnia hujusmodi mensurantur tempore et accipiunt principium et finem in tempore, ac si tempus secundum quamdam circulationem sit: quia et ipsum tempus videtur esse quidam circulus. Et iterum hoc videtur propter hoc quod est mensura circulationis: et etiam a tali circulatione mensuratur. Et ideo dicere quod eorum quae fiunt in tempore, est quidam circulus, nihil aliud est quam dicere, temporis esse quemdam circulum: quod accidit propter hoc quod tempus mensuratur circulatione. Id enim quod mensuratur, non videtur esse aliud quam mensura: sed multae mensurae videntur facere unum totum, sicut multae unitates unum numerum, et multae mensurae panni unam quantitatem panni: et hoc verum est cum accipitur mensura unius generis. Sic igitur patet quod tempus primo mensurat et numerat primum motum circularem: et per eum mensurat omnes alios motus, unde est unum tempus tantum propter unitatem primi motus: et tamen quicumque sentit quemcumque motum sentit tempus, eo quod ex primo motu causatur mutabilitas in omnibus mobilibus, ut supra dictum est.

Deinde cum dicit « dicitur autem »

Manifestat quoddam quod supra dixerat, qualiter sit intelligendum. Dixerat enim, quod idem est numerus septem canum et septem equorum. Quomodo igitur hoc sit verum ostendit, et dicit quod recte potest dici, si aequalis est numerus aliquarum rerum diversarum, puta ovium et canum, quod idem sit numerus utrorumque, utputa si tam canes quam oves sint decem: sed non potest dici, quod hoc ipsum quod est decem esse, sit idem canum et ovium: non enim eadem decem sunt decem canes et decem oves. Et hoc ideo, quia genus potest cum additione unitatis vel identitatis praedicari de pluribus individuis existentibus in una specie: et similiter genus remotum de pluribus speciebus existentibus sub uno genere propinquo: neque tamen species de individuis, neque genus propinquum de speciebus diversis praedicari potest cum additione unitatis vel identitatis. Et hujusmodi consequenter ponit exemplum. Sunt enim duae species trianguli, scilicet aequilaterus, idest habens tria latera aequalia, et gradatus, idest habens tria latera inaequalia: figura autem est genus trianguli: non ergo possumus dicere quod aequilaterus et gradatus sit idem triangulus; sed possumus dicere quod sunt eadem figura, quia utrumque continetur sub triangulo qui est una species figurae. Et hujus assignat rationem, quia, cum idem et diversum seu differens opponantur, ibi possumus dicere identitatem, ubi non est differentia: sed non possumus dicere identitatem ubi est differentia. Manifestum est enim, quod aequilaterus et gradatus differunt abinvicem differentia trianguli, idest quae est proprie divisiva trianguli: et hoc ideo, quia sunt diversae trianguli species: sed aequilaterus et gradatus non differunt secundum differentiam figurae, sed sub una et eadem differentia continentur. Et hoc sic patet. Si enim dividamus figuras in suas species, quae per differentias constituuntur, invenitur quod alius est circulus, et alius triangulus, et sic de aliis speciebus figurae: sed si dividamus triangulum, inveniemus quod alia species ejus est aequilaterus, et alia gradatus. Manifestum est igitur, quod aequilaterus et gradatus sunt una figura, quia continentur sub una specie figurae, quae est triangulus: sed non sunt unus triangulus, quia sunt diversae trianguli species. Similiter est in proposito: numerus enim dividitur in

diversas species, quarum una est decem: omnia ergo quae sunt decem dicuntur habere unum numerum, quia non differunt ab invicem secundum speciem numeri, cum contineantur sub una numeri specie; sed non potest dici quod sint eadem decem, quia ea quibus applicatur numerus denarius, differunt: cum quaedam horum sint canes, et quaedam equi. Videtur autem hoc Aristoteles introduxisse, ne aliquis ad sumendam temporis unitatem sit contentus eo quod dicitur unum numerum esse aequalium, licet diversorum: quia licet sit idem denarius vel ternarius propter unitatem speciei, non tamen est idem denarius, vel ternarius propter diversitatem quae est secundum numerum ex parte materiae. Unde secundum istam rationem, sequeretur quod tempus esset unum specie, sed non numero: et ideo ad accipiendum veram temporis unitatem oportet recurrere ad unitatem primi motus, qui primo mensuratur tempore, et quo etiam mensuratur tempus. Ultimo autem epilogando concludit dictum esse de tempore, et de iis quae sunt propria ad considerationem temporis.

LIBER QUINTUS

SUMMA LIBRI. — MOTUS IN SPECIES DIVIDITUR, DEQUE IPSIUS UNITATE AC PLURALITATE MULTA DICUNTUR, DE CONTRARIETATE ITEM MOTUUM AC QUIETUM AGITUR.

LECTIO I.

Motus per se a motu per accidens, et ab eo qui est secundum partem distinguitur: idque cum mobilis, tum moventis, tum termini inductione explanatur: quique motus considerandus sit, aperit.

ANTIQUA.

Transmutatur autem transmutans omne aliud quidem secundum accidens, ut cum dicimus musicum ambulare, quoniam, cui accidit musicum esse, hoc ambulat. Hoc autem ex eo, quia hujus aliquid mutatur, et simpliciter dicitur mutari, ut quaecumque dicuntur secundum partes: sanatur enim corpus, quia oculus, aut thorax: haec autem partes totius corporis sunt. Est autem aliquid, quod neque secundum accidens movetur, neque in eo, quod aliquid ipsius: sed in eo quod ipsum movetur primo: et hoc est secundum seipsum mobile. Secundum alium autem motum et alium, alterum est, ut alterabile et alterationis sanabile, et calefactibile alterum.

Est autem et in movente similiter. Aliud enim secundum accidens movet. Aliud secundum partem, in eo quod hujus aliqua. Aliud vero per seipsum primo, ut medicus quidem sanat, manus autem percutit.

RECENS.

Mutatur autem, quicquid mutatur, partim ex accidenti (ut quum dicimus musicum ambulare, quia id ambulat, cui accidit esse musicum); partim quia ejus aliquid mutatur, simpliciter dicitur mutari: ut quaecumque dicuntur mutari ratione partium: sanatur enim corpus, quia sanatur oculus, vel pectus; haec vero sunt partes totius corporis. Est autem aliquid, quod nec ex accidenti movetur, nec quia aliquid aliud ipsius moveatur, sed quia ipsum movetur primum. Atque hoc est quod est per se mobile. Sed in alia mutatione aliud est, ut variabile; atque variationi subjectum est quod sanari vel calefieri potest, vel contrarium.

Est igitur et in eo quod movet, eodem modo. Nam aliud ex accidenti movet: aliud ratione partis, quoniam aliqua ejus partium movet: aliud per se primum, ut medicus medetur, et manus percutit.

Quoniam autem est aliquid movens primum, est autem et aliud quod movetur: adhuc, in quo tempus: et praeter haec, ex quo, et in quid (omnis enim motus a quodam, et in quiddam).

Alterum enim est quod primum movetur, et in quod movetur, et ex quo, ut lignum, et calidum, et frigidum: horum autem aliud quidem mobile est, aliud vero in quod, aliud ex quo. Motus autem manifestum quod in ligno, non in specie est: neque enim movet neque movetur species aut locus, aut quantum hoc. Sed est movens, et quod movetur, et in quod movetur.

Magis autem ab eo in quod, quam ex quo movetur, denominatur mutatio. Unde corruptio, in non esse mutatio est, quamvis ex esse mutetur, quod corrumpitur. Et generatio in esse, quamvis ex non esse.

Quid quidem igitur motus sit, dictum est prius. Species autem et locus, et passiones, in quae moventur quae moventur, immobilia sunt, ut scientia, et calor.

Et dubitabit aliquis si passiones motus sunt: albedo autem passio est.

Erit enim ad motum mutatio. Et fortassis non est albedo motus sed albatio.

Est autem et in illis et quod est secundum accidens: et quod est secundum partem, et secundum aliud, et quod primo est et non secundum aliud. Ut quod fit album, in id quod intelligitur. mutatur secundum accidens: colori enim accidit intelligi. In colorem autem, quia pars album coloris est: et in Europam, quia pars Europae Athenae sunt. In album autem colorem per se.

Quomodo igitur per se movetur, et quomodo secundum accidens, et quomodo secundum aliud aliquid, et quomodo ipsum primum in movente, et in eo quod movetur, manifestum est, et quod motus non in specie, sed in eo quod movetur et mobili secundum actum est.

Secundum quidem igitur accidens mutatio dimittatur: in omnibus enim est, et semper et omnium. Quae vero non secundum accidens est, non est in omnibus, sed in contrariis, et mediis, et in contradictione. Hujus autem fides ex inductione est.

Ex medio autem mutatur: utitur enim ipso, sicut quod est contrarium, ad utrumque. Etenim quodammodo medium ultima. Unde et hoc ad illa, et illa ad hoc quodammodo dicuntur contraria: ut vox media gravis ad ultimam, subtilis ad extremam. Et fuscum, album ad nigrum, et nigrum ad album.

Quoniam autem est aliquid quod primum movet, et est aliquid quod movetur; praeterea tempus, quo movetur; et praeter haec id ex quo, et in quod: (omnis enim motus est ex aliquo, et in aliquid: nam aliud est quod primum movetur, et in quod movetur, et ex quo: ut lignum, et calidum et frigidum: horum autem aliud est quod; aliud, in quod; aliud ex quo): patet motum esse in ligno [imo materia], non in forma: quia forma, vel locus, vel tantum non movet nec movetur. Sed movens, et quod movetur, refertur ad id in quod movetur: magis enim ab eo in quod, quam ab eo ex quo movetur, nominatur mutatio. Ideoque interitus est mutatio in non-ens: quamvis etiam ex ente mutetur id quod interit. Et generatio est mutatio in ens, quamvis sit ex non-ente.

Quid igitur sit motus, antea dictum fuit. Formae vero, et affectiones, et locus, in quae moventur ea quae moventur, sunt res immobiles: ut scientia et calor. Atqui dubitare quispiam possit, si affectiones sint motus, albor autem sit affectio, erit enim mutatio in motum. Sed fortasse non albor, sed dealbatio est motus.

Verum in illis quoque est et ex accidenti, et ratione partis, ac per aliud, et primo ac non per aliud: ut puta quod dealbatur, in id quod intelligitur, mutatur ex accidente, quia colori accidit ut intelligatur: in colorem autem, quia album est pars coloris: [et in Europam, quia Athenae sunt pars Europae]: in album autem colorem per se. Quomodo igitur per se movetur, et quomodo ex accidenti, et quomodo secundum aliquid aliud, et quomodo idem primum est tam in eo quod movet, quam in eo quod movetur, manifestum est, ac motum non esse in forma, sed in eo quod movetur et actu est mobile.

Quae igitur ex accidenti mutatio est, missa fiat: quippe quae est in omnibus, et semper, et omnium: quae vero non est ex accidenti, non est in omnibus, sed in contrariis, et in mediis interjectis, et in contradictione. Cujus rei fidem facit inductio. Ex eo autem quod est interjectum, mutatur [tamquam ex contrario]: nam ipso utitur, tamquam eo quod utrique extremo est contrarium. Quod enim est interjectum, quodammodo est extrema. Proinde et hoc cum illis et illa cum hoc collata, dicuntur quodammodo contraria: ut media chorda ad neten comparata, est gravis; et ad hypaten comparata, est acuta; et fuscum comparatum ad nigrum, est album, et comparatum ad album, est nigrum.

Postquam Philosophus determinavit de motu et de his quae consequuntur motum in communi, hic jam accedit ad dividendum motum: et dividitur in partes duas. In prima agit de divisione motus, secundum quod dividitur in species. In secunda de divisione motus in partes quantitativas; et hoc in sexto libro, ibi, « Si autem est continuum. » Prima in duas. In prima agit de divisione motus in suas species. In secunda agit de unitate et oppositione motus, ibi, « Post hoc autem dicamus quid est « simul. » Prima in duas. In prima distinguit motum per se a motu per accidens. In secunda dividit motum per se in suas species, ibi, « Quoniam au-« tem omnis mutatio. » Prima in duas. In prima distinguit motum per se a motu per accidens. In secunda praetermittendum docet motum per accidens, et determinandum esse de motu per se, ibi, « Secundum quidem igitur accidens. » Circa primum duo facit. Primo distinguit motum per se a motu per accidens. Secundo epilogat praedicta, ibi, « Quomodo quidem. » Distinguit autem in prima parte motum per se a motu per accidens tripliciter. Primo quidem ex parte mobilis. Secundo ex parte moventis, ibi, « Est autem et in movente. » Tertio ex parte termini, ibi, « Quoniam autem est aliquid. » Dicit ergo primo, quod omne transmutans, idest transmutatum, tribus modis dicitur transmutari. Uno modo dicitur aliud transmutari per accidens: sicut cum dicimus, musicum ambulare, quoniam

hic homo ambulat, cui accidit esse musicum. Alio modo dicitur aliquid transmutari simpliciter, quia aliqua pars ejus mutatur, sicut omnia quae dicuntur mutari secundum partes; et ponit exemplum in motu alterationis; dicitur enim sanari corpus animalis, quia sanatur vel oculus vel thorax, idest pectus, quae sunt partes totius corporis. Tertio modo dicitur aliquid moveri, quod neque secundum accidens movetur, neque secundum partem, sed ex eo quod ipsum movetur primo et per se: ut per hoc quod dicit « primo » excludatur motus secundum partem; per id quod dicitur « secundum se », excludatur motus per accidens. Hoc autem per se mobile variatur secundum diversas species motus; sicut alterabile est mobile secundum alterationem, et augmentabile secundum augmentum. Et iterum in specie alterationis, differt sanabile, quod movetur secundum sanationem, et calefactibile, quod movetur secundum calefactionem.

Secundo ibi « est autem »

Distinguit motum per se a motu per accidens ex parte moventis: et dicit quod similiter praedicta distinctio, quae posita est ex parte mobilis, attendi potest movente in ipso. Tripliciter enim dicitur aliquid movere. Uno modo per accidens, sicut musicus aedificat. Alio modo secundum partem, inquantum aliqua pars ejus movet sicut homo dicitur percutere, quia manus ejus percutit. Tertio modo dicitur aliquid movere primo et per se, sicut medicus sanat.

Tertio ibi « quoniam autem »

Procedit ad distinguendum motum eodem modo ex parte termini. Et primo praemittit quaedam praeambula; secundo ponit divisionem, ibi, « Est « autem et in illis. » Circa primum tria facit. Primo ponit quot requirantur ad motum. Secundo comparat ea adinvicem, ibi, « Alterum enim est « quod. » Tertio solvit quamdam dubitationem, ibi, « Quid quidem igitur. » Dicit ergo primo, quod ad motum requiruntur quinque. Primo requiritur primum movens, a quo scilicet est principium motus. Secundo requiritur mobile, quod movetur. Tertio tempus in quo est motus: et praeter ista tria requiruntur duo termini: unus scilicet ex quo incipit motus, et alius, in quem motus procedit; omnis enim motus est a quodam in quiddam.

Secundo ibi « alterum enim »

Comparat praemissa adinvicem. Et primo mobile ad duos terminos motus; secundo duos terminos motus adinvicem, ibi, « Magis autem in quod. » Dicit ergo primo, quod id quod primo et per se movetur alterum est a termino in quem tendit motus, et a termino a quo motus incipit. Sicut patet in istis tribus, lignum, calidum et frigidum. In motu enim calefactionis lignum quidem est subjectum mobile; aliud vero, scilicet calidum, est terminus ad quem; aliud autem, scilicet frigidum, est terminus a quo. Dicit autem id quod primum movetur esse alterum ab utroque termino: quia nihil prohibet, illud quod movetur per accidens, esse alterum terminorum. Subjectum enim, ut lignum, est quod calefit per se; privatio vero et contrarium, ut frigidum, est quod calefit per accidens, in primo dictum est. Quod autem mobile sit alterum ab utroque termino, consequenter probat per hoc, quod motus est in subjecto, sicut in ligno: non autem est in altero terminorum, neque in specie albi, neque in specie nigri. Et hoc patet per hoc quod illud in quo est motus, movetur; terminus autem motus, neque movet neque movetur; sive terminus motus sit species, idest qualitas, ut in alteratione: sive sit locus, ut in motu locali; sive quantum, ut in motu augmenti et decrementi: sed movens movet subjectum « quod movetur, in quod movetur, » idest in terminum ad quem. Quia ergo motus est in subjecto quod movetur, non autem in termino, manifestum est quod subjectum mobile est aliud a termino motus.

Tertio ibi « magis autem »

Comparat utrumque terminorum adinvicem: et dicit quod mutatio magis denominatur a termino ad quem quam a termino a quo: sicut corruptio dicitur mutatio in non esse, quamvis id quod corrumpitur mutetur ex esse: e contrario generatio est mutatio in esse, quamvis incipiat a non esse. Nomen autem generationis ad esse pertinet, corruptionis vero ad non esse. Hujusmodi autem ratio est, quia per mutationem aufertur terminus a quo, et acquiritur terminus ad quem: unde motus videtur repugnare termino a quo, et convenientiam habere cum termino ad quem: et propter hoc ab eo denominatur.

Deinde cum dicit « quid quidem »

Solvit quamdam dubitationem. Et circa hoc tria facit. Primo praemittit duo, quae ex praemissis sunt manifesta. Quorum primum est, quod in tertio dictum est, quid sit motus. Secundum est quod in praecedentibus immediate dictum est, quod « spe- « cies, » idest qualitas, « et locus » et quaecumque

« passiones, » idest passibiles qualitates, quae sunt termini motus, non moventur, cum in eis non sit motus, ut dictum est: ut patet in scientia, quae est quaedam species, et calore, qui est quaedam passio, vel passibilis qualitas.

Secundo ibi « et dubitabit »

Ponit tertium de quo est dubitatio: et dicit quod aliquis dubitare potest, utrum « passiones, » idest passibiles qualitates, ut calor et frigus, et albedo et nigredo, ex quo non moventur, sint quidam motus.

Tertio ibi « erit enim »

Ducit ad inconveniens, si hoc ponatur. Cum enim albedo sit terminus in quem est motus, si albedo sit motus, sequitur quod motus sit terminus motus: quod non potest esse, ut infra probabitur. Et ex hoc determinat veritatem: et dicit quod albedo non est motus, sed albatio. Addit autem « for- « tassis, » quia nondum probavit quod motus non terminetur in motum.

Deinde cum dicit « est autem »

Ex quo termini motus sunt aliud a mobili et movente, ut ostensum est, ostendit quod praeter divisionem motus quae accipitur ex parte mobilis et moventis, dividitur tertio motus ex parte termini. Et quia terminus ad quem magis denominat motum, quam terminus a quo, ut dictum est; accipit divisionem motus a termino ad quem, sed non a termino a quo. Et dicit quod etiam ex parte illorum, scilicet terminorum, potest accipi in motu aliquid quod est per accidens, et aliquid quod est secundum partem et secundum aliud, et aliud quod est primo et non secundum aliud. Per accidens quidem; sicut si dicatur de eo quod fit album, quod mutatur in id quod intelligitur vel cognoscitur ab aliquo, erit hoc per accidens: accidit enim colori albo, quod intelligatur. Si autem dicatur de eo quod fit album, quod movetur in colorem, hoc erit secundum partem: dicitur enim mutari in colorem, quia mutatur in albedinem, quae est pars coloris: et similiter est si dicam de aliquo qui vadit Athenas, quod vadit in Europam, quia Athenae sunt pars Europae. Si autem dicatur de eo quod fit album, quod mutatur in album colorem, hoc erit primo et per se. Non autem dividit motum ex parte temporis, quod videbatur residuum, quia tempus comparatur ad motum ut mensura extrinseca.

Deinde cum dicit « quomodo igitur »

Epilogat quod dixerat: et dicit, quod manifestum est, quomodo aliquid per se movetur, et quomodo secundum accidens « et quomodo secundum aliquid « aliud, » idest secundum partem. Et iterum quomodo hoc quod dico primo et per se, invenitur tam in movente quam in mobili. Dictum est enim quid est movens primo et per se: et quid est quod movetur primo et per se. Et iterum dictum est, quod motus non est in specie, idest in qualitate, quae est terminus motus, sed est in eo quod movetur, sive in mobili secundum actum; quod idem est.

Deinde cum dicit « secundum quidem »

Ostendit de quo motu sit agendum. Et primo ostendit propositum; secundo manifestat quoddam quod dixerat, ibi, « Ex medio autem. » Dicit ergo primo, quod mutatio quae est per accidens, dimittenda est; sive per accidens accipiatur ex parte moventis, sive ex parte mobilis, sive ex parte termini. Et hoc ideo, quia motus per accidens est indeterminatus; est enim in omnibus, sicut in terminis, et in omni tempore, et omnium subjectorum vel moventium: quia uni infinita possunt accidere. Sed mutatio quae non est secundum accidens, non est in omnibus: sed est tantum « in contrariis et mediis » quantum ad motum qui est in qualitate, quantitate, et ubi « et in contradictione » quantum ad generationem et corruptionem quorum termini sunt esse et non esse; et hoc patet per inductionem. Sub arte autem non cadunt nisi ea quae sunt determinata, nam infinitorum non est ars.

Secundo ibi « ex medio »

Manifestat quoddam quod dixerat; scilicet quod motus sit in mediis: et dicit, quod contingit mutari,

ex medio ad utrumque extremorum, et e contrario: inquantum scilicet possumus uti medio ut contrario, respectu utriusque extremi. Medium enim, inquantum habet convenientiam cum utroque extremorum, est quodammodo utrumque eorum; et ideo potest dici hoc ad illud, et illud ad hoc: sicut si dicam, quod media vox inter gravem et acutam « est gravis ad ultimam, » idest per comparationem ad acutam, et « est subtilis, » idest acuta, per comparationem « ad extremam, » idest ad gravem. Et fuscum est nigrum, per comparationem ad album‘ et e contra.

LECTIO II.

Tribus mutationis speciebus propositis, duae earum, generatio videlicet ac corruptio, a motus ratione excluduntur.

ANTIQUA.

Quoniam autem omnis mutatio est a quodam, et in quiddam: (manifestat autem et nomen: post aliud enim aliquid, et aliud quidem significat prius, aliud autem posterius) mutabitur quod mutatur quadrifariam. Aut enim ex subjecto in subjectum, Aut ex subjecto in non subjectum, Aut ex non subjecto in subjectum, Aut ex non subjecto in non subjectum. Dico autem subjectum affirmatione monstratum.

Quare necesse est ex iis quae dicta sunt, tres esse mutationes: scilicet ex subjecto in subjectum: et ex subjecto in non subjectum, et ex non subjecto in subjectum.

Quae enim est ex non subjecto in non subjectum, non est mutatio: propter hoc quod non est secundum oppositionem: neque enim contraria, neque contradictio est.

Ex non subjecto igitur in subjectum mutatio secundum contradictionem, generatio est: alia quidem simpliciter simplex, alia vero quaedam, cujusdam: ut ea, quae ex non albo in album, generatio quidem, hujusmodi est. Quae vero ex non esse simpliciter in substantiam est, generatio simpliciter est, secundum quam fieri et non fieri simpliciter aliquid dicimus.

Quae vero ex subjecto, in non subjectum, corruptio est. Simpliciter quidem, quae ex substantia ad non esse est: quaedam autem est, quae est in oppositam negationem, sicut dictum est in generatione.

Si igitur quod non est, dicitur multipliciter, et neque quod est secundum compositionem aut divisionem contingit moveri: neque quod est secundum potentiam, quod ei quod est simpliciter secundum actum oppositum est (quod enim est non album aut non bonum, tamen contingit moveri secundum accidens, erit enim homo non albus. Quod autem simpliciter non hoc aliquid est, hoc nullo modo contingit moveri: impossibile est enim: quod non est moveri): Si autem hoc, et generationem esse motum, impossibile erit. Fit enim quod non est. Si enim et quod ex non ente maxime secundum accidens fit, sed tamen verum est dicere quod est quod non est, de eo quod fit simpliciter: similiter autem et quiescere. Haec igitur accidunt inconvenientia, si movetur quod non est.

Et si omne quod movetur, in loco est: quod autem non est, non est in loco (esset enim alicubi).

Neque jam corruptio motus est. Contrarium enim motui motus est aut quies. Corruptio autem generationi contrarium est.

Quoniam autem motus mutatio quaedam est: mutationes autem tres sunt dictae: harum autem, quae sunt secundum generationem et corruptionem, non sunt motus: hae autem sunt secundum contradictionem; necesse est ex subjecto in subjectum mutationem, motum esse solum. Substantia autem, aut contraria aut media est. Etenim privatio ponitur contrarium et monstratur affirmatione nudum, et album, et nigrum.

RECENS.

Quum autem omnis mutatio sit ex quopiam in quidpiam (id autem declarat graecum nomen *metabole*: est enim *met’ allo, ti,* [id est], post aliud, aliquid: et alterum quidem significat prius, alterum vero posterius): id quod mutatur, quatuor modis mutari potest: aut enim ex subjecto in subjectum, aut ex subjecto in non subjectum, aut ex non subjecto in subjectum, aut ex non subjecto in non subjectum: voco autem subjectum, quod affirmatione significatur. Quare necesse est, ex iis quae dicta sunt, tres esse mutationes, eam quae est ex subjecto in subjectum, et eam quae est ex subjecto in non subjectum, et eam quae est ex non subjecto in subjectum. Nam quae est ex non subjecto in non subjectum, non est mutatio, quia non est secundum oppositionem; quandoquidem nec sunt contraria, nec est contradictio. Mutatio igitur quae in contradictione est ex non subjecto in subjectum, est generatio: simplex quidem, quae est simpliciter; aliqua vero, quae est alicujus: ut puta quae est ex non albo in album, est generatio hujus. Quae vero ex non ente simpliciter, in substantiam, generatio simpliciter, secundum quam simpliciter fieri, et non aliquid fieri dicimus. Quae vero est ex subjecto in non subjectum, est interitus: simpliciter quidem, quae est ab essentia ad non esse; quaedam vero quae est in oppositam negationem, quemadmodum dictum etiam fuit in generatione.

Itaque si non ens dicitur multifariam, et neque quod sumitur in compositione vel divisione, potest moveri, neque quod sumitur potestate, quod est oppositum enti simpliciter secundum actum accepto: (etenim non album aut non bonum potest moveri ex accidenti, quia non album potest esse homo, sed quod est simpliciter non hoc, nullo modo moveri potest: impossibile enim est, id quod non est moveri): hoc, inquam, si ita est, etiam est impossibile generationem esse motum; quia fit quod non est. Nam etiamsi quammaxime ex accidenti fiat; tamen de eo quod simpliciter fit, vere dicitur id esse non ens. Similiter autem et quiescere. Eadem vero absurda eveniunt, ac si dicatur moveri quod non est; et si quicquid movetur, est in loco; non-ens autem non est in loco: esset enim alicubi. Ergo nec interitus est motus. Motui namque contrarium est aut motus aut quies: interitus autem est generationi contrarium.

Quoniam autem omnis motus est mutatio quaedam, mutationes vero sunt tres, quae commemoratae fuerunt; harum autem ea quae in ortu et interitu spectantur, non sunt motus; hae vero sunt, quae in contradictione consistunt: necesse est, eam tantum mutationem, quae est ex subjecto in subjectum, esse motum. Subjecta vero, aut sunt contraria, aut interjecta. Nam et privatio ponatur esse contrarium, et declaratur affirmatione, nudum, et album, et nigrum.

Postquam Philosophus distinxit motum per se a motu per accidens, hic dividit mutationem et motu per se in suas species. Ubi considerandum est quod Aristoteles supra in tertio, ubi motum definivit, accepit nomen motus secundum quod est commune omnibus speciebus mutationis: et hoc modo accipit hic nomen mutationis: motum autem accipit magis stricte pro quadam mutationis specie. Dividitur ergo pars ista in partes duas: quia primo dividit mutationem in suas species: quarum una est motus. In secunda subdividit motum in suas species, ibi, « Si igitur praedicamenta. » Circa primum duo facit. Primo ponit divisionem mutationis. Secundo manifestat partes divisionis, ibi, « Ex non subjecto quidem. Circa primum tria facit. Primo praemittit quaedam necessaria ad divisionem mutationis. Secundo concludit ex praemissis mutationis divisionem, ibi, « Quare necesse est. » Tertio excludit quamdam objectionem, ibi, « Quae enim est « ex non subjecto. » Dicit ergo primo, quod, cum omnis mutatio sit a quodam in quiddam, ut manifestatur ex ipso mutationis nomine, quod denotat aliquid esse post aliud, et aliud esse prius, et aliud posterius, necesse est his suppositis, quod omne quod mutatur, quatuor modis mutetur. Aut enim uterque terminus est affirmatus, et sic dicitur aliquid mutari ex subjecto in subjectum. Aut terminus a quo, est affirmatus, et terminus ad quem est negatus, et sic dicitur aliquid moveri ex subjecto in non subjectum. Aut e contrario terminus a quo, est negatus; et terminus ad quem affirmatus, et sic dicitur aliquod moveri ex non subjecto in subjectum. Aut uterque terminus est negatus; et sic dicitur aliquid mutari ex non subjecto in non subjectum. Non enim accipitur hic subjectum eo modo quo sustinet formam; sed omne id, quod affirmative significatur, dicitur hic subjectum.

Secundo ibi « quare necesse »

Concludit ex praemissis divisionem mutationis: et dicit, quod necessario ex praemissis sequitur, quod tres sint mutationis species. Quarum una est ex subjecto in subjectum: sicut cum aliquid mutatur de albo in nigrum. Alia autem est ex subjecto in non subjectum; sicut cum aliquid mutatur de esse in non esse: tertia est e contra ex non subjecto in subjectum; sicut cum aliquid mutatur de non esse in esse.

Tertio ibi « quae enim »

Excludit quamdam objectionem. Posset enim aliquis objicere, quod cum praemiserit quatuor modis aliquid mutari, debuisset concludere, quatuor esse species mutationis, et non tres tantum. Sed hanc objectionem excludit, dicens, quod non potest esse aliqua mutationis species de non subjecto in non subjectum: quia omnis mutatio est inter opposita, duae autem negationes non sunt oppositae. Neque enim dici potest quod sint contraria, neque quod sint contradictoria. Et hujusmodi signum est: quia quascumque negationes contingit simul esse veras de aliquo uno et eodem; sicut lapis, nec est sanus nec aeger. Unde, cum mutatio per se sit solum in contrariis et contradictione (ut supra dictum est): sequitur quod ex negatione in negationem non sit mutatio per se, sed solum sic mutatur aliquid per accidens. Cum enim aliquid fit de albo nigrum, fit etiam per accidens de non nigro non album: et per hunc modum dixit, aliquid mutari ex non subjecto in non subjectum. Quod autem est per

accidens in aliquo genere, non potest esse species illius generis; et ideo ex non subjecto in non subjectum non potest esse aliqua mutationis species.

Deinde cum dicit « ex non subjecto »

Manifestat partes positae divisionis: et circa hoc tria facit. Primo manifestat duas partes divisionis; secundo ostendit quod neutra earum est motus, ibi, « Si igitur quod non est. » Tertio concludit quod residua pars divisionis est motus, ibi, « Quoniam « autem motus. » Circa primum duo facit. Primo manifestat unam partem divisionis; secundo secundam, ibi, « Quae vero ex subjecto in non. » Dicit ergo primo, quod illa mutatio quae est ex non subjecto in subjectum, est inter opposita secundum contradictionem; et vocatur generatio, quae est mutatio de non esse in esse. Sed haec est duplex: quaedam enim est simplex generatio, qua aliquid simpliciter generatur: alia vero est generatio quaedam, qua aliquid secundum quid generatur. Et ponit exemplum de utraque generatione: et primo de secunda, dicens, quod, cum aliquid mutatur de non albo in album, « est generatio hujusmodi albi, » et non simpliciter. Et secundo de prima: et dicit quod, « illa generatio quae est ex non esse sim- « pliciter in ens, quod est substantia, est ge- « neratio simpliciter, secundum quam simplici- « ter dicimus aliquid fieri et non fieri. » Cum enim generatio sit mutatio de non esse in esse; secundum illum modum dicitur aliquid generari, quo ex non esse in esse mutatur. Cum autem ex non albo fit album, non mutatur aliquid ex non esse simpliciter in esse simpliciter. Quod enim mutatur proprie, subjectum est: subjectum autem albi est aliquod ens actu. Unde, cum subjectum maneat in tota mutatione: etiam in principio mutationis erat ens actu simpliciter loquendo; non tamen erat ens actu hoc, scilicet album; et ideo non dicitur fieri simpliciter, sed fieri hoc, scilicet album. Subjectum **vero formae** substantialis non est aliquid ens actu, sed ens in potentia tantum; scilicet materia prima, quae in principio generationis est sub privatione, in fine vero sub forma; et ideo secundum generationem substantiae fit aliquid simpliciter. Et ex hoc haberi potest, quod secundum nullam formam quae praesupponit aliam formam in materia, attenditur generatio simpliciter: sed solum secundum quid, quia quaelibet forma facit ens actu.

Secundo ibi « quae vero »

Manifestat aliam partem divisionis: et dicit quod illa mutatio, quae est ex subjecto in non subjectum, vocatur corruptio. Sed quaedam est corruptio simpliciter, quae scilicet est ex esse substantiali in non esse: quaedam vero est in oppositam negationem cujuscumque affirmationis, sicut de albo in non album, quae est corruptio hujusmodi, sicut et de generatione dictum est.

Deinde cum dicit « si igitur »

Ostendit quod neutra praedictarum partium est motus. Et primo quod generatio non sit motus. Secundo quod neque corruptio, ibi, « neque jam « corruptio. » Primum probat duabus rationibus. Quarum prima talis est. Quod simpliciter non est hoc aliquid, non potest moveri: quia quod non est non movetur. Sed quod generatur simpliciter non est hoc aliquid, est enim non ens simpliciter: ergo quod generatur simpliciter non movetur: ergo generatio simplex non est motus. Ad manifestationem autem primae propositionis, dicit, quod non ens dicitur tripliciter. Et duobus modis dictum non ens non movetur, tertio modo dictum movetur per accidens. Uno modo dicitur ens et non ens secundum divisionem et compositionem propositionis, prout sunt idem cum vero et falso; et sic ens et non ens sunt in mente tantum, sive in ratione tantum, ut dicitur in sexto Metaphysicae: unde non competit eis motus. Alio modo dicitur non ens, quod est in potentia, secundum quod esse in potentia opponitur ei quod est esse in actu simpliciter; et hoc etiam non movetur. Tertio modo dicitur non ens, quod est in potentia, quae non excludit esse in actu simpliciter, sed esse actu hoc; sicut non album dicitur non ens, et non bonum: et hujusmodi non ens contingit moveri, sed per accidens, secundum quod hujusmodi non ens accidit alicui existenti in actu, cui competit moveri: sicut cum non est albus homo. Quod autem id quod simpliciter non est hoc aliquid, nullo modo moveatur, nec per se neque per accidens, patet ex hoc, quod impossibile est quod non est moveri: unde impossibile est generationem esse motum. Illud enim quod non est fit sive generatur. Et quamvis, ut in primo hujus dictum est, ex non ente fiat aliquid per accidens, ex ente autem in potentia, per se: nihilominus tamen verum est dicere de eo quod fit simpliciter, quod simpliciter non est: unde moveri non potest, et eadem ratione nec quiescere; unde generatio nec motus est, nec quies. Haec igitur inconvenientia sequuntur, si quis ponat generationem esse motum, scilicet quod non ens moveatur et quiescat.

Secundam rationem ponit ibi « et si omne »

Quae talis est. Omne quod movetur, est in loco: sed quod non est, non est in loco, quia posset de eo dici quod alicubi esset: ergo quod non est, non movetur: et sic idem quod supra. Veritas autem primae propositionis apparet ex hoc, quod, cum motus localis sit primus motuum, oportet quod omne quod movetur moveatur secundum locum, et ita sit in loco. Remoto enim priori, removentur quae consequenter sunt.

Deinde cum dicit « neque jam »

Probat quod corruptio non sit motus: quia motui nihil contrariatur nisi motus vel quies: sed corruptioni contrariatur generatio, quae neque est motus neque quies, ut ostensum est: ergo corruptio non est motus.

Deinde cum dicit « quoniam autem »

Concludit ex praemissis, quod residua pars supra positae divisionis sit motus. Cum enim motus sit quaedam mutationis species: quia in eo est aliquid post aliud, quod supra dixit ad rationem mutationis pertinere: motus autem neque est generatio neque corruptio, quae sunt mutationes secundum contradictionem, relinquitur ex necessitate, cum non sint nisi tres species mutationis, quod motus sit mutatio de subjecto in subjectum. Ita tamen, quod per « duo subjecta, » idest per duo affirmata, intelligamus contraria, aut media: quia etiam privatio quodammodo est contrarium; et quandoque significatur affirmative, ut nudum, quod est privatio, et album et nigrum, quae suae sunt contraria.

LECTIO III.

Nullam motus seu mutationis speciem in substantia, nec in Ad aliquid, nec in actione
et passione per se esse, multiplicius rationibus ostenditur.

Si igitur praedicamenta divisa sunt, substantia, et qualitate, et ubi, et quando, et ad aliquid, et quantitate, et facere, et pati, necesse est tres esse motus; et eum qui quantitatis, et eum qui qualitatis, et eum qui secundum locum.

Secundum substantiam autem non est motus: eo quod nullum entium est substantiae contrarium.

Neque etiam in ad aliquid: contingit enim altero mutato, verum esse alterum non mutari: quare secundum accidens motus horum est.

Neque agentis neque patientis: neque omnis quod movetur aut moventis: quia non est motus motus, neque generationis generatio, neque omnino mutationis mutatio.

Primum enim contingit dupliciter motus esse motum. Aut sicut subjecti, ut homo movetur, quia ex albo in nigrum mutatur: an sic et motus, aut calescit aut frigescit, aut locum mutat, aut augmentatur, aut diminuitur? Hoc autem impossibile est: non enim subjectorum aliquid est mutatio. Aut ex eo, quia aliquid aliud subjectum ex mutatione mutatur in alteram speciem, ut homo ex aegritudine in sanitatem. Sed neque hoc possibile est nisi secundum accidens. Hic enim motus ex alia specie in aliam mutatio est: et generatio et corruptio similiter, praeter quod hae sunt in opposita sic, motus autem non similiter. Similiter igitur mutabitur ex sanitate in aegritudinem, et ex ipsa hac mutatione in aliam. Manifestum autem quod cum infirmitas, mutatus erit in quamlibet: contingit enim quiescere. Et amplius, non in contingentem semper; et illa ex quodam in quoddam alterum est. Quare et op-

Si igitur categoriae dividuntur substantia, et qualitate, et ipso ubi, et quando, et eo quod est ad aliquid, et quantitate, et actione, vel passione: necesse est tres esse motus: nempe eum qui est qualis, et eum qui est quanti, et eum qui est secundum locum.

In substantia vero non est motus: quia nulla res substantiae est contraria. Sed neque in eo quod est ad aliquid: quia fieri potest ut altero mutato alterum vere dicatur quamquam nihil mutatum: quapropter ex accidenti est horum motus. Neque igitur motus est efficientis et patientis, neque ullius moti et moventis: quia non est motionis motio, nec generationis generatio, nec omnino mutatio mutationis.

Primum enim duobus modis potest esse motionis motio: vel ut subjecti; ut homo movetur, quia ex albo in nigrum mutatur. An igitur ita etiam motus aut calefit aut refrigeratur, aut locum mutat, aut augetur, aut deminuitur? sed hoc est impossibile: quoniam mutatio non est subjectum aliquod. Vel quia aliud quoddam subjectum ex mutatione mutatur in alteram speciem: ut homo ex morbo in sanitatem. Sed neque hoc est possibile, nisi ex accidenti; hic enim motus est mutatio ex uno in aliud. Et generatio atque interitus eodem modo: praeterquam quod hae mutationes sunt in opposito, hoc modo: motus autem alio modo. Simul igitur mutatur ex sanitate in morbum, et ex hac mutatione in aliam. Sed manifestum est, quum aegrotaverit, mutatum fore in quemvis morbum: potest enim quiescere. Ac praeterea non in quamlibet semper, et illa ex aliquo in aliud

posita erit sanatio, sed secundum quod accidit, ut si ex recordatione in oblivionem mutatur: quoniam cui inest, illud mutatur aliquando in scientiam, aliquando vero in sanitatem.

Amplius autem in infinitum vadit, si erit mutationis mutatio, et generationis generatio. Necesse est igitur esse primam, si ultima erit; ut si simpliciter generatio fiebat aliquando, et quod fit, fiebat. Quare nondum erat quod fit simpliciter, sed aliquid cum fit factum est jam et iterum fiebat hoc aliquando: quare nondum erat tunc, quod fit. Quoniam autem infinitorum non est primum, non erit quid ultimum: quare neque habitum: neque fieri igitur, neque moveri possibile est, neque mutari nihil.

Amplius ejusdem motus contrarius est, et adhuc quies: et generatio, et corruptio. Quare et quod fit (cum fiat quod fit,) tunc corrumpitur: neque enim cum mox fit neque posterius: esse enim oportet quod corrumptur.

Amplius oportet materiam subesse et ei quod fit, et ei quod mutatur. Quae igitur erit materia? sicut alterabile, ut corpus aut anima: sic aliquid quod sit motus aut generatio. Et iterum aliquid in quod movetur. Oportet enim aliquid esse hujusmodi ex hoc in hoc motum: non motum aut generationem.

Similiter autem, et quomodo erit? non enim erit doctrina, doctrinae generatio. Quare neque generationis generatio: neque quaedam, cujusdam.

Amplius, si tres species sunt motus, harum aliquam necesse est esse subjectam naturam, et in quam movetur. Loci ergo mutationem alterari aut ferri contingetur.

Omnino autem, quoniam movetur omne quod movetur, tripliciter: aut in eo quod est secundum accidens, aut quia pars aliqua, aut quia per se: secundum accidens solum contingit mutari mutationem, ut si qui sanus fit, currat, aut discat. Hanc autem secundum accidens dimisimus olim.

quidpiam: quocirca erit motio opposita, nempe sanatio. Sed quia sic accidit: veluti, si ex recordatione in oblivionem mutetur: quoniam cui inest, illud mutatur quandoque in scientiam, quandoque in sanitatem.

Praeterea in infinitum res abibit, si erit mutationis mutatio, et generationis generatio. Necesse igitur est etiam priorem esse, si posterior erit: ut puta si generatio simplex aliquando fiebat; etiam quod fit, fiebat. Quare nondum erat, quod fit simpliciter, sed erat aliquid quod fiebat, idque olim fiebat, et rursus hoc aliquando fiebat. Quocirca nondum erat tunc id quod fit. Quoniam autem in infinitis non est aliquid primum; non erit primum quod fit. Quare neque consequens erit. Neque igitur fieri, neque moveri, neque mutari quidpiam possibile est.

Praeterea ejusdem est motus contrarius, et praeterea quies: item generatio, et corruptio. Quare quod fit, tunc corrumpitur, quum fit. Non enim statim ac fit, tunc corrumpitur, nec postea: quoniam oportet esse, quod interit.

Praeterea oportet materiam subesse et ei quod fit, et ei quod mutatur. Quaenam igitur erit ? sicut variabile est aut corpus, aut anima: ita quod fit, est motus vel generatio.

Rursus est aliquid in quod movetur: oportet enim esse aliquid motum et generationem hujus ex hoc in hoc. Simul autem quomodo erit? non enim disciplinae generatio est disciplina. Quare nec generationis generatio, nec alicujus aliqua.

Praeterea, si tres sunt species motus; necesse est ut harum aliqua sit natura subjecta, et ad quas moventur: ut puta necesse est lationem variari vel ferri.

Omnino autem quum moveatur, quicquid movetur, tribus modis, id est, vel quia ex accidenti, vel quia pars aliqua, vel quia per se movetur: solum ex accidenti potest mutari mutatio: veluti, si is qui sanatur, currat aut discat. Sed mutationem ex accidenti, dudum missam fecimus.

Postquam Philosophus divisit mutationem in generationem et corruptionem et motum, hic subdividit motum in suas partes. Et quia oppositorum est eadem scientia, primo assignat species motus; secundo ostendit quot modis immobile dicatur, ibi, « Immobile autem. » Circa primum duo facit. Primo ponit quamdam conditionalem, per quam accipitur divisio motus in suas partes; secundo manifestat conditionalem praemissam, ibi, « Secundum sub-« stantiam autem. » Concludit ergo ex praemissis, quod, cum motus sit de subjecto in subjectum, subjecta autem sint in aliquo genere praedicamentorum: necesse est quod species motus distinguantur secundum genera praedicamentorum: cum motus denominationem et speciem a termino trahat, ut supra dictum est. Si ergo praedicamenta sunt divisa in decem rerum genera, scilicet substantiam, et qualitatem etc., ut dictum est in libro Praedicamentorum, et in quinto Metaphysicae; et in tribus illorum inveniatur motus: necesse est esse tres species motus: scilicet motus qui est in genere quantitatis, et motus qui est in genere qualitatis, et motus qui est in genere ubi, qui dicitur secundum locum. Qualiter autem motus sit in istis generibus: et qualiter pertineat motus ad praedicamentum actionis et passionis, in tertio dictum est. Unde nunc breviter dicere sufficiat, quod quilibet motus est in eodem genere cum suo termino: non quidem ita quod motus qui est ad qualitatem, sit species qualitatis: sed per reductionem. Sicut enim potentia reducitur ad genus actus, propter hoc quod omne genus dividitur per potentiam et actum: ita oportet quod motus, qui est actus imperfectus, reducatur ad genus actus perfecti. Secundum autem quod motus consideratur ut est in hoc ab alio, vel ab hoc in aliud: sic pertinet ad praedicamentum actionis et passionis.

Secundo ibi « secundum substantiam »

Manifestat conditionalem praemissam. Et primo ostendit quod in aliis generibus a tribus praedictis, non potest esse motus: secundo ostendit quomodo in istis tribus generibus motus sit, ibi, « Quoniam « autem neque substantiae. » Circa primum tria facit. Quia primo ostendit quod in genere substantiae non est motus; secundo quod nec in genere ad aliquid, ibi, « Neque etiam in ad aliquid; » tertio quod nec in genere actionis et passionis, ibi, « ne-« que agentis neque patientis. » Praetermittit autem tria praedicamenta, scilicet quando, et situm, et habere. Quando enim significat in tempore esse, tempus autem mensura motus est: unde per quam rationem non est motus in actione et passione, quae pertinent ad motum, eadem ratione nec in quando. Situs autem ordinem quemdam partium demonstrat; ordo vero relatio est; unde sicut in ad aliquid non est motus, ita nec in situ. Et similiter habere dicitur secundum quamdam habitudinem corporis ad id quod ei adjacet: unde in his non potest esse motus, sicut nec in relatione. Quod ergo motus non sit in genere substantiae, sic probat. Omnis motus est inter contraria, sicut supra dictum est: sed substantiae nihil est contrarium: ergo secundum substantiam non est motus. Habet autem dubitationem quod hic dicitur, propter hoc quod idem Philosophus dicit in libro secundo de Generatione, quod ignis est contrarius aquae: et in primo libro de Caelo dicitur, quod caelum non est generabile nec corruptibile, quia non habet contrarium. Unde videtur relinquere, quod ea quae corrumpuntur, vel sunt contraria, vel ex contrariis composita. Dicunt autem quidam ad hoc, quod una substantia potest esse alteri contraria, ut ignis aquae, secundum suam formam, non secundum suum subjectum. Sed secundum hoc probatio Aristotelis non valeret. Sufficeret enim ad hoc quod motus sit in substantia, quod formae substantiales sint contrariae. Est enim motus de forma in formam, quia et in alteratione subjectum non est contrarium subjecto, sed forma formae. Et ideo aliter dicendum, quod ignis est contrarius aquae secundum qualitates activas et passivas: quae sunt calidum, frigidum, humidum et siccum; non autem secundum formas substantiales. Non enim potest dici quod calor sit forma substantialis ignis, cum in aliis corporibus sit accidens de genere qualitatis. Quod enim est de genere substantiae, non potest esse alicui accidens. Sed haec etiam responsio difficultatem patitur. Manifestum est enim quod propriae passiones causantur ex principiis subjecti, quae sunt materia et forma. Si igitur propriae passiones ignis et aquae sunt contrariae; cum contrariorum sint contrariae causae, videtur quod formae substantiales sint contrariae. Item in decimo Metaphysicae probatur, quod omne genus dividitur per contrarias differentias: differentiae autem sumuntur a formis, ut in octavo ejusdem libri habetur: videtur ergo quod sit contrarietas in formis substantialibus. Dicendum est igitur, quod contrarietas differentiarum, quae est in omnibus generibus, attenditur secundum communem radicem contrarietatis, quae quidem est excellentia et defectus: ad quam oppositionem omnia contraria reducuntur, ut in primo hujus habitum est. Omnes enim differentiae dividentes aliquod genus, hoc modo se habent, quod una earum est ut abundans, et alia ut deficiens respectu alterius. Propter quod Aristoteles dicit in octavo Metaphysicae, quod definitiones rerum sunt sicut numeri: quorum species variantur per additionem et subtractionem unitatis. Non autem oportet quod in quolibet genere sit contrarietas secundum propriam rationem hujus et illius speciei; sed solum secundum communem rationem excellentiae et defectus. Quia enim contraria sunt quae maxime distant: oportet quod in quocumque genere invenitur contrarietas, quod inveniantur duo termini maxime distantes, inter quos cadunt omnia quae sunt illius generis. Nec hoc sufficeret ad hoc quod in illo genere esset motus, nisi de uno extremo in aliud contingeret continue pervenire. In quibusdam ergo generibus hae duae conditiones desunt, ut patet in numeris. Quamvis enim omnes species numerorum differant secundum excellentiam et defectum: tamen non est accipere duo extrema maxime distantia in illo genere: est enim accipere minimum numerum, scilicet dualitatem, non tamen maximum. Similiter inter species numerorum non est continuitas, quia quaelibet species numerorum formaliter perficitur per unitatem, quae indivisibilis est, et alteri unitati non continua. Et similiter etiam est in genere substantiae. Sunt enim formae diversarum specierum abinvicem differentes secundum excellentiam et defectum, inquantum una forma est nobilior alia: et propter hoc ex diversis formis possunt causari diversae passiones, ut objectum est: tamen una forma speciei secundum propriam suam rationem non habet contrarietatem ad aliam. Primo, quia in formis substantialibus non attenditur maxima distantia inter aliquas duas formas, ita quod ab una earum non veniatur ordinatim nisi per media; sed materia, dum exuitur una forma, potest indifferenter recipere diversas formas absque ordine. Unde Aristoteles dicit in secundo de Generatione, quod, cum ex terra fit ignis, non oportet quod sit transitus per media elementa. Secundo,

quia cum esse substantiale cujuslibet rei sit in aliquo indivisibili, non potest aliqua continuitas attendi in formis substantialibus, ut motus continuus possit esse de una forma in aliam secundum remissionem unius formae et intensionem alterius; unde probatio Aristotelis, qua probat in substantia non esse motum, quia non est ibi contrarietas, est demonstrativa, et non probabilis tantum, ut Commentator innuere videtur. Licet possit et alia ratione probari quod motus non est in substantia, quam supra posuit: quia scilicet subjectum formae substantialis est ens in potentia tantum. In qualitatibus autem tertiae speciei, manifeste apparet contrarietas secundum utramque rationem; et quia qualitates possunt intendi et remitti, ut sic possit esse continuus motus de qualitate in qualitatem: et quia invenitur maxima distantia in eo genere inter duo determinata extrema, sicut in coloribus, inter album et nigrum; in saporibus, inter dulce et amarum. In quantitate autem et loco, alterum istorum manifeste invenitur, scilicet continuitas; sed aliud, scilicet maxima distantia determinatorum extremorum, non invenitur in eis, si secundum communem rationem quantitatis et loci accipiantur, sed solum secundum quod accipiuntur in aliqua re determinata: sicut in aliqua specie animalis vel plantae est aliqua minima quantitas, a qua incipit motus augmenti; et aliqua maxima, ad quam terminatur. Similiter etiam in loco inveniuntur duo termini maxime distantes, per comparationem ad motum aliquem, in quorum uno incipit motus, et in aliud terminatur; sive sit motus voluntarius naturalis, sive violentus.

Secundo ibi « neque est »

Ostendit quod non est motus in genere ad aliquid. In quocumque enim genere est per se motus, nihil illius generis de novo invenitur in aliquo absque ejus mutatione; sicut novus color non invenitur in aliquo colorato, absque ejus alteratione. Sed contingit de novo verum esse aliquid relative dici ad alterum altero mutato, ipso tamen non mutato: ergo motus non est per se in ad aliquid, sed solum per accidens; inquantum scilicet ad aliquam mutationem consequitur nova relatio; sicut ad mutationem secundum quantitatem sequitur aequalitas vel inaequalitas, et ex mutatione secundum qualitatem, similitudo et dissimilitudo. Hoc autem quod hic dicitur, in quibusdam non videtur habere difficultatem, in quibusdam autem sic. Sunt enim quaedam relationes, quae non sunt aliquid realiter in eo de quo praedicantur: quod quidem quandoque contingit ex parte utriusque extremi, sicut cum dicitur idem eidem idem: haec enim identitatis relatio in infinitum multiplicaretur, si quaelibet res esset sibi eadem per relationem additam: manifestum est enim quod quodlibet sibiipsi est idem. Est ergo haec relatio secundum rationem tantum, inquantum scilicet unam et eamdem rem ratio accipit, ut duo extrema relationis. Et similiter est in multis aliis. Quaedam vero relationes sunt, quarum una realiter est in uno extremo, et alia secundum rationem tantum in altero, sicut scientia et scibile. Scibile enim relative dicitur, non quia ipsum refertur per aliquam relationem in ipso existentem, sed quia aliud refertur ad ipsum, ut patet per Philosophum in quinto Metaphysicae. Et similiter est cum columna dicitur dextra animali. Dextrum enim et sinistrum sunt relationes reales in animali, quia in eis inveniuntur determinatae virtutes, in quibus hujusmodi relationes fundantur: in columna autem non sunt secundum rem, sed secundum rationem tantum: quia non habet praedictas virtutes, quae sunt fundamenta harum relationum. Quaedam vero relativa sunt, in quibus ex parte utriusque extremi invenitur relatio realiter existens, sicut in aequalitate et similitudine: in utraque enim invenitur quantitas vel qualitas, quae est hujus relationis radix: et simile etiam apparet in multis aliis relationibus. In illis igitur relationibus quae non ponunt rem aliquam nisi in uno extremorum, non videtur difficile quod mutato illo extremo in quo relatio realiter existit, de novo dicatur aliquid relative de altero absque sui mutatione, cum nihil ei realiter adveniat. Sed in illis in quibus relatio invenitur realiter in utroque extremorum, videtur difficile quod aliquid relative dicatur de uno per mutationem alterius absque mutatione sui: cum nihil de novo adveniat alicui absque mutatione ejus cui advenit. Unde dicendum est, quod si aliquis per suam mutationem efficiatur mihi aequalis me non mutato, ista aequalitas primo erat in me quodammodo, sicut in sua radice, ex qua habet esse reale: ex hoc enim quod habeo talem quantitatem, competit mihi quod sim aequalis omnibus illis qui eamdem quantitatem habent. Cum ergo aliquis de novo accipit illam quantitatem, ista communis radix aequalitatis determinatur ad istum; et ideo nihil advenit mihi de novo per hoc quod incipio esse alteri aequalis per ejus mutationem.

Tertio ibi « neque agentis »

Probat quod non sit motus in genere actionis et passionis. Actio enim et passio non differunt subjecto a motu: sed addunt aliquam rationem, ut in tertio dictum est. Unde idem est dicere quod motus sit in agere et pati et quod motus sit in motu. Circa hoc ergo tria facit. Primo proponit quod intendit. Secundo probat propositum, ibi, « Primum « quidem cum contingit. » Tertio ponit quamdam distinctionem ad propositi manifestationem, ibi, « Omnino autem quoniam movetur. » Dicit ergo primo, quod sicut motus non est ejus quod est ad aliquid, ita etiam non est agentis et patientis, neque etiam, ut absolute loquamur, est moventis aut moti: quia non potest esse quod aliquis motus sit alicujus motus, neque quod generatio sit generationis, quae sunt species mutationis: neque etiam quod mutationis sit mutatio, quae est genus eorum, et etiam corruptionis.

Secundo ibi « primum enim »

Probat quod mutationis non possit esse mutatio: et hoc per sex rationes. Quarum prima est, quia, si mutationis sit mutatio, hoc potest intelligi dupliciter. Uno modo ut mutatio sit mutationis sicut subjecti quod movetur: sicut aliqua mutatio est hominis, quia homo movetur, puta de albedine in nigredinem. Sic ergo potest intelligi quod motus aut mutatio sit mutationis, aut motus ut subjecti: ita scilicet quod motus aut mutatio moveatur, puta quod calescat aut infrigidetur vel moveatur secundum locum, aut secundum augmentum et diminutionem. Sed hoc est impossibile, quia mutatio non est de numero subjectorum, cum non sit substantia per se subsistens: non ergo potest esse mutatio mutationis ut subjecti. Alio modo potest intelligi, ut sit motus mutationis ut termini, ita scilicet quod aliquod subjectum moveatur ex una specie mutationis in alteram, sicut ex calefactionem in infrigidationem, aut sanationem, ut duae mutationes intelligantur duo termini unius mutationis, sicut aegritudo et sanitas intelliguntur duo termini mutationis, cum homo mutatur a sanitate in aegritudinem. Sed non est possibile quod aliquod subjectum moveatur per se de mutatione in mutationem, sed solum per accidens. Et quod hoc non sit possibile per se, probat dupliciter. Primo quidem sic. Omnis enim motus est mutatio ab una specie determinata in aliam speciem determinatam; et similiter generatio et corruptio, quae condividuntur motui, habent determinatos terminos: sed est differentia intantum quod generatio et corruptio sunt in terminum oppositum, « sic, » idest secundum contradictionem: sed motus est in terminum oppositum, « non similiter » sed secundum contrarietatem. Si igitur aliquod subjectum movetur de mutatione in mutationem, puta de aegrotatione in dealbationem, simul dum mutatur subjectum de sanitate in aegritudinem, mutabitur etiam ex hac mutatione in aliam. Dum enim subjectum adhuc est partim in termino a quo, movetur in terminum ad quem: sicut dum aliquis habet aliquid de sanitate, movetur ad aegritudinem. Si ergo motus de sanitate in aegritudinem sit terminus a quo alicujus motus; dum adhuc durat ista mutatio, qua scilicet aliquis mutatur de sanitate in aegritudinem, simul mutabitur subjectum de hac mutatione in aliam, quae succedit in subjecto huic mutationi. Manifestum est autem, quod quando prima mutatio fuerit terminata, scilicet cum jam quis ex sanitate mutatus est in aegritudinem, poterit deinceps succedere sibi quaecumque alia mutatio. Nec hoc est mirum; quia contingit terminata prima mutatione, subjectum quiescere, et nulla mutatione mutari: et eadem ratione contingit quod moveiur alia quacumque mutatione. Si igitur est aliquis motus de prima mutatione in secundam mutationem, quae succedit in subjecto, sequetur quod motus sit de prima mutatione in quamcumque aliam indeterminate. Et hoc est contra rationem motus per se; quia omnis motus est de determinato ad determinatum terminum: non enim corpus movetur per se de albo in quodcumque, sed in nigrum aut medium. Patet ergo quod duae mutationes non sunt per se termini mutationis alicujus. Secundo autem probat idem per aliam rationem. Quia si mutatio quaedam per se est de mutatione praecedente in mutationem subsequentem, non oportet quod semper sit mutatio in mutationem, « contingentem, » scilicet quam contingat simul esse cum mutatione praecedente; sicut dealbatio simul potest esse cum aegrotatione; sed sanatio non potest simul esse cum aegrotatione, quia sunt contrariae mutationes. Contingit tamen quod aegrotationi succedat in eodem subjecto sicut dealbatio, ita et sanatio. Et hoc est quod dicit quod mutatio, quae ponitur esse de una mutatione in aliam, non semper est in mutationem contingentem, cum quandoque succedat non contingens. Et illa etiam mutatio non contingens est, « ex quodam in « quoddam alterum, » id est inter duos alios terminos: quare ista mutatio non contingens, in quam aliquis mutatur de aegrotatione, erit sanatio opposita aegrotationi. Quod autem hoc sequatur inconveniens, patet ex propositione supra inducta, scilicet quod simul dum est prima mutatio, mutabitur in secundam. Simul ergo dum aliquis movetur ad aegritudinem, mutabitur ad sanationem. Sanationis autem terminus est sanitas: est enim de quodam in quoddam aliud, ut dicit. Unde relinquitur, quod simul dum aliquid movetur ad aegritudinem, moveatur etiam ad sanitatem: quod est moveri ad duo contraria simul et intendere ea simul: quod est impossibile. Sic igitur manifestum est, quod nulla mutatio est per se de una mutatione in aliam. Sed quod hoc contingat esse per accidens, ut praemisit, manifestat subdens: quod per accidens hoc contingit, sicut quando subjectum nunc mutatur una mutatione, et postmodum alia: puta si aliquid dicitur mutari per accidens de recordatione in oblivionem, vel in quamcumque aliam mutationem: quia subjectum mutationis quandoque mutatur in scientiam, quandoque in aliquid aliud, puta in sanitatem.

Secundam rationem ponit ibi « amplius autem »
Praemittit duas conditionales. Quarum prima est quod si mutatio est mutationis vel generationis generatio, quocumque modo necesse est procedere in infinitum: quia eadem ratione generatio secunda habebit aliam generationem, et sic in infinitum. Secunda conditionalis est, quod si ordinentur hoc modo generationes et mutationes, quod mutatio sit mutationis, et generatio generationis; si ultima mutatio vel generatio erit, necesse est quod prima sit. Hanc autem secundam conditionalem sic probat. Sit enim aliquid quod generetur simpliciter, puta ignis. Si generationis est generatio, oportet dicere, quod etiam ista simpliciter generatio aliquando generabatur et hoc ipsum fieri fiebat: cum autem fiebat ipsa generatio, nondum erat illud quod generatur simpliciter, scilicet ignis, quia aliquid non est dum fit, sed quando jam factum est, tunc primo est. Quamdiu ergo fiebat generatio ignis, ignis nondum erat factus: nondum ergo erat. Et iterum ipsa generatio suae generationis eadem ratione aliquando fiebat: et sicut quando fiebat generatio ignis, nondum erat ignis, ita sequitur quod quamdiu fiebat generatio generationis ignis, nondum esset generatio ignis: ex quo manifestum est quod generatio ignis esse non potest nisi completa sua generatione: et eadem ratione nec illa, nisi fuerit praecedens: et sic usque ad primam. Si ergo non fuerit prima generatio, non erit ultima, quae est generatio ignis. Sed si procedatur in generationibus in infinitum, non est accipere primam mutationem vel generationem, quia in infinitis non est primum: unde sequitur quod neque sit, « habitum, » idest consequenter se habens in generationibus et mutationibus. Si autem non sit aliqua generatio nec mutatio, nihil fit, neque movetur. Si ergo generationis sit generatio et mutationis sit mutatio, nihil fit neque movetur. Est autem attendendum, quod haec ratio non excludit quin mutatio possit sequi mutationem per accidens in infinitum: quod oportet dicere secundum opinionem Aristotelis, qui posuit motum aeternum. Sed intendit ostendere, sicut prius dictum est, quod mutatio non sit mutationis per se in infinitum. Sic enim postrema dependerent ex infinitis praecedentibus, et nunquam finirentur.

Tertiam rationem ponit ibi « amplius ejusdem »
Quae talis est. Eidem motui contrariatur et motus et quies, sicut ascensioni contrariatur descensus et quies in loco inferiori: et similiter generatio et corruptio contrariantur. Contraria autem nata sunt fieri circa idem: ergo quicquid generatur potest corrumpi. Sed, si generationis est generatio, opor-

tet quod generatio generetur: ergo generatio corrumpitur. Sed quod corrumpitur oportet esse: sicut enim generatur quod non est, ita corrumpitur quod est: ergo oportet quod, « cum fiat quod fit, » idest cum generatur aliquid generatione existente, tunc ipsa generatio corrumpatur: non quidem statim cum generatio desierit, neque iterum in posteriori tempore, sed simul: quod videtur inconveniens. Est autem considerandum, quod generatio est ut terminus ejus quod generatur sicut substantia: quia generatio est transmutatio ad substantiam: quod autem est generationis subjectum, non est id quod generatur, sed materia ejus. Unde Aristoteles non recedit a suo proposito: quo intendebat ostendere, quod mutatio non est mutationis, ut termini.

Quartam rationem ponit ibi « amplius oportet »
Quae talis est. In omni generatione oportet esse aliquam materiam, ex qua fiat illud quod generatur: sicut in omni mutatione oportet esse aliquam materiam vel subjectum; ut in alteratione subjectum est corpus quantum ad corporales alterationes, et anima quantum ad animales. Si ergo generatio generetur, oportet quod sit aliqua materia ipsius generationis, quae scilicet in speciem generationis transeat: sicut materia ignis generati, transit in speciem ignis: et talem materiam non est assignare. Ponit etiam sub eadem ratione aliud medium: quia scilicet in qualibet generatione vel mutatione oportet esse aliquem terminum, in quem aliquid movetur: et hujusmodi terminum oportet esse hoc aliquid demonstratum vel determinatum: hujusmodi autem non est nec motus, neque generatio. Non est ergo possibile, quod generationis aut motus sit aliqua generatio.

Quintam rationem ponit ibi « similiter autem »
Quae talis est. Sicut se habet genus ad genus, sic et species ad speciem: si igitur generationis sit generatio, oportebit quod etiam doctrinae generatio sit doctrina. Sed hoc apparet manifeste falsum. Doctrina enim est generatio scientiae, et non generatio doctrinae: ergo nec generationis potest esse generatio.

Sextam rationem ponit ibi « amplius si »
Quae talis est. Si mutationis sit mutatio, vel sicut subjecti (1) vel sicut termini; cum tres sint species motus, scilicet motus in ubi, et motus in quantitate et qualitate, sequetur quod una harum specierum possit esse subjectum alterius, et terminus etiam sui ipsius. Sequeretur ergo quod loci mutatio alteretur, vel etiam feratur secundum locum: quae quidem evidentius apparent inconvenientia in speciali quam in communi. Non ergo dicendum est quod mutationis sit mutatio, aut generationis generatio.

Tertio ibi « omnino autem »
Ostendit quomodo possit esse mutationis mutatio: et dicit quod cum tripliciter aliquid moveatur (ut supra est dictum); vel secundum accidens, vel secundum partem, vel per se; solummodo per accidens contingit mutari mutationem: inquantum scilicet subjectum mutationis mutatur; puta si aliquis dum fit sanus currat aut discat: tunc enim sanatio curret aut discet per accidens, sicut musicus aedificat. Sed de eo quod movetur per accidens, non intendimus nunc tractare, hoc enim supra jam praetermisimus.

(1) *Al.* subjectum.

LECTIO IV.

Motus proprie tribus tantum in generibus esse dicitur. Quot item modis sumatur immobile ostenditur.

ANTIQUA.

Quoniam autem neque substantiae, neque ipsius ad aliquid, neque ipsius facere aut pati; relinquitur secundum quale, aut quantum, et ubi, motum esse solum: in unoquoque enim horum est contrarietas.

Motus igitur secundum quale, alteratio sit, huic enim alludit commune nomen. Dico autem quale non in substantia: (et namque differentia quale est) sed quod passivum, secundum quod dicitur pati, aut impassibile esse.

Qui vero secundum quantum, secundum commune quidem innominatus est, sed secundum utrumque, augmentum et decrementum: qui enim est in perfectam magnitudinem, augmentum est; qui vero ex hac, Decrementum.

Qui autem est secundum locum: et secundum proprium et commune innominatus est: sit autem latio vocata, quod commune est: quamvis dicantur ferri haec sola proprie, cum non in seipsis sit stare mutantibus locum: et quaecumque non ipsa seipsa movent secundum locum.

Quae autem est in eadem specie mutatio in magis et minus, alteratio est. Quae enim ex contrario et aut in contrarium, motus est, aut simpliciter, aut sic. In minus quidem enim vadens, in contrarium dicetur mutari; in magis autem, tamquam ex contrario in seipsum. Differt enim nihil sic mutari, aut simpliciter, nisi quod sic oportebit contraria esse. Magis autem et minus est quo plus aut minus contrarii inest, aut non.

Quod quidem igitur hi tres soli motus sunt, ex his manifestum est.

Immobile autem est, et quod omnino impossibile est moveri, sicut sonus invisibilis. Et quod in multo tempore vix movetur. Aut quod tarde incipit, quod dicitur graviter mobile. Et quod aptum natum est moveri, potestque moveri, non movetur autem tunc cum aptum natum est, et ubi, et sic: quod quidem quiescere voco, immobilium solum. Contrarium enim quies motui est: quare privatio erit susceptivi.

Quid quidem igitur est motus, et quid quies; et quot mutationes, et quales motus; manifestum ex dictis.

RECENS.

Quoniam autem motus nec est substantiae, nec ejus quod ad aliquid refertur, nec ipsius facere vel pati: relinquitur ut in qualitate et quantitate et ubi dumtaxat sit. Nam in his singulis est contrarietas. Motus igitur qui est in qualitate, esto variatio. Hoc enim commune nomen et aptum est. Dico autem qualitatem, non quae est in substantia (quandoquidem etiam differentia est qualitas); sed patibilem, ex qua dicitur pati aut impatibile esse. Qui vero est in quantitate, communiter quidem vacat nomine; utriusque autem ratione vocatur accretio et deminutio: is quidem qui tendit ad perfectam magnitudinem, accretio: qui vero ab hac, deminutio. Qui autem est secundum locum, et communiter et proprie nomine caret: vocetur autem, qui est communiter, latio. Quamquam ea sola proprie dicuntur ferri, quae quum locum mutent, non est in ipsis situm ut se sistant; et quae se ipsa non movent secundum locum.

Jam vero mutatio quae fit in eadem forma ad magis et minus, variatio est. Etenim motus est ex contrario in contrarium, vel simpliciter, vel quadamtenus. Nam qui ad minus progreditur, in contrarium dicetur mutari: qui vero ad magis, tamquam ex contrario ad ipsum. Nihil autem interest utrum quadamtenus mutetur, an simpliciter: praeterquam quod oportebit quadamtenus esse contraria: magis autem et minus est, quia plus vel minus contrarii inest, et non inest. Esse igitur hos tres solos motus, ex his manifestum est.

Immobile autem est et id quod omnino moveri nequit, ut sonus, inaspectabilis, et quod longo tempore vix movetur aut tarde moveri incipit, quod dicitur difficulter mobile: et quod natura quidem aptum est moveri et potest moveri, sed non movetur tunc quum natura aptum est, et ubi, et quomodo: quod quidem inter immobilia solum quiescere appello: contrarium enim est quies motui: proinde erit privatio ejus quod est motionis capax. Quid igitur sit motus, et quid quies et quot sint mutationes, et quales mutationes sint motus, perspicuum est ex his quae dicta sunt.

Ostenso quod non est motus in substantia neque in ad aliquid neque in actione et passione, concludit in quibus generibus sit motus. Et circa hoc tria facit. Primo inducit conclusionem intentam. Secundo ostendit qualiter sit motus in unoquoque trium generum, ibi, « Motus quidem igitur. » Tertio removet quamdam dubitationem, ibi, « Quae « autem est in eadem specie. » Dicit ergo primo, quod cum motus non sit nec in substantia, nec in ad aliquid, nec in facere et pati, ut ostensum est; relinquitur quod motus sit solum in istis tribus generibus, scilicet qualitate, et quantitate, et ubi: quia in unoquoque horum generum contingit esse contrarietatem, quam requirit motus. Quare autem praetermittat tria genera, scilicet quando, situm, et habere: et quomodo in istis tribus generibus, in quibus est motus, sit contrarietas, supra ostensum est.

Secundo ibi « motus igitur »

Ostendit qualiter sit motus in praedictis generibus. Et primo qualiter sit in qualitate. Secundo qualiter in quantitate, ibi. « Qui vero secundum. » Tertio qualiter in ubi, ibi, « Qui autem secundum « locum. » Dicit ergo primo, quod motus qui est in qualitate, vocatur alteratio. Huic enim generi alludit hoc commune nomen, quod est alteratio;

nam alterum solet dici quod differt secundum qualitatem. Loquimur autem nunc de qualitate non secundum quod quale invenitur in genere substantiae, secundum quod differentia substantialis dicitur praedicari in eo quod quale: sed de quali passivo, quod continetur in tertia specie qualitatis, secundum quod quale dicitur aliquid pati aut non pati, ut calidum et frigidum, album et nigrum et hujusmodi; in his enim contingit esse alterationem, ut in septimo probabitur.

Secundo ibi « qui vero »

Ostendit quomodo sit motus in quantitate: et dicit quod motus qui est in quantitate, non est nominatus secundum suum genus, sicut alteratio: sed nominatur secundum suas species quae sunt augmentum et decrementum. Motus enim qui est ab imperfecta magnitudine ad perfectam, vocatur augmentum: qui vero est a perfecta magnitudine in imperfectam vocatur decrementum.

Tertio ibi « qui autem »

Ostendit qualiter sit motus in ubi: et dicit quod motus secundum locum non habet nomen commune generis, neque nomina propria specierum, sed impositum est ei nomen commune, ut vocetur latio: quamvis hoc nomen sit proprium omnino motus localis in communi. Illa enim sola dicuntur proprie ferri, quae sic moventur secundum locum, quod non est in potestate eorum quod stent: et hujusmodi sunt illa quae non moventur a seipsis secundum locum, sed ab aliis. Ideo autem imponi potuit nomen commune motui in qualitate: quia qualitates sunt contrariae secundum propriam rationem suarum specierum: secundum quas continentur sub genere qualitatis. Contrarietas autem in quantitate non est secundum rationem suarum specierum, sed secundum perfectum et diminutum, ut supra dictum est; et secundum hoc denominantur species. Sed in loco est contrarietas solum per comparationem ad motum: respectu cujus duo termini maxime distant: et ideo quia ista contrarietas est secundum id quod omnino extraneum est ab hoc genere, non potuit motus, qui est in hoc genere, habere nomen, neque in generali neque secundum partes.

Deinde cum dicit « quae autem »

Manifestat quoddam quod poterat esse dubium, ostendens ad quam speciem motus reducatur mutatio, quae est secundum magis et minus: puta cum aliquid de magis albo fit minus album, et e contrario: posset enim alicui videri quod reduceretur ad motum augmenti et decrementi. Sed ipse ostendit quod reducitur ad motum alterationis: et dicit quod mutatio quae est in eadem specie qualitatis, puta in albedine, vel in magis vel in minus, est alteratio. Et hoc probat per hoc quod alteratio est mutatio de contrario in contrarium secundum qualitatem: quod contingit dupliciter. « Aut simpliciter, » cum aliquis mutatur de albo in nigrum, vel e contra, « aut sic » scilicet quando aliquid mutatur de magis albo in minus album, et e contra. Et quod sic mutari sit mutari de contrario in contrarium, probat per hoc, quod cum aliquid mutatur de magis albo in minus album, potest dici mutari de contrario in contrarium, quia appropinquat ad contrarium, scilicet ad nigrum: cum autem mutatur aliquid de minus albo in magis album, idem est ac si mutaretur

de contrario in contrarium, scilicet de nigro in ipsum album: ex hoc enim fit magis album, quia magis recedit a nigro, et perfectius participat albedinem. Et nihil differunt quantum ad hoc quod sit alteratio, quod mutetur aliquid de contrario in contrarium, « vel simpliciter vel sic, » scilicet secundum magis et minus: nisi quod, quando mutatur aliquid simpliciter de contrario in contrarium, necesse est quod sint duo contraria in actu termini alterationis, ut album et nigrum: sed mutatio secundum magis et minus est inquantum est plus et minus de altero contrariorum, vel non est.

Ulterius ibi « quod quidem »

Concludit ex dictis tres solum praedictas species motus esse.

Deinde cum dicit « immobile autem »

Ostendit quot modis dicitur immobile: et ponit tres modos. Primo enim dicitur immobile illud, quod nullo modo est aptum natum moveri, ut Deus: sicut dicitur invisibile quod non est natum videri, ut sonus. Secundo modo dicitur immobile, quod difficile est moveri: et hoc dupliciter: vel quia postquam incepit moveri movetur tarde et cum magna difficultate, sicut quis dicat claudum immobilem; vel quia difficile est quod incipiat moveri, et per multum tempus oportet ad hoc laborare: sicut si dicamus quod aliquis mons vel aliquod magnum saxum, est immobile. Tertio modo dicitur aliquid immobile quod natum est moveri, et potest de facili moveri: non tamen movetur quando natum est moveri, et ubi et eo modo quo natum est moveri; et hoc solum proprie dicitur quiescere: quia quies est contraria motui. Et accipit hic contrarietatem large, secundum quod etiam includit privationem. Unde concludit, quod oportet quod quies sit privatio in susceptivo motus: contrarium enim et privatio non est, nisi in susceptivo sui oppositi.

Ultimo ibi « quid quidem »

Epilogat quae dicta sunt; dicens manifestum esse ex dictis, quid sit motus et quid quies, et quot sint mutationes, et quales mutationes possunt dici motus.

LECTIO V.

Quorumdam terminorum, Simul scilicet, Separatim, Tangere, Medii, Consequenter, et Habiti, ad motus unitatem dignoscendam utilium, definitiones, et adinvicem comparationes praeponuntur.

ANTIQUA.

Post haec autem dicamus, quid est simul, et separatim, et quid est tangere, et quid est Medium, et consequenter, et quid Habitum: et quid continuum, et in qualibet re unumquodque horum inesse aptum natum sit.

Simul igitur dicuntur haec esse secundum locum, quaecumque in uno loco sunt primo. Separatim autem quaecumque sunt in altero. Tangere autem quorum ultima simul.

Medium vero, in quod aptum natum est primum pertingere quod mutatur, quam in quod ultimum mutatur secundum naturam continue mutationem patiens. In minus autem est medium in tribus: ultimum quod continue enim mutationis contrarium est. Continue autem movetur, quod nihil, aut paucissimum deficit rei, non temporis. Nihil enim prohibet deficientiam rei non temporis: et statim etiam post hypa-

RECENS.

Post haec dicamus, quid sit Simul, et quid Separatim, et quid Tangere, et quid Interjectum, et quid esse Deinceps, et quid Cohaerens, et quid Continuum: et quibus ut haec singula insunt, natura est comparatum.

Simul igitur dicuntur haec esse secundum locum, quaecumque sunt in uno loco primo. Separatim vero, quaecumque sunt in diverso. Se autem tangere dicuntur ea, quorum extrema sunt simul. Interjectum vero, in quod ut prius perveniat quod mutatur, natura est comparatum, quam ad extremum in quod mutatur, quum secundum naturam continenter mutetur. Minimum autem est interjectum in tribus: quia contrarium est mutationis extremum.

Continenter autem movetur, quod nihil aut parum intermittit rei, non temporis: nihil enim prohibet, intermissione

tem, sonare ultimam, sed rei in quam movetur: hoc autem et in his, quae sunt secundum locum, et in aliis mutationibus manifestum est, Contrarium autem secundum locum est secundum rectitudinem distans plurimum. Minima autem finita: mensura autem finitum est.

Consequenter autem est quod cum post primum solum sit, aut positione, aut specie, aut alia, aut aliquo sic determinato, nullum medium est eorum quae sunt in eodem genere, et cujus consequenter est: dico autem ut linea, lineae, secundum quod sunt lineae, aut unitati unitas, secundum quod sunt unitates, aut domui, domus: aliud autem nihil prohibet esse medium. Consequenter enim alicui consequenter, ac posterius aliquid: non enim unum, consequenter est duobus, neque nova luna secundae consequenter, sed haec illis. Habitum autem est, quod cum consequenter est, tangit.

Quoniam autem omnis mutatio in oppositis est: opposita autem sunt et contraria, et quae secundum contradictionem sunt, contradictionis autem nihil est medium, manifestum est quod in contrariis erit Medium.

Continuum autem est quidem, quod habitum aliquid est. Dico autem esse continuum, cum idem fiat et unus utriusque terminus eorum quae tanguntur: et sic significat nomen continui: hoc autem esse non potest, cum duo sint ultima. Sed hoc determinato, manifestum est quod in his est continuum, ex quibus unum aliquod aptum natum est fieri secundum contactum. Et sicut aliquando fit continuum unum, sic et totum erit unum, ut aut conclavatione, aut colla, aut tactu, aut adnascentia.

Manifestum autem, et quod primum est id, quod consequenter est. Contactum quidem enim necesse est consequenter esse, quod consequenter autem non omne tangere: unde in prioribus ratione consequenter est, ut in numeris, tactus autem non est.

Et si continuum est, necesse est etiam tangere: si vero tangit, nondum continuum est. Non enim necesse est unum esse ipsorum ultima si simul sint: sed si unum sunt, necesse est et simul esse. Quare insertus ultimus, est secundum generationem: necesse est enim tangere si adnata erunt ultima. Contacta autem non omnia adnata sunt. In quibus autem non est tactus, manifestum est, quod non est consertus in his.

Quare si est unitas et punctum, qualia dicunt separata, non possibile est unitatem et punctum esse idem. His quidem inest tangere, unitatibus autem consequenter. Et horum quidem contingit esse medium: omnis enim linea medium punctorum est: harum autem non est necesse: nullum enim medium est dualitatis et unitatis.

Quid igitur est simul, et separatum, et quid tangere, et quid Medium, et quid Consequenter: et quid Habitum, et quid Continuum; et in quolibet unumquodque eorum inest, dictum est.

facta, et quidem statim post summam chordam, sonare infimam: sed rei intermissionem dico, in qua fit motus. Quod quidem et in loci et in ceteris mutationibus perspicuum est.

Contrarium vero secundum locum est, quod recta linea plurimum distat. Quae est enim minima, terminata est: quod vero est terminatum, est mensura.

Deinceps vero est, inter quod (quum solum post principium sit vel positione, vel natura, vel alio aliquo modo ita definitum) et id cui est consequens, nihil est ejusdem generis interjectum. Verbi gratia, linea vel lineae inter lineam: aut inter unitatem unitas vel unitates; aut inter domum domus: aliud vero interjectum esse nihil prohibet. Quod enim est deinceps, alicui est deinceps, et est posterius quiddam. Non enim unum deinceps sequitur duo, neque Kalendae deinceps sequuntur alterum diem mensis: sed haec sequuntur illa.

Cohaerens autem dicitur, quod quum sit deinceps, tangit. Quia vero omnis mutatio in oppositis cernitur, opposita vero sunt et ea quae sunt contraria, et quae secundum contradictionem opponuntur; contradictionis autem nihil est medium: perspicuum est, in contrariis fore quod est interjectum. Continuum vero est species cohaerentis. Dico autem esse continuum, quum utriusque termini quibus se contingunt, facti sunt unum et idem, et, ut nomen significat, continentur: hoc autem esse nequit, quum extrema duo sunt.

Jam vero hoc definito, perspicuum est, in his esse continuum, ex quibus ut unum quiddam contactu fiat, natura est comparatum, et ut tantum id quod continet, fit unum, ita etiam totum erit unum: ut clavo, aut glutine, aut tactu, aut naturali copulatione.

Perspicuum etiam est primum esse id quod est deinceps: necesse est enim, ut quod tangit, deinceps sit; non, quicquid est deinceps, tangit. Ideoque in his quae ratione priora sunt, est ipsum deinceps, ut in numeris: tactus vero non est. Item si continuum, necesse est ut tangat. Si vero tangit, nondum est continuum: quia non est necesse ut eorum extrema sint unum, si simul sint: sed si sunt unum, necesse est etiam simul esse. Quare naturalis copulatio ortu est postrema: necesse est enim tangere, si extrema copulari naturaliter debeant: sed quae tangunt, non omnia sunt naturaliter copulata: in quibus vero non est tactus, manifestum est in his non esse naturalem copulationem.

Quocirca si est punctum et unitas, ut quidam ponunt separata; fieri nequit ut unitas et punctum sint idem: quoniam his quidem inest tactus; unitatibus vero, deinceps esse. Et his quidem potest esse aliquid interjectum; quoniam omnis linea est punctis interjecta: illis vero esse aliquid interjectum non est necesse: nihil enim est interjectum binario et unitati.

Quid igitur sit Simul, et Separatim, et quid Tangere, et quid Interjectum, et quid Deinceps, et quid Cohaerens, et Continuum, et quibus unumquodque horum insit, dictum est.

Postquam Philosophus divisit mutationem et motum in suas species, hic procedit ad determinandum de unitate et contrarietate motus in suas species. Et circa hoc duo facit. Primo praemittit quaedam necessaria ad sequentia; secundo prosequitur principale propositum, ibi, « Unus autem « motus. » Circa primum tria facit. Primo dicit de quo est intentio. Secundo exequitur propositum, ibi, « Simul igitur. » Tertio recapitulat, ibi, « Quid « quidem igitur. » Dicit ergo primo, quod dicendum est post praedicta, quid est simul, et quid est extraneum vel separatum, et quid est tangere, et quid est medium, et quid est consequenter, et quid habitum, et quid continuum, et in quibus haec nata sunt esse. Praemittit autem haec, quia horum definitionibus utitur in demonstrationibus consequentibus per totum librum, sicut et in principio Euclidis ponuntur definitiones, quae sunt sequentium demonstrationum principia.

Secundo ibi « simul igitur »

Exequitur propositum. Et primo definit quae praemissa sunt. Secundo comparat ea adinvicem, ibi, « Manifestum autem quod primum. » Circa primum tria facit. Primo definit ea quae pertinent

ad tangere. Secundo ea quae pertinent ad hoc quod est consequenter, ibi, « Medium vero. » Tertio ea quae pertinent ad continuum, ibi, « Continuum « autem. » Et quia in definitione ejus quod est tangere, ponitur Simul, ideo primo definit ipsum; et dicit quod illa dicuntur esse simul secundum locum quae sunt in uno loco primo; et dicitur primus locus uniuscujusque, qui est proprius locus ejus. Ex hoc enim aliqua dicuntur esse simul, quod sunt in uno loco proprio: non autem ex hoc quod sunt in uno loco communi: quia secundum hoc posset dici quod omnia corpora essent simul, quia omnia continentur sub caelo. Dicit autem quod simul dicuntur haec esse secundum locum, ad differentiam eorum quae dicuntur esse simul tempore: hoc enim non est nunc ad propositum. Per oppositum autem dicuntur esse separatim vel seorsum, quaecumque sunt in alio et alio loco. Tangere autem se dicuntur, quorum sunt ultima simul. Ultima autem corporum sunt superficies, et ultima superficierum sunt lineae, et ultima linearum sunt puncta. Si ergo ponatur quod duae lineae se tangant in suis ultimis, duo puncta duarum linearum se tangentium, continebuntur sub uno puncto loci continentis. Nec propter hoc sequitur, quod locatum sit majus loco; quia punctum additum puncto nihil majus efficit. Et eadem ratione se habet in aliis.

Secundo ibi « medium vero »

Definit ea quae pertinent ad hoc quod consequenter se habet: et circa hoc tria facit. Primo definit medium, quod ponitur in definitione ejus quod est consequenter. Secundo definit hoc quod est Consequenter, ibi, « Consequenter autem. » Tertio infert quoddam corollarium ex dictis, ibi, « Quoniam autem omnis mutatio. » Dicit ergo primo quod medium est, in quod primo aptum natum est pervenire id quod continue mutatur secundum naturam, quam in ultimum terminum motus, in quem mutatur. Sicut si aliquid mutatur de a in c, per b (dummodo sit continuus motus,) primo pervenit ad b, quam ad c. Medium autem potest quidem esse in pluribus: quia inter duo extrema possunt esse multa media: sicut inter album et nigrum sunt multi colores medii: sed ad minus oportet, quod sit in tribus, quorum duo sunt extrema, et unum medium. Sic igitur, medium est, per quod in mutatione pervenitur ad ultimum. Sed ultimum mutationis est contrarium. Dictum est enim supra quod motus est de contrario in contrarium. Et quia in definitione medii posuerat continuationem motus, consequenter ostendit quid dicatur continue moveri. Potest autem continuatio motus ex duobus attendi: et ex tempore, in quo movetur, et ex re, per quam transit: sicut est magnitudo in motu locali. Ad hoc igitur quod sit motus continuus, requiritur quod nulla interpolatio sit in tempore: quia quantumcumque modicum interpolaretur, motus secundum tempus non esset continuus. Sed ex parte magnitudinis, per quam transit motus, potest esse aliqua media interpolatio sine praejudicio continuationis motus: sicut patet in transitibus viarum, in quibus ponuntur lapides abinvicem modicum distantes, per quos transit homo de una parte viae ad aliam motu continuo. Hoc est ergo quod dicit quod, « continue movetur illud quod « nihil aut paucissimum deficit rei, » idest quod non habet interpolationem ex parte rei per quam transit. Aut si deficit, paucissime deficit. Sed tempus non potest nec paucissimum deficere, si sit motus continuus. Quomodo autem res possit deficere in motu continuo, manifestat subdens, quod nihil prohibet aliquid moveri continue cum defectu rei, sed non temporis. Sicut si aliquis cytharizans, statim post hypaten, idest primam chordam gravem, sonet ultimam acutam, intermissis quibusdam chordis in medio. Sed iste defectus est rei in qua est motus, non autem temporis. Hoc autem quod dictum est de continuitate motus, intelligendum est tam in motu locali, quam in aliis motibus. Sed quia non est manifestum quomodo ultimum in motu locali sit contrarium; quia locus videtur esse contrarius loco; ideo hoc manifestat; et dicit quod contrarium secundum locum est quod plurimum distat secundum lineam rectam. Et intelligendum est plurimam distantiam esse secundum comparationem ad motum, et mobilia, et moventia: sicut maxime distant secundum locum per comparationem ad motum gravium et levium, centrum et extremitas caeli quo ad nos. Secundum autem motum meum vel tuum maxime distat id, quo intendimus ire ab eo a quo incepimus moveri. Quid autem sibi velit quod dixit, « secundum re-

ctitudinem, » exponit subdens, « minima autem « finita. » Ad cujus intellectum considerandum est quod minima distantia, quae est in quaecumque duo puncta signata, est linea recta, quam contingit unam tantum esse inter duo puncta. Sed lineas curvas contingit in infinitum multiplicari inter duo puncta, secundum quod duae lineae curvae accipiuntur ut arcus majorum vel minorum circulorum. Et, quia omnis mensura debet esse finita: alias non posset certificare quantitatem, quod est proprium mensurae; ideo distantia maxima quae est inter duo, non potest mensurari secundum lineam curvam, sed solum secundum lineam rectam, quae est finita et determinata.

Secundo ibi « consequenter autem »

Definit hoc quod consequenter se habet, et quamdam speciem ejus, scilicet habitum: et dicit quod ad hoc quod aliquid dicatur esse consequenter ad alterum, duo requiruntur: quorum unum est, quod sit post aliquod primum quodam ordine: vel secundum positionem, sicut in iis quae sunt secundum ordinem in loco: vel « secundum speciem » sicut dualitas est post unitatem; vel quocumque alio modo aliqua determinate ordinentur, sicut secundum virtutem, secundum dignitatem, secundum cognitionem et hujusmodi. Aliud quod requiritur est, quod inter id quod est consequenter, et id cui est consequenter, non sit aliquid medium de numero eorum quae sunt in eodem genere: sicut linea consequenter se habet ad lineam, si nulla linea sit in medio, et similiter est de unitate ad unitatem, et de domo ad domum. Sed nihil prohibet, ad hoc quod aliquid sit consequenter alteri, quod aliquid sit medium inter ea alterius generis: sicut si aliquod animal sit medium inter duas domos. Quare autem dixerit, « et « cujus est consequenter, et quid est post primum » manifestat subdens, quod omne quod dicitur consequenter, est respectu alicujus, et non tamquam prius, sed tamquam posterius. Non enim dicitur quod unum sit consequenter duobus, neque nova luna secundae, sed e contra. Deinde definit quamdam speciem ejus, quod est consequenter scilicet habitum: et dicit quod non omne, quod est consequenter est habitum, sed quando sic est consequenter quod tangit, ita quod nihil sit medium, non solum ejusdem generis, sed nec alterius.

Tertio ibi « quoniam autem »

Concludit ex praemissis quod, cum medium sit per quod aliquid mutatur in ultimum, et omnis mutatio sit inter opposita, quae vel sunt contraria, vel contradictoria, in contradictoriis autem nihil est medium; relinquitur quod omne medium sit inter contraria aliquo modo.

Deinde cum dicit « continuum autem »

Manifestat quid sit continuum: et dicit, quod continuum est aliqua species habiti. Cum enim unus et idem fiat terminus duorum quae se tangunt, dicitur esse continuum: et hoc etiam significat nomen. Nam continuum a continendo dicitur. Quando igitur multae partes continentur in uno, idest quasi simul se tenent, tunc est continuum: sed hoc non potest esse cum sint duo ultima, sed solum cum est unum. Ex hoc autem ulterius concludit quod continuatio esse non potest nisi in illis ex quibus natum est unum fieri secundum contactum. Ex eadem enim ratione aliquod totum est secundum se unum et continuum, ex qua ex multis fit unum continuum: vel per aliquam conclavationem, vel per aliquam incollationem, vel per quemcumque modum conjungendi, ita quod fiat unus terminus utriusque; vel etiam per hoc quod, aliquid juxta aliud naturaliter nascitur, sicut fructus adnascitur arbori, et continuatur quodammodo ei.

Deinde cum dicit « manifestum autem »

Comparat tria praemissorum adinvicem, de quibus principaliter intendit: scilicet consequenter se habens, contactum et continuum. Et circa hoc tria facit. Primo comparat consequenter se habens ad contactum. Secundo contactum ad continuum, ibi, « Et si continuum. » Tertio infert quoddam corollarium ex dictis, ibi, « Quare si est unitas. » Dicit ergo primo, manifestum esse, quod consequenter se habens, est primum inter caetera praemissa ordine naturae, secundum quod dicitur esse prius a quo non convertitur consequentia essendi; quia omne contactum necesse est esse consequenter. Oportet enim inter ea quae se contingunt, esse aliquem ordinem, ad minus positione: sed non oportet omne quod consequenter se habet, esse tangens: quia ordo potest esse in quibus non est tactus, sicut in separatis a materia. Unde hoc quod est consequenter, invenitur in iis quae sunt priora secundum rationem; invenitur enim in numeris, in quibus non invenitur tactus, qui invenitur solum in continuis: numeri autem secundum rationem sunt priores continuis quantitatibus, sicut magis simplices, et magis abstracti.

Secundo ibi « et si continuum »

Comparat contactum ad continuum: et dicit quod eadem ratione contactum est prius quam continuum: quia, si aliquid est continuum, necesse est quod sit tangens; sed non est necessarium, si tangit, quod sit continuum. Et hoc probat per rationem utriusque. Non enim necessarium est quod ultima aliquorum sint unum, quod est de ratione continui,

si sunt simul, quod est de ratione contacti; sed necesse est e contrario, si ultima sunt unum, quod sint simul ratione qua potest dici quod unum sit simul sibiipsi. Si autem hoc quod dico simul, importat habitudinem distinctorum, non possunt esse unum quae sunt simul: et secundum hoc nec contacta esse possunt, quae sunt continua, sed communiter accipiendo. Unde concludit quod « insertus, » idest continuatio secundum quam una pars inseritur alteri in uno termino, est ultimus in ordine generationis, prout specialia sunt posteriora communibus: sicut prius generatur animal quam homo. Et ideo dico esse ultimum insertum, quia necesse est aliqua se tangere adinvicem, « si ultima eorum sunt ad-« nata, » idest naturaliter unita. Sed non est necessarium, quod omnia quae se tangunt quod sint naturaliter adnata adinvicem. Sed in quibus non potest esse contactus, manifestum est quod in his non potest esse « consertus, » idest continuatio.

Tertio ibi « quare si »

Concludit quoddam corollarium ex dictis: idest quod, si unitas et punctus sunt separata, sicut quidam dicunt, ponentes mathematica separari secundum esse, sequitur quod unitas et punctum non sunt idem: et hoc manifestum fit duabus rationibus. Primo quidem, quia puncta sunt in his quae nata sunt se tangere, et secundum puncta aliqua se tangunt adinvicem. In unitatibus autem non invenitur contactus, sed solum hoc quod est consequenter. Secundo vero, quia inter duo puncta contingit esse aliquid medium: omnis enim linea est media inter duo puncta: sed inter duas unitates non necesse est esse aliquod medium: patet enim quod inter duas unitates quae constituunt dualitatem, et ipsam primam unitatem, nihil est medium.

Ultimo ibi « quid igitur »

Epilogat quae dicta sunt, et est planum in litera.

LECTIO VI.

Tribus modis motum unum dici proponitur.

ANTIQUA.

Unus autem motus dicitur multipliciter: unum enim multipliciter dicimus. Genere igitur unus est secundum figuras praedicamenti. Loci mutatio enim, omni loci mutationi genere unus est. Alteratio autem a loci mutatione altera genere est.

Specie autem unus est, cum genere est unus et in individua specie sit, ut coloris quidem sunt differentiae. Jam igitur alius specie denigratio et dealbatio. Omnis autem dealbatio omni dealbationi idem secundum speciem erit, et omnis denigratio denigrationi, albedini autem non amplius: unde specie unus est dealbatio albationi omni. Si autem sunt quaedam, quae et genera simul et species sunt, manifestum est, quod specie ut unum erit, simplici*er unus specie, non ut doctrinatio: sed scientia quidem species existimationis, genus autem scientiarum aliarum.

Dubitabit autem aliquis si specie unus motus sit, cum ex eodem idem in idem mutetur: ut unum punctum ex hoc loco in hunc locum iterum et iterum. Si autem hoc est, erit circulatio rectitudini eadem, et volutatio ambulationi. Aut determinatum est si id, in quo est, alterum est specie, quo-

RECENS.

Unus autem motus dicitur multis modis: quia unum multis modis dicimus. Genere igitur unus est secundum categoriae figuras: nam latio cum omni latione est unus genere motus, variatio vero a latione differt genere. Specie autem unus est motus, si, quum genere unus sit, etiam in individua specie sit: ut coloris sunt differentiae. Ergo specie differunt denigratio et dealbatio. Omnis itaque dealbatio cum omni dealbatione eadem erit specie: nec non omnis denigratio cum denigratione. In dealbatione vero non item: itaque specie unus motus est dealbatio cum omni dealbatione. Quodsi quaedam et genera simul et species sint; manifestum est, aliquo modo unum specie motum fore, simpliciter autem unum specie non fore, ut discendi actus, si scientia est species existimationis, genus vero scientiarum.

Dubitare autem quispiam possit, sitne unus specie motus quando ab eodem idem ad idem mutatur: ut puta unum punctum ex hoc loco in illum locum semel atque iterum. Quod si est, conversio eadem erit cum recta latione, et volutatio cum ambulatione.

Aut definitum est, diversum esse motum, si id, in quo

niam alter motus est: circulare autem a recto alterum specie est. Genere igitur et specie motus unus, sic est.

Simpliciter autem unus motus est qui substantia quidem unus et numero est. Quis autem hujusmodi sit, manifestum est dividentibus. Tria enim sunt secundum numerum, circa quae dicimus motum unum, quod, et in quo, et quando. Dico autem quod, quoniam necesse est esse aliquid quod movetur, ut hominem aut aurum: et in aliquo hoc moveri, ut in loco, aut in passione: et quando: in tempore enim omne movetur. Horum autem trium, genere quidem aut specie esse unum, est in re in qua movetur: habitum autem erat in tempore. Simpliciter autem unum esse in omnibus his est: et namque in quo est, unum oportet esse et indivisibile, ut speciem. Et rursus quando, unum tempus, et non deficiens. Et quod movetur unum esse, non secundum accidens, ut album nigrum fieri, et Coriscum ambulare: unum autem est Coriscus et album, sed secundum accidens: neque commune: esset enim duos homines simul sanari secundum eamdem sanitatem, ut ophtalmiae; sed non unus hic est, sed specie unus est.

Socratem autem secundum alterationem eamdem alterari specie, in alio autem tempore et iterum in alio: siquidem contingit corruptum iterum unum fieri numero, erit et hic unus; si vero non, idem quidem secundum speciem, unus autem numero non.

Habet autem dubitationem huic similem, et utrum una sanitas, et omnino habitus et passiones, substantia sint in corporibus. Moveri namque videtur habentia et fluere. Si igitur eadem et una sit mane et nunc sanitas, quare non et cum deficiens accipiat iterum sanitatem, et haec et illa una numero erit?

Eadem enim ratio est. Nisi quia in tantum differunt: quia si duo idem hoc sunt, sicut numero, motus unus, et habitus esse necesse est: unus enim numero actus unius numero. Si vero habitus unus est, fortassis alicui non videbitur unus et actus esse. Cum enim pauset ambulans: non amplius est haec ambulatio: iterum autem ambulante, erit. Si igitur unus et idem est, contingit unum et idem corrumpi, et esse multoties. Hae igitur sunt dubitationes extra, quae nunc est, intentionem.

fit, diversum sit specie, orbiculare autem a recto diversum est specie. Genere igitur ac specie motus unus ita est.

Simpliciter autem unus est motus, qui est essentia unus et numero. Quis autem sit talis, manifestum dividentibus fiet. Tria namque sunt numero, circa quae dicimus motum unum esse; nempe quod, et in quo, et quando. Dico autem Quod, quia necesse est esse aliquid quod movetur: ut hominem, aut aurum; et in aliquo hoc moveri, velut in loco, vel in affectione. Et aliquando: propterea quod in tempore omnis res movetur.

Ex his autem in re in qua movetur, positum est ut sit motus unus genere vel specie. Cohaerentia vero posita est in tempore. Simpliciter autem unum esse motum in his omnibus: nam et id in quo, unum esse oportet atque individuum: veluti formam. Et rursus quando: veluti, tempus unum esse, nec interrumpi: sed et mobile unum esse, non ex accidenti (ut album nigrescere, et Coriscum ambulare: unum autem sunt Coriscus et album, sed ex accidenti); neque commune: quia possunt duo homines simul curari eadem curatione, ut lippitudinis: verum hic non est unus motus simpliciter, sed specie unus.

Sed pone Socratem eadem variationis specie variari, in alio tamen et rursus alio tempore: siquidem potest, quod interit, rursus unum fieri numero: erit et hic motus unus; sin minus, erit quidem idem motus, non tamen unus.

Exsistit etiam dubitatio huic affinis: an essentialiter in corporibus una sit sanitas et omnino habitus et affectiones. Nam quae his praedita sunt, videntur moveri et fluere. Quodsi una et eadem est sanitas, quae erat mane, et quae nunc est: cur non etiam, quum intermissam sanitatem rursus receperit, haec quoque una et eadem numero erit?

Nam est eadem ratio. Sed hoc differt, quod, si non sunt duo actus, propter hoc ipsum etiam habitus necesse est esse numero unos: unus enim numero actus est habitus unius numero. Verum si habitus sit unus, fortasse nondum alicui videbitur esse etiam unus actus. Quum enim desierit ambulare, non est amplius ambulatio: rursus autem eo ambulante, erit. Si igitur est una et eadem, certe unum et idem poterit et interire et esse saepius. Sane hae dubitationes sunt alienae a praesenti consideratione.

Postquam Philosophus posuit quasdam definitiones necessarias ad sequentia, procedit ad tractandum de unitate et diversitate motus. Et primo determinat de unitate et diversitate motus; secundo de contrarietate, quae est quaedam diversitas specierum, ibi, « Amplius autem determinandum. » Circa primum duo facit. Primo distinguit unitatem motus secundum tres communes modos; secundo alterum eorum subdividit, ibi, « Quoniam autem continuus « est. » Circa primum tria facit. Primo ostendit quomodo motus dicatur unus genere; secundo quomodo dicatur unus specie, ibi, « Specie autem « unus est etc. » Tertio quomodo dicatur unus numero, ibi, « simpliciter autem unus. » Dicit ergo primo, quod motus dicitur unus multipliciter, secundum quod ipsum unum in communi acceptum multipliciter dicitur; scilicet genere, et specie et numero. Dicitur autem motus unus genere secundum figuras praedicamenti. Omnes enim quae sunt in una coordinatione praedicamenti possunt dici unus motus genere. Sicut omnis loci mutatio genere est unus motus, quae est in uno praedicamento ubi; differt autem genere ab alteratione, quae est in praedicamento qualitatis, ut supra dictum est.

Secundo ibi « specie autem »

Ostendit quomodo motus sit unus specie. Et primo ostendit propositum: secundo movet quamdam dubitationem, ibi, « Dubitabit autem aliquis. » Dicit ergo primo, quod motus dicitur unus specie, cum non solum est unus secundum genus, sed est secundum speciem individuam, idest specialissimam, quae non dividitur in alias species. Sunt enim quaedam species, quae dividuntur; sicut color species est qualitatis, sed tamen habet differentias, quibus

in species diversas dividitur. Unde motus qui sunt secundum colores, possunt esse diversi specie, sicut dealbatio et denigratio; sed omnis dealbatio et eadem secundum speciem; similiter et omnis denigratio; quia albedini non sunt amplius species in quas dividatur. Sed si sunt quaedam, quae sunt simul genera et species, manifestum est quod motus qui conveniunt in specie subalterna « sunt ut unum « specie, » idest secundum quid unus; sed simpliciter non sunt unus specie; sicut scientia quaedam est species existimationis, et genus diversarum scientiarum. Unde omnis doctrinatio, quae est motus ad scientiam, est quodammodo una specie, non tamen simpliciter; quia doctrinatio qua docetur Grammatica, est simpliciter alia specie ab ea qua docetur Geometria. Attendendum est autem quod in praemissis, unitatem et diversitatem motus determinavit secundum genera et species, in quibus contingit motum esse; quia motus quodammodo reducitur ad genus rerum in quibus est.

Secundo ibi « dubitabit autem »

Movet quamdam dubitationem circa praemissa. Utrum scilicet ex necessitate sit unus specie motus cum aliquid idem mutatur multoties de eodem in idem; sicut si unum punctum secundum geometras, qui imaginantur punctum moveri, moveatur ex hoc loco in hunc locum multoties. Et hoc quidem videtur secundum praemissa. Si enim motus, qui sunt in eadem specie, ut in albedinem, sunt idem specie, multo magis duo motus qui sunt in eumdem locum numero. Si autem hoc concedatur, sequitur inconveniens; scilicet quod motus rectus sit unus specie motui circulari. Contingit enim ab hoc loco in hunc locum, primo quidem moveri circulariter, quasi per arcum quemdam; postmodum vero motu recto quasi per lineam rectam. Et similiter sequitur in motibus animalium, quod ambulatio quae est per lineam rectam, sit eadem secundum speciem volutationi, qua animal per lineam circularem volvendo se movetur. Hanc autem dubitationem solvit secundum praemissa. Determinatum est enim quod si id in quo est motus, est alterum specie, et motus est alter specie: ut sic ad hoc quod motus sit idem specie, non solum requiritur identitas termini secundum speciem, sed etiam identitas ejus per quod transit motus. Manifestum est autem quod linea recta et circularis sunt diversae secundum speciem: unde motus circularis et rectus, et volutatio et ambulatio non sunt idem secundum specie, quamvis sint circa eosdem terminos; quia via non est eadem secundum speciem. Sed si sint idem termini et eadem via secundum speciem, sunt idem motus secundum speciem: et multo magis si termini et via sunt eadem numero, motus iterati erunt idem secundum speciem.

Deinde cum dicit « simpliciter autem »
Ponit tertium modum, quo motus dicitur unus numero. Et circa hoc duo facit. Primo manifestat quis motus sit unus numero. Secundo circa hoc movet quasdam dubitationes, ibi, « Socratem autem. » Dicit ergo primo, quod secundum praedictos modos non dicitur motus unus simpliciter, sed secundum quid, scilicet genere et specie. Tertio autem modo dicitur motus simpliciter unus, qui est unus numero secundum suam essentiam. Quis autem motus sit hoc modo unus, manifestum erit distinguendo ea quae requiruntur ad motum. Sunt enim numero tria, circa quae consistit unitas motus: scilicet subjectum quod movetur, et genus, vel species in qua est motus et tempus quando movetur. Et manifestat singula. Quod movetur quidem dictum est quia necesse est aliquid esse in quocumque motu quod movetur; sicut homines, aut aurum, vel quodcumque corpus. Et similiter necesse est hoc, vel quaecumque alia mobilia, moveri in aliquo genere vel specie, puta in loco, « aut in passione, » idest in passibili qualitate. Et similiter necesse est considerare quando movetur; quia omne quod movetur, movetur in tempore. Contingit autem de numero horum trium inveniri unum genere aut specie in re in qua est motus, sicut loco vel qualitate. Sed in tempore non est attendenda quantum ad unitatem motus, unitas generis vel speciei; cum non sit nisi unum tempus secundum speciem: sed quod sit habitum, id est continuo consequens absque interpolatione. Unitas autem motus secundum quam dicitur simpliciter unus, consistit in unitate omnium horum. Oportet enim id, in quo est motus, esse unum et indivisibile eo modo quo species specialissima indivisibilis dicitur. Et iterum oportet ipsum tempus, quando fit motus, esse unum continuum « et non deficiens, » id est absque interpolatione. Et tertio oportet id quod movetur esse unum. Sed excludit duos modos unitatis subjecti, qui non sufficiunt ad hoc quod motus sit unus simpliciter. Primus modus est secundum accidens: sicut Coriscus et albus sunt unum secundum accidens, non tamen motus proprius Corisci et motus proprius albi est unus. Motus enim proprius albi est nigrum fieri, et motus proprius Corisci est ambulare, qui quidem motus differunt. Secundus modus est unitas generis vel speciei: non enim ad hoc quod sit unus motus

numero, sufficit quod subjectum sit unum sicut aliquod commune vel genus: contingit enim duos homines in eodem tempore sanari, et secundum eamdem speciem sanationis, puta quia sanantur de ophthalmia, quae est infirmitas oculorum: et sic concurrit unitas ipsius quando, et ejus in quo est unitas subjecti secundum speciem. Non tamen hae duae sanationes sunt unus motus numero, sed unus specie.

Secundo ibi « Socratem autem »
Introducit quamdam dubitationem. Et circa hoc tria facit. Primo ponit id quod videtur in primo aspectu de unitate motus secundum numerum. Secundo movet dubitationem circa hoc, ibi, « Habet « autem dubitationem. » Tertio determinat veritatem, ibi, « Eadem ratio est. » Dicit ergo primo, quod contingit aliquod unum mobile, ut Socratem, secundum alterationem eamdem specie alterari in uno tempore, et iterum in alio; sicut si sanetur his de ophthalmia. Haec autem iterata alteratio erit unus motus numero, ut videtur in primo aspectu, si sanitas, quae acquiritur sit eadem numero. Et hoc erit si contingat id quod est corruptum iterum fieri unum numero: quod videtur impossibile. Sanitas enim, quae in prima alteratione fuit acquisita, postmodum fuit corrupta: et non potest recuperari eadem numero. Sed videtur quod, si recuperetur eadem numero, quod alteratio sequens esset unus numero motus cum prima; si vero non recuperetur eadem sanitas numero, erit quidem motus idem specie, sed non unus numero.

Secundo ibi « habet autem »
Movet quamdam aliam dubitationem circa hoc: et dubitatio talis est. Si aliquis continue perseveret in sanitate, vel in quocumque alio accidente, utrum una sanitas vel quicumque alius habitus aut passio possit esse in corporibus. Et videtur quod non: quia quibusdam philosophis visum fuit quod omnia subjecta quae habent aliquas qualitates aut habitus sint in continuo motu et fluxu. Si ergo in aliquo qui sanus perseverat, una et eadem sanitas est quae fuit in mane, et quae est nunc in meridie vel sero: non videtur ratio posse reddi quare etiam si deficit aliquis a sanitate, et iterum accipiat sanitatem, secunda sanitas recuperata non sit una numero cum sanitate prius habita. Hanc autem dubitationem Aristoteles non solvit, quia non est ad propositum, sed magis ad considerationem metaphysici spectat: ad quem pertinet considerare communiter de uno, et multo, et eodem, et diverso. Et iterum quia illa dubitatio super falso fundatur, scilicet quod omnia sint in continuo motu et fluxu, quod Heraclitus opinatus est, et hoc Aristoteles improbat in quarto Metaphysicae. Nec tamen est similis ratio: quia quamdiu sanitas manet, licet varietur homo secundum sanitatem, ut puta si fiat homo magis vel minus sanus, non intercipitur esse sanitatis, sicut intercipitur quando totaliter corrumpitur sanitas.

Tertio ibi « eadem enim »
Determinat veritatem circa id quod praedixerat. Dixerat enim supra, quod, si sit eadem qualitas quae recuperatur, erit idem motus numero secunda alteratio cum prima: si vero non redit eadem numero qualitas, sequitur quod non sit unus actus numero. Et interposita quadam dubitatione, quasi assignans rationem praemissorum, subdit quod ideo praemissa dicta sunt, quia eadem ratio videtur in primo aspectu de unitate qualitatis et motus. Sed

in tantum differunt: quia bene sequitur, si duo motus sint idem eo modo sicut aliquis motus dicitur unus numero, necesse est, quod habitus, id est qualitas acquisita per motum, sit una: quia unus numero actus est unius numero qualitatis acquisitae per actum illum. Sed si qualitas sit una quae redit, potest alicui videri, quod non propter hoc sit unus actus: non enim si terminus motus sit unus numero, oportet quod motus sit unus numero. Quod patet in motu locali. Cum enim ambulans pausat, cessat illa ambulatio. Sed, quando iterum ambulare incipit, iterum ambulatio erit. Si ergo dicatur quod sit una et eadem ambulatio: contingit quod unum et idem sit et corrumpatur multoties, quod est impossibile. Sic igitur et si contingeret quod eadem numero sanitas repararetur, non sequeretur quod secunda sanatio esset idem numero motus cum prima. Sicut nec secunda ambulatio cum prima: quamvis utraque sit ad eumdem locum numero. Ulterius concludit quod illae dubitationes sunt extra principalem intentionem, et ideo sunt praetermittendae.

LECTIO VII.

Quibusdam modis propositis ac probatis, quibus motum unum et continuum appellari dignum est, quis motuum insuper unus vel plures dicatur, declarat.

ANTIQUA.

Quoniam autem continuus est omnis motus, et simpliciter quidem unum necesse est et continuum esse: siquidem omnis divisibilis est, et si continuus, unus. Non enim omnis fiet continuus omni, sicut neque aliud nullum contingenti contingens, sed quorum unum sunt extrema. Ultima autem aliquorum quidem non sunt, aliquorum autem sunt, sed specie differentia, et aequivoca sunt: quomodo namque tanget aut unum fiet ultimum lineae et ambulationis? Habiti igitur sunt, et qui neque idem specie, neque idem genere sunt. Postquam enim cucurrit aliquis, statim febricitabit, et ut lampas ex diffusione, loci mutatio est habita, continua autem non: ponitur enim continuum, quorum ultima unum sunt. Quare habiti et consequenter sunt, quia tempus continuum est. Continuum autem est quia motus continui sunt. Hoc autem est cum unum ultimum fiat ambobus. Unde necesse est eumdem secundum speciem esse, et unius, et in uno tempore simpliciter continuum motum et unum. Tempore quidem, ut non immobilitas intersit: indeficienti enim quiescere necesse est. Multi igitur, et non unus motus est, quorum quies in medio est: quare, si aliquis motus statu occupetur, neque unus est neque continuus: intercipitur autem, si in medio tempus est. Qui autem specie non unitur, non unus motus est, et si non deficiat tempus: tempus quidem enim unum est, specie autem motus alius est: motum enim unum, necesse est specie unum esse: hunc autem, simpliciter unum esse non est necesse. Quis igitur motus simpliciter unus est, dictum est.

Amplius autem dicitur unus et perfectus, sive secundum genus, sive secundum speciem, sive secundum substantiam sit, sicut et in aliis perfectum et totum unius est. Est autem aliquando, etsi imperfectus sit, unum dicitur, si solum sit continuus.

Amplius autem aliter praeter praedictos, dicitur motus unus regularis. Irregularis enim non videtur unus, sed magis regularis, sicut rectus: irregularis enim divisibilis est: videtur autem differre, sicut magis et minus.

Est autem et in omni motu, quod regulariter est, aut non. Impossibile enim est regularem esse motum, non in regulari magnitudine: ut reflexi motus, aut obliqui, aut alius magnitudinis, quorum non convenit contingens in contingentem partem. Aliquando autem neque in ubi, neque in quando, neque in eo ad quod, neque in quo, neque in eo quod ut: velocitate enim et tarditate aliquando determinatur: cujus quidem enim velocitas est eadem, regularis est: cujus

RECENS.

Quum autem omnis motus sit continuus: necesse est, eum qui simpliciter est unus, esse etiam continuum: siquidem omnis est dividuus; et, si est continuus, est unus. Non enim omnis motus omni motui continuus fieri potest, quemadmodum nec aliud quodvis cuivis: sed ea tantum continua sunt, quorum extrema sunt unum. Extrema vero quorumdam non sunt, quorumdam autem sunt diversa specie et homonyma: quo enim modo se tangere aut unum fieri possunt extremum lineae et ambulationis?

Cohaerere igitur possunt etiam motus qui non sunt iidem specie nec genere: quia fieri potest ut, quum aliquis cucurrerit, confestim febricitet: et veluti fax ex successione, latio cohaeret, sed continua non est; quia positum est, continuum esse, quorum extrema sunt unum. Quapropter cohaerent, et deinceps sunt, eo quod tempus est continuum. Continui autem sunt, eo quod ipsi motus sunt tales: quod quidem tunc est quum amborum extremum factum est unum.

Idcirco necesse est ut motus qui est simpliciter continuus et unus, sit idem specie, et unius, et in uno tempore. In uno quidem tempore, ne motus vacuitas interjiciatur; quoniam in intervallo quiescere necesse est. Proinde multi nec unum est motus, quibus est quies interjecta. Quare si motus aliquis statu interrumpitur, neque est unus, neque continuus. Interjicitur autem, si tempus est interjectum. Ejus autem motus qui specie non est motus, non potest dici unitas, etiamsi non interrumpatur tempus. Nam tempus quidem est unum: sed motus specie diversus. Etenim motum qui est unus necesse est etiam specie unum esse: hunc vero simpliciter esse unum, non est necesse. Quis igitur sit motus simpliciter unus, dictum est.

Praeterea dicitur unus, etiam is qui est perfectus: sive genere, sive specie sit, sive essentia: sicut et in aliis perfectum et totum est unius. Quandoque vero etiamsi imperfectus sit, unus dicitur, dummodo sit continuus.

Praeterea et aliter praeter eos qui commemorati sunt, dicitur unus motus, qui est aequabilis. Nam qui est inaequabilis, quodammodo non videtur unus, sed magis qui est aequabilis, ut recta linea: inaequabilis enim est dividuus. Videntur autem differre, ut magis et minus. Porro in omni motu est aequabilitas vel inaequabilitas. Nam et variari potest aequabiliter, et ferri super aequabili spatio, ut circulo aut linea recta. Eademque ratio est accretionis et deminutionis.

Inaequabilitatis autem differentia quandoque consistit in eo in quo movetur: quia fieri nequit ut motus sit aequabilis super non aequabili magnitudine; ut inflexae lineae, vel anfractus, vel alius magnitudinis, quarum quaevis pars cum quavis non congruit: quandoque vero nec in ipso ubi, nec in ipso quando, nec in eo ad quod movetur, sed in modo. Celeritate enim ac tarditate interdum definitur: nam cujus eadem est celeritas, is est aequabilis; cujus autem non est eadem, inaequabilis. Idcirco celeritas ac tarditas non sunt

autem non, irregularis est.

Unde neque species motus neque differentiae, sunt velocitas et tarditas: quia omnes sequuntur differentes secundum speciem. Quare neque levitas neque gravitas, quae est in idem, est, ut terrae ad ipsam, aut ignis ad ipsum.

Unus igitur irregularis est, quo est continuus: minus autem, quod quidem reflexivo accidit motui. Quod autem est minus, commistio semper contrarii est.

Si autem omnem, unum contingit et regularem esse, et non, non erunt ipsi qui non secundum speciem habiti sunt, unus et continuus. Quomodo enim erit regularis motus ex alteratione compositus et loci mutatione? Indiget enim convenire.

species nec differentiae motus: quia consequuntur omnes motus specie differentes: quocirca neque gravitas et levitas, quae est ad idem; ut terrae ad se ipsam, aut ignis ad se ipsum.

Motus igitur inaequabilis est unus, quia est continuus, sed minus: quod quidem inflexae lationi accidit. Quod autem est minus, semper habet contrarium admixtum. Quodsi omnis motus unus, potest esse aequabilis et non aequabilis: certe motus qui non sunt specie cohaerentes et uni, non possunt esse unus et continuus. Quo enim modo potest esse aequabilis, qui componitur ex variatione et latione? nam oportet eos inter se congruere.

Postquam Philosophus posuit, quod tria requiruntur ad hoc quod sit unus motus simpliciter, scilicet unitas temporis, et rei in qua est motus, et subjecti, hic probare intendit hoc. Cum enim multipliciter dicatur unum simpliciter; uno modo sicut aliquod indivisibile est unum, alio modo sicut continuum est unum: motus non potest dici unus simpliciter sicut indivisibile: quia nullus motus indivisibilis est: unde relinquitur quod hoc modo dicatur unus sicut continuus; et quod hoc sit motui esse unum simpliciter, quod est ei esse continuum, et ipsa continuitas motus sufficiat ad ejus unitatem. Sequitur enim quod, si est continuus, quod sit unus. Quaecumque igitur requiruntur ad continuitatem motus, requiruntur ad ejus unitatem. Ad continuationem autem motus requiruntur tria: quorum primum est unitas speciei. Non enim omnis motus potest continuari omni motui, sicut etiam in aliis continuis non indifferenter qualemcumque esse contingit aliquid, continuari potest cuicumque, qualecumque illud esse contingat; sed illa continuari possunt, quorum ultima contingit esse unum, quod est de ratione continui, ut supra dictum est. Sed quaedam sunt quae nulla ultima habent, ut formae, et indivisibilia omnia: et ideo eorum non potest esse continuatio. Quorumdam vero sunt aliqua ultima, quae sunt divisibilia et quantitatem habentia, quae « sunt aequivoca, » id est non convenientia in nomine et ratione: et illa etiam non possunt continuari Nec etiam potest esse contactus in quibusdam eorum: non enim potest dici quod linea et ambulatio se contingant, vel quod unum sit eorum ultimum; quod est continuari adinvicem. Ex quo patet, quod ea quae sunt diversorum generum vel specierum, non possunt continuari adinvicem. Ergo motus qui differunt genere vel specie, possunt esse habiti, id est consequenter adinvicem se habere, sicut aliquis post cursum potest statim febricitare: cursus autem et febricitatio sunt in diversis generibus. Et in eodem genere, scilicet loci mutationis, una mutatio est, quae consequenter se habet ad aliam, cum tamen non sit continua: sicut patet in diffusione lampadis, utputa cum candela de manu in manum transfertur, sunt enim ibi diversi motus non continui. Vel potest intelligi quod motum localem liquoris, quo flamma sustentatur, quem appellat diffusionem, consequitur motus localis flammae quae nomine lampadis significatur. Praedictae igitur mutationes, quia differunt genere vel specie, non sunt continuae, cum non possint habere unum ultimum, quod ponitur esse de ratione continui. Unde possunt quidem motus specie vel genere differentes esse consequenter se habentes et habiti, id est quodammodo se tangentes absque alia interpositione temporis, inquantum tempus

est continuum: quod quidem eadem ratione habet continuitatem, qua et motus, scilicet inquantum est ei unum ultimum. Nihil autem prohibet in uno instanti temporis, ad quod continuantur partes ejus, terminari unum motum, et incipere alium alterius generis, vel etiam speciei; et sic motus illi erunt habiti, sed non continui. Et ideo secundum praemissa sequitur quod ad hoc quod motus sit continuus, requiritur quod sit unus secundum speciem: quae quidem unitas speciei est in motu ex re in qua est motus, inquantum est indivisibilis secundum speciem. Secundo requiritur ad continuitatem motus quod sit unius subjecti; quia diversorum subjectorum motus possunt esse habiti, sed non continui, sicut dictum est de mutatione candelae per motum diversarum manuum. Tertio requiritur ad continuitatem motus et unitatem, quod sit unus tempore ad hoc quod non interveniat aliqua immobilitas vel quies; quia, si deficeret aliquod tempus motui in quo scilicet non moveretur, sequeretur quod in illo quiesceret; si autem quies interponitur, erunt multi motus et non unus. Multi enim motus et non unus, sunt, quorum quies in medio est. Unde, si aliquis motus sit qui intercipiatur quiete, non erit neque unus neque continuus. Intercipitur autem quiete si tempus sit in medio, ut ostensum est: unde requiritur ad continuitatem motus quod sit unum tempus continuum. Sed tamen hoc non sufficit: quia motus qui non est unius speciei, non est continuus, etiam si tempus non deficiat: quia etsi sit unum secundum tempus, erit alius secundum speciem. Quia necesse est ad hoc quod sit motus unus continuus, quod sit unus secundum speciem; sed non sequitur quod motus qui est unus secundum speciem, sit unus simpliciter. Sic ergo patet quod tria praedicta requiruntur ad hoc quod sit unus motus simpliciter. Et hoc est quod concludit, quod dictum est quis motus sit simpliciter unus.

Deinde cum dicit « amplius autem »

Positis tribus modis principalibus unitatis motus, hic ponit duos alios modos secundarios, qui magis pertinent ad quamdam formam unitatis, quam ad ipsam unitatem. Secundum ponit ibi, « Amplius autem aliter. » Dicit ergo primo, quod sive motus dicatur unus secundum genus, sive secundum speciem, sive secundum substantiam, sicut qui est numero unus, dicitur unus motus ex hoc quod est perfectus, sicut in aliis rebus perfectum et totum, ad unitatis rationem pertinent. Non enim dicimus unum hominem vel unum calceum. nisi de toto. Quandoque autem dicitur unum etiam de imperfecto, dummodo sit continuum. Et ratio hujus est: quia unum potest attendi vel secundum quantitatem, et sic sola continuitas sufficit ad unitatem rei: vel secundum formam substantialem, quae est perfectio totius, et sic perfectum et totum dicitur unum.

Secundo ibi « amplius autem »

Ponit alium modum secundarium, prout dicitur motus unus, qui est regularis, id est, uniformis: sicut etiam in aliis rebus dicitur unum, quod est simile in partibus. Et circa hoc tria facit. Primo ponit hunc modum unitatis, secundum quod regularis motus dicitur unus. Secundo ostendit in quibus inveniatur regularitas et irregularitas, ibi, « Est « autem et in omni motu. » Tertio ostendit modos irregularitatis, ibi, « Irregularitas autem. » Dicit ergo primo, quod praeter praedictos modos unitatis dicitur motus unus, qui est « regularis, » idest uniformis. « Irregularis enim motus » id est difformis non videtur esse unus, « sed magis motus « regularis, » id est uniformis, sicut motus qui est totus in directum est uniformis. Ideo autem motus irregularis non videtur unus, quia est divisibilis in partes divisibiles. Indivisibilitas autem pertinet ad rationem unius: quia unum est ens indivisum. Sed tamen motus irregularis est quodammodo unus. Sed unitas motus irregularis et regularis videtur differre secundum magis et minus: quia motus regularis est magis unus quam motus irregularis. Sicut et corpus similium partium est magis unum quam corpus dissimilium.

Secundo ibi « est autem »

Ostendit in quibus motibus inveniatur regularitas et irregularitas: et dicit quod in omni genere vel specie motus invenitur regulare vel irregulare: quia potest aliquid alterari regulariter, sicut quando tota alteratio est uniformis, et potest aliquid ferri, idest secundum locum moveri, in magnitudine regulari, scilicet uniformi, sicut si feratur aut per circulum, aut per lineam rectam. Et similiter est in augmento et decremento.

Tertio ibi « irregularitatis autem »

Accedit ad determinandum de motu irregulari. Et primo assignat modos irregularitatis. Secundo ostendit quomodo motus irregularis sit unus, quod supra dixerat, ibi, « Unus igitur. » Circa primum duo facit. Primo assignat duos modos irregularitatis in motu. Secundo infert quasdam conclusiones ex dictis, ibi, « Unde neque species. » Dicit ergo primo quod differentia, quae facit irregularitatem motus, aliquando est ex parte rei in qua movetur, ut patet praecipue in motu locali: quia impossibile est quod motus sit regularis vel uniformis, qui non transit per magnitudinem regularem, idest uniformem. Dicitur autem magnitudo regularis vel uniformis, cujus quaelibet pars uniformiter sequitur ad aliam partem: et sic quaelibet pars potest supponi alteri parti, ut patet in linea circulari, et etiam in linea recta. Magnitudo autem irregularis est, cujus non quaelibet pars sequitur ad aliam partem uniformiter; sicut patet in duabus lineis facientibus angulum, quarum una applicatur alteri non in directum, sicut partes unius lineae sibi invicem in directum applicantur. Et ideo motus circularis est regularis, et similiter, motus rectus. Sed motus reflexi et obliqui, quia faciunt angulum, non sunt regulares, nec in magnitudine regulari; vel quicumque alius motus sit per quamcumque magnitudinem, cujus quaecumque pars non conveniat cuicumque

parti per uniformitatem applicationis, vel cujus una pars non convenienter possit contingere aliam partem. Si enim illa pars quae continet angulum supponatur illi parti, quae angulum non continet, non erit conveniens contactus. Secunda differentia irregularitatem faciens, est non ex parte loci, vel temporis « neque in quod quo, » idest neque ex parte ejus quod dicitur quo, idest ex parte cujuscumque rei in qua fit motus; non enim est solum motus in ubi, sed in qualitate et quantitate. Vel potest hoc referri ad subjectum in quo est motus. Sed ille secundus modus irregularitatis accipitur « in eo quod ut » idest ex diversitate modi motus: determinatur enim iste secundus modus irregularitatis ex velocitate et tarditate. Quia ille motus dicitur regularis cujus est eadem velocitas per totum; irregularis autem, cujus una pars est velocior altera.

Secundo ibi « unde neque »

Concludit duo corollaria ex praemissis. Quorum primum est, quod velocitas et tarditas non sunt species motus, neque differentiae specierum: quia velocitate et tarditate determinatur regularitas et irregularitas, quae sequitur quaslibet species motus, ut supra dictum est. Nulla autem species vel differentia consequitur omnem speciem sui generis. Secundum corollarium est quod velocitas et tarditas non sunt idem quod gravitas et levitas, quia utrumque istorum habet motum semper ad idem, sicut motus terrae qui est gravis, semper est « ad ipsam, » idest ad locum ipsius qui est deorsum: et motus ignis semper est « ad ipsum, » idest ad locum proprium, qui est sursum. Velocitas autem et tarditas se habent ad diversos motus, ut dictum est.

Deinde cum dicit « unus igitur »

Ostendit quomodo motus irregularis sit unus. Secundo infert quoddam corollarium ex dictis, ibi, « Si autem omnem unum. » Dicit ergo primo, quod motus irregularis potest dici unus, inquantum est continuus: sed minus dicitur unus quam regularis, sicut et linea habens angulum, minus dicitur una quam linea recta. Et hoc maxime apparet in motu reflexivo: quia quasi videntur duo motus. Ex hoc autem, quod est minus unus, videtur quod aliquid habeat de multitudine; quia ex hoc aliquid est minus, quod habet mistionem contrarii, sicut minus album habet aliquid admistum de nigro, ad minus secundum quamdam appropinquationem. Et sic patet quod motus irregularis et est unus, inquantum est continuus, et est quodammodo multiplex, inquantum est minus unus.

Secundo ibi « si autem »

Concludit ex immediate dictis, quod supra proposuerat; scilicet quod motus qui sunt diversi secundum speciem non possunt continuari. Omnem enim unum motum contingit esse unum regularem, et iterum non regularem. Sed motus qui est compositus ex diversis motibus secundum speciem non potest esse regularis. Quomodo enim esset regularis motus compositus ex alteratione, et loci mutatione? necesse est enim ad hoc quod motus sit regularis, quod partes conveniant adinvicem. Ergo relinquitur quod motus diversi qui non consequuntur se invicem ejusdem speciei existentes, non sunt unus motus et continuus. Quod supra propositum est, et per exempla manifestatum.

LECTIO VIII.

Propositis modis, quibus motus adinvicem contrariari contingit, quis motus cui motui opponatur ostenditur.

Amplius autem determinandum est qualis motus est contrarius motui, et de mansione eodem modo. Sed primo dividendum est, utrum contrarius motus sit, qui est ex eodem, ei, qui est in idem; ut qui est ex sanitate ei qui est in sanitatem, ut generatio et corruptio videntur: aut qui est ex contrariis, ut qui est ex sanitate, ei qui est ex aegritudine: aut qui est in contraria, ut qui est in sanitatem, ei qui est in aegritudinem: aut qui est ex contrario ei qui est in contrarium, ut qui est ex sanitate, ei qui est in aegritudinem: aut qui est ex contrario in contrarium, ei, qui est ex contrario in contrarium, ut qui est ex sanitate in aegritudinem, ei qui est ex aegritudine in sanitatem. Necesse est enim, aut unum quemdam horum esse modorum, aut plures: non enim est aliter opponere.

Est autem qui ex contrario ei qui est in contrarium, non contrarius, ut qui est ex sanitate ei qui est in aegritudinem: idem enim, et unus est, esse tamen non idem est ipsis: sicut non idem est ex sanitate mutari, et in aegritudinem.

Neque qui est ex contrario ei qui est ex contrario. Simul quidem enim accidit mutari ex contrario in contrarium, aut in medium: sed de hoc quidem posterius dicemus.

Sed magis in contrarium mutari videbitur utique causa esse contrarietatis, quam ex contrario: hic quidem enim discessio contrarietate, ille vero accepto.

Et dicitur autem unusquisque eo in quod mutatur magis, quam eo ex quo: ut sanatio, qui in sanitatem: aegrotatio autem, qui in aegritudinem.

Relinquitur igitur, qui est in contraria, et qui est ad contraria, ex contrariis. Fortassis quidem igitur accidit eos qui in contraria et ex contrariis esse, sed esse forsitan non idem. Dico autem, qui in sanitatem ei qui ex aegritudine, et qui ex sanitate ei qui in aegritudinem.

Quoniam autem differt mutatio a motu (ex quodam enim subjecto in quoddam subjectum mutatio, est motus:) qui est ex contrario in contrarium ei qui est ex contrario in contrarium, motus contrarius est, ut qui est ex sanitate in aegritudinem ei, qui est ex aegritudine in sanitatem.

Manifestum est autem et ex inductione, qualia videntur contraria esse. Ægrotare enim ipsi sanari: et addiscere ipsi decipi, non per ipsum: in contraria enim: sicut enim in scientia est, sic et in deceptione, et per se ipsum consequi, et per alium. Et sursum motus ei qui est deorsum: contraria enim haec sunt in longitudine. Et qui est ad dextram, ei, qui est ad sinistram: contraria enim haec sunt in latitudine. Et qui est ante, ei, qui est retro: contraria enim haec sunt in latitudine.

Qui autem est in contrarium solum non est motus, sed mutatio: ut fieri album non ex quodam est.

Quibus autem non est contrarium: mutatio quae est ex ipso, ei quae est in ipsum, contraria est: unde generatio corruptioni contraria est, et remotio acceptioni. Hae autem mutationes quidem, motus autem non sunt.

Qui autem ad medium motus sunt, quibuscumque contrariorum aliquid est medium, tamquam in contraria quodammodo ponendi sunt. Sicut enim contrario utitur medio motus, ad utravis fiat mutatio: ut ex fusco quidem in album, tamquam ex nigro: ex albo autem in fuscum, tamquam in nigrum: ex nigro autem in fuscum, tamquam in album: fuscum enim medium ad utrumque, dicitur quodammodo extremorum, sicut dictum est prius. Motus igitur motui contrarius est sic, qui est ex contrario in contrarium, ei qui ex contrario in contrarium.

Praeterea definiendum est, quis motus sit motui contrarius: et eodem modo de statu. Primum autem explicandum est, sitne contrarius motus qui est ex eodem, ei motui qui est in idem; veluti, qui est ex sanitate, ei qui in sanitatem, cujusmodi et ortus et interitus esse videtur: an qui est ex contrariis, ut qui est ex sanitate, ei qui ex morbo: an qui in contraria, ut is qui in sanitatem, ei qui in morbum: an qui ex contrario, ei qui in contrarium; veluti, qui est ex sanitate, ei qui in morbum; an qui ex contrario in contrarium, ei qui ex contrario in contrarium, veluti, qui ex sanitate in morbum, ei qui ex morbo in sanitatem. Necesse est enim, vel unum aliquem esse ex his modis, vel plures: quia non licet motus aliter opponere.

Sed qui est e contrario, ei qui est in contrarium, contrarius non est; veluti, qui est ex sanitate, ei qui est in morbum: quippe qui est unus et idem. Verum essentia non est ipsis eadem: sicuti nec mutari ex sanitate et in morbum idem est.

Nec qui est ex contrario, ei qui est ex altero contrario. Simul enim accidit ut sit ex contrario et in contrarium vel medium interjectum. Sed de hoc posterius dicemus. Sed potius in contrarium mutari, videri potest esse causa contrarietatis, quam mutari ex contrario: quoniam hoc est liberatio a contrario, illud autem est assumptio. Ac dicitur quisque motus ab eo in quod mutatur, potius quam ab eo ex quo mutatur: ut sanatio dicitur, quae tendit in sanitatem: morbi autem correptio, quae in morbum. Restat igitur motus qui est in contraria, et qui est ex contrariis in contraria. Fortassis quidem accidit ut motus qui sunt in contraria, etiam sint ex contrariis: sed essentia fortasse non est eadem. Verbi gratia, qui est ad sanitatem, ei qui est ex morbo; et qui ex sanitate, ei qui in morbum.

Quum autem differat mutatio a motu (quoniam ea demum mutatio quae est ex subjecto in aliquod subjectum, motus est): certe motus qui est ex contrario in contrarium, ei qui est ex contrario in contrarium, contrarius est: veluti qui est ex sanitate in morbum, ei qui est ex morbo in sanitatem.

Sed et inductione manifestum est, qualia videantur esse, quae sunt contraria. Nam morbo corripi et sanari contraria sunt: item discere et falli non a se ipso: sunt enim in contraria: nam ut scientiam, ita et deceptionem et per se nancisci licet et per alium. Item latio quae est sursum versus ei quae est deorsum versus: quoniam haec sunt contraria in longitudine. Et quae est in dexteram, ei quae est in sinistram: quoniam haec sunt contraria in latitudine. Et quae est in anteriorem partem, ei quae est in posteriorem: quoniam et haec sunt contraria [in altitudine].

Mutatio vero quae dumtaxat est in contrarium, non est motus, sed mutatio: veluti, fieri album ex aliquo non albo. Sed et quibus non est aliquid contrarium, mutatio quae est ex eodem, mutationi quae est in idem, contraria est. Idcirco ortus est interitui contrarius, et abjectio assumptioni. Verum hae sunt mutationes, non motus.

Motus vero qui ad interjectum medium fiunt, quibus scilicet contrariis aliquod est interjectum, tamquam in contraria quodammodo ponendi sunt: quoniam motus utitur eo quod est interjectum quasi contrario, in utramvis partem mutetur: ut puta ex fusco in album, quasi ex nigro; et ex albo in fuscum, quasi in nigrum; ex nigro autem in fuscum, quasi in album. Nam quod est medium, ad utrumque extremum quodammodo ut contrarium refertur, ut et antea dictum fuit. Motus igitur motui contrarius ita est: nempe qui est ex contrario in contrarium, ei qui est ex contrario in contrarium.

Postquam Philosophus determinavit de unitate et diversitate motus, hic determinat de contrarietate motuum, quae est quaedam diversitatis species, ut

patet in decimo Metaphysicae. Et dividitur in partes duas. Primo ostendit qualiter accipienda est contrarietas in motu, et etiam in quiete. In secunda movet quasdam quaestiones circa contrarietatem praedictam, ibi, « Dubitabit autem aliquis. » Circa primum duo facit. Primo determinat de contrarietate motus. Secundo de contrarietate quietis, ibi, « Quoniam autem motui. » Circa primum tria facit. Primo distinguit diversos modos secundum quos videri posset quod acciperetur contrarietas in motu; secundo removet quosdam illorum, ibi, « Est autem « qui est. » Tertio assignat verum modum contrarietatis in motu et mutatione, ibi, « Quoniam au« tem differt. » Dicit ergo primo, quod post praedicta determinandum est qualis sit motus contrarius alicui motui; et eodem modo determinandum est « de mansione, » idest de contrarietate quietis ad motum, et quietis ad quietem. Sed in hoc tractatu hoc primo faciendum est, quod debemus distinguere modos, secundum quos universaliter accipi potest ratio contrarietatis in motibus. Et distinguit quinque modos: quorum primus modus est, ut ratio contrarietatis motuum accipiatur secundum accessum ad aliquem terminum, et recessum ab eodem. Et hoc est quod dicit: « Utrum contrarius motus sit, « qui est ex eodem, ei qui est in idem, ut qui « est ex sanitate, ei qui est in sanitatem, » secundum quam rationem generatio et corruptio videntur esse contraria: quia generatio est motus ad esse, corruptio autem est motus ex esse. Secundus modus est, ut ratio contrarietatis motuum accipiatur secundum contrarietatem terminorum, a quibus incipit motus. Et hoc est quod dicit: « Aut qui est « ex contrariis, ut qui est ex sanitate, ei qui est « ex aegritudine. » Tertius modus est, ut contrarietas motuum accipiatur secundum contrarietatem terminorum, ad quos terminatur motus. Et hoc est quod dicit « Aut qui est in contraria, ut qui est « in sanitatem ei qui est in aegritudinem. » Quartus modus est ut accipiatur motuum contrarietas secundum contrarietatem termini a quo, ad terminum ad quem. Et hoc est quod dicit. « Aut qui « est ex contrario, ei qui est in contrarium, « ut qui ex sanitate ei qui est in aegritudinem. » Quintus modus est secundum contrarietatem ex parte utrorumque terminorum. Et hoc est quod dicit: « Aut qui est ex contrario in contrarium, ei « qui est ex contrario in contrarium; ut qui ex sani« tate in aegritudinem, ei qui est ex aegritudine in « sanitatem. » Necesse est enim quod contrarietas motuum accipiatur secundum unum horum modorum, aut secundum plures: quia non contingit secundum aliquam aliam rationem opponere motum motui.

Secundo ibi « est autem »

Excludit duos praedictorum modorum. Et primo quartum, qui accipiebatur secundum contrarietatem termini a quo ad terminum ad quem. Secundo secundum modum quod est secundum contrarietatem terminorum ex quibus incipit motus, ibi, « Neque qui est ex contrario. » Tertio ostendit quomodo se habent duo modi reliqui adinvicem, ibi, « Relinquitur autem. » Dicit ergo primo quod motus qui est ex uno contrario, non potest dici contrarius ei qui est in aliud contrarium, ut si diceretur quod motus qui est ex sanitate, sit contrarius motui qui est in aegritudinem. Idem enim non est sibi ipsi contrarium: sed motus qui est ex sanitate, motui qui est in aegritudinem, est unus et idem subjecto, sed esse ipsi non est idem, idest differunt ratione, eo modo quo non est idem secundum rationem moveri a sanitate, et moveri in

aegritudinem; quia unus importat habitudinem motus ad terminum a quo, alius autem habitudinem ejusdem motus ad terminum ad quem. Non est igitur accipienda contrarietas motus secundum contrarietatem unius termini ad alium.

Secundo ibi « neque qui »

Ostendit quod contrarietas motuum non est accipienda secundum contrarietatem terminorum ex quibus incipit motus. Et hoc tribus rationibus; quarum prima talis est. Duo motus qui in idem tendunt, non sunt contrarii: sed duo motus ex contrariis recedentes, possunt in unum et idem tendere: « simul enim accidit mutari, » idest aequaliter « ex « contrario in contrarium aut in medium, » ut postea dicetur: et sic ex utroque contrario contingit in unum medium mutari. Non ergo motus propter hoc sunt contrarii, quia a contrariis incipiunt moveri.

Secundam rationem ponit ibi « sed magis »

Quae talis est. Ex illo accipienda est ratio contrarietatis in motu, quod magis facit motum esse contrarium: sed contrarietas terminorum, ad quos motus terminatur, magis videtur esse causa contrarietatis motuum, quam contrarietas terminorum a quibus incipit motus: quia, cum dico motus incipere a contrariis terminis, dico remotionem contrarietatis: cum vero dico motus accedere ad contraria, dico acceptionem contrarietatis; ergo non accipitur contrarietas motuum secundum terminum a quo tantum.

Tertiam ponit ibi « et dicitur »

Quae talis est. Ab eo, a quo aliquid recipit nomen et speciem, recipit etiam contrarietatem (cum contrarietas sit differentia secundum formam, ut patet decimo Metaphysicae). Sed unusquisque motus magis dicitur, idest denominatur et speciem recipit a termino ex quo, sicut sanatio dicitur motus in sanitatem, et aegritudo motus in aegritudinem: et hoc etiam supra dictum est. Magis ergo accipienda est contrarietas motuum secundum terminum in quem, quam secundum terminum a quo. Et sic idem quod prius.

Tertio ibi « relinquitur igitur »

Concludit quod remotis duobus modis secundum contrarietatem terminorum acceptis, relinquuntur duo alii, scilicet tertius et quintus: quorum unus est secundum solam contrarietatem terminorum ad quos: quem tangit cum dicit, « Qui est in contraria. » Alius qui est secundum contrarietatem utrorumque terminorum; quae tangit cum dicit, « Et qui est « in contraria ex contrariis. » Primus autem modus non accipiebatur secundum contrarietatem aliquam terminorum, sed secundum accessum et recessum ab eodem termino. Concludit autem ulterius quod forte hi duo modi residui sunt idem subjecto: quia illi motus qui sunt in contraria, sunt etiam ex contrariis: sed forte secundum rationem non sunt idem propter diversas habitudines motus ad terminos, ut supra dictum est: et exemplificat: quod motus, qui est in sanitatem ei qui est ex aegritudine est idem subjecto, sed non ratione. Et similiter qui est ex sanitate ei qui est in aegritudinem.

Deinde cum dicit « quoniam autem »

Ostendit quomodo accipiatur contrarietas in motu. Et primo secundum quod motus est ad contrarium. Secundo prout motus est ad medium, ibi, « Qui « autem ad medium. » Circa primum duo facit. Primo ostendit quid facit contrarietatem in motibus.

Secundo quid in mutationibus, ibi, « Qui autem
« est in contrarium. » Circa primum duo facit.
Primo ostendit propositum syllogismo; secundo inductione, ibi, « Manifestum autem est. « Ponit
autem primo talem rationem. Contrarietas aliquorum accipitur secundum propriam speciem et rationem ipsorum: sed propria ratio specifica motus
est, quod sit quaedam mutatio a quodam subjecto
affirmato in quoddam subjectum affirmatum, habens
duos terminos: in quo differt a mutatione, quae non
semper habet duos terminos affirmatos. Ergo relinquitur quod ad contrarietatem motus requiritur
contrarietas ex parte utrorumque terminorum: ut
scilicet proprie dicatur motus contrarius, qui est ex
contrario in contrarium, ei qui est ex contrario in
contrarium; ut qui est ex sanitate in aegritudinem,
ei qui est ex aegritudine in sanitatem.

Secundo ibi « manifestum est »

Manifestat idem per inductionem. Et primo in
alteratione corporali: quia aegrotare est contrarium
ei quod est sanari: quorum primus est motus a
sanitate in aegritudinem, alius vero ab aegritudine
in sanitatem. Hoc etiam patet in alterationibus animae: quia ei quod est addiscere, contrarium est
decipi: non ab ipso, sed ab alio. Hi enim motus
sunt in contraria ex contrariis: quia addiscere est
motus ab ignorantia ad scientiam: decipi autem a
scientia ad ignorantiam. Quare autem addit, « non
« per ipsum, » ostendit subdens, quod sicut in
scientia contingit quod aliquis per seipsum acquirat
eam, et hoc vocatur invenire: quandoque vero non
per seipsum, sed ab alio, et hoc vocatur addiscere;
ita contingit quod aliquando aliquis decipitur a
seipso, aliquando ab alio: et hoc proprie opponitur
ei quod est addiscere. Et hoc etiam apparet in
motu locali: quia motus sursum est contrarius ei,
qui est deorsum: quae sunt contraria secundum
longitudinem. Et motus qui est ad dextrum, est
contrarius ei qui est ad sinistrum: qui sunt contrarii secundum latitudinem. Et motus qui est ante,
est contrarius ei qui est retro, quae sunt contraria
secundum altitudinem. Sed considerandum est quod
hic loquitur de istis differentiis positionum, ut de
longitudine, latitudine et altitudine, secundum quod
sunt in homine: quia sursum et deorsum considerantur secundum longitudinem hominis: dextrum
autem et sinistrum secundum latitudinem ejus;
ante et retro secundum grossitiem ejus, quae dicitur altitudo vel profunditas. Iterum considerandum est quod secundum sursum et deorsum invenitur contrarietas in motibus etiam naturalibus;
sed secundum dextrum et sinistrum, ante et retro,
invenitur contrarietas in motibus non secundum
naturam, sed secundum motum qui est ab anima,
quae movet in has contrarias partes.

Deinde cum dicit « qui autem »

Ostendit qualiter sit contrarietas in mutationibus. Et primo ostendit quomodo accipiatur contrarietas mutationum in rebus, in quibus invenitur
contrarietas. Secundo quomodo accipiatur in rebus
in quibus non est contrarietas, ibi, « Quibus au-
« tem non est contrarium. » Dicit ergo primo quod,
si accipiatur contrarietas solum ex parte termini ad
quem, ut dicatur contrarius qui est in contrarium,
hoc non facit contrarietatem motus, sed mutationis,
quae est generatio et corruptio: sicut fieri album
et fieri nigrum contraria sunt. Nec oportet quod
contrarietas harum generationum attendatur secundum contrarietatem termini a quo: quia in generatione terminus a quo non est aliquid affirmatum,
sed aliquid negatum; fit enim album ex non albo,
non autem ex aliquo affirmato. Non enim mutatio
de subjecto in subjectum est mutatio, sed motus.

Secundo ibi « quibus autem »

Ostendit quod in illis in quibus non est contrarietas, sicut in substantiis et aliis hujusmodi, attenditur contrarietas mutationum secundum accessum et recessum ab eodem termino. Et hoc est
quod dicit, quod in illis in quibus non est contrarium, accipitur contrarietas mutationis ex eo quod
est recessus ab eo et quod est accessus in ipsum
idem; sicut accessus ad formam ignis, quod pertinet
ad generationem ejus: et recessus ab eadem forma,
quod pertinet ad ejus corruptionem, sunt contraria;
unde generatio est contraria corruptioni, et quaecumque remotio cuicumque acceptioni. Sed hujusmodi non sunt motus, sed mutationes. Patet ergo
quod ex quinque modis supra positis, duo, scilicet
secundus et quartus, ad nihil utiles sunt. Unus
autem convenit ad contrarietatem motuum: duo autem congruunt ad contrarietatem mutationum.

Deinde cum dicit « qui autem »

Determinat de contrarietate motus ex parte medii: et dicit quod in quibuscumque contrariis invenitur medium, motus qui terminantur ad medium, hoc modo ponendi sunt esse contrarii, sicut
illi qui terminantur ad contraria: quia motus utitur
medio sicut contrario, ita quod ex medio contingit
mutari utrumque terminorum: sicut ex fusco, quod
est medium inter album et nigrum, hoc modo mutatur in album, ac si mutaretur ex nigro in album:
et e contra, ex albo sic mutatur aliquid in fuscum,
ac si mutaretur in nigrum, et ex nigro mutatur in
fuscum, ac si mutaretur in album: quia fuscum,
cum sit medium ad utrumque extremorum, dicitur
utrumque; quia in comparatione albi est nigrum,
et in comparatione nigri est album, ut supra dictum est. Ultimo autem concludit quod principaliter intendit, scilicet quod motus sit contrarius motui secundum contrarietatem utrorumque extremorum.

LECTIO IX.

Quae quies cui motui opposita sit deque quietum adinvicem: et in mutationibus contrarietate sermo habetur.

Quoniam autem motui non solum esse videtur contrarius motus, sed et .quies; hoc determinandum est. Simpliciter quidem enim contrarius est motus motui. Opponitur autem et quies: privatio enim est. Est autem sic, quod privatio contraria dicatur.

Qualis autem quali? ut ei, qui est secundum locum, quae secundum locum. Sed hoc non dicitur simpliciter. Utrum enim ei, quae est hic, mansioni, qui est ex hoc, aut qui est in hoc, motus opponitur?

Manifestum igitur est, quod, quia in duobus motus subjectis est, huic quidem, qui ex hoc est in contrarium, quae est in hoc quies: huic autem qui ex contrario in hoc, quae in contrario quies.

Simul autem et ad invicem contrariae hae sunt. Et namque inconveniens est, si motus quidem contrarii sunt, quietes autem oppositae non sunt. Sunt autem in oppositis hae, ut quae est in sanitate quies, ei quae est in aegritudine.

Motui autem ei qui est ex sanitate in aegritudinem. Ei enim qui est ex aegritudine in sanitatem, irrationabile est. Qui enim in ipso motus est, in quo stetit, quietatio magis est, secundum quod accidit simul fieri cum motu: necesse autem est hanc aut illam esse. Non enim quae est in albedine quies, contraria est ei quae est in sanitate.

Quibus autem non sunt contraria, horum mutat'o quidem est opposita ei quae est ex seipso, ei quae est in ipsum. Motus autem non est, ut quae ex esse, ei quae est in esse.

Quies quidem horum non est, immutatio autem est.

Et siquidem aliquid erit subjectum, quae est in esse non mutatio, ei, quae est in non esse, contraria erit. Si vero non est aliquid ei quod non est, dubitabit aliquis cui sit contraria, quae in esse non mutatio, vel quies est.

Si autem hoc est, aut non omnis quies motui contraria est, aut generatio et corruptio motus sunt. Manifestum igitur, quod quies non dicenda si, si non et hae motus.

Simile autem aliquid est, et immutatio. Contraria autem est aut nulli, aut ei quae est in non esse, aut corruptioni: haec enim ex ipsa, generatio autem in ipsam.

Quum autem motui non solum videatur motus esse contrarius, sed etiam quies: hoc definiendum est. Simpliciter enim contrarius est motus motui: sed opponitur etiam quies: quandoquidem est privatio. Sed et privatio quodammodo contraria dicitur. Quali autem qualis? veluti, motui qui est secundum locum, quies quae est secundum locum. Sed hoc nunc dicitur simpliciter. Utrum enim statui qui est in hoc, opponitur motus qui est ex hoc, an qui in hoc?

Manifestum igitur est, quum in duobus subjectis motus cernatur, ei qui est ex hoc in contrarium, opponi statum qui est in hoc; ei vero qui est ex contrario in hoc, eum qui est in contrario. Quin etiam hae quietes sunt inter se contrariae: etenim absurdum est, si motus quidam contrarii sunt; quietes autem illis oppositae, contrariae non sunt. Sunt autem, quae in contrariis cernuntur, ut quies quae est in sanitate, quieti quae est in morbo; motui vero qui est ex sanitate in morbum. Nam ei qui est ex morbo in sanitatem, esse hanc quietem contrariam, a ratione alienum est; nam motus qui est ad illud ipsum in quo stetit, est potius procreatio quietis, cui accidit simul fieri cum motu. Necesse autem est aut hanc aut illam esse. Non enim quies quae est in albore, est contraria ei motui qui est in sanitate.

Quibus autem non sunt contraria, horum mutatio est quidem opposita, nempe quae est ex eodem, ei quae est in idem: sed motus non est; veluti, quae est ex ente, ei quae est in ens. Ac status quidem horum non est, sed mutationis vacuitas. Et si quidem sit aliquod subjectum; ea mutationis vacuitas quae est in ente, contraria erit ei quae est in nonente. Sed si non ens non est aliquid, dubitare quispiam possit, cui contraria sit ea mutationis vacuitas quae est in ente, et an sit quies. At si hoc est: vel non omnis quies erit motui contraria, vel ortus et interitus erit motus. Patet igitur non esse dicendam quietem, nisi et hi dicantur motus: verum simile quiddam, et mutationis vacuitatem. Contraria vero est aut nulli, aut ei mutationis vacuitati quae est in nonente, aut interitui: hic enim ex ea est, ortus vero, in eam.

Postquam determinavit Philosophus de contrarietate motuum, hic determinat de contrarietate quietum. Et primo in motibus. Secundo in mutationibus, ibi, « Quibus autem non sunt contraria. » Circa primum duo facit. Primo ostendit quod quies sit contraria motui. Secundo quae cui, ibi, « Qualis « autem. » Dicit ergo primo, quod quia motui non solum videtur contrariari motus, sed etiam quies; determinandum est qualiter haec, scilicet quies, contrariatur motui: quia simpliciter quidem et proprie et perfecte contrariatur motus motui; sed etiam quies opponitur motui, cum sit privatio motus. Et quod privatio quodammodo sit contrarium, patet: est enim privatio et habitus prima contrarietas, ut dicitur in 10 Metaphysicae; quia scilicet in omnibus contrariis salvatur privationis ratio et habitus, cum semper alterum sit quasi privatio respectu alterius, ut album respectu nigri, et amarum respectu dulcis.

Secundo ibi « qualis autem »

Ostendit quae quies, cui motui contrarietur. Et circa hoc tria facit. Primo movet quaestionem. Secundo determinat veritatem, ibi, « Manifestum igitur « est. » Tertio probat, ibi, « Motui autem ei etc. »

In quaestione autem quam ponit, unum supponitur: scilicet quod non omnis quies omni motui opponatur, sed aliqualis quies aliquali motui, sicut motui, qui est secundum locum quies secundum locum. Sed quia « hoc, » revidendum et considerandum « non simpliciter, » idest universaliter, dicitur, restat scilicet quaerendum ulterius, utrum mansioni, id est quieti, quae est in aliquo termino, puta in albo, opponatur motus aut ille qui est in albo, scilicet dealbatio, aut ille qui ex albo, scilicet denigratio.

Secundo ibi « manifestum igitur »

Determinat veritatem. Et primo quantum ad contrarietatem motus ad quietem. Secundo quantum ad contrarietatem quietum adinvicem, ibi, « Simul « autem. » Dicit ergo primo: quod cum motus sit inter duo subjecta, id est inter duos terminos affirmatos; motui, qui est ex hoc termino in suum contrarium, contrariatur quies, quae est in contrario; sicut motui, qui est ex albo in nigrum, contrariatur quies quae est in albo. Et motui qui est ex contrario in hoc contrarium, quies quae est in contrario; sicut motui qui est ex nigro in album, contrariatur quies quae est in nigro.

Secundo ibi « simul autem »

Agit de contrarietate quietum adinvicem: et dicit quod hae quietes sunt contrariae adinvicem, quae sunt in contrariis terminis. Inconveniens enim est, si motus sunt contrarii adinvicem, et quietes adinvicem non opponantur. Et quomodo sunt oppositae quietes quae sunt in oppositis, exemplificat subdens quod quies quae est in sanitate, opponitur quieti quae est in aegritudine.

Deinde cum dicit « motui autem »

Probat quod dixerat de contrarietate quietis ad motum: et dicit, quod motui qui est ex sanitate in aegritudinem, opponitur quies quae est in sanitate: quia irrationabile esset quod quies quae est in sanitate, opponeretur motui qui est ex aegritudine in sanitatem. Et hoc sic probat: quia ejus motus « qui est in ipso, » id est ad aliquem terminum, status in eodem termino « est magis quietatio, » id est ejus conservatio vel perfectio, quam quod ei opponatur. Et quod quies in termino ad quem sit motus perfectio, patet per hoc quod simul sit ipsa quies cum motu; quia ipsum moveri ad terminum, est fieri quietem. Unde, cum motus sit causa ipsius quietis, non potest ei opponi, quia oppositum non est causa sui oppositi. Sed necesse est quod motui contrarietur haec quies quae est in termino a quo. Non enim potest dici, quod quies quae est in aliqua alia specie, contrarietur motui vel quieti; sicut quod quies quae est in albedine, contrarietur quieti quae est in sanitate. Cum ergo quies quae est in termino ad quem, non contrarietur motui, relinquitur quod contrarietur ei quies quae est in termino a quo.

Deinde cum dicit « quibus autem »

Determinat de contrarietate quietis in mutationibus. Et circa hoc tria facit. Primo resumit quod dictum est de contrarietate mutationum. Secundo ostendit quod mutationi non opponitur quies, sed non mutatio, ibi, « Quies quidem horum. » Tertio ostendit quomodo mutatio contrarietur mutationi, ibi, « Simile autem aliquid est. » Resumit ergo primo quod supra dictum est; scilicet quod in mutationibus, in quibus non est contrarietas in terminis, sicut in generatione et corruptione substantiae, oppositio accipitur secundum accessum et recessum ex eodem termino: est enim mutatio quae est ex ipso aliquo termino, opposita mutationi quae est in ipsum. Sicut mutatio « quae est ex esse, » scilicet corruptio, opponitur ei « quae est in esse, » scilicet generationi, cum tamen neutra earum sit motus.

Secundo ibi « quies quidem »

Ostendit quod his mutationibus non opponitur quies. Et circa hoc tria facit. Primo proponit quod intendit. Secundo interserit quamdam dubitationem, ibi, « Et si quidem aliquid erit. » Tertio probat propositum, ibi, « Si autem hoc. » Dicit ergo primo, quod in his mutationibus quae non sunt inter

contraria, non invenitur quies opposita: sed illud quod opponitur eis, sicut quies motus, potest vocari « immutatio, » id est non mutatio.

Secundo ibi « et siquidem »

Interserit quamdam dubitationem circa praemissa. Dictum est enim quod mutatio quae est ad esse, contrariatur mutationi quae est ex esse: quae quidem est in non esse. Hoc autem quod dico non esse, potest dupliciter accipi. Uno modo quod habeat aliquod subjectum: vel ens actu, sicut non album in corpore; vel in potentia tantum ens, sicut privatio formae substantialis est in materia prima. Aut intelligitur tale non esse, quod non habet aliquod subjectum, sed est omnino non ens. Si primo modo accipiatur non esse, quod habeat aliquod subjectum; tunc inveniri poterit quomodo una non mutatio sit contraria alii non mutationi: quia poterit dici quod non mutatio quae est in esse, opponitur non mutationi quae est in non esse: ex quo enim non esse habet subjectum, nihil prohibet dicere quod illud subjectum permaneat in illo non esse, quod est ipsum non mutari. Si vero non est aliquid « ei quod non est, » idest si ipsi non esse non est aliquod subjectum, tunc dubitatio remanet, cui non mutationi sit contraria illa non mutatio, vel quies, quae est in esse. Quod enim omnino non est, non potest dici quiescere aut immutabiliter permanere. Et quia necesse est quod non mutationi, vel quieti, quae est in esse, sit aliqua non mutatio contraria; manifestum ex hoc fit, quod illud non esse a quo est generatio et in quod tendit corruptio, est non esse habens subjectum.

Tertio ibi « si autem »

Ostendit quod supposuerat: scilicet quod id quod opponitur generationi et corruptioni, non sit quies. Si enim hoc daretur, scilicet quod esset quies, sequeretur alterum duorum: scilicet quod aut non omnis quies esset contraria motui, aut quod generatio et corruptio sit motus. Unde manifestum est quod id quod opponitur generationi et corruptioni, non dicitur quies, nisi generatio et corruptio esset motus, quod supra improbatum est.

Deinde cum dicit « simile autem »

Ostendit quomodo non mutatio sit contraria mutationi: et dicit simile esse de contrarietate mutationis ad mutationem, sicut de contrarietate quietis ad motum quia immutatio; quae est in esse, contraria est vel nulli immutationi (quod esset, si non esse non haberet subjectum) aut ei non mutationi quae est in non esse, si non esse habet subjectum. Et haec contrarietas est per modum quo quies opponitur quieti. Aut etiam non mutatio quae est in esse, opponitur corruptioni, ut quies motui. Non autem opponitur generationi; quia corruptio recedit ab immutatione vel quiete quae est in esse; generatio vero tendit in illam. Motui autem et mutationi non opponitur quies in termino ad quem, sed in termino a quo.

LECTIO X.

Tres dubitationes de praemissa proponuntur ac solvuntur.

ANTIQUA.

Dubitabit autem aliquis, quare in mutatione quidem secundum locum, sunt et secundum naturam et extra naturam et quietes et motus, in aliis autem non. Ut alteratio, haec quidem secundum naturam, illa autem extra naturam: nihil enim magis sanatio aut aegrotatio, secundum naturam aut extra naturam, neque dealbatio aut denigratio: similiter autem est et in augmento et decremento: neque enim adinvicem hi contrarii sunt, ut secundum naturam aut extra naturam, neque augmentum augmento. Et in generatione autem et corruptione eadem ratio est: neque enim generatio quidem secundum naturam, corruptio autem extra naturam: senescere enim secundum naturam est: neque generationem videmus, aliam quidem secundum naturam, aliam vero extra naturam.

At si est quod violentia fit, extra naturam, tunc et corruptio quae violenta, erit corruptioni contraria. ut quae extra naturam ei quae est secundum naturam. Ergo et generationes quaedam sunt violentae et non fatatae, quibus contrariae sunt eae quae secundum naturam. Et augmenta sunt violenta, et decrementa, ut augmenta eorum quae velociter propter alimentum pubescunt, et tritica quae cito adolescunt et non constringuntur. In alteratione autem qualiter? aut similiter. Erunt enim aliae quidem violentae, aliae vero naturales, ut dimissi non in criticis diebus, alii autem in criticis: illi quidem extra naturam alterantur, hi vero secundum naturam.

Erunt igitur corruptiones contrariae adinvicem, non generationi. Et quid prohibet? est enim ut sic: et namque si haec quidem dulcis, illa vero tristis est. Quare non simpliciter corruptioni corruptio contraria est; sed haec quidem hujusmodi, alia vero hujusmodi, harum est.

Omnino igitur contrarii motus et quietes, dicto modo sunt, ut, qui est sursum, ei est deorsum: loci enim contrarietates hae sunt. Fertur autem sursum quidem motu natura ignis, deorsum vero, terra: et contrariae ipsorum loci mutationes sunt: ignis autem sursum quidem natura, deorsum autem extra naturam. Et contrarius quidem motus est, qui est secundum naturam ipsius, ei qui est extra naturam: et quietes etiam similiter. Quae namque est sursum quies ei qui est de sursum in deorsum motui contraria est: est autem terrae illa quidem quies extra naturam, motus autem hic secundum naturam. Quare motui quies contraria est quae est extra naturam, ei qui est secundum naturam ejusdem: motus etenim ejusdem contrarius sic est. Alia quidem secundum naturam ipsarum erit sursum aut deorsum, alia autem extra naturam.

Habet autem dubitationem, si est omnis quietis quae non semper est, generatio: et hoc, ipsum stare. Manentis igitur extra naturam, ut terrae sursum, erit generatio. Cum ergo ferebatur sursum, violentia stetit: sed quod semper stat, videtur ferri velocius. Quod autem violentia est, contrarium est. Non factum ergo quiescens, erit quiescens.

Amplius videtur ipsum stare, aut omnino esse in ipsius locum ferri, aut accidere simul.

Habet autem dubitationem, si contraria est quies, quae est hic, ei qui hinc est motui. Cum enim moveatur ex hoc, aut rejiciatur adhuc videtur habere quod abjectum est: quare, si haec quies contraria est ei qui hinc est in contrarium motui, simul erunt contraria.

Aut aliquo modo quiescit, secundum quod adhuc manet. Omnino autem ejus quod movetur, aliud quidem ibi, aliud autem est in quod mutatur: unde et magis motus motui contrarius est quam quies. Et de motu quidem et quiete quomodo uterque unum sunt, et quae contrariae quibusdam, dictum est.

Dubitabit autem quis et de stare, si et quicumque sint praeter naturam motus, his est quies opposita. Siquidem igitur non, erit inconveniens. Manet enim violentia. Quare

RECENS.

Jam vero dubitare aliquis possit, quamobrem in loci mutatione sunt et secundum naturam, et praeter naturam, tam mansiones quam motus: in aliis autem minime, ut variatio alia est secundum naturam, alia praeter naturam. Non est enim magis sanatio quam aegrotatio, secundum naturam, vel praeter naturam: nec dealbatio, quam denigratio. Similiter se res habet etiam in accretione et deminutione: quia nec hae sunt sibi invicem contrariae, tamquam natura, vel praeter naturam: nec accretio accretioni. Ortus quoque et interitus eadem est ratio: neque enim ortus est secundum naturam, interitus vero praeter naturam: nam senescere est secundum naturam. Neque ortum videmus partim esse secundum naturam, partim praeter naturam.

Sed si id quod est vi, est praeter naturam: etiam interitus erit interitui contrarius, nimirum violentus; quippe qui est praeter naturam, ei qui est secundum naturam. Sunt igitur et ortus quidam violenti non fatales, quibus contrarii sunt ortus naturales: et auctiones violentae et deminutiones, ut auctiones eorum qui cito propter delicias pubescunt; et frumenta, quae cito adolescunt, nec terra subacta altius radices agunt.

In variatione autem quomodo res habet? an eodem modo? erunt enim quaedam violentae, aliae naturales: ut puta alii morbo liberantur non in diebus criticis, alii vero in diebus criticis: quorum illi praeter naturam variantur; hi vero secundum naturam. Erunt autem interitus inter se contrarii, non solum generationi. Et quid prohibet? hoc enim est aliquo modo, nempe si alter sit jucundus, alter molestus. Quocirca non simpliciter interitui est interitus contrarius: sed quatenus alter ipsorum est talis, alter vero talis.

Omnino igitur contrariae sunt motiones et quietes, eo quo diximus modo: veluti, quae est sursum, ei quae est deorsum: loci namque contrarietates hae sunt. Naturaliter autem fertur ea latione quae sursum tendit, ignis; ea quae deorsum, terra: et contrariae sunt horum lationes. Ignis vero sursum quidem fertur natura, deorsum autem praeter naturam: et contraria est ejus motio naturalis ei quae est praeter naturam.

Quin etiam quietes itidem se habent; nam quies in loco supero motui ex loco supero ad inferum contraria est. Accidit autem terrae quies illa praeter naturam, hic autem motus secundum naturam. Quapropter motui quies est contraria: nempe quae est praeter naturam, ei qui est secundum naturam, ejusdem rei ita est contrarius. Aliter enim ipsorum est secundum naturam, qui est sursum, vel deorsum versus; aliter autem praeter naturam.

Exsistit autem dubitatio, an omnis quietis, quae non est semper, sit generatio; et an haec sit progressus ad quietem. Ejus igitur quod praeter naturam manet, ut terrae in loco supero, erit generatio. Quando igitur vi sursum ferebatur, ad quietem progrediebatur. Atqui quod ad quietem tendit, semper videtur ferri celerius: quod autem vi movetur, e contrario. Erit igitur quiescens, quum non sit factum quiescens. Praeterea tendere ad quietem, videtur aut omnino esse, secundum naturam ad suum locum ferri, vel simul accidere.

Item exsistit dubitatio, an quies quae est hic, sit contraria motui qui est hinc. Quando enim movetur ex hoc, vel etiam abjicit, adhuc videtur habere id quod abjicitur. Quare si haec quies est contraria motui qui est hinc, in contrarium certe simul inerunt contraria. An quadamtenus quiescit, si adhuc manet? et omnino quod movetur, partim est hic, partim in eo quod mutat. Ideoque magis motus motui est contrarius, quam quies. Ac de motione quidem et quiete, quomodo utraque sit una, et quae quibus sint contraria, dictum est.

Dubitare autem quispiam possit etiam de progressu ad statum, an quicumque sunt motus praeter naturam, his sit aliqua quies opposita. Si igitur non erit, absurdum est. Ma-

quiescens aliquid erit non semper sine fieri. Sed palam quod erit: sicut enim movetur praeter naturam, et quiescit utique aliquid praeter naturam.

Quoniam autem est quibusdam motus secundum naturam et praeter naturam, puta ignis, qui sursum secundum naturam, qui autem deorsum praeter naturam: utrum hic contrarius, aut qui terrae? haec enim fertur secundum naturam deorsum. Aut palam, quia ambo, sed non eodem modo. Sed qui quidem secundum naturam, secundum naturam existenti; ejus autem, qui ipsius qui sursum ignis, ei qui deorsum: ut secundum naturam existens, praeter naturam existenti. Similiter autem et in mansionibus.

Forte autem quieti motus aliquatenus opponitur. Cum enim moveatur ex hoc, et abjiciat, adhuc videtur habere quod abjiciat. Quare, si ipsa quies contraria ei qui hinc est in contrarium motui, simul existunt contraria: si aliquatenus quiescit, aut adhuc manet. Totaliter autem ei quod movetur, hoc quidem ibi, hoc autem in quod mutatur. Propter quod magis motus motui contrarium quam quies. Quis quidem igitur motus simpliciter unus, dictum est: et de motu quidem et quiete quomodo uterque unum, et qui contrarii quibusdam, dictum est.

net enim, sed vi manet. Quocirca erit aliquid quiescens, quod non semper quiescet, sine quietis generatione.

Atqui constat fore; ut enim movetur praeter naturam, etiam quiescere aliquid potest praeter naturam. Quum autem quibusdam motus sit secundum naturam, et praeter naturam (ut igni secundum naturam est motus sursum versus; qui vero est deorsum versus, est praeter naturam): utrum hic est contrarius, an motus terrae? siquidem haec deorsum fertur secundum naturam. An patet utrosque esse contrarios, sed non eodem modo: verum hic qui est secundum naturam ut secundum naturam exsistente hoc ejus motu: motus vero ignis ad locum superum, ejusdem motui ad inferum opponitur, ut motus qui est secundum naturam, ei qui est praeter naturam. Similiter dicendum est etiam de statibus. Sed fortasse a quiete motus aliqua parte diversam rationem habet.

Postquam Philosophus determinavit de contrarietate motuum et quietum, hic movet quasdam dubitationes circa praemissa. Et circa hoc duo facit. Primo ponit dubitationes et solvit eas. Secundo manifestat quaedam, quae in illis dubitationibus possent esse dubia, ibi, « Dubitabit autem aliquis. » Prima pars dividitur in tres partes, secundum tres dubitationes quas movet, et patent partes in litera. Circa primum duo facit. Primo movet dubitationem. Secundo solvit, ibi, « Aut si est, quod violentia fit. » Movet ergo primo dubitationem, quare in genere motus localis invenitur quidam motus, et quaedam quies secundum naturam, et quaedam extra naturam, et in aliis generibus non invenitur hoc: puta quod una alteratio sit secundum naturam, et alia extra naturam: quia non videtur magis esse sanatio secundum naturam, vel extra naturam, quam aegrotatio; cum utraque procedat a principio naturali intrinseco: et similiter est in dealbatione et denigratione, et augmento et decremento: quia neque isti duo motus sic contrariantur adinvicem, ut unus sit secundum naturam, et alter extra naturam, cum utrumque naturaliter proveniat: neque augmentum sic contrariatur augmento, ut quoddam sit secundum naturam, et quoddam extra naturam: et eadem ratio est de generatioue et corruptione. Non enim potest dici quod generatio sit secundum naturam, et corruptio extra naturam: quia senescere, quod est via in corruptionem, accidit secundum naturam. Neque etiam videmus quod una generatio sit secundum naturam, et alia extra naturam. Videtur autem quod hic dicitur contrarium ei quod dicitur in secundo de Caelo, quod senium et omnis defectus et corruptio est contra naturam. Sed dicendum est quod senium et corruptio et decrementum est quodammodo contra naturam, et quodammodo secundum naturam. Si enim consideretur propria natura alicujus rei, quae dicitur natura particularis, manifestum est quod omnis corruptio et defectus et decrementum est contra naturam: quia uniuscujusque natura intendit conservationem proprii subjecti: contrarium autem accidit ex defectu seu debilitate naturae: si autem consideretur natura in universali, tunc omnia hujusmodi proveniunt ex aliquo principio naturali intrinseco, sicut corruptio animalis ex contrarietate calidi et frigidi, et eadem ratio est in aliis.

Secundo ibi « at si est »

Solvit propositam quaestionem per interemptionem. Et circa hoc duo facit. Primo ostendit, quod in quolibet genere motus invenitur secundum naturam, et extra naturam. Secundo ostendit quomodo haec duo in motibus et quietibus contrarientur, ibi, « Omnino quidem. » Circa primum duo facit. Primo determinat veritatem. Secundo movet objectionem, ibi, « Erunt igitur corruptiones. » Dicit ergo primo, quod, cum illud quod fit ex violentia, sit extra naturam (quia violentum est cujus principium est extra, nil conferente vim passo: naturale autem est, cujus principium est intra); sequitur quod corruptio violenta, sit corruptioni naturali contraria, sicut corruptio extra naturam est contraria corruptioni, quae est secundum naturam. Et per eamdem rationem concludit, quod quaedam generationes sunt violentae « et non fatatae, » id est non procedentes secundum ordinem causarum naturalium. Quia ipse ordo causarum naturalium fatum dici potest, sicut aliquis facit nasci rosas, aut aliquos fructus per aliqua artificia temporibus non suis; et similiter etiam aliquo artificio procreatur (1) generatio ranarum, aut aliquorum hujusmodi naturalium: unde, cum hae duae generationes sint violentae, per consequens sunt extra naturam: quibus contrariantur generationes quae sunt secundum naturam. Idem etiam concludit, consequenter in augmento et decremento. Sunt enim quaedam augmenta violenta et extra naturam, sicut patet in his quae velocius debito ad pubertatem proveniunt propter teneritudinem, vel propter alimentum, idest propter hoc quod delitiose et abundanti alimento nutriuntur, quod apparet in augmento tritici. Quandoque enim frumenta augmentantur innaturaliter propter abundantiam humorum: et non constringuntur, ut sint spissa et solida per debitam digestionem. Et similiter apparet in alterationibus. Sunt enim quaedam alterationes violentae, et quaedam naturales; ut patet maxime in sanatione. Quidam enim dimittuntur a febribus, non in criticis diebus, et isti alterantur extra naturam: alii vero in criticis diebus, et isti alterantur secundum naturam.

Secundo ibi « erunt igitur »

Objicitur contra praedicta. Cum id enim quod est extra naturam, contrarietur ei quod est secundum naturam; si invenitur quaedam generatio se-

(1) *Forte* procuratur.

cundum naturam, et quaedam contra naturam, et corruptio similiter; sequitur quod corruptiones sunt contrariae adinvicem, et non generationi: quia unum non potest duobus esse contrarium. Et hoc solvit dicens, quod nihil prohibet generationi generationem esse contrariam, et corruptionem corruptioni. Sic enim verum est hoc, etiam remota contrarietate ejus quod est secundum naturam, et ejus quod est extra naturam: quia si est quaedam generatio et corruptio dulcis, et alia tristis, oportet generationem generationi esse contrariam, et corruptioni. Dicitur autem generatio et corruptio dulcis, quia ex minus nobili corrupto generatur magis nobile; sicut ex aëre corrupto generatur ignis: generatio autem et corruptio tristis, quando ex magis nobili corrupto, generatur minus nobile, ut si ex igne generetur aer. Non tamen sequitur, si corruptio opponitur corruptioni, quod non opponatur generationi: quia corruptio opponitur generationi secundum rationem sui generis: corruptio autem corruptioni, secundum rationem propriae speciei. Sicut avaritia contrariatur largitati secundum contrarietatem vitii ad virtutem: prodigalitati vero secundum propriam speciei rationem. Et hoc est quod concludit quod corruptio non est contraria corruptioni « simpliciter, » idest in universali; sed corruptionum haec quidem est talis, illa vero talis, idest violenta et extra naturam, vel dulcis et tristis.

Deinde cum dicit « omnino igitur »

Ostendit quomodo sit contrarietas in motu et quiete per id quod est extra naturam et secundum naturam: et dicit quod non solum generatio est contraria generationi et corruptioni, per id quod est secundum naturam et extra naturam, sed etiam universaliter motus et quietes sunt hoc modo contrarii; sicut motus qui est sursum, est contrarius motui qui est deorsum: quia sursum et deorsum sunt contrarietates loci; et uterque illorum motuum est naturalis alicui corpori. Ignis enim naturaliter fertur sursum, terra vero deorsum. Et iterum utriusque horum motuum est accipere contrarias differentias: scilicet quod est secundum naturam et extra naturam. Et hoc est quod dicit « et contrariae « ipsorum, » scilicet motuum differentiae sunt. Vel potest intelligi, quod ipsorum corporum quae moventur, sunt contrariae motuum differentiae, idest secundum naturam et extra naturam: motus enim sursum est quidem naturalis ignis, sed moveri deorsum est ei extra naturam. Et sic patet, quod motus qui est secundum naturam, est contrarius ei qui est extra naturam. Et similiter est de quietibus; quia quies quae est sursum, est contraria motui qui est de sursum in deorsum. Sed illa quies est terrae innaturalis: sed motus qui est deorsum est ei secundum naturam. Unde patet secundum praemissa, quod quies quae est extra naturam, etiam contraria motui naturali ejusdem corporis: quia est in eodem corpore motus sic contrariatur adinvicem, quod scilicet motus naturalis unius corporis est contrarius motui innaturali ejusdem corporis. Et sic est etiam de quiete; quia alia quietum contrariarum erit secundum naturam, ut sursum igni, et deorsum terrae: alia vero extra naturam, ut deorsum igni, sursum terrae.

Deinde cum dicit « habet autem »

Movet secundam dubitationem: utrum scilicet omnis quietis quae non semper fuit sit aliqua generatio. Et generatio quietis vocatur stare: ut per

stare non intelligamus idem quod quiescere; sed stare sit idem quod pervenire ad quietem: quia forma in graeco magis propriae sonat. Et videtur determinare in partem negativam per duas rationes. Quarum prima est, quod si omnis quietis quae non semper fuit, est generatio, sequitur quod quietis quae est extra naturam (sicut quando terra quiescit sursum) sit aliqua generatio. Quies autem generari non potest nisi per motum praecedentem: motus autem praecedens quietem innaturalem, est violentus. Sic ergo sequitur quod, cum terra per violentiam ferebatur sursum, quod tunc « stetit, » idest quod tunc generabatur ejus quies. Sed hoc non potest esse; quia « quod semper stat videtur ferri « velocius, » idest dum generatur quies per motum, semper quanto magis appropinquat ad quietem tanto est velocior. Cum enim res generata sit perfectio generationis, unumquodque autem quanto est propinquias suae perfectioni tanto est virtuosius et intensius: sequitur quod motus per quem generatur quies, tanto sit velocior, quanto magis appropinquat ad quietem, ut apparet maxime in motibus naturalibus. Sed in his quae moventur per violentiam, accidit contrarium: quia semper invenitur remissior, quanto magis appropinquat ad quietem. Non ergo quies violenta habet generationem. Et hoc est quod dicit quod, « erit aliquid quiescens violente, sed « non factum quiescens, » id est absque hoc, quod sua quies generetur.

Secundam rationem ponit ibi « amplius videtur »

Quae talis est: quia stare, idest generari quietem, aut omnino est idem cum motu naturali, quo aliquid fertur in proprium locum, aut simul cum eo accidit. Et manifestum est quod sunt idem subjecto, sed differunt ratione. Terminus enim motus naturalis, est esse in loco naturali: esse autem in loco naturali et quiescere in eo sunt idem subjecto: unde et motus naturalis et generatio quietis sunt idem subjecto, sed differunt ratione tantum. Manifestum est autem quod quies violenta non generatur per motum naturalem: ergo quies violenta non habet stationem seu generationem.

Deinde cum dicit « habet autem »

Movet tertiam quaestionem de hoc quod supra dictum est, quod quies quae est in aliquo termino, contrariatur motui quo receditur ab illo termino. Sed hoc videtur falsum; quia cum aliquis moveatur ex hoc termino sicut ex loco, aut abjiciatur ille terminus, sicut qualitas vel quantitas, adhuc dum movetur videtur habere illud quod abjectum est vel derelictum: non enim subito deserit aliquid totum locum, sed successive; et similiter successive amittit albedinem: ergo dum movetur, adhuc remanet in termino a quo. Si igitur quies qua aliquid manet in termino a quo, contrariatur motui quo idem recedit, sequitur quod duo contraria sint simul: quod est impossibile.

Solvit autem hanc dubitationem cum dicit « aut « aliquo »

Et dicit quod illud quod movetur recedendo a termino a quo, recedit non simpliciter, sed secundum quid: scilicet secundum quod adhuc manet in illo, non totaliter, sed partim. Quia hoc est universaliter verum, quod semper ejus quod movetur, una pars est ibi, scilicet in termino a quo, et alia in termino ad quem. Nec est inconveniens quod unum contrariorum secundum quid permisceatur alteri; sed quanto est magis impermistum, tanto est magis contrarium. Et ideo motus est magis contrarius motui, (cum nunquam ei permisceatur) quam quies, quae quodammodo permiscetur. Et ultimo epilogat, quod dictum est de motu et quiete, quomodo in eis sit unitas et contrarietas.

Deinde cum dicit • dubitabit autem •

Ponit quaedam ad manifestationem praemissorum, quae tamen in exemplaribus graecis dicuntur non haberi et Commentator etiam dicit, quod in quibusdam exemplaribus Arabicis non habentur: unde magis videntur esse assumpta de dictis Theophrasti, vel alicujus alterius expositoris Aristotelis. Tria tamen ponuntur hic ad manifestationem praecedentium: quorum primum pertinet ad quaestionem (quam supra posuit) de generatione quietis non naturalis. Unde dicit, quod dubitabit aliquis de ipso stare: quod est generari quietem: quia si omnes motus qui sunt praeter naturam, habent quietem oppositam, scilicet non naturalem: utrum et illa quies habeat stare idest generari? quia, si dicatur quod non sit aliqua statio quietis violentae, sequitur inconveniens. Manifestum est enim, quod id quod per violentiam movetur, quandoque manebit, id est quiescet, et hoc per violentiam: quare sequitur, quod aliquid erit quiescens non semper sine hoc quod fiat quiescens: quod videtur impossibile. Sed palam est quod erit quandoque quies violenta. Sicut enim movetur aliquid praeter naturam, ita et quiescit aliquid praeter naturam. Est autem hic attendendum quod hoc quod hic dicitur, videtur esse contrarium ei quod supra dictum est. Unde Averroes dicit quod dubitatio superius mota, hic solvitur. Sed melius est, ut dicatur quod id quod supra positum est, est magis verum: licet et quod hic dicitur quodam modo sit verum: quies enim violenta non habet generationem proprie sicut procedentem ab aliqua causa per se factiva quietis, sicut quies naturalis generatur. Sed habet generationem per accidens per defectum virtutis factivae: quia quando cessat violentia moventis vel impeditur, tunc fit quies violenta. Et propter hoc motus violentus in fine remittitur, naturalis autem in fine intenditur. Sciendum tamen est, quod alia litera invenitur in hoc loco quam oportet ad aliam intentionem referre. Dicit enim sic. Quod quaeret aliquis utrum motui extra naturam, contrarietur

aliqua quies non secundum naturam: non quod quies quae est contra naturam, opponatur motui qui est contra naturam proprie (ut supra Aristoteles docuit). Sed hic dicitur large et improprie, secundum communem oppositionem quietis ad motum. Et dicit quod irrationabile videtur si non inveniatur quaedam quies non naturalis. Manifestum est enim quod violentia moventis remanebit, idest cessabit quandoque: et nisi quies aliqua fiat consequenter, motus non perveniet ad statum: unde manifestum est, quod motibus violentis opponitur quies violenta: quia quod extra naturam movetur, habet etiam extra naturam quiescere.

Secundo ibi • quoniam autem •

Ponit secundam explanationem ejus quod dictum est de contrarietate motus naturalis et violenti; et dicit quod cum in quibusdam sit motus secundum naturam et praeter naturam: sicut ignis qui movetur sursum secundum naturam, et deorsum praeter naturam: quaeritur utrum motui naturali ignis sursum, sit contrarius motus violentus ignis deorsum, vel motus terrae, quae naturaliter movetur deorsum. Et solvit quod ambo ei contrariantur, sed non eodem modo; sed motus terrae deorsum contrariatur motui ignis sursum, sicut naturalis naturali. Motus autem ignis deorsum contrariatur motui ignis sursum, sicut violentus naturali. Et eadem ratio est de contrarietate quietum.

Tertio ibi • forte autem •

Ponit tertium ad manifestandum id quod dictum est de contrarietate quietis ad motum: et dicit quod forte quieti, motus aliquatenus opponitur, et non simpliciter. Cum enim aliquis movetur ex hoc in quo quieverat, et abjiciat illud, videtur adhuc habere illud quod abjicitur. Unde, si quies quae est hic, sit contraria motui qui est hinc in contrarium, sequitur quod simul sint contraria. Sed adhuc aliquatenus quiescit dum manet in termino a quo. Et universaliter ejus quod movetur, aliquid est in termino a quo, et aliquid in termino ad quem. Unde quies minus opponitur motui quam motus contrarius, sicut supra expositum est. Et ultimo recapitulat, ut per se manifestum est. Ex hoc autem ipso, quod eadem verba repetuntur, quae supra dicta sunt, manifestum esse potest quod non sunt verba Aristotelis, sed alicujus expositoris.

LIBER SEXTUS

SUMMA LIBRI. — MOTUM EX INDIVISIBILIBUS COMPONI QUOD SIT IMPOSSIBILE, SED QUOD TEMPORE CUM QUIETE MENSU-RARI EI PROPRIUM SIT. DE DIVISIONE ITEM MOTUS IN PARTES, ET IPSARUM AD INVICEM ORDINE AGITUR. ERRORES ITEM NONNULLI CIRCA MOTUM DESTRUUNTUR.

LECTIO I.

Nullum continuum ex indivisibilibus componi, multipliciter probatur.

ANTIQUA.

Si autem est continuum, et quod tangit, et consequenter, sicut definitum est prius (continua quidem quorum ultima unum: quae vero tanguntur quorum simul: consequenter autem quorum nihil est medium sui generis) impossibile est ex indivisibilibus esse aliquid continuum, ut lineam esse ex punctis: si vere linea quidem continuum est, punctum autem indivisibile.

Neque enim unum sunt ultima punctorum: non est enim hoc quod ultimum punctorum, aliud aliquid: illud autem a-liqua pars indivisibilis. Neque simul sunt ultima : non enim est ultimum ullum impartibilis: alterum enim est ultimum, et cujus est ultimum.

Amplius necesse est aut continua esse puncta, aut tan-gentia se adinvicem, ex quibus est continuum: eadem autem ratio est et in omnibus indivisibilibus. Continua igitur non erunt, propter praedictam rationem. Tangit autem omne, aut totum totum, aut pars partem, aut totum p rs. Quoniam autem impartibile est indivisibile, necesse est totum tangere totum: totum autem, totum tangens, non est continuum. Continuum enim habet haec quidem aliam, illud vero aliam partem, et dividitur in sic diversas, et loco separatas.

At vero neque consequenter erit punctum ad punctum, aut ipsum nunc ad ipsum nunc, ut ex his sit longitudo, aut tempus. Consequenter enim sunt, quorum nullum est medium. Punctorum autem semper est medium linea, et ipsorum nunc tempus.

Amplius dividerentur in indivisibilia, si ex quibus est utrumque in ipsa dividitur: sed nullum est continuorum in impartibilia divisibile.

Nullum autem aliud genus potest esse medium punctorum, et ipsorum nunc. Si namque erit, manifestum est quod aut divisibile, aut indivisibile erit. Et si divisibile aut indivisi-bilia, aut in semper divisibilia: hoc autem est continuum.

Manifestum autem est, quod omne continuum est divisi-bile in semper divisibilia. Si enim in indivisibilia dividere-tur continuum, esset indivisibile tangens: unum enim est ultimum continuorum, et quae tanguntur.

RECENS.

Jam vero si est continuum, ac tangens, et deinceps, ut antea definitum fuit (nempe continua, quorum extrema sunt unum; tangentia vero, quorum sunt simul, deinceps autem, quibus nihil est interjectum ejusdem generis): profecto im-possibile est, ex individuis esse aliquid continuum, ut lineam ex punctis, si quidem linea est res continua, punctum autem res individua. Etenim nec extrema punctorum sunt unum: quandoquidem individui non est hoc quidem extremum, illud vero alia quaedam pars. Nec extrema simul sunt: quia nullum extremum est ejus quod partibus vacat, quum aliud sit extremum, et id cujus est extremum.

Praeterea necesse est, vel puncta, ex quibus est conti-nuum, esse continua, vel .se vicissim tangere. Eademque ratio est in omnibus individuis. Continua igitur esse nequeunt propter rationem quae jam dicta est. Res autem omnis tan-git vel tota totam, vel pars partem, vel totam pars: sed quum individuum partibus vacet, necesse est ut totum tan-gat totum. Atqui totum quod tangit totum, non erit conti-nuum: quandoquidem continuum habet aliam atque aliam partem, atque dividitur in ita diversa et loco sejuncta. Quin nec punctum deinceps sequetur punctum aut momentum momentum, ut ex his sit longitudo vel tempus. Deinceps enim sunt, quibus nihil est interjectum ejusdem generis; quod vero punctis est interjectum, semper est linea; et quod momentis, tempus.

Praeterea divideretur in individua: siquidem ex quibus est utrumque, in haec dividitur. Sed nullum continuum (ut vidimus) est in ea dividuum quae partibus vacant. Nullum autem aliud genus potest esse interjectum punctis et mo-mentis. Nam si erit, constat fore vel individuum, vel divi-duum: et si dividuum, vel in individua, vel in semper di-vidua: hoc vero est continuum. Perspicuum quoque est, omne continuum esse dividuum in semper dividua. Nam si divi-datur in individua, individuum ab individuo tangetur: quan-doquidem extremum est unum, ac tangit continua.

Postquam Philosophus determinavit de divisione motus in suas species, et de unitate et contrarie-tate motuum et quietum, in hoc sexto libro intendit determinare ea quae pertinent ad divisionem motus, secundum quod dividitur in partes quantitativas. Et dividitur in partes duas. In prima ostendit mo-tum, sicut et omne continuum, esse divisibile. In secunda ostendit qualiter motus dividatur, ibi, « Necesse autem et ipsum nunc. » Prima autem pars dividitur in duas. In prima ostendit nullum

continuum ex indivisibilibus componi. In secunda ostendit nullum continuum indivisibile esse, ibi, « Manifestum autem quod neque linea. » Prima autem pars dividitur in duas. In prima ostendit nullum continuum ex indivisibilibus componi. In secunda parte (quia probationes praemissae magis ad magnitudinem pertinere videntur) ostendit, quod eadem ratio est de magnitudine motuum et tem-pore, ibi, « Ejusdem autem rationis est. » Circa primum duo facit. Primo resumit quasdam definitiones supra positas, quibus nunc utitur ad propositum demonstrandum. Secundo probat propositum, ibi, « Neque enim unum sunt. » Dicit ergo primo, quod, si definitiones prius positae continui, et ejus quod tangitur, et ejus quod est consequenter, sunt convenientes, scilicet quod continua sunt quorum ultima sunt unum; contacta, quorum ultima sunt simul; consequenter autem sunt, quorum nihil est medium sui generis: ex his sequitur, quod impossibile sit aliquid continuum componi ex indivisibilibus, ut lineam ex punctis « si tamen linea dicatur aliquid continuum, et punctum aliquid indivisibile. » Addit autem hoc ne aliquis nomine lineae et puncti aliter uteretur.

Secundo ibi « neque enim »

Probat propositum Et primo inducit rationes duas ad probandum propositum. Secundo manifestat quaedam, quae poterant esse dubia in suis probationibus, ibi, « Aliud autem genus. » Circa primam rationem duo facit. Primo ostendit quod ex indivisibilibus non componitur aliquod continuum per modum continuationis, neque per modum contactus. Secundo, quod neque per modum consequenter se habentium, ibi, « At vero neque consequenter. » Circa primum ponit duas rationes: quarum prima talis est. Ex quibuscumque componitur aliquid unum vel per modum continuationis, vel per modum contactus, oportet quod habeant ultima quae sint unum, vel quae sint simul. Sed ultima punctorum non possunt esse unum: quia ultimum dicitur respectu alicujus partis: in indivisibili autem non est accipere aliquid quod sit ultimum, et aliud quod sit aliqua alia pars. Similiter non potest dici, quod ultima punctorum sunt simul; quia nihil potest esse ultimum rei impartibilis, cum semper alterum sit ultimum, et illud cujus est ultimum: in impartibili autem non est accipere aliud et aliud. Relinquitur ergo, quod linea non potest componi ex punctis, neque per modum continuationis, neque per modum contactus.

Secundam rationem ponit ibi « amplius necesse » Quae talis est. Si ex punctis constituitur aliquod continuum, necesse est quod, aut sint continua adinvicem, vel se tangant: et eadem ratio est de omnibus aliis indivisibilibus, quod ex eis non componatur continuum. Ad probandum autem quod indivisibilia non possunt sibi invicem esse continua sufficiat ratio prima. Sed ad probandum quod non possunt se tangere, inducitur alia ratio, quae talis est. Omne quod tangit alterum, aut totum unum tangit totum aliud, aut pars unius partem alterius, aut pars unius totum alterius. Sed, cum indivisibile non habeat partem, non potest dici quod pars unius tangat partem alterius, aut pars totum: et sic necesse est, si duo puncta se tangant, quod totum tangat totum. Sed ex duobus, quorum unum totum tangat aliud totum non potest componi continuum: quia omne continuum habet partes sejunctas, ita quod haec sit una pars, et haec alia; et dividitur in partes diversas et distinctas loco, idest positione, in his quae positionem habent: quae autem secundum se tota tangunt non distinguuntur loco vel positione. Relinquitur ergo, quod ex punctis non possit componi linea per modum contactus.

Deinde cum dicit « at vero »

Probat quod continuum non componatur ex indivisibilibus, per modum ejus quod est consequenter. Non enim punctum se habebit consequenter ad aliud punctum, ita quod ex eis constitui possit longitudo, idest linea: aut unum nunc alteri nunc ita quod ex eis possit componi tempus: quia consequenter est unum alteri, quorum non est aliquod medium ejusdem generis, ut supra expositum est. Sed inter duo puncta semper est linea media. Et sic, si linea composita est ex punctis, ut tu das, sequitur quod semper inter duo puncta sit aliud punctum medium: et similiter inter duo nunc est tempus medium. Non ergo linea componitur ex punctis, aut tempus ex nunc, sicut consequenter se habentibus.

Secundam rationem principalem ponit ibi « amplius dividerentur »

Quae sumitur ex alia definitione continui, quam supra posuit in principio tertii: scilicet quod continuum sit, quod est in infinitum divisibile. Et est ratio talis. Ex quibuscumque componitur, vel linea, vel tempus, in ipsa dividitur: si ergo utrumque istorum componitur ex indivisibilibus, sequitur quod indivisibilia dividantur. Sed hoc est falsum, cum nullum continuorum sit divisibile in impartibilia: sic enim non esset divisibile in infinitum. Nullum igitur continuum componitur ex indivisibilibus.

Deinde cum dicit « nullum autem »

Manifestat duo, quae supra dixerat; quorum primum fuit, quod inter duo puncta sit linea media: et inter duo nunc, tempus. Et hoc manifestat sic. Si sunt duo puncta, oportet quod differant secundum situm: alias non essent duo, sed unum: non enim possunt se contingere, ut supra ostensum est: unde relinquitur quod distent, et sit aliquod medium inter ea. Sed nullum aliud medium potest esse inter ea. quam linea inter puncta, et tempus inter nunc. Quod sic probat, quia si inter puncta esset aliud medium quam linea, illud medium esset indivisibile, aut divisibile; si autem sit indivisibile, oportet quod sit distinctum ab utroque in situ, et cum non tangat, oportet iterum quod sit aliquod alterum medium inter indivisibile, quod ponitur medium et extrema, et sic in infinitum, quod est inconveniens nisi ponatur medium divisibile. Si autem medium duorum punctorum fuerit divisibile, aut erit divisibile in indivisibilia, aut in semper divisibilia. Sed non potest dici quod dividatur in indivisibilia, quia tunc redibit eadem difficultas, quomodo ex indivisibilibus possit componi divisibile. Relinquitur igitur quod illud medium sit divisibile in semper divisibilia. Sed haec est ratio continui: ergo illud medium erit quoddam continuum. Nullum autem aliud continuum potest esse medium inter duo puncta quam linea: ergo inter quaelibet duo puncta est linea media, et eadem ratione inter quaelibet duo nunc tempus, et similiter in aliis continuis.

Secundo ibi « manifestum autem »

Manifestat secundum quod supposuerat, scilicet quod omne continuum sit divisibile in divisibilia: quia, si daretur quod continuum divisibile esset in indivisibilia; sequeretur quod duo indivisibilia se contingerent, ad hoc quod possint constituere continuum. Oportet enim quod continuorum sit unum ultimum, ut ex definitione ejus apparet, et quod partes continui se tangant: quia, si ultima sunt unum, sequitur quod sint simul, ut in quinto dictum est. Cum igitur sit impossibile duo indivisibilia se contingere, impossibile est quod continuum in indivisibilia dividatur.

LECTIO II.

Magnitudinem ac motum, sicut et continuum nullum, ex indivisibilibus componi impossibile esse ostenditur.

Ejusdem autem rationis est, et magnitudinem et tempus, et motum ex indivisibilibus componi, et dividi in indivisibilia, aut nihil.

Manifestum est autem ex his: si enim magnitudo ex indivisibilibus componitur, et motus qui hujus est ex aequalibus erit motibus indivisibilibus.

Ut si ipsa A B C ex A B C indivisibilibus: et motus, in quo D E Z, secundum quem motum est ipsum P K: in spatio quod est A B C. unamquamque partem habet indivisibilem.

Si igitur praesentis motus, necesse moveri per aliquam partem: et si moveatur aliquid, adesse motum, et moveri erit ex indivisibilibus. Secundum igitur A motum esse ipsum c, motu quo D movetur; secundum vero B, quo ipsum E; et secundum c, quo ipsum z.

Si igitur necesse est quod movetur unde et quo non simul moveri et motum esse quo movit quando movet (ut si Thebas aliquis it, impossibile est simul ire Thebas, et ivisse Thebas).

Secundum A igitur impartibile motum est P K, secundum quod ipsum D motus aderat. Quare si posterius quidem devenerit quo venit, divisibile utique erit. Cum A enim veniret, neque quiescebat neque transierat, sed in medio erat: si autem simul venerit, et venit veniens, cum venit: ventum ibi erit: et motum esse ubi movetur. Si vero secundum totum A B C moveatur aliquid: et motus quo movetur D E Z est, secundum autem impartibile A, nihil movetur, sed motum est, erit utique motus non ex motibus, sed ex momentis.

Et motum esse aliquid non motum: secundum enim A transivit non transiens. Quare erit aliquid transitum esse, non aliquando iens vel transiens: hanc enim transivit non transiens hanc.

Si igitur necesse est, aut quiescere, aut moveri omne, quiescit sane per unamquodque eorum quae sunt A B C. Ergo est aliquid continue quiescens simul, et quod movetur, per totam enim A B C movebatur P, et quiescebat secundum quamlibet partem, quare et per totam.

Et, si indivisibilia, quae sunt D E Z motus sunt, motu praesente continget utique non moveri, sed quiescere: si autem non sunt motus, motum non ex motibus esse.

Porro ejusdem rationis est, et magnitudinem et tempus et motum ex individuis constare, ac dividi in individua, vel nullum horum.

Patet autem ex his: quia si magnitudo ex individuis constat, etiam motus, qui per spatium hujus magnitudinis fit, ex aequalibus motibus individuis erit: veluti, si magnitudo a b g constet ex a b g individuis: etiam motus d e z, quo motum est *to ŏ* per intervallum a b g, habet singulas partes individuas.

Si autem praesente motu necesse est moveri aliquid; et si quid movetur, necesse est adesse motum: etiam ipsum moveri constabit ex individuis. Itaque per a motum est *to ŏ*, quum moveretur motu d: et per b, motu e: et per g itidem motu z.

Si igitur necesse est id quod movetur ab aliquo loco ad aliquem locum, non simul moveri et esse motum quo movebatur, quum movebatur (veluti, si quis Thebas proficiscatur; impossibile est ut simul proficiscatur Thebas, et profectus sit Thebas); certe per a partibus vacans, movebatur *to ŏ*, quatenus motus d ei aderat. Quare, si post pertransiit quam pertransiret, dividuum erit; quando enim pertransibat, nec quiescebat nec pertransierat, sed inter utrumque erat. Quodsi simul pertransit et pertransiit: profecto quod proficiscitur, quando proficiscitur, profectum illuc erit et motum, quo movetur.

Quodsi movetur aliquid per totam longitudinem a b g, et motus, quo movetur, est d e z, nihil autem movetur per partem a quae partibus caret, sed motum est: erit utique motus, non ex motibus, sed ex terminis motuum; et aliquid motum erit, quod non movebatur: quia pertransiit partem a non pertranseundo. Quocirca fieri poterit ut aliquid profectum sit, quum nunquam proficisceretur: quia per hanc est profectum non per eam proficiscendo.

Itaque si necesse est quodvis aut quiescere aut moveri, quiescit autem in singulis a b g: erit igitur aliquid continenter quiescens simul et motum. Nam per totam magnitudinem a b g movebatur, et in quavis parte quiescebat: proinde etiam in tota. Et si quidem individuae partes *tou* d e z sint motus, fieri poterit ut motu praesente res non moveatur, sed quiescat. Si vero non sint motus, eveniet ut motus ex non-motibus constet.

Quia rationes supra positae manifestiores sunt in linea et aliis continuis quantitatibus positionem habentibus in quibus proprie invenitur contactus, vult hic ostendere quod eadem ratio est de magnitudine, tempore et motu. Et dividitur in partes duas. Primo proponit intentum. Secundo probat propositum, ibi, « Manifestum autem ex his. » Dicit ergo primo, quod ejusdem rationis est quod magnitudo et tempus et motus componantur ex indivisibilibus, et dividantur in indivisibilia. vel nihil horum: quia quicquid dabitur de uno, ex necessitate sequetur de alio.

Secundo ibi « manifestum autem »

Probat propositum. Et primo quantum ad magnitudinem et motum. Secundo quantum ad tempus et magnitudinem, ibi, « Similiter autem necesse. » Circa primum tria facit. Primo ponit propositum. Secundo exemplificat, ibi, « Ut ipsa A B C etc. » Tertio probat, ibi, « Si igitur praesentis motus. » Propositum est istud: Si magnitudo ex indivisibili-

bus componitur, et motus, qui transit per magnitudinem, componetur ex indivisibilibus motibus aequalibus numero indivisibilibus, ex quibus componitur magnitudo.

Secundo ibi « ut si ipsa »

Exemplificat autem sic. Sit linea A B C, quae componatur ex tribus indivisibilibus: quae sunt A et B et C: et sit P K, mobile quod movetur in spatio lineae A B C, et motus ejus sit D E Z: oportebit, quod si partes spatii vel lineae sint indivisibiles, quod etiam partes praedicti motus sint indivisibiles.

Tertio ibi « si igitur

Probat propositum. Et circa hoc tria facit. Primo praemittit quaedam necessaria ad propositi probationem. Secundo probat quod, si magnitudo componitur ex punctis, quod motus componitur non ex motibus, sed ex momentis, ibi, « Secundum. » Tertio ostendit esse impossibile, quod motus componatur ex momentis, ibi, « Et motum esse aliquid. » Praemittit ergo primo duo. Primum est, quod se-

cundum quamcumque partem praesentis motus necesse est aliquid moveri: et e contra, si aliquid
movetur, necesse est quod adsit sibi aliquis motus.
Et si hoc est verum, oportet quod mobile P moveatur per A, quae est pars totius magnitudinis,
secundum partem motus quae est D; et secundum
B, aliam partem magnitudinis, moveatur alia parte
motus, quae est E; et secundum C, tertiam partem
magnitudinis, moveatur tertia parte motus, quae est
z; ita quod singulae partes motus, respondeant singulis partibus magnitudinis.

Secundum proponit ibi « si igitur »

Et dicit, quod necesse est id quod movetur ab
uno termino in alium, non simul moveri et motum
esse, inquantum movetur et quando movetur: sicut
si aliquis vadit Thebas, impossibile est haec duo
simul esse, scilicet ire Thebas, et ivisse Thebas.
Haec autem duo supponit quasi per se manifesta.
Nam quod necesse sit moveri ad praesentiam motus,
apparet etiam in omnibus accidentibus et formis:
quia ad hoc quod aliquid sit album, necesse est
habere albedinem: et e contra, si albedo adsit, necesse est quod sit album. Quod vero non simul
sit moveri et motum esse, apparet ex ipsa motus
successione: quia impossibile est aliqua duo tempora simul esse, ut in quarto habitum est: unde impossibile est, quod simul sit motum esse, quod est
terminus motus, cum ipso moveri.

Secundo ibi « secundum A »

Probat propositum ex praemissis. Si enim praesente aliqua parte motus, necesse est aliquid moveri: et si movetur, necesse est adesse motum. Si
mobile quod est P movetur secundum impartibilem
partem magnitudinis, quae est A, oportet quod adsit ei aliquis motus, qui est D. Aut ergo P simul
movetur per A et motum est, aut non simul. Si autem
non simul, sed posterius devenerit quam venit, idest
sed posterius motum est quam movetur, sequitur quod
A sit divisibilis: quia, cum veniret, idest dum erat
in ipso moveri, neque quiescebat in A, quiete scilicet praecedente motum, neque transierat totum
ipsum A: quia jam non moveretur per A: nihil enim
movetur per spatium per quod jam pertransivit,
sed oportet quod medio modo se habeat: ergo, cum
movetur per A, partem ejus transivit jam, et in parte
ejus adhuc manet: et ita sequitur quod A sit divisibilis, quod est contra suppositum. Si vero simul
venerit et venit, idest si simul motum est et movetur per A, sequitur quod cum veniens venit, erit
ibi ventum et erit motum ubi movetur: quod est
contra secundam suppositionem. Sic igitur patet,
quod secundum impartibilem magnitudinem non
potest aliquid moveri: quia vel oportet quod simul
esset moveri et motum esse, vel quod magnitudo
divideretur. Supposito ergo quod per A impartibile,
nihil moveri possit: si aliquis dicat quod mobile
movetur per totam magnitudinem, quae est A B C,
et motus totus quo per eam movetur est D E Z,
ita quod secundum A impartibile nihil moveatur,
sed tantum motum sit; sequitur quod motus non
sit ex motibus, sed ex momentis. Ideo autem sequitur quod non sit ex motibus, quia cum pars
motus, qui est D, respondeat parti magnitudinis
quae est A; si D esset motus, oporteret quod per A

moveretur: quia praesente motu mobile movetur. Sed
probatum est quod secundum A impartibile non
movetur, sed solum motum est, quando scilicet
pertransitum est hoc indivisibile: ergo relinquetur
quod D non sit motus, sed sit momentum, a quo
denominatur motum esse, sicut a motu denominatur moveri; et quod ita se habet ad motum, sicut
punctum indivisibile ad lineam. Et eadem ratio est
de aliis partibus motus et magnitudinis. Ex necessitate ergo sequitur, si magnitudo componitur ex
indivisibilibus, quod motus ex indivisibilibus componatur, idest ex momentis; et hoc est quod demonstrare intendebat. Sed, quia hoc est impossibile,
quod motus componatur ex momentis, sicut impossibile est quod linea componatur ex punctis,
ideo consequenter

Cum dicit « et motum »

Ostendit hujusmodi impossibilitatem, ducendo
ad inconvenientia tria: quorum primum est, quod
si motus componatur ex momentis, et magnitudo
ex indivisibilibus, ita quod per indivisibilem partem
magnitudinis non moveatur, sed motum sit; sequetur quod aliquid sit motum non motum, id est
quod prius non movebatur: quia ponitur quod secundum indivisibile transivit, id est motum est,
non transiens, quia in eo moveri non poterat: unde sequitur aliquid esse transitum absque hoc quod
aliquando iret: quod est impossibile, sicut impossibile est, quod aliquid sit praeteritum, quod nunquam fuerit praesens. Sed quia hoc inconveniens
posset concedere ille qui diceret, motum componi
ex momentis, ducit ad secundum inconveniens, ibi,
« Si igitur »

Tali ratione. Omne quod natum est moveri et
quiescere, necesse est quod quiescat vel moveatur:
sed dum mobile est in A non movetur, et similiter
dum est in B, et similiter dum est in C: ergo dum
est in A et dum est in B et dum est in C quiescit:
ergo sequitur quod aliquid simul continue quiescat,
et moveatur. Et quod hoc sequatur, sic probat. Positum est enim quod moveatur per totam longitudinem, quae est A B C; et iterum positum est quod
quiescat secundum quamlibet partem: sed quod
quiescit per quamlibet partem, quiescit per totum:
ergo sequitur, quod quiescat per totam magnitudinem. Et ita sequitur, quod per totam magnitudinem
continue moveatur et quiescat: quod est omnino
impossibile.

Tertium inconveniens ponit ibi « et si indivi-
« sibilia »

Tali ratione. Ostensum est quod, si magnitudo
componitur ex indivisibilibus, quod etiam motus.
Aut ergo illa indivisibilia motus quae sunt D et E
et z, ita se habent quod quodlibet eorum est motus, aut non. Si quodlibet eorum est motus, cum
quodlibet eorum respondeat indivisibili parti magnitudinis, in qua non movetur, sed motum est:
sequetur quod praesente motu, mobile non moveatur, quod est contra primam suppositionem, sed
quiescat. Si vero non sunt motus, sequitur quod
motus componatur non ex motibus; quod videtur
impossibile, sicut et quod linea componatur ex non
lineis.

LECTIO III.

Ad magnitudinis divisionem temporis partitionem sequi, multis rationibus probatur.

Similiter autem necesse longitudini et motui, indivisibile esse tempus, et componi ex ipsis nunc existentibus indivisibilibus.

Si enim omnis divisibilis est, in minori autem tempore aequaliter velox transibit minorem, divisibile erit et tempus. Si autem tempus divisibile erit, in quo fertur aliquid per ipsum A, et quae est ipsum A erit divisibile.

Quoniam autem omnis magnitudo in magnitudines divisibilis est (ostensum est enim quod impossibile est ex atomis, continuum esse aliquod: magnitudo autem omnis continua est) necesse est velocius in aequali tempore majus, et in minori plus moveri, sicut definiunt quidam ipsum velocius.

Sit enim ipsum in quo A eo in quo B velocius. Quoniam igitur velocius est id quod primum mutatur, in quo tempore ipsum A mutatum est ab ipso c in ipsum D, scilicet in tempore z I, in hoc ipsum B non erit juxta ipsum D, sed deficiet. Quare in aequali tempore abibit velocius.

At vero et in minori plus. In quo enim A factum est juxta ipsum D, ipsum B erit juxta E cum tardius est. Ergo, quoniam ipsum A ad ipsum D factum est in omni in quo est E I tempore: ad ipsum T erit in minori hoc: et erit in quo z K. Ipsum quidem igitur c T quod transierit ipsum A, majus est ipso c E. Tempus autem, quod est z K, minus est omni eo, quod est z I: quare in minori transibit majus.

Manifestum autem ex his, et quod velocius in minori tempore pertransibit aequale.

Quoniam enim majorem in minori transit tardiori, ipsum autem secundum seipsum acceptum in pluri tempore majorem minori: ut quae est L M ea quae est L O, plus utique erit tempus, quod Q R, in quo ipsum A transit L M, quam quod est Q S, in quo transit ipsum L O: quare si Q R tempus minus est eo in quo est Q H, in quo quod est tardius transit ipsum L O, et quod est Q S tempus minus est eo in quo est Q H. Ipso enim Q R minus est: minore autem minus, et ipsum minus est. Quare in minori movebitur per aequale.

Amplius autem, si omne necesse quidem est, aut in aequali, aut in minori, aut in pluri moveri, et quod quidem in pluri tardius est, quod autem in aequali, aeque velox, velocius autem non est aequaliter velox, neque tardius, neque utique in pluri aut aequali movetur ipsum velocius, relinquitur igitur in minori. Quare necesse est aequalem magnitudinem minori tempore transire velocius.

Quoniam autem omnis quidem motus in tempore est, et in omni tempore possibile est moveri: omne autem quod movetur, contingit et velocius moveri, et tardius: in omni tempore erit ipsum velocius et tardius moveri.

Haec autem cum sint, necesse est et tempus continuum esse. Dico autem continuum, quod est divisibile in semper divisibilia. Hujusmodi enim supposito continuo, necesse est et tempus continuum esse.

Quoniam enim ostensum est quod velocius in minori tempore transibit aequale, sit quod quidem in quo A velocius, quod autem est in quo B, tardius: et sit motum id quod tardius est, per magnitudinem quae est c D, in quo est z I tempore. Manifestum igitur est quod velocius in minori quam hoc, movebitur per eamdem magnitudinem: et sit motum A in quo est z T. Iterum autem, quoniam A, quod est velocius, in eo quod est z T transivit totam, quae est c D, ipsum tardius in eodem tempore, minorem transivit. Sit igitur in quo c K. Quoniam autem tardius, quod est ipsum B, in eo quod est z T tempore ipsam quae est c K transivit; velocius in minori transibit. Quare iterum dividitur quod est z T tempus: hoc autem diviso, et c K magnitudo dividetur secundum eamdem rationem: si vero magnitudo, et tempus, et hoc semper erit accipientibus a velociori tardius. et a tardiori velocius, et eo quod demonstratum est utentibus. Dividet autem id quod est velocius, tempus, tardius autem longitudinem. Si igitur semper in natura est converti: converso autem semper fit divisio: manifestum quoniam omne

Ut autem longitudinem et motum, sic tempus esse individuum et ex momentis individuis constare necesse est. Nam si omnis est dividuus; quod autem aeque velox est, in minori tempore conficit minus spatii: etiam tempus dividuum erit. Quodsi tempus dividuum erit, quo aliquid fertur per magnitudinem a: etiam magnitudo a erit dividua.

Quum autem omnis magnitudo in magnitudines dividua sit (quippe ostensum est fieri non posse ut ex individuis constet aliquid continuum; omnis vero magnitudo est continua): necesse est id quod est velocius, aequali tempore majus spatium pertransire, et minori aequale, et minori majus, quemadmodum nonnulli definiunt id quod est velocius. Esto namque id in quo est a, velocius eo in quo est b. Quoniam igitur quod prius mutatur, est velocius: certe quo tempore to a mutatum est a g ad d, puta tempore z ē, hoc tempore to b nondum pervenit ad d, sed citra erit. Quapropter id quod est velocius, aequali tempore plus spatii conficit.

Quin etiam minori tempore plus spatii conficit quam id quod est tardius. Nam quo tempore to a pervenit ad d, to b pervenit ad e, quum sit tardius. Ergo quia to a ad d pervenit toto illo tempore z ē, ad th perveniet minori tempore quam hoc sit, ac perveniat tempore z k. Spatium igitur g d, quod pertransibit to a, est majus quam g e; tempus vero z k est minus toto illo tempore z ē. Quare minori tempore conficit majus spatium.

Ex his etiam patet, id quod est velocius minori tempore conficere aequale spatium. Nam quia majorem longitudinem pertransit minori tempore, quam id quod est tardius; ipsum autem per se acceptum majori tempore pertransiit longitudinem majorem minore, veluti longitudine l m, quae est major longitudine l x: profecto tempus p r, quo pertransit longitudinem l m, est majus quam tempus p s, quo pertransit longitudinem l x. Quocirca si tempus p r est minus tempore p ch, quo mobile tardius pertransit longitudinem l x: etiam tempus p s est minus in tempore in quo est p ch: siquidem est minus tempore p r: quod autem est minore minus, ipsum quoque est minus; quapropter minori tempore conficiet aequale spatium.

Praeterea, si necesse est quodvis aut aequali aut minori aut majori tempore moveri; et quod majori tempore movetur est tardius; quod autem aequali, est aeque velox; quod vero est celerius, nec est aeque velox nec tardius: profecto quod est velocius, nec aequali nec majori tempore movetur. Restat igitur ut moveatur minori tempore: quare necesse est etiam, ut velocius minori tempore pertranseat aequalem magnitudinem.

Quoniam autem omnis motus est in tempore, et in omni tempore possibile est aliquid moveri; quicquid autem movetur, potest et celerius moveri et tardius: certe in omni tempore fieri poterit ut celerius moveatur et tardius. Quum haec ita sint, necesse est etiam tempus esse continuum. Dico autem continuum quod est dividuum in semper dividua; nam si supponatur continuum esse hoc, necesse est tempus esse continuum.

Quum enim ostensum sit, id quod est velocius, minori tempore conficere aequale spatium: esto ubi a, mobile velocius: ubi b, tardius: ac tardius pertranseat magnitudinem g d, tempore z ē. Patet igitur velocius minori quam hoc tempore pertransiturum eamdem magnitudinem; ac pertranseat tempore z th. Rursus, quia velocius mobile tempore z th pertransiit totam longitudinem g d: certe tardius eodem tempore conficit: haec sit ubi to k. Quum autem to b mobile tardius, tempore z th pertransierit longitudinem g k: velocius eam conficit minori tempore; quapropter rursus dividetur tempus z th. Hoc autem diviso, etiam magnitudo g k dividetur secundum eamdem rationem. Quodsi magnitudo, etiam tempus; ac semper hoc erit, si sumentes progrediamur a velociori ad tardius, et a tardiore ad velocius; atque eo quod demonstratum erit, utamur: nam velocius dividit tempus, ac tardius longitudinem. Ergo si semper conversio est vera, convertendo autem semper fit divisio; perspicuum est omne tempus esse continuum.

tempus continuum est. Similiter autem manifestum, et quod magnitudo omnis continua est. Per easdem enim et aequales divisiones, tempusque et magnitudo dividitur.

Amplius autem et ex consuetis rationibus dici manifestum est, quod si tempus continuum est, quod et magnitudo. Si quidem in medio tempore, medium transit, et simpliciter in minori minus, eaedem namque divisiones temporis et magnitudinis sunt.

Simul autem patet, omnem magnitudinem esse continuam: quoniam iisdem et aequalibus divisionibus tempus et magnitudo dividuntur. Praeterea etiam ex sermonibus qui vulgo haberi solent, perspicuum est, si tempus sit continuum, etiam magnitudinem esse continuam: siquidem dimidio tempore pertransit dimidium spatii, et omnino minori tempore minus spatii; eaedem enim divisiones erunt temporis ac magnitudinis.

Postquam Philosophus ostendit ejusdem rationis esse, quod magnitudo et motus per eam transiens ex indivisibilibus componatur, ostendit etiam idem de tempore et magnitudine. Et dividitur in partes duas. In prima ostendit, quod ad divisionem magnitudinis sequitur divisio temporis, et e contra. In secunda ostendit quod ex infinitate unius sequitur infinitas alterius, ibi, « Et si quodcumque infini- « tum est. » Circa primum duo facit. Primo ponit propositum. Secundo demonstrat, ibi, « Si enim « omnis. » Dicit ergo primo, quod etiam tempus necesse est similiter esse divisibile et indivisibile, et componi ex indivisibilibus, sicut longitudo et motus.

Deinde cum dicit « si enim »

Probat propositum tribus rationibus: quarum prima sumitur per aequae velocia, secunda per velocius et tardius, « Quoniam autem omnis: » tertia per idem mobile, ibi, « Amplius autem et « ex consuetis. » Dicit ergo primo, quod de ratione aeque velocis est, quod minorem magnitudinem transeat in minori tempore. Detur ergo aliqua magnitudo divisibilis, quam pertransit aliquod mobile in aliquo tempore dato: sequitur ergo, quod mobile aeque velox transeat partem magnitudinis in minori tempore: et sic oportuit tempus datum esse divisibile. Si autem e contra, detur quod tempus sit divisibile, in quo mobile datum movetur per magnitudinem aliquam datam, sequitur quod aeque velox mobile in minori tempore, quod est pars totius temporis, moveatur per minorem magnitudinem: et ita sequitur quod magnitudo, quae est A, sit divisibilis.

Secundo ibi « quoniam autem »

Ostendit idem per duo mobilia, quorum unum est velocius et aliud tardius. Et primo praemittit quaedam necessaria ad propositum ostendendum; secundo probat propositum, ibi, « Quoniam autem « omnis motus. » Circa primum duo facit. Primo ostendit quomodo velocius se habet ad tardius in hoc, quod moveatur per majorem magnitudinem. Secundo quomodo se habeat ad ipsum quantum, ad hoc quod est moveri per aequalem magnitudinem, ibi, « Manifestum autem ex his. » Circa primum duo facit. Primo proponit propositum, resumens quoddam ex superioribus, quod est necessarium ad demonstrationes sequentes. Secundo demonstrat propositum, ibi, « Sit enim ipsum. » Resumit ergo hoc quod omnis magnitudo sit divisibilis in magnitudines. Et hoc patet per hoc quod ostensum est supra, quod impossibile est aliquod continuum componi ex atomis, idest ex indivisibilibus: et manifestum est, quod magnitudo omnis est de genere continuorum. Ex his sequitur quod necesse sit aliquod corpus velocius in aequali tempore per majorem magnitudinem moveri: et etiam in minori tempore per majorem magnitudinem moveri. Et hoc modo quidam definierunt velocius, quod plus movetur in aequali tempore, et etiam in minori.

Secundo ibi « sit enim »

Probat duo praemissa. Et primo, quod velocius in aequali tempore, et per majus spatium moveatur. Secundo quod etiam in minori tempore per majus spatium movetur, ibi, « At vero et in mi- « nori. » Dicit ergo primo. Sint duo mobilia A et B: quorum A velocius sit quam B; et sit magnitudo C D, quam pertransit A in tempore Z I. Moveantur autem B, quod est tardius, et A quod est velocius, per eamdem magnitudinem: et incipiant simul moveri. Ilis ergo positis sic argumentatur. Velocius est, quod in aequali tempore plus movetur: sed A est velocius quam B ergo cum A pervenerit ad D, B nondum pervenit ad D, quod est terminus magnitudinis, sed adhuc deficiet, id est distabit ab eo: motum tamen erit in hoc tempore per aliquam partem magnitudinis. Cum ergo omnis pars sit minor toto, relinquitur quod A in tempore Z I movetur per majorem magnitudinem quam B, quod in eodem tempore movetur per partem magnitudinis. Unde sequitur quod velocius in aequali tempore plus de spatio pertransit.

Secundo ibi « at vero »

Ostendit quod velocius in minori tempore plus de spatio pertransit. Dictum est enim quod in tempore in quo A jam pervenit ad D, B quod est tardius, adhuc distat a D. Detur ergo quod in eodem tempore perveniat usque ad E. Quia igitur omnis magnitudo divisibilis est, ut supra positum est, dividatur residuum magnitudinis, scilicet E D, in quo velocius excedit tardius, in duas partes in puncto T. Manifestum est ergo, quod magnitudo C T est minor quam magnitudo C D. Sed idem mobile per minorem magnitudinem movetur in minori tempore: quia ergo ipsum A pervenit ad D in toto tempore Z I, ad punctum T perveniet in minori tempore: et sit illud tempus Z K. Inde sic arguitur. Magnitudo C T, quam pertransit A, major est magnitudine C E, quam pertransit B: sed tempus Z K, in quo pertransit A magnitudinem C T est minus toto Z I, in quo B tardius pertransit magnitudinem C E: sequitur ergo quod velocius in minori tempore pertranseat majus spatium.

Deinde cum dicit « manifestum autem »

Ostendit quomodo velocius se habeat ad tardius in moveri per aequalem magnitudinem. Et primo proponit intentum. Secundo probat propositum, ibi, « Quoniam quidem enim. » Dicit ergo primo, quod ex praemissis manifestum esse potest, quod velocius pertransit aequale spatium in minori tempore.

Secundo ibi « quoniam enim »

Probat propositum duabus rationibus. Ad quarum primam duo praemittit, quorum unum jam probatum est: scilicet quod velocius pertranseat majorem magnitudinem in minori tempore quam tardius. Secundum vero est per se manifestum: scilicet quod ipsum mobile secundum seipsum consideratum, in majori tempore pertransit majorem magnitudinem quam in minori. Pertranseat enim hoc mobile ᴀ, quod est velocius, hanc magnitudinem, quae est ʟ ᴍ, in ǫ ʀ tempore: et partem magnitudinis, scilicet ʟ o, pertransibit in minori tempore: quod est ǫ s, quod est minus quam ǫ ʀ, in quo pertransit ʟ ᴍ, sicut et ʟ o est minor quam ʟ ᴍ. Ex prima autem suppositione accipit, quod totum tempus ǫ ʀ in quo ᴀ pertransit totam magnitudinem ʟ ᴍ, sit minus tempore ǫ ʜ, in quo ʙ, quod est tardius, pertransit minorem magnitudinem, scilicet ʟ o. Dictum est enim quod velocius in minori tempore pertransit majorem magnitudinem. Ex his procedit sic. Tempus ǫ ʀ est minus tempore ǫ ʜ, in quo ʙ, quod est tardius, pertransit magnitudinem ʟ o; et tempus ǫ s est minus quam tempus ǫ ʀ: ergo sequitur quod tempus ǫ s sit minus quam tempus ǫ ʜ: quia, si aliquid est minus minore, etiam ipsum erit minus majore. Cum ergo datum sit quod in tempore ǫ s velocius movetur per ʟ o magnitudinem, et tardius movetur per eamdem tempore ǫ ʜ, sequitur, quod velocius movetur in minori tempore per aequale spatium.

Secundam rationem ponit ibi « amplius autem »

Quae talis est. Quod movetur per aequalem magnitudinem cum aliquo alio mobili, aut movetur per eam in aequali tempore, aut in minori, aut in majori. Quod autem movetur per aequalem magnitudinem in majori tempore est tardius, ut supra probatum est: quod autem movetur in aequali tempore per aequalem magnitudinem, est aeque velox, ut per se manifestum est. Cum igitur id quod velocius est, neque sit aeque velox, neque tardius: sequitur quod neque in pluri tempore moveatur per aequalem magnitudinem, neque in aequali: relinquitur ergo quod in minori. Sic ergo probatum est, quod necesse est velocius pertransire aequalem magnitudinem in minori tempore.

Deinde cum dicit « quoniam autem »

Probat propositum: scilicet quod ejusdem rationis sit, tempus et magnitudinem semper dividi in divisibilia, aut etiam ex in divisibilibus componi. Et circa hoc tria facit. Primo praemittit quaedam, quae sunt necessaria ad sequentem probationem. Secundo ponit propositum, ibi, « Haec autem cum « sint. » Tertio probat, ibi, « Quoniam enim « ostensum est. » Praemittit ergo primo, quod omnis motus est in tempore, et hoc probatum est in quarto. Item quod in omni tempore possibile sit moveri, quod ex definitione temporis apparet, quae in quarto data est. Secundum est, quod omne quod movetur, contingit moveri velocius et tardius, idest quod quolibet mobili est invenire aliquid quod velocius movetur, et aliquid quod tardius. Sed haec propositio videtur esse falsa: determinatae enim sunt velocitates motuum in natura. Est enim aliquis motus ita velox quod nullus potest esse eo velocior, scilicet motus primi mobilis. Ad hoc dicendum quod de natura alicujus rei possumus loqui dupliciter: vel secundum rationem communem, vel secundum quod ad propriam materiam applicatur. Et nihil prohibet aliquid, quod non impeditur ex ratione communi rei, impediri ex applicatione ad aliquam materiam determinatam: sicut non impeditur ex ratione formae solis, esse plures soles: sed ex hoc quod tota materia speciei sub uno sole continetur. Et similiter ex communi natura motus non prohibetur quin qualibet velocitate data possit alia major velocitas inveniri; sed impeditur ex determinatis virtutibus mobilium et moventium. Hic

autem Aristoteles determinat de motu secundum communem rationem motus, nondum applicando motum ad determinata moventia et mobilia; et ideo frequenter talibus propositionibus utitur in hoc sexto libro, quae sunt verae secundum considerationem communem motus, non autem secundum applicationem ad determinata mobilia. Et similiter non est contra rationem magnitudinis, quod quaelibet magnitudo dividatur in minores; et ideo utitur in hoc libro, ut accipiat qualibet magnitudine data, aliam minorem. Licet applicando magnitudinem ad determinatam naturam, sit aliqua minima magnitudo: quia quaelibet natura requirit determinatam magnitudinem et parvitatem (ut etiam in primo dictum est.) Ex duobus autem praemissis concludit tertium: scilicet quod in omni tempore dato contingit velocius et tardius moveri, quam sit motus datus in tali tempore.

Secundo ibi « haec autem »

Ex praemissis concludit propositum: et dicit quod, cum praemissa sint vera, necesse est quod tempus sit continuum, idest divisibile in semper divisibilia. Supposito enim quod haec sit definitio continui, necesse est quod tempus sit continuum, si magnitudo est continua: quia ad divisionem magnitudinis sequitur divisio temporis, et e contra.

Tertio ibi « quoniam enim »

Ostendit propositum, scilicet quod similiter dividatur tempus et magnitudo. Quia enim ostensum est quod velocius pertransit aequale spatium in minori tempore, ponatur quod ᴀ sit velocius, et ʙ tardius: et moveatur ʙ tardius per magnitudinem quae est ᴄ ᴅ in tempore z ɪ: manifestum est ergo quod ᴀ, quod est velocius, movetur per eamdem magnitudinem in minori tempore: et sit tempus illud z ᴛ. Iterum autem quoniam ᴀ, quod est velocius, in tempore z ᴛ, pertransivit totam magnitudinem, quae est ᴄ ᴋ ᴅ: quod est tardius, in eodem tempore pertransit minorem magnitudinem, quae sit ᴄ ᴋ: et quia ʙ, quod est tardius, pertransit magnitudinem in tempore z ᴛ ᴀ quod est velocius pertransibit eamdem magnitudinem adhuc in minori tempore: et sic tempus z ᴛ, iterum dividetur, et eo diviso secundum eamdem rationem dividetur magnitudo ᴄ ᴋ, quia tardius in parte illius temporis movetur per minorem magnitudinem: et si dividitur magnitudo, iterum dividetur et tempus, quia illam partem magnitudinis velocius transibit in minori tempore: et sic semper procedetur accipiendo post modum velocioris aliud mobile tardius, et post tardius iterum velocius, et utendo eo, quod demonstratum est, scilicet quod velocius pertranseat aequale in minori tempore, et tardius in aequali tempore minorem magnitudinem: sic enim accipiendo id quod velocius, dividemus tempus, et accipiendo id quod est tardius, dividemus magnitudinem. Si ergo hoc verum est, quod semper possit talis conversio fieri, procedendo a velociori in tardius, a tardiori in velocius, et facta tali conversione semper fit divisio magnitudinis et temporis, manifestum erit quod omne tempus est continuum, id est divisibile in semper divisibilia, et similiter omnis magnitudo: quia per easdem et aequales divisiones dividitur tempus et magnitudo, ut ostensum est.

Deinde cum dicit « amplius autem »

Ponit tertiam rationem ad ostendendum quod magnitudo et tempus similiter dividuntur, ex consideratione unius et ejusdem mobilis: et dicit, quod

manifestum est etiam per rationes, quae consueverunt dici, quod si tempus est continuum, id est
divisibile in semper divisibilia, quod et magnitudo
eodem modo continua est, quia unum et idem
mobile regulariter motum, sicut in toto tempore
pertransit totam magnitudinem, ita in medio tempore medium magnitudinis: et universaliter in minori tempore minorem magnitudinem. Et hoc ideo
concludit, quia similiter dividitur tempus sicut et
magnitudo.

LECTIO IV.

*Finitum et infinitum, similiter tempus, magnitudinem consequi: quodque nullum continuum
indivisibile sit, ratiocinatur.*

ANTIQUA.

Et si quodcumque infinitum est, et alterum: et sicut alterum et alterum est: ut si quidem ultimis infinitum est
tempus, et longitudo ultimis; si vero divisione, divisione et
longitudo; si autem in utrisque tempus, in utrisque et longitudo.

Unde et Zenonis ratio falsum opinatur, quod non est
possibile infinita pertransire: aut tangere infinita secundum
unumquodque, finito in tempore. Dupliciter enim dicitur, et
longitudo, et tempus infinitum, et omnino omne continuum:
aut secundum divisionem, aut in ultimis. Infinitis quidem
igitur secundum quantitatem non contingit sese tangere in
finito tempore: eis autem, quae sunt secundum divisionem,
contingit: et namque ipsum tempus sic infinitum est. Quare
et infinito tempore et non finito accidit transiri infinitum,
et tangere infinita infinitis et non finitis.
Neque jam infinitum potest infinito tempore transire: neque in infinito, finitum: sed, si tempus infinitum sit, et magnitudo erit infinita; et si magnitudo, et tempus.
Sit enim magnitudo finita, in quo a b: tempus autem infinitum in quo est c d. Accipiatur igitur temporis aliquid
finitum in quo c d: in hoc igitur transibit aliquid magnitudinis: et sit quod transitum est, in quo b e: hoc autem aut
mensurabit in quo est a b, aut deficiet, aut excellet: differt
enim nihil. Si enim semper aequalem ei quae est in b e,
magnitudinem, in aequali tempore transibit: hoc autem mensurat totum: finitum erit omne tempus, in quo transibit: in
aequalia enim dividetur, sicut et magnitudo.
Amplius autem si non omnem magnitudinem in infinito
tempore transibit, sed continget aliquam et in infinito tempore transire; ut quae est b e: haec autem mensurabit totam, et aequalem in aequali transibit. Quare finitum erit et
tempus.
Quod autem non in infinito tempore transit quod est b c,
manifestum est, si accipiatur altera ex parte finitum tempus.
Si enim in minori pertransit, hanc necesse est finitam esse,
altero termino existente.
Eadem autem demonstratio est, et si longitudo infinita
sit, tempus autem finitum.
Manifestum igitur ex dictis est, quod neque linea, neque
planum, neque omnino ullum continuorum erit atomus: non
solum propter id quod nunc dictum est, sed quia accidit dividi indivisibile.
Quoniam enim in omni tempore velocius et tardius est,
velocius autem plus transit in aequali tempore, contingit
autem, et duplam et hemiolium transire longitudinem (est
enim haec ratio velocis.) Adducatur igitur velocius secundum hemiolium in eodem tempore, et dividantur magnitudines, quae quidem velocioris sunt, a b, b c, c d, in tres
atomos: quae vero sunt tardioris, in duos, in quibus sunt
e f, f g: itaque et tempus dividetur in tria atoma. Aequale
enim in aequali tempore transibit. Dividatur igitur tempus
in ea quae sunt k l, l m, m n. Iterum autem quoniam deductum est tardius per e f, f g, et tempus secabitur in
gemina. Dividetur ergo atomum et impartibile. Non enim in
atomo transit, sed in pluri. Manifestum ergo est, quod nihil
continuorum impartibile est.

RECENS.

Et si alterutrum est infinitum, etiam alterum infinitum
est; et ut alterum, ita etiam alterum; veluti, si tempus sit
extremis infinitum, etiam longitudo extremis infinita erit;
si vero illud est divisione infinitum, divisione erit infinita
etiam magnitudo; sin autem utroque modo tempus, utroque
modo etiam magnitudo.
Ideoque Zenonis ratio falsum sumit, non posse aliquid
infinita pertransire, seu tangere infinita singillatim tempore
finito; nam et longitudo, et tempus, et omnino continuum
omne bifariam dicitur infinitum: nimirum vel divisione vel
extremis. Quae igitur secundum quantitatem sunt infinita,
non possunt tangi tempore finito: quae vero secundum divisionem, possunt: quoniam et ipsum tempus ita est infinitum.
Quare tempore infinito, non finito, accidit ut aliquid pertranseat infinita, ac tangat infinita infinitis, non finitis. Ergo
nec infinitum potest finito tempore pertransiri, nec infinito
finitum: sed si tempus infinitum sit, etiam magnitudo erit
infinita; et, si magnitudo, etiam tempus.

Esto namque finita magnitudo, ubi a b: tempus infinitum
ubi g. Sumatur igitur aliqua pars temporis finita, ubi g d.
Hoc igitur tempore conficiet aliquam partem magnitudinis:
ac pertranseat partem, ubi b e. Haec vero aut metietur
magnitudinem a b, aut deficiet, aut superabit: nihil enim
refert; nam si semper aequalem magnitudinem parti b e
aequali tempore conficit, haec autem metitur totam magnitudinem: universum tempus, quo pertransit, finitum erit;
quandoquidem in partes aequales dividetur, sicut et magnitudo.
Praeterea, si non omnem magnitudinem infinito tempore
pertransit, sed aliquam tempore finito pertransire potest, ut
partem b e, haec autem metietur totum: etiam aequalem
partem aequali tempore pertransit; quare tempus quoque
finitum erit. Quod autem non infinito tempore mobile pertranseat partem b e, perspicuum erit, si sumptum fuerit ab
altera parte finitum tempus: nam si minori tempore conficit
partem, necesse est hoc esse finitum, quum alter terminus
adsit.
Eadem est demonstratio, etiam tum, si ponatur longitudo
esse infinita, tempus vero finitum. Patet igitur ex iis quae
dicta sunt, neque lineam, neque superficiem, neque omnino
ullum continuum esse individuum; non solum ob id quod
nunc dictum fuit; sed etiam quia accidet dividi quod est
individuum.
Quum enim in omni tempore sit celerius ac tardius, celerius autem plus conficiat aequali tempore: fieri potest ut
conficiat duplam aut sescupulam longitudinem: quandoquidem
haec potest esse ratio celeritatis. Latum igitur esto velocius
per longitudinem sescupulam eodem tempore, ac dividantur
magnitudines, velocioris quidem, ubi a b, b g, g d, in tres
partes individuas; tardioris autem in duas, ubi e z, z e.
Ergo etiam tempus dividetur in tres partes individuas; quoniam aequale spatium aequali tempore conficit. Dividatur
igitur tempus in k l, l m, m n; rursus quia tardius latum
est per e z z e: tempus quoque secabitur in duas partes.
Itaque quod est individuum dividetur; et quod partibus
vacat, non pertransit individuo tempore, sed longiori. Perspicuum igitur est, nullum continuum partibus carere.

Postquam ostendit quod magnitudo et tempus similiter dividuntur, hic ostendit quod infinitum etiam et finitum similiter inveniuntur in magnitudine et tempore. Et circa hoc tria facit. Primo ponit propositum. Secundo ex hoc solvit dubitationem, ibi, « Unde et Zenonis ratio. » Tertio probat propositum, ibi, « Neque jam infinitum etc. » Dicit ergo primo, quod, si quodcumque horum duorum, scilicet temporis et magnitudinis, sit infinitum, et alterum est infinitum: et eo modo quo unum est infinitum, et alterum. Et hoc exponit distinguendo duos modos infiniti: dicens, quod si tempus est infinitum in ultimis, et magnitudo est infinita in ultimis. Dicitur autem tempus et magnitudo esse infinita in ultimis: quia scilicet ultimis caret: sicut si imaginaremur lineam non terminari ad aliqua puncta, vel tempus non terminari ad aliquod primum aut ultimum instans: et si tempus sit infinitum divisione, et longitudo erit divisione infinita. Et est hic secundus modus infiniti. Dicitur enim divisione infinitum, quod in infinitum dividi potest: quod est de ratione continui, ut dictum est; et si tempus esset utroque modo infinitum, et longitudo esset utroque modo infinita. Et convenienter isti duo modi infiniti contra ponuntur: quia primus modus infiniti accipitur ex parte ultimorum indivisibilium qui privantur; secundus autem modus accipitur secundum indivisibilia quae signantur in medio: dividitur enim linea secundum puncta infra lineam.

Secundo ibi « unde et »

Ex praemissis removet dubitationem Zenonis Eleatis, qui volebat probare quod nihil movetur de uno loco ad alium, puta de A in B. Manifestum est enim, quod inter A et B sunt infinita puncta media, cum continuum sit divisibile in infinitum: si ergo movetur aliquid de A in B, oportet quod pertranseat infinita, et quod tangat unumquodque infinitorum: quod non est possibile fieri in tempore finito; ergo in nullo tempore quantumcumque magno, dummodo sit finitum, aliquid potest moveri per quantumcumque parvum spatium. Dicit ergo Philosophus quod ista ratio procedit ex falsa existimatione: quia longitudo et tempus, et quodcumque continuum, dupliciter dicitur esse infinitum, ut dictum est: scilicet secundum divisionem, et in ultimis. Si igitur essent aliqua, scilicet mobile et spatium, infinita secundum quantitatem (quod est esse infinitum in ultimis) non contingeret quod se invicem tangerent in tempore finito: si vero sint infinita secundum divisionem, hoc contingit quia etiam tempus quod est finitum secundum quantitatem, est sic infinitum; scilicet secundum divisionem. Unde sequitur quod infinitum transeatur, non quidem in tempore finito, sed in tempore infinito. Et quod infinita puncta magnitudinis transeantur in infinitis nunc temporis, non autem in nunc finitis. Est autem sciendum quod haec solutio est ad hominem, et non ad veritatem, sicut infra Aristoteles manifestabit in octavo.

Tertio ibi « neque jam »

Probat quod supra posuit. Et primo resumit propositum. Secundo probat, ibi, « Sit enim magnitudo. » Dicit ergo primo, quod nullum mobile potest transire infinitum spatium in tempore finito, neque finitum spatium in tempore infinito. Sed oportet, si tempus est infinitum, quod magnitudo sit infinita, et e contra.

Secundo ibi « sit enim »

Probat propositum. Et primo, quod tempus non

potest esse infinitum, si magnitudo sit finita: secundo quod e converso, si longitudo sit infinita, tempus non potest esse finitum, ibi, « Eadem autem demonstratio est. » Primum autem ostendit duabus rationibus: quarum prima talis est. Sit magnitudo finita quae est A B, et sit tempus infinitum, quod est C D: accipiatur autem hujus temporis infiniti aliqua pars finita, quae sit C D. Quia igitur mobile per totum tempus C D pertransit totam magnitudinem A B, oportet quod in hac parte temporis, quae est H D, pertranseat aliquam partem illius magnitudinis, quae quidem sit B E. Cum autem A B magnitudo sit finita, et major B E; K D autem finitum et minus ipso F; necesse est quod B C, aut mensuret totum A B, aut deficiet, aut excellet in mensurando si multoties sumitur B C: sic enim omne finitum minus, se habet ad finitum majus, ut patet in numeris. Ternarius enim, qui est minor senario, bis acceptus mensurat ipsum: quinarium vero, qui etiam est major, non mensurat bis acceptus, sed excedit; plus enim est bis tria quam quinque. Similiter etiam et septenarius bis acceptus non mensurat, sed deficit ab eo: minus enim est bis tria quam septem: sed tamen si trinarius ter accipiatur, excedet etiam septenarium. Nihil autem differt quocumque modo horum trium B E se habeat ad A B: quia idem mobile semper pertransibit magnitudinem aequalem ei, quod est in B C, in tempore aequali ei quod est B D. Sed B C, mensurat totum A B, vel excedit ipsum si multoties sumatur: ergo et B D, mensurabit totum tempus C, vel excedit ipsum si multoties sumatur. Et sic oportet quod totum tempus C sit finitum, in quo pertransit totam magnitudinem finitam: quia oportet quod in aequalia secundum numerum dividatur tempus, sicut et magnitudo.

Secundam rationem ponit ibi « amplius autem »

Quae talis est. Quamvis enim detur quod magnitudinem finitam, quae est A B, pertranseat aliquod mobile in tempore infinito; non tamen potest dari quod omnem magnitudinem pertranseat in tempore infinito: quia videmus quod multae magnitudines finitae temporibus finitis pertranseuntur. Sit igitur magnitudo finita, quae est B C, quae transeatur tempore finito. Sed B C, cum sint finita, mensurat A B, quae est etiam finita. Sed idem mobile pertransibit aequalem magnitudinem ei quae est B C, in aequali tempore finito, in quo ipsam pertransibat: et ita quot accipiebantur magnitudines aequales, B C, ad constituendam totam A B, tot tempora finita aequalia accipientur ad mensurationem vel constitutionem totius temporis: unde sequitur quod totum tempus sit finitum. Differt autem haec ratio a prima: quia in prima ratione, B C ponebatur pars magnitudinis A B: hic autem B C ponitur quaedam alia magnitudo separata. Necessitatem autem hujus secundae rationis positae ostendit cum subdit « quod autem »

Posset enim aliquis contra primam rationem cavillando dicere, quod sicut totam magnitudinem A B pertransibit in tempore infinito, ita et quamlibet partem ejus: et sic partem B C non pertransibit tempore finito. Sed quia non potest dari, quod quamlibet magnitudinem pertranseat tempore infinito, oportuit inducere secundam rationem, quod B K sit quaedam alia magnitudo, quam tempore finito pertranseat. Et hoc est quod subdit, quod manifestum est, quod mobile non pertransit magnitudinem quae est B K, in infinito tempore, si accipiatur in altera finitum tempus, idest si accipiatur aliqua alia magnitudo a prima, quae dicatur B C, quam pertransibit tempore finito. Si enim in minori tempore pertransit partem magnitudinis quam totum, necesse est hanc magnitudinem, quae est B K, finitam esse, altero termino existente finito, scilicet A B. Quasi dicat: Si tempus, in quo pertransibit B K, est finitum, et minus tempore infinito, in quo pertransibit A B; necesse est quod B K sit minor quam A B; et ita quod B K sit finita, cum A B finita sit.

Deinde cum dicit « eadem autem »

Ponit quod eadem demonstratio est ducens ad impossibile, si dicatur quod longitudo sit infinita, et tempus finitum. Quia accipietur aliquid longitudinis infinitae, quod erit finitum; sicut accipiebatur aliquid temporis infiniti, quod est finitum.

Deinde cum dicit « manifestum igitur »

Probat quod nullum continuum est indivisibile. Et primo ostendit quod inconveniens sequitur si hoc ponatur. Secundo ponit demonstrationem ad illud inconveniens ducentem, ibi, « Quoniam enim « in omni tempore. » Dicit ergo primo, manifestum esse ex dictis, quod neque linea, neque planum, idest superficies, neque omnino aliquod continuum, est atomus, idest indivisibile: tum propter praedicta, quia videlicet, impossibile est aliquod continuum ex indivisibilibus, componi cum tamen ex continuis possit componi continuum: tum etiam quia sequeretur, quod indivisibile divideretur.

Secundo ibi « quoniam enim »

Ponit demonstrationem ad hoc inconveniens ducentem. In qua primo praesupponit quaedam superius manifestata: quorum unum est, quod in omni tempore contingat velocius et tardius moveri. Secundum est, quod velocius plus pertransit de magnitudine in aequali tempore. Tertium est, quod contingit esse excessum velocitatis ad velocitatem, et longitudinis pertransitae ad longitudinem; secundum diversas proportiones: puta secundum duplicem, quae est proportio duorum ad unum: et se-

cundum hemiolium, quae habet totum et dimidium, quae alio nomine dicitur sesqui altera, ut proportio trium ad duo, vel secundum quantamcumque aliam proportionem. Ex his autem suppositis sic procedit. Sit haec proportio velocis ad velox, ut inveniatur aliquid velocius altero secundum hemiolium, idest sesqui alteram proportionem: et sit ita, quod velocius pertranseat unam magnitudinem, quae sit A B C D, compositam ex tribus magnitudinibus indivisibilibus: quarum una sit A B, alia B C, tertia C D: in eodem autem tempore oportet quod tardius secundum praedictam proportionem pertranseat magnitudinem compositam ex duabus indivisibilibus magnitudinibus, quae sit magnitudo E F, F G. Et, quia tempus dividi potest, sicut etiam magnitudo, necesse est quod tempus, in quo velocius pertransit tres indivisibiles magnitudines, dividatur in tria indivisibilia: quia oportet quod aequale in aequali tempore pertranseat in K L, L M, M N. Sit ergo tempus divisum in K L, L M, M N tria indivisibilia. Sed, quia tardius in eodem tempore movetur per E F, F G, quae sunt duae magnitudines indivisibiles, necesse est quod tempus dividatur in duo media: et sic sequetur quod indivisibile dividatur: oportebit enim quod tardius unam magnitudinem indivisibilem pertranseat in uno indivisibili tempore et dimidio. Non enim potest dici, quod unam indivisibilem magnitudinem transeat in uno tempore indivisibili: quia sic non prius moveretur velocius quam tardius. Ergo relinquitur quod tardius pertranseat indivisibilem magnitudinem in pluri quam in uno indivisibili tempore: et in minori quam duobus: et sic oportebit unum indivisibile tempus dividi. Et eodem modo sequitur, quod indivisibilis magnitudo dividatur, si ponatur quod tardius moveatur per tres indivisibiles magnitudines, in tribus indivisibilibus temporibus: velocius enim in uno indivisibili tempore movebitur per plures quam per unam indivisibilem magnitudinem, et per minus quam duas. Unde manifestum fit, quod nullum continuum potest esse indivisibile.

LECTIO V.

Indivisibile temporis, ipsum Nunc esse: in quo etiam nihil moveri et quiescere dicitur: quodlibet item mobile divisibile esse demonstratur.

Necesse est autem, et ipsum Nunc, quod non secundum alterum, sed per se et primum dictum, indivisibile esse, et in omni tempore hujusmodi esse.

Est enim aliquid ultimum ejus quod factum est, cujus super hoc, nihil futuri est; et iterum futuri est, cujus super hoc nihil est illius quod factum est: quod utique diximus utrorumque esse terminum. Hoc autem si demonstretur, quoniam hoc hujusmodi est per se, et ipsum, simul manifestum erit quod indivisibile est.

Necesse est igitur idem esse ipsum Nunc, quod utrisque temporibus ultimum est.

Si enim alterum est, consequenter non erit alterum alteri, propter id, quod non est continuum ex impartibilibus: si autem seorsum est utrumque, inter ea erit tempus. Omne

Necesse autem est momentum, quod non per aliud, sed per se et primo dicitur, esse individuum, ac tale momentum in omni tempore inesse. Est enim extremum quiddam praeteriti, citra quod nihil est futuri: et rursus futuri, ultra quod nihil est praeteriti: quod quidem diximus esse utriusque terminum.

Hoc autem si ostensum fuerit tale esse per se, atque idem: simul perspicuum erit esse individuum.

Necesse igitur est, momentum quod est utriusque temporis extremum, esse idem. Nam si sit diversum, non poterit alterum alteri deinceps esse, propterea quod non est continuum ex iis quae partibus vacant; si vero utrumque seorsum est, tempus erit interjectum: omne enim continuum est tale,

enim continuum hujusmodi est, ut aliquid sit univocum inter terminos. At vero, si tempus medium est, divisibile erit: omne enim tempus, ostensum est, quod divisibile sit: quare divisibile est ipsum nunc.

Si autem divisibile est ipsum nunc, erit aliquid quod factum est, in futuro, et futuri in eo quod factum est. Secundum quod enim dividetur hoc, determinat praeteritum et futurum tempus.

Simul autem, et non per se erit hoc nunc, sed secundum alterum: divisio enim non est per se ipsius quod est.

· Adhuc autem, ipsius nunc hoc quidem actum erit, illud autem futurum; et non semper idem factum est, et futurum. Neque itaque ipsum nunc, idem est simul: multipliciter enim divisibile est tempus. Quare, si haec impossibile est inesse ipsi nunc, necesse est idem esse ei quod in utroque nunc est.

At vero si idem est, manifestum quod et indivisibile. Si enim divisibile est, iterum continget eadem quae et prius. Quod igitur sit aliquid in tempore indivisibile, quod dicimus esse ipsum Nunc, manifestum est ex his quae dicta sunt.

Quod autem nihil in ipso Nunc movetur, ex his manifestum est: si namque est, contingit et velocius moveri in ipso nunc, et tardius. Sit igitur ipsum nunc in quo N; moveatur autem velocius, in ipso per A B. Ergo tardius in ipso per minorem quam sit A B, movebitur, ut per A G. Quoniam autem tardius in toto ipso nunc movebatur per A G, velocius in minori quam hoc movebitur: quare dividetur ipsum nunc: sed erat indivisibile: non ergo est moveri in ipso nunc.

At vero neque quiescere: quiescere enim diximus aptum natum moveri, quod non movetur quando aptum natum est, et quo, et sic. Quare quoniam in ipso nunc nihil aptum natum est moveri, manifestum, quia neque quiescere.

Amplius si idem quidem Nunc in utrisque temporibus est, contingit autem hoc quidem moveri, illud autem quiescere per totum: quod autem movetur in tempore toto, in quolibet movebitur hoc, secundum quod aptum natum est moveri, et quiescens similiter quiescet: continget idem simul quiescere et moveri. Idem enim ultimum temporum utrorumque ipsum nunc est.

Amplius autem quiescere quidem dicimus id, quod similiter se habet et ipsum et partes, et nunc et prius: in ipso nunc autem non est prius: quare neque quiescere. Necesse est ergo, et moveri quod movetur, in tempore, et quiescere, quiescens.

Quod autem mutatur omne, necesse est divisibile esse. Quoniam enim ex quodam in quiddam omnis mutatio est et, cum quidem sit in hoc in quod mutatum est, non amplius mutatur; cum autem est in eo ex quo mutatum est, et ipsum et partes omnes non mutantur: quod enim similiter se habet et ipsum et partes omnes non mutantur: necesse igitur est quidem aliquid in hoc esse, aliud vero in altero mutatis: non enim in utrisque neque in neutro possibile est totum esse. Dico autem in quod mutatur primum secundum mutationem, ut ex albo in fuscum, non in nigrum: non enim necesse est, quod mutatur, in quocumque esse ultimorum. Manifestum igitur est, quod omne quod mutatur, erit divisibile.

ut sit aliquod synonymum extremis interjectum. Atqui si tempus est, quod est interjectum dividuum erit: quia probatum est omne tempus esse dividuum. Quapropter momentum erit dividuum. Quodsi momentum sit dividuum, erit aliquid praeteriti in futuro, et futuri in praeterito; id enim quo dividetur, praesens ac futurum tempus disterminabit.

Item momentum non erit terminus per se, sed per aliud: divisio namque non est quod est per se. Ad haec praesentis momenti aliquid erit praeteritum, aliud futurum: nec semper idem praeteritum, aut futurum. Ergo nec praesens momentum semper est idem: quia tempus multis modis dividi potest.

Quocirca si haec momento inesse nequeunt, necesse est idem esse in utroque momentum. At vero si idem sit, patet etiam esse individuum: quia si sit dividuum, rursus eadem evenient quae in priori argumento dicta sunt.

Esse igitur aliquid in tempore individuum, quod dicimus esse momentum, constat ex iis quae dicta sunt. Nihil autem in momento moveri, ex his perspicuum erit: quoniam si id sit, poterit et celerius in eo moveri et tardius. Esto igitur momentum, in quo *n*, et in eo movetur, quod est celerius per longitudinem *a b*. Quod igitur est tardius, in eodem movebitur per longitudinem minorem quam *a b*, veluti per *a g*. Quia vero quod est tardius in toto momento, motum est per *a g*: id quod est celerius, in minori quam hoc sit movebitur. Quapropter dividetur momentum; atqui erat individuum: non potest igitur moveri in momento.

Sed nec quiescere; nam quiescere dicebamus, quod natura aptum est moveri, nec movetur quando natura aptum est, et ubi, et quomodo. Quare quum in momento nihil sit natura aptum moveri, constat non esse etiam aptum quiescere.

Praeterea si idem est momentum in utroque tempore; potest autem toto altero moveri, altero toto quiescere; quod autem toto tempore movetur, in quavis hujus parte movebitur, in quo natura aptum est moveri; et quiescens itidem quiescet: profecto eveniet ut idem simul quiescat et moveatur. Idem enim est extremum utriusque temporis, nimirum momentum. Praeterea quiescere dicimus, quod similiter se habet et ipsum et partes ejus tam nunc quam prius: sed in momento non est prius: quare nec quiescere. Necesse est igitur id quod movetur in tempore moveri, et quod quiescit, in tempore quiescere.

Quicquid autem mutatur, necesse est ut dividuum sit. Quum enim omnis mutatio sit ex aliquo in aliquod; et quando res est in hoc in quod mutata est, non mutatur amplius quando autem in eo ex quo est mutata, tam ipsa quam partes ejus omnes non mutantur (quod enim eodem modo se habet, ipsum nec ejus partes mutantur): necesse igitur est partem ejus quod mutatur, esse in hoc; partem in altero: quia nec in utrisque nec in neutro totum esse potest. Dico autem in quod mutatur, id est, quod est primum in mutatione: veluti, ex albo fuscum, non nigrum. Non est enim necesse ut quod mutatur, sit in utroque extremo. Perspicuum igitur est, quicquid mutatur, fore dividuum.

Postquam ostendit Philosophus quod nullum continuum ex indivisibilibus componitur, neque indivisibile esse: ex quibus apparet motum esse divisibilem: hic determinat de divisione motus. Et primo praemittit quaedam necessaria ad motus divisionem. Secundo de ipsa motus divisione determinat, ibi, « Motus autem est divisibilis dupliciter. » Circa primum duo facit. Primo ostendit quod in indivisibili temporis, non contingit esse motum neque quietem. Secundo ostendit quod indivisibile non potest moveri, ibi, « Quod mutatur autem « omne. » Circa primum duo facit. Primo ostendit quod indivisibile temporis est ipsum nunc. Secundo quod in nunc nihil movetur aut quiescit, ibi, « Quod autem nihil in ipso nunc movetur. » Circa hoc tria facit. Primo proponit quod intendit. Secundo ponit ea ex quibus probari potest propositum, ibi, « Est enim aliquid ultimum ejus. » Tertio proponit id quod ad haec consequitur, ibi, « Necesse igitur. » Circa primum considerandum

est, quod aliquid dicitur nunc secundum alterum, et non secundum seipsum: sicut dicimus nunc agi, quod in toto praesenti die agitur: tamen totus dies praesens non dicitur praesens secundum seipsum, sed secundum aliquid sui. Manifestum est enim quod totius diei aliqua pars praeteriit, et aliqua futura est: quod autem praeteriit, vel futurum est, non est nunc: sic ergo patet quod totus dies praesens, non est nunc primo et per se, sed per aliquid sui, et similiter nec hora, nec quodcumque aliud tempus. Dicit ergo, quod id quod dicitur nunc primo et per se et non secundum alterum, ex necessitate est indivisibile: et iterum ex necessitate est in omni tempore.

Secundo ibi « est enim »

Probat propositum. Manifestum est enim quod cujuslibet continui finiti est accipere aliquod ultimum, extra quod nihil est ejus cujus est ultimum: sicut nihil lineae est extra punctum, quod terminat lineam. Tempus autem praeteritum est quoddam continuum finitum ad praesens: est ergo accipere aliquid ultimum ejus quod factum est, idest praeteriti, extra quod nihil est praeteriti et infra quod nihil est futuri. Et similiter erit accipere aliquod ultimum futuri, infra quod nihil est praeteriti: et illud ultimum est terminus utriusque, scilicet praeteriti et futuri: quia, cum totum tempus sit continuum, oportet quod praeteritum et futurum ad unum terminum copulentur. Si igitur de aliquo demonstretur quod ipsum sit tale per seipsum, quod est esse nunc per seipsum et non per aliquid sui, simul cum hoc manifestum erit quod sit indivisibile.

Tertio ibi « necesse est »

Ostendit quoddam consequens ad praemissa. Et circa hoc duo facit. Primo ostendit, supposito quod nunc sit indivisibile, quod oporteat idem nunc esse, quod est terminus praeteriti et terminus futuri. Secundo ostendit quod e converso, si est idem utrumque nunc, oportet quod nunc sit indivisibile, ibi, « At vero si idem est. » Circa primum duo facit. Primo concludit ex dictis, quod necesse est esse idem nunc, quod est ultimum utriusque temporis, scilicet praeteriti et futuri.

Secundo ibi « si enim »

Probat tali ratione. Si est alterum nunc, quod est principium futuri, et alterum, quod est finis praeteriti; oportet quod haec duo nunc, vel sint consequenter ad invicem, ita quod immediate sibi succedant; vel oportet quod unum sit seorsum ab altero, distans ab eo. Sed non potest dici quod unum consequenter se habeat ad alterum: quia sic sequeretur tempus componi ex nunc aggregatis, quod non potest esse, propter id quod nullum continuum componitur ex impartibilibus, ut supra ostensum est. Nec etiam dici potest, quod unum nunc sit seorsum ab altero distans ab eo; quia tunc oporteret quod inter illa duo nunc esset tempus medium. Haec est enim natura omnis continui, quod inter quaelibet duo indivisibilia sit continuum medium, sicut inter quaelibet duo puncta, linea. Quod autem hoc sit impossibile, ostendit dupliciter. Primo, quia si aliquod esset tempus medium inter praedicta duo nunc, sequeretur quod aliquod univocum ejusdem generis esset medium inter duos terminos; quod est impossibile. Non enim est possibile quod inter extrema duarum linearum se tangentium, vel consequenter se habentium, sit aliqua linea media: hae enim esset contra rationem ejus quod est consequenter; quia consequenter sunt, ut supra dictum est, quorum nihil est medium proximi generis: et sic, cum tempus futurum consequenter se habeat ad praeteritum, impossibile est quod inter terminum futuri et terminum praeteriti cadat aliquod tempus medium. Alio modo ostendit idem sic. Quicquid est medium inter praeteritum et futurum, dicitur nunc. Si igitur tempus aliquod sit medium inter extrema temporis praeteriti et futuri, sequitur quod totum illud dicatur nunc. Sed omne tempus est divisibile, ut ostensum est: ergo sequetur quod ipsum nunc sit divisibile. Et quamvis supra posuerit principia, ex quibus probari potest quod nunc sit indivisibile: quia tamen conclusionem non deduxerat ex principiis, hic consequenter ostendit quod nunc sit indivisibile,

ibi « si autem »

Et hoc triplici ratione. Quarum prima est, quia, si nunc sit divisibile, sequetur quod aliquid de praeterito sit in futuro, et aliquid futuri sit in praeterito.

Cum enim nunc sit extremum praeteriti et extremum futuri, omne autem extremum est in eo cujus est extremum, sicut punctum in linea: necesse est quod totum nunc et sit in tempore praeterito, ut finis, et in tempore futuro, ut principium. Sed, si nunc dividatur, oportet quod illa divisio determinet praeteritum et futurum: omnis enim divisio in tempore facta, distinguit praeteritum et futurum, cum omnium partium temporis una comparetur ad aliam ut praeteritum ad futurum: sequetur ergo, quod ipsius nunc aliquid sit praeteritum, et aliquid futurum: et ita, cum nunc sit in praeterito et in futuro, sequetur quod aliquid futuri sit in praeterito, et aliquid praeteriti sit in futuro.

Secundam rationem ponit ibi « simul autem »

Quia si nunc sit divisibile, non erit nunc secundum seipsum, sed secundum alterum: nullum enim divisibile est sua divisio, qua dividitur; ipsa autem divisio temporis est nunc. Nihil enim aliud est divisio continui quam terminus communis duabus partibus: hoc autem intelligimus per nunc, quod est terminus communis praeteriti et futuri. Sic ergo manifestum est, quod id quod est divisibile, non potest esse nunc secundum seipsum.

Tertiam rationem ponit ibi « adhuc autem »

Quae talis est. Semper facta divisione temporis, una pars est praeterita, et alia futura. Si igitur et nunc dividatur, oportet quod aliquid ejus sit praeteritum et aliquid futurum. Sed non idem est praeteritum et futurum: sequitur ergo, quod ipsum nunc non sit idem sibiipsi, quasi totum simul existens: quod est contra rationem ejus quod dicitur nunc. Cum enim dicimus nunc, intelligimus simul in praesenti esse. Sed oportebit multam diversitatem esse in nunc et successionem, sicut et in tempore, quod multipliciter est divisibile. Sic ergo ostenso quod nunc sit divisibile, quod erat consequens ad hoc quod dicebatur non esse idem nunc quod est extremum praeteriti et futuri, et destructo consequente, concludit destructionem antecedentis. Et hoc est quod dicit: quod si hoc est impossibile inesse ipsi nunc, scilicet quod sit divisibile, necesse est dicere, quod idem sit nunc quod est extremum utriusque temporis.

Deinde cum dicit « at vero »

Ostendit quod e contrario, si idem est nunc praeteriti et futuri, necesse est quod nunc sit indivisibile; quia, si esset divisibile, sequerentur omnia praedicta inconvenientia. Et sic, ex quo non potest dici quod nunc sit divisibile, quasi existente altero nunc praeteriti et altero nunc futuri, nec etiam est divisibile, si ponatur idem; concludit manifestum esse ex dictis, quod necesse est in tempore esse aliquid indivisibile, quod dicitur nunc.

Deinde cum dicit « quod autem »

Ostendit quod in nunc non potest esse nec motus, nec quies. Et primo ostendit de motu, secundo de quiete, ibi, « At vero neque quies esse. » Dicit ergo primo manifestum esse ex iis quae sequuntur, quod in nunc nihil possit moveri; quia, si aliquid potest moveri in nunc, continget in nunc moveri duo mobilia, quorum unum sit velocius, et aliud tardius. Sit ergo ipsum nunc N, et aliquod corpus velocius moveatur in N, per A B magnitudinem. Sed tardius in aequali minus movetur: ergo tardius in hoc instanti movetur per minorem magnitudinem, quae est A G. Sed velocius idem spatium pertransit in minori quam tardius. Quia ergo corpus tardius movebatur per A G magnitudinem in toto ipso nunc, sequitur quod velocius moveatur per eamdem magnitudinem in minori quam nunc; ergo nunc dividitur. Sed ostensum est quod nunc est indivisibile; ergo non potest aliquid moveri in nunc.

Secundo ibi « at vero »

Ostendit idem de quiete, tribus rationibus. Quarum prima talis est. Dictum est enim in quinto, quod illud quiescit, quod est aptum natum moveri, et non movetur quando aptum natum est moveri, et secundum illam partem qua natum est moveri, vel eo modo quo natum est moveri. Si enim aliquid caret eo quod non est natum habere, ut lapis visu, aut eo tempore, quando non est natum habere, ut canis ante nonum diem; aut in ea parte qua non natum est habere, sicut in pede vel in manu; aut eo modo quo non natum est habere, ut, si homo non videat ita acute ut aquila, non propter hoc dicitur esse privatum visu. Quies autem est privatio motus: unde nihil quiescit nisi quod est aptum natum moveri, et quando, et sicut natum est moveri. Sed ostensum est quod nihil aptum natum est moveri in ipso nunc: ergo manifestum est quod nihil quiescit in nunc.

Secundam rationem ponit ibi « amplius si »

Quae talis est. Illud quod movetur in toto aliquo tempore, movetur in quolibet illius temporis in quo natum est moveri: et similiter quod quiescit in aliquo toto tempore, quiescit in quolibet illius temporis in quo natum est quiescere. Sed idem nunc est in duobus temporibus, in quorum uno toto quiescit, et in altero toto movetur; sicut apparet in eo quod post quietem movetur, et post motum quiescit. Si igitur in nunc aliquid natum est quiescere et moveri, sequeretur quod aliquid simul quiesceret et moveretur, quod est impossibile.

Tertiam rationem ponit ibi « amplius autem »

Quae talis est. Illud dicimus quiescere, quod se habet similiter et nunc et prius, et secundum se totum et secundum partes suas. Ex hoc enim dicitur aliquid moveri, quod nunc et prius dissimiliter se habet, vel secundum locum, vel secundum quantitatem, vel secundum qualitatem. Sed in ipso nunc non est aliquid prius: quia sic nunc esset divisibile (quia ly prius, pertinet ad praeteritum): ergo non contingit in nunc quiescere. Ex hoc autem ulterius concludit, quod necesse est, omne quod movetur, et omne quod quiescit, moveri et quiescere in tempore.

Deinde cum dicit « quod autem »

Ostendit, quod omne quod movetur est divisibile, tali ratione. Omnis mutatio est ex quodam in quiddam: sed quando aliquid est in termino ad quem mutatur, ulterius non mutatur, sed jam mutatum est: non enim simul aliquid movetur et mutatum est, ut supra dictum est: quando vero aliquid est in termino ex quo mutatur, secundum se totum et secundum omnes partes suas, tunc non mutatur: dictum est enim quod illud quod similiter se habet, et ipsum, et omnes partes ejus, non mutatur, sed magis quiescit. Addit autem « et omnes partes » quia, cum aliquid incipit mutari, non simul totum egreditur de loco quem prius occupabat, sed pars post partem. Neque iterum potest dici quod sit in utroque termino secundum se totum et secundum partes suas dum movetur: sic enim aliquid esset simul in duobus locis. Neque iterum potest dici

quod in neutro terminorum sit: loquimur enim nunc de proximo termino, in quem mutatur, et non de ultimo extremo. Sicut, si ex albo aliquid mutetur in nigrum, nigrum est ultimum extremum, fuscum vero est proximum. Et similiter, si sit una linea divisa in tres partes aequales, scilicet linea A B C D, manifestum est, quod mobile in principio motus est in parte A B, sicut in loco sibi aequali: contingit tamen in aliqua parte sui motus non esse neque in A B, neque in C D, quandoque enim est totum in B C. Cum ergo dicitur quod illud quod mutatur, quando mutatur, non potest in neutro esse, accipitur non extremus terminus, sed proximus. Relinquitur ergo, quod omne quod mutatur, dum mutatur, secundum aliquid sui est in uno, et secundum aliquid sui est in altero; sicut, cum aliquid mutatur de A B in B C, in ipso moveri, pars quae egreditur de loco A B, ingreditur locum B C. Et quod movetur de albo in nigrum, pars quae desinit esse alba, fit fusca vel pallida. Sic igitur manifestum est quod omne quod mutatur, cum sit partim in uno et partim in altero, est divisibile. Sciendum est autem quod Commentator in hoc loco movet dubitationem de hoc, quod si Aristoteles non intendit hic demonstrare quod mobile sit divisibile, nisi de mobili quod movetur motu, quem dixit esse in solis tribus generibus, scilicet quantitate, qualitate, et ubi, demonstratio sua non erit utilis sed particularis: quia etiam quod mutatur secundum substantiam divisibile invenitur. Unde videtur quod intelligat de eo quod transmutatur secundum quamcumque transmutationem, ut includatur generatio et corruptio in substantia. Et hoc etiam ex ipsis verbis ejus apparet: non enim dicit, quod movetur, sed quod mutatur. Sed tunc videtur sua demonstratio non valere, quia aliquae transmutationes sunt indivisibiles, sicut ipsa generatio substantialis et corruptio, quae non sunt in tempore: et in hujusmodi transmutationibus non est verum, quod illud quod mutatur, sit partim in uno, partim in alio: non enim cum ignis generatur, partim est ignis, partim non ignis. Et inducit ad hoc plures solutiones. Quarum una est Alexandri dicentis quod nulla transmutatio est indivisibilis, aut in non tempore. Sed hoc reprobatur: quia per hoc destruitur quoddam probabile et famosum apud Aristotelem et omnes peripateticos, scilicet quod aliquae transmutationes sint in non tempore, ut illuminatio, et alia hujusmodi. Inducit etiam solutionem Themistii dicentis, quod etsi sit aliqua transmutatio in non tempore, tamen hoc latet, et Aristoteles utitur eo quod est manifestum, scilicet quod transmutatio fit in tempore. Et hoc reprobat, quia eodem modo se habet de divisione mutationis et mutabilis. Et adhuc videtur latentius divisibilitas mobilis quam mutationis. Unde demonstratio Aristotelis non esset efficax; quia posset aliquis dicere, quod licet ea quae mutantur mutationibus maxime divisibilibus, sint divisibilia, sunt tamen aliqua mutabilia latentia, quae sunt indivisibilia. Ponit etiam solutionem Avempace dicentis, quod hic non agitur de divisione mutabilis secundum quantitatem, sed de divisione mutabilis secundum quod subjectum dividitur per accidentia contraria, de quorum uno mutatur in alterum. Et addit postea suam solutionem: quod illae mutationes quae dicuntur fieri in non tempore, sunt termini quorumdam motuum indivisibilium. Accidit ergo aliquid transmutari in non tempore, inquantum scilicet quilibet motus terminatur in instanti. Et quia illud quod est per accidens, praetermittitur in demonstrationibus, ideo illo Aristoteles in hac demonstratione utitur, ac si omnis mutatio sit divisibilis et in tempore. Sed, si quis recte consideret, haec objectio non est ad propositum. Non enim Aristoteles in sua demonstratione utitur quasi principio, quod omnis sit mutatio divisibilis, cum magis e converso, ex divisione mobilis procedat ad divisionem mutationis, ut infra patebit, et sicut ipse post dicet, divisibilitas per prius est in mobili, quam in motu vel mutatione. Sed utitur principiis per se notis, quae necesse est concedere in quacumque mutatione: scilicet quod illud quod mutatur, quando est secundum totum et partes in termino a quo mutatur, nondum mutatur secundum illam mutationem: et quod, quando est in termino ad quem, non mutatur, sed mutatum est: et quod non potest esse nec in utroque totum, nec in neutro, sicut expositum est. Unde ex necessitate sequitur, quod in qualibet mutatione, illud quod mutatur, dum mutatur, sit partim in uno termino, et partim in alio. Sed hoc diversimode invenitur in diversis mutationibus. In illis enim mutationibus, inter quarum extrema est aliquod medium, contingit quod id quod mutatur, dum mutatur, partim sit in uno extremo, et partim in alio secundum ipsa extrema. In illis vero inter quarum terminos non est aliud medium, id quod mutatur non est secundum diversas partes suas in diversis extremis secundum ipsa extrema, sed secundum aliquid ei adjunctum; sicut, cum materia mutatur de privatione ad formam ignis, dum est in ipso mutari, est quidem sub privatione secundum seipsam, sed partim est sub forma ignis non secundum seipsam, sed secundum aliquid ei adjunctum, scilicet secundum dispositionem propriam ignis, quam partim recipit ante quia formam ignis habeat. Unde infra probabit Aristoteles quod etiam generatio et corruptio sunt divisibiles: quia, quod generatur, prius generabatur: et quod corrumpitur, prius corrumpebatur. Et forte hoc modo intellexit Alexander quod omnis transmutatio est divisibilis, scilicet vel secundum seipsam, vel secundum motum ei adjunctum. Sic etiam intellexit Themistius, quod Aristoteles assumpsit id quod erat manifestum: et praetermisit id quod erat latens: quia nondum erat locus tractandi de divisibilitate vel indivisibilitate mutationum, sed hoc reservatur in posterum. In omnibus tamen vel divisibilibus vel indivisibilibus salvatur quod Aristoteles hic dicit: quia etiam quae dicuntur indivisibiles mutationes, sunt quodammodo divisibiles non secundum propria sua extrema, sed per ea quae eis adjunguntur. Et hoc est quod Averroes voluit, quod hoc est per accidens, aliquas mutationes esse in non tempore. Est etiam hic alia dubitatio. Non enim videtur hoc verum in motu alterationis, quod id quod alteratur, partim sit in uno termino et partim in altero dum alteratur. Non enim sic procedit motus alterationis, quod prius una pars alteretur, et postea altera: sed totum prius est minus calidum, et postea magis calidum. Unde etiam Aristoteles in libro de Sensu et Sensato dicit, quod non similiter se habet in alteratione sicut in latione: lationes namque rationabiliter medium prius attingunt: quaecumque vero alterantur, non adhuc similiter. Contingit enim simul alterari, et non dimidium prius; velut aquam omnem simul coagulari.

Est autem ad hoc dicendum quod Aristoteles in hoc sexto libro agit de motu secundum quod est continuus. Continuitas autem primo et per se et proprie invenitur in motu locali tantum, qui solum potest esse continuus et regularis, ut ostendetur in octavo. Et ideo demonstrationes in hoc libro positae pertinent quidem ad motum localem perfecte, ad alios autem motus non totaliter, sed secundum quod aliquid continuitatis et regularitatis participant. Sic ergo dicendum est, quod mobile secundum-locum, semper prius subintrat locum in quem tendit, secundum partem quam secundum totum: in alteratione autem est quidem ut sic, est autem ut non. Manifestum est enim quod omnis alteratio fit per virtutem agentis quod alterat; cujus virtus quanto fuerit major, tanto majus corpus alterare potest. Quia igitur alterans est finitae virtutis, usque ad determinatam quantitatem corpus alterabile subditur ejus virtuti, et simul recipit impressionem agentis, unde simul alteratur totum, non pars post partem. Sed illud alteratum iterum alterat aliquid aliud sibi conjunctum: est tamen minoris efficaciae in agendo, et sic inde quousque deficiat virtus alterativa: sicut ignis calefacit unam partem aëris statim, et illa calefacta calefacit aliam, et sic pars post partem alteratur. Unde et Aristoteles in libro de Sensu et Sensato post verba praemissa subjungit, « Attamen si multum fuerit quod calefiat aut « coagulatur, habitatio ab habito patitur. Primum au- « tem ab ipso faciente transmutari necesse est, et « simul alterari, et subito. » Verumtamen et in hoc ipso, quod simul alteratur, est quamdam successionem considerare: quia, cum alteratio fiat per contactum alterantis, partes alterati quanto magis appropinquant ad corpus alterans, perfectius a principio recipiunt impressionem alterantis: et sic successive secundum ordinem partium ad perfectam alterationem pervenitur; et maxime quando in corpore alterabili est aliquid contra resistens alteranti. Sic ergo id quod concludit (quod videlicet id quod mutatur, dum mutatur partim est in termino a quo, et partim in termino ad quem: quasi una pars prius perveniat ad terminum ad quem quam alia) simpliciter et absolute verum est in motu locali: in motu autem alterationis aliqualiter (ut dictum est.) Quidam vero e converso dixerunt, quod hoc quod hic dicitur magis habet veritatem in motu alterationis, quam in motu locali. Dicunt enim quod hoc quod dicitur, quod id quod mutatur partim est in termino a quo, et partim in termino ad quem, non sic est intelligendum, quod una pars ejus quod movetur sit in uno termino, et alia in alio; sed est referendum ad partes terminorum: quia scilicet id quod movetur partem habet de termino a quo, et partem de termino ad quem: sicut illud quod movetur de albedine in nigredinem, primo non habet perfecte albedinem, nec perfecte nigredinem; sed aliquid participat imperfecte de utroque. In motu autem locali hoc non videtur verum, nisi secundum (!) id quod movetur, dum est in medio duorum terminorum, quodammodo aliquid participat de utroque extremo: sicut, si terra moveatur ad locum ignis, dum est in loco aëris in suo moveri partem habet utriusque termini, inquantum scilicet locus aëris et est sursum respectu loci terrae, et deorsum respectu loci ignis. Haec autem expositio extorta est,

_____

(1) *Lege* secundum quod.

et contra opinionem Aristotelis. Et primo quidem apparet hoc ex ipsis verbis Aristotelis. Concludit enim « necesse igitur quidem aliquid in hoc esse, « aliud vero in altero mutantis, » idest ejus quod mutatur. Loquitur ergo de partibus mobilis, non de partibus terminorum. Secundo ex ejus intentione: inducit enim ad probandum, id quod mutatur esse divisibile: quod non posset concludi ex praemissis. Unde et Avempace dixit, quod non intendit hic probare quod mobile sit divisibile in partes quantitativas, sed secundum formas: inquantum scilicet id quod mutatur de contrario in contrarium, dum est in ipso mutari, habet aliquid de utroque contrario. Sed intentio Aristotelis est expresse ostendere, quod mobile est divisibile in suas partes quantitativas, sicut et alia continua. Et sic utitur in sequentibus demonstrationibus.

Nec hoc videtur esse conveniens, quod dicunt quidam, quod per hoc probatur etiam divisibilitas mobilis secundum continuitatem, Quia per hoc quod mobile, dum movetur, participat utrumque terminum, et non statim habet perfecte terminum ad quem, manifestum est mutationem esse divisibilem secundum continuitatem: et ita, cum divisibile non possit esse in indivisibili, sequitur quod etiam mobile sit divisibile, ut continuum. Manifeste enim Aristoteles in subsequentibus ostendit divisionem motus ex divisione mobilis: unde si intenderet concludere divisionem mobilis per divisionem motus, esset demonstratio circularis. Tertio apparet hanc exposi-

tionem esse inconvenientem ex ipsa expositione Aristotelis cum dicit: « Dico autem in quod mutatur « primum secundum mutationem. » Ex quo apparet quod non intendit dicere, quod partim sit in termino a quo, et partim in termino ad quem, propter hoc quod sit in medio, quod participat utrumque extremum: sed quia secundum unam partem sui est in uno extremo, et secundum aliam in medio. Sed circa hanc expositionem Aristotelis dubium esse videtur quod dicit « in quod primum mutatur »: non enim videtur posse accipi in quod primum mutatur propter divisibilitatem magnitudinis in infinitum. Et ideo dicendum est quod id in quod primum mutatur in motu locali, dicitur locus qui contingit locum a quo mutatur, ita quod nihil est ejus. Si enim acciperetur secundus locus, qui haberet aliquid primi, non esset accipere primum locum in quem mutatur.

Sit locus unde mutatur aliquod mobile A B, et locus ei contactus aequalis sit B C. Quia enim A B divisibile est, dividatur in puncto D, et sumatur de loco B C versus C quod est aequale ei quod est B D, et sit illud G C. Manifestum est igitur, quod mobile prius mutatur ad locum D G, quam ad locum B C; et iterum, cum A D sit divisibile, erit accipere alium locum priorem: et sic in infinitum. Et similiter in motu alterationis accipiendum est primum in quod mutat, medium alterius speciei; sicut cum mutatur de albo in nigrum, accipi debet fuscum, non autem minus album.

LECTIO VI.

Modos quosdam, quibus motus dividitur, quae item simul cum motu dividuntur, per singula exponit.

ANTIQUA.

Motus autem est divisibilis dupliciter: uno quidem modo tempore: alio vero, secundum motus partium illius quod movetur. Ut si ipsum A C movetur totum, et A B movebitur et B C.

Sit igitur ipsius quidem A B, qui est D E motus: B C autem qui est E F motus partium: necesse est igitur totum in quo est D F ipsius A C esse motum: movebitur enim secundum hunc: quippe, cum utraque partium moveatur secundum utrumque: nulla enim movebitur secundum alterius motum. Quare totus motus, totius est magnitudinis motus.

Amplius autem, si omnis motus alicujus est, totus autem motus qui est in quo est D Z, neque partium est neutrae (partis enim utraque est, neque alterius nullius: cujus enim totus, totius, et partes, partium sunt: partes autem ipsius D Z sunt ipsarum, quae sunt A B C, et nullarum aliarum: plurium enim non erat unus motus) et utique totus motus erit ipsius A B C magnitudinis.

Amplius autem si est quidem totius alius motus, ut in quo T I, removebitur ab eo qui sit utrarumque partium motus: hi autem aequales erant iis quae sunt D E Z: unius enim unus motus: quare, si totus quidem dividetur qui est T I in partium motus, aequalis erit motus T I ei qui est D Z. Si vero deficit aliquid, ut quod est K I, hic nullus erit motus: neque enim totius, neque partium; propter id quod unus unius est: neque alterius nullius est. Continuus enim motus est continuorum quorumdam. Similiter autem est et si excellat secundum divisionem: quare si hoc impossibile est, necesse eundem esse, et aequalem. Haec igitur divisio secundum partium motus est, et necesse omnis esse partibilis, ipsam.

RECENS.

Motus autem bifariam est dividuus: uno modo, ratione temporis; altero, secundum motus partium ejus quod movetur: ut puta si *to a g* movetur totum, etiam pars *a b* movebitur, et pars *b g*. Esto igitur partis *a b* motus *d c*: partis autem *b g* motus *e z*. Ergo necesse est, totum *d z* esse motum ipsius *a g*: movebitur enim secundum hunc motum; quandoquidem utraque pars movetur secundum utrumque: nihil autem movetur alius rei motu; quapropter totus motus est totius magnitudinis motus.

Praeterea si omnis motus est alicujus; totus autem motus *d z*, nec est alterutrius partis (nam utriusque partis est utraque pars motus), nec alius cujuspiam (cujus enim totius est totus motus, etiam partes sunt partium: partes autem motus *d z*, sunt partium *a b g*, non aliorum: quia plurium non est unus motus): profecto etiam totus motus erit magnitudinis *a b g*.

Praeterea, si alius est motus totius, veluti in quo est *th i*, auferetur ab eo motus utriusque partis. Hi vero motus aequales erunt motibus *d e, e z*: quandoquidem unus motus est unius. Quocirca si totus motus *th i* dividetur in partium motus, aequalis erit motus *th i* motui *d z*. Si quid autem restat, veluti *to k i*, hic nullius erit motus. Nam nec totius, nec partium, propterea quod unus est unius, nec alius cujuspiam: quia continuus motus est aliquorum continuorum. Itidemque si superat secundum divisionem. Quare si hoc est impossibile, necesse est eumdem esse et aequalem. Haec igitur divisio est ex partium motibus: ac necesse est eam esse cujusvis partes habentis.

Alius autem secundum tempus. Quoniam enim omnis motus in tempore: tempus autem omne divisibile est: in minori autem minor motus; necesse est omnem dividi motum secundum tempus.

Quoniam autem omne quod movetur in aliquo movetur, et quodam tempore, et omnis moti est motus; necesse est easdem divisiones esse temporis et motus et ipsius moveri et ejus, quod movetur et ejus in quo motus est. Sed non omnium similiter est in quibus motus est: sed quanti quidem secundum seipsum, qualis autem secundum accidens.

Accipiatur enim tempus in quo movetur, in quo a, et motus in quo b. Si igitur secundum totum motum in toto tempore est motum, in medio per minorem, et iterum hoc diviso, per minorem hujus, et sic semper.

Similiter autem et si motus divisibilis sit, et tempus divisibile: si enim per totum in toto, per medium in medio: et iterum per minorem in minori.

Eodem autem modo et ipsum moveri dividetur: sit enim in quo est c ipsum moveri. Secundum igitur medium motum, minor erit toto: et iterum secundum medietatis medium, et sic semper.

Est autem, et ponentem secundum d c, et c f dicere, quod totum erit secundum totum. Si namque aliud, plus erit ipsum moveri secundum eumdem motum, sicut determinavimus, et motum divisibilem in partium motus esse. Accepto enim ipso moveri secundum utrumque, continuum erit totum.

Similiter autem demonstrabitur et longitudo divisibilis, et omnino illud omne in quo est mutatio: praeter quaedam, quae secundum accidens: quod enim mutatur, est divisibile: uno enim diviso omnia dividentur.

Et in ipso finita esse aut infinita similiter se habebit in omnibus.

Secutum autem maxime est, dividi omnia, et infinita esse ad ipso mutante; mox enim inest mutanti divisibile, et infinitum. Divisibile igitur ostensum est prius; infinitum autem in sequentibus erit manifestum.

Alia vero sumitur ex tempore. Quum enim omnis motus sit in tempore, omne autem tempus sit dividuum, et minori tempore motus sit minor: necesse est omnem motum dividi pro ratione temporis.

Quum autem quicquid movetur, in aliquo moveatur, et in aliquo tempore; et cujuscumque rei quae movetur, sit motus: necesse est easdem esse divisiones et temporis et motus, et ipsius moveri, et ejus quod movetur, et ejus in quo fit motus: quamquam non similiter divisio est omnium eorum in quibus est motus: sed quantitatis est per se; qualitatis vero, ex accidenti. Sumatur enim tempus quo movetur, ubi *a*, et motus ubi *b*: si igitur totum motum toto tempore confecit: certe dimidia parte temporis minorem motum conficiet, et rursus hoc minore tempore diviso, conficiet motum hoc minorem: atque ita semper. Similiterque si motus est dividuus, etiam tempus est dividuum; nam si totum motum toto tempore conficit, etiam dimidiam partem motus dimidia parte temporis conficiet: ac rursus minorem motum minori tempore.

Eodem modo etiam ipsum moveri dividetur. Esto namque moveri, ubi *g*: ergo secundum dimidiam motus partem erit minus toto; et rursus secundum dimidiam dimidiae; atque ita perpetuo. Licet etiam exposito ipso moveri secundum utrumque motum, veluti secundum *d g*, et *g e*, dicere totum moveri fore secundum totum motum. Nam si aliud sit, plura erunt moveri secundum eumdem motum, sicut ostendimus etiam motum dividuum esse in motus partium. Sumpto enim ipso moveri secundum utrumque motum, certe totum erit continuum.

Itidem etiam probabitur longitudinem esse dividuam; et omnino id omne in quo est mutatio; (nisi quod nonnulla ex accidenti dividantur); quia quod mutatur, est dividuum; etenim si unum dividitur, omnia dividentur. Et quantum ad hoc ut finita sint vel infinita, similiter se res habebit in omnibus. Omnia vero dividi, et esse infinita, maxime consequens est ex eo quod mutatur. Statim enim inest ei quod mutatur, esse dividuum, et infinitum. Dividuum igitur esse, probatum est antea: infinitas vero in sequentibus erit manifesta.

Praemissis quibusdam quae sunt necessaria ad divisionem motus, hic incipit agere de divisione motus. Et dividitur in partes duas. In prima agit de divisione motus. In secunda ex determinatis excludit quosdam errores circa motum, ibi, « Zeno « autem male ratiocinatur. » Prima autem pars dividitur in partes duas. In prima determinat de divisione motus. In secunda de divisione quietis, ibi, « Quoniam autem omne aut movetur. » Prima dividitur in duas. In prima agit de divisione motus, in secunda de finito et infinito circa motum (utrumque enim videtur ad rationem continui pertinere, scilicet divisibile et infinitum) ibi, « Quo- « niam autem omne quod movetur, in tempore « movetur. » Prima pars dividitur in duas. In prima ostendit quomodo motus dividitur. In secunda agit de ordine partium motus, ibi, « Quoniam autem « omne quod mutatur ex quodam. » Circa primum duo facit. Primo ponit duos modos quibus motus dividitur. Secundo ostendit quae sunt illa quae simul dividuntur cum motu, ibi, « Quoniam autem omne « quod movetur in aliquo. » Circa primum duo facit. Primo ponit modos quibus motus dividitur. Secundo exponit eos, ibi, « Sit igitur ipsius a b. » Dicit ergo primo, quod duobus modis dividitur motus. Uno modo secundum tempus; quia ostensum est, quod motus non est in nunc, sed in tempore. Alio vero modo dividitur secundum motus partium mobilis. Sit enim a c mobile, et dividatur: ostensum est enim, omne quod movetur divisibile esse. Si ergo ipsum a c totum movetur, necesse est quod moveatur utraque pars ejus, scilicet a b, et b c. Est autem considerandum, quod divisio motus secundum partes mobilis potest intelligi dupliciter. Uno modo

ut pars post partem moveatur: quod quidem non est possibile in eo quod secundum se totum movetur; quia ejus quod secundum se totum movetur, omnes partes simul moventur, non quidem seorsum a toto, sed in ipso toto. Alio modo potest intelligi ista divisio motus secundum partes mobilis; sicut et divisio cujuslibet accidentis, cujus subjectum est divisibile, attenditur secundum divisionem sui subjecti; sicut, si totum hoc corpus est album, secundum divisionem corporis dividetur per accidens albedo. Et sic accipiatur hic divisio motus secundum partes mobilis; ut sicut utraque pars mobilis simul movetur in toto, ita motus utrarumque partium sint simul. Et per hoc, ista divisio motus, quae est secundum partes mobilis, est alia ab illa quae est secundum tempus, in qua duae partes motus non sunt simul. Si tamen motus partis unius comparetur ad motum partis alterius, non simpliciter, sed secundum aliquod signum determinatum, sic motus unius partis etiam tempore praecedit motum alterius partis. Si enim mobile a b c moveatur in magnitudine e f g, ita quod e f sit aequale toti a c: manifestum est quod hoc signum f, secundum prius pertransibit b c, quam a b: et secundum hoc simul curret divisio motus secundum partes temporis, et secundum partes mobilis.

Secundo ibi « sit igitur »

Manifestat positos modos. Et primo ostendit quod motus dividatur secundum partes mobilis. Secundo quod dividatur secundum partes temporis, ibi, « Alius autem secundum tempus est. » Primum ostendit tribus rationibus. Quarum prima talis est. Ex quo moto toto moventur partes, motus illius partis quae est a b, sit d e, et motus alterius partis, qui est B C, sit E F. Sicut ergo totum mobile A C componitur ex A B et B C, ita totus motus D F componitur ex D E et E F. Cum ergo utraque partium mobilis moveatur secundum utramque partium motus, ita tamen quod neutra pars mobilis movetur secundum motum alterius partis (quia secundum hoc totus motus esset unius partis quae moveretur motu suo, et motu alterius partis), oportet dicere quod totus motus D F sit totius mobilis A C; et sic motus totius dividitur per motum partium.

Secundam rationem ponit ibi « amplius autem »

Quae talis est. Omnis motus est alicujus mobilis. Totus autem motus D Z neque est alterius partium, quia neutra movetur secundum totum motum, sed utraque movetur secundum partes motus, ut dictum est: neque iterum potest dici quod sit motus cujuscumque alterius mobilis separati ab A C: quia si totus ille motus esset totius alterius mobilis, sequeretur quod partes hujus motus essent partium illius mobilis: sed partes hujus motus qui dicitur D Z sunt partium hujus mobilis quae sunt A B C, et nullarum aliarum; quia, si essent et harum et aliarum, sequeretur quod unus motus esset plurium, quod est impossibile. Relinquitur ergo quod totus motus sit totius magnitudinis, sicut et partes partium; et ita motus totius dividitur secundum partes mobilis.

Tertiam rationem ponit ibi « amplius autem »

Quae talis est. Omne quod movetur habet aliquem motum: si igitur totus motus qui est D Z, non sit totius mobilis, quod est A G, oportet quod aliquis alius motus sit ejus. Et sit ille motus T I. Ab hoc ergo motu qui est T I, auferatur per divisionem motus utrarumque partium, quos oporteat esse aequales iis quae sunt D E Z, hac ratione quia unius mobilis non est nisi unus motus: unde non potest dici quod motus partium quae auferuntur a motu T I, qui ponitur esse totius, sint majores aut minores quam D E et E Z qui ponebantur motus earumdem partium. Aut ergo motus partium consumunt per divisionem totum T I, aut deficiunt ab eo, aut superexcedunt. Si consumunt totum T I, et non excedunt nec deficiunt, sequitur quod motus T I sit aequalis T Z, qui est motus partium, et non differat ab eo. Si autem motus partium deficiunt a T I, ita quod T I excedat D Z in K I, ista pars motus, quae est K I, nullius mobilis erit. Non enim est motus totius A C, neque partium ejus: quia unius non est nisi unus motus; et tam toti quam partibus assignatus est jam alius motus. Neque iterum potest dici quod sit alicujus alterius mobilis; quia totus T I est quidam motus continuus, et motus continuus oportet quod sit continuorum (ut in quinto ostensum est): unde non potest esse quod pars hujus motus continui, qui est T I, sit alicujus mobilis quod non continuetur cum A B C. Similiter etiam sequitur inconveniens, si dicatur quod motus partium excellat secundum divisionem; quia sequetur quod partes excedant totum, quod est impossibile. Si ergo hoc est impossibile quod excedat vel deficiat, necesse est quod motus partium sit aequalis et idem motui totius. Deinde concludit. Haec igitur divisio est secundum motus partium; et necesse est quod talis partitio inveniatur in motu, propter hoc quod omne quod movetur est partibile.

Secundo ibi « alius autem »

Concludit quod motus dividatur secundum divisionem temporis tali ratione. Omnis motus est in tempore, et omne tempus est divisibile, ut pro-

batum est: cum ergo in minori tempore sit minor motus, necesse est quod omnis motus dividatur secundum tempus.

Deinde cum dicit « quoniam autem »

Ostendit quae simul dividantur cum motu. Et circa hoc tria facit. Primo ponit quinque quae simul dividuntur; secundo ostendit quod in omnibus praedictis simul invenitur finitum et infinitum, ibi, « Et ipso finita esse. » Tertio ostendit in quo horum invenitur divisio et infinitum, ibi, « Secutum « autem maxime est. » Circa primum duo facit. Primo proponit quod intendit. Secundo manifestat propositum, ibi, « Accipiatur enim tempus. » Dicit ergo quod quia omne quod movetur, movetur in aliquo, idest secundum aliquod genus vel speciem: et iterum in aliquo tempore: et iterum cujuslibet mobilis est aliquis motus: necesse est quod ista quinque similiter dividantur; scilicet tempus et motus, et ipsum moveri, et mobile quod movetur, et id in quo est motus, vel locus, vel qualitas, vel quantitas. Sed tamen non est eodem modo divisio omnium eorum in quibus est motus: sed quorumdam quidem per se, quorumdam vero per accidens. Per se quidem omnium eorum quae pertinent ad genus quantitatis, ut est in motu locali, et etiam in augmento et decremento. Per accidens vero in iis quae pertinent ad qualitatem, ut in motu alterationis.

Secundo ibi « accipiatur enim »

Manifestat quod dixerat. Et primo quantum ad hoc quod tempus et motus simul dividuntur. Secundo quod motus et ipsum moveri simul dividuntur, ibi, « Eodem autem modo. » Tertio ostendit idem de motu et eo in quo est motus, ibi, « Si-« militer autem demonstrabitur. » Circa primum duo facit. Primo ostendit quod ad divisionem temporis dividitur motus. Secundo, quod e converso ad divisionem motus dividitur tempus, ibi, « Simi-« liter autem et si motus. » Dicit ergo primo. Ponatur quod tempus in quo aliquid movetur sit A, et motus qui est in hoc tempore, sit B. Manifestum est autem, quod, si aliquid movetur per totam magnitudinem in toto tempore, quod in medietate temporis movetur per minorem magnitudinem. Idem est autem moveri toto motu et per totam magnitudinem, et per partem motus, et per partem magnitudinis: unde manifestum est quod, si in toto tempore movetur toto motu, quod in parte temporis movebitur minori motu, et iterum diviso tempore, invenietur minor motus, et sic semper. Ex quo patet, quod secundum divisionem temporis dividitur motus.

Secundo ibi « similiter autem »

Dicit quod e converso, si motus dividitur, et tempus dividitur; si per totum motum movetur in toto tempore, per medium motus movebitur in medio tempore, et semper minor erit motus in minori tempore, si sit mobile idem, vel aeque velox.

Deinde cum dicit « eodem autem »

Ostendit quod motus et moveri simul dividuntur. Et circa hoc tria facit. Primo ostendit quod ipsum moveri dividitur secundum divisionem motus; secundo quod motus dividitur secundum divisionem ejus quod est moveri, ibi, « Est autem et ponen-« tem. » Dicit ergo primo, quod eodem modo probatur quod ipsum moveri dividitur secundum divisionem temporis et motus: et ipsum moveri sit C. Manifestum est autem quod non tantum movetur aliquid secundum partem motus, quantum secundum totum motum. Manifestum est ergo, quod secundum medium motum, pars ejus quod est moveri, erit minor toto ipso moveri, et adhuc minor secundum medietatis medium, et sic semper procedetur: ergo sicut tempus et motus semper dividuntur, ita et ipsum moveri,

Secundo ibi « est autem »

Probat quod e converso, motus dividitur secundum divisionem ejus quod est moveri. Sint enim duae partes motus D C, et G E, secundum quarum utramque aliquid movetur. Et sic, si partibus ejus quod est moveri respondent partes motus, oportet dicere quod toti respondeat totum: quia si aliquid plus esset in uno quam in altero, erit hic argumentari de moveri ad motum, sicut supra argumentati sumus, quando ostendimus quod motus totius est divisibilis in motus partium, ita quod non potest deficere nec excellere. Similiter etiam et partes ejus quod est moveri non possunt excedere partes motus, nec deficere: quia enim necesse est accipere secundum utramque partem motus hoc quod est moveri, necesse est quod totum moveri sit continuum, correspondens toti motui: et ita semper partes ejus quod est moveri, respondent partibus motus, et totum toti; et sic unum dividitur secundum alterum.

Deinde cum dicit « similiter autem »

Ostendit idem de eo in quo est motus; et dicit quod eodem modo demonstrari potest, quod longitudo, in qua movetur aliquid secundum locum, sit divisibilis secundum divisionem temporis, et motus, et ipsius moveri. Et quod dicimus de longitudine in motu locali, est etiam intelligendum de omni eo quo est motus; nisi quod quaedam sunt divisibilia per accidens, sicut qualitates in motu alterationis, ut dictum est. Et inde est quod omnia ista sic dividuntur: quia illud quod mutatur est divisibile, ut ostensum est supra. Unde uno horum diviso, oportet quod omnia dividantur.

Deinde cum dicit « et in ipso »

Ostendit quod sicut consequuntur praemissa divisibilitatem, ita se sequuntur in hoc quod est esse finita vel infinita: ita quod, si unum istorum fuerit finitum, omnia erunt finita; et si infinitum, similiter.

Deinde cum dicit « secutum autem »

Ostendit in quo praemissorum primo inveniatur divisibilitas, et finitum seu infinitum: et dicit quod maxime ab ipso quod mutatur, consequitur de omnibus aliis quod dividantur, et quod sint finita vel infinita: quia illud quod est primum naturaliter in motu, est ipsum mobile, et statim ipsi ex sua natura inest esse divisibile, et esse finitum vel infinitum: et sic ex ipso ad alia derivatur divisibilitas vel finitum. Quomodo autem ipsum mobile sit divisibile, et per ipsum alia dividantur, ostensum est prius; sed quomodo etiam hoc sic se habet de infinito, ostendetur inferius in hoc eodem sexto libro.

LECTIO VII.

Illud, in quo aliquid primo mutatum est, indivisibile esse dicitur: quomodoque primum,
in quo aliquid mutatur, dari contingat, multipliciter ostenditur.

ANTIQUA.

Quoniam autem omne quod mutatur, ex quodam in aliquid mutatur, necesse est quod mutatur, cum mutatum est, esse in quo mutatum est.

Quod mutatur enim, ex quo mutatur distat aut deficit ipsum, et aut idem est mutari et deficere, aut sequitur ad mutari ipsum deficere, aut quod est mutatum esse, defecisse: similiter enim utrumque se habet ad utrumque. Quoniam ergo una mutationum quae secundum contradictionem est, quando mutatum est ab eo quod non est in esse, defecit non ens, erit igitur in esse: omne enim necesse est esse aut non esse. Manifestum igitur quod in mutatione secundum contradictionem, quod mutatum est, erit in quo mutatum est. Si autem in hac, et in aliis; similiter enim in una et in aliis est.

Amplius autem, et secundum unamquamque accipientibus manifestum est: siquidem necesse est quod mutatum est alicubi esse, aut ex quo mutatum est, aut in aliquo. Quoniam autem ex quo mutatum est, defecit, necesse est aut esse alicubi, aut in hoc, aut in alio erit. Si igitur in alio, ut in ipso c, quod in ipsum B mutatum est: iterum ex c mutatur in B, non enim erat habitum ipsi B, mutatio enim continua est: quare quod mutatum est, quando mutatum est, in quod mutatur est: hoc autem est impossibile: necesse ergo quod mutatum est esse in hoc in quod mutatum est Manifestum igitur est, et quod factum, cum factum est, erit: et quod corruptum est, non erit: universaliter enim dictum est, et de omni mutatione, et maxime est manifestum in ea quae est secundum contradictionem. Quod igitur id quod mutatum est

RECENS.

Quia vero quicquid mutatur, ex aliquo in aliquod mutatur: necesse est, id quod est mutatum, quum primum est mutatum, esse in eo in quod est mutatum. Quod enim mutatur, exit ex eo ex quo mutatur, seu ipsum relinquit: et vel idem est mutari ac relinquere; vel ipsi mutari consequens est relinquere; et si hoc, ipsi mutatum esse consequens est reliquisse: quia similiter utrumque affectum est ad utrumque. Quoniam igitur mutationum una est, quae in contradictione cernitur, quando mutatum est ex non-ente in ens, reliquit non-ens. Erit igitur in ente: quia rem omnem necesse est aut esse aut non esse. Perspicuum est igitur, in ea mutatione quae in contradictione spectatur, id quod est mutatum, esse in eo in quod est mutatum. Quodsi ita est in hac mutatione, certe etiam in ceteris: similis enim ratio est unius et ceterarum.

Praeterea singillatim sumentibus perspicuum erit: siquidem necesse est, id quod est mutatum, esse alicubi sive in aliquo: nam quia deseruit id ex quo mutatum est; necesse autem est, ut sit alicubi: certe aut in hoc, aut in alio erit. Si igitur in alio, puta in g, id sit quod est mutatum in b, rursus ex g mutatur in b: non cohaerebat enim ipsi b: quia mutatio est continua. Quapropter quod mutatum est, quando mutatum est, mutatur in id in quod est mutatum: quod est impossibile. Necesse igitur est ut, quod est mutatum, sit in hoc in quod est mutatum.

Perspicuum igitur est, etiam id quod est factum, tunc esse, quum est factum; et quod interiit, tunc non esse, quum interiit: quoniam universaliter dictum est de omni mutatione; et maxime est in ea manifestum, quae in contradictione

eum mutatum est primo, in illo est, manifestum est.

In quo autem primo mutatum est id quod mutatum est, necesse est atomum esse. Dico autem primo, quod non propterea quod alterum aliquid ipsius sit, hujusmodi est. Sit igitur divisibile quod est A c, et dividatur secundum B. Sit igitur in A mutatum est, aut iterum in B c, non utique in primo quod est A c, quod mutatum est, erit. Si autem transmutabatur in utroque (necesse est enim in utroque transmutatum esse, aut transmutari) et utique in toto transmutabatur, sed erat mutatum. Eadem autem ratio est, et si in hoc quidem mutatur, in hoc autem mutatum est: erit enim aliquid primo prius: quare non erit utique divisibile, in quo mutatum est. Manifestum est igitur, quia et quod corruptum est, et quod factum est, in atomo hoc quidem corruptum, hoc autem factum est.

Dicitur autem id, in quo primo mutatum est, dupliciter. Aliud quidem, in quo primo perfecta est mutatio: tunc enim verum est dicere quod mutatum est. Aliud vero, in quo primo coepit mutari. Secundum quidem igitur finem mutationis, quod primum dicitur, existit et est: contingit enim perfici mutationem, et est mutationis finis, quod ostensum est indivisibile esse, propter id quod finis est. Quod autem secundum principium, omnino non est: non enim principium est mutationis, neque in quo prius quis mutabatur.

Sit enim primum in quo sit A D: hoc igitur indivisibile quidem non est, accidet enim habita esse ipsa nunc. Amplius si in c A, tempore, omnino quiescit (ponatur enim quiescens:) et in A quiescet. Quare, si impartibile est A D, simul quiescet, et mutatum erit: in A quidem enim quiescit, in D autem mutatum est. Quoniam autem non est impartibile, necesse est divisibile esse, et in quolibet ejus mutatum esse: diviso enim ipso A D, si in neutra quidem mutatum est, neque in toto est A D, si autem in ambobus mutatus, et in toto: si vero in altero tantum mutatum est, non in toto primo: quare necesse est in quolibet mutatum esse. Manifestum igitur est, quod non est in quo primo mutatum est: infinitae enim divisiones sunt.

Neque igitur in eo quod mutatum est, aliquid ipsius prius est, quod mutatum est. Sit enim D F, quod primo mutatum est ipsius D E: omne enim quod mutatur, divisibile esse demonstratum est. Tempus autem in quo D F mutatum est, sit in quo B I. Si ergo in omni D F mutatum est in medio minus est quod mutatum est, et prius est ipso D F, et iterum hoc aliud, et illo alterum, et sic semper, quare nihil erit primum mutantis quod mutatum est. Quod igitur neque in eo quod mutatur, neque in quo mutatur tempore nihil prius sit, manifestum ex his quae dicta sunt.

Ipsum autem quod mutatur, aut secundum quod mutatur, non amplius similiter se habebit. Tria namque sunt, quae esse dicuntur in mutatione: quod mutatur, et in quo, et in quod mutatur; ut homo, tempus, et album: homo igitur et tempus divisibilia sunt: de albo autem alia ratio est, propter id quod secundum accidens omnia divisibilia sunt: cui enim accidit album, aut quale, illud divisibile est. Quoniam quaecumque dicuntur secundum seipsa divisibilia, et non secundum accidens, neque in his erit primum, ut in magnitudinibus. Sit enim in quo est A B magnitudo: motum autem sit ex B in c primum: igitur si indivisibile erit B c, impartibile impartibili erit conjunctum. Si vero divisibile, erit aliquid ipso c prius, in quod mutatum est: et illo iterum aliud, et sic semper: propter id quod nullo modo deficit divisio: quare non erit primum in quod mutatum est. Similiter autem est et in quantitatis mutatione: etenim haec in continuo erit. Manifestum igitur, quod in sola mutatione quae secundum qualitatem est, contingit indivisibile per se esse.

consistit. Ergo quod est mutatum, quum primum est mutatum, in illo esse constat.

Id autem, in quo primo est mutatum quod est mutatum, necessario est individuum. Dico autem primum, quod non est tale eo quod aliud quiddam ipsius sit primum. Esto namque a g dividuum: et dividatur in b. Si igitur mutatum est in a b, aut rursus in b g: certe non erit mutatum in primo a g. Quodsi in utroque mutabatur (necesse est enim vel mutatum esse, vel mutari in utroque): etiam in toto mutaretur: atqui mutatum erat. Eadem est ratio, et si in altero mutatur, in altero autem est mutatum: erit enim aliquid primo prius. Quocirca primum, in quo mutatum est, non potest esse dividuum.

Perspicuum igitur est, et quod interiit, et quod ortum est, in individuo illud quidem interiisse, hoc autem ortum esse.

Jam vero id in quo primum mutatum est, bifariam dicitur: alterum, in quo primo perfecta est mutatio: tunc enim vere dicitur mutatum esse; alterum autem, in quo primo coepit mutari.

Quod igitur secundum finem mutationis, primum dicitur, inest, atque est; potest enim perfici mutatio: et est finis mutationis, quem probatum est esse individuum. propterea quod est terminus. Quod vero ratione principii dicitur, omnino non est: quia non est principium mutationis, nec in quo primo temporis mutatum sit. Esto namque primum, ubi a d. Hoc igitur individuum non est: quoniam eveniet ut momenta sint cohaerentia. Praeterea si in toto a g tempore quiescit (ponatur enim quiescere), etiam in a quiescit. Quapropter si a d est individuum, simul quiescet et mutatum erit; etenim in a quiescit, in d autem mutatum est.

Quia vero partibus non caret, necesse est ut sit dividuum et in quavis ejus parte mutatum fuerit. Diviso enim ipso a d, siquidem in neutra parte mutatum fuerit, certe nec in toto: si vero in utrisque mutatur, etiam in toto. At si in altero mutatum est, non in toto primo est mutatum. Quare necesse est in quavis parte mutatum fuisse Perspicuum igitur est, non esse in quo primo est mutatum: quoniam divisiones sunt infinitae.

Neque igitur ejus quod est mutatum, est aliquid primum quod mutatum sit. Esto namque to d z primum quod sit mutatum tou d e: quicquid enim mutatur, probatum est dividuum esse; tempus vero, quo to d z est mutatum, sit ubi th i. Ergo si to d z est toto tempore mutatum: quod dimidia parte temporis mutatum erit, minus erit, et prius ipso d z: rursusque hoc aliud prius; illo aliud, et ita perpetuo. Quocirca ejus quod mutatur, nihil erit primum quod mutatum sit.

Ergo nec ejus quod mutatur, nec temporis quo mutatur, esse quicquam primum, perspicuum est ex iis quae dicta sunt. Id autem quod mutatur, vel secundum quod mutatur, non amplius similiter se habebit. Tria namque sunt quae in mutatione spectantur: quod mutatur, et in quo, et secundum quod mutatur: ut homo, ac tempus, et album. Homo igitur ac tempus dividua sunt; albi autem est alia ratio; nisi quod ex accidenti sunt omnia dividua: quia cui qualitas, aut albor accidit, illud est dividuum. Nam quaecumque per se dicuntur dividua, non ex accidenti, nec in his primum erit; ut in magnitudinibus: esto enim magnitudo, ubi a b: et moveatur ex b in g primum. Ergo, si to b g erit individuum: id quod partibus vacat, ei quod partibus vacat cohaerebit. Si vero dividuum, erit aliquid prius quam g, in quod est mutatum, et rursus illo aliud, et ita semper, propterea quod nunquam deficit divisio: quare non erit primum, in quo mutatum sit. Similiter etiam se res habet in quantitatis mutatione: etenim haec quoque in continuo est. Perspicuum est igitur, in eo solo motu, qui in qualitate spectatur, esse posse individuum per se.

Postquam Philosophus ostendit qualiter dividatur motus, hic determinat de ordine partium motus. Et primo inquirit an sit primum in motu. Secundo ostendit quomodo ea quae sunt in motu praecedunt se invicem, ibi, « Quoniam autem omne quod mu- « tatur in tempore mutatur. » Circa primum duo facit. Primo ostendit quod in quo primum mutatum est, est indivisibile. Secundo ostendit quomodo in motu possit inveniri primum, et quomodo non possit, ibi, « Dicitur autem in quo primum « mutatum est. » Circa primum duo facit. Primo praemittit quoddam, quod est necessarium ad propositi ostensionem; secundo ostendit propositum,

ibi, « In quo autem primo mutatum est. » Circa primum duo facit. Primo proponit quod intendit; secundo probat propositum, ibi, « Quod mutatur « enim. » Dicit ergo primo, quod quia omne quod mutatur, mutatur de uno termino in alium, necesse est omne quod mutatur, quando jam mutatum est, esse in termino ad quem.

Secundo ibi « quod mutatur »

Probat propositum duabus rationibus: quarum prima est particularis, secunda universalis. Prima ratio talis est. Omne quod mutatur oportet quod aut distet a termino a quo mutatur, sicut patet in motu locali, in quo locus a quo mutatur, remanet, et mobile per motum fit distans ab eo: aut oportet quod ipse terminus a quo deficiat, sicut est in motu alterationis: cum enim ex albo fit nigrum, ipsa albedo deficit. Et ad hujus propositionis manifestationem subjungit, quod vel mutari est idem quod est deficere, vel ad hoc quod est mutari sequitur ipsum deficere, et ad hoc quod est mutatum esse sequitur defecisse, scilicet a termino a quo: unde manifestum est quod sunt idem subjecto, licet differant ratione. Nam deficere dicitur per respectum ad terminum a quo, mutatio autem magis denominatur a termino ad quem. Et ad manifestationem ejus quod dixerat subdit, quod « similiter utrumque se « habet ad utrumque, » scilicet sicut se habet deficere ad mutari, ita defecisse ad mutatum esse. Ex praemissis autem argumentatur ad propositum ostendendum in una specie mutationis, quae scilicet est inter contradictorie opposita scilicet inter esse et non esse, ut patet in generatione et corruptione. Patet enim ex praemissis, quod omne quod mutatur, deficit a termino a quo, et quod mutatum est jam defecit. Quando igitur mutatum est aliquid a non esse in esse, jam defecit a non esse: sed de quolibet verum est dicere, quod aut est, aut non est: quod ergo mutatum est de non esse in esse, mutatum est in esse; et similiter quod mutatum est de esse in non esse, oportet quod sit in non esse. Manifestum ergo est quod in mutatione, quae est secundum contradictionem, quod mutatum est, est in eo ad quod mutatum est. Et, si est verum in ista mutatione, pari ratione est verum in aliis mutationibus. Ex quo patet id quod primo propositum est.

Secundam rationem ponit ibi « amplius autem »
Et dicit quod hoc idem potest esse manifestum considerando secundum unamquamque mutationem. Et manifestat in mutatione locali. Omne enim quod mutatum est, necesse est esse alicubi, vel in termino a quo, vel in aliquo alio. Sed, quia illud quod mutatum est, jam defecit ab eo ex quo mutatum est, necesse est quod sit alibi. Aut igitur necesse est quod sit in hoc de quo intendimus, scilicet in termino ad quem, aut in alio: et si est in hoc, habetur propositum: si autem in alio, ponamus quod aliquid moveatur in B, et quando mutatum est non sit in B, sed in C: tunc oportebit dicere quod etiam de C mutetur in B: quia C et B non sunt habita, idest consequenter se habentia. Oportet enim quod tota hujus mutatio sit continua; et in continuis unum signum non est consequenter se habens ad alterum: quia necesse est quod cadat in medio aliquid sui generis, ut supra probatum est: unde sequetur, si illud quod mutatum est, quando mutatum est, sit in C, et de C mutetur in B, quod est terminus ad quem, quod quando mutatum est, tunc mutatur in quod mutatum est: quod est impossibile: non enim simul est mutari et mutatum esse, ut supra dictum est. Nihil autem differt si hujusmodi termini C et B accipiantur in motu locali, vel in quacumque alia mutatione. Necesse est ergo universaliter verum esse, quod id quod mutatum est, quando mutatum est, est in hoc ad quod mutatum est, idest in termino ad quem. Et ex hoc ulterius concludit quod illud quod factum est, quando factum est, habet esse: et quod corruptum est, quando corruptum est, est non ens. Ostensum est enim universaliter hic de omni mutatione; et maxime manifestum est in mutatione quae est secundum contradictionem, ut ex dictis patet.

Sic igitur manifestum est, quod id quod mutatum est, cum primo mutatum est, est in illo ad quod mutatum est. Addit autem « primo », quia postquam mutatum est ad aliquid, posset exinde moveri, et ibi non esse; sed quando primo mutatum est, oportet quod ibi sit.

Deinde cum dicit « in quo »
Ostendit quod mutatum esse primo et per se est in indivisibili: et dicit quod illud tempus in quo primo mutatum est quod mutatum est, necesse est quod sit atomum, idest indivisibile. Quare autem addit « primo », exponit subdens quod in illo primo dicitur aliquid mutatum esse, in quo non dicitur mutatum esse ratione alicujus suae partis: sicut si dicatur aliquod mobile mutatum esse in die, quia mutatum est in aliqua parte illius diei, non enim primo mutatur in die. Quod autem illud temporis in quo primo mutatum est, sit indivisibile, sic probat.

Si enim sit divisibile, sit A C, et dividatur secundum B: necesse est dicere quod aut in utroque mutatum sit, aut in utraque parte mutetur, aut in una parte mutetur, et in alia sit mutatum. Sed si in utraque parte mutatum est, non primo mutatum est in toto, sed in parte. Si vero detur quod transmutetur in utraque parte, oportebit dicere quod transmutetur in toto (Sic enim dicitur aliquid in toto tempore mutari, quia mutatur in qualibet ejus parte). Hoc autem est contra positum: positum enim erat quod in toto A C erat mutatum. Si autem detur quod in una parte mutatur, et in alia sit mutatum, sequitur idem inconveniens, scilicet quod non sit primo mutatum in toto: quia cum pars sit prior toto, et prius mutetur aliquid in parte temporis quam in toto, sequetur quod sit aliquid prius primo: quod est impossibile: ergo oportet dicere, quod id tempus in quo aliquid mutatum est, sit indivisibile. Ex hoc autem ulterius concludit quod omne quod corruptum est, et omne quod factum est, est in indivisibili temporis factum et corruptum: quia generatio et corruptio sunt termini alterationis: unde si quilibet motus terminatur in instanti (idem est enim primo mutatum esse, quod terminari motum), sequitur quod generatio et corruptio sint in instanti.

Deinde cum dicit « dicitur autem »
Ostendit quomodo in motu possit accipi primum. Et circa hoc duo facit. Primo proponit veritatem. Secundo probat, ibi, « Sit enim primum. » Dicit ergo primo, quod hoc quod dicitur « in quo pri- « mo mutatum est aliquid », potest intelligi dupliciter. Uno modo in quo primo mutatio est perfecta vel terminata: tunc enim verum est dicere quod mutatum est, quando jam mutatio est facta. Alio modo potest intelligi, « in quo primum mutatum « est, » id est in quo primo incoepit mutari: non in quo primo fuit verum dicere, quod jam mutatum esset. Primo igitur modo accipiendo, scilicet secundum terminationem mutationis, dicitur in motu, et est in eo quod primo mutatum est. Contingit enim aliquando primo terminari mutationem: quia cujuslibet mutationis est aliquis terminus. Et hoc modo intelleximus quod primo mutatum est, esse indivisibile: et ostensum est hoc, hac ratione, quia est finis, idest terminus motus: omnis autem terminus continui indivisibilis est. Sed, si accipiatur quod primo mutatum est secundo modo dicendi, scilicet secundum principium, idest secundum primam partem motus, sic non est in quo primo mu-

tatum est: non enim est accipere aliquod principium mutationis, idest aliquam primam partem mutationis, quam non praecedat alia pars. Similiter etiam non est accipere aliquid primum in tempore, in quo primo mutetur.

Secundo ibi « sit enim »

Probat quod non est accipere primum in quo mutatum est ex parte principii: et primo ratione accepta ex parte temporis. Secundo ex parte mobilis, ibi, « Neque itaque in eo quod mutatum est. » Tertio ex parte rei in qua motus est, ibi, « Ipsum « autem quod mutatur. » Circa primum ponit talem rationem. Si est aliquid temporis in quo primo mutatum est, sit illud A D. Hoc igitur aut est divisibile aut indivisibile. Si est indivisibile, sequentur duo inconvenientia: quorum primum est, quod ipsa nunc in tempore sint habita, idest consequentia. Quod quidem inconveniens hac ratione sequitur, quod tempus dividitur sicut et motus, ut supra ostensum est. Si autem aliqua pars motus fuerit in A D, necesse est dicere quod A D sit aliqua pars temporis: et ita tempus erit compositum ex indivisibilibus. Indivisibile autem temporis est ipsum nunc: sequetur ergo quod ipsa nunc consequenter se habeant in tempore. Secundum inconveniens est. Ponamus enim quod in tempore, quod praecedit ipsum A D, quod est C A, idem mobile quod ponebatur moveri in A D, totaliter quiescat: si ergo in toto C A quiescit, sequitur quod quiescat in A, quod est aliquid ejus. Si ergo A D est indivisibile ut dictum est, sequitur, quod simul aliquid quiescat et moveatur: conclusum est enim quod quiescat in C A, et positum erat quod in A D moveretur. Idem autem est A, et A D, si A D sit indivisibile: sequetur ergo quod in eodem quiescat et moveatur. Sed advertendum est, quod non sequitur, si aliquid quiescit in toto tempore, quod quiescat in ultimo ejus indivisibili: quia ostensum est supra, quod in nunc neque movetur aliquid, neque quiescit. Sed Aristoteles hoc concludit hic ex hoc quod ponitur ab adversario: quia id temporis in quo movetur, est indivisibile; et si contingit moveri in indivisibili temporis, contingit eadem ratione indivisibili tempore quiescere. Remoto ergo quod A D in quo dicitur primo moveri, sit impartibile, relinquitur quod necesse sit illud esse divisibile: et ex quo in A D ponitur primo moveri, sequitur quod in quolibet ejus moveatur. Quod sic probat. Dividatur enim ipsum A D in duas partes: aut igitur in neutra parte mutatur, aut in ambabus, aut in altera parte tantum. Si in neutra mutatur, sequitur quod neque in toto: sed si mutetur in ambabus partibus, tunc poterit poni quod mutatur in toto. Sed si in altero tantum moveatur, sequetur quod moveatur in toto, sed non primo, sed ratione partis. Quia igitur primo ponitur moveri in toto, oportet hoc accipere quod in qualibet parte ejus moveatur. Sed tempus dividitur in infinitum, sicut et quodlibet continuum: et ita semper est accipere partem minorem ante partem majorem, sicut si acciperem diem ante mensem, et horam ante diem. Manifestum est ergo, quod non est accipere aliquid temporis, in quo primo movetur, ita scilicet quod non sit accipere aliquam partem ejus, in qua prius moveatur. Sicut si daretur quod dies est quo primo aliquid movetur, hoc non potest esse: quia in parte ejus, scilicet in prima hora diei, primo movetur, quia in toto die.

Secundo ibi « neque igitur »

Ostendit idem ex parte mobilis; concludens ex praemissis, quod neque in ipso quod mutatur est accipere aliquid quod primo mutetur. Quod quidem intelligendum est secundum quod per mutatum totius vel partis, aliquod determinatum signum pertransitur. Manifestum est enim quod primo pertransit aliquid determinatum prima pars mobilis, et secundo secunda, et sic deinceps: alioquin, si intelligeretur de motu absolute, non haberet locum quod hic dicitur. Manifestum est enim, quod simul movetur totum et omnes partes ejus: sed non simul pertransit aliquid determinatum, sed semper pars ante partem. Unde sicut non est accipere primam partem mobilis, ante quam non sit alia minor pars; ita non est accipere aliquam partem mobilis, quae primo moveatur. Et quia tempus et mobile similiter dividuntur, ut supra ostensum est; convenienter ex eo quod demonstratum est de tempore, concludit idem de mobili; et probat sic. Sit mobile ipsum D E: et quia omne mobile divisibile est, ut supra probatum est, sit pars ejus quae primo movetur D F, et moveatur D F, pertranseundo aliquod determinatum signum in tempore quod sit H I: si igitur D F mutatum est in toto hoc tempore, sequitur quod illud quod mutatum est in medio temporis, sit minus et prius motum quam D F; et eadem ratione erit aliud prius et iterum aliud prius illo, et sic semper: quia tempus in infinitum dividitur. Manifestum est ergo quod in mobili non est accipere aliquid quod primo mutatum est. Et sic patet, quod primum in motu non potest accipi neque ex parte temporis, neque ex parte mobilis.

Tertio ibi « ipsum autem »

Ostendit idem ex parte rei in qua est motus. Praemittit tamen quod non similiter se habet de eo « quod mutatur », vel ut melius dicatur, « secun- « dum quod mutatur », sicut de tempore et mobili. Cum enim sit tria accipere in mutatione: scilicet mobile, quod mutatur, ut homo, et in quo mutatur, ut tempus, et in quod mutatur, ut album; horum duo, scilicet tempus et mobile, sunt semper divisibilia. Sed de albo est alia ratio: quia album non est divisibile per se, sed tam ipsum quam omnia alia hujusmodi, sunt divisibilia per accidens, in quantum scilicet illud cui accidit album, vel quaecumque alia qualitas, est divisibile. Divisio autem albi per accidens, potest esse dupliciter. Uno modo secundum partes quantitativas; sicut si superficies alba dividatur in duas partes, album, per accidens divisum erit: alio modo secundum intensionem et remissionem: quod enim una et eadem pars sit magis vel minus alba, non est ex ipsa ratione albedinis: quia si esset separata, non diceretur secundum magis et minus (sicut neque substantia suscipit magis neque minus); sed est ex diverso modo participandi albedinem ex parte subjecti divisibilis. Praetermisso igitur hoc quod dividitur per accidens, si accipiamus ea secundum quae est motus, quae dividitur per se et non per accidens, neque etiam in his erit primum. Et manifestat hoc primo in magnitudinibus in quibus est motus localis. Sit enim magnitudo spatii, in quo est A B, et dividatur in C. Detur ergo quod ex B in C aliquid primo moveatur. Aut igitur B C, est divisibile, aut indivisibile. Si indivisibile, sequitur quod impartibile erit conjunctum impartibili, quia eadem ratione secunda pars motus erit impartibilis (sic enim oportet dividere magnitudinem, sicut et motum, ut supra de tempore dictum est). Si autem B C sit divisibile, erit accipere aliquod signum prius, idest propinquius ipsi B quam C: et sic prius mutatur ex B I in illud quam in C: et iterum illo erit accipere aliud prius, et sic semper, quia divisio magnitudinis non deficit. Patet ergo quod non est accipere aliquod primum, in quod mutatum sit in motu locali. Et similiter manifestum est in mutatione quantitatis, quae est augmentum et decrementum: quia baec etiam mutatio est secundum aliquod continuum, scilicet secundum quantitatem accrescentem vel subtractam: quae, cum sit in infinitum divisibilis, non est in ea accipere primum. Et sic manifestum est, quod in sola mutatione quae est secundum qualitatem contingit aliquid esse indivisibile per se. Inquantum tamen est divisibile per accidens, similiter non est accipere primum in mutatione tali; sive accipiatur successio mutationis inquantum pars post partem alteratur (manifestum est enim quod non erit accipere primam partem albi, sicut nec primam partem magnitudinis); sive accipiatur successio alterationis, secundum quod aliquid idem est albius vel minus album: quia subjectum infinitis modis potest variari secundum magis album et minus album. Et sic motus alterationis potest esse continuus, et non habens aliquid primum.

LECTIO VIII.

Quodcumque moveri praecedere aliquod mutatum esse, et c converso, quibusdam rationibus demonstratur.

ANTIQUA.

Quoniam autem omne quod mutatur, in tempore mutatur: dicitur autem in tempore mutari, et sicut primo, et sicut secundum alterum, ut in anno, quia in die mutatur: in quo primo tempore mutatur id quod mutatur, et in qualibet hujus necesse est parte mutari. Manifestum est igitur et ex definitione: primum enim sic diximus. Sed et ex his manifestum est. Sit enim in quo primo movetur quod movetur Y C, et dividatur secundum K: omne enim tempus divisibile est: in Y K tempore igitur aut movetur, aut non movetur: et iterum in K C similiter. Si igitur in neutro movetur, quiescet itaque in toto: moveri enim id quod in nulla hujus parte movetur, impossibile est: si vero in altera solum movetur, non utique in primo movetur, quod est Y K: secundum enim utrumque motus est. Necesse est igitur, in quolibet ipsius Y K motum ipsum esse.

Ostenso autem hoc, manifestum est, quod omne quod movetur, necesse est motum esse prius. Si enim X R primo tempore per K L motum est magnitudinem: in medietate quod aeque velociter movetur et simul inceptum est, mediam erit motum. Si autem aeque velox in eodem tempore motum est aliquid, et alterum necesse est per eamdem motum esse magnitudinem: quare erit motum prius, quod movetur.

Amplius autem, et si in omni tempore quod est Y K motum esse dicimus, aut omnino in quolibet tempore: in accipiendo ultimum ipsius temporis, nunc (hoc enim determinans est, et medium ipsorum nunc tempus est): et in aliis similiter dicetur motum esse. Medietatis autem ultimum, divisio est: quare et in medio motum erit: et omnino in qualibet partium: semper enim simul cum divisione, tempus est determinatum ab ipsis nunc. Si igitur omne tempus divisibile est: medium autem ipsorum, nunc tempus est omne: quod mutatur, infinities mutatum erit.

Amplius autem, si id quod continue mutatur, et non corrumpitur; neque pausat a mutatione, aut mutari, aut mutatum esse necesse est in quolibet: in ipso autem nunc non mutari: necesse mutatum esse secundum unumquodque ipsorum nunc. Quare si ipsa nunc infinita sunt, necesse est omne quod mutatur, infinite mutatum esse.

Non solum autem quod mutatur necesse est mutatum esse: sed etiam mutatum, necesse prius mutari.

Omne enim quod ex quodam in quiddam mutatum est, in tempore mutatum est. Sit enim ipso nunc ex A in B mutatum; ergo in eodem quidem nunc, in quod est in ipso A, non mutatum est: similiter enim esset in ipso A et in B. Quod enim mutatum est, quando mutatum est, quod non est in hoc, ostensum est prius: si vero in alio est, in medio erit tempus: non enim conjuncta erant ipsa nunc.

RECENS.

Quoniam autem quicquid mutatur, in tempore mutatur; dicitur autem in tempore mutari, et ut in primo, et ut secundum alterum (ut in anno, quia in die mutatur): sane, in quo primo tempore mutatur id quod mutatur, necesse est ut in quavis ejus temporis parte mutetur. Manifestum igitur hoc est ex definitione; primum enim ita appellabamus.

Sed ex his quoque perspicuum fiet. Sit enim in quo primo movetur, id quod movetur, ubi *ch* r: et dividatur in k: omne enim tempus est dividuum. Ergo in *ch* k tempore aut movetur, aut non movetur; itidemque rursus in *k* r. Si igitur in neutro movetur, quiescet utique in toto: moveri enim, quod in nulla hujus parte movetur, impossibile est. Quodsi in altero solo movetur, non in primo *ch* r movebitur: quia motus est secundum aliud. Necesse igitur est in quavis parte *tou ch* r moveri.

Hoc autem ostenso, perspicuum est necesse esse ut quicquid movetur, mutatum antea sit. Nam si in *ch* r tempore primo motum est per magnitudinem *k* l: in dimidia parte temporis id quod aeque celeriter movetur et simul moveri incipit, per dimidiam partem magnitudinis motum erit. Quodsi aeque velox hoc tempore per aliquam partem est motum, necesse est etiam alterum per eandem magnitudinem esse motum; quare motum erit, quod movetur.

Praeterea si in toto tempore *ch* r motum esse dicimus vel omnino sive in quovis tempore, eo quod sumitur extremum ipsius momentum (hoc enim est quod terminat; et quod momentis est interjectum est tempus): certe etiam in aliis dici potest motum esse Atqui divisio est dimidii extremum. Quare etiam in dimidio motum erit, et omnino in quavis parte: semper enim una cum sectione est tempus terminatum a momentis. Si igitur omne tempus est dividuum; et quod momentis est interjectum, est tempus: quicquid mutatur, infinities erit mutatum.

Praeterea si id quod continenter mutatur, et neque interiit, neque cessavit a mutatione, vel mutari vel esse mutatum in quovis necesse est, in momento autem non potest mutari: necesse est mutatum esse in singulis momentis. Quare si momenta sunt infinita: quicquid mutatur, erit infinities mutatum.

Non solum autem necesse est ut quod mutatur, mutatum sit; sed etiam est necesse ut quod mutatum est, antea mutetur; quicquid enim ex aliquo in aliquod est mutatum, in tempore est mutatum. Esto namque in momento mutatum ex *a* in *b*: ergo in ipso momento, in quo est in *a*, non est mutatum: alioqui simul esset in *a* et in *b*: quod enim mutatum est, quando mutatum est, non esse in hoc, probatum antea fuit. Quodsi est in alio, tempus est interjectum: quia momenta non cohaerent.

Quoniam igitur in tempore mutatum est: tempus autem omne divisibile, in medio aliud erit mutatum, et iterum in illius medio aliud, et sic semper, quare mutabatur prius.

Amplius autem in magnitudine manifestius est quod dicitur, propter id quod continua est magnitudo, in qua mutatur id quod mutatur. Sit enim mutatum ex c in D: ergo si indivisibile est ipsum c D, impartibile erit impartibili conjunctum. Quoniam autem hoc impossibile est, necesse est magnitudinem esse quod interest, et in infinita divisibile. Quare si in illa mutatur prius, necesse ergo, omne quod mutatum est, mutari prius.

Eadem enim demonstratio est, et in non continuis, ut in contrariis, et contradictione. Accipiemus enim tempus, in quo mutatum est, et iterum eadem dicemus.

Quare necesse est, mutatum omne mutari prius: et quod mutatur mutatum esse, et est ipso mutari, mutatum esse prius:' ipso autem mutatum esse, mutari, et nullo modo comprehenditur primum. Causa autem hujus est, non esse impartibile impartibili conjunctum. In infinitum enim divisio est, sicut in iis quae augmentantur et minuuntur lineis.

Manifestum igitur, quoniam quod factum est, necesse est fieri prius: et quod fit factum esse, quaecumque divisibilia et continua sunt: non tamen semper quod fit, sed aliud aliquando, ut illius aliquid, sicut domus fundamentum. Similiter autem et in eo quod corrumpitur, et eo quod corruptum est: mox enim inest ei quod fit, et quod corrumpitur, cum sit continuum infinitum quoddam: sed non est fieri, nisi aliquid factum sit prius, neque factum esse, nisi fiat aliquid: similiter autem, et in corrumpi, et in corruptum esse: semper enim est ipso corrumpi, corruptum esse prius; corrupto autem esse, corrumpi. Manifestum igitur, quia quod factum est, necesse est fieri prius, et quod fit factum esse: omnis enim magnitudo et omne tempus, semper divisibilia sunt. Quare in quocumque fit aliquid, non erit utique, sicut in primo.

Quoniam igitur iu tempore est mutatum, omne autem tempus est dividuum: certe in dimidio aliud erit mutatum; et rursus in alius dimidio aliud; et ita semper: quare prius mutabitur.

Praeterea in magnitudine magis etiam manifestum est id quod diximus: quod continua est magnitudo, in qua mutatur id quod mutatur. Sit enim aliquid mutatum ex g d: ergo si to g d sit individuum, ea quae partibus vacant, inter se cohaerebunt. Quia vero hoc est impossibile, necesse est, id quod est interjectum, esse magnitudinem, et in infinitas partes posse dividi: quare in illas antea mutari. Necesse est igitur, ut quicquid mutatum est, antea mutetur.

Est enim eadem demonstratio etiam in non continuis, ut in contrariis, et in contradictione. Sumemus enim tempus, quo mutatum est: et rursus eadem dicemus. Quare necesse est, id quod est mutatum, mutari, et quod mutatur, mutatum esse: et prius est mutatum esse, quam mutari: item prius est mutari, quam mutatum esse; nec unquam primum sumetur. Hujus causa est: quod partibus vacans partibus vacanti non cohaeret: quippe quum divisio fiat in infinitum, quemadmodum in lineis quae augentur et quibus detrahitur.

Perspicuum igitur est, necesse esse, ut quod factum est, antea fiat; et quod fit factum sit: quaecumque scilicet sunt dividua, et continua: non tamen semper quod fit, sed interdum aliud, ut illius aliquid, puta domus fundamentum. Similiter etiam se res habet in eo quod interit, et eo quod interiit; quum enim id quod fit, et quod interit, sit continuum, statim inest ei quaedam infinitas: nec potest aliquid fieri, quod non sit factum; nec esse factum, quod non fiat. Similiter se res habet in ipso interire, et in ipso interiit; nam semper interiisse erit prius quam interire, et interire prius quam interiisse. Patet igitur necesse esse, ut quod factum est, antea fiat; et quod fit, factum sit. Omnis enim magnitudo, et omne tempus, semper dividua sunt; quapropter in quo sunt, non possunt in eo esse tamquam primo.

Postquam Philosophus ostendit qualiter sit accipere primum in mutatione et qualiter non, hic ostendit ordinem eorum quae in motu inveniuntur adinvicem. Et primo praemittit quaedam necessaria ad propositum ostendendum; secundo ostendit propositum, ibi, « Ostenso autem hoc. » Dicit ergo primo, quod omne quod mutatur, mutatur in tempore, ut supra ostensum est. Sed in tempore aliquo dicitur aliquod mutari dupliciter: uno modo primo et per se: alio modo secundum alterum, idest ratione partis; sicut dicitur aliquid mutari in anno, quod mutatur in die. Hac ergo distinctione praemissa, proponit quod intendit probare: scilicet si aliquid mutatur primo in aliquo tempore, necesse est quod mutetur in qualibet parte illius temporis: et hoc probat dupliciter. Primo quidem ex definitione ejus quod dicitur primum. Hoc enim dicitur primo. alicui convenire, quod convenit ei secundum quamlibet suam partem, ut in principio quinti dictum est. Secundo probat idem per rationem. Sit enim tempus, in quo primo aliquid movetur, Y K: et, quia omne tempus est divisibile, dividatur secundum x: necesse est ergo dicere, quod in parte temporis quae est Y K, aut moveatur, aut non moveatur: et similiter de parte quae est K R. Si ergo detur quod in neutra harum partium movetur, sequitur quod neque in toto Y R moveatur, sed quiescat in eo; quia impossibile est quod aliquid moveatur in tempore in cujus nulla parte movetur. Si autem detur quod in una parte temporis moveatur, et non in alia, sequetur quod non primo moveatur in Y K tempore: quia oporteret quod secundum utramque partem moveretur, et non secundum alteram tantum. Necesse est ergo dicere, quod moveatur in qualibet parte temporis, quod est Y K: et hoc est quod demonstrare volumus: scilicet in quo primo tempore aliquid movetur, in qualibet parte ejus movetur.

Secundo ibi · « ostenso autem »
Procedit ad principalem propositum ostendendum. Et circa hoc duo facit. Primo inducit demonstrationes ad propositum ostendendum; secundo concludit veritatem determinatam, ibi, « Quare necesse est. » Circa primum duo facit. Primo ostendit quod ante omne moveri praecedit mutatum esse. Secundo, quod e converso, ante quodlibet mutatum esse praecedit moveri, ibi, « Non solum autem quod mutatur. » Primum ostendit tribus rationibus: quarum prima talis est. Detur quod Y R primo tempore, aliquod mobile motum sit per K L magnitudinem: manifestum est, quod si accipiatur aliud mobile aeque velox, quod simul inceptum est moveri cum ipso, in medietate temporis motum erit per medium magnitudinis. Cum ergo sit aeque velox illud mobile quod ponitur moveri per totam magnitudinem, sequitur, quod etiam ipsum in eodem tempore, scilicet medietate temporis Y R, motum est jam per eamdem magnitudinem, quae scilicet est pars totius magnitudinis K L. Sequitur ergo, quod illud quod movetur, prius est mutatum. Ut autem illud quod hic dicitur manifestius intelligatur, considerandum est, quod sicut punctus nominat terminum lineae, ita mutatum esse nominat terminum motus. Quamcumque autem lineam vel partem lineae accipias, semper est dicere, quod ante consummationem lineae totius, sit accipere aliquod punctum, secundum quod linea dividatur; et similiter ante quemlibet motum, et ante quamcumque partem motus, est accipere aliquod mutatum esse. Quia dum mobile est in moveri ad aliquem terminum, jam pertransivit aliquod signum, respectu cujus jam dicitur mutatum esse. Sed sicut punctum infra lineam est in potentia ante lineae divisionem, in actu autem, quando jam linea est divisa, cum punctum sit ipsa lineae divisio; similiter hoc quod dico, mutatum esse, infra motum est in potentia, quando

motus non ibi terminatur: sed, si ibi terminetur, erit in actu. Et, quia quod est in actu notius est eo quod est in potentia, ideo Aristoteles probavit, quod illud, quod continue movetur jam mutatum est aliquid, per aliud mobile aeque velox, cujus motus jam terminatus est. Sicut siquis probaret quod in aliqua linea esset punctum in potentia per hoc, quod alia linea ejusdem rationis esset divisa in actu.

Secundam rationem ponit ibi « amplius autem »

Quae talis est. In toto tempore γ κ, vel in quocumque alio, dicitur aliquid mutatum esse, per hoc, quod accipitur ultimum nunc ipsius temporis; non quod in nunc moveatur aliquid, sed quia in nunc terminatur motus. Unde hic non accipit mutatum esse pro eo quod est aliquando moveri, sed pro eo quod est terminari motum. Ideo autem necesse est terminari motum in ultimo nunc temporis mensurantis motum, quia ipsum nunc determinat tempus, idest est terminus ipsius, sicut punctum lineae, et oportet omne tempus esse medium inter duo nunc, sicut linea est inter duo puncta. Quia ergo moveri est in tempore, sequitur quod motum esse sit in nunc, quod est terminus temporis: et si ita est de motu qui est in toto tempore, oportet etiam quod similiter dicatur de partibus motus, quae sunt in partibus temporis. Jam enim ostensum est, quod si aliquid movetur primo in toto tempore, quod movetur in qualibet parte temporis. Quaelibet autem pars temporis accepta terminatur ad aliquod nunc: oportet enim quod ultimum medietatis temporis sit « divisio, » idest ipsum nunc, quod dividit inter duas partes temporis. Quare sequitur, quod illud quod movetur per totum, sit prius motum in medio, propter nunc quod determinat medium. Et eadem ratio est de qualibet alia parte temporis. Qualitercumque enim dividatur tempus, semper invenietur quaelibet pars temporis determinari a duobus nunc; et post primum nunc temporis mensurantis motum, quodcumque aliud nunc accipiatur, in eo jam motum est; quia illud nunc, quodcumque accipiatur, est terminus temporis mensurantis motum. Quia igitur omne tempus divisibile est in tempora: et omne tempus est medium inter duo nunc, et in omni nunc, quod est ultimum temporis mensurantis motum, aliquod motum est, sicut probatum est; sequitur quod omne quod mutatur sit infinities mutatum: quia mutatum esse est terminus motus, sicut punctum lineae, et nunc temporis. Sicut ergo in qualibet linea est signare infinities punctum ante punctum, et in quolibet tempore infinities nunc ante nunc, propter hoc quod utrumque est divisibile in infinitum; ita in quolibet moveri est signare infinities mutatum esse: quia motus est in infinitum divisibilis, sicut linea et tempus, ut supra probatum est.

Tertiam rationem ponit ibi « amplius autem »

Quae talis est. Omne quod mutatur « si non « corrumpitur, neque pausat a mutatione, » idest neque desinit moveri, quasi continue mutatur, necesse est quod in quolibet nunc temporis, in quo movetur, vel mutetur vel sit mutatum. Sed in nunc non mutatur, ut ostensum est: ergo necesse est quod in quolibet nunc temporis mensurantis motum continuum sit mutatum. Sed in quolibet tempore sunt infinita nunc: quia nunc est divisio temporis, et tempus est in infinitum divisibile: ergo omne quod mutatur, est infinities mutatum. Et ita sequitur,

quod ante omne moveri, sit mutatum esse: non quasi extra ipsum moveri existens, sed in ipso, ut terminans aliquam partem ejus.

Secundo ibi « non solum »

Probat quod e converso, ante omne mutatum esse, praecedat mutari. Et primo ex parte temporis. Secundo ex parte rei secundum quam est motus, ibi, « Amplius autem in magnitudine. » Circa primum tria facit. Primo proponit propositum. Secundo demonstrat quoddam necessarium ad probandum propositum, ibi, « Omne enim quod ex quodam. » Tertio inducit probationem principalis propositi, ibi, « Quoniam igitur. » Dicit ergo primo, quod non solum omne quod mutatur, necesse est mutatum esse jam: sed etiam omne quod mutatum est, necesse est prius mutari: quia mutatum esse est terminus ejus quod est moveri. Unde oportet quod ante mutatum esse procedat moveri.

Secundo ibi « omne enim »

Ponit quoddam necessarium ad propositi probationem; scilicet quod omne quod mutatur ex quodam in quiddam, sit mutatum in tempore. Sed adverte, quod hic mutatum esse non est idem quod terminari motum. Supra enim ostensum est, quod id temporis, in quo primo dicitur mutatum esse est indivisibile: sed accipitur hic mutatum esse, secundum quod significat quod aliquid prius movebatur: quasi dicat, omne quod movebatur, movebatur in tempore. Et hoc probat sic. Si hoc non est verum, sit aliquid mutatum ex A in B, idest ex uno termino in alterum, in ipso nunc. Hoc posito, sequitur quod quando est in ipso A, idest in termino a quo, in eodem nunc nondum est mutatum: quia jam supra ostensum est, quod illud quod mutatum est, quando mutatum est, non est in termino a quo, sed magis in termino ad quem: sequeretur ergo quod simul esset in A et in B. Oportet ergo dicere, quod in alio nunc sit in A, et in alio nunc mutatum sit. Sed inter quaelibet duo nunc est tempus medium, quia duo nunc non possunt esse sibi conjuncta immediate, ut supra ostensum est. Relinquitur ergo, quod omne quod mutatur, mutatur in tempore. Videtur autem id quod hic concluditur, habere instantiam in generatione et corruptione, inter quorum terminos non est aliquod medium. Si enim inter nunc, in quo est in termino a quo, et inter nunc in quo est in termino ad quem, sit tempus medium, sequetur, quod aliquid sit medium inter esse et non esse: quia in illo medio tempore, id quod mutatur, neque esset ens, neque non ens. Sed, quia ratio quae hic ponitur demonstrativa est, oportet id quod hic dicitur aliquo modo etiam in generatione et corruptione salvari: ita tamen, quod aliquo modo etiam hujusmodi mutationes sint momentaneae, cum non possit esse aliquod medium inter extrema earum. Est igitur dicendum, quod illud quod mutatur de non esse in esse, vel e converso, non est simul in non esse et esse; sed, sicut in octavo dicetur, non est dare ultimum instans, in quo id quod generatur, sit non ens: sed est dare primum instans in quo est: ita quod in tempore praecedenti illud instans, est non ens. Inter tempus autem, et instans, quod terminat motum, non est aliquid medium: et sic non oportet quod sit medium inter esse et non esse. Sed, quia tempus quod praecedit instans, quo primo est quod generatur, mensurat aliquem motum, sequitur quod sicut illud instans in quo primo est quod generatur, est terminus praecedentis temporis mensurantis motum, ita incipere esse est terminus praecedentis motus. Si ergo generatio dicatur ipsa inceptio essendi, sic est terminus motus, et sic est in instanti: quia terminari motum, quod est mutatum esse, est in indivisibili temporis, ut supra ostensum est. Si autem generatio accipiatur ipsa inceptio essendi cum toto motu procedente, cujus est terminus, sic non est in instanti, sed in tempore; ita quod in toto tempore praecedenti est non ens illud quod generatur, et in ultimo instanti est ens. Et similiter dicendum est de corruptione.

Tertio ibi « quoniam igitur »

Probat principale propositum tali ratione. Omne quod mutatum est, in tempore mutabatur, ut probatum est: omne autem tempus est divisibile: quod autem in aliquo tempore mutatur, in qualibet parte illius temporis mutatur: ergo oportet dicere, quod illud quod mutatum est in toto aliquo tempore, mutabatur prius in medietate temporis, et iterum in medietate medietatis: et sic semper procedetur, propter hoc quod tempus est in infinitum divisibile. Ergo sequitur, quod omne quod mutatum est, prius mutabatur: et ita ante omne mutatum esse praecedit mutari.

Deinde cum dicit « amplius autem »

Ostendit idem ratione accepta ex parte ejus, secundum quod mutabatur. Et primo quantum ad motus qui sunt in quantitate. Secundo quantum ad alias mutationes, ibi, « Eadem enim demonstratio « est. » Dicit ergo primo, quod hoc quod dictum est ex parte temporis communiter ad omnem mutationem, manifestius potest accipi ex parte magnitudinis: quia magnitudo est manifestior quam tempus: et magnitudo continua est sicut et tempus: et in ea aliquid mutatur, scilicet illud quod movetur secundum locum vel quod movetur secundum augmentum et decrementum. Sit ergo aliquid mutatum ex c in D: non autem potest dici, quod totum quod est c D, sit indivisibile: quia oportet quod c D sit pars alicujus magnitudinis, sicut motus qui est ex c in D, est pars motus totius. Similiter enim dividitur magnitudo et motus (ut supra ostensum est). Si autem aliquod indivisibile sit pars magnitudinis, sequitur quod duo impartibilia erunt immediate conjuncta, quod est impossibile (ut supra ostensum est): non ergo potest dici, quod totum c D sit indivisibile. Ergo necesse est, quod id quod est inter c et D, sit quaedam magnitudo, et per consequens quod in infinitum dividi possit. Sed semper prius mutatur in parte magnitudinis, quam sit mutatum per totam magnitudinem: ergo necesse est, omne quod mutatum est, prius mutari: sicut necesse est, quod ante quamlibet magnitudinem totam, sit pars ejus.

Secundo ibi « eadem enim »

Ostendit quod idem necesse est esse in illis mutationibus, quae non sunt secundum aliqua continua, sicut de alteratione, quae est inter contrarias qualitates; et de generatione et corruptione, quae sunt inter contradictoriae opposita. Licet enim in his non possit hoc demonstrari ex parte rei secundum quam est motus, accipietur tamen tempus in quo sunt hujusmodi mutationes, et eodem modo procedetur. Sic igitur in tribus mutationibus, scilicet alteratione, et corruptione, et generatione, habet locum sola prima ratio: in aliis autem tribus, scilicet augmento et decremento et loci mutatione, habet locum utraque.

Deinde cum dicit « quare necesse »

Concludit principale propositum. Et primo in communi, secundo specialiter quantum ad generationem et corruptionem, ibi, « Manifestum igitur. »

Concludit ergo primo ex praemissis, quod necesse est omne mutatum, prius mutari: et quod mutatur, prius esse mutatum. Et sic verum est dicere, quod hoc ipso quod est mutari, prius est mutatum esse: et iterum, hoc ipso quod est mutatum esse, est prius mutari: et ita manifestum fit, quod nullo modo comprehenditur aliquid primum. Et hujusmodi causa est, quia in motu non conjungitur impartibile impartibili, ita quod totus motus componatur ex impartibilibus: quia si hoc esset, esset accipere aliquod primum: hoc autem non est verum, quia motus est divisibilis in infinitum sicut etiam et lineae, quae in infinitum diminuuntur per divisionem, et in infinitum augmentantur per additionem oppositam diminutioni: dum scilicet quod subtrahitur ab uno, alteri additur, ut in tertio est ostensum. Manifestum est enim in linea, quod ante quamlibet partem lineae est accipere punctum in medio illius partis: et ante illud punctum medium est accipere aliquam partem lineae, et sic in infinitum. Non tamen linea est infinita: quia ante primum punctum lineae non est aliqua pars lineae. Et similiter considerandum est in motu: quia, cum quaelibet pars motus sit divisibilis, ante quamlibet partem motus est accipere indivisibile aliquod in medio illius partis, quod est mutatum esse; et ante illud indivisibile est accipere partem motus, et sic in infinitum. Non tamen sequitur quod motus sit infinitus: quia ante primum indivisibile motus non est aliqua pars motus. Illud tamen primum indivisibile non dicitur mutatum esse, sicut nec primum punctum lineae dicitur divisio.

Secundo ibi « manifestum igitur »

Ostendit idem specialiter in generatione et corruptione. Et hoc ideo, quia aliter se habet mutatum esse ad mutari in generatione et corruptione, et aliter in aliis. In aliis enim mutatum esse et mutari est secundum idem, sicut alteratum esse et alterari est secundum album. Nam alterari est mutari secundum albedinem: alteratum autem esse, est mutatum esse secundum albedinem; et idem dicendum est in motu locali, et augmento et decremento. Sed in generatione secundum aliud est mutatum esse, et secundum aliud mutari; nam mutatum esse est secundum formam: mutari vero non est secundum negationem formae quae non suscipit magis et minus secundum se, sed mutari est secundum aliquid adjunctum negationi, quod suscipit magis et minus, quod est qualitas. Et ideo generatum esse est terminus ejus, quod est alterari, et similiter corruptum esse. Et quia motus denominatur a termino ad quem, ut in principio quinti dictum est; ipsum alterari, quia habet duos terminos, scilicet formam substantialem, et qualitatem, dupliciter nominatur: quia potest dici et alterari, et fieri et corrumpi. Et hoc modo accipit hic fieri et corrumpi pro ipso alterari secundum quod terminatur ad esse vel non esse. Unde dicit quod illud « quod factum est, necesse est « prius fieri, et illud quod fit necesse est factum esse: « quaecumque tamen sunt divisibilia et continua. » Quid quidem ponitur (ut Commentator dicit) ad excludendum quaedam, quae indivisibiliter fiunt absque motu continuo, sicut intelligere et sentire: quae etiam non dicuntur motus nisi aequivoce, ut in tertio de Anima dicitur. Vel potest dici aliter, quod hoc Philosophus addidit, ut accipiatur generatio cum toto motu continuo praecedente. Sed id quod fit prius factum esse, diversimode invenitur in diversis. Quaedam enim sunt simplicia quae habent simplicem generationem, sicut aer aut ignis: et in istis non generatur pars ante partem, sed simul generatur et alteratur totum et partes: et in talibus, id quod factum est, ipsummet prius fiebat: et quod fit, ipsummet prius factum est, propter continuitatem alterationis praecedentis. Quaedam vero sunt composita ex dissimilibus partibus, quorum pars generatur post partem, sicut in animali prius generatur cor, et in domo fundamentum: et in istis quod fit prius factum est, non ipsummet, sed aliquid ejus. Et hoc est quod subdit quod « non semper id quod fit, « prius ipsummet factum est; sed aliquando aliquid « ejus factum est, sicut fundamentum domus. » Sed, quia oportet devenire ad aliquam partem quae tota simul sit, oportet quod in aliqua parte id quod sit factum, sit secundum aliquem terminum acceptum in alteratione praecedenti. Sicut dum generatur animal, jam factum est cor, et dum generatur cor, jam

factum est aliquid, non quidem aliqua pars cordis, sed aliqua alteratio facta est ordinata ad generationem cordis. Et sicut dictum est de generatione, intelligendum est de corruptione: statim enim ei quod fit et corrumpitur, inest quoddam infinitum, cum sit continuum, quia ipsum fieri et ipsum corrumpi continuum est. Et ideo non est fieri, nisi ubi aliquid factum sit prius; nec est aliquid factum esse, nisi fiat prius. Et similiter dicendum est de corrumpi, et de corruptum esse: semper enim corruptum esse est prius ipso corrumpi, et corrumpi est prius hoc quod est corruptum esse: unde manifestum est, quod omne quod factum est, necesse est prius fieri, et omne quod fit, necesse est prius factum esse aliquo modo. Et hoc ideo, quia omnis magnitudo et omne tempus sunt in infinitum divisibilia. Et ideo in quocumque tempore fit aliquid, hoc non erit sicut in primo, quia erit accipere partem priorem. Et hoc quod dictum est de generatione et corruptione, intelligendum est etiam de illuminatione, quae est terminus motus localis corporis illuminantis, sicut generatio et corruptio est terminus alterationis.

LECTIO IX.

Finitum et infinitum quo pacto similiter in tempore, magnitudine, motu ac mobili invenitur ostenditur.

Quoniam autem omne quod movetur, in tempore movetur, et in pluri major magnitudo, in infinito tempore impossibile est moveri per magnitudinem finitam non eamdem semper, et illius aliquid, quod movetur, sed in omni per omnem.

Quod igitur si aliquid moveatur aeque velociter, necesse est finitum in finito moveri, manifestum est. Accepta enim parte, quae mensurabit totam, in aequalibus temporibus tantis quot partes sunt, per totam motum est. Quare, quoniam hae finitae sunt, et quantitate unaquaeque, et tot modis omnes, et tempus utique erit finitum. Toties enim erit tantum, quantum tempus quod est partis multiplicativum secundum multitudinem partium.

Sed si non sit aeque velociter, differt nihil. Sit enim in quo A et B spatium finitum: quod motum sit in infinito tempore, et tempus infinitum in quo C D. Si igitur necesse est prius alterum altero motum esse: hoc autem manifestum, quod temporis in priori et posteriori alterum motum est. Semper enim in pluri, alterum erit motum esse, sive aeque velociter mutet, sive non aeque velociter mutet: et sive intendatur motus, sive remittatur, sive remanet, nihil minus. Accipiatur igitur aliquid A B spatii, quod sit A E, quod mensurat A B. Hoc itaque, infiniti in quodam factum est tempore: in infinito enim non potest esse: etenim in infinito est. Et iterum alterum jam si accipiamus quantum est A E, necesse in infinito tempore esse: omne enim in infinito, et sic accipiendo. Quoniam autem, infiniti quidem nulla pars est quae mensuret (impossibile enim infinitum esse ex finitis, et aequalibus et inaequalibus: propter id quod mensurantur finita multitudine et magnitudine a quodam uno, sive aequalia, sive inaequalia sint: finita autem magnitudine nihil minus: spatium autem finitum quantis quae sunt A E mensuratur): ergo in finito tempore A B movetur. Similiter autem, et in quiete. Quare neque fieri neque corrumpi possibile est semper, aliquid unum et idem.

Eadem autem ratio est et quod neque in finito tempore per infinitum possibile est moveri neque quiescere, neque

Quum autem quicquid movetur, in tempore moveatur, et in majori tempore majorem magnitudinem conficiat: impossibile est ut infinito tempore per finitum spatium moveatur, quod nec per idem semper, nec per aliquam ejus partem moveatur, sed toto tempore per totum. Si igitur aequa celeritate aliquid moveatur, constat necesse esse ut per magnitudinem finitam finito tempore moveatur. Sumpta enim parte quae metietur totum spatium, in tot aequalibus temporibus quot sunt partes, motum est per totum spatium. Quapropter quum hae sint finitae, et quia singulae sunt quantae, et quia aliquoties sumptae omnes sunt: certe etiam tempus erit finitum. Toties enim erit tantum, quantum est partis tempus multiplicatum numero partium.

Sed etsi non aequa celeritate moveatur, nihil refert. Sit enim, ubi a et b, intervallum finitum, per quod motum est tempore infinito: ac sit tempus infinitum, ubi g d. Si igitur necesse est, ut prius per unam quam per alteram partem motum sit: hoc certo constat, in priori et posteriori parte temporis per aliam atque aliam partem motum esse: quia semper ulteriori tempore per aliam partem erit motum, sive aequali celeritate sive inaequali mutetur: et sive intendatur motus, sive remittatur, sive idem maneat, nihilo minus. Sumatur itaque pars aliqua intervalli a b, nimirum pars a e quae metietur intervallum a b. Haec igitur pars in aliqua infiniti temporis parte conficiebatur: infinito enim tempore non potest, quia totum intervallum infinito tempore conficitur. Et rursus igitur alteram partem, si tantum sumpsero, quanta est pars a e, necesse est finito tempore pertransire: quandoquidem totum tempore infinito pertransitur. Ita igitur deinceps sumendo, quoniam infiniti nulla est pars quae ipsum metiatur (quippe impossibile est, infinitum constare ex finitis tam aequalibus quam inaequalibus: propterea quod ea quae finita numero et magnitudine sunt, unum quidpiam metitur: idque nihil minus, sive aequalia sint, sive inaequalia, sed magnitudine definita); intervallum autem, quod est finitum, quanta illa a e metiuntur: utique finito tempore per spatium a b movebitur. Itidemque se res habet in perfectione ad

quod regulariter movetur, neque quod irregulariter. Accepta enim quadam parte, quae metietur totum tempus, in hac quantum aliquod transibit magnitudinis, et non totam: in omni enim totam: et iterum in aequali aliam, et in unoquoque, similiter: sive aequalis erit, sive inaequalis ei quae est a principio, refert autem nihil, dummodo sit unaquaeque finita. Manifestum enim, quod finitum quoddam tempore, infinitum non aufertur, finita divisione et quanto, et numero ablatione facta, tot modis: quare non transibit in finito tempore, infinitum: nihil autem differt, magnitudinem in altera, aut in utraque esse infinitam: erit enim eadem ratio.

Demonstratis enim his, manifestum est, quod neque finitam magnitudinem infinitum contingit transire in finito tempore propter eamdem causam. In parte enim temporis, finitum transibit, et in unaquaque, similiter. Quare in omni, finitum.

Quoniam autem finitum non transibit infinitum, infinito tempore, manifestum est, sic neque infinitum finitum. Si enim infinitum finitum, necesse est et finitum, infinitum transire. Nihil enim differt quodlibet esse quod movetur: utrobique enim finitum pertransibit infinitum. Cum enim moveatur infinitum in quo est a, erit aliquid ipsius secundum B finitum ut c d, et iterum aliud et aliud, et semper sic. Quare simul accidit infinitum motum esse per finitum, et finitum transire infinitum. Neque enim fortassis possibile est aliter infinitum moveri per finitum, quam quod finitum transeat infinitum, aut ita quod feratur, aut metiatur. Quare, quoniam hoc impossibile est, non transibit infinitum finitum.

At vero neque infinitum, finito tempore transibit infinitum: si enim infinitum, et finitum: inest enim infinito finitum.

Amplius autem et tempore accepto, eadem erit demonstratio.

Quoniam autem neque finitum infinitum transibit, neque infinitum finitum: neque infinitum infinito tempore movetur, manifestum est quod neque motus erit infinitus in finito tempore. Quid enim differt motum aut magnitudinem infinitum facere? Necesse enim, si unum infinitum est, et alterum infinitum esse: omnis enim loci mutatio in loco est.

quietem. Quocirca nec fieri nec interire aliquid potest, quod semper sit unum et idem.

Eadem ratio est, quod neque finito tempore per infinitum potest moveri, nec ad quietem transire, sive aequabiliter moveatur, sive inaequabiliter. Sumpta enim aliqua parte, quae metietur totum tempus, hac parte pertransibit quantitatem aliquam magnitudinis, non totam magnitudinem, quandoquidem toto tempore totam conficit. Et rursus aequali temporis parte pertransibit aliam quantitatem magnitudinis, et in qualibet parte temporis similiter conficiet aliquam quantitatem magnitudinis, sive aequalem, sive inaequalem quantitati quam ab initio pertransit: nihil enim interest, si modo quaelibet pars sit finita. Constat enim consumpto tempore infinitum spatium non consumptum fore, facta detractione finita, tam ratione quantitatis, quam numeri. Quare non pertransit finito tempore infinitam magnitudinem. Ac nihil refert, utrum magnitudo ex alterutra parte, an ex utraque sit infinita: nam eadem erit ratio.

His autem demonstratis, perspicuum est, nec finitam magnitudinem posse infinitum spatium pertransire tempore finito, propter eamdem causam: quoniam certa temporis parte pertransit finitum et in singulis partibus itidem. Quare toto tempore conficit spatium finitum.

Quoniam autem mobile finitum non conficit spatium infinitum tempore finito: manifestum est, nec mobile infinitum pertransire finitum. Nam si infinitum pertranseat finitum: necesse est, etiam finitum pertransire infinitum: quia nihil interest, utrum sit quod moveatur: utroque enim modo finitum pertransit infinitum. Quum enim moveatur infinitum, in quo to a: erit aliqua ejus pars in b finito, veluti pars g d: et rursus, alia atque alia; et ita perpetuo. Quare simul accidet infinitum motum esse per finitum, et finitum pertransisse infinitum. Nam fortassis nec possibile est, infinitum moveri per finitum aliter atque eo quod finitum pertranseat infinitum, aut latione, aut metiendo. Quapropter quum hoc sit impossibile, infinitum non potest pertransire finitum.

At vero nec magnitudo infinita finito tempore infinitam magnitudinem pertransit. Nam si infinitam, certe etiam finitam pertransiret: quandoquidem finita in infinita inest. Praeterea etiam sumpto tempore, eadem erit demonstratio.

Quum autem nec magnitudo finita infinitam pertranseat, nec infinita finitam, nec per infinitam finito tempore moveatur: perspicuum est, nec motum fore infinitum tempore finito. Quid enim interest, utrum motus an magnitudo statuatur infinita? necesse est enim, si alterutrum sit infinitum, etiam alterum esse infinitum: quoniam omnis latio est in loco.

Postquam Philosophus determinavit de divisione motus, hic determinat de finito et infinito in motu: sicut enim divisio pertinet ad rationem continui, ita finitum et infinitum. Sicut autem supra ostendit, quod divisio simul invenitur in motu, magnitudine, tempore, et mobili, ita ostendit nunc idem de infinito. Unde circa hoc tria facit. Primo ostendit, quod infinitum simul invenitur in magnitudine et tempore. Secundo quod simul cum his invenitur etiam in mobili, ibi, « Demonstratis enim his etc. » Tertio quod similiter invenitur in motu, ibi, « Quoniam autem neque finitum etc. » Circa primum duo facit. Primo ostendit, quod si magnitudo est finita, tempus non potest esse infinitum. Secundo quod e converso, si tempus est finitum, quod magnitudo non potest esse infinita, ibi, « Eadem autem ratio, etc. » Circa primum duo facit. Primo proponit quod intendit. Secundo probat propositum ibi, « Quod igitur si aliquid moveatur. » Primo ergo repetit duo, quae sunt necessaria ad propositum ostendendum: quorum unum est, quod omne quod movetur, in tempore movetur. Secundum est, quod in pluri tempore ab eodem mobili pertransitur major magnitudo. Et ex his duobus suppositis intendit probare tertium: scilicet quod impossibile sit in tempore infinito pertransire magnitudinem finitam. Quod tamen sic intelligendum est, quod non reiteretur illud quod movetur per eamdem magnitudinem aut per aliquam partem ejus mul-

S. Th. Oper.

toties: sed ita quod in toto tempore moveatur per totam magnitudinem. Et addidit hoc, ut praeservaret se a motu circulari, qui est super magnitudine finita, et tamen potest esse in tempore infinito, ut ipse dicet in octavo.

Secundo ibi « quod igitur »

Probat propositum. Et primo, si detur mobile quod aeque velociter moveatur per totam magnitudinem. Secundo, si non uniformiter et regulariter moveatur, ibi, « Sed si non sit etc. » Dicit ergo primo, quod si sit aliquod mobile, quod aeque velociter moveatur per totum, necesse est, quod si pertransit finitam magnitudinem, quod hoc sit in tempore finito. Accipiatur enim una pars magnitudinis quae mensuret totum: puta si (1) tertia vel quarta pars magnitudinis. Si ergo mobile aeque velociter movetur per totum, et aeque velox est, quod aequale spatium in aequali tempore pertransit; sequitur quod in aequalibus temporibus, et tot quot sunt partes magnitudinis, pertranseat mobile totam magnitudinem: puta si accepta sit quarta pars magnitudinis, eam pertransibit in aliquo tempore, et aliam quartam in alio tempore aequali, et sic totam magnitudinem pertransit quatuor aequalibus temporibus. Quia ergo partes magnitudinis sunt finitae numero, et unaquaeque est finita secundum quantitatem: et tot modis pertransit omnes partes,

(1) Lege sit.

idest in totidem temporibus aequalibus, sequitur quod totum tempus in quo pertransit totam magnitudinem, sit finitum. Mensurabitur enim a tempore finito: quia erit toties tantum, quantum est tempus in quo pertransit partem, quoties magnitudo tota est tanta quanta est pars: et sic totum tempus erit multiplicatum secundum multiplicationem partium. Omne autem multiplicatum, mensuratur ab submultiplici, sicut duplum a dimidio, et triplum a triplo, et sic de aliis. Tempus autem quo pertransit partem est finitum: quia, si detur quod sit infinitum, sequetur quod in aequali tempore pertranseat totum et partem: quod est contra id quod suppositum est. Et sic oportet quod totum tempus sit finitum, quia nullum infinitum mensuratur a finito. Sed, quia posset aliquis dicere quod licet partes magnitudinis sint aequales, et mensurent totam magnitudinem, tamen potest contingere quod partes temporis non sunt aequales, sicut quando non est aequalis velocitas in toto motu, et sic tempus quo movetur per partem magnitudinis, non mensurabit tempus, quo movetur per totam:

Ideo consequenter ibi « sed si »

Ostendit quod hoc nihil differt quantum ad propositum. Sit enim A B spatium finitum, quod pertransitum sit in tempore infinito quod est C D. Necesse est autem in omni motu, quod prius pertranseatur una pars quam altera: et hoc etiam manifestum est, quod in priori parte temporis et posteriori altera et altera pars magnitudinis pertransitur: et ita oportet quod neque duae partes magnitudinis pertranseantur in una et eadem parte temporis, neque quod in duabus partibus temporis pertranseantur una et eadem pars magnitudinis: et sic oportet si in aliquo tempore pertransita est aliqua pars magnitudinis, quod in pluri tempore pertranseatur non solum illa pars magnitudinis, sed cum hac et altera: et haec indifferenter, sive aeque velociter moveatur mobile, sive non: vel per hoc quod velocitas semper magis ac magis intenditur, sicut in motibus naturalibus: vel per hoc quod magis et magis remittitur, sicut in motibus violentis. His igitur suppositis, accipiatur aliqua pars spatii A B, quae quidem pars sit A E, et mensuret totum A B, ita scilicet quod sit aliquota pars ejus vel tertia vel quarta. Haec igitur pars spatii, pertransita est in aliquo tempore finito. Non enim potest dari quod sit pertransita in tempore infinito: quia totum spatium pertransitum est in tempore infinito, et in minori pertransitur pars quam totum. Item accipiamus aliam partem spatii quae sit aequalis parti A E: et eadem ratione necesse est, quod haec pars pertranseatur in tempore finito, quia totum spatium pertransitur in tempore infinito: et sic semper accipiendo accipiam tot tempora finita, quot sunt partes spatii, ex quibus constituetur totum temporis in quo movetur per totum spatium. (Impossibile est autem quod aliqua pars infiniti mensuret totum, neque secundum magnitudinem, neque secundum multitudinem: quia impossibile est quod infinitum constet ex partibus finitis numero, quarum etiam unaquaeque sit finita quantitate: sive dicatur quod illae partes sint aequales, sive quod sint inaequales: quia quaecumque mensurantur a quodam uno, sive secundum multitudinem, sive secundum magnitudinem, oportet ea esse finita. Ideo autem dico multitudinem et magnitudinem, quia nihil minus mensuratur aliquid per hoc quod habet finitam magnitudinem, sive

partes mensurantes sint aequales sive inaequales. Quando enim sunt aequales, tunc pars mensurat totum et multitudine et magnitudine: quando vero sunt inaequales, mensurat multitudine, sed non magnitudine.) Sic ergo patet quod omne tempus, quod habet partes finitas numero et quantitate, sive sint aequales sive inaequales, est finitum. Sed spatium finitum mensuratur aliquibus finitis ex quantis contingit componi A B, et oportet esse aequales numero partes temporis et partes magnitudinis, et quaslibet esse finitas quantitate: ergo relinquitur quod per totum spatium moveatur in tempore finito.

Deinde cum dicit « eadem autem »

Ostendit quod e converso, si tempus est finitum, et magnitudo est finita. Et dicit quod per eamdem rationem potest ostendi quod infinitum spatium non potest pertransiri in tempore finito: neque iterum potest quies esse infinita tempore finito. Et hoc indifferenter sive moveat aliquid regulariter, idest aeque velociter, sive non regulariter: quia ex quo tempus ponitur finitum, accipiatur aliqua pars temporis, quae mensuret totum tempus, in qua mobile pertransit aliquam partem magnitudinis, non autem totam, quia pertransit in toto tempore, et iterum in aequali tempore pertransit aliam partem magnitudinis, et similiter pro unaquaque parte temporis accipietur aliqua pars magnitudinis: et hoc indifferenter, sive pars magnitudinis secundo accepta sit aequalis primae parti (quod contingit quando aeque velociter movetur:) sive sit inaequalis (quod contingit quando non aeque velociter movetur) hoc enim nihil differt, dummodo ponatur quod quaelibet pars magnitudinis accepta sit finita: quod oportet dicere; alioquin tantum moveretur in parte temporis, quantum in toto. Sic enim manifestum est, quod per divisionem temporis aufertur totum spatium infinitum per aliquam finitam ablationem: quia, cum tempus dividatur in partes finitas aequales, et tot oporteat esse partes magnitudinis quot temporis, sequetur quod spatium infinitum consumetur facta infinita ablatione, eo quod tot modis oportet dividi magnitudinem, sicut et tempus. Hoc autem est impossibile: ergo manifestum est, quod infinitum spatium non pertransitur in tempore finito. Et hoc indifferenter, sive magnitudo spatii sit infinita ex una parte, sive ex utraque: quia eadem ratio est de utroque.

Deinde cum dicit « demonstratis enim »

Ostendit quod infinitum et finitum similiter invenitur in mobili sicut in magnitudine et tempore. Et circa hoc tria facit. Primo ostendit quod mobile non est infinitum, si tempus et magnitudo sint finita. Secundo, quod mobile non est infinitum, si magnitudo sit infinita et tempus finitum, ibi, « At « vero neque infinitum. » Tertio quod mobile non potest esse infinitum, si magnitudo sit finita et tempus infinitum, ibi, « Amplius autem et tem- « pore. » Primum ostendit duabus rationibus. Circa quarum primam dicit, quod demonstrato quod magnitudo finita non pertransitur tempore infinito, neque infinita finito, manifestum est ex eadem causa, quod neque infinitum mobile potest pertransire finitam magnitudinem in tempore finito. Accipiatur enim aliqua pars temporis finiti: in illa parte spatium finitum pertransibit non totum mobile, sed pars mobilis: et in alia parte temporis similiter, et sic de aliis: et sic oportebit accipere tot partes mobilis, quot accipiuntur partes temporis.

Infinitum autem non componitur ex partibus finitis, ut ostensum est; ergo sequetur, quod mobile quod movetur in toto tempore finito, sit finitum.

Secundam rationem ponit ibi « quoniam autem »

Et differt haec secunda ratio a priori; quia in priori assumebatur pro principio idem medium, ex quo superius demonstrabat: hic autem accipitur pro principio ipsa conclusio superius demonstrata. Ostensum est enim quod mobile finitum non potest pertransire spatium infinitum in tempore finito: unde manifestum est, quod eadem ratione, nec mobile infinitum potest pertransire spatium finitum in tempore finito. Quia si infinitum mobile pertransit spatium finitum, sequitur quod etiam finitum mobile pertranseat spatium infinitum: quia, cum tam mobile quam spatium sit quantum, datis duobus quantis, nihil differt quod eorum moveatur et quod quiescat: hoc enim habebitur pro spatio, quod quiescit, et illud pro mobili, quod movetur. Manifestum est enim quod quodcumque ponatur moveri, sequitur quod finitum pertranseat infinitum. Moveatur enim infinitum, quod est A, et sit aliqua pars ejus finita quae est C D. Quando totum movetur, haec pars finita, erit secundum aliquod signum spatii, quod sit B: et continuato motu, iterum alia pars infiniti mobilis fiet juxta illud spatium, et sic semper: unde sicut mobile pertransit spatium, ita spatium quoddam (1) pertransit mobile, inquantum successive alternantur diversae partes mobilis juxta spatium. Unde patet, quod simul accidit infinitum mobile moveri per finitum spatium, et finitum transire infinitum: non enim aliter est possibile quod infinitum moveatur per spatium finitum, quam quod finitum pertranseat infinitum: aut ita quod finitum feratur per infinitum, sicut quando mobile est finitum, et spatium infinitum: aut ita quod saltem

(1) *Forte* quodammodo.

finitum metiatur infinitum, sicut cum spatium est finitum, et mobile infinitum: tunc enim licet finitum non feratur per infinitum, tamen finitum mensurat infinitum, inquantum spatium fit juxta singulas partes mobilis infiniti. Quia hoc est impossibile, sequetur quod infinitum mobile non pertransit spatium finitum in tempore finito.

Secundo ibi « at vero »

Ostendit quod non potest esse mobile infinitum, spatio existente infinito et tempore finito. Et hoc est quod dicit, quod infinitum mobile non pertransit infinitum spatium in tempore finito: in omni enim infinito est aliquid finitum: si ergo mobile infinitum pertranseat spatium infinitum in tempore finito, sequitur quod pertranseat spatium infinitum in tempore finito, quod est contra praeostensa.

Tertio ibi « amplius autem »

Dicit quod eadem demonstratio erit si accipiatur tempus infinitum, et spatium finitum: quia, si pertransit infinitum mobile finitum spatium in tempore infinito, sequitur quod in aliqua parte temporis finiti pertranseat aliquam partem spatii: et ita infinitum pertransibit finitum in tempore finito, quod est contra praeostensa.

Deinde cum dicit « quoniam autem »

Ostendit quod finitum et infinitum similiter invenitur in motu sicut in praemissis: et dicit quod quia finitum mobile non pertransit spatium infinitum, nec infinitum mobile, finitum spatium: neque infinitum mobile infinitum spatium in tempore finito; sequitur ex his, quod non possit esse motus infinitus in tempore finito. Quantitas enim motus accipitur secundum quantitatem spatii: unde non differt motum dicere infinitum, aut magnitudinem: necesse est enim, si unum eorum fuerit infinitum, et alterum infinitum esse: quia non potest esse aliqua pars loci mutationis extra locum.

LECTIO X.

Sicut in motu et eo quod movetur primum non datur, ita et in quiete et eo quod quiescit primum non dari, ostenditur.

ANTIQUA.

Quoniam autem omne aut movetur aut quiescit quod aptum natum est, quando aptum est et ubi quo, et sic necesse omne quod stat, cum stat moveri: si enim non movetur, quiescet: sed non contingit quiescere quiescens.

Hoc autem demonstrato, manifestum est quod in tempore necesse est stare. Quod enim movetur, in tempore movetur: quod autem stat ostensum est moveri; quare necesse est in tempore stare. Amplius autem, si velocius et tardius in tempore dicimus, stare autem est velocius et tardius.

In quo autem tempore primo id quod stat, stat, in quovis hujus necesse est stare. Diviso enim tempore, siquidem in neutra partium stat, neque in toto: quare neque utique stat quod stat: si vero in altera, non in primo toto statum est. Secundum enim utrumque in hoc statur, sicut dictum est, et in eo, quod movetur, prius. Sicut autem quod movetur non est in quo primo movetur, sic utique neque in quo stat, id quod stat. Non enim

RECENS.

Quoniam autem id omne aut movetur aut quiescit quod natura aptum est, quando natura est aptum, et ubi et quomodo: idcirco necesse est, id quod sistitur, quando sistitur, moveri. Nisi enim moveatur, quiescet. Sed non potest tendere ad quietem quod quiescit.

Hoc autem demonstrato, perspicuum est etiam necesse esse ut in tempore sistatur. Quod enim movetur in tempore movetur; quod autem sistitur, probatum est moveri: quare necesse est in tempore sisti.

Praeterea si celerius et tardius, in tempore dicimus: sisti autem est celerius et tardius.

In quo autem tempore primo sistitur id quod sistitur, necesse est ut in quavis hujus temporis parte sistatur: diviso enim tempore, si in neutra parte sistitur, nec in toto sistetur. Quare non sisteretur, quod sistitur. Si vero in altera, non in primo toto sisteretur: secundum alteram enim partem in hoc sistitur, quemadmodum antea quoque dictum fuit, de eo quod movetur. Sicut autem non est in quo primo moveatur id quo movetur: ita etiam non est in quo primo

in ipso moveri, neque stare, aliquid est primum, sit enim in quo primo stat in quo A B. Hoc quidem impartibile non contingit esse: motus enim non est in impartibili: propter id quod motum est aliquid ipsius. Quod autem stat demonstratum est moveri. At vero, si divisibile, in qualibet ipsius partium stat. Hoc enim ostensum est prius, quod in quo primum stat, in quolibet illius stat. Quoniam ergo tempus est in quo primo stat, et non atomum est: omne autem tempus in infinitum partibile, non erit in quo primo statur.

Neque igitur quiescens cum primo quievit est. In impartibili enim non quievit, propter id quod non est motus in atomo. In quo autem est quiescere, et moveri. Tunc enim dicimus quiescere quando et in quo aptum natum est moveri non movetur quod aptum natum est. Amplius autem id dicimus quiescere, cum similiter se habeat nunc ut prius, tamquam non uno quodam judicantes, sed duobus minimis: quare non erit in quo quiescit, impartibile. Si vero partibile tempus utique erit, et in qualibet partium istarum quiescit: eodem enim modo demonstrabitur quo in prioribus. Quare nullum erit primum: haec autem causa est, quia quiescit quidem et movetur omne in tempore. Tempus autem non est primum, neque magnitudo: neque omnino ullum continuum: omne enim continuum in infinita divisibile.

Quoniam autem omne quod movetur, in tempore movetur, et ex aliquo in quiddam mutatur: in quo tempore movetur secundum se, et non quia in illius aliquo, impossibile est tunc secundum aliquid esse primum, quod movetur.

Quiescere enim est eo quod in eodem sit tempore quodam, et ipsum, et partium unaquaeque: sic enim dicimus quiescere, cum in alio ipsorum nunc verum sit dicere quod in eodem, et ipsum et partes sunt. Si autem hoc est quiescere, non contingit quod mutatur secundum aliquid esse totum secundum primum tempus: tempus enim divisibile omne. Quare in alia et alia ipsius parte verum erit dicere, quod in eodem sit ipsum et partes. Si enim non sic est, sed in uno solo nunc, non erit tempus ullum secundum: aliquid, sed secundum terminum temporis. In ipso autem nunc est, quod semper secundum aliquid manens, non tamen quiescit. Neque enim moveri neque quiescere est in ipso nunc. Sed non moveri quidem est verum in ipso nunc, et esse secundum aliquid; in tempore autem non contingit esse secundum aliquid quiescens: accidit enim quod fertur quiescere.

sistatur, id quo sistitur.

Quia neque ipsius moveri, neque ipsius sisti. est aliquid primum. Esto namque, in quo primo sistitur, ubi a b. Hoc igitur non potest vacare partibus: quia motus non est in eo quod partibus vacat, propterea quod per aliquid ipsius motum est: quod autem sistitur, moveri probatum fuit. Atqui si dividuum est, in quavis ejus parte sistitur: hoc enim antea probatum fuit, in quæ primo sistitur, in quavis ejus parte sisti. Quoniam igitur tempus est; in quo primo sistitur, non individuum; omne autem tempus in infinita secari potest: non erit in quo primo sistatur.

Nec igitur est, quando primo quieverit, id quod quiescit: quoniam in eo quod partibus vacat, non quievit, propterea quod non est motus in individuo: in quo autem est quiescere, in eo est etiam moveri: tunc enim dicebamus quiescere, quando et in quo natura aptum est moveri, non movetur id quod natura moveri aptum est.

Praeterea tunc quoque dicimus quiescere, quum similiter se habet nunc atque prius, tamquam non uno aliquo judicantes, sed nimirum duobus. Quapropter id in quo quiescit, partibus non carebit. Quodsi in partes dividi potest, utique erit tempus, et in quavis ipsius parte quiescet: eodem namque modo probabitur, quo etiam in superioribus. Quocirca nihil erit primum. Hujus vero causa est: quia res omnis quiescit et movetur in tempore; non est autem primum tempus, nec prima magnitudo, nec omnino ullum continuum, quoniam omne continuum secari potest in infinitum.

Quum autem quicquid movetur, in tempore moveatur, et ex aliquo in aliquid mutetur: impossibile est, ut id quod movetur, quo tempore per se movetur, neque in aliqua ejus temporis parte movetur, tunc sit in aliquo primo. Hoc enim est quiescere, aliquo tempore in eodem esse tam ipsam rem quam singulas ejus partes. Ita namque dicimus quiescere, quando in alio atque alio momento vere dicitur in eodem esse tam rem ipsam quam ejus partes. Si vero hoc est quiescere; id quod mutatur, non potest in tempore primo totum esse in aliquo. Nam omne tempus est dividuum. Quare in alia atque alia ejus parte vere dicetur in eodem esse et rem ipsam et ejus partes. Nisi enim ita sit, sed in uno tantum momento: certe non erit ullo tempore in aliquo, sed in termino temporis. Jam vero in momento semper quidem in aliquo manet, non tamen quiescit: quia nec moveri nec quiescere est in momento. Sed non moveri quidem in momento, verum est, et esse in aliquo: in tempore autem non potest esse ut quiescens, quoniam evenit ut id quod fertur, quiescat.

Postquam Philosophus determinavit de iis quae pertinent ad divisionem motus, hic determinat de iis quae pertinent ad divisionem quietis. Et, quia statio est generatio quietis, ut in Quinto dictum est, primo determinat ea quae pertinent ad stationem; secundo ea quae pertinent ad quietem, ibi, « Neque « igitur quiescens etc. » Circa primum tria facit. Primo dicit quod omne quod stat movetur. Secundo quod omne quod stat, stat in tempore, ibi, « Hoc « autem demonstrato. » Tertio ostendit quomodo primum dicatur in statione: « In quo autem tem-« pore. » Primum ostendit sic. Omne quod natum est moveri, eo tempore quando natum est moveri, et secundum illud, et eo modo prout natum est, oportet quod moveatur vel quiescat: sed illud quod stat, idest tendit ad quietem, nondum quiescit, quia contingeret quod aliquid simul quiescens, idest in quietem tendens, quiesceret, idest in quiete esset: ergo omne quod stat, idest in quietem tendit, movetur quando stat.

Secundo ibi « hoc autem »

Probat quod omne quod stat, stat in tempore, duabus rationibus: quarum prima est talis. Omne quod movetur, movetur in tempore, ut supra probatum est: sed omne quod stat, movetur, ut nunc probatum est: ergo omne quod stat, stat in tempore. Secunda ratio est, quia velocitas et tarditas deter-

minantur secundum tempus: sed contingit aliquid velocius et tardius stare, idest in quietem tendere: ergo omne quod stat, stat in tempore.

Tertio ibi « in quo »

Ostendit qualiter dicatur primum in statione. Et circa hoc duo facit. Primo ostendit qualiter dicatur aliquid stare in aliquo tempore primo, secundum quod primum opponitur ei quod dicitur secundum partem; secundo ostendit quod in statione non est accipere aliquam primam partem, ibi, « Sicut « autem quod movetur. » Dicit ergo primo, quod, si in aliquo tempore dicatur aliquid stare primo et per se et non ratione partis, necesse est quod stetur in qualibet parte illius temporis. Dividatur enim tempus in duas partes: et, si dicatur quod in neutra parte stet, sequetur quod in toto non stet, in quo tamen ponebatur stare: ergo stans non stat. Neque etiam potest dici quod in altera tantum parte stet: quia sic non primo staretur in toto tempore, sed solum ratione partis: unde relinquitur quod stet in utroque. Sic enim dicitur primo stare in toto, quia stat in utraque parte, sicut dictum est supra de eo quod movetur.

Secundo ibi « sicut autem »

Ostendit quod non est accipere aliquam primam partem in statione: et dicit quod sicut non est accipere aliquam primam partem temporis, in qua aliquod mobile movetur, ita etiam est in statione: quia neque in ipso moveri, neque in ipso stare potest esse aliqua prima pars. Quod, si non concedatur, sit prima pars temporis in qua stat, A B: quae quidem non potest esse impartibilis, quia ostensum est supra quod motus non est in impartibili temporis, eo quod semper quod movetur, jam per aliud motum est, ut supra ostensum est. Demonstratum est etiam nunc, quod omne quod stat, movetur; unde relinquitur, quod A B sit divisibile; ergo in qualibet parte ejus stat. Jam enim ostensum est, quod, quando in aliquo tempore dicitur stare primo et per se, et non ratione partis, in qualibet parte illius stat: ergo, cum sit pars prior toto, non erat A B primum, in quo stat. Et, quia omne illud, in quo stat, est tempus, et non est aliquid indivisibile temporis: omne autem tempus est divisibile in infinitum: sequitur quod non erit accipere primum, in quo stetur.

Secundo ibi « neque igitur »

Ostendit idem de quiete. Et circa hoc duo facit. Primo ostendit quod non est accipere primum in quiete. Secundo ponit quamdam considerationem per quam motus a quiete distinguitur, ibi, « Quo- « niam autem omne quod movetur. » Et quia eadem ratio est, quare non sit primum in motu, statione et quiete: ideo ex his quae supra dicta sunt de motu et statione, concludit idem in quiete: et dicit quod non est accipere aliquod primum, in quo quiescens quieverit. Et ad hoc probandum resumit quoddam quod supra probatum est, scilicet quod nihil quiescat in impartibili temporis; et resumit etiam duas rationes quibus hoc probatum est. Quarum prima est, quod motus non est in indivisibili temporis. In eodem autem est quiescere et moveri: quia non dicimus quiescere, nisi quando id quod aptum natum est moveri, non movetur tunc quando aptum natum est moveri, et secundum id secundum quod natum est moveri: puta qualitatem aut locum, aut aliquid hujusmodi. Unde relinquitur quod nihil quiescat in impartibili temporis. Secunda ratio est, quia tunc dicimus aliquid quiescere, quando similiter se habet nunc sicut prius: ac si non dijudicemus quietem per aliquod unum tantum, sed per comparationem duorum adinvicem, ex eo scilicet quod similiter se habet in duobus. Sed in impartibili non est accipere nunc et prius, neque aliqua duo: ergo illud temporis in quo quiescit aliquid, non est impartibile. Isto autem probato, procedit ulterius ad principale propositum ostendendum. Si enim illud in quo aliquid quiescit est partibile habens in se prius et posterius, sequitur quod sit tempus (haec enim est ratio temporis), et si est tempus, oportet quod in qualibet partium ejus quiescat. Et hoc demonstrabitur eodem modo, sicut et supra monstratum est in motu et statione: quia scilicet si non quiescit in qualibet parte: aut ergo in nulla, aut in una tantum. Si in nulla, ergo neque in toto. Si in una tantum, ergo in illa primo et non in toto. Si vero in qualibet parte temporis quiescit, non erit aliquid accipere primum in quiete, sicut neque in motu. Et hujus causa est, quia unumquodque quiescit et movetur in tempore. Sed in tempore non est accipere aliquod primum, sicut neque in magnitudine, neque in aliquo continuo, propter hoc quod omne continuum divisibile est in infinitum, et sic semper est accipere partem minorem parte. Et inde est quod neque in motu,

neque in statione, neque in quiete est aliquid primum.

Secundo ibi « quoniam autem »

Ponit quamdam considerationem, per quam distinguitur id quod movetur, ab eo quod quiescit. Et primo ponit eam. Secundo probat, ibi, « Quie- « scere enim est. » Circa primum praemittit duas suppositiones. Quarum una est, quod omne quod movetur, movetur in tempore. Secunda est, quod omne quod mutatur, mutatur ex uno termino in alium. Ex his duobus intendit concludere tertium: scilicet quod, si accipiatur aliquod mobile quod primo et per se moveatur, et non solum ratione suae partis, impossibile est quod sit secundum aliquid unum et idem illius rei in qua est motus, utputa in uno et eodem loco vel in una et eadem dispositione albedinis in aliquo tempore: ita quod accipiamus in tempore esse secundum se, et non ratione alicujus quod in tempore sit. Ideo autem oportet quod accipiatur mobile « quod primum mo- « vetur, » quia nihil prohibet aliquid moveri secundum partem: et tamen ipsum manet per totum tempus in uno et eodem loco, sicut cum homo sedens movet pedem. Ideo autem dixit ex parte temporis « in uno tempore movetur secundum se et « non quia in illius aliquo: » quia aliquid, dum movetur, potest dici quod est in aliquo uno et eodem loco in tali die. Sed hoc dicitur, quia fuit in illo loco non in toto die, sed in aliquo nunc illius diei.

Secundo ibi « quiescere enim »

Probat propositum: et dicit quod, si id quod mutatur, sit per totum aliquod tempus in aliquo uno et eodem, puta in uno loco, sequitur quod quiescat, propter hoc quod in quodam tempore est in uno et eodem loco et ipsum et quaelibet pars ejus; et jam supra dictum est, quod hoc est quiescere, cum verum sit dicere de aliquo, quod ipsum et partes ejus sunt in uno et eodem in diversis nunc. Si ergo haec est definitio ejus quod est quiescere, et non contingit aliquid simul quiescere et moveri, sequitur, quod non contingat id quod movetur esse totum « secundum aliquid, » id est in aliquo, puta in uno et eadem loco « secundum « primum tempus, » scilicet secundum aliquid totum tempus, et non tantum secundum aliquod ejus. Et quare hoc sequatur ostendit: quia omne tempus est divisibile in diversas partes, quarum una est prior altera: unde, si per totum tempus sit in aliquo uno, verum erit dicere, quod in alia et in alia parte temporis ipsum mobile et partes ejus sint in uno et eodem; puta loco, quod est quiescere. Quia si dicatur quod non est in diversis partibus temporis in uno et eodem, sed solum in uno et eodem est per unum nunc, non sequitur quod sit tempus in quo est « secundum aliquid, » id est in aliquo uno et eodem; sed quod sit in uno et eodem secundum terminum temporis « id est secundum « nunc. » Licet autem ex hoc quod est aliquid esse in tempore in uno et eodem, sequatur quod quiescat; hoc tamen non sequitur de nunc, si sit ibi in uno solo nunc: quia omne quod movetur, in quolibet nunc temporis in quo movetur semper manens, idest existens secundum aliquid rei in qua est motus, puta secundum locum aut qualitatem aut quantitatem, non tamen quiescit; quia jam ostensum est, quod neque quiescere neque moveri contingit in ipso nunc. Sed verum est dicere, quod in ipso nunc aliquid non movetur, et quod in ipso nunc est alicubi, vel secundum aliquid, vel etiam illud quod movetur. Sed non contingit illud quod movetur, esse quiescens in tempore secundum aliquid: accideret enim, quod aliquid, dum fertur, quiesceret, quod est impossibile. Relinquitur ergo, quod omne quod movetur, quamdiu movetur, nunquam est in uno et eodem per duo nunc, sed per unum solum. Et hoc patet in motu locali. Sit enim magnitudo A C, et dividatur in duo media in puncto B, et accipiatur aliquod corpus, quod sit o, aequale utrique, scilicet A B, et B G, et moveatur de A B in B C. Si autem accipiantur loca totaliter abinvicem distincta, non est hic accipere nisi duo loca. Sed manifestum est quod mobile non simul, sed successive deserit primum locum, et subintrat secundum: unde secundum quod locus est divisibilis in infinitum, secundum hoc multiplicantur loca in infinitum: quia, si dividatur A B in duo media in puncto D, et B C in duo media in puncto E, manifestum est quod D E erit alius locus ab utroque. Et similiter semper divisione facta, fiet alius locus. Et idem etiam manifestum est in alteratione; quia quod de albo transit in nigrum, per infinitos gradus albedinis et nigredinis et mediorum colorum pertransit. Non tamen sequitur quod, cum sint infinita media, quod nullo modo possit perveniri ad ultimum; quia hujusmodi media loca non sunt infinita in actu, sed in potentia tantum, sicut et magnitudo non est divisa actu in infinitum, sed in potentia divisibilis.

LECTIO XI.

Rationes Zenonis motum omnem auferentes diluuntur.

Zeno autem male ratiocinatur, et paralogizat. Si enim semper (dicit) quiescit omne aut movetur, cum est secundum aequale, est autem semper quod fertur in ipso nunc: immobilem eam esse sagittam quae fertur. Hoc autem falsum est: non enim componitur tempus ex ipsis nunc indivisibilibus, sicut nec alia magnitudo ulla.

Quatuor autem sunt rationes de motu Zenonis, ingenerantes difficultatem solventibus. Prima quidem de eo quod non movetur, propter hoc quod prius in medium oportet accedere quod fertur, quam ad finem, de qua divisimus in prioribus rationibus.

Secunda autem, vocata Achilles. Est autem haec, quod tardius nequaquam jungetur currens a velocissimo. Ante autem necesse est persequens eat, unde movit fugiens: quare semper aliquid habere necesse est tardius. Est autem haec eadem ratio, in decidendo in duo: differt autem in dividendo, non in duo acceptam magnitudinem. Non quidem igitur conjungi tardius, accidit ex ratione. Fit autem ad idem, in duo decisio: in utrisque enim accidit non attingere ad terminum, divisa quodammodo magnitudine. Sed apponitur in hac, quia neque velocissimum (quod cum tragoedia dictum est) in persequendo tardius. Quare necesse est eamdem esse solutionem. Velle autem quod praecedens non jungatur, falsum est: cum enim praecedit, non conjungetur, sed tamen conjungetur, siquidem dabitur transire finitum. Hae quidem igitur rationes sunt duae.

Tertia autem, quae nunc dicta est, quoniam sagitta quae fertur stat. Accidit autem, quia accipit tempus componi ex ipsis nunc: non dato enim hoc, nullus erit syllogismus.

Quarta autem ex his, quae moventur stadio ex contrarietate aequalium magnitudinum, juxta aequalia his quidem a fine stadii, illis vero a medio aequali velocitate. In quo accidere opinatur, aequale tempus dimidium duplo.

Est autem deceptio in eo, quod hoc quidem secus motum, illud autem secus quiescens aequalem magnitudinem vellet aequali velocitate secundum aequale ferri tempus: hoc autem falsum est.

Ut sint stantes aequales magnitudines, in quibus sunt A A A A, aliae autem in quibus ipsa B B B B, incipientes a medio ipsorum A, quae aequales sint his, secundum numerum et magnitudinem: aliae autem, in quibus ipsa C C C C, ab ultimo, aequales numero his, et magnitudine, et aeque

Zeno autem captiose ratiocinatur. Inquit enim: si semper res omnis quiescit aut movetur, quando est in loco sibi aequali, semper autem quod movetur, in momento est: sagittam quae fertur, esse immobilem.

Sed hoc est falsum: quoniam tempus non componitur ex momentis quae sunt individua, quemadmodum nec ulla alia magnitudo.

Quatuor autem sunt rationes Zenonis de motu, quae negotium solventibus facessunt. Prima est, quae probat non moveri, quoniam oportet, id quod fertur, prius pervenire ad dimidium, quam ad finem. Quam rationem in superioribus disputationibus diluimus.

Secunda est, quae vocatur Achilles. Est autem haec: quia tardius nunquam comprehendetur currens a velocissimo. Nam prius necesse est ut id quod persequitur, eo perveniat, unde id, quod fugit, discessit. Quapropter necesse est, ut semper quod est tardius, aliquantum praecedat.

Sed haec ratio eadem est, atque ea quae in duas partes secat: differt tamen, quatenus assumptam magnitudinem non bifariam dividit. Ergo non comprehendi quod est tardius, ratione concluditur: sed ob idem efficitur, atque in sectione in duas partes: in utrisque enim evenit ut non perveniatur ad finem, divisa aliquo modo magnitudine. Sed in hac ratione adjicitur tragice ne velocissime quidem persequendo assequi quod tardius est. Quare necesse est solutionem quoque eamdem esse. Quod autem existimat, id quod progreditur, non comprehendi, falsum est. Quando enim progreditur, non comprehenditur: verumtamen comprehenditur, si quidem concedet pertransiri spatium finitum. Hae igitur sunt duae rationes.

Tertia vero est, quae nunc dicta fuit: quia sagitta, quae fertur, stat: hoc autem ex eo colligitur, quod sumit tempus constare ex momentis. Nam hoc non concesso, syllogismus non erit.

Quarta ratio est de aequalibus molibus, quae in stadio moventur ex contrario juxta moles aequales, aliae quidem a fine stadii, aliae vero a medio, celeritate aequali. In quo evenire putat, ut tempus dimidium sit aequale duplo.

Sed est rationis fallacia in eo posita, quod sibi concedi postulat alterum juxta id quod movetur, alterum juxta quiescens, aequali celeritate moveri aequali tempore per aequalem magnitudinem. Hoc autem est falsum: utputa stent aequales moles, in quibus sunt aaaa: moles autem, in quibus sunt bbbb, incipiant moveri a medio ipsorum a, quum his sint aequales numero et magnitudine: moles vero, in quibus gggg, incipiant moveri ab extremo b, quum his sint aequales numero et magnitudine, eademque celeritate moveantur veloces ipsis в. Contingit igitur primum в, simul cum ultimo A, esse: et primum c secus invicem motorum. Accidit autem ipsum c juxta omnia A transire, et ipsum в secus media A. Quare medium esse tempus; aequale enim utrumque est secus unumquodque. Simul autem accidit, ipsum в secus omnia c transactum esse. Simul enim erit primum c, et primum в, et primum c in contrariis ultimis. in aequali tempore ad unumquodque factum ipsorum в quantum quidem ipsorum A (ut ait) propter ambo aequali tempore secus ipsa A fieri. Ratio igitur haec est. Incidit autem, ob id quod dictum est, falsum.

At vero secundum eam, quae in contradictione est, mutationem, nihil nobis erit impossibile, ut si ex non albo in album mutetur, et in neutro est: tamquam ergo neque ulbum erit neque non album. Non enim, si non totum in quolibet est, non dicetur album aut non album: album enim dicitur, aut non album, non quod totum sit hujusmodi. sed quod plures aut magis propriae partes: non idem autem non esse in hoc, et non esse in hoc totum. Similiter autem etiam et in esse et in non esse, et aliis quae secundum contradictionem sunt, erit: non enim ex necessitate in altero oppositorum: in neutro autem, semper totum.

Iterum autem est in circulo, et in sphaera, et omnino in his, quae in ipsis moventur, quia accidet ipsa quiescere. In eodem enim loco, secundum tempus quoddam sunt, et ipsa, et partes: quare quiescent simul et movebuntur. Primum namque, partes non sunt in eodem nullo tempore. Postea, et totum mutatur semper in alterum: non enim eadem est ab ipso A accepta circulatio, et quae est ab ipso в, et c, et aliorum unoquoque signorum, nisi sicut musicus homo, et homo, quia accidit. Quare mutatur semper altera in alteram, et nequaquam quiescet. Eodem autem modo est, et in sphaera, et in aliis, quae in seipsis moventur.

atque ipsa b. Accidit ergo, ut primum b et primum g simul sint in extremo, quum juxta se moveantur. Evenit igitur, ut ta g pertranseirent omnia; sed ta b pertransierint dimidiam partem: adeo ut etiam tempus dimidium sit: utruimque enim juxta singula est aequale. Simul autem accidit, ut to b pertransierit omnia g (simul enim primum g et primum b sunt in extremis contrariis), quum aequale tempus consumatur juxta singula g, quantum consumatur in ipsis a, ut Zeno ait, quoniam ambo aequali tempore moventur juxta ipsa b. Ratio igitur haec est: evenit autem propter falsitatem quae dicta est.

Nec itaque secundum mutationem quae in contradictione spectatur, ullum impossibile nobis eveniet: veluti, si ex non albo in album mutatur, et in neutro est, neque album igitur fore neque non album. Non enim si totum non est in utrovis, non dicetur album, vel non album: quandoquidem album dicimus, aut non album non quia totum sit tale, sed quia pleraeque aut praecipuae partes. Nec idem est, non esse in hoc, et totum non esse in hoc. Similiter res habebit etiam in ente et non ente, et ceteris quae in contradictione spectantur: non enim necessario erit totum in oppositorum altero, sed semper in neutro.

Rursus in circulo, et in globo, et omnino in iis quae moventur in se ipsis, eventurum ut haec quiescant: quoniam aliquo tempore in eodem loco erunt et ipsa et eorum partes. Quocirca quiescent simul et movebuntur.

Primum enim partes nullo tempore sunt in eodem loco: deinde etiam totum mutatur semper in alterum: non est enim eadem circumferentia quae sumitur a puncto a et a b et a g, et a singulis aliis punctis; nisi ut musicus homo, et homo, quoniam accidit. Quare mutatur semper altera in alteram, et nunquam quiescet. Eodem modo se res habet etiam in globo, et ceteris quae in se ipsis moventur.

Postquam Philosophus determinavit de divisione motus et quietis, hic excludit quaedam ex quibus errabant aliqui circa motum. Et circa hoc tria facit. Primo solvit rationes Zenonis negantis totaliter motum esse. Secundo ostendit quod indivisibile non movetur, contra Democritum, qui ponebat indivisibilia moveri semper, ibi, « Ostensis autem his. » Tertio ostendit mutationem omnem esse finitam, contra Heraclitum, qui ponebat omnia moveri semper, ibi, « Mutatio autem omnis. » Circa primum duo facit, Primo ponit quamdam rationem Zenonis et solvit eam, quae pertinet ad id quod immediate de motu praemiserat. Secundo explicat omnes rationes ejus per ordinem, ibi, « Quatuor autem sunt « rationes. » Dicit ergo primo, quod Zeno male ratiocinabatur, et apparenti syllogismo utebatur ad ostendendum quod nihil movetur, etiam id quod videtur velocissime moveri, sicut sagitta quae fertur: et erat talis. Omne quod est in loco sibi aequali, aut movetur, aut quiescit: sed omne quod fertur in quolibet nunc est in aliquo loco sibi aequali: ergo et in quolibet nunc aut movetur aut quiescit: sed non movetur: ergo quiescit. Si autem in nullo nunc movetur, sed magis videtur quiescere, sequitur quod in toto tempore non movetur, sed magis quiescat. Posset autem haec ratio solvi per id quod supra ostensum est, quod in nunc neque movetur neque quiescit. Sed haec solutio intentionem Zenonis non excluderet: sufficit enim Zenoni si ostendere possit, quod in toto tempore non movetur: quod videtur sequi ex hoc, quod in nullo nunc ejus movetur. Et ideo Aristoteles aliter solvit; et dicit falsum esse quod ratio concludit, et non sequi ex praemissis. Ad hoc enim quod aliquid moveatur in tempore aliquo, oportet quod moveatur in qualibet parte illius temporis; ipsa autem nunc non sunt partes temporis; non enim componitur tempus ex nunc indivisibilibus, sicut neque aliqua magnitudo componitur ex indivisibilibus, ut supra probatum

est: unde non sequitur, quod in tempore non moveatur aliquid ex hoc quod in nullo nunc movetur.

Secundo ibi « quatuor autem »

Ponit seriatim omnes rationes Zenonis quibus utebatur ad destruendum motum. Et circa hoc tria facit. Primo manifestat, quomodo destruebat per suas rationes motum localem; secundo quomodo destruebat alias species mutationum, ibi, « Neque « igitur secundum mutationem. » Tertio quomodo destruebat specialiter motum circularem, ibi, « Iterum autem in circulo. » Circa primum quatuor rationes ponit. Et hoc est quod dicit, quod Zeno utebatur quatuor rationibus contra motum, quae ingerebant difficultatem multis eas solvere volentibus: quarum prima talis est. Si aliquid movetur per totum aliquod spatium, oportet quod prius pertranseat medium quam perveniat ad finem: sed, cum illud medium sit divisibile, oportebit quod etiam prius pertranseat medium illius medii, et sic in infinitum: cum magnitudo sit in infinitum divisibilis, infinita autem non est transire in aliquo tempore finito: ergo nihil potest moveri. Dicit ergo Aristoteles quod superius circa principium hujus sexti libri solvit istam rationem per hoc, quod similiter tempus in infinita dividitur, sicut et magnitudo. Quae quidem solutio est magis ad interrogantem si infinita contingat transire in tempore finito, quam ad interrogationem, ut dicet in octavo, ubi solvit hanc rationem per hoc, quod mobile non utitur infinitis, quae sunt in magnitudine, quasi in actu existentibus, sed ut in potentia existentibus. Tunc autem in aliquo puncto spatii utitur quod in actu existenti, quando utitur eo ut principio, et ut fine: et tunc necesse est, quod ibi stet (ut ibi ostendetur.) Et si sic oporteret transire infinita quasi in actu existentia, nunquam veniretur ad finem.

Secundam rationem ponit ibi « secunda autem »

Et dicit quod hanc secundam rationem vocabant

Achillem, quasi invincibilem et insolubilem. Et erat
ratio talis. Quia, si aliquid movetur, sequitur quod
id quod currit tardius, si incoepit primo moveri,
nunquam jungetur vel attingetur a quocumque velocissimo: quod sic probabat. Si tardum incepit
moveri ante velocissimum per aliquod tempus, in
illo tempore pertransivit aliquod spatium: ante igitur quam velocissimum quod persequitur, possit
attingere tardissimum quod fugit, necesse est quod
vadat ab illo loco unde movit fugiens, usque ad
illum locum quo pervenit fugiens tempore illo quo
prosequens non movebatur: et oportet quod adhuc
velocissimum illud spatium pertranseat in aliquo
tempore, in quo tempore iterum tardius aliquod
spatium modicum pertransit, et sic semper: ergo
semper tardius habet aliquid ante idest aliquod spatium, in quo praecedit velocissimum quod ipsum
persequitur; et ita velocius nunquam attingeret tardius; hoc autem est inconveniens: ergo magis dicendum est quod nihil movetur. Ad solvendum
autem hanc rationem dicit, quod haec ratio est
eadem cum prima quae procedebat ex decisione
spatii in duo media quantum ad virtutem medii:
sed differt ab ea in hoc, quod aliqua accepta magnitudo spatii non dividitur in duo media, sed
dividitur secundum proportionem excessus velocioris
ad tardius in motu. Nam in primo tempore, quo
movebatur solum tardius, accipitur major magnitudo;
in secundo autem tempore, in quo velocius pertransit praedictum spatium, cum sit minus, accipitur
minor magnitudo pertransita a tardiori, et sic semper. Unde, quia tempus et magnitudo semper dividuntur, videtur accidere ex hac ratione quod tardius
nunquam jungatur a velociori. Sed hoc in idem
tendit cum eo, quod in prima ratione dicebatur de
divisione magnitudinis in duo media; quia in utraque ratione videtur accidere, quod mobile non possit
adjungere usque ad terminum quemdam propter
divisionem magnitudinis in infinitum, quocumque
modo dividatur, scilicet vel in duo media, sicut
prima ratio procedebat. vel secundum excessum
velocioris ad tardius, sicut procedit secunda ratio.
Sed in hac secunda ratione apponitur, quod velocissimum non potest attingere ad tardius dum persequitur ipsum: quod dictum est cum quadam « tra-
« goedia, » idest cum quadam magnificatione verborum ad admirationem movendam, sed non facit
aliquid ad virtutem rationis. Unde patet quod
necesse est esse eamdem solutionem hujus secundae
rationis et primae. Sicut enim in prima ratione
falsum concludebatur, quod scilicet mobile nunquam
perveniret ad terminum magnitudinis propter infinitam magnitudinis divisionem; ita falsum est quod
vult secunda ratio concludere, quod tardius praecedens, nunquam vincatur a velociori sequente:
quod nihil est aliud, quam mobile non pervenire
ad aliquem terminum. Verum est enim quod quamdiu
praecedit tardius, non conjungitur sibi velocius. Sed
tamen quandoque conjungitur sibi, si hoc detur,
quod mobile possit pertransire finitam magnitudinem in tempore finito. Pertransibit enim velocius
persequens totam illam magnitudinem, qua praecedebat ipsum tardius fugiens, et adhuc majorem in
minori tempore quam tardius movetur ultra per
aliquam determinatam quantitatem; et ita non solum attinget ipsum, sed etiam ultra transibit. Hae
igitur sunt duae rationis Zenonis sic solutae.

Tertiam rationem ponit ibi « tertia autem »

Et dicit quod tertia ratio Zenonis erat illa quam
supra posuit, antequam inciperet rationes enumerare; scilicet quod sagitta quando fertur, quiescit:
et sicut supra dictum est, hoc accidere videtur ex
eo quod ipse supponit, quod tempus componatur
ex ipsis nunc: nisi enim hoc concedatur, non potest syllogizare ad propositum.

Quarta n rationem ponit ibi « quarta autem »

Circa quam tria facit. Primo ponit rationem;
secundo solutionem, ibi, « Est autem deceptio: »
tertio manifestat ipsam rationem Zenonis, per exempla, ibi, « Ut sint stantes aequales magnitudines. »
Dicit ergo primo, quod quarta ratio Zenonis procedebat ex aliquibus, quae moventur in aliquo stadio: ita quod sint duae magnitudines aequales quae
moventur « juxta aequalia, » idest per aliquod spatium stadii aequale utrique in quantitate: et sit iste
motus « ex contrarietate » idest ita quod una
magnitudinum aequalium moveatur per illud spatium stadii versus unam partem, et alia versus aliam
partem: ita tamen quod una magnitudinem mobilium incipiat moveri a fine stadii ei aequalis: alia
vero incipiat moveri a medietate stadii, sive spatii
in stadio dato, et utrumque moveatur aeque velociter. Hac positione facta, opinabatur Zeno quod
accideret, quod tempus dimidium esset aequale duplo: quod cum sit impossibile, volebat ex hoc ulterius inferre, quod impossibile est aliquid moveri.

Secundo ibi « est autem »

Ponit solutionem: et dicit quod Zeno in hoc
decipiebatur, quod accipiebat ex una parte mobile
moveri juxta magnitudinem motam: et ex alia parte
accipiebat quod moveretur juxta magnitudinem quiescentem, aequalem magnitudini motae. Et, quia supponitur aequalis velocitas mobilium, volebat quod
secundum aequale tempus, esset aequalitas aeque
velocium circa aequales magnitudines, quarum una
movetur, et alia quiescit. Quod patet esse falsum:
quia, cum aliquid movetur juxta magnitudinem
quiescentem, non est ibi nisi unus motus: sed
quando aliquid movetur juxta magnitudinem motam,
sunt ibi duo motus: et si sint in eamdem partem,
addetur de tempore: si autem sint in oppositas
partes, diminuetur de tempore secundum quantitatem alterius motus. Quia, si magnitudo juxta quam
aliquod mobile movetur, in eamdem partem moveatur aequali velocitate, vel etiam majori, nunquam
mobile poterit eam pertransire. Si vero minori velocitate magnitudo moveatur, pertransibit eam quandoque, sed in majori tempore quam si quiesceret.
E contrario autem est, si magnitudo moveatur in
oppositum mobilis: quia quantum magnitudo velocius movetur, tanto mobile in minori tempore eam
pertransit: quia uterque motus comparatur ad hoc,
quod invicem se pertranseant.

Tertio ibi « ut sint »

Manifestat quod dixerat in terminis. Ponatur
enim quod sint quatuor magnitudines aequales sibi
invicem, in quarum qualibet ponatur A, et sint istae
magnitudines stantes, idest non motae: ut si intelligatur quod sit aliquod spatium quatuor cubitorum
in quorum quolibet describatur A. Et sint aliae
quatuor magnitudines aequales sibi invicem, in
quarum qualibet describatur B; ut puta, si intelligamus quod sit unum mobile quatuor cubitorum.
Incipiant autem hae magnitudines moveri a medio
spatii. Sint etiam quatuor magnitudines aliae aequales numero et magnitudine et velocitate ipsis

B, et scribatur in istis c, et incipiant moveri ab ultimo spatii, scilicet a primo A. Hac ergo suppositione facta, continget quod primum B, per suum motum perveniet ad hoc quod sit simul cum ultimo A; et iterum primum c, per suum motum perveniet ut sit cum primo A opposito ultimo: et simul etiam cum hoc erit cum ultimo B, quasi transiens « secus invicem motorum, » idest juxta omnia B, quae invicem ei contra moventur. Cum autem hoc factum fuerit, constat quod istud primum c transivit omnia A, sed ipsum B non transivit nisi media. Cum ergo B et c sint aequalis velocitatis, et aeque velox minorem magnitudinem in minori tempore transeat; sequitur quod tempus, in quo B pervenit ad ultimum c, sit dimidium temporis in quo c pervenit ad primum A oppositum: in aequali enim tempore, utrumque, scilicet B et c, est juxta unumquodque, idest in aequali tempore c et B pertranseunt quodcumque A. Hoc igitur supposito, quod tempus in quo B pervenit ad ultimum A, sit dimidium temporis in quo c pervenit ad primum A, oppositum, ulterius considerandum est quomodo Zeno volebat concludere, quod hoc dimidium temporis sit aequale illi duplo. Ex quo enim ponitur tempus motus ipsius i, et duplum temporis motus ipsius B, ponatur quod in prima medietate temporis B quiescebat, et c movebatur: et sic c in illa medietate temporis pervenit usque ad medietatem spatii ubi est B, et tunc B incipiat moveri ad unam partem, et c ad aliam. Quando autem B pervenit ad ultimum A, oportet quod pertransierit omnia c; quia simul primum B et primum c sunt in contrariis ultimis, scilicet unum in primo A, et aliud in ultimo. Et sicut ipse dicebat, c in aequali tempore fit juxta unumquodque B, in quanto tempore pertransit unumquodque ipsorum A. Et hoc ideo, quia ambo, scilicet B et c, in aequali tempore pertranseunt unum A. Et sic videtur quod, si B in aequali tempore pertransit, in quanto pertransit ipsum c: quod c in aequali tempore pertransit ipsum B et ipsum A: ergo tempus in quo c pertransit omnia B, est aequale tempori in quo pertransivit omnia A. Tempus autem in quo c pertransit omnia B, est aequale tempori in quo c vel B pertransit medietatem ipsorum A (ut dictum est). Probatum est autem quod tempus in quo ipsum B pertransit medietatem ipsorum A, est dimidium temporis in quo c pertransit omnia A; ergo sequitur quod dimidium sit aequale duplo, quod est impossibile. Haec igitur est ratio Zenonis. Sed incidit in falsitatem praedictam: quia scilicet accipit quod c in eodem tempore pertranseat B contra-motum, et A quiescens, quod est falsum (ut supra dictum est).

Deinde cum dicit « at vero »

Ponit rationem, qua Zeno excludebat mutationem quae est inter contradictoria. Dicebat enim sic. Omne quod mutatur, dum mutatur, in neutrum terminorum est: quia dum est in termino a quo, nondum mutatur; dum autem est in termino ad quem, jam mutatum est. Si ergo aliquid mutetur de uno contradictorio in aliud, sicut de non albo in album. sequitur quod dum mutatur, neque sit album, neque non album. Quod est impossibile. Licet autem hoc inconveniens sequatur aliquibus, qui ponunt impartibile moveri; tamen nobis, qui ponimus quod omne quod movetur est partibile, nullum accidit impossibile. Non enim oportet, si non est totum in altero extremorum, quod propter

hoc non possit dici aut album aut non album. Contingit enim quod una pars ejus sit alba, et alia non alba. Non autem dicitur aliquid album vel non album ex eo quod totum sit hujusmodi, sed quia plures et principaliores partes sunt tales, quae magis proprie sunt natae tales esse: quia non idem est non esse in hoc, et non esse totum in hoc, scilicet in albo vel non albo. Et quod dictum est de albo vel non albo intelligendum est de esse vel non esse simpliciter: et in omnibus quae opponuntur secundum contradictionem, sicut calidum et non calidum, et hujusmodi. Semper enim oportebit quod sit in altero contra oppositorum illud quod mutatur: quia denominabitur ab eo quod principalius inest: sed non sequitur quod semper sit totum in neutro extremorum, ut Zeno putabat. Sciendum est autem, quod haec responsio sufficit ad repellendum rationem Zenonis: quod hic principaliter intenditur. Quomodo autem circa hoc se habeat veritas, in octavo plenius ostendetur. Non enim in quolibet verum est, quod pars ante partem alteretur vel generetur: sed aliquando totum simul, ut supra dictum est; et tunc non habet locum haec responsio, sed illa quae ponitur in octavo.

Deinde cum dicit « iterum autem »

Solvit rationem Zenonis, quae destruebat motum sphaericum. Dicebat enim quod non est possibile aliquid circulariter vel sphaerice moveri, vel quocumque alio modo, ita quod aliqua moveantur in seipsis, idest non progrediendo a loco in quo sunt, sed in ipsomet loco. Et hoc probabat tali ratione. Omne illud quod per aliquod tempus secundum totum et partes est in uno et eodem loco, quiescit: sed omnia hujusmodi sunt in eodem loco et ipsa et partes eorum secundum aliquod tempus, etiam dum ponuntur moveri: ergo sequitur quod simul moveantur et quiescant: quod est impossibile. Huic autem rationi obviat Philosophus dupliciter. Primo quantum ad hoc quod dixerat, partes sphaerae motae esse in eodem loco per aliquod tempus: contra quod Aristoteles dicit quod partes sphaerae motae in nullo tempore sunt in eodem loco. Zeno enim accipiebat locum totius: et verum est, quod dum sphaera movetur, nulla pars exit extra locum totius sphaerae. Sed Aristoteles loquitur de proprio loco partis, secundum quod pars potest habere locum. Dictum est enim in quinto, quod partes continui sunt in loco in potentia. Manifestum est autem in motu sphaerico, quod pars mutat proprium locum, sed non locum totius, quia ubi fuit una pars, succedit alia pars. Secundo obviat ad praedictam Zenonis rationem quantum ad hoc quod dixit, quod totum manet in eodem loco per tempus. Contra quod Aristoteles dicit quod etiam totum semper mutatur in alium locum: quod sic patet. Ad hoc enim quod sint duo loca diversa, non oportet quod unus illorum locorum sit totaliter extra alium: sed quandoque quidem secundus locus est partim conjunctus primo loco, et partim ab eo divisus, ut potest in his considerari quae moventur motu recto. Si enim aliquod cubitale corpus moveatur de A B loco in B c locum: quorum uterque locus sit cubitalis: dum movetur ab uno loco in alium, oportet quod partim deserat unum, et subintret alium: sicut si deserat de loco A B quantum est A D, subintrabit in locum B c, quantum est B E. Manifestum est ergo, quod locus D E est alius a loco A B; non tamen totaliter ab eo sejunctus, sed partim. Si autem daretur quod illa pars mobilis quae subintrat secundum locum, regrederetur in partem loci quam mobile deserit, essent duo loca: et tamen in nullo abinvicem separata; sed solum differrent secundum rationem, secundum quod principium loci in diversis signis acciperetur: ubi scilicet est principium mobilis, idest aliquod signum quod in mobili accipitur ut principium: et sic erunt duo loca secundum rationem, sed unus locus secundum subjectum. Et sic intelligendum est quod hic dicit, quod non est eadem circulatio secundum quod accipitur incipiens ab A, et ut incipiens a B, et ut incipiens a c, vel a quocumque alio signo. Nisi forte dicatur eadem circulatio subjecto, sicut musicus homo, et homo: quia unum accidit alteri. Unde manifestum est, quod semper de uno circulari loco movetur in alterum, et non quiescit, ut Zeno probare nitebatur. Et eodem modo se habet et in sphaera, et in omnibus aliis, quae infra locum proprium moventur: sicut rota, et columna, vel quicquid aliud hujusmodi.

LECTIO XII.

Impartibile quoquo modo moveri non posse, tripliciter ratione ostenditur.

Ostensis autem his, dicimus quod impartibile non contingit moveri, nisi secundum accidens, ut corpore moto, aut magnitudine, in qua est: sicut, si id quod in navi est, moveatur navis motu: aut pars, totius motu. Impartibile autem dico id, quod est secundum quantitatem indivisibile. Etenim partium motus alii sunt et secundum quod partium, et secundum quod totius motum: videbit autem in sphaera aliquis maxime differentiam. Non enim erit velocitas eorum quae juxta centrum sunt, et quae extra, et quae totius, sicut non uno existente motu. Sicut igitur dicebam, sic quidem contingit moveri impartibile, sicut in navi sedens navi eunte; per se autem non contingit.

Mutetur enim ex A B, in B C, sive ex magnitudine in magnitudinem, sive ex specie in speciem, sive secundum contradictionem: tempus autem sit, in quo primo mutatur D: ergo necesse est ut in tempore in quo mutatur aut in A B esse, aut in B C, aut aliquid quidem hujus in hoc, aliud vero in altero: omne enim quod mutatur sic se habuit: in utroque igitur non erit aliquid ipsius: partibile enim utique esset. At vero neque in B C; mutatum enim erit: concessum est autem mutari. Relinquitur igitur ipsum in A B esse, eo quo mutatur tempore: quiescet ergo. In eodem enim esse per tempus quoddam, quiescere est. Quare non contingit impartibile moveri, neque omnino mutari. Solum enim sic esset ipsius motus, si tempus esset ex ipsis nunc. Semper enim in ipso nunc motum esset, et mutatum: quare moveri quidem nequaquam est, mutatum autem esse semper. Hoc autem quod impossibile sit ostensum est: neque enim ex ipsis nunc tempus, neque linea ex ipsis punctis, neque motus ex momentis est. Nihil enim aliud facit hoc dicens, quam motum ex indivisibilibus: sicut si tempus ex ipsis nunc, aut magnitudinem ex punctis.

Amplius autem ex his manifestum est, quod neque punctum, neque aliud indivisibile ullum contingit moveri. Omne enim quod movetur, impossibile est prius per majus moveri seipso, quam aut per aequale, aut per minus. Si igitur hoc; manifestum est, quia et punctum per minus aut aequale movebitur primum. Quoniam autem indivisibile est, impossibile est minus moveri prius: per aequale ergo sibiipsi: quare erit linea ex punctis: semper enim per aequalem motum omnem lineam punctum mensurabit. Si autem hoc impossibile est, et moveri indivisibile impossibile est.

Amplius autem, si omne in tempore movetur, et in ipso autem nunc nihil: omne autem tempus divisibile: erit utique aliquod tempus minus quolibet eorum quae moventur, in quo movetur per tantum quantum ipsum motum est. Hoc igitur erit tempus in quo movetur, propter id quod movetur omne in tempore: tempus autem omne, divisibile esse ostensum est prius. Si igitur punctum movetur, erit aliquod tempus minus, in quo ipsum motum est. Sed impossibile est: in minori enim necesse minus moveri: quare erit divisibile id quod indivisibile est in

His demonstratis, dicimus, id quod partibus vacat, non posse moveri, nisi ex accidenti: veluti moto corpore, vel magnitudine, in quo inest: quemadmodum si id quod est in navigio, moveatur navigii latione, aut pars moveatur totius motu. Partibus autem vacare dico, quod est secundum quantitatem individuum. Etenim partium motus diversi sunt secundum ipsas partes, et secundum totius motionem. Quod discrimen etiam in globo maxime videre aliquis potest: quia non eadem celeritas erit partium quae sunt ad centrum, et externarum, et totius globi, tamquam non unus sit motus. Quemadmodum igitur diximus, ita potest moveri ex partibus quod partibus vacat, ut is qui in navigio sedet, navigio currente movetur; per se autem moveri non potest.

Mutetur enim ex *a b* in *b g*, sive ex magnitudine in magnitudinem, sive ex forma in formam, sive secundum contradictionem. Sit autem tempus, in quo primo mutatur, ubi *d*. Ergo necesse est, quo tempore illud mutatur, aut esse in *a b*, aut in *b g*, aut partem ejus in hoc, partem in altero: quicquid enim mutatur, ita se habebat. In utroque igitur non erit aliquid ipsius: quia partibus constaret. Sed nec erit in *b g*: quia mutatum erit: supponitur autem mutari. Relinquitur ergo, ut id sit in *a b*, quo tempore mutatur. Quiescet igitur. Nam in eodem esse per aliquod tempus, quiescere erat.

Quocirca quod caret partibus, non potest moveri, nec omnino mutari. Uno enim modo sic esse potest ejus motio, si tempus constet ex momentis: semper enim in momento res mota fuerit et mutata: adeo ut nunquam moveatur, sed semper mota sit. Hoc autem esse impossibile, probatum antea fuit: quia nec tempus ex momentis constat, nec linea ex punctis, nec motus ex terminis qui vocantur *cinemata*. Nihil enim aliud facit hoc dicit, quam motum constare ex iis quae partibus carent: perinde ac si tempus constitueret ex momentis, aut magnitudinem ex punctis.

Praeterea ex his quoque perspicuum est, nec punctum nec ullum aliud individuum posse moveri. Quicquid enim movetur, non potest prius transire majus se ipso, quam transeat vel aequale vel minus. Quod si est, apparet etiam punctum primo transiturum aut minus aut aequale. Quia vero est individuum, non potest prius transire minus: transibit igitur lineam sibi aequalem. Quapropter linea constabit ex punctis: quia punctum semper aequalem sibi transeundo metietur totam lineam. Quod si est impossibile, etiam moveri quod est individuum, est impossibile.

Praeterea, si omnis res in tempore movetur, in momento autem nihil movetur, omne vero tempus est dividuum: utique erit cuique mobili aliquod tempus eo minus, in quo movetur per spatium sibi aequale. Hoc enim erit tempus in quo movetur; propterea quod omnis res in tempore movetur; omne autem tempus esse dividuum antea probatum fuit. Si igitur punctum movetur, erit aliquod tempus minus eo tempore quo ipsum punctum movebatur. Atqui hoc est impossibile. Nam in minori tempore necesse est per minus spatium moveri.

minus, sicut et tempus in tempus. Solummodo enim movebitur impartibile et indivisibile, si erit in ipso nunc possibile moveri atomo. Ejusdem enim rationis est in ipso nunc moveri, et individuum aliquod moveri.

Quapropter quod individuum est, dividuum erit in minus, quemadmodum et tempus in tempus. Uno enim modo fieri potest ut moveatur quod partibus caret et est individuum, si moveri possit in momento individuo: quippe ejusdem rationis est, in momento moveri, et aliquod individuum moveri.

Postquam Philosophus solvit rationes Zenonis improbantis motum, hic intendit ostendere quod impartibile non movetur: per quod destruitur opinio Democriti, ponentis atomos per se mobiles. Et circa hoc duo facit. Primo proponit intentionem; secundo probat propositum, ibi, « Mutetur enim ex A B et « in B C. » Dicit ergo primo, quod suppositis his quae supra ostensa sunt, dicendum est, quod impartibile non potest moveri, nisi forte per accidens: sicut punctum movetur in toto corpore, vel quacumque alia magnitudine in qua est punctum, scilicet linea vel superficie. Moveri autem ad motum alterius contingit dupliciter. Uno modo, quando id quod movetur ad motum alterius non est aliqua pars ejus: sicut illud quod est in navi, movetur ad motum navis, et albedo etiam movetur ad motum corporis, cum non sit pars ejus. Alio modo sicut pars movetur ad motum totius. Et, quia impartibile dicitur multipliciter, sicut et partibile; ostendit quomodo accipiat hic impartibile: et dicit, quod impartibile hic dicitur illud quod est indivisibile secundum quantitatem. Dicitur enim et aliquid impartibile secundum speciem, sicut si dicamus ignem impartibilem, aut aerem: quia non potest resolvi in plura corpora specie diversa. Sed tale impartibile nihil prohibet moveri. Intendit ergo excludere motum ab impartibili secundum quantitatem. Et, quia dixerat quod pars movetur ad motum totius: et aliquis posset dicere quod pars nullo modo movetur; subjungit, quod sunt aliqui motus partium inquantum sunt partes, qui sunt diversi a motu totius inquantum est motus totius. Et hanc differentiam aliquis maxime potest considerare in motu sphaerico: quia non est eadem velocitas partium quae moventur circa centrum, et partium « quae sunt extra, » idest versus superficiem exteriorem sphaerae: et quae est etiam velocitas totius: ac si motus iste non sit unius, sed diversorum. Manifestum est enim quod velocius est quod in aequali tempore pertransit majorem magnitudinem. Dum autem sphaera movetur, manifestum est quod majorem circulum pertransit pars exterior sphaerae, quam pars interior: unde major est velocitas partis exterioris quam interioris: tamen velocitas totius est eadem cum velocitate interioris et exterioris partis. Ista autem diversitas motuum intelligenda est secundum quod partibus continui convenit moveri, scilicet in potentia. Unde actu est unus motus totius et partium; sed potentia sunt diversi motus partium, et ad invicem, et a motu totius. Et sic, cum dicitur pars moveri per accidens ad motum totius, est tale per accidens, quod est in potentia per se: quod non est de motu per accidens, secundum quod dicuntur accidentia vel formae per accidens moveri. Posita igitur distinctione ejus quod movetur, explicat suam intentionem: et dicit, quod id quod est impartibile secundum quantitatem, potest moveri quidem ad motum corporis per accidens, non tamquam pars: quia nulla magnitudo componitur ex indivisibilibus, ut ostensum est: sed

sicut movetur aliquid ad motum alterius, quod non est pars ejus: sicut sedens in navi movetur ad motum navis sed per se non contingit impartibile moveri. Hoc autem idem supra probavit non ex principali intentione, sed incidenter. Unde praeter rationem supra positam, hic magis explicat veritatem, et rationes addit efficaces ad propositum ostendendum.

Secundo ibi « mutetur enim »

Probat propositum tribus rationibus. Quarum prima talis est. Si ponatur quod impartibile movetur, moveatur ex A B in B C. Nec differt, quantum ad hanc rationem, utrum ista duo, scilicet A B et B C, sint duae magnitudines, sive duo loca, ut in motu locali, et augmenti et decrementi: vel duae species, idest duae qualitates, sicut in motu alterationis; vel sicut duo contradictorie opposita, ut in generatione et corruptione: et sit tempus E D, in quo aliquid mutatur de uno termino in alterum primo, idest non ratione partis. In hoc ergo tempore necesse est quod id quod mutatur, aut sit in A B, scilicet in termino a quo, aut in B C, idest in termino ad quem: aut aliquid ejus est in uno termino, alia vero pars ejus est in altero: omne enim quod mutatur, oportet quod aliquo horum trium modorum se habeat, sicut supradictum est. Non autem potest dari tertium membrum, scilicet quod sit in utroque secundum diversas partes sui: quia sic sequeretur quod esset partibile, et positum erat, quod esset impartibile. Sed similiter non potest dari secundum membrum, scilicet quod sit in B C, idest in termino ad quem; quia quando est in termino ad quem, tunc jam est mutatum, ut ex superioribus patet. Ponebatur tamen quod in hoc tempore mutaretur. Relinquitur ergo quod in hoc toto tempore, in quo mutatur indivisibile, sit in A B, et in termino a quo: ex quo sequitur quod quiescat: nihil enim est aliud quiescere quam quod aliquid sit in uno et eodem per totum aliquod tempus. Cum enim in quolibet tempore sit prius et posterius; si tempus sit divisibile, quicquid per aliquod tempus est in uno et eodem, similiter se habet nunc et prius, quod est quiescere. Sed hoc est impossibile, quod aliquid dum mutatur, quiescat: relinquitur ergo quod non contingit impartibile moveri, neque aliquo modo mutari. Hoc enim solo modo posset motus aliquis esse rei indivisibilis, si tempus componeretur ex ipsis nunc, quia in nunc est semper motum esse, vel mutatum. Et, quia quod motum est, inquantum hujusmodi, non movetur, sequitur quod in nunc nihil movetur, sed sit motum. Sic igitur posset poni indivisibile moveri in aliquo tempore, si tempus ex ipsis nunc componeretur; quia posset dari, quod in quolibet ipsorum nunc, ex quibus componitur tempus, esset in uno: et in toto tempore, idest in omnibus nunc, esset in multis: et sic in toto tempore moveretur, non autem in aliquo nunc. Sed quod hoc sit impossibile, scilicet tempus componi ex ipsis nunc, ostensum est prius. Ostensum est enim supra, quod neque tempus componitur ex ipsis nunc, neque linea ex ipsis punctis, neque motus componitur ex momentis, ut per momentum intelligamus hoc quod est mutatum esse. Qui enim hoc dicit, quod indivisibile movetur, aut quod motus componatur ex indivisibilibus, nihil aliud facit quam quod tempus componatur ex nunc, aut magnitudo ex punctis, quod est impossibile: ergo et impossibile est impartibile moveri.

Secundam rationem ponit ibi « amplius autem »

Et dicit, quod ex his quae sequuntur, potest esse manifestum, quod neque punctum, neque aliud quodcumque indivisibile, potest moveri. Et ista ratio specialis est de motu locali. Omne enim quod movetur secundum locum, impossibile est quod prius pertranseat majorem magnitudinem ipso mobili, quam aequalem vel minorem: sed semper mobile prius pertransit magnitudinem aequalem sibi aut minorem, quam majorem. Si ergo hoc ita se habet, manifestum est, quia et punctum si movetur, prius pertransibit aliquid minus se, aut aequale sibi, quam longitudinem majorem se. Sed impossibile est quod pertranseat aliquid minus se, quia est indivisibile: relinquitur ergo quod pertransibit aequale sibi: et ita oportet quod numeret omnia puncta quae sunt in linea: quia semper punctum, cum moveatur motu aequali lineae, propter hoc quod movetur per totam lineam, sequitur quod totam lineam mensuret. Hoc autem facit numerando omnia puncta: sequitur ergo quod

linea sit ex punctis. Si ergo hoc est impossibile, impossibile est quod indivisibile moveatur.

Tertiam rationem ponit ibi « amplius autem »

Quae talis est. Omne quod movetur, movetur in tempore, et nihil movetur in ipso nunc, ut supra probatum est. Ostensum est autem supra, quod omne tempus est divisibile: ergo in quolibet tempore, in quo aliquid movetur, erit accipere minus tempus, in quo movetur aliquod minus mobile: quia manifestum est quod supposita eadem velocitate, in minori tempore pertranseat minus mobile aliquod signum datum, quam mobile majus, sicut in minori tempore pars quam totum, ut ex superioribus patet. Si ergo punctum movetur, erit accipere aliquod tempus minus tempore, in quo ipsum movetur. Sed hoc est impossibile, quia sequeretur quod in illo minori tempore moveretur aliquid minus quam punctum, et sic indivisibile esset divisibile in aliquod minus, sicut tempus dividitur in tempus. Hoc enim solo modo posset moveri indivisibile, si esset possibile aliquid moveri in nunc indivisibili: quia sicut non esset accipere aliquod minus ipso nunc in quo movetur, ita non oporteret accipere aliquod minus mobile. Et sic patet quod ejusdem rationis est quod fiat motus in nunc, et quod indivisibile aliquod moveatur: hoc autem est impossibile, quod scilicet in nunc fiat motus: ergo impossibile est quod indivisibile moveatur.

LECTIO XIII.

Nullam mutationem infinitam esse, multis rationibus probatur.

Mutatio autem non est, neque una, infinita: omnis enim erat ex quodam in quiddam, et quae est in contradictione, et in contrariis. Quare earum quae sunt secundum contradictionem, affirmatio et negatio terminus est, ut generationis quidem esse, corruptionis autem non esse. Earum autem quae sunt in contrariis, contraria: haec enim ultima sunt mutationis: quare et alterationis omnis: ex contrariis enim quibusdam est alteratio. Similiter autem augmenti et decrementi: augmenti quidem terminus est, qui est secundum propriam naturam perfectae magnitudinis; decrementi, qui ab hac remotio.

Loci autem mutatio, sic quidem non erit finita: non enim omnis in contrariis est. Sed quoniam impossibile est decisum esse sic ex eo, quia non contingit decidi (multipliciter enim dicitur impossibile): non contingit sic impossibile decidi, neque omnino impossibile factum esse fieri, neque mutari impossibile contingit utique mutari, in quod impossibile est mutari. Si ergo quod fertur mutatur in aliquid, et possibile est mutari: quare non erit infinitus motus, neque feretur infinito; impossibile est enim transire ipsum. Quod igitur sic non sit infinita mutatio, ut non finiatur terminis, manifestum est.

Sed si sic contingit, ut tempore sit infinitus idem existens et unus, considerandum est. Non uno quidem enim facto nihil forte prohibet: ut si post loci mutationem alteratio sit, et post alterationem augmentum, et iterum generatio: sic enim semper quidem erit in temporum motus, sed non unus, propter id quod non est unus ex omnibus. Ut autem fiat unus non contingit infinitum esse tempore praeter unum: hic autem est circulatio.

Porro nulla mutatio est infinita: quandoquidem omnis est ex aliquo in aliquid, tam ea quae in contradictione, quam ea quae in contrariis spectatur. Quare mutationum earum quae in contradictione spectantur, affirmatio et negatio est terminus: ut generationis, ens: interitus autem; non-ens. Earum autem quae in contrariis spectantur, contraria sunt termini. Haec enim sunt extrema mutationis. Quocirca et omnis variationis: nam variatio ex contrariis quibusdam est. Similiter etiam accretionis et deminutionis. Accretionis enim terminus est finis magnitudinis, quae est secundum propriam naturam; deminutionis vero, ab hac magnitudine recessus.

Latio autem ita non erit terminata: non enim omnis in contrariis cernitur. Sed quia quod non potest sectum esse ita, ut non possit evenire ut sectum sit (pluribus enim modis impossibile dicitur), quod, inquam, ita est impossibile non potest secari: et omnino quod non potest esse factum, non potest fieri; nec quod non potest esse mutatum, poterit mutari in id quod non potest esse mutatum.

Ergo si id quod fertur, mutetur in aliquid, etiam poterit mutatum esse. Quapropter motus non erit infinitus, nec feretur per spatium infinitum, quoniam impossibile est id pertransire. Non esse igitur ita infinitam mutationem, ut terminis non finiatur, perspicuum est.

Sed considerandum est, an ita fieri possit, ut quum una et eadem sit, tempore sit infinita. Nisi eadem una sit, fortasse nihil prohibet: veluti si post lationem variatio fiat, et post variationem accretio, et iterum generatio: sic enim perpetuo quidem tempore erit motio, non tamen una, quia non est una ex omnibus. Sic autem ut sit una, non potest esse tempore infinita, praeter unam: haec autem est circuli conversio.

Postquam Philosophus ostendit quod impartibile non movetur, hic intendit ostendere, quod nulla mutatio est infinita: quod est contra Heraclitum, qui posuit omnia moveri semper. Et circa hoc duo facit. Primo ostendit quod nulla mutatio est infinita secundum propriam speciem; secundo ostendit quomodo possit esse infinita tempore, ibi, « Sed sic « contingit. » Circa primum duo facit. Primo ostendit, quod mutatio non est infinita secundum speciem in aliis mutationibus praeter motum localem; secundo ostendit idem in motu locali, ibi, « Loci autem « mutatio. » Prima ratio talis est. Supra dictum est, quod omnis mutatio est ex quodam in quiddam. Et in quibusdam quidem mutationibus, quae scilicet sunt inter contradictorie opposita, ut generatio et corruptio, vel inter contraria. ut alteratio et augmentum et decrementum, manifestum est quod habent praefixos terminos: unde in his mutationibus, quae sunt inter contradictorie opposita, terminus est vel affirmatio vel negatio: sicut terminus generationis est esse, corruptionis vero non esse. Similiter illarum mutationum quae sunt inter contraria, ipsa contraria sunt termini, ad quos, sicut ad quaedam ultima, mutationes hujusmodi terminantur. Unde sequitur, quod cum omnis alteratio sit de contrario in contrarium, quod omnis alteratio habeat aliquem terminum. Et similiter dicendum est in augmento et decremento: quia terminus augmenti est perfecta magnitudo: et dico perfectam secundum conditionem propriae naturae; alia enim perfectio magnitudinis competit homini et equo. Terminus autem decrementi est id quod contingit esse in tali natura maxime remotum a perfecta magnitudine. Et sic patet quod quaelibet praedictarum mutationum habet aliquid ultimum, in quod terminatur. Nihil autem tale est infinitum; ergo nulla praedictarum mutationum potest esse infinita.

Secundo ibi « loci autem »

Procedit ad loci mutationem. Et primo ostendit quod non est similis ratio de loci mutatione, et aliis mutationibus: non enim potest sic probari quod loci mutatio sit finita, sicut probatum est de aliis mutationibus, per hoc, quod determinantur ad aliqua contraria, vel contradictorie opposita: quia non omnis loci mutatio est inter contraria simpliciter. Dicuntur enim contraria quae maxime distant. Maxima autem distantia simpliciter, accipitur quidem in motibus naturalibus gravium et levium. Locus enim ignis a centro terrae habet maximam distantiam secundum distantias determinatas talibus corporibus in natura: unde tales mutationes sunt inter

contraria simpliciter. Unde de hujusmodi mutationibus posset ostendi quod non sunt infinitae, sicut de aliis. Sed maxima distantia in motibus violentis, aut voluntariis, non accipitur simpliciter secundum aliquos terminos certos, sed secundum propositum aut violentiam moventis, qui aut non vult, aut non potest ad majorem distantiam movere: unde est ibi secundum quid maxima distantia, et per consequens contrarietas, non autem simpliciter: et ideo non poterat ostendi per terminos, quod nulla mutatio localis esset infinita: unde consequenter hoc ostendit alia ratione, quae talis est. Illud quod impossibile est esse decisum, non contingit decidi. Et, quia multipliciter dicitur aliquid impossibile: (scilicet quod omnino non contingit esse et quod non de facili potest esse); ideo interponit de quo impossibili hic intelligat: intelligit enim de eo quod sic est impossibile, quod nullo modo contingit esse. Et eadem ratione id quod est impossibile factum esse, impossibile est fieri; sicut si impossibile est contradictoria esse simul, impossibile est hoc fieri. Et pari ratione illud quod impossibile est mutatum esse in aliquid, impossibile est quod mutetur in illud, quia nihil tendit ad impossibile. Sed omne quod mutatur secundum locum, mutatur in aliquid: ergo impossibile est per motum pervenire in illud. Sed infinitum non potest pertransiri. Non ergo fertur aliquid localiter per infinitum. Sic ergo nullus motus localis est infinitus. Et ita universaliter patet, quod nulla mutatio potest esse sic infinita, ut non terminetur certis terminis, a quibus speciem habet.

Deinde cum dicit « sed si sic »

Ostendit quomodo motus possit esse infinitus tempore: et dicit, quod considerandum est utrum contingat motum esse motum infinitum tempore, ut semper maneat unus et idem numero. Quod enim motus duret per infinitum tempus, non existente uno ipso motu, nihil prohibet: quod sub dubitatione dicit addens « forte, » quia posterius de hoc inquiret. Et ponit exemplum: sicut si dicamus, quod post loci mutationem est alteratio, et post alterationem, est augmentum: et post augmentum iterum generatio, et sic in infinitum: sic enim semper posset motus durare tempore infinito: sed non esset unus secundum numerum, quia ex hujusmodi motibus non fit unum numero, ut in quinto ostensum est. Sed quod motus duret tempore infinito, ita quod semper unus maneat numero, hoc non contingit nisi in una specie motus. Motus enim circularis potest durare unus et continuus tempore infinito, ut in octavo ostendetur.

LIBER SEPTIMUS

SUMMA LIBRI. — OMNE MOTUM HABERE MOTOREM, NEC PROCESSUM IN INFINITUM ESSE, SED OMNIA AD PRIMUM REDUCI OSTENDITUR. MOTUM ITEM SIMUL ESSE CUM EO, QUOD MOVET, INDUCTIONE PROBATUR: ET UTRUM OMNIS MOTUS OMNI MOTUI SIT COMPARABILIS, ET QUOMODO PERQUIRITUR.

LECTIO I.

Omne motum ab alio moveri proponitur.

ANTIQUA.

Omne autem quod movetur, necesse est ab aliquo moveri. Si igitur in seipso non habet principium motus, manifestum est quod ab altero movetur: aliud enim erit movens: si autem in seipso, accipiatur A B, quod moveatur secundum se, et non eo quod eorum, quae hujus sunt, aliquid movetur. Primum igitur opinari A B a seipso moveri propter id quod totum movetur, et a nullo exteriorum, simile est sicut siquis ipso D E movente E Z, et ipso moto, opinetur D E Z A seipso moveri propter id quod non videtur utrum ab utro moveatur: et utrum D E ab E Z, aut E Z a D E.

Amplius autem quod a seipso movetur, nullo modo pausabit cum movetur, in stando aliquid alterum, quod movetur. Necesse est ergo, si aliquid pausat quod movetur in stando aliquid alterum, hoc ab altero moveri. Hoc autem manifesto facto, necesse est omne quod movetur, moveri ab aliquo. Quoniam enim acceptum est A B moveri, divisibile erit: omne enim quod movetur divisibile est. Dividatur igitur in c. Necesse igitur, B c quiescente, quiescere et A B. Si enim non, accipiatur moveri: B c igitur quiescente, movebitur utique A c: non ergo movetur per se A B, sed concessum est per seipsum moveri primum. Manifestum igitur quod B c quiescente, quiescet et A B; et tunc pausabit quod movetur. Sed, si aliquid in quiescendo aliud stat, et pausat moveri, hoc ab altero movetur. Manifestum est igitur, quod omne quod movetur ab aliquo movetur, et non a se. Divisibile enim est omne quod movetur, et parte quiescente, quiescet totum.

RECENS.

Quicquid movetur, necesse est ut ab aliquo moveatur. Nam si in se ipso non habet principium motus, ab alio moveri perspicuum est. Si vero in se ipso habet, sumatur, ubi *a b*, id quod movetur, non quia pars ejus aliqua moveatur. Primum igitur existimare *a b* a se ipso moveri, quia totum movetur, et a nullo externo moveatur: perinde est ac si quis, quum *to d e* moveat *e z*, et ipsum quoque moveatur, existimet *d e z* a se ipso moveri, quia non perspiciat utrum ab utro moveatur, id est, utrum *to d e* moveatur ab *e z*, an *to e z* moveatur a *d e*.

Praeterea quod a se ipso movetur, nunquam moveri desinet, eo quod aliud quiddam motum sistatur. Necesse est igitur, si quid moveri desinit, eo quod aliud quiddam sistatur, hoc ab altero moveri. Quod quum perspicuum factum sit, necesse est quicquid movetur, moveri ab aliquo. Nam quia sumptum est *to a b* moveri, dividuum erit. Quicquid enim movetur, dividuum erat. Dividatur igitur ratione ipsius *g*: ergo necesse est, quum *to b g* quiescit, etiam *to a b* quiescere. Nisi enim ita sit, sumatur moveri. Ergo *b g* quiescente, movebitur *to a g*. Non igitur per se movetur *to a b*. Verum supponebatur per se moveri primum: patet igitur, futurum ut quiescente *g b*, quiescat etiam *to b a*, ac tum moveri desinat. Atqui si quid sistitur et moveri desinit eo quod aliud quiescit, hoc ab altero movetur: perspicuum igitur est, quicquid movetur, ab aliquo moveri. Quicquid enim movetur dividuum est, et parte quiescente, totum quiescet.

Postquam Philosophus in praecedentibus libris determinavit de motu secundum se, et de se consequentibus ad ipsum, et de partibus ejus; hic incipit determinare de motu per comparationem ad motores et mobilia. Et dividitur in partes duas. In prima ostendit esse primum motum et primum motorem. In secunda inquirit qualis sit motus primus et primus motor; et hoc in octavo libro, ibi, « Utrum autem motus aliquando etc. » Prima autem pars dividitur in partes duas. In prima parte ostendit esse primum motum, et primum motorem. Et, quia ea quae sunt unius ordinis habent aliquam comparationem adinvicem: ideo in secunda parte determinat de comparatione motuum adinvicem, ibi, « Dubitabit autem aliquis etc. » Circa primum tria facit. Primo praemittit quoddam, quo indiget ad propositum ostendendum; secundo ostendit propositum, ibi, « Quoniam autem omne quod movetur. »

Tertio manifestat quoddam quod supposuerat, ibi, « Primum autem movens etc. » Proponit ergo primo, quod necesse est, omne quod movetur, ab aliquo alio moveri. Quod quidem in aliquibus est manifestum. Sunt enim quaedam, quae non habent in seipsis principium sui motus, sed principium motus ipsorum est ab extrinseco, sicut in his quae per violentiam moventur. Si ergo aliquid sit, quod non habeat in seipso principium sui motus, sed principium sui motus est ab extrinseco, manifestum est quod ab alio movetur. Si vero sit aliquod mobile, quod habeat in seipso principium sui motus; circa hoc potest esse dubium, an ab alio moveatur: et ideo circa hoc instat, ad ostendendum quod ab alio movetur. Si ergo aliquid tale ponatur non moveri ab alio, accipiatur mobile A B, cui quidem moveri conveniat secundum se et primo, non autem ex eo quod aliqua pars ejus movetur: sic enim non moveretur secundum se, sed secundum partem. Oportet autem, si aliquid movet seipsum non motum ab altero, quod sit primo et per se motum: sicut si aliquid est calidum non ab alio, oportet quod sit primo et per se calidum. Hoc ergo dato, procedit ad propositum ostendendum dupliciter. Primo quidem excludendo illud unde maxime videri posset quod aliquid non ab alio moveatur; secundo directe ostendendo, quod nihil potest a seipso moveri, ibi, « Amplius autem quod a seipso movetur, etc. » Id autem, ex quo maxime videtur, quod aliquid non moveatur ab alio, est, quia non movetur ab aliquo exteriori, sed ab ipso interiori principio. Dicit ergo primo, quod opinari quod A B moveatur a seipso, propter hoc quod totum movetur, et non movetur ab aliquo exteriori, simile est ac si aliquis diceret, quod mobile, cujus una pars movetur, et alia movet, moveat seipsum, propter hoc, quod non discernitur quae pars sit movens et quae sit mota: sicut, si hujusmodi mobilis, quod est D E Z, pars quae est D E, moveat partem quae est E Z, et non videatur quae pars earum sit movens, et quae sit mota. Vult autem per primum mobile A B, quod totum moveatur, et a principio interiori movente, intelligi aliquod corpus animatum, quod totum movetur ab anima. Per mobile autem D E Z vult intelligi corpus aliquod, quod non totum movetur, sed una pars ejus corporalis est movens, et alia mota: in quo quidem mobili manifestum est quod id quod movetur ab alio movetur: et ex hoc vult simile ostendere de corpore animato, quod videtur movere seipsum. Hoc enim ei convenit inquantum una pars aliam movet, scilicet anima corpus, ut in octavo plenius ostendetur.

Secundo ibi « amplius quod »

Ostendit directe, quod omne quod movetur, ab alio movetur, tali ratione. Omne quod movetur a seipso, non quiescit a suo motu, per quietem cujuscumque alterius mobilis; et hoc accipit (1) quasi per se notum. Ex hoc autem ulterius concludit, quod si aliquod mobile quiescit ad quietem alterius, quod hoc movetur ab altero. Hoc autem supposito, concludit quod necesse est, omne quod movetur, ab aliquo alio moveri. Et quod hoc sequitur ex praemissis, sic probat. Illud mobile, quod supposuimus a seipso moveri, scilicet A B, oportet divisibile esse; quia omne quod movetur est divisibile, ut supra probatum est. Et, quia divisibile est, nullum inconveniens, sequitur, si dividatur. Dividatur ergo in puncto C, ita quod una pars ejus sit B C, et alia A C. Si ergo B C est pars ejus quod est A B, necesse est quod quiescente B C parte, quiescat totum A B. Si ergo non quiescat totum quiescente parte: accipiatur quod totum moveatur, et una pars quiescat. Sed, quia pars ponitur quiescere, non poterit poni totum moveri nisi ratione alterius partis. Sic ergo B C quiescente, quod est una pars, movetur A C, quod est alia pars. Sed nullum totum cujus una sola pars movetur, movetur primo et per se: non ergo movebitur A B primo et per se: quod erat suppositum. Ergo oportet quod B C quiescente, quiescat totum A B. Et sic illud quod movetur pausabit, id est desinet moveri ad quietem alterius. Sed supra habitum est, quod, si aliquid quiescit et desinit moveri ad quietem alterius, hoc ab altero movetur: ergo A B ab altero movetur. Et eadem ratio est de quolibet alio mobili: quia omne quod movetur

est divisibile: et eadem ratione oportet quod quiescente parte quiescat totum. Manifestum est ergo, quod omne quod movetur, ab aliquo alio movetur.

Contra istam autem Aristotelis probationem multipliciter objicitur. Objicit enim Galenus contra hoc quod dicit Aristoteles quod si una tantum pars ejus mobilis moveatur, et reliqua quiescat, quod totum non per se movetur: dicens hoc esse falsum: quia ea quae moventur secundum partem, per se moventur. Sed deceptus est Galenus ex aequivocatione ejus quod est per se. Per se enim quandoque sumitur secundum quod opponitur ei tantum quod est per accidens; et sic quod movetur secundum partem movetur per se, ut Galenus intellexit. Quandoque vero sumitur secundum quod opponitur simul ei quod est per accidens, et ei quod est secundum partem; et hoc dicitur non solum per se, sed etiam primo. Et sic accipit Per se Aristoteles, hic: quod patet, quia cum conclusisset « non ergo « movetur per se A B, » subjungit: « Sed concessum « est quod per se ipsum moveri primum. » Sed magis urget objectio Avicennae, qui objicit contra hanc rationem, dicens eam procedere ex suppositione impossibilis, ex quo sequitur impossibile, et non ex eo quod ponitur aliquid a seipso moveri. Si enim ponamus aliquod mobile a seipso moveri primo et per se, naturale est ei quod moveatur et secundum totum et secundum partes. Si ergo ponatur quod aliqua pars ejus quiescat, erit positio impossibilis; et ex hac positione sequitur impossibile, ad quod Aristoteles inducit, scilicet quod totum moveatur non primo et per se, ut positum est. Huic autem objectioni posset aliquis obviare, dicendo, quod licet impossibile sit partem quiescere secundum determinatam naturam, inquantum est corpus talis speciei, ut puta caelum vel ignis; non est tamen impossibile, si ratio communis corporis consideretur: quia corpus, inquantum corpus, non prohibetur quiescere vel moveri. Sed hanc responsionem excludit Avicenna, dupliciter. Primo quidem, quia pari ratione posset dici de toto corpore, quod non prohibetur quiescere, ex hoc quod corpus est, sicut dicitur de parte; et ita superfluum fuit assumere ad probationem propositi divisionem mobilis et quietem partis. Secundo, quia aliqua propositio simpliciter redditur impossibilis, si praedicatum repugnet subjecto ratione differentiae specificae, quamvis non repugnet ei ratione generis. Est enim impossibile quod homo sit irrationalis, quamvis non impediatur irrationalem esse ex hoc, quod est animal. Sic igitur simpliciter impossibile est, quod pars corporis moventis seipsum quiescat, quia hoc est contra rationem talis corporis, licet non sit contra rationem communem corporis. Hac igitur responsione remota, Averrois aliter solvit: et dicit, quod aliqua conditionalis potest esse vera, cujus antecedens est impossibile, et consequens est impossibile; sicut ista, si homo est asinus, est animal irrationale. Concedendum est ergo, quod impossibile est, quod si aliquod mobile ponitur movere seipsum, quod vel totum vel pars ejus quiescat: sicut impossibile est ignem non esse calidum, propter hoc quod est sibiipsi causa caloris. Unde haec conditionalis est vera: si mobilis moventis seipsum pars quiescit, totum quiescit. Aristoteles autem, si verba ejus diligenter considerentur, nunquam utitur quiete partis, nisi per locutionem habentem vim conditionalis propositionis. Non enim dicit quod quiescat

(1) Al. accidit.

B C; sed « necesse est, B C quiescente, quiescere et « A B. » Et iterum « quiescente parte, quievit totum. » Et ex hac conditionali vera, Aristoteles propositum demonstrat. Sed dicit Averrois, quod ista demonstratio non est de genere demonstrationum simpliciter, sed de genere demonstrationum quae dicuntur demonstrationes signi, vel demonstrationes quia, in quibus est usus talium conditionalium. Est autem haec solutio conveniens quantum ad hoc quod dicit de veritate conditionalis. Sed videtur dicendum, quod non sit demonstratio quia, sed propter quid: continet enim causam, quare impossibile est aliquod mobile movere seipsum. Ad cujus evidentiam sciendum est, quod aliquid movere seipsum nihil aliud est, quam esse sibi causa motus. Quod autem est sibi causa alicujus, oportet quod primo ei conveniat: quia quod est primum in quolibet genere est causa eorum quae sunt post: unde ignis, qui sibi et aliis est causa caloris, est primum calidum. Ostendit autem Aristoteles, in sexto, quod in motu non invenitur primum neque ex parte temporis, neque ex parte magnitudinis, neque etiam ex parte mobilis, propter horum divisibilitatem. Non ergo potest inveniri primum, cujus motus non dependeat ab aliquo priori: motus enim totius dependet a motibus partium, et dividitur in eas, ut in

sexto probatum est. Sic ergo ostendit Aristoteles, causam quare nullum mobile movet seipsum: quia non potest esse primum mobile, cujus motus non dependeat a partibus: sicut si ostenderem, quod nullum divisibile potest esse primum ens: quia esse cujuslibet divisibilis dependet a partibus: ut sic haec conditionalis sit vera: si pars non movetur, totum non movetur: sicut haec conditionalis est vera: si pars non est, totum non est. Unde et Platonici, qui posuerunt aliqua movere seipsa, dixerunt quod nullum corporeum aut divisibile movet seipsum: sed movere seipsum est tantummodo substantiae spiritualis, quae intelligit seipsam, et amat seipsam (universaliter omnes operationes motus appellando): quia et hujusmodi operationes, scilicet sentire et intelligere, etiam Aristoteles, in tertio de Anima, nominat motum, secundum quod motus est actus perfecti. Sed hic loquitur de motu secundum quod est actus imperfecti, id est existentis in potentia, secundum quem motum indivisibile non movetur, ut in sexto probatum est, et hic assumitur. Et sic patet, quod Aristoteles, ponens, omne quod movetur, ab alio moveri; a Platone, qui posuit aliquid movere seipsum, non dissentit in sententia, sed solum in verbis.

LECTIO II.

In moventibus ac motis in infinitum non procedi; sed primum motum ac motorem dari, tum supposito, tum simpliciter probatur.

ANTIQUA.

Quoniam autem omne quod movetur, ab aliquo movetur, necesse est et omne quod movetur in loco, moveri ab altero: et movens igitur ab altero, quoniam et ipsum movetur, et iterum hoc ab altero: non autem in infinitum abibit, sed stabit alicubi; et erit aliquid, quod primo causa erit motus.

Si enim non est, sed in infinitum procedet, sit A quidem, quod ab ipso B moveatur: B vero ab ipso C: C autem ab ipso D, et hoc igitur modo in infinitum ascendat. Quoniam ergo simul movens movetur et ipsum quod movetur; manifestum est. quoniam simul movetur et A et B: cum enim movetur A, movebitur B; et cum movetur B; et ipsum C; et cum C, ipsum D: erit igitur simul motus, qui est A et B, et reliquorum uniuscujusque: et accipere igitur unumquodque istorum poterimus: et namque si unumquodque ab unoquoque movetur, nihilominus unus numero uniuscujusque est motus, et non infiniti in ultimis; quoniam quod movetur omne, ex quodam in quiddam movetur, aut numero accidit eumdem esse motum, aut genere, aut specie. Numero quidem igitur dico eumdem motum, qui ex eodem in idem numero, et in tempore eodem fit; ut ex hoc albo, quod est unum numero, in hoc nigrum, secundum hoc tempus, quod est unum numero: si enim secundum aliud, non adhuc unus erit numero, sed specie. Genere autem motus unus est, qui in eodem praedicamento substantiae vel alterius generis est. Specie autem, qui ex eadem specie in idem specie: ut ex albo in nigrum, aut ex bono in malum: haec autem dicta sunt et in Prioribus. Accipiatur igitur qui est motus ipsius A; et sit in quo est E, et qui est ipsius B, sit in quo Z, et qui est C D, in quo G T: et tempus in quo moveatur A sit K. Determinato autem motu ipsius A, determinatum erit et tempus; et non infinitum erit, quod est K; sed in eodem tempore motum est A B, et reliquorum unumquodque. Accidit ergo motum, qui est E Z

RECENS.

Quoniam autem quicquid movetur, ab aliquo movetur, necesse est etiam quicquid movetur in alio, moveri ab alio. Ergo et quod movet, ab altero movetur, quando ipsum quoque movetur: et rursus hoc altero.

Non tamen in infinitum procedit: sed alicubi sistetur, et erit aliquid quod primo causa erit motionis.

Nisi enim ita sit, sed in infinitum procedat, moveatur *to a a b;* et *to b a g,* et *to g a d:* et hoc modo in infinitum progrediatur. Quoniam igitur id quod movet, ipsum quoque simul movetur: manifestum est simul motum iri et *a* et *b*: moto enim *b,* movebitur etiam *to a:* ergo et moto *b,* movebitur *to g:* et moto *g,* movebitur *to d.* Simul igitur erit motus *tou a* et *tou b* et *tou g,* et ceterorum cujusque. Ergo et horum unumquodque sumere poterimus: nam etsi singula a singulis moventur, nihilominus una numero est cujusque motio, non infinita extremis: quia quicquid movetur, ab aliquo in aliquid movetur.

Aut enim numero accidit eumdem motum esse, aut specie. Ac numero quidem dico eumdem motum esse eum qui ex eodem in idem numero fit, in tempore quod est idem numero: ut ex hoc albo, quod est unum numero, in hoc nigrum, hoc tempore quod unum numero est: nam si alio tempore, non erit amplius unus motus numero, sed specie. Genere autem idem motus est, qui fit in eadem categoria sive substantiae, sive generis. Specie vero, qui fit ex eodem specie, in idem specie: ut ex albo in nigrum, aut ex bono in malum. Sed haec etiam in superioribus tradita fuerunt.

Sumatur igitur motus *tou a,* et sit ubi *to e:* et motus *tou b,* ubi *to z:* et motus *tou g d,* ubi *to e th.* Et tempus, quo movetur *to a,* sit *k.* Quum igitur motus *tou a* sit definitus, etiam tempus *k* erit finitum, non infinitum. Atqui eodem tempore movebatur *to a,* et *to b,* et ceterorum unumquodque

a τ, cum sit infinitus, in tempore finito moveri, quod est κ: in quo enim ᴧ motum est, et quae sunt ipsius consequenter omnia mota sunt infinita: quare in eodem movetur. Etenim aut aequalis motus erit, qui est ipsius ᴧ, ipsi qui в, aut major: differt autem nihil: penitus enim infinitum motum infinito tempore accidit moveri: hoc autem impossibile est.

Sic igitur videtur demonstrari id quod est a principio: non tamen demonstratur, propter hoc, quod nullum inconveniens accidit. Contingit enim in finito tempore infinitum motum esse, non eumdem autem, sed alterum et alterum, multis et infinitis motis. Qnod quidem accidit et in his quae nunc diximus.

Sed, si id quod movetur primo secundum locum et corporalem motum, necesse est tangi, aut continuum esse moventi, sicut videtur hoc in omnibus contingere; erit enim ex omnibus unum ipsum totum, aut continuum. Hoc igitur contingens accipiatur: et sit magnitudo quidem: aut continuum, in quo sunt ᴧ в c d: hujus autem motus est ᴇ ꜰ ɢ ʜ. Differt autem nihil magnitudinem finitam aut infinitam esse: similiter enim in finito tempore, quod est κ, movebitur aut finita, aut infinita. Horum autem utrumque impossibile est. Manifestum igitur quod stabit aliquando, et non in infinitum abibit, quod semper ab altero; sed erit aliquid quod primum movebitur. Nihil autem differat, concesso quodam, hoc demonstrari. Contingenti enim concesso, nullum inconveniens poterit accidere.

accidit igitur, ut motus e α e th, quum sit infinitus, fiat finito tempore k: nam quo tempore to a movebatur, etiam reliqua omnia quae post a deinceps sunt, movebantur, quum sint infinita: quocirca eodem tempore moventur. Etenim vel aequalis erit motus tou a motui tou b [et reliquorum]: vel major Sed nihil refert. Nam omnino accidit infinitum motum finito tempore fieri: quod est impossibile.

Sic igitur videri potest probari quod ab initio fuit quaesitum: non tamen probatur, propterea quod nihil absurdi accidit. Potest enim finito tempore motus infinitus esse, non tamen idem, sed alius atque alius, quum multae et infinitae res moveantur: quod quidem evenit etiam in his quae nunc sumpsimus.

Verum si id quod primo secundum locum et corporali motu cietur, necesse est ut tangat vel continuum sit ei quod movet, quemadmodum videmus in omnibus hoc accidere (nam totum erit ex omnibus unum; aut continuum): jam quod esse potest, sumatur, ac sit magnitudo vel continuum, ubi a b g d: hujus autem motio sit e z e th. Nihil autem interest, utrum finitum, sit, an infinitum: aeque enim finito tempore k movebitur vel infinitum, vel finitum: quorum utrumque est impossibile.

Perspicuum igitur est fore aliquando ut sistatur; nea progredi in infinitum semper ab alio moveri: sed fore aliquid, quod primum movebit. Nihil autem intersit, supposito aliquo, hoc probari: quia posito eo quod esse potest, nihil absurdi evenire oportet.

Postquam ostendit Philosophus, quod omne quod movetur, movetur ab alio, hic accedit ad principale propositum ostendendum: scilicet quod sit primus motus, et primus motor. Et circa hoc duo facit. Primo proponit quod intendit; secundo probat propositum, ibi, « Si enim non est, sed in infinitum procedet etc. » Dicit ergo primo, quod, cum ostensum sit universaliter, quod omne quod movetur, ab aliquo alio movetur; necesse est hoc etiam verum esse in motu locali; scilicet ut omne quod movetur in loco, ab altero moveatur. Applicat autem specialiter ad motum localem, quod supra universaliter demonstratum est, quia motus localis est primus motuum, ut in octavo ostendetur: et ideo secundum hunc motum procedit hic ad demonstrandum primum motorem. Accipiatur igitur aliquid quod movetur secundum locum: hoc movetur ab altero: aut ergo illud alterum movetur, aut non. Si non movetur, habetur propositum, scilicet quod aliquid sit movens immobile, quod est proprietas primi moventis. Si autem et ipsum movens movetur, oportet quod moveatur ab altero movente: et hoc iterum movens si et ipsum movetur, ab altero. Sed hoc non potest procedere in infinitum, sed oportet in aliquo stare: erit ergo aliquod primum movens quod erit prima causa motus; ita scilicet quod ipsum non movetur, sed movet alia.

Secundo ibi « si enim »

Probat quod supposuerat. Et circa hoc tria facit. Primo inducit probationem. Secundo ostendit probationem esse insufficientem, ibi, « Sic igitur videtur etc. » Tertio supplet quoddam per quod ratio fortificatur, ibi, « Sed si quod movetur. » Dicit ergo primo, quod si hoc non concedatur, quod sit aliqua prima causa motus (cum omne quod movetur ab alio moveatur), sequitur quod procedatur in infinitum in moventibus et motis: et hoc ostendit esse impossibile. Sit enim ᴧ quoddam quod movetur secundum locum, et moveatur ab ipso в: в vero a c: c vero a d, et sic procedatur in infinitum ascendendo: manifestum est autem, quod cum aliquid movet ex eo quod movetur, simul movetur movens et ipsum mobile; sicut, si ma-

nus suo motu movet baculum, simul movetur manus et baculus. Sic ergo simul movetur в, quando movetur ᴧ: et eadem ratione, quando movetur в, simul movetur c, et cum movetur c simul movetur d. Sic ergo simul et in eodem tempore est motus ipsius ᴧ et omnium aliorum: et poterit seorsum accipi motus uniuscujusque horum infinitorum. Et quamvis unumquodque horum mobilium moveatur ab unoquoque moventium, non ita quod unum ab omnibus, sed singula a singulis: nihilominus tamen, licet sint infinita moventia et mobilia, tamen uniuscujusque mobilium motus est unus numero. Et licet omnes motus sint infiniti numero: non tamen sunt infiniti « in ultimis, » idest per privationem ultimorum; sed uniuscujusque motus est finitus habens determinata ultima. Et quod uniuscujusque infinitorum mobilium motus sit unus numero et finitus probat. Quia, quod omne quod movetur, moveatur inter duos terminos, ex quodam scilicet in quiddam; necesse est, quod secundum diversum modum identitatis terminorum, etiam ipse motus sit diversimode unus; scilicet aut numero, aut specie, aut genere. Numero quidem est idem motus, qui est ex eodem termino a quo in idem numero, sicut in terminum ad quem: ita tamen quod sit etiam in eodem numero tempore: et cum hoc oportet quod sit ejusdem mobilis numero. Et ad exponendum quod dixerat, subjungit quod motus numero unus est ex eodem in idem; sicut ex hoc albo, quod significat unum numero, in hoc nigrum, quod etiam nominat aliquid idem numero; et secundum hoc tempus determinatum, quod etiam est unum numero: quia, si esset motus secundum aliud tempus, licet aequale, non esset numero unus, sed specie tantum. Sed motus est unus genere, qui est in eodem praedicamento, vel substantiae vel cujuscumque alterius generis; sicut omnis generatio substantiae est eadem genere, et omnis alteratio similiter. Sed motus est specie unus, qui est ex eodem secundum speciem, in idem secundum speciem; sicut omnis denigratio, quae est ex albo in nigrum, est eadem specie, et omnis depravatio, quae est ex bono in malum. Et haec etiam in quinto dicta sunt. His igitur duobus suppositis, scilicet quod simul movetur et movens et motum: et quod potest accipi motus uniuscujusque mobilium tamquam finitus et unus; accipiatur motus hujus mobilis quod est A, et sit E: et motus ipsius B sit z, et motus C D et omnium consequentium sit G T. Tempus autem in quo movetur A, sit R. Sed, quia motus ipsius A est determinatus, idest finitus; etiam tempus in quo est iste motus, scilicet E, (1) est determinatum et non infinitum, quia; sicut in sexto, ostensum est, finitum et infinitum simul invenitur in tempore et motu. Ex dictis autem patet, quod in eodem tempore in quo movetur A, movetur et B, et omnia alia: ergo motus omnium qui est E z G T, est in tempore finito. Sed iste motus est infinitus, cum sit infinitorum: ergo sequetur quod motus infinitus sit in tempore finito, quod est impossibile. Hoc autem ideo sequitur, quia in quo tempore movetur A, moventur omnia alia, quae sunt infinita numero. Nec differt, quantum ad propositum pertinet, utrum motus omnium mobilium sit aequalis velocitatis: aut inferiora mobilia tardius moveantur, et in majori tempore: quia omnino sequetur quod motus infinitus sit in tempore finito; quia unumquodque mobilium necesse est quod habeat velocitatem et tarditatem finitam. Hoc autem est impossibile, scilicet motum infinitum esse in tempore finito: ergo et primum est impossibile, scilicet quod procedatur in mobilibus et moventibus in infinitum.

Secundo ibi « sic igitur »

Ostendit quod praecedens ratio non efficaciter concludit; et dicit, quod praedicto modo videtur demonstrari principale propositum, scilicet quod non in infinitum procedatur in moventibus et motis; non tamen efficaciter demonstratur: quia nullum inconveniens accidit ex praemissis. Contingens est enim et possibile, quod in tempore finito sit motus infinitus: ita tamen quod non sit unus et idem, sed alius et alius, inquantum scilicet infinita sunt quae moventur: nihil enim prohibet infinita in tempore finito moveri simul. Et hoc concludebat ratio praedicta: erant enim mobilia infinita diversa; et sic motus eorum erant diversi; quia ad unitatem motus non solum requiritur unitas temporis et termini, sed etiam unitas mobilis, ut in quinto dictum est.

Tertio ibi « sed si id »

Ostendit quomodo praedicta ratio efficaciam habere possit. Et primo quomodo habeat efficaciam ex suppositione facta. Secundo quomodo habeat efficaciam simpliciter, ibi, « Nihil autem differt, etc. »
Dicit ergo primo, quod id quod localiter et corporaliter movetur primo et immediate ab aliquo mobili movente, necesse est quod tangatur ab eo, sicut baculus tangitur a manu: vel quod continuetur ei sicut continuatur una pars aëris alteri, et sicut pars continuatur animali. Et hoc videtur contingere in omnibus, quod movens semper conjungitur mobili altero istorum modorum. Accipiatur ergo alter istorum modorum: scilicet quod ex omnibus infinitis mobilibus et moventibus efficiatur unum, scilicet ipsum totum universum per continuationem quamdam. Hoc ergo, quia contingens est, supponatur: et istud totum, quod est quaedam ma-

gnitudo et continuum, vocetur A B C D: et motus ejus vocetur E F G H. Et, quia posset aliquis dicere quod E F G H erat motus finitorum mobilium, et ita non potest esse motus totius infiniti: subjungit, quod nihil differt, quantum ad propositum pertinet, utrum accipiatur finita magnitudo quae movetur, aut infinita. Sicut enim simul quando movebatur A, in tempore scilicet finito, quod est K, movetur quodlibet finitorum mobilium, quae sunt numero infinita; ita etiam simul in eodem tempore movetur tota magnitudo infinita. Sequitur ergo impossibile, quodcumque horum detur: sive quod sit magnitudo finita constans ex magnitudinibus numero infinitis, sive quod sit magnitudo infinita, et motus ejus in tempore finito: cum sit ostensum supra, quod mobile infinitum non potest moveri tempore finito. Ergo impossibile est hoc ex quo sequebatur, scilicet quod procedatur in infinitum in moventibus et motis. Manifestum est ergo, quod hoc, quod unum moveatur ab altero, non procedit in infinitum: sed stabit alicubi; et erit aliquod primum mobile, quod scilicet moveatur ab altero immobili. Et, quia praedicta probatio procedit supposito quodam, scilicet quod omnia infinita moventia et mota continuentur adinvicem, et constituant unam magnitudinem; et sic posset alicui videri quod non simpliciter concludatur: ideo subjungit quod non differt hanc demonstrationem processisse quodam supposito: quia ex contingenti supposito, etiam si sit falsum, non potest sequi aliquod impossibile. Cum ergo praedicta ratio ducat ad impossibile, illud impossibile non sequitur ex isto contingenti supposito: sed ex alio, quod oportet esse impossibile, cum ex eo impossibile sequatur. Et sic patet quod in demonstrationibus ad impossibile ducentibus, nil refert utrum accipiatur falsum contingens adjunctum impossibili, vel verum: ostenditur enim impossibile illud, ex quo, cum adjunctione contingentis falsi, sequitur impossibile, sicut ex eo impossibile sequeretur adjuncto quodam vero: quia sicut ex vero non potest sequi impossibile, ita nec ex contingenti. Sed potest aliquis dicere, quod non est contingens, omnia mobilia continuari; sed impossibile est continuari elementa adinvicem, et cum caelestibus corporibus. Sed dicendum, quod alio modo accipitur contingens et impossibile cum demonstratur aliquid de genere, et cum demonstratur aliquid de specie: quia, cum agitur de specie, oportet accipi ut impossibile esse illud cui repugnat vel genus vel differentia speciei, ex quibus ratio speciei constituitur. Cum vero agitur de genere, accipitur ut contingens omne illud cui non repugnat ratio generis, licet ei repugnet ratio constituens speciem; sicut si loquerer de animali, possem accipere ut contingens, quod omne animal esset alatum: si descenderem ad considerationem hominis, impossibile esset hoc animal esse alatum. Quia igitur Aristoteles hic loquitur de mobilibus et moventibus in communi, nondum applicando ad determinata mobilia: esse autem contiguum vel continuum indifferenter se habet ad rationem moventis et mobilis: ideo accepit ut contingens, quod omnia mobilia sint continua adinvicem. Quod tamen est impossibile, si mobilia considerentur secundum suas naturas determinatas.

LECTIO III.

In motu locali, movens simul esse cum eo quod movetur monstratur.

ANTIQUA.

Primum autem movens, non sicut cujus causa, sed unde est principium motus, est simul cum eo quod movetur. Simul autem dico, quia nihil ipsorum medium est: hoc enim commune est in omni quod movetur, et quod movet.

Quoniam autem tres sunt motus: et qui secundum locum, et qui secundum qualitatem, et qui secundum quantitatem: necesse est et ea quae moventur tria esse. Qui quidem igitur secundum locum, Loci mutatio: qui vero secundum qualitatem, Alteratio; qui vero secundum quantitatem, Augmentum vel Decrementum. Primum quidem igitur de loci mutatione dicamus: haec enim primus motuum est.

Omne igitur quod fertur, aut ipsum a seipso movetur, aut ab altero. Si igitur a seipso, manifestum est, quod cum in ipso movens sit, simul movens et quod movetur erit, et nullum illius medium.

Quod autem ab alio movetur, quadrifariam movetur. Qui enim sunt ab altero motus, quatuor sunt: Pulsio, Tractio, Vectio, Vertigo. Et namque omnes alios in hos reduci accidit.

Pulsionis igitur, alia impulsio, alia expulsio. Impulsio quidem est cum movens ei quod movetur non deficit; Expulsio, cum expellens deficit.

Vectio autem in tribus erit motibus. Quod quidem vehitur secundum se movetur, sed secundum accidens. In eo enim quod est in eo quod movetur, aut super id quod movetur, movetur ipsum. Vehens autem movetur, aut pulsum, aut tractum, aut vertigine ductum. Manifestum igitur, quoniam vectio in tribus motibus erit.

Tractio autem est, cum etenim ad ipsum, vel ad alterum velocior sit motus trahentis non separatus ab eo qui trahitur; et namque ad ipsum est tractio, et ad alterum. Et reliqui tractus idem specie in hos reducuntur: ut inspiratio, et expiratio, et spuitio; et quicumque corporum emissivi aut receptivi sunt: et Spathesis et cercisis (1). Aliud est quidem ipsorum congregatio, aliud disgregatio. Et omnis igitur motus qui est secundum locum, aggregatio et disgregatio est.

Vertigo autem componitur quidem ex tractu et pulsione: hoc quidem pellit movens, illud autem trahit.

Manifestum igitur est quod, si simul pellens et trahens est cum eo quod pellitur et trahitur, nullum medium ejus quod movetur et moventis est.

Hoc autem manifestum ex dictis (2). Pulsio quidem aut a seipso, aut ab alio ad aliud motus est. Tractus autem, ab alio ad ipsum, aut ad aliud est. Adhuc autem synosis et diosis.

Projectio autem, quando velocior motus fiat quam qui secundum naturam lati fortiori facta pulsione: et hoc facto tamdiu accidit ferri, quousque fortior sit motus ejus quod fert. Manifestum igitur, quoniam quod movetur et movens simul sunt, et nullum medium est ipsorum.

(1) *Al.* radiatio.
(2) *Al.* ex definitionibus.

RECENS.

Quod autem primum movet, non ut id cujus gratia, sed unde principium motus, simul est cum eo quod movetur. Simul autem dico; quia nihil est his interjectum. Hoc enim commune est omni rei quae movetur et quae movet.

Quum autem tres sint motus, nempe in loco, in quantitate, et in qualitate; necesse est tria quoque esse quae moventur. Motus igitur qui fit in loco, est latio. Qui autem in qualitate, variatio. Qui vero in quantitate, accretio et deminutio. Primum igitur de latione dicamus: hic enim est motuum primus. Quicquid igitur fertur, vel a se movetur, vel ab alio. Quaecumque igitur ipsa a se ipsis moventur, in his perspicuum est, simul esse quod movetur et quod movet: inest enim ipsis id quod primum movet. Quare nihil est interjectum. Quaecumque vero ab alio moventur, quatuor modis moveri necesse est: quatuor enim sunt species lationis quae ab alio fit, tractus, pulsus, vectio, conversio. Omnes enim motus qui in loco fiunt, ad hos reducuntur. Etenim impulsio est pulsus quidam, quum id quod a se pellit, sequitur rem quam pellit. Depulsio vero est, quum non sequitur movendo. Jactus autem, quum vehementiorem motum efficit, quo rem a se pellit, quam sit illius rei latio naturalis, et ea res eo usque fertur, donec motio vim suam retinet. Rursus dispulsio et compulsio sunt depulsio et tractus; nam dispulsio est depulsio: quandoquidem depulsio est vel a se, vel ab alio. Compulsio vero est tractus: quoniam tractus est ad se et ad aliud. Quocirca et quaecumque sunt horum motuum species, eodem referri debent, ut telae densatio, et contextus: illa namque est compulsio; hic vero est dispulsio. Similiter etiam aliae concretiones et secretiones eodem sunt referendae: omnes enim erunt dispulsiones, aut compulsiones, exceptis iis quae in ortu et interitu sunt. Simul autem perspicuum est, concretionem et secretionem non esse aliud quoddam genus motus: nam omnes distribuuntur in aliquos ex iis motibus qui dicti fuerunt. Praeterea inspiratio est tractus: exspiratio autem est pulsus. Similiter etiam excreatio, et quicumque alii motus per corpus fiunt, quibus vel aliquid excernitur, vel sumitur. Nam hi sunt tractus: illi vero sunt depulsiones. Oportet autem et alios motus qui in loco fiunt, reducere: quoniam omnes in hos quatuor cadunt. Rursus ex his motibus vectio et conversio referuntur ad tractum et pulsum. Nam vectio est ab aliquo ex his tribus modis. Quod enim vehitur, ex accidenti movetur, quia est in eo quod movetur, aut super aliquo quod movetur. Quod autem vehit movetur, vel pulsum, vel tractum, vel conversum. Quapropter communis his omnibus tribus est vectio. Conversio autem constat ex tractu et pulsu: quia necesse est ut id quod convertit partem trahat, partem pellat: partem enim a se, partem ad se ducit. Quare si id quod pellit, et quod trahit, simul est cum eo quod pellitur, et eo quod trahitur: patet, ei quod in loco movetur, et ei quod movet, nihil esse interjectum. Atque hoc manifestum est etiam ex definitionibus. Nam pulsus est motus qui vel a se vel ab alio fit ad aliud. Tractus autem qui fit ab alio ad se vel ad aliud, quum celerior est motus ejus quod trahit, qui a se invicem separat ea quae sunt continua: sic enim alterum simul attrahitur. (Fortassis autem videri potest esse quidam tractus etiam alio modo: nam lignum trahit ignem non hoc modo. Nihil autem interest utrum moveatur an maneat id quod trahit; quandoque enim eo trahit ubi est: quandoque, ubi erat). Sed impossibile est, vel a se ad aliud, vel ab alio ad se movere, non tangendo. Quare perspicuum est, ei quod in loco movetur, et ei quod movet, nihil esse interjectum.

Quia Philosophus in demonstratione praecedente supposuerat quod movens est contiguum vel continuum mobili, hoc intendit nunc probare. Et primo ostendit propositum. Secundo probat quoddam, quod in hac probatione supponit, ibi, « Quoniam autem quae alterantur, etc. » Circa primum duo

facit. Primo proponit intentum. Secundo probat propositum, ibi, « Quoniam autem tres sunt motus. » Dicit ergo primo, quod movens et motum sunt simul. Sed aliquid dicitur movere dupliciter: uno modo sicut finis movet agentem, et tale movens aliquando distans est ab agente, quem movet: alio modo sicut movet id quod est principium motus, et de tali movente hic intelligit. Et propter hoc addidit, « non sicut cujus causa, sed unde est prin-« cipium motus. » Item movens sicut principium motus, quoddam est immediatum, et quoddam re-motum. Intelligit autem hic de immediate movente; et ideo dixit, « Primum movens, » ut per primum significetur immediatum mobili, non autem id quod est primu n in ordine moventium. Et, quia in quinto dixerat, ea esse simul quae sunt in eodem loco, posset aliquis credere ex hoc quod dicit quod movens et motum simul sunt, quod, quando unum corpus movetur ab altero, quod oporteat ambo esse in eodem loco: et ideo ad hoc excludendum subjungit, quod simul dicit hic non quidem esse in eodem loco, sed quia nihil est medium inter movens et motum, secundum quod contacta vel continua sunt simul, quia termini eorum sunt si-mul, vel quia sunt unum. Et, quia in praecedenti demonstratione processerat solum de motu locali, posset aliquis credere quod hoc haberet veritatem solum in hujusmodi motu. Et ideo ad hoc remo-vendum subjungit, quod hoc dictum est commu-niter, quod movens et motum sunt simul, et non specialiter de motu locali; quia hoc est commune in omni specie motus, quod movens et motum sunt simul modo exposito.

Secundo ibi « quoniam autem »
Probat propositum. Et circa hoc duo facit. Primo enumerat species motus. Secundo in singu-lis probat propositum, ibi, « Omne igitur quod « fertur. » Ostendit ergo primo, quod tres sunt motus: unus secundum locum, qui dicitur loci mu-tatio: alius secundum qualitatem, qui dicitur alte-ratio: alius secundum quantitatem, qui dicitur aug-mentum et decrementum. Non facit autem mentio-nem de generatione et corruptione, quia non sunt motus: ut in quinto probatum est. Sed, cum sint termini motus, scilicet alterationis, ut habitum est in sexto; per hoc quod probatur propositum in alteratione, sequitur etiam idem de generatione et corruptione. Sicut igitur tres sunt species motus, ita tres sunt species mobilium, et etiam moventium; et in omnibus est verum quod dictum est, scilicet quod movens et motum sint simul, ut ostendetur in singu-lis. Sed primo hoc est ostendendum in motu locali, qui est primus motuum, ut in octavo probabitur.

Secundo ibi « omne igitur »
Ostendit propositum in singulis trium praedi-ctorum motuum. Et primo in motu locali. Secundo in motu alterationis, ibi, « At vero neque altera-« ti etc. » Tertio in motu augmenti et decrementi, ibi, « Et quod augetur et augens etc. » Circa pri-mum duo facit. Primo ostendit propositum, in qui-bus magis est manifestum. Secundo in quibus ma-gis later, ibi, « Quod autem ab alio movetur. » Dicit ergo primo, quod necesse est dicere, quod omne quod movetur secundum locum, aut movetur a seipso, aut ab altero. Quod autem dicit a seipso aliquid moveri, potest intelligi dupliciter: uno modo ratione partium, sicut ostendet in octavo quod mo-ventium seipsa, una pars movet, et alia movetur. Alio modo primo et per se; ut scilicet aliquid se-cundum se totum moveat se totum, sicut supra probavit, quod hoc modo nihil movet seipsum. Si autem concedatur utroque modo aliquid moveri a seipso; manifestum erit, quod movens erit in seipso quod movetur, vel sicut idem est in seipso quod move-

tur, vel sicut pars est in toto, ut anima in animali. Et sic sequetur, quod simul sit movens et quod movetur: ita quod nihil erit ipsorum medium.

Secundo ibi « quod autem »
Ostendit idem in iis quae moventur secundum locum ab alio, de quibus minus est manifestum. Et circa hoc tria facit. Primo distinguit modos, quibus aliquid contingit ab altero moveri. Secundo reducit eos ad duos, ibi, « Manifestum est igitur. » Tertio in illis duobus probat propositum, ibi, « Hoc « autem manifestum est. » Circa primum duo facit. Primo dividit modos quibus aliquid movetur ab al-tero; et dicit quod sunt quatuor, scilicet Pulsio, Tractio, Vectio et Vertigo. Omnes enim motus qui sunt ab alio, reducuntur in istos.

Secundo ibi « pulsionis igitur »
Manifestat praemissos quatuor modos. Et primo manifestat pulsionem, quae est cum movens facit aliquod mobile a se distare movendo. Dividit autem pulsionem in duo: scilicet in impulsionem et ex-pulsionem. Dicitur autem impulsio, quando movens sic pellit aliquod mobile, quod non deficit ipsi de-ferendo ipsum, sed simul cum eo tendit quod ducit. Expulsio autem est, quando movens sic movet, quod tamen deficit deferendo ipsum, nec comitatur ipsum usque ad finem motus.

Secundo ibi « vectio autem »
Manifestat de vectione; et dicit, quod vectio fun-datur in tribus aliis motibus, scilicet pulsione, tra-ctione et vertigine, sicut quod est per accidens fun-datur in eo quod est per se. Illud autem quod vehitur, non movetur per se, sed per accidens: in quantum scilicet aliquid alterum movetur, in quo ipsum est: sicut cum aliquis vehitur a navi in qua est: vel super quod est, sicut cum aliquis vehitur equo. Illud autem quod vehit movetur per se, eo quod non est procedere in iis quae moventur per accidens in infinitum; et sic oportet quod primum vehens moveatur aliquo motu per se, vel pulsu, vel tractu, vel vertigine. Ex quo manifestum est, quod vectio in tribus aliis motibus continetur.

Tertio ibi « tractio autem »
Manifestat tertium motum, scilicet tractum. Et sciendum est, quod tractio a pulsione differt: quia in pulsione movens se habet ad mobile ut ter-minus a quo est motus ejus: in tractu vero se habet ut terminus ad quem. Illud ergo trahere di-citur, quod movet alterum ad seipsum. Movere au-tem aliquid secundum locum ad seipsum contingit tripliciter. Uno modo sicut finis movet: unde et finis dicitur trahere, secundum illud Poetae: « Trahit sua « quemque voluptas »: et hoc modo potest dici, quod locus trahit id quod naturaliter movetur ad locum. Alio modo potest dici aliquid trahere, quia movet id ad seipsum alterando aliqualiter, ex qua altera-tione contingit quod alteratum moveatur secundum locum: et hoc modo magnes dicitur trahere fer-rum. Sicut enim generans movet gravia et levia, inquantum dat eis formam, per quam moventur ad locum; ita et magnes dat aliquam qualitatem fer-ro, per quam movetur ad ipsum. Et quod hoc sit verum, patet ex tribus. Primo quidem, quia ma-gnes non trahit ferrum ex quacumque distantia, sed ex propinquo. Si autem ferrum moveretur ad magnetem solum sicut ad finem, sicut grave ad suum locum, ex qualibet distantia tenderet ad ipsum. Secundo, quia si magnes alliis perungatur, ferrum attrahere non potest, quasi alliis vim alterativam

ipsius impedientibus, aut etiam in contrarium alterantibus. Tertio, quia ad hoc quod magnes attrahat ferrum, oportet prius ferrum liniri cum magnete, maxime si magnes sit parvus, quasi ex magnete aliquam virtutem ferrum accipiat, ut ad eum moveatur. Sic igitur magnes attrahit ferrum non solum sicut finis, sed etiam sicut movens et alterans. Tertio modo dicitur aliquid attrahere, quia hoc movet ad seipsum motu locali tantum; et sic definitur hic tractio, prout unum corpus trahit alterum, ita quod trahens simul moveatur cum eo quod trahitur. Hoc est ergo quod dicit, quod tractio est cum motus trahentis ad seipsum vel ad alterum sit velocior, non separatus ab eo quod trahitur. Dicit autem « ad ipsum vel ad alterum, » quia movens voluntarium potest uti altero ut seipso. Unde potest ab alio pellere sicut a seipso, et ad aliud trahere sicut ad seipsum. Sed hoc in motu naturali non contingit; immo semper pulsio naturalis est a pellente, et tractio naturalis ad trahentem. Addit autem « cum velocior sit motus, » quia contingit quandoque quod id quod trahitur, etiam per se movetur illuc quo trahitur: sed a trahente velociori motu compellitur moveri. Et, quia trahens movet suo motu, oportet quod motus trahentis sit velocior quam motus naturalis ejus quod trahitur. Adjungit autem, « non separatus ab eo quod trahitur » ad differentiam pulsionis. Nam in pulsione pellens quandoque separatur ab eo quod pellit; quandoque vero non; sed trahens nunquam separatur ab eo quod trahitur; quinimmo simul movetur trahens cum eo quod trahitur. Exponit autem quod dixerat, « ad ipsum vel ad alterum, » quia contingit esse tractionem ad ipsum attrahentem, et ad alterum in motibus voluntariis, ut dictum est. Et, quia sunt quidam motus in quibus non ita manifeste salvatur ratio tractionis, consequenter ostendit eos etiam reduci ad hos modos tractionis quos posuerat, scilicet ad seipsum, et ad alterum. Et hoc est quod dicit, quod omnes alii tractus qui non nominantur tractus, reducuntur in hos duos modos tractionis, quia sunt idem specie cum eis quantum ad hoc, quod motus accipiunt speciem a terminis; quia et illi tractus sunt ad seipsum vel ad alterum, sicut patet in ispiratione et expiratione. Inspiratio enim est attractio aëris, expiratio vero est aëris expulsio, et similiter spuitio est expulsio sputi. Et, similiter dicendum est de omnibus aliis motibus per quoscumque aliqua corpora extra mittuntur, vel intra recipiuntur: quia emissio reducitur ad pulsionem, receptio autem ad attractionem. Et similiter spathesis est pulsio, et cercisis est attractio. Spati enim in graeco dicitur ensis, vel spatha; unde spathesis, idem est quod spathatio. idest percussio per ensem, quae fit pellendo. Et ideo alia litera quae dicit, « speculatio » videtur esse vitio scriptoris corrupta, quia pro spathatione posuit speculationem. Cercisis autem est attractio. Est autem cercis in graeco quoddam instrumentum, quo utuntur textores, quod ad se trahunt texendo, quod latine dicitur radius. Unde alia litera habet, « radiatio: » horum enim duorum, et quorumcumque motuum emissivorum et receptivorum, aliud est congregatio, quod pertinet ad attractionem, quia congregans movet aliquid ad alterum: aliud est disgregatio, quae pertinet ad pulsionem, quia pulsio est motus alicujus ab alio. Sic ergo patet, quod omnis motus localis est aggregatio vel disgregatio, quia motus

localis est ab aliquo vel ad aliquid. Et per consequens patet, quod omnis motus localis est pulsio vel tractio.

Deinde cum dicit « vertigo autem »

Manifestat quid sit vertigo: et dicit quod vertigo est quidam motus compositus ex tractu et pulsu. Cum enim aliquid vertitur, ex una parte pellitur, et ex alia trahitur.

Deinde cum dicit « manifestum igitur »

Ostendit quod omnes quatuor motus praedicti ad pulsum et tractum reducuntur: et quod idem est judicium de omnibus, et de istis duobus. Quia enim vectio consistit in tribus aliis, et vertigo componitur ex pulsu et tractu; relinquitur quod omnis motus localis qui est ab alio, reducitur ad pulsum et tractum. Unde manifestum est, quod si in pulsu et tractu, movens et motum sint simul: idest ita quod pellens sit simul cum eo quod pellitur, et trahens cum eo quod trahitur: consequens erit universaliter verum esse, quod nullum sit medium inter movens secundum locum et motum.

Deinde cum dicit « hoc autem »

Probat propositum in his duobus motibus. Et primo ponit duas rationes ad propositum ostendendum. Secundo excludit objectionem, ibi, « Projectio autem etc. » Prima autem ratio sumitur ex definitione utriusque motus: quia pulsio est motus ab ipso movente, vel ab aliquo alio in aliquid aliud; et sic oportet quod saltem in principio motus pellens sit simul cum eo quod pellitur, dum pellens, id quod pellitur removet a se vel ab alio. Sed tractus est motus ad ipsum vel ad alterum, ut dictum est, et quod non separatur trahens ab eo quod trahitur. Ex quo manifestum est in his duobus motibus, quod movens et motum sint simul. Secunda ratio sumitur ex congregatione et disgregatione. Dictum est enim quod pulsio est disgregatio, et tractio est congregatio. Et hoc est quod dicit, « Adhuc autem synosis, » id est congregatio, et « diosis, » id est divisio. Non autem posset aliquid congregare vel disgregare, nisi adesset his quae congregantur et disgregantur. Et sic patet quod in pulsione et tractu movens et motum sunt simul.

Secundo ibi « projectio autem »

Excludit quamdam objectionem, quae accidere potest circa pulsionem. De tractione enim dictum est, quod motus trahentis non separatur ab eo quod trahitur: sed in pulsione dictum est, quod aliquando deficit pellens ab eo quod pellitur; et talis pulsio vocatur expulsio, cujus species est projectio, quae est quando pellitur cum quadam violentia in remotum; et sic in projectione videtur, quod id quod projicitur non sit simul cum projiciente. Et ideo ad hoc excludendum dicit, quod projectio est quando motus ejus quod fertur sit velocior quam motus naturalis; et hoc propter aliquam fortem impulsionem factam. Cum enim aliquid projicitur, ex forti impulsione movetur aer velociori motu quam sit motus ejus naturalis, et ad motum aeris defertur corpus projectum. Et quamdiu durat aer impulsus, tamdiu projectum movetur. Et hoc est quod dicit, quod facta tali impulsione, tamdiu accidit aliquid ferri projectum, quamdiu in aere fit fortior motus, quam ejus motus naturalis. Sic ergo remota hac dubitatione, concludit quod movens et motum sint simul, et quod inter ea nihil est medium.

LECTIO IV.

Alterans et alteratum simul esse probatur.

At vero neque alterati neque alterantis ullum medium est: hoc autem manifestum est ex inductione. In omnibus enim simul esse accidit alterans ultimum, et primum quod alteratur.

Quale enim alteratur, ex eo quod sensibile est. Sensibilia autem sunt, quibus differunt corpora a se invicem, ut gravitas, levitas, durities, mollities, sonus, non sonus, albedo, nigredo, dulcedo, amaritudo, humiditas, siccitas, densitas, raritas, et horum media: similiter autem, et alia quae sub sensu sunt, quorum est et calor et frigus, et lenitas et asperitas: haec enim sunt passiones subjectae qualitatis. His enim differunt sensibilia corporum, aut secundum aliquod horum magis et minus, et in patiendo aliquid horum (calefacta enim aut frigefacta, aut dulcefacta, aut amaricata, aut secundum aliquid aliud praedictorum). Similiter et animata corporum, et inanimata, et animatorum quaecumque partes sunt inanimatae. Et ipsi sensus alterantur: patiuntur enim. Actio enim ipsorum motus est per corpus patiente sensu aliquid. Secundum quae igitur inanimata alterantur et animata, secundum omnia haec alterantur: secundum autem quaecumque animata alterantur, non secundum hoc alterantur inanimata: secundum enim sensus non alterantur, et latet cum alterantur inanimata. Nihil autem prohibet et animata latere cum alterantur, cum non secundum sensus accidit ipsis alteratio. Si igitur sensibiles passiones sunt, omnis autem per has alteratio est, ex hoc ergo manifestum est quod passio et patiens simul sunt, et horum nullum medium est.

Huic autem aer est continuus, aeri vero continuatur corpus: et superficies quidem terminatur ad lumen, lumen autem ad visum. Similiter et auditus, et odoratus, et movens ipsos primum. Eodem autem modo simul, et gustus et sapor est. Similiter autem et in inanimatis, et in insensibilibus.

Et quod augetur, et augens: appositio enim quaedam est augmentum: quare simul sunt, et quod augetur et augens: et decrementum: decrementi enim causa est ablatio quaedam. Manifestum igitur est, quod moventis ultimi et moti primi nullum est medium.

Sed nec ei quod variatur, et ei quod variat. Hoc autem ex inductione manifestum est. In omnibus enim accidit ut simul sint, quod extremum variat, et quod primum variatur... variatum rebus dictis. Haec enim sunt affectiones subjectae qualitatis: aut enim quod calefit, aut quod dulcescit, aut quod densatur, aut quod exsiccatur, aut quod dealbatur, variari dicimus, similiter hoc dicentes tam de inanimato quam de animato; et rursus tam de animatorum partibus sensu vacantibus, quam de ipsis sensibus.

Variantur enim aliquo modo etiam sensus. Nam sensus, qui est actu, est motus per corpus, sensu aliquid patiente. Quibus igitur inanimatum variatur, his variatur etiam animatum: quibus autem animatum, non his omnibus variatur inanimatum: quandoquidem non variatur secundum sensus. Et alterum latet, alterum non latet, quum patitur. Sed nihil prohibet etiam inanimatum latere, quando non secundum sensus variatio fit. Si igitur quod variatur, a sensibilibus variatur; in his omnibus perspicuum est simul esse quod extremum variat, et quod primum variatur: illi namque continuus est aer, aeri autem corpus; rursus color lumini, lumen aspectui. Et eodem modo se habet et auditus, et odoratus: quoniam aer est primum movens, relatum ad id quod movetur. Et in gustu similiter res se habet: nam sapor est simul cum gustu.

Itidem etiam res habet in rebus inanimatis et sensu carentibus. Quare nihil erit interjectum id quod variatur, et ei quod variat. Quin nec ejus quod augetur, et ejus quod auget. Quod enim primum auget, appositum auget, adeo ut totum fiat unum. Et rursus minuitur id quod minuitur. abscedente aliqua parte ipsius quod minuitur. Necesse est igitur, et id quod auget, et id quod minuitur, esse continuum: continuis vero nihil est interjectum. Perspicuum igitur est, ei quod movetur et ei quod movet, primo atque ultimo ad id quod movetur relato, nihil esse interjectum.

Postquam ostendit in motu locali, quod movens et motum sunt simul, ostendit idem in alteratione, quod scilicet nihil est medium alterantis et alterati. Et hoc probat primo per inductionem. In omnibus enim, quae alterantur, manifestum est, quod simul sunt ultimum alterans, et primum alteratum. Videtur autem hoc habere instantiam in quibusdam alterationibus. Sicut cum sol calefacit aerem sine hoc quod calefaciat orbes medios planetarum, et piscis quidam in rete detentus stupefacit manus trahentis rete, absque hoc quod stupefaciat rete. Sed dicendum est, quod passiva recipiunt actionem activorum secundum proprium modum; et ideo media quae sunt inter primum alterans et ultimum alteratum, aliquid patiuntur a primo alterante, sed forte non eodem modo, sicut ultimum alteratum. Aliquid igitur patitur rete a pisce stupefaciente, sed non stupefactionem: quia ejus non est capax. Et orbes medii planetarum aliquid recipiunt a sole, scilicet lumen, non autem calorem.

Secundo ibi « quale enim »

Probat idem per rationem, quae talis est. Omnis alteratio est similis alterationi quae fit secundum

sensum. Sed in alteratione quae est secundum sensum, alterans et alteratum sunt simul: ergo et in qualibet alteratione. Primam sic probat. Omnis alteratio fit secundum qualitatem sensibilem, quae est tertia species qualitatis. Secundum illa enim alterantur corpora, sicut corpora ab invicem differunt: quae sunt sensibiles qualitates, ut gravitas et levitas, durities et mollities quae percipiuntur tactu, sonus et non sonus qui percipiuntur auditu. (Sed tamen, si sonus in actu accipiatur, est qualitas in aëre, consequens aliquem motum localem: unde non videtur secundum hujusmodi qualitatem esse primo et per se alteratio: si vero sonus in aptitudine accipitur, sic per aliquam alterationem fit aliquid sonabile vel non sonabile) albedo et nigredo, quae pertinent ad visum; dulcedo et amaritudo, quae pertinent ad gustum; humiditas et siccitas, densitas et raritas, quae pertinet ad tactum: et eadem ratio est de his contrariis, et de mediis horum. Et similiter etiam sunt alia quae sub sensu cadunt, sicut calor et frigus, et lenitas et asperitas, quae etiam tactu comprehenduntur: hujusmodi enim sunt quaedam passiones sub genere qualitatis contentae, et dicuntur passiones, quia passionem ingerunt sensibus, vel quia ab aliquibus passionibus causantur, ut in praedicamentis dicitur. Dicuntur autem passiones sensibilium corporum, quia sensibilia corpora secundum hujusmodi differunt, inquantum scilicet aut unum est calidum et aliud frigidum, unum grave et aliud leve, et sic de aliis: aut inquantum aliquod unum de praemissis inest duobus secundum magis et minus, ignis enim differt ab aqua secundum differentiam calidi et frigidi, ab aëre vero secundum magis et minus calidum. Et etiam secundum hoc attenditur sensibilium corporum differentia inquantum patiuntur aliquod horum, licet non sit in eis naturaliter; sicut dicimus differre calefacta ab infrigidatis, et ea quae fiunt dulcia ab his quae fiunt amara, per aliquam passionem, et non ex natura. Alterari autem secundum hujusmodi qualitates est omnium corporum sensibilium, tam animatorum quam inanimatorum. « Et quia in corpo- « ribus animatis quaedam partes sunt animatae, » id est sensitivae, ut oculus et manus, « quaedam « autem inanimatae, » id est non sensitivae, ut capilli et ossa, utraeque partes secundum hujusmodi qualitates alterantur: quia sensus sentiendo patiuntur, actiones enim sensuum, ut auditio et visio, sunt quidam motus per corpus cum aliqua sensus passione. Non enim sensus habent aliquam actionem nisi per organum corporeum: corpori autem convenit moveri et alterari: unde passio et alteratio magis proprie dicitur in sensu quam in intellectu, cujus operatio non est per aliquod organum corporeum. Sic igitur patet, quod secundum quascumque qualitates et secundum quoscumque motus alterantur corpora inanimata, secundum eosdem motus et easdem qualitates alterantur corpora animata; sed non convertitur, quia in corporibus animatis invenitur alteratio secundum sensum, quae non invenitur in corporibus inanimatis: non enim corpora inanimata cognoscunt suam alterationem, sed latet ea; quod non accideret si secundum sensum alterarentur. Et ne aliquis hoc reputaret impossibile, quod aliquid alteraretur secundum sensibilem qualitatem absque sensu alterationis, subjungit quod non solum hoc est verum in rebus inanimatis, sed hoc contingit etiam in rebus animatis. Nihil enim prohibet, quod etiam animata corpora lateat cum alterantur; sicut cum aliqua alteratio accidit in ipsis absque alteratione sensus; ut cum alterantur secundum partes non

sensitivas. Ex hoc igitur patet, quod si passiones sensus sunt tales, quod nihil est medium inter agens et patiens, et omnis alteratio est per hujusmodi passiones, quibus alterantur sensus; sequitur quod alterans inferens passiones et alteratum patiens sint simul, et nullum sit ipsorum medium.

Deinde cum dicit « huic autem »

Probat secundum, quod in alteratione sensus alterans et alteratum sint simul, quia « huic, » scilicet sensui, puta visui « aer continuus est, » idest absque medio conjunctus; aeri vero corpus visibile, et superficies quidem visibilis corporis, quae est subjectum coloris « terminatur ad lumen, » id est ad aerem illuminatum, qui terminatur ad visum. Et sic patet quod aer alteratus et alterans ipsum sunt simul, et similiter visus alteratus cum aere alterante; et similiter est in auditu et in odoratu, si comparentur ad id quod primum movet, scilicet ad sensibile corpus; quia hi sensus sunt per medium extrinsecum. Gustus autem et sapor sunt simul: non enim conjunguntur per aliquod medium extrinsecum, et simile est de tactu. Et eodem modo se habet in rebus inanimatis, et in sensibilibus, scilicet quod alterans et alteratum sunt simul.

Deinde cum dicit « et quod »

Probat idem in motu augmenti et decrementi. Et primo in motu augmenti. Oportet enim quod augetur et auget esse simul, quia augmentatio est quaedam appositio: per appositionem enim alicujus quanti aliquid augetur. Et similiter est in decremento, quia causa decrementi est quaedam subtractio alicujus quanti. Et potest intelligi haec probatio dupliciter. Uno modo, secundum quod ipsum quantum appositum vel subtractum est proximum movens illis motibus. Nam et Aristoteles dicit, secundo de Anima, quod caro auget (1) prout est quanta, et sic manifeste simul cum movente motum est: non enim potest aliquid apponi vel subtrahi alicui, si non sit simul cum eo. Procedit etiam haec ratio de principali agente. Appositio enim omnis congregatio quaedam est: subtractio vero disgregatio quaedam. Supra autem ostensum est, quod in motu congregationis et disgregationis movens et motum sunt simul: unde relinquitur, quod etiam motu augmenti et decrementi. Et sic ulterius concludit universaliter, quod inter ultimum movens et primum motum nihil est medium.

(1) *Forte* augetur.

LECTIO V.

Quaecumque alterantur, quod non secundum primae vel quartae speciei qualitates, sed secundum sensibiles tantum alterentur, ostenditur.

ANTIQUA.

Quod autem ea quae alterantur, alterantur omnia a sensibilibus: et solum horum alteratio est, quaecumque secundum se dicuntur pati ab his, ex his considerabimus.

Aliorum enim maxime utique quis existimabit, in figuris et formis et habitibus, et horum remotionibus et acceptio-

RECENS.

Quicquid autem variatur, variari a sensibilibus, et in his solis esse variationem, quae per se dicuntur pati a sensibilibus, ex his dispiciendum est.

Nam aliorum maxime quispiam existimare possit, in figuris, et in formis, et in habitibus, horumque sumptionibus et

nibus alterationem esse. Non est autem neque in his, sed fiunt haec, cum quaedam alterantur: densata enim aut rarefacta, aut cum fiat calida aut frigida materia: alteratio autem non est.

Ex quo quidem enim est forma statuae, non dicimus formam, neque ex quo figura pyramidis est aut lecti: sed denominantes hoc quidem aeneum, illud vero cereum, aliud autem ligneum: quod autem alteratur dicimus: aes quidem enim humidum esse dicimus, aut forte, aut calidum: et non solum sic, sed humidum et calidum aes, aequivoce dicentes cum passione materiam. Quoniam igitur ex quo quidem forma et figura, et quod factum est aequivoce non dicuntur cum figuris, quae ex illo sunt: quae autem alterantur cum passionibus aequivoce dicuntur: manifestum quod in solis sensibilibus alteratio est.

Amplius et aliter dicere inconveniens est. Dicere enim hominem alteratum esse, aut domum accipientem finem, ridiculum est. Si perfectionem domus tectionem aut laterationem dicimus alterationem esse, domo autem laterata aut cooperta alterari domum. Manifestum autem est, quia quod est alterationis, non est in his quae fiunt.

Neque enim in habitibus: habitus enim virtutes et malitiae sunt. Virtus autem omnis ad aliquid sunt, sicut sanitas quidem calidorum et frigidorum mensuratio quaedam est, aut eorum quae sunt intra, et ad continens. Similiter autem et pulchritudo et macies ad aliquid sunt: dispositiones enim quaedam perfecti ad optimum sunt. Dico autem perfecti, quod sanat et dispositum est circa naturam. Quoniam ergo virtutes et malitiae sunt ad aliquid: haec autem neque generationes sunt, neque generatio est ipsorum, neque alteratio omnino: manifestum est, quod non est omnino quod est alterationis circa habitus.

amissionibus variationem inesse. Sed in neutris est. Quod enim figuratur et concinnatur, quum perfectum fuerit, non dicimus esse id ex quo est: veluti statuam non dicimus esse aes, aut pyramidem ceram, aut lecticam lignum: sed denominantes dicimus aliud esse aeneum, aliud cereum, aliud ligneum; quod vero passum et variatum est, appellamus: nam dicimus esse aridum, et humidum, et durum, et calidum aes, item ceram. Nec solum ita, sed etiam ipsum humidum et calidum dicimus aes, eodem nomine appellantes materiam, quo affectionem. Quapropter si secundum figuram et formam non dicitur id quod est factum in quo est figura, secundum autem affectiones et variationes dicitur: perspicuum est, has generationes non esse variationes.

Praeterea et sic dicere, absurdum videri potest: nimirum variatum esse hominem, aut domum, aut quodvis aliud eorum quae facta sunt; sed fortasse necesse est, unumquodque fieri aliquo variato, veluti materia densata aut rarefacta aut calefacta aut refrigerata: non tamen ea quae fiunt variantur, nec generatio ipsorum est variatio.

Quin nec corporis, nec animi habitus, sunt variationes. Etenim habituum alii sunt virtutes, alii vitia: verum neque virtus neque vitium est variatio: sed virtus est perfectio quaedam: quum enim unumquodque propriam suam virtutem acceperit, tunc dicitur perfectum. Tunc enim maxime id quod est secundum naturam, adest: ut circulus perfectus dicitur, quum maxime factus est circulus optimus. Vitium autem est 1 .jus interitus et amotio. Quemadmodum igitur nec domus perfectionem vocamus variationem (absurdum enim est, si fastigium ac tegula sit variatio; vel si domus, quum accipit fastigium ac tegitur, variatur, ac non potius perficitur): eodem modo se res habet etiam in virtutibus et vitiis, et in habentibus et suscipientibus virtutes vel vitia.

Nam illae sunt perfectiones; hae vero sunt amotiones: quare non sunt variationes. Praeterea dicimus omnes virtutes in eo consistere quod est ad aliquid aliquo modo affectum esse. Corporis enim virtutes, ut sanitatem, et firmam corporis constitutionem, in temperatione ac symmetria calidorum ac frigidorum collocamus, ita ut vel ipsa interna inter se conferantur, vel ad id quod continet. Similiter autem et pulchritudinem et robur, et alias virtutes, ac vitia. Quaelibet enim in eo consistit quod est ad aliquid aliquo modo affectum esse, et ad proprias affectiones bene vel male disponit id in quo est. Propriae vero affectiones dicuntur, a quibus rem gigni et perimi comparatum natura est. Quoniam igitur quae ad aliquid referuntur, nec ipsa sunt variationes, nec ipsorum est variatio, nec generatio, nec omnino ulla mutatio: perspicuum est, neque habitus neque habituum amissiones et susceptiones esse variationes. Sed fieri fortasse haec atque interire variatis quibusdam necesse est, quemadmodum et speciem ac formam, utputa calidis et frigidis, vel siccis et humidis, vel in quibus primis insunt. In his enim dicitur quodcumque vitium et virtus, a quibus natura aptum est variari id quod ea habet. Virtus enim efficit impatibile, vel ut oportet patibile: vitium vero patibile, vel contrario modo impatibile.

Quia in praecedenti ratione Philosophus supposuerat quod omnis alteratio sit secundum sensibilia, hoc intendit hic probare. Et primo proponit quod intendit; secundo probat propositum, ibi, « Aliorum « enim maxime. » Dicit ergo primo, quod ex sequentibus considerandum est, quod omnia quae alterantur, alterantur secundum qualitates sensibiles: et per consequens illis solum competit alterari, quae per se patiuntur ab hujusmodi qualitatibus.

Secundo ibi « aliorum enim »

Probat propositum arguendo a majori. Quod quidem primo ponit, secundo quaedam quae supponit probat, ibi, « Ex quo quidem enim etc. » Dicit ergo primo, quod praeter qualitates sensibiles maxime videtur esse alteratio in quarta specie qualitatis, quae est qualitas circa quantitatem, scilicet forma et figura; et in prima specie qualitatis, quae continet sub se habitus et dispositiones. Videtur enim quod alteratio quaedam sit per haec quod

hujusmodi qualitates de novo removentur aut de novo acquiruntur. Non enim videtur hoc sine mutatione posse contingere: mutatio autem secundum qualitatem alteratio est, ut supra dictum est. Sed in praedictis qualitatibus primae et quartae speciei, non est alteratio primo et principaliter, sed secundario: quia hujusmodi qualitates consequuntur quasdam alterationes primarum qualitatum, sicut patet, quod cum materia subjecta densatur aut rarescit, sequitur mutatio secundum figuram; et similiter cum calefiat, aut infrigidetur, sequitur mutatio secundum sanitatem et aegritudinem, quae pertinent ad primam speciem qualitatis. Rarum autem et densum, calidum et frigidum sunt sensibiles qualitates: et sic patet, quod non est alteratio in prima et quarta specie qualitatis primo et per se. Sed remotio et acceptio hujusmodi qualitatum consequuntur ad aliquam alterationem, quae est secundum sensibiles qualitates. Ex quo etiam patet, quare non facit mentionem de secunda specie qualitatis, quae est potentia vel impotentia naturalis. Manifestum est enim quod potentia vel impotentia naturalis non accipitur aut removetur nisi transmutata natura, quod fit per alterationem: et ideo hoc quasi manifestum praetermisit.

Secundo ibi « ex quo »

Probat quod supposuerat. Et primo quod non sit alteratio in quarta specie qualitatis. Secundo quod non sit in prima, ibi, « Neque enim in ha- « bitibus etc. » Circa primum ponit duas ratio- nes: quarum prima sumitur ex modo loquendi. Ubi considerandum est, quod forma et figura in hoc abinvicem differunt, quod figura importat termina- tionem quantitatis. Est enim figura quae termino vel terminis comprehenditur. Forma vero dicitur quae dat esse specificum artificiato. Formae enim artificiatorum sunt accidentia. Dicit ergo, quod illud ex quo fit forma statuae, non dicimus formam, idest materia statuae non praedicatur de statua in principali et recto; et similiter est in figura pyra- midis vel lecti: sed in talibus materia praedicatur de- nominative; dicimus enim triangulum aeneum, aut cereum, aut ligneum: et simile est in aliis. Sed in his quae alterantur, et passionem praedicamus de subjecto: quia dicimus aes esse humidum, aut forte aut calidum: et e converso, humidum vel calidum dicimus esse aes, aequaliter praedicantes materiam de passione, et e converso: et dicimus hominem esse album, et album esse hominem. Quia ergo in formis et figuris materia non aequaliter dicitur cum ipsa figura, ita quod alterum de altero dicatur in principali et recto, sed solum denominative materia praedicatur de figura et forma: in his autem quae alterantur, subjectum et passio aequaliter de invi- cem praedicantur; sequitur ergo quod in formis et figuris non fit alteratio, sed solum in sensibilibus qualitatibus.

Secundam rationem ponit ibi « amplius et »

Et sumitur a proprietate rei. Ridiculum enim est dicere, quod homo vel domus vel quicquid aliud alteretur ex hoc ipso quod accipit finem suae perfectionis; puta si domus perficitur per hoc quod lateribus ornatur aut cooperitur, ridiculum est di- cere, quod domus alteretur quando cooperitur aut lateratur. Est etiam manifestum quod alteratio non est eorum quae fiunt inquantum fiunt: sed unum- quodque perficitur et fit, inquantum accipit formam propriam et figuram: non est ergo alteratio in ac- ceptione figurae et formae. Ad evidentiam autem harum rationum considerandum est, quod inter omnes qualitates, figurae maxime consequuntur et demonstrant speciem rerum. Quod maxime in plantis et animalibus patet: in quibus nullo certiori judicio diversitas specierum dijudicari potest quam diver- sitate figurarum. Et hoc ideo, quia sicut quanti- tas propinquissime se habet ad substantiam inter alia accidentia, ita figura, quae est qualitas circa quantitatem, propinquissime se habet ad formam substantiae. Unde, sicut posuerunt aliqui dimensio- nes esse substantiam rerum, ita posuerunt aliqui fi- guras esse substantiales formas. Et ex hoc contingit, quod imago, quae est expressa rei repraesentatio, secundum figuram potissime attendatur magis quam secundum colorem vel aliquid aliud. Et, quia ars est imitatrix naturae, et artificiatum est quaedam rei naturalis imago: formae artificialium sunt figu- rae vel aliquid propinquum; et ideo propter simi-

litudinem hujusmodi formarum et figurarum ad formas substantiales, dicit Philosophus, quod secun- dum acceptionem formae et figurae non est altera- tio, sed perfectio. Et exinde est quod materia de hujusmodi non praedicatur nisi denominative, sicut etiam est in substantiis naturalibus: non enim di- cimus hominem terram, sed terrenum.

Deinde cum dicit « neque enim »

Ostendit quod non est alteratio in prima specie qualitatis. Et primo quantum ad habitus et dispo- sitiones corporis. Secundo quantum ad habitus et dispositiones animae, ibi, « Neque itaque circa a- « nimae virtutes etc. » Circa primum ponit talem rationem. Habitus, qui sunt in prima specie qua- litatis, etiam corporei, sunt quaedam virtutes et malitiae. Virtus enim universaliter cujuslibet rei est, quae bonum facit habentem, et opus ejus bo- num reddit. Unde virtus corporis dicitur, secundum quam bene se habet et bene operatur, ut sanitas; e contrario autem est de malitia, ut de aegritudine. Omnis autem virtus et malitia dicuntur ad aliquid: et hoc manifestat per exempla. Sanitas enim, quae est quaedam virtus corporis, est quaedam commen- suratio calidorum et frigidorum. Et dico hanc com- mensurationem fieri secundum debitam proportio- nem « eorum quae sunt intra, » idest humorum, ex quibus componitur corpus adinvicem, « et ad « continens, » idest ad totum corpus. Aliqua enim contemperatio humorum est sanitas in leone, quae non esset sanitas in homine, sed ejus extinctio: quia eam humana natura ferre non posset. Commentator autem exponit, « ad continens, » scilicet ad aerem continentem. Sed primum melius est; quia sanitas animalis non attenditur per comparationem ad ae- rem; sed potius e converso, dispositio aeris dicitur sana per comparationem ad animal. Similiter pul- chritudo et macies dicuntur ad aliquid; et sumitur macies pro dispositione, qua aliquis est expeditus ad motum et actionem: hujusmodi enim sunt quae- dam dispositiones ejus quod est perfectum in sua natura per comparationem ad optimum, idest ad finem, qui est operatio. Sicut enim dictum est, ex hoc hujusmodi dispositiones virtutes dicuntur, quod bonum faciunt habentem, et opus ejus bonum red- dunt: dicuntur enim hujusmodi dispositiones per relationem ad debitum opus, quod est optimum rei. Nec oportet exponere « optimum, » aliquid ex- trinsecum, sicut quod est pulcherrimum aut sanis- simum, ut Commentator exponit. Accidit enim pul- chritudini et sanitati relatio, quae est ad extrinse- cum optime dispositum: sed per se competit eis relatio quae est ad bonum opus. Et ne aliquis ac- cipiat perfectum, quod jam adeptum est finem, dicit, quod perfectum hic accipitur hoc quod est sana- tivum et dispositum secundum naturam. Non autem est hic intelligendum, quod hujusmodi habitus et dispositiones hoc ipsum quod sunt, ad aliquid sint: quia sic non essent in genere qualitatis, sed rela- tionis; sed quia eorum ratio ex aliqua relatione dependet. Quia ergo hujusmodi habitus ad aliquid sunt: et in ad aliquid non est motus, neque gene- ratio, neque alteratio, ut in Quinto probatum est; manifestum est, quod ad hujusmodi habitus non est alteratio primo et per se; sed eorum transmu- tatio consequitur aliquam priorem alterationem calidi et frigidi, aut alicujus hujusmodi: sicut etiam re- lationes esse incipiunt per consequentiam ad aliquos motus.

LECTIO VI.

Circa animae habitus ac dispositiones, tum morales tum intellectuales, quod alterationes non sint, ostenditur.

Neque itaque circa animae virtutes et malitias. Virtus enim quaedam perfectio est: unumquodque enim tunc maxime perfectum est, cum attingit propriae virtuti, et tunc est maxime secundum naturam: ut circulus tunc maxime secundum naturam est, cum maxime circulus sit. Malitia autem corruptio horum, et remotio est.

Fit igitur, cum quoddam alteratur, et acceptio virtutis, et remotio malitiae: alteratio tamen horum neutrum est.

Quod autem alteretur aliquid manifestum est: virtus quidem enim, aut impassibilitas quaedam est, aut passivum est sic: malitia autem passibilis, aut contraria passio virtuti est.

Et totam moralem virtutem in voluptatibus et tristitiis accidit esse. Aut enim secundum actum quod voluptatis, aut per memoriam, aut spem. Siquidem igitur secundum actum, sensus est causa: si vero per memoriam aut per spem, ab ipso est. Aut enim insunt qualia passi sumus reminiscentibus voluptatis, aut qualia patiemur sperantibus.

At vero neque in intellectiva parte animae est alteratio. Sciens enim ad aliquid maxime dicitur. Hoc autem manifestum est. Secundum enim nullam potentiam motis fit in nobis scientia, sed cum extiterit quiddam. Ex ea enim quae est secundum partem experientia, accipimus universalem scientiam.

Neque igitur actus generatio est: nisi aliquis respectionem et tactum generationes dicat. Hujusmodi enim actus.

Quae autem ex principio accepto scientiae, non est generatio neque alteratio: in quietari enim et residere anima sciens fit et prudens. Sicut igitur neque cum dormiens excitetur aliquis, aut ebrius pauset, aut infirmans ordinetur, factus est sciens, quamvis prius non poterat uti, et secundum scientiam agere; sed mutata perturbatione, et in statum reveniente mente, inerat potentia ad scientiae congruitatem. Hoc igitur hujusmodi aliquid sit ex principio in scientiae existentia: turbationis enim quies quaedam et residentia. Neque igitur infantes possunt addiscere, neque judicare sensibus, similiter ut presbyteri: multa enim perturbatio circa ipsos, et motus. Statur autem et pulsatur turbatio, aliquando quidem a natura, aliquando autem ab aliis: in utrisque autem his alterari aliquid accidit, sicut cum surgat et fiat vigilans ad actum. Manifestum igitur quod hujus ipsum alterationis in sensibilibus est, et in sensibili parte animae: in alio autem nullo, nisi secundum accidens.

Similiter etiam res habet in animae habitibus. Hi namque omnes in eo spectantur quod est ad aliquid aliquo modo affectum esse. Et virtutes quidem sunt perfectiones; vitia vero, amotiones. Praeterea virtus bene disponit ad proprias affectiones; vitium autem, male. Quare neque haec erunt variationes, neque vero ipsorum amissiones et susceptiones.

Necesse est autem haec gigni variata parte sensitiva. Variatur autem a sensibilibus. Omnis enim virtus moralis in voluptatibus et doloribus corporeis versatur: quae vel in actione, vel in memoria, vel in spe consistunt. Aliae igitur voluptates consistunt in actione sensus, adeo ut a sensibili aliquo sensus moveatur: aliae vero in memoria et spe consistentes, ab hac actione oriuntur: aut enim recordantes quae passi sunt laetantur; aut sperantes quae exspectant. Quapropter necesse est omnem ejusmodi voluptatem a sensibilibus fieri. Quoniam autem, quum voluptas et dolor gignitur, etiam virtus et vitium gignitur; (quandoquidem in his versantur;) voluptates vero et dolores sunt variationes partes sensitivae: perspicuum est, necesse esse, ut variato aliquo et haec amittantur et suscipiantur. Quare horum generatio est cum variatione; ipsa vero non sunt variatio.

Sed neque partis intellectivae habitus sunt variationes, neque est eorum generatio: multo enim magis id quod sciens est, ponimus in earum rerum ratione, quae ad aliquid aliquo modo se habent. Praeterea perspicuum est, illorum habituum non esse generationem. Nam quod potentia est sciens, non est aliquid quod ipsum moveatur, sed re sciens eo fit, quod aliud exstet et accedat. Quando enim offertur res particularis, eam fere scit per scientiam universalem. Rursus ipsius usus et actionis non est generatio: nisi quis etiam ipsius aspectus ac tactus putet generationem esse: atque agere est his simile. Prima vero scientiae acquisitio non est generatio; nam propterea quod quieverit et steterit mens, *epistasthoi* vocamus scire ac prudentem esse. Ad quietem autem non est generatio: quoniam omnino nullius mutationis est, quemadmodum antea dictum fuit. Praeterea sicuti quum ex ebrietate aut somno aut morbo, in contraria quispiam est mutatus non dicimus eum iterum scientem factum esse (quamquam scientia uti antea non poterat): ita nec quando ab initio sumit aliquis habitum. Nam eo quod sistitur anima a naturali tumultu, fit aliquid prudens et sciens. Ideoque pueri nec intelligere possunt, nec sensibus aeque judicare ac seniores: quia multa in eis est perturbatio et motio. Sedantur autem et a perturbatione liberantur, in aliquibus a natura, in aliis autem ab aliis. Sed in utrisque hoc accidit, dum quaedam quae in corpore sunt, variantur, quemadmodum in expergefactione et actione evenit, quum aliquis sobrius fit, et expergiscitur. Perspicuum igitur est ex iis quae dicta sunt, ipsum variari, et variationem, in rebus sensibilibus fieri, et in sensitiva animae parte; non in ulla alia, nisi ex accidenti.

Postquam Philosophus ostendit quod non est alteratio in prima specie qualitatis quantum ad dispositiones corporis, hic ostendit idem de habitibus animae. Et primo quantum ad partem appetitivam; secundo quantum ad partem intellectivam, ibi, « At vero neque in intellectiva parte. » Circa primum duo facit. Primo ostendit quod non est alteratio primo et per se in transmutatione virtutis et malitiae; secundo quod transmutatio virtutis et malitiae consequitur ad quamdam alterationem, ibi, « Fit « quidem igitur. » Concludit ergo ex praemissis

primo, quod circa animae virtutes et malitias, quae pertinent ad partem appetitivam, non est primo et per se alteratio. Ideo autem hoc concludendo inducit, quia eisdem rationibus procedit ad probandum sequentia, quibus et priora. Ad hoc autem probandum assumit quamdam propositionem, scilicet quod virtus sit perfectio quaedam. Quod quidem sic probat, quia unumquodque tunc est perfectum, quando pertingere potest ad propriam virtutem; sicut naturale corpus tunc perfectum est, quando potest aliud sibi simile facere: quod est virtus naturae. Quod etiam probat per hoc: quia tunc est aliquid maxime secundum naturam, quando naturae virtutem habet; virtus enim naturae est signum completionis naturae. Cum autem aliquid habet complete suam naturam, tunc dicitur esse perfectum: quod non solum in rebus naturalibus verum est, sed etiam in mathematicis, ut eorum forma accipiatur pro eorum natura. Tunc enim maxime circulus est, idest perfectus circulus, quando maxime est secundum naturam, idest quando habet perfectionem suae formae. Sic ergo patet quod ad perfectionem formae cujuslibet rei consequatur virtus ejus; quia tunc unumquodque perfectum est, quando habet suam « formam, » idest suam virtutem; et ita sequitur quod virtus sit perfectio quaedam. Ex hac autem propositione sic probata Commentator sic argumentandum dicit. Omnis perfectio est simplex et indivisibilis: sed in simplici aut et indivisibili non est alteratio, neque alius motus, ut probatum est in quinto hujus: ergo secundum virtutem non est alteratio. Sed iste processus non competit in eo quod subditur de malitia: quae scilicet est corruptio et remotio perfectionis. Et si enim perfectio sit simplex et indivisibilis, recedere tamen a perfectione non est simplex et indivisibile, sed multipliciter contingens. Neque est etiam consuetudo Aristotelis ut praetermittat illud ex quo principaliter conclusio dependet, nisi ex juxta positis intelligi possit. Et ideo melius dicendum est, quod arguendum est hic de virtute, sicut supra argumentatum est de forma et figura. Nihil enim dicitur alterari quando perficitur; et eadem ratione, neque quando corrumpitur. Si igitur virtus est perfectio quaedam, malitia vero corruptio; secundum virtutem et malitiam non est alteratio, sicut neque secundum formas et figuras.

Secundo ibi « fit igitur »

Ostendit quod transmutatio virtutis et malitiae consequitur aliquam alterationem. Et primo proponit quod intendit; et dicit, quod acceptio virtutis et remotio malitiae, aut e contrario, fit cum aliquid alteratur, ad cujus alterationem consequitur acceptio et remotio virtutis et malitiae: sed tamen neutrum horum est alteratio primo et per se.

Secundo ibi « quod autem »

Probat propositum; et dicit manifestum esse ex sequentibus, quod oporteat aliquid alterari ad hoc quod accipiatur et removeatur virtus vel malitia. Et hoc videtur probare dupliciter: primo quidem secundum duas opiniones hominum de virtute et malitia. Stoici enim dixerunt virtutes esse impassibilitates quasdam, nec posse esse virtutem in anima, nisi remotis omnibus passionibus animae, quae sunt timor, spes et hujusmodi; hujusmodi enim passiones dicebant esse quasdam animae perturbationes, sive aegritudines; virtutem autem esse dicebant quamdam quasi tranquillitatem animae et sanitatem. Unde e contrario malitiam dicebant esse omnem animae passibilitatem. Opinio vero Peripateticorum ab Aristotele derivata est, quod virtus consistat in aliqua determinata moderatione passionum. Constituit enim virtus moralis medium in passionibus, ut dicitur in secundo Ethicorum. Et secundum hoc etiam malitia virtuti opposita non erit qualiscumque passibilitas, sed quaedam habilitas ad passiones contrarias virtuti quae scilicet sunt secundum superabundantiam et defectum. Cum utrumlibet autem verum sit, oportet ad acceptionem

virtutis, quod fiat aliqua transmutatio secundum passiones; scilicet vel quod passiones totaliter removeantur, vel quod modificentur. Passiones autem, cum sint in appetitu sensitivo, secundum eas contingit alteratio. Relinquitur ergo quod acceptio et remotio virtutis et malitiae, fit secundum aliquam alterationem.

Secundo ibi « et totam »

Probat idem sic. Omnis virtus moralis consistit in aliqua delectatione et tristitia: non enim est justus, qui non gaudet justis operationibus, et tristatur de contrariis: et simile est in aliis virtutibus moralibus: et hoc ideo, quia omnis appetitivae virtutis, in qua est virtus moralis, operatio terminatur ad delectationem et tristitiam; cum delectatio consequatur ex adeptione ejus, in quod appetitus fertur; tristitia vero ex superventione ejus quod appetitus refugit. Unde concupiscens vel sperans delectatur, quando consequitur quod concupiscit vel sperat: et similiter iratus quando punit: timens vero et odiens tristatur, quando supervenit malum quod refugit. Omnis autem tristitia et delectatio, vel est secundum actum de re praesenti, vel per memoriam de re praeterita, vel per spem de futuro. Si ergo sit delectatio secundum actum, hujusmodi delectationis causa est sensus; non enim conveniens conjunctam delectationem faceret, si non sentiretur. Similiter autem, si sit delectatio per memoriam vel per spem, hoc a sensu procedit; dum vel reminiscitur quales voluptates passi sumus secundum sensum in praeterito, vel dum speramus quales patiemur in futuro. Ex quo patet, quod delectatio et tristitia secundum partem sensitivam est, in qua alteratio accidit, ut supra dictum est. Si ergo virtus moralis et malitia opposita, in delectatione et tristitia est: secundum delectationem autem et tristitiam alterari contingit: sequitur quod acceptio et remotio virtutis et malitiae sit consequenter ad aliquam alterationem. Sed notandum quod signanter dicit totam virtutem moralem in delectationibus et tristitiis esse, ad differentiam intellectualis virtutis, quae etiam suam delectationem habet, sed illa delectatio non est secundum sensum; unde nec contrarium habet, nec secundum eam alterari contingit, nisi metaphorice.

Deinde cum dicit « at vero »

Ostendit quod alteratio non est in parte animae intellectiva. Et primo probat hoc in generali. Secundo in speciali, ibi, « Neque igitur actus. » Circa primum inducit talem rationem. Sciens maxime dicitur ad aliquid, scilicet ad scibile, cujus assimilatio in sciente, scientia est. Hoc autem sic probat. In nullo alio genere contingit quod aliquid de novo, adveniat alicui absque ejus immutatione, nisi in ad aliquid: fit enim aliquid aequale alicui, ipso non mutato, sed altero. Videmus autem quod nulla mutatione facta in potentia intellectiva, fit scientia, sed solum existente quodam in sensitiva parte: quia scilicet ex experientia particularium, quae pertinent ad sensitivam partem, accipimus scientiam universalis in intellectu, ut probatur in prooemio Metaphysicae et in secundo Posteriorum. Cum igitur in ad aliquid non sit motus, ut supra probatum est, sequitur quod non sit alteratio in acceptione scientiae.

Secundo ibi « neque igitur »

Ostendit quod non sit in parte intellectiva alteratio in speciali. Et primo quantum ad considerationem jam habentis scientiam, quae est scientiae usus. Secundo quantum ad primam scientiae acce-

ptionem, ibi, « Quae autem ex principio etc. »
Dicit ergo primo, quod ex quo in parte intellectiva
non est alteratio, non potest dici quod ipse actus
scientiae, qui est consideratio, sit generatio, nisi e-
tiam aliquis dicat, quod exterior inspectio oculi, et
ipsum tangere sint generationes quaedam. Sicut enim
visus est actus visivae potentiae, et tangere est actus
tactivae potentiae, ita et consideratio est actus potentiae intellectivae. Actus autem non dicit generationem alicujus principii, sed magis processum a
principio activo; unde ipsum intelligere non est
generatio vel alteratio. Tamen nihil prohibet aliquem actum consequi generationem vel alterationem,
sicut ad generationem ignis sequitur quod calefiat.
Et similiter ad immutationem sensus a sensibili,
sequitur ipsum videre vel tangere.

Secundo ibi « quae autem »

Ostendit quod in acceptione scientiae non est
generatio vel alteratio. Quicquid enim advenit alicui
per solam quietationem et residentiam aliquarum
perturbationum vel motionum, non advenit per
generationem et alterationem: sed scientia, quae est
cognitio speculativa, et prudentia, quae est ratio
practica, adveniunt animae per quietationem et residentiam corporalium motionum et sensibilium
passionum: non ergo scientia et prudentia adveniunt
in animalia per generationem vel alterationem. Ad
hujus autem rationis manifestationem subjungit e-
xemplum. Ponatur quod aliquis habens· scientiam
dormiat vel inebrietur, aut infirmetur: manifestum
est quod non potest uti scientia, et operari secundum eam: sed manifestum est, quod, quando perturbatio praedicta quiescit, et mens redit ad statum
suum, tunc potest uti scientia, et secundum eam operari: et tamen non dicimus quod, cum dormiens excitatur, aut ebrius quiescit, aut animus infirmantis
ad debitum ordinem per sanitatem reducitur, quod
tunc factus sit sciens, quasi scientia de novo generata sit in ipso; quia inerat ei potentia habitualis
ad congruitatem scientiae, idest ut reduceretur ad
congruum statum, quo uti scientia posset. Dicit
autem quod tale aliquid contingit, cum aliquis a
principio acquirit scientiam. Videtur enim hoc fieri
per hoc quod fit quaedam quietatio et residentia
turbationis, idest inordinatarum motionum, quae
pueris insunt, tum secundum corpus, quia natura
tota est in mutatione propter augmentum: tum e-
tiam secundum partem sensitivam, quia in eis passiones dominantur. Unde hoc quod dicit, « quies »
potest referri ad turbationem corporalis motus, qui
quiescit natura veniente ad statum. Quod autem
dicit, « residentia » potest referri ad passiones partis sensitivae, quae non totaliter quiescunt, sed re-
sident, ex hoc scilicet quod deprimuntur ex ratione,
non autem usque ad perturbandam rationem ascen-
dunt; sicut dicimus residentiam in liquoribus, quando
id quod est faeculentum descendit inferius, et id
quod est superius remanet purum. Haec est igitur
causa, quare juvenes non possunt addiscere capien-
do ea quae ab aliis dicuntur, neque per interiores
sensus possunt judicare de auditis, aut de quibuscumque eorum cognitioni occurrentibus, ita bene
sicut seniores vel presbyteri, quod idem est. Nam
presbyter in graeco, est idem quod senior in latino.
Et hoc ideo, quia multa perturbatio et multus motus est circa ipsos juvenes, ut dictum est. Sed hujusmodi turbatio totaliter tollitur, vel etiam miti-
gatur, aliquando quidem a natura, sicut quando

pervenitur ad statum senectutis, in quo hujusmodi
motus quiescunt: aliquando autem ab aliquibus aliis
causis, sicut ab exercitio et consuetudine; et tunc
possunt bene addiscere et judicare. Et inde est, quod
exercitium virtutum moralium, per quas hujusmodi
passiones refrenantur, multum valet ad scientiam
acquirendam. Sive ergo per naturam, sive per e-
xercitium virtutis turbatio passionum quiescat, attenditur in hoc quaedam alteratio: cum passiones
hujusmodi sint secundum partem sensitivam. Sicut
etiam est aliqua alteratio corporalis, cum dormiens
surgit et fit vigilans, procedens ad actum. Ex quo
patet quod acceptio scientiae, non est alteratio, sed
sequitur alterationem. Ex hoc autem ulterius universaliter concludit, quod alteratio est in sensibus
exterioribus, et in sensibilibus, et in tota parte a-
nimae sensitiva; quod dicit propter passiones interiores: sed in nulla alia parte animae est alteratio,
nisi per accidens. Quod autem Aristoteles hic de
acceptione scientiae dicit, videtur esse secundum
Platonicam opinionem. Posuit enim Plato quod, sicut
formae separatae sunt causae generationis et existentiae rerum naturalium, per hoc quod materia
corporalis participat aliqualiter hujusmodi formas
separatas; ita sunt etiam causa scientiae in nobis
per hoc, quod anima nostra eas aliqualiter participat; ita quod ipsa participatio formarum separatarum
in anima nostra est scientia. Sic enim verum erit
quod accipitur scientia a principio, non per generationem alicujus scientiae in anima, sed solum per
quietationem corporalium et sensibilium passionum,
quibus impediebatur anima scientia uti: sic etiam
verum erit, quod nulla mutatione facta in intellectu, ad solam praesentiam sensibilium, quorum
experientiam accipimus, fit homo sciens, sicut de
relativis accidit: quia sensibilia secundum hoc non
sunt necessaria ad scientiam, nisi ut ab eis quodammodo anima excitetur. Aristotelis autem opinio
est, quod scientia fit in anima per hoc quod species intelligibiles abstractae per intellectum agentem, recipiuntur in intellectu possibili, ut dicitur
in tertio de Anima. Unde et ibidem dicitur quod
intelligere est quoddam pati, licet alia sit passibilitas sensus et intellectus. Nec est inconveniens quod
Aristoteles hac opinione Platonis utatur. Est enim
suae consuetudinis, quod antequam probet suam
sententiam, utatur sententia aliorum, sicut in tertio
usus est, quod omne corpus sensibile habet gravitatem vel levitatem secundum opinionem Platonis, cujus contrarium ipse ostendet in primo de Caelo.

Salvantur tamen et hae rationes secundum opinionem Aristotelis. Ad cujus evidentiam considerandum est, quod susceptivum aliquod tripliciter potest se
habere ad formam suscipiendam. Quandoque enim
est in ultima dispositione ad susceptionem formae,
nullo impedimento existente nec in ipso nec in
alio; et tunc statim ad praesentiam activi susceptivum recipit formam absque aliqua alteratione; sicut
patet in aëre illuminato ad praesentiam solis. Aliquando autem susceptivum non est in ultima dispositione ad-susceptionem formae, et tunc per se
requiritur alteratio, secundum quam materia dispositionem acquirat, ut sit propria huic formae; sicut
cum de aëre fit ignis. Aliquando vero susceptivum
est in ultima dispositione ad formam, sed adest
aliquod impedimentum; sicut cum aer impeditur ad
susceptionem luminis, vel per clausionem fenestrae,
vel per nebulas; et tunc requiritur alteratio vel

mutatio per accidens, quae removeat prohibens. Intellectus ergo possibilis secundum se consideratus, semper est in ultima dispositione ad recipiendam speciem intelligibilem. Si ergo non sit impedimentum, statim ad praesentiam objectorum, per experimentum acceptorum, advenit ei species intelligibilis, sicut speculo forma specularis ad praesentiam corporis; et secundum hoc procedit prima ejus ratio, qua dixit scientiam esse ad aliquid. Si vero sit impedimentum, sicut juvenibus accidit, oportet hujusmodi impedimenta auferri ad hoc quod species intelligibilis in intellectu recipiatur; et sic per accidens necessaria est alteratio.

LECTIO VII.

Quaestione proposita, utrum omnis motus omni motui comparabilis sit, bonae comparationis conditiones declarat.

ANTIQUA.

Dubitabit autem utique aliquis, utrum omnis motus omni motui comparabilis sit aut non? Si igitur omnis comparabilis est, et aequaliter velox est quod in aequali tempore per aequale movetur, erit circularis aliquis aequalis recto, et major etiam et minor. Amplius alteratio et loci mutatio quaedam aequalis cum in aequali tempore aliquid quidem alteretur, aliud vero ducatur: erit ergo passio aequalis longitudini: sed impossibile est.

Si ergo cum in aequali tempore secundum aequale moveatur, tunc aequaliter velox est: aequalis autem non est passio omnis longitudini: quare non erit alteratio loci mutationi aequalis, neque minor: quare non omnis comparabilis.

In circulo autem, et recto, quomodo continget? Inconveniens enim est, nisi sit circulo similiter hoc aliquid moveri, et hoc in recto. Sed mox necesse est, aut velocius aut tardius, sicut hoc deorsum, hoc autem sursum.

Amplius nihil differt in ratione, si aliquis dicat necessarium esse velocius mox aut tardius moveri: erit autem major et minor circularis recta, quare et aequalis. Si enim in A tempore hoc ipsum B transit, aliud autem ipsum c, majus erit B ipso c: sic enim velocius esse dictum est: ergo, si et in minori aequale, velocius est. Quare erit aliqua pars ipsius A, in quo ipsius B circuli transibit, cum in toto A ipsum c.

At vero si sunt comparabilia, accidit modo dictum, aequale esse rectum circulo: sed comparabilia non sunt: neque ergo motus.

Sed quaecumque non aequivoca omnia comparabilia sunt, veluti cur non comparabile est, utrum acutius stilus, aut vinum, aut nete: quia enim aequivoca sunt, non comparantur, sed ultima, ei, quae juxta ultimam comparabilis est: quoniam idem significat acutum in utrisque: ergo non idem velox hic et ibi: multo autem adhuc minus in alteratione, et loci mutatione.

Aut primum quidem hoc non verum est, quod, si non sint aequivoca, comparabilia sunt: multum enim idem significat in aqua et in aere, et non sunt comparabilia. Si autem non duplum quidem idem (duo enim ad unum) et non comparabilia sunt.

An et in his eadem ratio. Et namque multum aequivocum est: sed quorumdam et rationes aequivocae sunt: ut si dicat aliquis, quod multum est tantum, et adhuc aliud tantum, et aequale aequivocum esset. Et unum etiam si contingit, statim aequivocum: si autem hoc, et duo.

Verum propter quid alia comparabilia sunt, alia vero non, si quidem erat una natura?

Aut, quia sunt in alio primo susceptivo. Equus quidem igitur et canis comparabilia sunt, utrum albius. In quo enim primo idem est superficies: et magnitudo similiter. Aqua autem et vox non; in alio namque subjecto sunt.

Aut manifestum est, quod erit omnia sic unum facere: in alio autem unumquodque est dicere esse, quod erit idem aequale, et dulce, et album, sed in alio.

Amplius susceptivum cujuslibet accidentis non contingens

RECENS.

Dubitare autem quispiam possit, an omnis motus sit omni motui comparabilis, necne. Si igitur omnis motus sit comparabilis, et aeque velox sit, quod aequali tempore [per aequale] movetur: certe aliqua linea circularis erit rectae aequalis, et major quoque, et minor. Praeterea variatio et latio quaedam erunt aequales, quum scilicet aequali tempore alterum variatum, alterum illatum fuerit. Erit igitur aequalis affectio longitudini: quod est impossibile. Verum quum aequali tempore per aequale motum fuerit, tunc aeque velox dicitur. Sed affectio non est longitudini aequalis. Quapropter variatio non est lationi aequalis, nec minor. Quare non omnis motus est comparabilis.

In circulo autem et recta linea quonam modo accidet? quippe absurdum est, nisi poterit similiter hoc moveri circulo, et illud in rectum; sed illico necesse sit aut celerius aut tardius moveri: perinde ac si alterum esset declive, alterum acclive.

Praeterea nihil refert, quod ad hanc rationem attinet, si quis dixerit necesse esse ut illico celerius vel tardius moveatur: erit enim major et minor linea circularis, quam recta: quare erit etiam aequalis. Nam si in a tempore alterum conficit lineam b, alterum lineam g: utique major erit linea b, quam g: sic enim celerius dicebatur. Ergo et si minori tempore aequale spatium conficiat, celerius erit. Quocirca erit aliqua pars temporis a qua mobile b aequalem circuli partem conficit, atque mobile g toto a tempore conficit lineam g.

At vero si sint comparabilia, evenit quod nuper dictum fuit, rectam lineam esse circulo aequalem. Atqui haec non sunt comparabilia. Proinde neque motus. Sed quaecumque non sunt homonyma, ea omnia sunt comparabilia. Veluti, cur non est comparabile quodnam sit acutius, stilusne, an vinum, an nete? quia scilicet sunt homonyma, ideo non sunt comparabilia. Sed nete cum parente conferri potest: quoniam acutum in utrisque idem significat. Num igitur velox non idem significat hic et ibi? multo vero etiam minus in variatione et latione.

An primum quidem hoc non est verum, si homonyma non sunt, comparabilia esse? Multum enim, idem significat in aqua et aere: nec tamen haec sunt comparabilia. Si vero non ita sit, at certe duplum, idem significat (nempe duo ad unum), neque haec sunt comparabilia.

An et in his est eadem ratio? nam et multum est homonymum. Sed quorumdam etiam definitiones sunt homonymae: veluti, si quis dicat multum esse tantum, et super aliud tantum, et aequale, est homonymum. Sed et unum fortassis illico est homonymum: quodsi hoc est, etiam duo.

Alioqui cur alia essent comparabilia, alia minime, si sit una natura? An quia in alio primo receptaculo? equus igitur et canis sunt res comparabiles, utrum scilicet sit candidus: quoniam id in quo primo inest candor, est idem, nempe superficies. Et secundum magnitudinem itidem res sunt comparabiles. Sed aqua et vox nequaquam: quoniam aqua et vox sunt in alio.

An manifestum est, ita fore ut omnia liceat unum facere, sed dicere unumquodque esse in alio? atque idem erit aequale et dulce et candidum, sed aliud in alio.

Praeterea non quodvis est receptaculum, sed unum est

est, sed unum unius est primum.

Sic ergo non solum oportet comparabilia non aequivoca esse, sed non habere differentiam, neque quod, neque in quo. Dico autem, sicut color habet divisionem: non ergo comparabile secundum hoc, ut utrum coloratum magis sit album quam nigrum: haec enim comparantur non secundum aliquem colorem, sed inquantum color est: sed secundum albedinem.

unius primum. Num igitur non solum oportet ea quae sunt unius comparabilia, non esse homonyma, sed etiam neque id quo comparatur, neque id in quo illud est, habere differentiam? Verbi gratia, color recipit [differentiam seu] divisionem: ergo non est aliquid secundum hunc comparabile: veluti utrum magis coloratum sit, non ratione alicujus coloris, sed quatenus est color: verum est comparabile ratione alboris.

Postquam Philosophus ostendit quod in mobilibus et motoribus necesse est ponere aliquod primum, quia ea quae sunt unius ordinis videntur comparabilia esse, et hoc ipsum quid est prius et posterius comparationem importat: vult ex consequenti inquirere de motuum comparatione. Et circa hoc duo facit. Primo enim ostendit, qui motus sint comparabiles adinvicem. Secundo, qualiter motus adinvicem comparentur, ibi, « Quoniam autem « movens movet etc. » Circa primum tria facit. Primo movet dubitationem; secundo objicit ad partes dubitationis, ibi, « Si ergo cum inaequali etc. » Tertio dubitationem solvit, ibi, « Sed quaecumque « non aequivoca etc. » Movet autem dubitationem primo quidem in communi, quaerens, utrum omnis motus sit comparabilis cuilibet motui, vel non; deinde vero in speciali dubitationem inferens, primo quidem de motibus unius generis: quia si omnis motus cuilibet motui sit comparabilis secundum velocitatem et tarditatem: dictum est autem in sexto, quod aequaliter velox est, quod movetur in aequali tempore per aequale spatium: sequetur quod motus circularis sit aequalis recto, et major et minor in velocitate; et ulterius, quod linea circularis sit aequalis lineae rectae in quantitate, aut major et minor: ex quo aeque velox est, quod per aequale movetur in aequali tempore. Deinde infert dubitationem de motibus diversorum generum. Si enim omnes motus comparabiles sunt in velocitate, sequetur quod si in aequali tempore hoc quidem alteretur, illud vero moveatur secundum locum, quod sit aequalis in velocitate alteratio loci mutationi. Et ulterius per definitionem aeque velocis, sequetur quod « passio, » idest passibilis qualitas, secundum quam est alteratio, sit aequalis longitudini spatii, quae pertransitur per motum localem; quod est impossibile manifeste: quia non conveniunt in eadem ratione quantitatis.

Secundo ibi « si ergo »

Objicit ad propositam dubitationem; et primo quantum ad comparationem alterationis, et loci mutationis. Secundo quantum ad comparationem motus circularis et recti, ibi, « In circulo autem et re- « cto etc. » Concludit ergo primo ex praemissa ratione ad impossibile ducente, contrarium posito: quasi dicat: dictum est quod inconveniens est passionem esse aequalem longitudini: sed tunc aliquid est aequaliter velox cum in aequali tempore movetur per aequale: ergo, cum nulla passio sit aequalis longitudini, sequitur quod loci mutatio non est aequalis in velocitate alterationi, neque major aut minor. Ex quo ulterius concludi poterit, quod non omnes motus sint comparabiles.

Secundo ibi « in circulo »

Prosequitur quantum ad aliam partem dubitationis, scilicet de motu circulari et recto. Et primo objicit ad hoc, quod motus circularis sit aeque velox motui recto. Secundo objicit in contrarium, ibi, « Ad vero si sunt comparabilia etc. » Circa primum

duo facit. Primo objicit ad propositum. Secundo excludit cavillosam rationem, ibi, « Amplius nihil « differt etc. » Objicit autem primo sic. Motus circularis et rectus sunt differentiae motus localis, sicut et motus sursum et deorsum: sed statim necesse est quod aliquid velocius aut tardius moveatur, si unum movetur sursum, aliud deorsum; vel etiam si idem quandoque movetur sursum, quandoque deorsum. Videtur ergo quod similiter oporteat dicere, quod motus rectus sit velocior aut tardior circulari: sive idem sit quod movetur circulariter et recte, sive aliud et aliud. Est autem considerandum quod in hac ratione non facit mentionem de gravi et levi, sed de velociori et tardiori: quia haec ratio sumitur ex similitudine motus, qui est sursum, cujus principium est levitas, et motus qui est deorsum, cujus principium est gravitas. Quidam autem existimaverunt gravitatem idem esse velocitati et tarditati: quod in quinto removit.

Secundo ibi « amplius nihil »

Excludit quamdam cavillosam obviationem. Posset enim aliquis propter rationem praemissam concedere, quod motus circularis esset aut velocior aut tardior quam rectus, non autem aeque velox. Et hoc excludit, dicens, quod nihil differt quantum ad praesentem rationem, si aliquis dicat quod necessarium est quod id quod movetur circulariter, moveatur velocius aut tardius quam id quod movetur recte: quia secundum hoc motus circularis erit major vel minor in velocitate quam rectus: unde sequitur quod est esse possit aequalis. Et quod hoc sequatur manifestat. Sit A tempus in quo aliquid velocius motum pertranseat ipsum B qui est circulus: aliud autem tardius in eodem tempore pertranseat ipsum C, quod est recta linea. Quia ergo velocius in eodem tempore pertransit majus, sequetur quod B circulus sit aliquid majus quam C linea recta (sic enim supra in sexto definivimus velocius). Sed ibidem etiam diximus, quod velocius in minori tempore pertransit aequale: ergo erit accipere aliquam partem hujus temporis, quod est A, in qua corpus quod circulariter movetur, pertransibit aliquam partem hujus circuli, quod est B, et in eadem parte temporis pertransibit ipsum C, cum tamen corpus tardius in toto A tempore pertransiret totum C. Sequetur ergo quod illa pars circuli sit aequalis toti C, quia idem pertransit aequale in aequali tempore. Et sic linea circularis erit aequalis rectae: et motus circularis per consequens aeque velox recto.

Deinde cum dicit « at vero »

Objicit in contrarium; quia, si motus circularis et rectus sunt comparabiles in velocitate, sequitur quod modo dictum est, scilicet quod linea recta sit aequalis circulo, propter hoc quod aeque velox est quod per aequale movetur. Sed linea circularis, et linea recta non sunt comparabiles, ut possint dici aequales: ergo neque motus circularis et rectus possunt dici aeque veloces.

Deinde cum dicit « sed quaecumque »

Solvit propositam dubitationem. Et primo inquirit in communi quid et cui sit aliquid comparabile.
Secundo adaptat ad propositum, ibi, « Sic et circa
« motum etc. » Circa primum tria facit. Primo
ponit unum quod requiritur ad comparationem.
Secundo secundum, ibi, « Aut quia sunt in alio etc. »
Tertio concludit tertium, ibi, « Sic ergo non solum
« oportet etc. » Circa primum tria facit. Primo
ponit quid requiritur ad comparationem. Secundo
objicit in contrarium, ibi, « Aut primum quidem etc. »
Tertio solvit, ibi, « Aut et in his eadem ratio. » Dicit
ergo primo, quod quaecumque non sunt aequivoca, videntur esse comparabilia, ita scilicet quod secundum ea quae non aequivoce praedicantur possint ea de quibus praedicantur adinvicem comparari: sicut acutum aequivoce sumitur: uno enim modo
dicitur in magnitudinibus, secundum quem modum
angulus dicitur acutus, et stilus acutus: alio modo
dicitur in saporibus, secundum quem modum vinum
dicitur acutum: tertio modo dicitur in vocibus,
« secundum quem modum vox ultima, » idest su-
prema in melodiis, vel chorda in cythara dicitur
acuta. Ideo ergo non potest fieri comparatio, ut dicatur quid sit acutius, utrum stilus, aut vinum, aut
vox ultima, quia acutum de eis aequivoce praedicatur; sed vox ultima potest comparari secundum
acuitatem ei quae est juxta ipsam in ordine me-
lodiae, propter hoc quod acutum non aequivoce,
sed secundum eamdem rationem praedicatur de
utraque. Secundum hoc ergo poterit dici ad propositam quaestionem, quod ideo motus rectus et
circularis non comparantur in velocitate, quia velox
aequivoce dicitur hic et ibi. Et multo minus est
eadem ratio velocis in alteratione et loci mutatione:
unde etiam haec multo minus comparabilia sunt.

Secundo ibi « aut primum »

Objicit contra id quod dictum est: et dicit, quod
quantum ad primum aspectum hoc non videtur
esse verum, quod, si aliqua non sunt aequivoca,
quod sint comparabilia. Inveniuntur enim aliqua
non aequivoca, quae tamen non sunt comparabilia:
sicut hoc ipsum, quod est multum, secundum eamdem rationem dicitur de aqua et de aëre: et tamen
non sunt comparabilia aer et aqua secundum multitudinem. Si autem non velit aliquis hoc concedere,
quod multum idem significet propter ejus communitatem, saltem concedet, quod duplum, quod est
species multiplicis, idem significat in aere et aqua:
utrobique enim significat proportionem duorum ad
unum: et tamen non sunt comparabilia aer et aqua
secundum duplum et dimidium, ut dicatur quod
aqua est duplum aeris, aut e converso.

Tertio ibi « an et in his »

Solvit propositam objectionem. Et circa hoc duo
facit. Primo ponit solutionem; secundo confirmat
eam, quamdam quaestionem movendo: ibi, « Quo-
« niam propter quid. » Dicit ergo primo, quod
potest dici quod in multo et duplo est eadem ratio
quare non sunt comparabilia secundum quod dicuntur de aqua et aëre, quae dicta est de acuto
secundum quod dicitur de stilo, vino et voce; quia
etiam hoc ipsum quod est multum, aequivocum
est. Et quia posset aliquis contra hoc objicere ex
hoc, quod est eadem ratio multi secundum quod
dicitur de utraque; ad hoc excludendum subjungit,
quod etiam « rationes, » idest definitiones quorumdam sunt aequivocae; sicut si dicat aliquis quod

definitio multi est, quod est tantum et adhuc amplius: hoc ipsum quod est tantum, et aequale, quod
idem est, aequivocum est: quia aequale est quod
habet unam quantitatem, non est autem eadem
ratio unius quantitatis in omnibus. Ponitur autem
hic ratio multi secundum quod multum importat
comparationem, prout opponitur pauco, et non secundum quod accipitur absolute prout opponitur
uni. Et quod dixerat de multo, dicit consequenter
de duplo. Quamvis enim ratio dupli sit quod est
proportio duorum ad unum: tamen ista etiam ratio
continet aequivocationem: quia forte potest dici, quod
ipsum unum est aequivocum, et, si unum aequivoce
dicitur, sequitur quod duo: quia duo nihil aliud
est quam bis unum.

Est autem considerandum, quod multa quidem
secundum abstractam considerationem vel logici vel
mathematici non sunt aequivoca, quae tamen secundum concretam rationem naturalis ad materiam
applicantis, aequivoce quodam modo dicuntur: quia
non secundum eamdem rationem in qualibet materia recipiuntur. Sicut quantitatem et unitatem,
quae est principium numeri, non secundum eamdem rationem contingit invenire in corporibus caelestibus, et in igne, et aëre, et aqua.

Secundo ibi « verum propter »

Confirmat quod dictum est, movendo quamdam
quaestionem. Si enim dicatur quod sit una natura
multi et dupli et aliorum hujusmodi, quae non
sunt comparabilia, sicut eorum quae univoce praedicantur; remanet quaestio, quare quaedam, quae
habent unam naturam, sunt comparabilia, quaedam
vero non sunt comparabilia. Videtur enim quod de
similibus debeat esse idem judicium.

Deinde cum dicit « aut quia »

Respondet ad quaestionem motam, ponendo secundum, quod ad comparationem requiritur. Et
circa hoc duo facit. Primo ponit secundum quod
requiritur ad comparationem; secundo ostendit quod
nec istud sufficit, ibi, « Aut manifestum est. » Dicit ergo primo, quod ista potest esse ratio quare
quaedam, quorum est una natura, sunt comparabilia;
quaedam vero non; quia, si una natura recipiatur
in diversis secundum unum primum subjectum,
erunt illa adinvicem comparabilia; sicut equus et
canis comparari possunt secundum albedinem, ut
dicatur quod eorum sit albius, quia non solum est
eadem natura albedinis in utroque, sed etiam est
unum primum subjectum in quo recipitur albedo,
scilicet superficies; et similiter magnitudo est comparabilis in utroque, ut dicatur quod eorum sit
majus: quia idem est subjectum magnitudinis in
utroque, scilicet substantia corporis mixti. Sed aqua
et vox non sunt comparabilia secundum magnitudinem, ut dicatur quod vox est major quam aqua,
aut e converso: quia licet magnitudo secundum se
sit eadem, non tamen est idem receptivum: quia
secundum quod dicitur de aqua, subjectum ejus
est substantia: secundum autem quod dicitur de
voce, subjectum ejus est sonus, qui est qualitas.

Secundo ibi « aut manifestum »

Ostendit quod nec hoc sufficit, duabus rationibus. Quarum prima est. Si propter hoc solum
aliqua essent comparabilia, quia est subjectum indifferens: sequeretur quod omnia haberent unam
naturam, quia de quibuscumque diversis posset
dici quod non differunt, nisi quia sunt in alio et
alio subjecto primo; et secundum hoc sequeretur,

quod hoc ipsum, quod est aequale, et quod est dulce, et quod est album, esset una et eadem natura, sed differret solum per hoc quod est in alio et alio receptivo; et hoc videtur inconveniens, quod omnia habeant unam naturam. Est autem considerandum, quod ponere diversitatem rerum propter diversitatem susceptivi tantum, est opinio Platonica, quae posuit unum ex parte formae, et dualitatem ex parte materiae: ut tota diversitatis ratio ex materiali principio proveniret. Unde, et unum et ens posuit univoce dici, et unam significare naturam: sed secundum diversitatem susceptivorum rerum species diversificari.

Secundam rationem ponit ibi « amplius susce- « ptivum »

Et est, quod non quodlibet est susceptivum cujuslibet, sed unum est primo susceptivum unius, et sic forma et susceptivum adinvicem dicuntur. Si ergo sunt plura prima susceptiva, necesse est quod sint plures naturae susceptae; aut si est una natura suscepta, neeesse est quod sit unum primum susceptivum.

Deinde cum dicit « sic ergo »

Concludit, quod requiritur tertium, ad hoc quod aliqua sint comparabilia; et dicit quod oportet ea, quae sunt comparabilia, non solum non esse aequivoca (quod erat primum:) sed etiam non habere differentiam, neque ex parte subjecti primi in quo aliquid recipitur (quod erat secundum) neque ex parte ejus, quod recipitur, quod est forma (et hoc est tertium). Et exemplificat de hoc tertio: quia color dividitur in diversas species coloris, unde non est comparabile secundum quod de eis praedicatur, licet non dicatur aequivoce, et licet etiam habeat unum primum subjectum, quod est superficies, quod est primum subjectum generis, non autem alicujus speciei coloris. Non enim possumus dicere quid sit magis coloratum, utrum album vel nigrum: haec enim comparatio non esset secundum aliquam determinatam speciem coloris, sed secundum ipsum colorem communem. Secundum vero album, quod non dividitur in diversas species, potest fieri comparatio omnium alborum, ut dicatur quid sit albius.

LECTIO VIII.

Motus tam genere diversi quam idem adinvicem quomodo comparentur: deque generis pluralitate ac speciei unitate plura dicuntur.

ANTIQUA.

Sic et circa motum, aeque velox quod in aequali tempore movetur per aequale tantum longitudinis, in hac.

Si autem aliud quidem alteratum est, aliud vero dicatur: aequalis ne erit haec alteratio, et aeque velox loci mutationi? sed inconveniens: causa autem, quia motus habet species.

Quare, si quae in aequali tempore ducta aequali longitudine aeque velocia, erit aequalis rectus et circularis.

Utrum ergo causa sit, quia loci mutatio genus, aut quia linea genus? Tempus enim, semper idem atomon specie. Aut quia simul illa specie differunt. Etenim loci mutatio species habet, si illud super quod movetur, species habeat.

Aliquando autem in quo, ut si pedes ambulatio, si alae volatio. At non, sed figuris loci mutatio alia.

Quare, quae in aequali tempore moventur secundum eamdem magnitudinem, aeque velocia sunt, sed idem indifferens specie, et moveri indifferens specie. Quare hic considerandum est, quae differentia motus sit.

Et significat ratio haec, quod genus non unum aliquid est, sed juxta hoc latent multa. Suntque aequivocationum aliae quidem multum distantes, aliae vero habentes quamdam similitudinem, aliae vero proximae, aut genere, aut similitudine. Unde non videntur aequivocationes esse cum sint.

Quando igitur altera est species, si idem in alio, aut si aliud in alio? Aut quis terminus, aut quo discernimus quod idem est album et dulce, aut aliud? ex eo ne, quia in alio videtur alterum, aut quia omnino non idem?

De alteratione autem quomodo est aequaliter velox altera alteri? Si itaque est sanari alterari: est autem hunc quidem velociter, alium tarde sanatum esse, et simul quosdam: quare erit alteratio aequaliter velox: in aequali enim tempore alteratum est.

Sed quid alteratum est? aequale enim hic non dicitur. Sed sicut in quantitate aequalitas, ita hic similitudo.

Sed sit idem, quod mutatum est in aequali tempore, aeque velox.

Utrum ergo in quo passio, aut passione oportet comparare?

Hic igitur quod sanitas eadem sit, est accipere, aut neque magis neque minus, sed similiter existit. Si autem altera

RECENS.

Ita etiam in motu aeque velox dicitur quod aequali tempore motum est per tantum aequale.

Si igitur hoc tempore pars magnitudinis variata est, pars vero illata: aequalisne est haec variatio et aeque velox ac latio? Sed hoc est absurdum. Causa vero est, quia motus habet species. Quare, si ea quae aequali tempore feruntur per aequalem longitudinem, sint aeque velocia, linea recta et circularis erunt aequales. Utrum igitur causa est, quia latio est genus, an quia linea est genus? nam tempus idem est semper individuum specie. An illa etiam simul specie differunt? etenim latio species habet, si illud habeat species, in quo movetur. Praeterea, si id per quod fit motus: veluti si sint pedes, ambulatio; si alae, volatus: an non, sed figuris tantum latio diversa est? Quapropter ea quae aequali tempore per eamdem magnitudinem moventur, sunt aeque velocia: eadem autem magnitudo est, quae non dividitur in species; et motus similiter idem, qui non dividitur in species.

Quocirca hoc est considerandum, quaenam sit differentia motus. Atque hic sermo indicat genus non esse unum quid, sed praeter hoc multa latere. Homonymiarum autem aliae longe distant; aliae quamdam similitudinem habent; aliae sunt propinquae aut genere, aut proportione: ideo non videntur homonymiae, quum tamen sint. Quando igitur species diversa est? utrum si eadem est in alio; an si alia in alio? Et quaenam est definitio, seu quonam judicamus album et dulce esse idem, vel diversum? An quia in alio videtur species diversa? an quia omnino non est eadem?

Quod igitur ad variationem attinet, quomodo altera est aeque velox atque altera? Sane si sanari est variari; et fieri potest ut alius celeriter, alius tarde sanetur: etiam fieri potest ut quidam simul sanentur. Quapropter est variatio aeque velox: aequali enim tempore variatum est. Sed quid variatum est? nam aequale hic non dicitur. Sed ut est in quantitate aequalitas, ita hic similitudo. Sed esto aeque velox quod idem mutatur aequali tempore. Utrum igitur id conferre oportet in quo est affectio, an ipsam affectionem? hic sane licet sumere sanitatem esse eamdem, neque plus neque minus, sed similiter inesse. Si vero affectio diversa sit: utputa va-

passio sit, qua alteratur quod fit album, et quod sanatur, his nihil idem, neque aequale, neque simile, aut jam haec species faciunt alterationis, et non est una, sicut neque loci mutatio. Quare considerandum, quot sint species alterationis, et quot loci mutationis. Si igitur quae moventur, specie differunt, quorum sunt motus secundum ipsa, et non secundum accidens; et motus specie differunt: si vero genere, genere; si autem numero, numero.

Sed utrum oporteat ad passionem respicere, si eadem sit, aut similis, aut aequaliter veloces alterationes, aut in id quod alteratur, ut si hujus quidem tantum albatum sit, hujus autem tantum? Aut ad utrumque? Et eadem quidem aut alia passione, secundum quod eadem: aequalis autem aut inaequalis, secundum quod illa inaequalis.

Et in generatione autem et corruptione idem considerandum est: quomodo aeque velox generatio est, si in aequali tempore generetur idem indivisibile, ut homo, sed non animal: velocior autem est, si in aequali tempore alterum est. Non enim habemus aliqua duo, in quibus alteritas sicut dissimilitudo.

Et, si est numerus substantia, major et minor numerus similis speciei. Sed est innominatum quod commune est, et utrumque, sicut quae plus passio, aut excellens magis, quantum autem majus.

riatur, quod albescit, et quod sanatur, his nihil est idem, nec aequale, nec simile; quatenus haec jam faciunt species variationis; nec est una variatio, sicuti nec una latio. Quocirca sumendum est, quot sint species variationis, et quot species lationis. Si igitur ea quae moventur, specie differunt, ea scilicet quorum sunt motiones per se, non ex accidenti; etiam motiones specie different: sin autem genere, genere; sin numero, numero.

Sed utrum ad affectionem respicere oportet, sitne eadem vel similis, si variationes sint similes, an id quod variatur, (utputa si hujus tantum est dealbatio, illius vero tantum), an ad utrumque? et eadem quidem vel diversa est variatio, ratione affectionis, si affecto sit eadem vel diversa: aequalis autem vel inaequalis est variatio, si affectio illa sit aequalis vel inaequalis.

Quin et in generatione et interitu idem considerandum est. Quomodo generatio est aeque velox? si aequali tempore idem atque individuum gignatur; ut homo, non autem animal. Velociter autem, si aequali tempore diversum: non habemus enim duo aliqua, in quibus sit diversitas, ut dissimilitudo. Et si essentia est numerus; certe major vel minor numerus est ejusdem speciei. Sed nomine caret id quod est commune, et utrumque est quale; quale autem, velut plus affectionis, seu quod excedit, dicitur magis: quantum autem, dicitur majus.

Postquam Philosophus ostendit in communi, quid requiratur ad hoc quod aliqua sint comparabilia, applicat inventam veritatem ad comparationem motuum, de qua hic intendit. Et primo in communi. Secundo comparando motus diversorum generum, ibi, « Si autem aliud. » Tertio comparando motus unius generis adinvicem, ibi, « Quare si « qua in aequali. » Dicit ergo primo, quod sicut in aliis requiritur ad hoc quod sint comparabilia, quod non sint aequivoca, et quod sit idem primum susceptivum, et quod sit eadem species, sic et circa motum, aeque velox dicitur illud quod movetur in aequali tempore, per tantum et aequale alterius longitudinis, « in hac » idest secundum mutationem ejusdem speciei.

Secundo ibi « si autem »

Agit de comparatione motuum diversorum generum; et dicit secundum praemissa, quod si unum mobile alteretur, aliud vero ducetur, idest secundum locum moveatur: numquid potest dici quod alteratio sit aeque velox loci mutationi? sed hoc dicere est inconveniens. Cujus causa est, quia motus habet diversas species: et jam dictum est, quod ea quae non sunt unius speciei, non sunt comparabilia. Quia ergo loci mutatio non est ejusdem speciei cum alteratione, non sunt comparabiles velocitates alterationis et loci mutationis.

Tertio ibi « quare si »

Agit de comparatione motuum unius generis in eodem genere. Et primo quantum ad loci mutationem. Secundo quantum ad alterationem, ibi, « De « alteratione autem quomodo. » Tertio quantum ad generationem et corruptionem, ibi, « Et in ge- « neratione autem. » De augmento autem et diminutione mentionem non facit, quia eadem ratio est in his et in loci mutatione, cum sint et ipsi secundum aliquam magnitudinem. Circa primum tria facit. Primo ostendit quid requiritur ad hoc quod duo motus locales sint adinvicem comparabiles; secundo excludit quoddam quod videbatur ad hoc requiri, ibi, « Aliquando autem in quo. » Tertio concludit principalem intentum, ibi, « Quare quae « in aequali tempore etc. » Circa primum duo facit. Primo concludit inconveniens quod sequeretur, si omnes loci mutationes essent comparabiles,

ibi, « Utrum ergo causa. » Dicit ergo primo, quod si aeque velocia sunt quae moventur localiter per aequalem magnitudinem in aequali tempore: et omnes loci mutationes contingit esse aeque veloces: sequitur quod sit aequalis rectus et circularis. Quod potest intelligi dupliciter: uno modo de motu recto et circulari: alio modo de linea recta et circulari, et hoc melius est. Hoc enim sequitur ex eo quod praemisit. Si enim omnis motus rectus et circularis sunt aeque veloces; sunt autem aeque veloces motus, quando aequales magnitudines pertranseunt in aequali tempore: sequitur quod magnitudo recta et circularis sint aequales. Quod relinquitur pro inconvenienti.

Secundo ibi « utrum ergo »

Inquirit de causa incomparabilitatis motus recti et circularis. Quia enim concluserat, quod si sunt aeque veloces, sequitur etiam magnitudines esse aequales, quod inconveniens videtur: posset aliquis dubitare, utrum causa hujusmodi incomparabilitatis sit ex parte motus, vel ex parte magnitudinum. Et hoc est quod quaerit, utrum causa, quare motus rectus non sit aeque velox motui circulari, sit, quia loci mutatio est genus continens sub se diversas species. Dictum est autem supra, quod ea quae sunt diversa secundum speciem, non comparantur, aut causa ejus est, quia linea est genus continens sub se rectum et circulare, sicut diversas species. Ex parte autem temporis non potest esse causa hujus incomparabilitatis: quia omne tempus est atomon, idest indivisibile secundum speciem. Huic autem quaestioni respondet, quod utrumque simul conjungitur: quia ex utraque parte invenitur differentia speciei: ita tamen quod diversitas speciei in loci mutatione causatur ex diversitate speciei in magnitudine, super quam est motus. Et hoc est quod dicit, quod, si illud super quod movetur, habet species, sequitur quod loci mutatio species habeat.

Deinde cum dicit « aliquando autem »

Excludit quoddam, quod posset videri esse requirendum ad identitatem speciei, et comparabilitatem in motibus: et dicit, quod aliquando loci mutationes diversificantur secundum illud, « in « quo, » idest per quod, sicut per instrumentum, est loci mutatio: sicut si pedes sint, quibus aliquid movetur dicitur ambulatio: si autem sint alae, dicitur volatio. Sed hoc non facit diversitatem speciei in motibus localibus, « sed figuris loci mutatio « alia, » idest ista diversitas mutationum non est secundum speciem, sed solum secundum quamdam figuram motus, ut Commentator exponit. Sed melius potest dici, quod hic intendit dicere, quod loci mutatio specie non diversificatur per instrumenta motus, sed per figuras magnitudinis, super quam transit motus; sic enim rectum et circulare differunt. Et ratio hujus est: quia motus non recipiunt speciem a mobilibus, sed potius a rebus, secundum quas mobilia moventur; instrumenta autem se tenent ex parte mobilium; figurae autem ex parte rei, in qua est motus.

Deinde cum dicit « quare quae »

Concludit propositum. Et circa hoc tria facit. Primo concludit principale propositum; secundo elicit quoddam consideratione dignum ex conclusione praemissa, ibi, « Etsi significat ratio haec. » Tertio inquirit de diversitate speciei, ibi, « Quando « igitur altera est species. » Concludit ergo primo, quod ex quo motus non sunt comparabiles nisi sint unius speciei, et motus locales non sint unius speciei, nisi sit eadem magnitudo secundum speciem: sequitur quod illa sint aeque velocia, quae moventur in aequali tempore secundum magnitudinem eamdem; sed ita tamen, quod idem accipiatur quod est indifferens specie. Sic enim et motui conveniet, quod sit indifferens specie. Et ideo hoc considerandum est praecipue in comparatione motuum, quae sit differentia motus. Quia, si est differentia genere vel specie, non sunt comparabiles: si autem est differentia secundum accidens, comparabiles sunt.

Secundo ibi « et significat »

Elicit ex praemissis quoddam consideratione dignum; scilicet quod genus non est aliquid unum simpliciter, species autem est aliquid unum simpliciter. Et hoc significatur ex ratione praecedenti: qua ostensum est, quod ea quae sunt unius generis, non sunt comparabilia; quae vero sunt unius speciei, comparabilia sunt; cum tamen supra dictum sit, quod eadem natura comparabilium est. Ex quo videtur quod genus non sit una natura, sed species sit una natura. Et hujus ratio est: quia species sumitur a forma ultima, quae simpliciter una est in rerum natura. Genus autem non sumitur a forma aliqua quae sit una in rerum natura, sed secundum rationem tantum: non est enim aliqua forma: ex qua homo sit animal, praeter illam, ex qua homo est homo. Omnes igitur homines, qui sunt unius speciei, conveniunt in forma, quae constituit speciem: quia quilibet habet animam rationalem. Sed non est in homine, equo, aut asino aliqua anima communis, quae constituat animal, praeter illam animam: quae constituit hominem, vel equum, aut asinum, quod si esset, tunc genus esset unum et comparabile, sicut et species. Sed in sola consideratione accipitur forma generis per abstractionem intellectus a differentiis. Sic igitur species est unum quid a forma una in rerum natura existente: genus autem non est unum, quia secundum diversas formas in rerum natura existentes, diversae species generis praedicationem suscipiunt. Et sic genus est unum logice, sed non physice. Quia ergo genus quodammodo est unum, et non simpliciter, « juxta genera latent multa, » idest per similitudinem et propinquitatem ad unitatem generis, multorum aequivocatio latet. Sunt

autem quaedam aequivocationum multum distantes, in quibus sola communitas nominum attenditur; sicut si canis dicatur caeleste sidus, et animal latrabile. Quaedam vero sunt, quae habent quamdam similitudinem; sicut si hoc nomen homo dicatur de vero homine, et de homine picto, inquantum habet similitudinem quamdam veri hominis. Quaedam vero aequivocationes sunt proximae, aut propter convenientiam in genere, sicut si corpus dicatur de corpore caelesti et de corpore corruptibili, aequivoce dicitur naturaliter loquendo, quia eorum non est materia una, conveniunt tamen in genere logico, et propter hanc generis convenientiam videntur omnino non aequivoca esse. Aut etiam sunt propinqua secundum aliquam similitudinem, sicut ille qui docet in scholis, dicitur magister: et similiter ille, qui praeest domui, dicitur magister domus aequivoce: et tamen propinqua aequivocatione propter similitudinem: uterque enim est rector, hic quidem scholarium, ille vero domus. Unde propter hanc propinquitatem vel generis vel similitudinis, non videntur esse aequivocationes, cum tamen sint.

Deinde cum dicit « quando igitur »

Quia dixerat, quod considerandum est quae sit differentia motus, utrum scilicet motus differant specie, hic inquirit quomodo differentia speciei accipi possit tam in motibus quam in aliis. Et, quia essentiam speciei significat definitio, quaerit duas quaestiones: unam de specie, et aliam de definitione. Quaerit ergo primo de specie, quando sit judicanda altera species; utrum ex hoc solo quod eadem natura sit in alio et alio susceptibili, sicut Platonici posuerunt. Sed hoc, secundum praemissa non potest esse verum. Dictum est enim quod genus non est simpliciter unum: et ideo differentia speciei non attenditur per hoc quod aliquid idem sit in alio et alio, nisi secundum Platonicos, qui posuerunt genus esse simpliciter unum. Et propter hoc, quasi quaestionem solvens, subjungit, « Aut si « aliud in alio: » quasi dicat: non propter hoc est alia species, quia est idem in alio; sed quia est alia natura in alio susceptibili. Secundam quaestionem movet de definitione: et est questio, quid sit terminus, idest quae sit definitio declarans speciem. Et quia ea quae sunt idem definitione, sunt idem simpliciter; ideo quasi solvens subjungit, quod illud est propria definitio rei, quo possumus discernere, utrum sit idem aut aliud: puta album vel dulce. Et hoc quod dico, « aliud » potest duobus modis accipi, sicut et prius: uno scilicet modo, ut album dicatur aliud a dulci, quia in albo invenitur alia natura subjecta quam in dulci: alio modo, quia non solum secundum naturam subjectam differunt, sed omnino non sunt idem. Quae quidem duo sunt eadem cum his quae supra posuit: « si idem in alio, aut si aliud in alio. » Manifestum est enim, quod eadem est ratio identitatis et diversitatis, et in specie, et in definitione.

Deinde cum dicit « de alteratione »

Agit de comparatione alterationum. Et circa hoc duo facit. Primo ostendit quod una alteratio est aeque velox alteri; secundo inquirit secundum quid aequalitas velocitatis attendatur in alteratione, ibi, « Sed quid alteratum est etc. » Quaerit ergo primo de alteratione, quomodo sit una alteratio aequaliter velox alteri alterationi. Et quod duae alterationes sint aeque veloces probat. Sanari enim est alterari: contingit autem unum cito sanari, et aliud tarde: et contingit etiam quosdam simul sanari: ergo una alteratio est aeque velox alteri. Illud enim dicitur aeque velociter moveri, quod in aequali tempore movetur.

Secundo ibi « sed quid »

Quia in motu locali ad hoc quod sit aequalis velocitas requiritur non solum aequalitas temporis, sed etiam aequalitas magnitudinis quae pertransitur: supposito quod in alteratione aequalitas temporis requiratur ad aequalem velocitatem, inquirit quid aliud requiratur. Et hoc est quod dicit: « Sed quid « alteratum est, » idest quid est illud ad quod, cum pervenerit alteratio in aequali tempore, possit dici aeque velox? Et ratio dubitationis est: quia in qualitate, circa quam est alteratio, non invenitur aequale: ut possimus dicere, quod, quando pervenit ad aequalem quantitatem in aequali tempore, sit aeque velox alteratio: sicut dicebatur in motu locali, et etiam dici potest in augmento et diminutione. Sed sicut in quantitate invenitur aequalitas, ita et in qualitate invenitur similitudo.

Huic ergo questioni respondet cum subdit « sed « sit »

Et primo ponit responsionem ad quaestionem; et dicit quod alteratio debet dici aeque velox, si in aequali tempore mutatum sit idem, idest illud quod est alteratum.

Secundo ibi « utrum ergo »

Movet quaestionem circa positam solutionem. Et est quaestio quam primo movet talis. Cum enim dictum sit, quod aeque velox alteratio est, si sit idem quod alteratum est in aequali tempore: in eo autem, quod est alteratum, duo est considerare: scilicet passionem, secundum quam fit alteratio; et subjectum, in quo est passio: est ergo quaestio, utrum hujusmodi comparationem oporteat accipere secundum identitatem passionis, an secundum identitatem subjecti in quo est passio.

Secundo ibi « hic igitur »

Solvit quaestionem quantum ad unam partem: et dicit quod in alteratione ex parte passionis, duplex identitas attendi debet ad hoc quod sit aeque velox alteratio. Primo quidem, quod sit eadem qualitas secundum speciem; puta ut accipiatur eadem sanitas, ut oculi, aut alicujus hujusmodi. Secundum est, quod ut eadem qualitas accepta similiter insit, neque magis neque minus. « Sed si passio, idest passibilis qualitas, est altera secundum speciem, puta si unum alteratum fiat album, et aliud sanetur; in his duabus passionibus nihil est idem, neque aequale neque simile. Unde secundum diversitatem harum passionum fiunt diversae species alterationis, et non est una alteratio; sicut etiam supra dictum est, quod motus rectus et circularis non sunt una loci mutatio. Et ideo ad comparandum tam loci mutationes quam alterationes considerandum est quot sint species alterationis, vel loci mutationis; utrum scilicet eadem vel plures. Et hoc quidem potest considerari ex rebus in quibus est motus: « quia si illa quae moventur, » idest secundum quae est motus per se et non secundum accidens, differunt specie; et motus specie differunt: si vero differunt genere, et motus: si numero, et motus differunt numero, ut in quinto dictum est.

Tertio ibi « sed utrum »

Determinata una parte quaestionis quam moverat, quaerit de alia. Et est quaestio, utrum ad hoc quod judicentur alterationes esse similes vel aeque veloces, oporteat respicere solum ad passionem si

sit eadem, aut etiam oporteat respicere ad subjectum quod alteratur: ita scilicet quod si hujus corporis tanta pars sit albata in hoc tempore, et alterius corporis aequalis pars sit albata in eodem vel aequali tempore, dicatur alteratio aeque velox. Et solvit, quod oportet ad utrumque respicere; ad passionem scilicet, et subjectum: diversimode tamen. Quia judicamus alterationem esse eamdem vel aliam ex parte passionis secundum quod est eadem vel alia: sed judicamus alterationem aequalem vel inaequalem, secundum quod pars subjecti alterati est aequalis vel inaequalis. Si enim hujus corporis albetur magna pars, alterius autem parva; erit quidem alteratio eadem specie, sed non aequalis.

Deinde cum dicit « et in generatione »

Ostendit quomodo debeat fieri comparatio in generatione et corruptione. Et primo secundum opinionem propriam; secundo secundum opinionem Platonis, « Et si numerus substantia. » Dicit ergo primo, quod in generatione et corruptione, ad hoc quod generatio dicatur aeque velox, considerandum est si in aequali tempore sit idem quod generatur, et indivisibile secundum speciem: puta si in utraque generatione generetur homo in aequali tempore, est aeque velox generatio; sed non est aeque velox generatio ex hoc solo quod in aequali tempore generatur animal: quia quaedam animalia propter sui perfectionem indigent majori tempore ad generationem. Sed velocior dicitur esse generatio si in aequali tempore generetur alterum: puta si tanto tempore, in quo ex una parte generatur canis, ex alia parte equus generetur; esset equi velocior generatio. Et quia in alteratione ex parte passionis dixerat duo consideranda: scilicet si est eadem sanitas; et iterum si similiter existit, et neque magis neque minus: hic autem in generatione unum tantum dixit considerandum, scilicet si sit idem quod generatur: hujus modi causam assignat dicens: « Non « enim habemus aliqua duo in quibus alteritas « sicut dissimilitudo: » quasi dicat: ideo in generatione hoc solum considerandum, utrum sit idem quod generatur: quia in generatione non habemus aliquid quod possit variari per duo, secundum quae attendatur aliqua alteritas: sicut in alteratione accidit dissimilitudo, per hoc quod una et eadem qualitas variatur secundum magis et minus: substantia enim, cujus est generatio, non recipit magis et minus.

Secundo ibi « et si est »

Agit de comparatione generationis secundum opinionem Platonis, qui ponebat numerum esse substantiam rei, propter hoc, quod unum, quod est principium numeri, putabat esse idem cum uno quod convertitur cum ente, et rei substantiam significat. Ipsum autem quod est unum, est omnino unius naturae et speciei. Si ergo numerus, qui nihil est aliud quam aggregatio unitatum, sit substantia rerum secundum Platonicos, sequitur quod dicetur quidem major numerus secundum diversam speciem quantitatis, sed tamen quantum ad substantiam erit similis speciei. Et inde est quod Plato posuit speciem unum: contraria vero, per quae diversificantur res, magnum et parvum, quae sunt ex parte materiae: et sic sequetur, quod sicut una et eadem sanitas habet duo inquantum recipit magis et minus; sic etiam et substantia, quae est numerus, cum sit unius speciei ex parte unitatis, habebit aliqua duo, inquantum est major et minor numerus. Sed in substantia non est commune nomen positum quod significet utrumque, idest diversitatem, quae accidit majoritate et minoritate numeri, sicut in passionibus, cum passio plus inest, aut qualitercumque est excellens, dicitur majus: ut puta magis album, vel magis sanum; in quantitate autem, cum fuerit excellens, dicitur majus vel minus corpus, aut major superficies. Sic autem non habemus nomen positum, quo communiter significetur excellentia substantiae, quae est ex majoritate numeri secundum Platonicos.

LECTIO IX.

Regulis nonnullis, motum omnem comparari docet.

ANTIQUA.

Quoniam autem movens movet semper aliquid, et in aliquo, et usque ad aliquid: (dico autem in aliquo, quia in tempore: usque autem ad aliquid, quia ad quantam aliquam longitudinem: semper enim simul movet et movit: quare quantum aliquid erit quod motum est et in quanto).

Si igitur A quod est movens, B autem quod movetur, quantumcumque autem longitudo mota c, in quantocumque est tempore, in quo est D: in aequali igitur tempore aequalis potentia ei in qua est A medietatem ipsius B duplicem ipsius c transibit: ipsum autem c in medietate ipsius D: sic enim erit analogia.

Et si eadem potentia idem in hoc tempore per tantum movet et medietatem in medietate movebit: et media virtus, medium movebit in aequali tempore. Ut ipsius A potentiae, sit et medietas, quae est ipsum E: quod ipsius B, F sit medium. Similiter igitur se habet et secundum analogiam, virtus ad grave: quare aequale et in aequali tempore movebit.

Et si E ipsum F movet in ipso D secundum c, non necessarium est in aequali tempore E duplum ipso E movere secundum medietatem ipsius c.

Si vero A, movebit B in ipso D quantum est ipsum c, medietas ipsius A quae est, in quo est E, ipsum B non movebit in tempore, in quo est D, neque in aliquo ipsius D, per aliquam partem quae est ipsius c, secundum quod est analogia ad totum c, sicut est A ad E. Omnino enim si contingit, non movebit aliquid. Si enim tota virtus totum movit, medietas non movebit, neque quantam, neque in quocumque. Unus enim moveret navem: si navem trahentium dividitur potentia in numerum et longitudinem, quam omnes moverunt.

Propter hoc Zenonis ratio non est vera quod sonet milii quaelibet pars: nihil enim prohibet non movere aerem, in ullo tempore tantum quantum moveret cadens totus modius, neque itaque tanta pars, tantum quantum movebit cum toto: si sit per se: hoc non movet: neque enim ulla est, sed potentia in toto.

Si vero duo, et utrumque horum utrumque movet per tantum in tanto, et compositae potentiae compositum ex gravibus aequali movebunt longitudine, et in aequali tempore: analogum namque est.

Num igitur sic est in alteratione, et in augmento? aliquid quidem enim est augens, aliquid autem et id quod augetur: in quanto autem tempore, et quantum, aliud quidem auget, aliud autem augetur. Et alterans, et quod alteratur, similiter et aliquid et quantum secundum majus et minus alterata sunt, et in quanto tempore.

In duplo duplum, aut duplum in duplo: medium autem in medio tempore, aut in medio medium, aut in aequali duplum.

Si autem alterans, aut agens, tantum in tanto tempore auget, aut alteret, non necesse est, et medium in medio, et in medio, medium. Sed, si contingerit, nihil augmentabit aut alterabit, sicut et in gravi.

RECENS.

Quum autem id quod movet, aliquid semper moveat, et in aliquo, et usque ad aliquid: (dico autem in aliquo quia in tempore movet; usque ad aliquid vero, quia per quantam aliquam longitudinem: semper enim simul movet et movit: quapropter erit quantum quiddam, quod motum est, et in quanto:) si igitur to a est quod movet; to b autem, quod movetur; to g vero longitudo per quam motum est; tempus autem, quo movetur, est ubi d: sane aequali tempore aequalis vis, quae est ubi a, dimidium ipsius b movebit per longitudinem duplo majorem quam g: per longitudinem autem g movebit in dimidio temporis d. Sic enim erit proportio.

Et si eadem vis idem pondus hoc tempore per tantam longitudinem movet; etiam per dimidiam longitudinis partem movebit dimidiato tempore: et dimidiata vis dimidiatum pondus movebit aequali tempore per aequale spatium. Utputa virtutis a esto dimidia virtus e; et ponderis b esto dimidium to z: similiter itaque affecta erunt, et eamdem rationem habebit vis ad pondus. Quapropter per aequale spatium aequali tempore movebunt.

Et si to e movet pondus z tempore d per longitudinem g: non est necesse ut aequali tempore to e moveat duplum ponderis z per dimidiam partem longitudinis q. Si igitur to a movebit pondus b in tempore d per longitudinem g, non propterea dimidium tou a, nempe to e, movebit pondus b in tempore d: nec in aliqua parte temporis d movebit per aliquam partem longitudinis g, seu quae eamdem rationem habeat ad totam longitudinem g, ut virtus a ad virtutem e. Omnino enim fortasse per nullam spatii partem movebit. Nam si tota vis per tantam longitudinem movit: non propterea vis dimidiata movebit nec per quantamvis longitudinem, nec quovis tempore. Alioqui unus moveret navigium, si eorum qui navigium trahunt, vis divideretur in numerum, et longitudinem per quam omnes moverunt. Idcirco Zenonis ratio non est vera, quantamvis milii partem sonum edere: quia nihil prohibet quominus nullo tempore moveat hunc aerem, quem totus incidens modius movebat. Nec igitur tantam partem, quantam moveret una cum toto, haec milii pars, si sit per se, movebit: quia nulla pars est in toto, nisi potestate.

Si vero duo sunt, et horum utrumque movet utrumque pondus per tantum spatii tanto tempore: etiam conjunctae vires, id quod ex ponderibus est compositum, per aequalem longitudinem movebunt; et aequali tempore: proportio namque est. Num igitur ita res habet et in variatione et accretione? est enim aliquid quod auget, et aliquid quod augetur: tanto autem tempore, et secundum tantam magnitudinem, alterum auget, alterum augetur. Et quod variat, et quod variatur, itidem secundum aliquid seu secundum quantitatem aliquam vel magis vel minus variatum est, ac tanto tempore, duplo tempore duplum, et duplum duplo tempore; dimidium autem dimidiato tempore, vel dimidiato tempore dimidium, vel aequali tempore duplum. Si vero quod variat vel auget, tantum tanto tempore vel auget vel variat; non est necesse ut etiam dimidium dimidiato tempore, et dimidiato tempore dimidium augeat seu variet: sed fortasse nulla ex parte variabit vel augebit, sicut et in pondere contingebat.

Postquam Philosophus ostendit quod motus sunt comparabiles adinvicem, hic docet quomodo comparentur. Et primo in motu locali; secundo in aliis motibus, ibi, « Si igitur alteratione. » Circa primum duo facit. Primo ponit ea, secundum quae oportet comparari motus locales adinvicem; secundo accipit regulas comparationis secundum praedicta, ibi, « Sit « igitur A quod est movens. » Dicit ergo primo, quod movens localiter semper movet aliquod mobile, et iterum in aliquo tempore, et usque ad aliquam quantitatem spatii, per aliquam partem temporis. Quod jam oportet esse, quia, sicut in sexto probatum est, semper simul aliquod movet et movit. Probatum est enim ibi quod omne quod movetur, jam est motum per aliquam partem spatii, et per aliquam partem temporis: unde sequitur, quod et illud quod movetur est aliquod quantum et divisibile, et etiam illud per quod movetur: et tempus in quo, movetur. Movens autem non omne est quantum, ut in octavo probabitur. Sed tamen manifestum est aliquod quantum esse movens; et de hoc movente hic proponit regulas comparationis.

Secundo ibi « si igitur »

Ponit regulas comparationis. Et primo secundum divisionem mobilis; secundo quando movens dividitur, ibi, « Et si eadem potentia etc. » Dicit ergo primo: accipiatur aliquando movens, quod sit A, et aliquod mobile quod sit B, et longitudo spatii pertransiti, quae sit C, et tempus, in quo A movet B per C, sit D. Si ergo accipiatur aliqua alia potentia movens aequalis potentiae ipsi A, sequetur quod illa potentia movebit medietatem mobilis, quod est B, in eodem tempore per longitudinem quae sit dupla quam C; sed medietatem mobilis movebit per totam longitudinem C in medietate temporis, quod est D. Ex his igitur verbis Philosophi duae regulae generales accipi possunt: quarum prima est, quod, si aliqua potentia movet aliquod mobile per aliquod spatium in aliquo tempore, medietatem illius mobilis per duplum spatium movebit: vel aequalis potentia in eodem tempore, vel eadem in alio aequali. Alia regula est quod medietatem mobilis movebit per idem spatium, aequalis potentia in medietate temporis. Et horum ratio est, quia sic conservabitur « eadem analogia, » idest eadem proportio. Manifestum est enim, quod velocitas motus est ex victoria potentiae moventis super mobile. Quanto autem mobile fuerit minus, tanto potentia moventis magis excedit ipsum, unde velocius movebit. Velocitas autem motus diminuit tempus, et auget longitudinem spatii: quia velocius est quod in aequali tempore pertransit majorem magnitudinem, et aequalem magnitudinem in minori tempore, ut in sexto probatum est: ergo secundum proportionem qua subtrahitur a mobili, oportet subtrahi de tempore, vel addi ad longitudinem spatii, dummodo movens sit idem vel aequale.

Deinde cum dicit « et si eadem »

Docet comparare motus ex parte moventis. Et primo secundum divisionem moventis. Secundo secundum oppositam congregationem, ibi, « Si vero « duo et utrumque etc. » Circa primum tria facit. Primo ponit comparationem veram. Secundo removet comparationes falsas, ibi, « Et si E ipsum F. » Tertio ex hoc solvit rationem Zenonis, ibi, « Pro- « pter hoc Zenonis ratio etc. » Dicit ergo primo, quod si aliqua potentia idem mobile movet in eodem tempore, per tantum spatium, ipsamet movet medietatem mobilis in medietate temporis, per idem spatium: vel in eodem tempore movet medium mobilis per duplum spatium, sicut et de aequali potentia dictum est. Et ulterius, si dividatur potentia, media potentia movebit medietatem mobilis per idem spatium in aequali tempore. Sed hoc intelligendum est, quando potentia est talis, quod per divisionem non corrumpitur. Loquitur enim secundum considerationem communem, nondum applicando ad aliquam specialem naturam, sicut et in omnibus quae praemisit. Et ponit exemplum. Si enim accipiatur medietas hujus potentiae quae est A, et dicatur E, et accipiatur medietas mobilis quod est B, et dicatur F; sicut A movebat B per C in tempore D, ita E movebit F per idem spatium in aequali tempore: quia et hic etiam servatur eadem proportio virtutis motivae ad corpus ponderosum quod movetur. Unde sequitur quod in aequali tempore fiat motus per aequale spatium, sicut dictum est.

Secundo ibi « et si E »

Excludit duas falsas comparationes: quarum prima est, quod addatur ad mobile, et non addatur ad potentiam moventem. Unde dicit, quod, si E, quod est medietas motivae potentiae, moveat F quod est medietas mobilis, tempore D secundum spatium C, non est necessarium quod ipsa potentia dimidiata, quae est E, moveat mobile quod sit in duplo majus quam F in aequali tempore secundum medietatem spatii quod est C: quia poterit esse quod dimidia potentia duplum mobile nullo modo movere poterit. Sed si posset movere, teneret haec comparatio. Secunda falsa comparatio est, quando dividitur movens, et non dividitur mobile.

Et hanc excludit ibi « si vero »

Dicens quod, si potentia movens quae est A, moveat mobile quod est B, in tempore D, per spatium quod est C, non oportet quod medietas moventis moveat totum mobile, quod est B, in tempore D, neque etiam per quamcumque partem spatii C, cujus partis sit proportio ad totum spatium C, sicut e converso erat quando comparabamus A ad F, idest totam potentiam motivam ad partem mobilis. Illa enim erat conveniens comparatio; sed hic non; quia potest contingere, quod medietas moventis non movebit totum mobile per aliquod spatium. Si enim aliqua tota virtus movet totum mobile, neque movebit per quodcumque spatium, neque in quocumque tempore: quia sequeretur, quod solus unus homo posset movere navem per aliquod spatium, si potentia trahentium dividatur secundum numerum trahentium, et secundum longitudinem spatii, per quod omnes simul trahunt navem.

Deinde cum dicit « propter hoc »

Secundum praemissa solvit rationem Zenonis, qui volebat probare quod quodlibet granum milii faciat aliquem sonum projectum in terra: quia totus modius milii, quando in terram effunditur, facit aliquem sonum. Sed Aristoteles dicit, quod haec Zenonis ratio non est vera, scilicet quod « quaeli- « bet pars milii sonet, » idest quodlibet granum milii sonum faciat cum cadat in terram: quia nihil prohibet dicere, quod granum milii in nullo tempore movet aerem in tantum ut faciat sonum, quem aerem movet ad sonum faciendum totus modius cadens. Et ex hoc possumus concludere, quod non est necessarium quod, si aliqua quantacumque pars existens in toto movet, quod separatim per se existens movere possit: quia pars in toto non est in actu, sed in potentia, maxime in continuis. Sic enim aliquis est ens, sicut et unum. Unum autem est, quod est in se indivisum, et ab aliis divisum: pars autem prout est in toto, non est divisa in actu, sed in potentia tantum: unde non est actu ens neque una, sed in potentia tantum; et propter hoc non agit pars, sed totum.

Deinde cum dicit « si vero »

Ponit comparationem secundum congregationem moventium: et dicit, quod si sint duo, et utrumque eorum moveat, quorum utrumque per se moveat tantum mobile, in tanto tempore, per tantum spatium, quando conjunguntur istae duae potentiae moventium, movebunt illud quod est conjunctum ex ponderibus motis per aequale spatium in aequali tempore: quia in hoc etiam servatur eadem analogia.

Deinde cum dicit « num igitur »

Ponit easdem comparationis regulas in aliis motibus; et circa haec tria facit. Primo ostendit divisibilitatem eorum secundum quae attenduntur comparationes motuum; secundo ponit comparationes veras, ibi, « In duplo duplum etc.; » tertio removet comparationes falsas, ibi, « Sic autem al-
« terans. » Dicit ergo primo quantum ad augmentum, quod sunt tria: scilicet augens, et id quod augetur, et tempus: et haec tria habent aliquam quantitatem, secundum quam augens auget et auctum augetur. Et haec etiam quatuor est accipere in alteratione: scilicet alterans, et quod alteratur, et quantitas passionis, secundum quam fit alteratio, quae inest secundum magis et minus: et iterum quantitas temporis, in quo fit alteratio; sicut et haec quatuor in motu locali inveniebantur.

Secundo ibi « in duplo »

Ponit comparationes veras: et dicit quod, si aliqua potentia secundum hos motus moveat tantum in tanto tempore, in duplo tempore movebit duplum: et si moveat duplum, hoc erit in duplo tempore. Et similiter movebit eadem potentia medium in medio tempore: aut si moveat in medio tempore, erit dimidium, quod est motum: aut si sit dupla potentia, in aequali tempore movebit duplum.

Tertio ibi « si autem »

Excludit falsam comparationem: et dicit quod, si aliqua potentia moveat in motu alterationis et augmenti tantum in tanto tempore, non necesse est quod medietas potentiae moveat medietatem in eodem tempore, aut in medio tempore tantumdem; sed forte contingit quod nihil augmentabit vel alterabit, « sicut et in gravi, » idest sicut dictum est, quod dimidiata potentia non potest movere totum pondus, neque per totum spatium, neque per aliquam ejus partem. Est enim intelligendum, quod hoc quod dicit « in medium, aut in aequali duplum, » ly duplum et medium (quod in accusativo ponitur) non accipitur pro dimidio vel duplo ipsius mobilis, sed pro dimidio et duplo ex parte rei, in qua est « motus, » idest qualitatis aut quantitatis: quae ita se habent in istis duobus motibus sicut longitudo spatii in motu locali: alioquin non similiter esset in his motibus, et in motu locali. In motu enim locali dictum est, quod si tanta potentia movet tantum mobile, medietas movebit medietatem mobilis. Hic autem dicitur, quod medietas forte nihil movebit. Sed intelligendum est de toto mobili integro: quia virtus motiva dimidiata, non movebit ipsum, neque per tantam quantitatem aut qualitatem, neque per ejus medium.

LIBER OCTAVUS

SUMMA LIBRI. — MOTUM IPSUM EX OMNI PARTE SEMPITERNUM FORE CUM OSTENSUM FUERIT, PRIMUM MOTOREM PENITUS IMMOBILEM, PERPETUUM ET UNUM ESSE DEMONSTRATUR. AN ETIAM CONTINUUS DETUR MOTUS, ET QUIS NAM PRIMUS SIT INQUIRITUR. PRIMUM DENIQUE MOTOREM INDIVISIBILEM ET IMPARTIBILEM, OMNIQUE PRORSUS MAGNITUDINE CARERE CONCLUDITUR.

LECTIO I.

De sempiternitate motus in communi quaestionem movet, ejusque partes prosequens, quantae utilitatis sit ostendit.

ANTIQUA.

Utrum autem factus sit aliquando motus, cum non esset prius: et corrumpitur iterum, sic quod moveri nihil sit: aut neque factus est neque corrumpitur, sed erat semper et erit. Et hoc immortale et sine quiete existit in his quae sunt, ut vita quaedam ens natura omnibus subsistentibus.

Esse quidem igitur motum omnes affirmant, de natura aliquid dicentes propter hoc quod mundum faciunt, et de generatione et corruptione est consideratio omnibus ipsis: quam impossibile est esse, nisi sit motus.

Sed quotquot quidem infinitos mundos dicunt esse, et quosdam quidem fieri, quosdam autem corrumpi, semper dicunt esse motum. Necessarium enim est generationes et corruptiones ipsorum cum motu esse.

Quicumque autem unum, et non esse semper, et de motu apponunt rationem.

Si igitur contingit aliquando nihil moveri, dupliciter necesse est hoc accidere: aut, enim sicut Anaxagoras dicit. Inquit enim ille, simul omnibus existentibus et quiescentibus infinito tempore motum fecisse intellectum et disgregasse. Aut sicut Empedocles, in parte moveri, et iterum quiescere: moveri quidem, cum amicitia ex multis faciat unum: aut discordia, multa ex uno; quiescere autem, in mediis temporibus: dicens sic.

Inquantum quidem ex pluribus unum didicit nasci.
Inquantum iterum ex uno geminato, plurima perficiuntur,
Sic fiunt res: et nullo modo ipsius est saeculum unum,
Sic autem permutantur, neque simul perficiuntur.
Sic autem semper sunt immobiles secundum circulum.

Hoc enim quod sic permutantur, ab hinc inde dicere ipsum opinandum est.

Considerandum igitur de hoc quomodo se habet. Praeopere enim non solum ad naturae considerationem scire veritatem, sed ad scientiam de principio primo.

RECENS.

Utrum autem factus est aliquando motus, quum antea non esset, et interit rursus, ita ut nihil moveatur: an neque factus est, neque interit, sed semper erat, et semper erit, atque hoc immortale et indesinens rebus inest, tamquam sit vita quaedam omnibus natura constantibus? Esse igitur motum omnes asserunt, qui de natura aliquid dicunt: propterea quod mundum faciunt, ac de generatione et interitu his omnibus est inspectio, quae esse nequeunt, nisi motus sit. Sed quotcumque infinitos mundos esse ajunt, et alios quidem mundos fieri, alios vero interire, hi semper inquiunt esse motum, quia necesse est eorum generationes et interitus esse cum motu. Quicumque vero unum mundum, aut non semper esse affirmant, etiam de motu id ponunt: quod est ei sententiae consentaneum.

Si igitur fieri potest ut aliquando nihil moveatur, bifariam necesse est hoc accidere: vel enim, ut Anaxagoras dicit (is enim ait, quum simul omnia essent ac quiescerent infinito tempore, mentem illam produxisse motum, et secrevisse), vel, ut inquit Empedocles, vicissim moveri, et rursus quiescere: moveri quidem, quum amicitia ex multis unum facit, aut dissidium multa ex uno; quiescere autem temporibus interjectis, ita inquiens:

— Aut unum ex multis consuevit oriri,
Aut rursus ex uno genito plura perficiuntur.
Hac fiunt, nec est ipsis constans aevum:
Illac autem haec mutantur perpetuo, neque desinunt;
Hac semper immobiles sunt in orbem.

Nam existimare oportet dicere eum [quarto versu] Illac haec ut sit, Dehinc haec mutantur.

De his igitur considerandum est, quonam modo se habeant: quia veritatem perspicere non solum confert ad eam contemplationem quae est de natura, sed etiam ad methodum quae est de primo principio.

Postquam Philosophus in praecedenti libro ostendit quod necesse est ponere primum mobile et primum motum et primum motorem, in hoc libro intendit inquirere qualis sit primus motor et primus motus et primum mobile. Et dividitur in partes duas. In prima praemittit quoddam, quod est necessarium ad sequentem investigationem; scilicet

motum esse sempiternum. In secunda procedit ad investigationem propositi, ibi, « Principium autem « considerationis, etc. » Circa primum tria facit. Primo movet dubitationem; secundo ostendit veritatem secundum suam opinionem, ibi, « Incipiemus « autem primum etc. » Tertio solvit ea quae in contrarium objici possunt, ibi, « Contraria autem

« his etc. » Circa primum tria facit: primo proponit dubitationem; secundo ponit opiniones ad utramque partem, ibi, « Sed quanti quidem; » tertio ostendit utilitatem hujus considerationis, ibi, « Considerandum igitur de hoc etc. » Circa primum duo facit. Primo proponit dubitationem, de qua investigare intendit. Secundo respondet tacitae quaestioni, ibi, « Esse quidem igitur etc. » Circa primum sciendum est quod Averrois dicit, quod Aristoteles in hoc capitulo non intendit inquirere in universali de motu, utrum sit sempiternus, sed de primo motu. Sed siquis consideret et verba et processum Philosophi, hoc est omnino falsum. Verba enim Philosophi universaliter de motu loquuntur: quia dicit, « Utrum factus sit aliquando motus « cum non esset prius, et corrumpitur iterum, sic « quod moveri nihil sit. » Ex quo manifeste apparet, quod non de aliquo motu determinato quaerit, sed universaliter, utrum aliquando nihil fuerit motus. Ex ipso etiam Aristotelis processu apparet hoc esse falsum. Primo quidem, quia consuetudo sua est semper ad propositum ex propriis argumentari. Siquis autem sequentes rationes consideret, quas inducit, in nulla earum sumitur aliquid pro medio, quod proprie ad primum motum pertineat, sed ad motum in communi. Unde ex hoc satis apparet, quod intendit hic inquirere de sempiternitate motus in communi. Secundo, quia si jam probatum esset, quod est aliquis motus unus vel plures sempiterni, frustra inquireret inferius, utrum aliqua moventur semper, cum hoc jam esset probatum. Ridiculum est etiam dicere, quod Aristoteles inferius reiteret suam considerationem a principio, quasi aliquid omisisset, ut Commentator fingit. Erat enim copia Aristoteli, corrigendi librum suum, et supplendi in loco debito quod fuerat omissum, ut non inordinate procederet. Si enim hoc capitulum exponatur secundum praedicti Commentatoris intentionem, omnia sequentia confusa et inordinata apparebunt. Nec est mirum, quia uno inconvenienti posito alia sequuntur. Adhuc autem manifestius hoc apparet per hoc, quod Aristoteles, inferius inquirere intendens de sempiternitate primi motus, utitur eo quod hic demonstratur, quasi principio. Quod nullo mo do faceret, si hic probasset primum motum esse aeternum. Ratio autem, ex qua Averrois, motus fuit, omnino frivola est. Dicit enim quod, si dicatur quod Aristoteles hic intendit inquirere de sempiternitate motus in communi, sequitur quod consideratio Aristotelis hic sit diminuta: quia non apparet per id quod hic determinatur, quomodo motus semper possint continuari adinvicem. Sed hoc nihil est: quia Aristoteli sufficit in hoc cap. probare, quod motus semper fuerit. Qualiter autem sempiternitas motus continuetur: utrum per hoc quod omnia semper moveantur, vel quandoque quiescant: vel per hoc quod quaedam semper moventur, quaedam vero quandoque moventur, et quandoque quiescunt, statim immediate inquirit. Sic igitur secundum hanc intentionem, exponendum est praesens capitulum, quod intendit hic inquirere de motu in communi. Quaeritur ergo secundum hoc, Utrum motus in communi aliquando esse inceperit, ita quod prius nihil unquam motum fuerit: et quandoque sic deficiat, quod nihil postmodum moveatur. Aut e contrario, neque unquam inceperit, neque unquam deficiet, sed semper erat, et semper erit. Et ponit exemplum in animalibus, propter hoc quod quidam

dixerunt mundum esse quoddam animal magnum, videmus enim quod animalia vivunt, quamdiu apparet in eis aliquis motus; cessante autem omni motu, dicuntur animalia mori. Sic igitur in tota universitate naturalium corporum, motus consideratur ut vita quaedam. Si ergo motus semper fuit et semper erit, ista quasi vita naturalium corporum erit immortalis sine cessatione.

Secundo ibi « esse quidem »

Respondet tacitae quaestioni. In praecedentibus enim libris Aristoteles locutus fuerat de motu in communi non applicando ad res; nunc autem inquirens an motus semper fuerit, applicat communem considerationem motus ad esse quod habet in rebus. Posset ergo aliquis dicere, quod in hac consideratione, prius erat quaerendum de motu, an habeat esse in rebus, quam quaeratur, an sit sempiternus; et praecipue cum quidam negaverint esse motum. Ad hoc respondet dicens, quod omnes, qui locuti sunt de natura rerum, affirmant quod motus sit. Et hoc patet per hoc quod dicunt mundum esse factum: et quod omnes considerant de generatione et corruptione rerum, quae non potest esse sine motu. Est igitur communis suppositio in scientia naturali, quod motus habeat esse in rebus. Unde de hoc non est quaerendum in scientia naturali, sicut nec in aliqua scientia movetur quaestio de suppositionibus illius scientiae.

Deinde cum dicit « sed quotquot »

Ponit opiniones ad utramque partem quaestionis motae. Et primo ponit opiniones dicentium motum semper esse; secundo opiniones ponentium motum non semper esse, ibi, « Quicumque autem. » Ad evidentiam ergo primae partis sciendum est, quod Democritus posuit prima rerum principia corpora indivisibilia, et semper mobilia: ex quorum (1) congregatione dicebat mundum casualiter factum; et non solum istum in quo nos sumus, sed infinitos alios, secundum quod accidit in diversis partibus infiniti vacui, praedicta corpora congregata mundos fecisse. Nec tamen hos mundos ponebat in perpetuum duraturos; sed quosdam eorum fieri per aggregationem atomorum, quosdam vero corrumpi per eorum segregationem. Quotcumque igitur Philosophi hoc ponunt cum Democrito, dicunt semper esse motum: quia dicunt esse generationes et corruptiones aliquorum mundorum, quas necessarium est esse cum motu.

Secundo ibi « si igitur »

Ponit opiniones ad partem contrariam: et dicit, quod quicumque ponunt unum solum mundum, et non esse eum sempiternum, etiam de motu ponunt, quia consequitur secundum rationem, ut scilicet non semper sit. Si ergo ponatur quod sit aliquod tempus in quo nihil movebatur, oportet quod hoc accidat duobus modis. Ponitur enim duobus modis hic mundum non semper fuisse. Uno modo quod mundus iste sic incepit, quod nunquam antea fuerat, sicut posuit Anaxagoras: alio modo quod mundus sic incepit quod aliquo tempore non fuit, sed ante illud tempus iterum fuerit, ut posuit Empedocles, et similiter circa motum. Anaxagoras autem dixit, quod quodam tempore omnia simul erant unum cum alio commixtum, et nihil erat ab alio segregatum. In qua quidem rerum mixtura, necesse fuit ponere quod omnia quiescerent: motus enim non est absque disgregatione: omne enim quod movetur, ab aliquo recedit, ut in aliud tendat. Hanc ergo

(1) Al. ex quarum.

rerum mixturam et quietem posuit praeextitisse in tempore infinito, infra quod nunquam antea fuerat aliquis motus; et quod intellectus, qui solus non erat permixtus, incepit de novo facere motum, et disgregare res abinvicem. Empedocles vero dixit quod in aliqua parte temporis est aliquid moveri, et iterum in alia parte temporis est omnia quiescere. Ponebat enim Empedocle, quod amicitia et discordia sunt prima rerum moventia. Amicitiae autem proprium est quod ex multis faciat unum, discordiae vero ex uno faciat multa. Quia vero ad esse corporis mixti requiritur quod elementa sint in unum commixta: ad esse vero mundi requiritur, quod elementa sint in locis suis per ordinem distributa: ponebat quod amicitia est causa generationis corporum mixtorum, discordia vero causa corruptionis; sed e contrario in toto mundo, amicitia causa corruptionis, et discordia generationis. Sic ergo ponebat moveri totum mundum, cum vel amicitia ex multis facit unum, vel discordia, multa facit ex uno. Sed quietem ponebat esse in mediis temporibus: non quidem ita quod nihil movetur, sed quantum ad generalem mundi mutationem. Et, quia posuit sententiam Empedoclis, ponit etiam ejus verba, quae difficultatem habent, quia metrice scripsit. Sic ergo suam sententiam expressit Empedocles his verbis, quae sic construenda sunt: « Didicit nasci, » idest sic consuetum est aliquid generari « inquantum ex « pluribus fit unum, » « et iterum, » idest alio modo, « ex uno geminato, » idest composito, « per« ficiuntur plurima, » idest multa fiunt per disgregationem. Quaedam enim sunt quae generantur per compositionem, quaedam vero per disgregationem. Et sicut hic videmus in particularibus generationibus, « sic fiunt res, » idest sic est intelligendum in universali rerum generatione, quantum ad totum mundum. « Et nullo modo est ipsius « saeculum unum, » idest non est unus status durationis rerum; sed quandoque generatur mundus, quandoque corrumpitur, quandoque medio modo se habet. Saeculum enim dicitur mensura durationis alicujus rei. Distinctionem autem horum saeculorum exprimit subdens: « Sic autem permutantur »: quasi dicat: unum saeculum est in quo res permutantur

per congregationem vel segregationem. Et, ne aliquis opinaretur quod ad generationem mundi non requiritur saeculum, idest tempus aliquod, sed mundus sit in istanti, ad hoc excludendum subjungit, « Neque simul perficiuntur, » sed per multam moram temporis. Deinde de alio saeculo subdens dicit: « Sic autem semper sunt immobiles, » quia scilicet in medio tempore generationis et corruptionis posuit res quiescere. Et ne aliquis crederet quod semper antea fuerit permutatio, et postea semper futura sit quies: et ad hoc excludendum dicit: « Secundum circulum, » quae dicit (1) circulariter hoc contingit, quod permutantur res et postea quiescunt: et iterum permutantur, et sic in infinitum. Deinde subduntur verba Aristotelis, exponentis praedicta verba Empedoclis, maxime quantum ad hoc quod dixit: « Sic autem « permutantur. » Dicit ergo quod opinandum est in hoc quod dixit « sic permutantur, » intellexisse « ab hinc inde, » idest a quodam principio usque nunc: non quod semper fuerit motus, vel quod postquam incepit sit interruptus.

Deinde cum dicit « considerandum igitur »

Ostendit utilitatem hujus considerationis: et dicit, quod considerandum est quomodo se habeat veritas circa hanc quaestionem: quia scire veritatem hujus quaestionis, est praeopere, idest praenecessarium non solum ad considerationem scientiae naturalis, sed etiam ad scientiam de primo principio; quia in hoc octavo et duodecimo Metaphysicorum, ad probandum unum principium utitur aeternitate motus. Haec enim via probandi primum principium esse, est efficacissima, cui resisti non potest. Si enim mundo et motu existente sempiterno necesse est ponere unum primum principium, multo magis sempiternitate eorum sublata: quia manifestum est, quod omne novum indiget aliquo principio innovante. Hoc ergo solo modo poterat videri, quod non est necessarium ponere primum principium, si res sunt ab aeterno. Unde etiam si hoc posito sequitur, primum principium esse, ostenditur omnino necessarium primum principium esse.

(1) *Lege* quasi dicat.

LECTIO II.

Sententiam de Motus sempiternitate ratiocinatur: visque rationum suarum
ex philosophis discutitur.

ANTIQUA.

Incipiemus autem primum ex definitis a nobis in Physicis prius. Dicimus autem motum esse actum mobilis secundum quod est mobile: necesse ergo existere res possibiles moveri secundum unumquemque motum. Et sine motus definitione, omnis utique confitebitur necessarium esse motum possibile moveri secundum unumquemque motum, ut alterari alterabile, ferri autem secundum locum mutabile. Quare prius oportet esse combustibile, quam comburatur, et combustivum, quam comburere.

Ergo et haec necessarium est aut facta aliquando esse, cum non essent, aut perpetua esse. Si igitur factum est mobilium unumquodque, necessarium est prius accepta aliam

RECENS.

Primum autem incipiamus ab iis quae a nobis antea definita sunt in Physicis. Dicimus ergo motum esse actum mobilis, quatenus est mobile. Necessarium igitur est res subesse, quia possint unoquoque motu cieri. Sed et sine definitione motus, quilibet fateretur necessarium esse ut moveatur quod potest moveri unoquoque motu: utputa variari, quod est variabile; ferri autem, quod est loco mutabile. Quapropter oportet prius esse cremabile, quam cremetur: et id quod cremandi vim habet, prius quam cremet.

Ergo et haec necesse est aut facta aliquando fuisse, quum non essent, aut aeterna esse.

Si igitur factum est unumquodque eorum quae movere

mutationem factam esse, et motum, secundum quem factum est possibile motum esse, aut moveri. Si autem quae sunt praeerant semper motu non existente, irrationabile quidem videtur, et ab inscientibus. At vero magis ingredientibus, hoc necessarium est accidere. Si enim aliis quidem mobilibus existentibus, aliis autem motivis, aliquando quidem erit aliquod primum movens, aliquid autem quod movetur, aliquando quidem nihil, sed quiescit, oportet hoc mutari prius: erat enim aliquid causa quietis, quies enim privatio motus est: quare ante primam mutationem erit mutatio prior.

Alia quidem enim movent singulariter, alia autem et secundum contrarios motus: ut ignis quidem calefacit, frigefacit autem non. Scientia autem videtur contrariorum esse una. Videtur igitur et ibi esse aliquid simili modo: frigidum enim calefacit, conversum quodammodo et abscedens, sicut et peccat voluntarius sciens: quoniam econtrario utitur scientia.

Si igitur quaecumque possibilia sunt facere aut pati aut movere aut moveri: haec autem moveri non penitus possibilia 'sunt, sed sic se habentia et proxima alterutris sunt. Quare, cum proximantur, aliud movet, aliud autem movetur, cum sint ut sit hac quidem motivum, illud vero mobile. Si igitur non semper movebatur, manifestum est, quod non se habebant sicut motu possibilia, hoc quidem movere, illud autem moveri, sed oportuit mutari alterum illorum: necesse enim in iis quae sunt ad aliquid, hoc accidere: ut si non est duplum, nunc autem est duplum, mutari, si non utrumque alterum. Erit ergo quaedam mutatio prior prima.

Adhuc autem prius et posterius quomodo erunt tempore non existente: aut tempus nisi sit motus?

Si igitur tempus numerus motus est, aut motus quidam: siquidem tempus semper erit, et motum necesse est perpetuum esse.

At vero de tempore praeter unum concorditer intelligi videntur omnes. Ingenitum enim esse dicunt. Et propter hoc Democritus demonstrat impossibile omnia esse facta: impossibile enim est tempus factum esse. Plato autem tempus generat solus: simul enim cum caelo factum esse: caelum autem factum esse dicit.

Si igitur impossibile est et esse et intelligere tempus sine ipso nunc: nunc autem est medium quoddam et principium et finem habens simul, principium autem futuri temporis, finem vero praeteriti; necesse est semper esse tempus: ultimum enim finiti accepti temporis, in aliquo ipsorum nunc erit. Nihil enim est accipere in tempore praeter nunc. Quare, quoniam est finis et principium ipsum nunc, necesse est ipsius in utraque parte semper esse tempus: at vero, si tempus, manifestum est quia necesse est, et motum esse: siquidem tempus est passio quaedam motus est.

Eadem autem ratio est et de eo quod incorruptibilis sit motus: sicut enim de fieri motum, accidit priorem quamdam esse mutationem prima, sic hic posterior est posteriori: non enim simul quiescit quod movetur et quod mobile est, et quod comburitur, et quod combustibile. Contingit enim combustibile esse quod non comburitur, neque motum et movens. Et corruptibile igitur indigebit corrumpi, cum corrumpatur, et hujusmodi corruptivum iterum posterius: corruptio enim mutatio quaedam est. Si igitur hoc impossibile, manifestum est quod est perpetuus motus.

et moveri possunt: necesse est, ea mutatione, quae sumpta fuit, aliam priorem factam esse mutationem ac motionem, qua factum est id quod potest movere et moveri.

Quodsi semper fuerunt, quum motus non esset; absurdum jam per se apparet iis qui animadvertunt; verum magis adhuc progredientibus hoc evenire necesse est. Nam si, quum alia sint mobilia, alia quae movendi vim habent, aliquando est aliquid primum movens, et quod movetur; aliquando vero nihil, sed quiescit: necesse est, hoc mutari prius: erat enim aliqua causa quietis, quandoquidem quies est privatio motus: quare prima mutatione erit mutatio prior.

Alia namque movent uno motu, alia etiam contrariis motibus: ut ignis calefacit quidem, non tamen refrigerat; scientia vero videtur contrariarum una esse. Verumenimvero et illic apparet aliquid simile: Etenim frigidum calefacit conversum aliquo modo ac remotum, sicuti sponte peccat sciens, quum abutitur scientia. Sed quaecumque possunt facere ac pati, vel movere ac moveri, non omnino id possunt, sed si ita se habeant, et sibi invicem propinqua sint. Quocirca quum prope accesserint, alterum movet, alterum movetur: et quum ita fuerint, ut alterum sit motivum, alterum mobile.

Si igitur non semper movebatur, patet ea non fuisse ita affecta, ut alterum posset moveri, alterum movere: sed oportebat alterum eorum mutari. Necesse est enim, in iis quae ad aliquid referuntur, hoc accidere: veluti si quum non esset duplum, nunc est duplum, necesse est ut si non ambo, saltem alterum sit mutatum. Erit igitur aliqua mutatio prior mutatione prima.

Ad haec, prius et posterius quonam modo erit, nisi sit tempus? aut tempus, nisi sit motus? Quodsi tempus est numerus motus, aut quidam motus: siquidem semper est tempus, necesse est motum quoque sempiternum esse. Atqui de tempore, praeter unum, omnes videntur in eadem sententia convenire: ingenitum enim esse dicunt. Ideoque Democritus probat non posse omnia esse genita: quia tempus est ingenitum. Plato autem solus ipsum gignit: ipsum enim simul cum caelo genitum esse, ac caelum genitum esse asserit.

Si igitur impossibile est et esse et intelligere tempus sine momento, momentum vero est medietas quaedam, simulque habet principium et finem, principium quidem futuri temporis, finem autem praeteriti: necesse est, semper esse tempus: quia extremum ultimi accepti temporis erit in aliquo momento: quandoquidem nihil licet sumere in tempore praeter momentum. Quapropter quum momentum sit principium et finis: necesse est, ex utraque ejus parte semper esse tempus. Atqui si tempus, patet necesse esse ut sit etiam motus: siquidem tempus est affectio quaedam motus.

Eadem ratio de eo quoque valet, quod motus non sit interitui obnoxius. Sicut enim eo posito quod motus factus fuerit, eveniebat mutationem aliquam esse priorem prima; ita hic evenit esse posteriorem postrema: quia non simul desinit esse mobile, et moveri; aut esse cremabile et cremari (potest enim esse cremabile, quod non cremetur); nec habere vim movendi, et movere.

Sed et quod interitui est obnoxium, oportebit interiisse, quando interit: et rursus postea, quod hujus interimendi vim habet. Etenim interitus est mutatio quaedam. Ergo si haec sunt impossibilia, manifestum est motum esse aeternum, non interdum esse, interdum non esse.

Postquam movit dubitationem de sempiternitate motus, hic ostendit motum esse sempiternum. Et dividitur in partes duas: in prima ostendit propositum; in secunda solvit ea quae in contrarium objici possent, ibi, « Contraria autem his etc. » Circa primum duo facit. Primo ponit rationes ad ostendendum sempiternitatem motus. Secundo ponit rationes contra opiniones philosophorum contrarium opinantium, ibi, « Sed non aliquando etc. » Circa primum duo facit. Primo ostendit quod motus semper fuit. Secundo quod semper erit, ibi, « Eadem autem ratio est etc. » Circa primum duo facit. Primo ostendit propositum ratione accepta ex parte motus. Secundo ratione accepta ex parte temporis, ibi, « Adhuc autem prius et posterius etc. » Circa primum tria facit. Primo praemittit quoddam, quod est necessarium ad probationem sequentem. Secundo inducit probationem ad propositum osten-

dendum, ibi, « Ergo et hoc necessarium est etc. » Tertio ostendit necessitatem rationis inductae, ibi, « Alia quidem movent singulariter. » Dicit ergo primo, quod ad propositum ostendendum debemus incipere ab his quae primo determinata sunt in Physicis, ut eis quasi principiis utamur. Per quod dat intelligere praecedentes libros, in quibus de motu in communi determinavit, et propter hoc appellantur universaliter de Naturalibus: habent enim quandam distinctionem ad hunc librum octavum, in quo jam incipit motum ad res applicare. Assumit ergo id quod dictum est in tertio Physicorum, scilicet quod motus est actus mobilis inquantum hujusmodi. Ex quo apparet, quod ad hoc quod sit motus, necesse est existere res, quae possint moveri quocumque motu: quia non potest esse actus sine eo cujus est actus. Sic ergo ex definitione motus apparet, quod necesse est esse subjectum mobile,

ad hoc quod sit motus. Sed etiam absque definitione motus per se manifestum est hoc, ut patet ex
communi sententia omnium. Quilibet enim confitetur hoc esse necessarium, quod non movetur nisi
quod est possibile moveri, et hoc secundum unumquemque motum, sicut quod non contingit alterari
nisi quod est alterabile: neque mutari secundum
locum, nisi quod est secundum locum mutabile.
Et, quia subjectum naturaliter prius est eo quod
est in subjecto, possumus concludere in singulis
mutationibus, et ex parte mobilis, et ex parte moventis, quod prius est ipsum subjectum combustibile quam comburatur, « et combustivum, » idest
subjectum potens comburere, quam comburat; prius
inquam non semper tempore, sed natura. Ex hac
autem Aristotelis probatione, Averrois occasionem
sumpsit loquendi contra id quod secundum fidem
de creatione tenemus. Si enim fieri quoddam mutari est: omnis autem mutatio requirit subjectum,
ut hic Aristoteles probat: necesse est, quod omne
quod fit, fiat ex aliquo subjecto: non ergo possibile
est quod fiat aliquid ex nihilo. Adducit etiam ad
hoc secundam rationem: quia cum dicitur nigrum
fieri ex albo, hoc non dicitur per se, ita quod i-
psum album convertatur in nigrum, sed hoc dicitur per accidens, quia scilicet recedente albo succedit nigrum. Omne autem, quod est per accidens,
reducitur ad id quod est per se. Hoc autem ex quo
aliquid fit per se, est subjectum quod intrat substantiam rei factae. Omne ergo, quod dicitur fieri
ex opposito, fit quidem ex opposito per accidens,
per se autem ex subjecto: non ergo est possibile,
quod ens fiat ex non ente simpliciter. Adducit
autem ad hoc tertio communem opinionem omnium antiquorum Physicorum ponentium, nihil ex
nihilo fieri. Assignat autem duas causas, ex quibus reputat haec positionem exortam, quod aliquid
ex nihilo fiat. Quarum prima est, quod vulgus non
reputat existentia, nisi ea quae sunt comprehensi-
bilia visu: quia ergo vulgus videt aliquod factum
visibile, quod prius visibile non erat, reputat impossibile (1) aliquid ex nihilo fieri. Secunda causa est,
quia apud vulgus reputatur esse ex diminutione
virtutis agentis quod indigeat materia ad agendum:
quod tamen non est ex impotentia agentis, sed ex
ipsa ratione motus. Quia ergo primum agens non
habet potentiam aliquo modo defectivam, sequitur
quod non agat absque subjecto. Sed, si quis recte
consideret, ex simili causa ipse deceptus fuit, ex
qua causa nos deceptos arbitratur; scilicet ex consideratione particularium entium. Manifestum est
enim quod potentia activa particularis praesupponit materiam, quam agens universalius operatur:
sicut artifex utitur materia, quam natura facit. Ex
hoc ergo, quod omne particulare agens praesupponit
materiam quam non agit, non oportet opinari quod
primum agens universale, quod est activum totius
entis, aliquid praesupponat, quasi non creatum ab
ipso. Nec hoc etiam est secundum intentionem A-
ristotelis: probat enim in secundo Metaphysicae,
quod id quod est maxime verum et maxime ens,
est causa essendi omnibus existentibus; unde hoc
ipsum esse in potentia, quod habet materia prima,
sequitur derivatum esse a primo essendi principio,
quod est maxime ens: non igitur necesse est prae-
supponi aliquid ejus actioni, quod non sit ab eo
productum. Et, quia omnis motus indiget subjecto,

(1) *Lege* possibile.

ut hic Aristoteles probat, et rei veritas habet, sequitur, quod productio universalis entis a Deo non
sit motus nec mutatio, sed sit quaedam simplex
emanatio. Et sic fieri et facere aequivoce dicuntur
in universali rerum productione, et in aliis produ-
ctionibus. Sicut ergo, si intelligamus rerum pro-
ductionem esse a Deo ab aeterno (sicut Aristoteles posuit, et plures Platonicorum), non est necessarium, immo impossibile, quod huic universali
productioni aliquod subjectum non productum prae-
intelligatur: ita etiam, si ponamus secundum nostrae fidei sententiam, quod non ab aeterno produxerit res, sed produxerit eas postquam non fuerant,
non est necessarium quod ponatur aliquod subjectum
huic universali productioni. Patet ergo, quod hoc
quod Aristoteles hic probat, quod omnis motus
indiget subjecto mobili, non est contra sententiam
nostrae fidei: quia jam dictum est, quod universalis
rerum productio, sive ponatur ab aeterno, sive non
ab aeterno, non est motus nec mutatio. Ad hoc
enim quod sit motus vel mutatio, requiritur quod
aliter se habeat nunc et prius; et sic aliquid esset
prius existens, et per consequens haec non esset
universalis rerum productio, de qua nunc loquimur.
Similiter quod dicit, quod aliquid dicitur fieri ex
opposito per accidens, et ex subjecto per se, veritatem habet in particularibus factionibus, secundum
quas fit hoc aut illud ens, ut homo aut canis; non
autem habet veritatem in universa entis productione. Quod patet ex hoc quod Philosophus dixit in
primo Physicorum. Dixit enim ibi, quod si fiat hoc
animal in quantum est hoc animal, non oportet
quod fiat ex non animali, sed ex non hoc animali:
puta si fiat homo ex non homine, aut equus ex
non equo: si autem fiat animal inquantum est animal, oportet quod fiat non ex animali. Sic ergo,
si fiat aliquod particulare ens, non fit ex omnino
non ente: sed si fit totum ens, quod est fieri ens
inquantum est ens, oportet quod fiat ex penitus
non ente; si tamen et hoc debeat dici fieri; aequivoce enim dicitur, ut dictum est. Quod etiam introducit de antiquis philosophorum opinionibus,
efficaciam non habet: quia antiqui naturales non
potuerunt pervenire ad causam primam totius esse,
sed considerabant causas particularium mutationum.
Quorum primi consideraverunt causas solum mutationum accidentalium, ponentes fieri esse alterari:
sequentes vero pervenerunt ad cognitionem mutationum substantialium: postremi vero, ut Plato et
Aristotelis, pervenerunt ad cognoscendum principium
totius esse. Sic igitur patet, quod non movemur ad
ponendum aliquid fieri ex nihilo, quia reputemus
ea esse solum entia, quae sunt visibilia; sed magis
e contrario: quia non consideramus solas produ-
ctiones particulares a causis particularibus, sed pro-
ductionem universalem totius esse a primo essendi
principio. Nec etiam ponimus, quod indigere materia ad agendum sit potentiae diminutae, quasi defi-
cientis a virtute naturali: sed dicimus hoc esse potentiae particularis, quae non potest super totum ens, sed
facit aliquod ens. Et potest sic dici esse potentiae diminutae facere aliquid ex aliquo, sicut si dicamus potentiam particularem esse minorem potentia universali.

Secundo ibi « ergo et haec »

Supposito, quod ad hoc quod sit motus requiratur mobile et motivum, sic argumentatur. Si motus non semper fuit, necesse est dicere aut quod
moventia et motiva sint aliquando facta cum prius

non essent, aut quod sint perpetua. Si ergo dicatur quod unumquodque mobile est factum; necesse est dicere, quod ante mutationem, quae accipitur ut prima, sit alia mutatio, et motus secundum quem factum est ipsum mobile, quod potest moveri et motum esse. Quae quidem illatio dependet ex praecedentibus. Si enim detur quod motus non semper fuerit, sed aliqua mutatio sit antequam nulla fuerit, sequetur, quod illa mutatio habeat aliquod mobile: et quod illud mobile sit factum cum prius non fuerit, cum ponantur omnia mobilia esse facta. Omne autem quod fit cum prius non fuerit, fit per aliquem motum vel mutationem: motus autem vel mutatio per quam fit mobile, est prior quam mutatio qua mobile movebatur: ergo ante mutationem quae dicebatur esse prima, est alia mutatio: et sic in infinitum. Si autem dicitur quod ea quae sunt mobilia semper praeexistebant, etiam motu nullo existente; hoc videtur irrationabile, et dictum a nescientibus: statim enim apparet, quod si mobilia sunt, oportet esse motum, mobilia enim naturalia simul etiam sunt moventia, ut ex tertio patet. Moventibus autem et mobilibus naturalibus existentibus, necesse est esse motum. Sed, ut profundius ingrediamur ad veritatis inquisitionem, necessarium est hoc idem accidere si ponantur mobilia et moventia praeexistentia semper ante motum, quod sequebatur si ponantur haec esse facta: scilicet quod ante mutationem quae ponitur prima, sit alia mutatio in infinitum. Quod sic patet. Quia si ponatur quod sint aliqua mobilia et aliqua motiva, et tamen aliquando primum movens incipiat movere et aliquid moveri ab ipso, et ante hoc nihil moveatur, sed quiescat: oportebit dicere quod sit alia mutatio prius facta in movente vel mobili, quam id quod ponebatur primo movens incipiat movere. Quod sic patet. Quies enim est privatio motus: privatio autem non inest susceptivo habitus et formae nisi propter aliquam causam: erat ergo aliqua causa vel ex parte motivi vel ex parte mobilis, quare quies erat: ergo ea durante semper quies remanebat. Si ergo aliquando movens incipiat movere, oportet quod illa causa quietis removeatur. Sed non potest removeri nisi per aliquem motum vel mutationem: ergo sequitur quod ante illam mutationem quae dicebatur esse prima, sit alia mutatio prior, qua removetur causa quietis.

Secundo ibi « alia quidem »

Probat necessitatem praemissae rationis. Posset enim aliquis dicere, quod contingit quandoque quiescere et quandoque moveri, absque hoc quod praeextiterit aliqua causa quietis, quae removeatur. Unde hoc vult excludere. Et circa hoc duo facit. Primo praemittit quoddam, quod est necessarium ad propositum. Secundo inducit propositam probationem, ibi, « Si igitur quaecumque possibilia « sunt etc. » Dicit ergo primo: quod eorum quae movent, quaedam movent singulariter, idest uno modo tantum; quaedam vero movent secundum contrarios motus. Quae movent tantum uno modo, sunt naturalia, sicut ignis semper calefacit, et nunquam frigefacit. Sed agentia per intellectum, movent secundum contrarios motus; quia una scientia videtur esse contrariorum, sicut medicina est scientia sani et aegri: unde videtur quod medicus per suam scientiam possit movere secundum contrarios motus. Posuit autem hanc distinctionem moventium: quia in iis quae agunt per intellectum, videtur non esse

verum quod ipse dixerat, scilicet quod si aliquid movetur cum prius quieverit, oporteat prius removeri causam quietis. Agentia enim per intellectum videntur se ad opposita habere absque aliqua sui mutatione; unde videtur quod possint movere et non movere absque aliqua mutatione. Ne ergo per hoc sua ratio impediatur, subjungit quod ratio sua similiter tenet in iis quae agunt per intellectum, et in iis quae agunt per naturam: quia ea quae agunt per naturam, per se quidem semper movent ad unum, sed per accidens quandoque movent ad contrarium; et ad hoc quod illud accidens eveniat, necesse est esse aliquam mutationem: sicut frigidum per se semper frigefacit, sed per accidens calefacit: sed quod per accidens calefaciat, hoc est per aliquam ejus mutationem, vel inquantum vertitur ad alium situm, ut alio modo respiciat id quod nunc calefit ab eo quod prius frigefiebat: vel inquantum totaliter abscedit. Dicimus enim frigus esse causam caloris abscedendo, sicut gubernator per sui absentiam est causa submersionis navis. Similiter etiam frigus per accidens fit causa caloris, vel per majorem elongationem, vel etiam per majorem appropinquationem, sicut in hyeme interiora animalium sunt calidiora calore ad interius recurrente propter frigus circumstans. Sic etiam est in agente secundum intellectum: scientia enim licet sit una contrariorum, tamen non aequaliter utrorumque, sed unius principaliter. Sicut medicina ad hoc est per se ordinata, quod faciat sanitatem. Si ergo contingat quod medicus utatur sua scientia in contrarium, ad inducendum aegritudinem, peccat; et hoc non erit ex scientia per se, sed per accidens, propter aliquid aliud. Et ad hoc quod illud aliud adveniat, cum prius non esset, necesse est esse aliquam mutationem.

Secundo ibi « si igitur »

Inducit probationem ad propositum ostendendum. Dicit ergo, quod ex quo ita est, quod simili modo se habet in iis quae agunt secundum naturam, et secundum intellectum, possumus universaliter de omnibus loquentes dicere, quod quaecumque sunt possibilia facere aut pati, aut movere vel moveri, « non penitus possibilia sunt, » idest non possunt movere aut moveri in quacumque dispositione se habeant: sed prout se habent in aliqua determinata habitudine et propinquitate adinvicem. Et hoc concludit ex praemissis: quia jam dictum est, quod tam in agentibus secundum naturam, quam in agentibus secundum voluntatem, non est aliquid causa diversorum, nisi in aliqua alia habitudine se habens: et sic oportet, quod quando appropinquant adinvicem movens et motum convenienti propinquitate, et similiter, cum sunt in quacumque dispositione, quae requiritur ad hoc quod unum moveat, et aliud moveatur, necesse sit hoc moveri, et aliud movere. Si ergo non semper erat motus, manifestum est quod non se habebant in ista habitudine, ut tunc unum moveret, et aliud moveretur: sed se habebant sicut non possibilia tunc movere et moveri; postmodum autem se habent in ista habitudine, ut unum moveat et aliud moveatur. Ergo necesse est, quod alterum eorum mutetur: hoc enim videmus accidere in omnibus quae dicuntur ad aliquid, quod nunquam advenit nova habitudo, nisi per mutationem utriusque vel alterius; sicut aliquid cum prius non esset duplum, nunc factum est duplum, etsi non mutetur utrumque extremorum, saltem oportet quod alterum mutetur. Et sic,

si de novo adveniat habitudo, per quam aliud moveat et aliud moveatur, oportet vel utrumque vel
aliorum moveri prius. Et sic sequitur quod sit mutatio quaedam prior mutatione quae dicebatur esse
prima.

Deinde cum dicit « adhuc autem »

Ostendit propositum ratione sumpta ex parte
temporis. Et primo praemittit duo, quae sunt necessaria ad sequentem probationem. Quorum primum est, quod prius et posterius esse non possunt
nisi tempus sit, cum tempus nil sit aliud quam
prius et posterius secundum quod sunt numerata.
Secundum est, quod tempus non potest esse nisi
sit motus. Et hoc etiam patet ex definitione temporis,
quam supra in quarto posuit, dicens, quod tempus
est numerus motus secundum prius et posterius.

Secundo ibi « si igitur »

Concludit quamdam conditionalem ex iis quae in
quarto dicta sunt. Posuit enim ibi secundum suam
sententiam, quod tempus est numerus motus: secundum vero aliorum philosophorum sententiam,
tempus est motus quidam, ut ibi dixit. Quodcumque
autem horum sit verum, sequitur hanc conditionalem esse veram: si tempus semper est, necesse est
motum esse perpetuum.

Tertio ibi « at vero »

Probat autem antecedens praedictae conditionalis
dupliciter. Primo quidem secundum opiniones aliorum: et dicit, quod omnes philosophi praeter unum,
idest Platonem, concorditer videntur sentire de
tempore quod sit « ingenitum, » idest quod non
incoeperit esse postquam prius non fuit: unde et
Democritus probat impossibile esse quod omnia sint
facta, quasi de novo incoeperint: quia impossibile est
sic tempus esse factum, quod de novo incoeperit.
Sed solus Plato « generat tempus, » idest dicit tempus de novo factum. Dicit enim Plato, quod tempus
est simul factum cum caelo: ponebat autem caelum
esse factum, idest habere durationis principium, ut
hic Aristoteles ei imponit secundum quod ejus
verba superficie tenus sonare videntur. Quamvis platonici dicant Platonem sic dixisse caelum esse factum, inquantum habet principium activum sui
esse, non autem ita quod habeat durationis principium. Sic igitur solus Plato intellexisse videtur,
quod tempus non potest esse sine motu: quia non
posuit tempus esse ante motum caeli.

Secundo ibi « si igitur »

Probat idem per rationem: quia impossibile est
quod dicatur aut intelligatur tempus esse absque
ipso nunc: sicut impossibile est quod sit linea sine
puncto. Nunc autem est quoddam medium, habens
de sui ratione quod sit simul et principium et finis:
principium quidem futuri temporis, finis autem
praeteriti: ex quo apparet, quod necesse est semper esse tempus. Quodcumque enim tempus accipiatur, ejus extremum est aliquod nunc ex utraque parte. Et hoc patet per hoc, quod nihil est
accipere in actu de tempore nisi nunc: quia quod
praeteritum est jam abiit, quod autem futurum est
nondum est. Nunc autem, quod accipitur in extremo temporis, est principium et finis, ut dictum est;
ergo necesse est quod ex utraque parte cujuscumque temporis accepti, semper sit tempus: alioquin
primum nunc non esset finis, et ultimum nunc
non esset principium. Ex hoc autem, quod tempus
est sempiternum, concludit, quod necesse est motum semper esse. Et rationem consequentiae assignat;

quia tempus est quaedam proprietas motus: est
enim numerus ejus, ut dictum est. Videtur autem
quod Aristotelis ratio non sit efficax. Sic enim se
habet nunc ad tempus, sicut punctum ad lineam,
ut in sexto habitum est: non est autem de ratione
puncti, quod sit medium; sed aliquod punctum est
quod est tantum principium lineae, aliquod autem
quod est tantum finis. Accideret autem omne punctum esse principium et finem, inquantum est lineae
infinitae. Non ergo posset probari quod linea sit
infinita ex hoc quod omne punctum sit principium
et finis, sed potius e converso ex hoc quod linea
est infinita, probandum esset, quod omne punctum
esset principium et finis. Sic ergo videtur, quod
omne nunc esse principium et finem, non sic sit
verum, nisi ex eo quod tempus ponitur sempiternum. Videtur ergo Aristoteles in assumptione hujus
medii supponere sempiternitatem temporis, quam
debet probare. Averrois autem volens salvare Aristotelis rationem, dicit quod nunc semper sit principium et finis. Convenit enim, inquantum tempus
non est stans sicut linea, sed fluens. Quod manifestum
est nihil ad propositum pertinere. Ex hoc enim
quod tempus est fluens et non stans, sequitur quod
unum nunc non possit bis sumi, sicut bis sumitur
unum punctum: sed fluxus temporis nihil facit ad
hoc quod sit principium et finis simul. Ejusdem
enim rationis est incoeptio et terminatio in omnibus continuis, sive sint permanentia, sive fluentia,
ut ex sexto patet. Et ideo aliter dicendum est secundum intentionem Aristotelis, quod hoc quod
omne nunc sit principium et finis, vult accipere
ex eo quod primo supposuit, scilicet quod prius et
posterius non sit tempore non existente: hoc enim
principio supposito ad nihil aliud usus est. Sed ex
hoc concluditur, quod omne nunc sit principium et
finis. Detur enim quod aliquod nunc sit principium
alicujus temporis: manifestum est autem ex definitione principii, quod principium temporis est ante
quod nihil ejus existit: est ergo accipere aliquid ante
vel prius quam ipsum nunc, quod ponitur principium temporis: prius autem non est sine tempore:
ergo nunc, quod ponitur principium temporis, est
etiam temporis finis. Et eodem modo, si ponatur
nunc esse finis temporis, sequitur quod sit etiam
principium; quia de ratione finis est quod post i-
psum nihil sit ejus. Posterius autem non est sine
tempore: sequitur ergo, quod nunc, quod ponitur
finis, sit etiam principium temporis.

Deinde cum dicit « eadem autem »

Ostendit quod motus semper sit futurus. Et
ostendit hoc ex parte motus: quia ratio supra ex
parte motus accepta, non concludebat nisi quod
motus nunquam incipiat: ratio vero sumpta ex parte
temporis, concludebat utrumque: et quod nunquam
incoeperit et quod nunquam deficiat. Dicit ergo, quod
eadem ratione potest probari quod motus sit incorruptibilis, idest quod nunquam deficiat, per quam probatur quod motus nunquam incoepit. Sicut enim ex hoc
quod est motum incipere, sequitur quod sit quaedam
mutatio prior mutatione quae ponitur prima; sic si
ponatur quod motus quandoque deficiat, sequitur
quod sit aliqua mutatio posterior ea quae ponitur
postrema. Et quomodo hoc sequatur, manifestat
abbreviando quod supra diffusius dixerat circa in-
coeptionem motus: posuerat enim quod si motus
incoepit, aut mobilia aut moventia incoeperunt, aut
semper fuerunt. Et similis divisio posset hic fieri:

quia si motus deficiat, aut mobilia et moventia remanebunt, aut non. Sed, quia similiter ostenderat, quod idem sequitur secundum utrumque, ideo hic non utitur nisi altera via: scilicet quod ponatur sic motus deficere, quod mobilia et moventia deficiant. Hoc ergo supposito, dicit quod non simul quiescit, idest deficit motus in actu, et ipsum mobile: sed, sicut prior est generatio mobilis quam motus ejus, ita posterior est corruptio mobilis quam cessatio motus. Quod sic patet. Quia contingit quod remaneat aliquid combustibile, postquam desinit comburi. Et sicut dictum est de mobili, ita dicendum est de motivo: quia non simul desinit esse movens in actu, et esse motivum in potentia. Sic igitur patet, quod, si etiam ipsum mobile corrumpitur post cessationem motus, necessarium erit esse quamdam corruptionem ipsius mobilis. Et iterum, quia omnia moventia et mota desinunt, necessarium erit posterius, quod etiam ipsum corruptivum corrumpatur. Cum ergo corruptio sit mutatio quaedam, sequetur quod post ultimam mutationem sint aliquae mutationes. Cum ergo hoc sit impossibile, sequitur quod motus in perpetuum duret.

Hae igitur rationes sunt ex quibus Aristoteles probare intendit motum semper fuisse, et nunquam deficere. Quod quidem quantum ad unam partem fidei nostrae repugnat: scilicet quod ponatur motus semper fuisse. Nihil enim secundum fidem nostram ponitur semper fuisse, nisi solus Deus, qui est omnino immobilis. Nisi forte quis ipsum divinum intelligere velit nominare motum: quod aequivoce intelligeretur: non enim de tali motu Aristoteles hic intelligit, sed de motu proprie dicto. Quantum vero ad aliam partem, non omnino est contrarium fidei: quia, ut supra dictum est, non agit Aristoteles de motu caeli, sed universaliter de motu. Ponimus autem secundum fidem nostram, substantiam mundi sic quandoque incoepisse, quod tamen nunquam desinat esse. Ponimus etiam quod aliqui motus semper erunt, praesertim in hominibus, qui semper remanebunt incorruptibilem vitam agentes vel miseram vel beatam. Quidam vero frustra conantes Aristotelem ostendere non contra fidem locutum esse, dixerunt quod Aristoteles non intendit hic probare quasi verum, quod motus sit perpetuus: sed inducere rationem ad utramque partem quasi ad rem dubiam. Quod ex ipso modo procedendi frivolum apparet. Et praeterea perpetuitate temporis et motus quasi principio utitur ad probandum primum principium esse, et in hoc octavo, et undecimo Metaphysicae: unde manifestum est, quod supponit hoc tamquam probatum. Sed siquis recte rationes hic positas consideret, hujusmodi rationibus veritas fidei efficaciter impugnari non potest. Sunt enim hujusmodi rationes efficaces ad probandum, quod motus non incoeperit per viam naturae, sicut ab aliquibus ponebatur: sed quod non incoeperit quasi rebus de novo productis a primo rerum principio, ut fides nostra ponit, hoc iis rationibus probari non potest. Quod patet per singulas illationes hic positas consideranti. Cum enim quaerit, si motus non fuit, utrum moventia et mobilia semper fuerunt vel non? Respondendum est, quod primum movens semper fuit: omnia vero alia, sive sint moventia, sive mobilia, non semper fuerunt, sed incoeperunt esse a causa universali totius esse. Ostensum est autem supra, quod productio totius esse a causa prima essendi, non est motus, sive

ponatur quod haec rerum emanatio sit ab aeterno, sive non. Sic ergo non sequitur, quod ante primam mutationem sit aliqua mutatio: sequeretur autem si moventia et mobilia essent de novo producta in esse ab aliquo agente particulari quod ageret aliquo subjecto praesupposito, quod transmutaretur de non esse, sive de privatione ad formam: de hoc enim modo incipiendi procedit ratio Aristoteles. Sed quia ponimus saltem primum motorem semper fuisse; Respondendum restat sequenti ejus deductioni: qua concludit, quod si praeexistentibus moventibus et mobilibus, incipiat de novo esse motus, oportet quod moventia vel mobilia prius non essent in hac dispositione in qua sunt dum est motus: et sic oportet quod primam mutationem praecedat aliqua mutatio. Et siquidem de ipso motu loquamur, facilis est responsio. Non enim mobilia prius erant in hac dispositione in qua nunc sunt: quia prius non erant, unde moveri non poterant. Sed, sicut dictum est, ipsum esse non acquisiverunt per mutationem vel motum, sed per emanationem a primo rerum principio: et sic non sequitur, quod ante primam mutationem sit aliqua mutatio. Sed ulterius remanet quaestio de prima rerum productione. Si enim primum principium quod est Deus, non aliter se habet nunc quam prius, non magis nunc res producit quam prius. Si vero aliter se habet; saltem mutatio, quae est ex parte ejus, erit prior mutatione quae ponitur prima. Et quidem si esset agens per naturam tantum, et non per voluntatem et intellectum, ex necessitate concluderet ratio: sed, quia agit per voluntatem, potest per voluntatem aeternam producere effectum non aeternum, sicut intellectu aeterno potest intelligere rem non aeternam. Res enim intellecta est quodammodo principium actionis in agentibus per voluntatem, sicut forma naturalis in agentibus per naturam. Sed adhuc magis instat. Non enim videmus quod voluntas postponat facere quod vult, nisi propter hoc quod aliquid expectatur in futurum, quod nondum est in praesenti; sicut si volo facere ignem non nunc sed postea, expectatur in futurum frigus, cujus causa facio ignem: vel ad minus expectatur praesentia temporis. Quod autem tempus succedat post tempus, hoc non est absque motu. Non ergo potest esse, quod voluntas, etiam si ponatur immutabilis, postponat facere id quod vult, nisi aliquo motu interveniente. Et sic non potest esse quod nova productio rerum proveniat a voluntate aeterna, nisi mediantibus motibus succedentibus sibi in infinitum. Latet autem sic objicientes, quod haec objectio procedit de agente in tempore: quod, scilicet, agit tempore praesupposito: in hujusmodi enim actione quae fit in tempore, oportet considerare aliquam determinatam habitudinem ad hoc tempus, vel ad aliquid eorum quae sunt in hoc tempore, ut fiat magis in hoc tempore quam in alio. Sed haec ratio locum non habet in agente universali, quod et ipsum tempus simul cum ceteris producit. Cum enim dicimus res non semper fuisse a Deo productas, non intelligimus, quod infinitum tempus praecesserit, in quo Deus ab agendo cessaverit, et postmodum tempore determinato agere ceperit: sed quod Deus tempus et res simul in esse produxerit, postquam non fuerat. Et sic non restat in divina voluntate considerandum, quod voluerit facere res non tunc sed postea, quasi tempore jam existente: sed considerandum solum est hoc, quod voluit quod res et tempus durationis earum in-coeperit esse postquam non fuerunt. Si autem quae-ratur, quare hoc voluit? sine dubio dicendum, quod propter seipsum. Sicut enim propter seipsum res fecit, ut in eis suae bonitatis similitudo manifesta-retur, ita voluit eas non semper esse, ut sua suf-ficientia manifestaretur in hoc quod omnibus aliis non existentibus, ipse in seipso omnem sufficien-tiam beatitudinis habuit, et virtutis ad rerum pro-ductionem. Et hoc quidem dici potest quantum humana ratio capere potest de divinis: salvo tamen secreto divinae sapientiae, quod a nobis compre-hendi non potest. Quia igitur hujus rationis solutio procedit supponendo quod tempus non fuerit sem-per: restat solvere rationem, per quam ostendi vi-detur, tempus semper fuisse. Et ideo forte Aristo-teles post rationem de motu posuit rationem de tempore, quia consideravit quod praemissa ratio de motu efficaciam non haberet, nisi poneretur tem-pus aeternum. Quod ergo ponit, quod quandocum-que est tempus necesse est ponere aliquod nunc esse, indubitanter concedendum est. Omne autem nunc, esse principium et finem temporis concedi non oportet, nisi ponatur etiam motum semper esse: ut, scilicet sic quod quodlibet indivisibile in motu acceptum, quod momentum dicitur, sit prin-cipium et finis motus. Sic enim habet se nunc ad momentum, sicut tempus ad motum. Si ergo poni-mus motum non semper fuisse, sed est accipere aliquod primum indivisibile in motu ante quod ni-hil fuit motus: erit etiam accipere aliquod nunc in tempore, ante quod non fuit aliquod tempus. Jam au-tem ostendimus exponendo literam, quod id quod Averrois dicit ad hanc rationem confirmandam, ef-ficaciam non habet. Sed nec illud quod Aristoteles ad hoc ponit, scilicet quod prius et posterius non sunt sine tempore, efficax esse potest. Cum enim dicimus quod principium temporis est ante quod

nihil ejus est: non propter hoc oportet quod ipsum nunc, quod est principium temporis, praecedat tem-pus: quod significatur cum dicitur, Ante: sicut, si in magnitudine dicam, quod principium magnitu-dinis est, extra quod nihil est ejus, non oportet quod illud extra quod, significet aliquem locum in rerum natura existentem, sed imaginabilem tantum: alioquin esset ponere locum extra caelum cujus est magnitudo finita, habens principium et finem. Si-militer etiam et primum nunc, quod est principium temporis, non praecedit tempus in rerum natura existens, sed secundum imaginationem nostram tantum. Et hoc tempus designatur cum dicitur, quod primum nunc est principium temporis, ante quod nihil est temporis. Vel potest dici, quod, cum dicitur principium temporis est ante quod nihil est temporis, ly Ante, non remanet affirmatum, sed negatur; et sic non oportet ponere tempus ante principium temporis. In iis enim quae sunt in tempore, accidit quod in eorum principio tempus aliquod praeexistat. Sicut cum dicitur, quod prin-cipium juventutis est, ante quod nihil est de ju-ventute: potest intelligi Ante etiam affirmative, quia juventus tempore mensuratur: tempus autem non mensuratur tempore: unde ejus principio tempus non praeexistit: et sic ly Ante quod ponitur in de-finitione principii temporis, et non oportet quod remaneat affirmatum, sed negatum. Est autem ante tempus aliqua duratio, scilicet, aeternitas Dei, quae non habet extensionem, aut prius et posterius, sicut tempus, sed est tota simul: et non est ejusdem rationis cum tempore, sicut nec magnitudo divina cum magnitudine corporali. Sicut ergo cum dici-mus extra mundum non esse nisi Deum, non po-nimus aliquam dimensionem extra mundum: ita, eum dicimus, ante mundum nihil fuisse, non poni-mus aliquam successivam durationem ante mundum.

LECTIO III.

Disputat contra Anaxagoram et Empedoclem negantes motus aeternitatem.

Sed non aliquando quidem erat, aliquando autem non: et namque assimilatur sic dicere, figmento magis.

Similiter autem et dicere, quia aptum natum sic est: et hoc oportet opinari esse principium. Et hoc videtur utique Empedocles dicere, quod tenere et movere in parte amicitiam et discordiam inest rebus ex necessitate, quiescere autem inter tempus. Fortassis autem et unum principium facientes, sicut Anaxagoras, sic utique dicerent.

At vero nihil inordinatum, eorum quae natura et secun-dum naturam sunt: natura enim omnibus causa ordinationis est. Infinitum autem ad infinitum nullam rationem habet: ordinatio autem omnis ratio est. Infinito autem tempore quiescere, postea motum esse aliquando: hujus autem neque unam differentiam esse quare nunc magis quam prius, neque iterum aliquam ordinationem habere, non jam naturae est opus. Aut enim simpliciter se habet quod est naturae, et non aliquando quidem sic, aliquando vero aliter: (ut ignis natura sursum fertur, et non aliquando quidem sic, aliquando vero non): aut rationem habet, quod non est simpliciter.

Etenim sic dicere, figmento potius simile videtur.

Similiter etiam dicere sic natura esse comparatum, et hoc pro principio haberi debere: quod quidem videtur di-xisse Empedocles, id est, ut amicitia et dissidium vicissim dominentur et moveant, rebus necessario inesse, et ut quie-scant tempore interjecto.

Fortassis autem et qui unum principium faciunt, ut et Anaxagoras, idem dicerent. At vero nihil ordine vacat ex iis quae natura et secundum naturam constant: quandoquidem natura omnibus est causa ordinis; infinitum vero ad infinitum nullam rationem habet. Omnis autem ordo est ratio. Ceterum infinito tempore quiescere, deinde motum aliquando esse, et hujus nullam esse differentiam, cur nunc potius quam antea nec rursus aliquem ordinem habere: certe hoc non est am-plius naturae opus. Aut enim simpliciter se habet, quod natura constat, non modo sic, modo aliter (ut ignis sursum natura fertur, nec aliquando fertur, aliquando minime); aut rationem habet, quod non est simplex. Idcirco melius est, ut Empedocles, et si quis alius, dixit ita rem se habere, ut

Quare dignius est, sicut Empedocles et siquis alter dixit sic habere, in parte quiescere omne, et moveri iterum: ordinationem enim jam habet quamdam hujusmodi.

Sed et oportet hoc dicentem non affirmare solum, sed causam ipsius dicere, et non apponere nihil, neque velle dignitatem, irrationabile: sed aut inductionem, aut demonstrationem afferre: haec enim non causae positae sunt. Neque in hoc erit amicitiae vel inimicitiae esse, sed hujus quidem congregare, illius vero disgregare. Si vero determinetur quod est in parte, dicendum est in quibus sic sunt: sicut quia est aliquid quod congregat homines amicitia, et fugiunt inimici abinvicem. Hoc enim supponitur, et in toto esse: videtur enim in quibusdam esse sic: quod autem et secundum aequalia tempora, indiget aliqua ratione.

Omnino enim existimare principium hoc esse sufficiens, quod semper aut est sic, aut sit, non recte se habet opinari. In quo Democritus reducit de natura causas quod sic, et quod prius factum est: ipsius autem semper noluit principium quaerere, in quibusdam dicens recte, quod autem in omnibus, non recte. Etenim triangulus semper habet duobus rectis aequales angulos: sed tamen est perpetuitatis hujusmodi altera causa. Principiorum igitur non est altera causa, sed perpetua sunt. Quod quidem igitur nullum tempus erit neque erat quando motus non erit sive non erat, tanta dicta sunt.

universum vicissim quiescat, et rursus moveatur: jam enim ordinem aliquem habet quod tale est. Sed et qui hoc dicit, non solum id pronuntiare debet, sed etiam ejus causam dicere nec ponere, nec petere sibi concedi aliquod axioma sine ratione: sed vel inductionem, vel demonstrationem afferre. Nam ea quae sunt ab Empedocle supposita, non sunt causae; neque haec est amicitiae vel dissidii essentia: sed illius est conjungere, hujus vero secernere. Quodsi adjungatur illud Vicissim, dicendum est in quibus res ita se habeat: veluti quia est aliquid, quod homines conjungit, nempe amicitiae et inimici se invicem fugiunt. Hoc enim supponitur esse, etiam in universo, quia in quibusdam ita esse videtur. Sed illud quoque Aequalibus temporibus, eget aliqua ratione. Omnino autem putare hoc esse principium sufficiens, nempe semper vel ita esse, vel fieri, non recte se habet. Ad quod Democritus refert naturales causas, quia sic et antea fiebat: aeternitatis autem non putat principium esse quaerendum, in quibusdam recte dicens: sed quia de omnibus loquitur, non recte: etenim triangulum semper habet angulos duobus rectis aequales; attamen est alia quaedam hujus aeternitatis causa. Ceterum principiorum non est alia causa, quum aeterna sint. Nullum gitur fuisse tempus aut fore, quo motus non fuerit, aut non erit, hactenus dictum esto.

Postquam Philosophus posuit rationes ad ostendendum motum semper esse, hic ponit rationes contra Anaxagoram et Empedoclem qui contrarium ponebant. Et circa hoc duo facit. Primo ponit rationem contra eorum positionem; secundo contra rationem, quam supponebant, ibi, « Similiter autem « et dicere, etc. » Dicit ergo primo, quod cum ostensum sit quod motus semper est, non erit dicendum, quod aliquando non, sicut dixerunt Empedocles et Anaxagoras: sic enim dicere, sicut ipsi posuerunt, assimilatur cuidam figmento, quia scilicet absque ratione hoc ponebant. Omne enim quod ponitur absque ratione vel auctoritate divina fictitium esse videtur. Auctoritas autem divina praevalet etiam rationi humanae, multo magis, quam auctoritas alicujus philosophi praevaleret alicui debili rationi, quam aliquis puer induceret. Non ergo assimilantur figmento, quae per fidem tenentur, licet absque ratione credantur. Credimus enim divinae auctoritati miraculis approbatae, idest illis operibus, quae solus Deus facere potest.

Secundo ibi « similiter autem »

Objicit contra rationem, cui innitebantur. Et circa hoc tria facit. Primo ponit istam rationem esse inconvenientem; secundo ostendit, quod inconvenientior erat secundum positionem Anaxagorae quam secundum positionem Empedoclis, ibi, « At vero « nihil inordinatum, etc. » Tertio ostendit, quod nec secundum opinionem Empedoclis convenienter se habet, ibi, « Sed et oportet hoc dicentem. » Dicit ergo primo, quod similiter etiam hoc videtur esse fictitium, quod aliquis ponens motum quandoque esse et quandoque non esse, dicat hoc pro ratione, quod hoc ideo est, quia natum est sic esse, et hoc oportet accipere tamquam principium; sicut Empedocles videtur dicere, quod hoc, quod res in parte temporis teneant amicitiam, et in parte temporis teneant discordiam, et moveantur: et quod in medio tempore quiescant, inest rebus ex necessitate: sicut si aliquis diceret, Quare calidum calefacit? quia sic necesse est esse: et hoc accipiatur quasi principium, quod calidum calefaciat. Similiter accipiebat Empedocles quasi principium, quod necesse est sic esse, quandoque res moveri per amicitiam, quandoque per discordiam, et quandoque quiescere.

Et forte etiam eodem modo diceret et Anaxagoras et alii ponentes unum principium activum, quia oportet hoc accipere quasi principium, quod motus incoeperit postquam in infinito tempore non fuit.

Secundo ibi « at vero »

Ostendit quod hac ratione inconvenientius utebatur Anaxagoras quam Empedocles. Manifestum est enim quod, cum ponitur aliquid esse quasi principium, oportet accipere, quod hoc sit secundum rei naturam, hoc est ut natura rei sit talis, quod hoc ei conveniat. Sic enim accipimus quasi principium, quod omne totum majus est sua parte, quia hoc est de ratione et natura totius, quod excedit partis quantitatem. Unde Empedocles dicebat: « Sic « aptum natum est esse, » dans intelligere, quod hoc est accipiendum quasi principium. Et similiter Anaxagoras diceret, licet non exprimeret. Sed manifestum est, quod nulla res naturalis nec aliquid eorum quae naturaliter rebus conveniunt, potest esse absque ordine, quia natura est causa ordinationis. Videmus enim, naturam in suis operibus ordinate de uno in aliud procedere: quod ergo non habet aliquem ordinem, non est secundum naturam, nec potest accipi ut principium. Sed duo infinita non habent ordinem adinvicem, quia infiniti ad infinitum nulla est proportio: omnis autem ordo proportio quaedam est. Sic ergo patet, quod quiescere res tempore infinito, et postea incipere moveri per infinitum tempus, sine hoc quod sit aliqua differentia inter hoc tempus et illud, quare nunc magis quam prius motus fiat, neque iterum assignare aliquam aliam ordinationem inter aliqua duo, quorum uno deficiente, alterum incipiat et fiat motus, ut Anaxagoras ponebat; hoc non est opus naturae; quia quicquid est natura, aut semper, « simpliciter, » idest eodem modo se habet, et non aliquando sic, aliquando autem aliter: sicut ignis semper sursum fertur. Aut aliqua ratio est, quare non semper est eodem modo, sicut non semper animalia crescunt, sed quandoque diminuuntur, et hoc habet aliquam rationem. Sic ergo non videntur secundum naturam procedere, quod infinito tempore res quieverint, et postmodum moveri incoeperint, ut Anaxagoras posuit. Unde melius est, quod dicatur sicut Empedocles dixit, vel quicumque alius similiter opinatus est, quod totum universum in quidam parte temporis quiescit, et iterum movetur in alia parte temporis, quia jam hoc potest habere aliquam ordinationem: finiti enim ad finitum potest esse proportio. Est autem considerandum, quod sententia fidei nostrae non est similis positioni Anaxagorae. Non enim ponimus ante mundum infinita spatia temporis, cujus sit necesse accipere proportionem ad tempus sequens; sed antequam mundus inciperet; sola Dei simplex aeternitas fuit, sicut dictum est, quae est omnino extra genus temporis.

Tertio ibi « sed et oportet »

Ostendit quod nec etiam Empedocli convenit praedicta ratio. Et primo ostendit propositum; secundo excludit quamdam falsam existimationem, ibi, « Omnino enim existimare, etc. » Dicit ergo primo, quod etiam qui hoc dicit quod Empedocles dixit, non oportet quod solum affirmet quod dicit, sed etiam quod assignet causam sui dicti; et quod nihil ex se apponat, ultra id quod causa assignata requirit; neque etiam aliquid velit accipere ut dignitatem, idest ut principium absque ratione. Sed oportet quod adducat ad manifestationem ejus quod accepit quasi principium, aut inductionem, sicut in principiis naturalibus, quae ex sensibilium experimento accipiuntur, aut demonstrationem, sicut in principiis, quae per principia priora demonstrantur. Sed hoc Empedocles non servat. Esto enim quod ipse ponat amicitiam et litem esse causas: tamen non est de ratione amicitiae vel inimicitiae, quod unum eorum post alterum moveat. Non est enim de ratione amicitiae, quod in inimicitiam convertatur, nec e converso: sed de ratione amicitiae est quod congreget, de ratione vero inimicitiae est quod disgreget. Sed si ulterius determinetur quod in quadam parte temporis haec congreget, et iterum in quadam parte temporis illa disgreget, est ulterius manifestandum in aliquibus particularibus, in quibus hoc contingat. Sicut quod amicitia congreget, et inimicitia disgreget, manifestatur in hominibus, quia amicitia homines adunantur adinvicem, inimicitia vero fugiunt abinvicem: et ideo hoc ab Empedocle, supponitur esse in toto universo, quia videtur esse in aliquibus sic.

Sed quod secundum aequalia tempora moveant successive amicitia et inimicitia, hoc indiget aliqua ratione manifestante: non enim videtur hoc in omnibus contingere.

Secundo ibi « omnino enim »

Excludit quamdam falsam existimationem. Posset enim aliquis credere quod quicquid semper est non habet causam propter hoc quod videmus ea quae apud nos causantur, de novo incipere: et ideo videbatur aliquibus, quod quando reducebatur aliqua quaestio in aliquid quod est semper, non oporteret ulterius causam seu rationem quaerere. Sic ergo posset Empedocles dicere, quod amicitia et lis semper secundum aequalia tempora moverunt; et ideo non est quaerenda hujus alia ratio. Hoc ergo Aristoteles removet dicens, quod non recte se habet opinari, quod aliquid existimetur esse principium, propter hoc quod semper aut sic est, aut sic fit. Ad hoc enim Democritus reducebat omnes causas naturales, assignans principium iis quae de novo fiunt, sed ejus quod est semper nolebat aliquod principium quaerere. Quod quidem in aliquibus recte dicitur, sed non in omnibus. Manifestum est enim quod triangulus semper habet tres angulos aequales duobus rectis. Sed tamen hujusmodi perpetuae passionis est altera causa. Sed aliqua perpetua sunt sicut principia, quorum non est alia causa. Est autem valde notandum quod hic dicitur; quia, ut in secundo Metaphysicae habetur, eadem est dispositio rerum in esse et in veritate. Sicut igitur aliqua sunt semper vera, et tamen habent causam suae veritatis, nam (1) Aristoteles intellexit, quod essent aliqua semper entia, scilicet corpora caelestia et substantiae separatae, et tamen haberent causam sui esse. Ex quo patet, quod quamvis Aristoteles poneret mundum aeternum, non tamen credidit quod Deus non sit causa essendi ipsi mundo, sed causa motus ejus tantum, ut quidam dixerunt. Ultimo autem concludit principale propositum epilogando. Et dicit tanta dicta esse de hoc, quod nullum tempus erit in futuro, neque erat in praeterito, in quo aliquis motus non sit.

(1) *Lege* ita.

LECTIO IV.

Trium rationum solutiones, quae apparenter concludunt motum quandoque incoepisse, afferuntur.

ANTIQUA.

Contraria autem his non difficile est solvere. Videbitur autem ex hujusmodi considerantibus contingere maxime motum esse aliquando, cum non esset omnino. Primum quidem, quia neque una perpetua est: mutatio enim omnis apta nata est ex quodam in quiddam. Quare, necesse est omnis mutationis terminum esse contraria in quibus sit, in infinitum autem moveri nullum.

Amplius videmus quoniam possibile est moveri, quod neque movetur, neque habens in seipso neque unum motum, ut in inanimatis, quorum neque pars ulla, neque totum movetur, sed quiescens movetur quandoque. Convenit autem aut semper moveri aut nequaquam, siquidem non fit cum non sit existens.

RECENS.

Quae vero his sunt contraria, non est difficile solvere. Considerantibus autem videri ex his maxime potest evenire ut motus aliquando sit, quum omnino non esset: primum quia nulla mutatio est aeterna; natura enim comparatum est ut omnis mutatio sit ex aliquo in aliquid: quare necesse est omnis mutationis esse terminum, nempe contraria, in quibus fit; in infinitum vero nihil moveri.

Praeterea videmus posse moveri, quod nec movetur nec habet in se ullum motum: ut in rebus inanimatis: quorum quum nec pars ulla nec totum moveretur, sed quiesceret, aliquando movetur; conveniebat autem vel semper moveri, vel nunquam, si quidem non fit motus quum non esset: sed multo maxime tale quippiam in animatis apparere. Quum

Multo autem magis hujusmodi esse in animatis manifestum est. Neque unus quidem in nobis cum sit motus aliquando, sed quiescentes, tamen movemur aliquando, et si nihil extra moveat. Hoc enim in inanimatis esse non videmus similiter, sed semper movet ipsa aliquid exteriorum alterum. Animal autem dicimus, ipsum se movere. Quare, si quiescit aliquando penitus, in immobili motus utique fiet ex ipso, et non ab extra. Si autem in animali hoc possibile fieri, quid prohibet idem accidere et secundum omne? si namque in parvo mundo fit, et in magno: et si in mundo, et in infinito: si quidem contingit moveri infinitum, et quiescere totum.

Horum autem primum quod dictum est, non eumdem semper et unum numero esse motum, qui est in contraria, recte dicitur. Hoc enim fortassis necessarium est, si quidem non semper unum et eumdem esse possibile est ejusdem et unius motum. Dico autem, sicut utrum unius chordae unus et idem sonus, aut semper alter similiter se habente et movente. Sed tamen qualitercumque se habet, nihil prohibet et quemdam eumdem esse, quo perpetuus et continuus est. Manifestum utique erit magis ex iis, quae posterius.

Moveri autem quod non movetur nullum inconveniens est, si aliquando quidem sit extrinsecus movens, aliquando autem non. Hoc autem quomodo utique erit, inquirendum est. Dico autem, ut idem ab eodem motivo existente, aliquando quidem moveatur, aliquando autem non. Nihil enim aliud dubitat hoc dicens, quam propter quid non semper alia quidem quiescunt eorum quae sunt, alia vero moventur.

Maxime autem videbitur tertium habere dubitationem, quod fit, cum non insit prius, motus: quod accidens est in animatis. Quiescens enim prius, post hoc vadit, movente exteriorum nullo, sicut videtur. Hoc autem falsum est. Conspicimus enim semper aliquid motum in animali naturalium: hujus autem motus non animal causa est, sed continens forsitan. Ipsum autem dicimus ipsum movere se non secundum omnem motum, sed secundum locum. Nihil igitur prohibet, magis autem fortassis necessarium est, in corpore multos fieri motus a continente, horum autem quosdam intellectum aut appetitum movere, illum autem totum jam animal movere, quale contingit circa somnos. Sensibilis quidem enim cum neque unus insit motus, inexistente tamen aliquo, surgunt animalia iterum. Sed namque manifestum erit et de his ex sequentibus.

enim nullus motus interdum in nobis inesset, sed quiesceremus, tamen movemur quandoque, et fit interdum ex nobismet ipsis in nobis principium motus, etiamsi nihil extrinsecus moveri. Hoc enim in inanimatis non similiter cernimus; sed semper aliquid aliud, quod extra est, ea movet. Animal autem dicimus se ipsum movere. Quocirca si quando totum quiescit, in immobili motus fieri potest a se ipso, non extrinsecus. Quodsi in animali hoc fieri potest, quid prohibet hoc idem evenire etiam in universo? nam si in parvo mundo fit, etiam in magno; et si in mundo, etiam in infinito, si quidem totum infinitum potest moveri et quiescere.

Ex his igitur, quod primo loco dictum est, videlicet non esse eumdem semper et unum numero motum, qui fit in opposita, recte dicitur: hoc enim fortasse necessarium est, si motus unius et ejusdem rei non potest esse semper unus et idem numero: dico autem, exempli gratia, utrum unius chordae sit unus et idem sonus, an semper alius quum chorda similiter se habeat et moveatur. Veruntamen utrovis tamdem modo hoc se habeat, nihil vetat aliquem motum esse unum et eumdem: quia sit continuus et sempiternus: quod ex iis quae postea sequentur, magis erit manifestum.

Moveri autem quod non movebatur, nihil absurdi est, si id quod extrinsecus movet, modo adsit, modo non adsit. Hoc vero quonam modo esse possit, quaerendum est: ut inquam, idem ab eodem movendi vim habente, modo moveatur, modo non moveatur. Nihil enim aliud in dubium revocat qui hoc dicit, quam cur non semper alia entia quiescunt, alia moventur.

Maxime autem videri potest tertium illud habere dubitationem, quod evenit in rebus inanimatis; quasi in nobis fiat motus quum antea non esset. Quod enim prius quiescebat, postea ambulat, nulla re externa movente, ut videtur. Sed hoc est falsum; videmus enim semper aliquid innatum moveri in animali. Cur autem hoc moveatur, non ipsum animal est causa, sed fortasse id quod ambit. Ipsum autem dicimus se ipsum movere, non quovis motu, sed eo qui est secundum locum. Ergo nihil vetat, quin potius necessarium est, in corpore fieri multos motus ab eo quod ambit: horum autem aliquos movere cogitationem vel appetitionem: eam vero jam movere totum animal; cujusmodi accidit in somnis. Quum enim nullus sensitivus motus insit, aliquis tamen motus insit, animalia rursus expergiscuntur. Sed enim de his perspicuum erit ex iis quae sequentur.

Postquam Philosophus posuit rationes ad probandum motum semper esse, hic intendit solvere ea quae in contrarium objici possunt. Et circa hoc duo facit. Primo ponit rationes; secundo solvit eas, ibi, « Horum autem primum. » Circa primum ponit tres rationes, praemittens suam intentionem: et dicit, quod ea quae in contrarium objici possunt, non est difficile solvere. Ex tribus enim rationibus videtur maxime sequi, quod motus aliquando incipiat esse cum prius omnino non fuerit. Quarum prima est, qua supra probavit in sexto quod nulla mutatio est infinita: eadem enim ratione probari potest quod nulla mutatio sit perpetua. Nulla enim mutatio terminata est perpetua, sicut nec infinita: sed omnis mutatio est terminata: omnis enim mutatio naturaliter est ex quodam in quiddam, et ista duo sunt contraria: unde necesse est, quod terminus cujuslibet mutationis sint ipsa contraria, in quibus fit transmutatio. Sed quia non in omni motu locali manifesta est contrarietas terminorum, subjungit quod est commune omni motui, quod nihil movetur in infinitum; quia nihil movetur ad id ad quod pertingere non potest, ut in sexto dictum est. Sic ergo patet, quod nulla mutatio est perpetua. Videtur etiam possibile, dari tempus in quo nulla mutatio sit. Et haec prima ratio accepta est ex parte motus.

Secunda ratio accipitur ex parte mobilis, quam ponit ibi « amplius videmus »

Quae talis est. Si motus non potest fieri de novo, cum prius non esset; videtur esse conveniens

dicere de unoquoque, quod vel semper movetur, vel nequaquam moveatur: quia si in uno mobili potest quandoque motus esse, et quandoque non esse, pari ratione in toto universo. Sed videmus, quod possibile est aliquid moveri, quod prius non movebatur secundum totum, neque aliquem motum in seipso habebat secundum aliquam sui partem; sicut apparet in rebus inanimatis, in quibus aliquod mobile quandoque moveri incipit, cum antea nulla pars ejus moveretur, neque ipsum totum, sed omnino quiescere. Relinquitur ergo quod in toto universo potest esse motus cum prius non fuerit. Sed quia in rebus inanimatis, licet appareat motus in aliquo de novo incipere nullo motu praeexistente in illo eodem, apparet tamen motus praeexistens in aliquo exteriori, a quo movetur: ideo tertiam rationem ponit ex parte animalium, quae non moventur ab extrinseco, sed a seipsis, et hoc ibi « multo autem »

Et dicit, quod incipere motum, cum prius non esset, multo magis est manifestum in rebus animatis, quam inanimatis. Cum enim nos quieverimus aliquando, nullo motu in nobis existente, aliquando moveri incipimus, et est ex nobis ipsis principium nostri motus, etiam si nihil extrinsecum moveat. Quod quidem in rebus inanimatis non contingit, sed semper aliquid extrinsecum movet ipsa; vel generans, vel removens prohibens, vel violentiam inferens. Ex quo sequitur, quod si animal quandoque totaliter quiescat, quod in aliquo immobili incipiat esse motus, cum prius non fuerit, non ex aliquo extrinseco movente, sed ab ipsomet quod movetur. Et, si hoc potest esse in animali, nihil prohibere videtur, quin idem accidat in universo. Habet enim animal, et maxime homo, similitudinem quamdam cum mundo: unde dicitur a quibusdam quod homo sit parvus mundus. Et sic, si in parvo mundo incipit motus, cum prius non fuerit, videtur quod etiam in magno mundo idem possit contingere. Et, si hoc contingit in mundo, potest etiam contingere in toto infinito, quod quidem posuerunt extra mundum, si tamen sit aliquod infinitum, quod possit quiescere et moveri.

Deinde cum dicit « horum autem »

Solvit per ordinem rationes praemissas. In solutione ergo primae rationis dicit quod istud recte dicitur, quod motus qui est inter contraria, non potest semper durare unus et idem numero, quia forte hoc est necessarium (ut infra probabitur); et ideo ponit sub dubitatione, quia nondum erat probatum. Sed quia posset aliquis dicere, quod etiam motus qui est in contraria, potest esse semper unus numero propter identitatem mobilis, quod iterato de contrario in contrarium movetur, sicut, si prius movebatur de albo in nigrum, postea moveatur de nigro in album, et sic semper: ideo subjungit, quod non est possibile, quod semper motus, qui est unius et ejusdem mobilis per reiterationem, sit unus et idem. Et hoc manifestat per exemplum. Ponatur enim quod chorda citharae similiter se habeat, et movens, qui percutit chordam, similiter se habeat in movendo: potest esse dubitatio, utrum unius chordae bis percussae sit unus et idem motus et sonus, aut similiter alius et alius. Sed tamen quicquid sit de aliis mobilibus, nihil tamen prohibet quin aliquis motus, qui non est inter contraria, sicut circularis motus, idem semper maneat continuus et perpetuus: quod magis ex sequentibus erit manifestum. Licet ergo omnis motus sit finitus secundum terminos, tamen per reiterationem aliquis motus potest esse continuus et perpetuus.

Secundo ibi « moveri autem »

Solvit secundam rationem: et dicit, quod nullum inconveniens est, si aliquid inanimatum incipiat moveri, cum prius non moveretur, si hoc accidat propter hoc quod movens extrinsecus aliquando sit praesens, aliquando non. Manifestum enim est quod oportet praeexistere motum ex parte moventis, quod aliquando fit prope, cum prius non esset. Sed istud videtur esse inquirendum quasi dubium: scilicet, si existente movente, idem ab eodem quandoque moveatur, et quandoque non: hoc enim supra dixit non posse accidere, nisi praecedente mutatione vel ex parte mobilis, vel ex parte moventis: et sic semper praeexistit motus, sive praeexistat movens, sive non. Ideo autem hoc videtur quaerendum, quia ille qui hanc rationem induxit, de nullo alio videtur dubitare, quam propter quid quiescentia non semper quiescunt, et mobilia non semper moventur.

Tertio ibi « maxime autem »

Solvit tertiam rationem: et dicit, quod id quod tertio objectum est, maxime facit dubitare quod

possit esse motus, cum prius non fuerit, sicut videtur accidere in rebus animatis. Videtur enim quod animal, quod prius quiescebat, postmodum moveatur processivo motu, nullo motu facto ab exteriori. Et sic videtur, quod illum motum animalis non praecedebat aliquis motus, neque in ipso animali, neque in alio, sicut in rebus inanimatis dicebatur. « Sed hoc est falsum, » scilicet quod motus animalis non fiat ab aliquo exteriori: videmus enim semper in animalibus aliquid naturaliter motum, quod scilicet non movetur per voluntatem. Et hujus, quod movetur naturaliter, causa non est ipsum animal per suum appetitum, sed forsitan causa hujus naturalis mutationis, « est continens » idest aer, et ulterius corpus caeleste. Sicut manifeste apparet cum alteratur corpus animalis per calorem aeris, et frigus aeris. Et dicit, « forsitan » quia in animali etiam aliquid naturaliter movetur ab interiori principio, sicut patet in mutationibus quae sunt in anima vegetabili, ut apparet in digestione cibi, et in sequentibus transmutationibus, quae dicuntur naturales, quia non sequuntur apprehensionem et appetitum. Et hoc videtur esse contra id quod est proprium animalis, scilicet quod moveat seipsum; et ideo subjungit, quod cum dicimus animal movere seipsum, non intelligimus hoc de quolibet motu, sed de motu locali, secundum quem animal movet seipsum per apprehensionem et appetitum. Sic igitur nihil prohibet, imo necessarium est, quod in corpore animalis fiant multae transmutationes a continenti, scilicet aere et corpore caelesti: quarum quaedam movent intellectum aut appetitum, ex quo ulterius jam totum animal movetur. Est autem considerandum, quod hic declarat modum quo corpora caelestia in nos agunt: non enim agunt directe in animas nostras, sed in corpora. Motis autem corporibus, per accidens fit motus in viribus animae, quae sunt actus corporalium organorum, non autem ex necessitate in intellectu, et in intellectivo appetitu, qui non utuntur organis corporeis. Aliquando tamen intellectus et voluntas sequuntur aliquas praedictarum mutationum. Sicut cum aliquis per rationem eligit, vel sequi vel repellere, vel aliquid agere propter passionem, vel in corpore, vel in parte sensitiva exortam. Et ideo non dicit quod omnes motus qui fiunt a continente moveant intellectum aut appetitum, sed quidam, ut omnino necessitatem ab intellectiva parte excludat. Ponit autem exemplum eorum, qui dixerant (1) in dormientibus, in quibus maxime quies esse videtur quantum ad animales motus: cum tamen in eis nullus motus sit sensibilis, scilicet a sensibili apprehensione procedens, iterum surgunt animalia evigilata, propter aliquem motum interius existentem, vel ex opere animae nutritivae, sicut cum digesto cibo, deficiunt evaporationes, quae somnum causabant, et animal excitatur: sive cum alteratur corpus a continente per calorem aut frigus. Et sic diligenter consideranti apparet, quod nunquam in nobis aliquis motus apparet de novo, nisi praecedente aliquo alio motu. Et hoc promittit se in sequentibus magis manifestaturum.

(1) *Lege* eorum quae dixerat.

LECTIO V.

Proposita divisione rerum omnium quo ad motum et quietem, non omnia semper quiescere aut semper moveri ratiocinatur.

ANTIQUA.

Principium autem considerationis est, quod quidem et dictae dubitationis, quare quaedam eorum quae sunt, aliquando quidem moventur, aliquando autem quiescunt iterum. Necesse autem, aut omnia quiescere semper, aut omnia semper moveri: aut alia quidem moveri, alia autem quiescere. Et iterum horum, aut quae moventur moveri semper, quae vero quiescunt quiescere semper, aut omnia apta nata sunt similiter moveri et quiescere, aut reliquum amplius, et tertium est: contingit enim alia quidem semper immobilia esse eorum quae sunt, alia vero semper moveri, alia autem cum utrisque accipere: quod quidem nobis dicendum est. Hoc enim habet solutiones omnium dubitatorum, et finis nobis est hujus negotii.

Omnia igitur quiescere et hujus rationem quaerere, dimittentes sensum: infirmitas quaedam est intellectus. Et de toto aliquo, sed non de parte ambiguitas est. Neque solum ad physicum, sed ad omnes scientias, ut ita dicam, et omnes opiniones: propter id quod motu utuntur omnes. Amplius autem de principiis importunitates sicut in rationibus circa doctrinas, nihil sunt ad mathematicum: similiter autem in aliis: sic neque de eo quod nunc dicitur, ad physicum. Suppositio enim est quod natura principium motus sit.

Fere autem adhuc et omnia dicere moveri, falsum quidem, minus autem hoc praeter artem. Positum quidem enim est, quod natura in physicis, principium sit motus et quietis. Similiter autem physicum est motus.

Et dicunt quidam moveri eorum quae sunt, non alia quidem, alia vero non, sed omnia et semper, sed latere hoc nostrum sensum. Ad quos etiam quidem non determinantes quidem motum dicunt, aut omnes, non difficile est contradicere.

Neque enim augeri, neque minui possibile est continue, sed est et medium. Est autem similis ratio huic de eo quod est, guttam conterere, et enascentia lapides scindere. Non enim si tantum effodit aut removit gutta, et medium in medio tempore prius, sed sicut navis tractus est et guttae tot tantum movent, pars autem illarum in nullo tempore tantum. Dividitur enim quod remotum est in plura, sed nihil eorum motum est seorsum, sed simul. Manifestum igitur quod non est necessarium semper aliquid abire, quia dividitur diminutio in infinita, sed totum aliquando abire.

Similiter autem et in alteratione qualibet: non enim si partibile in infinitum est quod alteratur, propter hoc et alteratio: sed velox fit multoties, sicut congelatio.

Amplius, cum infirmetur aliquis, necesse est tempus fieri in quo sanabitur, et non in termino temporis mutari: necesse autem in sanitatem mutari, et in aliud nullum: quare dicere continue alterari, multum in manifestis est ambigere. In contrarium enim alteratio.

Atque lapis, neque durior fit, neque mollior.

Et de ipso ferri mirabile est, si latuit lapis deorsum, aut manens in terra.

Amplius autem terra et aliorum unumquodque ex necessitate permanent quidem in propriis locis, moventur autem violenter ex his. Si igitur quaedam ipsorum sunt in propriis locis, necesse neque secundum locum omnia moveri. Quod igitur impossibile sit, aut semper omnia moveri, aut semper omnia quiescere, ex his et aliis hujusmodi sciet utique aliquis.

RECENS.

Principium vero considerationis erit, quod fuit etiam dubitationis antea dictae, curnam quaedam entia modo moveantur modo rursus quiescant. Necesse igitur est, vel omnia semper quiescere, vel omnia semper moveri; vel alia moveri alia quiescere; et rursus ex his vel ea quae moventur, semper moveri, et ea quae quiescunt, semper quiescere: vel ita natura esse comparatum, ut omnia aeque moveantur et quiescant: vel quid reliquum adhuc est ac tertium: contingit enim quaedam entia semper esse immobilia, nonnulla semper moveri, alia utroque participare; quod quidem nobis dicendum est: hoc enim habet solutionem eorum omnium de quibus dubitatum est, et est nobis finis hujus tractationis.

Dicere igitur omnia quiescere, et hujus rationem quaerere omisso sensu, est infirmitas quaedam cogitationis. Ac de toto aliquo, non de parte dubitatio est; nec solum adversus physicum, sed adversus omnes scientias, ut ita dicam, et omnes opiniones, propterea quod motu omnes utuntur. Praeterea objectiones quae de principiis fiunt, sicut in mathematicis disputationibus nihil ad mathematicum pertinent, similiterque in ceteris: ita nec objectio de eo quod nunc dictum fuit, ad physicum attinet; hypothesis enim est, Naturam esse principium motus.

Fere autem et dicere omnia moveri, falsum quidem est, sed minus illo ab hac methodo alienum; nam positum in libris physicis est, naturam in rebus physicis esse principium, ut motionis, ita etiam quietis. Ita motio est res naturalis. Ac nonnulli ajunt, non alia entia moveri, alia minime, sed omnia et semper moveri; sed hoc latere nostrum sensum. Quibus, etiam si non definiant de quo motu loquantur, an de omnibus, tamen non est difficile occurrere. Neque enim res augeri neque diminui possunt continenter, sed est etiam medium. Est autem hic sermo ei similis, quo dicitur a gutta consumi, et ab iis quae pullulant, dividi lapides. Non enim si tantum abrasit sive abstulit gutta, antea quoque dimidium abrasit seu abstulit dimidiato tempore: sed quemadmodum navigii tractus fit, ita etiam tot guttae tantum movent: pars autem earum nullo tempore tantum movet: ergo dividitur quidem id quod ablatum est, in plura; sed nihil horum motum est seorsum, verum simul. Perspicuum igitur est, non esse necessarium semper aliquid abire, quia deminutio dividitur in infinita, sed totum aliquando abire. Similiter etiam se res habet in variatione quacumque: non enim, si id quod variatur, infinite dividi potest, idcirco etiam variatio infinite dividitur: sed confertim et simul fit saepenumero, ut concretio. Praeterea, quum aliquis aegrotaverit, necesse est fuisse tempus quo sanabitur, nec in termino temporis mutari. Porro necesse est mutari in sanitatem, non in aliquid aliud. Quocirca haec assertio, res continenter variari, ea in dubium revocat, quae sunt admodum perspicua: quandoquidem variatio in contrarium est. Ac lapis nec durior fit, nec mollior.

Quod etiam ad lationem attinet, admirabile est, si latet lapis qui deorsum fertur, aut in terra manet. Praeterea terra et ceterorum unumquodque necessario manent in propriis locis, ex his autem vi moventur. Si igitur horum nonnulla sint in propriis locis: necesse est, ne secundum locum quidem omnia moveri. Impossibile igitur esse, vel semper omnia moveri, vel semper omnia quiescere, ex his et aliis hujusmodi rationibus aliquis crediderit.

Postquam Philosophus in septimo ostenderat, quod in moventibus et in mobilibus non est procedere in infinitum, sed est devenire ad aliquod primum: et etiam jam ostendit quod motus semper fuit, et semper erit; ulterius procedit ad inquirendum conditionem primi motus et primi motoris. Et dividitur in partes duas. In prima ostendit, quod motus primus

est sempiternus, et quod primum movens est omnino immobile. Secundo ex hoc procedit ad ostendendum qualis sit primus motus, et qualis sit primus motor, ibi, « At vero aliud facientibus principium, etc. » Prima autem pars dividitur in tres partes. In prima ponit sub quaestione quamdam divisionem quinque membrorum. In secunda excludit

tres partes propositae divisionis, ibi, « Omnia igi-
« tur quiescere etc. » Tertio inquirit de duobus
residuis membris, quod eorum sit verius, quia ex
hoc dependet veritas quam inquirere intendit, ibi,
« Omnia autem velle aliquando quidem etc. » Dicit ergo primo, quod principium sequentis considerationis quam inquirere intendimus de primo
motu et primo motore est quod pertinet ad dubitationem praedictam, quam scilicet movit solvendo secundam rationem. Unde concludit, quod quaedam aliquando moventur, et aliquando quiescunt
iterum, et non semper vel moventur vel quiescunt,
ex quo ponitur motus sempiternus in communi. Et
dicit, quod necesse est dispositionem rerum, quantum ad motum vel quietem, tripliciter se habere.
Quorum unus modus est, ut omnia semper quiescant, et nihil aliquando moveatur. Secundus modus est, ut omnia semper moveantur, et nihil quiescat.
Tertius modus est, quod quaedam moveantur, et
quaedam quiescant. Sed iste tertius modus iterum
dividitur in tres modos: quorum primus est, quod
quaedam moventur, et quaedam quiescunt: ita tamen
quod ea quae moventur semper moveantur, et ea
quae quiescunt, semper quiescant, et nihil sit quod
quandoque moveatur et quandoque quiescat. Secundus modus est e contrario, quod omnia sunt
nata et moveri et quiescere, et nihil est quod semper moveatur vel semper quiescat. Tertius modus
hujus secundae divisionis est, quod alia semper sint
immobilia, et nunquam moveantur: alia semper
mobilia et nunquam quiescant: alia vero possunt
accipi cum utroque, scilicet cum motu et quiete, ita
quod quandoque moveantur, quandoque quiescant:
et istud ultimum membrum est nobis determinandum pro veritate: quia in hoc habentur solutiones
omnium objectorum. Et quando hoc ostenderimus,
habebimus finem quem intendimus in isto opere,
scilicet pervenire ad primum motum sempiternum
et ad primum movens immobile. Sic ergo tertium
membrum primae divisionis dividitur in tria membra: et fiunt in universo quinque membra hujus
divisionis. Est autem considerandum quod in tribus
horum membrorum omnia entia ponuntur unius
dispositionis: sicut patet in primo membro quo dicitur omnia quiescere: et in secundo quo dicitur
omnia semper moveri: et in quarto quo dicitur
omnia quandoque quiescere et quandoque moveri.
In uno autem membro, scilicet in tertio, dividuntur
entia in duas dispositiones: scilicet quod quaedam
semper moveantur, et quaedam semper quiescant.
In uno etiam membro, scilicet in quinto, dividuntur
entia in tres dispositiones: scilicet quod quaedam
semper moveantur: quaedam nunquam moveantur:
quaedam quandoque moveantur et quandoque non
moveantur. Et considerandum est quod in hoc ultimo membro non facit mentionem de quiete, sed
de immobilitate: quia primus motor qui nunquam
movetur non potest dici proprie quiescere: quia,
ut in quinto dictum est, illud proprie quiescit quod
natum est moveri et non movetur.

Secundo ibi « omnia igitur »

Excludit tria membra praedictae divisionis: et
primo ponit quod non omnia quiescunt semper.
Secundo, quod non omnia moventur semper, ibi,
« Fere autem adhuc etc. » Tertio excludit tertium
membrum quo dicebatur, quod quae moventur,
moventur semper, et quae quiescunt, quiescunt
semper, ibi, « At vero neque alia quidem. » Circa

primum tria ponit. Quorum primum est, quod ex
quadam intellectus infirmitate procedit quod aliqui
dicant omnia quiescere: et quod inquirant ad hoc
aliquam sophisticam rationem dimisso sensu: procedit enim ex hoc quod intellectus non est sufficiens ad dissolvendum sophisticas rationes, quae
repugnant his quae sunt manifesta secundum sensum. Dictum est autem in primo Topicorum, quod
non est curandum disputare contra quascumque positiones vel problemata, de quibus aliquis dubitat indigens sensu vel poena: unde contra istam positionem
non oportet dubitare (1), propter stultitiam dicentis.
Secundum quod dicit est, quod ista dubitatio non
est de aliquo particulari ente, sed universaliter de
toto ente; neque etiam pertinet solum ad naturalem
philosophum, sed quodammodo pertinet ad omnes
scientias demonstrativas, et « ad omnes opiniones »
idest ad omnes artes, quae utuntur quibusdam o-
pinionibus, sicut rhetorica et dialectica, quia omnes
artes et scientiae utuntur motu. Practicae quidem
quasi dirigentes aliquos motus. Naturalis autem
philosophia speculando naturam motus et mobilium.
Mathematici etiam utuntur motu imaginato, dicentes, quod punctus motus facit lineam. Metaphysicus
autem considerat de primis principiis. Sic igitur
patet, quod destruere motum repugnat omnibus
scientiis. Error autem qui pertinet ad omnia entia
et ad omnes scientias, non est reprobandus a naturali, sed a metaphysico; non ergo pertinet ad naturalem contra istum errorem disputare. Tertium
quod dicit est, quod irrationabiles et importunae
dubitationes de principiis in doctrinis mathematicis,
non pertinent ad mathematicum ut eas removeat,
et similiter est in aliis scientiis. Et similiter nec
ad physicum pertinet destruere hujusmodi positionem, quae repugnat suis principiis. In qualibet
enim scientia supponitur pro principio definitio
subjecti. Unde et in scientia quae est de natura,
supponitur quasi principium, quod natura sit principium motus. Sic ergo per tria media apparet, quod
ad naturalem non pertinet contra hanc positionem
disputare.

Secundo ibi « fere autem »

Excludit secundum membrum, quo ponebatur
ab Heraclito omnia semper moveri. Et primo comparat hanc opinionem praecedenti opinioni quae
ponebat omnia semper quiescere: et dicit, quod
dicere omnia moveri semper, ut Heraclitus dixit,
est quidem falsum et contra principia scientiae
naturalis, sed tamen minus repugnat arti haec positio quam prima. Et quod quidem repugnat arti,
manifestum est, quia tollit suppositionem scientiae
naturalis, in qua ponitur, quod natura non solum
est principium motus, sed etiam quietis; et sic patet, quod similiter naturale est quies, sicut et motus.
Unde sicut prima opinio, quae destruebat motum,
erat contra scientiam naturalem, ita et haec positio,
quae destruit quietem. Ideo autem dixit hanc opinionem esse minus praeter artem, quia quies nihil
est aliud quam privatio motus: quod autem non
sit privatio motus, magis potest latere, quam quod
non sit motus. Sunt enim quidam motus parvi et
debiles, qui vix possunt sentiri: et sic potest videri
quod aliquid quiescat, quod non quiescit: sed motus
magni et fortes latere non possunt; unde non dici
potest quod decipiatur sensus in perceptione motus,
sicut in perceptione quietis.

(1) *Forte* disputare.

Et ideo secundo ibi « et dicunt »

Ostendit quomodo hanc secundam positionem aliqui posuerunt: et dicit, quod quidam, scilicet Heraclitus et ejus sequaces, dixerunt quod omnia quae sunt, semper moventur, non solum quaedam aut aliquando, sed motus latet sensum nostrum. Qui si loquerentur de aliquibus motibus, eorum dictum sustineri posset. Sunt enim aliqui motus qui nos latent. Sed quia non determinant de quali motu loquantur, sed dicunt de omnibus motibus, ideo non est difficile contra illos objicere: quia multi motus sunt, de quibus manifestum est, quod non possunt semper esse.

Tertio ibi « neque enim »

Ponit rationes contra opinionem praedictam. Et primo quantum ad motum augmenti; secundo quantum ad alterationis motum, ibi, « Similiter autem « et in alteratione. » Tertio quantum ad motum localem, ibi, « Et secundum quod fertur etc. » Ideo autem ab augmento incipit, quia Heraclitus maxime inducebatur ad suam positionem ex consideratione augmenti. Videbat enim aliquem augeri secundum aliquam modicam quantitatem in uno anno: et supponens augmentum esse continuum, credebat quod in qualibet parte illius temporis secundum aliquid illius quantitatis augeretur: et tamen non sentitur istud augmentum, quia fit in modica temporis parte: et sic arbitrabatur esse in aliis, quae videntur quiescere. Dicit ergo contra hoc Aristoteles, quod non est possibile continue aliquod augeri vel minui, ita scilicet quod quantitas aucta dividatur secundum tempus, ita quod in qualibet parte illa quod (1) ejus augeatur, sed interponitur medium tempus post augmentum unius partis, in quo nihil augetur, sed fit dispositio ad augmentum sequentis partis. Et hoc manifestat per similia: quorum primum est, quia videmus quod gutta pluviae multiplicata, conterit lapidem. Secundum exemplum est, quia videmus quod nascentia, idest plantae in lapidibus nascentes, lapides dividunt. Sed non possumus dicere, quod si gutta multiplicata tantum fodit vel removet de lapide in tanto tempore, quod medietas guttarum prius in medio tempore removerit medietatem illius quantitatis: sed ita contingit hic, sicut in trahentibus navem. Non enim, si centum homines trahunt navem per tantum spatium in tanto tempore, sequitur quod media pars illorum moveat per medietatem spatii in eodem tempore, vel per idem spatium in duplo tempore, ut in septimo dictum est. Ita etiam non sequitur, si multae guttae effodiunt lapidem, quod aliqua pars illarum guttarum prius removerit medietatem in aliquo tempore: et hujus ratio est, quia illud quod removetur a lapide per multas guttas, est quoddam divisibile in plura: sed tamen non seorsum aliquid illorum plurium a lapide removetur, sed simul omnes partes prout sunt in potentia in toto remoto. Et loquitur hic de primo quod removetur: nihil enim prohibet per longinquum tempus aliquam tam magnam quantitatem removeri a lapide per guttas, quod aliqua pars remota est prius per partem guttarum. Est tamen devenire ad aliquod quantum remotum, quod totum simul removetur, et non pars post partem. In remotione ergo illius totius nulla guttarum praecedentium aliquid removebat: sed disponebat tantum ad remotionem; ultima autem agit in virtute omnium, removendo id ad cujus remotionem ceterae dispo-

(1) *Al.* aliquid. *Suspicor legendum* aliquota.

nebant. Et similiter etiam est in motu diminutionis. Non est enim necessarium, quod si aliquod decrescit tantum in tanto tempore, licet illa quantitas infinitum dividatur, quod semper in qualibet parte temporis aliquid illius quantitatis subtractum abeat; sed totum simul aliquando abibit. Et similiter etiam est in augmento. Et sic non oportet, quod continue aliquid augeatur vel minuatur.

Deinde cum dicit « similiter autem »

Contradicit praedictae positioni quantum ad alterationem: et hoc tribus rationibus. Primo enim dicit, quod similiter dicendum est in qualibet alteratione, sicut dictum est in augmento. Quamvis enim corpus quod alteratur, sit partibile in infinitum, non tamen oportet quod propter hoc alteratio in infinitum dividatur, ita quod in qualibet parte temporis, aliquid alterationis fiat; sed multoties fit velox alteratio, ita scilicet quod multae partes corporis alterati simul alterantur, sicut accidit in densatione sive congelatione aquae: tota enim aliqua aqua simul congelatur, non pars post partem. Si tamen accipiatur multum de aqua, nihil prohibet partem post partem congelari. Est autem considerandum, quod hoc quod hic dicitur de alteratione et augmento, videtur contrarium iis, quae dicta sunt in sexto; ubi ostensum est, quod motus dividitur secundum divisionem temporis, et mobilis, et rei secundum quam est motus. Sed sciendum est, quod Aristoteles in sexto determinabat de motu in communi, non applicando ad aliqua mobilia: et ideo ea quae ibi de motu tractavit, accipienda sunt secundum exigentiam continuitatis motus: hic autem loquitur de motu applicando ad determinata mobilia, in quibus contingit aliquem motum interrumpi, et non continuari, qui secundum rationem communem motus, posset esse continuus.

Secundam rationem ponit ibi « amplius cum »

Et dicit, quod si aliquis qui infirmatur debeat sanari, necesse est quod sanetur in aliquo tempore, et non in termino temporis. Et necesse est ulterius, quod ipsa mutatio sanationis tendat in determinatum terminum, scilicet in sanitatem, et in nihil aliud. Si ergo omnis alteratio requirit determinatum tempus et determinatum terminum, quia omnis alteratio est in contrarium, ut in quinto dictum est; nulla autem talis mutatio est semper continua; dicere ergo quod aliquid semper et continue alteretur, est dubitare de manifestis.

Tertiam rationem ponit ibi « atque lapis »

Dicit, quod lapis non fit neque durior neque mollior, etiam per temporis longinquitatem. Et sic stultum est dicere, quod omnia semper alterentur.

Deinde cum dicit « et de ipso »

Contradicit praedictae opinioni quantum ad motum localem, dupliciter. Primo quidem, quia aliqui motus locales et quietes, ita sunt manifesti, quod latere non possunt. Mirabile enim videtur, si lateat quando lapis fertur sursum, aut quando quiescit in terra. Et sic non potest dici, quod propter latentiam motus localis, ponantur omnia semper moveri localiter.

Secundo ibi « amplius autem »

Ratiocinatur sic. Terra et quodlibet aliud corpus naturale, quando sunt in propriis locis, ex necessitate naturae quiescunt, et non moventur ex propriis locis, nisi per violentiam: sed manifestum est, quaedam corporum naturalium esse in propriis locis: necesse est ergo dicere, quod quaedam quiescunt secundum locum, et quod non omnia localiter moventur. Ultimo autem epilogando concludit, quod ex praemissis et aliis similibus, potest quis scire, quod impossibile est, aut semper omnia moveri,

sicut dixit Heraclitus, aut semper omnia quiescere, sicut dixit Zeno et Parmenides et Melissus.

LECTIO VI.

Entia quaedam esse, quae nec semper quiescunt, nec semper moventur, sed quandoque moventur et quandoque quiescunt, docetur.

At vero neque alia quidem semper contingit quiescere, alia vero semper moveri: aliquando autem quiescere, et aliquando moveri nullum. Dicendum est autem, quod impossibile sit, sicut et in dictis prius, et in his: videmus enim in eisdem fieri dictas mutationes.

Et adhuc quia oppugnat manifestis dubitans. Neque enim augmentum, neque violentus erit motus, nisi movebitur extra naturam quiescens prius. Generationem igitur removet et corruptionem haec ratio. Fere autem et moveri, fieri quidem et corrumpi videtur omnibus. In quod quidem enim mutatur fit hoc, aut in hoc: ex quo autem mutatur, corrumpitur hoc, aut ab hinc. Quare, manifestum est quod alia quidem moventur, alia vero quiescunt aliquando.

Omnia autem velle aliquando quiescere, aliquando autem moveri, hoc jam copulandum ad antiquas rationes.

Principium autem iterum faciendum a nunc determinatis, a quo quidem incoepimus prius. Aut enim omnia quiescunt, aut omnia moventur, aut haec quidem quiescunt, haec autem moventur eorum quae sunt. Et. si alia quidem quiescunt, alia vero moventur eorum quae sunt, necesse est, aut omnia aliquando quidem quiescere, ant omnia aliquando moveri, aut quaedam semper quiescere, alia vero moveri ipsorum.

Quod quidem igitur non possibile sit omnia quiescere, dictum est prius: dicamus autem et nunc, si enim secundum veritatem sic se habet, (sicut quidam dicunt) esse id quod est infinitum et immobile, sed non videtur aliquid secundum sensum, sed moventur multa eorum quae sunt. Si igitur opinio est falsa, aut omnino opinio, et motus est: et utique si phantasia sit, et si aliquando quidem sic videatur esse, aliquando autem aliter. Phantasia quidem et opinio. motus quidem esse videntur. Sed de hoc quidem intendere, et quaerere rationem, quorum dignus habemus quam ratione indigere, male judicare est id quod melius et pejus, et credibile et non credibile, et principium et non principium.

Similiter autem et impossibile est, et omnia moveri; aut alia quidem semper moveri, alia vero semper quiescere. Ad omnia enim haec sufficiens est una fides. Videmus enim quaedam aliquando quidem moveri, aliquando quidem quiescere. Quare manifestum est, quod impossibile sit similiter omnia quiescere et omnia moveri continue, eo quod alia quidem semper moventur, alia vero semper quiescunt semper.

Reliquum ergo considerandum est, utrum omnia sint hujusmodi possibilia moveri et quiescere: aut quaedam quidem sic, aliqua vero semper quiescant, aliqua vero semper moveantur: hoc enim demonstrandum est a nobis.

At vero nec fieri potest ut alia semper quiescant, alia semper moveantur; nihil autem interdum quiescat, interdum moveatur. Dicendum autem impossibile esse, ut in iis quae antea dicta fuerunt, ita etiam in his: quia videmus in iisdem rebus fieri dictas mutationes. Et ad haec, quia rebus perspicuis repugnat, qui de hoc controversatur; neque enim auctio, neque violentus erit motus, nisi moveatur praeter naturam, quod antea quiescebat; generationem igitur tollit et interitum: hic sermo. Fere autem et ipsum moveri omnibus videtur nihil aliud esse quam fieri quiddam et interire; in quod enim mutatur, fit hoc, vel in hoc: ex quo autem mutatur, interit hoc, vel hinc.

Quare manifestum est, quaedam moveri, quaedam quiescere aliquando. Omnia vero existimare quandoque quiescere quandoque moveri; hoc jam adjungendum est ad rationes supra allatas. Initium autem post haec quae nunc definita sunt, idem iterum sumendum est, ex quo antea exorsi sumus.

Aut enim omnia entia quiescunt, aut omnia moventur; aut alia quiescunt, alia moventur; et si alia entia quiescunt alia moventur: necesse est vel omnia quandoque quiescere, quandoque moveri; vel alia semper quiescere, alia semper moveri; vel alia semper quiescere, alia semper moveri, alio modo quiescere, modo moveri. Fieri igitur non posse, ut omnia quiescant, dictum quidem et antea fuit: dicamus tamen et nunc. Nam etsi revera ita sit, ut nonnulli dicunt, id est, ens sit infinitum et immobile, tamen hoc sensui non videtur, sed multa entia moventur. Si igitur est opinio falsa, aut omnino opinio: certe est etiam motus: nec non si sit phantasia; et si quandoque ita videntur, quandoque aliter: quoniam phantasia et opinio videntur esse motiones quaedam. Verum de his considerare, et rationem quaerere, in quibus sumus melius affecti, quam ut ratione egeamus; nihil aliud est quam male judicare, quod est melius et quod deterius, et quod est credibile et quod non credibile, item principium et non principium. Similiter et impossibile est, omnia moveri: aut alia semper moveri, alia semper quiescere; nam adversus haec omnia sufficit probatio una: quia videmus nonnulla modo moveri, modo quiescere. Quare perspicuum est, omnia quiescere, et omnia moveri continenter, aeque esse impossibile atque alia semper moveri, alia semper quiescere.

Relinquitur ergo ut dispiciamus, utrum omnia sint ejusmodi ut moveantur et quiescant: an quaedam ita se habeant, quaedam semper quiescant, quaedam semper moveantur: hoc enim nobis est probandum.

Reprobatis duobus membris praemissae divisionis, hic reprobat tertium, quo scilicet poni posset entia dividi in duas dispositiones tantum: ita quod quaedam semper quiescerent, alia semper moverentur; et non sit tertium genus entium, quae quandoque moveantur, quandoque quiescant. Hoc autem reprobat dupliciter. Primo quidam sicut et praedictas duas positiones, ex eo quod repugnat sensui. Non solum enim videmus ad sensum, quod quaedam moventur, per quod destruitur prima positio ponentium omnia quiescere semper, et quod quaedam

quiescunt, per quod destruitur secunda positio ponentium omnia moveri semper: sed etiam videmus, quod in eisdem rebus fiunt praedictae mutationes seu variationes de motu in quietem, et de quiete in motum: per quod apparet, quod aliqua sunt, quae quandoque moventur, et quandoque quiescunt.

Secundo ibi « et adhuc »

Reprobat idem per hoc, quod qui hanc dubitationem induceret, repugnaret iis quae sunt manifesta in natura. Primo enim tolleretur motus augmenti: videmus enim motum augmenti esse in iis, quae

non semper augebantur: alioquin, si semper augeren-
tur, non esset augmentum ad determinatam quantitatem, sed infinitum. Secundo tollitur motus localis
violentus. Non enim est motus violentus, nisi sit
aliquid, quod extra naturam moveatur, quod prius
quieverit secundum naturam; cum motus violentus
non sit nisi recessus a quiete naturali. Si ergo nullum quiescens potest moveri, sequetur quod id
quod quiescit naturaliter, non possit postmodum per
violentiam moveri. Tertio excluditur generatio et
corruptio per hanc positionem. Generatio enim est
mutatio de non esse in esse: corruptio vero de
esse in non esse. Ad hoc ergo quod aliquid corrumpatur, oportet quod prius fuerit ens per aliquod
tempus; et ad hoc quod generetur, oportet quod
prius fuerit non ens per tempus aliquod. Quod
autem per tempus aliquod ens est vel non ens,
quiescit (ut large de quiete loquamur). Si igitur
nullum quiescens potest moveri, sequitur quod nihil quod non est per aliquod tempus, possit generari; et nihil quod est in aliquo tempore, possit
corrumpi. Quarto autem ulterius, haec positio destruit universaliter omnem motum; quia in omni
motu est quaedam generatio et corruptio, vel simpliciter, vel secundum quod. Quod enim in aliquid
movetur sicut in terminum « generatur hoc, »
quantum ad motum alterationis et augmenti: « aut
« in hoc, » quantum ad motum localem. Sicut quod
movetur de nigro in album, aut de parvo in magnum, fit album aut magnum; quod autem movetur
ad aliquem locum, fit existens in loco illo. Sed ex
quo aliquid mutatur sicut a termino a quo, « cor-
« rumpitur hoc, » in motu alterationis et augmenti,
ut nigrum aut parvum, « aut ab hinc » quantum
ad motum localem. Quia ergo in omni motu est
generatio et corruptio, dum praedicta positio tollit
generationem et corruptionem, per consequens tollit omnem motum. Quia ergo haec quae dicta sunt,
sunt impossibilia, manifestum fit, quod quaedam
moventur, non quidem semper, sed aliquando: et
quaedam quiescunt, non semper, sed aliquando.

Deinde cum dicit « omnia autem »

Inquirit de aliis duobus membris praemissae
divisionis. Et primo manifestat suam intentionem.
Secundo exequitur ipsam, ibi, « Moventium igitur
et eorum quae moventur etc. » Circa primum tria
facit. Primo ostendit ad quam positionem pertineat
quartum membrum. Secundo ea quae dicta sunt
in isto capitulo recolit, ibi, « Principium autem
« iterum faciendum, etc. » Tertio ostendit quid
restat dicendum, ibi, « Reliquum autem conside-
« randum, etc. » Dicit ergo primo, quod ponere
quod omnia quandoque quiescunt et quandoque
moventur, hoc jam pertinet ad antiquas rationes,
quas tetigimus disputantes de motus sempiternitate.
Hoc enim posuisse videtur praecipue Empedocles,
quod omnia quandoque moventur sub dominio
amicitiae et litis, et quandoque quiescant intermediis temporibus.

Secundo ibi « principium autem »

Resumit ea quae dicta sunt in isto capitulo.
Et primo resumit ea quae dicta sunt in divisione
supraposita. Secundo reprobationem primae partis.
qua ponitur omnia quiescere semper, ibi, « Quod
« quidem igitur non possibile etc. » Tertio reprobationem aliorum duorum membrorum, ibi, « Si-
« militer autem impossibile, etc. » Dicit ergo primo, quod ad manifestandum magis intentionem se-

quentium, debemus incipere ab iis quae nuper
determinavimus, sumentes idem principium quod
prius, scilicet quod entia oportet primo, quod se
habeant in aliqua harum trium dispositionum: scilicet quod vel omnia quiescant, vel omnia moveantur, vel quod quaedam quiescant, et quaedam moveantur. Et hoc tertium iterum in tria dividitur:
quia si eorum quae sunt, quaedam quiescunt et
quaedam moventur, necesse est, quod vel omnia
sic se habeant quod quandoque quiescant et quandoque moveantur, vel quod quaedam semper quiescant, quaedam autem semper moveantur; vel quod
cum iis duobus apponatur tertium membrum, scilicet quod alia sint quae quiescant aliquando et
non semper, aliis quandoque motis et non semper.

Deinde cum dicit « quod quidem »

Reprobat primum membrum: et dicit, quod
supra dictum est, quod non sit possibile omnia
quiescere semper; sed et nunc etiam aliquid est
addendum. Et duo dicit contra hanc positionem.
Primo quidem, quod necesse est ponere aliquem
motum saltem in anima. Quia, si aliquis velit dicere, quod secundum veritatem sic se habet quod
nihil movetur, sicut dixerunt sequentes Melissum,
qui posuit quod ens est infinitum et immobile, sed
tamen non videtur ita secundum sensum, sed multa
entium moventur, ut sensus judicat. Si ergo aliquis dicat, quod ista opinio est falsa, qua opinamur
quaedam moveri, adhuc sequitur quod motus sit.
Quia, si opinio falsa est, motus est; et universaliter
si opinio est, et similiter, si phantasia est, motus
est. Et hoc ideo, quia phantasia est quidam motus
sensitivae partis factus a sensu secundum actum.
Opinio etiam quidam motus est rationis ex aliquibus ratiocinationibus procedens. Sed adhuc manifestius sequitur quod motus sit in opinione vel
phantasia, si aliquando videatur nobis sic esse, aliquando aliter, quod contingit, cum quandoque videntur nobis aliqua quiescere quandoque vero non
quiescere. Sic ergo omnino sequitur, quod motus
sit. Secundo contra hanc opinionem dicit, quod apponere intentionem ad destruendum hanc opinionem, et quaerere rationem ad probandum illas res
quas debemus habere in majori dignitate quam
quod ratione indigeant, quia scilicet habentur ut
per se manifesta, hoc (inquam) facere nihil est
aliud quam male judicando discernere inter melius
et pejus in moralibus, et inter credibile et incredibile in logicis, et inter principium et non principium in demonstrativis. Qui enim quaerit rationem
ad probandum ea quae per se sunt manifesta et
sic habentur ut principia, non cognoscit ea esse
principia, dum ea per alia principia probare intendit. Similiter videtur, quod non sciat cognoscere
quid sit credibile et incredibile: quia id quod est
per se credibile, per aliud probare intendit, ac si
non esset per se credibile. Nec etiam inter melius
et pejus posse discernere videtur, qui magis manifesta per minus manifesta probat. Est autem per
se manifestum, aliqua moveri. Non ergo ad hoc
debet esse nostra intentio, ut haec probare rationibus nitamur.

Tertio ibi « similiter autem »

Excludit alia duo membra praemissae divisionis;
et dicit, quod sicut impossibile est omnia quiescere semper, ita etiam impossibile est omnia moveri
semper, aut etiam quod alia semper moveantur, et
alia semper quiescant, ita quod nihil sit quod quan-

doque moveatur, et quandoque quiescat. Contra omnia haec sufficit fidem facere per unum medium; quia scilicet videmus quod quaedam quandoque moventur, et quandoque iterum quiescunt: unde manifestum est, quod impossibile est dicere quod omnia continue quiescant, quod erat primum membrum: et quod omnia continue moveantur, quod erat secundum membrum: vel quod quaedam semper moveantur, et quaedam semper quiescant, et nihil sit medium.

Deinde cum dicit « reliquum ergo »

Ostendit quid restat dicendum: et concludit ex praemissis, quod cum tria membra praemissae divisionis stare non possint, relinquitur considerandum, quod membrum aliorum duorum sit verius: utrum scilicet quod omnia sint possibilia moveri et quiescere, aut quaedam sint possibilia moveri et quiescere, ita tamen quod aliqua sint quae semper quiescant, et aliqua quae semper moveantur. Hoc enim ultimum est, quod demonstrare intendimus. Sic enim ostendetur primum motum esse sempiternum, et primum motorem esse immobilem.

LECTIO VII.

Quodcumque motum, ab alio moveri, multipliciter ostenditur.

ANTIQUA.

Moventium igitur, et eorum quae moventur, alia quidem movent et moventur secundum accidens, alia autem per seipsa. Secundum accidens quidem, ut quaecumque in eo quod sunt in moventibus, aut in iis quae moventur, et quae sunt secundum partem. Alia autem per seipsa, quaecumque non in eo quod sint in movente, aut in iis quae moventur, neque in eo quod pars aliqua ipsorum movet aut movetur. Eorum autem quae moventur per se, alia quidem a seipso, alia vero ab alio, et alia quidem natura, alia vero violentia et extra naturam.

Quod enim ipsum a seipso movetur, natura movetur, ut quodlibet animalium: movetur enim animal a seipso. Quorumcumque autem principium motus in seipsis est, hoc natura dicimus moveri: unde animal quidem totum natura ipsum seipsum movet; corpus autem secundum quod est corpus, contingit et natura, et extra naturam moveri. Differt enim secundum qualem motum quod movetur eveniat, et ex quali elemento constet. Et eorum quae moventur ab alio, alia quidem moventur natura, alia vero extra naturam. Extra naturam quidem, ut terra sursum, et ignis deorsum. Amplius autem partes animalium multoties moventur extra naturam, juxta positionem et modos motus.

Et maxime moveri a quodam, quod movetur, in iis quae extra naturam moventur, est manifestum, propter id quod manifestum est ab alio moveri. Postea autem, quae sunt extra naturam; eorum autem quae sunt extra naturam ipsa a seipsis, ut animalia: hoc enim non immanifestum est si ab aliquo moventur, sed quomodo oportet accipere ipsum movens et quod movetur Videtur enim quod ibi sit accipiendum, sicut in navibus, et non natura subsistentibus, sic et in animalibus esse divisum movens et quod movetur, et sic omne ipsum seipsum movet.

Maxime autem dubitatur reliquum dictae ultimae divisionis. Eorum enim quae ab alio moventur, haec quidem extra naturam posuimus movere, alia autem relinquuntur contra poni, quia natura. Haec autem sunt quae dubitationem afferunt, a quo moventur, ut levia et gravia: haec enim in oppositos locos violentia moventur: in proprios autem, leve quidem sursum, grave autem deorsum natura. A quo autem non adhuc manifestum, sicut cum moventur extra naturam.

Et namque seipsis dicere, impossibile est; vitale enim hoc et animantium est proprium.

Et facere stare possent seipsa: dico autem, velut si ambulandi causa inest ipsi, et non ambulandi.

Quare, si in ipso est sursum ferri igni, manifestum est, quod in ipso et deorsum. Irrationabile autem est, secundum unum motum moveri solum hoc a seipsis, si ipsa seipsa movent.

Amplius quomodo contingit continuum aliquod et ipsum seipsum movere? Secundum enim quod unum et continuum non tactu, secundum hoc impassibile est; sed secundum quod dividitur, sic hoc quidem aptum natum facere, illud vero pati. Neque ergo nullum horum ipsum seipsum movet, (consita enim sunt) neque aliud continuum nullum: sed necesse est dividi movens in uno quoque ab eo quod movetur, sicut in inanimatis videmus, cum moveat aliquod animatorum ipsa.

RECENS.

Moventium igitur, et eorum quae moventur, alia ex accidenti movent et moventur, alia per se: ex accidenti quidem ut quaecumque eo quod insunt moventibus, aut in quae moventur, et quae per partem; per se autem, quaecumque nec eo quod insint in movente aut in eo quod movetur, nec eo quod aliqua ipsorum pars moveat aut moveatur. Eorum vero quae per se dicuntur, alia a se ipsis, alia ab alio: et alia natura, alia vi et praeter naturam. Id enim quod a se ipso movetur, natura movetur, ut unumquodque animal: movetur enim animal a se ipso: ea vero, in quibus est principium motus, natura moveri dicimus. Idcirco totum quidem animal natura se ipsum movet; corpori autem accidit ut moveatur et natura et praeter naturam: interest enim, et quo motu cieatur, et ex quo elemento constet. Et eorum quae ab alio moventur, quaedam natura movent, quaedam praeter naturam: praeter naturam quidem, ut terrestria sursum, et ignis deorsum. Praeterea partes animalium saepe moventur praeter naturam, propter positiones et modos motionis.

Ac maxime ab aliquo moveri id quod movetur, in iis quae praeter naturam moventur, perspicuum est: quia patet ab alio moveri. Post haec autem quae praeter naturam moventur, inter ea quae moventur secundum naturam, illa sunt magis manifesta, quae a se ipsis moventur, ut animalia; non est enim hoc obscurum, an ab aliquo moveantur: sed quomodo oporteat distinguere ipsum movens et quod movetur. Nam videtur, ut in navibus et iis quae naturam non constant, ita etiam in animalibus esse divisum id quod movet et id quod movetur, atque ita totum movere se ipsum. Maxime autem dubitatur de reliquo dictae postremae divisionis membro. Eorum enim quae ab alio moventur, quaedam praeter naturam moveri posuimus: alia vero opponenda restant, quia natura moventur. Haec autem sunt quae dubitationem praebere possunt, a quonam moveantur; ut levia, et gravia. Nam haec ad oppositos locos vi moventur: ad proprios autem, nempe leve sursum, grave deorsum, natura moventur.

Sed a quonam moveantur, nondum liquet, sicuti quum moventur praeter naturam. Ipsa namque a se ipsis moveri, est dictu impossibile: quoniam hoc est vitale et animantium proprium. Et sistere se ipsa possent: verbi gratia, si quid sit sibi causa ambulandi, erit etiam non ambulandi. Quare, quum in ipso igne positum sit ut sursum feratur, manifestum est in ipso etiam, positum esse ut feratur deorsum. Absurdum est etiam, uno tantum motu a se ipsis cieri, si ipsa se ipsa movent.

Praeterea qui fieri potest ut continuum quid et copulatum se ipsum moveat? nam quatenus unum et continuum non tactu est, eatenus est impatibile; sed quatenus separata sunt, eatenus natura est comparatum, ut alterum efficiat, alterum patiatur. Neque igitur horum aliquid se ipsum movet, quoniam sunt copulata: neque aliud quicquam continuum. Sed necesse est, in unaquaque re divisum esse id quod movet ab eo quod movetur: ut in rebus inanimatis cernimus, quum aliquid inanimatum ea movet.

Postquam Philosophus suam intentionem manifestavit; hic incipit prosequi suam intentionem, scilicet non omnia quandoque moveri et quandoque quiescere, sed aliquid esse omnino immobile, aliquid autem quod semper movetur. Dividitur autem ista pars in duas. In prima ostendit primum movens esse immobile. In secunda ostendit primum mobile semper moveri, ibi, « At vero si aliquod est. » Prima pars dividitur in duas. In prima ostendit primum movens esse immobile ex ordine moventium et mobilium. In secunda ex sempiternitate motus, ibi, « Et iterum considerans etc. » Prima pars dividitur in partes duas. In prima ostendit primum movens esse immobile. In secunda ostendit ipsum esse perpetuum, ibi, « Quoniam autem o- « portet. » Circa primum duo facit. Primo ostendit quoddam, quod est necessarium ad probationem sequentium: scilicet quod omne quod movetur, ab alio moveatur: secundo ostendit propositum, ibi, « Hoc autem dupliciter. » Ostenderat siquidem supra in principio septimi, omne quod movetur, ab alio moveri, ratione communi accepta ex parte ipsius motus: sed, quia incoepit applicare motum ad res mobiles, illud quod supra universaliter est ostensum, hic ostendit universaliter verificari in omnibus mobilibus et moventibus. Unde prima pars dividitur in partes duas. In prima ponit divisionem moventium et mobilium. In secunda manifestat propositum in singulis, ibi, « Et maxime moveri. » Circa primum duo facit. Primo dividit moventia et mobilia; secundo manifestat positam divisionem, ibi, « Quod autem ipsum « a seipso. » Primo ergo ponit tres divisiones moventium et mobilium: quarum prima est quod moventium et mobilium, quaedam movent seu moventur per accidens, quaedam autem per se. Et accipit hic Per accidens large, secundum quod comprehendit sub se etiam quod est secundum partem: unde exponens quod dixerat « Per accidens » subdit, quod per accidens moveri aut movere, dicitur dupliciter. Primo quidem dicuntur movere per accidens, quaecumque movere dicuntur ex eo quod insunt aliquibus moventibus: sicut cum dicitur musicum sanare, quia is cui inest musicum sanat. Et similiter dicuntur moveri per accidens, ex eo quod insunt iis quae moventur, vel sicut locatum in loco, prout dicimus hominem moveri, quia navis movetur in qua est; vel sicut accidens in subjecto, prout dicimus album moveri, quia corpus movetur. Alio modo dicuntur aliqua movere vel moveri per accidens, quia movent aut moventur secundum partem; sicut homo dicitur percutere aut percuti, quia manus percutitur aut percutit. Per se autem dicuntur moveri aut movere per remotionem duorum praedictorum: quia scilicet nec dicuntur movere aut moveri ex eo quod sint in aliis quae movent aut moveantur, neque ex eo quod aliqua pars ipsorum moveat aut moveatur. Omissis igitur iis quae movent et moventur per accidens, subdividit ea quae moventur per se. Primo quidem, quia eorum quae moventur per se, alia moventur a seipsis, sicut animalia: alia vero ab aliis, sicut inanimata. Tertiam divisionem ponit, quia alia moventur secundum naturam, alia extra naturam.

Secundo ibi « quod enim »

Manifestat qualiter inveniatur secundum naturam et extra naturam in iis quae moventur a seipsis, et quae moventur ab alio. Et primo dicit de iis quae moventur a seipsis, sicut sunt animalia, quae

movent seipsa, quod (1) moventur secundum naturam: quod probat per hoc, quod moventur a principio intrinseco. Illa autem dicimus a natura moveri, quorum principium motus in ipsis est. Unde manifestum est, quod motus animalis, quo movet seipsum, si comparetur ad totum animal, est naturalis, quia est ab anima, quae est natura et forma animalis: sed si comparetur ad corpus, contingit hujusmodi motum et esse naturalem, et extra naturam: hoc enim considerandum erit secundum differentiam motus et elementi, ex quo constat animal. Si enim anima constat ex elemento gravi praedominanti, sicut corpus humanum, et moveatur sursum, erit motus violentus quantum ad corpus: si vero moveatur deorsum, erit motus corporis naturalis. Si autem essent animalia aliqua corpore aërea (ut quidam Platonici posuerunt), de illis esset e contrario dicendum. Secundo manifestat qualiter inveniatur motus violentus et naturalis in iis quae moventur ab alio: et dicit, quod horum, quaedam moventur secundum naturam, ut ignis sursum, terra deorsum; quaedam vero extra naturam, ut terra sursum, ignis deorsum: qui est motus violentus. Tertio ponit alium modum innaturalis motus in animalibus, secundum scilicet quod multoties partes animalium moventur extra naturam si considerentur rationes et modi naturalis motus in partibus animalium; sicut homo brachia flectit ad anterius, tibias autem ad posterius; canes vero et equi et hujusmodi animalia anteriores pedes ad posterius, posteriores vero ad anterius; si autem fiat motus in animalibus per contrarium, erit motus violentus, et extra naturam.

Deinde cum dicit « et maxime »

Probat, omne quod movetur ab alio moveri: et primo ostendit in quibus sit manifestum; secundo ostendit de iis in quibus est dubium, ibi, « Maxi- « me autem dubitatur etc. » Relictis autem iis quae moventur per accidens, quia ipsa non moventur, sed dicuntur moveri ex eo quod quaedam alia moventur, inter ea quae per se moventur (maxime in iis quae moventur per violentiam et extra naturam), manifestum est, quod id quod movetur, ab alio movetur. Manifestum est enim, quod ea quae per violentiam moventur, ab alio moventur ex ipsa violenti definitione: est enim violentum, ut dicitur in tertio Ethicorum, cujus principium est extra, nil conferente vim passo. Post ista vero, quae moventur per violentiam, manifestum est quod id quod movetur, ab alio movetur, in iis quae moventur secundum naturam a seipsis, sicut animalia dicuntur seipsa movere. In iis enim manifestum est, quod aliquid ab alio movetur. Sed dubium potest esse quo modo oporteat accipere in ipsis movens et quod movetur. Quantum enim ex primo aspectu apparet, et secundum quod multis videtur, sicut in navibus et in aliis artificialibus, quae non sunt secundum naturam, diversum est quod movet ab eo quod movetur, sic et in animalibus. Videtur enim, quod hoc modo se habeat anima quae movet ad corpus quod movetur, sicut nauta ad navim, ut dicitur in secundo de Anima. Et per hunc modum videtur quod totum animal seipsum moveat, inquantum una pars ejus aliam movet. Utrum autem se habeat anima ad corpus sicut nauta ad navim, in libro de Anima, inquirendum relinquit. Quod autem sic aliquid dicatur seipsum movere inquantum una

(1) *Lege* quum, *vel* quoniam.

pars ejus movet et alia movetur, in sequentibus ostendetur.

Secundo ibi « maxime autem »

Manifestat propositum in iis, in quibus est magis dubium. Et circa hoc facit tria. Primo ponit, in quibus sit magis dubium, omne quod movetur ab alio moveri; quia scilicet in gravibus et levibus, cum secundum naturam moventur: secundo ostendit, quod hujusmodi non movent seipsa, ibi, « Et « namque ipsa a seipsis, etc. » Tertio ostendit a quo moveantur, ibi, « Sed accidit et hoc. » Dicit ergo primo: quod ex quo maxime manifestum est, quod movetur ab alio moveri, in iis quae moventur per violentiam, et post haec in iis quae movent seipsa; maxime videtur dubium in residuo membro ultimae divisionis, sive in iis quae non movent seipsa, et tamen moventur naturaliter. Ultimam autem divisionem dicit istam, scilicet quod eorum quae moventur non a seipsis sed ab alio, quaedam moventur extra naturam, quaedam vero e contrario moventur secundum naturam, et in istis dubium est a quo moveantur; sicut sunt gravia et levia; quae quidem in contraria loca moventur per violentiam, sed in propria secundum naturam: leve scilicet sursum, grave vero deorsum; sed a quo moveantur non est manifestum cum moventur secundum naturam, sicut est manifestum cum moventur extra naturam.

Secundo ibi « et namque »

Probat quod hujusmodi non movent seipsa, quatuor rationibus. Quarum prima est, quod movere seipsum pertinet ad rationem vitae, et est proprie animatorum. Motu enim et sensu discernimus animatum ab inanimato, ut dicitur in primo de Anima. Manifestum est autem haec non esse viva, seu animata: non ergo movent seipsa.

Secunda ratio ponitur ibi « et facere »

Quae talis est. Quaecumque movent seipsa possunt etiam sibi esse causa quietis, sicut videmus quod animalia per suum appetitum moventur et stant. Si ergo gravia et levia moverent seipsa motu naturali, possent facere stare seipsa: sicut si aliquis est sibi causa ambulandi, est etiam sibi causa non ambulandi. Hoc autem videmus esse falsum: quia hujusmodi non quiescunt extra propria loca, nisi propter aliquam causam extrinsecam prohibentem motum ipsorum; ergo non movent seipsa. Sed, quia posset aliquis dicere, quod hujusmodi, etsi non sint sibi causa standi extra propria loca, sunt tamen sibi causa standi in propriis locis, subjungit

Tertiam rationem ibi « quare si »

Quae talis est. Irrationabile est dicere, quod illa quae movent seipsa, moveantur solum a seipsis secundum unum motum, et non pluribus motibus; quia quod movet seipsum non habet motum determinatum ab alio, sed ipsum sibi determinat motum; et quandoque determinat sibi hunc motum, et quandoque alium; unde est in potestate ejus quod movet seipsum, quod determinet sibi hunc vel illum motum. Si ergo gravia et levia moverent seipsa, sequeretur quod, si in potestate ignis esset quod moveretur sursum, quod in potestate ejus esset quod moveretur deorsum: quod nunquam videmus accidere, nisi ex causa extrinseca: non igitur movent seipsa. Est autem sciendum quod istae duae rationes sunt probabiles secundum ea quae apparent de moventibus seipsa quae sunt apud nos, quae quandoque inveniuntur moveri hoc motu, quandoque alio, quandoque etiam quiescere: unde non dixit, impossibile est, sed « irrationabile, » quo modo loquendi in probabilibus uti consuevit. Ostendit enim inferius, quod si aliquid est movens seipsum, in quo movens est omnino immobile, quod illud semper movetur et uno motu: sed tamen hoc non posset dici in gravibus et levibus, in quibus non est aliquid quod non moveatur per se vel per accidens, cum etiam generentur et corrumpantur.

Quartam rationem ponit ibi « amplius quomodo »

Quae talis est. Nullum continuum movet seipsum: gravia autem et levia sunt continua: ergo nihil horum movet seipsum. Quod autem nullum continuum seipsum moveat, sic probat: quia movens ad motum se habet sicut agens ad patiens. Cum autem agens sit contrarium patienti, necesse est quod dividatur id quod est aptum natum agere, ab eo quod est aptum natum pati. Secundum ergo quod aliqua sunt non contacta adinvicem, sed sunt omnino unum et continuum, et quantitate et forma, secundum hoc non possunt pati abinvicem. Sic ergo sequitur, quod nullum continuum moveat seipsum: sed necesse est, quod movens dividatur ab eo quod movetur; sicut apparet cum res inanimatae moventur ab animatis, ut lapis a manu. Unde et in animalibus quae movent seipsa, est magis quaedam colligatio partium, quam perfecta continuatio; sic enim una pars potest moveri ab alia; quod non invenitur in gravibus et levibus.

LECTIO VIII.

De gravium ac levium motore agitur.

ANTIQUA.

Sed accidit et haec ab aliquo semper moveri: fiet autem utique manifestum dividentibus causas. Est autem et in moventibus accipere quae dicta sunt. Alia quidem enim extra naturam ipsorum motiva sunt; ut vectis non natura gravis motivus est. Alia vero natura, ut actu calidum motivum est potentia calidi: similiter autem et in aliis hujusmodi est. Et mobile autem similiter natura quod potentia quale aut quan-

RECENS.

Sed evenit ut et haec ab aliquo semper moveantur; quod quidem perspicuum fiet dividentibus causas. Licet autem etiam in moventibus sumere ea quae dicta sunt: nam alia praeter suam naturam habent vim movendi, ut vectis non naturaliter habet vim movendi ponderis; alia naturaliter, ut id quod est actu calidum, vim habet ejus movendi quod est calidum potestate. Similiter etiam in ceteris ejusmodi se res

tum, aut ubi est, cum habeat principium hujusmodi in seipso, et non secundum accidens.

Erit enim idem et quantum et quale; sed alteri alterum accidit, et non secundum se existit. Ignis itaque et terra moventur ab alio, violentia quidem, cum extra naturam; natura autem, cum in ipsorum actus potentia existunt.

Quoniam autem quod potentia est multipliciter dicitur, haec causa est, non esse manifestum a quo hujusmodi moveantur, ut ignis sursum, terra vero deorsum.

Est autem potentia aliter addiscens sciens, et habens jam scientiam, et non considerans. Semper autem, cum simul activum et passivum sunt, fit aliquando actu, quod in potentia, ut addiscens; et ex potentia ente, alterum fit potentia; habens enim scientiam, non considerans autem, potentia est sciens quodammodo, sed non sicut et ante addiscere. Cum autem sic se habeat, si aliquid non prohibeat, operatur et considerat, aut erit in contradictione et ignorantia.

Similiter autem haec se habent et in physicis. Frigidum enim, potentia est calidum: cum autem fuerit mutatum, jam ignis est, ardet autem, nisi aliquid prohibeat et impediat.

Similiter autem se habet et circa grave et leve. Leve enim fit ex gravi, ut ex aqua aer; hoc enim potentia primum; et jam leve operabitur mox, nisi aliquid prohibeat. Actus autem levis est, alicubi esse et sursum; prohibetur autem cum in contrario loco sit. Similiter et hoc se habet in quanto, et quali.

Et tamen quaeritur hic, quare in ipsorum locum moventur gravia et levia. Causa autem est, quia apta nata sunt, et hoc est gravi et levi esse, hoc quidem eo quod sursum, illud autem eo quod deorsum determinatum.

Potentia autem est leve et grave multipliciter, sicut dictum est. Cumque enim sit aqua, potentia quodammodo est leve; et cum aer, est adhuc in potentia. Contingit enim impeditum non sursum esse; sed, si auferatur impedimentum, agit et semper sursum fit: similiter autem et quale ad actum esse immutat: mox enim considerat sciens, nisi aliquid prohibeat. Sustinens autem et prohibens movens est, sicut movet, est autem sicut non, ut est columnas divellens, aut lapidem removens a vase in aqua: secundum accidens enim movet: sicut repercussa sphaera, non a pariete mota est, sed a projiciente. Quod quidem igitur nihil horum ipsum movet seipsum, manifestum est: sed motus habent principium, non movendi neque faciendi, sed patiendi.

Si igitur omnia quae moventur a natura moventur, aut extra naturam, et violentia: et quae vi et extra naturam omnia a quodam, et ab alio: eorum autem quae natura iterum quaecumque a seipsis moventur, ab aliquo moventur, et quae non a seipsis, ut levia et gravia: (aut enim a generante et faciente leve et grave, aut ab eo, quod impedientia et prohibentia solvit): omnia ergo quae moventur, ab aliquo movebuntur.

habet. Sed et mobile itidem naturaliter est, quod potestate est quale, vel quantum, vel alicubi, quum habeat ejusmodi principium in ipso, non ex accidenti. Etenim idem potest esse et quale et quantum: sed alteri alterum accidit, nec per se inest. Ignis igitur ac terra moventur ab aliquo, vi quidem, quando praeter naturam; naturaliter vero, quando ad suos ipsorum actus potentia vero, quum sint potestate.

Quoniam autem esse potestate, dicitur multis modis: haec est causa cur non appareat a quo talia moveantur: ut ignis sursum, ac terra deorsum. Est vero potestate sciens aliter qui discit, et is qui jam scientiam habet, neque contemplatur. Quotiescumque autem id quod efficiendi et id quod patiendi vim habet, simul sunt: fere id quod est potestate, fit actu; ut is qui discit, ex eo quod est potestate, fit aliud potestate. Nam qui scientia est praeditus, neque contemplatur, is est quodammodo potestate sciens, sed non ut erat antequam disceret. Quum autem ita se habeat, nisi quid prohibeat, agit et contemplatur, aut erit in contradictione et ignorantia. Similiter autem haec se habent etiam in rebus naturalibus. Nam frigidum est potestate calidum; quum autem est mutatum, jam est ignis et comburit nisi quid prohibeat et impediat. Similiter se res habet etiam in gravi et levi. Nam leve fit ex gravi, ut ex aqua aer. Hoc enim prius erat potestate, et jam est leve, atque aget confestim, nisi quid prohibeat: actus autem rei levis est alicubi esse, et in loco supero: sed prohibetur, quando est in loco contrario. Atque hoc similiter se habet et in quanto et in quali. Atqui hoc quaeritur, cur ad sua ipsorum loca moveantur levia et gravia. Causa vero est, quia natura est comparatum, ut sint alicubi: atque haec est rei levis et gravis essentia, ita ut illa loco supero, haec loco infero definiatur. Potestate autem est leve et grave multis modis, sicuti dictum fuit; quum enim est aqua, potestate quodammodo est leve: et quum aer, adhuc est potestate; quia fieri potest ut impeditum supero loco non sit: verum si auferatur quod impedit, agit, ac semper sursum tendit. Similiter etiam Quale in id mutatur ut sit potestate: nam sciens statim contemplatur, nisi quod impediat; et Quantum extenditur, nisi quid impediat. Qui vero id amovet quod subest et prohibet, aliquo modo movet, aliquo modo non movet: veluti qui columnam subtraxit, aut qui lapidem exemit ex utre in aqua: ex accidenti namque movet; sicut et pila repercussa, non a pariete mota est, sed ab eo qui projicit. Patet igitur nihil horum se ipsum movere. Sed motus principium habet, id est, non movendi, nec faciendi, sed patiendi.

Si igitur quaecumque moventur, aut natura moventur, aut praeter naturam et vi; atque ea quae vi et praeter naturam, omnia ab aliquo et ab alio moventur; eorum rursus quae natura, tam ea quae a se ipsis moventur, ab aliquo moventur, quam ea quae non a se ipsis, ut levia et gravia (aut enim moventur ab eo qui genuit et fecit leve seu grave, aut ab eo quod impedientia et prohibentia amovit); profecto quaecumque moventur, ab aliquo moventur.

Postquam ostendit, quod gravia et levia non movent seipsa, hic ostendit a quo moveantur. Et primo ostendit, a quo moveantur; secundo concludit principale intentum, ibi, « Si igitur omnia quae « moventur etc. » Circa primum duo facit. Primo ostendit quod naturaliter moventur ab aliquo; secundo inquirit a quo moveantur, ibi, « Quoniam « autem quod potentia etc. » Dicit ergo primo, quod etsi gravia et levia non moveant seipsa, tamen moventur ab aliquo. Et hoc potest manifestari, si distinguantur causae moventes. Sicut enim in his quae moventur est accipere quaedam secundum naturam moveri, et quaedam extra naturam, ita et in moventibus, quaedam movent extra naturam « ut « vectis, » idest baculus, qui non naturaliter motivus est corporis gravis, puta lapidis. Quaedam vero movent secundum naturam; sicut quod est actu calidum naturaliter movet id quod secundum suam naturam est potentia calidum, et similiter est in aliis talibus. Et sicut quod est in actu naturaliter movet, ita id quod est in potentia naturaliter movetur, vel secundum qualitatem, vel secundum quantitatem, vel secundum ubi. Et quia in secundo

dixerat, quod illa moventur naturaliter, quorum principium motus in ipsis est per se, et non secundum accidens; ex quo posset videri quod id quod est in potentia tantum calidum, cum sit calidum, non movetur naturaliter tamquam principio activo motus exterius existente: quasi ad hanc objectionem excludendam subjungit: « Cum habeat prin- « cipium hujusmodi in seipso, et non secundum « accidens »: quasi dicat, quod ad hoc quod motus sit naturalis sufficit quod hujusmodi principium, scilicet potentia, de qua fecerat mentionem, sit in eo quod movetur per se, et non per accidens; sicut scamnum est potentia combustibile, non inquantum est scamnum, sed inquantum est lignum. Unde hoc quod dixerat « Et non secundum acci- « dens » exponens subdit « erit enim »

Et dicit, quod contingit idem subjectum esse et quantum et quale: sed unum eorum per accidens se habet ad aliud, et non per se. Quod ergo est potentia quale, est etiam potentia quantum, sed per accidens. Quia igitur quod est in potentia naturaliter movetur ab alio quod est in actu: nihil autem secundum idem est potentia et actu: sequitur quod neque ignis, neque terra, neque aliquid aliud moveatur a se, sed ab alio. Moventur quidem ignis et terra ab alio, sed per violentiam, cum motus eorum est extra naturalem ipsorum potentiam: sed naturaliter moventur, cum moventur in actus proprios, ad quos sunt in potentia secundum suam naturam.

Secundo ibi « quoniam autem »

Ostendit a quo moveantur: et, quia quod est in potentia movetur ab eo quod est in actu, primum distinguit potentiam, secundo ex hoc ostendit a quo hujusmodi moveantur, ibi, « Potentia autem « est leve. » Circa primum tria facit. Primo ostendit necessarium esse cognoscere, quot modis aliquid dicitur esse in potentia. Secundo manifestat, ibi, « Est autem potentia. » Tertio solvit ex hoc quamdam quaestionem, ibi, « Et tamen quaeritur. » Dicit ergo primo, quod ideo non est manifestum a quo gravia et levia moventur suis motibus naturalibus, ut puta ignis sursum et terra deorsum, quia ens in potentia dicitur multipliciter.

Secundo ibi « est autem »

Distinguit esse in potentia. Et primo in intellectu. Secundo in qualitate, ibi, « Similiter autem haec « se habent. » Tertio in motu locali, ibi, « Simi- « liter autem se habet. » Dicit ergo primo, quod aliter est in potentia ad scientiam ille qui addiscit et nondum habet habitum scientiae, et ille qui jam habet habitum scientiae, sed non considerat utens habitu. Ex prima autem potentia in secundam reducitur aliquid, cum activum suo passivo conjungitur; et tunc passivum per praesentiam activi fit in tali actu, qui adhuc est in potentia: sicut addiscens per actionem docentis reducitur de potentia in actum, cui actui conjungitur altera potentia, et sic existens in potentia prima fit in alia potentia: quia jam habens scientiam et non considerans quodammodo est in potentia ad actum scientiae, sed non eodem modo sicut antequam addisceret: ergo de potentia prima reducitur in actum, cui adjungitur secunda potentia, per aliquod agens, scilicet per docentem. Sed quando sic se habet, quod habet habitum scientiae, non oportet quod reducatur in secundum actum per aliquod agens; sed statim per seipsum operatur considerando, nisi sit aliquid prohibens, puta occupatio, vel infirmitas, aut voluntas. Vel si non impeditus non posset considerare, tunc non esset in habitu scientiae, sed in ejus contrario, scilicet in ignorantia.

Secundo ibi « similiter autem »

Manifestat idem in qualitatibus: et dicit, quod sicut dictum est de potentia ad sciendum in anima, ita est etiam in corporibus naturalibus. Corpus enim, cum est actu frigidum, est potentia calidum, sicut ignorans est potentia sciens; sed cum fuerit productum per transmutationem, ut habeat formam ignis, tunc jam est ignis in actu habens virtutem operandi, et operatur statim comburendo, nisi aliquid prohibeat in contrarium agendo, vel qualitercumque aliter impediat: puta subtrahendo combustibile; sicut dictum est, quod postquam aliquis addiscendo factus est sciens, statim considerat, nisi aliquid impediat.

Tertio ibi « similiter autem »

Manifestat idem in motu gravium et levium: et dicit, quod similiter leve fit ex gravi, sicut ex frigido calidum, ut puta cum aer. qui est levis, fit ex aqua, quae est gravis. Haec ergo, scilicet aqua, pri-

mo est in potentia levis, et postmodum fit levis in actu, et tunc statim habet operationem suam, nisi aliquid prohibeat. Sed jam levis existens comparatur ad locum sicut potentia ad actum: actus enim levis inquantum hujusmodi, est esse in aliquo loco determinato, scilicet sursum: sed prohibetur ne sit sursum, per hoc quod est in contrario loco, scilicet deorsum: quia non potest esse simul in duobus locis: unde illud quod detinet leve deorsum, prohibet ipsum esse sursum. Et sicut dictum est in motu locali, ita etiam dicendum est de motu secundum quantitatem vel qualitatem.

Deinde cum dicit « et tamen »

Solvit quamdam quaestionem secundum praemissa. Licet enim actus levis sit esse sursum, tamen a quibusdam quaeritur, quare gravia et levia moventur in propria loca. Sed causa hujus est, quia habent naturalem aptitudinem ad talia loca. Hoc enim est esse levis, habere aptitudinem ad hoc quod sit sursum; et haec est etiam ratio gravis, habere aptitudinem ad hoc quod sit deorsum. Unde nihil est aliud quaerere quare grave movetur deorsum, quam quaerere, quare est grave. Et sic illud idem quod facit ipsum grave, facit ipsum moveri deorsum.

Deinde cum dicit « potentia autem »

Ex praemissis ostendit quid moveat gravia et levia: et dicit, quod, cum id quod est in potentia, moveatur ab eo quod est in actu, sicut dictum est; considerandum est, quod multipliciter dicitur aliquid esse in potentia leve vel grave. Uno enim modo, cum adhuc est aqua, est in potentia ad leve. Alio autem modo, cum jam ex aqua factus est aer, est tamen adhuc in potentia ad actum levis, quod est esse sursum: sicut habens habitum scientiae et non considerans, adhuc dicitur esse in potentia. Contingit enim quod id quod est leve, impediatur ne sit sursum, si ergo auferatur illud impedimentum, statim agit ad hoc quod sit sursum ascendendo. Sicut etiam dictum est in qualitate, quod quando est quale in actu, statim tendit in suam actionem; sicut ille, qui est sciens, statim considerat, nisi aliquid prohibeat. Et similiter in motu quantitatis: quia ex quo facta est additio quanti ad quantum, statim sequitur extensio in corpore augmentabili, nisi aliquid prohibeat. Sic ergo patet, quod illud quod « movet, » idest removet « hoc quod est prohibens « et sustinens, » idest detinens, quodammodo movet, et quodammodo non movet. Puta, si columna sustineat aliquod grave et sic impediat ipsum descendere, ille qui divellit columnam quodammodo dicitur movere grave columnae suppositum. Et similiter ille qui removet lapidem qui impedit aquam effluere a vase, dicitur quodammodo movere aquam. Dicitur enim movere per accidens et non per se, sicut « si sphaera, » idest pila, si repercutiatur a pariete, per accidens quidem mota est a pariete, non autem per se, sed a primo projiciente per se mota est. Paries enim non dedit ei aliquem impetum ad motum, sed projiciens. Per accidens autem fuit, quod dum a pariete impediretur ne secundum impetum ferretur, eodem impetu manente in contrarium motum resilivit. Et similiter ille qui divellit columnam, non dat gravi supposito impetum vel inclinationem ad hoc quod sit deorsum; hoc enim habuit a primo generante, quod dedit ei formam quam sequitur talis inclinatio. Sic igitur generans est per se movens gravia et levia, removens autem prohibens per accidens. Concludit igitur, manifestum esse ex dictis, quod nihil horum, scilicet gravium et levium, movet seipsum: sed tamen motus eorum est naturalis, quia habent principium motus in seipsis: non quidem principium motivum aut activum, sed principium passivum, quod est potentia ad talem actum. Ex quo patet contra intentionem Philosophi esse, quod in materia sit principium activum, quod quidam dicunt esse necessarium ad hoc quod sit motus naturalis: sufficit enim ad hoc passivum principium, quod est potentia naturalis ad actum.

Deinde cum dicit « si igitur »

Concludit conclusionem principaliter intentam in toto capitulo: et dicit, quod si hoc verum est, quod omnia quae per se moventur, aut moventur secundum naturam, aut extra naturam et per vio-

lentiam: et de illis quae moventur per violentiam, manifestum est quod omnia moventur non solum a quodam movente, sed etiam a movente alio extrinseco: et iterum inter ea quae moventur secundum naturam, quaedam moventur a seipsis, in quibus manifestum est quod moventur ab aliquo, non quidem extrinseco, sed intrinseco: quaedam etiam sunt quae moventur secundum naturam, non tamen a seipsis, sicut gravia et levia: et haec etiam ab aliquo moventur, ut ostensum est: quia aut moventur per se a generante, quod facit ea esse gravia et levia, aut moventur per accidens ab eo quod « solvit, » idest removet ea quae impediunt vel removent naturalem motum. Sic ergo patet quod omnia quae moventur, moventur ab aliquo vel intrinseco motore, vel extrinseco, quod dicit ab alio moveri.

LECTIO IX.

Non esse processum in infinitum in moventibus et mobilibus dicitur; omneque movens moveri demonstratur impossibile, sed est devenire ad motorem vel omnino immobilem vel seipsum moventem.

Hoc autem dupliciter. Aut enim non propter seipsum est movens, sed propter alterum, quod movet movens, aut propter ipsum. Et hoc aut movens ex se primum post ultimum, aut per plura media, ut baculus movet lapidem, et movetur a manu mota ab homine: hic autem non amplius, eo quod ab alio moveatur.

Utraque igitur movere dicimus, et primum et ultimum moventium; sed magis primum; illud enim movet ultimum, sed non hoc primum; et sine primo quidem ultimum non movebit, illud autem sine hoc; ut baculus non movebit nisi moveatur ab homine.

Si ergo necesse est omne quod movetur ab aliquo moveri, et aut ab eo quod movetur ab alio, aut non; et, si ab alio quidem quod movetur, necesse aliquid esse movens primum, quod non ab alio. Si autem hujusmodi est primum, non necesse est esse alterum: impossibile enim est in infinitum abire movens, et ipsum quod movetur ab alio: infinitorum enim non est aliquid primum. Si ergo omne quod movetur, ab aliquo movetur: primum autem movens movetur quidem, non autem ab alio, necesse est ipsum a seipso moveri.

Amplius autem et sic ipsam hanc eamdem rationem est aggredi. Omne enim movens aliquid quidem movet et aliquo: aut enim seipso movet ipsum movens, aut alio, ut homo seipso, aut baculo: aut ventus projecit, aut ipse, aut lapis quem movet. Impossibile autem est movere sine non ipso movente et agente id quo movet. Sed et, si ipsum seipso movet, non necesse est aliud esse quo movet: si vero sit alterum id quo movet, est aliquid quod movebit, non quodam alio, sed seipso, aut in infinitum abibit. Si ergo quod movetur aliquid movet, necesse est stare, et non in infinitum ire: si enim baculus movet eo quod movetur a manu, manus movet baculum, si autem et hanc aliud movet, et hunc alterum aliquod movens est. Cum itaque aliquo moveat semper alterum, necesse est prius ipsum seipsum movens esse. Si igitur movetur quidem hoc, non aliud autem movens ipsum: necesse ipsum seipsum movere: quare et secundum hanc rationem, quod movetur, aut mox ab ipso movente movebitur, aut venit aliquando in hujusmodi.

Ad dicta autem, et sic intendentibus, contingent eadem haec. Si enim ab eo quod movetur, movetur omne quod movetur; aut hoc rebus existit secundum accidens, ut moveat quidem quod movetur, non tamen propter id quod movetur

Hoc autem bifariam: aut enim non per ipsum movens, sed per aliud a quo movens movetur, aut per ipsum; atque hoc vel est primum post ultimum, vel per plura movet; ut baculus movet lapidem, et a manu movetur, quae movetur ab homine: hic autem non amplius movet eo quod ab alio moveatur. Utrumque igitur movere dicimus: et quod est postremum, et quod est primum inter moventia: sed magis quod est primum; quippe quod movet postremum, sed ab eo non movetur: et sine primo quidem postremum non movebit; illud autem sine hoc movebit: ut baculus non movebit, nisi homo moveat.

Si igitur necesse est, quicquid movetur, ipsum ab aliquo moveri: etiam necesse est vel ab eo moveri quod ab alio movetur, vel non ab eo; et si movetur ab eo quod ab alio movetur, necesse est esse aliquod movens primum, quod non movetur ab alio: si vero primum ejusmodi est, non est necesse alterum esse. Impossibile enim est, id quod movet, ipsumque ab alio movetur in infinitum abire: quandoquidem infinitorum nihil est primum. Si igitur quicquid movetur, ab aliquo movetur; primum autem movens movetur quidem, non tamen ab alio movetur: necesse est ipsum a se ipso moveri.

Praeterea sic quoque licet eamdem disputationem aggredi. Quicquid enim movet, et aliquid movet, et aliquo; quod enim movet, aut se ipso movet, aut alio: ut homo se ipso aut baculo; et ventus vel ipse dejecit, vel lapis quem ventus impulit. Impossibile autem est, id quo movet, sine eo movere quod se ipso movet; sed si ipsum se ipso moveat, non est necesse aliud esse quo movet: si vero sit alterum, nempe id quo movet, est etiam aliquid quod movebit, non aliquo, sed se ipso: aut in infinitum haec abibunt. Si quid igitur, quum moveatur, movet; necesse est consistere, non in infinitum abire; nam si baculus movet eo quod movetur a manu, manus movet baculum: si vero et hanc aliud movet, est etiam aliquid aliud quod hanc movet. Quum igitur aliud semper aliquo moveat, necesse est esse prius id quod se ipso movet. Ergo si hoc movetur, nec est aliud quod ipsum moveat: necesse est, ipsum se movere: quapropter etiam ex hac ratione vel statim id quod movetur, ab eo quod se ipso movet, movetur, aut tamdem pervenit ad tale quidpiam.

Praeter haec quae dicta sunt, etiam ista considerantibus haec eadem evenient. Nam si quicquid movetur, ab eo movetur, moveatur: vel hoc rebus inest ex accidenti, ut id quod movetur, moveat, non quod ipsum moveatur semper;

Ipsum, aut non, sed per se.

Primum igitur, si secundum accidens, non necesse est moveri, quod movetur. Si autem hoc est, manifestum est, quod contingit aliquando moveri nihil eorum quae sunt. Non enim necessarium est accidens, sed contingit non esse. Si ergo ponamus possibile esse, nullum impossibile accidit, falsum autem fortassis. Motum autem impossibile est non esse. Ostensum enim prius est hoc, quoniam necesse est motum semper esse.

Et rationabiliter hoc accidit. Tria enim est necesse esse: quod movetur, et movens, et quo movet. Quod igitur movetur, necesse quidem moveri, movere autem non necesse est; sed quo movet, et movere, et moveri: communicat enim simul hoc, et secundum idem existens, ei quod movetur: manifestum autem est in moventibus secundum locum: tangere enim necesse adinvicem, sicut usque ad aliquid. Movens autem sic, ut sit non quo movet, immobile. Quoniam autem videmus ultimum, quod moveri quidem potest, motus autem principium non habet, et movetur quidem, ab alio autem, sed non a seipso, rationabile est (ut non necessarium dicamus) et imperabit, cum sit immobilis, et imperabit, cum sit immixtus.

Unde Anaxagoras dicit recte, intellectum impassibilem inquiens, et immixtum esse: quoniam motus principium ipsum facit esse: sic enim utique solum movebit, cum sit immobilis, et imperabit, cum sit immixtus.

At vero, si non secundum accidens, sed ex necessitate movetur movens, nisi autem moveatur, non utique movet; necesse est movens, si movetur, aut moveri sic, ut secundum eumdem speciem motus, aut secundum alteram.

Dico autem quale est aut calefaciens, et ipsum calefieri: et sanans sanari, et ferens ferri: aut sanans terri, ferens augeri.

Sed manifestum quoniam impossibile est. Oportet enim usque ad individua dividentem dicere: ut si aliquis docet geometrizare, hoc doceri geometrizare idem; aut si projicit, projici secundum eumdem modum projectionis. Aut sic quidem non, sed aliud ex alio genere: ut quod fert augeri, hoc autem augens alterari ab alio, hoc autem alterans secundum quemdam moveri motum: sed necesse est stare. Finiti enim sunt motus. Iterum, autem reflectere, et alterans dicere ferri: idem facere est, et si mox dicat ferens ferri, et docens doceri. Manifestum enim est quod movetur, et a superius movente quod movere omne, et magis a priori moventium. At vero hoc impossibile est: docens enim accidit addiscere: quorum hoc quidem habere, illud autem non habere scientiam necessarium est.

Amplius autem his magis irrationabile est, quod accidit omne motivum esse mobile: siquidem ab eo quod movetur, movetur omne quod movetur: erit enim mobile: sicut si aliquis dicat, quoniam sanativum et sanans sanabile erit, et aedificativum aedificabile, aut mox, aut per plura: dico autem sic, si mobile quidem ab alio est omne motivum: sed non secundum eumdem motum mobile quo movet proximum, sed secundum alterum, ut sanativum, et disciplinativum: sed hoc ascendens pervenit quiescando ad eamdem speciem, sicut diximus prius. Hoc quidem igitur horum impossibile, aliud autem figmentum est. Inconveniens enim est alterativum ex necessitate esse augmentabile. Non ergo necesse est semper moveri quod movetur ab alio, et ab hoc quod movetur: stabitur ergo: quare aut a quiescente movebitur quod movetur primum, aut ipsum seipsum movebit. At vero, si oportet considerare, utrum causa motus sit et principium ipsum seipsum movens, aut quod ab alio, illud omnis utique ponet. Ipsum enim quidem quod per se est causa, prior est eo quod secundum alterum, et ipso existente. Quare hoc considerandum est accipientibus aliud principium, si aliquid movet ipsum seipsum, quomodo movet, et secundum quem motum.

vel non ex accidenti, sed per se. Primum igitur, si ex accidenti est, non est necesse moveri id quod movetur. Hoc autem si concedatur, patet fieri posse ut nihil moveatur: quoniam accidens non est necessarium, sed potest non esse. Itaque si ponamus esse quod est possibile: nihil impossibile eveniet, sed fortasse falsum. At motum non esse est impossibile: quoniam hoc antea probatum fuit, necesse esse ut motus semper sit.

Atque hoc rationi consentaneum accidit; tria namque esse necesse est: nimirum id quod movetur, et id quod movet, et id quo movet. Id igitur quod movetur, necesse est quidem moveri, sed movere non est necesse. Id autem quo movet, necesse est et movere et moveri: hoc enim una mutatur, quum simul et in eodem sit cum eo quod movetur: quod manifestum est in iis quae loco movent: quia necesse est, ut ita se invicem tangant usque ad aliquid: id vero quod movet ita ut non sit quo movet, immobile est. Quum autem videamus postremum, quod moveri potest, sed motionis principium non habet: nec non quod movetur quidem, sed non ab alio, verum a se ipso: rationi consentaneum est, ne dicamus necessarium, ut tertium quoque sit, quod movet, quum sit immobile. Idcirco et Anaxagoras recte ait, mentem inquiens esse impatibilem et non mixtam: quoniam eam facit principium motus: hoc enim dumtaxat modo movere potest, quum sit immobilis, et dominari, quum non sit mixta.

At vero si non ex accidenti, sed necessario movetur id quod movet; si vero non moveatur, movere non possit: necesse est id quod movet, quatenus movetur, aut eadem motus specie cieri, aut alia: verbi gratia, vel id quod calefacit ipsum quoque calefieri: et quod sanat, sanari; et quod fert, ferri: vel quod sanat, ferri; quod autem fertur, augeri. Sed patet hoc esse impossibile: dicere enim oportet dividendo usque ad individua: veluti si quid docet geometriam, hoc ipsum doceri geometriam; vel si jacit, eodem jactus modo jaci: aut non ita, sed aliud ex alio genere: veluti id quod fert, augeri; quod autem illud auget, variari ab alio; et quod hoc variat, alio quodam motu cieri. Sed necesse est consistere; quia motus finiti sunt. Si quis autem dicat rursus reflecti, et quod variat, ferri: perinde facit ac si statim diceret id quod fert, ferri; et quod docet, doceri. Constat enim, quicquid movetur, etiam a superiore movente moveri, et quidem magis moveri ab eo quod inter moventia prius est. At vero hoc est impossibile; evenit enim ut docens discat: quorum alterum non habere, alterum habere scientiam, necessarium est. Insuper aliud accidit, magis quam haec a ratione alienum: quoniam evenit, ut quicquid movendi vim habet, mobile sit: siquidem quicquid movetur, ab eo movetur quod movetur, erit enim mobile: perinde ac si quis diceret, quicquid sanandi vim habet, et sanat, etiam sanabile esse: et quicquid aedificandi vim habet, aedificabile, vel statim, vel per plura: ut puta, si quicquid movendi vim habet, sit mobile ab alio, non tamen mobile eodem motu quo rem propinquam movet, sed diverso: veluti si id quod sanandi vim habet, discere possit: sed hoc ascendendo perveniat aliquando ad eamdem speciem, ut antea diximus. Horum igitur alterum est impossibile, alterum commentitium: nam absurdum est, id quod variandi vim habet, necessario posse augeri.

Non igitur necesse est semper id quod movetur, moveri ab alio quod rursus moveatur; consistet igitur. Quapropter quod primum movetur, vel a quiescente movebitur, vel ipsum se movebit. At vero etiamsi oportet considerare utrum id quod se ipsum movet, an quod ab alio movetur, sit causa et principium motus: illud quivis poneret. Quod enim per se est causa, semper est prius eo quod est per aliud.

Quapropter hoc est considerandum, sumpto alio initio, si quid se ipsum movet, quo pacto et quomodo moveat.

Postquam Philosophus ostendit quod omne quod movetur ab alio movetur, hic incipit ostendere quod necesse est devenire ad aliquod primum movens immobile. Et dividitur in partes duas. In prima ostendit quod necesse est devenire ad aliquod primum, quod vel sit immobile, vel moveat seipsum. In secunda ostendit quod etiam si deveniatur ad aliquod primum, quod moveat seipsum, necesse est tamen ulterius devenire ad aliquod primum movens immobile, ibi, « Necesse igitur omne quod move-

« tur. » Circa primum duo facit. Primo ostendit quod non est possibile, quod in infinitum aliquid ab alio moveatur. In secundo, quod non est necessarium, quod omne movens moveatur, ibi, « Ad « dicta autem. » Circa primum duo facit. Primo ostendit propositum ascendendo in ordine mobilium et moventium. Secundo descendendo, ibi, « Amplius « autem et sic ipsam. » Circa primum duo facit. Primo praemittit quaedam necessaria ad propositam ostensionem. Secundo inducit rationem ad propo-

situm ostendendum, ibi, « Si ergo necesse. » Praemittit autem duo: quorum primum est divisio moventis. Cum enim dictum sit, quod omne motum
ab aliquo movetur, contingit aliquid esse movens
dupliciter. Uno modo, quando non movet propter
se ipsum propria virtute, sed quia est motum ab
aliquo alio movente, et hoc est secundum movens:
alio modo aliquid movet propter seipsum, idest
propria virtute, non quia est motum ab alio. Contingit autem quod tale movens moveat dupliciter.
Uno modo, ita quod primum movens moveat proximum post ultimum, idest id quod est sibi proximum post secundum movens: et hoc contingit,
quando primum movens movet mobile per unum
tantum medium. Alio vero modo movens movet
mobile per plura media, ut patet cum baculus
movet lapidem, et movetur a manu, quae movetur
ab homine, qui non movet eo quod ab aliquo alio
moveatur. Sic ergo homo est primum movens propter seipsum, et movet lapidem per plura media:
si autem moveret lapidem manu, moveret per u-
num medium tantum.

Secundo ibi » utraque igitur »

Ponit comparationem primi moventis, et secundi.
Cum enim tam primum movens quam ultimum
movere dicamus, dicimus quod magis movet primum movens, quam ultimum. Et hoc patet per
duas rationes: quarum prima est, quod primum
movens movet secundum movens, et non e converso. Secunda ratio est, quia secundum movens
non potest movere sine primo; sed primum movens
potest movere sine secundo; sicut baculus non potest movere lapidem nisi moveatur ab homine; sed
homo potest movere etiam sine baculo.

Deinde cum dicit « si ergo »

Ostendit propositum, secundum praemissa. O-
stensum est enim quod omne quod movetur ab
aliquo movetur. Id autem a quo movetur, aut
movetur, aut non movetur: et si movetur, aut ab
alio movetur, aut non. Haec autem duo, scilicet
quod movetur ab alio, et quod movetur non ab
alio, sic se habent, quod posito uno, ponitur aliud,
et non e converso. Quia si sit aliquid, quod movetur ab alio, necesse est devenire ad aliquod primum, quod non movetur ab alio. Sed si ponatur
aliquod primum hujusmodi, scilicet quod non movetur ab alio, non est necessarium ulterius ponere
alterum, scilicet quod movetur ab alio: et hoc quidem per se manifestum est. Sed primum poterat
esse dubium: scilicet quod, si invenitur aliquid
quod movetur ab alio, quod inveniatur aliquod
primum, quod non movetur ab alio: et ideo consequenter hoc probat sic. Quia, si aliquid movetur
ab alio, et iterum illud ab alio, et nunquam est
devenire ad aliquid quod non moveatur ab alio:
sequitur quod sit procedere in infinitum in moventibus et motis. Et hoc quidem esse impossibile
supra probatum est in septimo: sed hic probat
certiori via: quia in infinitis non est aliquid primum.
Si ergo moventia et mota procedant in infinitum,
non erit aliquid primum movens. Jam autem dictum
est, quod, si primum movens non movet, nec ultimum movet: non erit ergo aliquod movens: quod
est manifeste falsum. Non est ergo procedere in
infinitum in hoc, quod aliquid moveatur ab alio.
Si ergo non detur quod omne quod movetur ab
aliquo moveatur, ut ostensum est: et iterum supponatur quod primum movens movet: cum proba-

tum sit, quod non moveatur ab alio, necesse est
quod moveatur a seipso. Est autem in hac ratione
attendendum, quod primum movens moveri non
est hic probatum: supponit autem hoc secundum
communem opinionem Platonicorum. Quantum autem ad virtutem rationis non magis concluditur
quod primum movens moveat seipum, quam quod
sit immobile: unde in sequentibus hanc eamdem conclusionem sub disjunctione inducit, ut infra patebit.

Deinde cum dicit « amplius autem »

Probat idem descendendo. Et est eadem ratio
cum praemissa, quantum ad virtutem inferendi; differens autem secundum ordinem processus. Iterat autem eam ad majorem manifestationem. Dicit ergo
quod praedictam rationem contingit alio modo prosequi: et praemittit propositiones habentes eamdem
rationem veritatis cum supra praemissis, sed alio
ordine. Supra enim praemisit, quod omne quod
movetur ab alio movetur, et quod illud a quo
movetur, movet vel propter seipsum, vel propter
aliud prius movens: quod erat procedere ascendendo.
Hic autem e converso descendendo procedit, dicens,
quod omne movens movet aliquid, et movet aliquo,
vel seipso, vel alio inferiori movente: sicut homo
movet lapidem, vel ipse per se ipsum, vel per baculum: et ventus projecit ed terram aliqua, aut suo
impulsu, aut per lapidem quem movit. Iterum supra
praemiserat, quod ultimum movens non movet se
sine primo, sed e converso: loco ejus hic dicit,
quod id quo aliquid movet sicut instrumento, impossibile est quod aliquid moveat sine principali
movente, quod movebat ipsum, sicut baculus sine
manu: sed si aliquid movet per seipsum sicut
principale movens, non est necesse esse aliud instrumentum quo moveat. Et hoc magis manifestum
est in instrumentis, quam in mobilibus ordinatis,
licet habeat eamdem veritatem: quia non quilibet
consideraret secundum movens esse instrumentum
primi. Sicut etiam supra dixerat deducendo, quod,
si sit aliquid quod movetur ab alio, sed non esse
aliquid quod non movetur, sed non e converso,
ita hic dicit descendendo, quod si inveniatur quod
illud quo movens movet, sit alterum, sicut instrumentum, necesse est esse aliquid quod movebit
non aliquo instrumento, sed per se ipsum, aut
procedetur in infinitum in instrumentis: quod est
idem ac si procederetur in infinitum in moventibus, quod est impossibile, ut supra ostensum est.
Si est ergo aliquid movens id quod movetur, necesse est stare, et non in infinitum ire: quia si
baculus movet eo quod movetur a manu, sequitur
quod manus moveat baculum: ut autem et manum
aliquid aliud movet, etiam sequitur e converso,
quod aliquod movens moveat manum: et ita oportet quod sicut proceditur in instrumentis motis, ita
procedatur in moventibus, quae movent instrumenta.
Non est autem procedere in infinitum in moventibus,
ut supra ostensum est: ergo neque in instrumentis.
Cum ergo semper alterum, quod movetur, moveatur
alio movente, et non sit procedere in infinitum:
necesse est esse aliquod primum movens, quod
moveat per seipsum, et non per aliquod instrumen-
mentum. Si ergo detur quod hoc primum quod
movet per seipsum, movetur quidem, sed non est
aliquid aliud movens ipsum, quia sic et ipsum esset
instrumentum, sequitur ex necessitate, quod ipsum
seipsum moveat, supposito secundum Platonicos quod
omne movens moveatur. Unde et secundum istam

rationem, illud quod movetur, aut statim movebitur a movente quod movet seipsum: aut aliquando erit devenire in aliquod tale movens, quod seipsum moveat.

Deinde cum dicit « ad dicta »

Ostendit quod non omne movens movetur, ut in prioribus rationibus supponebatur: et circa hoc duo facit. Primo probat, quod non omne movens movetur. Secundo tam ex hoc quam ex superioribus rationibus concludit principale propositum, ibi, « Non ergo necesse semper moveri. » Dicit ergo primo, quod praeter supradicta possunt etiam addi haec ad nostrum propositum ostendendum. Et circa hoc tria facit. Primo praemittit quamdam divisionem. Secundo destruit unam partem, ibi, « Primum qui-dem igitur. » Tertio destruit aliam partem, ibi, « At vero si non secundum accidens. » Dicit ergo primo, quod si omne quod movetur, movetur ab eo quod movetur, quod est omne movens moveri; hoc potest esse dupliciter. Uno modo, quod hoc inveniatur per accidens in rebus, ut movens moveatur, ita scilicet quod movens non moveatur propter id quod movetur, ut si dicamus aedificatorem esse musicum, non quia musicus est, sed per accidens. Aut non est per accidens, quod movens movetur, sed per se.

Secundo ibi « primum igitur »

Destruit primum membrum tripliciter. Primo quidem tali ratione. Nihil quod est per accidens est necessarium. Quod enim inestalicui per accidens non ex necessitate inest ei, sed contingit non inesse, sicut musicum aedificatori. Si ergo moventia per accidens moventur, sequitur quod contingat ea non moveri. Sed cum tu ponas, quod omne movens movetur, consequens est quod si non moventur moventia, quod non moveant. Sequitur ergo quod aliquando nihil moveatur. Hoc autem est impossibile: quia ostensum est supra, quod necesse est motum semper esse. Istud autem impossibile non sequitur ex hoc quod supposuimus moventia non moveri: quia si hoc est per accidens, quod movens moveatur, moventia non moveri erit possibile. Possibili autem posito, nullum sequitur impossibile. Relinquitur ergo quod aliud ex quo sequitur, sit impossibile, scilicet quod omne movens moveatur.

Secundo ibi « et rationabiliter »

Probat idem alia probabili ratione, quae talis est. In motu tria inveniuntur: quorum unum est mobile, quod movetur: aliud autem est movens: tertium est instrumentum, quo movens movet. In istis autem tribus manifestum est, quod id quod movetur, necesse est moveri, sed non est necesse quod moveat. Instrumentum autem quo movens movet, necesse est et movere et moveri. Movetur autem a principali movente, et movet ultimum motum: unde et omne quod movet et movetur habet rationem instrumenti. Ideo autem instrumentum quo movens movet, et movetur et movet, quia communicat cum utroque, existens in quadam identitate ad id quod movetur, et hoc maxime manifestum est in motu locali. Necesse est enim, quod moventia a primo movente usque ad ultimum motum, omnia se tangant adinvicem. Et sic patet, quod instrumentum medium est idem per contactum cum mobili: et sic simul movetur cum ipso, inquantum communicat ipsi; sed etiam communicat moventi, quia est movens: hoc modo tamen, ut instrumentum, quo movet, non sit immobile. Sic igitur ex praemissis apparet, quod

ultimum motum movetur quidem, sed non habet in se principium movendi, neque seipsum, neque aliud; et movetur quidem ab alio, sed non a seipso. Unde videtur esse rationabile, idest probabile, nec ad praesens curamus dicere quod sit necessarium, esse aliquod tertium, quod moveat, cum sit immobile. Probabile enim est quod, si aliqua duo conjunguntur per accidens, et unum invenitur sine alio, quod etiam aliud inveniatur sine illo. Sed quod possit inveniri sine illo, hoc est necessarium: quia quae per accidens conjunguntur contingit non conjungi: sicut si album et dulce per accidens conjungantur in saccharo, et album invenitur sine dulci, ut in nive: probabile est quod et dulce inveniatur in aliqua re sine albo, ut in casia. Si igitur movens moveri est per accidens: et invenitur moveri absque movere in aliquo, sicut in ultimo moto: probabile est, quod inveniatur movere absque moveri, ut sit aliquod movens quod non movetur. Ex quo patet, quod ista ratio non habet instantiam in substantia et accidente, et materia et forma, et similibus: quorum unum invenitur sine alio, sed non e converso: accidens enim per se inest substantiae: materiae per se convenit, ut habeat esse per formam.

Tertio ibi « unde Anaxagoras »

Probat idem testimonio Anaxagorae. Quia enim contingit inveniri aliquod movens quod non movetur, ideo Anaxagoras recte dixit, ponens intellectum impassibilem et immixtum. Et hoc ideo, quia ipse ponebat intellectum primum principium motus. Sic autem solummodo poterit movere et imperare, absque hoc quod moveatur, et sit immixtus (1). Quod enim commiscetur alteri, movetur quodammodo ad motum ipsius.

Deinde cum dicit « at vero »

Prosequitur aliam partem divisionis, scilicet quod omne quod movetur, movetur ab aliquo quod movetur per se, non secundum accidens. Et improbat hoc duabus rationibus: quarum prima talis est. Si hoc non est secundum accidens, sed ex necessitate, ut movens moveatur, et nunquam possit movere nisi moveatur, oportet hoc contingere duobus modis: quorum unus est, ut movens moveatur secundum eamdem speciem motus qua movet: alius est, ut movens moveat secundum unam speciem motus, secundum alteram moveatur.

Exponit autem consequenter primum modum cum dicit « dico autem »

Sic enim dicimus movens moveri secundum eamdem speciem motus, puta si calefaciens calefiat, et sanans sanetur, et ferens secundum locum feratur. Et secundum modum exponit cum dicit, « Vel « sanans feratur, vel ferens augeatur: » hoc enim est ut secundum aliam speciem motus moveat et moveatur.

Deinde ostendit impossibilitatem primi modi, cum dicit « sed manifestum »

Manifestum est enim impossibile esse quod movens secundum eamdem motus speciem moveatur. Non enim sufficiet stare in aliqua specie subalterna, sed oportebit pervenire per divisionem usque ad individua, idest usque ad species specialissimas. Puta, si aliquis doceat, non solum doceatur, sed idem doceat et doceatur: puta si docet geometriam, quod hoc idem doceatur; aut si movet specie motus localis quae est projectio, quod secundum eumdem

_____

(1) *Lege* si sit immixtus.

motum projectionis moveatur: et hoc est manifeste
falsum. Deinde destruit secundum modum, ut scilicet non moveatur movens secundum eamdem
speciem motus, sed quod movet uno genere motus,
moveatur alio genere: puta quod movet secundum
locum, moveatur per augmentum: et quod movet
per augmentum, moveatur ab aliquo alio per alterationem, et illud alterans moveatur secundum aliquem alium motum. Manifestum est autem, quod
motus non sunt infiniti, neque secundum genus,
neque secundum speciem. Est enim habitum in
quinto, quod motus differunt genere et specie secundum differentias rerum in quibus sunt motus:
genera autem rerum et species non sunt infinitae,
ut alibi probavit; et sic neque genera aut species
motus. Si ergo movens non necesse est moveri alio
genere aut alia specie motus, non erit procedere
in infinitum, sed erit aliquod primum movens immobile. Sed, quia posset aliquis dicere, quod quando deficient omnes species motus, iterum redibitur
ad primam, ut scilicet si primum motum acceptum
movebatur localiter, distributis omnibus generibus
et speciebus motuum per diversos motores, motor
qui residuus erat, movebitur motu locali: ad hoc
excludendum, consequenter dicit, quod tantum valet sic reflectere, ut dicatur quod alterans feratur.
(Quod dicit, quia motum localem supra prius nominaverat, et alterationem ultimo.) Sic (inquam)
reflectere idem est, ac si statim a principio dicatur,
quod movens secundum locum movetur, et non
solum in genere, sed in specie, quod docens docetur. Et quod tantumdem valeat, probat consequenter. Omne enim quod movetur, magis movetur a superiori movente quam ab inferiori; et per
consequens multo magis a primo movente. Si ergo id quod ponebatur moveri localiter, movetur
a propinquo quidem movente quod augetur, ulterius autem ab eo quod alteratur, ultra autem
ab eo quod movetur secundum locum: hoc quod
movetur secundum locum, magis movebitur a primo quod movetur secundum locum, quam a secundo quod alteratur aut a tertio quod augetur:
ergo erit verum dicere, quod movens secundum
locum movetur secundum locum, et similiter secundum unamquamque speciem motus. Hoc autem
non solum est falsum, quia videtur instantiam habere in multis, sed etiam est impossibile. Sequeretur enim, quod docens addiscat dum docet: quod
est impossibile: includit enim hoc contradictionem:
quia de ratione docentis est, quod habeat scientiam;
de ratione autem addiscentis, quod non habeat. Sic
ergo patet, quod non est necessarium movens moveri.

Secundam rationem ponit ibi « amplius autem »
Quae non differt a praecedenti, nisi in hoc:
quod prima deducebat ad quaedam inconvenientia

particularia, puta quod projiciens projiceretur, aut
docens addisceret: haec autem ducit ad inconveniens
in communi. Unde dicit, quod licet inconveniens sit,
quod docens addiscat, tamen adhuc magis est irrationabile: quia accidit, quod omne motivum sit
mobile, si nihil movetur nisi ab eo quod movetur.
Sic enim sequetur, quod omne movens sit mobile;
puta si dicatur quod omne, quod habet virtutem
sanandi, aut quod sanet in actu, est sanabile: et
quod habet virtutem aedificandi, est aedificabile: quod
est magis irrationabile, quam quod docens addiscat:
quia docens potuit, prius addiscere, sed aedificans
nunquam fuit aedificatus. Hoc autem dupliciter
sequitur. Si enim detur quod omne movens movetur secundum eamdem speciem motus, sequitur
quod « mox, » idest immediate aedificans aedificetur, et sanans sanetur. Si autem detur quod non
per eamdem speciem motus movens movetur, sequitur quod per plura media tandem in hoc veniatur. Et hoc exponit: quia si omne quod movet
movetur ab alio, sed tamen non movetur secundum
eumdem motum statim quo movet, sed secundum
alterum motum: puta si aliquid sit sanativum, non
statim ipsum sanetur, sed moveatur motu disciplinae addiscendo: tamen, cum non sint infinitae species motus, sic ascendendo de mobili ad movens,
pervenietur quandoque ad eamdem speciem motus,
sicut supra expositum est. Horum ergo duorum
unum apparet manifeste impossibile, puta quod
aedificans mox aedificetur: aliud autem videtur esse
fictitium, scilicet quod multa media in hoc veniant.
Inconveniens enim est, quod id quod natum est
alterare, ex necessitate sit natum augmentari. Sic
ergo consideratis praemissis rationibus, quarum
primae concludebant, quod non in infinitum hoc
procedit quod omne quod movetur moveatur ab
alio: et secundae concludebant, quod non omne
movens moveatur: possumus ex omnibus praedictis
rationibus concludere, quod non est necesse in infinitum procedere, quod movetur ab alio moveri:
ita quod semper movetur a movente quod movetur: ergo necesse est quod stetur in aliquo primo.
Hoc autem primum, oportet quod vel sit immobile,
vel sit movens seipsum. Sed si consideretur quae
sit prima causa motus in genere mobilium, u-
trum illud quod movet seipsum, aut mobile quod
movetur ab alio; probabile est apud omnes, quod
primum movens sit movens seipsum. Semper enim
causa quae est per se, est prior ea quae est per
alterum. Et propter hanc rationem Platonici posuerunt, ante ea quae moventur ex alio, esse aliquid
quod movet seipsum. Et ideo considerandum est de
eo quod movet seipsum, facientes ex hoc aliud
principium nostrae considerationis: scilicet ut consideremus, si aliquid movet seipsum, quomodo hoc
est possibile.

LECTIO X.

Quodcumque seipsum movens dividi in duas partes, quarum altera movens respectu alterius est, nec alio modo movens seipsum reperiri, monstratur.

Necesse igitur omne quod movetur, esse divisibile in semper divisibilia. Hoc enim ostensum est prius in universalibus de natura, quod omne quod per se movetur, continuum est. Impossibile est igitur, ipsum movens seipsum penitus movere ipsum seipsum.

Totum enim feretur utique et feret secundum eamdem loci mutationem unum cum sit, et individuum specie: et alterabitur, et alterabit: quare docebit utique et docebitur simul, et sanabit et sanabitur secundum eamdem sanitatem.

Amplius, determinatum est, quia movetur mobile: hoc autem est quod potentia movetur, non actu: quod autem est potentia vadit in actum. Est autem motus actus mobilis imperfectus: movens autem jam actu est, ut calefacit calidum, et omnino generat habens speciem. Quare simul idem et secundum idem calidum erit et non calidum; similiter autem et aliorum unumquodque, eorum quae movens necesse est habere univocum: hoc quidem igitur movet, illud autem movetur, ejus quod est seipsum movens.

Quod autem non contingat ipsum seipsum movere sic, ut utrumque ab utroque moveatur, ex iis manifestum est.

Neque enim erit primum movens ullum, si utrumque movet. Quod enim prius, magis est causa movendi quam sequens, et movebit magis. Dupliciter enim movere erat: aliud quidem quod ab alio movetur ipsum, aliud autem ex seipso; proximius autem est, quod longius est ab eo quod movetur a principio quam medium.

Amplius, non necesse est movens moveri, nisi a seipso; secundum accidens ergo contra movebit alterum. Accipiebam igitur contingere non movere; ergo erit aliud quidem quod movetur, aliud autem movens immobile.

Amplius, non necesse est movens, cum movet, contra moveri: sed aut immobile movere necesse est, aut ipsum a seipso moveri, si necesse est semper motum esse.

Amplius, si movet motum, et movebitur utique: quare calefaciens calefit.

At vero, neque ipsius primo seipsum moventis, aut una pars, aut plures movebunt ipsa seipsam unaquaeque.

Totum enim, si movetur ipsum a seipso, aut ab aliquo eorum quae sunt ipsius movebitur, aut totum a toto. Si igitur, quia movetur aliqua pars ipsa a seipsa, haec utique erit primum ipsum seipsum movens: separata enim haec quidem movebit ipsa seipsam, totum autem non jam. Si autem totum a toto movetur, secundum accidens utique movebunt hae ipsae seipsas; quare, si non sunt necessaria, accipiantur non mota seipsis. Totius igitur aliud movebit, cum in mobile sit, aliud autem movebitur: solum enim sic possibile est adhuc ipsum mobile esse.

Amplius, si tota ipsa seipsam movet, hoc quidem movebit ipsius, illud autem movebitur. Ergo ᴀ ʙ, a seipso quidem movebitur, et ab ᴀ.

Necessarium itaque est, quicquid movetur, esse dividuum in semper dividua: hoc enim antea probatum fuit in libris universalibus de natura, quicquid per se movetur, continuum esse. Impossibile igitur est, ut id quod se ipsum movet, totum moveat se ipsum. Nam totum ferretur et ferret, eadem latione, quum sit unum et individuum specie; et variaretur et variaret: quare doceret et doceretur simul; et sanaret et sanaretur eadem sanitate. Praeterea definitum fuit, moveri id quod est mobile: hoc autem, dum movetur, esse potestate non actu: quod autem potestate est, ad actum progredi. Motus vero est actus imperfectus rei mobilis: quod autem movet, jam actum est: utputa calidum calefacit: et omnino quod habet formam, gignit. Quare simul idem secundum idem erit calidum et non calidum; similiterque se habebit unumquodque aliorum, quorum movens necessario habet id quod est synonimum. Ejus igitur quod se ipsum movet, aliud movet, aliud movetur.

Non posse autem idem se ipsum ita movere, ut utraque pars ab utraque moveatur, ex his perspicuum est: quia nullum erit primum movens, si utraque pars utramque moveat; quod enim est prius, magis est causa movendi, et magis movebit, quam id quod haeret. Bifariam enim erat movere; nam quoddam erat movens, quod ab alio movetur; quoddam vero movebat se ipso; sed quod est remotius a re quae movetur, id propinquius est principio quam medium. Praeterea non est necesse, ut id quod movet, moveatur, nisi a se ipso. Alterum igitur ex accidenti invicem movet. Proinde sumebam contingere ut non moveret: erit igitur aliud quod movetur, aliud, movens immobile. Praeterea non est necesse, ut id quod movet, invicem moveatur: sed vel necesse est aliquod immobile moveri, vel ipsum a se ipso moveri, siquidem necesse est semper motum esse. Praeterea quo motu movet, eodem etiam moveretur: quare calefaciens calefieret.

At vero nec ejus quod primum se ipsum movet, aut una pars aut plures movebunt singulae se ipsas. Nam si totum moveatur a semetipso, vel ab aliqua sui ipsius parte movebitur, vel totum a toto. Ergo si ideo moveatur, quod aliqua ejus pars a se movetur; certe haec pars erit id quod primum se ipsum movet: quia si separata fuerit, ipsa quidem se ipsam movebit, sed totum non amplius se movebit. Quodsi totum a toto moveatur; ex accidenti hae partes se ipsas movebunt. Quare si non necessario, sumatur eas a se ipsis non moveri. Totius igitur altera pars movebit, quum sit immobilis; altera vero movebitur: nam hoc tantum modo fieri potest, ut aliquid sui movendi vim habeat. Praeterea si tota linea moveat se ipsam: altera ejus pars movebit, altera movebitur. Itaque linea *a b* et a se ipsa movebitur, et ab *a*.

Postquam Philosophus ostendit quod in mobilibus et in moventibus non proceditur in infinitum, sed est devenire ad aliquod primum, quod vel est immobile, vel est seipsum movens; hic ostendit, quod etiam si perveniatur ad primum quod est seipsum movens, quod nihilominus oportet devenire ad primum quod est immobile. Et dividitur in partes tres. In prima ostendit quod movens seipsum dividitur in duas partes, quarum una movet, et alia movetur: in secunda ostendit, quomodo hujusmodi partes se habeant adinvicem, ibi, « Quoniam autem « movet. » In tertia concludit ex praemissis, quod

necesse est devenire ad aliquod primum immobile, ibi, « Manifestum igitur ex his. » Circa primum duo facit. Primo ostendit, quod in eo quod movet seipsum, una pars movet, et alia movetur, ex hoc, quod totum non potest se totum movere. In secundo excludit alios modos, quibus aliquis opinari posset, quod esset aliquid movens seipsum, ibi, « Quod autem non contingat. » Circa primum tria facit. Primo proponit quod movens seipsum, non totum movet se totum. Secundo probat propositum, ibi, « Totum enim fertur. » Tertio concludit principale intentum, ibi, « Hoc quidem igitur movet. »

Quia vero totum et pars locum non habent nisi in rebus divisibilibus; ideo ex probatis in sexto, concludit primo, quod necesse est, omne quod movetur esse divisibile in semper divisibilia: hoc enim est de ratione continui: omne autem quod movetur est continuum, si per se movetur. Per accidens enim moveri aliquod indivisibile non est impossibile, ut punctum aut albedinem: et hoc ostensum est prius in sexto hujus. Omnia enim quae ante hunc octavum dixit, vocat universalia naturae; quia in hoc octavo, ea quae supra de motu in communi dixerat, incipit applicare ad res. Sic ergo, cum id quod movetur, sit divisibile; potest in omni quod movetur inveniri totum et pars. Si ergo sit aliquid quod moveat seipsum, erit in eo accipere totum et partem: sed totum non poterit movere seipsum totum, quod est penitus movere ipsum seipsum.

Secundo ibi « totum enim »

Probat propositum duabus rationibus. Quarum prima talis est. Moventis seipsum simul et semel est unus motus numero. Si igitur hoc modo aliquid moveat seipsum, quod totum moveat totum; sequetur quod unum et idem erit movens et motum secundum unum et eumdem motum, sive sit loci mutatio, sive alteratio. Et hoc videtur inconveniens: quia movens et motum habent oppositionem adinvicem: opposita autem non possunt eidem inesse secundum idem. Non est ergo possibile, quod secundum eamdem motum sit aliquid idem movens et motum. Cum enim aliquid simul movet et movetur, alius est motus secundum quem movet, et alius secundum quem movetur: sicut cum baculus motus a manu movet lapidem, alius numero est motus baculi, et motus lapidis. Sic ergo sequitur ulterius quod aliquis docebit et docebitur simul secundum unum et idem scibile; et similiter, quod aliquis sanabit et sanabitur secundum unam et eamdem numero sanitatem.

Secundam rationem ponit ibi « amplius determinatum »

Quae talis est. Determinatum est in tertio, quod id quod movetur, est mobile, scilicet in potentia existens: quia, quod movetur, inquantum est in potentia et non in actu, movetur. Ex hoc enim movetur aliquid, quod, cum sit in potentia, tendit in actum. Nec tamen id quod movetur, est ita in potentia, ut nullo modo sit in actu: quia ipse motus est quidam actus mobilis inquantum movetur: sed est actus imperfectus: quia est actus ejus, inquantum est adhuc in potentia: sed illud quod movet, jam est in actu. Non enim reducitur quod est in potentia in actum, nisi per id quod est actu: (hoc autem est movens): sicut calefacit calidum, et generat illud quod habet speciem generativam, sicut hominem generat, quod habet speciem humanam, et sic de aliis. Si ergo totum moveat se totum, sequitur quod idem secundum idem simul est calidum et non calidum: quia, inquantum est movens, erit actu calidum: inquantum est motum, erit calidum in potentia. Et similiter est in omnibus aliis, in quibus movens est univocum, idest conveniens in nomine et ratione cum moto; sicut cum calidum facit calidum, et homo generat hominem.

Et hoc ideo dicit: quia sunt quaedam agentia non univoca, quae scilicet non conveniunt in nomine et ratione cum suis effectibus; sicut sol generat hominem. In quibus tamen agentibus, et si non sit species effectus secundum eamdem rationem, est tamen quodam modo altiori et ulteriori. Et sic universaliter verum est, quod movens est quodammodo in actu secundum id, secundum quod mobile est in potentia. Si igitur totum moveat se secundum totum, sequitur quod idem sit simul actu et potentia: quod est impossibile. Ex hoc ergo concludit principale intentum, quod moventis seipsum una pars movet, et alia movetur.

Deinde cum dicit « quod autem »

Excludit quosdam modos, quos aliquis posset existimare in motu moventis seipsum: et primo ostendit quod moventis seipsum non movetur utraque pars ab altera; secundo ostendit quod pars moventis seipsum non movet seipsam, ibi, « At vero « neque primum seipsum. » Circa primum duo facit. Primo proponit quod intendit. Secundo probat propositum, ibi, « Neque enim erit. » Dicit ergo primo, manifestum esse ex iis quae sequuntur, quod non contingit aliquid movere seipsum hoc modo, quod utraque pars ejus moveatur a residua; sicut si A B moveat seipsum, eo quod A moveat B, et B moveat A.

Secundo ibi « neque enim »

Probat propositum quatuor rationibus. Et est attendendum, quod ad hanc conclusionem, resumit rationes suprapositas ad ostendendum, quod non omne movens movetur ab alio; unde ex praemissis abbreviate hic colligit quatuor rationes. Quarum primam sumit ex prima ratione, quam supra posuit duplici ordine, ad ostendendum quod etiam non proceditur in infinitum in hoc quod semper aliquid ab alio moveatur, propter hoc, quod non esset aliquod primum movens, quo remoto removerentur sequentia. Unde et hic primo praemittit idem inconveniens. Dicit enim quod, si in primo moto, quod ponitur movens seipsum, utraque pars ab altera reciproce moveatur, sequetur quod non sit aliquod primum movens. Et hoc ideo, quia sicut supra dictum est, movens prius est magis causa movendi et magis movet, quam posterius movens. Et hoc ideo supra probatur, quia dupliciter aliquid movet. Uno enim modo movet aliquid ex eo quod movetur ab alio, sicut baculus movet lapidem eo quod movetur a manu, et hoc est secundum movens. Alio modo movet aliquid ex eo quod movetur ex seipso, sicut homo movet: et haec est dispositio primi moventis. Illud autem, quod movet non eo quod movetur ab alio, magis est remotum ab ultimo quod movetur, et magis proximum primo moventi, quam medium, quod scilicet movet eo quod ab alio movetur. Debet ergo ratio sic formari. Si totius moventis seipsum utraque pars movet aliam reciproce, non magis movet una quam alia: sed primum movens magis movet quam secundum: ergo neutra earum erit primum movens. Quod est inconveniens: quia sic sequeretur, quod illud quod movetur ex seipso, non esset propinquius primo principio motus » quod nullum sequitur esse, » quam id quod movetur ab alio: cum tamen supra sit ostensum, quod movens seipsum sit primum in genere mobilium. Non ergo hoc est verum quod moventis seipsum utraque pars per aliam moveatur.

Deinde cum dicit « amplius non »

Sumit duas rationes ad idem ex una ratione quam supra posuerat ad ostendendum, quod non omne movens movetur, ita quod moveri conveniat

moventi per accidens. In qua quidem ratione supra
duas conclusiones intulit. Primam scilicet quod
movens contingit et non moveri. Alteram, quod motus non sit aeternus. Et secundum has duas conclusiones, duas hic rationes format. Primo enim
dicit, quod non necessarium est movens moveri nisi
a seipso secundum accidens: et est sensus, quod
nisi accipiatur primum movens moveri a seipso,
non erit etiam necesse quod movens primum moveatur secundum accidens, sicut quidam posuerunt,
quod omne movens movetur, et tamen hoc est ei
per accidens. Cum ergo ponitur quod moventis
seipsum pars quae movet, e contra aequaliter movetur ab altera, hoc non erit nisi per accidens. Sed
sicut supra accipiebamus, quod est per accidens,
contingit non esse: ergo contingit illam partem
quae movet, non moveri. Sic ergo remanet quod
moventis seipsum una pars movetur, et alia movet
et non movetur.

Deinde cum dicit « amplius non »

Ponit aliam rationem correspondentem secundae
conclusioni, quam supra intulerat: scilicet quod
sequitur motum non semper esse. Hic autem converso ordine sic arguit. Si necesse est motum semper esse, non necesse est movens cum movet e
contrario moveri: sed necesse est, quod vel movens
sit immobile, vel quod ipsum moveatur a seipso.
Hujus autem conditionalis ratio ex supraposita ratione apparet: quia si movens non movet nisi moveatur, et cum non inest ei moveri nisi per accidens: sequitur quod contingat ipsum non moveri:
ergo per consequens neque movere: et sic non erit
motus. Sed motum supra ostenderat sempiternum:
ergo non necesse est movens cum movet contra
moveri: et ita non est verum, quod utraque pars
moventis seipsum moveatur ab altera.

Deinde cum dicit « amplius si »

Ponit quartam rationem, quae sumitur ex ratione quam supra posuit ad ostendendum, quod
non inest moventi per se quod moveatur: quia sequeretur quod esset devenire in hoc, quod movens
eodem motu moveretur quo movet, ut supra expositum est; ideo hic abbreviando hanc rationem dicit,
quod si utraque pars ab altera moveatur, sequetur,
quod secundum eumdem motum movet et movetur:
unde sequitur, quod calefaciens calefit: quod est
impossibile. Ideo autem sequitur, si moventis seipsum utraque pars ab alia moveatur, quod secundum
eumdem motum aliquid movet et movetur: quia moventis seipsum est unus motus; et secundum illum
oportebit, quod pars quae movet moveatur.

Deinde cum dicit « at vero »

Excludit alium modum: scilicet quod moventis
seipsum pars seipsam non movet. Et primo proponit quod intendit; secundo probat propositum, ibi,
« Totum enim si movetur. » Dicit ergo primo,
quod si accipiatur aliquid, quod est primo movens
seipsum: non potest dici, neque quod una pars ejus
seipsam moveat, neque quod plures, ita quod quaelibet earum seipsam moveat.

Secundo ibi « totum enim »

Probat propositum duabus rationibus: quarum
prima talis est. Si totum movetur ipsum a seipso:
aut hoc conveniet ei ratione suae partis quae movetur a seipsa; aut ratione totius. Si conveniat ei
ratione suae partis: ergo illa pars erit primum seipsum movens: quia illa pars separata a toto movebit seipsam: sed totum jam non erit movens seipsum primum, ut ponebatur. Si vero dicatur, quod
totum movet seipsum ratione totius: ergo quod aliquae partes movent seipsas, hoc non erit nisi per
accidens. Quod autem est per accidens non est necessarium: ergo in primo movente seipsum maxime
oportet accipere quod partes non moveantur a
seipsis. Totius ergo primi moventis seipsum una
pars movebit, cum sit immobilis, alia movebitur.
Istis enim solum duobus modis possibile esset quod
pars movens moveatur: scilicet aut quod moveretur
a parte altera, quam movet, aut quod moveret seipsam. Unde attendendum est, quod Aristoteles excludendo hos duos modos, intendit concludere, quod
pars movens in movente seipsum, sit immobilis:
non autem quod movens seipsum dividatur in duas
partes, quarum una sit movens, et alia mota; hoc
enim sufficienter conclusum est per id quod primo
ostendit, quod totum non movet seipsum totum.
Et sic patet, quod non fuit necessarium Aristoteli inducere divisionem quinque membrorum, ut
quidam dixerunt: quorum unum membrum sit,
quod totum moveat totum: secundum, quod totum
moveat partem: tertium, quod pars moveat totum:
quartum, quod duae partes vicissim se moveant:
quintum, quod una pars sit movens et alia mota.
Si enim totum non movet totum, per eamdem
rationem sequitur, quod totum non moveat partem,
nec pars totum: quia utrobique sequeretur, quod
aliqua pars mota moveret seipsam. Unde hoc,
quod totum non movet totum, sufficit ad concludendum, quod una pars sit mota, et alia movens:
sed non sufficit ad concludendum, quod pars movens non moveatur a mota, et quod non moveatur
a seipsa.

Et ad hoc secundum probandum inducit secundam rationem ibi « amplius si »

Quae talis est. Si detur quod pars movens moventis seipsum, ipsa tota seipsam moveat, sequitur
(per supra probata) quod ipsius partis iterum una
pars moveat, et alia moveatur. Jam enim ostensum
supra est, quod totum non movet seipsum aliter,
nisi per hoc quod una pars ejus movet, et alia movetur. Sit ergo pars movens moventis seipsum A B:
per rationem ergo praemissam sequitur, quod una
pars ejus sit movens, scilicet A, et alia mota, scilicet B. Si ergo A B moveat tota se totam (ut tu
ponis), sequitur quod idem moveatur a duobus motoribus: scilicet a toto, quod est A B, et a parte,
quae est A: quod est impossibile. Relinquitur ergo,
quod pars movens in movente seipsum est omnino
immobilis.

LECTIO XI.

Quomodo partes seipsum moventis considerari valeant, et cujus rationis sint dicitur.

Quoniam autem movet aliud quidem quod movetur ab alio, aliud autem, cum sit immobile; et movetur aliud quidem movens, aliud autem nihil movens: ipsum seipsum movens, necesse est ex immobili esse, movente autem; et adhuc ex eo quod movetur, non movente autem ex necessitate, sed qualiter evenit.

Sit enim A movens quidem immobile, B autem quod movetur ab A, et movens quod est in quo C: hoc autem motum quidem a B, movens autem nihil: si quidem enim et per plura media venit aliquando in C, sit per unum solum: omne ergo A B C ipsum seipsum movet: sed si aufero C ab A B, ipsum seipsum movebit (A quidem est movens, B vero quod movetur), C autem non movebit ipsum seipsum, neque penitus movebit. At vero neque B C movebit ipsa seipsam sine A: ipsum enim B movet in eo quod movetur ab alio, non quia a suiipsius parte aliqua: A B igitur solum ipsum seipsum movet. Necesse itaque, ipsum seipsum movens habere movens immobile, et quod movetur: nihil autem movens ex necessitate.

Contacta autem utraque, abinvicem autem, aut ab altero alterum.

Si igitur continuum est movens (quod enim movetur, continuum necessarium est esse): manifestum est, quod totum ipsum seipsum movet, non eo quod ipsius aliquid hujusmodi sit, ut ipsum seipsum moveat, sed totum movet ipsum seipsum: motum autem et movens eo quod ipsius aliquid est movens, et aliquid motum. Non enim totum movet, neque totum movetur; sed movet quidem A, B autem movetur tantum. Sed C ab ipso B non jam: impossibile enim est.

Dubitationem autem habet, si auferat aliquid quis ab ipso A, si continuum movens quidem, immobile autem: aut ab ipso B, quod movetur, reliqua vero ipsius A movebit, reliqua autem ipsius B movebitur. Si enim hoc, non utique erit quae primo movetur a seipsa, quae est A B. Remota enim ab A B, adhuc movebit seipsam reliqua A B.

Aut potentia quidem nihil prohibet, utrumque aut alterum quod movetur divisibile esse, actu autem indivisibile: si autem dividatur, non adhuc esse eamdem habens potentia. Quare nihil prohibet et in divisibilibus potentia primum esse unum.

Manifestum igitur ex his, quoniam est primum movens immobile. Sive enim mox stet, quod movetur, ab aliquo autem motum, ad immobile primum: sive in quo movetur quidem, ipsum autem seipsum movens et stans: utrobique accidit primum movens in omnibus esse motis immobile.

Quum autem aliud moveat, quod movetur ab alio; aliud, quod est immobile: quumque aliud moveatur, quod etiam movet; aliud, quod nullam rem movet: necesse est ut id quod se ipsum movet, constet ex eo quod est immobile, sed movet, et praeterea ex eo quod movetur, nec necessario movet, sed prout accidit. Esto namque *to a*, quod movet quidem, sed est immobile: *to b* vero quod movetur ab *a*, et movet id in quo est *g*. Hoc autem moveatur quidem a *b*, sed nullam rem moveat. Quamquam enim etiam per plura aliquando perveniet ad *g*, tamen esto per unum tantum. Totum igitur *a b g* se ipsum movet; verum si detraxero *to g*, certe *to a b* se ipsum movebit (nam *to a* est id quod movet; *to b*, id quod movetur); *to g* vero non movebit se ipsum, nec omnino movebitur. At vero nec pars *b g* movebit se ipsam sine *a*; nam *to b* ideo movet, quia movetur ab alio, non quod moveatur ab aliqua sui ipsius parte: solum igitur *a b* se ipsum movet. Necesse igitur est, ut id quod se ipsum movet, habeat id quod movet, sed est immobile; et id quod movetur, sed nullam rem necessario movet: quae quidem vel ambo se mutuo tangant, vel alterum tangat alterum. Si igitur id quod movet, continuum sit (necesse est enim, id quod movetur, esse continuum): manifestum est, totum movere se ipsum; non quia aliqua ejus pars sit talis ut moveat se ipsam; sed totum movet se ipsum, et simul movetur et movet, quoniam aliqua ejus pars est quae movet, et quae movetur. Non enim totum movet, nec totum movetur: sed *to a* movet, ac *to b* movetur dumtaxat; *g* vero non amplius ab *a* movetur: est enim impossibile.

Est autem dubitatio, si quis detraxerit vel ab *a* (si id quod movetur et est immobile, sit continuum) vel a *b* quod movetur, an reliqua pars ipsius *a* movebit, vel reliqua pars ipsius *b* movebitur. Nam si hoc sit, certe *e a b* non movebitur primum a se ipsa: quia detractione facta ab *a b*, nihilominus residuum *a b* se movebit. An nihil prohibet, utrumque vel alterum, id quod movetur,, potestate dividuum esse, actu vero individuum; quod si divisum fuerit, non habere amplius eamdem vim? quare nihil vetat primum inesse individuis potestate. Ex his perspicuum est, id quod primum movet, esse immobile: sive enim id quod movetur, et ab aliquo movetur, statim consistat in primo immobili; sive in eo quod movetur quidem, sed ipsum se movet et consistit: utroque modo evenit, ut id quod primum movet, in omnibus iis quae moventur, sit immobile.

Postquam Philosophus ostendit quod movens seipsum dividitur in duas partes, quarum una movet et non movetur, alia autem movetur: hic ostendit quomodo hujusmodi partes se habeant adinvicem. Et circa hoc tria facit. Primo proponit quod intendit. Secundo ostendit propositum, ibi, « Sit « enim A movens. » Tertio concludit conclusionem principaliter intentam ex omnibus praemissis, ibi, « Manifestum igitur ex his est. » Dicit ergo primo, quod, cum movens dividatur in duo, quorum unum movetur etiam ab alio, aliud vero movens est immobile: et iterum mobile dividatur in duo (est enim quoddam mobile, quod etiam movet, quoddam vero mobile, quod nihil movet): oportet dicere, quod movens seipsum componatur ex duabus partibus: quarum una sit sic movens, quod tamen sit immobilis; alia vero sic moveatur, quod tamen non

moveat. Quod autem subdit, « ex necessitate » dupliciter potest intelligi: quia, si intelligatur, quod pars mota moventis seipsum non moveat aliquid quod sit pars moventis seipsum, sic legenda est litera, quod necessitas remaneat affirmata, cadens super hoc quod dicit, « non movente. » Probat enim statim impossibile esse, quod ejus quod primo movet seipsum, sit tertia pars quae moveatur a parte mota. Si vero intelligatur quod pars mota non moveat aliquid extrinsecum, sic hoc quod dicit, « Ex necessitate, » cadit sub negatione. Non enim est de necessitate moventis seipsum quod pars ejus mota moveat aliquid extrinsecum, nec tamen est impossibile.

Qualiter autem hoc contingat, ostendit consequenter cum dicit « sit enim »

Et circa hoc duo facit. Primo ostendit propositum. Secundo solvit quamdam dubitationem, ibi, « Dubitationem habet. » Circa primum duo facit. Primo ostendit qualiter partes moventis seipsum se habeant adinvicem. Secundo qualiter secundum eas totum dicitur seipsum movere, ibi, « Siquidem igitur continuum est. » Circa primum duo facit. Primo ostendit quod in movente seipsum sunt solae duae partes: quarum una movet et non movetur, alia movetur et non movet. Secundo, quomodo hae duae partes adinvicem conjungantur, ibi, « Contacta autem utraque. » Primum ostendit sic. Si dicatur quod pars mota moventis seipsum iterum moveat aliquid aliud, quod sit pars ejusdem moventis seipsum: sit ergo prima pars moventis seipsum A, quod sit movens immobile: secunda vero pars sit B, quod moveatur ab A, et moveat tertiam partem quae est c; quae sic moveatur a B, quod nihil aliud moveat, quod sit pars moventis seipsum Non enim potest dici, quod fiat descensus in infinitum in partibus moventis seipsum, scilicet quod pars mota iterum moveat aliam: quia sic movens seipsum esset in infinitum, quod est impossibile, ut supra ostensum est. Erit ergo aliqua pars moventis seipsum, quae est mota non movens, quam dicimus c. Et licet contingat per multa media, quae sunt moventia et mota, pervenire in ultimum motum, quod dicitur c: accipiatur loco omnium mediorum, etiam unum medium, quod sit B. Sic ergo hoc totum, quod est A B C, movet seipsum: a quo toto si auferatur haec pars quae est c, adhuc ipsum A B movebit seipsum; quia una pars ejus est movens, scilicet A, et alia mota, scilicet B; quod requirebatur ad hoc, quod aliquid sit movens seipsum (ut supra ostensum est). Sed c non movebit seipsum neque aliquam aliam partem secundum supposita. Similiter etiam B C non movet seipsum, sine A: quia B non movet nisi inquantum movetur ab alio, quod est A, quod non est pars ejus. Relinquitur ergo quod solum A B moveat seipsum primo et per se. Unde necesse est quod movens seipsum habeat duas partes; quarum una sit movens immobilis, alia vero sit mota, quam necesse est nihil movere, quod sit pars moventis seipsum: hoc enim conclusum est per praemissam rationem. Vel, nihil movens ex necessitate: quia non est de necessitate moventis seipsum, quod pars mota moveat aliquid aliud etiam extrinsecum.

Secundo ibi « contacta autem »

Ostendit quomodo hae duae partes se habeant adinvicem. Ubi considerandum est, quod Aristoteles nondum probavit primum movens non habere aliquam magnitudinem: quod infra probabit. Quidam autem antiqui philosophi posuerunt nullam substantiam absque aliqua magnitudine esse. Unde Aristoteles, ante probationem hoc sub dubio secundum suam consuetudinem derelinquens, dicit, quod duas partes moventis seipsum, quarum una est movens et alia mota, necesse est aliquo modo conjungi, ad hoc quod sint partes unius totius. Non autem per continuationem: quia supra dixit, quod movens seipsum et motum non possunt continuari, sed necesse est ea dividi: unde relinquitur quod oportet has duas partes conjungi per contactum: ita, ut ambae partes contingant se invicem, si ambae partes habeant magnitudinem: aut ita quod altera tantum pars contingatur ab alia et non e converso: quod erit si movens non habet magnitudinem. Quod enim est incorporeum, potest quidem tangere corpus

sua virtute movendo ipsum, non autem contingitur a corpore: duo autem corpora se invicem tangunt.

Deinde cum dicit « si igitur »

Ostendit qua ratione totum dicatur movens seipsum una parte movente, et alia mota. Et supponamus quantum ad praesens, quod utraque pars sit continua, idest magnitudinem habens: quia de eo quod movetur, in sexto probatum est, quod sit aliquid continuum: et accipiatur nunc idem de movente antequam veritas probetur. Hac igitur suppositione facta, ipsi toti composito ex duobus tria attribuuntur: scilicet moveri, movere, et movere seipsum. Sed hoc quod est movere seipsum, non attribuitur ei propter hoc quod aliqua pars ejus moveat seipsam, sed ipsum totum seipsum movet. Sed hoc quod est movere et moveri, attribuitur toti ratione partis: non enim totum movet neque totum movetur: sed movet una pars ejus, scilicet A, reliqua vero pars ejus solum movetur, scilicet B. Jam enim ostensum est, quod non est aliqua tertia pars, ut c, quae moveatur ab ipso B. Impossibile est enim hoc, si accipiatur id quod primo movet seipsum, sicut supra ostensum est.

Deinde cum dicit « dubitationem autem »

Movet quamdam dubitationem circa praemissa. Et primo movet eam. Secundo solvit, ibi, « Aut potentia quidem. » Habet autem haec dubitatio ortum ex hoc, quod supra probaverat, quod in primo movente seipsum, non sunt nisi duae partes, quarum una movet, et alia movetur: quia si esset tertia, etiam ea remota compositum ex primis duabus movet seipsum: et sic ipsum est primum movens seipsum. Ex hoc ergo sequitur dubitatio talis. Ponamus quod pars moventis seipsum, quae est movens immobile, ut A, sit quoddam continuum. De parte autem ejus, quae movetur, scilicet B, manifestum est, quod est aliquid continuum secundum prius probata: omne autem continuum est divisibile: est ergo dubitatio, si auferatur aliqua pars per divisionem ab A, aut a B, utrum reliqua pars moveat, aut moveatur. Quia si reliqua pars moveat aut moveatur, adhuc residua pars de A B movebit seipsam, et sic A B non primo movebat seipsum. Et sic sequitur ulterius, quod nihil erit primo movens seipsum.

Secundo ibi « aut potentia »

Solvit positam dubitationem. Ubi considerandum est, quod Aristoteles prius in sexto probavit, quod in motu non est aliquid primum, neque ex parte temporis, neque ex parte rei in qua est motus, praecipue in augmento, et motu locali. Et hoc ideo, quia tunc loquebatur de motu in communi, et de mobili, secundum quod est quoddam continuum, nondum applicando ad determinatas naturas: et secundum hoc sequeretur, quod non esset aliquid primo motum: et per consequens, nec aliquid primo movens, si movens sit continuum: et ita etiam non esset aliquid primo movens seipsum. Sed nunc jam Aristoteles loquitur de motu applicando ad determinatas naturas: et ideo ponit aliquid esse primo movens seipsum. Et solvit praemissam dubitationem sic, quod nihil prohibet esse divisibile in potentia ex eo quod sunt continua, scilicet movens et motum, si utrumque sit continuum, aut ad minus alterum tantum, scilicet quod movetur, quod necesse est esse continuum. Sed tamen possibile est, quod aliquod continuum, sive sit movens, sive motum, habeat talem naturam, ut non possit actu dividi: sicut patet de corpore solis. Et si contingat quod aliquod continuum dividatur, non retinebit eamdem potentiam ad hoc quod moveat vel moveatur quam prius habebat: quia hujusmodi potentia sequitur aliquam formam; forma autem naturalis requirit quantitatem determinatam. Unde, si sit corpus incorruptibile, dividi non potest in actu. Si autem sit corruptibile, si dividatur in actu, non retinebit eandem potentiam, sicut patet in corde: unde nihil prohibet, in iis quae sunt divisibilia in potentia, esse unum primum.

Deinde cum dicit • manifestum igitur •

Infert conclusionem principaliter intentam ex omnibus praemissis: et dicit, manifestum esse ex praemissis, quod necesse est ponere primum movens immobile, cum non procedatur in infinitum in moventibus et motis ab alio (1) necesse sit stare ad aliquod primum, quod est immobile vel movens seipsum. Sive enim moventia et mota stent ad aliquod primum immobile, sive ad aliquod primum quod movet seipsum, utrobique accidit, quod primum movens sit immobile, per hoc quod moventis etiam seipsum una pars est movens immobile, ut nunc ostensum est.

(1) *Supple* sed.

LECTIO XII.

Primum movens perpetuum et immobile esse, ex animalium seipsa moventium generatione ac corruptione monstratur.

ANTIQUA.

Quoniam autem oportet semper motum esse, et non deficere, necessarium est aliquid esse, quod primum movet, sive unum sit sive plura, et primum movens immobile esse.

Unumquodque igitur perpetuum esse immobilium quidem, moventium autem, nihil pertinet ad eam quae nunc rationem.

Quoniam autem necessarium est esse aliquid immobile quidem ipsum ab omni exterius mutatione, et simpliciter, et secundum accidens, motivum autem alterius, manifestum est considerantibus.

Sit autem, si aliquis velit, in quibusdam contingens esse, ut et sit aliquando, et non sit sine generatione et corruptione. Fortassis enim necessarium est, si aliquod impartibile aliquando quidem est, aliquando autem non, sine mutatione aliquando quidem esse, aliquando quidem non esse. Et principiorum immobilium quidem, motivorum autem quaedam aliquando quidem esse, aliquando autem non esse, contingat et hoc; sed nequaquam omnia possibile est.

Manifestum est enim quod causa quaedam ipsa seipsa moventibus inest, ipsius quod est aliquando quidem esse, aliquando autem non esse. Ipsum quidem enim seipsum movens, necesse est omne magnitudinem habere, si nihil movetur impartibile: movens autem, neque una necessitas est ex dictis. Ipsius igitur quod est alia quidem fieri, alia vero corrumpi: et hoc continue, nulla causa est immobilium quidem, non semper autem existentium. Neque ipsorum quidem semper haec moventium, horum autem altera. Ipsius enim semper, et continui, neque unumquodque ipsorum causa, neque omnia: haec enim quidem sic se habere semper et ex necessitate est, omnia autem infinita, et non sunt simul omnia entia.

Manifestum igitur est, quod quamvis decies milies principia quaedam immobilium quidem, moventium autem, et multa ipsa seipsa moventium corrumpantur, alia vero fiant, et hoc quidem immobile sit, aliud vero movet, alterum autem hoc, sed nihilominus est aliquid quod continet, et hoc extra unumquodque, quod est causa ejus quod est alia esse, alia vero non, et continuae mutationis: et hoc quidem his, haec autem aliis, causa motus sunt. Si igitur perpetuus motus est, perpetuum erit et movens primum, si unum: si vero plura, plura, et perpetua.

Unum autem magis quam multa, et finita quam infinita, oportet existimare: ejusdem autem accidentibus semper finita magis accipiendum. In iis enim quae sunt natura, oportet finitum, et id quod est melius, si contingat, esse magis. Sufficiens autem si unum quod primum immobilium, perpetuum cum sit, erit principium aliis motus.

Manifestum igitur ex his est, quod necesse est esse aliquid unum et perpetuum primum movens. Ostensum est enim quoniam necesse est semper motum esse, et continuum esse: et namque quod semper, continuum: quod autem consequenter non est continuum. At vero si continuus, unus est: unus autem, si ab uno movente, et unius, quod movetur: si enim quoddam mutationis: et aliud movebit, non continuus totus motus, sed consequenter. Igitur ex his sciet utique aliquis esse aliquod primum movens immobile.

RECENS.

Quoniam autem oportet motum semper esse, nec intermitti; necesse est esse aliquid quod primum moveat, sive sit unum, sive plura, nempe primum illud movens immobile.

Unumquodque igitur eorum quae immobilia sunt ipsa, sed movent, esse aeternum, nihil facit adversus hanc rationem: sed necesse esse, ut sit aliquid quod ipsum sit quidem immobile et omnis externae mutationis expers, tam simpliciter quam ex accidenti, vim autem habeat alterius movendi, ita considerantibus fiet manifestum.

Fieri autem in quibusdam possit, si cui placet, ut aliquando sint et non sint sine ortu et interitu. Fortassis enim est necessarium, si quid vacuus partibus, modo sit modo non sit, ut quicquid tale est, sine mutatione interdum sit, interdum non sit; et quaedam principia immobilia quidem, sed quae movendi vim habeant, modo esse, modo non esse, hoc etiam fieri possit: sed non est possibile ut omnia sint ejusmodi. Patet enim esse aliquam causam iis quae se ipsa movent, cur modo sint, modo non sint. Nam quicquid se ipsum movet, necesse est ut habeat magnitudinem: siquidem nihil movetur, quod partibus vacet; id vero quod movet, nihil necesse est habere magnitudinem, ut liquet ex eis quae dicta fuerunt. Ergo cur alia gignantur, alia intereant, idque fiat continenter, nihil eorum causa est, quae sunt quidem immobilia, non tamen semper sunt: nec rursus eorum quae semper haec movent, ita ut haec moveant alia; nam aeternitatis et continuationis nec eorum est unumquodque causa, neque omnia. Etenim ita tam habere, est aeternum et necessarium: omnia vero sunt infinita, nec omnia entia simul sunt. Manifestum igitur est, etiamsi decies millies quaedam principia, quae sunt immobilia, sed movent: et multa ex iis quae se ipsa movent, intereant, alia vero generentur; hoc quidem quod est immobile, hanc rem moveat; aliud vero illam: nihilominus tamen esse aliquid, quod continet, et hoc praeter singula: quod quidem est causa cur alia sint, alia non sint, et causa continuae mutationis; atque hoc quidem hisce, haec vero aliis sunt causae motionis.

Siquidem igitur motus sit aeternus, etiam primum movens aeternum erit, si unum sit: si vero multa, erunt multa aeterna. Unum autem esse potius quam multa, et finita potius quam infinita, putare oportet; nam si eadem eveniant, semper finita potius sumenda sunt: in iis enim quae natura constant, oportet id potius inesse, quod est finitum et melius, si modo inesse possit. Atqui sufficit, etsi unum sit, quod quum primum sit inter immobilia, et aeternum, aliis erit principium motus.

Ex hoc quoque perspicuum est, necesse esse ut id quod primum movet, sit unum quiddam et aeternum; probatum enim fuit, necesse esse ut semper sit motus: quodsi semper est, necesse est ut sit continuus; quod enim est semper, est continuum; quod vero est deinceps, non est continuum. At vero si est continuus, est unus; est autem unus, si ab uno movente est, et unius quod moveatur; si quam enim rem aliud atque aliud moveat, totus motus non est continuus, sed deinceps.

Postquam Philosophus ostendit quod in iis quae moventur ab alio non est procedere in infinitum, sed est devenire ad aliquod primum, quod vel est immobile, vel movet seipsum: et ostendit ulterius quod moventis seipsum una pars est movens immobile, et sic utrobique accidit quod primum movens sit immobile: quia tamen in moventibus se quae sunt apud nos, scilicet animalibus corruptibilibus contingit, quod pars movens in movente seipsum, est corruptibilis, et movetur per accidens, scilicet anima: vult hic ostendere quod primum movens est incorruptibile, et non movetur nec per se nec per accidens. Et circa hoc duo facit. Primo proponit quod intendit. Secundo probat, ibi, « Sic autem si aliquid velit. Circa primum tria facit. Primo resumit ea quae supra ostensa sunt. Secundo praemittit quoddam, quod videbatur posse valere ad suum propositum, ibi, « Unumquodque quidem igitur. » Tertio exponit suum propositum, ibi, « Quoniam autem necessarium est esse. » Dicit ergo primo, quod supra ostensum est, quod motus semper est et nunquam deficit: et quia omnis motus est ab aliquo movente, in moventibus autem non est procedere in infinitum; necesse est esse aliquod primum movens. Et quia nondum probatum est quod primum movens sit unum, ideo sub dubio derelinquit, utrum sit unum, vel plura. Et ulterius ostensum est, quod primum movens est immobile, sive statim ascendendo de motis ad moventia perveniatur ad primum immobile, sive perveniatur ad primum movens seipsum cujus una pars est movens immobile. Fuit autem quorumdam positio quod omnia principia moventia, in iis quae movent seipsa, sunt perpetua. Posuit enim Plato omnes animas animalium perpetuas. Et si vera esset haec opinio, jam statim Aristoteles haberet propositum quantum ad hoc, quod primum movens sit perpetuum. Sed opinio Aristotelis est quod de partibus animae solus intellectus est incorruptibilis: cum tamen etiam aliae partes animae sit moventes. Et ideo hoc consequenter praemittit dicens: « u-« numquodque igitur

Et dicit quod ad rationem quae prae manibus habetur, nihil pertinet an unumquodque principiorum quae movent et sunt immobilia, sit perpetuum, quamvis hoc aliqui posuerunt ponentes omnes animas incorruptibiles. Et dicit hoc non esse ad praesentem rationem: quia hoc non supposito habebit propositum.

Deinde cum dicit « quoniam autem »

Exponit quid intendit probare: et dicit, quod considerando ea quae sequuntur, manifestum potest esse, quod, etsi non omne movens immobile sit perpetuum, necesse est tamen esse aliquid immobile, ita quod nullo modo ab extrinseco moveatur, nec simpliciter, nec per accidens; et tamen sit motivum alterius. Dicit autem « ab omni ex-« terius mutatione », non intendens excludere motum, idest operationem, quae est in operante, prout intelligere dicitur motus, et prout appetitus movetur ab appetibili. Hujusmodi enim motus non excluditur a primo movente, de quo intendit.

Deinde cum dicit « si autem »

Probat quod dixerat: scilicet quod sit aliquod primum movens perpetuum et penitus immobile. Et primo probat hoc per moventia se, quae quandoque sunt, et quandoque non sunt. Secundo per principia moventia, quae quandoque movent et

quandoque non movent, ibi, « Et iterum consi-« derans. » Circa primum tria facit. Primo ostendit quod oportet esse aliquod primum movens perpetuum. Secundo, quod tale movens magis debet esse unum quam plura, ibi, « Unum autem ma-« gis. » Tertio ostendit utrumque simul, scilicet quod est unum primum movens et perpetuum, ibi, « Manifestum est igitur ex his. » Circa primum duo facit. Primo excludit quamdam rationem, per quam aliquis posset niti ad probandum propositum. Secundo procedit ad propositum ostendendum, ibi, « Manifestum est enim. » Posset autem aliquis sic procedere. Omne quod non potest quandoque esse et quandoque non esse, est perpetuum: sed primum movens, cum sit immobile, ut ostensum est, non potest quandoque esse et quandoque non esse (quia quod quandoque est et quandoque non est, generatur et corrumpitur: quod autem generatur et corrumpitur movetur): ergo primum movens est perpetuum. Aristoteles autem de hac ratione non curat: quia potest aliquis dicere, si vult, quod in quibusdam contingit quod quandoque sint et quandoque non sint, absque hoc quod generentur et corrumpantur per se loquendo; et per consequens, absque hoc quod per se moveantur. Necesse est enim, si aliquid impartibile, quod scilicet non sit compositum ex materia et forma, quandoque sic est et quandoque non est, quod omne tale sine mutatione sui quandoque sit et quandoque non sit: sicut potest dici de puncto, et de albedine, et de quolibet hujusmodi. Ostensum enim est in sexto, quod omne quod movetur est partibile: et in septimo Metaphysicorum, quod omne quod generatur est compositum ex materia et forma. Hujusmodi quidem igitur impartibilia per se quidem non generantur neque mutantur, sed per accidens generatis et mutatis aliis. Ex quo etiam patet, quod si aliquid neque per se neque per accidens movetur, quod illud est perpetuum: et si est perpetuum, neque per accidens neque per se movetur, secundum hoc quod est perpetuum. Si ergo conceditur esse contingens, quod aliquid quandoque sit et quandoque non sit, absque eo quod generetur et corrumpatur: etiam et hoc concedatur esse contingens, quod quaedam principia moventia immobilia, ita tamen quod possint moveri per accidens, quandoque sint et quandoque non sint. Nequaquam tamen possibile est, omnia principia moventia et immobilia talia esse, ut quandoque sint et quandoque non sint.

Secundo ibi « manifestum est »

Ostendit propositum: et dicit, quod, si quaedam moventia seipsa quandoque sunt et quandoque non sunt, necesse est quod sit aliqua causa generationis et corruptionis ipsorum, quae quandoque sunt et quandoque non sunt: quia omne quod movetur habet causam sui motus: quod autem quandoque est et quandoque non est, si sit compositum, generatur et corrumpitur: movens autem seipsum necesse est quod habeat magnitudinem, quia movetur: et ostensum est in sexto, quod nihil impartibile movetur. Sed ex dictis non potest haberi, quod sit necessarium movens habere magnitudinem: et sic non movetur per se, si quandoque sit, et quandoque non sit. Si autem generationis et corruptionis eorum quae movent seipsa, est aliqua causa; oportet quod etiam hujusmodi sit aliqua causa, quod eorum generatio et corruptio perpeuue continuatur. Non autem potest dici quod hujusmodi continuitatis causa sit aliquod illorum immobilium quae non semper sunt: neque etiam potest dici quod sempiternae generationis et corruptionis quorumdam moventium seipsa, sint causa quaedam moventia immobilia quae non semper sunt, et aliorum alia. Et hoc exponit subdens, quod hujus continuae et sempiternae generationis non potest esse causa neque unum ipsorum, neque omnia. Et quod unum non possit esse causa, sic ostendit: quia id quod non est semper, non potest esse causa ejus quod est semper perpetuum, et ex necessitate. Quod autem omnia non possint esse causa, ostendit per hoc, quod omnia hujusmodi principia corruptibilia, si generatio est perpetua, sunt infinita, et non simul sunt: impossibile est autem unum effectum dependere ex infinitis causis. Et iterum, ea quae non simul sunt, non possunt esse causa alicujus: licet possit esse, quod eorum quae non simul sunt, quaedam disponant, et quaedam causent: ut patet in guttis successive cadentibus, quae causant lapidis effossionem. Sed si aliqua multa sunt directe causa alicujus, oportet quod simul sint. Sic ergo manifestum est, quod, si sint decies millies principia moventia et immobilia, et si sint etiam multa quae moveant seipsa, quorum quaedam corrumpantur, et alia generentur: et inter ista quaedam sint mobilia et quaedam moventia: nihilominus tamen oportet esse aliquid super omnia, quod sua virtute contineat omnia, quae praedicto modo generantur et corrumpuntur: quod quidem sit causa continuae mutationis ipsorum, per quam quandoque sunt et quandoque non sunt: et per quam haec sunt causa generationis et motus his, et haec aliis: quia omne generans est causa generationis generato; sed tamen generantia corruptibilia habent quod sint causa generationis ab aliquo primo incorruptibili. Si ergo motus, per quem quaedam quandoque sunt et quandoque non sunt, est perpetuus, ut supra ostensum est: et effectus perpetuus non potest esse nisi a causa perpetua: necesse est, quod primum movehs sit perpetuum, si est unum: et si sunt plura prima moventia, quod etiam illa plura sint perpetua.

Deinde cum dicit « unum autem »

Ostendit quod magis debeat poni unum principium perpetuum, quam multa: et dicit, quod sicut oportet existimare magis esse principia finita quam infinita, ita oportet existimare quod sit magis unum principium quam plura. Si enim eadem accidant vel consequantur in effectibus ex positione finitorum principiorum, quae ex positione infinitorum; magis est accipiendum quod sint principia finita, quam infinita: quia in his quae sunt secundum naturam, semper est magis accipiendum illud quod est melius, si sit possibile: quia ea quae sunt secundum naturam, sunt optime disposita: melius est autem finitum principium, quam infinitum: et unum, quam multa: sufficit autem ad causandum perpetuitatem motus, quod sit unum principium primum immobile, si sit perpetuum: non ergo sunt ponenda plura prima principia.

Deinde cum dicit « manifestum igitur »

Concludit ex praedictis, quod necesse est esse aliquid unum primum movens et perpetuum. Et quamvis hoc ex superioribus sufficienter probatum videatur, posset tamen aliquis calumniose dicere, quod causa continuitatis generationis est aliquod primum movens seipsum perpetuum: sed motor illius moventis seipsum non est perpetuum et unum: sed movetur a diversis moventibus, quorum quaedam generantur et quaedam corrumpuntur. Sed hoc intendit excludere: quia, si motus est perpetuus, ut supra probaverat, necesse est quod motus primi moventis seipsum, quod ponitur causa totius perpetuitatis motus, sit sempiternus et continuus. Si enim non esset continuus, non esset sempiternus: sed quod consequenter est non est continuum. Ad hoc autem quod motus sit continuus, necesse est quod sit unus: ad hoc vero quod sit unus, necesse est quod sit ab uno movente, et unius mobilis. Si vero sit aliud et aliud movens, non erit totus motus continuus, sed consequenter se habens. Necesse est ergo omnino, quod primum movens sit unum et perpetuum. Movens autem immobile, quod movetur per accidens, non est perpetuum, ut supra dictum est. Relinquitur ergo, quod primum movens sit omnino immobile, et per se, et per accidens.

LECTIO XIII.

Primum movens esse immobile, primumque motum perpetuum, multipliciter insinuatur ex moventium ratione.

ANTIQUA.

Et iterum considerans principia moventium. Esse quidem igitur quaedam eorum quae sunt, quae aliquando quidem moventur, aliquando autem quiescunt, manifestum est. Et propter hoc manifestum factum est, quoniam neque omnia moventur, neque omnia quiescunt, neque alia semper moventur, et alia semper quiescunt. Quae namque sunt utrobique, et potentiam sunt habentia hujusmodi, quod est aliquando quidem moveri, aliquando vero quiescere, demonstrant de his.

Quoniam autem hujusmodi manifesta sunt: volumus autem

RECENS.

Ergo et ex his credere aliquis possit esse aliquod immobile, et rursus, si respexerit ad principia eorum quae movent. Esse igitur quaedam, quae modo moventur, modo quiescunt, perspicuum est. Et ex hoc manifestum factum est, neque omnia moveri, neque omnia quiescere; neque alia semper quiescere, alia semper moveri: nam quae sunt natura ancipiti, et vim habent ut interdum moveantur interdum quiescant, de his fidem faciunt. Quum autem ea quae sunt ejusmodi, sint omnibus manifesta; velimus autem probare etiam demonstrare et duorum utramque naturam, quoniam sunt alia quidem semper immobilia, alia autem quae semper moventur: procedentes autem in hoc, et proponentes, omne quod movetur ab aliquo moveri: et hoc esse aut immobile, aut quod movetur: et quod movetur, aut a seipso, aut ab alio semper, deveniemus in hoc accipere, quoniam eorum quae moventur, est principium: eorum quidem quae moventur, quod ipsum seipsum movet: omnium autem, immobile: videmus enim et manifeste esse ejuscemodi quae movent ipsa seipsa, ut animatorum et animalium genus.

Haec autem et opinionem praebebant, ne forte contingat motum fieri, cum non sit omnino, propter id, quod in his videmus hoc contingere: immobilia enim cum sint aliquando, moventur iterum, sicut videtur. Hoc autem oportet accipere, quoniam secundum unum motum ipsa movent, et quod secundum hunc non proprie. Non enim ex seipso est causa; sed insunt alii motus natura animalibus, secundum quos non moventur per seipsa, ut augmentum, et decrementum, et respiratio: quibus movetur animalium unumquodque quiescens, cum non movetur a seipso motum. Horum autem causa, continens et multa intrantium: ut quorumdam alimentum: dum coquitur enim dormiunt: disgregato autem, surgunt et movent seipsa, cum primum principium extra sit: unde non semper moventur continue a seipsis: aliud enim est movens ipsum, quod movetur, et mutans ad unumquodque moventium seipsa. In omnibus autem his movetur primum movens, et causa ipsum seipsum movendi a seipso, secundum accidens tamen: mutat enim locum corpus: quare et quod in corpore existens, et necessario movens seipsum.

Ex quibus est scire, quia, si aliquid est immobilium quidem, moventium autem, et ipsorum quae secundum accidens moventur, impossibile est continuo motu movere. Quare, si necesse est quidem continue esse motum, esse oportet aliquid primum movens immobile, et non secundum accidens, si debet, sicut diximus, in iis quae sunt, esse incessabilis quidam et immortalis motus, et manere ens in seipso ipsum, et in eodem. Principio enim manente, necesse et omne manere, quod continuum est ad principium.

Non est autem idem moveri secundum accidens a seipso, et ab altero: ab altero enim inest et eorum quae sunt in caelo quibusdam principiis, quaecumque secundum plures feruntur motus: alterum autem corruptibilibus solum.

At vero si aliquod est semper hujusmodi, movens quidem, immobile autem et ipsum perpetuum, necesse est, primum, quod movetur ab hoc, perpetuum esse.

Hoc autem est manifestum quidem, ex eo quod non est possibile aliter esse generationem et corruptionem et mutationem aliis, nisi aliquid moveat quod movetur. Immobile quidem enim motum semper movebit eodem modo, et unum motum, velut nihil ipsum motum mutans ad id quod movetur. Quod autem movetur ab eo quod movetur quidem, moto autem ab immobili, jam propter id quod aliter et aliter se habet ad res, non ejusdem motus erit causa: sed propter id, quod in contrariis locis aut speciebus sunt, contrarie exhibebit motum unumquodque aliorum, et aliquando quidem quiescens, aliquando autem motum.

Manifestum igitur factum est ex dictis, et quod in principio dubitavimus, cur igitur non omnia aut quiescunt aut moventur: aut alia semper quidem moventur, alia vero semper quiescunt: sed quaedam aliquando quidem aliquando non. Hujus enim causa manifesta nunc est: quoniam alia quidem ab immobili moventur perpetuo: unde semper mutantur: alia vero ab eo quod movetur et mutatur: quare et ipsa necessarium est mutari. Immobile autem, sicut dictum est, sic simpliciter et similiter et in eodem permanens, unum et simplicem movebit motum.

utramque reliquarum duarum naturarum, nempe alia semper esse immobilia, alia quae semper moveantur: procedentes ad hoc probandum, et positis his principiis, quidquid movetur, ab aliquo moveri, et hoc aut esse immobile aut moveri, et moveri vel a se, vel ab alio semper; progressi sumus eo usque, ut sumeremus eorum quae moverentur esse principium: idest, eorum quae moventur, id quod se ipsum movet; omnium vero, id quod est immobile. Videmus autem, et quidem perspicue, quaedam esse ejusmodi ut se ipsa moveant: ut animatorum et animalium genus; quae quidem et opinionem praebebant, ne quando contingeret motum fieri, quum non esset omnino, propterea quod in his videmus hoc accidere, quum enim aliquando sint immobilia, moventur rursus, ut videtur.

Hoc igitur sumere oportet, haec uno motu se ciere eoque non proprie: non est enim causa ex ipso animali; sed alii motus naturales animalibus insunt, quibus non moventur a semetipsis; ut auctio, deminutio, respiratio, quibus motibus cietur unumquodque animal quum quiescat, nec eo motu cieatur, quo a se ipso movetur. Horum autem causa est id quod continet, et multa ex iis quae ingrediuntur: ut quorumdam causa est alimentum; quum enim concoquitur, dormiunt; quum autem distribuitur, excitantur, et movent se ipsos, primo principio extra constituto. Proinde non semper neque continenter moventur a se ipsis; nam ad singula quae se ipsa movent, adest aliud quod movet, quum ipsum moveatur et mutetur. In his autem omnibus, quod primum movet et est causa cur aliud se ipsum moveat, id quoque a se movetur, sed ex accidenti; corpus enim mutat locum: quocirca et id quod est in corpore, et quod vecte se ipsum movet.

Ex quibus licet credere, si quid est in numero eorum quae sunt quidem immobilia, sed movent, et ipsa moventur ex accidenti; impossibile esse ut id continuum motum efficiat. Quapropter si necesse est continenter esse motum; oportet esse aliquod primum movens immobile, quod neque ex accidenti moveatur; si debet, quemadmodum diximus, esse in rebus indeficiens quidam et immortalis motus, ac manere ipsum ens in se ipso et in eodem: principio namque manente, necesse est etiam universum manere, quum sit continenter junctum principio. Non est autem idem, moveri ex accidenti a se ipso, et ab altero; nam moveri ab altero, inest et quibusdam principiis eorum quae sunt in caelo, id est, eorum quae pluribus lationibus feruntur; alterum vero iis solum inest, quae interitui sunt obnoxia.

Verumenimvero si est aliquid semper ejusmodi quod movet quidem, sed est immobile ipsum, et aeternum; necesse est, etiam id quod primum ab hoc movetur, esse aeternum. Hoc autem manifestum etiam ex eo est, quod alioqui non esset generatio et interitus et mutatio aliis rebus, nisi quid moveat, quum moveatur: quod enim est immobile, uno et eodem motu semper et eodem modo movebit; quippe quod nihil mutatur relatione habita ad id quod movetur; quod autem movetur ab eo quod movetur quidem, sed ab immobili jam movetur, propterea quod aliter atque aliter ad res affectum est, non erit causa ejusdem motus: sed quia est in contrariis locis aut formis, efficiet alia singula contrariis motibus cieri, et modo quiescere, modo moveri. Jam ex iis quae dicta fuerunt, perspicuum factum est etiam id quod initio in dubium revocavimus: cur non omnia vel moveantur vel quiescant; vel alia semper moveantur, alia semper quiescant; sed quaedam interdum, interdum autem minime; hujus enim causa nunc manifesta est: quoniam alia moventur ab immobili aeterno, proinde semper mutantur: alia vero ab eo quod movetur et mutatur, unde et ipsa necesse est mutari: aliud vero est immobile, sicuti dictum fuit, quippe quod simpliciter et eodem modo, et in se ipso permanens, unum et simplicem motum efficiet.

Postquam Philosophus ostendit quod primum movens est perpetuum et omnino immobile, ratione sumpta ex perpetuitate generationis et corruptionis animalium quae movent seipsa, hic intendit idem ostendere ratione sumpta ex principiis moventibus. Et circa hoc tria facit. Primo commemorat ea quae dicta sunt a principio hujus tractatus: secundo ex praemissis accipit rationem ad propositum, ibi, « Ex quibus est scire. » Tertio concludit solutionem cujusdam dubitationis supra motae, ibi, « Manifestum igitur factum est ex dictis. » Circa primum tria resumit. Primo destructionem quarumdam improbabilium positionum: et dicit, quod non solum ex praemissis potest aliquis scire quod est aliquod primum movens immobile, sed etiam per considerationem principiorum motus. Et sicut supra dictum est, manifestum est ad sensum, quod in rebus naturalibus inveniuntur quaedam, quae aliquando moventur et aliquando quiescunt: et ex hoc manifestatum est supra, quod nulla trium positionum est vera: neque illa quae dicit quod omnia moventur semper: neque illa quae dicit quod omnia quiescunt semper: neque illa quae dicit quod illa quae quiescunt, quiescunt semper, et illa quae moventur moventur semper. Hujus enim rei veritatem demonstrant illa quae sub utroque inveniuntur, scilicet motu et quiete, dum habent potentiam ut quandoque moveantur et quandoque quiescant.

Secundo ibi « quoniam autem »

Commemorat processum supra habitum ad investigandum primum motorem immobilem: et dicit quod, quia ista quae quandoque moventur et quandoque quiescunt, sunt omnibus manifesta, ne iterum aliquis sequeretur quartam positionem ponentem omnia entia esse hujusmodi ut quandoque moveantur et quandoque quiescant, volumus demonstrare duplicem naturam diversam: ostendentes scilicet quod quaedam sunt quae semper sunt immobilia: et iterum quod quaedam sunt quae semper moventur. Et circa hoc procedentes proposuimus primo, quod omne quod movetur, movetur ab aliquo: et quod necesse est hoc a quo aliquid movetur, aut esse immobile, aut moveri: et si movetur, aut a seipso, aut ab alio: et, cum non sit procedere in infinitum, ut ab alio moveatur, oportet devenire ad hoc, quod sit quoddam primum principium movens, ita quidem, quod in genere eorum quae moventur est primum principium quod movet seipsum: sed ulterius simpliciter inter omnia primum principium est quod est immobile. Nec debet reputari inconveniens, quod aliquid moveat seipsum; quia videmus manifeste esse multa talia in genere animatorum et animalium.

Tertio ibi « haec autem »

Commemorat quamdam objectionem supra positam et solutam. Cum enim probasset motus perpetuitatem, posuit objectionem in contrarium ex rebus animatis, quae cum prius quieverunt, incipiunt quandoque moveri. Et hoc est quod hic dicit, quod ista animata, quae movent seipsa, videbantur opinionem inducere, quod contingit in toto universo motum fieri cum prius non fuerit, propter hoc quod videmus in eis hoc contingere, quod cum prius non moverentur, incipiunt quandoque moveri. Et ad hujusmodi solutionem oportet hic accipere, quod animalia movent seipsa secundum unum motum, scilicet secundum motum localem. Hic enim solus motus invenitur in animalibus appetitui subjectus. Et tamen nec secundum hunc motum proprie animalia seipsa movent, ita scilicet quod hujusmodi motus alia causa non praeexistat. Non enim animal ex seipso est prima causa quod localiter moveatur; sed praecedunt alii motus, non voluntarii, sed naturales, vel ab interiori, vel ab exteriori, secundum quos animalia non movent seipsa; sicut patet de motu augmenti et decrementi, et respirationis, secundum quos motus animalia moventur: quamvis quiescant secundum motum localem, quo moventur a seipsis. Horum autem motuum naturalium causa est, vel continens extrinsecum, scilicet caelum et aer, a quo immutantur corpora animalium exterius: vel aliquid intrans corpora animalium, sicut aer intrat per respirationem, et alimentum intrat per comestionem et potum; et ex hujusmodi transmutationibus, sive ab interiori, sive ab exteriori causatis, contingit quod animalia quandoque incipiunt moveri, cum prius non moverentur

sicut patet ex transmutatione quae est circa alimentum: quia dum decoquitur alimentum, propter vapores resolutos animalia dormiunt; sed quando alimentum est jam digestum et dissolutum, vaporibus residentibus, evigilant animalia, et surgunt, et movent seipsa motu locali: cum tamen primum principium motionis sit aliquod extrinsecum a natura animalis, quod movet ipsum. Et inde est, quod animalia non semper moventur a seipsis: quia respectu uniuscujusque animalis moventis seipsum invenitur aliud aliquod prius movens, quod movetur et movet. Si enim esset omnino immobile, semper eodem modo se haberet in movendo: et ita motus animalis esset sempiternus. Sed quia hoc movens extraneum, quod movet animalia, etiam ipsum movetur, non semper eodem modo movet. Unde neque animalia eodem modo movent seipsa: quia in his omnibus primum movens, quod est causa animalis movendi seipsum, sicut anima, sic movet quod movetur, non quidem per se, sed per accidens: quia corpus mutatur secundum locum, mutato autem corpore, mutatur et id quod in corpore existit per accidens, scilicet anima; et sic ex necessitate mutatur totum movens seipsum, ut non sit in eadem dispositione movendi.

Deinde cum dicit « ex quibus »

Ex praemissis ostendit propositum: et primo, quod primum movens sit immobile: secundo, quod primus motus sit sempiternus, ibi, « At vero si aliquid est. » Circa primum duo facit. Primo ostendit propositum. Secundo excludit quamdam objectionem, ibi, « Non est idem moveri secundum « accidens. » Dicit ergo primo, quod ex praemissis possumus scire, quod si aliquod primum est movens immobile, quod tamen movetur secundum accidens, non potest facere continuum motum et sempiternum: ista enim causa est assignata, quare animalium animae non moventur semper, quia moventur per accidens. Sed ostensum est supra, quod necesse est motum universi esse continuum et sempiternum: ergo necesse est primam causam moventem in toto universo esse immobilem, ita quod nec etiam secundum accidens moveatur. Sed, sicut supra dictum est, in rebus naturalibus inveniri debet quidam motus immortalis et incessabilis: et quod totum ens, idest dispositio hujus universi, maneat in sua dispositione, et in eodem statu. Ex immobilitate enim principii, quod ponitur manere immobile, sequitur quod totum universum habeat quamdam permanentiam sempiternam, secundum quod continuatur primo principio immobili, recipiendo influentiam ab ipso.

Secundo ibi « non est autem »

Excludit quamdam objectionem. Dixerat enim quod si aliquod movens movetur per accidens, non movet motu sempiterno. Hoc autem videtur habere instantiam; quia secundum ejus positionem, motus inferior orbium, puta solis et lunae et aliorum planetarum, sunt sempiterni: et tamen motores eorum videntur moveri per accidens, si sequamur ea quae superius dixit: ea enim ratione dixit animam animalis per accidens moveri, quia corpus animalis movetur quodam alio motu ab exteriori in principio, quod non est ab anima. Similiter autem apparet, quod orbis solis movetur quodam alio motu, quasi delatus ex motu primi orbis, secundum quod revolvitur ab oriente in occidentem: isto autem motu non movetur a proprio motore, sed e converso ab occidente in orientem. Hanc ergo objectionem excludit dicens, quod moveri secundum accidens potest attribui alicui secundum seipsum, vel secundum alterum; et hoc non est idem. Motoribus igitur orbium planetarum attribui potest moveri per accidens: non ita quod per accidens moveantur; sed ita quod orbes ab eis moti, per accidens moventur, delati ex motu superioris orbis. Et hoc est quod dicit, quod moveri per accidens « ab altero, » idest ratione alterius, inest quibusdam principiis caelestium motuum, quantum ad motores orbium, qui moventur pluribus motibus, scilicet motu proprio, et motu superioris orbis. « Sed alterum, » idest moveri per accidens, secundum seipsum invenitur solum in corruptibilibus, sicut in animabus animalium. Et hujus diversitatis ratio est, quia motores superiorum orbium non constituuntur in suo esse ex sua unione ad corpora, et eorum connexio est invariabilis: et ideo, quamvis corpora orbium moveantur, ipsi non moventur per accidens. Sed animae, quae movent animalia, constituuntur in suo esse secundum unionem ad corpora, et variabiliter eis connectuntur: et ideo secundum transmutationem corporum, ipsae etiam animae dicuntur per accidens mutari.

Deinde cum dicit « at vero »

Probat quod primus motus est sempiternus. Et hoc duabus rationibus: quarum prima dependet ex praemissis, et talis est. Motus qui non est semper, invenitur esse a motore qui movetur per se vel accidens, ut ex praedictis patet. Cum ergo primum movens sit immobile et perpetuum, ita quod nec per se nec per accidens movetur, necesse est, quod primum mobile, quod movetur ab hoc motore penitus immobili, perpetuo moveatur. Est autem attendendum, quod supra probavit immobilitatem primi motoris per perpetuitatem motus supra ostensam, hic autem e converso, per immobilitatem primi motoris probat perpetuitatem motus. Esset autem probatio sua circularis, si de eodem motu intelligeret. Unde dicendum est, quod supra probavit immobilitatem primi motoris ex perpetuitate motus in communi: unde dixit, quod « in his quae sunt est « incessabilis quidem et immortalis motus. » Hic autem per immobilitatem primi motoris probat perpetuitatem primi motus. Ex quo manifestum est falsum esse quod Commentator dicit, quod supra in principio hujus octavi probavit motum primum esse perpetuum.

Secundam rationem ponit ibi « hoc autem » Quae sumitur ex perpetuitate generationis. Et

dicit, quod primum motum esse perpetuum, est manifestum etiam ex eo, quod non est possibile aliter esse generationem et corruptionem, et hujusmodi mutationes non temporales, nisi sit aliquid quod moveat et moveatur. Quod enim omnis mutatio sit ab aliquo motore, jam supra ostensum est. Oportet ergo generationem et corruptionem et hujusmodi mutationes esse ab aliquo motore. Non autem possunt esse immediate a motore immobili: quia immobile semper movebit eumdem motum et eodem modo, quia non mutabitur ejus dispositio et habitudo ad mobile. Manente autem eadem habitudine motoris ad mobile, semper manet idem motus. Non autem generatio et corruptio semper eodem modo sunt; sed quandoque aliquid generatur, quandoque corrumpitur: non ergo sunt immediate a motore immobili, sed a motore mobili. Quod autem movetur a motore moto, quod tamen movetur a motore immobili, in alteratione diversorum motuum potest habere perpetuitatem: quia propter id quod movens mobile aliter et aliter se habet ad res motas, non causabit eumdem motum semper, sed magis diversum, propter id quod in diversis locis movetur, si moveatur motu locali; vel diversis speciebus, si moveatur motu alterationis; et causabit contrarium motum in aliis, et faciet quandoque quiescere, quandoque autem moveri. Dicit autem « contrariis locis « aut speciebus » quia nondum est probatum qua specie motus primum mobile moveatur, sed hoc infra inquiret. Sic igitur inquantum movetur est causa diversitatis motuum: inquantum vero movetur a motore immobili, est causa perpetuitatis in hac mutationum diversitate. Ipsa ergo perpetuitas generationis dicit primum motum esse perpetuum, et a motore immobili moveri. Est autem sciendum, quod hae rationes, quibus Aristoteles probare nititur primum motum esse perpetuum, non ex necessitate concludunt. Potest enim contingere absque omni mutatione primi motoris, quod non semper moveat; sicut supra ostensum est in principio hujus octavi.

Deinde cum dicit « manifestum igitur »

Infert quamdam conclusionem, quam supra dimiserat insolutam: scilicet quare quaedam movent semper, et quaedam non movent semper: et dicit quod causa hujusmodi manifesta est ex praemissis. Quae enim moventur a motore immobili, et perpetuo moventur et semper: quae autem moventur motore mutato, non semper moventur: quia immobile, ut prius dictum est, cum simpliciter et similiter et in eadem dispositione maneat, movebit unum motum et simplicem.

LECTIO XIV.

Motum localem ceteris motibus priorem esse probatur.

ANTIQUA.

At vero aliud facientibus principium magis erit de iis manifestum. Considerandum enim est, utrum aliquem motum contingit esse continuum, aut non: et si contingit, quis hic, et quis primus est motuum. Manifestum autem, quod, si necessarium est semper motum esse, primum autem hic, et

RECENS.

Sed tamen et alio facto initio magis erunt haec perspicua. Dispiciendum est enim, utrum esse possit aliquis motus continuus, necne; et, si esse possit, quisnam hic sit; et quis sit motuum primus. Constat enim, si necesse est semper motum esse, hic vero est primus et continuus, primum mo-

continuus est, quia primum movens movet ipsum motum: necessarium est unum et eumdem esse, et continuum et primum.

Tribus autem existentibus motibus, alio quidem secundum magnitudinem, et alio secundum passionem, et quodam secundum locum, quem vocamus loci mutationem, hunc necessarium est primum esse. Impossibile enim est augmentari esse alteratione non praeexistente. Quod enim augmentatur est quidem tamquam simili augmentetur, est autem tamquam dissimili: contrarium enim alimento dicitur contrario. Adjicitur autem omne factum simile simili. Necesse est igitur alterationem in contraria esse mutationem. At vero, si alterabitur, indigebit esse alterans, et agens ex potentia calido actu calidum. Manifestum igitur, quod movens non similiter se habet; sed aliquando quidem propius, aliquando quidem autem longius ei quod alteratur: haec autem sine loci mutatione non contingit esse. Si ergo necesse est semper motum esse, necesse est et loci mutationem semper esse primam motuum: et in loci mutatione, si est alia quidem prima, alia vero posterior, primam.

Amplius autem omnium passionum principium, densitas et raritas. Et grave namque et leve, et molle et durum, et calidum et frigidum, densitates videntur esse et raritates quaedam. Densitas autem et raritas congregatio et disgregatio sunt, secundum quas generatio et corruptio dicitur substantiarum. Quae autem congregantur et disgregantur, necesse est secundum locum mutari. At vero, et ejus quod augmentatur et diminuitur, mutatur secundum locum magnitudo.

Amplius et hinc considerantibus erit manifestum, quod loci mutatio prima. Primum enim sicut et in aliis, sic et in motu dicetur utique multifarie. Dicitur autem prius, quo non existente, non erunt alia, illud vero sine reliquis. Et quod secundum substantiam. Et quod tempore.

Quare, quoniam motum quidem necesse est esse continue, erit utique continue, aut qui continuus est, aut qui consequenter: magis autem qui continuus, et dignius est continuum quam consequenter esse: dignius autem semper accipimus in natura esse, si possibile est: possibile autem est continuum esse, monstrabitur autem posterius: nunc autem hoc supponatur: et hunc neque unum aliud possibile est esse, nisi loci mutationem: necesse est igitur loci mutationem esse primam. Neque una enim necessitas est, neque augmentari, neque alterari quod fertur: nam neque fieri, aut corrumpi. Horum autem neque unum contingit, nisi continuus sit, quem movet primum movens.

Adhuc tempore prior est: perpetuum enim contingit solum moveri secundum hunc.

Sed in unoquoque quidem habentium generationem, loci mutationem necesse est postremam motuum esse. Post enim ipsum fieri alteratio et augmentum; sed loci mutatio, jam perfectorum motus est. Sed alterum necesse motum esse secundum loci mutationem prius, quod et generationis causa erit iis quae fiunt, non factum, ut generans ejus quod generatur. Quoniam videtur utique generatio esse prima motuum, propter id, quod fieri oportet rem primum. Hoc in uno quidem quolibet eorum quae sunt, sic se habet. Sed alterum quid necesse est prius moveri ex iis quae fiunt, cum et ipsum non factum; et isto alterum prius. Quoniam igitur generationem impossibile est esse primum (omnia enim quae moventur essent corruptibilia): manifestum est, quod neque consequentium motuum neque unus prior est. Dico autem consequentes, augmentum, postea alterationem et decrementum, et corruptionem: omnes enim posteriores generatione sunt. Quare, si non est generatio prior loci mutatione, neque aliarum neque una permutationum.

Omnino autem videtur, id quod fit imperfectum esse, et ad principium iens: quare, quod generatione posterius est natura prius est. Ultimo autem loci mutatio omnibus inest quae sunt in generatione. Unde alia omnino immobilia sunt viventium propter indigentiam organi, ut plantae, et multa genera animalium; perfectis autem inest. Quare, si magis inest loci mutatio magis comprehendentibus naturam, et motus hic primus aliorum utique erit secundum substantiam propter hoc.

Et quia nequaquam substantiam mutat, quod movetur motu in eo quod fertur. Secundum enim hunc solum, nihil mutatur ab esse: sicut ejus quod alteratur, quale: ejus autem quod augetur et decrementum patientis, quantum.

Maxime autem manifestum est, quia movens ipsum seipsum maxime movet hunc proprie qui secundum locum est: et etiam dicimus hoc esse eorum quae moventur et movent principium, et primum in his quae moventur, ipsum seipsum movens. Quod igitur loci mutatio prima sit, manifestum est ex his.

vens hoc motu ciere, quem necesse est unum et eumdem esse atque continuum et primum.

Quum autem tres sint motus is qui in magnitudine spectatur, et is qui in affectione, et is qui in loco, quem vocamus lationem, hunc necesse est esse primum; impossibile est enim auctionem esse, quin variatio antecedat. Quod enim augetur, partim simili augetur, partim dissimili. Etenim quod est contrarium, dicitur alimento contrario: accedit autem quodvis factum simile simili. Necesse est igitur mutationem in contraria esse variationem. Atqui si varietur, oportet esse aliquid quod variet, et quod efficiat ex potestate calido actu calidum. Patet igitur, id quod movet, non similiter se habere; sed interdum esse propinquius, interdum remotius ab eo quod variatur: haec autem sine latione esse nequeunt. Ergo si necesse est semper motum esse, necesse etiam est lationem esse motionum primam. Et, si lationum alia est prior, alia posterior; eam esse primam motionem, quae est prima latio. Praeterea omnium affectionum principium est densatio et rarefactio. Etenim grave et leve, nec non molle ac durum, item calidum et frigidum, videntur esse densitates et raritates quaedam. Densatio vero et rarefactio sunt concretio et secretio, secundum quas dicitur generatio et interitus substantiarum. Atqui ea quae concrescunt vel disjiciuntur necesse est loco mutari. Jam vero etiam ejus quod augetur et minuitur, magnitudo locum mutat.

Praeterea hinc quoque considerantibus perspicuum erit, lationem esse primam. Nam primum, sicut in aliis, ita etiam in motu dici potest multis modis. Dicitur enim prius, et id sine quo alia non erunt, ipsum vero erit sine aliis: et quod est prius tempore: et quod essentia. Quapropter, quum necesse sit motum esse continenter; possit autem esse continenter vel qui continuus vel qui deinceps est, sed magis qui est continuus: et praestet esse continuum, quam deinceps; quod autem praestat, semper existimamus in natura esse, si sit possibile; possit autem esse continuus (quod quidem probabitur posterius, nunc vero supponatur); atque hunc nullum alium esse posse, quam lationem: necesse est lationem esse primam. Nulla enim subest necessitas aut augeri aut variari id quod fertur: nec igitur fieri aut interire. Sed nullus horum motuum esse potest, nisi sit motus continuus quem primum movens efficit.

Praeterea tempore primam: nam aeterna hoc tantum motu cieri possunt. Atqui in unoquoque eorum quae generationem subeunt, necesse est lationem esse motionum ultimam. Postquam enim res facta est, primum necesse est variationem esse, et auctionem: latio autem est motus rerum jam perfectarum. Sed necesse est esse aliud prius, quod latione moveatur, et generationis causa sit iis quae fiunt, quum ipsum non fiat: ut generans est prius eo quod gignitur. Nam videri possit generatio esse mutationum prima, propterea quod oportet primum rem factam esse. Hoc autem in unoquoque horum quae fiunt, sic habet: sed necesse est moveri aliquid aliud prius iis quae fiunt, quum ipsum sit, nec fiat: et rursus hoc aliud prius. Quum autem impossibile sit generationem esse primam (alioqui enim quaecumque moventur interire possent): manifestum est, nullum ex motibus qui deinceps sunt, esse priorem. Dico autem esse deinceps, accretionem, deinde variationem, et deminutionem, et interitum: omnes enim sunt posteriores generatione. Quocirca si nec generatio est prior latione, certe nec ulla alia mutatio erit prior.

Omnino autem videtur id quod fit, esse imperfectum, et ad principium proficisci. Quapropter quod est generatione posterius, natura prius esse. Postremo autem latio inest iis omnibus quae gignuntur. Idcirco alia viventia sunt omnino immobilia, propter defectum instrumenti, ut plantae, et multa genera animalium: aliis vero motus inest quum sunt perfecta. Quare si magis inest latio iis quae magis adepta sunt naturam, etiam hic motus erit aliorum primus essentia.

Quum propter haec, tum etiam quia minime omnium motuum latione ab essentia recedit id quod movetur. Solo enim hoc motu non mutatur aliquid quod insit: ut ejus quod variatur, qualitas mutatur; ejus autem quod augetur et minuitur, quantitas.

Maxime autem manifestum est: quia quod se ipsum movet maxime proprie hoc motu movet, qui fit secundum locum: atqui dicimus hoc esse eorum quae moventur et movent, principium, et primum iis quae moventur, id scilicet quod se ipsum movet.

Lationem igitur esse motionum primam, ex his perspicuum est.

Postquam Philosophus ostendit quod primum movens est immobile, et primus motus est perpetuus, hic incipit ostendere quis sit primus motus, et quale sit primum movens. Et dividitur in partes duas. In prima ostendit quis sit primus motus. In secunda, quale sit primum movens, ibi, « Quod « autem hic necesse est. » Circa primum duo facit. Primo dicit de quo est intentio; secundo exequitur propositum, ibi, « Tribus enim existentibus. » Dicit ergo primo, quod ad hoc quod praemissa certius considerentur, oportet ab aliquo principio incipere: ut scilicet consideremus, utrum sit aliquis motus quem contingat esse in infinitum continuum. Et, si contingat aliquem motum talem esse, quis est hic, et quis est etiam primus motuum. Et ne aliquis putaret alium esse, quem contingit esse continuum, et qui est primus: ad hoc excludendum subjungit, manifestum quod, cum necessarium sit motum semper esse, et quod primus est in sempiternum continuus, propter hoc quod causatur a primo movente immobili: necesse est quod sit unus et idem motus, quem contingit esse in sempiternum continuum, et qui est primus.

Secundo ibi « tribus autem »

Ostendit propositum: et primo per rationes; secundo per antiquorum dicta, ibi, « Quod autem « secundum locum mutatio. » Circa primum duo facit. Primo ostendit quod motus localis est primus. Secundo quis motus localis, ibi, « Quae autem loci « mutatio. » Primum ostendit tripliciter. Primo quidem per proprietates motuum. Secundo per distinctionem prioris et posterioris, ibi, « Amplius et « hic considerantibus. » Tertio per ordinem mobilium, ibi, « Maxime autem manifestum est. » Circa primum ponit duas rationes: circa quarum primam sic procedit. Primo enim proponit quod intendit: et dicit, quod cum sint tres species motus: unus quidem, qui est secundum quantitatem, qui vocatur augmentum et diminutio: alius autem, qui est secundum passibilem qualitatem, et vocatur alteratio: tertius autem, qui est secundum locum, et vocatur loci mutatio: necesse est quod iste sit primus inter omnes. Et hoc probat sic. Quia impossibile est quod augmentum sit primus motus. Augmentum enim esse non potest, nisi alteratio praeexistat: quia illud quo aliquid augmentatur, est quodammodo dissimile, et quodammodo simile. Quod enim sit dissimile, patet: quia illud quo aliquid augmentatur, est alimentum: quod est in principio contrarium ei quod nutritur, propter diversitatem dispositionis; sed quando jam additur, ut augmentum faciat, necesse est quod sit simile. De dissimilitudine autem non transitur ad similitudinem, nisi per alterationem: necesse est ergo, quod ante augmentum praecedat alteratio, per quam alimentum de una contraria dispositione mutetur in aliam. Secundo vero ostendit, quod ante omnem alterationem praecedat motus localis: quia, si aliquid alteratur, necesse est quod sit aliquid alterans, quod potentia calidum facit esse actu calidum. Si autem hoc alterans semper esset eodem modo propinquum in eadem distantia ad alteratum, non magis faceret calidum nunc quam prius. Manifestum est ergo quod movens in alteratione non similiter distat ab eo quod alteratur; sed aliquando est propinquius, aliquando remotius: quod non potest contingere sine loci mutatione. Si ergo necesse est motum semper esse, necesse est loci mutationem semper esse, cum

sit prima motuum. Et si inter loci mutationes una est prior alia, necesse est (si praemissa sunt vera) quod prima sit sempiterna.

Secundam rationem ponit ibi « amplius autem »

Quae talis est. Alteratio, sicut in septimo probatum est, fit secundum passiones vel passibiles qualitates: inter quas, secundum antiquorum opinionem, principium esse videtur densitas et raritas: et quia et grave et leve, et molle et durum, et calidum et frigidum, videntur consequi rarum et densum, et secundum ea distingui. In elementis enim densa quidem inveniuntur gravia et frigida; rara vero, calida et levia. Et hoc quidem aliquando verum est, si in passibilibus ordo attendatur secundum propinquitatem ad materiale principium: nam rarum et densum videntur maxime ad materiam pertinere, ut patet ex iis quae in quarto sunt dicta. Densitas autem et raritas videntur esse quaedam congregatio et disgregatio, secundum quas, scilicet congregationem et disgregationem, antiqui philosophi ponebant tam generationem quam corruptionem substantiarum. Qua quidem opinione nunc utitur ut probabili, antequam veritatem generationis et corruptionis ostendat in libro de Generatione. Illa autem quae congregantur et disgregantur, ex hoc ipso secundum locum mutari videntur. Loci ergo mutatio principium est alterationis. Sed attendendum, quod congregatio et disgregatio corporum existentium in actu, ad motum localem pertinent: congregatio vero et disgregatio secundum quod eadem materia continetur sub magnis vel parvis dimensionibus, non pertinet ad motum localem, sed ad motum alterationis. Et secundum hoc Aristoteles supra in quarto assignavit rationem rari et densi: sed hic loquitur secundum quod erat probabile ex opinione aliorum philosophorum. Sicut autem motus localis requiritur ad alterationem, ita etiam requiritur ad augmentum: necesse est enim quod ejus quod augetur et decrescit magnitudo mutetur secundum locum: quia quod augetur excrescit in majorem locum, quod autem decrescit in minorem contrahitur. Sic ergo patet, quod motus localis est naturaliter prior et alteratione et augmento.

Secundo ibi « amplius et »

Probat idem distinguendo modos prioris et posterioris: et dicit, quod ex hac consideratione manifestum erit quod loci mutatio est prima inter motus, quia sicut in aliis rebus prius aliquid altero dicitur multipliciter, ita et in motu. Dicitur enim uno modo prius, quo non existente non erunt alia, sed illud potest esse sine aliis; sicut unum est prius duobus, quia duo non possunt esse nisi sit unum, unum autem potest esse si non sunt duo. Secundo dicitur aliquid prius tempore, quod scilicet est remotius a praesenti, sicut in praeterito, vel propinquius, sicut in futuro: ut in quarto dictum est. Tertio dicitur aliquid prius secundum substantiam, scilicet secundum substantiae complementum: sicut actus est prior potentia, et perfectum imperfecto.

Secundo ibi « quare quoniam »

Probat motum localem esse primum tribus modis praedictis. Et primo quantum ad primum. Secundo quantum ad secundum, ibi, « Adhuc tempus. » Tertio quantum ad tertium, ibi, « Omnino autem « videtur. » Dicit ergo, quod cum necesse sit semper motum esse, ut supra probatum est, hoc potest intelligi dupliciter. Uno modo, quod sit aliquis continuus motus: alio modo secundum quod sunt motus consequenter se habentes, inter quos nihil sit medium. Magis autem salvatur sempiternitas motus, si motus sit continuus; et iterum dignius est esse continuum, quam consequenter: quia plus habet de ratione unitatis et perpetuitatis. Semper autem in natura debemus accipere quod dignius est, si sit possibile: est autem possibile aliquem motum esse in infinitum continuum: non autem aliquem alium, nisi loci mutationem. Quod nunc quidem supponatur, posterius quidem probabitur. Ex quo apparet necesse esse ponere motum localem esse primum. Alii enim motus non requiruntur ad hoc quod sit motus localis. Nulla enim necessitas est, ut id quod movetur secundum locum, augmentetur vel alteretur: quia non est necesse quod corpus, quod movetur secundum locum, generetur aut corrumpatur: augmentum autem et alteratio locum habet in iis quae generantur et corrumpuntur. Sed nullum horum motuum esse contingit, nisi sit ille motus sempiternus, et quem movet primum movens: quem diximus non esse nisi motum localem. Sic igitur motus localis potest esse sine aliis, sed non e converso. Est ergo primus primo modo prioritatis.

Secundo ibi « adhuc tempore »

Probat quod sit prius tempore. Et circa hoc duo facit. Primo ostendit quod simpliciter loquendo est prius tempore: quia id quod est perpetuum, simpliciter loquendo, est prius tempore, quam non perpetuum: solum autem motum localem contingit esse perpetuum, ut dictum est: ergo simpliciter loquendo est primus tempore.

Secundo ibi « sed in unoquoque »

Excludit quamdam objectionem, per quam videtur hoc removeri: quia si consideremus aliquod unum corpus, quod de novo generetur, loci mutatio est postrema tempore inter omnes motus, quia primo generatur, postea alteratur et augetur: et demum habet motum secundum locum, quando jam perfectum est, ut patet in homine et in pluribus animalibus. Sed per hoc non excluditur quin simpliciter motus localis sit primus tempore: quia ante omnes istos motus, qui sunt in hoc generato, necesse est praecedere quemdam motum localem in aliquo priori mobili, quod sit causa generationis his quae generantur; sicut generans est causa ejus quod generatur; ita tamen, quod ipsum non est generatum. Quod autem motus, qui praecedit generationem, sit motus localis, et quod sit simpliciter primus motuum, ostendit subdens: « Quoniam ge-
« neratio videtur esse prima motuum in his quae
« generantur: quia primo oportet rem fieri, » quam moveatur: et hoc verum est in quocumque generato. Sed tamen necesse est esse aliquod prius motum quam ea quae generantur, quod ipsum non sit generatum: vel, si est generatum, quod etiam illo priori sit aliud prius. Et sic, vel procedetur in infinitum, quod est impossibile, ut supra ostensum est; vel pervenietur ad aliquod primum. Sed impossibile est generationem esse primam (quia sic sequeretur

quod omnia quae moventur, essent corruptibilia): omne enim generabile est corruptibile. Si ergo primum mobile generatur, sequitur quod sit corruptibile, et per consequens omnia consequentia mobilia. Si ergo generatio non est prima simpliciter, manifestum est, quod nullus consequentium motuum potest esse simpliciter primus. Et dico consequentes motus, augmentum, alterationem, decrementum, et tandem corruptionem: qui omnes motus tempore generationem sequuntur. Si ergo generatio non est prior loci mutatione, sequitur, quod nulla alia mutationum possit esse prior simpliciter, quam loci mutatio: et ita, cum necesse sit esse aliquam primam simpliciter, sequitur quod loci mutatio sit prima.

Deinde cum dicit « omnino autem »

Probat quod motus localis sit primus perfectione. Et hoc ostendit dupliciter. Primo sic. Omne quod fit, dum fit, est imperfectum, et tendit ad principium, idest ut assimiletur principio suae factionis, quod est primum naturaliter. Ex quo patet, quod id quod est posterius in generatione, est prius secundum naturam. Sed in excessu generationis, in omnibus generabilibus, ultimo invenitur loci mutatio, non solum in eodem, sed etiam considerando totum progressum naturae generabilium: inter quae quaedam viventia sunt penitus immobilia secundum locum propter indigentiam organi, sicut plantae, quae non habent organa motus processivi, et similiter multa genera animalium: sed perfectis animalibus inest motus localis. Si igitur loci mutatio inest illis quae magis comprehendunt naturam, idest quae magis perveniunt ad perfectionem naturae, sequitur quod motus localis sit primus secundum substantiae perfectionem inter omnes motus.

Secundo ibi « et quia »

Ostendit idem sic. Quanto aliquis motus minus removet a mobili, tanto subjectum ejus est perfectius: et sic ipse motus etiam est perfectior quodammodo. Secundum autem motum localem nihil removetur, quod insit subjecto mobili. Secundum autem alterationem fit transmutatio secundum qualitatem: in augmento et decremento secundum quantitatem; quae insunt subjecto: transmutatio vero generationis et corruptionis attenditur secundum formam, quae constituit substantiam subjecti: motus autem localis est solum secundum locum qui exterius continet: relinquitur ergo quod motus localis sit maxime perfectus.

Deinde cum dicit « maxime autem »

Probat quod motus localis sit primus ex parte mobilis. Manifestum est enim quod movens seipsum propriissime movet se secundum motum localem. Cum igitur movens seipsum sit principium aliorum moventium et mobilium, et per consequens sit primum inter omnia quae moventur, sequitur quod motus localis, qui est ei proprius, sit primus inter omnes motus. Sic igitur concludit ex praemissis, quod loci mutatio sit prima inter omnes motus.

LECTIO XV.

Omnes alios motus a locali, continuos esse non posse insinuatur.

ANTIQUA.

Quae autem loci mutatio prima sit, nunc monstrandum est. Simul autem, et quod nunc et prius suppositum est, quod contingit quemdam motum continuum esse et perpetuum, manifestum erit eadem methodo. Quod igitur aliorum motuum continuum neque unum contingit esse, ex his manifestum est.

Omnes enim ex oppositis in contraria sunt motus et mutationes, ut generationi quidem et corruptioni, ens et non ens termini sunt; alterationi autem, contrariae passiones: augmento et decremento, aut magnitudo aut parvitas, aut perfectio magnitudinis aut imperfectio. Contrarii autem sunt, qui sunt in contraria. Quod autem non semper movetur secundum hunc motum (existens prius) necesse est prius quiescere. Manifestum igitur quoniam quiescet in contrario id quod mutatur.

Similiter autem et in mutationibus. Opponuntur enim generatio et corruptio simpliciter, et singularis singulari. Quare, si impossibile est simul mutari oppositas, non erit continua mutatio: sed medium erit ipsorum tempus.

Nihil enim differt, contrarias aut non contrarias esse, secundum contradictionem mutationes; si solum impossibile sit eidem simul inesse. Hoc enim rationi nihil utile est.

Neque si non necesse est quiescere in contradictione, neque est mutatio quieti contrarium: non enim fortassis quiescit quod non est: corruptio autem est in non ens: sed, si solum medium sit tempus: sic enim non erit mutatio continua. Neque enim in prioribus motibus contrarietas utilis fuit, sed non contingere simul esse.

Non oportet autem turbari, quod idem pluribus erit contrarium, ut motus et statui et motui qui est in contrarium. Sed hoc solum est accipere quod opinatur quodammodo et motui et quieti motus contrarius, sicut aequale et mensurabile excellenti et ei quod excellitur: et quod non contingit simul oppositos esse aut motus aut mutationes.

Amplius, in generatione et corruptione, et penitus inconveniens esse videbitur, si factum mox necesse est corrumpi, et nullo tempore permanere. Quare ex his utique fides aliis fiet: physicum enim est similiter sese habere in omnibus.

RECENS.

Quae autem latio sit prima, nunc est ostendendum. Simul autem et quod nunc et quod antea suppositum fuit, posse aliquem motum esse continuum et aeternum, perspicuum erit eadem methodo.

Nullum igitur aliorum motuum posse esse continuum, ex his perspicuum est. Omnes enim motiones et mutationes sunt ex oppositis in opposita; ut ortui et interitui ens et non-ens sunt termini; variationi vero contrariae affectiones; auctioni autem et deminutioni vel magnitudo et parvitas, vel magnitudinis perfectio et imperfectio. Contrariae autem motiones sunt eae quae sunt in contraria. Quod vero non semper hoc motu cietur, quum antea esset, necesse est ut prius quiesceret. Patet igitur, id quod mutatur, quieturum in contrario. Similiter etiam se res habet in mutationibus. Opponitur enim interitus et ortus simpliciter acceptus, ei qui simpliciter sumitur; et singuli singulis. Quare si est impossibile mutari simul contrariis mutationibus, certe mutatio non erit continua, sed interjectum his erit tempus. Nihil enim interest utrum mutationes quae in contradictione spectantur contrariae sint, an non contrariae: si modo sit impossibile ut simul eidem adsint. Id enim ad universum nihil confert.

Nec si necesse non est quiescere in contradictione, nec est mutatio quieti contraria (quia non ens fortasse non quiescit); interitus autem est motus ad non-ens: sed si tantummodo interjectum sit tempus: quoniam ita mutatio non est continua. Etenim nec in prioribus contrarietas conducebat, sed non posse simul inesse. Non oportet autem conturbari, quia idem. pluribus erit contrarium: ut motus et statui et motui qui est in contrarium. Sed hoc tantum sumere oportet, opponi aliquo modo et motui et quieti eum motum qui est contrarius, quemadmodum aequale et mediocre opponitur ei quod exsuperat et ei quod superatur: nec posse simul inesse vel motiones vel mutationes quae sunt oppositae.

Insuper in generatione et interitu etiam omnino absurdum videri potest, si necesse sit ut quod factum est protinus intereat, nec ullo tempore permaneat. Quapropter ex his fides fieri potest etiam aliis mutationibus: quia naturale est ut res similiter habeat in omnibus.

Postquam Philosophus ostendit quod motus localis sit primus inter omnes motus, hic ostendit quis motus localis sit primus. Et quia, sicut supra dixit, necesse est eumdem esse motum continuum et primum, dividitur haec pars in duas. In prima ostendit quis motus possit esse semper continuus. In secunda ostendit quod ille motus est primus, ibi, « Quod autem lationum circularis. » Prima autem pars dividitur in tres partes. In prima ostendit quis motus potest esse continuus, nisi localis. In secunda, quod nullus motus localis potest esse continuus praeter circularem, ibi, « Quo-« niam autem contingit esse motum. » In tertia ostendit quod motum circularem contingit esse continuum, ibi, « Quod autem circulari. » Circa primum duo facit. Primo proponit quod intendit. Secundo probat propositum, ibi, « Omnes enim ex « oppositis. » Dicit ergo primo, quod cum ostensum sit quod loci mutatio est prima inter omnes species motus, nunc ostendendum est quae loci mutatio sit prima; quia ejus etiam sunt multae species, ut in septimo ostensum est. Et simul etiam secundum eamdem methodum, idest artem, et secun-

dum eamdem artificialem considerationem, erit manifestum id quod nunc paulo supra diximus, et quod etiam prius suppositum est in principio hujus octavi, quod contingit aliquem motum esse continuum et perpetuum. Oportet enim quod idem sit primus et continuus, ut supra ostensum est: et ideo sub eadem consideratione utrumque eorum cadit. Quod ergo nulla alia species motus praeter loci mutationem, possit esse continua et perpetua, manifestum est ex his quae dicentur.

Secundo ibi « omnes enim »

Ostendit propositum. Et circa hoc duo facit. Primo ostendit quod nulla alia species mutationis praeter localem, potest esse continua et perpetua una et eadem existens. Secundo, quod nec duae mutationes aliae oppositae possunt sibi succedere sine interpositione quietis, ibi, « Amplius in generatio-« ne. » Circa primum duo facit. Primo ostendit propositum. Secundo excludit quasdam objectiones, ibi, « nihil enim differt. » Circa primum duo facit. Primo ostendit propositum in motibus. Secundo in « mutationibus. » Proponit ergo primo unam propositionum, quae communiter vera est, tam in motibus quam in mutationibus, quod scilicet omnes motus et mutationes sunt ex oppositis in oppositam: a qua generalitate excipitur quodammodo loci mutatio, ut in fine sexti dictum est. Generatio enim et corruptio, quae sunt mutationes, habent pro terminis, esse et non esse. Alterationis vero termini oppositi, « sunt contrariae passiones, » idest passibiles quantitates, ut calidum et frigidum, album et nigrum. Augmenti vero et diminutionis oppositi termini sunt magnum et parvum, sive perfectum et imperfectum in magnitudine, seu quantitate. Manifestum est autem ex his quae dicta sunt in quinto, quod motus qui sunt in contraria, sunt contrarii: motus igitur qui est in album, contrarius est motui qui est in nigrum: sed contraria non possunt esse simul: ergo dum aliquid ad album movetur, non simul movetur ad nigrum. Quod ergo incipit moveri ab albo in nigrum motu denigrationis, etiam si moveretur motu dealbationis dum fieret album, manifestum est quod non poterat simul moveri motu denigrationis. Quod autem prius existebat, si non semper movebatur aliquo motu determinato, necesse est dicere, quod prius quiescebat quiete opposita huic motui: quia omne quod est natum moveri, vel quiescit vel movetur. Manifestum est ergo, quod id quod movetur in aliquod contrarium, aliquando quiescebat quiete opposita tali motui. Nullus ergo motus cui est aliquod contrarium, potest esse continuus et perpetuus. Si ergo huic conclusioni addatur quod primo positum est, scilicet quod omnis motus alterationis vel augmenti vel decrementi sit in aliquod contrarium: sequetur quod nullus hujusmodi motus possit esse continuus et perpetuus.

Secundo ibi « similiter autem »

Ostendit idem in mutationibus, scilicet in generatione et corruptione: quia generatio et corruptio opponuntur, et universaliter secundum communem oppositionem entis et non entis, et iterum in singulari, sicut generatio ignis opponitur corruptioni ignis secundum oppositionem esse ipsius et non esse. Unde, si impossibile est simul esse oppositas mutationes, sequetur quod nulla mutatio sit continua et perpetua eodem modo sicut et prius de motibus: sed necesse erit inter duas generationes ejusdem intervenire medium tempus in quo erat corruptio, et similiter inter corruptiones tempus generationis.

Deinde cum dicit « nihil enim »

Excludit tres objectiones. Primo, quia posset aliquis dicere quod mutationes opponantur secundum oppositionem terminorum: termini autem generationis et corruptionis non sunt contrarii, sed oppositi secundum contradictionem: videtur sequi quod generatio et corruptio non sunt contraria; et sic non erit eadem ratio de eis, et de motibus qui sunt contrarii. Huic ergo objectioni respondet dicens, quod nihil differt mutationes, quae differunt secundum contradictorios terminos, esse contrarias vel non contrarias: dummodo hoc solum verum sit, quod impossibile sit ambas eidem simul inesse. Hoc enim quod est esse contrarium vel non contrarium, nihil est utile ad rationem praemissam.

Secundam objectionem excludit ibi « neque si »

Posset enim aliquis dicere, quod necesse est illud quod non semper movetur, prius quiescere, quia motus opponitur quieti: sed hoc non habet locum in mutationibus generationis et cor-

ruptionis, quibus non opponitur quies proprie loquendo, ut in quinto dictum est. Huic ergo objectioni respondet dicens, quod nihil etiam differt quantum ad propositam rationem, si non est necesse quiescere in aliquo contradictoriorum terminorum, neque etiam si mutatio non contrariatur quieti; quia fortasse illud quod non est, non potest quiescere: corruptio autem est in non esse: unde videtur quod in termino corruptionis non potest esse quies. Sed hoc solum sufficit ad propositum, si sit tempus medium inter duas generationes aut corruptiones; sic enim consequens erit, quod neutra istarum mutationum sit continua. Post hoc autem redit ad primam: et dicit, quod ideo non differt contrarias aut non contrarias esse secundum contradictionem mutationes, quia neque in prioribus, in quibus agebatur de motibus, erat utile ad propositum, quod in eis est contrarietas, sed quod non contingit eas simul esse: quod non est proprium contrariorum, sed commune omnibus oppositis.

Tertiam objectionem excludit ibi « non oportet »

Dixerat enim supra motus esse contrarios, qui sunt in contraria: cum ergo motus sit contrarius quieti: videtur sequi, quod uni sunt duo contraria; quod est impossibile, ut probatur in decimo Metaphysicae. Ad hoc ergo excludendum dicit, quod non oportet de hoc turbari quod videtur sequi idem esse contrarium pluribus, scilicet motus quieti, et motui qui est in contrarium. Sed hoc solum debemus accipere, quod unus motus contrarius opponitur quodammodo et motui contrario et quieti: motui quidem contrario secundum directam contrarietatem; quieti autem magis secundum oppositionem privatam, quae tamen habet aliquid de contrarietate, in quantum quies opposita est finis et complementum contrarii motus. Sicut etiam aequale et commensurabile, opponitur quodammodo duobus, scilicet excellenti, et ei quod excellitur, sive magno et parvo, quibus opponitur secundum privationem magis, ut patet in decimo Metaphysicae. Et iterum hoc oportet accipere, quod non contingit simul esse neque oppositos motus, neque oppositas mutationes.

Deinde cum dicit « amplius in »

Ostendit quod non solum inter duos motus vel mutationes ejusdem speciei oportet esse medium tempus, et quod nulla mutatio una, quae est in aliquod oppositorum, potest esse perpetua et continua: sed illud quod est impossibile, est quod oppositi motus aut mutationes sic succedant sibi invicem, quod non intercidat tempus medium: hoc enim videtur penitus inconveniens in generatione et corruptione, si, quando aliquid factum est generatione completa, statim necesse sit quod corruptio incipiat: et quod nullo tempore permaneat id quod generatum est. Frustra enim aliquid generaretur, nisi generatum in esse permaneret: unde ex his mutationibus potest fieri fides in aliis: hoc enim est naturale, quod similiter se habet in omnibus: quia semper natura eodem modo operatur. Sicut ergo inconveniens videtur, quod illud quod fit et generatur, statim cum generatum est corrumpatur; ita inconveniens videtur, quod id quod dealbatur, statim quod factum est album, denigretur; et quod illud quod augetur, statim decrescat. In omnibus enim his naturae intentio frustraretur.

LECTIO XVI.

Nullum localem motum, neque rectum, neque etiam reflexum, perpetuo continuum esse posse, sed solum circularem, deducitur.

Quoniam autem contingit esse motum infinitum unum et continuum, et hic circularis, nunc dicemus.

Omne enim quod fertur, movetur, aut circulariter, aut secundum rectitudinem, aut mixtim. Quare, si neque illorum alter continuus est, neque ex utrisque possibile est continuum esse.

Quod autem quod fertur secundum rectum et finitum non feratur continue, manifestum est: reflectitur enim; reflexum autem secundum rectum per contrarios movetur motus. Contrarius enim secundum locum est is qui est seorsum, ei qui est deorsum, et qui est ante, ei qui est retro, et qui est ad sinistrum, ei qui est ad dextrum: loci enim contrarietates hae sunt. Quis autem est unus et continuus motus prius definitum est: quia qui est unus et in uno tempore, et in indifferenti secundum speciem. Tria enim erant: quod movetur, ut homo aut deus: et quando, ut tempus: et tertium in quo: hoc autem est locus aut passio, aut species, aut magnitudo. Contraria enim differunt specie, et non unum sunt, loci autem sunt dictae differentiae. Signum autem, quod motus contrarius est, qui est ab A ad B, ei qui est ab ipso B ad A: et quia stant et repausant adinvicem si simul fiant. Et in circulo similiter: ut qui est ab A in B ei, qui est ab A in C. Sistunt enim et si continui sint, et si non fiat reflexio: propter id quod contraria sese corrumpunt et prohibent adinvicem: sed non qui est in latus, ei qui est sursum.

Maxime autem manifestum est, quod impossibile est continuum esse, qui est in rectitudine motum: quia reflexum necesse est stare, non solum in recta, sed et si secundum circulum feratur: non enim idem est circulo ferri et secundum circulum: est enim aliquando quidem continuum quod movetur, aliquando autem in idem veniens, unde motum est, reflecti iterum. Quod autem necesse est stare, fides est non solum in sensu, sed in ratione. Principium autem, hoc est. Tribus enim existentibus, principio, et medio, et fine: medium ad utrumque est, et unum quidem numero, ratione autem duo. Amplius aliud est quod est potentia, et quod est actu. Quare rectitudinis, quae infra sunt terminorum, quodlibet signum, potentia quidem est medium, actu autem non est, nisi dividat hanc, et stans iterum incoeperit moveri. Sic autem medium ipsum principium fit et finis; principium quidem posterioris, finis autem prioris. Dico autem, ut si fertur A, stet in B, et iterum feratur in C: cum autem continue feratur, neque factum esse, neque abesse possibile est A et B, signum: sed solum esse in ipso nunc, in tempore autem nullo praeter cujus ipsum nunc est divisio in toto A B C. Si autem adesse concedat aliquis et abesse, sem.per stabit A, quod fertur. Impossibile enim est A simul adesse in B, et abesse: in alio ergo et alio signo temporis est. Tempus itaque erit, quod in medio. Quare quiescet A in B: similiter autem et in aliis signis: eadem enim ratio est in omnibus. Cum autem utatur A, quod fertur, ipso B medio et principio et fine, necesse est stare: propter id, quod duo facit, sicut utique et intelliget. Sed ab A quidem signo abfuit principio; in C autem affuit, cum perficiat et stet.

At vero esse posse aliquem motum infinitum, quum sit unus et continuus; et hunc esse eum qui fit in orbem, nunc dicamus. Quicquid enim fertur, aut in orbem movetur, aut per lineam rectam, aut per mixtam. Quocirca si neuter illorum est continuus, ne is quidem continuus esse potest, qui ex utrisque constat. Id autem quod fertur per lineam rectam et finitam, non ferri continenter, manifestum est: quoniam recurrit: quod autem per rectam recurrit, contrariis motibus cietur. Sunt enim contraria secundum locum motus sursum versus, motui deorsum versus; et motus in anteriorem partem, motui in posteriorem; et motus dextrorsum, motui sinistrorsum: loci namque contrarietates hae sunt. Quis autem sit unus et continuus motus, definitum antea fuit: nempe qui est unius, et in uno tempore, et in eo quod non habet formae differentiam. Tria namque sunt: videlicet id quod movetur, ut homo, vel deus: et quando, ut tempus: et tertium, id est id in quo fit motus: hoc autem est locus, vel affectio, vel forma, vel magnitudo. Atqui contraria differunt specie, nec sunt unum. Loci vero differentiae sunt, quae commemoratae fuerunt. Indicat autem motum ab a ad b esse contrarium motui a b ad a: quia se mutuo sistunt et cessare faciunt, si simul fiant. Itidemque in circulo: veluti motus ab a ad b est contrarius motui ab a ad g: quoniam se mutuo sistunt, etiamsi continui sint, nec fiat recursus: propterea quod ea quae sunt contraria, se invicem interimunt et impediunt: ceterum motus in latus, non est contrarius motui sursum versus.

Maxime autem perspicuum est fieri non posse ut motus super recta linea sit continuus: quia quod recurrit, necesse est consistere non solum super recta, sed etiam si super orbe feratur. Non est enim idem, in orbe ferri, et super orbe. Nam id quod movetur, aliquando continuat motum; aliquando vero, quum ad idem pervenerit a quo discessit, rursus retrocedit. Necesse autem esse ut consistat, non solum sensus fidem facit, sed etiam ratio. Principium autem hoc est: quum enim tria sint, principium, medium, finis: medium cum utroque collatum, est utrumque: et numero quidem est unum, ratione vero duo.

Praeterea aliud est, esse potestate, et esse actu. Quocirca rectae lineae quodvis punctum, quod est inter extrema, potestate quidem est medium, actu vero non est, nisi hanc dividat, et, quum constiterit, rursus coeperit moveri. Sic autem id quod est medium, fit principium et finis; principium quidem posterioris, finis autem prioris motus. Verbi gratia, si to a quod fertur, consistat in b, et rursus feratur ad g. Quum autem continenter fertur, nec potest accessisse to a ad punctum b nec ab eo recessisse; sed tantum esse in momento, non in ullo tempore, praeterquam in toto a b g, cujus divisio est momentum illud. Quodsi quis posuerit accessisse et recessisse: to a quod fertur, semper stabit: quoniam impossibile est, to a simul accessisse ad b et ab eo recessisse: in alio igitur et alio puncto temporis. Tempus igitur erit, quod est interjectum. Quare to a quiescet in b. Similiter autem et in aliis punctis: nam eadem est omnium ratio. Quum autem id quod fertur, nempe a, utetur ipso b, ut medio et fine et principio; necesse est ut consistat; quia duo facit, perinde ac si animo conciperet. Sed ab a puncto, id est a principio, recessit, ad g vero accessit, quum perfecerit motum, et steterit.

Postquam Philosophus ostendit quod nulla mutatio potest esse continua et perpetua nisi localis, hic ostendit quod nulla loci mutatio potest esse continua et perpetua, nisi circularis. Et circa hoc duo facit. Primo ostendit propositum demonstrative.

Secundo logice, ibi, « Rationabiliter. » Circa primum duo facit. Primo ostendit propositum. Secundo ex veritate determinata solvit quasdam dubitationes, ibi, « Unde et ad dubitationem. » Circa primum tria facit. Primo dicit quid principaliter intendat. Intendit enim ostendere, quod possibile est esse quemdam motum, qui unius existens in infini um continuetur: et quod talis motus est solum circularis; et hoc primo ostendet.

Secundo ibi « omne enim »

Ostendit quomodo procedendum sit. Quia enim omne quod localiter fertur, movetur vel circulariter, vel motu recto, vel motu composito ex utroque: sicut si aliquis movetur per chordam et arcum; manifestum est, quod siquis duorum simplicium motuum, scilicet vel circularis vel rectus, non potest esse in infinitum continuus, quod multo minus ille qui est compositus ex utroque. Unde oportet praetermittere motum compositum, et agere de simplicibus.

Tertio ibi « quod autem »

Ostendit quod motus rectus, qui est super magnitudinem rectam et finitam, non possit esse in infinitum continuus: et ita nullus motus rectus continuus potest esse in infinitum: nisi poneretur aliqua magnitudo infinita in actu (quod supra improbatum est in tertio Physicorum). Ostendit autem hoc duplici ratione: quarum prima talis est. Si aliquis super rectam magnitudinem et finitam movetur in infinitum, oportet quod hoc fiat per reflexionem: ostensum est enim in sexto, quod magnitudinem finitam pertransit aliquid tempore finito. Cum ergo pervenitur ad terminum magnitudinis finitae, cessabit motus, nisi mobile revertatur per reflexionem ad principium magnitudinis, unde coepit moveri. Sed illud quod reflectitur secundum motum rectum, movetur contrariis motibus. Quod sic probat. Contrarii motus sunt, quorum termini sunt contrarii, ut habitum est in quinto: sed contrarietates loci sunt sursum et deorsum, et ante et retro, et dextrum et sinistrum. Omne autem quod reflectitur secundum aliquam istarum contrarietatum necesse est quod reflectatur: omne ergo quod reflectitur movetur contrariis motibus. Ostensum est autem supra in quinto, quis motus sit continuus et unus, scilicet qui est unius subjecti, et in uno tempore, et in eadem re non differenti secundum speciem. Haec enim tria considerantur in omni motu. Primum est tempus; secundum est subjectum quod movetur, ut homo aut Deus, secundum eos qui corpora caelestia deos dicebant; tertium autem est in quo movetur. Quod quidem in motu locali est locus, in alteratione passio, idest passibilis qualitas, in generatione et corruptione species, in augmento et diminutione magnitudo. Manifestum est autem, quod contraria differunt secundum speciem: unde motus contrarii non possunt esse unus et continuus. Praedicta autem sex sunt loci differentiae; et sic oportet quod sint contraria: quia cujuslibet generis differentiae sunt contrariae. Relinquitur ergo, quod impossibile sit, id quod reflectitur moveri uno motu continuo. Et, quia posset aliquis dubitare, an id quod reflectitur, contrariis motibus moveatur, propter hoc quod non apparet manifesta et determinata contrarietas in loco, sicut in aliis generibus in quibus est motus, ut supra in quinto dictum est; ideo addit quoddam signum ad hoc idem ostendendum praeter rationem supra positam ex contrarietate terminorum: et dicit, quod signum hujusmodi est, quod motus qui est ab a in b, sit contrarius ei qui est a b in a, sicut contingit in motu reflexo, quia hujusmodi motus si simul fiant « stant et repausant adinvicem, » idest unus impedit alium, et facit eum stare. Et non solum hoc

contingit in reflexione motus recti, sed etiam in reflexione motus circularis. Signentur enim in aliquo circulo tria signa, scilicet a b c. Constat, quod si incipiat moveri ab a in b, et postea moveatur ab a in c versus aliam partem, quod erit reflexio: et isti duo motus impediunt se, et unus sistit, idest facit stare alium. Sed si continue moveatur aliquid ab a in b, et per b iterum in c, non erit reflexio ideo autem motus reflexi impediunt se invicem, tam in recto quam in circulo, quia hoc est de natura contrariorum, quod se impediant et corrumpant. Motus autem, qui sunt diversi et non contrarii, non se impediunt, sicut motus qui est sursum, et qui est in latus, puta in dextrum vel sinistrum, non se impediunt: sed simul potest aliquid moveri et in sursum et in dextrum.

Deinde cum dicit « maxime autem »

Ponit secundam rationem ad ostendendum quod motus reflexus non potest esse in infinitum continuus. Quae quidem ratio accipitur ex quiete, quam necesse est intervenire. Dicit ergo, quod maxime ex hoc manifestum est quod impossibile est motum rectum esse continuum in infinitum, quia necesse est id quod reflectitur quiescere inter duos motus; et hoc verum est non solum si moveatur per lineam rectam, sed etiam si feratur secundum circulum. Et ne aliquis intelligat ferri secundum circulum idem esse quod ferri circulariter; ad hoc excludendum subdit, quod non est idem « ferri « circulo, » idest circulariter secundum proprietatem circuli « et ferri secundum circulum, » idest pertransire suo motu circulum. Contingit enim aliquando quod secundum quamdam continuationem sit motus ejus quod movetur, dum scilicet pertransit partem post partem secundum ordinem partium circuli; et hoc est ferri circulariter. Quandoque autem contingit quod pertransit circulum, quando redierit ad principium, unde incoepit moveri, et non pertransire ultra secundum ordinem partium circuli, sed redire retro; et hoc est reflecti. Sive ergo fiat reflexio in linea recta, sive in linea circulari, necesse est quod interveniat quies media. Et hujus rei fides accipi potest, non solum ex sensu, quia sensibiliter hoc apparet, sed etiam ex ratione. Cujus quidem rationis principium hoc sumendum est: quod, cum tria sunt in magnitudine quae pertransitur; scilicet principium, medium, et finis: medium utrumque est respectu utriusque; quia respectu finis est principium, et respectu principii est finis: et sic, cum sit unum subjecto, est duo ratione. Iterum aliud principium est sumendum, quod aliud est quod est in potentia, et quod est in actu. His igitur visis, considerandum est ex dictis, quod quodlibet signum, idest quodlibet punctum signatum infra terminos lineae supra quam aliquid movetur, medium est in potentia, sed non est medium in actu, nisi fiat divisio secundum motum; ita scilicet quod in illo puncto id quod movetur stet, et iterum ab illo puncto incipiat moveri: quia sic medium illud fiet actu principium et finis: principium quidem posterioris, inquantum idem incipit rursus moveri; finis autem primi, inquantum scilicet ibi terminatus est primus motus per quietem. Sit enim una linea, in cujus principio sit a, in medio b, in fine c. Moveatur ergo ab a in b, et ibi stet: et iterum incipiat moveri a b, et referatur usque in c: sic enim manifestum erit, quod b est actu finis prioris motus, et principium posterioris. Sed si aliquid feratur continue ab A in C sine interpositione alicujus quietis, non est possibile dicere « mobile fa-« ctum esse, » idest advenire, « neque abesse, » idest abscedere: neque in hoc signo quod est A, neque in hoc signo quod est B: sed solum hoc potest dici, quod in A vel in B sit in quodam nunc. Non autem in aliquo tempore erit: nisi forte secundum hoc quod aliquid dicitur esse alicubi in tempore, quia est ibi in nunc temporis: et ita quod movetur continue ab A in C, in aliquo tempore erit in B, scilicet in nunc, quod est divisio quaedam illius temporis; et sic dicetur esse in B in illo toto tempore, eo modo loquendi, quo dicitur aliquid moveri in die, quia movetur in parte illius diei. Et, quia hoc videbatur dubium, quod id quod fertur non adsit et absit cuicumque signo in magnitudine signato, quae motu pertransitur continuo: ostendit hoc consequenter; dicens, quod, si aliquis concedit quod mobile adsit et absit alicui signo in magnitudine signato, sequitur quod ibi quiescat. Impossibile est enim quod in eodem, instanti adsit et absit mobile ab hoc signo, quod est B: quia adesse aliquid et abesse sunt contraria, quae non possunt esse in eodem instanti. Oportet ergo quod in alio et in alio nunc temporis mobile adsit et absit alicui signo magnitudinis. Inter quaelibet autem duo nunc est tempus medium: ergo sequitur quod mobile, quod est A, quiescit in B. Omne enim quod est alicubi per aliquod tempus, est in eodem prius et posterius. Et similiter est dicendum in omnibus aliis signis vel punctis: quia de omnibus est eadem ratio. Unde manifestum est, quod illud quod continue fertur per magnitudinem aliquam, in nullo intermedio signo magnitudinis adest et abest, « idest accedit « et recedit. » Cum enim dicitur quod mobile adsit alicui signo, vel fiat in eo vel accedat id ipsum: per omnia hujusmodi significatur, quod illud signum sit terminus motus. Cum autem dicitur, quod absit vel abscedat, significatur quod sit principium

motus: non est enim actu medium signum magnitudinis, nec principium nec finis motus, quia nec terminatur nec incipit motus ibi; sed in potentia tantum. Posset enim ibi motus incipere vel terminari. Unde nec adest nec abest mobile a signo medio, sed simpliciter dicitur esse ibi in nunc. Est enim mobile in aliquo signo magnitudinis comparatum ad totum motum, sicut nunc ad tempus. Sed cum mobile, quod est A, utatur ipso B, ut medio, principio et fine in actu, necesse est quod ibi stet, propter hoc quod facit ipsum movendo et stando unum signum esse duo, scilicet principium et finem. Sicut etiam contingit in intelligendo. Possumus enim simul intelligere unum punctum esse in uno subjecto; sed si seorsum intelligamus ipsum ut principium, seorsum autem ut finem, non simul hoc continget. Ita et, cum id quod movetur utitur aliquo signo ut uno, non erit ibi nisi in uno nunc. Si autem utitur eo ut duobus, scilicet ut principio et fine in actu, necesse erit quod sit in duobus nunc, et per consequens in tempore medio: et ita quiescet. Manifestum est ergo, quod illud quod movetur continue ab A in C, in medio A, neque affuit neque abfuit, idest neque accessit neque recessit; sed a primo signo, quod est A, abfuit vel abscessit, quasi a principio in actu: in ultimo autem signo, quod est C, affuit vel accessit: quia ibi perficitur motus, et mobile quiescit. Et est attendendum, quod in praemissis ponitur A quandoque quidem pro mobili, quandoque pro principio magnitudinis. Ex istis autem patet, quod motus reflexus, sive in circulari sive in recta magnitudine, non potest esse continuus, sed intercidit quies media: quia idem signum est, quod actu fit finis primi motus, et principium reflexionis. Sed in motu circulari mobile non utitur aliquo signo ut principio vel fine in actu, sed quolibet signo magnitudinis utitur ut medio: et ideo motus circularis potest esse continuus; non autem reflexus.

LECTIO XVII.

Aliquae de motus reflexi continuitate quaestiones proponuntur, solvunturque.

ANTIQUA.

Unde et ad dubitationem hoc dicendum. Habet enim dubitationem hanc. Si enim sit quod est E, ei quod est F, aequale, et A feratur continue ab extremo ad c: similiter autem sit A in B signo: et D feratur continue ab F extremo ad G regulariter, et velocitate simili ipsi A, ipsum D ante veniet in G, quam A in c. Prius enim se movens et discedens, prius venire necesse est: non ergo simul affuit A in B, et abfuit ab eodem. Unde et posterius fit: si enim simul, non posterius est, sed necessitas erit stare.

Non ergo ponendum est, cum A affuit secundum B, ipsum D moveri ab F ultimo. Si enim affuit A, in B erit et abesse et non simul. Sed erat in decisione temporis, et non in tempore. Hoc igitur est impossibile sic dicere in continuo; sed in reflectenti, necesse est sic dicere. Si enim G feratur ad ipsum D, et iterum reflectens deorsum feratur, ultimo D et fine utetur et principio uno signo ut duobus. Unde stare necesse est: neque simul affuit in ipso D, et abiit ab ipso

RECENS.

Ideoque ad dubitationem hoc dicendum est. Existit enim haec dubitatio: quoniam si sit linea *e* lineae *z* aequalis, ac *to a* feratur continenter ab extremo ad *g*, simul autem sit *to a* in puncto *b*, ac *to d* feratur ab extrema linea *z* ad *ē* aequabiliter, et eadem celeritate, qua movetur *to a*: certe *to d* prius perveniet ad *ē* quam *to a* ad *g*. Quod enim prius processit et abiit, prius perveniat, necesse est. Non simul igitur accessit *to a* ad *b*, et ab eo recessit: idcirco serius ad finem pervenit. Nam si simul recederet, non perveniret serius. Sed necesse erit ut consistat. Non est igitur ponendum, quando *to a* accessit ad *b*, simul *to d* moveri a *z* extremo. Nam si *to a* accesserit ad *b*, fiet ut et recesserit, nec simul. Sed erat in sectione temporis, non in tempore. Hic igitur impossibile est ita dicere, nempe in eo quod est continuum. In eo autem quod recurrit, necesse est ita dicere: nam si *to ē* feratur ad *d*, et rursus, quum retrocesserit, deorsum feratur: certe usum est extremo *d* ut fine et prin-

D: ibi enim simul esset et non esset in eodem nunc. At vero olim solutio non danda est. Non enim contingit dicere quod secundum ipsum D sit ipsum G in decisione: non affuit autem neque defuit. Necesse enim est in finem venire, qui actu est, non potentia: quod igitur est in medio, potentia est, hoc autem actu: et finis quidem deorsum, principium autem de sursum. Et motuum ergo similiter. Necesse est ergo stare reflectens in recto: non ergo contingit continuum motum in recto, et perpetuum esse.

Eodem autem modo obviandum est ad interrogantes Zenonis rationem: et volentes, si semper medium transire oportet, haec autem infinita sunt, infinita autem transire impossibile est. Aut sicut ipsam hanc eamdem rationem quidam aliter interrogant, volentes simul eum quod movetur. medietatem prius numerare secundum unumquodque factum medium. Quare abeunte totam, infinitum accidit numerare numerum: hoc autem confitentur impossibile esse.

In primis igitur rationibus de motu solvimus per id quod tempus infinita habet in seipso: non enim inconveniens est si in infinito tempore infinitum transit aliquis: similiter autem infinitum in longitudine est, et tempore.

Sed haec solutio ad interrogantem quidem se habet sufficienter. Interrogabat enim, si in finito tempore infinitum transire atque numerare contingit. Ad rem autem ipsam et ad veritatem non sufficienter: si enim aliquis dimitteus magnitudinem et interrogaverit, si in finito tempore contingit infinita transire, interroget in ipso tempore eadem (habet enim tempus infinitas divisiones) nec adhuc sufficiens haec solutio.

Sed verum dicendum est, quod quidem diximus in rationibus. Si enim aliquis continuum diviserit in duo media, hic uno signo tamquam duobus utitur: facit enim ipsum et principium et finem: sic autem facit numeraus et in media dividens. Si autem dividente, neque erit continua linea neque motus: continuus enim motus continuum continui est: in continuo autem sunt quidem infinita media, at non actu, sed potentia. Si vero faciat actu, non faciet continuum, sed stabit quod quidem in numerante media manifestum est quia accidit: unum enim signum necesse est ipsum numerare duo: alterius enim medii finis. alterius autem principium erit, si non unum numeret continuum, sed duas medietates. Quare dicendum est ad interrogantem, si contingit infinita transire aut in tempore aut in longitudine, quia est quidem sic, est autem non sic: actu enim cum sint, non contingit, potentia autem, contingit. Quod enim continue movetur secundum accidens, infinita transivit, simpliciter autem non. Accidit autem lineae, infinita media esse; substantia autem ipsa altera est et essa.

Manifestum est autem et quia nisi aliquis faciat temporis signum (quod prius et posterius dividit) semper posterioris rei erit simul idem ens et non ens, et quando fuit, non est: signum igitur utrisque commune est et priori et posteriori, et unum et idem numero, ratione autem non idem est: hujus quidem enim finis est, illius autem principium: res autem semper posterioris passionis est. Sit tempus, in quo est A C B; res, in quo D: hoc in A quidem tempore album, in B autem non album: in C ergo album et non album. In quolibet enim ipsius A verum est dicere album, si omni tempore hoc erat album, et B non album: C autem in utrisque.

Non ergo dandum est in omni, sed praeter ultimum nunc in quo est C: hoc autem jam postremum: si fiebat album, et si corrumpebatur album in omni A, factum est, et corruptum est in C. Quare album aut non album primum in illo verum est dicere, aut cum est factum non erit, aut cum corruptum est, erit; aut simul album et non album, et omnino esse et non esse, necesse est.

Si autem quodcumque fuerit prius non ens, necesse est fieri ens, et cum fit, non est; non possibile est in atoma tempora dividi tempus. Si enim in A tempore D fiebat album: factum est autem simul, et est in altero individuo tempore, habito autem in B, et si in A fiebat, non erat, in B autem est; generationem oportet esse quamdam mediam: quare, et tempus erat, in quo fiebat. Non enim eadem erat ratio, et in non atoma dividentibus: sed ipsius temporis, in quo fiebat, factum est: et est in ultimo signo, cui nihil est habitum, neque consequenter: sed indivisibilia tempora consequenter sunt. Manifestum autem est, quia, si in A toto tempore fiebat, quod non est plus tempus, in quo factum est et fiebat, quam in quo fiebat solum omni. Quibus igitur aliquis tamquam propriis credet rationibus, hae et hujusmodi quaedam sunt.

cipio, nimirum uno puncto quasi duobus: idcirco stetisse necesse est: nec simul accessit ad d, et recessit a d. Illic enim simul esset et non esset eodem momento.

At vero solutio supra allata, non est hic afferenda. Nam dici non potest, to ē in d esse in sectione temporis et neque accessisse neque recessisse: necesse est enim ut perveniat ad finem qui sit actu, non potestate. Punctum itaque, quod est in medio, potestate; hoc autem est actu: et est quidem finis loci, si spectetur ab infero ad superum; principium vero, si a supero. Eodem igitur modo est etiam principium et finis motionum. Ergo necesse est ut id quod super recta regreditur, constiterit. Quare non potest esse continuus aeternus motus super recta. Eodem modo occurrendum est iis qui rationem Zenonis interrogant, ac postulant num semper dimidiam pertransire oporteat. Haec vero (inquiunt) sunt infinita: infinita autem impossibile est pertransire. Vel, ut nonnulli eamdem rationem aliter interrogant, qui simul cum eo, prius moveri dimidiam, sibi concedi postulant licere numerare dimidium, prout unumquodque sit. Quare, quum mobile totam lineam confecerit, evenit ut numeraverit numerum infinitum. Hoc autem omnium concessione est impossibile.

In primis itaque sermonibus qui de motu sunt, eo solvebamus, quod tempus habet in se infinita. Nihil enim absurdi est, si infinito tempore infinita quispiam pertranseat: similiter autem infinitas et in longitudine inest, et in tempore. Verum haec solutio adversus interrogantem quidem satisfacit: interrogabatur enim, an tempore finito possint infinita pertransiri, vel numerari. Quod autem ad rem et ad veritatem attinet, non satisfacit. Nam si quis omissa longitudine et interrogatione illa an finito tempore possint infinita pertransiri, percontetur haec de ipso tempore (habet enim tempus infinitas divisiones); haec solutio non amplius satisfaciet. Sed veritas dicenda est, quam in proximis sermonibus diximus. Si quis enim lineam continuam dividat in duo dimidia, hic uno puncto utitur quasi duobus: quoniam id facit et principium et finem. Sic autem facit et qui numerat, et qui in dimidia dividit. Sic autem eo dividente, nec linea nec motio erit continua. Etenim continua motio est continui. In continuo autem insunt quidem infinita dimidia, non tamen actu, sed potestate. Quodsi faciet actu, non faciet continuum, sed stabit: quod quidem in eo qui dimidia numerat, perspicue accidit: quandoquidem necesse est ut hic unum punctum quasi duo numeret: quoniam alterius dimidii finis, alterius vero principium erit, si non unam lineam continuam numeret, sed duas dimidiatas. Quocirca ad eum qui interrogat an possint pertransiri infinita vel in tempore vel in longitudine, dicendum est, partim posse, partim non posse. Nam quae actu sunt, non posse: quae vero potestate, posse. Etenim qui continenter movetur, ex accidenti infinita pertransit, simpliciter autem minime. Accidit enim lineae, ut sit infinita dimidia: substantia vero atque essentia diversa est.

Quinetiam perspicuum est, nisi quis temporis punctum, quo prius et posterius dividitur, semper posteriori attribuat, ratione ipsius rei habita: idem simul fore ens et non ens: item quum factum erit, non esse. Punctum igitur est utrisque commune, tam priori quam posteriori, atque est unum et idem numero, definitione vero non est idem: alterius enim est finis, alterius vero principium: quod autem ad rem attinet, semper est posterioris affectionis. Esto tempus, ubi a b g: res, ubi d. Haec in tempore a est alba, in tempore autem b non alba: in g igitur est alba et non alba. In quovis enim puncto ipsius a vere dicebatur alba, si toto hoc tempore erat alba, et in b non alba: to g vero est in utrisque. Non igitur dandum est in toto, sed excipiendum extremum momentum, ubi g: hoc autem jam est posterius. Et si fiebat non album, et si peribat album in toto a: factum est vel periit in g. Quapropter album vel non album, in eo primum vere dicitur: aut quando factum est, non erit; et quando periit, erit: aut necesse est ut simul sit album et non album, ens et non-ens. Jam vero si necesse est id quod erat antea non-ens, fieri ens; et quando fit, non est: certe non potest in individua tempora tempus dividi. Nam si in a tempore to d fiebat album; simul autem est factum, et est in alio individuo tempore, cohaerente in b: si in a fiebat non erat; in b autem est; generationem quamdam oportet esse interjectam: quapropter etiam tempus, quo fiebat. Non erit enim eadem ratio etiam iis qui dicunt non esse individua tempora: sed in ipsius temporis, quo fiebat, extremo puncto est factum et est: cui puncto nihil cohaeret, aut est deinceps. Individua autem tempora, deinceps erunt. Perspicuum vero est, si in toto a tempore fiebat, non esse majus tempus quo fiebat et factum est, quam quo toto fiebat dumtaxat.

Quibus igitur tamquam propriis rationibus ductus credat aliquis, hae ac tales quaedam sunt.

Postquam Philosophus ostendit quod motus reflexus non potest esse continuus et unus, hic secundum praemissa solvit quasdam dubitationes. Et dividitur in partes tres secundum tres dubitationes quas ex praemissis solvit. Secunda pars incipit ibi, « eodem autem modo obviandum est. » Tertia ibi, « Manifestat autem. » Circa primum duo facit. Primo ponit dubitationem, secundo solvit eam, ibi, « Non ergo ponendum est etc. » Dicit ergo primo, quod hoc quod dictum est ad probandum quod motus reflexus non est continuus, potest etiam dici ad solvendam quamdam dubitationem. Est enim una talis dubitatio. Sint duae magnitudines aequales, quarum una dicatur E, alia F: sint etiam duo mobilia aequaliter velocia, quorum unum sit A, et aliud sit D: et moveatur A continue ab extremo, idest principio magnitudinis, ad C, D vero ad G feratur: et ponatur quod in magnitudine, quae est E, signetur quoddam signum medium, quod est B: quod tantum distet a C, quantum in magnitudine, quae est F, distat F A G: et ponamus quod simul, dum B in suo motu continuo accedit ad A signum, quod D mobile in suo motu continuo recedat ab F, et veniat ad G. Cum ergo motus sint regulares et aeque veloces utriusque mobilis, sequitur quod prius veniet D in G quam A veniat in C: quia quod prius recedit, prius perveniet ad finem aequalis magnitudinis. Prius autem recessit D ab F, quam recederet a B: quia D recessit ab F, quando A pertingebat ad B. Ergo secundum hoc, A non simul advenit in B, et recessit ab eo. Et ita sequitur quod posterius recesserit quam advenerit: quia, si simul adveniret et recederet, non posterius moveri inciperet: et ita necessitas est quod A, dum continue fertur, quiescat in B; et sic motus continuus erit compositus ex quietibus, sicut Zeno ponebat (ut supra habitum est in sexto).

Secundo ibi « non ergo »

Solvit motam dubitationem secundum praemissa. Supponebat enim objectio praedicta, quod A, dum continue movetur, accedit ad aliquod signum in medio magnitudinis positum, scilicet ad B; et quod simul dum accedit A ad B, D recedit a quodam alio signo, scilicet ab F: quod est contra praemissa. Dictum est enim supra, quod, cum aliquid continue fertur, neque potest adesse neque abesse, idest recedere et accedere a signo medio, ergo non est ponendum: hoc quod objectio supponebat, quod cum A affuit, idest accessit ad B, ipsum D recessit ab F. Quia, si detur quod A accessit ad B, erit pari ratione dare quod recesserit et quod non fuerit simul, sed in duobus instantibus, ita quod tempore intermedio quieverit. Sed, sicut dictum est prius, cum aliquid continue movebatur in aliquo signo medio, non aberat et aderat, sed simpliciter erat, non quidem per aliquod tempus, quia sic quiesceret; sed in decisione temporis, idest in aliquo nunc, quo dividitur tempus. Hoc ergo quod objectio supponebat, quod scilicet A adesset, et quod etiam abesset ab aliquo signo medio, impossibile est dicere in motu continuo; sed in reflexo est necesse ut dicatur ita. Si enim aliquod mobile, quod est G, feratur ad punctum, quod est D, et iterum reflectatur: manifestum est quod mobile utitur ultimo, quod est D, quasi principio et quasi fine, scilicet uno signo ut duobus: unde necesse est quod ibi quiescat. Nec est dicendum, quod simul accesserit ad ipsum D, et recesserit ab eodem;

quia sequeretur quod simul in eodem instanti esset ibi et non esset. Omne enim quod motum est, est in termino ad quem movebatur: et omne quod incipit moveri, non est adhuc in termino ad quem: hoc autem significatur cum dicimus adesse vel accedere: quod est terminari motum ad punctum illud. Cum autem dicimus ab esse recedere, significamus et motum incipere. Unde necesse est, omne quod accedit vel adest ad aliquod signum, esse in eo: quod autem abest vel abscedit, non est in eo. Quia ergo impossibile est simul esse et non esse in aliquo signo, per consequens impossibile est quod simul adsit et absit eidem, ut superius pluries est suppositum. Est autem attendendum, quod aliter utitur hic literis quam supra: utitur enim hic G pro mobili, D vero pro termino, supra autem e converso. Non est autem in motu reflexo danda solutio quae prius data est in motu continuo: non enim potest dici quod mobile, quod est G, sit in termino, quod est D, a quo incipit reflecti solum in decisione temporis, idest in nunc: et quod mobile neque defuerit neque affuerit eidem, sicut dicebatur in motu continuo: quia in motu reflexo necesse est venire ad finem, qui est actu finis, et non in potentia tantum sicut medium (1) in motu continuo erat principium et finis solum in potentia. Illud ergo quod est in medio motus continui, est in potentia tantum principium et finis: sed hoc a quo incepit reflexio, est actu principium et finis. Finis quidem motus qui erat deorsum, puta lapidis: principium autem est in actu motus reflexi, qui est sursum: dum lapis cadens in terram resilit sursum. Sicut ergo in magnitudine, in qua est motus, signum a quo reflectitur, est principium et finis in actu, ita et in ipsis motibus est accipere actu finem unius et principium alterius: quod non esset, nisi quies interveniret media. Necesse est ergo quod id quod reflectitur in linea recta, quiescat. Et ita sequitur, quod in recta magnitudine non possit esse motus continuus et perpetuus: quia magnitudo recta non est infinita: et ita non posset esse in perpetuum motus rectus continuus, nisi reflecteretur.

Deinde cum dicit « eodem autem »

Ponit secundam dubitationem. Et circa hoc tria facit. Primo movet dubitationem: secundo excludit quamdam solutionem in sexto positam, ibi, « In « primis igitur. » Tertio ponit veram solutionem, ibi, « Sed verum dicendum. » Dicit ergo primo, quod eodem modo per ea quae supra ostensa sunt possumus obviare ad eos qui ponunt objectionem Zenonis; qui sic volebant argumentari. Omne quod movetur oportet quod prius pertranseat medium quam perveniat ad finem: sed inter quoslibet duos terminos sunt infinita media, per hoc quod magnitudo est divisibilis in infinitum: et ita impossibile est transire media, quia infinita non contingit transire: ergo nihil potest movendo ad aliquem terminum pervenire. Vel potest eadem dubitatio aliter formari, sicut quidam eam proponunt. Omne quod pertransit aliquod totum prius pertransit medietatem: et cum medietas iterum dividatur in medietatem, oportet quod prius pertransierit medietatem medietatis: et ita omne quod movetur numerat quamdam medietatem pertingendo ad ipsam. Sed medietates sic acceptae possunt in infinitum ire: ergo sequitur quod aliquid pertransit totam magnitudinem, quod numeravit numerum infinitum, quod est manifeste impossibile.

(1) Al. medicamentum. Forte medicum momentum.

Secundo ibi « in primis »

Excludit solutionem, quam supra in sexto posuerat ad hanc objectionem. Et primo recitat eam, secundo excludit, ibi, « Sed haec solutio etc. » Dicit ergo primo, quod praedicta objectio soluta est in sexto, cum de motu in communi agebatur, per hoc, quod sicut magnitudo dividitur in infinita, ita et tempus: et sic eodem modo tempus habet in seipso infinita, sicut et magnitudo dividitur in infinitum: et ita non est inconveniens, si infinita quae sunt in magnitudine, transeat aliquis in infinita quae sunt in tempore, quia non est inconveniens quod infinita magnitudo transeatur tempore infinito. Sed sicut in sexto ostensum est, infinitum eodem modo invenitur in magnitudine et tempore.

Secundo ibi « sed haec »

Excludit hanc solutionem: et dicit, quod haec solutio sufficiens est ad obviandum interroganti, qui sic interrogabat, an contingeret in tempore finito transire et numerare infinita. Quae quidem interrogatio repellebatur per hoc quod subditur, quod tempus finitum habet infinita, in quibus possunt transiri infinita quae sunt in magnitudine. Sed ista solutio non sufficit ad rei veritatem: quia, si aliquis praetermittat quaerere de magnitudine, et praetermittit interrogare, an in tempore finito contingat infinita transire: et faciat hanc eamdem interrogationem de ipso tempore, utrum scilicet infinita, quae sunt in tempore, possint transiri, (propter hoc quod tempus in infinitum dividitur), ad hanc interrogationem non sufficit praedicta solutio.

Deinde cum dicit « sed verum »

Ponit veram solutionem secundum ea quae supra praemiserat: et dicit, quod secundum veritatem, hoc dicendum est ad solutionem dubitationis motae, quod praemisimus in rationibus suprapositis proxime: scilicet quod, si aliquis dividat continuum in duo media, tunc utitur uno signo, scilicet in quo dividitur continuum, tamquam duobus: quia facit ipsum et principium unius partis, et finem alterius; facit autem hoc numerando, et in duo media dividendo. Cum autem sic divisum fuerit continuum, jam non erit continuum: sive dividatur magnitudo, ut linea, sive dividatur motus: quia nec motus potest esse continuus nisi sit continui, scilicet subjecti, et temporis, et magnitudinis super quam transit motus. Sic ergo dividens numerat, et numerando continuitatem solvit. Sed in continuo dum continuitas durat, sunt infinita media, non in actu, sed in potentia; quia si faciat aliquis aliquod medium inesse in actu, hoc erit per divisionem, ut dictum est, inquantum accipietur ut principium unius et finis alterius: et sic non remanebit continuum, sed stabit; idest jam media in actu non erunt infinita, sed in eis erit status. Quod maxime accidit in eo qui vult numerare media: quia necesse est ei quod unum signum numeret quasi duo, inquantum est unius medietatis finis, et alterius principium: Et hoc dico, quando non numeratur totum continuum ut unum, licet numerentur duae medietates in ipso. Si enim accipiatur totum continuum ut unum, tunc jam dictum est, quod signum medium non accipitur ut finis et principium in actu, sed in potentia tantum. His ergo visis, respondendum est ad eum qui interrogat an contingat infinita transire sive in tempore, sive in magnitudine: quod quodammodo contingit, et quodammodo non contingit. Cum enim sunt infinita media in actu, non

contingit ea transire: cum autem sint in potentia, contingit infinita transire: et sic, cum in continuo non sint infinita media nisi in potentia, contingit infinita transire: quia illud quod continue movetur, transivit secundum accidens infinita, scilicet in potentia. Per se enim transit lineam finitam, cui accidit quod insint ei infinita media in potentia: sed ipsa linea secundum substantiam et rationem est ab his mediis infinitis: non enim linea componitur ex punctis, sed puncta possunt signari in linea, inquantum dividitur.

Deinde cum dicit « manifestum est »

Solvit tertiam dubitationem. Et circa hoc tria facit. Primo proponit dubitationem et solutionem; secundo manifestat utrumque per exempla, ibi, « Sit « tempus. « Tertio infert quoddam corollarium ex dictis, ibi, « Si autem quodcumque. » Ponit ergo dubitationem primo, quae in generationibus et corruptionibus fieri solet. Quod enim generatur, desinit non esse, et incipit esse. Oportet autem aliud tempus assignari ei, quod est esse rei generatae vel corruptae, et aliud ei quod est non esse: puta si ex aëre generetur ignis, in toto tempore A B erat non ignis, sed aer: in toto autem tempore B C est ignis. Cum ergo hoc signum temporis, quod est B, sit utrique tempori commune, videtur quod in illo instanti communi sit simul esse ignis et non esse ejusdem. Hanc ergo dubitationem Philosophus solvens dicit, manifestum esse quod nisi aliquis hoc signum temporis (quod dividit tempus prius a posteriori) « faciat semper esse posterioris rei, » idest quod in illo instanti hoc modo se habeat res sicut in tempore sequenti, sequitur quod idem sit ens et non ens simul: et sequitur, quod quando aliquid factum est, sit non ens: tunc autem factum est quando generatio terminatur, scilicet in illo nunc quod dividit tempus prius et posterius. Si ergo in toto tempore priori non erat ens, in hoc etiam nunc, quando jam generatum est, est etiam non ens: quia illud nunc est finis prioris temporis. Quomodo autem ista inconvenientia non sequantur, ostendit subdens, quod unum et idem numero signum, scilicet nunc, est commune utrique tempori, scilicet priori et posteriori. Sed quamvis sit unum subjecto, non tamen est unum ratione, sed duo: est enim finis prioris temporis, et principium posterioris. Sed si accipiatur in ipso nunc, quod res est, idest si accipiatur secundum quod est unum, res semper tenet se cum posteriori passione. Vel aliter, quamvis ipsum nunc finis sit temporis prioris, et principium posterioris, et sic sit communis utrique; tamen secundum quod est rei, idest secundum quod comparatur ad rem quae movetur, semper est posterioris passionis: quia res quae movetur in illo instanti, est subjecta passioni posterioris temporis. Sic ergo objectione et solutione posita, manifestat utrumque per exempla. Et primo objectionem, cum dicit: « Sit enim tempus. » Et dicit: sit tempus A C B: res autem quae movetur, sit D: quod quidem D in A tempore sit album, in B autem non album. Videtur ergo sequi, quod in C sit album et non album. Et quomodo hoc sequitur ostendit subdens: si enim in toto tempore A est album, sequitur quod in quolibet accepto in ipso A sit album; et similiter, si in toto tempore B, est non album, sequitur quod in quolibet ipsius accepto sit non album. Cum ergo C sit accepto utroque (quia est hujus finis, et illius principium), videtur sequi, quod in C sit album et non album.

Secundo ibi « non ergo »

Manifestat solutionem supra positam: et dicit, quod non est concedendum, quod in quolibet accepto in A sit album; sed est excipiendum ultimum nunc, quod est c, quod quidem jam est postremum, idest ultimus terminus mutationis. Puta, si album vel fiebat vel corrumpebatur in toto A, in c non corrumpitur, nec fit album, sed jam factum est, et corruptum. Quod autem factum est, est: quod autem corruptum est, non est. Unde manifestum est, quod in c primo verum est dicere hoc esse album, si ibi terminetur generatio albi: aut esse non album, si ibi terminetur corruptio albi. Aut si hoc non dicatur, sequentur inconvenientia supra posita: scilicet quod cum aliquid est jam generatum, adhuc est non ens: et cum corruptum est, adhuc est ens. Aut etiam sequitur, quod aliquid simul sit album et non album, et universaliter ens et non ens.

Deinde cum dicit « si autem »

Infert quoddam corollarium ex praemissis: scilicet quod tempus non dividatur in indivisibilia tempora: quia hoc posito, non poterit solvi praemissa dubitatio. Dicit ergo, quod necesse est, omne quod est prius non ens et postea ens, aliquando fieri ens; et iterum necesse est, quod cum aliquid fit, non est. Si autem haec duo, quae supponit, sunt vera, impossibile est quod tempus dividatur in indivisibilia tempora. Dividatur enim tempus in indivisibilia tempora: et sit primum tempus indivisibile A, secundum autem consequenter se habens ad ipsum, sit B D autem, quod prius non erat album, et postmodum est album, fiebat album, idest A, et tunc non erat album. Oportet autem dare, quod sit factum in aliquo tempore indivisibili et habito, idest consequenter se habente, scilicet in B, in quo jam est. Si autem fiebat album in A, sequitur quod

in A non erat album, in B autem est album. Cum ergo inter non esse et esse sit generatio media, (quia nihil transit de non esse in esse, nisi per generationem,) sequitur, quod inter A et B sit generatio media: ergo erit aliquod tempus medium inter A et B, in quo fiebat album: quia hic ponitur tempus B D generationis. Et similiter, cum in illo medio tempore indivisibili fiat album, est non album: unde eadem ratione oportebit ponere aliud tempus adhuc medium, et sic in infinitum. Et hoc ideo, quia non potest poni quod in eodem tempore fiat, et factum sit. Sed non est eadem ratio, si dicatur, quod non sunt indivisibilia tempora, in quo tempus dividitur. Dicemus enim, secundum hoc, quod unum et idem tempus est in quo fiebat et factum est: sed fiebat et erat non ens in toto tempore praecedenti, est autem factum et ens in ultimo nunc temporis: quod quidem non se habet ad tempus praecedens, sicut habitum aut consequenter, sed sicut terminus ejus. Sed si ponantur tempora indivisibilia, necesse est quod consequenter se habeant. Manifestum est autem secundum praemissa, quod non suppositis temporibus indivisibilibus, si aliquid fiat album in toto tempore A, non est majus tempus in quo factum est et fiebat, quam in quo fiebat solum: quia in toto tempore fit, in ultimo autem termino temporis est factum. Tempus autem et terminus temporis non sunt aliquid majus quam tempus tantum, sicut etiam punctum nihil magnitudinis adjicit lineae. Sed si ponantur tempora indivisibilia, manifestum est ex praemissis, quod oportet plus temporis esse in quo fit et factum est, quam in quo fit solum. Ultimo autem epilogando concludit principale intentum, dicens, quod praemissae rationes sunt, et similes eis, quibus credendum est tamquam propriis, quod motus reflexus non est continuus.

LECTIO XVIII.

Quibusdam communibus rationibus ostenditur, motum reflexum continuum non esse.

ANTIQUA.

Rationabiliter autem intendentibus, et ex his videbitur alicui idem hoc accidere.

Omne enim quod movetur continue, si a nullo prohibeatur, in quod quidem venit secundum loci mutationem, in hoc et ferebatur prius: ut si in B venit, ferebatur in B; et non cum proximum erat, sed mox sicut incoepit moveri. Quid enim magis nunc, quam prius? similiter autem et in aliis. Quod autem ab A fertur in c, iterum veniet in A continue motum. Cum ergo ab A in c ferebatur, tunc et in A fertur secundum motum qui est a c, et econverso. Quare simul contrarii: contrarii enim sunt, qui secundum rectitudinem fiunt.

Simul autem et ex hoc mutatur in quo non est. Si igitur hoc impossibile est, necesse est stare in c: non est ergo unus motus: qui enim statu intercipitur, non est unus.

Amplius autem, et ex his manifestum universaliter magis de omni motu. Si enim omne quod movetur, movetur aliquo dictorum motuum, et quiescit aliqua dictarum oppositarum quietum (non erat enim alius praeter istos): quod autem non semper movetur secundum hunc motum (dico autem

RECENS.

Logice autem considerantibus, etiam ex his alicui videri possit hoc idem effici. Quicquid enim continenter movetur, si a nullo impediatur, ad quod latione pervenit, ad id etiam prius ferebatur: utputa si ad b pervenit, etiam ferebatur ad b: neque tunc solum quum vicinum erat, sed statim atque coepit moveri. Cur enim potius nunc quam prius? Similiter autem in aliis se res habet. Atqui quod ab a in g fertur, quando ad g venerit, rursus veniet in a, quum moveatur continenter. Quando igitur ab a fertur in g, tunc etiam fertur in a eo motu qui est a g. Quapropter simul contrariis motibus cietur: contrarii namque sunt, qui fiunt super recta. Item ex hoc etiam mutatur in quo non est. Si igitur hoc est impossibile, necesse est ut consistat in g. Non est igitur motus unus: nam qui intercipitur statu, non est unus.

Insuper ex his quoque perspicuum est magis universaliter de omni motu. Nam si quicquid movetur, aliquo ex commemoratis motionibus cietur, etiam quiescit aliqua ex oppositis quietibus, quia non erat alia praeter has. Quod vero non semper hoc motu cietur (dico autem motus qui sunt diversi

quicumque sunt alteri specie, et non si aliqua pars est totius, necesse est prius quiescere secundum oppositam quietem:
quies enim privatio est motus. Si igitur contrarii quidem
motus sunt, qui secundum rectitudinem fiunt: simul autem
non contingit moveri contrarios: quod ab ʌ ad c fertur, non
utique feretur simul ab ipso c ad ʌ. Quoniam autem non
simul fertur, movetur autem secundum hunc motum: necesse
est prius quiescere apud c. Haec enim opposita quies, ei
qui est c motui. Manifestum igitur ex his quae dicta sunt,
quoniam non est continuus motus.

Amplius autem et haec ratio magis propria est his quae
dicta sunt: simul enim corruptum est quod non album, et
quod factum est album. Si igitur continua alteratio ad album,
et ex non albo, et non manet aliquo tempore; simul corruptum est non album, et factum est non album. Trium enim
erit idem tempus.

Amplius non si continuum est tempus et motus, sed
consequenter. Quomodo igitur erit ultimum idem contrariorum,
ut albedinis et nigredinis?

specie, non si qua est pars totius), necesse est prius quiescere opposita quiete: nam quies est privatio motus. Quare
si contrarii motus sunt, qui fiunt per lineam rectam; simul
autem non potest aliquid contrariis motibus cieri: profecto
quod fertur ab *a* ad *g*, non potest simul ferri etiam a *g* ad
a. Quia vero non simul fertur, hoc autem motu cietur; necesse est antea quievisse in *g*: haec enim est quies opposita
motui a *g*. Manifestum est igitur ex iis quae dicta sunt,
motum [in linea recta] non esse continuum.

Praeterea est haec ratio magis propria quam ea quae
dicta fuerunt. Simul enim interiit non-album, et factum
est album. Si igitur variatio in album, et ex albo, sit continua, nec maneat aliquo tempore: simul interiit non-album
et factum est album, et factum est non-album: trium namque erit idem tempus. Praeterea, non si tempus est continuum, propterea etiam motus est continuus, sed est deinceps.
Quomodo autem potest esse idem extremum contrariorum,
ut alboris et nigroris?

Postquam Philosophus ostendit rationibus propriis, quod motus reflexus non est continuus, o-
stendit hic idem rationibus communibus, et logicis.
Et circa hoc duo facit. Primo dicit de quo est intentio; secundo probat propositum, ibi, « Omne
« enim quod movetur. » Dicit ergo primo, quod,
si aliquis velit « rationabiliter, » idest logice, intendere ad propositum ostendendum, videbitur hoc
idem sequi, scilicet quod motus reflexus non est
continuus, ex rationibus quae ponentur.

Secundo ibi « omne enim »

Ostendit propositum. Et primo solum in motu
reflexo locali; secundo communiter in omnibus motibus, ibi, « Amplius ex his manifestum etc. » Prima
ratio talis est. Omne quod movetur continue, a principio sui motus ferebatur in finem, ad quem pervenit
secundum loci mutationem, nisi fuerit aliquid prohibens: quia a prohibente potuisset in aliam partem deflecti. Exemplificat autem hanc propositionem
dicens, quod, si aliquid per motum localem pervenit ad ʙ, non solum quando propinquum erat,
sed statim quando incoepit moveri movebatur ad ʙ.
Non est enim aliqua ratio, quare magis moveatur
ad ʙ nunc quam prius: et simile est in aliis motibus. Si autem ita sit quod motus reflexus sit continuus, verum erit dicere, quod id quod movetur
ab ʌ in c, et iterum reflectitur in ʌ, continue movetur. Ergo in prima parte motus, qui est ab ʌ in
c, movebatur ad terminum ultimae partis, qui est
ʌ: et sic dum movetur ab ʌ, movetur ad ʌ. Sequitur ergo, quod simul moveatur contrariis motibus:
quia in motibus rectis, contrarium est moveri ab
eodem et in idem. In motibus autem circularibus
non est contrarium. Hoc autem est impossibile,
quod aliquid simul moveatur contrariis motibus:
ergo impossibile est quod motus reflexus sit continuus.

Deinde cum dicit « simul autem »

Ex eodem medio ducit ad aliud inconveniens.
Si enim aliquid, dum movetur ab ʌ, movetur ad
ʌ; non autem potest moveri ad ʌ, nisi ex aliquo
contraposito, quod sit c, in quo mobile nondum fuit,
cum incipit moveri ab ʌ; sequitur quod aliquid movetur ex illo termino, in quo non est. Sic ergo
impossibile est, quod motus reflexus sit continuus.
Et, si hoc est impossibile, necesse est quod in
puncto reflexionis mobile quiescat, scilicet in c. Ex
quo patet, quod non est unus motus: quia motus,
qui distinguitur per interpositionem quietis, non
est unus.

Deinde cum dicit « amplius autem »

Probat idem universalius in quolibet genere
motus, tribus rationibus. Quarum prima talis est.
Omne quod movetur, movetur aliqua specierum
motus supra assignatarum; et similiter omne quod
quiescit oportet quod quiescat aliqua quiete oppositarum praedictis motibus. Ostensum est enim supra in quinto, quod non potest esse alius motus
praeter assignatos. Accipiamus ergo aliquem motum
distinctum ab aliis motibus hoc modo, quod sit
differens specie ab aliis, sicut dealbatio differt a
denigratione: non autem sic, quod motus qui accipitur distinguatur ab aliis, sicut una pars motus
ab aliis partibus ejusdem motus: ut una pars dealbationis distinguitur ab aliis partibus dealbationis
ejusdem. Accepto ergo uno tali motu, sicut dictum
est; verum est dicere, quod illud quod non semper
movetur hoc motu, ex necessitate prius quiescebat
opposita quiete: sicut quod non semper dealbatur,
aliquando quiescebat quiete opposita dealbationi.
Et haec propositio non esset vera, si aliqua pars
determinata motus acciperetur. Non enim est necesse, ut quod non semper movebatur hac parte
dealbationis, quod antea quiesceret quiete opposita:
quia antea etiam dealbatur alia parte dealbationis.
Et propter hoc signanter dixit, « Et non si aliqua
« pars est totius. » Hanc autem propositionem sic
probat. Duorum privative oppositorum necesse est,
cum unum non inest, alterum inesse susceptibili:
quies autem opponitur motui privative: ergo, si mobile
erat quando sibi motus non inerat, ex necessitate sequitur quod tunc quies sibi inesset. Hac igitur propositione
probata ex ratione supraposita, sumit minorem, dicens,
quod, si motus recti contrarii sunt, qui est ab ʌ ad
c, et qui est a c ad ʌ; et non contingit simul esse
motus contrarios: manifestum est, quod quando
movebatur ab ʌ ad c, non movebatur tunc a c ad
ʌ: et sic isto motu, qui est a c ad ʌ, non semper
movebatur. Unde secundum propositionem praemissam, necesse est quod mobile prius quiesceret quiete
opposita. Ostensum est autem in quinto, quod motui
qui est a c opponitur quies quae est in c: ergo
quiescebat in c. Non ergo motus reflexus erat unus
et continuus, cum distiguatur per interpositionem
quietis.

Secundam rationem ponit ibi « amplius autem »

Quae talis est. Simul corrumpitur non album,
et generatur album: et e contrario simul corrumpitur album, et fit non album: sed si motus reflexus in quolibet genere sit continuus, sequetur,

quod continue alteratio terminetur ad album, et
incipiat ex albo recedere, et quod non quiescet ibi
aliquo tempore: alioquin non esset continua alteratio, si interponeretur quies. Sed, sicut dictum est,
cum fit album, corrumpitur non album: sequitur
ergo, quod simul corrumpatur non album, et fiat
non album: quia ista tria sunt in eodem tempore:
scilicet fieri album, et corrumpi non album, et
iterum fieri non album: si tamen continuetur reflexio absque interpositione quietis. Hoc autem est
manifeste impossibile, quod simul fiat non album,
et corrumpatur non album; non ergo est possibile,
quod motus reflexus sit continuus.

Haec autem ratio ad generationem et corruptionem pertinere videtur. Et propter hoc, hanc rationem dicitur esse magis propriam quam praemissas:
quia in contradictoriis magis apparet quod non
possunt esse simul natura. Et tamen quod dicitur
in generatione et corruptione extendit ad omnes
motus: quia in quolibet motu est quaedam generatio et corruptio. Sicut enim in alteratione generatur
et corrumpitur album vel non album, ita in quolibet alio motu.

Tertiam rationem ponit ibi « amplius non »

Quae talis est. Sicut supra in quinto habitum
est, non est necessarium, si continuum est tempus,
quod propter hoc motus sit continuus. Motus enim
diversarum specierum, etsi succedant sibi in tempore continuo, non tamen sunt continui, sed consequenter se habentes: eo quod oportet continuorum
esse unum communem terminum. Contrariorum autem in specie differentium, ut albedinis et nigredinis, non potest esse unus communis terminus.
Cum igitur motus qui est ab a in c, sit contrarius
motui qui est a c in a: in quocumque genere motus, ut supra in quinto ostensum est: impossibile
est quod isti duo motus sint continui adinvicem,
etiam si tempus eorum sit continuum nulla interposita quiete. Relinquitur ergo, quod motus reflexus
nullo modo potest esse continuus. Est autem considerandum, quod rationes praemissae dicuntur logicae; quia procedunt ex quibusdam communibus,
scilicet ex proprietate contrariorum.

LECTIO XIX.

Solum circularem motum continuum esse demonstratur, ac primum.

Qui autem in circulari fit, erit unus et continuus: nullum
enim impossibile contingit. Quod enim ex a movetur, simul
movebitur in a, secundum eamdem positionem: in quod enim
veniet, et movetur in hoc; sed non simul movebitur contrariis, neque oppositis. Non enim omnis qui est in hoc, ei
qui est ex hoc contrarius est, neque oppositus. Sed contrarius quidem est qui super recta fit: hic enim est contrarius
secundum locum: ut qui secundum diametrum. Distat enim
plurimum. Oppositus autem, qui est secundum eamdem longitudinem. Quare nihil prohibet moveri continue, et nullo
tempore deficere. Circularis enim motus est ab eodem in
idem. Rectus autem ab eodem in aliud.

Et qui quidem in circulo, nequaquam in eisdem est: qui
vero secundum rectitudinem, multoties in eisdem est. Eo igitur qui semper in alio et alio fit, contingit moveri continue:
qui vero in eisdem, multoties non contingit. Necesse enim
esset simul moveri contrariis. Quare neque in semicirculo,
neque in alia circulatione neque una contingit moveri continue. Multoties enim necesse est eadem moveri, et contrariis
mutationibus mutari: non enim copulat principio finem. Qui
autem circuli, copulat, et solus est perfectus.

Manifestum autem et ex hac divisione, quoniam non contingit alios motus esse continuos. In omnibus enim accidit eadem
moveri multoties, ut in alteratione per media, et in eo qui est
quantitatis, secundum medium magnitudinis, et in generatione
et corruptione similiter. Nihil enim differt pauca aut multa
facere, in quibus est mutatio: neque medium ponere aliquid,
aut auferre: utrobique enim accidit eadem moveri multoties.

Manifestum igitur ex his, quoniam neque physiologi bene dicunt, omnia sensibilia moveri semper dicentes; moveri
enim necesse est aliquo modo horum motuum: et maxime
secundum illos dicunt alterari. Fluere enim dicunt semper, atque corrumpi. Adhuc autem et generationem et corruptionem
alterationem esse dicunt. Ratio autem nunc dixit universaliter
de omni motu, quod secundum nullum motum contingit moveri
continue extra quam (1) circulo. Quare neque secundum alte-

(1) *Al.* quem.

Motus autem qui fit super linea orbiculata, erit unus et
continuus: quia nihil impossibile accidit. Quod enim ex *a*
movetur simul ad *a*, movebitur eodem impetu: ad quod
enim veniet, ad id etiam movetur; sed non movebitur simul
contrariis aut oppositis motibus. Non enim omnis motus qui
fit ad hoc, est contrarius ei qui fit ex hoc, nec oppositus:
sed is est contrarius, qui fit super recta: quoniam huic sunt
contraria secundum locum: veluti qui fit per diametrum:
plurimum enim distant. Oppositus autem qui fit per
eamdem longitudinem. Quocirca nihil prohibet continenter
moveri, ac nullo tempore intermitti. Nam conversio est motus, qui fit ex sese in idem: motus autem per rectam, qui
ab sese in aliud. Et conversio quidem nunquam in iisdem
fit: qui vero super recta fit, saepe est in iisdem. Motu igitur
qui semper in alio atque alio fit, potest aliquid moveri continenter; eo autem qui in iisdem saepe fit, non potest: quia
necesse est simul oppositis motibus cieri. Quapropter nec in
semicirculo, nec in ulla alia circumferentia potest continenter
moveri: quia necesse est per eadem saepe moveri, et contrariis mutationibus mutari: non conjungit enim finem cum
principio: conversio vero conjungit, et sola est perfecta.

Quinetiam ex hac divisione perspicuum est, ne alios quidem motus esse posse continuos, quoniam in omnibus accidit
per eadem saepe moveri: ut in variatione, per media interje-
jecta; et in mutatione quantitatis, per medias magnitudines:
itidemque in generatione et interitu. Nihil enim refert, pauca
an multa ea facere, in quibus est mutatio; nec medium
aliquid addere, vel detrahere: quoniam utroque modo accidit
per eadem saepe moveri. Ex his igitur manifestum est, nec
eos qui de natura disserunt, recte dicere, qui omnia sensilia
inquiunt semper moveri. Etenim necesse est aliquo horum
motuum cieri; et maxime secundum illos variari: nam fluere
semper ajunt, et imminui: praeterea generationem et interitum, variationem appellant. Praesens autem disputatio universaliter de omni motu ostendit, nullo motu posse aliquid
continenter cieri, praeterquam conversione: quapropter nec
variatione, nec auctione. Quod igitur neque infinito sit ulla
mutatio, neque continua, praeter circularem lationem, tot a

rationem, neque secundum augmentum. Quod igitur neque inhauta sit mutatio neque una, neque continua extra circuli motum, nobis dicta sint tanta.

Quod autem lationum circularis prima sit, manifestum est. Omnis enim secundum locum motus (sicut et prius diximus) aut in circulo, aut in recto, aut mixtus est. Hoc autem necesse est priores esse illos: ex illis enim constitutus est. Recto autem circularis: simplex enim et perfectus magis est. In infinitum enim non est secundum rectum ferri: sic enim infinitum non est: sed neque si esset, moveretur utique aliquid: non enim fit impossibile: transire autem infinitum impossibile est. In finito autem recto, reflectens quidem compositus est: et duo sunt motus: non reflexus autem imperfectus et corruptus. Prius autem et natura et ratione et tempore est perfectum quidem imperfecto, corruptibili autem incorruptibile.

Amplius, prior est quem contingit perpetuum esse non contingenti. Circularem igitur contingit perpetuum esse: aliorum autem, neque loci mutationem, neque alium, neque unum contingit esse perpetuum: statum enim oportet fieri: si autem status est, corruptus est motus prior.

Postquam Philosophus ostendit, quod nullus motus localis potest esse continuus praeter circularem, hic ostendit quod motus circularis potest esse continuus et primus. Et primo ostendit hoc per proprias rationes; secundo per rationes logicas et communes, ibi, « Rationabiliter autem accidit. » Circa primum duo facit. Primo ostendit, quod motus circularis sit; secundo quod sit primus, ibi, « Quod autem lationum. » Circa primum duo facit. Primo ponit duas rationes, ad ostendendum, quod motus circularis potest esse continuus; secundo ex eisdem rationibus concludit, quod nullus alius motus potest esse continuus, ibi, « Manifestum autem « ex hac divisione. » Quod autem motus circularis possit esse unus continuus, prima ratione sic probat. Illud dicitur esse possibile, ad quod nullum sequitur impossibile: nullum autem sequitur impossibile, si dicamus, quod motus circularis sit in perpetuum continuus: quod patet ex hoc, quod in motu circulari illud quod movetur ex aliquo, puta A, simul movetur in idem signum « secundum eamdem positionem, » idest secundum eumdem processum mobilis, eodem ordine partium servato: quod in motu reflexo non contingit: quia, cum aliquid retrocedit, disponitur secundum contrarium ordinem partium in movendo: quia vel oportet quod pars mobilis, quae in primo motu erat prior, ex reflexione fiat posterior; vel oportet quod illa pars mobilis, quae in primo motu aspiciebat ad unam differentiam loci puta dextrum vel sursum, in reflexione aspiciat ad contrarium. Sed in motu circulari servatur eadem positio, dum aliquid movetur ad id a quo recedit. Sic ergo poterit dici, quod etiam a principio sui motus, dum recedebat ab A, movebatur ad hoc, ad quod tandem perveniet, scilicet ad ipsum A. Nec propter hoc sequitur hoc impossibile, quod simul moveatur motibus contrariis aut oppositis, sicut sequebatur in motu recto. Non enim omnis motus qui est ad aliquem terminum, est contrarius aut oppositus motui qui est ex illo eodem termino: sed ista contrarietas invenitur in linea recta, secundum quam attenditur contrarietas in loco. Non enim attenditur contrarietas inter duos terminos secundum lineam circularem, quaecumque pars sit circumferentiae; sed secundum diametrum. Contraria enim sunt quae maxime distant. Maxima autem distantia inter duos terminos non mensuratur secundum lineam circularem, sed secundum lineam rectam. Possunt enim inter duo puncta infinitae lineae cur-

nobis dicta sunt.

At vero lationem primam esse conversionem, manifestum est. Omnis enim latio, ut antea diximus, vel est in orbem, vel super recta, vel mixta. Hac autem necesse est illas esse priores; quoniam ex illis constat. Recta autem prior est, quae fit in orbem: quia simplex et perfecta magis est. Etenim per infinitam lineam rectam non potest aliquid ferri: quoniam ita infinitum non est. Sed nec si esset, quicquam per id moveretur: quia non fit quod est impossibile: pertransire autem infinitum, est impossibile. Latio vero quae super finita recta fit, si recurrit, est composita et duo motus: sin autem non recurrat, est imperfecta et interitui obnoxia. Atqui et natura et definitione et tempore prius est perfectum imperfecto; et quod non interit, eo quod est interitui obnoxium. Praeterea prior est latio quae potest esse aeterna, quam ea quae non potest. Et conversio quidem potest esse aeterna: ceterarum vero lationum vel mutationum nulla potest esse aeterna. Statum enim fieri oportet: quodsi status sit, motus periit.

vae describi: sed nonnisi una linea recta Id autem quod est unum, est mensura in quolibet genere. Sic igitur patet, quod si sit aliquis circulus, et dividatur per medium: et sit diameter ejus A B, motus qui est per A diametrum, ab A in B, est contrarius motui qui est per eumdem diametrum, a B in A: sed motus qui est per semicirculum ab A in B, non est contrarius motui qui est per alium semicirculum a B in A. Contrarietas autem erat, quae impediebat quod motus reflexus non posset esse continuus, ut ex superioribus rationibus apparet. Nihil ergo prohibet contrarietate sublata, motum circularem esse continuum, et tamen nullo tempore deficere. Et hujus ratio est: quia motus circularis habet suum complementum, per hoc quod est ab eodem in idem; et sic per hoc non impeditur ejus continuatio. Sed motus rectus habet suum complementum per hoc quod est ab eodem in aliud. Unde, si ab illo alio revertatur in idem, a quo incoeperat moveri, non erit unus motus continuus, sed duo.

Deinde cum dicit « et qui quidem »

Ponit secundam rationem, dicens, quod motus circularis non est in eisdem, sed motus rectus multoties est in eisdem. Quod sic intelligendum est: si enim aliquid moveatur ab A in B per diametrum, et iterum, a B in A per eumdem diametrum, necesse est quod per eadem media redeat, per quae prius transierat: et sic pluries per eadem fertur. Sed si aliquid moveatur ab A in B per semicirculum, et iterum a B in A per semicirculum alium, quod est circulariter moveri, manifestum est, quod non redit ad idem per eadem media. Est autem de ratione oppositorum, quod circa idem considerentur: et sic manifestum est, quod moveri ab eodem in idem secundum motum circularem, est absque oppositione: sed moveri ab eodem in idem secundum motum reflexum est cum oppositione. Sic igitur patet, quod motus circularis, qui non redit ad idem per eadem media, sed semper pertransit aliud et aliud, potest esse unus et continuus: quia non habet oppositionem. Sed ille motus reflexus, scilicet qui dum redit in idem pluries, in eisdem mediis fit pertranseundo, non potest esse in perpetuum continuus: quia necesse esset quod aliquid sic moveretur contrariis motibus, ut supra ostensum est. Et ex eadem ratione concludi potest, quod neque motus qui est in semicirculo, neque in quacumque alia circuli portione, potest esse in perpetuum continuus: quia in his motibus necesse est quod multoties pertranseantur eadem media, et quod moveantur contrariis motibus, quasi debeat fieri reditus ad principium: et hoc ideo, quia neque in linea recta, neque in semicirculo, neque in quacumque circuli portione, copulatur finis principio, sed distant ab invicem principium et finis. Sed in solo circulo finis copulatur principio; et ideo solus motus circularis est perfectus. Unumquodque enim perfectum est ex hoc quod attingit suum principium.

Secundo ibi « manifestum autem »

Ostendit ex eadem ratione, quod in nullo alio genere potest esse aliquis motus continuus. Et primo ostendit propositum; secundo infert quoddam corollarium ex dictis, ibi, « Manifestum igitur ex « his. » Dicit ergo primo, quod etiam ex ista distinctione, quae ponitur inter motum circularem et alios motus locales, manifestum est, quod nec in aliis generibus motus contingit esse aliquos motus in infinitum continuos: quia in omnibus aliis generibus motus, si debeat aliquid moveri ab eodem in idem, sequitur quod multoties pertranseat eadem: sicut in alteratione oportet quod pertranseat medias qualitates: ex calido enim transitur in frigidum per tepidum: et si debeat rediri ex frigido in calidum, oportet quod per tepidum transeatur. Et, idem apparet in motu qui est secundum quantitatem: quia, si quod movetur de magno in parvum, et iterum redeat ad magnum, oportet quod bis sit in media quantitate. Et simile est etiam in generatione et corruptione. Si enim ex igne fiat aer, et iterum ex aere fiat ignis, oportet quod medias dispositiones bis transeat. Sic enim medium potest poni in generatione et corruptione, secundum quod accipitur cum transmutatione dispositionum. Et, quia media transire contingit in diversis mutationibus diversimode, subjungit quod nihil differunt, vel pauca, vel multa media facere, per quae aliquid moveatur de extremo in extremum: neque accipere aliquod medium positive, ut pallidum inter album et nigrum, vel remotive, ut inter bonum et malum, quod neque bonum neque malum est: quia qualitercumque media se habeant, semper accidit, quod eadem multoties pertranseantur.

Secundo ibi « manifestum igitur »

Concludit ex praemissis, quod antiqui naturales non bene dixerunt, ponentes omnia sensibilia semper moveri: quia oporteret quod moverentur secundum aliquem praedictorum motuum: de quibus ostendimus, quod non possunt esse in perpetuum continui. Et maxime, quia secundum quod illi dicunt, motus semper continuus est alteratio. Dicunt enim quod omnia semper defluunt et corrumpuntur. Et adhuc dicunt, quod generatio et corruptio nihil est aliud quam alteratio: et sic, dum dicunt omnia semper corrumpi, dicunt omnia semper alterari. Probatum est autem per rationem supra inductam, quod nullo motu contingit semper moveri nisi circulari: et sic relinquitur, quod neque secundum alterationem neque secundum augmentum possunt omnia semper moveri, ut illi dicebant. Ultimo autem principale intentum, epilogando, concludit, scilicet quod nulla mutatio possit esse infinita et continua, nisi circularis.

Deinde cum dicit « quod autem »

Probat quod motus circularis sit primus motuum, duabus rationibus: quarum prima talis est. Omnis motus localis, ut prius dictum est, aut est circularis, aut rectus, aut commixtus. Circularis autem et rectus sunt priores commixto, quia ex illis constituitur. Inter illos autem duos, circularis est prior recto: circularis enim est simplicior et perfectior recto. Quod sic probat. Motus enim rectus non potest procedere in infinitum. Hoc enim esset dupliciter. Uno modo sic, quod esset magnitudo, per quam transit motus rectus, infinita: quod est impossibile. Sed etiam si esset aliqua magnitudo infinita, nihil moveretur ad infinitum. Quod enim impossibile est esse, nunquam fit aut generatur: impossibile est autem transire infinitum: nihil ergo movetur ad hoc quod infinita pertranseat. Non ergo potest esse motus rectus infinitus super magnitudinem infinitam. Alio modo posset intelligi motus rectus infinitus super magnitudinem finitam per reflexionem: sed motus qui est reflexus, non est unus, ut supra probatum est, sed est compositus ex duobus motibus. Si autem super linea recta finita non fiat reflexio, erit motus imperfectus et corruptus. Imperfectus quidem, quia possibile est ei fieri additionem: corruptus autem, quia, cum pervenit ad terminum magnitudinis, cessabit motus. Sic ergo patet, quod motus circularis, qui non est compositus ex duobus, et qui non corrumpitur, cum venit ad terminum, cum sit idem ejus principium et finis, est simplicior et perfectior quam motus rectus. Perfectum autem est prius imperfecto, et similiter incorruptibile corruptibili, et natura, et ratione, et tempore, sicut supra ostensum est, cum probabatur loci mutationem esse priorem aliis motibus. Necesse est ergo motum circularem esse priorem recto.

Deinde cum dicit « amplius prior »

Ponit secundam rationem, quae talis est. Motus qui potest esse perpetuus, est prior eo qui perpetuus esse non potest: quia perpetuum est prius non perpetuo, et tempore, et natura. Circularis autem motus potest esse perpetuus, et nullus aliorum motuum: cum oporteat eis succedere quietem. Ubi autem quies supervenerit, corrumpitur motus. Relinquitur ergo, quod motus circularis sit prior omnibus aliis motibus. Haec autem, quae in hac ratione supponit, ex superioribus patent.

LECTIO XX.

Motum circularem quibusdam communibus rationibus, et ex antiquorum sententiis, primum, continuum, ac regularem esse comprobatur.

Rationabiliter autem accidit, et circularem unum esse et continuum, et non rectum. Ejus enim qui in recto determinatum est principium et finis et medium, et omnia haec habet in seipso. Quare est unde incipiet quod movetur, et ubi finiet: apud terminos enim quiescit omne, aut unde, aut ubi. Circularis autem indeterminati sunt: quid enim magis quicumque terminus eorum qui sunt in linea? Similiter enim unumquodque principium, et medium est, et finis: quare semper quaedam sunt in principio et fine, et nunquam in uno tantum sunt. Unde movetur et quiescit quodammodo sphaera: eumdem enim obtinet locum: causa autem est, quod omnia haec accidunt centro. Principium enim et medium magnitudinis et finis est. Quare propter id quod extra circularem est, non est ubi quod fertur quiescat: sic enim semper fertur circa medium, sed non ad ultimum. Propter hoc autem manet et semper quiescit quodammodo totum et movetur continue.

Accidit autem conversim: et namque quoniam mensura motuum est circulatio prima, necesse est ipsam esse: omnia enim mensurantur primo: et quia primum est, mensura aliorum est.

Amplius autem, et regularem contingit circularem esse solum. Quae enim in recto, a principio irregulariter feruntur ad finem. Omnia enim quanto distant plus a quiescente, feruntur velocius. Circularis autem solius, neque principium in ipso aptum natum est esse, sed extra.

Quod autem secundum locum mutatio, primus motuum est, testantur omnes quicumque de motu fecerunt memoriam. Principia enim tradunt ipsius moventibus secundum hujusmodi motum. Disgregatio autem et congregatio motus secundum locum sunt: sic enim movent concordia et discordia: haec quidem enim disgregat, illa autem congregat. Et ipsum autem intellectum moventem primum (ait Anaxagoras) disgregare. Similiter autem et quicumque hujusmodi quidem neque unam causam dicunt, propter vacuum autem moveri dicunt: et namque hi secundum locum motum, natura moveri dicunt: motus enim qui propter vacuum fit loci mutatio est, et sicut in loco. Aliorum autem, neque unam inesse primis corporibus, sed his quae sunt ex his, opinantur. Augmentari enim et corrumpi et alterari congregatis et disgregatis atomis corporibus dicunt. Eodem autem modo, et quicumque propter densitatem aut raritatem efficiunt generationem et corruptionem: congregatione enim et disgregatione haec componunt. Amplius autem et praeter hos animam causam facientes motus: ipsum seipsum enim movens principium esse dicunt eorum quae moventur. Movebit autem animal, et omne animatum, secundum eam, quae est secundum locum, cinesim. Et proprie autem moveri dicimus solum, quod movetur secundum locum motum: si autem quiescat quidem in seipso, augmentetur autem, aut detrimentum patiatur, aut alteretur: contingit quodammodo moveri; simpliciter autem moveri, non dicimus.

Quod quidem igitur semper motus erat, et erit omni tempore, et quod principium perpetui motus, adhuc autem quis motus primus, et quem motum perpetuum contingit esse solum, et quod primum movens immobile sit, dictum est.

Rationi autem consentaneum hoc evenit, ut motus qui fit in orbem, sit unus et continuus: non is qui fit super recta. Nam ejus qui fit super recta, definitum est et principium, et finis, et medium: atque haec omnia in se habet. Quocirca est unde incipiet id quod movetur, et ubi desinet. In extremis enim quaelibet res quiescit, id est, vel unde vel quo movetur. Conversionis autem non sunt haec distincta. Cur enim quodvis eorum quae sunt in conversione, potius quam cetera, sit extremum? quia similiter unumquodque est et principium, et medium, et finis: adeo ut semper aliqua sint in principio et in fine, et nunquam. Idcirco movetur et quiescit quodammodo globus, quoniam occupat eumdem locum. Causa vero est, quia haec omnia centro accidunt: quoniam et principium est, et medium magnitudinis et finis. Quare quum hoc sit extra circumferentiam, non est ubi id quod fertur, quiescat, quasi pertransierit: semper enim fertur circa medium, non ad extremum. Ideoque totum manet semper et quiescit quodammodo, et nihilominus movetur continenter. Evenit autem reciproce. Nam et quia conversio est mensura motuum, necesse est eam esse primam (omnia namque primum metitur): et quia est prima, est mensura reliquorum motuum. Praeterea sola conversio potest esse aequabilis. Nam quae super recta moventur, inaequaliter a principio feruntur et ad finem: quoniam omnia, quo longius distant ab eo quod quiescit, eo celerius feruntur. Natura autem est comparatum ut solius conversionis nec principium nec finis in ipsa sit, sed extra.

At vero lationem quae est secundum locum, esse motionum primam, testantur omnes, quotquot de motu mentionem fecerunt. Nam ejus principia attribuunt iis quae talem motum efficiunt. Segregatio namque et aggregatio sunt motus secundum locum. Sic autem movent amicitia et contentio quando quidem alterum eorum segregat, alterum congregat. Sed et mentem, quae primum movit, segregare ait Anaxagoras. Similiter etiam sentiunt, quicumque nullam ejusmodi causam dicunt, sed per inane moveri inquiunt. Nam hi quoque naturam ajunt moveri eo motu qui est secundum locum. Etenim motus per inane, est latio, et quasi in loco. Nullum autem alium motum putant inesse primis, sed iis quae ex his constant: augeri namque, ac deminui et variari ajunt, dum individua corpora congregantur et segregantur. Eodem modo sentiunt etiam quicumque per densitatem vel raritatem constituunt ortum et interitum: quia congregatione et segregatione haec disponunt. Praeter hos adde etiam eos qui animam faciunt causam motus. Quod enim se ipsum movet, principium esse inquiunt eorum quae moventur. Animal autem, et omne animatum, eo motu qui est secundum locum, se ipsum movet. Sed et proprie moveri dicimus dumtaxat, quod secundum locum movetur. Quodsi quiescat in eodem loco, augeatur autem vel minuatur, aut varietur: quadamtenus moveri, non simpliciter moveri dicimus.

Motum igitur et semper fuisse, et fore omni tempore; et quodnam sit principium aeterni motus; praeterea quisnam sit primus motus, et quis motus solus possit esse aeternus, et movens primum esse immobile, dictum est.

Postquam Philosophus ostendit per proprias rationes, quod motus circularis est continuus et primus, hic ostendit idem per quasdam logicas et communes rationes. Et ponit tres rationes. Circa quarum primam dicit, quod rationabiliter accidit, quod motus circularis sit unus et continuus in perpetuum, non autem motus rectus: quia in recto

determinatur principium medium et finis, et omnia haec tria est assignare in ipsa linea recta: et ideo est in ipsa linea unde incipit motus, et ubi finiatur; quia omnis motus quiescit apud terminos, scilicet vel a quo, vel ad quem. Has enim duas quietes supra in quinto distinxerat. Sed in linea circulari termini non sunt distincti: nulla enim est ratio, quare unum punctum signatum in linea circulari sit magis terminus quam alius: quia unumquodque similiter est et principium et medium et finis: et sic quodammodo quod movetur circulariter semper est in principio et in fine: inquantum scilicet quod-libet punctum signatum in circulo potest accipi ut principium, vel finis: et quodammodo nunquam est in principio vel fine, inquantum scilicet nullum punctum circuli est principium vel finis in actu. Unde sequitur quod sphaera quodammodo movetur, et quodammodo quiescit: quia, sicut in sexto dictum est, sphaera dum movetur semper obtinet eumdem locum secundum subjectum, et quantum ad hoc quiescit, alium tamen et alium secundum rationem, et quantum ad hoc movetur. Ideo autem in ipsa linea circulari non distinguitur principium, medium et finis, quia haec tria pertinent ad centrum: a quo sicut a principio procedunt lineae ad circumferentiam, et ad ipsum terminantur lineae a circumferentia protractae: et est etiam medium totius magnitudinis secundum aequidistantiam ad omnia signa circumferentiae. Et ideo, quia principium et finis circularis magnitudinis est extra circulationem, scilicet in centro, ad quod non pertingit quod circulariter movetur; non est assignare in motu circulari, ubi quiescat illud quod fertur, cum pervenerit ad ipsum: quia quod circulariter movetur, semper fertur circa medium, sed non fertur ad ultimum, quia non fertur ad medium, quod est principium et ultimum. Et propter hoc, totum quod sphaerice movetur, quodammodo semper quiescit, et quodammodo continue movetur, ut dictum est. Ex his ergo quae dicta sunt, sic ratio extrahi potest. Omnis motus qui nunquam est in principio et fine est continuus: sed motus circularis est hujusmodi: ergo etc. Et per idem medium probatur, quod motus rectus non possit esse continuus.

Deinde cum dicit « accidit autem »

Ponit secundam rationem, dicens, quod haec duo conversim se sequentur, scilicet quod motus circularis sit mensura omnium motuum, et quod sit primus motuum. Omnia enim mensurantur primo sui generis, ut in decimo Metaphysicae ostenditur. Et sic ista propositio convertibilis est: Omne quod est mensura est primum sui generis, et Omne quod est primum est mensura. Sed motus circularis est mensura omnium aliorum motuum, ut patet ex his quae in fine quarti sunt dicta: ergo motus circularis est primus motuum. Vel si supponatur quod motus circularis sit primus motuum propter supradictas rationes, concludetur quod sit mensura aliorum motuum.

Tertiam rationem ponit ibi « amplius autem »

Dicens quod solus motus circularis potest esse regularis; quia quae in linea recta moventur, regulariter feruntur a principio usque ad finem. Est enim motus irregularis, ut in quinto dictum est, qui non est aequaliter velox per totum: quod necesse est accidere in omni motu recto: quia in motibus naturalibus quanto aliqua quae moventur, plus distant a prima quiete a qua incipit motus, velocius moventur: in motu autem violento, quanto plus distant ab ultima quiete, ad quam terminatur motus, tanto velocius moventur: nam motus naturalis intenditur in fine, violentus autem in principio. Hoc autem in motu circulari locum non habet; quia in circulo principium et finis non est natum

esse inter ipsam circulationem quae fit per circumferentiam, « sed extra » idest in centro, ut dictum est. Unde nulla est ratio quare intendatur et remittatur motus circularis, quasi per approximationem ad principium vel finem: cum semper aequaliter appropinquet centro, quod est principium et finis. Manifestum est autem ex his quae in quinto dicta sunt, quod motus regularis est magis unus quam irregularis; et sic motus circularis est prior naturaliter quam motus rectus: quanto enim aliquid est magis unum, tanto naturaliter prius est.

Deinde cum dicit « quod autem »

Ostendit per opiniones antiquorum philosophorum, quod motus localis sit primus motuum: et dicit, quod huic veritati attestantur dicta omnium philosophorum antiquorum, qui de motu fecerunt memoriam: quia principiis attribuunt quod moveant motu locali. Et hoc ostendit primo per opinionem Empedoclis, qui posuit amicitiam et litem prima principia moventia; quorum amicitia congregat, lis vero disgregat: congregatio autem et disgregatio sunt motus locales. Secundo ostendit idem per opinionem Anaxagorae, qui posuit opinionem primam causam moventem, cujus opus, secundum ipsum, est disgregare commixta. Tertio ostendit idem per opinionem Democriti, qui non posuit causam moventem, sed dixit quod omnia moventur propter naturam vacui. Motus autem qui est propter vacuum, est loci mutatio, vel similis loci mutationi, quia vacuum et locus non differunt nisi ratione, ut in quarto dictum est. Et sic dum ponunt res primo moveri propter vacuum, ponunt motum localem naturaliter primum, et nullum aliorum motuum; sed alios motus opinantur consequi ad motum localem. Dicunt enim sequentes Democritum, quod augmentari et corrumpi et alterari contingit per quamdam congregationem et disgregationem indivisibilium corporum. Quarto ostendit idem per opiniones antiquorum naturalium, qui ponebant unam causam materialem tantum, vel aquam, vel aerem, vel ignem, vel aliquid medium. Ex illo enim uno materiali principio constituunt generationem et corruptionem rerum per condensationem et rarefactionem: quae per quamdam congregationem et disgregationem complentur. Quinto ostendit idem per opinionem Platonis, qui posuit animam esse primam causam motus. Posuit enim Plato, quod movens seipsum, quod est anima, est principium omnium eorum quae moventur. Movere autem seipsum, convenit animali et omni animato secundum eum qui est secundum locum cinesim, idest per transmutationem localem. Sexto autem ostendit idem per ea quae communiter et vulgariter loquentes dicunt. Illud enim solum dicimus moveri, quod movetur secundum motum localem. Si autem aliquid quiescat in loco, sed moveatur motu augmenti, aut decrementi, aut alterationis: dicitur quod movetur quodammodo, sed non simpliciter.

Deinde cum dicit « quod qui »

Epilogat quae dixerat, scilicet quod motus semper fuerit et semper erit: et quod est aliquod primum principium motus perpetuum, et quis sit primus motus, et quem motum contingat esse perpetuum: et quod primum movens sit immobile. Haec enim omnia in praecedentibus declarata sunt.

LECTIO XXI.

*Potentiam finitam tempore infinito non posse movere, neque infinitam potentiam in magnitudine
reperiri, pro primi motoris unitate ac natura probanda demonstratur.*

Quod autem hoc necesse est impartibile esse, et nullam
habere magnitudinem, nunc dicamus: determinantes primum
de prioribus ipso.

Horum autem unum quidem est, quod impossibile est
nullum finitum movere secundum infinitum tempus. Tria
enim sunt: quod movetur, movens, in quo tertium tempus.
Haec autem aut finita sunt omnia, aut infinita omnia, aut
quaedam, aut duo, aut unum. Sit igitur A movens, quod
autem movetur B; tempus infinitum, in quo c. Ipsum D igitur moveat aliquam partem ipsius B, quae est in quo E.
Non igitur in aequali ipsi c, in pluri enim majus. Quare
non est infinitum tempus, quod est ipsum z. Sic itaque ipsi
D apponens, auferam ipsum A, et ipsi E ipsum B; tempus
autem non auferam, semper removens aequale: infinitum
enim est. Quare omne A totum B movebit, infinito tempore
ipsius c. Non ergo possibile est a finito moveri aliquid secundum infinitum motum. Quod quidem igitur non contingit
finitum in infinito tempore movere, manifestum est.

Quod autem omnino in finita magnitudine non contingit
infinitam esse potentiam, ex his manifestum est. Sit enim
plus potentia semper aequali in minori faciens tempore, ut
calefaciens aut dulce faciens, aut projiciens, et omnino movens. Necesse est ergo, et a finito quidem, infinitam autem
habente potentiam, pati aliquid patiens, et plus quam ab alio:
plus enim est infinita potentia. At vero tempus non contingit esse ullum. Si enim est in quo A tempus, in quo infinita vis calefacit aut depellit; in quo autem A B, finita quaedam: ad hanc majorem semper accipiens finitam, veniam aliquando ad id quod in A tempore motum erat: ad finitum
enim semper addens, excellam omne determinatum: et auferens et deficiens, similiter. In aequali ergo tempore movebit
finita ipsi infinitae. Hoc autem est impossibile. Nullum itaque
finitum contingit infinitam potentiam habere.

Et tamen contingit in minori magnitudine, ampliorem
potentiam esse: sed adhuc magis in majori plurimam.

Sit igitur in quo est A B infinitum: sed B c habet potentiam quamdam, quae in aliquo tempore movet ipsum D, in
tempore, in quo est E F. Si igitur ipsi B c duplam accipio,
in medio movebit tempore ipsius E F (sit enim haec proportio). Quare in E et H movebit: ergo sic accipiens semper
ipsum A B nequaquam transibo. Tempore autem dato semper
minus accipiam. Infinita ergo potentia erit: omnem enim
finitam potentiam excellit. Omnis autem finitae potentiae
necesse est finitam esse et tempus. Si enim in quodam tanta, major in minori quidem, sed determinato movebit tempore secundum conversionem proportionis. Infinita enim o-
mnis potentia est, sicut multitudo et magnitudo excellens
omne finitum.

Est autem hoc demonstrare, et sic. Accipiens enim quamdam potentiam eamdem genere ei, quae est in infinita magnitudine, in finita magnitudine existentem, quae mensurabit eam, quae est in infinita magnitudine, finitam potentiam.
Quod igitur non contingit infinitam esse potentiam, infinita
magnitudine, neque finitam in infinita ex his palam est.

Necesse autem esse, ut hoc vacet partibus, et nullam
habeat magnitudinem, nunc explicemus, iis prius definitis
quae hoc sunt priora. Horum autem unum est, fieri non
posse ut aliquid finitum moveat tempore infinito. Tria namque sunt: id quod movet, et id quod movetur, et tertium
quo movetur, nempe tempus: haec autem vel sunt omnia
infinita, vel omnia finita, vel aliqua, ut duo, vel unum.
Esto igitur *to a*, movens: id autem quod movetur, *b*: tempus
infinitum, in quo *g*. Itaque *to d* moveat aliquam partem
ipsius *b*, quae pars sit ubi *e*. Non movebit igitur tempore
quod sit aequale ipsi *g*: quia majori tempore majus movet:
quocirca non est infinitum tempus *z*. Sic igitur ipsi *d* adjectione facta, consumam *to a*: et ipsi *e* adjectione facta, consumam *to b*: tempus autem non consumam, semper aequale
detrahendo, quia est infinitum. Quapropter universa virtus
a movebit totam magnitudinem *b* finito tempore, quod est
in *g*. Fieri igitur nequit ut a re finita quicquam moveatur
motu infinito. Fieri ergo non posse ut finitum moveat tempore infinito, perspicuum est.

Omnino autem non posse in magnitudine finita esse vim
infinitam, ex his manifestum. Sit enim major vis semper,
quae aequale minori tempore facit, ut puta calefacit, aut
dulcedinem affert, aut projicit, et omnino movet. Necesse
est igitur, ut ab eo quod finitum quidem est, sed infinitam
vim habet, aliquid patiens patiatur, et quidem magis quam
ab alio pateretur, quoniam vis infinita est major. At vero
tempus nullum esse potest. Nam si sit tempus *a*, quo infinita vis calefacit, aut pepulit; sit autem tempus *a b*, quo
finita aliqua vis id fecit: ad hanc semper majorem adjiciens
finitam, perveniam tamdem ad id quod ipso *a* tempore movit. Nam si ad finitum semper adjecero, superabo quodvis
finitum: itidemque si detraxero, deminuam: aequali igitur
tempore movebunt magnitudo finita et infinita. Hoc autem
est impossibile. Nihil igitur finitum potest habere vim infinitam.

Neque igitur in infinito potest esse virtus finita. Atqui
potest in minori magnitudine major vis esse. Sed adhuc
multo major erit in majori. Esto igitur, ubi *a b*, infinitum.
Itaque *to b g* vim quamdam habet, quae aliquo tempore
movit *tēn d*, nimirum tempore *e z*. Ergo si ipsius *b g*
duplum accipiam, movebit dimidio temporis *e z*. Fit enim
haec proportio; quare movebit tempore *z th*. Sic igitur semper accipiens, nunquam pertransibo magnitudinem *a b*: sed
dato tempore semper minus accipiam. Vis igitur erit infinita:
quia superat omnem vim finitam. Omnis autem virtutis finitae necesse est finitum esse etiam tempus. Nam si tempore
aliquo movet, quae tanta est: certe major minori quidem,
finito tamen tempore movebit, secundum conversionem proportionis. Universa autem vis est infinita, quemadmodum et
multitudo, et magnitudo, quae superat omnem finitam.

Licet autem sic quoque hoc probare. Sumemus enim in
magnitudine finita aliquam vim, quae sit ejusdem generis,
atque ea quae est in magnitudine finita, et quae vim illam
in magnitudine infinita contentam metiatur. Esse igitur non
posse infinitam vim in magnitudine finita, nec finitam in
infinita, ex his manifestum est.

Postquam Philosophus ostendit qualis sit primus
motus, hic ostendit quale sit primum movens. Et
dividitur in partes duas. Primo dicit de quo est
intentio. Secundo exequitur propositum, ibi, « Ho-
« rum autem unum. » Dicit autem primo, quod
cum dictum sit supra, quod primum movens est
immobile, nunc dicendum est quod primum movens

est indivisibile, et nullam habens magnitudinem,
sicut omnino incorporeum. Sed antequam hoc o-
stendamus, oportet praedeterminare quaedam, quae
exiguntur ad hujusmodi probationem.

Secundo ibi « horum autem »

Exequitur propositum. Et primo praemittit quaedam, quae sunt necessaria ad principalis propositi

ostensionem. Secundo ostendit principale propositum, ibi, « Determinatis autem his. » Circa primum tria facit. Primo ostendit quod ad motum infinitum requiritur potentia infinita. Secundo, quod potentia infinita non potest esse in magnitudine finita, ibi, « Quod autem omnino in finita magnitudine. » Tertio, quod primum motorem oportet esse unum, qui moveat motum continuum et sempiternum, ibi, « De his autem quae feruntur. » Dicit ergo primo, quod inter ea quae praedeterminanda sunt ante principale propositum, unum est, quod est impossibile aliquod finitum secundum potentiam movere per tempus infinitum. Quod sic ostendit. Tria sunt in quolibet motu: quorum unum est, quod movetur: aliud est ipsum movens: tertium autem est tempus, in quo fit motus. Oportet autem quod, aut omnia ista sint infinita, aut omnia sint finita, aut quod quaedam sint finita et quaedam infinita, vel duo tantum, vel unum. Ponatur ergo primo, quod A sit movens, B quod movetur: tempus vero, in quo fit motus, sit c. Et ponatur, quod aliqua pars ipsius A, quae est D, moveat aliquam partem B, quae est E. His ergo positionibus factis, concludi potest quod D movet E in tempore non aequali ipsi c, in quo A movebat B, sed in tempore minori. Probatum est enim in sexto, quod totum mobile in majori tempore pertransit aliquod signum, quam pars ejus. Cum ergo tempus quod est c, sit infinitum, relinquitur quod tempus, in quo D movet E, non erit infinitum, sed finitum; et sit illud tempus z, ut sicut A movet B in tempore c infinito, ita D moveat E in tempore z finito. Cum autem D sit pars ipsius A, si subtrahendo ab A addatur ipsi D, totaliter ipsum A auferetur vel consumetur, cum sit finitum. Omne enim finitum consumitur per subtractionem, si eadem quantitas semper sumatur, ut in tertio dictum est. Et similiter consumetur B, si continue subtrahatur aliquid ab ipso, et apponatur ipsi E: quia B etiam ponebatur esse finitum; et quantumcumque auferatur a tempore, quod est c, etiam secundum eamdem quantitatem auferendo, non consumitur totum c: quia ponitur esse infinitum. Ex hoc concludit, quod totum A movet totum in B tempore aliquo finito, quod est pars ipsius c. Quod quidem sic sequitur ex praemissis: quia secundum proportionem qua additur ad mobile et ad motorem, additur etiam ad tempus. Cum ergo subtrahendo a toto mobili et motore, et addendo ad partes ipsorum, consumatur quandoque totum mobile et totum movens, ita quod totum quod erat in toto additur parti, sequitur quod proportionabiliter addendo ad tempus, resultabit tempus finitum, in quo totum movens movebit totum mobile. Et sic oportet, quod si totum movens est finitum et mobile finitum, quod tempus sit finitum. Sic ergo non est possibile, quod a finito movente moveatur aliquid motu infinito, scilicet secundum tempus infinitum. Et sic patet quod primo ponebatur, quod non contingit quod finitum movens moveat in tempore infinito. Movet autem Avicenna dubitationem circa hanc Aristotelis demonstrationem. Videtur enim non esse universalis. Est enim aliquod finitum movens et mobile a quo non potest aliquid auferri vel subtrahi, sicut est corpus caeleste: quod tamen in hac demonstratione non excipitur. Unde videtur quod vel demonstratio sit particularis, vel procedat ex falsa suppositione. Huic autem objectioni respondet Averrois in commento: quod

quamvis a caelo nihil possit subtrahi, haec tamen conditionalis est vera: sit a caelo aliqua pars auferatur, pars illa movebit aut movebitur in minori tempore quam totum. Nihil enim prohibet conditionalem esse veram, cujus antecedens est impossibile. Sicut patet in hac conditionali: si homo volat, habet alas. Quicquid autem tollit veritatem conditionalis verae, falsum est, licet antecedens conditionalis sit falsum. Veritas autem praedictae conditionalis non potest stare cum hoc quod finitum moveat tempore infinito, ut patet per deductionem Aristotelis. Sic igitur ex veritate praemissae conditionalis, concludit Aristoteles impossibile esse, quod finitum moveat tempore finito. Potest autem brevius dici, quod Aristoteles quando in demonstrationibus suis utitur ablatione vel subtractione, non semper per ablationem intelligenda est solutio continuitatis, quam impossibile est esse in corpore caelesti; sed ablatio intelligi potest secundum quamcumque designationem. Sicut in ligno continuo manente, possum designare vel tactu vel cogitatione aliquod punctum, quasi dividens totum: et per hunc modum auferre aliquam partem a toto, et dicere quod minor albedo est in parte quam in toto. Et per hunc etiam modum potest dici, quod virtus ad movendum in parte corporis caelestis per designationem ablata minor est quam in toto. Alia autem dubitatio est difficilior. Non enim videtur esse contra rationem moventis finiti, quod moveat tempore infinito: quia, si illud finitum sit incorruptibile, vel impassibile secundum suam naturam, et non recedens a sua natura, semper eodem modo se habet ad movendum: quia idem semper eodem modo se habens, semper facit idem. Unde non est magis ratio quare non potest movere post, quam ante: et hoc sensibiliter apparet. Videmus enim, quod sol potest in infinito tempore movere corpora inferiora. Ad hujus autem dubitationis solutionem, investigandus est processus demonstrationis inductae. Certum enim esse debet, quod sic intelligenda est conclusio, quemadmodum sequitur ex praemissis. Considerandum est igitur, quod tempus motus potest accipi dupliciter; praecipue in motu locali. Uno modo secundum partes mobilis; alio modo secundum partes magnitudinis supra quam transit motus. Manifestum est enim quod prius una pars mobilis pertransit aliquod signum magnitudinis, quam totum mobile. Similiter etiam totum mobile prius pertransit unam partem magnitudinis quam totam. Apparet autem manifeste ex processu Aristotelis, quod hic loquitur de tempore motus, secundum quod tempus motus accipitur secundum partes mobilis, et non secundum quod accipitur secundum partes magnitudinis. Accipit enim in sua demonstratione, quod pars moventis moveat partem mobilis in minori tempore, quam totum moveat totum: quod non esset verum, si accipiemus tempus motus secundum partes magnitudinis, quae motu pertransitur. Eadem enim est proportio partis motoris ad partes mobilis, quae est proportio totius motoris ad totum mobile. Unde aequali velocitate semper pars movebit partem qua totum movet totum: et sic in aequali tempore pertransibit pars mobilis aliquam magnitudinem motam a parte motoris, et totum mobile motum a toto motore. Vel forte in minori tempore movebitur totum quam pars: quia potentia unita major est quam potentia divisa: et quanto major est potentia moventis, velocior est motus, et tempus minus. Oportet ergo quod hoc intelligatur, secundum quod accipitur tempus motus secundum partes mobilis: quia una pars mobilis in minori tempore pertransit aliquod signum, quam totum mobile. Et secundum hoc est impossibile quod tempore infinito moveatur, nisi sit mobile infinitum. Impossibile est autem, quod mobile infinitum moveatur a motore finito; quia semper virtus motoris est major quam virtus mobilis. Unde necesse est, quod mobile infinitum moveatur a motore infinito. Et sic, sicut impossibile sequitur ex hoc quod ponitur, quod motor finitus moveat mobile finitum, motu qui sit infinitus secundum partes mobilis; ita remoto hoc inconvenienti, oportet ulterius hoc concludere, quod motus infinitus sit mobilis infiniti a motore infinito. Sed contra hoc potest aliquis objicere, quod Aristoteles supra non probavit esse infinitum secundum partes mobilis, sicut motus corporis infiniti dicitur infinitus: quia totum universum corporeum finitum est, ut probatum est in tertio hujus, et probabitur in primo de Caelo. Unde non videtur esse demonstratio Aristotelis sic verificata ad propositum concludendum, ut scilicet primus motor, qui movet motum infinitum, sit infinitus. Sed dicendum, quod id quod est causa prima motus infiniti, oportet quod sit per se causa infinitatis motus: quia semper causa quae est per se, est prior ea quae est per aliud, ut supra dictum est. Virtus autem causae per se determinatur ad effectum per se, et non ad effectum per accidens. Sic enim supra docuit Aristoteles, in secundo, comparare causas effectibus. Cum autem contingat motum esse infinitum dupliciter, sicut dictum est; scilicet secundum partes mobilis, et secundum partes magnitudinis, supra quam transit motus: per se infinitum est in motu ex partibus mobilis, per accidens autem secundum partes longitudinis: quia quantitas motus, quae attenditur secundum partes mobilis, competit ei secundum proprium subjectum, et ita inest ei per se. Quantitas autem motus non accipitur secundum partes longitudinis, sed secundum reiterationem motus ipsius mobilis: prout scilicet mobile totum, quod complevit motum suum per unam partem longitudinis, iterato pertransit aliam. Id ergo, quod est causa prima infinitatis motus, habet virtutem super infinitatem motus quae est per se, ut scilicet possit movere mobile infinitum, si contingat; et ideo necesse est quod sit infinitum. Et quamvis primum mobile sit finitum, tamen habet quamdam similitudinem cum infinito, ut dictum est in tertio. Ad hoc autem quod aliquid sit causa motus infiniti per reiterationem motus quae est per accidens, non oportet quod habeat virtutem infinitam, sed sufficit si habet virtutem immobilem finitam: quia semper manente eadem virtute poterit reiterare eumdem effectum: sicut sol habet virtutem finitam, et tamen posset movere inferiora elementa tempore infinito, si motus esset sempiternus secundum positionem Aristotelis. Non enim est prima causa infinitatis motus, sed quasi ab alio mota ad movendum tempore infinito secundum positionem praedictam.

Secundo ibi « quod autem »

Ostendit quod necesse est virtutem quae est in magnitudine, proportionari magnitudini in qua est. Et primo ostendit quod in magnitudine finita non potest esse potentia infinita; quod principalius

intendit. Secundo, quod nec in magnitudine infinita potest esse potentia finita, ibi, « Neque igitur in « finitum. » Quod autem in magnitudine finita non contingat esse potentiam infinitam, probat, duas suppositiones praemittendo: quarum prima est, quod major potentia aequalem effectum perficit in minori tempore quam minor; sicut major potentia calefactiva ad aequalem caliditatem perducit id in quo agit in minori tempore: et simile est de potentia dulcorantis vel projicientis, vel cujuscumque moventis. Ex hac suppositione concludit, quod cum potentia infinita sit major quam potentia finita, necesse est, quod si sit aliqua finita magnitudo habens potentiam infinitam, quod a tali agente, sive unum patiens, sive plura patiantur in eodem tempore majorem mutationem, quam ab alio habente potentiam finitam. Vel e converso, quod aequalem mutationem patiens ab eo patiatur in minori tempore. Utrumque enim potest intelligi in eo quod dicit « et plusquam ab alio. » Secunda suppositio est: Cum omne quod movetur moveatur in tempore, ut in sexto probatum est; non potest esse, quod patiens immutetur ab agente infinitae potentiae in non tempore: immutatur ergo in tempore. Ex hoc sic procedit. Sit tempus, in quo virtus infinita movet calefaciendo vel impellendo, A: tempus autem in quo aliqua virtus finita movet, sit A B, quod est majus quam A. Qualibet autem potentia finita potest accipi alia major. Si ergo accipiamus aliam majorem potentiam finitam quam primam, quae movebat in tempore A B, sequitur quod haec secunda potentia movebit in tempore minori: et iterum tertia potentia finita major in tempore adhuc minori: et sic semper accipiendo, finita major, in tempore adhuc minori: et sic semper accipiendo finitam potentiam, veniam aliquando ad hoc quod aliqua potentia finita moveat in tempore A. Cum enim semper fiat additio ad potentiam finitam, excedetur omnis determinata proportio. Similiter autem additur ad potentiam motivam, et subtrahitur a tempore motus: quia major potentia in minori tempore movere potest. Sic ergo sequitur, quod finita potentia perficiat motum in aequali tempore cum potentia infinita, quae ponebatur movere in A: hoc autem est impossibile: ergo nulla magnitudo finita habet potentiam infinitam. Dubitatur autem circa hanc rationem multipliciter. Primo namque videtur, quod haec ratio nullo modo concludat. Quod enim convenit alicui per se, per nullam potentiam potest ab eo removeri, quantumcumque sit magna. Non enim est ex defectu potentiae, vel infinitati potentiae repugnat, si dicatur fieri non posse, quod homo non sit animal. Esse autem in tempore per se convenit motui: ponitur enim motus in definitione temporis, ut supra in quarto habitum est: ergo si ponatur etiam potentia infinita movens, non sequitur quod motus sit in non tempore, ut Aristoteles hic concludit. Item , si consideretur processus Philosophi, ex hoc concludit quod motus sit in non tempore: quia potentia movens est infinita: sed potentia infinita movens potest etiam non esse in corpore: ergo eadem ratione sequitur, quod talis potentia si sit infinita, movebit in non tempore. Non solum ergo per hoc, quod est impossibile moveri in non tempore, potest concludi quod nulla virtus infinita est in magnitudine; sed quod simpliciter nulla virtus movens sit infinita. Item. Ad magnitudinem potentiae duo pertinere videntur:

scilicet velocitas motus, et diuturnitas temporis. Et secundum excessum potentiae fieri videmus excessum in utroque dictorum. Sed secundum excessum potentiae infinitae, supra ostendit, quod motus perpetuus est ab aliqua potentia infinita: non autem quod aliqua potentia infinita non sit in magnitudine: ergo similiter et hic secundum excessum in velocitate non debet concludere quod nulla virtus infinita sit in magnitudine: sed quod virtus quae movet tempore infinito propter sui infinitatem, moveat etiam in non tempore. Item videtur conclusio esse falsa. Quanto enim est major virtus alicujus corporis, tanto diutius potest conservari in esse. Si ergo nullius corporis potentia esset infinita, nullum corpus posset in infinitum durare: quod patet esse falsum, tam secundum opinionem ipsius, quam secundum sententiam Fidei Christianae: quae ponit substantiam mundi in infinitum duraturam. Posset etiam moveri objectio de divisione et additione quibus utitur, quae non conveniunt rerum naturae. Sed quia superius satis dictum est, praetermittatur ad praesens. His ergo dubitationibus per ordinem respondentes, dicendum est ad primam, quod Philosophus non intendit hic facere demonstrationem ostensivam, sed demonstrationem ad impossibile ducentem; in qua quia ex aliquo dato aliquid sequitur, quod est impossibile, concluditur primum datum impossibile esse. Non autem est verum, quod primum datum simul cum conclusione esse, sit possibile: sicut, si daretur quod esset aliqua potentia quae posset removere genus a specie, sequeretur quod illa potentia posset facere quod homo non esset animal. Sed, quia hoc est impossibile, impossibile est et primum. Non autem ex hoc potest concludi esse possibile quod sit aliqua potentia quae faciat hominem non esse animal. Ita ex hoc quod est aliquam potentiam infinitam esse in magnitudine, ex necessitate sequitur motum esse in non tempore: sed quia hoc est impossibile, impossibile est infinitam potentiam esse in magnitudine. Nec potest ex hoc concludi esse possibile quod potentia infinita moveat in non tempore. Ad secundam autem dubitationem, respondet Averrois, in Comment. hujus loci dicens, quod ratio Aristotelis hic procedit de potentia ratione suae infinitatis: finitum autem et infinitum convenit quantitati, ut supra habitum est. Unde potentia quae non est in magnitudine, non proprie competit quod sit finita vel infinita.

Sed haec responsio est et contra Aristotelis intentionem, et contra veritatem. Contra intentionem quidem Aristotelis est, quia Aristoteles in praecedenti demonstratione probavit quod potentia movens tempore infinito, sit infinita: et ex hoc infra concludit, quod potentia movens caelum non est potentia in magnitudine. Est autem contra veritatem: quia cum omnis potentia activa sit secundum aliquam formam; eo modo convenit magnitudo potentiae et per consequens finitum et infinitum, sicut convenit formae: formae autem convenit magnitudo per se et per accidens. Per se quidem secundum perfectionem ipsius formae: sicut dicitur magna albedo etiam parvae nivis, secundum perfectionem propriae rationis. Per accidens autem, secundum quod aliqua alia forma habet extensionem in subjecto; sicut dicitur magna albedo propter magnitudinem superficiei. Haec autem secunda magnitudo non potest competere potentiae quae non est in magnitudine:

sed prima magnitudo maxime ei competit; quia potentiae immateriales quanto sunt minus contractae per applicationem ad materiam, tanto sunt perfectiores et universaliores. Velocitas autem motus non sequitur magnitudinem virtutis, quae est per accidens per extensionem ad magnitudinem subjecti; sed magis eam quae est per se secundum propriam perfectionem: quia quanto aliquod ens actu est perfectius, tanto est vehementius activum. Unde non potest dici quod potentia, quae non est in magnitudine, quia non est infinita infinitate magnitudinis quae est ex magnitudine subjecti, propter hoc non causet augmentum velocitatis in infinitum: quod est moveri in non tempore. Unde et idem Commentator hanc dubitationem aliter solvit in undecimo Metaphysicae: ubi dicit, quod corpus caeleste movetur a duplici motore: scilicet a motore conjuncto, qui est anima caeli: et a motore separato, qui non movetur neque per se neque per accidens. Et, quia ille motor separatus est infinitae virtutis, motus caeli acquirit ab eo perpetuam durationem: quia vero motor conjunctus est finitae virtutis, ideo motus caeli acquirit ab eo velocitatem determinatam. Sed nec ista responsio sufficiens est. Cum enim utrumque videatur consequi potentiam infinitam; scilicet quod moveat tempore infinito, ut praecedens demonstratio concludit; et quod moveat in non tempore, ut videtur concludere haec demonstratio: iterum restat dubitatio, quare anima caeli, quae movet in virtute motoris separati infiniti, magis ab eo sortiatur ut possit movere tempore infinito, quam ut moveat velocitate infinita, idest in non tempore. Ad hanc igitur dubitationem dicendum est, quod omnis potentia quae non est in magnitudine, movet per intellectum. Sic enim Philosophus probat caelum moveri a motore in undecimo Metaphysicae. Nulla autem potentia, quae est in magnitudine, movet quasi intelligens. Probatum est enim in tertio de Anima, quod intellectus non est virtus alicujus corporis. Haec autem est differentia inter agens per intellectum, et agens materiale: quia actio agentis materialis proportionatur naturae agentis: tanta enim procedit calefactio quantus est calor: sed actio agentis per intellectum, non proportionatur naturae ipsius, sed formae apprehensae. Non enim aedificator tantum aedificat, quantum potest; sed quantum exigit ratio formae conceptae. Sic igitur, si aliqua esset virtus infinita in magnitudine, sequeretur quod motus ab ipsa procedens esset secundum proportionem ejus: et ita procedit demonstratio praesens. Si autem sit virtus infinita non in magnitudine, motus ab ipsa non procedit secundum proportionem virtutis, sed secundum rationem formae apprehensae, idest secundum quod convenit fini et naturae subjecti. Est etiam aliud attendendum: quod, sicut probatum est in sexto hujus, nihil movetur nisi magnitudinem habens: unde velocitas motus est effectus receptus a movente in aliquo habente magnitudinem. Manifestum est autem quod nihil habens magnitudinem potest recipere aequalem effectum proportionatum potentiae quae non est in magnitudine: quia omnis natura corporea comparatur ad naturam incorpoream, sicut quoddam particulare ad absolutum et universale. Unde non potest concludi, si virtus infinita non sit in magnitudine, quod ex ea consequatur infinita velocitas in aliquo corpore, quae est effectus proportionatus tali potentiae, ut dictum est. Sed nihil prohibet in aliqua magnitudine recipi effectum virtutis, quae est in magnitudine: quia causa proportionatur effectui. Unde si poneretur quod aliqua virtus infinita esset in magnitudine, sequeretur quod effectus correspondens esset in magnitudine, scilicet velocitas infinita: et hoc est impossibile, ergo et primum. Ex his autem patet solutio tertiae dubitationis: nam moveri tempore infinito non repugnat rationi magnitudinis motae: convenit enim magnitudini circulari, ut supra ostensum est. Unde a primo movente infinitae virtutis causatur motus diuturnitatis infinitae, non autem motus velocitatis infinitae. Quartam vero dubitationem solvit Alexander, ut Averroes dicit hic in commento, quod corpus caeleste acquirit aeternitatem a motore separato, quod est infinitae virtutis, sicut et perpetuitatem motus. Unde sicut non est ex infinitate caelestis corporis, quod in perpetuum moveatur: ita non est ex infinitate corporis caelestis, quod in perpetuum duret; sed utrumque est ex infinitate motoris separati. Hanc autem responsionem Averroes improbare nititur in hoc commento, et in undecimo Metaphysicae; dicens quod impossibile est quod aliquid acquirat perpetuitatem essendi ab aliquo; quia sequeretur, quod id quod in se est corruptibile, fieret aeternum. Sed perpetuitatem motus potest aliquis acquirere ab altero, eo quod motus est actus mobilis a movente. Dicit ergo, quod in corpore caelesti, quantum est de se, non est aliqua potentia ad non esse: quia ejus substantiae non est aliquid contrarium: sed in ipso est aliqua potentia ad quietem: quia motui ejus contrariatur quies. Et inde est, quod non indiget acquirere perpetuitatem essendi ab alio, sed perpetuitatem motus ab alio acquirere indiget. Quod autem in corpore caelesti non sit aliqua potentia ad non esse, ex hoc contingere dicit, quod corpus caeleste dicit non esse compositum ex materia et forma, quasi ex potentia et actu; sed dicit ipsum esse materiam actu existentem, et formam ejus dicit animam ipsius: ita tamen quod non constituatur in esse per formam, sed solum in moveri. Et sic dicit in eo esse non potentiam ad esse, sed solum ad ubi, sicut Philosophus dicit in undecimo Metaphysicae. Sed haec solutio et veritati repugnat, et intentioni Aristotelis. Veritati quidem repugnat multipliciter. Et primo, quia dicit, quod corpus caeleste non componitur ex materia et forma: hoc enim est omnino impossibile. Manifestum est enim, corpus caeleste esse aliquid actu, alioquin non moveretur. Quod enim est in potentia tantum, non est subjectum motus, ut in sexto habitum est. Oportet autem, omne quod est actu, vel esse formam subsistentem, sicut substantiae separatae: vel habere formam in alio, quod quidem se habet ad formam sicut materia, et sicut potentia ad actum. Non autem potest dici quod corpus caeleste sit forma subsistens: quia sic esset intellectum in actu non cadens sub sensu, neque sub quantitate. Relinquitur ergo, quod est compositum ex materia et forma, et potentia et actu: et sic est in ipso potentia quodammodo ad non esse. Sed dato quod corpus caeleste non sit compositum ex materia et forma, adhuc oportet ponere in ipso quodammodo potentiam essendi. Necesse est enim quod omnis substantia simplex subsistens, vel ipsa sit suum esse, vel participet esse. Substantia autem simplex, quae est ipsum esse subsistens, non potest esse nisi una; sicut neque albedo, si esset subsistens, posset esse nisi una. Omnis ergo substantia,

quae est post primam substantiam simplicem, participat esse. Omne autem participans componitur ex participante et participato, et participans est in potentia ad participatum: ergo substantia quantumcumque simplex, post primam substantiam simplicem, est potentia essendi. Deceptus autem fuit per aequivocationem potentiae: nam potentia, quandoque se habet ad opposita, et haec excluditur a corpore caelesti, et a substantiis simplicibus separatis: quia non est in eis potentia ad non esse, secundum intentionem Aristotelis: eo quod substantiae simplices sunt formae tantum, formae autem per se convenit esse. Materia autem corporis caelestis non est in potentia ad aliam formam: sicut enim corpus caeleste comparatur ad suam figuram, cujus est subjectum, ut potentia ad actum, et tamen non potest non habere talem figuram; ita materia corporis caelestis comparatur ad talem formam ut potentia ad actum; et non est in potentia ad privationem hujus formae, vel ad non esse. Non enim omnis potentia est oppositorum: alioquin possibile non sequeretur ad necesse, sicut dicitur in secundo Perihermenias. Est etiam ejus positio contra intentionem Aristotelis: qui in primo de Caelo in quadam demonstratione utitur, quod corpus caeleste habeat potentiam vel virtutem, ad hoc quod sit semper. Non potest ergo evadere inconveniens, per hoc, quod dicit, quod corpus caeleste non est in potentia essendi: hoc enim est manifeste falsum, et contra intentionem Aristotelis. Videamus ergo utrum convenienter impugnet solutionem Alexandri, qui dicit quod corpus caeleste acquirit aeternitatem ab alio. Esset siquidem conveniens ejus improbatio, si Alexander posuisset, quod corpus caeleste de se haberet potentiam ad esse et non esse, et ab alio acquireret esse semper. Et hoc dico supposita intentione ipsius, ut non excludamus omnipotentiam Dei, per quam corruptibile hoc potest induere incorruptionem: quod nunc discutere ad propositum non pertinet. Sed tamen Averroes etiam sua intentione supposita concludere non potest contra Alexandrum, qui posuit quod corpus caeleste acquirat aeternitatem ab alio: non quasi de se habens potentiam ad esse et non esse, sed quasi non habens ex se esse. Omne enim quod non est suum esse, participat esse a causa prima, quae est suum esse. Unde et ipse confitetur in libro de substantia orbis, quod Deus est causa caeli, non solum quantum ad motum ejus, sed etiam quantum ad substantiam ipsius: quod non est, nisi quia ab eo habet esse. Non autem habet ab eo esse, nisi perpetuum: habet ergo perpetuitatem ab alio. Et in hoc etiam consonant verba ejus; qui dicit in quinto Metaphysicae et supra in principio hujus octavi, quod quaedam sunt necessaria, quae habent causam suae necessitatis. Hoc ergo supposito, plana est solutio secundum intentionem Alexandri: quod sicut corpus caeleste habet moveri ab alio, ita et esse: unde sicut motus perpetuus demonstrat infinitam virtutem motoris, non autem ipsius mobilis; ita et perpetua ejus duratio demonstrat infinitam virtutem causae, a qua habet esse. Non tamen omnino eodem modo se habet potentia corporis caelestis ad esse, et ad moveri perpetuo. Non quidem secundum differentiam, quam ipse assignat, quod in corpore caelesti sit quantum ad moveri potentia ad opposita, quae sunt quies et motus; sed ad opposita, quae sunt diversa ubi. Sed differunt quantum ad aliud: nam motus secundum se cadit in tempore, esse vero non cadit in tempore, sed solum secundum quod subjacet motui. Si ergo sit aliquod esse quod non subjacet motui, illud esse nullo modo cadit sub tempore. Potentia ergo quae est ad moveri in tempore infinito, respicit infinitatem temporis directe et per se. Sed potentia, quae est ad esse tempore infinito, siquidem illud esse sit transmutabile, respicit quantitatem temporis: et ideo major virtus requiritur ad hoc quod aliquid duret in esse transmutabili majori tempore: sed potentia, quae est respectu esse intransmutabilis, nullo modo respicit quantitatem temporis. Unde magnitudo vel infinitas temporis nihil facit ad infinitatem vel magnitudinem potentiae respectu talis esse. Dato ergo, per impossibile, quod corpus caeleste non haberet esse ab alio, adhuc non potest ex perpetuitate ipsius concludi, quod in eo esset virtus infinita.

Deinde cum dicit « nullum itaque »

Probat quod in magnitudine infinita non potest esse potentia finita. Et hoc duabus rationibus. Circa quarum primam tria facit. Primo ponit conclusionem principaliter intentam, dicens, quod sicut in magnitudine finita non potest esse potentia infinita, ita nec in aliquo quanto infinito potest esse potentia finita secundum totum: nam pars infiniti, si accipiatur finita, habebit potentiam finitam. Hoc autem inducit non quasi necessarium ad principale propositum ostendendum, sed quasi adhaerens et affine conclusioni prius demonstratae.

Secundo ibi « et tamen »

Ponit quoddam, per quod alicui videri posset, quod in magnitudine infinita sit potentia finita. Videmus enim quod aliqua minor magnitudo habet majorem virtutem quam major magnitudo: sicut parvus ignis habet majorem virtutem activam quam multus aer. Sed per hoc non potest haberi quod quantum infinitum habeat potentiam finitam: quia, si accipiatur aliqua adhuc magis excedens magnitudo, habebit majorem virtutem: sicut si aer major secundum aliquam quantitatem habet minus de virtute quam parvus ignis, si multum augeatur aeris quantitas, habebit majorem virtutem quam parvus ignis.

Tertio ibi « sit igitur »

Ponit demonstrationem intentam, quae talis est. Sit quantum infinitum A B: et sit B C magnitudo finita alterius generis, quae habet quamdam potentiam finitam: et sit quoddam mobile D, quod moveatur a magnitudine B C, in tempore, quod est E F. Et quia B C est magnitudo finita, poterit accipi major magnitudo. Accipiatur igitur major secundum duplam portionem. Quanto autem est major potentia moventis, tanto in minori tempore movet (ut habitum est in septimo): ergo duplum ipsius B C movebit idem mobile, scilicet D, in medio tempore, quod sit F H, ita quod intelligatur tempus E F dividi per medium in puncto H. Semper autem sic addendo ad B C, minuetur tempus motus: sed quantumcumque addatur ad B C, nunquam potest transire A B, quod improportionabiliter excedit B C, sicut infinitum finitum: et cum A B habeat potentiam finitam, movet in tempore finito D. Et sic dividendo semper de tempore, quo movebat B C, pervenimus ad aliquod tempus minus quam sit tempus in quo movebat A B: quia omne finitum transcenditur per divisionem. Sequitur ergo, quod minor potentia moveat in minori tempore: quod est impossibile. Relinquitur ergo, quod in magnitudine infinita erat potentia infinita: quia scilicet potentia magnitudinis infinitae excedit omnem potentiam finitam. Et hoc probatum est per subtractionem temporis: quia omnis potentiae finitae necesse est ponere quoddam determinatum tempus, in quo movet. Quod ex hoc apparet: quia, si tanta potentia movet in tanto tempore, minor movebit in minori tempore, sed tamen determinato, idest finito secundum conversam proportionem: ut scilicet quantum additur ad potentiam, tantum diminuatur de tempore. Et sic, quantumcumque addas ad potentiam finitam, dummodo remaneat potentia finita, semper habebit tempus finitum: quia erit accipere aliquod tempus, quod erit tanto minus tempore prius dato, quanto potentia superexcrescens ex additione est major potentia prius data. Sed potentia infinita excellit in movendo omne determinatum tempus, sicut in omnibus aliis infinitis contingit: quia omne infinitum, sicut multitudo et magnitudo, excedit omne determinatum sui generis. Et sic manifestum est, quod potentia infinita excedit omnem potentiam finitam, ex quo excessus potentiae super potentiam, est sicut minoratio temporis a tempore, ut dictum est. Unde patet quod conclusio praedicta, scilicet quod magnitudinis infinitae sit potentia infinita, ex necessitate sequitur ex praemissis.

Deinde cum dicit « est autem »

Ponit ad idem aliam demonstrationem, quae non differt a prima nisi in hoc, quod prima concludebat accipiendo potentiam finitam existentem in magnitudine finita alterius generis: haec autem secunda demonstratio procedit accipiendo quamdam aliam potentiam finitam existentem in aliqua magnitudine finita ejusdem generis, cujus est magnitudo infinita. Puta, si sit aer magnitudinis infinitae, habens potentiam finitam: accipiemus quamdam potentiam finitam existentem in aliqua magnitudine finita ejusdem generis. Hac positione facta, manifestum quod potentia finita magnitudinis finitae aliquoties multiplicata, mensurabit potentiam finitam, quae est in infinita magnitudine: quia omne finitum mensuratur ab aliquo finito minori aliquoties sumpto, vel etiam exceditur. Cum ergo in magnitudine ejusdem generis oporteat quod major magnitudo habeat majorem potentiam, sicut major aer habet majorem potentiam quam minor; necesse erit, quod illa magnitudo finita, quae habebit eamdem proportionem ad magnitudinem finitam prius acceptam, quam habet potentia finita infinitae magnitudinis ad potentiam magnitudinis finitae prius acceptae, habeat aequalem potentiam potentiae magnitudinis infinitae. Sicut, si potentia finita magnitudinis infinitae sit centupla potentiae finitae cujusdam magnitudinis finitae datae, oportebit quod magnitudo, quae est centupla illius magnitudinis potentiae finitae, habeat aequalem potentiam magnitudinis infinitae: ex quo proportionabiliter in re ejusdem generis augetur magnitudo et potentia. Hoc autem est impossibile quod conclusum est: quia oportet vel quod magnitudo finita esset aequalis infinitae, vel quod minor magnitudo ejusdem generis habeat aequalem potentiam majori. Est ergo impossibile et primum, ex quo sequitur: scilicet quod magnitudo infinita habeat potentiam finitam. Sic ergo epilogando concludit duas conclusiones demonstratas: scilicet quod in magnitudine finita non possit esse potentia infinita: et quod in magnitudine infinita, non possit esse potentia finita.

LECTIO XXII.

An projectorum motus continui esse valeant.

De his autem quae feruntur bene se habet dubitare quamdam dubitationem primum. Si enim omne quod movetur, movetur ab aliquo: quaecumque non ipsa seipsa movent quomodo moventur aliqua continue non tangente eo quod movet? ut projecta.

Si autem simul movet et aliud quid quod movet, ut aerem, qui motus movet: similiter impossibile primo non tangente neque movente moveri; sed simul omnia moveri et quiescere, cum primum movens quiescet. Et si facit sicut lapis, ut movere quod movet aliud.

Necesse autem est hoc quidem dicere, quod primum movens facit ut possit movere, aut aer hujusmodi, aut aquam, aut aliud aliquid tale, quod aptum natum est movere et moveri: sed non simul pausat movens et quod movetur: sed quod movetur quidem simul cum movens quievit, movens autem adhuc est: unde movetur cum alio habitum. Et in hoc eadem ratio est. Pausat autem, cum minor virtus movendi fit in habito: tamdem autem quiescit, cum non amplius faciat quod prius movens, sed motum solum. Haec autem necesse est simul pausare hoc quidem movens, hoc autem motum, et totum motum.

Hic igitur in contingentibus, aliquando quidem moveri, aliquando quidem quiescere fit motus: et non continuus, sed videtur. Aut enim consequenter entium est, aut tangentium: non enim unum movens est, sed habita adinvicem sunt. Unde et in aere et in aqua fit hujusmodi motus: quem dicunt quidam antiperistasin esse. Impossibile autem aliter opposita solvere, nisi dicto modo. Antiperistasis autem, simul omnia moveri facit et movere: quare et quiescunt. Nunc autem videtur unum aliquid, quod continue movetur a quocumque: non enim ab eodem.

De his autem quae feruntur, recte habet dubitationem quamdam primum proponere. Nam si quicquid movetur, ab aliquo movetur: quaecumque non se ipsa movent, horum nonnulla quomodo continenter moventur, non tangente eo quod movet? veluti quae projiciuntur. Quodsi is qui movet, simul etiam aliud quodpiam moveat, ut aerem, qui dum movetur, movet: similiter impossibile est, primo non tangente nec movente, moveri; sed simul omnia et moveri et cessare quum movens primum cessaverit, etiamsi faciat ut lapis ille, nempe ut id moveat quod movit. Sed necesse est hoc dicere primum movens efficere ut possit movere vel aer talis, vel aqua, vel aliud quidpiam tale, quod natura aptum est movere et moveri. Non tamen simul et desinit movere et moveri: sed desinit quidem moveri, simul ac movens desinit movere; adhuc tamen est movens: idcirco etiam movet aliquid aliud, quod haeret. Atque hujus eadem est ratio. Cessat autem, quando minor vis movendi imprimitur in eo quod haeret. Tamdem vero desinit, quando id quod est prius, non facit amplius ut moveat, sed solum ut moveatur. Verum necesse est haec simul desinere: id quod movet, et id quod movetur, ac totum motum. Hic igitur motus fit in iis quae possunt modo moveri, modo quiescere. Nec est continuus, sed videtur. Aut enim est eorum quae deinceps sunt, aut quae se tangunt: quandoquidem non est unum quod movet, sed multa sibi invicem cohaerentia. Ideoque hujusmodi motus fit in aere, et in aqua. Quem nonnulli ajunt esse antiperistasin. Sed est impossibile, ea de quibus dubitatum fuit, aliter solvere, quam eo modo quem diximus. Antiperistasis autem simul facit omnia moveri et movere, proinde etiam quiescere; nunc vero videtur unum quidpiam moveri continenter, a quonam igitur? quandoquidem non movetur a se ipso.

Postquam Philosophus ostendit duo, quae sunt necessaria ad principale propositum ostendendum, scilicet quod potentia finita non possit movere tempore infinito, et quod potentia infinita non possit esse in magnitudine finita, nunc accedit ad probandum tertium, idest unitatem primi motoris. Et circa hoc duo facit. Primo enim ostendit quod propter diversitatem motorum deficit continuitas vel unitas motus in quibusdam mobilibus, quae videntur continue moveri; secundo ostendit ex hoc, quod primum motorem necesse est esse unum, ibi, « Quoniam « autem in his. » Circa primum tria facit. Primo enim movet dubitationem de his quae projiciuntur, secundo solvit dubitationem, ibi, « Necesse est « autem. » Tertio ostendit ex hoc quod motus corporis projecti non est continuus, ibi, « Hic igitur. » Circa primum duo facit. Primo ponit dubitationem, secundo excludit quamdam solutionem, ibi, « Si « autem simul. » Proponit ergo dubitationem primo de his quae feruntur projecta: quae talis est. Ostensum est supra in principio hujus octavi, quod omne quod movetur ab alio movetur, dummodo non sint de illis quae movent seipsa, sicut sunt animalia, de quorum numero non est lapis projectus. Movet autem corporale per contactum. Est ergo dubitatio quomodo projecta continue moventur, etiam postquam tanguntur a movente. Videtur enim quod moveantur nullo movente ipsa.

Secundo ibi « si autem »

Excludit quamdam solutionem, quae dicitur fuisse Platonis: qui dicebat quod projiciens, qui primo movit lapidem, simul etiam movet cum lapide aliquid, scilicet aerem, et aer motus movet lapidem etiam post contactum projectoris. Sed hanc solutionem excludit: quia similiter videtur impossibile quod moveatur aer, non tangente neque movente primo, scilicet projectore, sicut erat impossibile de lapide: sed videtur esse necessarium, quod simul dum primum movens movet, omnia moveantur; et dum primum movens quiescit, idest cessat a movendo, omnia quiescant: quamvis etiam aliquid motum a primo movente, sicut lapis, faciat aliquid moveri, sicut id quod primo movit movebat.

Deinde cum dicit « necesse autem »

Ponit suam solutionem: et dicit, quod si secundum movens movet motum a primo movente, necesse est hoc dicere, quod primum movens, scilicet projiciens, det secundo moventi, scilicet aeri, vel cuicumque tali corpori, quod est natum movere corpus projectum, ut possit movere, et ut possit moveri: utrumque enim habet aer vel aqua a projiciente; et quod moveat, et quod moveatur. Sed quia movere et moveri non de necessitate sunt in eodem, cum inveniatur aliquod movens non motum, « non « simul pausat movens et quod movetur. » Idest aer motus a projiciente non simul cessavit movere et moveri; sed statim, cum primum movens, idest projiciens, cessaverit movere, et aer cessat moveri, sed adhuc movet. Et hoc manifestum est ad sensum: quia quando aliquod mobile jam pervenerit ad terminum motus, in ipso ultimo perventionis potest movere, sed tunc non movetur, sed est in motum esse: dum autem secundum movens movet, movetur illud quod est habitum, idest consequenter se habens ad ipsum. Et de hoc etiam tertio est eadem ratio, quia remanet movens etiam quando non movetur. Et, quia secundum movens habet minus de potentia movendi quam primum, et tertium quam secundum, oportet quod cesset motus projectionis, ex hoc scilicet quod minor est virtus movendi « in « habito » idest consequenti, quam in eo in quo fuit primo Et sic tamdem, propter minorationem virtutis movendi, venietur ad hoc quod id quod est primum et prius respectu sui consequentis, non faciet ipsum consequens habere potentiam movendi, sed faciet ipsum tantummodo moveri. Et tunc necesse est quod simul dum illud ultimum movens pausat movendo, et motum ab ipso pauset a moveri; et per consequens pausabit totus motus, quia ultimum motum non potest movere aliquid aliud.

Deinde cum dicit « hic igitur »

Concludit ex praemissis, quod iste motus projectionis non sit continuus. Dicit ergo: hic motus, scilicet projectionis, fit in corporibus, quae contingit aliquando moveri et aliquando quiescere, si qua vere sunt quibus conveniat. Quod patet ex dictis. Quiescit enim projectionis motus per defectum virtutis movendi, ut dictum est. Patet etiam ex praemissis, quod ille motus non est continuus, etsi continuus videatur. Videtur enim continuus

propter mobilis unitatem; non tamen est continuus: quia sunt diversa moventia, ut dictum est. Aut enim ille motus est a pluribus moventibus consequenter se habentibus, aut etiam a pluribus moventibus se tangentibus. Quomodo autem differant consequenter se habere et tangere, supra dictum est in quinto et in sexto. Et manifestum est ad sensum, quod utroque modo se habentibus moventibus diversis, possunt movere unum mobile, secundum quod ipsa moventur ab aliquo primo movente. In his enim quae moventur motu projectionis, motus fit per medium facile divisibile, scilicet per aerem et aquam, in quibus propter divisionem non est unum movens tantum, sed multa habita adinvicem, et consequenter se habentia, et contacta. Et, quia diversitas non est absque divisione, ideo praedictus projectionis motus fit per medium facile divisibile, idest per aerem et aquam, in quibus, propter divisionem, de facili contingit diversitas moventium. Quem quidem motum projectionis aliqui dicunt esse antiperistasin, et contraresistentiam, ex eo scilicet quod aer circumstans motus aliquo modo movet corpus projectum, sicut supra dictum est in quarto. Sed non potest praedicta dubitatio solvi nisi eo modo qui positus est: quia si ponatur causa projectionis antiperistasis aeris, sequitur quod omnia simul moveant; idest quod totus aer simul moveat et moveatur, et per consequens quod simul quiescant omnia: quod patet esse falsum. Videmus enim unum aliquid esse, quod continue movetur a quocumque moveatur. Quod ideo dico, quia non habet unum, et ideo determinatum movens, sed moventia diversa.

LECTIO XXIII.

Primum Motorem indivisibilem esse et impartibilem, nullamque prorsus habere magnitudinem, demonstratur.

ANTIQUA.

Quoniam autem in his quae sunt, necesse est semper esse motum continuum: hic autem unus est: necesse autem unum magnitudinis alicujus esse (non enim movetur impartibile): et unus ab uno: non enim erit continuus, sed habitus alter alteri et divisus. Movens igitur, si est unum, aut motum movet, aut immobile existens.

Si igitur motum consequi oportebit, et mutari ipsum, simul autem moveri ab aliquo. Quare stabitur, et venietur in ipsum moveri ab immobili. Hoc autem non necesse est simul mutari, sed semper poterit aliquid movere; infatigabile enim est sic movere.

Et regularis hic motus est, aut solus, aut maxime. Non enim habet mutationem ullam movens. Oportet autem, neque quod movetur juxta illud habere mutationem, quatenus similis sit motus.

Necesse est autem aut in medio aut in circulo esse. Haec enim principia sunt; sed citius moventur quae sunt proxima moventi. Hujusmodi autem est totius motus. Ibi ergo est movens.

Habet autem dubitationem si contingat aliquod quod movetur movere continue, sed non sicut impellens iterum, et iterum consequenter esse continue.

Aut enim ipsum oportet impellere aut trahere aut utra-

RECENS..

Quoniam autem in iis quae sunt, necesse est semper motum esse continuum, hic vero est unus; necesse autem est unum motum esse alicujus magnitudinis (id enim non movetur, quod est magnitudinis expers), et unius et ab uno: alioqui non erit continuus, sed alter alteri haerens, ac divisus. Id igitur quod movet, si unum est, aut movet quum moveatur, aut cum sit immobile. Hac si quidem moveatur, consequi oportebit, ut et ipsum mutetur, et simul moveatur ab aliquo: quocirca stabitur, et ad hoc pervenietur ut moveatur ab immobili. Hoc enim non est necesse ut simul mutetur, sed semper poterit aliquid movere (nam et ita movere, labore vacat): et hic motus aut solus, aut maxime omnium est aequabilis: quoniam id quod movet, nullam suscipit mutationem. Oportet autem ne id quidem quod movetur, ratione habita ejus quod movet, suscipere mutationem, ut motus sibi similis sit.

Porro necesse est ut vel sit in medio, vel in circulo: principia namque haec sunt. Atqui celerrime ea moventur, quae sunt moventi maxime propinqua: talis autem est motus universi: illic igitur est id quod movet.

Exsistit autem dubitatio, an possit aliquid, quum moveatur, moveri continenter, ac non potius ut id quod pellit iterum atque iterum, eo quod deinceps est continenter. Vel enim oportet ut ipsum pellat, vel ut trahat, vel ut faciat utrumque aut aliquid aliud contingens aliud ab alio, sicut olim dictum est in his quae projiciuntur, si cum divisibilis sit aer, aut aqua movet: sed sicut semper motus; utrobique autem non possibile est motum unum esse, sed habitum. Solus itaque continuus est quo movet immobile. Semper enim similiter se habens et ad id quod movetur, similiter se habebit et continue.

Determinatis autem his, manifestum est quoniam impossibile est primum movens et immobile habere aliquam magnitudinem. Si enim magnitudinem habet, necesse est aut finitam ipsam esse, aut infinitam. Infinitam, igitur, quod non contingit magnitudinem esse, ostensum est prius in Physicis. Quod autem impossibile est finitam habere infinitam potentiam, et quod impossibile est a finito moveri aliquid secundum infinitum tempus, demonstratum est nunc. Primum autem movens perpetuo movet motu, et infinito tempore. Manifestum itaque est, quod indivisibile est et impartibile, et nullam habens magnitudinem.

que, vel aliquid diversum excipiet, nempe aliud ab alio, ut antea dictum fuit de iis quae projiciuntur. Quodsi, quum dividuus sit, aer vel aqua movet, non tamen ut semper moveatur: utroque autem modo non potest esse unus motus, sed cohaerens: solus igitur est continuus quem id efficit quod est immobile. Quum enim semper se similiter habeat, etiam ad id quod movetur, similiter se habebit, et continenter.

His autem definitis, perspicuum est, impossibile esse ut id quod primum movet, et est immobile, habeat aliquam magnitudinem. Nam si magnitudinem habet, necesse est ut ipsum sit vel finitam vel infinitam. Ac non posse quidem esse magnitudinem infinitam, probatum est antea in Physicis: magnitudinem vero finitam non posse habere vim infinitam, et esse impossibile ut a finito moveatur aliquid tempore infinito, nunc probatum fuit. Atqui primum movens, efficit motum aeternum, atque infinito tempore. Perspicuum igitur est, id esse individuum, et vacare partibus, et nullam habere magnitudinem.

Soluta dubitatione, quam moverat de motu projectionis, ex cujus solutione accipit, quod non est unus motus continuus, qui est a pluribus moventibus, hic accedit ad principale propositum, ut scilicet ostendat unitatem primi motoris. Et circa hoc duo facit. Primo ostendit propositum; secundo movet quamdam dubitationem et solvit, ibi, « Habet autem « dubitationem. » Circa primum tria facit. Primo ostendit unitatem primi motoris per continuitatem motus; secundo, quomodo ab uno motore procedit motus continuus, ibi, « Si igitur motum. » Tertio, ubi sit principium motus continui, ibi, « Necesse est « autem. » Quod autem necesse sit esse unum motorem, probat per continuitatem motus; accipiens quod supra probaverat, quod necesse est aliquem motum continuum semper esse. Motus autem continuus est unus, ut dictum est in quinto: ergo necesse est semper accidere aliquem motum esse unum. Ad hoc autem quod motus sit unus, necesse est quod sit unius magnitudinis motae: quia non potest moveri aliquod impartibile, ut probatum est in sexto: et etiam oportet quod sit ab uno motore. Sive enim sint diversa mobilia, sive diversi motores, non erit unus motus, et per consequens nec continuus; sed erit unus motus divisus ab alio divisione mobilis vel motoris, et consequenter se habentes. Necesse est igitur movens esse unum, quod vel moveat motum, vel moveat immobile existens.

Secundo ibi « si igitur »

Ostendit quomodo ab uno motore possit esse motus continuus. Et circa hoc duo facit. Primo ostendit quomodo ab uno motore possit esse unus motus continuus semper; secundo quomodo sit regularis, ibi, « Et regularis. » Dicit ergo primo, quod motus est unus qui est ab uno motore, sicut dictum est. Aut ergo est a motore moto, aut a motore non moto. Si igitur sit movens motum, sequitur quod movetur ab aliquo, secundum ea quae supra probata sunt: sed hoc non potest procedere in infinitum, ut supra probatum est. Quare stabit iste processus motorum et mobilium, et perveniet ad aliquod primum mobile, quod movetur ab immobili motore, quod quidem non habet necessitatem ut moveat, quia non movetur ab alio. Quod enim ab alio movetur, ex necessitate movet, secundum quod imponitur ei necessitas a suo motore. Et quia mutatur a sua dispositione, non potest semper movere uniformiter, quia variatur dispositio ejus. Sed moventi non moto non imponitur necessitas ab alio, nec mutatur dispositio ejus; un-

de non ex necessitate movet, sed potest semper movere: scilicet absque sui mutatione, quia sic movere, scilicet absque sui mutatione, est infatigabile. Ex hoc enim accidit fatigatio in movendo aliquibus motoribus, quia simul et ipsi moventur: et ex fatigatione contingit, quod non semper possunt movere. Unde relinquitur, quod movens non motum potest movere motu continuo sempiterno. Et quia ad perfectam motus continuitatem et unitatem requiritur, quod motus sit regularis et uniformis, ut in quinto habitum est: ideo consequenter cum dicit « et regularis »

Ostendit quod motus, qui est a motore immobili, sit regularis: et dicit, quod iste solus motus est regularis, qui est a motore immobili; vel si aliqui alii sunt regulares, iste est maxime regularis. Utitur autem hac disjunctione, quia dispositio moventis quandoque per aliquod tempus manet eadem, non variata ad minus secundum sensum; et secundum hoc videtur per aliquod tempus movere motum uniformem, quia tale movens non habet nisi unam mutationem. Quod dicit ad ostendendum, quod quaedam moventia sunt, quae non moventur eo motu quo movent; sicut corpus caeleste non movetur motu alterationis, sed movetur quodam alio motu, scilicet motu locali. Sed primum movens omnino immobile nulla mutatione movetur. Nec solum requiritur ad hoc quod motus sit regularis et uniformis, quod movens sit omnino immobile; sed etiam oportet ad hoc quod « sit motus similis, » idest uniformis, quod id quod movetur, non habeat aliquam mutationem juxta hanc, qua movetur a motore immobili. Sicut corpus caeleste movetur a motore immobili localiter, et juxta illam mutationem non habet aliquam alterationem. Si enim alteraretur, non semper remaneret eadem dispositio ad motum, et sic non esset motus ejus uniformis.

Deinde cum dicit « necesse est »

Ostendit ubi sit principium motus continui primi. Et, quia ostensum est quod primus motus est circularis, qui quidem motus competit magnitudini circulari, necesse est quod primum principium hujus motus sit aut in medio, idest in centro, aut in circulo: quia illa sunt principia magnitudinis circularis. Lineae enim in magnitudine circulari a centro ad circumferentiam ducuntur: unde necesse est, quod alterum istorum accipiatur sicut principium, et alterum sicut terminus. Ostendit autem consequenter, quod principium primum motus est in circulo, tali ratione. Omnis motus quanto est propinquior primo moventi, tanto est velocior, et magis recipit impressionem moventis. Sed ita videmus in motu totius firmamenti, qui est a primo motore immobili, quod quanto aliquod mobile magis appropinquat supremae circumferentiae, tanto citius movetur: ergo movens est in circulo et non in centro. Hujus igitur rationis Major manifesta est. Sed ad evidentiam minoris propositionis, considerandum quod in corporibus caelestibus invenitur duplex motus: unus, qui est totius firmamenti, quo scilicet totum firmamentum revolvitur ab oriente in occidente motu diurno; et ille est primus motus: alius motus est, quo stellae moventur e converso, ab occidente in orientem. In hoc autem secundo motu tanto unumquodque caelestium corporum velocius movetur, quanto propinquius est centro, ut patet secundum computationem astrologorum, qui motui Lunae deputant tempus unius mensis, Soli vero, Mercurio et Veneri unum annum, Marti vero duos, Jovi duodecim, Saturno triginta, et stellis fixis triginta sex millia annorum. Sed secundum motum totius firmamenti est e converso. Nam quanto aliquod caelestium corporum est remotius a terra, tanto velocius movetur: quia pertransit majorem magnitudinem in eodem tempore. Majores enim sunt circumferentiae circulorum magis a centro distantes: et tamen omnia corpora caelestia secundum motum totius eodem tempore revolvuntur, et sic oportet superiora esse velociora. Unde relinquitur, quod principium primi motus non sit in centro, sed in circumferentia. Sed tunc oritur dubitatio de conclusione. Primum enim movens, ut infra concludet, est indivisibile et nullam habens magnitudinem, nec ejus potentia est potentia in magnitudine. Quod autem est hujusmodi, non videtur habere determinatum situm in corpore: non ergo contingit primo motori esse magis in una parte primi mobilis, quam in alia.

Sed dicendum est, quod dicitur, primum movens esse in aliqua parte sui mobilis, non per determinationem suae substantiae, sed per efficientiam motus: quia ex aliqua parte sui mobilis movere incoepit: ideo potius et dicitur esse in caelo quam in terra, et potius in oriente unde incipit: quod non potest intelligi secundum aliquam affixionem motoris illius ad partem determinatam mobilis, cum non sit aliqua pars determinata mobilis semper in oriente; sed quae nunc est in oriente, postmodum est in occidente. Et sic patet quod dicitur esse virtus movens in oriente per influentiam motus, et non per determinationem suae substantiae.

Est etiam considerandum in motu sphaerae, quod finis in motu habet quamdam immobilitatem: partes enim moventur mutando locum subjecto et ratione: sed totum movetur mutando locum ratione, et non subjecto, ut in sexto habitum est. Et haec duo attribuuntur duobus principiis magnitudinis sphaericae, de quibus hic fit mentio. Nam principium motus est ex parte circumferentiae; principium autem immobilitatis est ex fixione centri.

Deinde cum dicit « habet autem »

Movet quamdam dubitationem circa praedicta. Et primo movet eam. Secundo solvit, ibi, « Aut « enim ipsum. » . Dixerat enim supra, quod movens immobile potest causare motum continuum: et ideo hic consequenter inquirit, utrum aliquod movens motum possit causare aliquem motum continuum: ita scilicet quod sit vere continuus absque

aliqua intercisione, sicut accidit intercisio cum aliquis impellit aliquod corpus, et iterum impellit alia vice. Manifestum est enim, quod ille motus qui sic continuatur ex parte mobilis, non est vere continuus, eo quod motiones non sunt continuae, sed una se habet consequenter ad aliam. Non enim continue impellit, sed intercise, ita quod impulsio consequenter se habet ad impulsionem.

Secundo ibi « aut enim »

Solvit praedictam dubitationem; et dicit, quod nullum movens motum potest causare continuum motum: necesse est enim dicere, quod mobile, quod continue videtur moveri, aut moveatur immediate per totum motum ab ipso movente moto, aut per multa media: quorum unum contingatur ab alio, sicut dictum est in motu projectionis. Et ista divisio habet aequaliter locum, sive movens motum moveat impellendo, sive trahendo, sive utroque modo, ut accidit in motu vertiginis, ut supra in septimo habitum est. Nec contingit pluribus modis aliquid localiter moveri a movente moto per se, et non per accidens. Et quia dixerat quod in his quae projiciuntur est aliud et aliud movens: et hoc videtur esse falsum, propter hoc quod projectum continue videtur moveri ab aere uno existente: ideo ad hoc excludendum subjungit, quod cum aer aut aqua sit facile divisibilis, ex hoc movet quasi aliud et aliud movens: sed tamen movet sicut semper motus quamdiu durat motus corporis projecti. Et quamvis videatur esse unus aer, tamen est alius et alius per divisionem. Utrobique autem, idest sive movens motum moveat impellendo, sive trahendo, non potest esse unus motus, sed oportet quod sit habitus, idest consequenter se habens, per rationem quae supra posita est in motu projectionis, scilicet ex diversitate moventium. Relinquitur ergo quod solus motus qui est a motore immobili, possit esse semper continuus· quia movens se habet semper similiter secundum eamdem dispositionem in seipso; et ideo semper continue potest se similiter habere ad mobile, ut scilicet semper uniformiter moveat ipsum.

Est autem hoc attendendum: quod sempiternitatem continui motus attribuit hic Philosophus immobilitati motoris, supra autem infinitae potentiae ejus. Nam sempiternitas motus continui, si attendatur secundum reiterationem motus, respicit immobilitatem moventis: quia si semper similiter se habet, poterit semper reiterare eodem modo. Sed infinita virtus moventis respicit ad totam motus sempiternitatem vel infinitatem, sicut supra dictum est.

Est etiam attendendum quod, quia nullum movens motum potest causare motum continuum sempiternum, ideo in undecimo Metaphysicae probare intendit multitudinem motorum immobilium, secundum multitudinem caelestium motuum: quasi illa consideratio sequatur ad istam.

Deinde cum dicit « determinatis autem »

Ex praemissis demonstratis concludit principale intentum: et dicit, quod impossibile est primum movens immobile habere aliquam magnitudinem, vel ita quod ipsum sit corpus, vel quod sit virtus in corpore: quia si haberet aliquam magnitudinem, aut esset finita, aut infinita. Ostensum est autem supra in tertio in communibus naturae, quod non est possibile esse aliquam magnitudinem infinitam: relinquitur ergo, si habet magnitudinem, quod habeat magnitudinem finitam. Et ex hoc probatur quod impossibile est finitam magnitudinem habere potentiam infinitam. Quod autem primum movens immobile necesse sit habere potentiam infinitam, probat per id quod supra demonstratum est, quod impossibile est a potentia finita moveri aliquid secundum infinitum tempus. Primum autem movens causat perpetuum motum et continuum, et tempore infinito, unus et idem existens: alioquin motus ille non esset continuus: ergo habet potentiam infinitam: et sic non habet magnitudinem finitam nec infinitam. Manifestum est itaque quod primum movens est indivisibile, et quod nullam partem habet, sicut etiam est indivisibile punctum, et etiam sicut omnino nullam magnitudinem habens, quasi extra genus magnitudinis existens. Et sic terminat Philosophus considerationem communem de rebus naturalibus in primo principio totius naturae, qui est super omnia Deus benedictus in saecula saeculorum. Amen.

EXPLICIT VOLUMEN PRIMUM.

INDEX

EORUM QUAE IN HOC VOLUMINE CONTINENTUR

———◦◦◦———

POSTERIORUM ANALYTICORUM

LIBER PRIMUS

De demonstrationis essentia, conditionibusque ad eum requisitis. De differentia demonstrationum quod seu quia, et propter quid, quae figura aptior sit demonstrationi. De ignorantiae speciebus quae in scientiis accidunt. Finitos esse demonstrativarum propositionum terminos. De demonstrationum variis speciebus et earum inter se comparatione. De variis demum theorematibus ad demonstrationem conferentibus.

LIBER SECUNDUS

De quatuor medii quaesitis: si est, quid est, quod, vel quia est, et propter quid. Quomodo quid est monstretur ac ad demonstrationem se habeat. Definitionem esse per causam. De divisione causarum et quae mutuo concurrant et quae non, et quomodo illarum possit esse demonstratio. De compositione definitionis ex suis partibus, et quando sunt ignotae, quo pacto venentur. Pariter quomodo causae venentur. Postremo, de cognitione ac differentia principiorum indemonstrabilium.

DE PHYSICO AUDITU SEU PHYSICORUM
LIBER PRIMUS

Naturalium principia tum ex antiquorum, tum ex propria opinione venatur, eaque tria esse statuit, materiam scilicet ac formam per se: privationem vero per accidens.

LIBER SECUNDUS

De natura et naturalium rerum quidditate et earum quatuor causarum generibus per se. Deque casu ac fortuna causis per accidens, eorumque variis effectibus ac modis.

LIBER SEPTIMUS

Omne motum habere motorem, nec processum in infinitum esse, sed omnia ad primum reduci ostenditur. Motum item simul esse cum eo, quod movet, inductione probatur: et utrum omnis motus omni motui sit comparabilis, et quomodo, perquiritur.

LIBER OCTAVUS

Motum ipsum ex omni parte sempiternum fore cum ostensum fuerit, primum motorem penitus immobilem, perpetuum et unum esse demonstratur. An etiam continuus detur motus, et quis nam primus sit, inquiritur. Primum denique motorem indivisibilem et impartibilem, omnique prorsus magnitudine carere concluditur.